Diccionario
de la
Zarzuela
ESPAÑA
e HISPANOAMÉRICA

Diccionario de la Zarzuela
España e Hispanoamérica
II

Director y coordinador general

EMILIO CASARES RODICIO

Colaboradores

Mª Luz González Peña • Oliva García Balboa • Judith Ortega

Francesc Cortès • Mª Encina Cortizo • Rafael Díaz
Clara Díaz • Carole Fernández • Luis G. Iberni
Vicente Galbis • Emilio G. Carretero • Alma Guerola • Marta Lena
Ricardo Miranda • José Peñín • José Piñeiro • Víctor Sánchez
Ramón Sobrino • Javier Suárez-Pajares • Rocío Terán • Benjamín Yépez

Fonografía

Raquel Peña Fernández

INSTITUTO
COMPLUTENSE
DE
CIENCIAS
MUSICALES

EQUIPO NAGUAL, S.L.

DIRECCIÓN ARTÍSTICA
Alberto Soria

ASESORÍA GENERAL PARA EQUIPO NAGUAL, S.L.
Miguel Ángel Navarro

MAQUETACIÓN
Jorge Fajardo / Beatriz Verde

COLABORACIÓN
Roberto Navarro

ICCMU

DIRECTOR
Emilio Casares Rodicio

EDICIÓN
María Luz González Peña / Judith Ortega

DOCUMENTACIÓN GRÁFICA
Oliva García Balboa

FONOGRAFÍA
Raquel Peña Fernández

GRAFÍA MUSICAL
Juan A. Rodríguez

FILMACIÓN E IMPRESIÓN
Equipo Nagual, S.L.

ENCUADERNACIÓN
J. L. Sanz

EDICIÓN PATROCINADA POR

FUNDACIÓN DE LA
ZARZUELA ESPAÑOLA

Guardas: Techo del Teatro de la Zarzuela de Madrid, compuesto y pintado por los señores Manuel Catellano y Francisco Hernández Tomé
Frontispicio: Vista interior del Teatro de la Zarzuela de Madrid
Litografías de V. Urrabieta / Lit. de J. J. Martínez

© Instituto Complutense de Ciencias Musicales, 2003

ISBN: 84-89457-23-9
ISBN obra completa: 84-89457-30-1
Depósito legal: M-45414-2003

ABREVIATURAS Y SIGLAS

Aa   archivo del autor
act   acto
adap   adaptación, adaptador
AnM   *Anuario Musical*, Barcelona, 1946 y siguientes
anón   anónimo, anónimamente
Apr   apropósito
AR   Antonio Romero, editorial, Madrid
arr   arreglo, arreglado por
atr   atribuido a

BC   Benito Campo, editorial, Madrid
BCA   Bernabé Carrafa, editorial, Madrid
BME   F. A. Barbieri: *Biografías y documentos sobre música y músicos españoles. Legado Barbieri I*, editor E. Casares, Madrid, Fundación Banco Exterior, 1986
BSGAE   *Boletín de la Sociedad General de Autores y Editores*, Madrid, 1933 y siguientes
Bu   bufo/a, bufonada
BZ   Benito Zozaya, editorial, Madrid

ca.   circa [aproximadamente]
Calc.   calcolgrafía
cass   casete
CCA   J. Campo y Castro, editorial, Madrid
CCE   F. Hernández Girbal: *Cien cantantes españoles de ópera y zarzuela (Siglos XIX y XX)*, Madrid, Lira, 1994
CD   disco compacto
Cd   Casa Dotesio, editorial, Madrid
CDE   T. Rodríguez Sánchez: *Catálogo de dramaturgos españoles del siglo XIX*, Madrid, Fundación Universitaria Española, 1994
CIDMUC   Centro de Investigación de la Música Cubana
CM   Casimiro Martín, editorial, Madrid
col.   en colaboración con
Com   comedia
cóm   cómico/a
CS   Carrafa y Sanz Hermanos, editorial, Madrid
CTLBN   Varios autores: *Catálogo del teatro lírico español en la biblioteca nacional*, 3 volúmenes, Madrid, Ministerio de Cultura, 1986-1991
CU: Cuba
CU:HAN   La Habana, Archivo Nacional
CU:HMNM   —, Museo Nacional de la Música

DAT   M. Gómez García: *Diccionario AKAL de teatro*, Madrid, Akal, 1998
DB   Dionisio Bornás, editorial
DBE   B. Saldoni: *Diccionario biográfico bibliográfico de efemérides de músicos españoles*, Madrid, 1868-1881 (edición facsímil, J. Torres, Madrid, Ministerio de Cultura, 1986)
Dir.   director, dirigido por
DME   F. A. Barbieri: *Documentos sobre música y músicos españoles. Legado Barbieri II*, editor E. Casares, Madrid, Fundación Banco Exterior, 1988

DMEH   *Diccionario de la música española e hispanoamericana*, director E. Casares, 10 volúmenes, Madrid, Sociedad General de Autores y Editores, 1999-2002
Dr   drama
DU   J. M. Ducazcal, editorial, Madrid
DUE   G. Sanz: *Diccionario universal de efemérides de escritores (de todos los tiempos)*, Madrid, Biblioteca Nueva, 1999

E: España
E:Bc   Barcelona, Biblioteca de Catalunya
E:Bcm   —, Conservatorio Superior Municipal de Música
E:Bit   —, Institut del Teatre
E:Bsa   —, Archivo de la Sociedad General de Autores y Editores
E:Ma   Madrid, Real Academia de Bellas Artes de San Fernando
E:Mam   —, Biblioteca Musical del Ayuntamiento
E:Mc   —, Madrid, Real Conservatorio Superior de Música
E:Mm   —, Biblioteca Municipal
E:Mn   —, Biblioteca Nacional
E:Msa   —, Archivo de la Sociedad General de Autores y Editores
E:VAsa   Valencia, Archivo de la Sociedad General de Autores y Editores
EA   edición del autor
EAg   Eusebio Aguado, Imprenta de Cámara de Su Majestad
Ed.   editorial
ed.   edición, editor, editado por
EDL   F. C. Sainz de Robles: *Ensayo de un diccionario de la literatura. Diccionario de autores españoles e hispanoamericanos*, Madrid, Aguilar, 1953
EGREM   Empresa de Grabaciones y Ediciones Musicales, La Habana
Ej.   ejemplo
Ent   entremés
ER   Erviti, editorial, San Sebastián
Esc   escena
est   estreno
et.   etiqueta

FA   Fuentes y Asenjo, editorial, Madrid
facs.   facsímil
Fant   fantasía
FB   Faustino Bernareggi, editorial, Barcelona
FC   Ferrer de Climent e Hijos, editorial, Barcelona
FE   Faustino Echeverría, editorial, Madrid
FF   Faustino Fuentes, editorial, Madrid

GR   Guardia Rabassó y Compañía, editorial, Barcelona
HGZ   E. Casares Rodicio: *Historia gráfica de la zarzuela. Del canto y los cantantes*, Madrid, Instituto Complutense de Ciencias Musicales, 2000

HMA	V. Gesualdo: *Historia de la música en la Argentina*, Buenos Aires, BETA S.R.L., 1961
HTE	N. Díaz Escobar, F. de P. Laso de la Vega: *Historia del teatro español*, Barcelona, Montaner y Simón, 1924
Hum	humorada
HZ	E. Cotarelo y Mori: *Ensayo histórico sobre la zarzuela, o sea el drama lírico español desde su origen a fines del siglo XIX*, Madrid, Tipografía de Archivos, 1934 (reedición facsímil E. Casares, Madrid, Instituto Complutense de Ciencias Musicales, 2001)
IA	Ildefonso Alier, editorial, Madrid
ICCMU	Instituto Complutense de Ciencias Musicales, Madrid
IMHA	*La Ilustración Musical Hispanoamericana*, revista, Barcelona, 1888-96
Imp.	imprenta
INAEM	Instituto Nacional de las Artes Escénicas y de la Música, España
inc	incompleto
inéd.	inédito
JA	Juan Ayné, editorial, Barcelona
JB	Juan Budó, editorial, Barcelona
JBP	Juan Bautista Pujol, editorial, Barcelona
Jug	juguete
l	letra, libreto, libro
Ley	leyenda
lír	lírico/a
LL	León Lodre, editorial, Madrid
LP	disco, discos de larga duración
LVB	E. Río Prado: *La Venus de bronce. Hacia una historia de la zarzuela cubana*, Colorado, Society of Spanish and Spanish American Studies, 2002
M	música
MBPI	*La música en el Boletín de la Propiedad Intelectual [1847-1915]*, Madrid, Biblioteca Nacional, 1997
ME	M. L. González Peña, J. Suárez-Pajares, J. Arce Bueno: *Mujeres de la escena (1900-1940)*, Madrid, Sociedad General de Autores y Editores, 1996
Mel	melodrama
MIHA	*La Música Ilustrada Hispanoamericana*, revista, Barcelona, 1898-1902
MS	Martín Salazar, editorial, Madrid
Ms.	manuscrito
MT	S. Delgado: *Mi teatro*, Madrid, Imprenta Hijos de M. G. Hernández, 1905 (reedición M. L. González Peña, Madrid, Sociedad General de Autores y Editores, 1999)
Noc	nocturno
O	Orbe, editorial, La Habana
OCCE	F. Hernández Girbal: *Otros cien cantantes españoles de ópera y zarzuela (Siglos XIX y XX)*, Madrid, Lira, 1997
OE	A. Peña y Goñi: *La ópera española y la música dramática en España en el siglo XIX*, Madrid, Imprenta de El Liberal, 1881

OGCH	J. Deleito y Piñuela: *Origen del género chico*, Madrid, Revista de Occidente, 1949
OOE	E. Cotarelo y Mori: *Orígenes y establecimiento de la ópera en España hasta 1800*, Madrid, Tipografía de Archivos, 1917
Óp	ópera
op.	opus
Opt	opereta
OT	Orfeo Tracio, editorial, Madrid
Pas	pasatiempo
PM	Pablo Martín, editorial, Madrid
Pról	prólogo
QU	Ediciones Quiroga, Madrid
reed.	reedición
RHTM	E. Olavarría y Ferrari: *Reseña histórica del teatro en México*, México, La Española, 1880-85 (reedición México, Porrúa, 1965)
RMA	Romero y Marzo, editorial, Madrid
RMS	*Revista de Musicología*, Madrid, Sociedad Española de Musicología, 1978 y siguientes
RNE	Radio Nacional de España
RTVE	Radio Televisión Española
Rv	revista [género teatral]
s. ed.	sin indicación de editor
SAE	Sociedad de Autores Españoles, editorial
Sai	sainete [género teatral]
sf	sin fecha
SGAE	Sociedad General de Autores y Editores, España
SMA	Santiago Mascardó, editorial, Madrid
Sol.	solista
ss	siguientes
Sui	suite
SV	Carlos Saco del Valle, editorial, Madrid
TA	V. Ruiz Albéniz, "Chispero": *Teatro Apolo. Historial, anecdotario y estampas madrileñas de su tiempo (1873-1929)*, Madrid, Prensa Castellana, 1953
Te.	teatro
Te. Mus	teatro musical
TI	Tipografía de la Ilustración, editorial
TLE	L. Iglesias de Souza: *Teatro lírico español*, 4 volúmenes, La Coruña, Diputación, 1991-96
TS	Torres y Seguí, editorial, Barcelona
U.	universidad
UME	Unión Musical Española, editorial, Madrid
VH	Vidal e Hijo, editorial, Barcelona
VLL	Vidal Llimona y Boceta, editorial, Barcelona
Vo	vodevil
vol./vols.	volumen/volúmenes
VR	Andrés Vidal Roger, editorial, Barcelona
VVAA	varios autores
Zarz	zarzuela

II

Habanera. Surgida en los inicios del siglo XIX, es para algunos investigadores el primer estilo de la canción popular cubana. Constituye una especie de canción con ritmo característico formado por la sucesión de una corchea con puntillo, semicorchea y dos corcheas, en un compás de 2/4 –sólo esporádicamente en 6/8, metro típico de la guajira–, de carácter suave, dulce y elegante, un texto cuyo contenido semántico es netamente lírico y una estructuración melódica sencilla. La relación música-texto y la fuerza percutiva de la división silábica, definen, junto a su célula rítmica característica, la naturaleza y carácter de este género, que usa de modo general el octosílabo. La zarzuela, junto con la romanza francesa y la ópera, contribuyeron a la complicación progresiva del elemento vocal, y establecieron una interconexión entre salón, lugar originario de la habanera, y teatro; las habaneras pasaban de un lugar a otro y de ambos a los coros. Los elementos formales que distinguen a la habanera son: el uso del ritmo de tango o habanera en el bajo; lenguaje armónico sencillo, limitándose a las funciones tonales fundamentales; primacía de la línea melódica adornada de giros ornamentales, en un registro medio-agudo.

Muy difundida en el mundo hispanoamericano y en España, la primera habanera lírica de la que se tiene noticia, titulada *El amor en el baile*, se publicó en el rotativo de La Habana *La prensa* en 1842. Sebastián Iradier residió en La Habana en 1857, se convirtió en el gran atractivo de los salones y asumió sobre todo la habanera como su forma favorita componiendo *La paloma*, *El arreglito* –utilizada casi íntegramente por Bizet en *Carmen*– o *El chin, chin, chan*. A su regreso a Europa, primero a Londres, donde recibió el apoyo de Ronconi, y luego París, protegido por su antigua alumna, Eugenia de Montijo (emperatriz desde 1853), impuso la habanera como

uno de los ritmos de moda. Iradier creó habaneras de un estilo más lírico. Por otra parte, el desarrollo de otros estilos de canción que condujeron a la cristalización del bolero contribuyó a que la habanera popular desapareciera y diera lugar a una habanera de concierto cultivada en las zarzuelas y obras del teatro cubano y español.

La habanera se insertó primero en el teatro lírico español durante la segunda mitad del siglo XIX, de forma que, como señala Néstor Luján en *Álbum de habaneras*: "Rara es la zarzuela española de fin de siglo que no tiene una habanera que pasa a ser el número más pegajoso de la obra; de Gaztambide a Penella se multiplican las habaneras en las zarzuelas, tomadas todas ellas de una inspiración popular". Ciertamente, la habanera aparece como una de las grandes formas de muchos números de la zarzuela romántica española que se inicia en torno a 1850, y permanece vigente prácticamente hasta el final del género en torno a la década de 1960. Todos los autores hicieron uso de ella y son muy abundantes los números musicales cantados o instrumentales sometidos a esta danza, desde Barbieri y Arrieta, pasando por compositores como Hernando, u otros menos conocidos como Isidoro Hernández y por supuesto en el género chico. Barbieri utiliza una habanera en su obra *Entre mi mujer y el negro*, 1859, que se convirtió en el número más celebrado, "Como tengo la cara nega", inmediatamente tarareado por todo Madrid. Barbieri dejó otras habaneras geniales como "Te llevaré a Puerto Rico", 1871, que aparece en el N° 3 de *El hombre es débil* y que Sarasate inmortalizó en su mítica habanera para violín y orquesta.

La habanera es una de las danzas más usadas en la zarzuela española y cubana, aunque, quizá, sin llegar a la trascendencia que tuvo la jota o la seguidilla. Marcó la presencia del americanismo tanto en la lírica española como en la cancionística, tal como ha estudiado Celsa Alonso. En Cuba, Ignacio Cervantes, Eduardo Sánchez de Fuentes y Ernesto Lecuona compusieron numerosas habaneras líricas, en el caso de este último compositor, la mayor parte de ellas incluidas en sus obras escénicas.

BIBLIOGRAFÍA: *DMEH*; N. Luján: "Prólogo", *Álbum de habaneras*, Barcelona, Ed. de Xavier Montsalvatge, 1948; V. Eli, Z. Gómez: "Hacia una integración de lo folclórico popular", *Música latinoamericana y caribeña*, La Habana, Pueblo y Educación, 1995; E. Grenet: "Música cubana. Orientaciones para su conocimiento y estudio", *Panorama de la música popular cubana*, Santiago de Cali, U. del Valle-Letras Cubanas, 1995; Z. Lapique: "Presencia de la habanera", *ibíd.*; M. T. Linares: "La ida. La canción", *La música entre Cuba y España*, Madrid, Fundación Autor, 1998; C. Alonso: *La canción lírica española en el siglo XIX*, Madrid, ICCMU, 1998.

CLARA DÍAZ PÉREZ

Haedo Ganza, Inocencio. Santander, 10-V-1878; Zamora, 29-VIII-1956. Folclorista, compositor y director. Su padre, con el que comenzó su aprendizaje musical, era director de la Banda Provincial de Santander. En 1895 la familia se trasladó a Zamora, donde Haedo fue organista en diversos templos y creó varias agrupaciones corales e instrumentales, como el Sexteto Haedo en 1896. Comenzó también la recopilación de la música popular zamorana. Dirigió numerosas organizaciones corales y durante más de cincuenta años fue el animador de la vida cultural de Zamora, dirigiendo las zarzuelas más populares de su tiempo con las agrupaciones locales. Asimismo, se

Inocencio Haedo
(Foto: Ar. ICCMU)

dedicó al teatro lírico escribiendo varias zarzuelas que se estrenaron más tarde bajo su dirección en el teatro Principal de Zamora.

OBRAS: *El efecto de una causa*, l, R. de Val, 1897; *El diablo mundo*, l, R. de Val, 1898; *El pim, pam, pum zamorano*, l, R. de Val, 1899; *El sueño de Juanito*.
BIBLIOGRAFÍA: *DMEH*.

VÍCTOR SÁNCHEZ SÁNCHEZ

Haro. Familia de cantantes españolas formada por Francisca y su hija Rafaela.

1. Francisca. Almería, siglo XIX. Tiple. Actuó con éxito cantando zarzuela en los principales teatros de Andalucía, a los que llevaba las obras que triunfaban en Madrid. A su lado hizo su aparición su hija Rafaela siendo una niña, en *El salto del pasiego*.

2. Rafaela [Rafaela García de Haro]. Cádiz, 28-X-1889; Madrid, 26-IV-1940. Tiple cómica. Nació en Cádiz durante una de las actuaciones de su madre, trasladándose a Madrid muy niña. Su afición al teatro y el ambiente familiar le posibilitaron debutar en un teatro de verano, tras haber formado parte del coro de las compañías en las que cantaba su madre. Su primer éxito como solista lo obtuvo en Toledo, cantando el pregón de los pájaros de *La reina mora* de Serrano. Esto hizo que le fuesen concediendo papeles de mayor importancia en *Curro Vargas*, *El reloj de Lucerna* y *El puñao de rosas*. El público empezaba a apreciarla y la bautizó con el nombre de "La Harito" debido a su figura menuda y graciosa. Formó parte de las compañías de Ricardo Ruiz y Enrique Lacasa, participó en la gira de su madre por América y a su regreso fue contratada por Ramón Peña para la compañía de Eslava, que acababa de abandonar Carmen Andrés. En 1913 emprendió una gira por España obteniendo un gran éxito en Valencia. De regreso a Madrid, debutó en el teatro de la Zarzuela con el papel de Colombina de *La tragedia de Pierrot* y estrenó *La flor del agua* de Conrado del Campo en 1914; en 1915 la opereta en un acto *Una mujer indecisa* de Rafael Millán. Al año siguiente reestrenó *La generala*, opereta de Vives, dirigida por Ramón Peña que resultó un éxito personal para Rafaela Haro. En 1917 la contrató Ventura de la Vega para su compañía y con él trabajó en el teatro Reina Victoria, en el que era ya primera tiple en la temporada 1919, cantando fundamentalmente operetas como *El duquesito* de Vives, *La mujer ideal* y *La camisa de la Pompadour*. Durante un tiempo se dedicó a la comedia y aunque volvió a la zarzuela, la abandonó de nuevo para dedicarse al cuplé, cuando este género llenó los teatros españoles debido a lo elevado de los sueldos de las cupletistas. Sin embargo, todo lo que había ganado lo perdió al convertirse en empresaria –había recorrido con su compañía los teatros del norte de España– por lo que volvió a la zarzuela formando parte de otras compañías.

Rafaela García de Haro
(Foto: Nuevo Mundo,
1927; Ar. ICCMU)

En 1927 se presentó como cancionista en el Palacio de la Música, con gran éxito. En 1933 fue contratada en Portugal actuando en el Coliseo dos Recreios de Lisboa y en otros teatros de Braganza y Oporto, y dos años después se enroló en la compañía de Moreno Torroba con la que emprendió una gira por América en la que cantó *Luisa Fernanda*, junto a un Miguel Fleta ya en decadencia. Volvió a España actuando en diversos teatros y compañías encontrándose en 1938 al frente de la Compañía Lírica del teatro Pardiñas de Madrid. Estrenó en 1939 en el teatro Fontalba de Madrid la opereta de Pablo Luna, *Currito de la Cruz*. En 1940 actuaba en la compañía de Poveda-Castillo Olivares y había pasado de tiple ligera a tiple dramática, interpretando, entre otros papeles, La Beltrana de *Doña Francisquita*. Se retiró por problemas de salud sin llegar a realizar una gira por España que tenía proyectada.

Aunque cantó la mayoría de las obras que figuraban en el repertorio en esos momentos, como *La revoltosa*, *Maruxa*, *Bohemios*, *Jugar con fuego* o *La linda tapada*, sus mayores triunfos los obtuvo en *El duquesito o La corte de Versalles* de Vives, que tuvo en el teatro Reina Victoria más de trescientas representaciones y *La viejecita* de Fernández Caballero. Estrenó también *La niña de las muñecas* de Leo Fall, Eslava, 1911; *El vals de los besos* de Vicente Lleó, Eslava, 1911; *Molinos de viento* de Pablo Luna, Cervantes, 1911; *¡Al fin, solos!* de Emilio G. del Castillo, Zarzuela, 1913; *El tirano* de Rafael Calleja, Zarzuela, 1914; *La alegre Diana* de Tomás Barrera, Zarzuela, 1916; *Los alegres maridos de Maxim's* de Rafael Calleja, Reina Victoria, 1918; *La conquista del mundo* de Reveriano Soutullo, Cómico, 1923, y *La linda tapada* de Francisco Alonso, Cómico, 1924.

BIBLIOGRAFÍA: *HGZ*; *OCCE*; *Nuevo Mundo*, XXXIV, 1738, 13-V-1927; F. Cuenca: *Teatro andaluz contemporáneo. 2. Artistas líricos y dramáticos*, La Habana, Ed. Maza, 1940.

EMILIO CASARES RODICIO

Haro Delage, Eduardo. España, siglos XIX-XX. Escritor. Autor de comedias y canciones, escribió para el teatro lírico algunas obras, la mayor parte en colaboración con Joaquín Aznar y con música de Teodoro San José, como *Los placeres de una siesta*, teatro del Noviciado, 1920; *Bazar español*, revista estrenada en 1911 en el teatro Novedades; *La novia del torero*, sainete en un acto, Martín, 1912; *El club de la alegría*, revista en un acto, Novedades, 1914; *La alegre primavera*, Cómico, 1914. También con música de Teodoro San José y en colaboración con José Martín Díaz, estrenó en 1910 en el Gran Teatro *Ideal Japonés*. Con el compositor Arturo Camacho estrenó en 1910 en el Royal Kursaal *Reservado de señoras* y en 1911 *El caño gordo*. Con música de Manuel Quislant y Pedro Badía, y en colaboración con Joaquín Aznar, *Los héroes de la pantalla*.

BIBLIOGRAFÍA: *DAT*.

Mª LUZ GONZÁLEZ PEÑA

Hartzenbusch, Juan Eugenio de. Madrid, 6-IX-1806; Madrid, 2-VIII-1880. Escritor. A la temprana muerte de su padre, ebanista alemán, hubo de abandonar sus estudios en los jesuitas para ejercer la profesión paterna. Posteriormente obtuvo una plaza de taquígrafo en el Congreso. En 1845 ingresó en la Academia Española. Dirigió la Escuela Normal y posteriormente la Biblioteca Nacional. Su relación con el teatro comenzó como traductor de obras francesas, costumbre muy extendida en el siglo XIX, y como refundidor de obras del Siglo de Oro. A través de la Biblioteca de Autores Españoles difundió la obra de los clásicos. Como escritor cultivó la poesía, la novela corta, cuentos, leyendas y la producción dramática, alcanzando el primero y mayor de sus éxitos con *Los amantes de*

Juan Eugenio Hartzenbusch (Litografía de Bachiller en Galería de Españoles Célebres; *E:Mn)*

Teruel en 1837, en pleno auge del drama romántico. Esta es una de las obras que promovieron un resurgimiento del teatro español junto al *Don Álvaro* del Duque de Rivas y *El trovador* de García Gutiérrez. Hartzenbusch utilizó diversos seudónimos como "Bautista Calleja", "El Despojado", "Jowe Ganein" y "Oedering". En alguna ocasión escribió con Bretón de los Herreros, Rodríguez Rubí, Valladares y Garriga. La mayor parte de sus obras teatrales son dramas, si bien tiene alguna comedia. También escribió algunas zarzuelas, así en 1846 estrenó en el teatro de la Cruz *La alcaldesa de Zamarramala*, que consintió en anunciar como zarzuela sólo para dar ocasión a que Amalia Máiquez, futura esposa de Tamayo, y Francisco Salas, cantasen algunas canciones andaluzas, si bien al día siguiente hizo desaparecer la música que había sido un fracaso. Posteriormente escribió *Heliodora o El amor enamorado* y *Amor divino*, con música de Arrieta, estrenada en Apolo en 1874, con escaso éxito.

BIBLIOGRAFÍA: *CDE*; *DAT*; *HTE*; *TA*; M. Muñoz: *Historia de la zarzuela y el género chico*, Madrid, Ed. Tesoro, 1946.

Mª LUZ GONZÁLEZ PEÑA

Herbella Lamadrid. *Véase* LAMADRID.

Hermoso Palacios, Mariano. España, siglo XIX. Compositor. Fue director de orquesta en varios teatros de Madrid, especialmente en el de la Zarzuela, siendo además un prolífico compositor que colaboró en numerosas ocasiones con Manuel Fernández Caballero. La mayor parte de sus obras líricas se conservan en el archivo de la SGAE en Madrid.

OBRAS: *Aventuras de un joven honesto*, Zarz, 3 act, col. Fernández Caballero, l, M. Pina Domínguez, est, 24-XII-1862, Te. Circo, *E:Msa*; *El rigor de las desdichas o El señorito del pan pringao*, Zarz, 3 act, col. M. Fernández Caballero, l, M. Gullón / L. de Larra, est, 20-I-1892; *La víspera de la fiesta*, Jug cóm-lír, 1 act, col. Fernández Caballero, l, M. Álvarez y Naya, est, 31-VII-1893, Te. Recoletos, *E:Msa*; *Los dineros del sacristán*, Zarz, 1 act, col. M. Fernández Caballero, l, M. Gullón / L. de Larra, est, 24-III-1894, Te. Eslava; *Los africanistas*, Hum cóm, 1 act, col. Fernández Caballero, l, G. Merino / E. López Marín, est, 5-IV-1894, Te. Romea (Cd); *Campanero y sacristán*, Zarz cóm, 1 act, col. Fernández Caballero, l, M. de Labra / E. Ayuso, est, 16-VIII-1894, Te. Príncipe Alfonso, *E:Msa* (BZ); *El domador de leones*, Zarz cóm, 1 act, col. Fernández Caballero, l, M. de Labra / E. Ayuso, est, 27-VII-1895, Te. Príncipe Alfonso, *E:Msa* (AR); *La gran cruz*, Zarz, 1 act, col. M. Fernández Caballero, l, B. Ferrer, est, 25-X-1895, Te. Eslava; *La rueda de la fortuna o Este mundo es un fandango*, Sai filosófico social, col. Fernández Caballero, l, L. de Larra

Cortesía de Unión Musical Ediciones SL

(hijo)/M. Gullón, est, 17-I-1896, Te. Zarzuela (AR); *Tortilla al ron*, Zarz Bu, 1 act, col. Fernández Caballero, l, G. Merino, est, 4-IV-1896, Te. Zarzuela, *E:Msa* (AR); *El padrino del nene o Todo por el arte*, Sai, 1 act, col. Fernández Caballero, l, J. Romea Parra, est, 28-XI-1896, Te. Zarzuela, *E:Msa* (AR); *San Gil de las afueras*, col. Fernández Caballero, l, L. Larra / M. Gullón, est, 13-XI-1897, Te. Zarzuela, *E:Msa*; *Leganés 15-3 T.*, Apr cóm, 1 act, col. Chalons Berenguer, l, F. Pérez Capo, est, 14-VII-1898, Te. Maravillas, *E:Msa*; *El pillo de playa*, Zarz, 1 act, col. Chalons Berenguer, l, D. Jiménez Prieto / E. Montesinos, est, 10-XI-1898, Te. Romea; *El traje de luces*, Sai, 1 act, col. Fernández Caballero, l, S. y J. Álvarez Quintero, est, 28-XI-1899, Te. Zarzuela, *E:Msa* (Almagro y Cª); *Detrás del telón*, 1 act, col. Muneira, l, A. Varela Díaz, est, 14-IX-1900, Te. Romea, *E:Msa*; *El rey de los aires*, Zarz, col. Fernández Caballero, l, M. de Labra, est, 17-XI-1900, Te. Cómico, *E:Msa*; *La tribu salvaje*, Pas cóm-lír, 1 act, col. Fernández Caballero, l, E. Gaspar, est, 23-V-1901, Te. Zarzuela; *Los figurines*, disparate, 1 act, col. Fernández Caballero / Cereceda, l, L. de Larra / M. Fernández, est, 21-VIII-1901, Te. Eldorado, *E:Msa*; *La perla de oriente*, disparate cóm-lír, 1 act, l, L. de Larra / A. Fanosa y Ruano, est, 31-X-1901, Te. Cómico; *La peste de oriente*, l, A. Fanosa, est, 1901, Te. Cómico; *La trapera*, Zarz, 1 act, col. Fernández Caballero, l, L. de Larra, est, 28-I-1902, Te. Cómico (Cd); *El favorito del Duque*, Zarz, 1 act, col. Fernández Caballero, l, D. Jiménez Prieto, est, 1-II-1902, Te. Eslava, *E:Msa*; *Lohengrin*, Bu lír, 1 act, l, J. Jackson Veyán / F. Roig Ballester, est, 14-II-1902, Te. Cómico; *La mariposa negra*, Zarz, 1 act, col. Fernández Caballero, l, A. Martínez Viérgol, est, 11-IV-1903, Te. Apolo, *E:Msa*; *Flor de Mayo*, Zarz, 1 act, col. Fernández de la Puente, l, D. Jiménez / F. Pérez, est, 10-V-1904, Te. Cómico, *E:Msa* (Cd); *Las bellas artes*, Zarz, 1 act, col. Fernández Caballero, l, Larra / Fernández de la Puente, est, IX-1904, Te. Zarzuela, *E:Msa*; *Rusia y Japón*, extravagancia, 1 act, col. Fernández Caballero, l, A. González Rendón, est, 22-II-1905, Te. Cómico, *E:Msa*; *Los huertanos*, Zarz, 1 act, col. Fernández Caballero, l, A. Osete/Fernández de la Puente, est, 10-V-1905, Te. Zarzuela, *E:Msa*; *La moza de temple*, Zarz, 1 act, col. M. Fernández de la Puente, l, M. Fernández de la Puente, est, 28-VIII-1905, Te. Nuevo; *La cacharrera*, Sai lír, 1 act, col. Fernández Caballero, l, M. Fernández de la Puente, est, 22-II-1906, Te. Zarzuela (Cd); *La isla de los elefantes*, Opt, 1 act, adap de la obra de Lyncke, l, A. Fernández Arias, est, 22-II-1906, Te. Nuevo (Barcelona), *E:Msa*; *¡A la piñata! o La verdadera matchicha*, Rv, 1 act, col. Fernández Caballero, l, L. de Larra / R. Fernández, est, 27-II-1907, Te. Gran Teatro, *E:Msa* (Cd); *La edad de hierro*, Pas, 1 act, col. E. García Álvarez, l, R. Asensio Mas / C. Arniches / E. García Álvarez, est, 30-III-1907, Gran Teatro (Cd); *El país del sol*, col. Luna, l, M. Fernández de la Puente / A. Osete, est, I-1908, Te. Zarzuela, *E:Msa*; *El mentir de las estrellas*, Zarz, 1 act, l, L. de Larra, est, 12-IX-1908, Gran Teatro; *Cañas y barro*, Zarz, 1 act, col. M. Pérez, l, V. Serrano, *E:Msa*; *Choco y choca*, col. A. Álvarez, l, M. Fernández de la Puente; *El mortero*, Zarz, 1 act, l, J. Filfos; *El sacristán de las monjas*, col. Fernández Caballero, *E:Msa*; *La dulce alianza*, l, M. Pina Domínguez, *E:Msa*; *La Valencianita*, col. San Nicolás, *E:Msa*; *Venta del hambre*, Sai, col. Fernández Caballero, l, R. M. Liern, est, VI-1892, *E:Msa*; *Viaje de verano*, Zarz, 1 act, col. M. Fernández Caballero, l, X. Cabello / F. Cabello, *E:Msa*.

BIBLIOGRAFÍA: *DMEH*; *TLE*.

JAVIER SUÁREZ-PAJARES

Hernández, Ángel. Valparaíso (Chile), segunda mitad del siglo XIX. Director de orquesta y compositor. Participó en el desarrollo del género chico en Chile durante la década final del siglo XIX, ejerciendo su labor como director de orquesta en teatros dedicados a las tandas. Así, durante 1897 estaba en este puesto en la compañía del actor Enrique Gil que actuó en el teatro Odeón de Valparaíso, con un elenco que contaba con Julia Aced, Carmen Ciudad y Enrique Aparicio. Debido a su familiaridad con el género, compuso la música de algunas piezas, contribuyendo a la nacionalización de la zarzuela chica en Chile. Destaca *Una revista*, subtitulada "cosas de Valparaíso en ocho cuadros", un intento de aprovechar el género revista para presentar temas de actualidad local. Se tiene constancia también de otras dos zarzuelas en un acto: *A la otra puerta*, con libreto del periodista Felipe Aparicio y *La Zamacueca*, a partir de un original del vallisoletano Eloy Perillán, periodista defensor de las libertades que participó en el teatro chileno.

BIBLIOGRAFÍA: M. Abascal Brunet, E. Pereira Salas: *Pepe Vila. La zarzuela chica en Chile*, Santiago de Chile, Imp. Universitaria, 1952.

VÍCTOR SÁNCHEZ SÁNCHEZ

Hernández, Edilio. La Habana, 20-XII-1936. Tenor. Inició su actividad en la emisora CMQ Televisión en 1956. Cursó estudios de música en la Escuela de Superación Profesional Ignacio Cervantes de La Habana, y más tarde en la Facultad de Música del Instituto Superior de Arte, donde fue alumno de canto del profesor y barítono Ramón Calzadilla. Años después obtuvo una beca para ampliar conocimientos en Italia, donde se graduó en el Centro de Perfeccionamiento para Jóvenes Artistas Líricos de la Scala de Milán, donde recibió clases de Gina Cigna y Giulietta Simionato. Poseedor de una buena técnica vocal, bello timbre y temperamento, obtuvo en ese país en 1980, los siguientes galardones: Trofeo Giuseppe Verdi, en la ciudad de Parma, Medalla de la Ciudad de Milán y Trofeo San Fidele de esta ciudad. Ingresó en la Ópera de Cuba en 1969, primero como parte del coro, y luego haciendo segundos papeles. En 1974 debutó como solista en la Sala García Lorca del Gran Teatro de La Habana. Desde entonces ha realizado giras internacionales por países del antiguo campo socialista así como en varias ciudades de Italia. En Cuba se ha presentado en los principales teatros y salas de conciertos. Ha interpretado las zarzuelas cubanas *Cecilia Valdés* y *Lola Cruz*, de Gonzalo Roig y Ernesto Lecuona, respectivamente; y las españolas: *La leyenda del beso* y *La del Soto del Parral* de Soutullo y Vert; *Marina* de Arrieta y *Luisa Fernanda* de Moreno Torroba.

JOSÉ PIÑEIRO DÍAZ

Hernández, Felisa. Málaga, 1832; Lucena (Córdoba), ?. Tiple. Debutó en el teatro Principal de Málaga y posteriormente actuó en Madrid y en teatros de provincias, cantando zarzuela grande con títulos como *El grumete* y *El postillón de La Rioja*. Era guapa y cantaba bien, por lo que triunfó con facilidad. Su matrimonio la retiró de la escena y se estableció con su marido en Lucena.

BIBLIOGRAFÍA: F. Cuenca: *Teatro andaluz contemporáneo. 2. Artistas líricos y dramáticos*, La Habana, Maza, 1940.

Mª LUZ GONZÁLEZ PEÑA

Hernández, Isidoro. †Sevilla, 1888. Compositor y director. Es uno de los representantes más importantes de la canción lírica española, que desarrolló su obra en todos los géneros de moda en la España del último tercio del siglo XIX, con una abundante producción para salón y sobre todo de canciones. Fue además autor de numerosas zarzuelas y desde la década de 1850 se dedicó a hacer transcripciones para canto y piano de zarzuelas de Barbieri, Gaztambide y Oudrid para la editorial Pablo Martín, lo que le dio un gran conocimiento del género.

La actividad lírica de Hernández comenzó en la década de los setenta con el estreno del juguete en un acto *Abelardo y Eloísa*, con libreto de J. J. Chazarri, estrenado en 1870 en el Coliseo Sevillano. Al año siguiente estrenó *Un sevillano en La Habana*, zarzuela en un acto, original de R. Leopoldo Palomino de Guzmán, con cinco números de música. En 1873 presentó en el teatro Eslava *Une petite soirée*, cuento lírico en un acto con libreto de E. Prieto. La escena sucedía en el Madrid de entonces y tenía cinco números de música. Su primer éxito teatral lo obtuvo en el teatro Romea de Madrid, en 1876, con la zarzuela en un acto titulada *Una aventura en Siam*, arreglo de un libreto francés por Javier de Burgos. La escena transcurría en Bangkok. El libro no tenía mayor interés pero la música era buena, sobre todo una marcha y la habanera, llenas de colorido. El estreno de esta obra mereció elogios en todos los diarios madrileños, alabando la música de Hernández. Este año fue muy activo en la producción del autor que estrenó otras cinco obras: el 20 de julio en el teatro del Buen Retiro *El camino de la gloria*, zarzuela con letra de P. Guzman; seis días después estrenaba una nueva obra en este caso en el teatro Prado con letra de M. Cuartero, *El sargento Boquerones*, que fue muy aplaudida; siguieron *A España*, en un acto, con letra de Calixto Navarro, estrenada en el teatro del Prado el 25 de agosto, y finalmente en los Jardines del Buen Retiro *Genio y figura hasta la sepultura*, con texto de A. E. Madán García, situada en la Sevilla de entonces. Los dos últimos estrenos del año fueron *En la venta* con letra de Navarro y Arenas, en el teatro Salón del Prado y *El fresco de Jordá*. Otros estrenos de algún relieve fueron *Ternera, 7 tercero*, un juguete cómico con letra de C. Navarro y M. Cuartero, estrenado en el Eslava, y *Espiridión en Vulcano*, en dos actos, estrenada en marzo de 1879 en el teatro del Recreo de Madrid. En la década de 1880 seguía estrenando zarzuelas con cierto éxito, si bien en 1882, en el teatro Martín, se representó un juguete cómico-lírico en un acto titulado *Dos petardistas*, que no fue bien acogido. Inauguró la temporada de dicho teatro en 1882 con el estreno de *El manicomio del Norte*, con libreto de Eduardo Navarro y Gonzalvo. En 1883 la compañía lírico-dramática que bajo la dirección del actor Ricardo Guerra comenzó a actuar en el teatro de La Alhambra, contrató a Hernández como director de orquesta. Otra obra importante fue *De Madrid a la luna*, 1886, en colaboración con Fernández-Grajal. En septiembre de 1887 estrenó en el teatro Felipe de Madrid un sainete lírico titulado *Efectos de La Gran Vía*, con libreto de Rafael María Liern.

Fue un excelente armonizador de canciones populares españolas y autor de numerosos temas originales para canto y piano que publicó en diversas colecciones. La estética que predomina en su obra es la del populismo de sabor andaluz y aflamencado, que está presente en su obra lírica junto con el criollismo de sus habaneras. Con cerca de sesenta obras líricas, su teatro musical se sitúa en un intermedio entre la primera generación de zarzuelistas románticos que constituyen la generación de Barbieri y los autores del género chico. La mayor parte de su obra pertenece a la zarzuela chica en un acto, y evitó el formato de la zarzuela grande.

OBRAS (Todas en E:Msa): *Abelardo y Eloísa*, Jug, I, J. J. Chazarri, 1 act, est, 12-X-1870, Te. Coliseo Sevillano; *Un sevillano en La Habana*, Zarz, est, 2-VII-1872, Te. Jardines del Buen Retiro; *Une petite soirée*, cuento lír, 1 act, I, E. Prieto, est, 22-X-1873, Te. Salón Eslava (PM); *Maese Tallarines*, Zarz, I, R. Palomino de Guzmán, est, 1-X-1875; *Amor obliga*, Zarz, I, E. Navarro, 1876; *Una aventura en Siam*, Jug, 1 act, I, J. de Burgos/C. Navarro, est, 7-II-1876, Te. Romea; *El camino de la gloria*, Zarz, I, R. L. Palomino de Guzmán, est, 20-VII-1876, Te. Buen Retiro; *El sargento Boquerones*, Jug, 1 act, I, M. Cuartero, est, 26-VII-1876, Te. del Prado; *¡A España!*, Zarz, I, C. Navarro, est, 25-VIII-1876, Te. del Prado; *En la venta*, Zarz, 1 act, I, Navarro/Arenas, est, 12-IX-1876, Te. Salón del Prado; *Genio y figura hasta la sepultura*, Zarz andaluza, 1 act, I, A. E. Madán/García, est, 11-IX-1876, Te. Jardines del Buen Retiro; *El fresco del Jordán*, Zarz, 1 act, I, S. M. Granés, 22-X-1876, Te. Romea; *La virtud premiada*, Zarz infantil, 1878 (UME); *¡Pobres madres!*, Zarz, I, C. Navarro, est, 6-IV-1878, Te. Eslava; *Ternera, 7 tercero*, Jug, 1 act, I, C. Navarro/M. Cuartero, est, 25-V-1878, Te. Eslava; *Dudas y celos*, Zarz, I, C. Navarro, est, 18-VII-1878, Te. Jardines del Buen Retiro; *Espiridión en Vulcano*, viaje cómico-lírico-fantástico, 2 act, col. R. Taboada, I, L. Tomás Pastor/W. Ferrer y Garayta, est, 22-III-1879, Te. Recreo; *Programa para yernos*, Jug, I, F. de Altolaguirre, est, 28-VI-1880, Te. Recreos Matritenses; *La palomita*, Zarz, 1 act, I, T. Larrumbe, est, 2-VII-1880, Te. Recreos Matritenses (RM); *Dos viuditas*, Zarz, 1 act, I, F. de P. Altolaguirre, est, 13-VII-1880, Te. Recreos Matritenses; *Los dominós verdes*, Zarz, 1 act, P. Alba, 1 act, est, 26-VIII-1880, Te. Recreos Matritenses (PM); *¡Ánimo, valor ...y miedo!*, Jug, 1 act, L. E. Sánchez de Castilla, est, 9-XII-1880, Te. Eslava; *¡A las máscaras!*, Zarz infantil, 1 act, I, I. Hernández, 1881 (Cd/UME); *Estrella o La cristiana cautiva*, Zarz infantil, I, I. Hernández, 1881 (PM); *Torear por lo fino*, Zarz, 1 act, I, F. Marraco, est, 2-V-1881 (PM); *¡Viva el puerto!*, Zarz, 1 act, I, J. M. Eguilaz, est, 19-VIII-1881, Te. Jardines del Buen Retiro; *Soledad*, Zarz, 1 act, I, S. Lastra, est, 26-XI-1881, Te. Variedades (BZ); *Dos petardistas*, Jug cóm-lír, 1 act, I, P. Alba, 1882 (BZ); *El manicomio del Norte*, Zarz, I, E. Navarro y Gonzalvo, 1882; *El lavadero de La Florida*, Jug, 1 act, I, Osorio/Guillén, est, 17-III-1882, Te. Eslava; *Un capitán de lanceros*, Zarz, 1 act, I, J. Mota y González, est, 7-VIII-1882, Te. Jardines del Buen Retiro (Cd); *El fal-*

dón de la levita, Jug, 1 act, I, G. Perrín y Vico, est, 16-X-1883 (PM); *Quien más mira...*, Zarz, I, E. Jackson, est, 26-II-1884, Te. Martín; *Mazzantini*, Zarz, 1 act, I, T. Infante Palacios, est, 31-VII-1884, Te. Recoletos; *¡A la cuarta pregunta!*, Jug, 1 act, I, V. García Valero, est, 26-XI-1884, Te. Martín; *Mi pesadilla*, Jug, 1 act, I, C. Olona Di Franco, est, 7-I-1885, Te. Martín (PM); *Escenas de verano*, Sai, 1 act, I, J. Usúa y Herrero, est, 4-IV-1885, Te. Martín; *¡De verbena!*, Sai, 1 act, I, J. de Burgos Larragoiti, 16-VI-1885, Te. Felipe (Madrid); *La sevillana*, Jug, 1 act, I, E. Jackson Veyán, est, 25-VII-1885, Te. Recoletos; *Toros de puntas*, Zarz, 1 act, I, E. Jackson Veyán/Jackson Cortés, est, 5-X-1885 (SAE); *¡¡El bobo!!*, Jug, 1 act, I, C. Navarro, est, 5-II-1886, Te. Apolo; *Toros en Vallecas*, Apr cóm-lír-taurino, I, S. Gascón y Parra, est, 5-X-1886, Te. Eslava; *Muerto el perro...*, Jug, 1 act, I, R. Monasterio Oliva, est, 12-XI-1886, Te. Eslava; *Las criadas*, Zarz, I, R. Monasterio, 1887; *Caer en la trampa*, Jug, 1 act, I, F. Macaro, est, 30-VIII-1887, Te. Maravillas; *Efectos de La Gran Vía*, Zarz, 1 act, I, R. M. Liern, est, 8-IX-1887, Te. Felipe (PM); *Lucía Pastor*, Zarz, 1 act, I, L. Pastor, est, 28-IX-1887, Te. Variedades; *Venir por lana*, Jug, 1 act, I, E. Zumel, est, 15-X-1887, Te. Martín; *Para palabra Aragón*, Com, 1 act, I, E. Marquina, est, 16-XI-1888, Te. Circo del Duque (BZ); *Academia de baile*, Jug, 1 act; *Artistas en miniatura*, Zarz infantil, I, I. Hernández (UME); *Cantar a tiempo*, Zarz, I, F. Camprodón; *El alcalde de mi pueblo*, Zarz; *En el campo del moro*, Zarz, I, F. Bocherini; *Las Carolinas*, Zarz, col. Roig, I, Flores García; *Perdida*, Zarz, I, Jackson Veyán; *Se afeita a domicilio*, Zarz, I, R. Monasterio; *Valiente pesca*, Zarz, I, J. Maestre Flórez (BZ).

BIBLIOGRAFÍA: *DMEH*; C. Alonso: *La canción lírica española en el siglo XIX*, Madrid, ICCMU, 1998.

EMILIO CASARES RODICIO

Hernández, Julio Alberto. Santiago (República Dominicana), 27-IX-1900; ?. Compositor y pianista. Alumno de Ramón Emilio Peralta, estudió saxofón en la Academia Municipal, llegando a ser primer saxofonista de la Banda Municipal en 1914, y piano con José Ovidio García. La muerte de Peralta lo llevó a sustituirlo en los cargos de profesor en la Academia y pianista en el teatro Colón en Santiago. En 1921 fundó la Orquesta José Ovidio García, con la que realizó giras por el país, Haiti y Cuba. Residió por un tiempo en La Habana donde estudió armonía con Pedro Sanjuán. Regresó al país en 1926 y comenzó una intensa labor de pianista acompañante. En 1932 fue nombrado codirector de la Orquesta Sinfónica de Santo Domingo, y en 1950 fue designado director de la Escuela Elemental de Música. Maestro de canto, director de academias, bandas, orquestas y emisoras de radio, fue un prolífico compositor de obras para orquesta, banda, coro, piano y voz en las que incorpora giros melódicos y ritmos del folclore de su país. Aunque es esencialmente un músico de salón de rica inspiración melódica, ha dejado dos zarzuelas, *El sí que las pierde*, 1929, y *La bruta de la loma*, 1941.

BIBLIOGRAFÍA: *DMEH*.

VÍCTOR SÁNCHEZ SÁNCHEZ

Hernández, Manuel. España, siglo XX. Cantante. Interpretó el Sacamuelas en el estreno de *El caserío* de Guridi en 1926. En 1931 estrenó *El cantar del* *arriero* de Díaz Giles en el teatro Calderón de Madrid. Participó en el estreno de la obra de Moreno Torroba *La boda del señor Bringas o Si te casas la pringas*, en el teatro Calderón en mayo de 1936, protagonizada por Felisa Herrero y Pedro Terol. En febrero de 1937 formó parte de la compañía del teatro Pardiñas de Madrid interpretando obras como *Luisa Fernanda* junto a Matilde Vázquez, Pepita Rollán y Delfín Pulido. En abril del mismo año fue contratado por Eugenio Casals para el teatro Fuencarral junto a Matilde Vázquez y Blanquita Suárez cantando *Los claveles* y *Gigantes y cabezudos*.

FONOGRAFÍA: *La Dolores*, Blue Moon BMCD 7550; *La marchenera*, La Voz de su Amo AE 2170 • Regal RS 744 (et. negra), K 1019 K 1002; *La Rosa de Madrid*, Blue Moon BMCD 7550; *La verbena de la Paloma*, Blue Moon BMCD 7550 • Odeón 203796 a 203803, SO 5282 a SO 5290, SO 5293 a SO 5298, SO 5328; *Polonesa*, R 14172 (et. rosa), C 6001 C 6002-2.

BIBLIOGRAFÍA: A. Collado: *El teatro bajo las bombas en la Guerra Civil. Tragicomedia de actores, figurantes, políticos, personajes y personajillos*, Madrid, Kaydeda, 1989.

Mª LUZ GONZÁLEZ PEÑA

Hernández, Rafael. Aguadilla (Puerto Rico), 24-X-1891; San Juan, 11-XII-1965. Compositor y director. Estudió violín y trombón y se trasladó a San Juan en 1915 formando parte de la orquesta de Manuel Tizol. Sus primeras composiciones las realizó con trece años y en 1917 hizo sus primeras grabaciones para la Victor y se enroló en el ejército estadounidense como parte de la banda de músicos negros que organizó James Reese Europe, con la que viajó tocando el trombón por Francia. En 1920 se trasladó a Cuba donde tocaba en la orquesta del teatro Fausto. En 1925 fundó el Trío Borinquen. De 1925 a 1929 grabaron más de cien títulos para la Columbia, aproximadamente la mitad de ellos de su autoría. Esta fue la dedicación de este compositor en los años siguientes viajando a México donde continuó su carrera musical y se presentó con *Capullito de alhelí*; sus canciones aparecen en muchísimas películas mexicanas. Dejó más de dos mil canciones de todo tipo, de influencia italiana, o sacadas del folclore boricua y por supuesto los géneros caribeños de origen cubano como el danzón, bolero, guaracha, son y rumba. La zarzuela ocupó también un lugar en su creación. Hernández fue autor de la opereta *Cofresí* y de las zarzuelas *Colegialas* y *Alma criolla*.

BIBLIOGRAFÍA: *DMEH*; M. D. E. Betancourt: *Hasta siempre, Rafael Hernández*, Puerto Rico, Yaraví Inc., 1981.

VÍCTOR SÁNCHEZ SÁNCHEZ

Hernández Salces, Pablo. Zaragoza, 25-I-1834; Madrid, 10-XII-1910. Compositor y organista. Fue infante en la iglesia del Pilar. Estudió solfeo, piano, órgano y armonio con Valentín Metón y violín con Ignacio Rabanals. En 1856 se trasladó a Madrid para ampliar sus estudios e ingresó posteriormente en las clases de órgano y composición que impartía Hilarión Eslava en el Conservatorio. En 1858 obtuvo por oposición la plaza de organista de la Real Basílica de Nuestra Señora de Atocha en Madrid y posteriormente de la iglesia del Buen Suceso. Compaginó su actividad de ejecutante con la de compositor. Compuso algunas obras sinfónicas y algunas zarzuelas en un acto, como *Gimnasio higiénico*, con letra de F. Boccherini, estrenada en 1880 y *Más vale maña que fuerza*, también en un acto con letra de V. Gregorio.

BIBLIOGRAFÍA: *DMEH*.

EMILIO CASARES RODICIO

Hernando Palomar, Rafael. Madrid, 31-V-1822; Madrid, 10-VII-1888. Compositor. Fue el iniciador del desarrollo de la zarzuela durante la primera mitad del siglo XIX; gracias a sus estrenos, el género adquirió mayores dimensiones formales, pasando de los esbozos iniciales en un acto, a obras en dos actos en 1849, hecho que posibilitó la aparición de la zarzuela grande en 1851.

Hijo de Pedro Hernando y Eugenia Palomar, comenzó en 1837 sus estudios en el Real Conservatorio de María Cristina, siendo parte de la nueva generación de compositores españoles que se formaron en las aulas del recién estrenado centro. Estudió piano con Pedro Albéniz, canto con Baltasar Saldoni y composición con Ramón Carnicer. En 1842 fue nombrado suplente de Carnicer, asistiendo a sus clases alumnos como Barbieri y Gaztambide. Con 21 años viajó a París donde recibió algunas clases de Manuel García, así como del tenor Filippo Galli, que había estrenado en Venecia *L'inganno felice* de Rossini. Recibió clases de composición de Luigi Carlini, y de Michele Carafa "aristócrata napolitano, íntimo amigo de Rossini, que le encargó la música de ballet para la versión francesa de *Semiramide* dada en la Opera en 1860", según Ruiz Tarazona. Estudió también con Daniel-François Esprit Auber, que ha sido visto por su estilo como un "Rossini francés", aunque nunca renunció a la posibilidad de consolidar un teatro lírico nacional, y "este espíritu debió trasmitírselo a Hernando, ya que el compositor tuvo muy claro desde el principio la necesidad de acometer la regeneración del teatro lírico español". En París compuso un *Stabat Mater*, 1847, que dio a conocer en la Sociedad de Santa Cecilia, de la que fue uno de los socios fundadores. Escribió una ópera italiana en cuatro actos titulada *Romilda*, con texto de Juan del Peral, que fue aceptada por la dirección de la Ópera italiana de París. Tras esta obra, Peral y Hernando proyectaban la composición de una ópera española, pero los sucesos revolucionarios de 1848 y el grave estado de salud del padre del compositor le obligaron a regresar a Madrid.

Regresó a España con la esperanza de introducir en los círculos de la alta aristocracia el gusto por la gran ópera española, que sería escrita bajo los modelos franceses aprendidos durante su estancia en París. La aristocracia, a la que anhelaba conquistar el compositor, se encontraba totalmente entregada a la ópera italiana, pero la burguesía urbana, que afirmaba su puesto en la sociedad a través de las revoluciones que se habían sucedido, necesitaba encontrar su cauce de expresión musical, hecho que entendió Hernando tras asistir a una representación lírica de la época y observar la gran aceptación "con que el público oía aquella farsa, donde las piezas de música llegaban sin la suficiente preparación y que del todo carecía del conveniente plan que deben tener las zarzuelas o piezas que aspiren a llamarse lírico-dramáticas", según comenta el propio autor en una carta que envió a Barbieri. Convencido de las buenas condiciones que presentaba el público, comenta cómo "comuniqué estas observaciones a Peral, le expuse que debíamos abandonar también el proyecto que desde París traíamos de hacer un ensayo de la gran ópera española y que habíamos empezado a escribir con proporciones a la francesa, porque para este pensamiento no había hallado ninguna simpatía en los círculos de alta sociedad, debiendo ser los que prestasen más apoyo, al paso que lo observado en el público del teatro del Instituto demostraba patentemente que en España era preciso comenzar por la ópera-cómica para llegar algún día a la ópera seria. Conviniendo en un todo, pusimos manos a la obra, proponiéndonos sacar todo el partido posible de los actores de aquel teatro y sobre todo de dar forma de pieza lírico-dramática, zarzuela, o como se le quiera llamar a nuestro primer ensayo; y en la noche del domingo de Carnaval de 1849 se estrenó en el Instituto la zarzuela en un acto titulada *Palos de ciego* (anteriormente ya había colaborado con Oudrid en la zarzuela *El ensayo de una ópera*). El éxito que tuvo por parte del público durante las veintitantas representaciones que de ella se dieron, y el juicio favorable de la prensa, vinieron a dar pruebas evidentes a mis observaciones".

El éxito de la obra inicial en un solo acto, estrenada en el teatro del Instituto, le llevó a escribir la primera zarzuela en dos actos, concebida con un plan dramático más complejo, que se estrenó en el mismo teatro el 20 de marzo de 1849: *Colegialas y soldados*,

Rafael Hernando (Foto: Colección Castellano; E:Mn)

con libreto de Mariano Pina y Francisco Lumbreras. Era nueva dentro del recién creado género lírico la división en dos actos, que supuso una importante innovación en varios aspectos: 1. Presenta por primera vez un desarrollo dramático elaborado; este desarrollo, permite una revalorización del género en la consideración del público, que a partir de entonces lo considera como una forma lírica independiente; 2. La forma se dilata, los números musicales se amplían y aumenta el número de personajes principales, que adquieren un mayor nivel de caracterización dramática; 3. Se equilibra la proporción entre los diálogos hablados y el desarrollo musical; 4. La calidad de los números musicales mejora en relación con la exigencia de componer elaborados y largos desarrollos. La obra, además de ser en dos actos, adoptó una nueva organización y consta de catorce números musicales, ocho en el primer acto y seis en el segundo. Aunque la concepción musical de la obra es nueva, se rastrea en ella la experiencia escénica de las anteriores zarzuelas en un acto, y se asume toda la tradición del teatro clásico nacional.

Debido al éxito del género, los empresarios Gaona y Carceller decidieron contratar a Hernando como maestro compositor para la siguiente temporada, comprometiéndole a escribir catorce actos de zarzuela por cada año cómico; el propio Hernando lo relata en el prólogo a la partitura de canto y piano de *Colegialas y soldados*. La empresa Gaona-Carceller teniendo maestro compositor, decidió alquilar un teatro, y siendo demasiado alto el alquiler del Instituto, eligió para la temporada 1849-50 el teatro de Variedades, que según el nuevo *Reglamento de teatros* del Conde de San Luis, sería denominado teatro Supernumerario de la Comedia. La temporada del Variedades dio comienzo el 25 de abril con las reposiciones de *Palo de ciego* y *Misterios de bastidores*, y el seis de julio se estrenó *El duende*. Peña y Goñi manifestó en la crítica la trascendencia de esta obra, sin la cual no se puede entender la evolución formal del género. *El duende* consta de dos actos, forma que parece normativa desde el éxito de *Colegialas y soldados*, y que supone el establecimiento de este molde formal, reconduciendo el modelo español en un solo acto de las obras iniciales de los años treinta, hacia nuevas formas más europeas, que permitieron que en 1851 Barbieri escribiese *Jugar con fuego* con la forma definitiva de zarzuela moderna: tres actos.

Además de esta división bipartita, la zarzuela está subdividida en diecisiete números musicales más una introducción, mostrando un plan mucho más elaborado que *Colegialas y soldados*. El uso del virtuosismo belcantista está, por tanto, reducido a los pasajes de la tiple, para la que tampoco se eligen tesituras excesivamente agudas. Las limitaciones vocales de los intérpretes parecen claras ante la falta de equilibrio de los números a solo; sin embargo, los concertantes están bien trabajados. Las arias siguen manifestando una clara influencia italiana del belcantismo de Rossini, Bellini y Donizetti que había penetrado en España; pero este belcanto está solamente esbozado.

Los estrenos de Hernando impulsaron la creación de la Asociación Artístico-Cooperativa que, según palabras del propio autor en el prólogo a *Colegialas y soldados*, "para continuar el desarrollo de la zarzuela promovieron inmediatamente conmigo y como Junta Directiva, los compositores señores Barbieri, Gaztambide, Oudrid e Inzenga, el autor dramático D. Luis de Olona y el cantante D. Francisco Salas, merecí por derecho ser declarado entre los compositores el primero en turno para el cargo de Presidente. Y tan seguí en la misma senda de entusiasmo por el progreso general del pensamiento que, después de terminar el tiempo de mi presidencia, encontrando mis compañeros que en su desempeño había demostrado especiales condiciones de organización administrativa, accedí a sus deseos encargándome de tan enojosa tarea, segregada del cargo presidencial, y continuando al frente de ella durante los tres años de aquella asociación que elevó el género al mayor desarrollo que ha tenido. No por este encargo, dejé de tomar asidua parte y siempre con fortuna en los trabajos artísticos como compositor; pues además de varias obras que escribí en colaboración, puse en música las dos aplaudidas zarzuelas de nuestro eminente escritor D. Manuel Bretón de los Herreros, tituladas *El novio pasado por agua* y *Cosas de don Juan*". Esta última sirvió para la inauguración de la primera temporada teatral, septiembre de 1854, en que la zarzuela volvió a ser regida por empresa especulativa; a lo cual no quiso contribuir el autor y "desde entonces, y tan luego como terminó la serie de representaciones inaugurales de aquella temporada, no solamente fueron excluidas todas mis obras del repertorio del teatro de la Zarzuela, sino que me ha sido imposible obtener se represente ni una de la varias que después he compuesto, a pesar de que todas me hayan sido aceptadas y recibidas...". Estas amargas palabras de Hernando sirven para explicar, en parte, el rápido ocaso de su producción tras los prometedores estrenos iniciales.

La primera zarzuela que se estrenó en el nuevo teatro, llamado teatro Supernumerario de la Comedia, el jueves 23 de mayo de 1850, fue *Bertoldo y comparsa*, zarzuela en dos actos con libreto de Gregorio Romero Larrañaga. La obra no obtuvo mucho éxito, y sobre ella comentó Barbieri: "Esta zarzuela (tomada de la novela popular que lleva el mismo nombre), a pesar de los amigos y a pesar de lo que sobre ella dice su autor en la carta que va incluida atrás, es lo cierto que vale poco y que su éxito fue poco satisfactorio". Hernando, sin embargo, afirma que "esta zarzuela tuvo éxito a pesar de varias opiniones contrarias (privadas) y aun cuando dio muy buenas entradas en aquel teatro, no volvió a ejecutarse en otra temporada, anunciándoseme, por decir así, lo que con otras posteriores y en igual caso debía sucederme". La obra cuenta con dos actos y diecisiete números musicales, resultando demasiado larga; la música, exceptuando algunas piececitas no exentas de gracia, no gustó al público.

Las representaciones de la temporada siguiente comenzaron el 12 de septiembre con algunas obras de teatro, pero hasta el 17, fecha en que se repuso *¡Tramoya!*, no aparece ninguna zarzuela en su escenario, realizándose su primer estreno el 14 de noviembre. La obra estrenada era de Cristóbal Oudrid, que se unía así al grupo de compositores del Variedades; se trata de *Pero Grullo*, una zarzuela en dos actos, con libro de Antonio Lozano y José María de Larrea. Para superar el fracaso de la obra, todos los músicos de la compañía decidieron componer una obra que atrajese al público, solicitado también a partir del 23 de noviembre de este año por el nuevo teatro Real y, para ello, escribieron una obra en la que pudiera mostrar todas sus facultades la bailarina Petra Cámara, entonces el "embeleso de todos los aficionados al genuino baile español", según Cotarelo. La obra, que se estrenó el 19 de noviembre, recibió la definición de capricho cómico-lírico-bailable y se tituló *Escenas en Chamberí*. Su libro está escrito por José Olona, y la música cuenta con la participación de todos los autores reunidos en el Variedades, siendo "el primer intento conjunto del que Salvador Valverde ha llamado el 'Grupo de los Cinco', si bien faltaba Gaztambide". Se escribió en muy pocos días repartiéndose las piezas del modo siguiente. "Esta zarzuela, o como se llame –según dice Barbieri–, hizo gran efecto y se dieron de ella muchas representaciones, desde el martes 19 de noviembre de 1850 que se estrenó en el Variedades y no en la fecha que dice el impreso adjunto que es una equivocación". Como la obra se repitió varias veces, dice Cotarelo que "la música se hizo popular en breve tiempo". Como el teatro de Variedades y el de los Basilios resultaban pequeños para un Madrid ávido de género lírico español, la Sociedad Artística alquiló para sus trabajos el teatro del Circo de la Plaza del Rey. A instancias de muchos aficionados que recordaban con entusiasmo el triunfo de *El duende*, prepararon Olona y Hernando otra segunda parte de esta zarzuela de enredo, que se estrenó en el recién alquilado teatro del Circo (18-II-1851). Cotarelo afirma que "en esta obra se quiso extremar la nota cómica, convirtiéndola en burlesca, y acumular episodios casi sin relación unos con otros, a costa de la verosimilitud", y a su juicio, la música era también inferior a la de la primera parte. La obra cuenta también con dos actos, de ocho números musicales el primero y seis el segundo. Se puso en escena acompañada de la primera parte, y Hernando mismo afirma en una carta que dirigió a Barbieri, que "habiendo tenido que suspender sus tareas teatrales la empresa, por no poder atender a los dos teatros y tres compañías que tenía, fui el solo autor de la zarzuela a quien se adeudaron más de 3.000 reales de derechos de autor devengados, y un beneficio que me correspondía haber hecho, sin embargo de que en aquella última parte de la temporada, se había sostenido el teatro con las muchas buenas entradas, con aumento de precio en todas las localidades, que se hicieron de las llamadas dobles funciones por hacerse en una representación las dos zarzuela: *El duende, primera y segunda parte* y que fue motivado por haberlo pedido así SSMM cuando se dignaron por primera vez asistir a este nuevo género de espectáculo nacional. En cambio fui de los que más influyeron para que no se motivasen conflictos a la empresa".

Se formó una Sociedad Lírico Española que integraban Gaztambide, Barbieri, Salas, Olona y otros, entre los que estaba Hernando, alquilaron el teatro del Circo y formaron una compañía que actuaba a partido. El jueves 7 de noviembre del mismo año se puso en escena la obra *El confitero de Madrid*, zarzuela en tres actos con libro de Luis Olona y música de Hernando e Inzenga (hijo): el primer acto, la introducción del segundo y del final del tercero correspondían a Rafael Hernando, y el resto de la obra a José Inzenga. Barbieri relata el fracaso de la representación. Ese mismo día 24, a las cuatro de la tarde, se estrenó en el Circo *Por seguir a una mujer*, obra de Olona en cuatro actos y música de los cinco compositores que formaban la empresa. La obra consta de doce piezas. Barbieri afirma que proporcionó al teatro del Circo grandes ganancias que recuperaron a la empresa de los dos fracasos tras *Jugar con fuego*; en la obra tuvieron gran éxito María Bardán en un papel de "vieja ridícula y enamoradiza" y Francisco Arderius, en el papel de "un criado", siendo la primera vez que se presentaba en un escenario. El miércoles 13 de octubre de 1852 se llevó a cabo en el Circo el primer estreno de la temporada, la zarzuela *El secreto de la reina*. El asunto de esta zarzuela en tres actos, procede de una pieza francesa de Rosier y Leuven, que arregló para la escena española Luis

Olona. La música del primer acto es de Gaztambide y gustó mucho, especialmente el dúo de "Calladito, calladito" que se tuvo que repetir. Las dos piezas primeras del acto segundo eran de Hernando y el resto de la música de Inzenga. "Las piezas de Hernando no gustaban a nadie –en palabras de Barbieri–, y se trató de que otro las pusiera en música, sobre lo cual hubo disgustos con Hernando, pero aunque yo llegué a componer un borrador de la introducción, subsistieron las piezas de Hernando porque viendo yo el giro que tomaba el asunto, no quise meter mi hoz en esta mies. Entre la música de Inzenga había cosas buenas pero pasaron desapercibidas del público y la obra en conjunto tuvo un éxito mediano". Cotarelo ofrece la misma valoración de la obra, quizá dejándose llevar por la de Barbieri, ya que utilizó sus papeles para la confección de su libro; comenta que "la música de esta zarzuela es buena, la del primer acto, que pertenece a Gaztambide, de la cual se hacía repetir el dúo de Soriano y Caltañazor; la del acto segundo, de Hernando, muy mediana, y algo mejor la del tercero que era la de Inzenga". Aquí aplican los autores el plan estructural de *Jugar con fuego*, 1851, que también cuenta con doce números de música, aunque en *Jugar con fuego* el primer acto cuenta con cinco números, el segundo con tres y el cuarto con tres también; mientras que ahora son seis en el primer acto, resultando demasiado largo, ya que dobla las proporciones de los restantes, que cuentan con tres números de música cada uno de ellos. *Don Simplicio Bobadilla* se estrenó en el Circo a beneficio de Caltañazor el sábado 7 de mayo de 1853. La obra tenía letra de Manuel Tamayo y Baus, y la música correspondía a todos los compositores de la empresa menos Oudrid. "Gustó poco debido a la obra en sí y a las mal dispuestas decoraciones y tramoyas. Solamente se aplaudió mucho la *Escena y coro de alguaciles* de Gaztambide que además de ser bonita pieza, la cantaron las coristas de una manera admirable. Esta magia costó mucho y produjo muy poco a la Empresa" (Barbieri). La obra cuenta con tres actos, y tiene diecisiete números de música de los que diez son coros.

Hernando abandonó la sociedad lírica por problemas económicos y perdió la preponderancia dramática que había conseguido con sus dos obras iniciales, y sólo logró ver representada en el Conservatorio el 28 de abril de 1860 su zarzuela en un acto *El tambor*, con libro de E. Álvarez. La función era a beneficio de los heridos de la Guerra de África. Desde 1852 era secretario del Conservatorio de Madrid, que se instaló ese año en el edificio del teatro Real. Era además profesor de armonía en dicho centro desde 1858, si bien antes, había suplido a Carnicer teniendo como discípulos a Gaztambide y Barbieri. Desde la secretaría del Conservatorio fue el hombre de confianza de Eslava, llevando a cabo una ingente labor organizativa y de reivindicaciones absolutamente imprescindibles, según Ruiz Tarazona. Elaboró el proyecto de reglamento orgánico del Conservatorio, consiguiendo reformas y mejoras de gran utilidad, como la del Gran Salón, para desarrollar recitales y actos académicos. Fue también autor de un "Proyecto-Memoria para la creación de una Academia de Música", buena prueba de su cultura musical histórica; a ese "proyecto" contestó Barbieri en un folleto tilado *La Zarzuela*, publicado en Madrid en 1864. A pesar de coincidir con Hernando en las ideas fundamentales, comenta cómo "el señor Hernando, por sus antecedentes artísticos, así como también por la distinguida posición oficial que ocupa, tiene una importancia y una autoridad muy grandes en la opinión pública, y si se dejaran pasar sin discusión los puntos de su escrito, a que antes me refiero, valdría tanto como dar a suponer al público y a los artistas que todas la doctrinas del señor Hernando son incontrovertibles, o, como si dijéramos, el credo del arte músico español". Comenta el autor seis ideas de Hernando referidas a la zarzuela que aparecen en uno de los párrafos del proyecto (pág. 53), y al final del artículo se permite reescribir dicho párrafo con una nueva orientación.

Rafael Hernando (Foto: Colección Castellano; E:Mn)

Su desvío de la zarzuela y el constante desvelo por la profesión musical, alejaron a Hernando del teatro lírico. Obras como *Una noche en el serrallo*, 1856, en dos actos, o *Aurora* en tres, no llegaron a estrenarse. Tampoco vieron la luz *El alcázar*, 1856, en un acto, con texto de Luis del Cerro, y *Don Juan de Peralta*, 1862, con libro de J. Morán. Es una señal de la decadencia de Hernando, lejos de los grupos y autores que gobiernan la zarzuela. En 1860 fundó la Sociedad Artístico Musical de Socorros Mutuos, asociación filantrópica de la que fue secretario general. Esta asociación, a cuya comisión ejecutiva pertenecían Eslava, Inzenga, y Gaztambide, organizó conciertos de bastante envergadura, si se tiene en cuenta la incipiente afición filarmónica madrileña. Consagrado del todo a la enseñanza y a la secretaría de la Asociación de Socorros Mutuos de los Profesores de Música de España, fue abandonando la composición, y del todo el teatro lírico. Escribió todavía obras de circunstancias como la fantasía sinfónico-religiosa *El nacimiento*, 1857, para celebrar el del Príncipe de Asturias, futuro Alfonso XII, en una función regia dentro del Conservatorio. Compuso el himno académico inaugural de los Premios a la Virtud; la fantasía *La proclamación*, 1874; el himno *La paz*, 1875, para festejar la llegada de Alfonso XII, un *Coro y marcha triunfal para el regreso de los ejércitos victoriosos de África*, y una *Marcha fúnebre española*. Sus obras ocasionales están recogidas en un *Álbum histórico-musical conmemorativo* (Madrid, 1877). Fue nombrado caballero de la Orden de Carlos III y fue el primer académico de número de la Sección de Música de la Real Academia de Bellas Artes de San Fernando. A él se deben los folletos *Petición de subvención para el teatro lírico nacional* (Madrid, 1881) y *Dictamen proponiendo la creación de una sección de música en las academias provinciales de Bellas Artes* (Madrid, 1884).

Como consecuencia de los vaivenes políticos, se acabó separando a Hernando del Conservatorio, por excedencia forzosa, hecho que debió suponerle gran dolor; soltero, solitario, olvidado de todos, comenta: "No me he interpuesto en el camino de nadie y siempre estuve propicio al auxilio de toda honda aspiración. Mi espíritu de iniciativa siempre me impulsó marchar por rumbos abandonados o no seguir, al menos en la forma que yo consideraba de mayor interés general... Sólo lamento no haber podido realizar todo cuanto haya intentado o pensado en beneficio de la juventud estudiosa... ¡Cuánto puede sufrir un compositor! Si fuera pintor o escultor ¿habríame sucedido no poder seguir exhibiéndome en terreno propio, entre mis émulos, siquiera hasta una primera pública derrota?".

Hernando debe ser considerado como el iniciador de la restauración del género lírico en el siglo XIX; sobre ésto, comenta Peña y Goñi, que "las 126 representaciones consecutivas de *El duende*, fueron el toque más enérgico de llamada que la zarzuela haya hecho al público desde que la zarzuela existe. Ya se han visto los resultados". *Véase* COLEGIALAS Y SOLDADOS; EL DUENDE; EL ENSAYO DE UNA ÓPERA; PALO DE CIEGO.

OBRAS: *El ensayo de una ópera*, 1 act, l, J. Peral, est, 24-XII-1848, Te. del Instituto; *Las sacerdotisas del sol*, Zarz, 1 act, col. C. Oudrid, l, J. del Peral, est, 24-XII-1848, Te. del Instituto; *Palo de ciego*, 1 act, l, J. Peral, est, 15-II-1849, Te. del Instituto; *Colegialas y soldados*, 2 act, l, M. Pina / F. Lumbreras, est, 21-III-1849, Te. del Instituto, *E:Msa*; *El duende*, 2 act, l, L. Olona, est, 6-VI-1849, Te. Variedades, *E:Msa*; *La batalla de Bailén*, Zarz, act, est, 16-VIII-1849; *Bertoldo y comparsa*, 2 act, l, G. Romero Larrañaga, est, 23-V-1850, Te. de los Basilios; *Escenas de Chamberí*, 1 act, col. Barbieri / Gaztambide / Inzenga / Oudrid, l, J. Olona, est, 19-XI-1850, Te. Variedades; *El duende* (segunda parte), 2 act, l, L. Olona, est, 18-II-1851, Te. del Circo, *E: Msa*; *El confitero de Madrid*, 2 act, col. J. Inzenga, l, L. Olona, est, 7-XI-1851, Te. del Circo, *E:Msa*; *Por seguir a una mujer*, 4 act, col. Barbieri / Gaztambide / Inzenga / Oudrid, l, L. Olona, est, 24-XII-1851, Te. del Circo, *E:Msa*; *El novio pasado por agua*, 3 act, l, M. Bretón de los Herreros, est, 20-III-1852, Te. del Circo, *E:Msa*; *El secreto de una reina*, 3 act, col. Gaztambide / Inzenga, l, L. Olona, est, 13-X-1852, Te. del Circo, *E:Msa*; *Don Simplicio Bobadilla*, 3 act, col. Barbieri / Gaztambide / Inzenga, l, M. Tamayo y Baus, est, 7-V-1853, Te. del Circo; *Cosas de don Juan*, 3 act, l, M. Bretón de los Herreros, est, 9-IX-1854, Te. del Circo; *Una noche en el serrallo*, 2 act, 1856, *E:Msa*; *En el alcázar*, Zarz, 1 act, l, C. Torres / Pastor, est, VII-1858, Te. Zarzuela, *E:Msa*; *El tambor*, 1 act, l, E. Álvarez, est, 28-IV-1860, Real Conservatorio de Madrid, *E:Msa*; *Don Juan de Peralta*, Zarz, 3 act, l, J. Morán, est, IX-1863, Te. Zarzuela, *E:Msa*.

BIBLIOGRAFÍA: *DMEH*; *HZ*; *MT*; *OE*; *OGCH*; *OOE*; *TA*; E. Velaz de Medrano: *Álbum de La Zarzuela*, Madrid, Imp. de Antonio Aoiz, 1857; *Colegialas y soldados, zarzuela en dos actos. Partitura para canto y piano, arreglada y dedicada al antiguo Conservatorio de Música y Declamación (hoy Escuela Nacional de Música) por su autor, don Rafael Hernando*, Madrid, AR, 1872; A. Peña y Goñi: *Impresiones musicales. Colección de artículos de crítica y literatura musical*, Madrid, Manuel Minuesa de Los Ríos, 1878; M. E. Cortizo: "Orígenes de la zarzuela romática", *Actualidad y futuro de la zarzuela*, Madrid, Alpuerto-Caja Madrid, 1993; –: "La zarzuela romántica. Zarzuelas estrenadas en Madrid entre 1832 y 1847", *Cuadernos de Música Iberoamericana*, 2-3, Madrid, ICCMU-SGAE, 1996-97.

Mª ENCINA CORTIZO

Herrando, José. Valencia, 1720 ó 1721; Madrid, 4-II-1763. Compositor y violinista. Fue violinista en el monasterio de la Encarnación, donde ocupó la primera plaza de este instrumento. Desde 1760 hasta su muerte perteneció a la Capilla Real de Madrid, ocupando la última de las doce plazas de violín. Herrando fue uno de los violinistas españoles más destacados de mediados del siglo XVIII. Además de la música instrumental, de cuya producción se han conservado varias sonatas para violín y un interesante tratado para este instrumento publicado en París en 1756, también se dedicó a la música escénica. Fue instrumentista en las orquestas de los teatros, bajo la dirección de Farinelli, y autor de varias obras como autos sacramentales, comedias y sainetes. Entre sus creaciones para la escena destacan la comedia *Los juegos olímpicos*, estrenada el 16 de abril de 1752 en el teatro del Príncipe; *El segundo Augusto Cesar y proféticas Sibilas*, comedia estrenada en enero de 1753 en el teatro de la Cruz, y *Judas Iscariote*, comedia estrenada el 25 de diciembre de 1753 en el teatro de la Cruz. Herrando compaginó los puestos mencionados con el servicio a los duques de Alba y Arcos. Mantuvo contactos posteriores con la

José Herrando (Grabado de Salvador Carmona; Ar. ICCMU)

casa de Osuna, posiblemente derivados de su actividad en la Encarnación cuya capilla contrataban habitualmente los duques. Varias de sus obras escénicas fueron dedicadas a este duque y estrenadas en su palacio, como *Don Juan de Espina*, representada en 1761 o *Manos blancas no ofenden*, con letra de Calderón de la Barca representada el mismo año.

El padre de Herrando, también llamado José, compuso igualmente obras para el teatro. Desde 1730 formó parte de la compañía de San Miguel que actuaba en Madrid, trasladándose a la capital desde Zaragoza. Debido a tener el mismo nombre, en algunos casos es difícil discernir la autoría de las obras, siendo solamente evidente en las posteriores a 1750, fecha en la que el padre ya había fallecido.

OBRAS: *Las manos blancas no ofenden*, Com, 3 act, l, P. Calderón de la Barca, 1740; *Los juegos olímpicos*, Com, 2 act, l, A. de Salazar y Torres, adap N. González Martínez, est, 16-IV-1752, Te. del Príncipe; *La dicha en el precipicio*, serenata, 2 act, l, N. González Martínez, est, 1752, Te. Príncipe; *Aún vive don Juan de Espina*, l, J. de Cañizares, est, 16-IV-1752, Te. del Príncipe; *El segundo Augusto Cesar y proféticas Sibilas*, Com, 2 act, l, N. González Martínez, est, 28-I-1753, Te. de la Cruz; *La eficacia del bautismo y nueva fe en Tartaria*, Com, l, B. Álvarez de Eulate, est, 25-XII-1753, Te. de la Cruz; *Judas Iscariote*, 2 act, Com, est, 25-XII-1753, Te. de la Cruz, *E:Mn*; *El pagador de todo y catalán hostelero*, Sai, 1 act, est, 1753, *E:Mm*; *La perla de Inglaterra y príncipe de Hungría*, l, N. Hernández, est, X-1761, Te. Príncipe, *E:Mn*.

BIBLIOGRAFÍA: *DMEH*; *HZ*; J. Subirá: *La música en la casa de Alba*, Madrid, Sucesores de Ribadeneyra, 1927; L. Siemens: "Los violinistas compositores en la corte española durante el periodo central del siglo XVIII", *RMS*, XI, 3, 1988; J. Ortega: "La Real Capilla de Carlos III: los músicos instrumentistas y la provisión de sus plazas", *RMS*, XXIII, 2, 2000.

JUDITH ORTEGA

Herrera, Adolfo. México, siglos XIX-XX. Libretista y escenógrafo. Escribió la música y el texto de *Hermana*, zarzuela dramática en tres actos de tema histórico, para cuyo estreno el 18 de julio de 1903 también realizó los decorados y cuya "acción se desarrollaba en un pueblo de la frontera del norte de la República, en 1861... el argumento se refería al peligro que el gran don Benito Juárez corrió de ser asesinado por soldados conservadores y evitó el insigne romancero don Guillermo Prieto, poniéndose ante el excelso patriota y gritando a las tropas los mexicanos no son asesinos...".

ALMA GUEROLA LANDA

Herrero López, Felisa [Felisa Herrero].

Rapariegos (Segovia), 21-IX-1905; Madrid, 21-IX-1962. Soprano. Además de estudiar en el Conservatorio de Madrid recibió clases de Ignacio Tabuyo. Comenzó a actuar en funciones benéficas, como la que se organizó en el teatro Barbieri donde cantó las romanzas de *El cabo primero* y *Gigantes y cabezudos*. Vives se interesó por ella y la hizo entrar de meritoria en el teatro Real, donde cantó papeles en diversas obras como *Amaya* y *La bohème*.

Felisa Herrero
(Foto: Saus; Ar. SGAE)

En 1923 Ricardo Villa la contrató para su compañía de zarzuela y estrenó en Gijón *La montería* de Jacinto Guerrero. Recorrió el Norte de España con diversos títulos, siempre con éxito, y cantó también en Barcelona. Rechazó la oferta de Vives para llevar *Doña Francisquita* de gira por América. En 1925 se presentó con *Molinos de viento* en compañía de Marcos Redondo, cautivando al público que desde ese mismo momento convirtió a ambos en ídolos. La Herrero cantó después el papel principal de *Doña Francisquita* junto a Emilio Vendrell. La temporada 1926-27 ya pertenecía a la compañía del teatro de la Zarzuela, donde triunfó con *La bruja* de Chapí y sobre todo con *Doña Francisquita*, uno de sus mayores éxitos. En este año se produjo uno de los grandes acontecimientos de la historia de la zarzuela moderna cuando el 11 de noviembre se estrenó *El caserío*, comedia lírica de ambiente vasco en tres actos con música de Jesús Guridi. Dirigida escénicamente por los autores del libreto, Federico Romero y Guillermo Fernández Shaw y musicalmente por Emilio Acevedo, estuvo interpretada en su papel principal por Felisa Herrero. Al año siguiente estrenó *La villana* que Vives compuso especialmente para ella y *La flor del Pazo* de Conrado del Campo; en 1928 *La marchenera* de Moreno Torroba en la Zarzuela y *Cantuxa*, ópera folclórica gallega en dos actos y epílogo de Gregorio Baudot.

En 1929 la fama de esta cantante era tal que probó fortuna como empresaria; seguía la costumbre de otras grandes divas de la zarzuela desde el siglo XIX. Felisa Herrero creó su propia compañía, dedicada al género chico, llevando con ella a los tenores Tino Pardo y Díaz Flor, los barítonos Pablo Hertogs y Blas Lledó, el tenor cómico Joaquín Valle y la tiple cómica Flora Pereyra como figuras principales. El elenco estaba dirigido por Emilio Acevedo y debutó con la zarzuela *Bohemios*. En días sucesivos la Herrero puso en escena *La fiesta de San Antón*, *El húsar de la guardia*, *El santo de la Isidra*, *La verbena de la Paloma* y *Doloretes*, hasta el día 18 que estrenó *El romeral*, zarzuela en dos actos de Acevedo y Díaz Giles. El puesto de honor en la parte interpretativa correspondió a Felisa Herrero. El 8 de julio terminó sus actuaciones en la Zarzuela y al día siguiente debutó con su compañía en el teatro Pavón.

Los estrenos de esta cantante siguieron y en 1930 interpretó *El ruiseñor de la huerta*, zarzuela de costumbres valencianas de Leopoldo Magenti en la que creó el papel de Mary-Luz; *La rosa del azafrán* de Guerrero en el teatro Calderón, junto a Emilio Sagi-Barba; en 1932 estrenó *Luisa Fernanda* en el mismo teatro, de nuevo con Emilio Sagi-Barba, Faustino Arregui y Selica Pérez Carpio, manteniéndose en cartel más de 150 noches seguidas. En el mismo teatro y también de Moreno Torroba estrenó en 1934 *La chulapona* con Selica Pérez Carpio. En 1936 estrenó en el teatro Calderón *La boda del señor Bringas o Si te casas la pringas*, de Moreno Torroba, con libro de Ramos de Castro y Carreño que le dedicaron la obra con estas palabras: "A Felisa Herrero. Legítima gloria del arte lírico español, e intérprete magnífica de este sainete, con la admiración y la amistad de los Autores". Otros títulos de su repertorio eran *Marina*, *La revoltosa* y *La Dolores*. El estallido de la contienda civil la llevó fuera de España realizando, como

Felisa Herrero y Emilio Sagi-Barba en La tempranica *de G. Giménez (Foto: Nuevo Mundo, 1930; Ar. ICCMU)*

tantos otros cantantes, giras por Hispanoamérica hasta 1945. El éxito la acompañó, sobre todo en Buenos Aires. A su vuelta a España realizó algunas actuaciones en festivales, grabó discos y se retiró de la escena.

Su voz amplia, de gran extensión, con un timbre muy personal, pasaba de lírica a dramática según lo requiriesen los papeles que interpretaba, algo muy adecuado para la zarzuela grande. A sus dotes vocales unía un gran talento como actriz, por lo que es, junto a Selica Pérez Carpio, una de las sopranos más importantes de los años treinta. En su amplia discografía hay que destacar *Doña Francisquita* para Columbia, dirigida por Daniel Montorio junto a Cora Raga y Emilio Vendrell.

FONOGRAFÍA: *Alhambra*, Blue Moon BMCD 7549; *Doña Francisquita*, Aria • Regal LKX 5007 a LKX 5014 (et. azul), KX 236 a KX 251 • RG 16016 (et. rosa), WKX 242 WKX 246; *El cabo primero*, Regal PKX 3014 (et. azul), KX 330 KX 334; *El cantante enmascarado*, Blue Moon BMCD 7549; *El divo*, Blue Moon BMCD 7549; *El renegado*, Blue Moon BMCD 7549; *El romeral*, Blue Moon BMCD 7549; *Gigantes y cabezudos*, Regal PKX 3009 (et. azul), KX 328 KX 329; *Katiuska*, Blue Moon BMCD 7516 • Columbia R 14016 a R 14020, WK 2481 a WK 2484, WK 2488 WK 2489 WK 2518 WK 2519 WK 2615 WK 2616 WK 2618 WK 2619; *La marchenera*, La Voz de su Amo AE 2170 AF 183; *La moza que yo quería*, Blue Moon BMCD 7549; *La rosa del azafrán*, Regal LK 4006 PK 1506 (et. azul), K 2104 K 2105 K 2112 K 2120; *La tempestad*, Regal PKX 3014 (et. azul), KX 330 KX 334; *La villana*, La Voz de su Amo AD 5 (et. burdeos), CJ 1013-II CJ 1036-II; *Marina*, 5606 a 5608 (et. roja), 87475 a 87579.

BIBLIOGRAFÍA: *CCE; HGZ*; J. Martín de Sagarmínaga: *Diccionario de cantantes líricos españoles*, Madrid, Fundación Caja Madrid-Acento Ed., 1997.

EMILIO CASARES RODICIO

Hertogs Sancho, Pablo. Madrid?, 1905?; Montevideo?, 1966. Barítono-bajo. Se desconoce su lugar de nacimiento; unas fuentes suponen que era uruguayo, otras valenciano o madrileño. Su padre era belga y su madre de Sagunto (Valencia). Realizó estudios de canto en Madrid con Ignacio Tabuyo. Comenzó a cantar en la compañía de Amparo Romo en la que interpretó zarzuela, ópera y opereta, uniendo a su voz, con un magnífico registro grave que le permitía cantar indistintamente como bajo o barítono, grandes cualidades de actor. Estrenó *La Dolorosa* de Serrano en el teatro de la Zarzuela junto a María Badía y Emilio

Pablo Hertogs (Foto: Ar. SGAE)

Vendrell. Sus mayores éxitos fueron *La tempestad*, *Marina*, *La del manojo de rosas*, *Las golondrinas* y *Luisa Fernanda*. Estrenó además *La isla de las perlas* de Sorozábal, *El hermano lobo* de Penella y *La embajada en peligro* de Dotras Vila. En 1936 llevó al cine *El gato montés* de Penella. Al estallar la guerra el cantante abandonó España, como tantos otros, camino de Hispanoamérica y a su regreso, sus cualidades artísticas se hallaban muy mermadas a pesar de lo cual continuó cantando operetas en el Apolo de Barcelona; efectuó después una gira por provincias y desapareció de la escena. Se publicó en 1964 la noticia de su fallecimiento en Montevideo, que resultó falsa, si bien, al parecer falleció dos años después.

FONOGRAFÍA: *Alhambra*, Blue Moon BMCD 7549; *El cantante enmascarado*, Blue Moon BMCD 7549; *El divo*, Blue Moon BMCD 7549; *El renegado*, Blue Moon BMCD 7549; *El romeral*, Blue Moon BMCD 7549; *La Dolorosa*, Regal LKX 5024, DK 4017 DK 8195 (et. azul), KX 289 KX 290 K 2293 K 2294-2 K 2281 K 2296-2; *La moza que yo quería*, Blue Moon BMCD 7549.

BIBLIOGRAFÍA: *CCE; HGZ*.

Mª LUZ GONZÁLEZ PEÑA

Hicken, Ricardo. Argentina, 1896; Argentina, 1940. Dramaturgo. Cursó la carrera de ingeniería civil y simultáneamente realizó estudios de música y canto. Sus primeras piezas se inscriben en el sainete lírico, como *La novia de Floripondio* y *La mujer de Chapelgorria*, con música de Francisco Payá. Pero ya en su obra se puede apreciar la evolución del sainete lírico hacia la comedia, entre las que se destacan *Maridos caseros* y sobre todo *La Virgencita de madera*, que batió records de público. Escribió numerosas revistas en colaboración con Payá, como *Breviario sicalíptico*, 1928, y *Orgías de pecadores*, 1928. Tradujo también numerosas obras de autores europeos, especialmente alemanes.

MARTA LENA PAZ

Hidalgo, Juan. Madrid, 28-IX-1614; Madrid, 31-III-1685. Compositor y arpista. Es muy probable que se formara musicalmente con su abuelo, Juan de Polanco, que tenía un taller de instrumentos, donde también trabajaba su padre –Antonio Hidalgo–, como violero. Juan Hidalgo trabajó en el entorno de la corte, donde fue nombrado arpista de la Real Capilla en 1633, aunque venía ejerciendo el puesto desde varios años atrás. Además del arpa tocaba el claviarpa, y desde 1645 era el compositor de música teatral de la corte, y el encargado de todo lo relacionado con la música, tanto profana como religiosa, por lo que recibía cuantiosos emolumentos. Además de las religiosas, –muchas perdidas por el incendio del Alcázar de 1734– Hidalgo compuso numerosas obras escénicas, entre las que se cuentan autos sacramentales, comedias, semi-óperas, óperas y zarzuelas. En ellas, colaboró con los escritores más sobresalientes, entre los que merece destacar de manera especial Calderón de la Barca, cuya relación más fructífera duró dos décadas, 1660-80, aunque su colaboración comenzó algunos años antes. Otros escritores con los que trabajó fueron Francisco de Avellaneda, Juan Vélez de Guevara y Melchor Fernández de León.

Hidalgo es el autor más importante de música escénica de su época, y ejerció una enorme influencia en los autores posteriores. Fue un innovador que cultivó muy diversos géneros, contribuyendo a su conformación, como la ópera, la semi-ópera y la zarzuela. Las obras que más trascendencia tuvieron son sus óperas *La púrpura de la rosa* y *Celos aun del aire matan*, 1660, ambas con letra de Calderón. Son las dos primeras obras del género que se hicieron en el mundo hispano y tuvieron gran repercusión, no sólo en España, sino especialmente en Hispanoamérica. Las semi óperas, entre las que se encuentran *Fortunas de Andrómeda y Perseo*, con libreto de Calderón, 1653, y *La estatua de Prometeo*, también con letra de Calderón, ca. 1670-75, son obras extensas que contienen al igual que las óperas muchos elementos nuevos. Las convenciones operísticas y su estilo musical difieren de la ópera italiana. Las obras de Hidalgo destacan por su austeridad, principalmente empleada en el recitativo. Asimismo difieren en ritmo de otros autores de la época; sus canciones son principalmente silábicas, y usa ritmos con síncopas y hemiolias, tomados de danzas hispanas como la jácara y la seguidilla. El uso de estos elementos es importante para la caracterización y verosimilitud de la historia. Hidalgo conocía la ópera italiana contemporánea, aunque no se representaba en Madrid, y al mismo tiempo, la música de Hidalgo era bien conocida en Italia, Francia y Latinoamérica.

En lo que se refiere al género de la zarzuela, Hidalgo fue protagonista de su nacimiento, ya que a él se atribuye la música de *El laurel de Apolo*, 1657, escrita por Calderón, siendo la primera obra que lleva la denominación de zarzuela. La zarzuela, según L. K. Stein, era un género más flexible y sencillo que la ópera o semiópera. Consistía en una obra más corta con escenas musicales, usualmente en dos actos y con tema pastoral e historias inspiradas en la mitología, pero en las que los dioses y seres sobrenaturales tenían una alta presencia simbólica, o más teatral, que la humana. En comparación con la semi-ópera, la zarzuela es un género textual y teatral, lo que le hace muy distinto. La música de la mayor parte de las zarzuelas está constituida por cantos sencillos, sobre todo solos o tonos humanos con acompañamiento instrumental; también están presentes los cuatros y dúos. Era un género atractivo por su mayor sencillez, menor envergadura, y porque la puesta en escena era más sencilla que en las óperas o semi-óperas. Otra de sus primeras obras escénicas es *Pico y Canente*, comedia en tres jornadas, con letra de L. de Ulloa, representada en el teatro del Buen Retiro en 1656. De esta obra solamente se conserva una canción en la Biblioteca Nacional de Madrid.

Entre las zarzuelas de Hidalgo destaca también *Los juegos olímpicos*, con letra de Juan de Salazar y Torres, uno de los más exitosos seguidores de Calderón. Esta zarzuela en dos actos es su obra más elaborada, y trata de la historia de Paris y Oenone. Fue interpretada con éxito en el cumpleaños de la reina Mariana, el 22 de diciembre de 1673. El primer acto tiene siete números musicales y ocho el segundo. Esta obra ejemplifica la tradicional naturaleza conservadora del género, en el que cada situación musical podría ser justificada dentro del mecanismo del argumento de una comedia. Esta fiesta ilustra nuevamente el rechazo del modelo de semi-ópera de los contemporáneos de Calderón. Según L. K. Stein, las canciones a solo tienen dos secciones, a modo de coplas y estribillo, a modo de dos secciones, una narrativa y otra más emocional, donde tienen cabida los diferentes afectos. Esto entronca con la tradición del romance, donde se sigue la estructura y la retórica del texto. De la zarzuela *Los celos hacen estrellas*, con letra de Juan Vélez de Guevara, representada el 22 de diciembre de 1672 en el Alcázar para la celebración del cumpleaños de Mariana, la reina madre, se conserva la mayor parte de la música. Según L. K. Stein esta obra confirma su teoría de que la zarzuela, el género más ampliamente cultivado a finales del siglo XVII, era un género músico-teatral más simple que la semi-ópera y que supuso una pequeña entrada para géneros musicales foráneos. En esta zarzuela no hay personajes mortales reales, y todas las escenas tienen lugar en la tierra, en un enclave rústico-pastoril porque los dioses han sido llevados al nivel de los personajes de la comedia ordinaria, sin distinción entre dioses y mortales o cielo y tierra necesitado en el reforzamiento musical. *Los celos hacen estrellas* difiere también de las semi-óperas serias en que la expresión musical está limitada a canciones tradicionales y aires estróficos.

El estudio de la música escénica en la época de Hidalgo se enfrenta con la dificultad de que son muy pocas las partituras conservadas, contrariamente a lo que ocurre con los textos, que se guardan en mayor número. Sin embargo, recientes estudios han contribuido al conocimiento de nuevas fuentes, debido a la reutilización de los materiales musicales. En este sentido, por ejemplo, Carmelo Caballero ha encontrado música de la zarzuela *Los celos hacen estrellas* reutilizada por Miguel Gómez Camargo en unos villancicos tornados a lo divino, conservados en la catedral de Valladolid.

Hidalgo, músico muy prolífico y admirado, dominó la música en la corte hasta su muerte y fue posiblemente, en su época, el autor más influyente del mundo hispano. Para L. K. Stein, la figura de este compositor en España es comparable a la de Lully en Francia o Purcell en Inglaterra.

OBRAS: *Pico y Canente*, Com, 3 act, l, L. de Ulloa, est, 1656, Te. Buen Retiro (Madrid), *E:Mn*; *El laurel de Apolo*, Zarz, l, Calderón, 1657, atr; *Triunfos de amor y fortuna*, Com, 3 act, col. C. Galán, l, A. de Solís, est, 1658, *E:Bc*, *E:Mn*; *Ni amor se libra de amor*, Com, 3 act, l, Calderón, est, 1662, Ar. Madrid, Congregación de Nuestra Señora, *E:Mn*; *Los celos hacen estrellas*, Zarz, 2 act, l, J. Vélez de Guevara, est, 1672, *E:Mn* (ed. J. E. Varey, N. D. Shergold, Londres, 1970); *Los juegos olímpicos*, Zarz, 2 act, l, J. Vélez de Guevara, 1672, *E:Mn*; *Endimión y Diana*, Zarz, 2 act, l, M. Fernández de León, 1675, *E:Mn*; *El templo de Palas*, Zarz, 2 act, l, F. de Avellaneda, 1675, *E:Mn*; *Alfeo y Aretusa*, Zarz, 2 act, col. C. Galán, l, J. B. Diamante, 1674, rev 1678, Nueva York, Hispanic Society of America; *Contra el amor desengaño*, Zarz, 2 act, l, Calderón?, 1679, *E:Mn*; *Hado y divisa de Leonido y Marfisa*, Com, 3 act, l, Calderón, 1680; *Ícaro y Dedalo*, Com, 3 act, l, P. Scotti de Agoiz, 1684; *El primer templo de amor*, Com, 3 act, l, M. Fernández de León.

BIBLIOGRAFÍA: *DMEH*; C. Caballero: "Nuevas fuentes musicales de *Los celos hacen estrellas* de Juan Vélez de Guevara", *Música y teatro*, ed. L. García Lorenzo, 1988, 119-55; L. K. Stein: *Songs of Mortals, Dialogues of the Gods*, Oxford, Clarendon Press, 1993.

JUDITH ORTEGA

Hidalgo Megía, Consuelo. Gibraltar, siglo XIX; ?. Cantante. Hija de artistas dedicados a la zarzuela, nació en Gibraltar durante una gira que su madre, tiple de la compañía de Guillermo Cereceda, realizaba allí. La profesión de sus padres la hizo conocer desde niña el teatro y diversas capitales españolas, por las que les acompañaba en sus giras. Debutó en el teatro Ruzafa de Valencia en un pequeño papel de *La alegre trompetería*, pasando rápidamente a segunda tiple en el mismo teatro. Estrenó en Alicante, como primera tiple *La corte de Faraón*, cantando además *El bueno de Guzmán* y *La duquesa del Bal Tabarín*. En 1900 estrenó *La tempranica* de Gerónimo Giménez en el teatro de la Zarzuela. Posteriormente derivó al género ínfimo y tras la desaparición de Julia Fons de los escenarios se convirtió en la reina de la opereta y la revista apicarada de los años veinte. Su consagración llegó con el estreno en 1917 de la Frou-Frou de *La duquesa del Bal Tabarín*. Luego estrenó obras como

Consuelo Hidalgo (Foto: Legado Luna; Ar. SGAE)

El príncipe Carnaval o *El as* y otros espectáculos de los que José Juan Cadenas presentaba en el Reina Victoria de Madrid. Tras finalizar la brillante temporada en ese teatro, emprendió una gira por América y actuó en 1925 en el teatro Martí de La Habana, donde se convirtió en un verdadero ídolo. A su regreso a España abandonó definitivamente la opereta para dedicarse al cuplé, debutando en el teatro Maravillas en 1922 y hacia 1926, José L. Campúa le ofreció la altísima suma de mil pesetas diarias por actuar como cupletista en el Madrid Cinema. Realizó, coexistiendo con su etapa de cupletista, algunas representaciones de zarzuela. Como era habitual en la época, abandonó los escenarios para casarse y aunque poco después enviudó, no volvió a los escenarios.

FONOGRAFÍA: *Charivari*, Blue Moon BMCD 7552; *El diablo verde*, Blue Moon BMCD 7552; *El príncipe Carnaval*, Blue Moon BMCD 7508; *El tango de la cocaína*, Blue Moon BMCD 7552; *La princesa del dollar*, Blue Moon BMCD 7508.

BIBLIOGRAFÍA: *CCE*; *HGZ*, *ME*; *El Teatro*, 2, XII, Madrid, 1900; *Nuevo Mundo*, 1522, 23-III-1923; F. Cuenca: *Teatro andaluz contemporáneo. 2. Artistas líricos y dramáticos*, La Habana, Ed. Maza, 1940.

Mª LUZ GONZÁLEZ PEÑA

Higueras Aragón, Ana. Madrid, 6-V-1944. Cantante y pedagoga. Realizó sus estudios de solfeo, armonía, piano y canto en el Real Conservatorio Superior de Música de Madrid, donde fue alumna de su tía, Lola Rodríguez Aragón. En 1963 obtuvo el premio extraordinario y el Lucrecia Arana de dicho centro. Debutó en el teatro Principal de Valladolid en 1963 en *El sueño de una noche de verano* de Mendelssohn dirigida por Odón Alonso, y al año siguiente cantó en el teatro de la Zarzuela la Zerlina de *Don Giovanni*. En 1965 ganó el Gran Premio Internacional de Canto de Toulouse. Ha sido ante todo una cantante de ópera y concierto, pero estrenó *El hijo fingido* de Rodrigo. Por otra parte en su discografía existen varias zarzuelas. Desde 1978, año en el que ganó por oposición la cátedra de técnica vocal de la Escuela Superior de Canto de Madrid, ha alternado sus actuaciones con la enseñanza.

FONOGRAFÍA: *Agua, azucarillos y aguardiente*, EMI 7243 5 74152 2 4 (637.00320) • Hispavox 7 67331 2 (637.33859); *Bohemios*, EMI 7243 5 74209 2 1 (637.02680) • Hispavox 7 67322 2 (673.33800); *Don Manolito*, Zafiro ZOR-222 154 • Zafiro-Salvat 1055-2; *Doña Francisquita*, EMI 7243 5 74209 2 1 (637.02680); *Katiuska*, Columbia MCE 829 y SCE 929-942; *La eterna canción*, EMI 7243 5 74344 2 3 (637.05337) • Hispavox 7 67433 2 (637.77054); *La Gran Vía*, EMI 7243 5 74152 2 4 (637.00320); *La tabernera del puerto*, Columbia-BMG España MCE 839-40 y SCE 939-40 • Columbia-BMG España WD 71469 (9H); *La vida breve*, La Voz de su Amo SAN 157 y 158, L 126 y 127; *Las de Caín*, EMI 7243 5 74342 2 5 (637.05311) • Hispavox 7 67432 2 (637.77062); *Los burladores*, Columbia C 7509 161 • Columbia SA, ZCL 1091 (Zacosa) 145.

LUIS G. IBERNI

Hijas del Zebedeo, Las. Zarzuela cómica en dos actos. Música de Ruperto Chapí. Libreto de José Estremera. Estrenada el 9 de julio de 1889 en el teatro Maravillas de Madrid.

Personajes y reparto. Luisa (Julia Segovia, tiple). Regina (Srta. Ruiz). Tomasa (Sra. Sabater). Arturo (José Sigler, barítono). Felipe (Sr. Castro). Polissón (Servando Cerbón). Gregorio (Sr. Campos).

Orquestación. Flautín, flauta, oboe, 2 clarinetes, fagot, 2 trompas, 2 trompetas, 3 trombones, timbal, caja, bombo y cuerda.

Argumento. *Acto I.* Sala de la casa de un modisto. Luisa y Regina están sentadas junto a un costurero, la primera atiende a un libro sobre labores, mientras la segunda cose. Llegan otras compañeras que preguntan si ha vuelto el maestro, y como no es así, se marchan con sus novios. Regina y Luisa deciden no ir, porque tienen otros planes. Llega de la calle Polissón, tío y padrino de Regina, que trae un libro muy voluminoso. Explica, aparte, que su hermana y madre de ésta, fue seducida por un tal Felipe y cree que el libro puede ser importante porque aparece la posible dirección de su auténtico padre. Al final cree que se encuentra en el Merendero del Zebedeo, por lo que

Cortesía de Unión Musical Ediciones SL.

piensa que el padre de su pupila es el citado Zebedeo. Se va Regina y viene Gregorio que le trae el vestido de su ama, Tomasa. Cuando aquél se marcha, aparece Arturo, novio de Luisa, que viene a pedirle perdón tras la disputa que tuvieron el día anterior. Cuando oyen a Polissón, a Luisa no le queda más remedio que ocultarlo en el vestidor. En el momento en el que se va a escapar, llega Felipe Fernández Palomo, que es el auténtico padre de Regina, y con Tomasa, su esposa, para que ésta se pruebe el vestido. Felipe comenta con Polissón la necesidad de contratar a una ayudante para la fonda que regenta. Cuando Tomasa aparece con la chaqueta puesta, Polissón le dice que su apellido es Zarandillo, lo que hace que Felipe se dé cuenta que el sastre es el hermano de la que fuera su antigua amante. Polissón también lo sospecha por lo que manda a Regina con una carta a la fonda sin decirle nada más. Ella se siente fastidiada porque tiene planes de ir al teatro. Cuando se van, Luisa libra a Arturo, con quien tiene lugar una escena de amor, en medio de la cual son descubiertos por Polissón que no sabe muy bien qué hacer al darse cuenta de que Arturo quiere a Luisa. Paralelamente, Regina le pide a Luisa que le lleve la carta a la fonda para así poder ir al teatro.

Acto II. En un merendero de las Ventas del Espíritu Santo. Arturo está asustado porque piensa que va a venir Polissón enojado. Aparecen Felipe y Tomasa, sus padres. Felipe comenta a Tomasa que está por llegar una joven que ayude en la fonda. Cuando aparece Luisa con la carta, en la que hay unas claves para Felipe, se une al coro de modistillas y sus novios. Luisa entrega la carta a Gregorio y le comenta que espera contestación. Cuando la recibe Arturo, éste se muestra aterrado porque cree que viene a armarle un escándalo. Le dice que no es quien ella cree y que se ha ocultado para que su padre no se enterara. Ante la sospecha de que su padre lo haya hecho, prefiere decírselo porque además tiene la impresión por algunos comentarios de Felipe, de que Luisa y él pueden ser hermanos. Aparece Felipe que viene dispuesto a contarlo todo pero la llegada de Tomasa lo impide. En plena confusión, Luisa trata a Felipe de padre, lo que genera la consiguiente sorpresa en Tomasa. En éstas, Polissón se presenta de repente y le espeta a Felipe que su hijo es un seductor que engaña a las mujeres pero que, teniendo en cuenta que Luisa le quiere, no le importa que se case con ella. Se crea una situación insólita ante estas palabras. Llega Regina y, al no poder ver a Felipe, entrega otra carta a Tomasa que, al leerla, se da cuenta que Regina es la hija ilegítima de su marido. Luisa, mientras, absolutamente confundida, canta las célebres carceleras, donde muestra su confusión pensando en su futuro marido. En plena bronca general, no queda más remedio que todo el mundo se explique. Al final, Tomasa acepta a Regina como hija, Luisa se casará con Arturo y Felipe y Polissón quedan contentos y felices.

Números musicales. Acto I: Nº 1. Introducción. Coro de Mujeres, "Luisa, Regina, ¿Vino el maestro?". Nº 1bis. Vals de las modistas, "¡Ah! El campo con la luz y alegría con vida al placer y al amor". Nº 2. Dúo de tiple y barítono, "Cuando veo a mi Luisita tan graciosa y tan bonita". Nº 3. Terceto del baile, "Mil luces alumbraban el salón". Nº 4. Vals, "Muchachas, muchachas, que ya se marchó". Acto II: Nº 5. Preludio. Orquesta.

Nº 6. Pasacalle, "Vivan las buenas mozas y los galanes". Nº 7. Dúo de los abuelitos, "¡Apriete usted! ¡Apriete usted!". Nº 8. Carceleras, "Al pensar en el dueño de mis amores". Nº 9. Final, "Mi anhelo al fin se calmará".

Comentario. El mayor acontecimiento de la etapa estival de 1889 fue el estreno el 9 de julio de *Las hijas del Zebedeo*, con letra de Estremera en el teatro Maravillas, un centro menor en cierta medida inmortalizado por esta pieza, posiblemente la más celebrada de las que vieron la luz en sus tablas. El comentarista de *El Liberal*, refiriéndose al libreto, da algunas claves de su vinculación cuando afirma que "pertenece al género de *Los lobos marinos*, de *Robo en despoblado* y de otras producciones por el estilo que predominan el donaire de la intriga, la vivacidad del diálogo y la oportunidad de los chistes" (Madrid, 10-VII-1889). En realidad es un simple juguete de enredo en dos actos, con las consiguientes oportunidades para los chistes. La crítica, en una época de total confusión en lo que se refiere al mundo de la zarzuela, la recibió poco menos que como una "octava maravilla". El libreto está dedicado a Rafael María Liern. Estremera, en su dedicatoria, celebrando la fortuna a la que se dirigen, afirma que "no harían nada de más si le pidieran al mismo tiempo actores tan inteligentes, trabajadores y entusiastas como los que han representado esta obrilla, y sobre todo, un director de escena como tú, que la has dado vida y relieve".

La obra se basa casi exclusivamente en el protagonismo absoluto de la tiple, Julia Segovia que, como señala Deleito era "una de las pocas de género chico que por el año ochenta y tantos tenían voz y sabían cantar". Se inicia con una introducción, un coro femenino que alterna con la tiple, que utiliza algunos giros populares –con unas séptimas disminuidas que debieron resultar como mínimo muy chocantes en su época– para pasar, sin solución de continuidad, a un vals, Nº 1bis, entonado por Luisa, primero, con la intervención del coro después, cuya concepción está muy próxima al modelo vienés más estricto. De hecho, es uno de los más claros ejemplos de cómo impactó en España y de qué manera se puede establecer un vínculo con la opereta austriaca. El dúo de tiple y barítono, Nº 2, con aire de fandango y los típicos e inevitables giros andaluces, es un pasaje gracioso y realizado con gran eficacia dramática. Tras el denominado "Terceto del baile" en La menor, Nº 3, con aire de polka, concebido como música de fondo para un recitado, viene el Nº 4, otro vals que parece potenciar de alguna manera el carácter de opereta de la composición, en el que intervienen la soprano y el coro general. Retoma el espíritu del 3/4 (algo contaminado por la polka) en el preludio del segundo acto. El Nº 6 es un pasacalle, interpretado por Luisa y el coro general. Más interés tiene el dúo bufo, denominado de "Los abuelitos", protagonizado por Polissón y Felipe que, sin duda, ofrece gran interés por el tono cómico y el carácter irónico del pasaje, partiendo de que las voces no son especialmente desarrolladas. Es el prototipo de fragmento pensado para actores que apenas pueden cantar en su registro central. Culmina la obra en las denominadas "Carceleras", Nº 8, su página más celebrada, (Ej. 1).

Ej. 1

La carcelera es un tipo de canción o romanza determinada por su ubicación escénica. Encomendadas a una voz central tienen después de la presentación de la orquesta, dos secciones básicas. La primera sobre el trémolo de la cuerda y casi con caracteres de recitado y la segunda, más melódica y rítmica, presenta un aire más popular, compuesta a su vez de dos partes, la primera en La menor y la segunda en La mayor. Hay que destacar la orquestación, a pesar de su sencillez, que en todo momento se pone en función de la solista. Las carceleras fueron extraídas de *El país del abanico*, composición que no había alcanzado apenas popularidad, pero que en su ubicación en la zarzuela referida, sí, habiendo pasado al repertorio casi inmediatamente de las cantantes españolas importantes que ha llegado hasta la actualidad, incluyendo figuras como Caballé o Berganza. El último número, con la participación del coro general, es un final que utiliza el mismo material del dúo de los abuelitos

La crítica fue, en líneas generales, muy elogiosa. El revistero de *El Liberal* afirma que "Chapí ha puesto una música original, chispeante, encantadora en todas sus formas. No hay allí ni una sola pieza de desperdicio, ni un solo compás vulgar y amanerado. Rebosan por todas partes la elegancia, la distinción y la novedad de los motivos, con el aderezo de una instrumentación siempre admirable en su delicada sencillez... El vals del primer acto, el dúo, el terceto, las carceleras, el pasacalle y el dúo del segundo son números de primer orden, que fueron repetidos en medio de prolongados y entusiastas aplausos". El éxito de esta obra debió ser impresionante. Pedro

Bofill afirma que "cada pieza musical constituía para el autor de *La bruja* un nuevo triunfo. Los aplausos se empalmaban unos con otros, las repeticiones fueron numerosas, y antes de que terminara la función ya los dos autores se habían visto obligados a salir al palco escénico, donde se les tributó la más entusiasta de las ovaciones" (Madrid, 10-VII-1889). El crítico de *La Época* brinda algunas claves del estreno, señalando que "el maestro Giménez dirigió la orquesta de un modo admirable; el director artístico del teatro, el Sr. Liern recibió también en el proscenio los aplausos a los que se había hecho acreedor por su talento directivo, y las señoritas Segovia y Ruiz, la Sra. Sabater y los Sres. Sigler, Cerbón, Castro y Campos, cada cual en su papel, nos ofrecieron una ejecución muy completa".

Fuentes manuscritas. La partitura se conserva en la Biblioteca Nacional de Madrid (Legado Chapí, vol. 26). Los materiales de orquesta se conservan en el archivo de la SGAE en Madrid (1479).

Ediciones de música. Canto y piano, Madrid, PM.

Ediciones del libreto. Madrid, Administración Lírico-Dramática, 1889; 4ª ed., refundida, Madrid, Cedaceros, 1895.

FONOGRAFÍA: RP: Victoria 1128.

D70rpm: Gramophone 63196, 63242 y 63242-II (et. negra), 218.1, 218.2 y 218.3 • Zonophone 53014 (et. granate), 218.8 • Pathé 12037, 218.12 • Vickor 51020 (et. negra), 218.6.

D78rpm: Dir. Ricardo Villa, Sol. S. Menéndez, Banda Municipal de Madrid, Odeón 121131(et. azul), XXS 4796 XXS 4817 • Sol. Luisa Tetrazzini, La Voz de su Amo DB 523 • Dir. Antonio Capdevila, Sols. Conchita Supervía, Marcos Redondo, Odeón 185022 (et. roja), SO 6059 SO 6055 • Gramophone G-63266 y 63704 (et. negra), 218.4 y 218.13 • Gramophone VX-53217 y 264025 (et. verde), 218.15 y 218.16 • Zonophone X-53012, X-53058 y X-53217 (et. granate), 218.7, 218.10 y 218.14 • Odeón 41136 y 41360 (et. gris), 218.9 y 218.11 • Fonotipia 39454, 39464, 39779, 62351 (et. pardo), 218.17, 218.18, 218.19 y 218.21 • Gramophone 53527 (et. roja), 218.20 • Vickor 87757 (et. roja), 218.22.

BIBLIOGRAFÍA: *OGCH*; L.G.Iberni: *Ruperto Chapí*, Madrid, ICCMU, 1995.

LUIS G. IBERNI

Hijo fingido, El. Comedia lírica en un prólogo y dos actos. Música de Joaquín Rodrigo. Libreto de Jesús María de Arozamena y Victoria Kamhi. Estrenada el 5 de diciembre de 1964 en el teatro de la Zarzuela de Madrid.

Personajes y reparto. Doña Bárbara (Inés Rivadeneira, mezzosoprano). Ángela (Isabel Penagos, soprano). Basilisa (Mercedes Martínez, actriz). Rosita La Inca (Mari Carmen Andrés, contralto). La Madre Noé (Esther Jiménez, actriz). Dominga (Alicia de la Victoria, soprano). Leonardo (Luis Villarejo, barítono). El capitán Fajardo (Esteban Astarloa, bajo). Beltrán (Venancio Muro, tenor cómico). Don Octavio (Antonio Riquelme, tenor cómico). Don Ventura (Ricardo Ojeda, bajo cómico). Riaño (Enrique Suárez, actor). Pacheco (Juan Valentín, actor). Celedón (Francisco Perea, actor). Lucía, una dama, una manceba, un usurero, un mercader de telas y tres capitanes.

Orquestación. Flautín, flauta, oboe, clarinete, fagot, 2 trompas, trompeta, timbales, percusión, arpa y cuerda.

Argumento. *Prólogo.* En su campamento de los Tercios Españoles en Flandes, el alférez Leonardo, que había combatido esforzada y lealmente a las órdenes del Capitán Fajardo, comenta su pronto regreso a España con su criado Beltrán. El Capitán le da una carta de presentación muy elogiosa para que se la lleve, al llegar a Madrid, a su hermana, Doña Bárbara, joven y hermosa viuda, madre de Ángela. Después de despedirse de los demás soldados, Leonardo se acerca al carro de la Madre Noé, una vieja meretriz a quien compra un vestido para la joven Rosita La Inca, quien a su vez le regala un amuleto.

Acto I. En Madrid, Don Octavio, un viejo y opulento indiano, se ha encaprichado de Ángela Fajardo y pretende casarse con ella con el auxilio celestinesco de Basilisa, ama de la casa de los Fajardo. Entretanto Beltrán y Leonardo han llegado a Madrid, y andan sin blanca por las gradas de San Felipe cavilando cómo ganar algún dinero. Se les ocurre dar lecciones de esgrima y su primer cliente resulta ser Don Octavio que hace bastante el ridículo justo cuando aparecen, camino de la iglesia de San Felipe, Bárbara y Ángela. Madre e hija se fijan en Leonardo, sucesivamente, se las arreglan para quedarse a solas con él, y éste las atiende cortésmente. Beltrán se entera de que son la hermana y la sobrina del capitán Fajardo y se lo dice a Leonardo. Deciden entonces enmendar la carta que les dio el capitán para que Leonardo pase por hijo suyo y de una mujer flamenca con el fin de que Bárbara, creyéndole su sobrino, le reciba en su casa dando fin así a sus penurias. En la Plaza Mayor tiene lugar una corrida y Leonardo vuelve a destacar por su valentía salvando a un mozo caído y matando a cuchilladas al toro ante Bárbara y Ángela, que presencian el lance. Después, en medio de una disputa entre Don Octavio y Don Ventura por los amores de Ángela, se presentan los dos jóvenes galanes en casa de las Fajardo, Bárbara, engañada por la carta, les invita a vivir con ellas y Leonardo, al final del acto confiesa haberse enamorado también de Ángela.

Acto II. Ya en la casa de Doña Bárbara, a pesar de los parentescos, Leonardo corteja a Ángela y Bárbara acosa a Leonardo proponiéndole matrimonio, lo que da lugar a un enfrentamiento entre la madre y la hija. Para zanjar la cuestión, Bárbara dice a Ángela "con un acento melodramático que ha de resultar forzosamente cómico" que Leonardo es su hijo y que, por ello, no puede casarse con él y debe casarse con uno de sus ancianos pretendientes. En un número cómico, Don Ventura y Don Octavio pugnan ante Leonardo y Beltrán por casarse con Ángela hasta que Leonardo, finalmente, propone que se la jueguen a las cartas lo que propicia un ingenioso ballet de naipes. Concertado el matrimonio de Ángela, se descubre el engaño de Bárbara lo que da lugar a un nuevo enfrentamiento entre las dos. Basilisa anuncia entonces que el Capitán Fajardo se encuentra en Madrid. Con la llegada del capitán y una sencilla explicación de Leonardo, se desenreda la trama, decidiendo el capitán respaldar el engaño urdido por Beltrán y Leonardo, adoptando a este último como hijo, deshaciendo el compromiso entre Don Octavio y Ángela y dejando vía libre a los amores de ésta y Leandro.

Números musicales. Prólogo: Nº 1. Obertura. Nº 2. Canario. Nº 3. Coplillas del Alférez y coro, "Salen de Sanlúcar". Nº 4. Dúo de Rosita y Leonardo, "Esta es, Rosita". Nº 5. Dúo de Rosita y Leonardo con coro interno, "Taquitán, mitanacuní". Nº 6. Rosita y dentro Leonardo, "A la torre del Oro". Acto I: Nº 7a. Introducción. Nº 7b. Coro en las gradas, baile y escena, "Vida bona, vida bona". Nº 8. Terceto de Beltrán, Octavio y Leonardo, "¡Ah, gradas de San Felipe!". Nº 9. Terceto y canción de Bárbara, "Alférez… Señora". Nº 10a. Escena, "¿Qué tienes Ángela bella?". Nº 10b. Terceto de Ángela, Leonardo y Dominga, "Aldeana cortesana". Nº 11. Rigodón del ay, ay, ay, "A bailar el ay, ay, ay". Nº 12. Cavaletta de Leonardo, "Mis arreos son las armas". Acto II: Nº 13. Preludio. Nº 14. Dúo de Ángela y Leonardo, "¡Mis celos echas a risa!". Nº 15. Dúo de Ángela y Bárbara, "¿Por qué no dejas?". Nº 16. Romanza de Ángela, "Mal empleados sentimientos míos". Nº 17. Cuarteto cómico. Beltrán, Octavio, Leonardo y Ventura, "Soy Don Octavio Mendoza". Nº 18. Ballet. Nº 19. Intermedio. Nº 20. Coro interno, "¿Dónde vas buen caballero?". Nº 21. Romanza de Leonardo, "¿Dónde me encontrarás, alba?". Nº 22. Canción de Ángela, "Yo pagaré la posada". Nº 23. Romanza de Ángela, "Madre, un caballero". Nº 24. Concertante. Ángela, Bárbara, Don Octavio, Capitán Fajardo y coro, "Yo os ruego".

Comentario. *El hijo fingido* es la única incursión importante de Joaquín Rodrigo dentro del terreno de la lírica. Rodrigo ya se había aventurado años atrás, con tan buena compañía como escasa fortuna, por los derroteros de la música teatral con la creación, en colaboración con Federico Moreno Torroba, de *El duende azul,* una opereta de género arrevistado que pasó sin gloria por la cartelera del teatro Calderón de Madrid en 1946. *El hijo fingido* es una obra mucho más seria en la que, aparentemente, Rodrigo trató de revitalizar el agónico género zarzuelístico de la segunda mitad del siglo XX volviendo, para ello, a las fuentes con las que Vives había dado lugar a un notable renacimiento en la primera mitad de esa centuria: las tramas clásicas de Lope de Vega y el género decimonónico de la zarzuela grande. De este modo, sería legítimo pensar que *El hijo fingido* quiso ser una nueva *Doña Francisquita,* pero no llegó en ningún caso a tener los efectos de la gran zarzuela de Vives. Muchos factores se confabularon para ello. En primer lugar, Rodrigo era un gran aficionado a la ópera, más que a la zarzuela, y, a diferencia del Vives maduro de *Doña Francisquita,* el compositor valenciano no tenía apenas experiencia en la composición de música escénica. Poco más experto era el libretista original de la obra, Jesús María de Arozamena, autor polifacético que, aunque antes de *El hijo fingido* había escrito algunos libretos de relativo éxito para Federico Moreno Torroba y Jesús Guridi, entre otros. Además, si la lírica de los años veinte estaba en cierta crisis, la de los años cincuenta estaba en crisis terminal. Quizá con consciencia de lo crítico de esta situación, el Estado convocó para el año 1954 un concurso de composición de zarzuelas dotado con un premio en metálico muy sustancioso. Según refiere Victoria Kamhi –la esposa de Joaquín Rodrigo– en sus memorias, este aliciente económico fue uno de los factores que animó al compositor a poner en música el libreto que le presentó Arozamena en el verano de 1954 basado en la comedia *¿De cuándo acá nos vino?* de Lope de Vega entreverada con algunos cantables extraídos de otras piezas del Fénix. Estos textos de Lope de Vega, que son canciones insertas dentro de la trama, como las coplillas de Leonardo "Salen de Sanlúcar", Nº 3, provenientes de *La noche de San Juan* de Lope, o el número característico cantado por Rosita La Inca "Taquitán, mitanacuní", Nº 5, tomado de la comedia de Lope *Servir a señor discreto,* también interesaron vivamente al compositor que tenía, dentro de toda su obra, una especial predilección por las canciones y ya había escrito en 1952, sobre un texto de Lope, una de sus canciones más conmovedoras: "Pastorcico Santo" de *Tres villancicos.* Rodrigo también había realizado una aproximación sinfónica al teatro de Lope de Vega en 1948 con la adaptación del *Romance del Comendador de Ocaña* realizada por Joaquín de Entrambasaguas. Lope, por lo tanto, era un autor familiar para Rodrigo y dar el salto con él al terreno de la música lírica, después de haber cosechado éxitos en la música sinfónica y en la canción, debió resultar muy atractivo para el músico saguntino.

Se desconoce cómo fue la versión original de *El hijo fingido* que Rodrigo y Arozamena entregaron al concurso nacional, pero se sabe que el resultado defraudó las expectativas de los autores porque, según Victoria Kamhi, con el pretexto de que la obra no tenía elementos corales, no recibieron premio alguno. Efectivamente, en la convocatoria del premio había una cláusula según la cual "Se considerará mérito relevante la orientación renovadora del conjunto producido por los autores sin que en ella se desvirtúen las características básicas del género, en su más amplia acepción, y teniendo en cuenta preferentemente la realización escénica de la obra". En este sentido, la carencia de coros en la primera versión de *El hijo fingido* pudo haberse interpretado como la transgresión de una de las "características básicas" del género zarzuelístico suficiente para desestimar la propuesta de Rodrigo y Arozamena. Pero aún había otra cláusula en la convocatoria que no favorecía en absoluto a los intereses de *El hijo fingido*: "Podrán concurrir, en inferioridad de méritos, las obras musicales que conviertan en zarzuela adaptaciones literarias del teatro clásico o moderno, español o extranjero, ya conocidas por el público". Un factor más que, sin duda, debió influir en la resolución del concurso es que la convocatoria fue una iniciativa de la Dirección General de Cinematografía y Teatro, en la que la parte cinematográfica tenía mucha más influencia que la parte teatral mientras que la música se gestionaba desde una institución diferente. Así las cosas, y aunque en el jurado se encontrasen Jesús Guridi y Enrique Franco, no resulta extraño que los premios dotados recayeran finalmente en sendas obras presentadas por los dos compositores más importantes de música cinematográfica española de aquellos años: el primero en la obra de Manuel Parada *¡Contigo siempre!*, y el segundo en *La alegre alcaldesa* de Jesús García Leoz. Un indicio del fracaso de este concurso es que la obra ganadora no llegó nunca a estrenarse.

El hijo fingido no se llegó a escenificar hasta una década después de su composición. Bien entrados los años sesenta y, por iniciativa de la gran soprano Lola Rodríguez de Aragón el matrimonio Rodrigo volvió sobre la partitura y sobre el libreto de *El hijo fingido*. Ante la posibilidad de representar esa obra con un buen elenco y un buen montaje en el teatro de la Zarzuela, los Rodrigo realizaron una reforma del original de 1954. Según Victoria Kamhi, Lola Rodríguez de Aragón sugirió al músico "que compusiera unos números más, y entre ellos, los inevitables coros, lo que fue hecho sin tardar. Cuando hubo completado la partitura, iniciamos las gestiones para el estreno. Y cuando recibimos la noticia de que *El hijo fingido* sería estrenado durante la misma temporada en el teatro de la Zarzuela, nos llevamos una gratísima sorpresa". Por alguna razón –desinterés, según Victoria Kamhi–, Arozamena quedó al margen de esta nueva versión y la encargada de realizar las necesarias reformas en el libreto fue la pro-

pia esposa del compositor que tenía una gran vocación por la literatura, había compuesto las letras de algunas canciones de Rodrigo y, ya en 1955, había realizado su bautismo ante el público teatral como autora del libreto del ballet *Pavana real* estrenado en el barcelonés teatro del Liceo. Siguiendo con los recuerdos de Victoria Kamhi, ante la empresa de reformar este libreto, escribió que el original "era una mezcolanza de versos del propio Lope, muy líricos y musicales, y, por otra parte, unas expresiones de

El hijo fingido, *producción de Gerardo Malla / Joaquín Roy para el Teatro de la Zarzuela, 2000 (Foto: J. Alcántara; cortesía del Teatro de la Zarzuela)*

una comicidad dudosa y trivial, inadmisibles en un texto clásico. A menudo, Joaquín había requerido al libretista eliminar las frases superfluas que no encajaban con el texto original, a fin de darle unidad, pero esto fue en vano... Entonces no hubo más remedio que reformar el libro, lo que hice valiéndome de la comedia original de Lope y añadiéndole algunos versos de otra comedia muy graciosa: *Ramilletes de Madrid*". En efecto, de todas las interpolaciones de distintas comedias lopescas con las que se construye el libreto de *El hijo fingido*, las procedentes de *Ramilletes de Madrid*, atribuibles directamente a la mano de Victoria Kamhi, son las más sustanciales. Pero el resultado de esta revisión que es la obra conocida, grabada, editada por el ICCMU, todavía deja, desde el punto de vista literario, mucho que desear. Por ejemplo, el prólogo no tiene apenas entidad dramática y lo poco que en él ocurre –principalmente la relación entre Leonardo y Rosita La Inca– carece luego de cualquier desarrollo en los dos actos posteriores de la obra. Muchas escenas comienzan de forma abrupta, *in media res*, delatando una excesiva abundancia de cortes en los que quedan sobreentendidas cuestiones que clarificarían mucho el libreto y dando lugar a una estructura dramática de cuadros sueltos que articulan la narración con muy poca continuidad. La personalidad de Leonardo como Don Juan queda apuntada aquí y allá pero en absoluto se explota dramáticamente. La razón por la que él y Beltrán deciden poner en práctica su engaño resulta inverosímil. Y, por si fuera poco, el libro está lleno de detalles que no gustarían demasiado a la catolicísima moral pública del régimen franquista: el prólogo cuyo motivo central es la escena prostibularia de la Madre Noé y Rosita La Inca, el trasunto de la historia de Bárbara que, según parece, no fue viuda sino madre soltera, la traición innecesaria a la figura paterna del Capitán Fajardo que sería muy propia de un Don Juan pero que casa mal con la caracterización de un inseguro Leandro, o el flirteo con relaciones que rondan lo incestuoso tratado de una forma más legal que natural. Todos estos elementos transgresores, tan característicos del teatro clásico, que, bien trabados, hubieran sido materia de un buen libreto, aparecen disueltos en el texto de *El hijo fingido* que, no obstante, consigue mantenerse gracias al armazón del enredo lopesco, a la calidad de los versos clásicos y a una buena selección de escenas líricas tópicas insertas en la trama como la lectura de la carta del Nº 22, el juego de naipes convertido en ballet en el Nº 18, que es uno de los principales aciertos de *El hijo fingido*, o la corrida de toros que a pesar de su potencial lírico se queda dentro del nivel hablado de la obra. Pero, sobre todo, *El hijo fingido* se sostiene gracias a la música de Joaquín Rodrigo más que por los escasos méritos del libreto.

Mientras componía *El hijo fingido*, Rodrigo se encontraba inmerso en la creación de una de las obras fundamentales de su catálogo: la *Fantasía para un gentilhombre*, su segunda composición para guitarra y orquesta, y como sería de esperar, ambas obras comparten un interés similar por la música popular de la segunda mitad del siglo XVII, por el repertorio doméstico de piezas para guitarra como el canario. Pero *El hijo fingido* abarca un espectro de músicas mucho más variado que va desde diferencias de influencia renacentista hasta números españoles tan variopintos como el canario barroco, un bolero dieciochesco o una guajira aflamencada de aire decimonónico. El preludio inicial es tan apropiado para el género como propio del lenguaje sinfónico de Rodrigo y sirve para arropar un tema muy lírico, muy zarzuelero, que servirá de clímax en los Nᵒˢ 14 y 15 de la obra. El preludio da lugar a un canario orquestal, Nº 2, aunque no tiene la gracia de los canarios guitarrísticos de Gaspar Sanz utilizados por Rodrigo en su *Fantasía para un gentilhombre*, que todavía no se había estrenado a causa de la complicada agenda de Andrés Segovia. No obstante, como número lírico, para ambientar los tercios españoles en Flandes y acompañado de escenografía y coreografía,

este canario funciona bien y demuestra la buena inteligencia de Rodrigo del género en el que se estaba moviendo que no es el mismo que el de la música sinfónica que tiene que mantenerse por sí misma sin ningún auxilio externo. El primer número cantado son las hermosas coplillas coreadas por Leonardo y delicadamente acompañadas por la orquesta (Nº 3 "Salen de Sanlúcar"), buen principio canoro para la obra que, al aparecer de nuevo en el Nº 6 sirven para dar cierta coherencia musical al Prólogo. El Nº 4 es una guajira aflamencada en la que Rosita y Leonardo cantan a las bellezas de España, algo que apela a las sensibilidades nacionalistas características del público de zarzuela. A continuación, el Nº 5 es una pieza que se sale bastante de los límites zarzuelísticos por la vía del exotismo cinematográfico de esos años y el Prólogo concluye con una especie de final que recoge la música del Nº 3 y la conclusión de la obertura. El primer acto comienza con una introducción orquestal (Nº 7a) que se continúa con una especie de zapateado (Nº 7b) con el que se canta el primero de los coros que Rodrigo debió añadir en la reforma de la obra, seguido de una copla de tipo popular enlazada con un baile que termina con la copla una vez más. El Nº 8 es uno de los grandes aciertos musicales de *El hijo fingido*, un número muy operístico con un recitativo que pasa a arioso concertado con flauta y flautín primero y con cuerda después demostrando tener muy bien asimilada la lección del Falla de *El retablo de Maese Pedro*. Esto sirve de introducción a la escena cómica de la clase de esgrima, más zarzuelística en el sentido tradicional del término, con intervención del coro. Siguen dos números con una estructura similar en los que Leonardo se relaciona sucesivamente con Bárbara y Ángela: el Nº 9 con un inicio con empaque de zarzuela grande que da lugar a una guajira americana cantada por Bárbara, y el Nº 10 que comienza con una escena seguida de un bolero protagonizado por Ángela y Leonardo. El acto concluye con el segundo número cómico −el rigodón del "Ay, ay, ay" (Nº 11)− y la cabaletta marcial de Leonardo (Nº 12).

El acto II comienza con un preludio (Nº 13) realizado por ocho diferencias sobre "Guárdame las vacas", típicas del repertorio vihuelístico español del renacimiento, compuestas por Rodrigo para arpa y orquesta. A continuación, el Nº 14 comienza cómicamente como un dúo zarzuelístico de Leonardo y Ángela que deriva en el tema lírico de la obertura "Quien tal escucha ¿qué espera?" que constituye, como se ha dicho, el clímax musical de la obra y se repite en el final del Nº 15 donde la seriedad de la música de Rodrigo contrasta un poco con la comicidad melodramática que pide el libreto. La romanza de Ángela del Nº 16, más que un número de zarzuela, es una canción lírica que podría existir perfectamente al margen de la estructura dramática en la que se inserta. Escrita con acompañamiento de flauta y arpa con participación secundaria del resto de las maderas, "Mal empleados sentimientos míos" es una canción del estilo declamatorio muy característico de la obra vocal camerística de Rodrigo. Sigue el cuarteto cómico (N° 16) que sirve de introducción al ballet de naipes que es una suite orquestal completa formada por una pavana, un pasapié y una giga. Tras el intermedio (N° 19) que vuelve a utilizar la música del tema lírico de la obertura, viene otro de los coros añadidos en la reforma "¿Dónde vas buen caballero?" (N° 20) que se observa que es una creación bastante autónoma acompañada con un motivo de flautín, flauta y clarinete con las típicas disonancias características del estilo de Rodrigo. La siguiente intervención de Leonardo (N° 21) es la más zarzuelística de las romanzas de *El hijo fingido* que contrasta mucho con las dos siguientes intervenciones de Ángela: su romanza (N° 23) y, en especial, la canción del N° 22 "Yo pagaré la posada", concertada sólo con un violonchelo, que ejemplifica el estilo esencial y desnudo que empleó Rodrigo en algunas de sus canciones más emocionantes. El final es un número concertante bien realizado que acaba con un coro efectivo dramáticamente.

La recepción de *El hijo fingido* fue muy desigual pero las críticas negativas se centraron sobre todo en el libro, destacando principalmente en este sentido las de los entonces jóvenes críticos Enrique Franco para el diario *Arriba* que escribió que la adaptación resultaba ingenua y anacrónica y la de Fernando Ruiz Coca para *El Alcázar* que criticaba el tema como inadmisible para un escenario del siglo XX. Otros críticos más del tiempo de Rodrigo como Federico Sopeña, su más fiel adalid, o José María Franco, fueron bastante más benévolos fijándose en lo verdaderamente valioso de *El hijo fingido:* la música de Rodrigo.

Fuentes manuscritas. La partitura y los materiales de orquesta se conservan en el Archivo Victoria y Joaquín Rodrigo.

Ediciones de música. Ed. crítica Ramón Sobrino, Madrid, ICCMU-Ed. Joaquín Rodrigo, 1993.

Ediciones del libreto. Madrid, programa de mano del teatro de la Zarzuela, 2001.

FONOGRAFÍA: EMI Classics.

BIBLIOGRAFÍA: V. Kamhi: *De la mano de Joaquín Rodrigo. La historia de nuestra vida*, Madrid, Ed. Joaquín Rodrigo, 1995; J. Suárez-Pajares: "Joaquín Rodrigo: del sinfonismo a la escena", *El hijo fingido*, programas Madrid, Teatro de la Zarzuela, 2001; R. Sobrino Sánchez: "Hacia un neocasticismo lírico en la obra de Joaquín Rodrigo: *El hijo fingido*", *Ibíd.*; D. Gavela Garcúa: "Variaciones para corral y zarzuela. Lope de Vega y *El hijo fingido*", *Ibíd.*

JAVIER SUÁREZ-PAJARES

Hilanderas, Las. Zarzuela en un acto. Música de José Serrano. Libreto de Federico Oliver. Estrenada el 3 de diciembre de 1927 en el teatro Eldorado de Barcelona.

Personajes y reparto. Condesa Angélica (Flora Pereira, soprano). Catalina y Susana (Rosario Leonís, soprano). Silvia (Amparo Taberner, soprano). Belisa (María Taberner). Don Leandro Valor (Delfín Pulido, tenor). Bartoldo (Luis Ballester, tenor). Farello (Valentín González, barítono). El capitán Fabricio (Alejandro Bravo, barítono). El gran duque de Toscana (Genaro Guillot). Bertuccio (Patricio León). Basanio (Miguel García). Valerio (Ramón Silvestre). Jacinto (Martínez Valiente). Floro (Manuel de Julián).

Orquestación. Flautín, flauta, oboe, 2 clarinetes, fagot, 2 trompas, 2 trompetas, 3 trombones, percusión, arpa y cuerda.

Argumento. La acción se sitúa en Italia en 1796. *Cuadro primero*. Interior del mesón La Cigüeña Azul. Unos oficiales del Gran Duque de Toscana se divierten a costa de Catalina, sirvienta del mesón. Especial empeño pone Bertoldo, el glotón criado del capitán Fabricio. Entra en la escena Farello, viejo judío que vende adornos y amuletos, el cual intenta persuadir al capitán Fabricio de la bondad de sus hechizos para doblegar voluntades. Cuando el brujo sale, se cruza con Catalina, a la que reconoce en su verdadera identidad: Susana, azafata de la condesa Angélica di Napoli Vita. Los oficiales continúan su juerga mientras lle-

Cortesía de Unión Musical Ediciones SL

ga el español Leandro de Valor. En un aparte Catalina se descubre al capitán español: la criada sabe que él es descendiente de los Omeyas de Granada y marido por poderes de su señora, la condesa Angélica. La pareja se prometió en su niñez y desde entonces sostuvo una relación epistolar que les mantuvo enamorados; la relación se lleva en secreto, tanto que Leandro no ha visto físicamente a Angélica desde la infancia, y todo porque el rey de España ha prohibido esta unión. Farello se entera de la historia y además deduce, entre otras cosas, que la pareja tiene un santo y seña, una canción veneciana que cantaban de niños en los jardines de la Alhambra. Leandro le solicita al mago sus servicios y éste le promete un medallón con los rasgos de su amada. Farello se va, dejando asombrados a Leandro y Catalina. El primero decide quedarse a comer. Los oficiales, para sorpresa de su invitado, brindan por la condesa Angélica, de la que Fabricio confiesa andar enamorado. Herido en su orgullo, Leandro reta a duelo a Fabricio. La lucha se detiene por la aparición del Gran Duque. Enterado del caso, el conflicto se resuelve en una apuesta: Fabricio sostiene que en una sola noche rendirá de amor a Catalina, mientras que Leandro negándolo, se juega la hacienda y la vida.

Cuadro segundo. En el taller de orfebrería y magia del brujo Farello. El mago, que conoce los rasgos del rostro de Angélica, tiene ya preparada la fundición del medallón. Aparece Leandro en búsqueda de su talismán, pero Farello le pide que cante la canción de la contraseña para poder obrar el prodigio. Con el retrato en la mano, Leandro desaparece. Llega Fabricio con ánimo de saber los motivos que llevan al español a defender tan ardientemente a la condesa. Farello le informa de la boda y de la existencia de la contraseña. El capitán le pide que se la revele, así que el mago vuelve a inventarse un rito invocando al diablo para, que a cambio de oro, la melodía se descubra. Y por fin lo hace, pues es el mismo Leandro quien a lo lejos la canta. Fabricio sabe el santo y seña y se cree vencedor.

Cuadro tercero. Castillo de Angélica, en su habitación. Por la noche la condesa y Silvia, su azafata, entonan una canción veneciana para distraer el miedo. Otra camarera, Belisa, anuncia el toque de ánimas. Las tres mujeres sienten miedo, pero la condesa escucha por fin lo que tanto anhelaba, las notas de la canción de su infancia. Se presentan entonces Fabricio y Bertoldo. Pero la glotonería del criado y la lascivia del señor hacen que Angélica desconfíe abiertamente. La aparición de Susana (antes Catalina), que reconoce en el capitán italiano a un impostor, confirma sus sospechas. Como castigo, Angélica, según una tradición del castillo, dispone vestir a los hombres con ropas femeninas y obligarles a hilar en la rueca si quieren volver a comer. Pero antes Susana se vengará del trato que le dio Bertoldo en la posada, mostrando comida al mozo e impidiéndole que la alcance. Al poco se escucha lejana la canción de la contraseña en la voz de Leandro. Sin embargo, la condesa, enfadada porque su marido ha revelado el secreto, se niega a recibirle. Acaba irrumpiendo en la escena Leandro arrebatadamente. No sin que Angélica le haga sufrir un poco, reconoce su error al confiar en hechiceros y le declara un amor que es aceptado por la dama. Finalmente, el Gran Duque llega al castillo con la noticia de que el rey consiente la boda. El

noble conoce la humillación de Fabricio Bertoldo y, por fin, Angélica y Leandro pueden cantar a dúo la canción de su niñez.

Números musicales. Preludio. Nº 1. Canción, Leandro, "Amores me traen a Italia". Nº 1bis. Orquesta. Nº 2A. Leandro y Farello, "Pasad, señor". Nº 2B. Leandro, "Canción de la rosa". Nº 2C. Leandro, Farello y Fabricio, "Angélica no aparece". Nº 2D. Farello, Fabricio, "¡Satán! ¡Satán!". Nº 3. Condesa y Silvia, "Leyenda de la Gondolera". Nº 4A. Duetto. Catalina y Bertoldo, "Para probar esta cena". Nº 4B. Fabricio, "Rosa mañanera". Nº 4C. Leandro, "Rosa mañanera". Nº 5. Dúo y final, Angélica y Leandro, "Decid pronto, caballero".

Comentario. *Las hilanderas* es la antepenúltima zarzuela que Serrano estrenó en vida. Pertenece a la última parte de su producción que se caracteriza por la huida de los referentes folclóricos rurales o urbanos y por la construcción de bellas melodías que, más que adaptarse a los textos a los que acompañan, parecen dominarlos completamente, convirtiéndolos en meros vehículos para el despliegue de lo lírico. Tal es el caso de *Las hilanderas*, que si sobrevive es, sin duda, por la música y no tanto por el libreto, "inocente, blando, quizá ñoño", como escribió por entonces un crítico madrileño (la obra se presentó en la capital de España el 15 de febrero de 1929) y que, como en tantos otros casos, se doblega ante el impulso musical. Sólo en función de las notas se puede tolerar la descompensación dramática que existe entre los distintos cuadros, sobre todo en los dos últimos, entre el mundo oscuro y ruin del mago Farello, que llena el segundo, y los conatos cómicos del tercero, que, por lo demás, resuelve la acción de forma muy apresurada. En este último sentido, sorprende la rapidez con la que la condesa desenmascara a Fabricio, así como la resignación con la que éste acepta el castigo que dará título a la obra. De todas formas habría que preguntarse cuál fue el grado de intervención de Serrano en el libreto; y parece que no fue escaso. De cualquier forma, no todo fueron acogidas tibias para el texto; no parece que el traslado a épocas y tiempos pasados, la Italia de finales del XVIII, sirva de rodeo para la denuncia de hechos contemporáneos. La exaltación de la Revolución Francesa que hace Farello en el primer cuadro, reivindicando los derechos del hombre, gracias a los cuales la Inquisición ya no le quemaría, como hubiese ocurrido antaño, no admite una extrapolación a la dictadura de Primo de Rivera, a no ser que ésta se haga retorcidamente, es decir, que poniendo en la boca del brujo, palabras tan nobles, éstas no hagan sino perder su condición moralmente irreprochable.

La música de Serrano para *Las hilanderas*, como decía una crónica de la época, es "de la más pura cepa serranil". Muestra su costumbre a la hora de concebir líneas melódicas cómodas para los cantantes, apoyadas en unos sencillos movimientos armónicos, con el continuo doblaje por parte de la orquesta. Además recurre a la utilización de un motivo que va trabando varias de las escenas, así como al anuncio y posterior recuerdo, ya en la orquesta, ya en las voces, de los temas más importantes. Sin coros, sin tener un número estrella, todas sus páginas son notables y, como siempre, muy efectivas.

Da comienzo a la zarzuela un preludio que anuncia el tema de Farello expuesto con la brillantez propia de los metales y el solemne acompañamiento de la percusión. En el primer cuadro no hay más música vocal que la breve canción que presenta a Leandro. "Amores me traen a Italia", que ha de abordarse fuerte y con alma, según indica el propio compositor. Muestra el carácter confiado y decidido del personaje. En la presentación de la obra en Madrid el número se repitió tres veces. Un interludio orquestal vuelve a recordar este tema, confiado ahora al oboe. Pero antes ha sonado en la cuerda el tema de amor de Leandro. Entre ambas secciones hace de transición un siniestro pasaje que será el que principie el cuadro segundo y que recorrerá desde entonces toda la partitura. Todo este segundo cuadro es musical. En el estreno de Madrid gustó tanto que se hubo de repetir completo. Lo inician Farello y Leandro. Serrano caracteriza en principio al brujo con una música en Fa menor, y al oficial español con otra, mucho más ingenua, que gira armónicamente en torno a Fa mayor, aunque la melodía es claramente pentatónica. Más que buscar para esto último referencias de corte impresionista (estilo que no agradaba mucho a Serrano) o puccinesco, parece que se trata más bien de una broma: como si el compositor indicara que el pícaro mago va a engañar a Leandro. La frase de Farello "¡Pues sí es imbécil el buen señor!", que cierra esta sección del dúo, apunta en este sentido. A continuación regresa el motivo inquietante de la introducción del cuadro, el cual, en boca del brujo, y en Mi b menor, se encarga de sonsacar a Leandro la canción que le sirve de contraseña con Angélica.

Este canto ocupa el número siguiente. Se trata de la "Canción de la rosa". En esta melodía también llaman la atención los intervalos de cuarta ascendente que inician las frases y semifrases, la segunda sección por su dibujo ondulado que desde el agudo va buscando el grave y por sus ligeros adornos de final de frase. Ambas secciones se repiten antes de entrar en el siguiente número. Después es la orquesta la que emprende el tema de la canción mientras Farello va conformando los rasgos de Angélica en el medallón que va a vender al incauto Leandro. Una vez éste contempla a su amada, canta el apasionado tema de amor que había sido anunciado en el interludio del primer acto. Posteriormente, la presencia del motivo inicial del cuadro hace otra vez de enlace, en este caso con la sección que despedirá de la escena a Leandro. Se trata de un dúo en el que dos frases se alternan, una con tintes de recitativo y otra, muy apasionada y movida. De nuevo el motivo de transición suena mientras Frabricio llama a la puerta. El recibimiento por parte de Farello es musicalmente idéntico al que le hizo a Leandro. Recitando sobre el acompañamiento orquestal, el soldado quiere descubrir el secreto de su rival español. El brujo, que finge necesitar de la magia negra para adivinar la canción que le abrirá a Fabricio las puertas del castillo de la condesa, invoca al diablo. Le ayuda en su cometido el necesitado don juan. "¡Satán! ¡Satán!", recurre otra vez a los intervalos ascendentes de cuarta, que suenan arropados por el timbre de los metales. La parte central de la invocación tiene reminiscencias de la *Danza macabra* de Saint-Saëns. La vuelta a la sección inicial prepara para la aparición, después de una especie de conjuro orquestal realizado sobre el trémolo de las cuerdas, de la canción-contraseña, servida lejanamente por Leandro, que la canta desde bastidores. Por última vez el motivo que inició el cuadro transita para que la orquesta concluya con las notas primeras de la invocación satánica.

Por su parte, la "Leyenda de la gondolera" del tercer cuadro entra, dramáticamente, con pie algo forzado. Como hace una noche tempestuosa, cantar es el modo de distraer el miedo que tienen la condesa y sus sirvientas. Es una forma de proporcionarle a Serrano la ocasión de introducir uno de sus típicos números pegadizos. Pero en este caso pegadizo no significa fácil de cantar, en virtud sobre todo de algunos saltos muy amplios a los que ha de enfrentarse la intérprete. La misma estructura ABAB, define el dúo cómico entre Catalina (Susana) y Bertoldo. Al igual que en el caso anterior las frases de perfil descendente se agrupan en la primera sección, mientras que las ascendentes en la segunda. Sin duda, es un número de clara tendencia popular, en la línea de otros dúos cómicos del mismo compositor.

Al margen de la canción de la contraseña que entona Leandro al presentarse ante Angélica, el único número musicalmente nuevo es el dúo entre los amantes. La primera parte intenta reflejar la burla de la condesa, que finge desconocer a su marido, indicándole además que su verdadero esposo se encuentra cerca. El motivo que recorría todo el cuadro segundo, que había regresado al principio de este número, vuelve a sonar (el mundo maldito del brujo sigue presente para Leandro). Una segunda parte se pone al servicio de las palabras del español, que intentan convencer a Angélica de su auténtica identidad. La tercera sección tiene un carácter más lírico, indicando que la condesa, que aún prosigue la broma, está más cerca del perdón. Un cambio a compás ternario indica la entrada en otra sección: Leandro le pide a su esposa que le deje explicar los motivos por los que ha revelado el secreto de su canción, mientras que la orquesta se encarga de recuperarla para la memoria del auditor. Esta explicación y su aceptación por la mujer ocupan la quinta parte del dúo, otra vez en 2/4 y en Sol mayor. El regreso de la música de la tercera sección concluye, con alguna novedad, el dúo. Tras él, el motivo del segundo cuadro ya no parece tan siniestro, pues sustenta la aparición del Gran Duque con las buenas nuevas: el permiso real para la boda. Por fin los esposos pueden entonar juntos "Rosa mañanera", mientras que los acordes que iniciaron la zarzuela se encargan de cerrarla.

El triunfo que consiguió Serrano con esta producción fue grande. Al parecer resultó más apoteósico en Madrid que en Barcelona, donde los cantantes estuvieron algo inseguros. El éxito conseguido en la capital aseguró el interés para su siguiente zarzuela, como indicaba Forns: "Serrano ha triunfado una vez más; sigue manteniendo su prestigio y la expectación se cifra ya en su próximo estreno: *Los claveles*".

Fuentes manuscritas. Los materiales de orquesta se conservan en el archivo de la SGAE en Madrid (5275).

Ediciones de música. Canto y piano, UME. Selección para banda, UME.

Ediciones del libreto. Madrid, La Farsa, 1929.

FONOGRAFÍA: D78rpm: Dir. Antonio Capdevila, Sols. Augusto Gonzalo, Aníbal Vela, Odeón 203.290 (et. fucsia), SO 6748 SO 6749 • Sols. Josefina Chafer, Delfín Pulido, Dorini de Diso, Mateo Guitart, Mary Isaura, Emilio Sagi-Barba, Regal RS 5537 (et. azul), KX 148 KX 149 [reed. en CD: Blue Moon BMCD 7546].

LP: Dir. Luis Antonio García Navarro, Sols. María Uriz, Isabel Rivas, Cecilia Fondevilla, Eduardo Giménez, Ramón Contreras, Juan Pons, Dalmacio González, Columbia SA, ZCL1079 (Zacosa SA) 96 y Alhambra SCE 976 103 [reed. en CD: Alhambra-BMG España WD 74554 (9D)].

BIBLIOGRAFÍA: R. Díaz, V. Galbis: *La producción zarzuelística de José Serrano*, Adjuntament de Sueca, 1999.

RAFAEL DÍAZ GÓMEZ

Hombre es débil, El. Zarzuela en un acto. Música de Francisco Asenjo Barbieri. Libreto de Mariano Pina. Estrenada el 14 de octubre de 1871 en el teatro de la Zarzuela de Madrid.

Personajes y reparto. Tecla (Arsenia Velasco, tiple). Luciano (Joaquín Miró). Pascual (José Escríu, bajo y actor).

Orquestación. Flautín, oboe, 2 clarinetes, 2 fagotes, 2 trompas, 2 cornetines, 2 trombones, fliscorno, timbales y cuerda.

Argumento. La acción se sitúa en Madrid en época contemporánea al estreno. Tecla, criada de Don Luciano, está hablando con Pascual, que la galantea. Ella, aunque no le encuentra atractivo, está deseando casarse y se deja querer por lo que le obsequia con café, ron, marrasquino y aguardiente. Comentan que el amo está solo y aburrido porque la señora, que se halla enferma, ha hecho un viaje para que la vieran los médicos. Pascual le hace relación de sus bienes y Tecla encuentra este dato interesante. Tecla se queda sola pensando en los bienes de Pascual y en lo conveniente de un apaño así. Regresa Pascual con agua y Tecla se lo agradece ofreciéndole algo de comida; se ponen a bromear sobre la fuerza de Pascual y cuando está intentando cogerla en brazos para demostrar lo fuerte que es, entra Don Luciano que se enfada al verlos y envía a Pascual a limpiar su gabán. A continuación reprocha a Tecla su conducta liviana y recuerda que en aquella casa se presta culto a la moral, aunque en realidad lo que le sucede es que se siente atraído por Tecla y está celoso de Pascual. Comienza a hacerle requiebros a Tecla y ésta cae en sus redes. Entonces decide convencer a Pascual de que se case con ella para poder tener el camino más libre y le ofrece una dote; éste acepta encantado y decide comunicárselo a Tecla y casarse cuanto antes. Tecla acepta y los dos se van a ver al juez. Mientras tanto Don Luciano ya está celoso y arrepentido. Cuando regresan de la boda civil se queda a solas con Tecla y le confiesa su amor. Tecla va mostrándose cada vez más débil, aunque se sabe ya casada. Don Luciano envía a Pascual a cobrar un cheque con la cantidad que le ha ofrecido de dote para Tecla para poder quedar a solas con ella, y le hace vestirse de caballero con ropas suyas. Pascual se va contento al verse hecho un señor. Tecla se queda preocupada pero decide seguir la farsa hasta que le entregue la dote. Regresa Pascual en un momento en que Luciano se ha ausentado para comunicar que ha parado un carruaje delante de la puerta y ha llegado la

Cortesía de Unión Musical Ediciones SL

señora. Luciano la ha visto y vuelve a sentir por ella la pasión que sentía y la compara con Tecla a la que ahora encuentra zafia.

> **Números musicales.** Nº 1. Preludio y Tecla, "La que vive en la cocina". Nº 2. Tecla y Pascual, "Por tu talle sandunguero". Nº 3. Tecla y Luciano, "Mil veces haciendo". Nº 4. Tecla, Luciano y Pascual, "El escrito amoroso". Nº 5. "Ya no voy a Puerto Rico".

Comentario. La obra obtuvo gran éxito, repitiéndose todos los números el día del estreno, y como otras de Barbieri, consideradas interesantes, mereció de inmediato su edición. La obra consta sólo de cinco números de música y está realizada en torno a tres personajes, por ello pertenece a la zarzuela chica; es decir, heredera de los géneros menores del siglo XVIII como la tonadilla. Su éxito se debió a dos números que adquirieron gran fama de inmediato. Fue especialmente famosa la habanera "Te llevaré a Puerto Rico" que aparece en el Nº 3 y posteriormente con nuevo texto, en el Nº 5. Sobre ella hizo Sarasate su famosa *Habanera*. (Ej. 1). También fue

Ej. 1

famosísmo el Nº 2, "Por tu talle sandunguero", que es un dúo. De otros números como "El vito" fueron realizadas versiones pianísticas y arreglos como el del compositor asturiano Anselmo González del Valle o el de Clifton Worsley, quien realizó también un arreglo de la habanera. Se trata de un dúo poliseccional en cuatro partes en las cuales se interpreta el famoso vito. Va precedido de un breve preludio que en realidad antecede el Nº 2, la canción "La que vive en la cocina", que está realizada sobre idéntico tema.

Es interesante la crítica que le hizo su amigo Mariano Soriano Fuertes: "Las situaciones musicales están marcadas y el compositor brilla al lado del poeta dando animación al cuadro, relieve a los personajes y éxito completo al conjunto... En *El hombre es débil*, la música brilla libre y unida al argumento... es una zarzuela llena de gracia y chispeante diálogo en que tanto sobresale este autor". Como en las obras más geniales de Barbieri, la música surge del acervo musical español, con una adecuación de la música al texto genial, normalmente silábica, pero con decoraciones hispanas que aparecen en los momentos precisos.

Fuentes manuscritas. La partitura de la época se conserva en el archivo de la SGAE en Madrid (TL-117), y otra partitura en la Biblioteca Nacional de Madrid. Los materiales se conservan en el archivo de la SGAE en Madrid (6514).

Ediciones de música. Canto y piano, arr Barbieri, IA y OT.

Ediciones del libreto. 7 eds., Madrid, El Teatro y Administración Lírico-Dramática, 1871, 1875, 1881, 1886, 1892.

BIBLIOGRAFÍA: E. Casares: *Francisco Asenjo Barbieri. 1. El hombre y el creador*, Madrid, ICCMU, 1994.

EMILIO CASARES RODICIO

Homs, Ángeles [Ángela, Angelina]. España, siglos XIX-XX. Tiple. Aparece denominada indistintamente como Ángela, Ángeles o Angelina. Comenzó cantando ópera y tras el éxito obtenido en diversos teatros hispanoamericanos protagonizó *Cavalleria rusticana* de Mascagni –en traducción española se llamó *Hidalguía rústica*– en el teatro Price en 1903. De la ópera se pasó a la zarzuela, y las crónicas de la época alababan su hermosa voz y su belleza. Estrenó en el teatro Apolo *El rey mago* de Chapí, en 1902.

Mª LUZ GONZÁLEZ PEÑA

Ángeles Homs (Foto: Compañy en El Teatro, *1903; Ar. SGAE)*

Hoyos, Dolores. Sevilla, siglos XIX-XX. Tiple. A comienzos del siglo XX formaba parte de la compañía de Casimiro Ortas. Su voz potente y bien timbrada se ponía de manifiesto especialmente en la romanza "Yo quiero un hombre" de *El cabo primero*. En 1906 recorrió los principales coliseos líricos nacionales formando parte de la compañía de zarzuela y ópera española de Ramón Santoncha, siendo su actuación más destacada en la obra *Campanone*.

BIBLIOGRAFÍA: F. Cuenca: *Teatro andaluz contemporáneo. 2. Artistas líricos y dramáticos*, La Habana, Maza, 1940.

Mª LUZ GONZÁLEZ PEÑA

Hueso, Ángel. Valencia, 10-V-1867; Valencia, ?. Organista y compositor. Estudió en el Conservatorio de Valencia con Antonio Marco, Roberto Segura y Salvador Giner. Fue organista de la parroquia de La Punta y profesor de piano. Dirigió algunas compañías de zarzuela como la que trabajó en el teatro de la Marina del Cabañal y la del teatro de la Princesa, ambas en Valencia en 1908. Escribió algunas zarzuelas como *El testament de ultratumba, La tornà al poble* y *Aires de mar*.

BIBLIOGRAFÍA: J. Ruiz de Lihory: *La música en Valencia*, Valencia, 1903.

VICENTE GALBIS LÓPEZ

Huésped del Sevillano, El. Zarzuela en dos actos. Música de Jacinto Guerrero. Libreto de Enrique Reoyo y Juan Ignacio Luca de Tena. Estrenada el 3 de diciembre de 1926 en el teatro Apolo de Madrid.

Personajes y reparto. Miguel de Cervantes (Jesús Navarro, actor). Raquel (Selica Pérez Carpio, soprano). Constancica (Rosario Leonís, soprano). Teresa (Paquita Alcaraz, tiple cómica). Mesonera (Sofía Romero, actriz). Ginesa (Angelita Durán, soprano). Dorotea (Srta. Ramos, soprano). Juan Luis (Delfín Pulido, tenor lírico). Rodrigo (Arturo Lledó, tenor cómico). Maese Andrés Munestein (Manuel Cumbreras, actor). El Conde Don Diego (Juan Frontera, barítono). Mesonero (Lino Rodríguez, actor). Corregidor (Rafael Gallegos, tenor). Un capitán (Antonio Iborra, tenor). Fray Miguel (Sr. Martínez, actor). 5 Mozas. 4 Feas. 4 Lindos. 4 Embozados. Un corchete (Alfredo Moriña, actor). Oficial 1º (José Navarro, actor). Un pregonero (Sr. Moya, actor). Un carretero (Sr. Barberá, tenor). Mozos y mozas, lagarteranas, corchetes, trajinantes y espaderos.

Orquestación. Flautín, flauta, oboe, 2 clarinetes, fagot, 2 trompas, 2 trompetas, 3 trombones, timbales, caja, castañuelas, güiro, triángulo, bombo, tamboril, lira, campana, pandereta, arpa y cuerda.

Argumento. La acción se sitúa en Toledo, a principios del siglo XVII. *Acto I.* El espadero maese Andrés da los toques finales a la espada del pintor Juan Luis, que confiesa al corregidor de la ciudad y otros amigos, que ha acudido a Toledo acompañado de su escudero Rodrigo, por la fama de hermosura de Constancica, la moza del mesón del sevillano, ya que necesita una cara para pintar a la Virgen. El corregidor le aclara que también Raquel, la hija del espadero le servirá, pues es muy hermosa y de origen judío. Cuando regresa maese Andrés con la espada ya finalizada, Juan Luis estalla en un triunfal canto a la espada toledana e impresionado por la belleza de Raquel, solicita permiso a maese Andrés para pintarla, pero este se niega, temeroso, ya que son ambos judíos conversos. Juan Luis y maese Andrés acuden a los gritos de auxilio de Raquel; el conde Don Diego, vecino de la espadería, lucha con tres desconocidos que, según su palabra, han intentado atacar a Raquel, concluyendo la pelea con la intervención de Juan Luis, que se hiere en una mano. Retirado Don Diego, Raquel revela al pintor, mientras cura su herida, que los tres desconocidos la salvaban del acoso del conde, que la incomoda desde hace tiempo, pero como se trata de un hombre poderoso no se ha atrevido a contárselo a su padre. De noche, del palacio de Don Diego salen varios embozados que raptan a Raquel de su propia casa. Pronto aparece Juan Luis enterado del suceso, confesándole su escudero Rodrigo que Constancica le ha asegurado que en el mesón del Sevillano han introducido a una joven en un cuarto donde la mantienen secuestrada. El pintor y su escudero deciden encontrarse más tarde frente al mesón.

Acto II. En el mesón del Sevillano, Rodrigo aguarda a su amo. La llegada de un clérigo montado en

Cortesía de Unión Musical Ediciones SL

un burro, recibido por Don Diego disfrazado, le permite apoderarse de un hábito de monje y así entra en el mesón. Constancica se divierte con las gracias de Rodrigo, pero éste se esconde cuando ve llegar a Don Diego que anuncia a Raquel que la próxima noche la sacará de Toledo de grado o a la fuerza. Ya de noche, en el mesón se ofrece una fiesta organizada por el conde para facilitar con el tumulto el rapto de la joven judía. Rodrigo, disfrazado aún de monje, provoca al noble y cuando estalla el escándalo, éste pretende huir con Raquel pero la fuerza, alerta gracias al escudero, se lo impide, deteniendo al malvado conde y sus secuaces. Juan Luis acompaña a Raquel a la espadería para tranquilizar a su padre y Rodrigo, enamorado de Constancica, espera poder casarse con ella. La obra finaliza con un hermoso monólogo de elogio a Toledo que recita el escritor que escribe su obra en el mesón del sevillano –Miguel de Cervantes–, que inmortalizará a Constancica con el título de "ilustre fregona".

Números musicales. Acto I: Preludio y Nº 1. "En la fuente cristalina". Nº 2. Canto a la espada toledana de Juan Luis, "Fiel espada triunfadora". Nº 3. Romanza de Raquel (Juan Luis, dentro), "Cuando el grave sonar de la campana". Nº 4. Dúo de Juan Luis y Raquel, "Insolente presumido". Nº 5. Pasacalle de feas y lindos, y dúo cómico de Constancica y Rodrigo, "No me seas esquivo". Nº 6. Escena final, Raquel, Juan Luis, Don Diego y coro, "Salid, mis fieles criados". Acto II: Nº 7. Introducción orquestal. Canción del carretero, "Para mula de varas, La Capuchina"; Coro general, Teresa y coro de lagarteranas, "¡Corred más!". Nº 7bis. Un carretero, "Para mula de varas". Nº 8. Dúo cómico de Constancica y Rodrigo, "Si tú fueras pastora". Nº 9. Romanza de Raquel, "La pena me hace llorar". Nº 10. Introducción coral de bajos y embozados, "Entren, pues, todos los mozos", y Baile de la chacona, coro general, "El brío y la ligereza". Nº 11. Romanza de Juan Luis, "Mujer de los negros ojos". Nº 12. Nocturno. Pregonero, "Alma que en pecado estás". Nº 13. Final. Tiempo de seguidilla.

Comentario. En 1926, consagrado ya como autor de género lírico, Guerrero solicitó a Juan Ignacio Luca de Tena un libro de tema toledano, para poder recrear su tierra natal. Luca de Tena, vecino en El Escorial de Enrique Reoyo, solicitó su colaboración, poniéndose ambos a trabajar en un libreto de corte clásico, que recrea el Toledo de comienzos del siglo XVII, de convivencia de culturas e intrigas amorosas, basándose en la novela *El mesón del Sevillano* de Diego San José de la Torre. La obra ofrece varias historias paralelas en torno a la trama principal protagonizada por Juan Luis y Raquel. Todas las historias de la obra están dramatizadas en un espacio que funciona como verdadero articulador de la trama: la ciudad de Toledo y el mesón del Sevillano, donde los autores sitúan a un ilustre huésped que da título a la obra: Don Miguel de Cervantes, para cuyos hablados recurren a párrafos de *La ilustre fregona* y el mismo *Don Quijote.*

La zarzuela, en dos actos, tiene catorce números de música. Comienza con un preludio construido sobre la alternancia de temas dramáticos –de melodías al unísono– y temas más ligeros. Vocalmente se inicia con una sección interpretada por el coro femenino, y otra más interesante del coro masculino en modo menor, con acentos moriscos, que conduce al cantar popular de Ginesa. Los acentos populares se hacen presentes en temas expuestos en la orquesta, como "Castellana toledana" –en Mi mayor– o "Noble y leal caballero" –en Re menor–, tema este último no exento de cierto *ethos* exótico que, tanto por la estructura rítmica de su acompañamiento como por la jerarquización melódica que evoca estructuras modales, recuerda el lenguaje árabe. Guerrero emplea para este último fragmento una melancólica melodía que mantiene las convenciones utilizadas por José Serrano a partir del estreno de *Moros y cristianos* en 1905, como propias del lenguaje "nacional".

El Nº 2 es uno de los más populares de la partitura, el canto a la espada, presentación dramático-vocal del tenor Juan Luis. Se trata de una romanza de tintes heroicos, con una bella melodía de acentos marciales, en Re mayor, que recuerda al Verdi más brillante de *Rigoletto* –no en vano el ritmo y las cualidades melódicas de la romanza evocan algunos de los solos del Duque de Mantua–. Las campanas y el arpa envuelven con su gravedad el encuentro de Raquel y Juan Luis –"Cuando el grave sonar de la campana"–, que pivota entre las tonalidades de Mi bemol y Sol b mayor. La acertada utilización del tema "Castellana toledana" que Guerrero hace sonar ya en el preludio y que funcionará a lo largo de la obra como melo-

día recurrente –igual que sucedía en *Los gavilanes* con la copla de Gustavo–, permite generar un elemento de coherencia formal, que otorga unidad a la partitura. El dúo continúa con un nuevo solo de Juan Luis, en el que se mezclan dos temas de carácter contrastante: "Insolente y presumido", en Mi menor, y "Moza la toledana", en el tono homónimo mayor, de claro carácter popular. Raquel interviene en la sección central con una nueva melodía –"Noble y galán caballero"–, en La menor, que recurre, como ocurría en el coro inicial, a la jerarquización modal. El pasacalle cómico de lindos y feas sirve de elemento contrastante que aligera la tensión de la acción principal; se trata de un genial número coral en el que intervienen también los solistas cómicos, mezclando acertadamente el compositor tres espacios tonales: Sol, Do y Fa mayor. El acto concluye con una extensa escena dramática en el que se asiste al rapto de Raquel. Gue-

Escena del segundo acto de El huésped del Sevillano
(Foto: Cámara en Nuevo Mundo, *1926; Ar. ICCMU)*

rrero escribe para esta escena uno de los fragmentos más interesantes de la obra, combinando hablados de Don Diego y los embozados sobre un parlato orquestal que reutiliza los temas de los números iniciales –"Moza la toledana" y "Noble y leal caballero"–. La orquesta trata de generar el grado necesario de tensión dramática gracias a los trémolos de la cuerda y la intervención del viento metal, todo ello trabajado en un efectivo y continuo crescendo. La aparición de Juan Luis, que acompañado por el coro interpreta el tema "Castellana toledana", sirve de dramático cierre a este primer acto.

Guerrero reutiliza esta melodía recurrente al comienzo del segundo acto, presentado una vez más por la madera y la cuerda de la orquesta en trémolos; este tema introduce uno de los números más conocidos de la obra, el coro de lagateranas, de carácter popular, donde flautas y oboes tratan de imitar el sonido de los instrumentos castellanos de viento madera. El dúo cómico del Nº 8 entre Rodrigo y Constancica revela también su filiación popular al recrear un tema no exento de carácter pastoril, amenizado por el sonido del tambor y la flauta en una innegable evocación del tamboril y la dulzaina castellanos. Tras estos dos números, regresa la línea argumental que centra el discurrir dramático de la obra; Raquel entona su romanza que presenta un inteligente acompañamiento orquestal elaborado mediante un bajo ostinato y el doblamiento de la línea melódica en los violines, repitiendo el tema principal; el solo, escrito en la tonalidad de Fa# menor, presenta ciertos elementos modales que le otorgan sabor antiguo y andalucista, cercano al que emplea Pablo Luna en la sección central de su canción española "De España vengo" de *El niño judío*. Al solo de Raquel responde formalmente Juan Luis con la serenata "Mujer de los negros ojos", uno de los números más bellos y más interpretados de la obra, que emplea una estructura bipartita con una primera sección íntima en modo menor y una segunda más brillante, en modo mayor. La orquesta subraya el *ethos* de cada sección acompañando a la línea vocal con flauta, cuerda en pizzicatti y arpa en la sección inicial para recrear un ambiente de serenata nocturna y empleando el tutti orquestal, con la melodía doblada en los violines, en la segunda parte de la romanza. El baile de la chacona –elaborada, según indica el propio Guerrero en la partitura, sobre una chacona de Gaspar Sanz– retrasa el desenlace, introduciendo un interesante elemento de clara evocación clasicista –la introducción de formas antiguas es un recurso propio de esta época del género lírico, tal y como revela la aparición del *Bolero del Marabú* o el fandango que Vives incluye en *Doña Francisquita*, estrenada en 1923–. En el número, tras una introducción coral, se escucha el bajo ostinato que ornamenta un tetracordo descendente, es decir, una chacona diatónica mayor, sobre la que canta el coro; el tempo se acelera con una breve stretta final para concluir de forma brillante. Una escena musical, en la que el ilustre huésped –Cervantes– recita fragmentos de la novela que sirve de inspiración al libreto, conduce a la consumación del desenlace dramático. El recitado queda sostenido por un solo de violonchelo con el tema del dúo de Raquel y Juan Luis del Nº 4 mientras ser oye a lo lejos la campana, y el tema "Castellana, toledana", interpretado primero por los violines y finalmente por ambos protagonistas, Juan Luis y Raquel. Cuando Constancica pregunta a Cervantes qué es lo que está escribiendo y éste le revela que una novela que llevará el título de *La ilustre fregona*, estalla de nuevo el tema de la chacona con el que finaliza la zarzuela.

"Chispero" afirma que la obra alcanzó un éxito clamoroso, ya que si el libro gustó mucho, la música llevó al público a grados de entusiasmo pocas veces registrados. Todos los números fueron repeti-

dos, y algunos, como la briosa canción de la espada, y el coro y la canción de las talaveranas se cantaron tres veces entre estruendosas ovaciones. A este éxito contribuyeron no poco los intérpretes. Los periódicos madrileños se hicieron eco del éxito al día siguiente del estreno. *La Voz*, en un texto firmado por V. G. de M., critica el libro, afirmando que la fortuna se ha debido al acierto de los trajes y decoraciones, la adecuada puesta en escena y la partitura. Un breve suelto de *La Época* elogia también el éxito conseguido por Guerrero, destacando el favor conseguido con el coro de lagarteranas, que al ser repetido por la orquesta sola a modo de intermedio –tras haber sido repetido ya tres veces por el coro–, fue coreado por el público al igual que había sucedido años antes con el "¡Hay que ver!" de *La montería*, teniendo que ser ejecutado una vez más y alcanzado cinco interpretaciones en la primera noche. Y Antonio de la Villa, desde *La Libertad*, tras elogiar el libro y su estilo, no escatima alabanzas para la partitura, afirmando que "es un modelo de composición musical"; en resumen, "música de Guerrero que no hay que desmenuzar porque es de Guerrero y todo el mundo sabe de memoria lo que es Guerrero, con motivos, cantos y rondas de la cepa toledana".

Fuentes manuscritas. La partitura se conserva en el legado Guerrero en el ICCMU. Los materiales de orquesta se conservan en el archivo de la SGAE en Madrid (5223).

Ediciones de música. Orquesta, ed. crítica J. Villa Rojo, Madrid, ICCMU, 1995. Canto y piano, Madrid, UME, 1927.

Ediciones del libreto. Madrid, 1927; Madrid, Europa, 1933; Madrid, SAE, 1933; Barcelona, AHR, 1959; Madrid, UME, 1967.

FONOGRAFÍA: D78rpm: Dir. Maestro Amat, Sol. Juan García, Electric 26035 (et. marrón), 76656 y 76657 • Sol. Emilio Sagi-Barba, La Voz de su Amo AC 127 • Sol. Eusebio Carasusan, La Voz de su Amo AE 2559 • Sol. Hipólito Lázaro, Columbia R 18268, C 2588 C 2596 • Sol. La Argentinita, La Voz de su Amo AE 2558, BJ 1933 BJ 1987 • Sol. Marcos Redondo, Odeón 184478 y 153357 (et. marrón), SO 4142 SO 4143 • Sol. Miguel Fleta, La Voz de su Amo DA 868, BJ 593 • Sols. Federico Caballé, Amparo Saus, La Voz de su Amo AE 1739 AE 1740 AE 1742, BS 2488 BS 2491.

LP: Dir. Indalecio Cisneros, Sols. Dolores Cava, Carlos Munguía, Julita Bermejo, Gerardo Monreal, Coro Cantores de Madrid, Orq. Sinfónica, Columbia CLL 32023 y SCLL 14061, y Columbia 74321 33034 2 [reed. en CD: Alhambra-BMG España WD 71809 (9D)] • Dir. Daniel Montorio, Enrique Navarro y Ricardo Estevarena, Sols. Luis Sagi-Vela, Lily Berchman, Santiago Ramalle, Teresita Silva, Coro de Cámara de Madrid, Orq. de Cámara de Madrid, Montilla FM-27, Zafiro SA ZOR-178 54, Zafiro LM 3003 (C) y Zafiro-Salvat 1012-1 [ed. en EP: Zafiro-BMG EPFM-126] • Dir. Rafael Ferrer, Sols. José Simorra, Lolita Torrento, Emilia Aliaga, Diego Monjo, Oscar Pol, Capilla Clásica Polifónica del Fomento de las Artes Decorativas de Barcelona, Orq. Sinfónica Española, Regal SEBL 7011 y Regal LCX 7012 60.

CD: Dir. Federico Moreno Torroba, Sols. Dolores Pérez, Carlo del Monte, Coro Cantores de Madrid, Orq. Lírica Española, EMI 7 67450 2 (637.64920) y EMI 7243 5 74214 2 3 (637.06277) • Sols. Marcos Redondo, Amparo Alarcón, Blue Moon BMCD 7538.

BIBLIOGRAFÍA: *DMEH*; *TA*; X. Aviñoa: *Los gavilanes*, Barcelona, Ed. Daimón, 1983; J. Carabias: *El maestro Guerrero fue así*, Madrid, Ed. Prensa Castellana, 1952; A. Fernández-Cid: *El maestro Jacinto Guerrero y su estela*, Madrid, Fundación Jacinto e Inocencio Guerrero, 1994; *El huésped del sevillano*, ed. crítica J. Villa Rojo, Madrid, ICCMU, 1995; VVAA: *Jacinto Guerrero. De la zarzuela a la revista. 1895-1995, Homenaje en el centenario de su nacimiento*, Madrid, SGAE, 1995.

Mª ENCINA CORTIZO

Rosario Hueto (Foto: J. Laurent; Museo Municipal de Madrid)

Hueto, Rosario. Valencia, siglo XIX. Tiple. De Valencia se trasladó a Madrid para estudiar en el conservatorio con Inzenga. Permaneció en este centro hasta 1860 en que se presentó en Barcelona en el teatro Principal junto con Adelaida Latorre en *Amor y arte* de Balart. Desde aquí fue contratada por los empresarios del teatro del Circo por 1800 reales al mes, y se presentó en Madrid, en dicho teatro, con la obra *Si yo fuera rey* del propio Inzenga, el 17 de octubre de 1862. A partir de entonces su fama fue en ascenso. En 1864 estrenó *El novicio* de Martín y Campos. Trabajó desde el inicio en el teatro de los Bufos de Arderius, debido a su magnífica figura tan valorada en este género teatral, estrenando la primera obra famosa: *El joven Telémaco* de Rogel, donde hizo el personaje de la Diosa Venus. En 1870 llegó a Buenos Aires con una compañía española con la que inauguró el nuevo teatro Alegría dedicado a la zarzuela con la ópera *Marina*; aparecía como "primera tiple absoluta". Su experiencia americana continuó en México donde llegó como miembro de la compañía de zarzuela Prat-Carratalá en 1874. De ella se escribieron estos versos: "Joven, hermosa, elegante / gracia, talento, buen tono /, todo lo tiene en su abono... / su defecto es ser cantante". Al igual que en los versos precedentes, en algunas críticas se señalaba la poca potencia de su voz. En la empresa de Arderius estrenó obras como *La taberna de Londres*, 1862, *Los enemigos domésticos*, *El conjuro*, 1866, y *Sol y sombra*, todas de Arrieta; *Francifredo, dux de Venecia* y *Los órganos de Móstoles*, ambas de José Rogel en 1867 y *Bazar de novias* de Oudrid, 1867. En 1876 se encontraba en Puerto Rico, donde se casó con el compositor Mateo Tizol. *Véase* TIZOL, MATEO.

BIBLIOGRAFÍA: *HGZ; HZ.*

EMILIO CASARES RODICIO

Hurtado y Valhondo, Antonio. Cáceres, 1825; Madrid, 1878. Escritor y periodista. Su primer drama, *La conquista de Cáceres*, lo estrenó con sólo dieciséis años y al año siguiente *La fortuna de ser loco*. Se trasladó a Madrid con veinte años y colaboró en los diarios *El Español* y *El Mundo Nuevo*, además de fundar la revista *El Mentor de las Familias*. También desempeñó una actividad política, y fue gobernador civil de diversas provincias como Albacete, Barcelona, Cádiz, Jaén, Valencia y Valladolid. Barcelona le nombró hijo adoptivo por sus esfuerzos por la ciudad durante la epidemia de cólera de 1865. Fue además diputado, senador, consejero de Estado y ministro del tribunal de Cuentas. Su labor literaria abarca dramas, comedias, poesías, artículos y cuentos. Para el teatro lírico escribió *El sonámbulo* con música de Arrieta, 1856, *Gato por liebre* con música de Barbieri, 1856, y *El sargento Lozano* con música de Lázaro Nuñez Robres, 1874.

BIBLIOGRAFÍA: *CDE; DAT; DE; EDL.*

Mª LUZ GONZÁLEZ PEÑA

Húsar de la guardia, El. Zarzuela en un acto. Música de Gerónimo Giménez y Amadeo Vives. Libreto de Guillermo Perrín y Miguel de Palacios. Estrenada el 1 de octubre de 1904 en el teatro de la Zarzuela de Madrid.

Personajes y reparto. Matilde (Lucrecia Arana, tiple). Lissette (Rosa Montesinos, tiple). La señora Goriot (Srta. González). El capitán Jorge (Lucio Aristi). Leandro (José Moncayo, actor). Sulpicio (Hilario Vera). Leonardo (Sr. Martín). Alberto (José Galerón). Goriot (Sr. Bellver). Un postillón (Sr. Santos). Antonio (Sr. Moral).

Orquestación. Flautín, flauta, oboe, 2 clarinetes, fagot, 2 trompas, 2 trompetas, 3 trombones, timbal, caja, bombo, platos y cuerda.

Argumento. La acción se sitúa en Francia en torno a 1815. Se rumorea el regreso de Napoleón de su destierro en Elba y se conspira en varios centros entre ellos en el Regimiento de Húsares de la Guardia. El gobierno sospecha de ellos y trata de evitar la conspiración. Entre los investigados está el teniente Mauricio Mornand, que vive con su hermana Matilde a varios kilómetros de París. Mauricio, avisado de que va a ser detenido por orden del coronel de su regimiento, huye de su castillo, dejando sola y angustiada a su hermana, que quiere encontrar una forma de conseguir tiempo necesario para que Mauricio pueda salir de Francia. Matilde decide suplantar a su hermano y vestida con su uniforme de oficial recibe al capitán Jorge que viene a arrestarle. El capitán, como no conoce a Mauricio, nada sospecha. Lissette, por su parte, una joven moza que vive en la hostería del lugar y desea vivir en París, es invitada por

Cuadro final de El húsar de la guardia
(Foto: El Teatro, 1904; Ar. SGAE)

el falso teniente Mauricio para que les acompañe. Terminan el viaje en una hostería de París, del tío de Lissette, donde Mauricio es bien conocido. Los oficiales Leonardo y Alberto, quedan sorprendidos ante la presencia del capitán Jorge en compañía del falso teniente a quien reconocen inmediatamente a su hermana. Ésta logra avisarles y ellos le prometen su ayuda. El capitán Jorge, sin embargo, recibe una orden del coronel para llevar al detenido ante su presencia inmediatamente, lo que supondría que Matilde fuese descubierta. Por otro lado, Jorge empieza a sospechar de Matilde. Aunque ella se da cuenta, de acuerdo con sus amigos, hacen que Lissette, ajena a toda la farsa, pase por novia del oficial, lo que parece convencer al capitán. El hostelero, por su parte, tiene la idea de dar un banquete en honor del capitán Jorge, con la intención de emborracharle y evitar que lleve a Matilde a presencia del coronel. Todos los amigos de Mauricio asisten a la fiesta. Lissette es la reina aunque se empieza a dar cuenta del papel que desempeña y protesta, poniendo toda la situación en peligro. Cuando Matilde cree que está todo perdido, se anuncia que Napoleón ha desembarcado cerca de París, generando el consiguiente tumulto y la celebración inmediata.

Números musicales. Nº 1. Introducción y aria, "Bebed muchachos que el vino es bueno". Nº 2. Dúo de Matilde y Jorge, "Besad la mano y esta es la mía". Nº 3. Escena y final del primer cuadro, "¿Pero estás loca? ¿Qué vas a hacer?". Nº 4A. Marcial, "¡Vino! ¡cerveza! Venga otra jarra". Nº 4B. "Al coronel de un regimiento orden le dieron de marchar". Nº 5. Dúo de Leandro y Sulpicio, "Napoleón en el final de un ramillete colosal". Nº 6. Intermedio. Nº 7. Dúo de Lissette y Leandro, "Hay que comer con pulcritud". Nº 8. Final, "¡Alto Mauricio! ¡Por Dios callad!".

Comentario. Con *El húsar de la guardia* tenía lugar la primera colaboración de Giménez con Amadeo Vives. Fueron Perrín y Palacios los que presentaron a ambos colaboradores. Vives había alcanzado una notable popularidad con *Bohemios*. Los problemas generados por la constitución de la Sociedad de Autores supusieron de alguna manera que miembros de ésta, como Vives, tuvieran que trabajar con-

juntamente con personas ajenas controladas por Fiscowich, caso de Giménez. Su debut conjunto fue todo un éxito. *El húsar de la guardia*, en un acto y tres cuadros, estrenada en el teatro de la Zarzuela, contó entre sus intérpretes con Lucrecia Arana, Rosa Montesinos, Lucio Aristi e Hilario Vera. Fue una de las primeras operetas que produjeron en la línea de Strauss y Lehár, y que tanto éxito tuvieron en España, a las que nombres como Vives, y en menor medida Giménez, sirvieron como género. La obra tiene una partitura de ciertas dimensiones, teniendo en cuenta que se trata de una composición en un acto. Se abre con una introducción que da paso a una escena de cierta ambición, con la intervención de la Señorita Goriot que hace una amplia explicación, junto al coro con puntuales intervenciones de Matilde, también tiple pero en un registro algo más agudo, construido todo sobre aires de polka. El Nº 2 es un dúo de Matilde y Jorge (soprano y tenor). Tras una primera parte, donde resuenan todavía los mencionados aires de polka se da paso a una marcha, de corte militar ("Tengo el alma que el cielo me ha dado") de gran brillantez y eficacia. El Nº 3 es una escena construida en dos partes, la segunda de las cuales es el característico galop de final de cuadro o acto tan habitual en las operetas francesas y, en ocasiones, revisado en las vienesas. El Nº 4 se abre con un fragmento orquestal, marcial, que da paso a la intervención del coro hasta la llegada de Jorge, Lissette y Matilde. El Nº 4B es la denominada "Canción del coronel", inevitable fragmento pensado para la intervención, más o menos solista, de una Lucrecia Arana en cierta decadencia. A pesar de todo es la gran protagonista del pasaje que, tras un recitado, continúa con un aire con claras influencias vienesas hasta la intervención del coro. El Nº 5 es un dúo de Leonardo y Sulpicio, donde se potencia el tono cómico. El intermedio orquestal, típico del autor, es un espléndido fragmento en dos partes que culmina en una brillante tarantela. Tras un dúo de Lissette y Leandro, en el que se reconocen materiales anteriores, se llega al final donde se retoman los aires marciales que aparecen en toda la partitura.

De entrada el libro se valoró menos. *El Liberal* señala que "es muy endeble y peca de lánguido. Los autores, regañados sin duda con la brevedad y el interés, no han podido hilvanar una fábula que hiciese digno *pendant* a la celebrada partitura" (Madrid, 2-X-1904). Sin embargo, lo que no consiguió la letra, lo obtuvo la música que recibió el aplauso unánime desde el primer momento. El comentarista de *El Liberal* afirma con entusiasmo que "toda la partitura es digna de la reputación de dichos maestros, y entre calurosos aplausos se repitieron todos los números. De éstos, el mejor, el más gracioso e inspirado, es un dúo de tiple y tenor cómico en el tercer cuadro. El dúo, que pudiéramos llamar de Napoleón, es el que en inspiración y delicadeza sigue al ya citado y luego un delicioso intermedio en el que se advierten primores de orquestación dignos de sinceros elogios". También se aplauden "los couplets del cuadro segundo" que, según el comentarista, saben mucho "a música de Audran. Alguien en un momento de distracción pudiera creer que estaba oyendo algo de *La Mascota*". La crítica de *El Imparcial* subraya esto y señala que "Vives y Giménez han echado el resto componiendo nueve o diez números inspiradísimos y de una gran variedad. Cinco de ellos se repitieron, proporcionando además a sus autores los honores del proscenio" y añade más adelante que "para que no faltase nada, también el último número fue objeto de una entusiasta ovación: ese número es la Marsellesa, a cuyos acordes termina la obra" (*El Imparcial*, 2-X-1904). La ejecución debió ser también notable, tal como traslada el citado medio: "La mitad del éxito de obras como *El húsar de la guardia* consiste en la interpretación y ésta fue inmejorable. Lucrecia Arana lució su magnífica voz en todos los números que cantó, compartiendo con el notable barítono Aristi los primeros aplausos. Pilar Pérez obtuvo también gran éxito, especial-

mente en el duetto del último cuadro. Moncayo estuvo graciosísimo en su papel de pastelero bonapartista, además de ser buen cantante. Muy bien, hablando y cantando, Hilario Vera".

Fuentes manuscritas. La partitura se conserva en el Museo del Teatro de Almagro (528). Los materiales de orquesta se conservan en el archivo de la SGAE en Madrid (2450).

Ediciones de música. Canto y piano, Madrid, UME.

Ediciones del libreto. Madrid, SAE, 1904.

FONOGRAFÍA: LP: Dir. Nicasio Tejada, Sols. Pilar Lorengar, Dolores Cava, Gerardo Monreal, Manuel Ausensi, Vicente Larrea, José Luis Cancela, Gregorio Gil, Pedro Lavirgen, Ana Fernández, Coro de Cantores de Madrid, Orq. Sinfónica, Columbia SA, ZCL 1044 (Zacosa SA) 81, Columbia SA, OZS 1005 (Alhambra) 92 y Columbia-BMG C 32024 y CS 42024.

LUIS G. IBERNI

El Sr. Aristi y la Srta. Arana en una escena de El húsar de la guardia *(Foto: El Teatro, 1904; Ar. SGAE)*

Ibarra Pérez, Adela. Madrid, 3-III-1839; Sevilla, 4-XI-1865. Tiple. Se matriculó en el Conservatorio de Madrid en 1856 y al año siguiente se convirtió en alumna de Saldoni. A partir de entonces estudió durante dos años más con Antonio Cordero. Debutó en la zarzuela interpretando a Enriqueta en *El relámpago* de Barbieri, 1857. En 1859 fue contratada por el teatro de la Zarzuela y dos años después por el del Circo, iniciando una corta carrera que la llevó a Zaragoza, Barcelona y Sevilla. A su muerte, según Saldoni, ganaba 7.500 reales mensuales, "cuyo sueldo, como tiple de zarzuela, es una prueba bien determinante del mérito que tenía la malograda y simpática Adela". Cotarelo añade, "su voz de tiple era de buena clase, aunque no mucha, pero lo suplía con su manera graciosa de cantar. Además declamaba con mucho arte". Estrenó zarzuelas como *Memorias de un estudiante* de Oudrid, 1860; hizo de María en *Los piratas*; Juana en *Llamada y tropa*; Nise en *Ardides y cuchilladas*; Caridad en *Los pecados capitales* y Cecilia en *Harry el diablo*. Su último estreno, en 1865, fue la revista *1864-1865* de Arrieta.

BIBLIOGRAFÍA: *DBE; HGZ; HZ.*

EMILIO CASARES RODICIO

Ibarrola, Robustiano. España, siglos XIX-XX. Cantante. Formó parte de la compañía Calvo-Vico como galán joven. En la década de 1880, en pleno dominio del género chico, formó parte de la compañía del teatro Eslava, donde estrenó *Las cartas de Leona* de Ángel Rubio, 1884; *Toros de puntas* de Isidoro Hernández, 1885; *Muerto el perro…* de I. Hernández, 1886; *La fiesta de La Gran Vía* de Nieto, 1887. En 1888 debió pasar al teatro Alhambra donde, en 1889, estrenó *Las primaveras* de Nieto, *¡Al otro mundo!* de Marqués y Reig, y *El plato del día* de Marqués. En 1889 al asociarse Arregui y Aruej para hacerse car-

go del teatro Apolo, decidieron dedicarlo al género chico y contrataron a la compañía que estaba actuando en el teatro Alhambra. Ibarrola estrenó en 1889 *La tertulia de Susana* de Carlos Mangiagalli y cantó en el día de su beneficio *Los invá-lidos*.

*Robustiano Ibarrola
(Foto: Franzen en El Teatro,
1904; Ar. SGAE)*

La temporada de Apolo fue un fracaso e Ibarrola pasó al teatro de la Zarzuela donde estrenó en ese mismo año *El motín de Aranjuez* de Marqués y *La señora del coronel* de Nieto. En 1890 estrenó *Los empecinados* de Apolinar Brull en el teatro Príncipe Alfonso para volver al Apolo con *Misa de Requiem* de Nieto y *Tanhäuser el estanquero* de Giménez. También estrenó *¡Considerando!* de González Palomares en el teatro Circo de la Ópera de Málaga. La temporada 1893-94 volvió al teatro Eslava y estrenó *Los vampiros* de Ángel Rubio en 1893 y al año siguiente *Los puritanos* de Valverde y Torregrosa; *El traje misterioso* de Saco del Valle, *Viento en popa* de Giménez, *Boda, tragedia y guateque o El difunto de Chuchita* de Marqués y *El pozo del diablo* de Taboada. En 1897 estrenó en el teatro Maravillas *El tío Pepe* de Gregorio Mateos.

En las dos primeras décadas del siglo XX siguió estrenando obras en diversos teatros, así en 1902 *San Juan de Luz* de Valverde y Torregrosa en Eldorado, *Los nenes* de Quinito Valverde y *El fondo del baúl* de Quinito Valverde y Tomás Barrera en Eslava. En 1905 estuvo contratado por el teatro Cómico en el que estrenó *Rusia y Japón* de Caballero y Hermoso, *La fuentecica* de Peón Requejo y Pons,

La bohème de Cassadó y Guitart, *El trianero* de Marquina y Córdoba, *La cueva de Salamanca* de Gay, *La cantinera* de Tomás Barrera y *Perico el Jorobeta* de Marquina y Fuentes. En 1906 formaba parte de la compañía del Gran Teatro que contrató Arderius para la temporada veraniega. En 1907 estrenó en el teatro Principal de Santander *El sueño de la princesa* de Calleja y Ballesteros. En 1913 volvió al teatro Apolo en el que permaneció al menos hasta 1917, donde estrenó *¡Si yo fuera rey!* de Serrano, 1913, *La alegría del amor* de Luna, *La sombra del molino* de Arregui, *España Nueva* de Lleó, que obtuvo un gran éxito; *La Venus de piedra* de García Álvarez, *Los capitanes del Zar* de Bretón y *La boda de la Farruca* de Alonso en 1914, *La cómica* de Eysler, en adaptación de Eugenio Úbeda, *El chico de las Peñuelas o No hay mal como el de la envidia* de Millán, *El nido del principal* de Vela y Bru y *La estrella de Olympia* de Calleja en 1915; *El preceptor de Su Alteza* de Rafael Millán, *El patio de los naranjos* de Luna y *La patria de Cervantes* de Foglietti, 1916, *Los postineros* de Luna y Foglietti y *Alhi-Melén* de Calleja en 1917.

BIBLIOGRAFÍA: *TA; El Arte de El Teatro*, 4, Madrid, 15-IV-1906.

Mª LUZ GONZÁLEZ PEÑA

Ibars, Mariano. Navardún (Zaragoza), 17-IV-1914. Tenor. Comenzó como jotero e ingresó después en el Orfeón Zaragozano. Posteriormente se trasladó a Barcelona, donde trabajó en el teatro Victoria como taquillero, al tiempo que comenzaba sus estudios musicales en la Academia de Enrique Novi y Federico Cortó; también estudió con Ramón Gorgé, responsable entonces del teatro Victoria y con el tenor Jaime Ferré. Ibars debutó por fin en 1941 con *Los de Aragón* de Serrano y se enroló en una compañía de zarzuela contratada para el Apolo valenciano donde cantó *El sol de la serranía* de Ernesto Pérez Rosillo. La compañía viajó después a Murcia y una vez disuelta, regresó a Barcelona donde cantó, al aire libre, *Marina* junto a Pablo Gorgé y María Espinalt. Pasó después al Tívoli de Barcelona cantando *La tempestad* de Chapí y *La generala* de Vives. Contratado por Tomás Ros como primer tenor debutó en el teatro Principal de Valencia. Posteriormente cantó en el teatro Cervantes de Sevilla. Hizo una pequeña incursión en la ópera y en 1943 cantó *Rigoletto* en el teatro Lírico de Palma de Mallorca. En 1946 emprendió una gira americana que le llevó a Montevideo y Buenos Aires; en esta capital debutó con *La tabernera del puerto* de Sorozábal en el teatro Avenida y en los principales teatros bonaerenses cantando ópera. En el teatro Dieciocho de Julio de Montevideo, en la misma gira, intervino en una extraordinaria *Marina*. De regreso a España formó parte de numerosas compañías líricas hasta su retirada el 25 de marzo de 1965 en el teatro Martín de Teruel con *Los claveles de la Virgen*

de Salvador Rovira. Entre las más de cuarenta zarzuelas que estrenó, hay que destacar *La duquesa del Candil, La eterna canción, El gaitero de Gijón* y *La niña del polisón*. Entre sus escasas grabaciones destaca *La eterna canción*, donde deja constancia del notable volumen de su voz.

FONOGRAFÍA: *La eterna canción*, R 14288 (et. fucsia), C 6524 C 6525.

BIBLIOGRAFÍA: *CCE*; J. M. de Sagarmínaga: *Diccionario de cantantes líricos españoles*, Madrid, Fundación Caja Madrid-Acento Ed., 1997.

Mª LUZ GONZÁLEZ PEÑA

Iborra, Carmen. Guadix (Granada), siglo XIX; Sevilla?, siglo XX. Soprano. Debutó en Sevilla como primera tiple de zarzuela, y el éxito obtenido le proporcionó un contrato para actuar en el teatro Reina Victoria de Madrid, en el que permaneció algunas temporadas, siendo muy aplaudida en 1924 en *Teodoro y compañía* de Guerrero, junto a Pepe Moncayo. Pasó después al Apolo, donde estrenó también en 1924 *Don Quintín el amargao* de Vives, *El niño judío* de Luna y *La vaquerita* de Ernesto Pérez Rosillo. Participó ese mismo año en la reposición de *La linda tapada* de Alonso. Al casarse con un sevillano se retiró de las tablas y es de suponer que trasladó su residencia a Sevilla.

BIBLIOGRAFÍA: *TA; Nuevo Mundo*, 1563, 4-I-1924; F. Cuenca: *Teatro andaluz contemporáneo. 2. Artistas líricos y dramáticos*, La Habana, Ed. Maza, 1940.

EMILIO CASARES RODICIO

Iceta Ciarán, Evaristo. España, siglo XX. Director y compositor. Realizó los estudios de música en el Conservatorio de Bilbao y posteriormente los de composición con Guridi, Gabiola y Otaño. Fue director de la Banda de Zumaya desde 1920 hasta 1928, año en el que fue nombrado director de la Banda Municipal de Santa Cruz de Tenerife. En esa ciudad llevó a cabo numerosas iniciativas, como la creación de la Academia Municipal de Música de Santa Cruz, donde ejerció la docencia, la creación de una orquesta en el Círculo de Bellas Artes y de la Masa Coral Tinerfeña, de la que fue su primer director. De 1928 a 1934 fue organista de la catedral de La Laguna y del seminario conciliar. Ha compuesto e instrumentado numerosas obras para banda, romanzas y dúos, música religiosa y dos zarzuelas puestas en escena en el teatro Guimerá.

BIBLIOGRAFÍA: *DMEH*; "Don Evaristo Iceta", *Boletín de la Asociación Nacional de Directores de Bandas de Música Civiles*, 1-VI-1936, 3-4.

EMILIO CASARES RODICIO

Idel, Teresa. España, siglos XIX-XX. Tiple. Su carrera se desarrolló fundamentalmente en Barcelona, si bien su primera aparición se produjo en Valencia, donde estrenó en diciembre de 1907 la obra de

Teresa Idel en el centro con los señores León, Palmer y Posac en una escena de Rejas y votos *de V. Peydró (Foto:* El Arte de El Teatro, *1908; Ar. SGAE)*

Vicente Peydró *Rejas y votos* en el teatro Ruzafa; en 1909 *La princesa del Dollar* de Leo Fall en el teatro Nuevo de Barcelona; en 1929 en el teatro Victoria de Barcelona participó en el estreno de *La boda de la Paloma* de Ramón Ferrés, y en 1932 estrenó en el teatro Nuevo de la misma ciudad *La moza que yo quería* de Fernando Díaz Giles.

BIBLIOGRAFÍA: *El Arte de El Teatro*, III, 43, 1-I-1908.

Mª LUZ GONZÁLEZ PEÑA

Iglesias, Balbina. España, siglo XIX. Tiple cómica. En 1885 estrenó en el teatro Martín *El país del abanico* de Chapí y al año siguiente *Tula* de Taboada, *Los dioses se van* de Caballero, *Término medio* de Chapí, *Ciclón XXII* de Caballero y Rubio y *Chin-Chin* de Nieto. Ese mismo año protagonizó diversos estrenos en el teatro Maravillas como *Tarjetas al minuto* de Tomás Gómez, *Manicomio político* de Gómez y Fernández Grajal, *Locos de amor* de Caballero y *De Madrid a la luna* de los hermanos Fernández Grajal. En 1887 volvió al teatro Martín donde estrenó *Caralampio* de Tomás Reig. La revista *Madrid Cómico* le dedicó su portada, en la que aparecía una caricatura de Cilla acompañada de los siguientes versos: "Tiene *chic* / canta bien / es joven y guapa / ¿qué más quiere usté?".

BIBLIOGRAFÍA: *Madrid Cómico*, VII, 218, 23-IV-1887.

Mª LUZ GONZÁLEZ PEÑA

Iglesias, Carmen. Madrid, 30-I-1965. Soprano. Como integrante la Compañía Lírica Española, ha realizado giras por España y ha actuado en la temporada de Verano del Centro Cultural de la Villa de Madrid. Asimismo formó parte del Grupo Eurídice de ópera y zarzuela con el que ha realizado giras por España, Corea y Estados Unidos. Ha cantado obras tan diversas como *Los miserables*, *La traviata* o tonadillas escénicas en los principales teatros españoles. Cantó en el teatro de la Zarzuela *La del Soto del Parral* en la temporada 1999-2000, en el Festival Lírico de Asturias en 1999 *La verbena de la Paloma* y *La revoltosa* y en el 2000 *El asombro de Damasco*.

Mª LUZ GONZÁLEZ PEÑA

Iglesias, Emilia. España, siglos XIX-XX. Soprano. La prensa hablaba de su "excelente escuela de canto, voz agradabilísima y agilidad de garganta", que la colocaba en primera línea de las tiples que en la segunda década del siglo XX pisaban las tablas madrileñas, pues además de buena cantante era una gran actriz. Formó parte de la compañía de Manuel Fernández de la Puente que debutó en el teatro de la Zarzuela la temporada 1913-14 y fue una de las principales intérpretes de la opereta *La señorita capricho*, que inauguró la temporada de 1913. También dentro del género de la opereta, intervino en *Eva* de Franz Lehár, cuya gran protagonista fue María Marco. En mayo de 1914 obtuvo un gran triunfo junto a Rafael López en *Cavalleria rusticana*, de nuevo en el teatro de la Zarzuela. Participó en el estreno de *Maruxa* de Vives en 1914, que supuso un gran triunfo para el autor y los intérpretes. La temporada 1914-15 fue contratada de nuevo por el teatro de la Zarzuela, esta vez con la compañía Luna-Serrano y participó en el estreno de *El tirano* con música de Rafael Calleja y Tomás Barrera. Pasó unos meses cantando en el teatro Principal de Zaragoza, y en la primavera de 1915 regresó al teatro de la Zarzuela donde tuvo una gran acogida en *Margot* de Turina. Participó en el estreno de *Amores de aldea* de García Renovales y González Pacheco con música de Luna y Reveriano Soutullo y protagonizó *La mala tarde*, zarzuela de Rafael Millán, que obtuvo un gran éxito a pesar de que su protagonista no dominaba el papel, pues había actuado en dos estrenos con una semana de diferencia.

Por sus características vocales podía haberse dedicado a la ópera y, de hecho, su mayor triunfo lo obtuvo con la ópera *Maruxa*. En la noche de su beneficio, celebrado el 11 de abril de 1916 en el teatro Apolo, estrenó la zarzuela de Fernando Nogués y Fiacro Yraizoz, *Zhinta*, en la que fue muy aplaudida, sobre todo en un pasodoble que hubo de repetir y un terceto. En esa función cantó además *Maruxa* y la revista *La patria de Cervantes*. La cantante era, por esas fechas, primera tiple de ese teatro, siendo muy admirada por el público, ya que cantaba con un brío y una entonación desacostumbrados en el género chico. En 1923 estrenó en el teatro de la Zarzuela *Los gavilanes* de Guerrero junto a Emilio Vendrell y Eugenia Zúffoli.

Emilia Iglesias (Foto: Mundo Gráfico, *1913; Ar. ICCMU)*

BIBLIOGRAFÍA: *TA*; E. García Carretero: *Historia del teatro de la Zarzuela*, Madrid, Fundación de la Zarzuela Española, 2002.

Mª LUZ GONZÁLEZ PEÑA

Iglesias Segovia, Francisco. España, siglos XIX-XX. Cantante y actor. Desarrolló su carrera entre las décadas de 1870 y 1920. Se casó con la tiple Carlota Vallés con la que coincidió en el Salón Variedades. En 1873 estrenó en el teatro de la Zarzuela *La gallina ciega* de Caballero y al año siguiente *El alma en un hilo* de Bretón y *Entre bastidores* de Miguel Carreras y González. No se ha localizado ningún estreno en la década de 1880, aunque es de suponer que seguiría trabajando, quizá de gira por España. En 1890 fue contratado por el Salón Variedades junto a su esposa Carlota Vallés y juntos estrenaron *El cuerno* de Gassola y *La pupilera* de H. Rodríguez. En 1891 estrenó en el teatro Tívoli *¡Victoria!* de Torregrosa. En 1892 alternó su trabajo en los teatros Cómico, Alhambra y Jardines del Buen Retiro. En el Cómico estrenó *Gravina* de Martínez y Olea; en el Alhambra *Majos y estudiantes o El rosario de la Aurora* de López Juarranz y en los Jardines del Buen Retiro *A vuela pluma* de Ángel Ruiz, *Boquerón* de Ruiz y Catalá, *Guerra europea* de Mateos y *Los cuatro palos* de Rubio. En 1893 se registró su primer estreno en el teatro Apolo al que volvió en años posteriores y en el que terminó su carrera. Estrenó *El himno de Riego* de Miguel Santonja. En 1895 estrenó varias obras: *A perra chica lo que más guste y convenga* de Álvarez y Arnedo, Maravillas; *El candidato* de Quinito Valverde, Princesa; *El señor corregidor* de Chapí, Eslava, y *Los tres claveles* de Alberto Cotó, Eldorado de Barcelona. En 1896 estrenó *El cortejo de la Irene* de Chapí en Eslava y *Los criticones* de Santonja en el Gran Teatro Circo de Colón. En 1898 estuvo contratado en el teatro Eldorado donde estrenó *El ratón y el gato* de Contreras, *El fin de Rocambole* de Quinito Valverde y Estellés, *El sueño de una noche de verano* y *La batalla de Tetuán* de Quinito Valverde. En 1906 apareció de nuevo en Apolo donde participó en uno de los grandes éxitos del teatro, *El pollo Tejada* de José Serrano y Quinito Valverde. En 1910 estrenó en Novedades *Los esclavos* de Fonrat y Quislant. Durante los últimos años de actividad realizó también numerosos estrenos: *El tío Paco* de Gilbert, Cómico, 1923; *La linda tapada* de Alonso, Cómico, 1924 y *Encarna la Misterio* de Soutullo y Vert, Apolo, 1925. *Véase* VALLÉS, CARLOTA.

Mª LUZ GONZÁLEZ PEÑA

Imperio, Gracia. Valencia, siglo XX. Vedette. Actuó en el teatro de la Zarzuela por primera vez en 1952 contratada por la compañía Céspedes y estrenó *Las matadoras* de Moreno Torroba, con gran éxito, ya que se mantuvo dos meses en cartel. El 27 de junio estre-

Gracia Imperio (Foto: Antonio; E:Bit)

nó la revista de Joaquín Gasca *Piernas de seda*, revista con la que Blanquita Suárez, que había triunfado años atrás como cupletista, volvió a las tablas como actriz de carácter. Fue una de las vedettes preferidas por el empresario Matías Coslada y triunfó durante años en el teatro de La Latina.

BIBLIOGRAFÍA: E. García Carretero: *Historia del teatro de la Zarzuela*, Madrid, Fundación de la Zarzuela Española, 2002.

Mª LUZ GONZÁLEZ PEÑA

Inachi, Pedro. España, siglo XVIII. Compositor. Inachi es autor de varias obras escénicas, entre las que se incluyen comedias y autos sacramentales. De estos últimos destaca *La orden de Melquisedech*, estrenado el 19 de junio de 1730. En sus comedias colaboró con escritores de la talla de Garcés y Cañizares, estrenando sus obras durante la década de 1730.

OBRAS: *Carlos V sobre Túnez y asalto a la goleta*, Com, 3 act, l, J. de Cañizares, est, 20-XI-1730; *La romera de Santiago*, Com, 3 act, l, Tirso de Molina, est, 20-XI-1730; *San Juan en el Apocalipsis y tránsito al paraíso*, Com, 2 act, l, J. Garcés, est, 25-XII-1730; *El jardín de Falerina*, 1730; *La armonía es más encanto*, Com, l, A. Arboreda, 1735.

BIBLIOGRAFÍA: *HZ*; *TLE*.

JUDITH ORTEGA

Inclán, Miguel. México, siglos XIX-XX. Actor y libretista. Entre sus obras, todas en un acto, destacan *Lo del día*, escrita en colaboración con Gonzalo Bofil y música de Eduardo Díaz, que se estrenó el 12 de enero de 1901 en el teatro María Guerrero, donde estrenó también *El jurado de las posadas*, con música de Salvador Pérez, 1903, y *El dos de abril*, con música de Manuel Rivera Baz, 1904. Con música de Salvador Pérez estrenó en 1903 *La honradez del fango*, esta vez en el teatro Riva Palacio.

RICARDO MIRANDA PÉREZ

Insausti, Torcuato [Tito Insausti]. España, 1894; Argentina, 1951. Autor teatral. Llegó a Argentina siendo adolescente. En 1916 estrenó sus primeros sainetes, entre ellos *El crimen del café Victoria*, con música de Antonio de Bassi. Desde entonces y hasta su muerte estrenó numerosos sainetes, revistas y comedias. Entre estas destacan *Mi prima está loca*, 1920, en colaboración con Francisco Collazo. Hay que resaltar que Tito Insausti fue una expresión de aquellos saineteros que luego evolucionaron hacia la comedia.

MARTA LENA PAZ

*Eduardo de Inza (Foto: Almanaque de
E. Juliá para 1873, Colección Castellano; E:Mn)*

Inza, Eduardo de.
Madrid, ?; Barcelo-
na, 1879. Periodista
y dramaturgo. Ejer-
ció diversos cargos
públicos y cultivó la
crítica en numerosos
diarios del momen-
to: *El Teatro Español,
Las Cortes, Las Noti-
cias, La Verdad* y *Los
Sucesos,* entre otros.
Además de algunos
dramas y poesías sa-
tíricas, escribió dos
obras líricas, *Llegar y
besar el Santo* con música de Oudrid y Caballero y
Un embargo, sólo con Caballero, ambas estrenadas
en 1861.

BIBLIOGRAFÍA: *CDE.*

Mª LUZ GONZÁLEZ PEÑA

Inzenga [Incenga] Castellanos, José. Madrid, 3-
VI-1828; Madrid, 29-VI-1891. Compositor, pianista, musicógrafo y folclorista. Fue una de las figuras
centrales del romanticismo musical español, haciéndose presente en todos los campos de la música del
siglo XIX, junto a compañeros de generación como
Barbieri, Gaztambide, Hernando, Arrieta, Oudrid o
Balart.

I. Formación y primeros años. II. Autor lírico. III. Profesor de
canto y musicógrafo.

I. FORMACIÓN Y PRIMEROS AÑOS.

Inzenga nació en el seno de una familia
musical. Su madre fue cantante aficionada, y comenzó sus estudios de
solfeo y piano con su padre, continuándolos con Lorenzo Zamora, Pedro Albéniz y Antonio Bor-
dalonga. Simultaneó los estudios
musicales con los de latín, filosofía, física, francés e italiano.
Desde muy joven participó
como intérprete en sesiones
musicales celebradas en el
Liceo, en la Academia y en el
Instituto, con éxito. Obtuvo la
protección de Mariano Téllez
Girón, duque de Osuna, que en
1842 le concedió una ayuda económica para estudiar en el Conservatorio de París, donde ingresó
con catorce años de edad, con la
recomendación del conde de Toreno y
del embajador en Francia, Martínez de la
Rosa. En el Conservatorio parisino coincidió

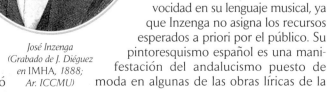

*José Inzenga
(Grabado de J. Diéguez
en IMHA, 1888;
Ar. ICCMU)*

con Gabriel Balart y Rafael Hernando. Obtuvo en
1846 dos medallas de plata en los concursos de piano
y armonía, y estudió contrapunto y composición con
Michele Caraffa, maestro igualmente de Balart. En
París, Inzenga se dio a conocer como pianista acompañante, actuando en los salones de Orfila y del doctor Ricord, en los que difundió sus primeras composiciones. En 1847 fue nombrado por Vauthrot,
entonces enfermo, su sustituto en el puesto de acompañante y maestro de coros en el teatro de la Ópera
Cómica, donde entró en contacto con Auber, director del Conservatorio, quien se convirtió en su protector, dándole clases de piano y acompañamiento,
y haciéndole actuar en los conciertos de las salas
Herz, Pleyel y Erard, las tres de mayor prestigio en
París. En ese año participó en la fundación de la sociedad musical Santa Cecilia, junto con músicos franceses, italianos y alemanes. La revolución de 1848,
al igual que a Balart o Hernando, le obligó a retornar a España, truncando así lo que era ya una importante trayectoria musical. A su regreso a Madrid se
dedicó sobre todo a la música de salón, actuando en
los salones de la nobleza y la burguesía, componiendo
pequeñas obras que gozaron de cierta fama, y especializándose ya en el campo de pianista repertorista
y profesor de canto, al igual que su padre. Entre sus
obras de este primer período destacan una *Marcha,*
una *Sinfonía,* y varias romanzas y melodías para piano,
que interpretó en los principales salones de la Corte,
granjeándose fama como músico y compositor de
importancia.

II. AUTOR LÍRICO.

A mediados de siglo, se res-
taura la zarzuela romántica con las obras de
Hernando, Oudrid, Barbieri y Gaztambide. Tras la concesión a Salas del privilegio por dos años para el establecimiento de la ópera española y la
zarzuela, y una serie de cambios
de teatros, se rehizo en abril de
1851 la compañía del teatro
Circo, y la primera zarzuela que
se estrenó fue *El campamento*
con letra de Luis Olona. El libro
es un cuadro de escenas militares, que ofrece buenas situaciones musicales, muy bien
aprovechadas por el maestro.
Quizá la característica general
de la producción de Inzenga sea
el eclecticismo y la falta de uni-
vocidad en su lenguaje musical, ya
que Inzenga no asigna los recursos
esperados a priori por el público. Su
pintoresquismo español es una manifestación del andalucismo puesto de
moda en algunas de las obras líricas de la

etapa previa al resurgimiento de la zarzuela. Sólo más adelante, como consecuencia de su trabajo folclórico, empleará elementos derivados de la música popular nacional, y defenderá su utilización como recurso para consolidar la ópera española. El éxito de esta obra le animó a estrenar el 17 de mayo otra zarzuela en un acto, con letra de José Olona, titulada *Los disfraces*, que no fue del agrado del público y no volvió a ponerse en escena.

Cuando tras el cierre del teatro del Circo en 1851 Gaztambide, Salas y Barbieri procedieron a constituir una Sociedad para el establecimiento independiente de la zarzuela, Inzenga, al igual que Olona, Hernando y Oudrid, fue invitado a participar en esta empresa. La razón por la que Gaztambide y Barbieri invitaron a Hernando, Oudrid e Inzenga era que estos eran los autores que, hasta el momento, habían escrito zarzuelas con más fortuna. Esta empresa arrendó el teatro del Circo, e Inzenga fue nombrado archivero de la Sociedad del Teatro Lírico Español. Inzenga permaneció en la Sociedad hasta 1854, fecha en la que salió de la misma, junto con Oudrid y Hernando, por problemas económicos. Tras el éxito inicial, las zarzuelas de Inzenga no parecieron gozar del aplauso del público, quizá por la elección de libretos poco adecuados. Así, *El confitero de Madrid*, zarzuela en tres actos estrenada el 7 de noviembre de 1851, traducción de una ópera cómica francesa con texto de Olona y música de Hernando –primer acto, introducción del segundo y final del tercero– e Inzenga –el resto–, fue mal recibida desde la mitad del acto segundo, pareciendo como si el público protestara de la música compuesta por Inzenga. También *El castillo encantado*, obra ambientada en Aragón y estrenada el 17 de diciembre de 1851, con música de Oudrid e Inzenga, fue silbada, en especial por no gustar el libreto francés, aunque se representó tres o cuatro veces. Destacaban entre las partes musicales un coro de introducción, un terceto, una balada con tema, una canción y unas seguidillas. Sí obtuvo un éxito importante la producción de los cinco compositores *Por seguir a una mujer* con texto de Olona, estrenada en el Circo la Nochebuena de 1851, de la que la séptima canción, *A la vela*, era obra de Inzenga. Esta obra, que supuso el debut en la escena española de Francisco Arderius, más que una zarzuela propiamente dicha era un pastiche que buscaba el éxito económico para la compañía, tras los fracasos posteriores a la representación de *Jugar con fuego* de Barbieri.

Pero el estreno de *El secreto de una reina*, primera obra nueva de la temporada 1852-53, con texto adaptado del francés por Olona, puso de manifiesto que la parte musical del inicio, compuesta por Gaztambide sí llegó al público; la central, de Hernando, fue rechazada, y la final, de Inzenga, pasó desapercibida. Si a ello se añade que las otras dos

obras escritas por Inzenga en solitario, *La flor del Zurguén* y *El amor por los balcones*, ambas en un acto, estrenadas el 15 de diciembre de 1852, pasaron con indiferencia por el Circo; que la música de *Don Simplicio Bobadilla*, escrita por todos los compositores salvo Oudrid, tampoco gustó, y que en la temporada anterior había quedado sin estrenar su zarzuela *Icaro, barbero y peluquero*, porque la empresa no confiaba en la obra, se entiende perfectamente que cuando en el verano de 1853 se produjeron cambios en la empresa del teatro del Circo, Inzenga, Oudrid y Hernando fueran obligados a abandonar la empresa. La razón real era que los otros compositores entendían que sus éxitos no tenían la compensación económica que les correspondía al tener que repartir con los socios cuyas obras fracasaban. No obstante, Inzenga siguió en relación con el teatro Circo, participando en la composición de la zarzuela *Un día de reinado*, escrita además por Barbieri, Gaztambide, Oudrid y Javier Gaztambide, estrenada en el teatro Circo el 11 de febrero de 1854, aunque sin éxito.

En la temporada 1854-55 Inzenga fue nombrado maestro de coros del teatro del Circo y estrenó el 17 de noviembre de 1854 la zarzuela en tres actos y en verso *Cecilia o El alma de Cecilia*, con letra de Arnao, cuyo libreto, según la *Gaceta Musical de Madrid*, carecía de las condiciones requeridas para la zarzuela, obteniendo un "cruel naufragio". Barbieri dice que el público no se tomó en serio la obra el día del estreno. Tras este fracaso, Inzenga se retiró de la composición lírica. Él mismo se reconoce compositor poco afortunado en ese género, en carta a Barbieri fechada en octubre de 1859: "Hoy, que me hallo retirado, aunque no separado para siempre, de ese terreno tan escabroso que llaman teatro, en el que tan constantemente se halla en juego nuestra reputación, nuestro amor propio y nuestro porvenir y en el que tan solo logré alcanzar un espontáneo éxito sin embargo de mi buena voluntad y natural aplicación". Quizá la causa que explica la poca aceptación de su producción lírica sea, como apuntó Peña y Goñi, que no estuvo en España en la etapa de comienzo de la zarzuela y "carecía del temperamento necesario para introducir una nota personal en nuestra zarzuela, estaba mal colocado, estaba fuera de ambiente. La elegante distinción de sus melodías y su armonía e instrumentación finas y discretas, no podían convencer al público que reclamaba, ante todo, un estilo dentro de las condiciones del género, algo que, halagando sus aspiraciones, destacara el sello de la individualidad".

Inzenga retornó al genero lírico en 1862 para cosechar su segundo éxito importante con la obra *¡Si yo fuera rey!*, estrenada en el teatro del Circo el 17 de octubre de 1862, que es, sin duda, la más difundida de sus zarzuelas. Ambientada en la Florencia de fines del siglo XVIII, el argumento, relacionado con *La* *vida es sueño* de Calderón, es una adaptación de la obra *Si j'étais roy*, ópera cómica de Adolphe Adam, estrenada en París en 1852, en la que se narra el amor de Genaro, un pescador, con Leonor, la sobrina del Gran Duque de Florencia, que no quiere obedecer a su tío y casarse con un anciano marqués al que no ama, y se enamora de Ge-

José Inzenga, a la derecha, con sus alumnos de canto (Foto: Otero en IMHA, 1889; Ar. ICCMU)

naro, pescador que la salva de morir ahogada, quien también se enamora de ella. Tras el éxito de esta obra, que supone una reafirmación personal del autor, Inzenga abandonó su actividad como compositor lírico, pues desde ese momento tan sólo compuso otras tres zarzuelas. Si bien Peña y Goñi opina que a Inzenga "faltóle el vigor y el apasionamiento que el teatro requiere, careció de temperamento dramático y de estilo y no pudo adaptar su manera francesa de sentir el arte a la vehemente nacionalidad que nuestros cantos populares imprimieron, entonces, sobre todo, a la zarzuela", ante la buena acogida de *¡Si yo fuera rey!*, Inzenga prefirió no correr el riesgo de estrenar obras que no le fueran a reportar un triunfo, eligiendo el retiro con un éxito antes que correr el riesgo de un nuevo fracaso. La formación de Inzenga en el ambiente de las óperas cómicas de Boieldieu, Hérold o Auber fue lo que hizo que el compositor imitase modelos foráneos, sin construir la música demandada por el público, que debía incluir elementos autóctonos españoles: seguidillas, tiranas o boleros, y que otros compositores como Gaztambide, Oudrid o Barbieri sí supieron ofrecer, de acuerdo con el modelo consagrado por el éxito económico. En este sentido, el "fracaso" de Inzenga es el fracaso de un intento de traslación literal de un género extranjero, el de la opéra-comique, y por ello, el triunfo de la zarzuela como género nacional específico y emancipado de la influencia foránea.

A partir de entonces, Inzenga se dedicó por completo a las labores docente, literaria y compositiva, siendo profesor de Canto en la Escuela Nacional de Música, miembro de la Sección de Música de la Academia de San Fernando, miembro de varias sociedades artísticas, y recibiendo, entre otros, los nombramientos de Comendador de número de Isabel la Católica y caballero de la orden de Cristo en Portugal. Inzenga tuvo una destacada actividad como crítico musical, como luchador a favor de la causa de la música española especialmente desde el asociacionismo, y como impulsor de la idea de la ópera española. Igualmente fue destacada su actividad como Académico. Al crearse por decreto de 8 de mayo de 1873 la Sección de Música de la Academia de Bellas Artes, Inzenga fue designado académico, junto a Barbieri, Arrieta, Monasterio, Guelbenzu, Mariano Vázquez, Saldoni, Eslava, Antonio Romero y Antonio Mª Segovia.

III. PROFESOR DE CANTO Y MUSICÓGRAFO. Un lugar especial merece su actividad como profesor de canto del Conservatorio de Madrid. Allí se convirtió en el gestor de toda la enseñanza del canto, realizando una labor similar, o incluso superior, a la desempeñada por Saldoni, Valldemosa y su propio padre a mediados de siglo. Prácticamente la totalidad de cantantes que estudiaron en los años 1860 a 1890 fueron alumnos suyos. En este sentido, se recogen las palabras de Peña y Goñi en su libro sobre la ópera española, donde subraya el importante número de discípulos que aportó tanto a la ópera italiana como a la zarzuela: "Ha dado un respetable contingente de artistas tanto a la ópera italiana como a la zarzuela. Entre las primeras se cuentan las Srtas. Llanes, Ocampo, Martínez, Rodríguez, Compagni y otras que han hecho o hacen una fructuosa carrera, y entre las segundas deben citarse la pobre Arsenia Velasco y la Srta. Bernal, que el matrimonio arrancó prematuramente al arte líricodramático español. El tenor de ópera Sr. Marín y los de zarzuela Sres. Beltrami y Orejón son también, como otros varios artistas menos conocidos, discípulos de Inzenga". El mismo Inzenga indica en sus *Impresiones de un artista en Italia* el éxito importante de algunos de sus discípulos tanto en Europa como en América. Además, los alumnos que obtuvieron primeros premios en el Conservatorio, debutaron en funciones del teatro Real de acuerdo con lo previsto en el contrato de arriendo de ese teatro. Entre estos alumnos estaban Matilde Rodríguez, Fausta Compagni, Luisa Fons y Emilia Guidotti. Junto a Inzenga, fueron profesores de canto en 1882-83 Mariano Martín y Lázaro María Puig, a los que se unió en el curso 1884-85 el conocido cantante Jorge

Ronconi. La importancia del trabajo de Inzenga fue aún mayor durante los periodos en que la declamación estuvo ausente del Conservatorio, pues en esos momentos la única enseñanza de dicha materia era la que se daba en la clase de canto.

Esta actividad dio lugar a la publicación de la *Escuela de canto*, en dos volúmenes, con variaciones y fermatas de óperas y zarzuelas, recopiladas por tesituras vocales y por orden de dificultad, obra didáctica escrita con la intención de servir a los alumnos para el estudio de los pasajes difíciles del repertorio vocal usual. Por otra parte, muchas de las primeras obras de Inzenga, en especial de su primera época, debieron ser escritas para los *dilettanti* que acudían a los salones en los que el compositor actuaba, con lo que esas obras se convierten en el reflejo más exacto de lo que el público esperaba oír en ese género hacia mediados del siglo XIX. Esta idea aparece sugerida en el prospecto de su *Álbum de canto*, publicado en ocho entregas entre 1855 y 1856, que contiene ocho melodías de distintos géneros, compuestas sobre poesías españolas, italianas y francesas, en el que se lee: "Vamos a ofrecer a los aficionados una colección de melodías sencillas de distintos géneros… No creemos haber hecho ni más ni menos que lo que otros podrían hacer… El público es el mejor juez en materias de gusto y de belleza, y cuando le ofrezcamos nuestros cantos, decidirá si hemos sabido sentir, expresar lo sentido, y comunicar a los otros nuestro sentimiento".

Otro eje importante de la actividad de Inzenga es la musicografía. Inzenga era poseedor de una importante biblioteca musical, que él mismo cifraba en 1872 en 700 ejemplares escogidos; sus obras teóricas y didácticas están llenas de referencias a los autores más importantes de la historia de la música y a figuras de la etapa medieval, entonces poco conocidas y valoradas aún. Su actividad musicográfica se manifiesta en las numerosas conferencias por él impartidas, en las que abordó temas como los elementos de la música española y las obras más representativas de la música popular convertida en culta.

Su labor como folclorista tiene en su contra el haber armonizado las melodías, sometiéndolas a la barra del compás, con lo cual no muestra el respeto adecuado a la fidelidad etnomusicológica. Por ello, Inzenga debe ser visto más como un precursor en la labor de recolección de material que como un auténtico etnomusicólogo. No obstante, su importancia, sobre todo en el aspecto ideológico, es muy notable. Inzenga había recibido en 1857 el encargo del Ministerio de la Gobernación de ocuparse de la recopilación de los bailes y canciones populares de España, orden confirmada por el ministerio de Fomento en 1858. A partir de entonces, Inzenga recorrió España recogiendo las muestras más representativas de

su folclore, y recurrió al auxilio de colaboradores. Con este material, comenzó a publicar un resumen de su recopilación, a modo de "preludio bibliográfico", los *Ecos de España*, aparecidos en 1873 como suplemento del semanario *El Telegrama*, y agrupados en un libro puesto a la venta en el almacén de Enrique Villegas en septiembre de 1874. La importancia de los *Ecos*, que recogen música de las diversas regiones de España, es enorme, especialmente por su gran difusión e influencia sobre compositores nacionales y extranjeros, entre ellos Rimski-Korsakov, quien utilizó los temas de la *Alborada asturiana, Fandango asturiano, Danza prima* o *Canto gitano* en su *Capricho español*. Pero la obra fundamental del trabajo folclórico de Inzenga es *Cantos y bailes populares de España*, magna obra inconclusa, de la que se publicaron tres volúmenes dedicados a Galicia, Murcia y Valencia, quedando a la muerte del autor casi terminado el correspondiente a Cataluña. En la introducción al tomo II, Inzenga habla de la grandísima importancia de los cantos populares, que crece de día en día con el progreso indudable del arte en España. *Véase* EL CAMPAMENTO; ¡SI YO FUERA REY!

OBRAS: *El campamento*, Zarz, 1 act, l, Olona, est, 8-V-1851, Te. Circo, E:Msa; *Los disfraces*, Zarz, 1 act, l, Olona, est, 17-V-1851, Te. Circo; *El confitero de Madrid*, Zarz, 3 act, col. Hernando, l, Olona, est, 17-XI-1851, Te. Circo, E:Msa; *El castillo encantado*, Zarz, 3 act, col. Oudrid, l, E. Brabo, est, 18-XII-1851, Te. Circo; *Por seguir a una mujer*, viaje, 4 act, col. Barbieri / Gaztambide / Hernando / Oudrid, l, L. Olona, est, 24-XII-1851, Te. Circo; *El secreto de una reina*, Zarz, 3 act, col. Gaztambide / Hernando, l, Rosier y Leuven, est, 13-X-1852, Te. Circo, E:Msa; *El amor por los balcones*, Jug, 1 act, col. Oudrid, l, Navarrete, est, 18-XII-1852, Te. Circo; *La flor del Zurguén*, Zarz, 1 act, l, L. de Montes, est, 18-XII-1852, Te. Circo, E:Msa; *Don Simplicio Bobadilla*, Zarz, 3 act, col. Barbieri / Gaztambide / Hernando, l, Tamayo, est, 7-V-1853, Te. Circo, E:Mn; *Un día de reinado*, Zarz, 3 act, col. Barbieri / J. Gaztambide / J. Gaztambide / Oudrid, l, trad. Olona / García Gutiérrez, est, 11-II-1854, Te. Circo; *Cecilia o El alma de Cecilia*, Zarz, 3 act, l, A. Arnao, est, 17-XI-1854, Te. Circo, E:Msa; *La roca negra*, Zarz, 3 act, col. Vázquez, l, M. Pina, est, 24-XII-1857, Te. Zarzuela, E:Msa; *Una guerra de familia*, Zarz, 1 act, l, F. P. Madrazo, est, 26-VI-1859, Te. Zarzuela, E:Msa; *Galán de noche*, Zarz, 2 act, l, A. García Gutiérrez, est, 14-IX-1862, Te. Circo, E:Msa; *¡Si yo fuera rey!*, Zarz, 3 act, l, M. Pina / M. Pastorfido, est, 17-X-1862, Te. Circo; *Un trono y un desengaño*, Zarz, 1 act, col. Reparaz / Arrieta, l, M. Pina, est, 14-XII-1862, Te. Circo; *Batalla de amor*, Zarz, 1 act, l, L. Rivera, est, 12-IX-1864, Te. Circo, E:Msa; *Oro, astucia y amor*, Zarz, 3 act, l, J. M. Nogués, est, 1864, Te. Circo; *Cubiertos a cuatro reales*, Zarz, 1 act, l, M. Ossorio Bernard, est, 27-X-1866, Te. Variedades, E:Msa; *Un cuadro, un melonar y dos bodas*, Zarz, 2 act, col. L. Cepeda / J. Rogel Soriano, est, 12-XI-1866, Te. Variedades, E:Msa; *La corona de laurel*, loa, 1 act, l, R. Chico de Guzmán, est, 1870; *El conde y el condenado*, Zarz, 3 act, col. J. Rogel, l, L. M. de Larra / A. García Gutiérrez, est, XI-1872, Te. Zarzuela; *A casarse tocan*, Zarz, 3 act, l, M. Pina, est, 1877, Te. Zarzuela.

BIBLIOGRAFÍA: *DMEH*; F. Asenjo Barbieri: "La zarzuela. Consideraciones sobre este género de espectáculos", *La Zarzuela*, 1, 4-II-1856; —: "Reseña histórica de la zarzuela", *El Arte. Semanario Lírico Dramático*, 2, 11-X-1873; F. Pedrell: "José Inzenga", *IMHA*, 3,

29-II-1888, 17 ss; R. Sobrino: "José Inzenga", *Cuadernos de Música*, Madrid, SGAE, 1992; M. E. Cortizo: "La restauración de la zarzuela en el Madrid del XIX (1832-1856)", tesis doctoral, U. Complutense de Madrid, 1993; —: "La zarzuela romántica", *Actualidad y futuro de la Zarzuela*, Madrid, Alpuerto-Fundación Caja Madrid, 1994, 125-33; R. Sobrino: "José Inzenga, ¿un zarzuelista fracasado?", *Ibíd.*, 1994, 215-34.

RAMÓN SOBRINO

Iradier Salaverri, Sebastián. Lanciego (Álava), 20-I-1809; Vitoria, 6-XII-1865. Compositor. Fue uno de los grandes creadores de la canción y de la música de salón en la España del siglo XIX, con obras tan geniales como *La paloma* o *El arreglito* –en la que se basó Bizet para componer la habanera de *Carmen*–. De ascendencia navarro-francesa, fue organista de la parroquia de San Miguel Arcángel en Vitoria. Aprobó la oposición al cargo de organista y sacristán mayor de la parroquia de San Juan Bautista de la villa de Salvatierra (Álava) con 18 años. Ya en esta localidad era aficionado a las seguidillas, cachuchas y boleros que entonces se cantaban en los salones de las familias acomodadas. En julio de 1833 solicitó licencia para irse a Madrid por un período de tres o cuatro meses, con la intención de perfeccionar sus estudios de composición, aunque probablemente fuese también por razones políticas, ya que en aquellos momentos se desataba el conflicto carlista, y su talante liberal no le proporcionaba una posición cómoda en un ambiente carlista. Entre 1835 y 1840 logró cierto prestigio en Madrid. En 1838 era socio de la sección de música del Liceo Artístico y Literario de esta ciudad. En 1839 llegó a maestro de Solfeo para el Canto en el Real Conservatorio de Música de Madrid, cargo que ocupó hasta 1850. También fue catedrático de Armonía y Composición del Instituto Español, y socio de honor de la Academia Filarmónica de Bayona. Participaba en las sesiones musicales celebradas en el Liceo Artístico y Literario de Madrid y asistió al banquete celebrado en honor a Franz Liszt en noviembre de 1844, junto a Saldoni, Espín y Guillén y el cantante Salas, con quien, según Peña y Goñi, tenía vivas desavenencias. En aquellos años se introdujo en los círculos aristocráticos madrileños como profesor de canto y frecuentaba los salones más selectos de Madrid, sobre todo el de la condesa María Manuela de Montijo, al que asistían, entre otras personalidades políticas e intelectuales, Narváez, González Bravo y Próspero Merimée. Conoció a los grandes escritores españoles como Espronceda, García Gutiérrez, Miguel Agustín Príncipe, Luis González Bravo, Ángel Fernández de los Ríos, Campoamor y Gutiérrez de Alba y fue amigo de Carnicer, Saldoni, Espín y Guillén y Soriano Fuertes. Para este ambiente escribió la parte más importante de su obra que son canciones de salón y músicas para los bailes de máscaras que, desde mediados de los años treinta, se pusieron de moda en Madrid. Sus creaciones son de una gran importancia por contribuir al establecimiento de un tipo de canción española que ya habían iniciado García y otros autores y que se extendió por toda Europa. De 1840 data la publicación de su primera colección, *Colección de canciones nuevas españolas con acompañamiento de piano-forte*. Como señala Celsa Alonso, "aquellos poemas presentaban unos versos de talante neopopularista y de tintes costumbristas, que también practicaban autores como Azcona, Ramón Satorres, Sandoval, Gutiérrez de Alba, Luis Maraver, Bretón de los Herreros o Ayguals de Izco". Lo cierto es que sus canciones hicieron furor ya en los años de la regencia de Espartero.

En 1850 realizó un viaje a París, durante el cual se relacionó con Rossini, Monroy, Paulina García, Luis Viardot, Ronconi, María Taglioni, Fanny Essler, Lola Montes, Carlotta Grisi y La Cerrito, estas últimas divas del baile. En 1855 aún residía en París. Paulina García le introdujo en los salones musicales parisinos y pronto comenzaron los encargos, sobre todo aires de danza para cantar, como cachuchas, boleros y fandangos, en plena efervescencia del españolismo pintoresco. Obras como *Los caracoles*, *La calesera* y *El chiclanero* eran las favoritas de los cantantes extranjeros en los salones parisinos. En París contactó con Marietta Alboni, que estaba preparando una expedición a América para presentar a Adelina Patti. Ello dio origen al viaje que realizó a Estados Unidos, México y Cuba en 1857. En esos países volvió a ser el gran atractivo de las sesiones musicales en los salones y casas particulares. El contacto con los ritmos americanos es fundamental para entender su producción cancionística posterior, en la que sobre todo las habaneras ocupan un lugar privilegiado. Parece ser que fue en Cuba donde escribió *La paloma*, *El arreglito* o *El chin, chin, chan*. Finalmente regresó a Europa, primero Londres y luego París. En Londres recibió el apoyo de Ronconi, quien le introdujo en los salones de la aristocracia británica, donde tuvieron éxito sus

Sebastián Iradier (Foto: Ar. Eresbil)

habaneras y sus canciones andaluzas. A su llegada a París acudió a su antigua alumna, Eugenia de Montijo (emperatriz desde 1853), quien le nombró su profesor de canto.

Su catálogo se compone de algo más de ciento cincuenta títulos, lo que convierte a este músico en uno de los máximos exponentes de la canción española de la era isabelina. Pero en la obra de Iradier hubo un lugar para el teatro lírico. Compuso cinco números para el sainete titulado *Las ventas de Cárdenas* y algunas piezas sueltas, intercaladas en zarzuelas en un acto a comienzos de los años cuarenta. También participó en la obra *El ventorrillo del Crespo* de Basilio Basili –con la "Canción del charrán"–, en cuatro números de la zarzuela *La pradera del Canal* de 1847, en colaboración con Oudrid y Cepeda, –el coro "Echa vivo", la canción "Cuatro dedos el capote", la jota aragonesa "Un repique y un redoble", el terceto "¡San Antonio!", eran de Iradier–, *El mayoral de diligencias*, el sainete con música titulado *El mesón de Nochebuena*, estrenado el 24 de diciembre de 1843 en una función de Navidad, al que pertenecen las canciones "La naranjera" y "El matón". Sin embargo, su influencia en la zarzuela va más allá de estos títulos en cuanto que puso de moda un tipo de canción que es importantísima en la conformación de género, sobre todo en la zarzuela chica.

BIBLIOGRAFÍA: *DMEH*; M. Lizarralde: "Iradier", *Boletín Sindical Territorial de las Vascongadas*, 1946; N. Galán: *Cuba y sus sones*, Valencia, Pre-textos, 1983; C. Alonso (ed.): *La canción andaluza. Antología (siglo XIX)*, Madrid, ICCMU, 1996; –: *La canción lírica española en el siglo XIX*, Madrid, ICCMU, 1998.

EMILIO CASARES RODICIO

Iriarte [Beruete Iriarte], Ana María. Madrid, 23-I-1927. Mezzosoprano. Estudió canto en el Conservatorio de Madrid con José Luis Lloret y Lola Rodríguez Aragón. Comenzó cantando como soprano lírica en *Madame Butterfly*. Su debut se produjo en el teatro Apolo de Valencia en 1945 con la ópera *El soñador* del valenciano Salvador Giner. A partir de ese momento se dedicó a la ópera triunfando con su voz, naturalidad y temperamento. Su interpretación de Puck en *Las golondrinas* fue muy alabada. Estrenó en 1949 en el teatro Madrid *La duquesa del Candil* de García Leoz. En 1951 participó en el espectáculo *Madrid en la zarzuela* en el teatro Español donde cantó *La Revoltosa* y *Agua, azucarillos y aguardiente*. En 1956 cantó *Doña Francisquita* en el teatro de la Zarzuela, elegida por

Ana Mª Iriarte
(Foto: Ar. SGAE)

José Tamayo para interpretar a Aurora "La Beltrana". Esta producción la llevó Tamayo posteriormente a la Volksoper de Viena y Ana Mª Iriarte repitió papel como única española en el reparto. Bajo la dirección de Ataúlfo Argenta grabó una veintena de zarzuelas. Tras su retirada se dedicó a la enseñanza.

FONOGRAFÍA: *Agua, azucarillos y aguardiente*, Columbia-BMG España WD 71433 (9D) • Columbia-Alhambra-BMG MC 25000 y SCLL 14049 • Montilla CDFM-3025; *Alma de Dios*, Columbia-Alhambra-BMG MC 25001 • Columbia-BMG C 30064; *Doña Francisquita*, Columbia SA, C 7508 69 • Columbia SA, OZ 12 Y 13 (Alhambra) 84 y 85 • Columbia-Alhambra MCC 30014-15; *El año pasado por agua*, Columbia SA, C 7500 42 • Columbia SA, ZCL 1085 (Zacosa SA) 45 • Columbia-Alhambra-BMG MC 25020; *El chaleco blanco*, Columbia-BMG España WD 74389 (9D); *El dúo de la Africana*, Alhambra-BMG España WD 74387 (9D) • Columbia-Alhambra MCC 30011 • Zafiro–Salvat 1034-2; *El niño judío*, Alhambra-Columbia-BMG España WD 71807 (9D) • Columbia-BMG-Ariola-Salvat 1027-2 • Columbia-Alhambra-BMG MCC 30045; *El pobre Valbuena*, Alhambra MC 25028 • Columbia SA, C 7500 43 (42 a); *El puñao de rosas*, Alhambra MCC 30006 • Columbia-BMG-Ariola-Salvat 1044-2 • Columbia SA, C 30006 15; *Entre Sevilla y Triana*, Columbia R 14878 a R 14882, C 8783 a C 8790, C8794 C 8795; *Gigantes y cabezudos*, Alhambra-BMG España WD 71465 (9D) • Columbia-Alhambra MCC 30009 • Columbia-Salvat 1003-1; *Goyescas*, Alhambra-BMG España WD 71322 (9D) • Columbia SA, ZCL 1094 197; *La alegría del batallón*, Columbia-Alhambra-BMG MC 25030 • Columbia SA, CS 8510 99 • Columbia SA, ZCL 1046 (Zacosa SA) 112; *La corte de faraón*, Alhambra-BMG España WD 71441 (9D) • Columbia-Alhambra MCC 30056 y SCLL 14047 • Columbia-Salvat 1017-1; *La Dolorosa*, Columbia-Alhambra-BMG MC 25009 • Columbia-BMG C 30075; *La duquesa del Candil*, Columbia R 14787, C 8448 C 8447; *La Gran Vía*, Alhambra ALG 23000, CCB 5052 CCB 5053 • Columbia-Alhambra-BMG MCC 25002 • Columbia-BMG C 30064; *La patria chica*, Alhambra MC 25029 • Columbia SA, ZCL 1080 (Zacosa SA) 20 (19 a) • Columbia SA, C 30058 23; *La reina mora*, Alhambra MCC 30005 • Columbia-BMG-Ariola-Salvat 1042-2 • Columbia SA, ZCL 1057 (Zacosa SA) 105 • Columbia SA, C 30005 108; *La revoltosa*, Alhambra-BMG España WD 71438 (9D) • Alhambra MCC 30001 • Columbia-Salvat 1004-1 • Columbia SA, ZCL 1007 (Zacosa SA) 7 • Columbia SA, MCE 867 (Alhambra) 11; *La verbena de la Paloma*, Columbia-BMG España WD 71435 (9D) • Columbia-Salvat 1001-1 • Columbia SA, MCE 868 (Alhambra) • Columbia-Alhambra-BMG MCC 30000 • Columbia SA, MCE 866 8469; *La viejecita*, Columbia-Alhambra-BMG MCC 30010; *Las bravías*, Columbia SA, C32047 26 (25 a) • Columbia SA, ZCL 1037 (Zacosa SA) 22 (21 a); *Las golondrinas*, Columbia-Alhambra MCC 30016-18 • Columbia-BMG-Ariola-Salvat 1053-2 y 1054-2 • Columbia-BMG España WD 75126 (2) (9H); *Los claveles*, Columbia-Alhambra-BMG MC 25010 y C 30075; *Moros y cristianos*, Columbia-BMG España WD 74389 (9D) • Columbia-BMG-Ariola-Salvat 1042-2 • Columbia SA, C 30059 101; *Música clásica*, Columbia SA, ZCL 1080 (Zacosa SA) 19 • Columbia SA, C 30058 24 (23 a); *Pan y toros*, Alhambra-BMG España WD 74390 (9D) • Columbia-BMG-Ariola-Salvat 1029-2 • Columbia-Alhambra-BMG MCC 30040 y CS 40040; *Antología de la zarzuela*, Columbia-Salvat 1015-1, 1020-1 y 1040-2; *Los 24 grandes éxitos de la zarzuela*, BMG España ZD 75026 (2) (9Z); *Romanzas de zarzuelas*, Alhambra MCC 30047; *Romanzas y dúos de zarzuela*, Columbia C 7516.

BIBLIOGRAFÍA: *OCCE*; E. García Carretero: *Historia del teatro de la Zarzuela*, Madrid, Fundación de la Zarzuela Española, 2002.

Mª LUZ GONZÁLEZ PEÑA

Iriarte, Salvador. Guatemala, siglo XIX. Compositor y pedagogo. Además de contribuir al repertorio sacro con la composición de numerosas obras litúrgicas en latín, cultivó diversos géneros guatemaltecos. Ha escrito sones, una marcha fúnebre y varias zarzuelas escolares. Entre estas últimas merecen mencionarse *El colegio a los quince años, El traje blanco, Ester, La enseñanza, Las vacaciones* y *Pompeyo Centellas*, que formaron parte esencial de la educación musical de varias generaciones.

VÍCTOR SÁNCHEZ SÁNCHEZ

Iriarte Estívalez, Ramón. París, 25-VII-1930. Cantante. De padre venezolano y madre española, llegó a Venezuela a los ocho años de edad. Estudió con Carmen Arévalo de Hurtado, Irene Eberstein, Nina de Iwanek y Primo Casale. Su carrera artística comenzó en 1956 en la Escuela Nacional de Ópera, bajo la dirección de Primo Casale, iniciándose con pequeñas interpretaciones en óperas que se presentaron en 1956 en Caracas. En 1959 cantó en *El trovador,* considerándole la crítica una de las mejores voces líricas del momento. Desde entonces ha participado en diversas producciones operísticas de la Escuela Nacional de Ópera, en el teatro Municipal de Caracas y el teatro Teresa Carreño. También ha cantado las zarzuelas *Luisa Fernanda* y *Los gavilanes.*

VÍCTOR SÁNCHEZ SÁNCHEZ

Iris, Esperanza [María Esperanza Bofill Ferrer]. Villahermosa, Estado de Tabasco (México), 31-III-1888; México, 8-XI-1962. Actriz y cantante. Su debut tuvo lugar en México en 1899 en una compañía infantil. Viajó a Europa y de vuelta a su país actuó en el teatro Principal en 1907 con *La gatita blanca.* En 1912 estrenó en México una serie de operetas, entre ellas *La princesa de los Balkanes,* con gran éxito. En 1913 inauguró el teatro Ideal. El 25 de mayo de 1918 inauguró un teatro que llevaba su nombre, y para la función inaugural escogió *La duquesa de Bal Tabarin.* Se la conoció como "la reina de la opereta", y llegó a ser toda una institución en México donde se retiró en el verano de 1925, haciéndose eco de esa retirada la prensa española donde la actriz era muy admirada.

En 1920 realizó una triunfal campaña en el teatro de la Zarzuela

Esperanza Iris (Foto: Nuevo Mundo, *1925; Ar. ICCMU)*

Esperanza Iris en Sangre vienesa
(Foto: Hermanos Camino; Ar. ICCMU)

de Madrid, aclamada por la crítica y apoyada por el público que llenaba el teatro de la calle de Jovellanos para aplaudir las operetas francesas y vienesas en boga, desde *El conde de Luxemburgo,* hasta *Nancy* o *La princesa del dóllar.* Su simpatía, sus dotes como actriz y cantante y la magnífica puesta en escena de las obras le ganaron el apoyo del público madrileño. Solía terminar las funciones cantando cuplés, en los que era muy aplaudida e incluso bailando tangos argentinos. Su despedida del teatro de la Zarzuela tuvo lugar en abril con *La revoltosa,* en la que obtuvo un grandioso éxito. Tras dejar Madrid fue contratada por el Tívoli de Barcelona. Volvió al teatro de la Zarzuela en 1923 alternando las operetas vienesas con títulos de zarzuela como *La verbena de la Paloma, La revoltosa, El dúo de la Africana* o *Molinos de viento.* El 12 de mayo de 1923 estrenó la opereta *Benamor* de Pablo Luna, con un grandioso éxito al igual que *La moza de campanillas.* En 1924 realizó una gira por La Habana a donde llevó esa obra, *Los gavilanes* y *La montería.*

Su mejor interpretación fue *La viuda alegre* de Lehár, que por su expresa voluntad se tocó en su entierro. Alfonso XIII la condecoró durante su estancia en España y fue declarada hija predilecta de La Habana en 1954. Triunfó en Estados Unidos, Europa y América del Sur. En 1925 la revista *Nuevo*

Mundo daba la noticia de su retirada de la escena en México. Se casó tres veces, la primera con el director escénico cubano Miguel Gutiérrez y las otras dos con los barítonos españoles Juan Palmer y Francisco Sierra.

BIBLIOGRAFÍA: *ME*; *El Arte de El Teatro*, 30, Madrid, 15-VI-1907; *Mundo Gráfico*, II, 38, 17-VII-1912; *Nuevo Mundo*, XXXII, 1642, 10-VII-1925; *BSGAE*, 93, XI-1962; A. Sagardía: *Luna*, Madrid, Espasa-Calpe, 1978; A. Dallal: *La danza en México, tercera parte. La danza escénica popular 1877-1930*, México, Instituto de Investigaciones Estéticas, 1995.

Mª LUZ GONZÁLEZ PEÑA

Iruela Lara, José. Granada, 7-III-1823; ?. Barítono. Hizo sus primeros estudios musicales con el organista de la catedral de Granada Bernabé Ruiz y los de piano y solfeo con Espinel y Moya, mientras trabajaba en el Ayuntamiento. En 1850 llegó a Madrid con destino en el Ministerio de Fomento donde conoció al compositor Antonio Rovira, con quien estudió canto. En 1853 se matriculó en el Conservatorio y animado por su maestro Mariano Martín Salazar, estrenó en 1857 *El valle de Andorra* de Gaztambide y *El diablo en el poder*, en el que no gustó excesivamente. Era un momento en que los empresarios se dedicaban a la búsqueda de nuevas voces, contratando además de Iruela, a la tiple Josefa Murillo y a la contralto Josefa Mora. Consiguió entonces un contrato de dos años para el teatro de la Zarzuela; en ese año estrenó también *La roca negra* de Inzenga, y en 1858 *El alférez* de Núñez Robres. La revista *La Zarzuela* al final de la temporada afirmaba: "La temporada teatral concluye en el coliseo de la Zarzuela de la manera más satisfactoria. Además del extraordinario éxito de *Los magyares*, ha tenido ocasión el público de conocer estas últimas noches a dos cantantes que podrán ser de gran utilidad... El señor Iruela conocido ya ventajosamente como aficionado ha hecho su aparición en la calle Jovellanos desempeñando el papel de capitán Alegría en *El valle de Andorra* muy satisfactoriamente. Tanto la señorita Murillo como el señor Iruela han sido muy aplaudidos".

A partir de esta fecha y como era usual actuó por varios teatros de la península: en 1859 en Cádiz; en 1860 en Barcelona, en la compañía formada por Olona; en 1864 en Burgos y en

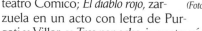

José Iruela Lara (Foto: Colección Castellano; E:Mn)

1867 pertenecía a la compañía Bufos sevillanos de esta ciudad. Fue condiscípulo del tenor Cortabitarte y de Teresa Istúriz. Aunque no fue una primera figura, tuvo una destacada importancia en la vida zarzuelística del siglo XIX.

BIBLIOGRAFÍA: *DMEH*; *HGZ*; *HZ*; F. Cuenca: *Teatro andaluz contemporáneo. 2. Artistas líricos y dramáticos*, La Habana, Maza, 1940; E. Casares Rodicio: *Francisco Asenjo Barbieri. 2. Escritos*, Madrid, ICCMU, 1994.

EMILIO CASARES RODICIO

Irueste Germán, José María. ?, 29-VII-1908. Compositor. En el archivo de la SGAE en Madrid se conservan algunas obras de teatro lírico de este autor, varias de ellas realizadas en colaboración con otros compositores, como García Morcillo o Joaquín Quintero. *Véase* YOLA.

OBRAS: *El marido de Socorro*, 2 act, col. J. Ribera, I, Garrido/Zaragoza, est, VI-1939, Te. Muñoz Seca; *Las tripas del teatro*, col. S. Ribera, I, Arozamena/Puente García, est, 5-VIII-1939, Te. Zarzuela; *Yola*, col. Quintero, I, J. L. Sáenz de Heredia/F. Vázquez Ochando, est, 14-III-1941, Te. Eslava; *Vacaciones forzosas*, col. García Morcillo, I, C. Llopis/C. Fernández Montero, est, 8-XI-1946, Te. Alcázar.

BIBLIOGRAFÍA: *DMEH*.

Mª LUZ GONZÁLEZ PEÑA

Isaura. Familia de músicos españoles formada por Arturo, su esposa Carmen y la hija de ambos, Amalia.

1. Isaura Pont, Arturo. †26-IV-1928. Compositor y director de orquesta. Entre sus creaciones está *No hay quien la mate*, estrenada por su hija en 1919, con letra de Adolfo Sánchez Carrere. En el archivo de la SGAE en Madrid se conservan otras obras escénicas suyas: *Danze Baturro*, zarzuela en un acto en colaboración con Julián Ribera, letra de G. García Arista y Atanasio Melantuche, estrenada el 21 de abril de 1904 en el teatro Cómico; *El diablo rojo*, zarzuela en un acto con letra de Purgati y Villar, y *Tres por ocho*, juguete cómico-lírico, en colaboración con Sendra.

Arturo Isaura (Foto: Ar. SGAE)

2. Pérez de Isaura, Carmen. España, siglo XIX-XX. Tiple cómica. Contrariamente a lo que era habitual en el mundo del teatro, no abandonó las tablas al casarse con el compositor, pero en cambio añadió el apellido de éste al suyo, así aparece en diversos estrenos como *¡Cuba libre!* de Caballero en el teatro Apolo, 1887 y al año siguiente, en el mismo teatro y del mismo compositor estrenó como protagonista *La noche del 31*. En su beneficio cantó una adaptación de *La mascota* de Audran. En 1890 estrenó en el Coliseo de La Habana *La bruja* de Chapí, dirigida por su marido y con gran éxito; en 1895 en el Gran Circo de Parish estrenó *El hijo del mar* de García Catalá y en 1897 en el teatro Novedades de Barcelona *Nuestra Señora de París* de Manuel Giró.

3. Isaura Pérez, Amalia de. Madrid, VI-1894; Madrid, 22-XII-1971. Tiple cómica. Fue la creadora del "maquietismo": la canción cómica que lo imita todo. En 1909 era primera tiple cómica del teatro Cervantes de Sevilla. Llegada a Madrid estuvo en el Apolo durante algunos años, estrenando obras como *El príncipe Casto* de Quinito Valverde y Enrique García Alvarez. En 1912 obtuvo un gran éxito en ese mismo teatro con la opereta de Calleja, Perrín y Palacios, *Las mujeres de Don Juan*, que la consagró como tiple y como actriz debido a la transformación

Amalia Isaura (Foto: Ar. SGAE)

que sufría su personaje. También participó en el estreno de *Los molinos cantan* de Van Oost y *Los campesinos* de Leo Fall en adaptación de Celestino Roig. En 1913 estrenó *La alegría del amor* de Pablo Luna y *Las musas latinas* de Penella. En 1914 triunfó en Sevilla con la zarzuela *Flor del campo* de Emilio López del Toro y José García Rufino. Abandonó el género chico, con el que había alcanzado triunfos en Apolo, para pasar a la canción ligera, con un repertorio tan especial que los autores la calificaban de "enterradora de cuplés" pues intercalaba en ellos recitados con un humorismo desconocido hasta la época. Cada canción representa un tipo gracioso y ella se transformaba para cada uno, con los trajes apropiados en cada caso. Llegó a formar compañía propia con Paco Alarcón, habiendo sido en sus comienzos miembro de la compañía de Carmen Cobeña. En 1916 interpretó en el teatro Español las *Canciones epigramáticas* de Vives, con letrillas de los poetas del Siglo de Oro como Quevedo, y Góngora, resucitando la tonadilla española, y realizó una creación dramática en *La bandera* de los Álvarez Quintero. Traspasó los límites de las varietés para adquirir valor teatral. Llegó a grabar algunas películas en París y Londres. Creó escuela como los humoristas Luis Esteso, Ramper y Alady. Formó compañía con el cantante Miguel de Molina y el bailarín Hurtado de Córdoba. Tras la Guerra Civil formó parte de la compañía de Concha Piquer a la que imitaba y caricaturizaba en su espectáculo. Llegó a actuar en TVE en un guión de Antonio Gala titulado *El sombrero*.

BIBLIOGRAFÍA: *ME*; *IMHA*, III, 50, Barcelona, 30-VI-1890; *Comedias y Comediantes*, I, 4, 15-XII-1909; *Comedias y Comediantes*, III, 40, II-1912; *Mundo Gráfico*, II, 35, 26-VI-1912; *Nuevo Mundo*, XXI, 1045, 15-I-1914; M. Díaz de Quijano: *Tonadilleras y cupletistas*, Madrid, Cultura Clásica y Moderna, 1960; A. Retana: *Historia del arte frívolo*, Madrid, Ed. Tesoro, 1964; —: *Historia de la canción española*, Madrid, Ed. Tesoro, 1967; S. Salaün: *El cuplé (1900-1936)*, Madrid, Espasa-Calpe, 1990.

Mª LUZ GONZÁLEZ PEÑA

Isaura, Mary. España, siglos XIX-XX. Soprano. En 1907 actuaba en el teatro Principal de Cádiz con la compañía de Casimiro Ortas y contaba con la predilección del público que valoraba "sus excepcionales aptitudes y extraordinario talento". En 1922 era ya primera tiple y había triunfado en la temporada del teatro de Price en el que había estrenado obras como *¡Es mucho Madrid!* de Juan Antonio Martínez. Su consagración llegó con el estreno de *Doña Francisquita* de Vives el 17 de octubre de 1923, con Cora Raga en el papel de Aurora "La Beltrana". Tras su estreno en Apolo la obra fue llevada al teatro de la zarzuela con Mary Isaura como protagonista y allí revalidó el triunfo obtenido en el estreno. Posteriormente, y con la compañía Delgado que dirigía Vives, emprendió una gira triunfal por Hispanoamérica. El 3 de marzo de 1924 se embarcaron para Brasil y de allí pasaron a Buenos Aires estrenando *Doña Francisquita* en el teatro Victoria donde se mantuvo la obra siete meses en funciones de tarde y noche con un éxito clamoroso. La obra se hacía al mismo tiempo en el teatro Avenida. La centésima representación la interpretó Mary Isaura con Miguel Fleta en el teatro Cervantes de Buenos Aires. La popularidad de la tiple era tan grande que por la calle la llamaban con el nombre de su

Mary Isaura (Foto: E:Bit)

personaje. Tras Buenos Aires actuaron con el mismo éxito en Valparaíso y Lima para pasar después a La Habana, donde además de *Doña Francisquita* la Isaura interpretó *Marina, El príncipe Carnaval, El Duquesito* y *La corte de Versalles*. Mary Isaura fue proclamada reina de la zarzuela española y recibió numerosos homenajes. En Cuba abandonó la compañía Delgado debido al cansancio de la larga gira. En 1925 estaba contratada en España por un año y posteriormente pensaba partir para Nueva York donde la habían contratado para una temporada de conciertos. Entre sus grabaciones destacan *La viejecita*, 1930, *Los gavilanes*, 1933, y *La alegría de la huerta*, 1951.

FONOGRAFÍA: *Doña Francisquita*, La Voz de su Amo AE 2343; *El príncipe Carnaval*, Blue Moon BMCD 7508; *El príncipe casto*, Gramophone 264168 (et. verde), 2908; *El rey que rabió*, Blue Moon BMCD 7525; *Gigantes y cabezudos*, Blue Moon BMCD 7509; *La alegría de la huerta*, La Voz de su Amo AF 375 a AF 378 (et. verde), CN 882 a CN 889, CN 904; *La marcha de Cádiz*, La Voz de su Amo AE 3111; *La princesa del Dóllar*, Blue Moon BMCD 7508; La

reina mora, Blue Moon BMCD 7546; *La viejecita*, La Voz de su Amo AF 302 a AF 305, CJ 2949 CJ 2950 CJ 3000, CJ 2954 a CJ 2957 • Blue Moon BMCD 7509; *La viuda alegre*, Blue Moon BMCD 7531; *Las hilanderas*, Blue Moon BMCD 7546; *Los de Aragón*, Blue Moon BMCD 7546; *Los Gavilanes*, La Voz de su Amo DA 4227 a DA 4230, OJ 854 a OJ 856, OJ 858 a OJ 862 • Blue Moon BMCD 7504; *Molinos de viento*, La Voz de su Amo AF 387 a AF 391 (et. verde), CN 1079 a CN 1081, CN 1085 a CN 1087, CN 1090 CN 1091 CN 1098 CN 1099 • Blue Moon BMCD 7535.

BIBLIOGRAFÍA: *TA*; *El Arte de El Teatro*, Madrid, 1-II-1907; *Nuevo Mundo*, 1507, 8-XII-1922; *Nuevo Mundo*, 1635, 22-V-1925; E. García Carretero: *Historia del teatro de la Zarzuela*, Madrid, Fundación de la Zarzuela Española, 2002.

Mª LUZ GONZÁLEZ PEÑA

Isaza, Román. Caracas, siglos XVIII-XIX. Pianista y director. Realizó giras de conciertos por Venezuela, las Antillas y otros lugares del continente americano. Compuso la zarzuela *Fabio y Estela*.

BIBLIOGRAFÍA: *DMEH*.

VÍCTOR SÁNCHEZ SÁNCHEZ

Isla de las Cotorras, La. Revista-sainete en un acto. Música de Jorge Anckermann. Libreto de Federico Villoch. Estrenada el 23 de febrero de 1923 en el teatro Alhambra de La Habana.

Personajes y reparto. Tango "Macuntíbiri" (Sergio Acebal, actor y cantante). Muñeira "Galleguíbiri" (Adolfo Otero, actor y cantante). Changulín (Gustavo Robreño). Asuquita (Arnaldo Sevilla). Garza Real (Eloísa Trías, tiple). Garza Primera (Amalia Sorg, tiple). Alcatraz (Guillermo Anckermann). Cotorra (Blanca Becerra, soprano). Chinita (Hortensia Valerón, tiple). Gallega (Blanca Becerra). Papagayo (Pepe del Campo). Loro Viejo (Enrique del Castillo). Abeja (Hortensia Valerón). Romualdo (Pancho Bas). Zángano (Adolfo Otero). Eladia (Eloísa Trías). Honorina (Amalia Sorg). Beatriz (Blanca Sánchez). Toronjero (Pepe del Campo). Coros de garzas, cotorras, alcatraces, abejas, zánganos, jamaiquinos, congos, gallegos, chinos, guaracheros y toronjas (Hortensia Valerón, Fe Lola, Panchita Forteza, Estela Amaral, María Gómez, Marianita Fors, Emelina Dorticós, Esperanza Menocal, Pepe Serna, Chicho Plaza, Julito Díaz, Carlos Sarzo).
Orquestación. Flauta, 2 clarinetes, 2 trompetas, trompa, 2 trombones, bombardino, figle, percusión, timbales, güiro, claves, caja china, piano y cuerda.

Argumento. *Cuadro primero*. Aparecen en una playa desconocida el negro Tango y el gallego Muñeira, tras navegar dos días perdidos en un bote que se llevaron de la playa de Batabanó. Igual les ha pasado a Asuquita, un pescador cubano y su ayudante Changulín, que por el mal tiempo han llegado a esa isla. Todos piensan que son dueños del lugar pues no han visto señales de vida, por lo que se suscita una polémica acerca de la pertenencia de la misma, el derecho político, internacional y canónigo. En plena discusión pasan las Garzas, las Abejas y los Toronjeros, cada uno de ellos se cree dueño de esas playas. A continuación se observan muestras de culturas de diversas razas y naciones: gritos de negros y un son cantado por Jamaiquinos, la voz de varios chinos entonando melodías propias de su país, gallegos con su gaita y su tamboril, y cantos de sonatas criollas con acompañamientos de guitarras, tambores y maracas. Tango, Muñeira, Asuquita y Changulín se emocionan con cada una de estas representaciones, pero sus ilusiones culminan cuando las cotorras y los cotorros les aclaran que la isla es de ellos, y está a punto de perderse si no le dan una mano. Después de aclarado el asunto deciden dar un paseo por la isla.

Cuadro segundo. Tras concluir el paseo se percatan de lo rica que sería con un poco de protección, pero el abandono de unos da lugar a la arrogancia de otros. Comienzan así a conocer los habitantes de la isla: el Sinsonte de Enramada y el Papagayo son los primeros. Tango, que se queja de sólo ver aves, se marcha con Muñeira a conocer otra parte de la isla que no sea precisamente la selvática. Changulín ya ha puesto una fondita de chinos, y Asuquita ha sido el único que se ha quedado conversando con la Cotorra y el Loro Viejo, los cuales le comentan toda la historia de la isla porque hace muchos años que viven en ella.

Cuadro tercero. Don Romualdo, español cincuentón, su mujer Eladia y sus hijas Beatriz y Honorina han ido a tomar aguas de las fuentes de la isla para adelgazar. Eladia siente mucho dejar una isla tan bonita como la de las Cotorras, pues Romualdo les ha dicho que por allí pasará un ciclón que viene desde el norte y todos los nativos se tendrán que echar cabeza al agua. Asuquita, que hace dos años se encuentra allí, ha prosperado muchísimo y se ha interesado en Beatriz. Eladia y Romualdo comprenden que es un buen partido para alguna de sus hijas y le ceden la mano de Beatriz. Tango, que no ha logrado prosperidad alguna, se ha encontrado con Muñeira, que está desesperado por regresar a La Habana, pero sus vidas cambian cuando se reencuentran con Asuquita, su viejo amigo. Romualdo se ha dado cuenta que Muñeira es honrado y que le atrae su hija, y da la aprobación para que corteje a la muchacha bajo la condición de que tiene que bañarse y trabajar mucho. Tango no se ha quedado afuera, pues Asuquita lo ha nombrado capataz de sus trabajadores. Changulín, también se ha superado y hasta lo van a nombrar alcalde de un pueblo. Asuquita invita a todos a disfrutar sus siembras de toronjas, pues pronto comenzará la recolección.

Cuadro cuarto. Todos están divisando la recogida del delicioso fruto de la isla, que se venden al extranjero con mucha aceptación.

Números musicales. Acto I: N° 1. Orquesta, danzón. N° 2. Garzas, Alcatraces y Garza Real, "Somos las Garzas". Garzas y Alcatraces, "El Traditore". N° 3. Jamaiquinos, son, "Los Jamaiquinos". N° 4. Congos, tango congo, "Bembé". N° 5. Chinos y Chinas, fox-trot chino, "Sing Song Man". N° 6. Gallegos, "Maruxiña". N° 7. Guaracheros y Rumberos, guaracha, "Aquí viene la mulatica". N° 8. Cotorras y Loros, "Las cotorras y los loros". N° 9. Abejas, vals, "Las Abejas". N° 10. Tango y Muñeira, dúo "¡Ay Galleguíbire!". N° 11. Toronjas, guajira, "Canción de las toronjas". Todos, rumba, "¡Ay Galleguíbire!".

Comentario. *La isla de las Cotorras* es una de las obras del género vernáculo más representativas y simbólicas escritas en Cuba. Para la realización de este argumento, Federico Villoch se basó en la propia problemática de su contexto histórico. Desde 1898, con la conclusión de la guerra hispanoamericana, Estados Unidos trató de adjudicarse el título de propietario de las tierras de la isla de Pinos —llamada en la obra isla de las Cotorras—, dejando así para conversaciones posteriores el tema de la determinación de la independencia de ésta. En 1903 se firmó un tratado en el que se reconocía la soberanía cubana, sujeto a la confirmación del Senado Americano en seis meses, plazo en el que no fue corroborado, por lo que la isla volvió a manos de los estadounidenses. Un año después se realizó otro tratado: esta vez no contenía límites de tiempo para su confirmación. En la década del veinte, la moral de los cubanos había decaído por determinadas circunstancias y sucesos históricos. El presidente Zayas, electo desde 1921, divisando la crisis existente elaboró una campaña para el reconocimiento de la soberanía de la isla de Pinos, la cual no fue lograda hasta el 13 de marzo de 1925.

La obra, tras una fachada humorística y burlesca, esconde un gran contenido socio-político y llega a cumplir la función de un documento histórico. Colmada de simbolismos, muestra a través de cada uno de sus personajes algunas de las situaciones expuestas. En Changulín, estaba representado el presidente Zayas; el Papagayo, significó el profesor universitario contra el cual protestaron los estudiantes; los Jamaiquinos, simbolizaron los cortadores de caña; y el Alcatraz, el anexionista. Incidentes como el paso del ciclón y el vuelo de las águilas personificaban la intervención y el acecho constante del gobierno yanqui sobre la isla. La presencia de algunos productos como la miel de abejas, las toronjas y las propia cotorras enaltecían las riquezas de dichas tierras.

El éxito de su estreno fue tan rotundo que, según refiere Eduardo Robreño, en sólo quince puestas en escena "dejó libre de gastos más de veintiún mil pesos". En referencia a los valores artísticos, debe destacarse que *La isla de las Cotorras* fue la primera obra teatral interpretada por una compañía cubana en la que las actrices y cantantes mostraron sus pantorrillas; trajo a la escena coreográfica de la compañía a Eduardo Muñoz, El Sevillanito, quien realizó su debut con el coro de los Jamaiquinos; y contó entre sus actores con uno de los mejores bailarines de rumba que tuvo Cuba: Pepe Serna, interpretando la Jiribilla. *La isla de las Cotorras* es una muestra de los aportes extranjeros a los ritmos y géneros de la música cubana. El folclore de países como España, Jamaica, China y Haití, encuentra también su espacio en esta revista-sainete conjugado con manifestaciones típicas cubanas. Otra de las características que han determinado la permanencia de esta obra es la utilización del clásico danzón cubano realizando funciones de obertura. En este primer número destacan los temas principales que son desarrollados a lo largo de la obra, haciéndose evidente el dominio que tenía Jorge Anckermann en la composición de dicho género.

En 1962 fue representada en el marco del Primer Festival de Música Popular bajo la asesoría de Eduardo Robreño, Félix Soloni y Sergio Acebal. Esta reposición tuvo entre sus objetivos primordiales incentivar a los nuevos compositores y autores a la creación de obras donde se revitalizaran los estilos y formas del teatro popular cubano, imbricado con las corrientes más actuales del lenguaje artístico en general. Posteriormente, en la década de 1980, algunos de sus números musicales fueron retomados en la película *La Bella del Alhambra*, del director cubano Enrique Pineda Barnet.

Fuentes manuscritas. La partitura se conserva en el archivo del Museo Nacional de la Música de Cuba.

Ediciones de música. Piano, danzón, La Habana, Excelsior Music Co.

Ediciones del libreto. La Habana, Letras Cubanas, 1979.

BIBLIOGRAFÍA: E. Robreño: *Historia del teatro popular cubano*, La Habana, Oficina del Historiador de la Ciudad, 1961; E. Robreño: *Teatro Alhambra. Antología*, La Habana, Letras Cubanas, 1979; J. Ruiz Elcoro: "El surgimiento y desarrollo de la zarzuela. Estructura morfológica y análisis", *Cuadernos de Música Iberoamericana*, 2-3, Madrid, Fundación Autor-SGAE, 1996-97; Á. Vázquez Millares: "De la zarzuela española a la zarzuela cubana", *Ibíd.*; J. A. Molina: *150 Años de zarzuela en Puerto Rico y Cuba*, San Juan, Ramallo Bros. Printing, 1998.

CAROLE FERNÁNDEZ MARTÍNEZ

Istúriz [González Istúriz]. Familia de cantantes españolas formada por las hermanas Antonia y Teresa.

1. Antonia Ramona Nicanora. Badajoz, 10-I-1824; ?. Tiple. Se trasladó a Madrid y con veinte años se matriculó con su hermana Teresa en el Conservatorio y continuó sus estudios con Baltasar Saldoni hasta 1850. Se presentó en Madrid en el reconstruido teatro Variedades con *Tramoya* de Barbieri en 1850. Éste se refiere a su inicio como cantante con estas palabras: "En septiembre de 1850 se abrió el teatro nuevo de Variedades y las primeras representaciones que en él se dieron, fueron de comedias, bailes y de las zarzuelas ya conocidas del público, habiéndose reforzado la compañía con varios artistas, y entre ellos la tiple Srª. Istúriz". En 1851 estrenó *El campamento* de Inzenga y *Todos son raptos* de Oudrid y fue nombrada segunda tiple de la nueva compañía del Circo. Su voz, aunque no muy extensa, era de timbre agradable y dulce. En una crítica de un periódico de Madrid sobre la zarzuela de Oudrid *Misterios de bastidores*, se dice: "La señorita Istúriz que en el día es la única cantatriz, como si dijéramos, la reina del teatro del Circo, tiene gran partido entre los concurrentes, y aunque su bonita voz, fácil ejecución y deseos de complacer la hacen muy acreedora de los aplausos que la prodigan sus apasionados, la aconsejamos que estudie y se corrija de los defectos y resabios de escuela". El año 1855 se hallaba en Madrid, según indica la *Gaceta Musical de Madrid*, y al año siguiente actuó en Bilbao. Desapareció pronto de los escenarios por haber perdido la voz y quizás eclipsada por su hermana que fue una cantante de mayor importancia.

Teresa Istúriz
(Foto: Colección Castellano; Ar. ICCMU)

2. Basilia Teresa de Jesús. Badajoz, 14-VI-1830; Madrid, 6-IX-1874. Tiple. Estudió en el Conservatorio de Madrid desde 1844. A partir de 1846 fue alumna de canto de Francisco Frontera de Valldemosa y a finales de 1850 de Saldoni. Debutó antes de terminar sus estudios en la temporada 1849-50 del teatro del Real Palacio en el papel de Idelbene de la ópera *Ildegonda* de Arrieta, en la que acompañó a voces españolas tan destacadas como Joa-quín Reguer, Manuela de Oreiro y Francisco Calvet; también estrenó *Luisa Miller* de Verdi en el papel de Laura. En 1852 intervino en la zarzuela *El estreno de una artista* de Gaztambide, representada en el teatro del Circo; años más tarde en septiembre de 1861 se presentó en Barcelona en el teatro de Santa Cruz, con esta misma obra.

Su presentación en el teatro Real fue en 1853, interpretando Adalgisa en *Norma* de Bellini. A partir de entonces la actividad de la Istúriz se centró en la zarzuela, siendo una de las voces más activas en la historia del género. Su nombre aparece en todos los teatros de España y en varios de América. Así en 1854 actuó en Sevilla; en 1858 como primera soprano absoluta en el teatro Principal de Valladolid; en este mismo año apareció su nombre en La Coruña en las zarzuelas *El relámpago*, *El estreno de una artista*, *El grumete*, *Los madgyares* y *Marina*, y finalmente en Cádiz. En la temporada 1860-61 viajó a América contratada por el teatro Tacón de La Habana, donde actuó en el mes de agosto. Allí interpretó con gran éxito *Jugar con fuego*, *El juramento* y *El diablo en el poder*. En septiembre de 1861 se encontraba de nuevo en España contratada como primera tiple en el teatro barcelonés de Santa Cruz, dirigido por Olona, para introducir la zarzuela en Barcelona; allí estrenó en 1862 *El caudillo de Baza* de Arrieta y otras obras como *La vieja* de Gaztambide, todas con gran éxito. Durante la temporada 1862-63 fue contratada por el teatro de la Zarzuela y estrenó *La vuelta del corsario* de Arrieta –interpretando el papel central de Luisa que permitía el lucimiento de sus condiciones vocales– *La conquista de Madrid* de Gaztambide e *Influencias políticas* de Oudrid, también concebida para ella. En 1864 pasó al teatro del Circo alquilado por el barítono Tirso de Obregón, pero por poco tiempo dado que en septiembre de ese mismo año estrenaba una obra de Arrieta *De tal palo tal astilla* en el teatro de la Zarzuela, donde interpretó un personaje travestido, Enrique, justamente concebido por el compositor para el lucimiento de la cantante, con una música llena de agilidades y embellecimientos; lo que indica su facilidad para la coloratura, y sobre todo, en este mismo año estrenaba también uno de los personajes principales de la obra *Pan y toros* de Barbieri, Doña Pepita. Al año siguiente se introducía en el teatro bufo con la obra de Arrieta *El capitán negrero*, estrenada el 19 de diciembre de 1865. En 1866 estaba de nuevo en el teatro de la Zarzuela donde estrenó *La epístola de San Pablo* de Rogel. Su consagración definitiva no llegó hasta 1867, cuando fue contratada en el teatro Carcano de Milán y otros como el Sociale de Treviso, el Reggio degli Avvalorati de Livornia, Imperial de Odessa, San Carlos de Lisboa, entre otros, en los que cantó ópera.

Teresa Istúriz (Foto: Colección Castellano; Ar. ICCMU)

Falleció cuando aún realizaba papeles importantes. Su voz tenía una gran extensión, buen timbre y una capacidad grande para la coloratura; a veces se le criticaban sus dificultades para pasar de la voz impostada a la declamación, tan fundamental para la zarzuela. En una carta de Olona a Barbieri le señala sobre la voz de la Istúriz: "Voz por el estilo de la de la Ramos, más aguda y de muchísima más tensión, pues este es su fuerte".

En los documentos de la época también aparece una Carolina Istúriz que debutó en el teatro de la Zarzuela en 1871-72, estrenando después *Justos y pecadores* de Oudrid y Marqués. Se supone que es hija de alguna de las dos cantantes anteriores.

BIBLIOGRAFÍA: *DBE; HGZ; HZ;* S. Ramírez: *La Habana artística. Apuntes históricos,* La Habana, Imp. del E. M. de la Capitanía General, 1891; F. Cuenca: *Teatro andaluz contemporáneo. 2. Artistas líricos y dramáticos,* La Habana, Maza, 1940; E. Casares Rodicio: *Francisco Asenjo Barbieri. 2. Escritos,* Madrid, ICCMU, 1994.
EMILIO CASARES RODICIO

Ituarte, Julio. Ciudad de México, 15-V-1845; Ciudad de México, 5-IX-1905. Compositor y pianista. Estudió bajo la dirección de José M. Oviedo y Agustín Balderas. Posteriormente fue alumno de Tomás León en piano, y Melesio Morales en armonía y contrapunto. Fue maestro de piano del Conservatorio desde su fundación hasta 1885. Entre sus discípulos se cuentan Felipe Villanueva, Ricardo Castro y Rafael J. Tello. Asimismo, realizó un importante papel como maestro de coros, lo mismo en la Compañía de Ópera de Ángela Peralta que en los orfeones Águila Nacional y Popular. Se considera a Ituarte el primer gran pianista mexicano, no sólo por haber ejecutado regularmente recitales enteros de memoria, sino también por poseer una técnica a la altura de los virtuosos europeos del siglo XIX –en la que destacaba su manejo de los pedales– además de una proverbial musicalidad. Debutó como solista en el Gran Teatro Nacional en 1859, y tomó clases con el pianista español Gonzalo Núñez, cuando éste visitó México. En 1866 realizó una gira por Cuba donde ofreció algunos exitosos conciertos. A su regreso en México fue maestro fundador del Conservatorio de la Sociedad Filarmónica Mexicana, donde ejerció la docencia hasta 1885 y en un segundo período de 1897 al año de su muerte.

Como compositor, Ituarte fue una de las figuras centrales de la escena mexicana de su tiempo. Autor de un vasto repertorio para el piano, una de sus obras más importantes, el capricho de concierto *Ecos de México* fue de las primeras que utilizó temas populares. Sin embargo, el catálogo de Julio Ituarte fue mucho más amplio e incluye canciones, música para poesía y dos zarzuelas. Además, realizó una gran cantidad de arreglos y popurríes de temas de ópera y zarzuela, firmados a menudo con el pseudónimo "Jules Ettonart". En este sentido, fue un factor importante en la difusión de la zarzuela en México toda vez que sus arreglos, de correcta factura y a menudo en versiones de dos y cuatro manos, llevaron a los salones mexicanos las melodías más famosas de autores como Arrieta o Chapí.

Como autor de obras líricas, Ituarte fue una figura fundamental en más de un sentido. Dueño de una sensible capacidad para la musicalización poética, exploró este aspecto en un singular repertorio de "melopeyas" y poesías acompañadas donde escribió música para autores como Juan de Dios Peza y otros. Además, escribió tres obras escénicas, una especie de escena dramática titulada *El último pensamiento de Weber* –perdida– y dos zarzuelas, *Sustos y gustos* y *Gato por liebre.* Estrenada en 1887 por la compañía de Isidoro Pastor, *Sustos y gustos* es una de las zarzuelas fundacionales del repertorio mexicano. En ese mismo año, Luis Arcaraz y Juan de Dios Peza habían colaborado con *Una fiesta en Santa Anita,* obra que había iniciado la incursión de escenas y tipos mexicanos al repertorio de zarzuela. En la misma tónica, Ituarte y su libretista Ernesto González, concibieron una obra en dos actos que a decir de Revilla, retrataba "una serie de cuadros y costumbres de la burguesía de México. Trátase de un oficinista que, pretendiendo celebrar el día de su santo, le sobrevienen en tal aniversario una serie de inesperados contratiempos –sustos– que se le truecan al fin en venturas –gustos–. Hay en la pieza opción de *quid pro quo* y de chispeantes escenas de lo más reales y bien observadas y en la que el lado cómico de una de nuestras clases sociales está bien encontrado y pintado, además, con ingenio, pulcritud y gracia". También Olavarría y Ferrari anotó que "Lo que realmente agradó y valió aplausos a la Compañía y a los autores, fue la zarzuela intitulada *Sustos y gustos*, siendo el lugar de su escena una casa que se suponía sita en el barrio de San Cosme; lances cómicos bien combinados con una intriguilla de novios, sirvieron al distinguidísimo maestro y compositor para una preciosa obertura, un primoroso dúo de tiple y tenor, una muy buena aria de tiple y muy originales coros, entre ellos uno de muchachos y otro de bomberos. El desempeño también fue de lo mejor, por parte de Adelaida Montañés en el papel de chicuelo travieso; y por la de Isidoro Pastor, Rosa Palacios y José Vigil y Robles; los dos últimos cantaron de un modo irreprochable la música de Ituarte, demasiada música para un juguetillo como *Sustos y gustos*". Demasiada música o no, la obra alcanzó veinte representaciones seguidas con teatro lleno, lo que para entonces supuso un éxito notable. Lamentablemente, la partitura parece estar extraviada y lo mismo ocurre con *Gato por liebre*, la otra zarzuela compuesta por Ituarte que, al parecer, nunca se estrenó.

Sin duda, la suma de los diversos logros artísticos de Ituarte y la calidad de su producción le otorgan un lugar prominente en la música mexicana del siglo XIX.

OBRAS: *Sustos y gustos*, Zarz, 2 act, I, E. González, est, V-1887, Te. Principal, perdida; *Gato por liebre*, Zarz, perdida.

BIBLIOGRAFÍA: *RHTM*; M. G. Revilla: "Biografías de músicos mexicanos: Julio Ituarte", *Revista Musical Mexicana*, II, 4, 1942; I. M. Altamirano: "Crónica de teatros, gran concierto de la Sociedad Filarmónica", (México, 25 de junio de 1868), *Obras completas*, vol. I, México, Secretaría de Educación Pública, 1987; R. Miranda: "La zarzuela en México, *Jardín de senderos que se bifurcan*", *Cuadernos de Música Iberoamericana*, 2-3, Madrid, 1997-98, 451-73.

RICARDO MIRANDA PÉREZ

Iturralde Pérez, José Luis. San Sebastián, 17-III-1908; ?, 1985. Compositor y flautista. Iturralde fue discípulo de Esnaola, Pagola y Urteaga, entre otros; gracias a una beca de la Diputación Provincial completó su formación con Conrado del Campo entre 1935 y 1943. Compositor de música instrumental, dejó escrita la zarzuela *La melodía de Borda-Berdi*, con letra de Antonio Mundeca y Concepción Sáenz, estrenada en San Sebastián el 5 de octubre de 1944, y también la comedia *Marisa*, en dos actos.

BIBLIOGRAFÍA: *DMEH*; A. Sagardía: *Músicos vascos*, San Sebastián, Auñamendi, 1972.

JUDITH ORTEGA

Izabal, Alberto. México, siglos XIX-XX. Compositor. Es autor de la zarzuela en un acto *Exposición nacional*, con libreto de Carlos Valle Gagern, estrenada el 5 de noviembre de 1904 en el teatro Renacimiento. El cronista del periódico *El Imparcial* dijo de esta obra: "La *Exposición nacional* es una revista de lo más malo que se ha representado en nuestros teatros. Sosa, sin ingenio; con el 'peladillo' obligado y los obligados retruécanos, que más bien son injurias soeces; no tiene ni por dónde cogerla. El público la obsequió con un *meneo* de regulares proporciones".

ALMA GUEROLA LANDA

Izquierdo Farbós, Jesús. Caracas, 1880; Montevideo, 7-V-1937. Cantante. Comenzó sus actuaciones en teatros de aficionados haciendo el papel de centinela en *El rey que rabió* de Chapí a los quince años. Cantó en las compañías del viejo teatro Caracas, de Prudencia Grifell. Viajó a España, meta de los cantantes de zarzuela de entonces, y cosechó grandes éxitos. De su debut se hicieron eco los diarios madrileños. Actuó por todo el país, destacando su actuación en *La generala* de Vives –el personaje del general Tocateca fue escrito para él–, *La hija del mar* y otras obras más. Regresó a Caracas con la compañía de Manolo Puértolas en 1913, estrenando allí *La Generala*. Tuvo su propia compañía, con la que realizó largas giras por el continente, en una de las cuales falleció. Su voz se describe como nasal de gran efecto y brillantez y tenía unas magníficas cualidades de actor. Se dedicó a interpretar las zarzuelas de su época y especialmente la opereta.

BIBLIOGRAFÍA: *DMEH*; C. Salas: *Historia del teatro en Caracas*, Caracas, Concejo Municipal, 1967.

EMILIO CASARES RODICIO

Jackson. Familia de libretistas españoles formada por Eduardo y su hijo José.

1. Jackson Cortés, Eduardo. Cádiz, 1826; Pozuelo de Alarcón (Madrid), 1890. Se marchó a Sudamérica muy joven, donde trabajó como marino y profesor de gimnasia. De vuelta a España, y ya en Madrid, se dedicó al mundo teatral como autor y actor cómico y dramático. Su producción lírico-teatral se redujo al género chico, sainetes y juguetes en su mayoría, que conforman una lista no demasiado extensa, pero sí de calidad, por lo que tuvo el reconocimiento del público. Los compositores que pusieron música a sus obras tampoco fueron muy variados, casi siempre trabajó con Manuel Nieto y Ángel Rubio, pero también con Espino en *¡¡Adiós mundo amargo!!*, 1882, y con Manuel Fernández Caballero en *La chiclanera*, 1887.

Firmó sus obras casi siempre en solitario o con su hijo José Jackson Veyán, con quien estrenó en el teatro Eslava *Toros de puntas*, 1885, con música de Isidoro Hernández. La crítica le reprochó la falta de originalidad en el tema. La pieza era una crítica a la afición por los toros, en la que se aludía a los tópicos taurinos. Los diálogos eran graciosos y en la parte lírica destacaban algunos números de tanto éxito de público, que los autores tuvieron que componer letras diversas para las repeticiones diarias que se veían obligados a hacer los cantantes. Colaboraron en más ocasiones con parecido éxito, continuando con el tema taurino en un sainete con música de Manuel Nieto, *Toros embolaos*, 1886, teatro Variedades de Madrid; la revista con música de Ángel Rubio, *Las plagas de Madrid*, 1895, teatro Romea; *¡El premio gordo!*, 1886, Variedades, también con música de Ángel Rubio. En solitario obtuvo un éxito importante de público, que ayudó al afianzamiento tardío del género chico en un teatro como el de la Zarzuela:

Los baturros, 1888, con música de Manuel Nieto; un juguete basado en el contraste entre la corte y la aldea, aprovechando el efecto cómico producido por la presencia de paletos en la capital.

2. Jackson Veyán, José. Cádiz, 6-VI-1852; Madrid, 31-V-1935. Dramaturgo y poeta. Hechos sus primeros estudios, ingresó en el cuerpo de Telégrafos, compaginando su trabajo de funcionario con su vocación teatral. También desempeñó la secretaría del Círculo Artístico y Literario.

Su fecunda inspiración le llevó a colaborar en diversos periódicos y revistas, como *Blanco y Negro, Madrid Cómico, La Ilustración Española y Americana*, crónicas periodísticas que más tarde recopiló y publicó en un volumen aparte. Fue distinguido en muchas ocasiones en Juegos Florales y certámenes de poesía. En el teatro se estrenó como autor con tan solo diecinueve años, y colaboró con algunos de los libretistas más populares del momento: López Silva, Arniches, Capella, Luis de Larra, Navarro Gonzalvo, Granés, y con su padre. Desde su primer estreno llegó a producir 179 obras líricas, con música de los principales compositores: Miguel Marqués, Guillermo Cereceda, Ángel Rubio, Chueca, Fernández Caballero, Chapí, Gerónimo Giménez y Amadeo Vives, entre otros. Se

José Jackson Veyán (Foto: La Ilustración Española y Americana, 1893; Ar. E. Casares)

dedicó a todo tipo de géneros, desde el juguete *Las niñas al natural*, 1890, la zarzuela *El dinero y el trabajo*, 1905, hasta la revista más o menos pícara, como *S.M. el Botijo*, 1908.

Aunque se le acusaba de ripioso, fue un fácil versificador y, sin alcanzar grandes alturas literarias, cumplía bien su tarea habitual de experto libretista. *Triple alianza*, juguete estrenado en 1893 en el teatro Eslava, con música de Fernández Caballero, poseía un argumento gracioso, de abundantes chistes, animado por versos fluidos y diálogos ingeniosos. *La Indiana* se estrenó en 1893, con música de Arturo Saco del Valle en su debut como compositor. El libreto resultó inferior a su música, Jackson Veyán, más habituado y dotado para el género cómico, quiso hacer aquí una zarzuela grande, seria, cuyo resultado fue una obra de tono ramplonamente romántico y afectado. *Chateau Margaux*, con música de Fernández Caballero, se estrenó en 1887. El éxito de este sainete fue tan extraordinario, que se siguió representando durante más de sesenta años. Este éxito se debía tanto a la partitura, de cuyos números musicales se hizo popularísimo el vals de la borrachera, como a un libro gracioso, amable, ingenuo, con una trama breve y sencilla y con pocos personajes. Por último, entre sus muchos éxitos no puede dejar de destacarse el *El barquillero*, 1900, en colaboración de López Silva y música de Chapí. El libreto presentaba con gracia los amores de un golfillo, con la hija de una prendera en gran escala. La pintura de tipos madrileños, como el chulo, la moza de rompe y rasga, el soldado dicharachero, el golfo enamorado, todos ellos muy bien caracterizados a través del diálogo, con perfecto dominio de su argot, unido a la música de Chapí convirtieron su estreno en el acontecimiento de la temporada. Otras obras dignas de ser descatadas por su éxito son *¡Al agua patos!*, 1888, con música de Ángel Rubio; *El capote de paseo*, 1901, coautor José López Silva y música de Federico Chueca; *La gatita blanca*, 1905, humorada de Jackson Veyán y Jacinto Capella, con música de Giménez y Vives. *Véase* AL AGUA PATOS; LOS ARRASTRAOS; EL BARQUILLERO; LOS CALABRESES; EL CAPOTE DE PASEO; LA CAZA DEL OSO; CHATEAU MARGAUX; DE MADRID A PARÍS; LA GATITA BLANCA.

BIBLIOGRAFÍA: *DAT; EDL; HTE; OGCH; TA;* F. Cuenca: *Teatro andaluz contemporáneo. 2. Artistas líricos y dramáticos*, La Habana, Maza, 1940; L. G. Iberni: *Ruperto Chapí*, Madrid, ICCMU, 1995.

OLIVA G. BALBOA

Jacques Aguado, Federico. León, 1845; Madrid, 21-III-1920. Dramaturgo y periodista. Fue Gobernador Civil de Tarlac en Filipinas en el último periodo de la dominación española. Colaboró durante muchos años como redactor en *La Correspondencia de España*. Respecto a su labor como autor lírico, su primer éxito señalado lo obtuvo con *La bala de rifle*, 1892, con música de Ruperto Chapí. El libro poseía una trama llena de intriga, acompañada de brillante música y decoraciones bonitas, lo que aseguró el éxito de la obra. Colaboró de nuevo con Chapí en una obra sin pretensiones, a pesar del éxito que obtuvieron de público y crítica los autores, *El moro Muza*, 1894. Aparte de la inspiración de la música, el sainete tenía mucha gracia, y el autor mostró en sus parlamentos sus dotes cómica y aptitudes para versificar. *El ángel caído*, 1897, con música de A. Brull, sainete en el que el autor presenta mendigos mezclados con aristócratas, dándoles plasticidad y ambiente, ofrecía novedad y, para su época, atrevimiento. Aunque la fauna chulesca, llevada mil veces al género chico, no fuese modelo de buenas costumbres, nunca se había presentado tan descaradamente en escena, ni a explotadores de mujeres, ni a hembras vendidas al lujo, ni a "protectores" interesados. Novedad también ofrecía el llevar al proscenio a un rincón de Fornos, centro entonces de la vida nocturna de elegante mundanidad en aquel Madrid que se acostaba al ponerse el sol. *El ángel caído*, aparte de su valor teatral, tiene un valor documental del Madrid de entonces.

Jacques Aguado también mereció los silbidos del público en más de una ocasión, prueba de ello fue el estreno de *La piel del diablo*, 1897, también con música de Chapí, zarzuela en un acto que fracasó acusada de simpleza y ñoñería, si bien se salvó la música de Chapí. Escribió casi siempre en solitario, al contrario de muchos compañeros de profesión. Además de los ya mencionados, pusieron música a sus sainetes, operetas, juguetes y zarzuelas, compositores como Fernández Caballero en *Don Jaime el Conquistador*, 1889; Ángel Rubio en *La amazona*, 1890, y Miguel Marqués en *Fraternidad*, 1892. *Véase* EL ÁNGEL CAÍDO; ¡CUBA LIBRE!.

BIBLIOGRAFÍA: *CTLBN; EDL; OGCH;* L. G. Iberni: *Ruperto Chapí*, Madrid, ICCMU, 1995.

OLIVA G. BALBOA

Jarabo, Ronaldo [Rony]. San Juan (Puerto Rico), 7-IV-1944. Barítono. Estudió la carrera de Derecho y se dedicó a la política llegando a ser presidente de la Cámara de Representantes de Puerto Rico. Cantó varias zarzuelas y operetas con la Academia del Perpetuo Socorro, entre ellas interpretó a Vidal Hernando en *Luisa Fernanda* de Moreno Torroba, 1960; Juan en *Los gavilanes* de Jacinto Guerrero, 1961 y

Rony Jarabo en Luisa Fernanda
(Foto: Ar. ICCMU)

Black el payaso de Sorozábal, junto a Johanna Rosaly, en 1965, ambas en el teatro Tapia de San Juan.

VÍCTOR SÁNCHEZ SÁNCHEZ

Jaramillo Jaramillo, María Isabel Carlota. Calacalí (Ecuador), 9-VII-1904; Quito, 10-XII-1987. Cantante y actriz. Se inició en el canto con su hermana mayor Inés, y juntas ganaron un concurso de música ecuatoriana en 1922. En 1916, con el apoyo del pianista Rafael Ramos Albuja, tomó parte como soprano en la compañía de operetas y zarzuelas del mencionado maestro. Debutó en el teatro Nacional Sucre con la zarzuela *La gatita blanca* y luego con *El puñao de rosas*. Posteriormente trabajó en la compañía Comedias y Variedades. Fue profesora en diferentes colegios e instituciones y se convirtió en la cantante más popular de Ecuador desde la década de 1940, conocida como "la Reina del Pasillo".

BIBLIOGRAFÍA: *DMEH*; M. Godoy Aguirre: "Carlota Jaramillo, la eterna novia del pasillo ecuatoriano", *Estrellas*, XVII, 150, Guayaquil, 1980.

VÍCTOR SÁNCHEZ SÁNCHEZ

Jardiel Poncela, Enrique. Madrid, 15-X-1901; Madrid, 18-II-1952. Novelista, autor y empresario teatral. Empezó la carrera de Filosofía y Letras que abandonó para dedicarse, al igual que su padre, al periodismo. A los 18 años quería ser escritor, y a los 21 publicó su primera novela. Abandonó entonces su labor periodística para dedicarse de lleno a la literatura, dedicación que abarcaba géneros como novela, teatro y teatro lírico, e incluso adaptaciones de guiones cinematográficos, que realizó para la Fox en Hollywood en los años 1932-33. El éxito de sus comedias y la continua edición de sus libros, le llevó a formar su propia compañía teatral, de la que fue a la vez empresario, autor y actor.

Desde la primera hasta su última obra, Jardiel tuvo que enfrentarse con los críticos teatrales que, salvo contadas excepciones –como Alfredo Marquerie–, atacaron con ferocidad su teatro. El principio fundamental de su estética teatral fue la aspiración a lo inverosímil. Para él lo que ocurría en el escenario tenía que ser lo más diferente posible de la realidad. Quiso renovar la risa, desterrar –según sus palabras– "la vieja risa tonta de ayer, sustituyéndola por una risa joven y sagaz, cuyo esqueleto estaba hecho de inverosimilitud e imaginación, inyectarle en las venas lo fantástico y llenarle el corazón de ansia poética". Su propósito no era fácil de conseguir, tanto por el público, como por el propio Jardiel, que acabó supeditando su inventiva dramática al éxito; dependía demasiado de actores, empresarios y del público. El hecho diferencial básico de Jardiel respecto al teatro anterior –sainete de Arniches, juguete cómico, astracán de Muñoz Seca–

radica, en primer término, en la atemporalidad del conflicto de los personajes. La destipificación del lenguaje, que no refleja categoría social alguna, tan diferente a lo que se había hecho hasta entonces en el teatro lírico, en el que la principal función del lenguaje era caracterizar social y culturalmente a sus personajes. Utiliza el encadenamiento de situaciones inverosímiles, a partir de una situación base igualmente inverosímil. Su humor era de raíz intelectual y abstracto, con un tratamiento lógico del absurdo. Esta caracterización del estilo de Jardiel Poncela tiene su correspondencia en las pocas obras que hizo para el teatro lírico, del que uno de sus mayores éxitos fue *Carlo Monte en Monte Carlo*, 1939, "opereta con más cantables que cantantes" compuestos por Jacinto Guerrero. Su estreno en el teatro Infanta Isabel de Madrid estuvo rodeado de gran expectación y constituyó un éxito que superó las cien representaciones. Guerrero dirigió la obra ante un público asombrado al principio, porque iba buscando la astracanada y no esperaba encontrar una partitura de las más finas y delicadas junto a un libreto con calidad literaria, gracioso, pero sin retruécano.

*Enrique Jardiel Poncela
(Foto: Ar. SGAE)*

Su producción lírica, por orden cronológico, fue la siguiente: *El truco de Wenceslao*, 1925, sainete con música de Felipe Orejón; *¡Qué Colón!*, 1926, sainete histórico escrito en colaboración con Serafín Adame y con música de Rafael Calleja, la zarzuela *Se alquila un cuarto*, 1925, sainete con música de Fabré y José A. Insúa; *Fernando el Santo*, escrito en colaboración con Serafín Adame y con música de E. Gómez Muñoa; *La banda de Saboya*, 1922, caricatura lírica de drama policíaco en un acto escrita con Serafín Adame y con música de José Mª Muñoz; *Achanta que te conviene*, 1925, entretenimiento escrito con Serafín Adame, al que puso música Modesto Romero; *Angelina o El honor de un brigadier, un drama en 1880*, caricatura en un prólogo y tres actos, en verso con ilustraciones musicales de Ricardo Boronat. Se trataba de una sátira del teatro "echegaresco", dando al público alaridos por pasiones, muecas en cambio de gestos, ataques epilépticos en vez de ademanes; y todo ellos sin matices posibles, con malos muy malos y buenos buenísimos. Su último estreno, posterior a su muerte, fue *¡Ay Angelina!*, 1955, con música de Augusto Algueró.

BIBLIOGRAFÍA: *DAT*; J. Carabias: *El maestro Guerrero fue así*, Madrid, Prensa Castellana, 1952; "Un justo homenaje a Jardiel Poncela", *BSGAE*, 87, X-1961; J. A. Cabezas: *Madrid: escenarios y personajes*, Madrid, Prensa Española, 1968; F. Ruiz Ramón: *Historia del teatro español del siglo XX*, Madrid, Cátedra, 1995.

OLIVA G. BALBOA

Tina de Jarque (Foto: Ar. SGAE)

Jarque, Tina de. Cataluña, ?; Andalucía, 1937?. Cupletista y tiple cómica. A los 17 años interpretaba cuplés como *Las tardes del Ritz* y *El capote de paseo* de Retana y Monreal. Eulogio Velasco la presentó en sus fastuosos espectáculos junto a Isabelita Ruiz. Posteriormente siguió como vedette en los teatros Maravillas y Martín, estrenando revistas de Penella, Luna, Alonso y Guerrero. En 1927 con la compañía Velasco realizaba una brillante campaña por América Latina. En 1928 estrenó en el teatro Circo de Price *La orgía dorada* de Guerrero. En 1932, en el teatro Maravillas *¡Cómo están las mujeres!* de Pablo Luna y en 1934 en el teatro Martín la versión reformada de *Las corsarias* de Alonso.

Aunaba méritos físicos y escénicos y tuvo una muerte trágica durante la guerra, pues el comandante de los republicanos de Andalucía, Abel Domínguez, la forzó a huir con él y con diez millones de pesetas en joyas y divisas, rumbo a América del Sur. Poco antes de embarcarse en un navío alemán, Domínguez fue denunciado por un compañero suyo y fusilado junto a Tina de Jarque y un abogado que les acompañaba.

FONOGRAFÍA: *La orgía dorada*; La Voz de su Amo AE 2168 AE 2169 • Odeón 203071 (et. fucsia), SO 4662 SO 4663 • Sonifolk 20134; *Miss Guindalera*, Sonifolk 20134; *Tres gotas nada más*, Sonifolk 20134.

BIBLIOGRAFÍA: *ME*; *Nuevo Mundo*, 1769, 16-XII-1927.

Mª LUZ GONZÁLEZ PEÑA

Jarques, José. Aragón, 1833; Santiago de Chile, 3-II-1916. Barítono y director de compañías de zarzuela. Ingresó en su juventud como oficial del ejército español, luchando en la campaña de Marruecos en 1859, donde alcanzó el grado de teniente. Terminada la guerra, su regimiento se instaló en Tetuán, donde los ingenieros construyeron un teatro improvisado, contratando una compañía de zarzuela. Jarques, que poseía una robusta voz natural, fue animado por sus compañeros para que estudiase el papel de Don Diego de *Mis dos mujeres* de Barbieri, sorprendiendo a todos. Un año más tarde fue destinado a Valladolid, donde escuchó a la joven soprano Isidora Segura que participaba en la temporada de ópera de la ciudad. Juntos iniciaron una relación que terminó en matrimonio, decidiendo Jarques retirarse del ejército para dedicarse al cultivo de la zarzuela. Según Manuel Abascal, "era un hombre bien constituido, de estatura más bien baja, de rostro agradable, y en él se destacaban con cierta fuerza ciertas condiciones de energía y actividad; era por otro lado muy aragonés en sus determinaciones, optimista y marcadamente previsor". El matrimonio tuvo dos hijos: José (1861-1893), nacido en España y que desde los doce años formó parte de la orquesta de sus padres como violinista y desde 1878 como director de orquesta, y Vicente (1878-1938), nacido en Brasil en 1878 que participó en compañías de tandas como tenor cómico. La compañía formada por Jarques y Segura trabajó varios años en España, para después cruzar el océano, actuando en las Antillas, México y San Francisco (California). En 1868 llegó a Argentina, donde permanecieron durante casi cuatro años, con frecuentes viajes a Uruguay y Brasil.

En 1872 realizaron una triunfal temporada en Lima, embarcándose en El Callao rumbo a Chile en el mes de diciembre. Habían reunido una buena compañía, donde figuraban –además de la familia– la tiple cómica Purificación Ávila, el tenor cómico Fernando Cuello, el bajo Julián Cubero y Ángel Segura como director. A lo largo de 1873 realizaron temporadas de zarzuela con gran éxito en Valparaíso, Santiago, Concepción y La Serena, con un repertorio centrado en las zarzuelas clásicas ya conocidas, a las que se sumaron algunas pocas novedades. La acogida fue tan favorable que continuaron por las localidades del norte –Copiapó, Iquique, Tacna, Antofagasta– para regresar a Valparaíso y Santiago, donde centraban sus actuaciones, aunque continuaron realizando algunas breves giras por otras localidades chilenas, ofreciendo en muchos casos las primeras representaciones del género. Así en 1874 realizaron un difícil viaje hacia el sur para inaugurar el teatro Municipal de Talca, en el que tuvieron que atravesar un río crecido que retrasó su llegada, continuando posteriormente hacia Concepción y Chillán, lugares en los que las condiciones de trabajo también eran complicadas con frecuentes problemas para encontrar instrumentistas o cantantes, además de actuar en locales poco apropiados. En diciembre de 1875, ante la falta de público, la compañía se disolvió en Valparaíso y la familia Jarques marchó a Argentina, actuando también en Uruguay y Brasil. Hay constancia de una magnífica temporada en 1878 en el teatro Don Pedro I de Río

José Jarques
(Foto: Ar. ICCMU)

de Janeiro, donde debutó como director el hijo del matrimonio. En marzo de 1879 regresaron a Chile, procedentes de Perú, con una compañía reforzada con el tenor Ricardo Sánchez Allú, la mujer de éste Ramona García y su hija Ramona Allú, dos excelentes tiples. Realizaron unas largas temporadas con gran éxito en Valparaíso y Santiago hasta diciembre de 1880, regresando un año más tarde en septiembre de 1881 –con el refuerzo del tenor Federico Marimón– para despedirse de Chile en agosto de 1882. De esta manera, la compañía de Jarques-Segura monopolizó la actividad zarzuelística chilena durante diez años, período que Manuel Abascal ha denominado "el decenio de Jarques (1872-1882)".

Según referencias de la prensa de la época, la voz de Jarques era flexible y ligera, destacando más que como cantante de hermosa voz como gran caracterizador de los papeles con una favorable presencia escénica que trasmitía al resto de los miembros de la compañía. Entre sus papeles más acertados estaba el irascible y gruñón protagonista de *El sargento Federico*, Cramer de *Dos coronas*, el Capitán de *Llamada y tropa* o Renard de *La Marsellesa*. La crisis del género grande degradó la calidad artística de la compañía, que en los años siguientes recorrió Perú y los países del Pacífico con elencos cada vez más mediocres. En 1889 regresaron a Chile, aunque ya ambos estaban en plena decadencia vocal. Un incendio en un teatro de Iquique le hizo perder el material escénico. Retirado de la escena, Jarques ocupó algunos cargos relacionados con el teatro, siendo inspector de entradas y cobrador de los derechos de la casa Muzard. Al parecer vivió dominado por la pasión del juego, lo que le llevó a perder las fortunas que pudo ganar en el teatro. *Véase* Segura, Isidora

BIBLIOGRAFÍA: M. Abascal Brunet: *Apuntes para la historia del teatro en Chile. La zarzuela grande II*, Santiago de Chile, Imp. Universitaria, 1951.

VÍCTOR SÁNCHEZ SÁNCHEZ

Jerez Dosco, Delfín. España, siglos XIX-XX. Actor y autor teatral. Su actividad fue muy intensa entre las décadas de 1880 y 1890. En 1887 estrenó en el teatro Novedades *El esclavo o La venida del Mesías*. En 1888 se encontraba trabajando en el teatro Felipe, en el que estrenó *La beneficiada* de Brull, *En el ambigú* de Rubio y Fernández Grajal, *Pepa, Pepe y Pepín* de Ángel Rubio y *¡Al agua patos!* también de Rubio. En el teatro Eldorado de Barcelona, 1888, *La panadera* de Alberto Cotó, con libreto del propio Delfín Jerez y del actor y cantante Anselmo Fernández. En 1889 estrenó en Apolo *Restaurant de las tres clases*. En la catedral del género chico seguía en 1890 cuando estrenó *Tanhäusser el estanquero* de Giménez, con gran éxito, *El cabo Baqueta* de Brull y Mangiagalli, *La caza del oso o Tendero de comestibles* de Chueca y *El robo de la calle del gato* de Estellés, en la que triunfó junto a Luisa Campos y los Mesejo. Ese mismo año estrenó en el teatro Felipe *Pan de flor* de Chapí y *La baraja francesa* de Joaquín Valverde. Al año siguiente estrenó en Felipe *La nueva Arcadia* de Ramón Estellés. El 5 de febrero de 1891 se le ofreció un beneficio en Apolo para redimirle del servicio militar. En dicho beneficio se pusieron en escena las obras *La República de Chamba*, *Los fatigados*, *La leyenda del monje* y *Ya somos tres*. Dado que el estreno de *La nueva Arcadia* en Felipe tuvo lugar en julio, es de suponer que el beneficio cumplió con su finalidad. En abril de 1891 estrenó *Los pájaros fritos* de Valverde y *El señor Luis el tumbón o Despacho de huevos frescos* de Barbieri. En 1893 estrenó *El zortzico* de Marqués y Estellés y *La epidemia reinante* de Rafael Cabas y José Osuna, esta en el teatro del Duque de Sevilla, y también allí estrenó en 1894 *El casero nuevo o Perdón general* de Damas. En 1897 en el teatro de la Comedia estrenó *El guardia de Corps* de Bretón y *La niña de Villagorda* de López Torregrosa y Quinito Valverde y en el teatro Romea, *Los adelantos del siglo* de Ángel Rubio y *Lion D'Or* de Calleja. El último estreno conocido fue *El peregrino* de Vicente Gómez Zarzuela en el teatro del Duque de Sevilla en 1899. Como dramaturgo, además de *La panadera* escribió *Las dos en punto*, con música de Rafael Cabas y Francisco Damas.

BIBLIOGRAFÍA: *TA*.

Mª LUZ GONZÁLEZ PEÑA

Jeroma la castañera. Zarzuela andaluza en un acto. Música de Mariano Soriano Fuertes. Libreto de Mariano Fernández. Estrenada el 3 de abril de 1843 en el teatro del Príncipe de Madrid.

Personajes y reparto. Jeroma, la castañera (Matilde Díez, actriz). Manolo, el torero (Mariano Fernández, actor). El francés (Sr. Sobrado, actor). La Curra (actriz). Patas Danafre (actor). Majos y majas de Lavapiés.

Orquestación. Flautín, flauta, oboe, 2 clarinetes, 2 fagotes, cornetín, 2 trompas, trombón, figle, percusión y cuerda.

Argumento. La acción transcurre en el barrio de Lavapiés. La castañera Jeroma tiene amores con el torero Manolo. Éste quiere avivar el fuego de la pasión ya que, según comenta con su amigo Patas Danafre encuentra a Jeroma algo adusta, y para provocarla coquetea con otra maja, la Curra, que se ha prestado al juego. Jeroma, sintiéndose engañada, responde a las atenciones de un francés que parece estar locamente enamorado de ella, haciéndole creer que se casará con él. El torero se amostaza y quiere matar al "franchute", pero todo se arregla otorgando palabra de matrimonio la castañera al torero, y huyendo a Francia el otro pretendiente que confiesa tener esposa en su país.

Números musicales. Preludio. Nº 1. Introducción y coro, "¡Dejad las faenas!". Nº 2. Canción de Jeroma, "Aunque vendo castañas asadas". Nº 3. Canción de Manolo, "De Sevilla no ha *venío*". Nº 4. Canción de Jeroma, "El más *crúo* de *toos* los males". Nº 5. Dúo de Jeroma y Manolo, "Cuando retuerzo el *jeró*". Nº 6. Canción del francés, "Yo estar *rabiendo* de amor". Nº 7. Dúo de Jeroma y el francés, "Yo he *tratao* de casamiento". Nº 8. Seguidillas de los tres, "Dónde va *usté*, señora, tan de *jopeo*". Nº 9. Dúo de Jeroma y Manolo, "No *mace farta nenguna*". Nº 10. Terceto, "Cuidado Manolo". Nº 11. Coro. Jeroma y Manolo, "¡Vivan Manolo y Jeroma!". Nº 12. Canción del francés, "Con el órgano voy a marchar". Nº 13. Final. Todos, "Calabazas, tío *franchute*".

Comentario. *Jeroma la castañera* es una de las zarzuelas andaluzas de las décadas románticas que posee mayor calidad, habiendo obtenido inmenso éxito desde la fecha de su estreno y manteniéndose durante décadas en el repertorio lírico de España e Hispanoamérica. La obra emplea un lenguaje musical castizo, de clara evocación andalucista muy del gusto romántico, que Soriano Fuertes dominaba al haberse dedicado también en la fecha de creación de la obra a la composición de numerosas canciones andaluzas que interpretadas por Salas y Ojeda en reuniones y sociedades artísticas madrileñas, obtenían un destacado éxito. *Jeroma* revela la confusión terminológica que sufría el género lírico todavía en 1843, ya que a pesar de tratarse de un claro referente formal de la zarzuela romántica, es definida como "tonadilla andaluza" en la primera edición del libreto y los anuncios de prensa coetáneos; tras la aparición en 1846 de la nomenclatura de zarzuela andaluza, ediciones posteriores del libro adoptan esta denominación. La obra se estrenó como final de una función a beneficio de Matilde Díez.

Para el libro, Fernández tomó como modelo *La venta de Cárdenas* de Tomás Rodríguez Rubí, obra bien conocida por los aficionados madrileños, empleando tópicos y recursos habituales del concepto europeo de la España romántica, individualista y bárbara, elementos que Soriano desarrolló también en *El ventorrillo de Alfarache*, zarzuela de 1842. Jeroma pertenece a ese grupo de manolas que habitan Lavapiés, cuya gracia y desenfado son proverbiales. El mismo Mesonero Romanos se pregunta, quién no conoce "la desprendida mantilla de tira y la artificiosa trenza de Paca, la *Salada*, Geroma, la *Castañera*, Manola, la *Ribeteadora*, Pepa, la *Naranjera*". La obra es un alegato a favor de lo nacional, convirtiendo al "francés" en un pelele

manejado por la castañera. El nivel lingüístico tiene gran importancia en la caracterización de los personajes; así, mientras Jeroma, Manolo y Patas Danafre se expresan con contundencia en un complejo lenguaje castizo, el francés no domina el castellano, introduciendo con frecuencia galicismos, transcritos fonéticamente, como cuando afirma venir a España "a tocar en el órgano la música *tre yoli*" o le recrimina a Jeroma *"vu ma vé trompo!"*, expresión que Manolo interpreta como un insulto. El castellano macarrónico que emplea el francés divierte al publico, contribuyendo así a su ridiculización; y es que, como afirma Yxart, la comedia nacional hasta finales del siglo XIX otorga siempre un ridículo papel "al que usa otro idioma o al que incurre en alguna incorrección en el propio". La obra concluye con una *chauvinista* afirmación de lo nacional afirmando Manolo que "el sol del Avapiés / con su garbo y su sandunga / no está pa nengún francés".

A pesar de ciertas diferencias entre los manuscritos de la obra, se ha podido reconstruir la forma dramática original. Frente a los seis números de modelos anteriores, Soriano compone trece para una obra en cinco escenas dramáticas; la música desarrolla un importante papel de caracterización de los protagonistas. Incluye además varios dúos, un trío y un terceto, y efectivos coros, situando los números musicales en momentos importantes del desarrollo de la acción. "Con esta obrita puede decirse –en palabras de Cotarelo y Mori– que la zarzuela estaba renacida como hecho. Faltaba desenvolver y ampliar el tema, introducir personajes de otras clases de la sociedad; dotarlos de nuevas pasiones y afectos y escribir números musicales más extensos y bien armonizados". Y es que, a pesar de que la obra respondía al modelo de tonadilla a tres, iniciaba ya el esquema de la zarzuela romántica, hecho que confirma su reutilización en obras posteriores como *El ventorrillo de Alfarache*, *¡Es la Chachi!* o *La sal de Jesús*, todas ellas de Soriano Fuertes o *La pradera del Canal* de Rafael Azcona.

Musicalmente, la partitura emplea recursos clásicos, como el empleo de romanzas coreadas, la *stretta* final, a la manera rossiniana, en el dúo a ritmo de vals del Nº 7; o la canción sencilla, a la manera de couplet de *opèra-comique*, que aparece en la despedida del "franchute", Nº 12. El lenguaje nacional está omnipresente en las canciones andaluzas de Jeroma y su majo, así como en las seguidillas manchegas a trío del Nº 8. *La Iberia Musical y Literaria* del 2 de abril publicó la crónica del estreno, afirmando que el corte de las piezas musicales "es ligero, el género de la música es alegre y altamente español; los cantos sencillos a la par que graciosos y el instrumental escrito con delicadeza, novedad y tino"; el texto continúa estimulando a Soriano para que continuara cultivando este género nacional. En cuanto a la interpretación, "Matilde Díez dijo su parte con muchísima gracia, con voz dulce y robusta, y con un aplomo grande; Mariano Fernández estuvo hecho todo un *Curro* andaluz, esmerándose extraordinariamente en el desempeño de su cometido, y el señor Sobrado caracterizó tan perfectamente el papel del francés-organillo, que arrancó estrepitosos aplausos de la escogida concurrencia que asistió a esta divertida función". Tras elogiar las labores de Basili en los ensayos y Luis Arche al frente de la orquesta, concluye el comentario afirmando que "el público aplaudió sin cesar la composición y la buena ejecución".

En palabras de Peña y Goñi, alcanzó un "afortunado éxito en las veintiuna representaciones que seguidamente se dieron en dicha temporada, recorriendo en menos de dos años, con la misma fortuna, todos los teatros de España".

Fuentes manuscritas. Dos partituras (TL-1520) y los materiales de orquesta (390-391) se conservan en el archivo de la SGAE en Madrid. Una parte de apuntar se conserva en el archivo del teatro Tacón de La Habana, en el Museo Nacional de la Música de Cuba.
Ediciones del libreto. Madrid, Boix, 1844; Madrid, Imp. Vicente de Lalama, 1852.
BIBLIOGRAFÍA: *HZ; OE;* J. Yxart: *El arte escénico en España,* vol. II, Barcelona, Imp. de La Vanguardia, 1896; M. E. Cortizo: "La restauración de la zarzuela en el Madrid del XIX (1832-1856)", tesis doctoral, U. Complutense de Madrid, 1993.

Mª ENCINA CORTIZO

Jiménez. Familia de músicos costarricenses formada por Pilar, padre, y Enrique, hijo.

1. Jiménez Solís, Pilar. Guadalupe (Costa Rica), 27-III-1835; Guadalupe, 2-VII-1922. Compositor. Estudió música en Tres Ríos con Jesús Rodríguez y piano en San José con Pantaleón Zamacois. Fue maestro de música en el Liceo de Costa Rica, miembro de la orquesta del teatro Mora y profesor en la Escuela Nacional de Música. Completó sus formación con viajes por Europa y Estados Unidos. Compuso dos zarzuelas con letra de Adolfo Romero, *Amor y trabajo* y *Gracias a Dios que está puesta la mesa,* además de música religiosa y canciones escolares.

2. Jiménez Núñez, Enrique. San José, 1863; Guadalupe, 1932. Compositor. Estudió música con su padre y también en Cartago con el compositor catalán José Campabadal y el padre Gamero. Continuó su formación en Europa, y fue maestro de capilla en Guadalupe y Cartago y director de la Filarmonía Municipal de Guadalupe. En 1926 estrenó en el teatro Nacional su zarzuela *Ensueños de Noche Buena,* con letra de Carmen Lyra.

BIBLIOGRAFÍA: J. R. Araya: *Vida musical en Costa Rica,* San José, Imp. Nacional, 1957; B. Flores: *La música en Costa Rica,* San José, Ed. Costa Rica, 1978.

VÍCTOR SÁNCHEZ SÁNCHEZ

Jiménez, Carlota. España, siglo XIX. Actriz y cantante. Participó en el desarrollo inicial del género lírico representando a las damas principales de las zarzuelas estrenadas durante la década de 1830 en el teatro del Instituto. En 1848 participó en la representación de *El ensayo de una ópera,* zarzuela con letra de Juan del Peral y música de Oudrid, haciendo el papel principal de "La signora Adelina Remolachi"; en 1849 representó el papel protagonista de Isabel de *Palo de ciego* de R. Hernando; el 15 de marzo de 1849, y en su propio beneficio, participó en el estreno de *Misterios de bastidores* de Oudrid, y el 21 de marzo de 1849 estrenó *Colegialas y soldados* de R. Hernando, representando el papel de Matilde. Cotarelo dice que "sin ser cantante de profesión y estudios, hizo con acierto, con gusto y talento las primeras damas de las primeras zarzuelas, en las cuales, ya no volvió a tomar parte en la corte. Como actriz de declamación y aun de canto, siguió Carlota Giménez muchos años en Barcelona y otras capitales de provincia". En 1857 obtuvo un caluroso éxito en el teatro de Murcia, donde era primera tiple absoluta, tras una interpretación de *El barbero de Sevilla* en la función a su beneficio.
BIBLIOGRAFÍA: *HZ.*

Mª ENCINA CORTIZO

Jiménez, Luis E. Cuba, siglo XX. Barítono, director de escena y autor de la comedia musical *Abrázame mi amor* de María Álvarez Ríos. Estudió música en el Conservatorio Pereyllade de La Habana y en el Mannes College de Nueva York. Cantó muchas zarzuelas en el teatro Lírico de la Habana y en el de Matanzas. También ha cantado ópera y comedias musicales. Fundó el grupo Opera Studio USA en Miami, donde también es director de la Academia Euterpe.

CLARA DÍAZ PÉREZ

Jiménez, Ricardo. Pontevedra, 29-X-1937. Tenor. Alumno de Carlota Dahmen y Marimí del Pozo. Se dio a conocer a través del concurso televisivo *La gran ocasión* en 1972. Inmediatamente fue contratado para la Compañía Isaac Albéniz debutando en Puertollano con *Marina* en 1973. Recorrió con éxito la mayoría de los teatros españoles lo que hizo que le reclamase el teatro de la Zarzuela donde debutó en 1978 con *Doña Francisquita.* Al mismo teatro volvió numerosas ocasiones cantando *La leyenda del beso, El huésped del sevillano, Jugar con fuego, La meiga, La bruja* y *El barberillo de Lavapiés.* En 1981 estrenó *Fuenteovejuna* de Moreno Buendía. Alternó la interpretación de ópera y zarzuela y en 1982 le contrató José Tamayo para la *Antología de la Zarzuela* que presentó en el teatro Monumental de Madrid y con la que realizaron una importante gira por Hispanoamérica hasta debutar en 1983 en el Chatêlet de París. Sus grabaciones son escasas y consisten en dúos y romanzas de zarzuela junto a Antonio Lagar, con títulos como *El último romántico*, *La Dolorosa*, *La villana*, *Doña Francisquita*, *Marina* y *El milagro de la Virgen*.

BIBLIOGRAFÍA: J. M. de Sagarmínaga: *Diccionario de cantantes líricos españoles*, Madrid, Fundación Caja Madrid-Acento Ed., 1997.

Mª LUZ GONZÁLEZ PEÑA

Jiménez Delgado, Javier. España, siglo XIX. Compositor. En el archivo de la SGAE en Madrid se conservan varias obras suyas de teatro lírico: *Era un regalo*, juguete lírico, un acto, letra de E. Navarro Gonzalvo, estrenada el 8 de junio de 1894 en el teatro Moderno; *La barretina*, zarzuela en un acto, letra de C. Navarro; *La casa de Don León*, zarzuela en un acto; y *Por irradiación*. Se desconoce si se trata del mismo Francisco Javier Giménez Delgado autor de varias obras para piano, editadas por Casa Dotesio, Antonio Romero y Faustino Fuentes.

Mª LUZ GONZÁLEZ PEÑA

Jiménez Guerra, Antonio. Málaga, siglos XIX-XX. Dramaturgo y novelista. Además de su novela *El demonio de la carne*, que le dio fama y popularidad, escribió monólogos y juguetes. Para el teatro lírico escribió *La vendimia*, zarzuela en dos cuadros, en colaboración con Diego Jiménez Prieto y música de Vives y Calleja, estrenada en el teatro Cómico en 1904. Autores e intérpretes hubieron de salir a recibir los aplausos del público, y *El rey de la serranía*, zarzuela en un acto, escrita en colaboración con D. Ferrand y Manuel López Cumbreras, con música de Juan Gay, estrenada en el teatro Novedades en 1907.

BIBLIOGRAFÍA: "Novedades teatrales: *La vendimia*", *Nuevo Mundo*, XI, 532, 17-III-1904; *El Teatro*, 43, IV-1904; C. Cuevas (ed. y dir.): *Diccionario de escritores de Málaga y su provincia*, Madrid, Castalia, 2002.

Mª LUZ GONZÁLEZ PEÑA

Jiménez Gutiérrez, Tomás. Tudela (Navarra), 21-II-1885; Tudela, 16-VI-1957. Compositor y organista. Se formó como infante en la catedral de su ciudad natal, y fue nombrado maestro de capilla en 1904. Tres años después se trasladó como organista a la catedral de Tarazona (Zaragoza), y regresó en 1920 para ocupar el mismo puesto en su catedral. Compuso un considerable número de obras, tanto religiosas como profanas. Entre estas últimas destacan dos zarzuelas sobre textos del poeta Alberto Pelairea, procedente también de Tudela, tituladas *Gloria difícil* y *La hija del santero*.

BIBLIOGRAFÍA: *DMEH*.

EMILIO CASARES RODICIO

Jiménez Martínez, Joaquín. †España, 22-X-1937. Escritor. A su colaboración con Enrique Paradas se deben algunas de las revistas más famosas del siglo XX, como *Las corsarias*, *Pelé y Melé*, *La Blanca doble* o *El sobre verde*. Sus mayores éxitos fueron los obtenidos con Francisco Alonso, como *Las corsarias*, 1919. Con música de Enrique Bru y Cayo Vela, Paradas y Giménez estrenaron *El golfo de Guinea*, 1912, *Con permiso de Romanones*, 1913, *Arriba la liga*, 1914, *El corto de genio*, 1917 y *Chiribitas*, 1919. Véase LA BLANCA DOBLE; LAS CORSARIAS; PARADAS, ENRIQUE.

BIBLIOGRAFÍA: *DAT*.

Mª LUZ GONZÁLEZ PEÑA

Jiménez Ortells, Ricardo. *Véase* GIMÉNEZ ORTELLS, RICARDO.

Jiménez Prieto, Diego. †Arjona (Jaén), 1-III-1907. Dramaturgo, abogado y periodista. Fue redactor en *La Época* y colaborador de *Madrid Cómico* y *Blanco y Negro*. A pesar de que falleció muy joven escribió numerosas obras teatrales, generalmente en colaboración con otros autores. Su primer éxito fue el monólogo *Loreto*, 1895, dedicado a la gran actriz Loreto Prado, aunque el año anterior había estrenado en el Cervantes de Sevilla, en colaboración con José R. Candela, el juguete cómico lírico *Los de Albacete* con música de Rafael Cavas Galván.

Escribió sobre todo para el género chico, colaborando con músicos tan diversos como Chueca, Fernández Caballero, Quinito Valverde, Luis Reig, Amadeo Vives, Ángel Rubio y sobre todo Rafael Calleja, con el que tuvo una actividad más extensa. Generalmente, siguiendo las costumbres del momento, escribió con otros autores como Felipe Pérez Capo, Eduardo Montesinos o A. Giménez Crusclles. De todas sus obras, sin duda la más famosa fue *El mozo crúo*, en colaboración con Felipe Pérez Capo y música de

*Diego Jiménez Prieto
(Foto: Nuevo Mundo, 1907;
Ar. ICCMU)*

Vicente Lleó y Rafael Calleja, estrenada en el teatro Cómico de Madrid en 1903. De esta obra se hizo muy famoso el "Tango del cangrejo". También entre sus obras obtuvieron cierta fama *La Preciosilla* con música de Vives, 1899, teatro Romea, y *Aires nacionales*, 1906, teatro Price, cuya música fue compuesta en colaboración por Calleja y Fernández Caballero. *Véase* EL MOZO CRÚO.

BIBLIOGRAFÍA: *CDE; Nuevo Mundo*, XIV, 687, 7-III-1907.

Mª LUZ GONZÁLEZ PEÑA

Jordá Rosell, Luis Gimeno. Les Masies de Roda (Barcelona), 16-VI-1870; Barcelona, 20-IX-1951. Compositor e intérprete. Estudió piano, armonía y composición en el Conservatorio del Liceo de Barcelona y órgano en la basílica de La Merced de la misma ciudad. En 1886 fue maestro titular de la Escuela de Música de la Casa Provincial de Caridad de Barcelona. En 1890 ganó por oposición la plaza de director del Conservatorio de Vic, donde también fue director de la Banda Municipal. Al parecer, llegó a México en 1898 como parte de un grupo de músicos españoles invitados al país por la compañía Arcaraz y trabajó como director en el teatro Principal durante algunas funciones. Más adelante, hacia 1899, fundó un Cuarteto con el que tuvo notable éxito y según Olavarría, "cosa de admirar era oírles tocar fantasías y transcripciones". Con su grupo realizó distintas presentaciones, aunque sus integrantes y dotación cambiaron paulatinamente. En particular, fue la unión de Jordá con su coterráneo, el violinista José Rocabruna, en 1903 lo que dio al grupo –entonces llamado Quinteto Jordá-Rocabruna– un nivel artístico notable que le sitúa entre los más importantes grupos de cámara de aquel entonces. Como acompañante, Jordá también realizó una labor sobresaliente al lado de cantantes como Sofía Piña y María Luisa González Escobar. En 1910 fundó la revista *El Arte Musical*, patrocinada por la casa editorial Otto y Arzoz. Desde sus páginas, Jordá no sólo promovió la lectura y el intercambio en torno a la música y su aprendizaje, sino que dio a conocer innumerables obras de autores mexicanos y europeos. El *Álbum musical* de esta publicación, formado por las piezas que se ofrecían con cada número, constituye un documento muy interesante y gracias a su difusión Jordá pudo influir, en gran medida, en la conformación del gusto musical de las familias porfirianas. Además, Jordá incursionó a la crítica musical de manera esporádica e impartió clases de piano en forma regular durante varios años, al menos hasta 1929 cuando regresó a España.

La trayectoria de Jordá como compositor refleja el eclecticismo de sus tareas como intérprete pues a diferencia de otros autores dedicados primordialmente a la zarzuela como Luis Arcaraz o Lauro Uranga, Jordá no dejó de cultivar la composición de música más elaborada, terreno en el que alcanzó algunos éxitos notables. Fue sin duda el único de los autores de su tiempo que dejó sentir su influencia en los ámbitos clásico y popular, rasgo que lo distingue claramente del resto de los compositores mexicanos del porfiriato y que le hace aparecer –en este sentido– como un antecesor de Manuel M. Ponce. La producción de Jordá contempla diversos géneros. Autor de una notable producción pianística, sus obras para este instrumento gozaron de un éxito notable y continúan siendo parte del repertorio de los pianistas mexicanos. Por otra parte, Jordá también escribió algunas obras sinfónicas y corales que le valieron distintos triunfos. La notable amplitud y diversidad de su catálogo, ilustran de manera precisa y elocuente el gusto y sentir de una gran parte de la sociedad porfiriana, lo que le da a su obra un valor simbólico que se añade a sus méritos estéticos intrínsecos. Tal variedad merece ser descrita, pues lo mismo compuso una obra que representaría al país que innumerables paso-dobles que domingo a domingo se escuchaban en la plaza de toros de *La Indianilla*. Y así como Jordá fue capaz de acompañar a una cantante interpretando a Schumann y Donizetti mientras que al día siguiente estrenaba una zarzuela de ínfima categoría, su música refleja inexorable los contrastes de su eclecticismo: si en 1904 compuso música para *El mártir del calvario*, "representación muda y por medio de cuadros animados en tres actos y veinte cuadros de la vida y pasión de Jesucristo, desde el nacimiento del Mesías hasta la crucifixión", a la semana siguiente era capaz de estrenar una zarzuela en la que musicalizaba los temas y escenas más grotescos, o bien era responsable de la música de la más popular de las zarzuelas mexicanas, la legendaria *Chin-chun-chan* también estrenada en 1904. Tales antecedentes ayudan a explicar una carrera por los escenarios de zarzuela mexicanos que lo mismo tuvo los más grandes éxitos que notables fracasos. En definitiva, las zarzuelas escritas por Jordá reflejan un pragmatismo que raya en el desconcierto, pero que ilustra de manera insuperable las condiciones y entorno de un compositor de zarzuelas en el México del fin de siglo. Por ello, la relación de las aventuras teatrales de Jordá reviste una doble importancia, como capítulo imprescindible de la vida y obra de su autor pero también como un recuento que permite acercarse al género tal y como este se vivió en México durante aquella época.

La primera incursión de Jordá en la zarzuela fue con *Palabra de honor*. Según cierta crónica la obra, estrenada en 1899, "fue un cuadro de tipos populares mexicanos, bien concebido y bien presentado, sin descender ni a lo burdo ni a lo obsceno, muy verosímil y muy real; trátase en ella de dos rivales, herreros de oficio; uno de ellos hiere al otro a la mala y abusivamente; recogido por la policía el herido se niega a delatar a su heridor pero da al comisario su *palabra de honor* de que, en caso de aliviarse lo buscará y entregará él mismo a la justicia, y así, a su modo y manera lo cumple, pues cuando logra salir del hospital busca al traidor rival, le provoca una riña, lo mata en ella, y al verse ante la autoridad y al lado del cadáver de su enemigo exclama: ¿Se acuerda usté que ofrecí / que aunque no lo conocía / yo mismo lo traería? / Pues bien, patrón... iya está aquí!. Tanto como el libreto" –continua la reseña– "agradó la música, sobre todo un dúo, una romanza y una guaracha; los tres autores fueron repetidas veces llamados al proscenio y colmados de aplausos y dianas. Todo ello fue muy merecido y reconociendo el público ese mérito, hizo con sus aplausos que la obra alcanzase un gran número de representaciones". El éxito de esta obra, de corte realista, llevó a su autor a una segunda empresa semejante y meses después estrenó *Los de abajo* que fue, a decir de otra crónica, "un cuadro real, una patética pintura de la vida de miseria y abandono en que la embriaguez hunde al pueblo". Sin embargo, Medina y Jordá notaron entonces que "para no desagradar al público de *tandas* que no gusta de lo muy dramático", eran necesarias otro tipo de escenas, por lo cual sus autores "intercalaron escenas cómicas, chispeantes y graciosas, que hacían fuerte contraste con los pasajes serios. La música de Jordá hizo buen efecto y a su turno le valió el aplauso de los *tandistas*".

Durante 1899 Jordá se dedicó de lleno al mundo de la zarzuela, pues además de estas dos obras, encontró tiempo para otras piezas más. La primera fue *Mariposa*, estrenada con éxito en agosto de aquel año; la segunda, *La mancha roja*, "libreto español al que transformaron en zarzuela y pusieron música Luis G. Jordá y el director Rafael Gascón; tres únicos números formaron la partitura: una *zambra* o baile movido y un concertante, obras de Jordá y un agradable y apasionado dúo que fue repetido, obra de Gascón". Tales éxitos, sin embargo, no tuvieron continuidad por razones desconocidas, hasta 1903 Jordá no volvió a la composición de zarzuelas. En julio de 1903 estrenó *La veta grande*, zarzuela que "desagradó en gran parte al público, pero en las subsiguientes representaciones la reformó su autor, logrando así hacerla más aceptable". A este fracaso seguiría el más grande de sus triunfos cuando en abril de 1904 estrenó *Chin-chun-chan*, que alcanzó un número de presentaciones sin precedente en la escena mexicana. "El éxito fue de lo

mejor" –apuntó una reseña– "y desde las primeras escenas rompió el público en aplausos que hubieron de repetirse, siempre en creciente entusiasmo, en todas y cada una de que fueron sucediéndose hasta el final, en que los autores, entre bravos y dianas, se presentaron en escena numerosas veces siendo en ella ruidosamente aclamados". Conforme *Chin-chun-chan* alcanzó mayor número de representaciones, distintas funciones de obsequio vieron aparecer a Jordá en las tablas del teatro Principal entre ovaciones y gestos de aprecio. El 30 de mayo la obra llegó a su quincuagésima representación y los beneficiados "que fueron objeto de entusiasta ovación y multitud de veces se presentaron en escena a recibir aplausos de los concurrentes" recabaron una cifra de taquilla estimada en poco más de mil pesos, entonces una cantidad muy respetable. En octubre de 1904, *Chin-chun-chan* alcanzó doscientas funciones seguidas y "en obsequio a sus autores el notable barítono Torres Ovando cantó excelentemente el Prólogo de *Payasos*, tocó varias piezas el siempre aplaudido Quinteto Jordá-Rocabruna y produjo el delirio de siempre la insigne Luisa Tetrazzini en una aria de *Hamlet*". De manera explicable, pero paradójica, Jordá se celebraba a sí mismo haciendo algo de música de cámara en el teatro de la zarzuela mientras que el hecho de que la Tetrazzini cantase a beneficio de Jordá y sus colegas denota hasta qué punto los géneros líricos y sus fronteras eran sumamente difusos en el México decimonónico y demuestra, en definitiva, que la ópera y la zarzuela eran contempladas como integrantes de un solo ámbito lírico-teatral.

El éxito de *Chin-chun-chan* tuvo diversos efectos. Para empezar, fue una de las contadas obras mexicanas de exportación pues al menos se representó en Barcelona el 21 de diciembre de 1906 en el teatro Novedades. Por otra parte, el éxito llevó a su autor a emprender nuevas obras. En el mes de julio estrenó una "zarzuela fantástica" denominada *Sueño de un loco* que tuvo muy buena aceptación. En septiembre estrenó una "revista cómica mexicana original" intitulada ¡Qué descansada vida...!. La obra incluía entre sus números "un terceto representando a la Rusia y al Japón", un coro de cotorritas, la fotografía, las Tarjetas postales, un cake-walk y una jota aragonesa. "Gustan principalmente el número de los viejecitos, el jarabe bailado por los niños Roig y Romero, las tarjetas postales y el *Cake Walk* que a diario se repite. La obra es cada día mejor recibida por el público" fueron los comentarios de la prensa. Por otra parte, el triunfo de Jordá, Medina y Elizondo hizo cobrar conciencia a los de su gremio, es decir, a los autores mexicanos, de que sus obras valían y podían gozar de éxitos semejantes a los alcanzados por las obras españolas. Ello hizo que se conformara ese año una Unión de Autores, Sociedad Anónima que buscó promocionar las obras de autores mexicanos entre las principales empresas activas en México y de la cual Jordá fue el tesorero fundador. Aunque la Unión no prosperó, sí fue un antecedente importante de la Sociedad Mexicana de Autores, que habría de tener un impacto mucho mayor en el desarrollo del género en el país.

De alguna manera, Jordá buscó repetir el éxito de *Chin-chun-chan* sin conseguirlo. En 1905 estrenó *El champión*, "sainete afeado por algunos humorismos demasiado crudos" que *El Imparcial* aconsejó fueran omitidos de las siguientes representaciones, pese a lo cual "sus autores fueron llamados varias veces a escena". Pero mientras esta obra duraba poco tiempo en cartelera, *Chin-chun-chan* iniciaba su primera reposición en aquel año y continuaba una carrera escénica que se prolongó en forma casi indefinida. Jordá se alejó entonces temporalmente de la zarzuela, pero años más tarde el efecto de sus éxitos pasados le llevó a buscar nuevos caminos. El 23 de noviembre 1907 estrenó *Fiat*, nueva obra en colaboración con sus viejos amigos Elizondo y Medina. El argumento –no exento de una curiosa autocrítica– también quedó resumido en una nota periodística: "Una compañía de zarzuela de segundo orden está a punto de cerrar el teatro por el mal éxito de la empresa, y esperan con ansia una obra que ha prometido un autor primerizo. Al fin llega éste y se da lectura a la obra: en ella un viejo hechicero, notando que en nuestro tiempo ya no le dan resultado sus supercherías, instala un cabaret dividido en dos gabinetes, el de la Alegría y la Tristeza, para curar en ellos a los enfermos de esos dos graves males. A este cabaret concurren al mismo tiempo dos enfermos de males opuestos y los empleados equivocan las dolencias de esos clientes y entran al enfermo triste en el gabinete de la Tristeza y al jacarandoso en el salón de la Alegría. Es en este salón donde se resuelve la obrita y donde tienen lugar bailables de vistosa novedad. El mago descubre el error de los mozos y trata de remediarlo enviando a los enfermos a los sanatorios respectivos donde hay un bailable, el *Nikette*, que cura a los enfermos". ¿Era este argumento una metáfora del público mexicano y sus teatros de zarzuela? ¿Era el inefable *Nikette* un sobrenombre del género chico? Lo cierto es que, según otra reseña, "la obra prometía ser otro gran éxito y contaba, además, con la participación de la notable tiple María Conesa. Pero ni la música fue tan buena, ni el atractivo de la Conesa dio el resultado esperado: "Los autores de *Fiat* recurrieron a los bailables y el estreno se salvó. Las primeras escenas resultaron un tanto cansadas; diálogos vulgares y chistes sosos; pero en conjunto la obrita es de lo mejor que ha producido la Sociedad de Autores Mexicanos". Curiosamente, el mismo poeta cuya obra Jordá musicalizó en forma espléndida, se quejaba de la tiple que aparecería en *Fiat*: "La Conesa" escribió Luis G. Urbina, "se presentó en las tablas. La figura no es garbosa; el semblante no es bello; la voz es desafinada y desagradable; pero de toda la cara, de todo el cuerpo, de todos los movimientos chorrea malicia esta mujer. Tiene una desenvoltura pringada de cinismo. Las coplas que canta la Conesa (¿las canta?) casi no son picantes, asegura el defensor de la tiple. En efecto, leídas por una muchacha inocente, resultarían cándidas y hasta insensatas. En la boca de la Conesa son simplemente obscenas. Por que hasta el *Padre Nuestro*, dicho y declamado así, como lo hace la diva del género chico, nos parecería un atentado al pudor". Tal descripción habla por sí misma respecto al gusto cada vez más decadente de las producciones de zarzuela en México y del ambiente en el cual Jordá quizá buscaba las ganancias de su éxitos anteriores. Por ello no sorprende que en agosto de 1908 apareció en escena una curiosa obra que sus autores no se atrevieron a firmar. *El Barón*, firmada por *Cástor* y *Pólux* "superó a todas las anteriores zarzuelas en *calembours*, verdaderamente *cocheriles*, pues más parece que ese *mamarracho indecente* fue escrito por sus autores para un presidio y no para un teatro. Esa zarzuela pornográfica y escandalosa del género ínfimo no merece la pena que nos ocupemos de ella y la Empresa no debe sostenerla en cartel después del escándalo fenomenal que su estreno produjo el sábado último". Los autores, sin embargo, eran nada menos que Jordá y su libretista Ramón Berdejo y como bien dijo una reseña, "ni el uno ni el otro consiguieron con su monstruoso engendro otra cosa que aumentar su descrédito, el uno como escritor y como compositor el otro; la obra desagradó desde las primeras escenas y todas las sucesivas provocaron las protestas generales por la vaciedad de su argumento, sus torpes chistes de un color rojo subido en demasía y por su música pesada, vulgarísima y sin originalidad alguna". Terminaba así, derrumbada y en franca decadencia, una carrera que había dado a la zarzuela mexicana su obra más exitosa y perdurable y que no lograría reponerse en producciones posteriores como *Crudo invierno* o *El pájaro azul*. Esa situación no deja de resultar paradójica, toda vez que no sólo sus éxitos, sino los de las cantantes que dieron vida a sus personajes como Esperanza Iris – *Chin-chun-chan*– y María Conesa –*Fiat*– representaban en su conjunto lo más celebrado del repertorio mexicano.

Sin embargo, buena parte de la música de las zarzuelas escritas por Jordá, sobre todo ciertos números selectos de *Chin-chun-chan* y de algunas otras obras, denotan los méritos intrínsecos del resto de su producción. Sin duda, la finura de sus obras para piano, la sutileza armónica de su escritura –evidentes en sus danzas y mazurkas– fue trasladada a los números de baile de sus obras escénicas. Se trata de una música fina, emotiva, sencilla pero no vacía, con un inconfundible sabor local cuya audición permite añorar, con una certeza quizás insuperable, el sonido y el sentir de toda una época. *Véase* CHIN-CHUN-CHAN.

OBRAS: *Palabra de honor*, Zarz, 1 act, l, R. Mendoza / P. Escalante Palma, est, 3-VI-1899, Te. Principal; *Mariposa*, Zarz, 1 act, l, A. González Carrasco, est, 9-IX-1899, Te. Principal; *Los de abajo*, Zarz, 1 act, l. R. Medina, est, 4-XI-1899, Te. Principal; *La mancha roja*, Zarz, 1 act, adaptación de una obra española, est, 1899, Te. Principal; *La veta grande*, Zarz 1 act, l, R. Medina, est, 11-VII-1903, Te. Principal; *Chin-chun-chan*, Zarz, 1 act, l, J. F. Elizondo / R. Medina, est, 1904, Te. Principal; *El sueño de un loco*, Zarz fantástica, l, J. A. Mateos, est, 23-VII-1904, Te. Principal; *¡Qué descansada vida...!*, l, J. F. Elizondo / R. Medina, est, 17-IX-1904, Te. Principal; *La buena moza*, Rv cóm, l, R. Medina / J. M. Gallegos, est, 1904, Te. Principal; *El champión*, Sai, 1 act, l, J. F. Elizondo / R. Medina, est, 27-V-1905, Te. Principal; *F.I.A.T.*, Zarz, l, J. F. Elizondo / R. Medina, est, 23-XI-1907, Te. Principal; *El barón*, Zarz, l, R. Berdejo est, 28-VIII-1908, Te. Principal; *Crudo invierno*, Zarz, 1 act, l, I. Baeza / L. Andrade, est, 1910, Te. María Guerrero; *El pájaro azul*, Rv, 1 act, col. L. Uranga, l, J. B. Uranga, est, 1910, Te. Principal; *Género chico*, Zarz, l, L. Frías Fernández.

BIBLIOGRAFÍA: *RHTM*; L. Reyes de la Maza: *El teatro en México durante el porfirismo*, vol. III, México, U. Nacional Autónoma de México, 1968; R. Miranda: "La zarzuela en México, *Jardín de senderos que se bifurcan*", *Cuadernos de Música Iberoamericana*, 2-3, Madrid, 1996-97, 451-73; –: "Jordá: un español en el México porfiriano", notas al disco *Obras de Luis G. Jordá*, México, Prodisc, 1998.

RICARDO MIRANDA PÉREZ

Jordá Valor, José. Alcoy (Alicante), 13-XI-1839; 16-VII-1918. Organista, director y compositor. Discípulo de Pascual Pérez Gascón, cursó en Valencia sus estudios musicales, así como órgano, instrumento del que fue gran intérprete. Maestro de coros de los teatros Princesa y Ruzafa de Valencia, estrenó en ellos diversas zarzuelas con relativo éxito, como *Gabriel el criollo* en tres actos, 1865, y *La caza del zorro*, 1866, que tuvo cinco representaciones. Un tercer estreno fue *El primer amor*, zarzuela en un acto sobre textos de Jacinto Labaila, uno de los escritores valencianos en prosa y verso más importantes del momento. La obra tenía un acto y fue estrenada en 1867. Otra de sus zarzuelas es *Un parent de l'atre mon*, 1872, en dos actos.

OBRAS: *Gabriel el criollo*, Zarz, 3 act, l, R. Jover, est, 3-III-1865, Te. Novedades; *La caza del zorro*, Zarz, 1 act, l, P. García / R. Blasco, est, 20-I-1866, Valencia; *El primer amor*, Zarz, 1, act, l, J. Labaila / J. Montenegro, est, 10-I-1867, Te. Princesa (Valencia); *España con honra*, Zarz, 1 act, est, 1870; *Diciembre y enero, revista de 1870*,

Rv, 1 act, l, R. Lledó, est, 19-I-1871, Te. Libertad (Valencia); *Pared por medio*, Zarz, 3 act, l, J. M. Nogués, est, 1872, Barcelona; *Un parent d'altre mon*, Zarz, 2 act, l, F. Palanca, est, 19-II-1872, Te. Circo (Valencia); *La visión*, entreacto, 1 act, est, XII-1909, Alcoy (Alicante); *El hijo natural*, Zarz, 1 act; *El hijo pródigo*, Zarz, 2 act, est, Valencia; *L'horts dels enamorats*, Zarz, 1 act, l, R. Lledó; *Murdoch el bandido*, Zarz, 1 act, l, M. Millás.

BIBLIOGRAFÍA: *DMEH*; *TLE*.

EMILIO CASARES RODICIO

Jordán. Familia de artistas españoles formada por los hermanos Carmen y Anselmo, y Amparo, la esposa de éste.

1. Jordán Escofet, Carmen. Cuevas del Almanzora (Almería), 1883; Valencia, 1931. Tiple cómica. Debutó en el teatro de la Princesa de Valencia en 1898 en *Gigantes y cabezudos* con la compañía de José Talavera. Pasó después al teatro Ruzafa con la zarzuela *Los cocineros*. A continuación realizó una gira por Argentina donde permaneció catorce años, sobre todo en la compañía del empresario Losada. Abandonó la zarzuela por la comedia y regresó a España, y poco tiempo después, se retiró del teatro y regresó a Buenos Aires, aunque una repentina enfermedad la trajo de regreso a España para operarse en la clínica del Doctor Candelas en Valencia, falleciendo durante la operación.

2. Jordán Escofet, Anselmo. Cuevas del Almanzora (Almería), 1885; ?. Apuntador. Uno de los más importantes de su profesión, comenzó en 1906 en La Habana con la compañía de Manolo Lapresa. Formó parte de la compañía de operetas de Esperanza Iris y la mayor parte de su carrera se ha desarrollado en América, actuando en Cuba, Argentina, y otros países, alternando diversas compañías, tanto de verso como líricas. Con el estallido de la guerra regresó a La Habana, no como apuntador sino como actor radiofónico.

3. Jordán, Amparo [Amparo Esteller Andrial]. Madrid, 14-V-1893; La Habana, 8-XII-1981. Tiple. Realizó estudios de música con Encarnación Avellán en Valencia. A los doce años se estableció en Cuba con su familia. Su vinculación al teatro fue a través de su hermano Alberto, carpintero y luego tramoyista del teatro Martí. Se casó con Anselmo Jordán, de quien tomó el apellido, lo que llevó a que Amparo formara parte del coro de la Compañía de Manolo Lapresa donde trabajaba Anselmo, iniciando así su carrera artística en 1913. Del coro pasó a realizar su primer pequeño papel como una doncella en la opereta *La casta Susana* de Gilbert. Llegó a interpretar La Pastora de *Maruxa* de Vives y La Valencienne de *La viuda alegre* de Lehár. Participó en 1919 en el estreno de la primera obra de Ernesto Lecuona: *Domingo de Piñata*, en el teatro Martí. Después intervino en *El* *portfolio del amor* de Lecuona; *Los gavilanes* de Guerrero; *Bohemios* de Vives; *Ave César* de Lleó; *La gatita blanca* de Giménez y Vives y *La alsaciana* de Guerrero. Marchó a España donde permaneció dos años. Actuó en el teatro Ruzafa de Valencia, donde estrenó *La calesera* de Francisco Alonso. Más tarde trabajó con un grupo de artistas cubanos en Nueva York, en el teatro Hispano San José. Perteneció a las compañías de Esperanza Iris, Mario Martínez Casado, Ernesto Lecuona, Miguel de Grandy y la de Magda Haller, donde hizo teatro en verso. Actuó en los más importantes teatros de la capital y del interior de la isla. Después de haber participado como tiple cómica en un sinnúmero de zarzuelas y operetas, se inició con el paso de los años, como característica en *Luisa Fernanda* de Moreno Torroba, en el personaje de Mariana. De su extenso repertorio destacan *La revoltosa* de Chapí; *La leyenda del beso* de Soutullo y Vert; *La parranda* de Alonso; *Katiuska* de Sorozábal; *La Dolorosa* de Serrano; *La verbena de la Paloma* de Bretón; *La princesa de las Czardas* de Kalman; *Agua, azucarillos y aguardiente* de Chueca y *El asombro de Damasco* de Luna, entre otras. Aunque siempre trabajó el género español, interpretó en su larga carrera obras de autores cubanos como: *Cecilia Valdés* de Roig; *Carolina* de Valdespí; *Niña Rita* de Lecuona; *El general huyó al amanecer, Voy bien Camilo?, El penúltimo cuplé* y *Un premier con toda la barba* de Prats. Al cumplir sesenta años de carrera artística optó por el retiro en 1973. A los tres años y medio solicitaron su participación en una función de *Los gavilanes* de Guerrero, recibiendo ese día una de las más grandes ovaciones de su vida.

BIBLIOGRAFÍA: F. Cuenca: *Teatro andaluz contemporáneo. 2. Artistas líricos y dramáticos*, La Habana, Maza, 1940.

I. Mª LUZ GONZÁLEZ PEÑA
2-3. JOSÉ PIÑEIRO DÍAZ

Jota. Canto y baile tradicional muy extendido en España e Hispanoamérica. Miguel Manzano lo define como "el tipo de baile más difundido y practicado en la mayor parte de las tierras de España. La palabra se emplea también para referirse a los cantos y toques instrumentales que sirven como soporte rítmico del baile que recibe ese mismo nombre". La jota constituye una de las formas populares españolas más extendidas y tuvo también una larga vida en América, especialmente en Argentina, Chile, Colombia, Costa Rica y Venezuela.

La jota se define ante todo por su ritmo, que consta de una agrupación binaria de dos bloques ternarios rápidos, acentuados alternativamente. Normalmente se escribe en el compás de 6/8, que señala a la vez la base ternaria y la distribución y acentuación binaria. Se interpreta siempre con un ritmo rápido en el que las fracciones del ritmo casi siempre corresponden a cada una de las sílabas del verso octosilábico. Según el citado investigador "la medida de tiempo más común en el repertorio jotesco oscila alrededor de un valor metronómico de 85 para cada tiempo del compás de 6/8, que da como resultado una pronunciación muy acelerada de las sílabas del texto. Sin embargo las oscilaciones del tempo pueden llegar desde valores por debajo de 70 para ciertos estilos muy asentados de baile como son los norteños, hasta otros que superan 100 para las coreografías más agitadas, como las jotas denominadas "bailaderas por Aragón".

Las melodías de la jota son infinitamente variadas, desde las más arcaicas, impregnadas de elementos modales que aparecen en el noroeste de la península, hasta las más recientes, que se dan sobre todo en el centro y el este. Se acompañan con panderetas o pandero, y las más antiguas con instrumentos armónicos, preferentemente guitarras, que les dan una base armónica reiterativa alternando con acordes de subdominante y tónica de un modo mayor.

I. Estructura de la jota en la zarzuela. II. Historia de su empleo.

I. ESTRUCTURA DE LA JOTA EN LA ZARZUELA. Si alguna danza tuvo una vida señalada en la zarzuela fue la jota. Desde el inicio de la zarzuela romántica tuvo un papel esencial junto con las seguidillas, boleros, polos y tiranas, y en compañía de otras nuevas con la llegada del género chico. Ya Barbieri escribía al Marqués de Salamanca en 1859 aquella famosa seguidilla acróstica que comenzaba: "Si en la música es todo / la-s siete *notas* / sol-tándolas va en ellas / fa-ndango y jota". Y a ello contribuyeron, sin duda, la influencia de algunos grandes divos que interpretaron el género: Julián Gayarre e Hipólito Lázaro –que inmortalizaron las de *La Dolores* y *La bruja*– Miguel Fleta y Lucrecia Arana, gran cantante de jotas, que interpretaba con brío y valentía.

Sin duda, como consecuencia de la singularidad de su ritmo y de la brillantez de algunas de las variaciones instrumentales que preludian e interludian el canto de las estrofas, su presencia en la zarzuela ha sido singular, y uno de los símbolos hispanos más claros en la música lírica. Por este motivo ha sido un material del que han partido numerosos músicos extranjeros cuando se aproximan a lo hispano; recuéndense obras como *Obertura española* nº 1 de Mijail Glinka o la *Rapsodia española* de Franz Liszt. El uso de la jota se convierte también en casi un hábito de todos los compositores de salón, ya sea en canciones o en piezas para piano, y condujeron a obras magníficas en Albéniz, Granados o Manuel de Falla.

A diferencia del tratamiento musical que le dieron estos compositores, que la llevaron a complejas estructuras musicales, por lo general, en la zarzuela, su empleo ha sido bastante literal. Ni siquiera en la gran jota de *La Dolores* de Tomás Bretón, las jotas de *Gigantes y cabezudos* de Manuel Fernández Caballero, la de *El guitarrico*, –"Suena guitarrico suena"– de Agustín Pérez Soriano, y la de *La bruja* de Chapí, por poner cuatro grandes modelos de su uso, o las numerosas de Serrano en *Los de Aragón*, se llegó a este planteamiento. Por ello en muchos casos su uso ha sido bastante tópico, lo que no significa que no se haya llegado a plasmaciones geniales, como las anteriormente citadas.

Un rastreo selectivo de la forma en que los compositores han tratado la jota, permite comprobar dos realidades. Por una parte, la jota es un género musical que interesa de manera especial en el conjunto de los géneros populares; y, por otra, la jota se viene identificando desde mediados del siglo XIX con Aragón, por razones fáciles de explicar, dado el desconocimiento que de la música popular tradicional española hubo hasta las primeras décadas del siglo XX.

La jota tiene cuatro tratamientos en la zarzuela: como número orquestal, –en preludios o interludios–, como número para voz solista, como coro, con o sin solista, y, como baile. En los cuatro usos, la jota es transmisora de la música del pueblo, expresión de sentimientos relacionados con valores patrios o regionales, frecuentemente guerreros, pero, también, puede ser la expresión del sentimiento personal de algún protagonista, como Leonardo

Jota de *La bruja* de Chapí

nardo en *La bruja* de Chapí. La jota tiene, por ello, una funcionalidad polivalente; puede servir para cantar momentos dramáticos o amorosos en las jotas solísticas, en las que se dicen coplas de amor, o por el contrario, cómicos y picarescos, muy frecuentes en los coros; tal es su uso en la jota de los Tres Ratas de *La Gran Vía* o la de *La alegría del batallón*, "A ver si te han guipao" de Serrano. En varios casos su presencia viene acompañada de una organología específica con el añadido de la rondalla, pidiendo el protagonista justamente que se

templen las guitarras para comenzar. Otras veces el canto de la jota es demandado por el público, por ejemplo el Nº 7 de *Al fin se casa la Nieves* de Bretón, en la que la protagonista entona "En Zaragoza cantan los vencedores /, Calatayud las coplas de la *Dolores...*".

La jota tiene un peso específico en algunas obras en las que aparecen varias. Este es el caso de *La alegría de la huerta* de Chueca, en la que el Nº 4 se inicia con un coro de vendedores, elaborado sobre una jota cantada por un ciego, deudora de la jota de los Ratas de *La Gran Vía*, y el Nº 5 es la brillante jota murciana que sirve de cierre musical a la obra, muy celebrada en las representaciones, e inmortalizada en diversas grabaciones discográficas por grandes tenores españoles, en la que intervienen, junto a Juan y el dúo protagonista, la rondalla con bandurrias. Sin embargo, el modelo más importante del dominio de esta danza en una obra es, sin duda, *Los de Aragón* de Serrano, considerada por algunos como una exaltación de la jota.

La jota se usa en muchas ocasiones para cerrar un acto y en ese caso siempre es un *tour de force* normalmente con la presencia de un solista, un coro, rondalla y orquesta, aunque esta brillantez se use en otros lugares; ya en *La venta del puerto* de Oudrid se exige del cantante una tesitura aguda, imitando el agudo y engolado timbre de los "joteros" aragoneses, donde, por cierto, se parte del conocido texto procedente del repertorio popular que dice: "La Virgen del Pilar dice / que no quiere ser francesa , / que quiere ser capitana / de la tropa aragonesa". Finalmente la jota se puede combinar con otras danzas, tal es el caso de la mezcla del vals-jota en *Los arrastraos* de Chueca.

II. HISTORIA DE SU EMPLEO. Es muy difícil hacer una historia de la jota en la extensa vida de la zarzuela porque su uso es continuo. La lista de su presencia sería inacabable. La jota está ya presente en las primeras obras de la zarzuela decimonónica. Así en *La pradera del Canal* de Iradier, Oudrid y Cepeda, 1847, en la que se introduce la jota aragonesa, "Un repique y un redoble". Oudrid vuelve a ella en *Amor y misterio*, 1855, con el título de "A los cuernos de la luna", y en otras, como *La venta del Puerto o Juanillo el Contrabandista* en un coro de estudiantes, *Bazar de novias*, *El postillón de la Rioja* y *El molinero de Subiza*; Tomás Genovés en *Un embuste y una boda*, 1851; Inzenga en *El campamento*, cuyo número primero es un baile de jota. Arrieta hace un uso menor, pero la emplea de una manera original y más elaborada, saliéndose de la cita popular, en *Llamada y tropa*; también la usa Gaztambide en *El lancero* y *¡¡Tribulaciones!!*; Isidoro Hernández en *A las máscaras*, *Para palabra*, *Aragón* y Hernando en *El novio pasado por agua*. Barbieri acude a ella en *El barberillo de Lavapiés,* al final del acto primero: "Ya los estudiantes, madre", en el Nº 1 de *Dos pichones del Turia,* en el que Colau y coro cantan una jota; en *Pan y toros* y, en *Gibraltar en 1890,* en cuyo preludio aparecen citas del himno inglés, *God saves the Queen,* mezcladas con una jota aragonesa; en *El rábano por las hojas,* cuyo número final es una jota que tuvo gran éxito y sobre la que Barbieri escribió "Esta jota final está escrita para que Mariano Fernández se despache a su gusto, poniendo todas las coplas que le sugiera su fecunda y graciosísima vena", y en otras como *El pan de la boda* o *El proceso del can-can.* De la primera generación de zarzuelistas destaca especialmente Fernández Caballero, quien usa la jota en obras tan variadas como *Aires nacionales, El dúo de la Africana, El pícaro mundo, El velo de encaje, Gigantes y cabezudos, La manta zamorana, Las grandes figuras, Las nueve de las noche, Los huertanos* y *Los zangolotinos.*

La llegada del género chico, que coincide con una nueva generación de compositores, supuso un claro incremento en su empleo, desde el momento en que este género aumenta de manera clara las músicas populares. Chueca y Chapí son dos grandes especialistas en la jota. El primero la emplea, entre otras, en *Cádiz, De la noche a la mañana, De Madrid a Barcelona, De Madrid a París* y *El arca de Noe,* donde el Baturro, tenor, y un coro interpretan "Si habemos llegado tarde"; *En la tierra como en el cielo, La alegría de la huerta, La borracha, Las zapatillas, Los arrastraos, Los descamisados, Medidas sanitarias, Vivitos y coleando* y, de una manera genial, en *La Gran Vía.* Similar uso hace Chapí con alguna jota modélica como la citada de *La bruja,* pero también en otras obras como *El fonógrafo ambulante, El reclamo, La cuna, La Puerta del Sol, Los trabajadores* y *Ortografía.* Bretón es otro de los autores más fieles a la jota, y no sólo en la inmortal de la ópera *La Dolores,* sino en otras como *Al fin se casa la Nieves* o *Vámonos a la venta del Grajo,* en que la protagonista es una joven aragonesa, la Nieves; el último cuadro, desarrollado en la Venta, concluía con una jota de gran brillantez, interpretada por la protagonista Joaquina Pino que, inevitablemente, recordaba al reciente éxito de *La Dolores.* Meses más tarde compuso *¡Ya se van los quintos, madre!,* que también incluye una jota. Gerónimo Giménez realiza a su vez un uso abundante de esta danza en obras como *Cinematógrafo nacional, La cencerrada, La madre del cordero, Los timplaos, Los voluntarios* o *María del Pilar.* También lo hace López Torregrosa quien emplea jotas en varias obras como *El galleguito, El trabuco, La Cañamonera, La divisa, La moza de mulas, Las amapolas* y *Que se va a cerrar.* Quizá el último compositor destacado en su uso fue Joaquín Valverde Sanjuán quien usa jotas en

Congreso feminista, Gente menuda, La boda de Serafín, La Chiquita de Nájera, La guitarra, La reja de la Dolores, Los cocineros, Los hijos de la escuela, Los tres gorriones, San Juan de Luz. Dentro de este grupo se debe citar también a Albéniz con *San Antonio de la Florida,* en la que aparece una jota, y a Pérez Soriano con *El guitarrico* del que ha sobrevivido sólo la jota.

El último periodo del uso de la jota se da en el siglo XX. Luna, de origen aragonés, la emplea en varias obras como en la romanza "País del sol" de *Benamor;* Barrera en *La vara de alcalde, El maño, El celoso extremeño* y *La Tajadera;* Calleja en *El poeta de la vida, El señorito, La boda, Los holgazanes* y *Los monigotes del chico.* Con la llegada del movimiento que se conoce con el nombre de zarzuela regionalista, a comienzos del siglo XX, protagonizado especialmente por Serrano, la jota vuelve a incrementar su peso. Serrano la usa en *La jota de la Dolores* —en dos momentos, para finalizar el primer cuadro y la obra *El trust de los Tenorios,* —uno de los modelos de jota más famosos—, *El olivar, La alegría del batallón,* con la jota del gato, *La noche de reyes.* Un lugar especial merece *Los de Aragón.* El propio autor lo deja claro: "Una de las cosas más difíciles para un buen compositor es imaginar una copla de jota que tenga originalidad y aroma popular; a pesar de esa originalidad, me propuse, hace mucho tiempo, hacer una obra entera sin más motivos que la jota, con sus ritmos y estribillos". Otras muchas obras usan la jota a lo largo de aquellos años, así *La del Soto del Parral* y *El último romántico* de Soutullo y Vert, *La Rabalera, El tirador de Palomas* y *La villana* de Vives, *La sombra del Pilar* y *Martierra* de Guerrero, *Miguel Andrés* de Joaquín Larregla, *La última copla* de Marquina, *La hostería del Laurel* y *Las molineras* de Lleó y *Tropa ligera* de Arturo Saco del Valle.

BIBLIOGRAFÍA: *DMEH.*

EMILIO CASARES RODICIO

Jove Puerta, Alejandro. Tiñana (Asturias), 20-VII-1818; Oviedo, 26-V-1875. Compositor. A los nueve años entró en el coro de la catedral de Oviedo con una beca. Durante su estancia fue discípulo de Bros, con quien estudió piano y violín, instrumento este en el que adquirió cierta relevancia, siendo contratado por la Academia Filarmónica de Madrid. Cuando se clausuró esa academia regresó a Oviedo, donde permaneció el resto de su vida. Fue director de la orquesta del teatro del Fontán y profesor particular. Se dedicó también a la composición tanto de música religiosa como profana y fue director de diversas bandas, como la de Pravia (Asturias). Compuso dos zarzuelas y una ópera.

BIBLIOGRAFÍA: *DMEH.*

EMILIO CASARES RODICIO

Joven piloto, El. Cuadros sentimentales de la vida en el mar y en los puertos, en dos actos. Música de Juan Tellería. Libreto de Jacinto Miquelarena y Luis Urquijo Landecho (Marqués de Bolarque). Estrenada el 7 de diciembre de 1934 en el teatro Calderón de Madrid.

Personajes y reparto. Rosario (Felisa Herrero, soprano). Trinidad La Chinamanila (Selica Pérez Carpio, soprano). Raimunda (Ramona Galindo, actriz). Ignacio (Adolfo Sirvent, tenor). Sirimiri (Francisco Gallego, tenor). Shimela (Sr. Sansi, barítono). Antón El Bardo (Sr. Sansi, barítono). El Capitán de La Mundaca (actor). José María (actor). Don Paco, Armador 2º, Muchacha 1ª, Muchacha 2ª, Muchacha 3ª, Muchacho 1º, Una bailarina negra. Capitán del Ciudad de Dublín. Marinero borracho del Ciudad de Dublín. Dueño del Café en La Habana. Un rico hacendado. El camarero del Café de La Habana. Marinero 1º. Marinero 2º. Un inglés. Un negro. Jugador de billar 1º. Jugador de billar 2º. Beethoven. Camarero del Café de la Marina. Padre de Rosario. Un niño. El Mulato. Dueño del cafetín de La Habana. Camarero del cafetín de La Habana. Cuatro marineros noruegos. Marineros. Consumidores. Gentes del muelle, etc.

Orquestación. Flautín, flauta, oboe, 2 clarinetes, fagot, 2 trompas, 2 trompetas, 3 trombones, timbales, percusión, arpa, piano y cuerda.

Argumento. En un puerto del norte de España, la tripulación de La Mundaca, un hermoso velero blanco, se apresta para embarcarse rumbo a Cuba. Sirimiri y Shimela, dos lobos de mar, esbozan algunas historias de marineros y llaman a Ignacio, el joven piloto de la nave que, recién casado, se despide de su mujer Rosario. El segundo cuadro transcurre en un cosmopolita café cantante de La Habana donde se divierten marinerías de todas las razas con mujeres de alterne. Shimela, Sirimiri e Ignacio, asisten al espectáculo. Es su última noche antes de emprender el regreso y, sobre todo Ignacio y Sirimiri han bebido más de la cuenta. Shimela, que es un viejo marino amante de su mujer Raimunda, trata de transmitir a los otros algo de cordura, pero no se lo ponen fácil porque se han prendado de dos mulatas. Sirimiri no tiene mucho éxito, pero Ignacio ha enamorado a Trinidad, La Chinamanila, principal vedette del café y, haciendo oídos sordos de la llamada de su capitán, decide quedarse en tierra con ella. El acto termina con un cuadro que de nuevo representa el puerto español. Allí, en el Café de la Marina, al son de músicas distintas a las caribeñas y sin el adorno del mujerío habanero, reina también un ambiente marinero más tabernario que cabaretero. Un cantante ciego trae la noticia del avistamiento de La Mundaca, lo que emociona a Rosario y Raimunda. Llega Shimela, pero la noticia que trae deja desolada a Rosario: Ignacio se quedó en Cuba, "cosas del mar y de los puertos", según Shimela.

Veinte años después, Rosario ha criado sola un hijo de Ignacio, José María, al que simplemente ha dicho que su padre desapareció en el mar. José María quiere ser, a toda costa, marinero para buscar a su idealizado padre. Raimunda trae noticias de que las cosas entre Ignacio y la mujer cubana van de mal en peor pero, tanto tiempo después, Rosario no reacciona. Regresa entonces La Mundaca de una nueva singladura, pero Shimela, el marido de Raimunda, murió en la travesía y el capitán dio su cuerpo a la mar como hubiera querido el viejo marino. Sirimiri se lo cuenta a Rosario, los marineros van trayendo el equipaje y el jergón de Shimela, llega Raimunda y el Capitán se la lleva del brazo para darle la fatal noticia. De nuevo en La Habana, el segundo cuadro de este acto tiene lugar en un sórdido cafetín, donde ha recalado en su decadencia Trinidad La Chinamanila con su celoso amante Ignacio. Allí la encuentra Sirimiri que se interesa muy vivamente por ver a Ignacio. Entre tanto aparece Ignacio, Sirimiri habla con un viejo conocido: el Bardo, un cantante español que va con su guitarra de puerto en puerto. Cuando llega Ignacio hace una escena de despecho con Trinidad que se ha encaprichado de un mulato que la corteja. El mulato se encara con Ignacio, hay bronca, aquel saca una pistola, pero el Bardo le desarma mientras Sirimiri y otros marineros sujetan a Ignacio. Finalmente, Sirimiri convence a Ignacio de que vuelva con él a su tierra mientras Trinidad se queda con su nueva conquista. De nuevo en el puerto español, Ignacio se presenta ante Rosario pidiendo disculpas pero ella no le perdona. Llega el armador de La Mundaca y ofrece a Ignacio capitanear el barco. Al principio, Ignacio se resiste, pero cuando el armador le dice que su hijo, José María, se ha enrolado en la tripulación, éste accede encantado. José María se despide de su madre en presencia de Ignacio y, con este mínimo destello de esperanza la obra concluye.

Números musicales. Acto I: Introducción y Nº 1. Sirimiri, Muchachas y Muchachos, "La novia que yo quisiera". Nº 2. Romanza de Shimela con coro, "Qué tendrá la mar". Nº 3. Dúo de Ignacio y Rosario con coro general, "Mujer, yo te quiero". Nº 4. Rumba del guateque. Coro general, "Hoy es día de guateque". Nº 5. Rumba de Chinamanila, "Alacrán". Nº 6. Coro de marineros, "Gentil palomita". Nº 7. Coro de hombres. Rondalla, "No te cases, niña, no". Nº 8. Piano solo y Rosario, "Hoy me siento muy feliz". Nº 9. Coro de marineros noruegos, "Peter quisiera volver". Nº 10. Final del acto I. Rosario, Shimela y coro, "Le salió una mestiza a su destino". Acto II: Nº 11. Plegaria de Rosario, "Le abriría mis brazos". Nº 12. Rosario, Sirimiri y coro, "Ábrele la puerta". Nº 13. Trinidad y coro, "Iba José a caballo". Nº 13b. Romanza de Ignacio y coro, "La flor de tus besos de grana". Nº 14. Zortzico coreado de Antón El Bardo, "Los montes de aquel país". Nº 15. Romanza de Ignacio, "¡Qué la diré!". Nº 15b. Final. Recitado sobre la música y coro, "Qué tendrá la mar".

Comentario. En las Navidades de 1930 Juan Tellería, todavía compositor joven y novel en su relación con el género lírico popular, tuvo un notable traspiés con el estreno de la zarzuela bufa *Los blasones* que había sido la primera obra que presentaba en solitario tras haberse iniciado en el género con una colaboración con Conrado del Campo en *El cabaret de la Academia*, una obra menor y muy arrevistada. Tres años después se produjo la reacción de Tellería con el estreno de *El joven piloto* con la compañía de Federico Moreno Torroba. Esta obra iba a significar un importante cambio cualitativo en la actividad compositiva que Tellería dedicó a la escena gracias principalmente al libreto, excelente en su concepción lírico-dramática y poco corriente en su forma articulada en dos actos que transcurren en 1878 y 1898, respectivamente, y en dos espacios distintos: un puerto del norte de España y La Habana. El puerto es, por los tipos que habitan en él, claramente vasco y cada acto consta de dos cuadros españoles y un cuadro antillano que dan al músico un lugar privilegiado para el lucimiento de sus habilidades como compositor de músicas de moda y aires regionales. Además, todo el libreto está pensado con sumo cuidado para crear escenas verosímiles y, como se indica en su subtítulo, lo que prima es un sentimentalismo verosímil, fundado en una narración directa, sin retruécanos, concisa y con movimiento, donde ocurren cosas cotidianas y se trata descarnadamente de dos sucesivos fracasos amorosos del joven piloto Ignacio, contrapuestos sin ampulosidad al amor firme de Shimela. Todo está, no obstante, levemente pasado por el tamiz de lo lírico, del que afloran canciones marineras, sones del mar y aires de moda cantados por una vedette que es la figura antagonista de la trama. Además de músicas populares colorísticamente orquestadas, la partitura de Tellería tiene sorprendentes detalles sinfónicos de corte clásico como la música orquestal que acompaña la escena trágica de la muerte de Shimela o la melodía para piano del ciego Beethoven, al lado de romanzas convencionales de zarzuela y un zortzico de franca inspiración.

El comediógrafo Tomás Borrás, amigo y colaborador de Tellería, en una monografía dedicada al compositor, refirió con gran detalle la forma expeditiva con que los libretistas paliaron la proverbial pereza de Tellería. Según Borrás, que compartía mesa con Miquelarena −uno de los libretistas de *El joven piloto*− en la redacción de *ABC*, el libro de *El joven piloto* estaba creado expresamente para Tellería pero, conociendo y temiendo el precedente según el cual Tellería concluyó *Los blasones* a vuelapluma, minutos antes de comenzar el estreno, escribiendo un número en una pared del Circo Price, los libretistas se tomaron la libertad de sacar al pobre compositor del ambiente madrileño que le perdía y de encerrarle en una habitación del palacio de los Urquijo en Llodio. Esto debió ocurrir en el verano de 1934, y el cautiverio de Tellería se prolongó cerca de dos meses al cabo de los cuales había deslizado por debajo de la puerta de su prisión, completamente instrumentadas, todas las páginas de música de *El joven piloto*. El resultado fue una obra que causó la admiración hasta de un crítico tan poco interesado por el género zarzuelístico como Adolfo Salazar que, desde su prestigiosa tribuna de *El Sol*, escribió unas líneas que suponen un completo análisis de la obra de Tellería realizado por el principal ideólogo de la música de ese tiempo: "Hemos llegado, felizmente, a buen puerto: al puerto libre de la miseria industrial y profesional del zarzuelismo español. Es lo primero que hay que señalar en esta obra de tres personas que no pertenecen de cerca ni de lejos al tinglado administrativo del teatro, porque si Juan Tellería es un profesional de la música, no lo es de la escena, y en cuanto a sus colaboradores, apenas hay que decir, porque todo el mundo los conoce, que no se acercan a ella más que para satisfacer una inclinación de buena ley. Si no la hubieran logrado con tan buen arte como limpia inspiración, cabría reprocharles la audacia de su diletantismo; pero ocurre que el libro de Bolarque y Miquelarena está perfectamente logrado, y todo cuanto contiene es merecedor del más certero aplauso. Dividida la acción en seis cuadros, se desarrolla con perfecta lógica, en un proceso perfectamente llevado y en el cual intervienen, para darle variedad, multitud de episodios bien encontrados, siempre vistos musicalmente con originalidad e interés, como, por ejemplo, el de la composición del viejo músico pueblerino, que da ocasión luego a finos comentarios en la orquesta. El ambiente de la obra es simpático: un puerto del norte al comenzar el último tercio del siglo pasado. Era la época del comercio con las Antillas, y dos escenas ocurren en cafetines habaneros, lo cual obliga al músico a una descripción de color local, que tiene el buen gusto de realizar sin insistencias y sin cargar demasiado la paleta. Lo mismo hace al tratarse del ambiente vasco, apenas esbozado por fragmentos de canciones a coro, tratadas con seguridad de técnica y de efecto por Tellería. Estas breves páginas y los intermedios orquestales muestran todo el jugoso ingenio de ese músico, en quien una feliz apatía ha apartado de la composición industrial, en la que es seguro que habría conseguido muy pronto el primer puesto. Mejor para él si su impenitente bohemia sólo le permite escribir páginas de tan buena música como las que se escuchan en *El joven piloto*. La música acompaña siempre a la acción y a los cantantes, lo cual no es poco decir. Es posible encontrar que la construcción lírica no tiene aún una estructura suficientemente robusta; pero siempre sabe sostenerse sin decadencia, y sobre todo, sin caer en tópicos manidos o en recursos vulgares. Piénsese en lo que podría haberse convertido este libro, con sus habaneras, guarachas y guajiras, más sus coros vascos y hasta su apunte de zortzico en manos de un menestral al uso y al abuso. Pero sería un elogio flaco decir que todo es limpio, decoroso, de fina hechura en *El joven piloto*, si no se dijera enseguida que además es bello; que la acción tiene interés y un punto dramático hondo y discreto; que en cada momento agrada y solicita la cordialidad del aplauso" (*El Sol*, 8-XII-1934). El número del "Alacrán", cantado por Selica Pérez Carpio, se popularizó de inmediato y la cuidada escenografía de Bartolozzi así como la dirección orquestal del maestro Acevedo contribuyeron también al éxito de la obra que dio lugar a un banquete que se celebró en honor de los autores en el Hotel Nacional el día 23 de diciembre. Organizado, entre otros, por el pintor Eduardo Chicharro, a la sazón director general de Bellas Artes, Jacinto Benavente, Mariano Benlliure, Eduardo Marquina y Jacinto Guerrero, representantes de los más variados ramos del arte, el acto contó con la asistencia de cerca de un centenar de personas y durante el mismo se dio cuenta de adhesiones tan destacadas como las del maestro Villa, Fernández Arbós y el ex-ministro Chapaprieta. El 15 de febrero de 1935 *El joven piloto* se estrenó en San Sebastián obteniendo un éxito equivalente al que obtuvo en la escena madrileña y, con posterioridad, Jesús María de Arozamena realizó una adaptación de la obra para televisión que se puede consultar en la Biblioteca Nacional.

Fuentes manuscritas. El libreto mecanografiado, la parte de apuntar y los materiales de orquesta se conservan en el archivo de SGAE en Madrid (6153).

BIBLIOGRAFÍA: A. Salazar: *"El joven piloto*, de Miquelarena y Bolarque, música de Tellería", *El Sol*, 8-XII-1934; T. Borrás: *Juan Tellería*, Madrid, Zagor, 1962; J. Suárez-Pajares: "El compositor vasco Juan Tellería y su tiempo. Reflexiones después del centenario", *Cuadernos de Música Iberoamericana*, Madrid, SGAE, 1996, 25-62.

JAVIER SUÁREZ-PAJARES

Jóven Telémaco, El. Pasaje mitológico-lírico burlesco en dos actos. Música de José Rogel. Libreto de Eusebio Blasco. Estrenado el 23 de septiembre de 1866 en el teatro de los Bufos madrileños.

Personajes y reparto. La diosa Calipso (Manuela Checa, tiple). La diosa Venus (Rosario Hueto, tiple). La ninfa Eucaris (Srta. Ruiz, tiple). Nisea, ninfa (Sra. Larraz, tiple). Leucotoe, ninfa (Sra. Macías, tiple). El joven Telémaco (Francisco Arderius, barítono cómico). El sabio Mentor (Ramón Cubero, tenor cómico). El niño Amor (Sra. Rubio, tiple). El prudente Ulises (Fernando Giménez, barítono cómico). Ninfas (Coro de suripantas).

Orquestación. Flautín, flauta, 2 oboes, 2 clarinetes, 2 fagotes, 2 trompas, 2 cornetines, 2 trombones, figle, timbales y cuerda.

Argumento. La obra parodia un supuesto episodio de la *Odisea*. *Acto I*. La diosa Calipso se encuentra furiosa y desairada en su cueva porque su amante, Ulises, ha desaparecido. Telémaco, hijo de Ulises, que se ha puesto en camino en busca de su padre, llega a la isla de Calipso acompañado de su preceptor, Mentor. Calipso se enamora de Telémaco nada más verle, por el gran parecido que tiene con su padre, y hace lo imposible por conquistarle. Telémaco, consciente de los encantos de la diosa, se prenda de la ninfa Eucaris, que a su vez le corresponde; ésta es encerrada en una cueva por Calipso. Mentor se da cuenta de las artimañas de Calipso y trata de proteger al joven, huyendo ambos.

Acto II. Calipso visita a la diosa Venus, madre de Eros, dios del amor, y suplica a éste que haga regresar a Telémaco a sus brazos. Eros trae a la isla a Telémaco y Mentor, considerando así cumplida su misión. Pero Telémaco soborna al joven dios con dinero de Mentor y le pide que vaya a buscar a la ninfa de la que se ha enamorado. Llega Ulises a la

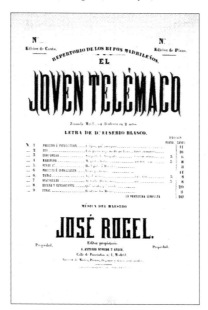

Cortesía de Unión Musical Ediciones SL

isla, con la cara tapada, sin ser reconocido por Venus. Ulises y su hijo se encuentran y, tras reconocerse, se abrazan con amor. La obra concluye felizmente, con la llegada de Eucaris, traída por Eros, la cual se une a Telémaco. Calipso decide casarse con Mentor, el único que le ha dado consejos adecuados, pero no puede hacerlo pues Mentor era la diosa Minerva, disfrazada para proteger al joven Telémaco.

Números musicales. Acto I: Nº 1. Preludio e introducción, Eucaris y coro de ninfas, "Calipso, ¡qué amargura!". Nº 2. Dúo de Calipso y Mentor, "Este pícaro viejo me da que hacer". Nº 3. Coro griego, ninfas, "Suripanta, la suripanta". Nº 4. Habanera, Telémaco, Mentor y coro, "Me gustan todas, me gustan todas". Nº 5. Final 1º, Calipso, Mentor, Telémaco, Leucotoe, Nisea y coro de ninfas, "Ha llegado a Barcelona la señora de Amaniel". Acto II: Nº 6. Introducción y tango, Calipso y coro de ninfas, "¡Yo no puedo más!". Nº 7. Seguidillas de Venus, "¡Ay, vuelve, dueño mío!". Nº 8. Escena y concertante, Venus, Amor, Calipso, Mentor, Telémaco y coro de ninfas, "¿Qué sucede, qué sucede?". Nº 9. Final, Mentor, con Venus, Amor, Calipso, Eucaris, Ulises, Telémaco y coro, "Benéficos los dioses, tras tantas amarguras".

Comentario. Francisco Arderius había regresado de París en el verano de 1866 y el 23 de septiembre de ese mismo año estrenaba en el teatro de Variedades, bautizado entonces como "de los Bufos Madrileños", *El joven Telémaco*, obra que, imitando los esquemas de los bufos parisinos de Offenbach, y situando la acción en el contexto de los mitos clásicos –al igual que *Orfeo en los Infiernos* (1858 y 1874, en su 2ª versión) o *La bella Helena* (1864)– consiguió inmenso éxito en Madrid. Eusebio Blasco, autor del libreto, recuerda en la edición de 1900 cómo Arderius le involucró en el proyecto: "Si me haces una cosa rara, nueva, estrafalaria, algo así como *Orphée aux Enfers*, o esas cosas que he visto yo este verano en París, estrenará la temporada. Pero necesito eso antes de diez días. Si no me gusta, perderé lo que tengo (10.000 reales) y tú tendrás la culpa". Blasco conocía los modelos a que se refería Arderius, por haber trabajado en París como periodista de *Le Figaro*, y adaptó *Calipso ne pouvait se consoler* de Fenelon, "para construir una serie de caricaturas, graciosas muchas de ellas, sobre Telémaco, Mentor y las diosas y las ninfas del poema", según la *Revista de Bellas Artes* (4-XI-1866). Para *El Artista* (30-IX-1866), el libro "cumple con su misión de entretener agradablemente al público, sin hacerle sonrojar y sin recurrir a las consabidas alusiones políticas, reuniendo todas las condiciones necesarias para esta clase de espectáculos". La obra, siguiendo el modelo francés del Segundo Imperio, buscaba divertir a un público partidario de espectáculos de carácter ligero y frívolo, más breves que la zarzuela grande, entonces en crisis, en los que se evitasen las alusiones políticas comunes en otros espectáculos.

José Rogel, uno de los compositores que mejor se adaptó al estilo de los Bufos de Arderius, escribió una hermosa música graciosa, ligera y sencilla, sin exigencias vocales, que sirvió de modelo para las nuevas obras bufas. *El joven Telémaco* responde, en sus nueve números musicales, al modelo de suite de danzas propio del sainete lírico, pues incluye una marcha en el coro del Nº 1, una polka y el vals de Calipso en el Nº 2, el famoso "Vals de las suripantas" en el Nº 3, la conocida habanera de Telémaco en el Nº 4, el tango de la diosa Calipso en el Nº 6, las seguidillas de Venus en el Nº 7, un vals en el Nº 8 y un galop en el Nº 9, a la manera de final de opereta, sustituido más adelante por un can-can. La obra se inicia con un preludio que enlaza con la introducción, en la que Eucaris recita sobre la música, siendo contestada por las ninfas, cómicos versos de seguidilla, que refieren la tristeza de la diosa Calipso tras la huida de su amado Ulises; el coro de ninfas, parodiando una marcha, canta graciosamente el mal de amores de la diosa, la cual sale a escena y habla sobre la música al final del número.

El Nº 2 se inicia con un ritmo de polka, tras el que se escucha un *Allegro vivo* que recuerda el esquema rítmico de un vito con acentuaciones en notas de partes débiles, evocando también la sonoridad de formas emparentadas con la tirana; el ritmo se transforma en un rápido vals con el que concluye el dúo. No obstante, el número musical carece de interés, por lo que se ha suprimido casi siempre en los teatros de Madrid. El Nº 3 es el famoso coro griego, cantado –Mentor dice en el libreto: "Para más claridad, cantad en griego"– en una imitación cómica de un supuesto idioma griego antiguo; el inicio de su texto, que comienza con las palabras "Suripanta, la suripanta maquitrunqui de somatén", designó desde ese momento a las coristas de los bufos, que fueron conocidas como "suripantas". Tras ocho compases de introducción orquestal, comienza el texto "griego", cantado en ritmo de vals, que logró una enorme popularidad en todos los ámbitos nacionales, sobrepasando las fronteras del país. El Nº 4 es la habanera de Telémaco, con intervenciones de Mentor y las ninfas; tras una introducción orquestal se inicia la habanera, cantada por Telémaco con el texto "Me gustan todas, me gustan todas, me gustan todas en general; pero esa rubia, pero esa rubia, pero esa rubia me gusta más"; es otro de los más famosos de la obra, obteniendo desde su estreno los honores de la repetición, lo que era aprovechado para introducir letras burlescas alusivas, en ocasiones, al propio teatro, como la que canta Telémaco –esto es, Arderius, el empresario del teatro– con el texto "Me gusta mucho ver el teatro de bote en bote, como ahora está, y si esto sigue, y si esto sigue, y si esto sigue, voy a engordar". El Nº 5 se inicia con una introducción orquestal, tras la que las ninfas leen diversos fragmentos de periódicos de la Corte, en los que se alude a hechos de actualidad –teatro de los Bufos incluido–; la diosa y las ninfas son vencidas por el sueño, lo que aprovechan Telémaco y Mentor para huir. El Nº 6 inicia el segundo acto, y consta de una introducción orquestal, durante la cual se ve avanzar una barca en la que las ninfas reman mientras Calipso está de pie; un coro, en el que la diosa y las ninfas saltan a tierra para visitar a Venus; y un tango, escrito en 6/8 –ritmo diferente a la habanera del Nº 4–, en el que se indica "aire de tango muy tranquilo", que es cantado por Calipso y las ninfas; el coro debe ser cantado meciéndose dulcemente las ninfas, imitando el movimiento de un barco. El Nº 7, seguidillas de Venus, acude al esquema rítmico y formal de las seguidillas manchegas, tan frecuentes en la zarzuela grande; no deja de ser irónico que la diosa Venus hable con acento andaluz. El Nº 8 consta de una escena, en la que el coro y Venus se preguntan quiénes son los recién llegados, contestando

Amor que ha traído a Telémaco y Mentor, que aparecen atados codo con codo y entre dos serenos; a continuación se canta un concertante, en el que intervienen Telémaco, Mentor, Calipso, Venus, Amor y el coro de ninfas, que, según indica el libreto, "debe cantarse exageradamente, parodiando los de las óperas serias. Mentor y Telémaco deben accionar atados y llevándose uno a otro a cada nota fuerte. En cada nota larga del coro, debe éste adelantarse alzando mucho los brazos y gesticulando para que el conjunto sea cómico". El concertante es el número de la obra de mayor elaboración musical. En su versión inicial, la obra concluía con el Nº 9, final segundo, a cargo de Mentor, que canta imitando la voz de una mujer –pues se supone que Mentor era en realidad la diosa Minerva–, y de todos, que contestan parodiando un rataplán. Más adelante, se suprime este final, sustituyéndose por un cancán que permitía la exhibición de las piernas de las suripantas.

La localización de la acción en el mundo mitológico griego, lejano y exótico, facilita la crítica social al distanciar al espectador –mediante recursos temporales y espaciales– de la acción escénica. En la obra, como será habitual en el repertorio bufo, la coherencia dramática se ve muchas veces sacrificada en favor de una sucesión de escenas pintorescas, surrealistas, que buscan divertir; con esa función de mero entretenimiento social, la comicidad se convierte en un elemento principal, y así se escuchan vocablos nuevos o largos juegos fonéticos carentes de sentido, para provocar la risa catártica del espectador. La danza y los elementos coreográficos comienzan a tener mayor peso escénico, recurso que permite distraer al espectador con las bellas señoritas, ligeras de ropa –suripantas–, que participan en las escenas de baile. La música se convierte así en un elemento más del todo teatral, al servicio del resto de las necesidades del género.

El joven Telémaco, con treinta y tres representaciones seguidas y setenta y dos a lo largo de la temporada, inició con éxito el género bufo en España. Todo Madrid acudía a los bufos, y su música era la música vital de la ciudad, que latía ya a ritmo prerrevolucionario tal y como refleja años después Valle-Inclán en uno de sus esperpentos *Viva mi dueño*: "¡Me gustan todas, me gustan todas! –parafraseando un texto de *El joven Telémaco*–. En los cafés, los jugadores de dominó; en las redacciones, el gacetillero; en las tertulias de camilla y botijo, el gracioso que canta los números de la lotería; en el gran mundo, las tarascas más a la moda, los pollos en cambio de voz, los viejos verdes, todos los madrileños, en aquella hora de licencias y milagros, canturreaban algún aire aprendido en el teatro de los bufos". En opinión de José Yxart, el teatro reflejaba con el éxito de esta obra bufa el futuro triunfo de la democracia, del teatro popular que se establecería definitivamente tras la revolución política de septiembre de 1868. El éxito de la obra hizo que se representara en escenarios privados, como el palacio de la condesa de Montijo situado en Carabanchel, donde acudieron a la representación la infanta Isabel y su hija, los ministros de Brasil y de Estados Unidos, y numerosa aristocracia, siendo representados algunos de los papeles por nobles. En 1900, Eusebio Blasco realizó una refundición en un acto de la obra en la que los dos actos son aligerados de texto, convirtiéndose en dos cuadros, y suprimiendo los números musicales 2 y 7; la refundición se estrenó en el teatro de la Zarzuela el 17 de febrero de 1900; en el prólogo del libreto, Blasco repasa la trayectoria de algunas de las personas que tomaron parte en el estreno de la obra, constatando cómo algunas suripantas contrajeron matrimonio con nobles o altos cargos del gobierno.

Fuentes manuscritas. Los materiales de orquesta (1901) y la partitura se conservan en el archivo de la SGAE en Madrid (TL-1313).

Ediciones de música. Canto y piano, Madrid, CM.

Ediciones del libreto. Madrid, El Museo, Administración de obras Dramáticas y Líricas, 1866, y 4 eds. posteriores; refundición, Madrid, Florencio Fiscowich, 1900.

BIBLIOGRAFÍA: F. Arderius: *Confidencias de Arderius. Historia de un bufo, referida por D. Antonio de San Martín*, Madrid, Imp. Española, 1870; –: *La ópera española y la zarzuela. Breves consideraciones sobre el arte lírico-dramático hechas por un antiguo bufo hoy empresario de zarzuela seria*, Madrid, M. P. Montoya y Cía., 1882; J. Yxart. *El arte escénico en España*, 2 vols., Barcelona, Imp. de La Vanguardia, 1896; E. Casares: "El teatro de los bufos o una crisis en el teatro lírico del XIX español", *AnM*, 48, 1993; E. Huertas Vázquez: *El teatro de los bufos madrileños*, Madrid, Instituto de Estudios Madrileños, 1993; E. Casares Rodicio: "Historia del teatro de los Bufos, 1866-1881. Crónica y dramaturgia", *Cuadernos de Música Iberoamericana*, 2-3, Madrid, SGAE-ICCMU, 1996-97.

RAMÓN SOBRINO

Juárez, Pedro Pablo. Madrid, 1960. Actor y cantante. Estudió técnicas de interpretación y domina el canto por su pasado como solista en diversas catedrales españolas. Ha trabajado en musicales como *Godspell* y su aparición en obras del género lírico es muy habitual con títulos como *La villana*, *El bateo*, *La Gran Vía*, *Las Leandras*, *La tabernera del puerto*, *La corte de faraón*, *Katiuska*, *La revoltosa*, *La verbena de la Paloma*, *La Dolorosa*, *Agua, azucarillos y aguardiente*, *Gigantes y cabezudos* y *Don Gil de Alcalá*. Ha actuado por toda España, participando en diversos festivales líricos como los de Canarias y Asturias. Participó en la temporada lírica del teatro Alkázar de Madrid y en varias producciones del teatro lírico nacional de la Zarzuela, con los que llevó al teatro Teresa Carreño de Caracas la producción de *El gato montés* de Penella.

Mª LUZ GONZÁLEZ PEÑA

Juárez, Rogelio. España, 1859; Argentina, 1931. Actor. Inició su carrera en Madrid, luego actuó en otras ciudades y retornó a Madrid, donde conquistó cierta popularidad. Llegó a Argentina en 1888 con la compañía de Alfredo Maza, en la cual actuaba también Abelardo Lastra. Se presentaron en el teatro Nacional Florida. Fue uno de los intérpretes españoles que más contribuyó a la consolidación escénica del primigenio sainete criollo. En 1890 formó compañía junto con Abelardo Lastra; estrenó *La fiesta de Don Marcos*, obra inicial del autor local Nemesio Trejo, en el teatro Pasatiempo. Trabajó en obras de otros autores que iban configurando el sainete criollo, como Antonio Argerich y Miguel Ocampo. Destacó especialmente en su interpretación de Ezequiel Soria en *El deber*, 1898. Volvió a España, pero después de casi treinta años retornó a Argentina y formó compañía con Carmen Jordán y Amparo Astort y se presentó en el teatro Comedia con *El crimen de Albacete*. Desarrolló para el público porteño una temporada con las expresiones más significativas del sainete español.

MARTA LENA PAZ

Juaristi Sagarzazu, Victoriano. San Sebastián, 6-III-1880; Pamplona, 4-V-1949. Compositor. Tras doctorarse en Madrid, se trasladó a Irún (Guipúzcoa), donde colaboró en la revista *Bidasoa*, escribiendo sobre temas culturales y musicales. Hacia 1910 acudió a la Academia de Música Municipal, donde aprendió solfeo y violonchelo con el maestro Larrocha. Según los registros de la SGAE, se sabe del estreno de dos zarzuelas suyas tituladas *La batelera* y *La caserita*. En 1920 se trasladó a Pamplona.

OBRAS (Todas en *E:RE*): *Comediantes*, 3 act; *El caballero Mefisto*, 3 act; *La batelera*, 3 act; *La caserita*, 3 act; *La enmascarada*, 3 act; *Una joya*; *Veleros*, Zarz, 2 act, 1948.

BIBLIOGRAFÍA: *DMEH*; R. M. Ceballos Vizcarret: *Vida y obra del Dr. Victoriano Juaristi*, San Sebastián, Sociedad Guipuzcoana de Ediciones y Publicaciones, 1992.

JUDITH ORTEGA

Juegos malabares. Zarzuela en un acto. Música de Amadeo Vives. Libreto de Miguel Echegaray. Estrenada el 4 de febrero de 1910 en el teatro Apolo de Madrid.

Personajes y reparto. Marieta (María Palou, tiple). Julia (Consuelo Mayendía, tiple ligera). Flor de Oro (Antonia Espinosa). La vieja (Sra. Rodríguez). Tonino (Luis Manzano). Guillermo (José Mesejo). Jorge (Carlos Rufart, barítono). El director (Pedro Ruiz de Arana). Músicos excéntricos (Sres. Máiquez, Valverde, Llaina, Alonso, González, López y Gómez). Un inspector (Sr. Sánchez). Un mandarín (Sr. Medina). El oficial inglés (Sr. Gordillo). Vendedores, chinos, bailarinas y criados del circo.

Orquestación. Flautín, flauta, oboe, 2 clarinetes, fagot, 2 trompas, 2 trompetas, 3 trombones, percusión y cuerda.

Argumento. *Cuadro primero.* Campo en las afueras de una población, donde ha hecho alto un circo ambulante. Después de amanecer aparecen Tonino y Marieta, que muestran su amor. Tonino expresa sus celos del director, que está muy encaprichado con Marieta. Ella le pide que se vayan de allí, pero él le comenta que no es posible porque ha firmado un contrato que se acaba dentro de un año. El director los sorprende en plenos arrumacos y se lo echa en cara a ambos porque no quiere amoríos en el circo. Sin embargo, le dice a Tonino que ella va a ser para él. Ante la presión del director, Marieta le araña y se va. Llega Guillermo, el clown. El director le acusa de que en la última actuación el público no se ha reído, y lo justifica porque cree que ya está viejo. Guillermo se queda solo y se duele de la situación, cuando llega Julia, su hija,

Cortesía de Unión Musical Ediciones SL

cuya presencia es desconocida por el resto de la compañía y con cariño le consuela. También se deja caer Jorge al que, inmediatamente, le llamará la atención Julia. Interesada en él, Julia interroga a Guillermo quien le comenta que es el barrista de la compañía. Emocionada ante el joven, canta la "Canción del pajarito". Se reúnen los demás y, a instancias del director, comienzan a ensayar. Durante el ensayo se producen situaciones incómodas, sobre todo cuando Guillermo comenta que tiene una hija. Como es bonita, causa una gran impresión en el director que se siente atraído por ella. Canta Marieta su escena y una danza oriental, sobre la que Julia improvisa unos versos que son celebrados por todos, especialmente por el director que se abalanza sobre ella, con disgusto de su padre. Para defenderle sale Jorge que se enfrenta

Consuelo Mayendía y Emilio Mesejo en Juegos malabares *(Foto: El Teatro, 1910; Ar. SGAE)*

con el director, generando una situación muy violenta con la que culmina la escena.

Cuadro segundo. El escenario representa el interior de un circo, sin gente. Al comienzo, el director comenta cómo va a suceder la pantomima que se va a desarrollar sobre una música instrumental que se lleva a cabo inmediatamente.

Cuadro tercero. En el cuarto de Guillermo, éste comenta con Julia su peculiar y difícil situación al tener que afrontar, con su vejez, una sesión cómica más.

Llega el director y manda a Guillermo a escena, mientras él busca a Julia que se ha escondido. Cuando el director se va, aparece Jorge y cantan un dúo de amor. Regresa el director, que los pilla en plenas carantoñas, y Jorge le amenaza como se atreva a incomodar a Julia. El director acusa a Jorge de pobretón, a quien puede despedir cuando le dé la gana, asegurando que él es rico. Cuando está a punto de abusar de ella, llega Tonino que le arroja en la cabeza un aro de papel, mientras Julia y él huyen.

Cuadro cuarto. La escena representa el sitio por donde salen los artistas a la pista. El director echa en cara a Tonino su actitud, a lo que éste señala que sólo son bromitas. Llega Marieta que se libra del acoso del director porque tiene que salir a la pista. Tonino se emociona cuando la ve. Cuando le toca al barrista, éste se niega a actuar porque su ubicación en el espectáculo no es buena y, enfadado, saca al director a pista para enfrentarse en público con él. Ante tal escándalo, llega un inspector a poner orden y se lleva detenido a Jorge. El director ordena que se acabe el espectáculo, despejando la sala. Una vez vacía, se las promete muy felices con Julia y Marieta, cuando Tonino toma sus cuchillos y las defiende. Eso asusta al director por lo que, una vez liberados, se van todos dejándolo humillado.

Números musicales. Introducción. Nº 1. Dúo de Marieta y Tonino, "Fuera la pereza que ya ha amanecido". Nº 2. Canción del pajarito, "Tras la reja del convento reza y reza Soledad". Nº 3. Danza mora, "Rodeado de odaliscas, tumbado en un diván". Nº 4. Pantomima y bailables. Nº 5. Dúo de Julia y Jorge, "Sola la encuentro, ¿Quién va?". Nº 6. Vals y final.

Comentario. *Juegos malabares* es una de las zarzuelas que alcanzó mayor éxito en el teatro Apolo en los comienzos de siglo, cuando ya se notaba la crisis a la que estaba llegando el género chico. Según Chispero, que parece reflejar la impresión de cierta crítica de su época, el libro era "una verdadera desdicha, vieja, manida, con emoción topiquera, y no hay que decir que sin gracia alguna en el diálogo". En cuanto a la música, a pesar de resaltar que es "infinitamente superior al libro", tampoco puede decirse que "fuera señalada por nadie entre las mejores partituras de su autor y buena prueba de ello es que la tal zarzuela sólo figuró en el repertorio de Apolo mientras que en aquel teatro trabajó la tiple que personificó el papel de protagonista: Consuelo Mayendía". Para ella, para su personal lucimiento estaba escrita la música "en cuyo único cuadro cantaba la famosa tiple ligera un número de más picardía técnica que alta inspiración, a cuyo final había una serie de picados y falsetes de gran lucimiento para quien, como la Mayendía, poseyera una garganta flexible y un poderoso aliento para atacar y sostener fiattos en altísima tesitura. Consuelito alcanzó un éxito inenarrable, apoteósico, posiblemente el mayor de cuantas tiples habían cantado hasta entonces desde el escenario de la catedral del género chico. También obtuvo un gran triunfo –en realidad el último de su larga vida artística– el veterano don José Mesejo encarnando el tipo de un antiguo payaso que ha perdido la gracia y teme verse en el arroyo por la frialdad del público ante sus trucos, uno de los cuales, verdaderamente pueril, ingenuo, inocente, es reído estruendosa e inesperadamente, con lo que el anciano artista salva su triste situación. Don José estuvo realmente magnífico en toda esa escena, que bordea el ridículo constantemente y consiguió hacer sentir al auditorio el escalofrío de la auténtica emoción teatral, con lo que *Juegos malabares* se salvó del inevitable pateo y pasó luego a grados de apoteosis triunfal cuando por tres veces la Mayendía cantó la que después se hizo célebre canción del pajarito".

A pesar de tratarse de una obra en un acto, la música de *Juegos malabares* está ampliamente desarrollada, incluso mucho más de lo habitual teniendo en cuenta la importancia del apartado orquestal. Tras una introducción del foso, el Nº 1 es el dúo de Marieta y Tonino, un pasaje de corte emotivo que tras una introducción se deja llevar por un aire de vals lento. El fragmento es amplio en concepción, donde destaca, por encima de todo, el buen hacer en el tratamiento lírico-dramático de su autor. El Nº 2, pensado para popularizar la obra, es la denominada "Canción del pajarito" que está concebida en función de los medios vocales de Consuelo Mayendía, la protagonista, una soprano ligera, con cierta facilidad para el recurso pirotécnico. De ahí que el fragmento esté lleno de pasajes de coloratura. En alguna medida anticipa romanzas posteriores del mismo autor, como la "Romanza del ruiseñor" de *Doña Francisquita* y refleja hasta qué punto los medios vocales de estas intérpretes eran considerables, inhabituales décadas atrás en el género chico. La calidad melódica, indudable, sirvió para facilitar su difusión a pesar de las dificultades técnicas del pasaje. El Nº 3 es una danza mora, en realidad una zambra, un tipo de baile que se popularizó mucho en esta época, incluso en el terreno de la música de concierto. El Nº 4 está encomendado a la orquesta, exclusivamente. Tras la pantomima –recurso habitual en este tipo de obras, caso por ejemplo de *Las golondrinas* de Usandizaga o *Don Lucas del cigarral* del propio Vives– se daba paso a los bailables donde destaca la introducción de elementos exóticos. El recurso a la suite de danzas sigue siendo, sorprendentemente, una constante en la zarzuela española. En primer lugar viene una bayadera, posiblemente inspirada en la pieza de Minkus de igual nombre, para continuar con un jaleo, donde Vives se muestra deudor de su amigo y colaborador Giménez. Se da paso a una geisha, en realidad una danza oriental pentatónica que por entonces hacía furor. No hay que olvidar que *Madama Butterfly* de Puccini se había estrenado en 1907 y que en 1909, un año antes de *Juegos malabares*, había vuelto a representarse con gran éxito en el teatro Real. Culmina la breve suite una especie de zapateado. El Nº 5 es un dúo de Julia y Jorge, el más interesante tanto en el terreno dramático como en el musical, interpretados por la Mayendía y el estupendo barítono que debía ser Carlos Rufart, poseedor de una voz discreta pero bien manejada dramáticamente. Concluye la obra en un vals y un breve final orquestal al uso.

Fuentes manuscritas. Los materiales de orquesta se conservan en el archivo de la SGAE en Madrid (3370).
Ediciones de música. Madrid, Cd, 1910.
Ediciones del libreto. Madrid, SAE, 1910.
FONOGRAFÍA: RP: Victoria 1739 y 1740.
D78rpm: Dir. Pascual Marquina, Sols. Consuelo Mayendía, Lahera, Carrión, Rufart, La Voz de su Amo 0264002 (et. verde), 67 y 68.
BIBLIOGRAFÍA: *TA*.

LUIS G. IBERNI

Jugar con fuego. Zarzuela en tres actos. Música de Francisco Asenjo Barbieri. Libreto de Ventura de la Vega. Estrenada el 6 de octubre de 1851 en el teatro del Circo de Madrid.

Personajes y reparto. Duquesa de Medina (Adelaida Latorre, tiple). Condesa de Bornos (Catalina Flores, actriz). Duque de Alburquerque, padre de la Duquesa de Medina (Francisco Calvet, bajo). Marqués de Caravaca (Francisco Salas, barítono). Félix (José González, tenor). Antonio (Vicente Caltañazor, tenor cómico). Loquero (Juan Antonio Carceller, actor). Un ujier (actor). Dos pajes (actores). Coro de damas y caballeros. Coro de hombres y mujeres del pueblo. Coro de locos.

Orquestación. Flautín, flauta, 2 oboes, 2 clarinetes, 2 fagotes, 2 trompas, 2 trompetas, 3 trombones, timbales, triángulo, pandereta y cuerda.

Argumento. La acción tiene lugar en Madrid durante el reinado de Felipe V. *Acto I.* A orillas del río Manzanares, la noche de la verbena de San Juan, la Duquesa de Medina, disfrazada de camarera, es seguida por el presumido Marqués de Caravaca que sospecha que se trata de una cortesana escondida bajo un disfraz. La Duquesa se ha citado con Félix, joven hidalgo de provincias a quien ha hecho creer que es una criada al servicio de una noble dama. Éste ha llegado a la corte, acompañado de su primo Antonio buscando protección del Duque de Alburquerque, padre de la Duquesa. Félix se siente inmediatamente atraído por la belleza de la camarera, desdeñando que pertenezca a una clase inferior. El Marqués descubre a la pareja bajo un cenador y va en busca de gentío para descubrirlos, pero la Du-

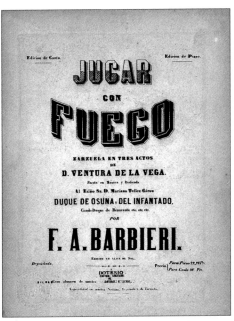

Cortesía de Unión Musical Ediciones SL

quesa reacciona a tiempo de escapar en su propio coche, sin ser reconocida ni por el Marqués ni por su padre el Duque.

Acto II. En un salón del Palacio del Buen Retiro se comenta la aventura de la pasada noche y la habilidad para escabullirse de la embozada; mientras, el Marqués dirige a la Duquesa palabras con doble intención pues piensa que era ella la joven que estaba en el cenador. Félix y Antonio están citados en Palacio y cuando son presentados a la Duquesa, ésta finge no conocer al sorprendido hidalgo. Con engaños, el Marqués consigue que Félix le entregue una carta que recibió de la Duquesa y luego la chantajea, logrando que, para devolverle la comprometedora carta, ella acceda a sus abrazos. En esta situación los descubre Félix, explotando con escandalosa reacción. Para salvar su honor, la Duquesa le acusa de demente y Félix es apresado y confinado en un manicomio.

Acto III. En el patio de la casa de locos, Antonio acude a visitar a Félix, explicándole que confirmó su locura para librarle de la horca. Le entrega también una nota de su amada camarera, donde ésta le recrimina no haber acudido a una cita junto al río —en realidad, es un texto de la Duquesa que pretende continuar manteniendo engañado al joven—. Ésta, a su vez presa del remordimiento, acude al manicomio acompañada de su amiga, la Condesa de Bornos, para intentar liberar a su enamorado. El Marqués acude también y está a punto de desbaratar sus planes, pero Félix le da una indicación errónea y cae en manos de los locos que, siguiendo su costumbre, le persiguen y le quitan la ropa. Disfrazado con la ropa de Caravaca, Félix intenta escapar pero es sorprendido por la llegada del Duque de Alburquerque. Finalmente, y gracias a la intercesión de la de Bornos, Félix es perdonado y autorizado, por orden real, a casarse con su amada Leonor, Duquesa de Medina.

Números musicales. Acto I: Nº 1. Introducción y coro de vendedores y majos, "¡Los ricos buñuelos!". Nº 2. Escena y aria del Marqués de Caravaca, "Si te place de este bosque". Nº 3. Romanza de Félix, "La vi por vez primera". Nº 4. Dúo de la Duquesa y Félix, "Hay un palacio junto al prado". Nº 5. Final I, "Pues quiere la fortuna". Acto II: Nº 6. Introducción y coro de cortesanos, "¡Vedle allí qué pensativo!". Nº 7. Dúo de la carta del Marqués y la Duquesa, "Por temor de otra imprudencia". Nº 8. Final II, "¡Oh, maldad!". Acto III: Nº 9. Intermedio. Preludio del acto III. Nº 10. Escena de Antonio, el loco y coro de locos, "¡Suelta, pícaro sastre!". Nº 11. Romanza de la Duquesa, "Un tiempo fue". Nº 12. Aria del Marqués y coro de locos, "¡Quién me socorre!".

Comentario. El año 1851, el del estreno de *Jugar con fuego*, es básico para el desarrollo del género lírico. Este estreno logró salvar de la quiebra en que se encontraba el género y supuso, además, la creación de la zarzuela grande, al ser la primera zarzuela en tres actos que se estrenó en el Circo, otorgando a los compositores un nuevo modelo formal que, aunque recoge elementos constructivos de la tradición operística italiana, utiliza modelos formales del mundo de la ópera cómica parisina. La obra de Vega y Barbieri obtuvo un rotundo éxito en Madrid y pronto fue aclamada también en los teatros de provincias, convirtiéndose en la zarzuela más representada de las que vieron la luz durante las décadas centrales del siglo XIX.

El libro de la zarzuela es una adaptación de la comedia francesa *La comtesse de Egmont* de Jacques F. Ancelot y Alejo B. Decombereusse siguiendo una costumbre propia de la escena española desde el siglo XVIII. La obra francesa se presentó en el teatro de Variedades de Madrid el 15 de enero de 1852, desatando una interesante polémica sobre la traducción en fuentes hemerográficas contemporáneas. *El clamor público* (16-I-1852) insistía con saña sobre el plagio. La idea de traducir y estrenar el original francés en el Variedades, haciéndolo coincidir con las funciones de *Jugar con fuego*, fue sin duda intencionada. Ramón Barce, en el estudio sobre el texto de *Jugar con fuego*, ha cotejado el libreto de la zarzuela y el de la comedia *La condesa de Egmont*, reconociendo que se trata de un plagio absoluto. Sin embargo, lejos de valorarlo como una grave falta en la obra de Vega y Barbieri, es necesario afirmar que el teatro de consumo de mediados del siglo XIX en España depende absolutamente del vaudeville francés: se produce con rapidez para un público ávido de estrenos, y muchos escritores traducen y arreglan —unas veces explícitamente y otras sin mencionarlo— comedias

Escena de Jugar con fuego, *producción de Miguel Narros / Andrea D'Odorico para el Teatro de la Zarzuela, 2000 (Foto: J. Alcántara; Cortesía del Teatro de la Zarzuela)*

francesas. Ventura de la Vega "arregló" unas ochenta, de modo que era uno de los comediógrafos más significados por su adhesión al teatro parisino. Afirma Barce, que curiosamente, "la zarzuela española, que comenzará en esa época sufriendo la misma dependencia que la comedia, irá creando poco a poco un estilo nuevo y personalísimo a través de los libretistas que culminará en un renovado regreso a la tradición española del sainete. Pero en 1851 la dependencia era, decimos, absoluta. Lo que no obsta para que muchas de esas comedias y libretos utilicen numerosos elementos formales del teatro clásico español, algunos, ciertamente, a través del modelo intermediario francés". En *Jugar con fuego* esos elementos son muy visibles. En primer lugar el rígido esquema de las "parejas": el protagonista y su fiel e insignificante segundo —en este caso el primo Antonio– frente a la protagonista y su fiel e insignificante segunda –la Condesa–. Luego, la mujer disfrazada: la aristócrata que se hace pasar por criada. Después, el final feliz –se casa la pareja protagonista salvando sin más explicaciones las diferencias de condición social que al principio parecían insalvables– gracias a una oportuna orden del rey, *deus ex machina* al que se acude directamente en el último momento, como en las comedias de Lope y Calderón que hacían referencia a la Edad Media (en esta obra, esa solución, ubicada a mediados del siglo XVIII, resulta forzadísima, casi tanto como el desenlace "distanciado" de *La ópera los tres peniques* de Brecht y Weill). Por lo demás, no hay ninguna intención explícita de ambientar la obra históricamente. Tampoco en el original francés, que, no obstante, parece reflejar mejor la época.

Los aspectos éticos y sociales de *Jugar con fuego* revelan, en opinión de Barce, una actitud –hasta cierto punto inconsciente– clasista e inerte, también existente en *La condesa de Egmont* aunque más matizada, sin duda porque la eclosión explícita de una burguesía creciente había avanzado en Francia más que en España. Hay una cierta verdad en la presentación inicial del ambiente y de los personajes: la duquesa que se disfraza de criada (de "camarera") para juguetear un poco "con Cupido" aprovechando la fiesta de San Juan a orillas del Manzanares –una oportuna alusión, al inicio de la obra, introduce la posible magia de esa noche, idea no desarrollada después–; esto no es una ficción, sino un rasgo típico de la aristocracia del siglo XVIII, con raíces anteriores y que sobrevive todo el siglo XIX y aún lo rebasa: la búsqueda de aventuras amorosas de nobles y personas reales en el ambiente popular, contando así con todas las ventajas que otorga una personalidad fingida. La peripecia literaria correspondiente solía acabar con el enamoramiento feliz de la desigual pareja, o quizá –más convencionalmente aún– con el descubrimiento satisfactorio de que la parte aparentemente de inferior extracción social era también aristócrata. Es un esquema cuya realidad era muy otra en cuanto al desenlace, pero que los complacientes escritores convertían en inofensivo idilio en el que se glorificaba la fuerza universal del amor. Este esquema aparecerá en zarzuelas posteriores. El encuentro decisivo entre la Duquesa disfrazada y Félix, hidalgo joven, pobre e ingenuo es revelador de todo un pensamiento sobre la estructura social: el respeto que Félix siente por la que sospecha duquesa se convierte en abusivo manoseo cuando cree que es la criada, y ella ha de ceder y admitir los abrazos porque si no cede, él podría sospechar que no es una verdadera criada. Félix –que por cierto no es un villano, sino un hidalgo, y esto

queda muy claro en la escena de palacio con los ujieres y pajes en el acto segundo– nota en Leonor "tal majestad" que se siente completamente atemorizado. Insiste Ramón Barce en el hecho de que lo que domina aquí no es el peso de una reflexión ideológica consciente, sino más bien el seguimiento formalista de una tradición teatral todavía viva. El antihéroe o antagonista –y papel de gracioso aunque no explícitamente– está representado por el Marqués de Caravaca. Un ente ridículo que piensa que las mujeres se enamoran de él nada más verle, por su apuesta figura. Después muestra además un lado moralmente rastrero al intentar un miserable chantaje contra la Duquesa. Es mentiroso y trapacero. Para colmo, es cobarde. Al final, el castigo que sufre es ingenioso y da lugar a una escena verdaderamente dinámica y lograda, en el texto y en la música: los locos del manicomio le empujan, le golpean y le dejan desnudo.

Musicalmente, la obra se aleja de una inspiración directamente popular y revela una filiación italiana en las romanzas de los protagonistas (Nº 3 y Nº 11), el concertante del final del acto segundo (Nº 8), elementos de orquestación, fraseos y parlatos orquestales que se sitúan dentro del más puro estilo operista de Donizetti –apareciendo relaciones motívicas con obras como *Maria Stuarda*– o del Verdi de *Rigoletto* o *La traviata*. No en vano, Manuel Cañete, en *El Heraldo* del 19 de octubre, acusa la obra de italianismo, afirmando sin embargo, que "la música, si a veces peca por demasiado imitadora de los autores italianos, abunda también en cantos adecuados a las situaciones imaginadas por el poeta y llenas de dulzura, en combinaciones verdaderamente castizas y en un instrumental que revela un profundo conocimiento del arte". A pesar de esto, Cotarelo defiende la originalidad de la obra, afirmando que "el italianismo de Barbieri, si ha existido, fue poco y pasajero" ya que "trajo al acervo musical común español otros acentos, otra expresividad, tomados de los más hondos sentimientos del alma, en particular, y por tanto, también en general, cuando la agitan pasiones alegres o tristes, dulces o violentas".

En el proceso de composición de *Jugar con fuego* colaboraron estrechamente el libretista y el compositor, tal como relata Barbieri. El acto primero, que presenta una escena coral de verbena, manifiesta el dominio del compositor del trabajo coral. El número contrapone un coro de vendedores y otro de caballeros, trabajados con texturas independientes, que se yuxtaponen al final; este recurso, junto a la belleza melódica, la agilidad del planteamiento coral y la utilización del parlato orquestal, convierten a este número en uno de los cuadros más ricos del repertorio de zarzuela grande. El acto continúa con un dúo entre la Duquesa de

Medina y el Marqués de Caravaca, en el que participan también el Duque y el coro masculino; Caravaca, el barítono antihéroe, es el personaje mejor definido de la obra, y, a través del enredo cómico que se provoca en el número, desarrolla su comicidad. El concertante final del número entre el Marqués, el Duque y el coro masculino, utiliza las voces como elementos para el desarrollo de la acción, como es propio en la ópera cómica francesa. El número siguiente es la romanza de Félix, el galán del triángulo amoroso; en ella Barbieri consigue revelar el ingenuo y honesto carácter del personaje. La obra continúa con un dúo entre la Duquesa y Félix, interesante no sólo desde el punto de vista musical, ya que manifiesta una concepción social propia del Antiguo Régimen, quizás aún más cerrada que la de *La comtesse de Egmont*. El acto finaliza con una escena brillante, en la que Leonor consigue huir de Caravaca y el Duque, su propio padre, también interesado en la conquista de la "bella tapada".

El segundo acto, con tan sólo tres números musicales, es el más pretencioso, revelando en el concertante final una densidad de textura y una belleza propias de la escuela italiana del primer romanticismo. El N° 6 adopta una forma tripartita, en la que la primera y tercera parte recurren al ritmo de vals y la sección intermedia mantiene el metro ternario, aunque con aire de mazurka. El número siguiente, el gracioso "dúo de la carta", presenta de nuevo a la Duquesa y al Marqués de Caracava, en un número que recuerda las mejores páginas cómicas de Donizetti. El final es sin duda el número más sorprendente, presentando dos extensos concertantes corales propios de la ópera italiana. El tercer acto presenta una mayor variedad de números y excelentes situaciones cómicas. Tras un breve intermedio que expone material que se escuchará en números posteriores, comienza el aria con coro de Antonio (N° 10). Barbieri escribe una romanza para este personaje secundario aprovechando la cómica situación producida cuando acude al manicomio a visitar a su primo Félix y es desnudado por los locos. La Duquesa interpreta la romanza del N° 11, en la que, recurriendo de nuevo a un lenguaje de clara filiación italiana, el compositor nos transmite la melancolía de la protagonista. El último número musical, aria de Caravaca y coro de locos, es el gran logro teatral de la obra; para él elige Barbieri un tema popular castellano, las *Habas verdes*, mostrando su conocido interés por la música popular española, entroncando así el género con el lenguaje de la tonadilla y de la música castiza.

Haciendo referencia a la caracterización de los personajes, es necesario mencionar al Marqués de Caravaca, antihéroe dramático que provoca las situaciones cómicas por su arrogante petulancia que llega a convertir al personaje en su propia caricatura, acompañado a veces de la trompeta, a veces de los fagotes. También el Duque de Alburquerque está tímbricamente caracterizado por la sonoridad del metal de la orquesta y, en concreto, de los trombones, que le acompañan desde el final del acto primero (N° 5) hasta las breves intervenciones solistas del concertante final del acto segundo en un ejemplo clara de asociación tímbrica como posteriormente perfeccionará el compositor en una de sus obras cumbre, *El barberillo de Lavapiés*. Sin embargo, en el caso de la pareja protagonista, los cambios psicológicos suceden demasiado rápido para poder verificarse a nivel musical, y así, la Duquesa de Medina recibe dos tratamientos casi contrarios si se compara su aparición en la escena del galanteo a orillas del río de las primeras escenas del acto primero con el aria final, donde el alma se desnuda ya que los devaneos caprichosos de la aristócrata se han convertido en amor verdadero que le permite superar incluso la diferencia de clases que parecía insalvable al comienzo de la obra.

Es en los coros donde se hace patente la amplia experiencia de Barbieri como conocedor y director de música coral, constituyendo uno de los grandes logros de la obra, siendo además en uno de estos coros —en concreto el coro de locos del N° 12— donde aparece "lo español", ese lenguaje heredado de la tonadilla y de la música castiza de la primera mitad del siglo XIX; se trata, como ya se ha comentado, de la cita de la "Canción de las habas verdes", que Federico Moretti años antes había incorporado a una seguidilla, dando como resultado la hermosa "Bolera intermediada de las habas verdes" y que sin duda era reconocida por el público coetáneo e identificado con lo castizo. La obra unifica por tanto los amplios conocimientos de belcanto italiano con un lenguaje musical español, incluyendo todo ello en un marco formal que hace posible el posterior desarrollo del género.

El estreno de la obra había alcanzado gran expectación, consiguiéndose un gran lleno de público debido a que en el momento de su estreno no habían comenzado todavía las representaciones en el teatro Real, en el teatro de la Cruz o en el del Instituto, y en el Príncipe se hacía una obra vieja y mediana. Barbieri relata sobre la obra "baste decir que se llenó el teatro por espacio de medio tiempo, que la obra toda se hizo popular y que el público a una voz decía: esto es una verdadera zarzuela". Esta afirmación tenía una trascendencia especial en 1851, cuando se cuestionaba la validez de la restauración del género lírico y la aceptación por el público del nuevo género zarzuelístico que, a pesar de que adoptaba un molde formal extranjero —ópera cómica italiana y francesa—, se servía de un lenguaje musical español derivado de la tonadilla escénica,

Escena de los locos de Jugar con fuego, *producción de Miguel Narros/Andrea D´Orico para el Teatro de la Zarzuela, 2000 (Foto: J. Alcántara; Cortesía del Teatro de la Zarzuela)*

incorporando dentro del nuevo género las boleras, seguidillas o tiranas, repertorio que estaba en la memoria auditiva del público madrileño que acudía a aquellas representaciones. La interpretación fue parte destacada en todas las críticas –Manuel en *El Heraldo* (25-X-1851) o Eugenio de Ochoa en *La España* (12-X-1851)–. El estreno salvó económicamente la empresa del teatro del Circo, y, según añade Barbieri, la obra los "sacó de apuros y, para que se vea lo que es el mundo, después venían aquéllos que nos habían negado un maravedí a ofrecernos todo el dinero que quisiéramos para sostener el teatro, dinero que no aceptábamos, porque esta obra producía sobradamente para cubrir todas las atenciones de la empresa. Diez y siete noches consecutivas fuimos los autores llamados a la escena –afirma Barbieri– y, por cierto, que en todas ellas, después de salir al público, Ventura y yo bajábamos a contaduría a cobrar nuestro tanto por ciento, que en mucho tiempo no bajó de una onza para cada uno, lo cual, sabido que entonces se cobraba sólo el 36%, se puede calcular que pasaba la entrada de 10.000 reales cada noche". Todos conocían y disfrutaban de la obra, llegando a hacerse popular entre todos los estratos sociales de aquella recién nacida sociedad burguesa. La obra, además de salvar a la empresa de la quiebra, supuso una revolución formal, siendo el verdadero origen de la zarzuela grande, elevando a Barbieri a la celebridad que le acompañará hasta su muerte. El propio autor reconoce que *"Jugar con fuego* marcó la senda que había de seguirse en adelante, por lo cual todo el mundo la considera como la verdadera piedra angular de la zarzuela moderna". Formal-

mente la obra supone una revolución al ampliar las dimensiones dramáticas a tres actos. A pesar de los años durante los que se había cultivado la zarzuela, el género continuaba considerándose un tipo de tonadilla ampliada, sin concedérsele que pudiera alcanzar un importante peso dramático. Emilio Cotarelo y Mori afirma que "aferrados a la idea de que la zarzuela sólo podía ser jocosa, no concebían que pudiera encerrar un argumento extenso, serio y aun dramático. La zarzuela *Jugar con fuego* vino a demostrarles, por un lado su error, y por otro, cuán necesario le era, si había de alcanzar todo su desarrollo, disponer de un acto más a fin de que el poeta y el músico tuviesen campo suficiente para sus respectivas creaciones artísticas". Otra de las consecuencias del radical éxito de la obra que compite con sus aportaciones artísticas, es el debate ideológico que suscita, obligando a realizar reflexiones sobre el género tanto a sus defensores como a sus detractores. Así, tras diecisiete representaciones seguidas, los juicios favorables se repiten en los periódicos y revistas contemporáneas.

Jugar con fuego fue la zarzuela más representada en los años centrales del siglo XIX en toda España, produciendo cuantiosos beneficios no sólo para las compañías, si no también para sus autores.

Fuentes manuscritas. La partitura autógrafa se conserva en la Biblioteca Nacional de Madrid. Otras dos partituras (TL-134) y los materiales de orquesta (2268) se conservan en el archivo de la SGAE en Madrid.

Ediciones de música. Orquesta, ed. crítica M. E. Cortizo, Madrid, ICCMU, 1992. Canto y piano, Madrid, AR, UME; ed. crítica M. E. Cortizo y R. Sobrino, Madrid, ICCMU, 1999; Banda, arr Pascual Marquina, Madrid, UME. Piano, arr Anselmo González del Valle, Madrid, Cd, UME.

Ediciones del libreto. Madrid, F. de P. Mellado, 1851; Madrid, Imp. de José Rodríguez, 1854; 5ª ed., Madrid, Administración Lírico-Dramática, 1869; 6ª ed., Madrid, Administración Lírico-Dramática, 1881; Madrid, Administración Lírico-Dramática, 1897.

FONOGRAFÍA: RP: Victoria 5617 y 5618.

D78rpm: Dir. Modesto Romero, Sols. Rogelio Baldrich, L. Izarza, J. Moyano, Odeón 184179 (et. marrón), SO 6207 SO 6279.

LP: Ataúlfo Argenta, Sols. Pilar Lorengar, Manuel Ausensi, Carlos Munguía, Antonio Campó, Julio Uribe, José Mª Maiza, Coro de Cámara del Orfeón Donostiarra de San Sebastián, Orq. Sinfónica, Columbia SA, 30029 166 y Alhambra MCC 30029 [reed. en CD: Columbia-BMG-Ariola-Salvat 1057-2 y Columbia-BMG España WD 74556 (9D)].

BIBLIOGRAFÍA: *HZ*; M. E. Cortizo: "La restauración de la zarzuela en el Madrid del XIX (1832-1856)", tesis doctoral, U. Complutense de Madrid, 1993, E. Casares Rodicio: *Francisco Asenjo Barbieri. 1. El hombre y el creador. 2. Escritos*, Madrid, ICCMU, 1994.

Mª ENCINA CORTIZO

Juguete. Género teatral de contenido cómico, trivial y divertido, normalmente en un acto, aunque puede tener dos o incluso tres. Se distingue del sainete, la revista y el melodrama por su espíritu de travesura teatral, de pequeña broma, a veces con aires de entremés, y en algunos casos con ribetes asainetados. Hay casos en que el juguete adquiere tintes semicostumbristas, pero siempre presidido por el sentido del humor o de la comicidad.

El juguete sin música, como el sainete o el pasillo, se usaba frecuentemente para acompañar al drama o a la comedia principal, bien al principio de la representación o al final, como una especie de final de fiesta y como contraste al ambiente de los dramas del XIX. Había otras razones más prácticas para su presencia y era la necesidad de dar al menos cuatro actos en cada representación escénica, con lo que completaba a una obra de tres. Los teatros Lara y la Comedia fueron los favoritos del género que hicieron famoso los actores Antonio Riquelme, Julián Romea y Pedro Ruiz de Arana. El juguete respeta absolutamente las tres unidades, y en esto se opone a la revista, y también al sainete, que no siempre mantenían las de espacio y tiempo.

La trama del juguete es casi siempre un enredo amoroso causado por el equívoco introducido por un personaje que se suele deber a: la entrada equivocada en una casa ajena, la confusión producida al tomar un personaje por otro, la necesidad de elección de marido o las dificultades económicas de una joven pareja.

El juguete con música o juguete lírico nace en España a mediados del siglo XIX, justamente con el inicio de la zarzuela romántica. Un catálogo aproximado arroja más de seiscientos cincuenta juguetes, desde el primero conocido, estrenado en el teatro de la Comedia en noviembre de 1850, *El tío Pinini* de Mariano Soriano Fuertes, con letra de Enrique Salvatierra. En la década de los cincuenta se estrenaron más de quince, entre ellos algunos famosos como *Un caballero particular* de Barbieri y Carlos Frontaura. El juguete fue en claro incremento de manera que en la década de los sesenta tuvieron lugar veintiocho estrenos y en la de los setenta más de ochenta. Pero el período álgido del género fueron los ochenta y noventa del siglo XIX. En la década de los ochenta se estrenaron 187 juguetes y en la de los noventa 165. Es evidente que este incremento tiene que ver con la llegada del género chico musical que se impone a partir del estreno de *La canción de la Lola* de Chueca en 1880. El juguete respondía perfectamente a la estrategia que planteaba el género chico. Justamente en el momento en el que este género inició su decadencia con la llegada del siglo XX, se produce una decadencia muy pronunciada del juguete. En la primera década del siglo se estrenaron sólo 56 juguetes, en la de los veinte 31 y en la de los trein-

ta, 8. Esta presencia masiva del juguete hizo que prácticamente todos los compositores y autores teatrales del XIX se acercasen en uno u otro momento al juguete lírico.

Desde el punto de vista musical, el juguete está falto de una estructura propia. En realidad, tanto el juguete, como el resto de las numerosas variantes literarias puestas en música que se conocen bajo el nombre de géneros líricos, no implican una estructura musical específica. Desde el punto de vista musical, sólo se distinguen dos grandes estructuraciones de la zarzuela, zarzuela grande y chica, –dentro de la que se suceden las variables de género chico, en él que se distingue entre revista y sainete– y, finalmente opereta, que implican diversos usos de las dos grandes estructuras citadas. El juguete lírico no implica ninguna realidad o novedad musical específica sino que vive dentro de la denominada zarzuela chica y género chico.

Suelen ser definidos como juguete o juguete lírico, pero también con otros términos añadidos que tampoco son significativos siguiendo a la palabra juguete; calificativos como: cómico-lírico, cómico-lírico-acrobático, cómico-lírico correccional, cómico-lírico disparatado-bailable, cómico-lírico-explosivo, cómico-lírico-gimnástico, cómico-lírico transformista, entre otros excesos.

BIBLIOGRAFÍA: *DMEH*; *TLE*; M. P. Espín Templado: *El teatro por horas en Madrid (1870-1910)*, Madrid, Instituto de Estudios Madrileños, 1995.

EMILIO CASARES RODICIO

Juliá [Julián] Milán del Bosch, Modesto. Cartagena (Murcia), 24-II-1840; La Habana, ?. Director. Hijo del compositor Domingo Juliá Guitar, debutó como violinista en Cartagena en 1852, y dos años después dirigió una orquesta por primera vez en sustitución de su padre, recorriendo posteriormente las principales ciudades de España como violinista. Fue alumno de Hilarión Eslava en Madrid, y llegó a ser violín concertino del teatro del Circo lo que le acercó al mundo del teatro. Más tarde desempeñó igual puesto en el teatro de la Zarzuela bajo la dirección de Joaquín Gaztambide, con quien cooperó en la fundación, en 1865, de la Sociedad de Conciertos. Fue director de orquesta

Modesto Juliá (Foto: O. Urfé / Museo Nacional de la Música de Cuba)

en el teatro San Carlos de Nápoles y en Lisboa durante dos años. De regreso a España inauguró el teatro Principal de Valladolid. En Salamanca dirigió una orquesta de teatro. En 1870 el empresario José Albisu le ofreció un contrato para inaugurar en La Habana su teatro, que entonces se llamaba Lersundi, pero no pudo aceptarlo en ese momento. Al año siguiente llegó a La Habana al frente de una gran compañía de zarzuela. Desde entonces hizo regularmente la temporada invernal de espectáculos teatrales en Cuba. En 1872 se casó en La Habana con una andaluza, y se estableció en esta ciudad. En 1877 formó en Milán y París la compañía de ópera que inauguró el teatro Payret de La Habana. Posteriormente permaneció unos años en México, donde también creó una sociedad de conciertos en la capital de la república; en ese país fue altamente reconocida su labor artística. En 1886 regresó a La Habana, después de haber declinado la dirección del Conservatorio Nacional de Música de México; a mediados de ese año reanudó sus conciertos sinfónicos, esta vez en el teatro Trijoa (después Martí) con sesenta profesores. El gobierno de Argentina le ofreció llevar a Buenos Aires una gran compañía de zarzuela y de ópera, pero rehusó, prefiriendo quedarse en La Habana. Pasó a formar parte de la empresa del teatro Albisu, a la que perteneció durante treinta años, actuando como director artístico y musical. Allí estrenó obras de los cubanos Ignacio Cervantes, José Mauri y Eduardo Sánchez de Fuentes. Fue amigo y colaborador de los pianistas y compositores Nicolás Ruiz Espadero e Ignacio Cervantes.

BIBLIOGRAFÍA: *DMEH.*

EMILIO CASARES RODICIO

Julián. Familia de intérpretes mexicanos compuesta por Julio, padre, Conchita Domínguez, madre, y Julio José y Conchita, hijos.

1. Domínguez, Conchita. Madrid, 18-XI-1930; México, D. F., 11-II-1989. Soprano. Fue alumna de Lola Rodríguez Aragón y obtuvo el título de canto del Real Conservatorio de Música en Madrid. Miembro del Coro de Madrigalistas de Madrid, en 1958 actuó en la zarzuela *Doña Francisquita* con Alfredo Kraus, en el teatro de la Zarzuela. Tras su matrimonio con Julio viajó a México, como miembro de la compañía de zarzuela de Pepita Embil. De regreso en España trabajó con la compañía de José Tamayo hasta 1968. En 1974 volvió a México, donde permaneció hasta su muerte.

2. Julio. México, D. F., 15-VIII-1935. Tenor y pedagogo. Debutó en la Ópera Nacional en 1955 y presentó una serie de actuaciones por radio y televisión. Vivió un tiempo en España, donde además de la ópera y el concierto cultivó la zarzuela. Se retiró del escenario para dedicarse a la enseñanza del canto.

FONOGRAFÍA: *Don Manolito,* Zafiro-Salvat 1055-2 • Zafiro ZOR-222 154; *Katiuska,* Zafiro-BMG ZN6-8 • Zafiro-Salvat 1037-2 • Zafiro ZOR-22-152 LM 3016; *Maruxa,* La Voz de su Amo-EMI 2XKA U 264-265 y 266-267, 71 y 72.

3. Julio José. México, D. F., 27-XI-1960. Tenor. Estudió en la Escuela Superior de Canto de Madrid con Isabel Penagos y en el Taller de la Ópera del Instituto Nacional de Bellas Artes. En 1987 cantó el papel principal de *Luisa Fernanda.*

4. Conchita. México, D. F., 14-IX-1962. Soprano. Inició sus estudios de canto en la Escuela Superior de Canto de Madrid con Ana Higueras. En 1984 obtuvo el primer lugar en el Concurso Ángel R. Esquivel de la Ciudad de México y al año siguiente hizo su debut en la Ópera Nacional del Instituto Nacional de Bellas Artes. Ha desarrollado una intensa labor en el campo de la zarzuela.

BIBLIOGRAFÍA: *DMEH;* C. Díaz Du-Pond: *La ópera en México de 1924 a 1984,* México, U. Nacional Autónoma de México, 1986.

VÍCTOR SÁNCHEZ SÁNCHEZ

Julián López, Ramón. ?, 6-VIII-1872; ?, 13-X-1948. Compositor. Es autor de numerosas obras escénicas, comedias, operetas y humoradas, varias de ellas compuestas en colaboración con Ricardo Yust. También compuso canciones, como el couplet *El mortero,* editado por Unión Musical Española, así como la marcha miliar *España,* publicada por la misma editorial.

OBRAS (Todas conservadas en *E:Msa*): *Cascabel,* Zarz, 2 act, I, J. López Muñoz; *El beso de la zahorí,* Zarz, 1 act, col. J. Guerrero Torres, I, E. Herrero / J. López, est, 28-IV-1928, Te. Cervantes; *El diablo persa,* 2 act, I, E. Gutiérrez / Mauri; *El disloque,* 1 act, I, L. Argueta; *El padre vicario,* Jug cóm lír, I, J. A. Martín Fernández, est, 20-VII-1901, Te. Circo; *El príncipe soñado,* Opt, 1 act, I, E. González Rubiales / A. Jorge, est, 29-V-1918, Te. Martín; *En la corte del amor,* 2 act, col. Yust García; *Guernicaco arbola,* boceto cóm lír, 1 act, col. Marín del Río, I, E. Gullón; *La corte del amor,* col. Yust García; *La princesa Do-Re-Mi,* Opt, col. Yust García, I, A. Juvenal; *Las deliciosas,* I, F. Trigueros; *Las mujeres de Landrú,* I, F. Trigueros, est, X-1928; *Las seductoras,* 1 act, I, F. Trigueros, est, 1933, Valencia; *Lolita Alcázar,* Com lír, 1 act, J. López Merino, est, 19-VI-1912, Te. Reina Victoria (Sevilla); *¡Martes 13...!,* I, J. Fernández / P. Marqués, est, 1913; *Por los clavos de Cristo,* Hum, 1 act, I, E. García Gutiérrez.

Mª LUZ GONZÁLEZ PEÑA

Junco, Jorgelina. Cienfuegos (Cuba), 31-X-1923; La Habana, 13-IV-2000. Soprano. Perteneciente a una familia de destacados músicos, a los siete años inició sus estudios de música con su tío, el flautista Abelardo Junco. En la década de 1930 se trasladó a La Habana, ingresando dos años más tarde en la Escuela Municipal de Música con Juan González Rubiera. Gran admiradora de Ernesto Lecuona, tras ser presentada a éste e interpretarle la romanza de *María la O* y la canción *Siboney,* la contrató, debutando poco después con éxito en un concierto que ofreció en el teatro Martí con la orquesta de La

Habana. Tras haber participado en varios conciertos hizo su primera presentación en una obra teatral, la opereta *Lola Cruz* de Galarraga y Lecuona. Más tarde interpretó de los mismos autores, *María la O y El cafetal*. Durante varios años actuó en conciertos y zarzuelas en los teatros Nacional, Payret, Auditorium, Campoamor y Principal de la Comedia. Posteriormente actuó en la zarzuela *María Belén Chacón* de Rodrigo Prats y en la comedia lírica *Cecilia Valdés* de Gonzalo Roig. A través de la radio cosechó grandes éxitos en importantes emisoras como COCO, O'Shea, CMQ y RHC Cadena Azul, en esta última donde fue artista exclusiva. Trabajó para el cine y participó en los espectáculos de cabarets. La televisión contó con su presencia en múltiples ocasiones en el programa estelar "El Bar Melódico" de Osvaldo Farrés, medio por el cual se despidió en 1960. Por cierto tiempo ocupó el cargo de instructora de arte y realizó esporádicas actuaciones en las peñas que se ofrecían en Radio Liberación.

JOSÉ PIÑEIRO DÍAZ

Juramento, El. Zarzuela en tres actos. Música de Joaquín Gaztambide. Libreto de Luis Olona. Estrenada el 20 de diciembre de 1858 en el teatro de la Zarzuela de Madrid.

Personajes y reparto. María (Josefa Mora, soprano). La Baronesa (Luisa Santamaría, soprano). El Marqués de San Esteban (Tirso de Obregón, barítono). Don Carlos (Ramón Cubero, barítono). El Conde (Francisco Calvet, bajo). El cabo Peralta (Francisco Salas, barítono). Sebastián (Vicente Caltañazor, tenor cómico). Oficiales, soldados, aldeanos y aldeanas.

Orquestación. Flautín, flauta, 2 oboes, 2 clarinetes, 2 fagotes, 2 trompas, 2 cornetines, 3 trombones, timbales, triángulo, bombo, cuerda y banda (dentro).

Argumento. La acción tiene lugar en 1710, durante la guerra de Sucesión entre Felipe V y los austríacos. *Acto I*. El anciano Conde del Arenal, partidario de Felipe V, vive en su quinta, acompañado por la joven María, hija del difunto mayordomo, a la que había criado como a una hija. Cuando empieza la obra, el Conde está acompañado de su sobrino y protegido Don Carlos, oficial del ejército, que había venido a curarse de una herida recibida en el campo de batalla. Carlos y María se enamoran. El mismo día, Carlos recibe la orden de incorporarse a su regimiento. Llega a la quinta la Baronesa de Aguafría, joven y hermosa viuda, que pide alojamiento por haberse roto su coche. El Conde y la Baronesa tenían un pleito, y un procurador les había recomendado que se casaran, a lo que el Conde estaba dispuesto, pero la Baronesa se arrepiente, al ver que el Conde es un anciano. Carlos pide a su tío que le case con María, pero el Conde se niega, porque quiere para su sobrino una esposa noble y rica, y decide casar a María con su criado Sebastián. Carlos finge aceptar la propuesta de su tío, y María se siente humillada. Aparece de repente el Marqués de San Esteban, capitán del ejército, con su asistente el cabo Peralta, y piden descansar unas horas antes de seguir al cuartel del Duque de Vendôme. María les ofrece la quinta. El Marqués se encuentra con su amigo

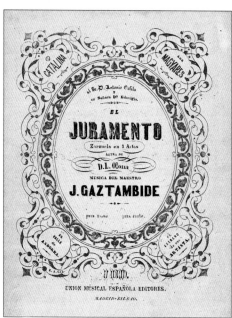

Cortesía de Unión Musical Ediciones SL

Carlos, que le cuenta su sufrimiento, y el Marqués se ofrece a ayudarle, aunque no le dice cómo, obligándole a marcharse de la quinta. Tras hablar con María, a la que también ofrece ayuda, el Marqués pide para sí la mano de María al Conde, cuando ya llegaba a la quinta el notario para casarla con el criado. María se siente traicionada por el Marqués, y cae sin sentido en brazos de las aldeanas que habían acudido a la boda.

Acto II. Un mes después de la boda de María y el Marqués, los esposos siguen haciendo vida de solteros, pues cada uno vive en una parte de la casa sin verse más que esporádicamente y en público. Regresa Carlos, que al enterarse de lo sucedido quiere matar al Marqués, pero éste le explica su conducta: había tenido un desafío tres meses antes, en el que había muerto su adversario. Como el duelo estaba prohibido y se castigaba como un asesinato, el Marqués, para evitar la ignominia del cadalso, juró que se haría matar en el campo de batalla por los austríacos antes de cuarenta días, que estaban a punto de cumplirse. Se había casado con María para dejarla viuda y rica y evitar que el Conde la obligara a casarse con el criado. Por otra parte, María había citado a su marido para pedirle explicaciones por su conducta y por sus coqueteos con la Baronesa, que seguía en la quinta. Carlos se retira, y el Marqués obtiene casi la confesión de que su mujer le ama. El Marqués se retira y entonces María se encuentra con Carlos y le dice claramente que ella ama a su marido, el Marqués. Éste, que también se había enamorado de la joven, precipita su marcha al campamento. Carlos se encuentra con la Baronesa, que le convence para que impida la muerte del Marqués y acepte la voluntad de María. Carlos renuncia al amor de María y se marcha al cuartel general para obtener el perdón del Marqués. María, al ver que su esposo ha huido sin decirle nada, corre a buscarle acompañada por el criado del Conde.

Acto III. Se desarrolla en el campamento. Carlos intenta convencer al Marqués para que no vaya al combate, a lo que éste se niega. Sebastián emborracha a Peralta para enterarse del secreto del Marqués y contárselo a María, que le espera escondida junto al campamento, pero Peralta no le revela nada. Aparece María, que declara su amor al Marqués, pero éste insiste en separarse de ella, porque está amaneciendo y va a comenzar la batalla. Al fin, llega Carlos con el perdón del Rey, conseguido gracias a la Baronesa.

María Rey-Joly como María en El juramento, *producción de Emilio Sagi / Gerardo Trotti, 1999 (Foto: J. Alcántara; Cortesía del Teatro de la Zarzuela)*

Números musicales. Acto I: Nº 1. Preludio e introducción, María y coro de aldeanos, con el Conde y Sebastián, "¡Ellos son!, ¡ellos son!". Nº 2. Coro y cavatina de la Baronesa, "¡Torpe! Señora, ¡sosegaos!". Nº 3. Romanza de María, romanza del Marqués con Peralta y terceto de María, el Marqués y Peralta, "¡Ah! Yo me vi en el mundo". Nº 4. Final del acto I, María, la Baronesa, el Marqués, el Conde, Peralta, Sebastián y aldeanos, "Su rara hermosura". Acto II: Nº 5. Introducción y coro del *chu, chu, chu*, "Vedle qué pensativo". Nº 6. Escena y cavatina de la Baronesa, "¡Ja!, ¡ja!, ¡ja! ¡Oh, qué Marqués". Nº 7. Romanza de Don Carlos, "Gracias, fortuna mía". Nº 8. Dúo del piano, María y el Marqués, "Es el desdén acero". Nº 9. Final del acto II, dúo de María y Sebastián, "¿Qué os sucede?". Acto III: Nº 10. Introducción y coro de la diana, "Soldados de la ronda". Nº 11. Brindis y dúo de Sebastián y Peralta, con coro, "¡Brindis! ¡A la fortuna!". Nº 12. Dúo de María y el Marqués, "Guarde Dios al gentil marido". Nº 13. Final, el Marqués con todos, "¡Ah! Risueña brilló la aurora".

Comentario. Sobre el proceso compositivo de esta obra, se conservan dos cartas en la Biblioteca Nacional de Madrid. La primera, enviada por Gaztambide a Barbieri el 29-VIII-1858, desde Panticosa, dice: "Recibí tu carta para Olona y se la remití a *La Parda*, de donde me escribió mandándome el 2º acto de *El juramento* (zarzuela). Los dos actos reposan en paz, hasta mi vuelta a Madrid, en donde no dudo tendré ganas de trabajar. Lo que es por hoy, cero. Este señor [Olona] lo dejé en Barcelona tan flaco y tan no sano, y posteriormente supe que está en *La Parda*, de donde me enviará el acto 3º". En la segunda, fechada el 1-IX-1858 en los Baños de la Puda, comenta Olona a Barbieri que "contra el consejo del

médico del establecimiento, he trabajado estos días hasta que terminé la zarzuela de Joaquín". Por tanto, Gaztambide compuso la música entre septiembre y diciembre de 1858. La obra superó la censura teatral el 14 de diciembre de 1858.

El libreto pertenece a Luis Olona, que ya había colaborado con Gaztambide en diez obras. Olona aclara en una nota previa a la edición del libreto que éste, aunque basado en uno francés, es original. El libreto posee gran interés dramático, que se mantiene con habilidad al lograr que el Marqués deje sólo entrever su juramento, para parecer que "razones poderosas le mueven a obrar en apariencia de un modo poco noble; así como está justificado el cambio de sentimientos de María. Todos los personajes son dignos caracteres, y la lucha de afectos es también noble", según Cotarelo.

El juramento sigue el modelo de zarzuela grande en tres actos, y consta de trece números musicales: cuatro en el primer acto, cinco en el segundo y cuatro en el tercero, siendo de mayores dimensiones los números del primer acto. La música muestra características propias de Gaztambide. Destaca la mayor densidad armónica respecto a las zarzuelas de sus contemporáneos, y sobresale la tendencia a iniciar un número en un área tonal y continuarlo bien en la tonalidad homónima mayor, en la del sexto grado o en la situada una quinta inferior, convirtiendo la primera sección en una función de dominante que resuelve en un área de tónica. Además, el dominio del medio instrumental es más completo en Gaztambide que en otros compositores coetáneos. La obra emplea formas propias del repertorio de salón de mediados de siglo, como la mazurka, la polka o la polonesa, esbozadas en varios números musicales.

Igualmente recurre a estructuras de cavatina, tirana y petenera, estas dos últimas, propias del lenguaje hispánico. Es casi continua la repetición de frases musicales, buscando el balance.

El protagonista musical no es un tenor, como era frecuente, sino un barítono, que comparte papel con la soprano. Los personajes centrales están caracterizados musicalmente desde el comienzo, lo que permite una economía de medios en el desarrollo de los números. Gaztambide vincula al máximo texto y música, escribiendo una música diferente para cada situación o afecto que plantea, con objeto de subordinar la música al texto. Por ello no aparecen en la obra arias estróficas, sino estructuras poliseccionales, con frecuentes cambios de tempo, compás y tonalidad, y alguna forma ternaria. El coro actúa como elemento de apertura y cierre musical de los actos, al igual que en gran parte de la ópera cómica italiana, pero su función es externa a la acción, pues los números corales están motivados por un interés musical, no por verdaderas necesidades dramáticas. *El juramento* precisa de dos sopranos y de dos barítonos de buena factura vocal. El papel de la Baronesa requiere una soprano de ámbito amplio y con capacidad para interpretar los pasajes de tesitura y coloratura exigente –como el final del Nº 2– e imitar al tiempo la voz de hombre –Nº 6–, mientras que el de María exige una soprano lírica con timbre de gran belleza y con gran expresividad, sobre todo para la interpretación del aria inicial del Nº 3. Por su parte, los papeles de El Marqués y Don Carlos requieren dos barítonos líricos con ámbito amplio y capacidad de coloratura. El Conde es el típico bajo de zarzuela de carácter cómico, que recuerda el papel y el color vocal del Duque de Alburquerque de *Jugar con fuego*. La obra incluye otros dos personajes secundarios, el Cabo Peralta, barítono, y Sebastián, tenor, que además de ser buenos actores –pues el Nº 11, dúo de Sebastián y Peralta, borrachos, así lo exige–, deben aunar las cualidades vocales, a fin de desempeñar con dignidad sus partes, en especial en los Nºˢ 9 y 11. Sin duda el papel de Sebastián fue escrito pensando en las extraordinarias cualidades interpretativas de Vicente Caltañazor, quien lo interpretó en su estreno.

El Nº 1 es poliseccional y se inicia con una introducción orquestal, en la que el elemento dinámico es trabajado cuidadosamente. Tras ella, interviene María, contestada por el coro de aldeanos. Gaztambide abandona la tonalidad inicial, haciendo que la entrada de la parte vocal se presente en el tono de la mediante, recurso poco frecuente entre los compositores líricos españoles. El cambio de escena que

acompaña a la aparición del Conde y Carlos se corresponde con una nueva sección, ahora en compás de subdivisión binaria, lo que pone de manifiesto que los cambios de música sirven al desarrollo de las diferentes situaciones. El Nº 2 es un coro que permite la presentación de la Baronesa, la cual entona a continuación la cavatina que constituye el Nº 2bis, en lenguaje españolizante, que mediante la pedal sobre la nota Mi, las fórmulas de la cadencia andaluza y la acentuación a contratiempo, se sitúa en su primera parte en una auténtica tirana, la cual enlaza en la segunda sección del número, a partir del compás 61, con un fragmento belcantista en la línea italiana. El número es, así, un ejemplo perfecto de integración estilística y de caracterización del personaje. El Nº 3 es una escena compleja que se inicia con la romanza de María –que hasta ese momento

Teresa Verdera como La Baronesa en El juramento, *producción de Emilio Sagi / Gerardo Trotti, 1999 (Foto: J. Alcántara; Cortesía del Teatro de la Zarzuela)*

sólo había participado brevemente en el número inicial–, la cual interpreta un *Andante*, en la tonalidad de Si b menor, de gran lirismo, en el que las dificultades vocales y los pasajes melismáticos, así como la cadenza que cierra el número están pensadas para el máximo lucimiento vocal de la soprano, en un lenguaje musical próximo al belliniano. Tras una introducción orquestal, hace su entrada en escena el Marqués, con la romanza correspondiente al Nº 3bis ("¡Cuál brilla el sol en la verde pradera!"), de tal popularidad que todavía era canturreada con frecuencia por los aficionados bastantes años más tarde. El número se prolonga con la intervención de Peralta, lamentación prosaica que contrasta al máximo con el lirismo del Marqués, el cual también canta una pequeña cadencia. Sigue un trío, Nº 3ter, cantado por ambos personajes y María, trío que de nuevo presenta una estructura poliseccional, con cambios notables en la armadura, correspondiendo cada sección a intervenciones diferentes de los personajes. El diálogo es puesto en música a través de una estructura flexible, que renuncia a la forma cerrada. Estos tres fragmentos, cada uno de los cuales es poliseccional en sí mismo, configuran un gran Nº 3, cuya construcción interna sacrifica las relaciones temáticas en aras de la diversidad planteada por el argumento. El acto primero concluye con un amplio concertante, que participa de las características comentadas, estando la música supeditada al servicio de las situaciones dramáticas.

El acto segundo, con cinco números musicales, comienza con una introducción orquestal que es seguida por un gracioso coro, en el que Sebastián y el coro comentan la no consumación del matrimonio entre María y el Marqués, que apenas se ven. Hay un referente implícito en este coro al de la murmuración que abría el tercer acto de *El dominó azul* de Arrieta, estrenado el 19 de febrero de 1853, si bien su estructura interna es diferente. El Nº 6, escena y cavatina de la Baronesa, se inicia con un ritmo de polka, que contribuye al efecto frívolo que narra el argumento, cuando el Conde y María ven al Marqués tontear con la Baronesa. Dentro de la polka cantada por la Baronesa, hay un pasaje central, en el que imita la voz y las maneras del Marqués, para el que Gaztambide retoma el españolísimo ritmo de tirana, con segundas aumentadas incluidas en la armonía. Esta cavatina, en la interpretación realizada en la temporada del estreno por Luisa Santamaría, cosechó notables éxitos. El Nº 7 es la romanza de Carlos ("Gracias, fortuna mía"), pequeña aria da capo con una cadencia al final que permite el lucimiento vocal –es la única romanza de Carlos en la obra–. El Nº 8 es el famosísimo dúo del piano, en el que el Marqués toca al piano fragmentos de canciones que hablan de amor y María se turba al encontrar una carta de Carlos en la que le anuncia su llegada. Como referentes deben considerarse las escenas de teatro dentro del teatro o los números abiertos como el pasaje de Astuccio en el Nº 1 de *El estreno de una artista*, estrenada en junio de 1852. Tras una introducción, que corresponde al pasaje de la canción equivocada, con sonoridad española en cuanto a la acentuación –aunque no es tan definida como la de la tirana anterior– aparece una pequeña forma ternaria A-B-A', interrumpida por el argumento, que obliga al Marqués a dejar de tocar y a recuperar de nuevo el tema de la canción. Este número alcanzó tal popularidad "que casi no hubo casa particular en que no se cantase por aquellos días y aún después. Pocas páginas musicales tan delicadas y tan expresivas de los afectos que entraña la letra se habrán escrito, especialmente en su última parte, tan suave y amorosa", según Cotarelo. El final del acto es el dúo de María y Sebastián ("¿Qué os sucede?"), en el que una introducción en la tonalidad homónima menor, conduce a un pasaje más lírico, reforzado por la orquesta, aunque es un número sin excesiva trascendencia desde el punto de vista musical.

El acto tercero, de menores dimensiones que los anteriores, comienza con la introducción y coro de la diana. La introducción describe en ritmo de pasacalle el ambiente de la ronda de los soldados. Gaztambide emplea los toques del ejército, como había hecho Inzenga en *El campamento*, para describir la batalla, recurriendo a la serie armónica natural para evocar los toques de trompas y clarines. La orquesta utiliza diseños independientes del coro, que realiza melodías de gran sencillez. A continuación la orquesta calla, dando lugar a que los soldados canten, en ritmo marcial, un pasaje que describe la batalla, recurriendo a los tópicos de la serie armónica natural, para evocar los toques de trompas y clarines. Al tiempo, los soldados imitan los sones de clarines y cajas cuando tocan la diana. El número busca, a través del eco y la onomatopeya, describir el campamento propio y el del enemigo, el fuego de guerrillas, el fuego de descargas, el toque de tambores sonando al ataque y el granizado tiroteo de las guerrillas, pero, como indica el autor, "todo esto ha de ser piano y como el efecto de un sueño o de la fantasía". El número se cierra con la repetición del coro "soldados de la ronda", sumándose la orquesta con una instrumentación de gran brillantez. También alcanzó éxito el dúo cantado por Peralta y Sebastián, en el que la presencia del cantante Francisco Salas, que tuvo que sustituir al indispuesto actor Fuentes, sirvió para que el diálogo con Vicente Caltañazor, otro de los más destacados intérpretes del momento, que hace el papel de borracho, obtuviera cotas interpretativas mucho mayores que las que se hubieran logrado en otro caso. La puesta en escena, donde ambos se cogen del brazo para no caerse, las toses cómicas, las imitaciones del paso militar y del redoble de tambor, la acentuación de las notas a contratiempo en la tercera sección, la españolización de la música relacionada con los requiebros, los seisillos en la melodía orquestal, así como el propio texto, contribuyen al efecto cómico del número. El Nº 12, dúo de María y el Marqués, recoge el motivo del terceto del primer acto (Nº 3ter), como medio de integración musical. La declaración de amor de María se combina con la amargura y tristeza del Marqués, que sabe que tiene que morir. Un pasaje agitado, en la sección inmediata, simboliza la llegada del alba, e introduce la última sección, en la que la misma música sirve para contrastar los dos afectos vigentes en ese momento, a través de un juego dinámico muy cuidado. El último numero es un breve fragmento que retoma la sección final del Nº 3, en ritmo hemiólico, para concluir la obra.

El juramento logró un enorme éxito, del que se hizo eco toda la crítica. Según Barbieri, "*El juramento* es un libreto de mucho interés dramático y tiene una música agradable siempre, y con algunos trozos excelentes. El éxito de esta obra fue brillantísimo y ha dado, y aún está dando, grandes resultados pecuniarios… Varias piezas fueron repetidas y en el dúo de los borrachos, se hacía notabilísimo Caltañazor por las apuntaturas de su caletre que hacía con el gran instinto músico que le distingue". A las funciones acudió diariamente la reina Isabel II, prendada entonces del tenor Tirso de Obregón. Para Cotarelo "la ejecución fue buena por todos los cantantes, que eran lo mejor de la compañía, e insuperable por algunos. La Mora cantó muy bien, aunque el papel de la huérfana no se avenía ni con su temple de voz ni con su figura, pues estaba ya demasiado gorda para papeles de muchacha jovencita. La Santamaría, que estaba en su elemento, cantó y declamó de un modo perfecto". Entre los hombres sobresalió Obregón, "a quien el público todas las noches abruma con sus aplausos". Los coros, como siempre, inmejorables. El decorado bueno. El éxito de esta obra asombrosa fue tal, que además de ejecutarse el resto del mes de diciembre, todo el de enero, todavía el 6 de febrero seguía la gente concurriendo como el primer día".

La obra, una de las zarzuelas más bellas del teatro lírico español y de mayor difusión y éxito de Joaquín Gaztambide, fue representada miles de veces hasta la década de 1920, no sólo en toda España, sino también en Hispanoamérica. En la temporada 1999-2000 ha sido repuesta con éxito en el teatro de la Zarzuela, y después en Oviedo y otros lugares.

Fuentes manuscritas. Una partitura de orquesta completa, otra incompleta (TL-569) y los materiales de orquesta (2285) se conservan en el archivo de la SGAE en Madrid. El borrador manuscrito original (M caja 725-1) y otra parte de apuntar (M-4371) se conservan en la Biblioteca Nacional de Madrid.

Ediciones de música. Orquesta, ed. crítica R. Sobrino, Madrid, ICCMU, 2000. Canto y piano, Madrid, PM, [1859]; Madrid, UME; ed. crítica R. Sobrino, Madrid, ICCMU, 1999.

Ediciones del libreto. Madrid, Imp. de la Revista de Caminos de Hierro, 1858; 3ª ed., Alonso Gullón; 4ª y 5ª, Florencio Fiscowich.

BIBLIOGRAFÍA: *DMEH*; *HZ*; R. Sobrino: "Joaquín Gaztambide: la necesidad de una reparación", *Luces y sombras del patrimonio histórico y cultural en Navarra*, Pamplona, Comunidad Foral de Navarra, 1998.

RAMÓN SOBRINO

Katiuska. Opereta en dos actos. Música de Pablo Sorozábal. Libreto de Emilio González del Castillo y Manuel Martí Alonso. Estrenada el 27 de enero de 1931 en el teatro Victoria de Barcelona.

Personajes y reparto. Katiuska (Gloria Alcaraz, soprano). Olga (Amparo Albiach, tiple cómica). Tatiana (Sra. Sánchez, actriz con parte de cantado). Miska (Sra. Sanz, actriz). Campesina 1ª (Srta. Rodríguez, actriz). Campesina 2ª (Srta. García, actriz). Pedro Stakof (Marcos Redondo, barítono). Príncipe Sergio (Mateo Guitart, tenor). Coronel Bruno Brunovich (Ángel de León, bajo bufo). Amadeo Pich (Pedro Vidal, actor con parte de cantado). Boni (José Acuaviva, actor). El Conde Iván (Sr. Barajas, actor). Koska (Sr. Parera, actor). El comisario del Kiev (Sr. Martínez, actor). Campesino 1º (Sr. Gómez, actor), Campesino 2º (Sr. Sánchez, actor), Soldado 1º (Sr. Ripoll, actor). Soldado 2º (Sr. Balaguer, actor). Nobles. Campesinos. Soldados. Expatriados.

Orquestación. Flautín, flauta, oboe, clarinete, saxofón, fagot, trompa, trompeta, 2 trombones, percusión, arpa, mandolina, banjo y cuerda.

Izquierda: Enriqueta Serrano; derecha: El Sr. Peña, la Sra. Serrano, el Sr. Bori y la Sra. Xatart; debajo: La Sta. Panadés como Katiuska, el Sr. Redondo como Pedro Stakot, el Sr. Peña como el coronel Brunovich y la Sra. Serrano como Olga en diferentes escenas de Katiuska (Fotos: Ar. Emilio G. Carretero; Portada: Cortesía de Unión Musical Ediciones SL)

Argumento. La acción transcurre en Ucrania inmediatamente después de la Revolución.

Acto I. Frente a una posada que se encuentra en las afueras de una aldea en el camino que va desde Kiev a la frontera con Rumania, pasa un grupo de campesinos ucranianos camino del exilio. Boni, el joven posadero, y su tía Tatiana discuten con Koska, un fanático revolucionario que critica a los que huyen del país y al Príncipe Sergio. Llega de incógnito Pedro, comisario del Soviet que anuncia que el Príncipe logró escapar de la quema de su palacio. Miska, una fiera que resulta ser la mujer de Koska, se une a la discusión mientras Pedro pide que le sirvan la cena y se despide. Boni se queda entonces a solas con su novia Olga, que es una mujer hermosa y muy coqueta hasta que llega el Coronel Bruno Brunovich, un viejo cosaco que corteja a la joven y vive gratis en la posada porque tiempo atrás Boni fue su asistente y todavía le guarda un respeto castrense. Llega a la posada Pich, un vendedor de medias de Lérida que tiene la misión de saldar el impago de 62 pares de medias que Bruno compró a su empresa –la Corona Imperial– para regalárselas a Tatiana. A cuenta del nombre de la empresa se generan algunos equívocos divertidos que concluyen con la entrada en escena del Príncipe Sergio que trae consigo a la joven Katiuska. Él tiene que proseguir su huida, pero confía el cuidado de Katiuska a Boni y a Bruno, dando a este último unas monedas de oro para tal efecto. El dinero trastoca las relaciones entre los personajes empezando por Bruno que sólo piensa en escapar con él. En medio de la confusión del final del primer acto, irrumpe violentamente un grupo de soldados del Ejército Rojo y avasallan a Katiuska hasta que reaparece en escena para defenderla Pedro que se enfrenta valientemente con los soldados y les pone en fuga. Mientras Pedro habla con Katiuska y Boni, el pueblo, que se ha enterado de que él es el delegado del Soviet para cobrar los tributos, se amotina y organiza para prenderle. Ahora es Katiuska quien protege a Pedro ocultándole en su habitación. Pedro escapa y los demás vuelven a sus maquinaciones mientras Katiuska, asustada, se retira a su habitación y confiesa su amor por Pedro.

Acto II. Todavía es de noche, llegan noticias de las escaramuzas entre los campesinos y los soldados de la revolución, y aparece un músico vagabundo llamado Iván a quien permiten dormir con los perros. Iván, al oír una canción de Katiuska, se interesa vivamente por el pasado de la joven y ella comienza a desvelar retazos de su infancia que él rápidamente identifica. Seguro de haber desvelado la misteriosa identidad de la refugiada, Iván decide salir de la posada y encomienda a Tatiana el cuidado de Katiuska. Tras una escena cómica en la que Boni se rebela contra Bruno, aparece Pedro con sus soldados. Traen prisionero al Príncipe Sergio. Katiuska entonces con-

fiesa su amor a Pedro y, después, le pide que libere al Príncipe pero él antepone su deber al amor que siente por Katiuska. Cuando Pedro sale con sus soldados, Olga Bruno y Pich continúan organizando su fuga a París. Pedro regresa con Iván y otros prisioneros, y valiéndose de una argucia, hace que el Príncipe lo identifique con el Conde Iván, otro aristócrata proscrito. Efectivamente, Iván, amigo personal del Zar, había organizado una partida de nobles con el fin de rescatar a Katiuska Ivanowa, la única superviviente de la familia real. A pesar de las evidencias, Pedro se niega a creer la historia hasta que Iván se la detalla: Katiuska, hija de un amor ilícito y verdadero del Zar, había sido criada en el campo por su abuela al margen de todo. Al oír esto, la voluntad de Pedro flaquea y decide liberarles a todos dándoles un salvoconducto a costa de su propia vida. Katiuska se niega a abandonar a Pedro, lo que ocasiona un enfrentamiento entre el Príncipe Sergio y él. Durante este tiempo Koska denuncia la actitud de Pedro al Comisario del Pueblo quien, al llegar, reparte justicia magnánimamente: perdona a Pedro, expulsa de Rusia a los nobles, promete al Príncipe un juicio justo y da a Katiuska la alternativa de marchar al exilio con los nobles como "princesa sin reino" o quedarse en Rusia como una "mujer del pueblo". Ella, sin dudar, decide quedarse con Pedro.

Números musicales. Acto I: Nº 1. Coro mixto. Bebedores (bajos) y Mujeres, "Todo es camino". Nº 2. Romanza de Pedro, "'¡Calor de nido! ¡Paz del hogar!". Nº 3. Terceto cómico. Olga, Boni y Coronel, "El cosaco en su brioso corcel". Nº 4. Katiuska, Príncipe Sergio, Coronel y coro general, "¡Es el Príncipe!". Nº 5. Romanza de Katiuska, "Vivía sola con mi abuelita". Nº 6A. Pedro, Katiuska, Sergio, Olga, Tatiana, Pich, Coronel, coro y ocho campesinos armados, "¡Ya anocheció! Ya no debéis partir". Nº 6. Romanza de Pedro, "¡Atrás! ¡Porque muere quien toque a esa mujer!". Nº 7. Katiuska, Olga, Tatiana, Miska, Boni, Pich, Coronel y Pedro, "El reloj las diez ya dio". Acto II: Nº 8. Preludio [Nº 5]. Nº 9. Olga, Conde, Iván y coro de campesinos, "Ven a mi casa en trineo". Nº 10. Romanza de Katiuska, "Noche hermosa de jazmines perfumada". Nº 11. Cuarteto cómico. Olga, Coronel, Tatiana y Boni, "Te acercarás con gran finura". Nº 12. Dúo de Katiuska y Pedro, "¿Qué dices? ¡Katiuska!". Nº 13. Terceto cómico. Olga, Coronel y Pich, "Joyas. Trajes. Siempre en gran *toilet*". Nº 14. Final. Katiuska, Sergio, Pedro y coro, "Esta mujer tuya nunca ha de ser".

Comentario. El estreno de *Katiuska* significó la irrupción en el panorama lírico español de Pablo Sorozábal, un músico que traía ideas frescas, una excepcional formación académica, gran capacidad de aprendizaje y adaptación al medio, y un interesante alejamiento del mundo lírico oficial. Después de una prolongada estancia en Alemania, Sorozábal había regresado a España con un cierto renombre que se vio confirmado con el estreno, en enero de 1928, de sus *Variaciones sinfónicas sobre un tema popular vasco*, una obra importante del sinfonismo español de los años veinte. Pero la idea de Sorozábal con su presentación en Madrid era, sobre todo, entrar en contacto con algún libretista madrileño buscando algún modo de subsistencia como compositor.

Así, en 1928 entró en contacto en Madrid con una pareja poco habitual de libretistas: Emilio González del Castillo y Manuel Martí Alonso. González del Castillo era ya un autor reconocido. Por el contrario, Manuel Martí era un perfecto desconocido. A pesar de la vinculación de los libretistas con la temática rural vasca, Sorozábal quería apartarse de obras como *El caserío* (1926) o *La meiga* (1928) que Guillermo Fernández-Shaw y Federico Romero habían escrito para Guridi y, advirtiendo la saturación de la escena nacional de zarzuelas de ambiente rural, los colaboradores optaron por un tema a la vez pintoresco y de actualidad. De ahí surgió el tema del éxodo de la aristocracia rusa que, con una pequeña dosis de cabaré parisino, y con el artificio de un personaje cómico como Amadeo Pich, vendedor catalán de medias que pretende saldar deudas en Rusia, podía constituir un buen argumento de opereta, un subgénero que en los primeros años treinta se vislumbraba como una posible alternativa a las formas tradicionales de zarzuela. Sorozábal volvió a Leipzig con algunas ideas sobre *Katiuska* y los libretistas le fueron enviando con bastante parsimonia los números cantables. La avidez de Sorozábal y su concentración en la composición de esta música contrasta con el relativo interés que él percibía en los libretistas. En realidad, para ellos no era más que un experimento, quizás una pérdida de tiempo: Sorozábal no era un músico de teatro y el resultado era por tanto más que incierto dentro de una escena bastante reacia a cualquier novedad y en la que la fama de músico sinfónico era una mala carta de presentación. Como consecuencia, resultó que pocas zarzuelas de esta época recibieron una dedicación tan dilatada por compositor alguno y eso necesariamente se tenía que notar en la partitura. Frente a la acumulación plana de temas musicales más o menos inspirados de obras contemporáneas de éxito como, por ejemplo, *La rosa del azafrán* de Guerrero, Sorozábal busca un trabajo musical más fino con una cierta unidad temática de modo que la música participe de forma activa en el desarrollo dramático sin limitarse a ornamentarle.

Desde los primeros compases, Sorozábal demuestra su intuición para construir música dramática: los libretistas le proporcionan una escena con tres grupos. Dos de estos grupos son móviles –Campesinos y Campesinas procesionando en su huida de Rusia–; el otro –el de Campesinos que están bebiendo vodka en la taberna– es estático. Sorozábal resuelve la escena con tres coros sencillos sin apenas armonización, introducidos por ocho compases orquestales que presentan el tema de Katiuska, que luego se utilizará ampliamente sobre todo en la primera romanza de Katiuska ("Vivía sola con mi abuelita", Nº 5) y en el momento de mayor dramatismo de la intro-

ducción al dúo "Somos dos barcas" (Nº 12). El primer coro es el de los grupos procesionantes "Todo es camino, lleno de tristeza": coro mixto al unísono, procesional, lánguido con un acompañamiento ostinato; con la segunda estrofa de este coro, entra el coro de Campesinos de la taberna "El último vaso de vodka": coro de hombres unisonal en contrapunto con el coro anterior; a continuación se detiene todo el movimiento escénico y el tercer coro, las Campesinas, entona una pequeña plegaria a dos voces en terceras, con un carácter contemplativo y más luminoso, después de la cual todos los personajes de la escena prosiguen su movimiento: Campesinos y Campesinas vuelven al tema "Todo es camino…", mientras los bebedores se incorporan a la procesión con el canto en contrapunto de "Hermanos es nuestro destino"; todos se alejan y salen de escena uniéndose a boca cerrada con el acompañamiento *ostinato* mientras comienza el diálogo en la taberna. De esta manera, en apenas dos minutos, han aparecido tres grupos, han actuado, han atravesado el escenario, se han ido y han dirigido la atención al primer diálogo: desde el punto de vista dramático, es ésta una escena magistral.

Katiuska está llena de detalles de este tipo: orquestación elegante en todo momento; buenos concertantes como el del Nº 4 con el tema "Es delicada flor" que tiene que escenificarse, porque grabado pierde gran parte de su interés, o el pequeño concertante al final del Nº 6A entre los campesinos borrachos y Katiuska que da entrada a la segunda romanza del barítono; romanzas intensas, variadas y de brillantez vocal; hay pequeño guiño clasicista en el Nº 7 donde hay una referencia a la segunda escena del acto segundo de *Il barbiere* cuando el Conde Almaviva se hace pasar por maestro de música y se presenta a D. Bartolo: la obstinación de Katiuska en no acostarse y la contenida impaciencia de los interlocutores para mandarla a la cama, todo dentro de un tempo de gavota y de una música diáfana con leves interpolaciones más ligeras sirven para construir un número en el que el referente rosiniano es claro; o el procedimiento de gran efecto dramático de la pequeña canción "Luna esconde tras el velo" de Katiuska que aparece dos veces con un final distinto, en situaciones dramáticas diferentes, y además, la primera vez que aparece (Nº 6A), sobre su melodía se construye una escena completa en la que intervienen otros cinco personajes; un dúo –el de Katiuska y Pedro (Nº 12)– de gran lirismo y sólida construcción dramática que constituye el corazón musical de la obra y el puntal sobre el que descansa el irregular segundo acto; una buena colección de bailables y números cómicos o exóticos, propios del género opereta, entre los que hay que destacar la canción ucraniana del Nº 9 o el ineludible foxtrot (Nº 13 "A París me voy") orquestado con un naturalismo cabaretero equivalente a los detalles naturalistas de *La verbena de la Paloma*. Pero la parte cómica, articulada en torno a la tiple cómica Olga y al personaje de recitado Amadeo Pich ocurre principalmente en la parte hablada y los números musicales de este nivel cómico de la partitura sólo tienen una función ornamental, que no interfiere apenas con el nivel dramático de la historia lírica que ocurre en el triángulo amoroso Pedro-Katiuska-Sergio y donde la partitura sí tiene una función dramática importante.

A pesar de la preocupación evidente de Sorozábal por crear una obra sólidamente construida y unitaria, la música decae en el Nº 14, el final, demasiado rápido y caleidoscópico, que sólo se sostiene por el buen oficio de Sorozábal como armonizador, pero en el que se perciben demasiadas irregularidades, incluso en la adaptación música-texto. Esto seguramente se debe a la reforma que se hizo tras el estreno en Barcelona, porque, a pesar de que la obra, desde el punto de vista musical es de una factura excepcional, la verdad es que el día del estreno se libró por poco del fracaso. El segundo acto, originalmente, transcurría en un cabaret parisino, dando lugar a una ambientación muy diferente, otras situaciones dramáticas, música distinta, etc. La idea era buena y muy propia del género opereta, pero no funcionó en absoluto: al final del primer acto lo que el público demandaba era la resolución rápida del argumento dentro de los parámetros en los que se había desarrollado el acto primero. Esto dio lugar a que los autores cambiaran por completo el acto segundo con el condicionante de reutilizar la música ya compuesta por Sorozábal: de este modo, los números musicales del segundo acto están engarzados dentro del argumento a manera de revista, y eso se deja notar en la obra. Incluso se podría deducir que el último número también resulta de la adaptación no sólo de textos nuevos –lo que explicaría ciertas inadaptaciones música-texto–, sino de músicas también nuevas que escapan a la cohesión de la concepción original. A pesar de todo, la segunda y definitiva versión de *Katiuska*, colmó las expectativas de un público que ya estaba muy acostumbrado al género arrevistado, pero desde un punto de vista crítico, ha de decirse, cuando menos, que la obra acaba teniendo una irregularidad enfadosa que probablemente no existiría en la realización primera. Muchos años después Sorozábal volvió sobre esta partitura bajando medio tono la romanza del barítono "La mujer rusa" (Nº 6), inicialmente concebida para el registro vocal de Marcos Redondo, y escribiendo una página más para el final cuyo principal objeto no era otro que dar entrada a un coro de campesinos para equilibrar el coro de nobles "Rusia patria de todos mis amores" al que en la versión anterior sólo contestaba el barítono con "Cantáis a Rusia".

Al final, el hecho de haber estrenado *Katiuska* en Barcelona y de llegar a Madrid después de una bien planificada gira por provincias, fue determinante en su futuro como también lo fue su propio subtítulo: cuando la obra se estrenó todavía no se había proclamado la República, pero pareció oportuno utilizar el subtítulo *La Rusia roja* para aprovechar el auge de las ideas políticas de izquierdas en la sociedad del momento y atraer así un mayor número de público. Más adelante, apenas se proclamó la República, aparece en el *Boletín de la Sociedad de Autores Españoles* un aviso solicitando que, siempre que se programe *Katiuska o La Rusia roja*, se utilice el título en su forma completa. Posteriormente, los acontecimientos de la historia contemporánea de España determinaron que este subtítulo desapareciera y se utilizara el que quizá fuera subtítulo original: *La mujer rusa* que, en cualquier caso, se acomoda más a un argumento muy ingenuo en el que, a pesar de arranques como "Rusia es de los nuestros, de los trabajadores", el antagonismo está representado por la horda revolucionaria y la ideología que se desprende de ella, mientras que la aristocracia es el reducto del honor y el amor, y prevalece una añoranza de la Rusia zarista como país idílico sin que quede apenas lugar para la esperanza en la Rusia roja.

Fuentes manuscritas. El libreto mecanografiado, la parte de apuntar y los materiales de orquesta se conservan en el archivo de la SGAE en Madrid (5601).

FONOGRAFÍA: D78rpm: Dir. Maestro Puri, Sol. Marcos Redondo, Odeón 184205, SO 6779 SO 6780 • Sol. Ángeles Ottein, Odeón 184227, SO 6921 SO 6929 • Dir. Concordio Gelabert, Sol. Laura Nieto, Gramófono DA 4215, OJ 576 OJ 577 • Sol. Eduardo Brito, La Voz de su Amo DA 4326, OJ 936 OJ 937 • Dir. Pablo Sorozábal, Sol. Enriqueta Serrano, Odeón 184508 y 203752, SO 6944 SO 7747 a SO 7749 • Dir. Pablo Sorozábal, Sols. Marcos Redondo, Felisa Herrero, Amparo Albiach, Ángel de León, Coro y Orq. Columbia, Columbia R 14016 a R 14020, WK 2481 a WK 2484, WK 2488 WK 2489 WK 2518 WK 2519 WK 2615 WK 2616 WK 2618 WK 2619.

LP: Dir. Pablo Sorozábal, Sols. Isabel Penagos, Alicia de la Victoria, Carmen Aragón, Manuel Ausensi, Julio Julián, Luis Frutos, Eduardo Fuentes, Juan del Castillo, Coro de Cantores de Madrid, Orq. Sinfónica, Zafiro ZOR-22-152 LM 3016 y Zafiro-BMG ZN6-8 [reed. en CD: Zafiro-Salvat 1037-2] • Dir. Pablo Sorozábal, Sols. Pilar Lorengar, Alfredo Kraus, Renato Cesari, Selica Pérez Carpio, Manuel Gas, Enriqueta Serrano, F. Maroto, J. Marín, Coro de Cantores de Madrid, Orq. de Conciertos de Madrid, Hispavox HH 1035 [reed. en CD: Hispavox 7 67330 2 (637.33842) y EMI 7243 5 74161 2 2 (637.00353)] • Dir. Pablo Sorozábal, Sols. Ana Higueras Aragón, Julián Molina, Antonio Blancas, Luis Frutos, Coro de Cantores de Madrid, Orq. Sinfónica, Columbia MCE 829 y SCE 929-942.

CD: Sols. Felisa Herrero, Ángeles Ottein, Marcos Redondo, Blue Moon BMCD 7516 • Dir. Pablo Sorozábal, Sols. Andrés G. Martí, Lola Lemos, Salvador Castelló, Joaquín Molina, José Carpena, Coro de Cantores de Madrid, Orq. Sinfónica, Alhambra-BMG España WD 71585 (9H).

BIBLIOGRAFÍA: M. Redondo: *Un hombre que se va*, Barcelona, Planeta, 1973; P. Sorozábal: *Mi vida y mi obra*, Madrid, Fundación Banco Exterior, 1986; J. Suárez-Pajares: "Pablo Sorozábal en la lírica española de los primeros años 30", *Cuadernos de Música Iberoamericana*, 4, Madrid, SGAE, 1997, 104-43.

JAVIER SUÁREZ-PAJARES

Kegel, Federico Carlos. Lagos Moreno, Jalisco (México), 1865; Guadalajara (México), 1907. Periodista y autor teatral. Desde muy joven se dedicó al periodismo. El 7 de julio de 1907 estrenó en el teatro Arbeu su zarzuela *En la hacienda,* con música de Roberto Contreras donde por primera vez el género chico recogía figuras y el ambiente del campo mexicano. *"En la hacienda"* –apuntó la crónica de *El Imparcial*– "es indudablemente la mejor obra en su género de autores mexicanos que ha aparecido en los escenarios de los teatros de la República. La música es también muy agradable y como número sobresaliente de ella, anotamos un inspirado y sentimental dúo de cuya música parece desprenderse una tristeza infinita que fluctúa en todos los cantos populares nuestros... tuvo un completo éxito en Arbeu". En efecto, la obra siguió durante varios años representándose en todos los teatros; y no casualmente fue llevada al cine en 1921 pues al describir las relaciones del campo mexicano y sus protagonistas, fue un antecedente importante de lo que acabaría por convertirse en icono y prototipo de esa industria durante la llamada época de oro del cine mexicano. Kegel fue autor también de una comedia moralizante, *En el jardín,* escrita en verso en y estrenada al año siguiente de su muerte. También se le considera un precursor de la literatura de la Revolución.

ALMA GUEROLA / RICARDO MIRANDA

Kraus Trujillo. Familia de cantantes españoles formada por los hermanos Francisco y Alfredo.

1. Francisco. Las Palmas de Gran Canaria, 21-X-1926. Barítono. Estudió, al igual que su hermano, con Gali Markoff y Mercedes Llopart y comenzó a cantar en el Coro Filarmónico de su ciudad natal. Tras comenzar cantando ópera, en 1962 formó su propia compañía de zarzuela que mantuvo hasta 1965, con la que representó *La bruja, La tabernera del puerto, Katiuska, El huésped del Sevillano, La calesera, La rosa del azafrán, La del Soto del Parral,* y otras obras de repertorio con artistas como Amparo Azcón, Celia Langa, Pilarín Álvarez, Rosa Gil, Fina Gessa, María Pastor, Ricardo Royo

Francisco Kraus (Foto: Ar. Emilio G. Carretero)

Villanova, Eduardo Bermúdez, Enrique del Portal, José Luis Cancela y Andrés García Martí, bajo la batuta de José Terol y Mariano de las Heras.

En 1966 fue contratado por la compañía de María Francisca Caballer-Agustín Lisbona para cantar una temporada en Caracas, que debido al éxito obtenido se prolongó varios años. En la década de 1970 intervino en varias temporadas de zarzuela con la compañía Isaac Albéniz del empresario Juan José Seoane en Canarias. Desde 1978 a 1987 fijó su residencia en la capital venezolana, años en los que fue profesor de canto de la Compañía Oficial de Ópera al mismo tiempo que ofrecía diversos conciertos y alguna representación de la ópera *Marina* de Arrieta, junto a su hermano Alfredo. A partir de 1987 se instaló en Barcelona al ser nombrado profesor de canto del Conservatorio del Gran Teatro del Liceo, donde ha permanecido hasta su jubilación, trasladándose posteriormente a su ciudad natal.

FONOGRAFÍA: *La tempestad,* Alfa Delta AD-ZK-009/94; *Marina,* Carillón CAL 8-9; *Selección de zarzuelas,* Olimpo L-436.

2. Alfredo. Las Palmas de Gran Canaria, 24-XI-1927; Boadilla del Monte (Madrid), 10-IX-1999. Tenor. Aunque su trayectoria profesional parecía encaminada a continuar los pasos de su padre, el periodista e industrial de origen austríaco, Otto Kraus, la inquietud por la música y el canto empezaron a interesar a Kraus desde que ingresó en el coro de su colegio, Beato Padre Claret. Alternó sus estudios de enseñanza media con los de solfeo y piano, y comenzó a actuar como solista en la Coral Polifónica de Las Palmas y en las reuniones en casa de María Suárez de León, quien, viendo las posibilidades de su voz, le dio unas primeras lecciones. Estudió Ingeniería Técnico Industrial por complacer a su padre y, finalmente, obtuvo su permiso y apoyo para desplazarse a Barcelona a estudiar con la profesora rusa Markoff. En 1955 viajó a Milán para completar su formación. Se perfeccionó con Mercedes Llopart. Recibió una medalla en el Concurso de Ginebra y, en pocos meses, llegó su primer contrato para cantar en el teatro Real de El Cairo *Rigoletto* y *Tosca.* A partir de estos grandes éxitos su carrera fue triunfal y sólo interpretó papeles protagonistas, ayudado por sus dotes naturales, una voz de tenor lírico-ligero, una perfecta dicción y fraseo y una gran madurez interpretativa.

Participó en la reapertura del teatro de la Zarzuela de Madrid con *Doña Francisquita* y *Marina* en 1956, las únicas zarzuelas que ha cantado en un escenario, siendo *Marina* la que interpretó en el teatro de la Zarzuela en 1994, pero sus grabaciones son numerosas. La zarzuela ha estado presente, desde el inicio de su carrera formando parte de su discografía. En 1958 grabó un disco de *Canciones y romanzas,* además de diversas obras completas como *Black el payaso,*

Alfredo Kraus
(Foto: Ar. personal)

Katiuska, La Dolorosa, La generala, La tabernera del puerto; en 1959 grabó *Doña Francisquita,* y de nuevo en 1972 y 1994; de 1959 es también *La tempestad* y diversas romanzas de zarzuelas de Sorozábal; en 1965 grabó varias romanzas de zarzuela, en 1970 *La bruja, La verbena de la Paloma* y *La revoltosa;* en 1972 *Bohemios,* y *El huésped del Sevillano* en 1973. Del mismo modo, en sus recitales ha incluido siempre algunas romanzas como "No puede ser" de *La tabernera del puerto* o "Por el humo se sabe dónde está el fuego" de *Doña Francisquita.*

FONOGRAFÍA: *Alma de Dios,* Zafiro-BMG EPFM-136; *Black el payaso,* EMI 7243 5 74227 2 7 (637.02706) • Hispavox 7 67431 2 (637.77070); *Don Manolito,* EMI 7243 5 74343 2 4 (637.05451); *Doña Francisquita,* Audivis Valois V 4710 • Carillón • Montilla FM-85 • Zafiro-BMG EPFM-133 • Zafiro-BMG EPFM-258 • Zafiro-Salvat 1022-1 • Zafiro SA, ZOR-163 82 • Zafiro SA, LM-3040 C (Serdisco) 76 • Zafiro SA, 30103040 (Serdisco) 78; *Katiuska,* EMI 7243 5 74161 2 2 (637.00353) • Hispavox 7 67330 2 (637.33842) • Hispavox HH 1035; *La bruja,* Columbia-BMG-Ariola-Salvat 1058-2 y 1059-2 • Columbia-BMG España WD 75125 (2) (9H) • Columbia SA, C 30066 / 67 17 • Columbia SA, ZCL 1074 y 1075 (Zacosa SA) 1 y 2 • Columbia SA, C 7505 3; *La del manojo de rosas,* EMI 7243 5 74158 2 8 (637.00395); *La generala,* Zafiro-BMG EPFM-137 • Zafiro-Salvat 1052-2 • Zafiro SA, LM-3037 (C) 75 • Zafiro SA, ZOR-110 68; *La revoltosa,* MCAL 20 • Zacosa ZCL 1007; *La tabernera del puerto,* EMI 7243 5 74158 2 8 (637.00395) • Hispavox 7 67325 2 (637.33818); *La tempestad,* Alfa Delta AD-ZK-009 / 94; *Los de Aragón,* Carrillon CAL 31; *Alfredo Kraus & Manuel Ausensi,* Puzzle MPL 136; *Alfredo Kraus: Tenor,* Zafiro ZOR-171; *Alfredo Kraus. Romanzas de zarzuela,* Hispavox HH 1038; *Alfredo Kraus. Romanzas y dúos de zarzuela,* Hispavox-Escala CDZ 7 62756 2; *Antología de la zarzuela,* Columbia-Salvat 1015-1 • EMI 7 67335 2 (637.33891) • EMI 7 67428 2 (637.83342) • EMI 7 67580 2 (643.96128); *100 Años de zarzuela,* EMI 100 5 66589 2; *Dúos de zarzuela,* Zafiro SA, ZOR-111 y MS-506; *Éxitos de zarzuela Vol I,* Zafiro ZOR-168; *Éxitos de zarzuela Vol II,* Zafiro-Montilla MS-523; *Famosas romanzas de zarzuela,* Zafiro ZOR-175 y MS-505; *Fragmentos favoritos de zarzuela,* Zafiro-Montilla MS-520; *Grandes momentos de zarzuela,* EMI (962) 7243 5 57053 2 7; *Lo mejor de la zarzuela,* EMI 5 65432 2 (643.57518); *Los 24 grandes éxitos de la zarzuela,* BMG ZD 75026 (2) (9Z); *Los divos, romanzas de zarzuela,* BMG España WD 71982 (9D).

BIBLIOGRAFÍA: *DMEH;* G. Vitali: *Alfredo Kraus,* Bongiovanni Ed., Bolonia, 1992.

Mª LUZ GONZÁLEZ PEÑA

1

La del manojo de rosas. Sainete en dos actos. Música de Pablo Sorozábal. Libreto de Francisco Ramos de Castro y Anselmo Cuadrado Carreño. Estrenada el 13 de noviembre de 1934 en el teatro Fuencarral de Madrid.

Personajes y reparto. Ascensión (Maruja Vallojera, soprano). Clarita (María Téllez, tiple cómica). Doña Mariana (Amparo Bori, actriz). La Fisga (Pepita Moncayo, actriz). Espasa (Francisco Arias, actor con parte de cantado). Joaquín (Luis Sagi Vela, barítono). Ricardo (Manuel Cortés, tenor). Capó (Eladio Cuevas, tenor cómico). Don Pedro Botero (Vicente Gómez Bur, actor). Don Daniel (Francisco Ruiz, actor con parte de cantado). Un inglés (Rafael Gallegos, actor). Parroquiano 1º (Vicente Daina, actor). Parroquiano 2º (Agustín Pedrote, actor). El del mantecao (Francisco Ambit, actor). Un camarero (Sr. Alfaro, actor).

Orquestación. Flautín, flauta, oboe, clarinete, saxofón, fagot, trompa, trompeta, 2 trombones, percusión y cuerda.

Argumento. *Acto I.* En la imaginaria plaza Delquevenga, sita en un Madrid aristocrático "con perspectiva de rascacielos", departen el camarero Espasa, Don Daniel y un par de parroquianos del café Honolulu. Mientras Ascensión adorna su floristería que también está ubicada en la plaza, Joaquín y Capó trabajan en un taller mecánico adyacente. Cuadro completo de tipos madrileños con la florista chulapa, los parroquianos anónimos, los trabajadores, un camarero más chulo que un ocho y un vendedor ambulante que le roba la clientela. Don Daniel, el padre de la hermosa florista que tiene enamorado a todo el barrio, prefiere, entre los pretendientes de su hija, a Ricardo, un señorito aviador que le ha pedido la mano de Ascensión, pero, según Capó, los suspiros de la joven son todos por el mecánico Joaquín. Ascensión se opone a Ricardo porque no quiere comprometerse con alguien de una clase social distinta a la suya, aunque, antes de arruinarse su familia y tener que trabajar como florista, ella misma se había criado como una señorita bien de clase media. En realidad Ascensión está enamorada de Joaquín y ambos se declaran su amor, lo que desencadena una acalorada discusión

entre Joaquín y Ricardo. Tras la bronca, Don Pedro habla de sus negocios con Espasa y después Capó y Espasa se disputan a Clarita. Don Pedro resulta ser el padre de Joaquín y desmiente, ante Espasa y Ricardo, que su hijo sea un mecánico. Ascensión, que ha ido a llevar unas flores a Doña Mariana, mujer de Don Pedro, y habla con ella de su amor, a la salida

Escena de La del manojo de rosas, *producción de Emilio Sagi / Gerardo Trotti para el Teatro de la Zarzuela, 1990 (Foto: J. Alcántara / Cortesía del Teatro de la Zarzuela)*

se cruza con Joaquín que, vestido de señorito, saluda a Doña Mariana como su madre. Ascensión, consciente del engaño, se queda desolada. Espasa y Capó siguen sus galanteos con Clarita, Ascensión se vuelve a encontrar con Joaquín y, aunque él pretende ignorar el incidente, ella le desenmascara delante de todo el barrio y se va con Ricardo que, por lo menos, la había pretendido sin dobleces.

Acto II. Varios meses después, la vida en la plaza Delquevenga sigue su curso, aunque con algunos cambios. Espasa, que ya no es camarero sino cobrador de autobuses, continúa con su incontinente verborrea ninguneando al pobre Capó para cortejar a Clarita hasta que el mecánico, por fin, se impone cómicamente. Los pleitos que habían arruinado a Don Daniel se solucionaron favorablemente y, ahora, pasea hecho un pincel con su hija Ascensión del brazo como una señorita elegante. Clarita es ahora la florista y Ascensión sigue por inercia sus relaciones con Ricardo, pero ambos se han distanciado bastante. Aparecen en la plaza Joaquín y Doña Mariana. Al contrario de lo que le pasó a Don Daniel, los negocios han ido de mal en peor para Don Pedro, y su hijo Joaquín se ve en la necesidad real de volver al taller donde estuvo de impostor y pedir trabajo mientras Don Pedro y su confidente Espasa, sueñan con el estallido de una segunda guerra mundial para dar salida a la chatarra que el primero ha ido almacenando. Ascensión encuentra a Joaquín saliendo del taller vestido de mecánico y, creyendo que vuelve a las andadas, se ríe de él hasta que se entera de la verdad en el momento en el que Ricardo llega para recogerla. Todavía enamorada de Joaquín, Ascensión se viste modestamente, coge un ramo de rosas y se lo lleva a Doña Mariana que ahora vive en un barrio muy popular. Con ese pretexto, Ascensión se vuelve a encontrar con Joaquín y ambos se reconcilian. Ricardo valiéndose de Espasa y Ascensión a través de Clarita, rompen su relación de mutuo acuerdo, y Joaquín, que se gradúa finalmente como ingeniero industrial, vuelve, ya de igual a igual, con Ascensión.

Números musicales. Acto I: Introducción y Nº 1. Ascensión, Espasa, Don Daniel, Capó, Joaquín, Parroquianos 1º y 2º y el del Mantecao, "¡Mantecao helao!". Nº 2. Dúo de Ascensión y Joaquín, "Hace tiempo que vengo al taller". Nº 3. Dúo de Ricardo y Joaquín, "¿Quién es usté?". Nº 3bis. Final del cuadro 1º. Nº 4. Romanza de Ascensión, "No corté más que una rosa". Nº 5. Dúo cómico. Clarita y Capó, "Tienes que ser dócil como un can". Nº 6. Final 1º. Ascensión, Joaquín, Espasa, Ricardo, Capó y Obreros, "Ascensión ¿qué es lo que quieres?". Acto II: Nº 7. Preludio. Nº 8. Dúo cómico. Clarita y Capó, "Chinochilla de mi charniqué". Nº 9. Romanza de Joaquín, "No me importa que con otro". Nº 10. Dúo de Ascensión y Joaquín, "¿Qué está esto muy bajo?" Nº 10bis. Joaquín, "Qué tiempos aquéllos". Nº 11. Final. Ascensión, Ricardo, Capó, Espasa, Clara y Joaquín, "¿Es que tú te has creído…".

Comentario. A principios de 1934, Emilio Sagi Barba formó compañía y empresa con Manuel Herre-

ra Oria reformando el viejo teatro Fuencarral para realizar allí una temporada lírica basada en la recuperación de títulos clásicos del repertorio de la zarzuela grande decimonónica como *Catalina* de Gaztambide o *El postillón de la Rioja* de Oudrid. La empresa, más propia de un teatro nacional que de un teatro de barrio como el Fuencarral, fue tan mal que, al final de la temporada, para salir del paso, el propio Sagi Barba tuvo que reaparecer tras casi tres años de retiro y cantar *La del Soto del Parral*, uno de los mayores éxitos de su dilatado repertorio. Pocos días después, el estreno de *La del manojo de rosas* salvaría *in extremis* la temporada. La razón de incluir esta obra dentro de la programación tan peculiar del Fuencarral respondía más que nada al compromiso de Sagi Barba con su joven hijo, el barítono lírico Luis Sagi-Vela, que había debutado hacía un par de años y su único éxito había sido, hasta el momento, *El ama* de Guerrero. Sorozábal compuso la zarzuela en general y, en particular, la parte de Joaquín de *La del manojo de rosas* pensando principalmente en el lucimiento de las cualidades vocales de Sagi-Vela, del mismo modo que su Ascensión resultaba perfectamente adecuada para la voz aterciopelada de Maruja Vallojera, que él conocía bien pues ya había estrenado dos obras suyas anteriores: *La isla de las perlas* y *Adiós a la bohemia*. Y, en último término, Clarita, tiple cómica, con sus baileteos de moda y sus gracias, está obviamente concebida para su esposa, Enriqueta Serrano, que no pudo participar en el estreno por estar embarazada.

Al margen de los favorables condicionantes vocales con los que trabajó Sorozábal, los autores de *La del manojo de rosas* tuvieron como referencia clara la zarzuela que había cosechado el éxito más rotundo del año 1934: *La chulapona* de Moreno Torroba que, desde el mes de abril, llenaba diariamente el teatro Calderón. Por ese tiempo, comenzó Sorozábal la composición de su nueva zarzuela y, ciertamente, entre *La chulapona* y *La del manojo de rosas* se detecta una serie de coincidencias que van más allá de lo que pudiera considerarse casual: desde la cita de obras clásicas del género chico hasta el comienzo en tiempo de mazurka o, sobre todo, los dúos en tiempo de habanera que constituyen, respectivamente, dos de los momentos líricos principales en ambas zarzuelas. Del mismo modo, con el ritmo de chotis que aparece abundantemente en *La chulapona*, Sorozábal elabora su magistral dúo cómico "¿Quién es usté?", Nº 3, y frente a la cantidad de aire flamenco y aflamencado de una zarzuela como *La chulapona*, ambientada en torno a un café-concierto, Sorozábal incrusta en su nueva obra un número cómico que es la farruca "Chinochilla de mi charniqué", Nº 8, con una letra sin sentido que escribió el propio compositor y que constituye otro de los aciertos musicales de esta zarzuela. Además de estas referencias cruzadas entre *La chulapona* y *La del manojo de rosas* que están realizadas muy diferentemente por uno y otro compositor, la de Sorozábal redondea su trama sentimental con un extraordinario dúo de amor en forma de pasodoble, "Hace tiempo que vengo al taller", Nº 2, que llamó mucho la atención por la originalidad y osadía con que el músico consigue una declaración de amor tan ágil como garbosa, ajena a cualquier sentimentalismo. Y, dentro de la trama cómica, Sorozábal introduce un dúo entre Clarita y Capó, "Tienes que ser dócil como un can", Nº 5, en tiempo de fox-trot que suena a charlestón y está orquestado con el mismo naturalismo cabaretero que el "A París me voy" de *Katiuska*.

En la estructura musical de *La del manojo de rosas* se distinguen diferentes categorías de elementos musicales: romanzas convencionales como la de soprano "No corté más que una rosa", Nº 4, y la de barítono "No me importa que con otro", Nº 9, con su célebre estrofa "Madrileña bonita"; dos dúos sentimentales, uno en pasodoble, Nº 2, y otro en habanera, Nº 10, que constituyen lo más inspirado desde el punto de vista lírico; tres números cómicos con evoluciones bailables: chotis, Nº 3, fox-trot, Nº 5, y farruca, Nº 8; partes instrumentales apenas desarrolladas y siempre funcionales; y, por último, el número inicial y los dos finales de acto, Nºˢ 6 y 11, que son el detalle constructivo más característico del quehacer lírico de Sorozábal que reúne en ellos, con una habilidad especial, temas nuevos con otros aparecidos previamente, algo muy poco común en la obra de otros zarzuelistas de su tiempo que se limitan a la acumulación de números musicales sin ocuparse apenas de que la música tenga una coherencia dentro del todo formado por la zarzuela. Pero dentro de la factura musical de Sorozábal hay aún tres detalles muy significativos: primero, cómo, a partir de la cita del dúo "La de los claveles dobles" de *La revoltosa* de Chapí, desarrolla una hermosa melodía con carácter de tirana dieciochesca para la presentación de la soprano: "Dice la gente del barrio" en el Nº 1; segundo, cómo con el ritmo de la cita de Chapí, arranca el dúo entre los protagonistas: "En esta calle hace tiempo" del número final; y tercero, cómo la segunda parte del tiempo de pasodoble del dúo Nº 2: "Cariño como el que yo siento", está tomada directamente del fandango "Cuando no lleva lucero / qué triste que va la luna" de los *Cantos españoles* de Eduardo Ocón.

Por lo que se refiere a la estructura dramática de *La del manojo de rosas*, ésta es básicamente la de una opereta, con el matiz de que la acción, lejos de ocurrir en un país inventado y en un tiempo nebuloso,

ocurre en el Madrid del día, por lo que sus autores la presentaron como sainete, lo que causó cierta agitación en los círculos teatrales capitalinos y contribuyó positivamente a que esta obra se convirtiera en el icono de la zarzuela del siglo XX como *La verbena de la Paloma* lo es del siglo XIX. A pesar de que tanto el compositor como los libretistas insistieron en la novedad del sainete en dos actos como género lírico, lo cierto es que esta ampliación del sainete original contaba con precedentes en la última etapa del teatro Apolo donde, por lo general, se juzgó como un estiramiento gratuito del género original. En 1928 Amadeo Vives estrenó en el Apolo *Los flamencos*, "sainete en dos actos" según sus autores, Federico Romero y Guillermo Fernández Shaw y, según Chispero, "un sainete sin interés y un desastre de Vives".

Escena de La del manojo de rosas, *producción de Emilio Sagi / Gerardo Trotti para el Teatro de la Zarzuela, 1990 (Foto: J. Alcántara / Cortesía del Teatro de la Zarzuela)*

Si bien es posible que esta obra cayera pronto en el olvido a pesar de la relevancia que tuvo Vives en el mundo zarzuelístico, el público tendría más fresco el modelo de *Los moscones*, otro sainete en dos actos, estrenado en el teatro Ideal en 1932, con música de Pablo Luna sobre un libreto de Cuadrado Carreño y Pedro Llabrés. Y en lo que respecta a la estructura dramática de opereta aplicada al sainete con su doble trama sentimental y cómica, con un personaje cómico añadido, se encuentra en una obra tan importante como el sainete en un acto *Los claveles*, 1929, de José Serrano con un libreto fruto de la colaboración de Cuadrado Carreño con Fernández de Sevilla. De este modo, si la estructura argumental y el género eran ya cosas vistas, la novedad radica sobre todo en la realización.

En una plaza aseada y moderna del Madrid republicano de 1934, Francisco Ramos de Castro y Anselmo Cuadrado Carreño supieron captar una instantánea de la vida madrileña en uno de los momentos más interesantes de la historia del siglo XX. Madrid se reconoció, más que en los personajes y en el argumento, en el ambiente: un Madrid boyante, proletario y urbano muy distinto de la capital ruralizada y verbenera propia de tantas zarzuelas. Una ciudad donde se mascaban los conflictos sociales de las clases medias y se respiraba la preocupación ilusionada y a la vez un tanto inconsciente por la situación nacional e internacional, donde se concluía la publicación de la enciclopedia Espasa y el culto al conocimiento se universalizaba y cundía entre las clases trabajadoras y las mujeres, alboreaba el feminismo, y resonaban nombres como Mussolini y Hitler al lado de otros como Cagancho. Un Madrid sin aristocracia, ni ejército, ni clero, inestable social y económicamente, en el que convivían la fortuna y la ruina. La crisis económica, el belicismo, los fascismos, la ilustración y politización del proletariado, la liberación de la mujer, son trasuntos o simples pinceladas que atraviesan el libreto con una naturalidad que, todavía, se aparece como un retrato fiable de un momento de la sociedad urbana española del siglo XX. Y los personajes, que medran o se hunden, aunque son tópicos e idealizados, tienen todos un fondo humano: el antagonismo se construye simplemente con la antipatía, no con vilezas de ningún tipo e, incluso, la antipatía que aflora en la trama principal no carece de cierto naturalismo. De esta manera, la propia estructura de la opereta, con sus tipos de cartón piedra, sus ambientes exóticos y su intemporalidad, queda parodiada en *La del manojo de rosas* y no hay mejor testigo de esta intención paródica que el brindis final con cañas de cerveza, en lugar de los brindis con champán que formaban parte del estereotipo de las operetas al uso. Del mismo modo, el cancán y la polka de las operetas están suplantados en la partitura de Sorozábal por los ritmos más castizos del chotis y el pasodoble, y una habanera reemplaza al indefectible dúo de amor en tiempo de vals de opereta.

Cuando se estrenó esta obra, corrió el rumor de que el libreto había sido concebido originalmente para Moreno Torroba que lo rechazó por juzgarlo poco lírico. Si esto fue así, Torroba dio con una característica principal de *La del manojo de rosas* que, en manos de Sorozábal, con un par de retoques, se reveló con un lirismo ciertamente poco convencional y vigoroso, un término medio entre la blandura de opereta de *Katiuska* y el prosaísmo descarnado de Pío Baroja en *Adiós a la bohemia*. Quizás ahí radique lo que convierte a esta obra en una de las piezas más excepcionales de la lírica española.

Fuentes manuscritas. La partitura se conserva en el archivo familiar. Una copia de la partitura y los materiales de orquesta se conservan en el archivo de la SGAE en Madrid (6140).

Ediciones de música. Banda, selección, UME.

Ediciones del libreto. Madrid, Tip. Japonesa, 1935; Madrid, Teatro de la Zarzuela, 1998.

FONOGRAFÍA: D78rpm: Dir. Pablo Sorozábal, Sols. Marcos Redondo, Mª Teresa Planas, Vicente Simón, Estrella Rivera, Antonio Palacios, Odeón 184365 a 184367, SO 8776 a SO 8781 [reed. en CD: Blue Moon BMCD 7514].

LP: Dir. Pablo Sorozábal, Sols. Teresa Berganza, Antonio Blancas, Julián Molina, Conchita Laya, Segundo García, Ramón Regidor, Luis Frutos, Coro de Cantores de Madrid, Orq. Sinfónica, Columbia SA, ZCL 1011 (Zacosa) 141, Columbia SCE 930 y Alhambra SCE 943/4 [reed. en CD: Columbia-BMG España WD 71583 (9H)] • Dir. Pablo Sorozábal, Sols. Isabel Penagos, Alicia de la Victoria, Manuel Ausensi, Ramón Regidor, Eduardo Fuentes, Aurelio Rodríguez, Luis Frutos, Coro de Cantores de Madrid, Orq. Sinfónica, Zafiro 30103024 (Serdisco) 142 LM 3024 (C), Zafiro ZOR-221 150, Zafiro-Salvat 1018-1 y Zafiro-Novola ZN 6-9 • Dir. Pablo Sorozábal, Sols. Pilar Lorengar, Renato Cesari, Enriqueta Serrano, Francisco Maroto, José Marín, Enrique Fuentes, Juan B. Osuna, Coro de Cantores de Madrid, Orq. de Conciertos de Madrid, Hispavox HH 1036 y S 20181 [reed. en CD: Hispavox 7 67325 2 (637.33818)].

CD: Dir. Pablo Sorozábal, Sols. Alfredo Kraus, Pilar Lorengar, Renato Cesari, Leda Barclay, EMI 7243 5 74158 2 8 (637.00395).

BIBLIOGRAFÍA: *TA*; M. Redondo: *Un hombre que se va*, Barcelona, Planeta, 1973; P. Sorozábal: *Mi vida y mi obra*, Madrid, Fundación Banco Exterior, 1986; J. Suárez-Pajares: "Pablo Sorozábal en la lírica española de los primeros años 30", *Cuadernos de Música Iberoamericana*, IV, Madrid, SGAE, 1996-97, 104-43; R. Alier: "La del manojo de rosas", programa, Madrid, Teatro de la Zarzuela, 1998-99, 23-8; J. Suárez-Pajares: "Reflexiones sobre el tiempo, el género y el estreno de *La del manojo de rosas*", *Ibíd*.

JAVIER SUÁREZ-PAJARES

La del Soto del Parral. Zarzuela en dos actos. Música de Reveriano Soutullo y Juan Vert. Libreto de Luis Fernández de Sevilla y Anselmo C. Carreño. Estrenada el 26 de octubre de 1927 en el teatro de La Latina de Madrid.

Personajes y reparto. Germán (Emilio Sagi Barba, barítono). Aurora (Paquita Morante, soprano). Miguel (Constantino J. Pardo, tenor). Catalina (Jacinta de la Vega, soprano). Damián (Vicente Gómez Bur, tenor). Tío Prudencio (Carlos Oller, actor). Tío Sabino (Eugenio Casals, actor).

Orquestación. Flautín, flauta, oboe, 2 clarinetes, fagot, 2 trompas, 2 trompetas, 3 trombones, timbal, caja, bombo, triángulo, campanas, arpa y cuerda.

Argumento. La acción transcurre en un pequeño pueblo de la provincia de Segovia. *Acto I*. La zarzuela se inicia en una finca de labranza llamada El Soto, habitada por el matrimonio formado por Germán y Aurora. Esta pareja está comprando con su trabajo la hacienda a Miguel, su dueño. Germán se encuentra en una difícil situación ya que sabe que a Miguel, que ha regresado recientemente al

Soto, no le conviene Angelita, mujer de la que está enamorado. Todo ello se alterna con las peripecias cómicas de Catalina y Damián, una joven pareja de criados del Soto que está a punto de casarse, y las maniobras de un anciano del lugar: el Tío Prudencio, que alimenta en su conversación con el Tío Sabino los celos de Aurora hacia Angelita, personaje que no aparece en escena. Estos rumores provocan la desconfianza de la esposa así como el enfrentamiento de Miguel y Germán, que termina por abandonar el Soto.

Acto II. Tras las oportunas aclaraciones del Tío Sabino –Germán oculta que Angelita tuvo relaciones con el padre de Miguel–, Aurora se reconcilia con su marido y tras la boda de los criados, Miguel se entera de la verdad, desiste de su venganza hacia Germán y concluye la zarzuela felizmente.

Cortesía de Unión Musical Ediciones SL

Números musicales. Acto I: Nº 1. Introducción, "Voz de la campana". Nº 2. Romanza de Germán, "Los cantos alegres de los zagales". Nº 3. Dueto cómico de Catalina y Damián, "Qué soy la más linda". Nº 4. Ronda de Enamorados, "La, La, La… Al fin de la faena". Nº 5. Dúo de Aurora y Miguel. Final 1º, "Mintió su cariño". Acto II: Nº 6. Coro de la consulta, "¿A la consulta se puede entrar?". Nº 7. Dúo de Aurora y Germán, "Ten pena de mis dolores". Nº 8. Concertante. Final 2º, "¿Qué buscas?, ¿Qué quieres de mí?". Nº 9. Conjunto, "¡A la gala de mi dinero!".

Comentario. Esta zarzuela constituye una de las mayores creaciones de Soutullo y Vert; de hecho, algunos especialistas indican que se trata de su obra maestra. En ella se encuentran algunos de los rasgos más destacables de esta pareja creativa: la sabiduría a la hora de enlazar los elementos cómicos con los serios, una cuidada orquestación, la habilidad para integrar un sabor popular en varios de los números y la fluidez de los números corales.

La obra se inicia con un primer número en el que ya se muestra el grado de madurez al que habían llegado Soutullo y Vert. En el aspecto melódico, los compositores articulan todo el número en torno a un tema inicial que expone el viento metal –algo similar ocurría en *La leyenda del beso*– y que en la introducción instrumental recibe variaciones tímbricas al ser ejecutado primero por el viento metal, luego por la cuerda y, en tercer lugar, por la trompa solista. Este tema aparece de nuevo en la segunda intervención de Germán, "Mujer, que alientas mi corazón…", y en el fragmento instrumental con el que concluye el número. En la parte central aparece el coro general, "Voz de la campana…", en el que los autores evidencian su dominio de los recursos corales y orquestales. A continuación tiene lugar la primera intervención de Germán, que ofrece la primera pincelada popular de la zarzuela al exponerla como una jota seca. En definitiva, este primer número es una especie de resumen de las virtudes de la obra. Al igual ocurre con el segundo. Antes de la romanza hay una introducción a cargo del coro de hombres, "Contentos de la cosecha", que muestra un claro sabor popular debido a una evolución melódica de rasgos cercanos a lo folclórico y sobre todo, al acompañamiento orquestal: basado en un ritmo marcado por la percusión. La romanza, propiamente dicha, de Germán señala la capacidad de vuelo lírico, así como su acertada adecuación al momento dramático. Detalles instrumentales como la aparición del arpa redondean esta sección. El dueto cómico de Catalina y Damián es uno de los números más celebrados por su simplicidad y efectividad cómica. Está enmarcado por dos fragmentos instrumentales en los que los compositores vierten cierta sonoridad popular. Sin embargo, el dúo se plantea en una sencilla estructura de estrofa y estribillo.

La ronda de Enamorados constituye, merecidamente, el número más conocido de la zarzuela. En él, Soutullo y Vert evidencian su dominio del género coral. Por ejemplo, el desarrollo del dúo colectivo entre las mozas y los mozos apura las ricas posibilidades del texto. El uso de la orquestación –véase la presencia del arpa– y de las melodías se complementa con una efectiva utilización de la dinámica y de la articulación expresiva.

El siguiente dúo de Aurora y Miguel, "Mintió su cariño…", implica, en principio, una mayor ambición, una gran extensión y la presencia de la orquesta a toda potencia en bastantes fragmentos. Sin embargo, no resulta tan eficaz como los dos números anteriores. A ello no es ajeno el que se trata de una de las partes de la obra de influencia verista más clara: contrastes más acusados y efectismos orquestales. Por el contrario, la presencia de lo popular y la sutileza orquestal –principales valores musicales de la zarzuela– brillan por su ausencia. Junto al dueto cómico y la ronda de Enamorados, el coro de la consulta demuestra la capacidad

Escena de La del Soto del Parral, *producción de Jaime Martorell / P. Moreno para el Teatro de la Zarzuela, 2000 (Foto: J. Alcántara; Cortesía del Teatro de la Zarzuela)*

de los compositores para la creación de números cómicos en los que la sencillez de la melodía y el cuidado acompañamiento sirven para destacar los dobles sentidos del texto. Es fragmento que no desmerece a los mejores del género chico.

El dúo de Aurora y Germán, "Ten pena de mis dolores", es una de las cumbres de esta zarzuela: junto con una excelente factura musical, sintetiza los sentimientos clave de los dos protagonistas. Esta estructura poliseccional comienza con un solo de trompa –similar al del inicio de la obra– que da paso al dúo propiamente dicho, basado literariamente en la petición de Aurora y, musicalmente, en la exigencia vocal que se le pide a Germán. La segunda sección –diferenciada por la indicación *Allegretto*– está a cargo de Aurora, "Mi cariño verdadero", y constituye el fragmento más lírico de todo el número, motivado por el contenido dramático. Esta melodía de la protagonista aparece realzada por un acompañamiento muy sutil en ostinato, que otorga protagonismo a la voz. En la siguiente sección se aumenta la velocidad para dramatizar un diálogo en el que Germán argumenta mientras que su enamorada le reprocha. Este diálogo se intensifica en la cuarta sección ante la exigencia de Aurora para que Germán confiese y aparece elaborado mediante la utilización de acelerandos, crescendos y una altura cada vez más aguda. Termina desembocando en la siguiente sección, en la que Germán expone su fragmento más lírico, "Ay! mi Aurora yo te quiero". Esta exhibición del tenor se va

atemperando conforme recuerda su vida pasada y esa tranquilidad se ve reflejada en un discreto acompañamiento orquestal. La nueva aparición del dúo desemboca en la sección conclusiva, "La amarga pena", intensificada por una velocidad cada vez mayor. En definitiva, todo un ejemplo de construcción musical al servicio del drama. El concertante que aparece a continuación, "¿Qué buscas?, ¿Qué quieres de mí?", se basa en una estructura poliseccional y es otro de los números donde se observa la influencia verista. De hecho, el tratamiento orquestal es bastante acertado pero peca a veces de efectista, especialmente en la sección central. En cuanto a la textura polifónica tejida por las voces se constata que mientras se juega con tres personajes el contrapunto funciona, pero al añadir más cantantes el conjunto se resiente. El concertante se interrumpe con un fragmento de música popular y la breve intervención de los personajes cómicos. Sin embargo, finaliza con el regreso del drama a través de la presencia del coro y de todos los solistas.

El número final de conjunto sigue un esquema poliseccional muy bien planteado por los compositores y produce un gran efecto en el público. Comienza y finaliza con dos secciones de marcado carácter popular, destacando sobre todo la primera por la aparición de instrumentos folclóricos como la dulzaina y el tamboril.

Fuentes manuscritas. Los materiales de orquesta se conservan en los archivos de la SGAE en Valencia y Madrid (5266).

Ediciones del libreto. Madrid, Rivadeneyra, 1927; Madrid, Gráficas Levante, 1927; Madrid, Teatro de La Zarzuela, 2000.

FONOGRAFÍA: D78rpm: Sols. Marcos Redondo, Angelina Durán, Odeón 121183, XXS 4680 XXS 5037 • Dir. Concordio Gelabert, Sol. Enrique Sagi-Barba, Selica Pérez Carpio, La Voz de su Amo AC 132, AE 2745 AE 2815 y La Voz de su Amo-Gramófono AC 130, BJ 1104 • Sol. Federico Caballé, Alarcón, Orq. del Gramófono, La Voz de su Amo AE 2217 AE 2218 • Dir. Concordio Gelabert, Sols. Manolo Gómez Bur, C. Maiquez, Casals, La Voz de su Amo AE 2034, BJ 1103 BJ 1105.

LP: Dir. Ataúlfo Argenta, Sols. Toñy Rosado, Teresa Berganza, Manuel Ausensi, Carlos Munguía, Gregorio Gil, Manuel Ortega, Coro de Cantores de Madrid, Orq. Sinfónica, Columbia SA, C 30025 [reed. en CD: Columbia-BMG-Ariola-Salvat 1032-2] • Dir. Rafael Fühbeck de Burgos, Sols. Ángeles Gulín, Antonio Blancas, Francisco Ortiz, Isabel Igueras, Segundo García, Andrés García Martí, Coro Cantores de Madrid, Orq. Filarmónica de España, Alhambra-Columbia MCE 852 [reed. en CD: Alhambra-Columbia-BMG España WD 71582 (9D)] • Dir. Ricardo Estevarena, Sols. Luis Sagi-Vela, Luisa de Córdoba, Lily Berchman (Dolores Pérez), Santiago Ramalle, Jesús Aguirre, E. Hernández,

Coros de Radio Nacional de España, Orq. de Cámara de Madrid, Zafiro ZOR-118 180 y Montilla FM-68 [ed. en EP: Zafiro-BMG EPFM-132] • Dir. Rafael Ferrer, Sols. María Espinalt, Juan Gual, Jerónimo Meseguer, Conchita Panadés, Enrique Esteban, Oscar Pol, Coro y Orq. Sinfónica Española, Regal 33 LCX 108 y Regal SEBL 7014 [reed. en CD: EMI (941) 7243 5 74228 2 6 y EMI 7243 5 74228 2 6 (637.02623)].

BIBLIOGRAFÍA: M. E. Cortizo: "Juan Vert Carbonell y la última etapa de la zarzuela grande", *Cuadernos de Música*, 2, Madrid, SGAE, 1992; A. González Lapuente: "Una zarzuela a finales de los veinte", programa, Madrid, Teatro de la Zarzuela, 2000.

VICENTE GALBIS LÓPEZ

La Rosa, Reinaldo. Lima, siglos XIX-XX. Compositor. Se dedicó fundamentalmente a la música teatral dejando las siguientes obras escénicas: *El último inca*, zarzuela en un acto con letra de Ángel Origgi Galli, estrenada en el teatro Mazzi de Lima el 30 de junio de 1918; *La derrota de Huáscar*, melodrama, en tres actos con letra de J. S. Berrio, 1919. También compuso abundante música incidental para diversas obras teatrales.

BIBLIOGRAFÍA: *DMEH*; J. S. Prieto: "El Perú en la música escénica", *Fénix*, 9, Lima, 1955.

VÍCTOR SÁNCHEZ SÁNCHEZ

Mª Luisa Labal en Chateau Margaux
(*Foto:* Comedias y Comediantes, *1909*)

Labal, María Luisa. Argentina, siglo XIX; Madrid, siglo XX. Cantante. Tiple del teatro de la Zarzuela, de gran belleza y extensa voz. Cultivó además el baile y así en la primera década del siglo XX se registran actuaciones suyas en el teatro Principal de México. Estrenó *Enseñanza libre* de Perrín, Palacios y Giménez en 1900, obteniendo un gran éxito con el "Cuplé del ratón". Ese mismo año estrenó en el teatro Eslava *Las venecianas* de Joaquín Abati y Enrique García Álvarez, interpretando su papel con suma gracia, pero abandonó la obra repentinamente siendo sustituida por la señorita Prados; en 1901 formaba parte de nuevo de la compañía del teatro Eslava. En 1902 actuó en México donde estrenó con gran éxito la opereta *La casta Susana*. En 1903 estrenó *Chateaux Margaux*. Siguió actuando como tiple hasta que en 1913 se pasó al cuplé y a las varietés y así actuaba en Barcelona en el Tívoli y la Sala Imperio alternando con Pastora Imperio y cantando cuplés, con muy buena voz, según la crítica, pero con menos gracia y derroche de vestuario que las cupletistas del momento. Se anunciaba como estrella cosmopolita y parece que lo que mejor iba con su estilo era el cuplé francés. En 1913 debutó en el teatro de la Zarzuela en una de las *Soirées Fémina* organizadas por Dionisio de las Heras.

BIBLIOGRAFÍA: *HGZ*; *ME*; A. Dallal: *La danza en México. III. La danza escénica popular 1877-1930*, México, U. Nacional Autónoma de México, 1995.

Mª LUZ GONZÁLEZ PEÑA

Labra Pérez, Manuel de. Carabanchel (Madrid), 1861; ?. Autor teatral y periodista. Estudió la carrera de Derecho compaginándola con su verdadera vocación de dramaturgo. Sus obras líricas no son numerosas ni destacaron por su calidad, pero escribió zarzuelas, sainetes y juguetes para algunos de los mejores compositores de su época. Entre sus obras destacan *Campanero y sacristán*, 1894, zarzuela escrita en colaboración con Enrique Ayuso y música de Fernández Caballero, para quien escribió también *El domador de leones*, 1895; *Los veteranos*, 1890, sainete escrito con Manuel Fernández Palomero y música de Ruperto Chapí; el juguete *El jefe del movimiento*, 1896, con Carlos Arniches, y la revista *En paños menores*, 1903, ambas con música de Arturo Saco del Valle. Compusieron además la música de sus libros Tomás Bretón en *El reloj de cuco*, 1898, Tomás Barrera en *La silla de manos*, 1905, y Quinito Valverde en *La chanteuse*, 1906.

BIBLIOGRAFÍA: *DMEH*; V. Sánchez: *Tomás Bretón, un músico de la Restauración*, Madrid, ICCMU, 2002.

OLIVA G. BALBOA

Labrador, Casta. España, siglos XIX-XX. Tiple. Comenzó a cantar en los primeros años del siglo XX en el teatro del Duque de Sevilla, que dirigía Emilio López del Toro, del que estrenó en 1902 *La liga*. En 1903 ya se encontraba en Madrid en un teatro menor como el Molino Rojo donde estrenó *¡¡Cómo cambian los tiempos!!* de Rivas y Giménez Arderius. En 1914 estrenó en el Apolo de Madrid *La boda de la Farruca* de Alonso. En la segunda década del siglo XX se encontraba contratada por el teatro Martín, donde estrenó en 1918 *Perico de Aranjuez* de Fuentes y Camarero y *La cruz de los rosales* de López Debesa, y en 1919 *Las corsarias* y *La danza de los velos* de Alonso y *Un bolo en Villapitos* de Fuentes y Vela. En 1923 seguía en el Martín estrenando obras de Alonso como *Los celos de la Celes o Trabajo y economía son la mejor lotería*.

Mª LUZ GONZÁLEZ PEÑA

Labradoras de Murcia, Las. Zarzuela burlesca en dos actos. Música de Antonio Rodríguez de Hita. Libreto de Ramón de la Cruz. Estrenada el 16 de septiembre de 1769 en el teatro del Príncipe de Madrid.

Personajes y reparto. Teresa (María Mayor Ordóñez, soprano). Don Narciso (María de la Chica, "la Granadina", soprano). Olaya (Teresa de Segura, contralto). Florentina (Casimira Blanco, contralto). Nicolasa (Joaquina Moro, contralto). Vicente (José Espejo, barítono). Leandro (Ambrosio de Fuentes, tenor). Antolín (Diego Coronado, tenor). Pencho (Gabriel López, tenor). Coro mixto. **Orquestación.** 2 Oboes, 2 flautas, 2 trompas, 2 trompetas y cuerda.

Argumento. La acción se desarrolla en una plantación de moreras en la huerta murciana. *Acto I.* Los labradores cantan mientas trabajan en la recolección de la seda. Antolín comenta con su amigo Pencho que ya han recogido bastante y se ofrece a ayudar a Teresa con la carga, pero Pencho le dice que lleve la de Olaya que él llevará la de Teresa. Florentina les pide ayuda, pero Pencho dice que hay muchos otros que desean ayudarla, ya que Florentina presume de sus pretendientes. Pencho a declara su amor por Teresa, en primer lugar, y después por Olaya, que se siente ofendida. Teresa pide que dejen la disputa y sigan con la labor y Florentina se alegra de que les dé calabazas. Florentina pregunta a Olaya a cuál de los dos quiere y ella dice que a ninguno y se va. Florentina se queda con ellos, que descubren su intención de jugar con ambos. Antolín incita a Pencho que vaya con Olaya pues no le conviene Teresa, pero Pencho dice que si es mala para él también lo es para Antolín. Llega un visitante, Narciso, preguntando por la dueña de la plantación, les sonsaca la información y ellos le cuentan que todos pretenden a Teresa, pero que ella no corresponde a ninguno. Narciso le da a Pencho una carta para Teresa, que debe entregarle a escondidas de su padre, Vicente, que es el administrador de la plantación. Teresa intenta evitar el cortejo de Leandro, el atolondrado hijo de Nicolasa, dueña de la plantación. El desplante de Teresa enfada a Leandro que se queja a Vicente de la mala educación de Teresa y además le pide dinero, lo que el administrador le niega acusándole de derrochar, y Leandro le responde con presunción, ya que pretende llegar a ser un importante abogado.

Vicente habla con su hija de lo difícil que es encontrar un buen marido. Teresa recuerda a su amor valenciano y su padre le reprende por pensar todavía en el hombre que tanto daño les ha hecho. Se va Teresa y llega Nicolasa, portando una carta, lamentándose de que sólo la pretende un comerciante de Murcia. Se va Vicente y aparece Narciso, que no comprende la actitud zalamera de Nicolasa. Teresa al acercarse cree que Narciso le está siendo infiel, ya que se trata de su amor valenciano. Ambos son sorprendidos por Florentina y Olaya, que adulan a Narciso. La llegada de una tormenta provoca momentos de confusión ante el temor de que se pierda la cosecha, y cogen las guitarras y se ponen a cantar una jota para ahuyentar el miedo.

Acto II. Pencho, con su ingenuidad, fantasea con la idea de casarse con Teresa cuando entra Leandro,

y le pide que la llame sin que se entere su padre. Nicolasa acusa a su hijo de cabeza hueca y de desatender los asuntos de la hacienda y manda a Pencho a buscar a Teresa a la que pregunta por Narciso. Cuando ella dice que no le ha visto, Nicolasa la manda buscar a Vicente, si bien Teresa se resiste, pues no quiere que su padre descubra la presencia de Narciso. Llega Vicente, que ha tomado la decisión de marcharse con Teresa ante el acoso de Leandro. Nicolasa se extraña de que eso le moleste siendo el hijo de la dueña y Leandro se enfada al oír que Vicente le desprecia. Pero a pesar del desprecio, Nicolasa pide a Vicente que no se vaya y va a buscar al valenciano. Cuando Vicente comunica a Teresa que se van, ella piensa que ha descubierto la presencia de Narciso. Entonces llega Pencho con tres recados para Teresa que da delante de su padre: primero que Antolín se quiere casar con ella; segundo que Leandro desea hablarle a solas, y tercero, que el valenciano le trae una carta, lo que turba a Teresa. Vicente reprende a su hija por sus ligerezas amorosas que empañan su honor y se marchan.

Antolín y Leandro se enfadan con Pencho al saber que ha dado sus recados a Teresa con Vicente delante y ambos le golpean dejándole tirado en el suelo, donde le encuentran Florentina y Olaya, que le ayudan, pero Pencho al ver a Narciso se asusta, lo que desconcierta a las labradoras. Narciso pregunta por Teresa y le cuentan que tiene muchos pretendientes pero que ella habla de un gran amor que dejó en Valencia. Las labradoras hablan con envidia de Teresa, y Florentina se declara a Narciso. Entra Teresa y Narciso le cuenta que el problema que hizo a su padre abandonar Valencia está solucionado y puede volver, y le explica el malentendido que le exculpa a él de los perjuicios causados a Vicente. Ante la posibilidad de que Vicente no le crea, propone a Teresa huir juntos, propuesta que escucha Nicolasa sintiéndose celosa.

Estando todos en la huerta, Nicolasa busca a Vicente ante la preocupación de Teresa por lo que pueda contarle. Cuando Vicente ve juntos a su hija y Narciso va a sacar la espada, pero se desvanece. Les dice que ya sabe que todo está solucionado en Valencia y preparan la fiesta para celebrar a los novios. Las labradoras Florentina y Olaya consiguen el amor de Antolín y Pencho

Números musicales. Acto I: Nº 1. Obertura. Nº 2. Todos y coro, "Labradoras que buscáis…". Nº 2bis. Todos y coro, "Labradoras que buscáis…". Nº 3. Olaya, "Soy una pobrecica". Nº 4.

Florentina, Antolín y Pencho, "Antolín, Antolín, mi queridico". Nº 5. Antolín, "La mujer es una planta". Nº 6. Don Narciso, "Céfiros apacibles". Nº 7. Pencho, "Llegaré. La observaré". Nº 8. Don Leandro, "Yo haré ver al mundo". Nº 9. Teresa, "Es amor… no digo nada". Nº 10. Don Vicente, "La viudica no es malica". Nº 11. Doña Nicolasa, "Como en la noche oscura". Nº 11bis. Doña Nicolasa, "Como en la noche oscura". Nº 12. Todos y coro, "Amados gusanillos". Nº 13. Todos y coro, "Para que se alegren nuestros gusanillos". Acto II: Nº 14. Teresa, "De pena, de susto fallece mi vida". Nº 15. Doña Nicolasa, "Recíbele y calla". Nº 16. Teresa, Don Vicente, "Las iras, los rigores modera". Nº 17. Don Leandro, Antolín, Pencho, "Toma, alcahuete". Nº 18. Olaya, "Tengo yo un corazón". Nº 19. Florentina, "Al veros, forastero". Nº 20. Teresa, "Mi bien está turbado". Nº 21. Don Narciso, "Es amor un platerito". Nº 22. Todos, "Viva, viva, viva la providencia". Nº 22bis. Todos y coro, "Viva, viva, viva la providencia". Nº 23. Todos, "Amor es el primero móvil de las finezas".

Comentario. Esta obra, escrita en 1769, constituye uno de los mayores intentos de renovación del género de la zarzuela que tiene lugar durante la segunda mitad del siglo XVIII, y cuyos máximos protagonistas fueron precisamente Ramón de la Cruz y Rodríguez de Hita. Ambos autores ya habían trabajado juntos con anterioridad en *La Briseida* y *Las segadoras de Vallecas*, zarzuelas de 1768. Estas obras se inscriben dentro de la iniciativa llevada a cabo en 1765 por el conde de Aranda que permitió durante la época estival dos representaciones escénicas en los teatros públicos, que cada vez ofrecían menos representaciones debido a las restricciones puestas por el gobierno a las producciones escénicas, como forma de lucha contra la música italiana.

Al libretista Ramón de la Cruz se debe la transformación de la zarzuela en lo referente a los temas, alejándose de los asuntos mitológicos y aproximándose a lo popular. Algunos de los elementos utilizados por el escritor son el uso de la jerga o expresiones populares, castizas en el caso de Madrid, reflejando la manera como se expresaba el pueblo. Así se inicia una zarzuela de carácter costumbrista, que tendrá su continuidad casi un siglo después con la invasión del género chico. De alguna manera, esta nueva zarzuela se interpreta como la reacción ante la invasión de la ópera seria italiana, aunque realmente constituye una línea propia de espectáculo teatral que funde elementos de la tradición española con las aportaciones italianas asimiladas por los compositores hispanos. Otro de los aspectos más interesantes de la obra se debe a la excelente imbricación de la música en el transcurrir de la acción dramática. Así, según F. J. Cabañas, "en los últimos versos que los personajes declaman antes de un número musical, suelen hacer derivar la situación o el argumento de tal manera que el texto del número musical esté plenamente inmerso en el contexto en que se encuentra. Hasta tal punto ocurre esto que buena parte de los textos de los números musicales podrían ser declamados, sin necesidad de ser cantados, y el conjunto de la obra no sufriría altibajo alguno".

Esta obra cuenta con una partitura muy extensa, de 23 números musicales. Todos los personajes hacen sus intervenciones en solitario, siendo escasos los números de conjunto. El coro, con poca presencia, se utiliza para marcar los momentos estructuralmente más destacados: abre los dos primeros cuadros, cierra el tercero, y reaparece en el final de la obra. La música compuesta por Rodríguez de Hita muestra la asimilación de las diversas corrientes musicales del momento, aproximándose al estilo internacional. A ello se unen los motivos hispanos, presentes con la inclusión de danzas y ritmos populares. Las melodías son de gran belleza, la mayor parte de ellas están precedidas por una introducción instrumental. El número más destacado es el final del primer acto, al que se refiere así Cotarelo: "El final del primer acto tiene un evidente colorido local, preparado con habilidad por el libretista al suponer que, ante el temor de una tempestad súbita (fenómeno siempre perjudicial al gusano de seda) produce a los cosecheros del capullo, acuden los huertanos de ambos sexos con guitarras, castañuelas, panderos y otros instrumentos a promover el usual y saludable estrépito, que el músico convierte en una deliciosa jota murciana, cantada por los principales partes de canto de la compañía".

Las labradoras de Murcia obtuvo un gran éxito desde su primera representación, y se mantuvo en cartel hasta el 5 de octubre. Más de un siglo después, el 28 de mayo 1896, fue representada en el Conservatorio de Madrid en memoria de Ramón de la Cruz como homenaje, por iniciativa de Jesús de Monasterio, que dirigió también la función, e interpretada por los alumnos más sobresalientes del centro. En los materiales conservados de esta función hay cambios hechos por Bretón en 1903, por lo que es probable que se llevara de nuevo a la escena.

Fuentes manuscritas. Los materiales de orquesta se conservan en la Biblioteca Histórica Municipal de Madrid, a partir de los cuales se hizo una copia en 1896 conservada en la Biblioteca del Real Conservatorio Superior de Música de Madrid.

Ediciones de música. Orquesta, ed. crítica, F. J. Cabañas Alamán, Madrid, ICCMU, 1998.

Ediciones del libreto. Madrid, Imp. Antonio Muñoz del Valle, 1769.

BIBLIOGRAFÍA: *DMEH; HZ;* A. Martín Moreno: *Historia de la música española. 4. Siglo XVIII,* Madrid, Alianza, 1985; A. Rodríguez de Hita, R. de la Cruz: *Las labradoras de Murcia,* ed. crítica F. J. Cabañas, Madrid, ICCMU, 1998.

JUDITH ORTEGA

Lacalle, María. España, siglos XIX-XX. Tiple cómica. Trabajó fundamentalmente en el género chico con un repertorio muy semejante al de Loreto Prado. Era graciosa, sin poseer la desbordante simpatía de la Prado, si bien la superaba en belleza. En 1910 ya estaba actuando con gran éxito en el teatro Novedades. En abril de 1920 estrenó en el citado teatro la obra de Moyron con música de Espinosa, *La genial*. Una postal de 1920, ilustrada con una caricatura de Tovar decía de María Lacalle: "Tiple del barrio popular, de la manolería y de lo verbenero. Es la artista del mantón de Manila, del *tío vivo* y del *agarrao*. Viéndola se cree estar en el Madrid de julio y agosto, que huele a albahaca, que suena a organillo y que está lleno de simones lentos donde van las menestralas ricas a tomar la fresca mientras se vocean los periódicos de la noche *con el crimen pasional*". En 1921 protagonizó en el teatro Novedades la zarzuela asturiana *La*

María Lacalle (Foto: Nuevo Mundo, 1990; Ar. ICCMU)

Santina, con música de Espinosa, en la que combinaba perfectamente los momentos alegres y sentimentales. En 1923 estrenó con gran éxito *Gitanerías*, con música de Luis Espinosa de los Monteros y libro de Manuel Palop, siendo muy aplaudida en un dúo y una zambra y haciéndosele repetir un baile, el garrotín, en un papel de gitanilla garbosa primorosamente compuesto, al decir de la crítica. En 1926 estrenó como vedette la revista *Las campanas de la gloria* y luego debutó como actriz de comedia.

De la popularidad que alcanzó durante los años veinte, dan fe, además, las numerosas partituras que diversos autores le dedicaron y que se conservan en el archivo de la SGAE, entre ellas *La linda tapada* de Alonso, *La reina del carnaval* de Juan Aulí, *El caso es pasar el rato* de Quislant, números de diversas obras de Alonso, como el chotis "Oye Nicanora" de *De Madrid al infierno* y numerosas canciones de Francisco Cotarelo, algunas fechadas en 1934, lo que hace suponer que la cantante aún seguía en activo en esta fecha.

BIBLIOGRAFÍA: *HGZ; ME; Nuevo Mundo*, XVII, 862, 14-VII-1910; *La Correspondencia de España*, Madrid, 3-IV-1923; *El Sol*, Madrid, 3-IV-1923.

Mª LUZ GONZÁLEZ PEÑA

Lacalle, Marisol. Madrid, 19-I-1937; Madrid, 26-X-1999. Mezzosoprano. Estudió en el Real Conservatorio de Madrid y fue una de las mejores alumnas de José Luis Lloret. Comenzó su carrera en la ópera compartiendo escenarios con cantantes como Alfredo Kraus o José Carreras. Pronto se decantó por la zarzuela en la que su temperamento dramático y buen físico la hicieron intérprete ideal de títulos como *Agua, azucarillos y aguardiente*, *La calesera*, *Gigantes y*

cabezudos, *La viejecita*, *El gato montés*, *Doña Francisquita* o *El húsar de la guardia*, obras que en su momento fueron estrenadas por Lucrecia Arana con la que algunos críticos la compararon.

José Tamayo, Juan José Seoane, José de Luna y todos los mejores empresarios de las tres primeras décadas de la segunda mitad del siglo XX contaron con su colaboración así como Faustino García, empresario español afincado en Hispanoamérica con el que hizo varias temporadas allí. Dirigida por Ángel Fernández Montesinos protagonizó el año 1965 en el teatro de la Zarzuela la obra de Alonso *La calesera*, haciendo una creación de Maravillas que aún se considera como referencia. También en la Zarzuela, en 1970, fue la principal intérprete femenina de la comedia musical *El violinista en el tejado* en la que compartió honores con el actor Antonio Garisa. En los últimos años alternó conciertos y representaciones zarzuelísticas con el acompañamiento al piano a otros colegas y también se dedicó a la docencia.

EMILIO GARCÍA CARRETERO

Lacambra Doménech, Mirna. Sabadell (Barcelona), 7-VII-1937. Soprano. Estudió en su ciudad natal con Marías Parasols y en el Conservatorio del Liceo de Barcelona con Eugenia Kemmeny. Su escenario llegaría a serle familiar ya que en él cantó *La boheme*, *El trovador*, *Carmen*, *Tosca* y títulos españoles como *La vida breve*, Falla; *Il giravot de maig*, Toldrá; *La Dolores*, Bretón; *La rondalla d'Espavers*, Jaime Ventura Tort, o *Adiós a la bohemia*, Sorozábal. Desde hace varios años dirige la compañía que la Fundación Amigos de la Ópera de su ciudad natal, y actúa habitualmente en Cataluña. Detrás de la directora de ópera hay toda una gran carrera de cantante en teatros de Italia, Alemania, Bélgica, Holanda, Francia y algunos otros países europeos y americanos y, por supuesto, España. En Santa Fé de Nuevo México estrenó junto a Frederica von Stade la ópera de Villa-Lobos, *Yerma*.

Su contacto con el género zarzuelístico tuvo lugar en la década de 1960 protagonizando en el madrileño teatro de la Zarzuela estrenos como *El burlador de Toledo*, zarzuela en dos actos con libreto de Tomás Borrás y Ferraz Revenga, música de Conrado del Campo y Ernesto Rosillo, 1965; *La canción del mar*, zarzuela en dos actos con libreto de Antonio Quintero, música de Manuel Parada, 1966, y reposiciones de títulos como *La rosa del azafrán* de Jacinto Guerrero o *La calesera* de Francisco Alonso, cuyo montaje de Ángel Fernández Montesinos aún no ha sido superado.

EMILIO GARCÍA CARRETERO

Lacarra. Familia de cantantes españoles formada por José y su hija Teresa.

1. José. Andalucía, siglo XIX. Barítono. Trabajó tanto en España como en el extranjero, sobre todo en el teatro de los Recreos en Lisboa, donde actuó en 1879. Fue director de varias compañías de zarzuela con las que recorrió diversos lugares de España.

2. Teresa. Sevilla, siglos XIX-XX. Tiple. Desde muy joven pasó a formar parte de varias compañías de zarzuela, sobre todo las dirigidas por su padre, y así cantó en los principales teatros españoles. En la temporada 1900-01 una señorita Lacarra sustituyó a Isabel Brú en *El estreno*. En la temporada siguiente fue ella la que causó baja y fue sustituida por Amparo Taberner. Estrenó en Sevilla la opereta *Molinos de viento* de Pablo Luna junto a Valentín González y Manuel Villa, con tal éxito que la obra se estrenó a continuación en Madrid, siendo esta opereta uno de los triunfos más perdurables de Luna.

BIBLIOGRAFÍA: *TA*; F. Cuenca: *Teatro andaluz contemporáneo. 2. Artistas líricos y dramáticos*, La Habana, Maza, 1940.

Mª LUZ GONZÁLEZ PEÑA

Lacasa, Enrique. Sevilla, 1870; Córdoba, 17-VII-1932. Primer actor y director. Su padrastro, Luis Morón, era primer actor y director de una compañía de zarzuela y con ella dio sus primeros pasos en el teatro, con sólo catorce años, como segundo apunte de la compañía con la que viajó a Lisboa. En 1884 debutó en el teatro Recoletos de Madrid con *Una doncella de encargo* de Rubio, a la que siguió su actuación como galán joven en la zarzuela *¡Cómo está la sociedad!* de 1885, con la que se ganó las simpatías del público. A este título siguieron muchos otros, en diversos teatros madrileños. Desde el teatro Recoletos pasó al Apolo en el que estrenó *Melones y calabazas* de Reig, 1885, volvió al Recoletos con *La tertulia de Mateo* de Nieto, 1887, *La villa de Madrid* de Tomás Gómez, 1887, y en el Martín *Libertad de cultos* de Reig, 1887. El 1888 fue un año de enorme actividad, contratado por el Maravillas estrenó *Procedente de empeños* y *Plan de estudios* de Reig, *Nina* de Rubio, *El milano* de Brull, *Quedarse in albis* de Rafael Taboada, *Mateíto* de Teodoro San José, y por el Eslava donde estrenó *Ortografía* de Chapí, *El alcalde interino* de Brull, *Apuntes del natural* de Rubio, *El gorro frigio* de Nieto, y *Casa editorial* de Taboada. De similar actividad fue el año 1889 en el que fue contratado en el Eslava estrenó *La flor del trigo* de Chapí, *Buñuelos* de Fernández Caballero, *Liquidación general* y *Habanos y filipinos* de Nieto por el Príncipe Alfonso, *A casarse tocan* o *La misa a grande orquesta* de Chapí, y finalmente por el Apolo con *Los nuestros* de Chapí, *La granadina* de Mateos, *Tannhauser cesante* de Giménez, y *¡Las doce y media y sereno!* de Chapí. A partir de 1891 disminuyó su actividad, contándose entre sus estrenos *La boda del cojo* de Brull en Apolo, y *El mocito del barrio* de Romea, El Dorado, 1891; *El himno de Riego* de Miguel Santoja, Apolo, 1893; *Tijerilla* de Juarranz, Novedades, 1893; *El santo milagroso* de Marqués, Eslava, 1894; *La flor de la montaña* de Saco del

Enrique Lacasa en Cuadros disolventes *y Pepe Gallardo*
(Fotos: Nuevo Mundo, *1904; Ar. ICCMU)*

Valle, Eslava, 1894; *Tolete* de Fernández Caballero, Zarzuela, 1903; *El sueño de la princesa* de Calleja, Lara, 1907.

Además de esta actividad centrada en Madrid, recorrió numerosos coliseos de la Península con compañías de primer orden, obteniendo grandes triunfos sobre todo en Barcelona, Santander y Zaragoza. En 1904 realizó una campaña en el teatro de los Campos Elíseos de Bilbao. Su naturalidad y gracia delicada le hicieron triunfar en los papeles más diversos. En el teatro Principal de Santander estrenó nueve obras en veinte días en 1907, siendo las más aplaudidas *Ninón* y *El amor en solfa*. Viajó a Buenos Aires con la compañía de Ortiz de Zárate y estableció su residencia en Cuba por un tiempo ya que allí se encontraba su hija Rosa, actriz, esposa del actor y director Jesús Tordesillas. Abandonó temporalmente los escenarios y al regreso de su hija a España él hizo lo mismo y se estableció en Córdoba dedicándose a la industria cinematográfica, falleció mientras trabajaba en la película *Las carceleras*.

BIBLIOGRAFÍA: *HGZ*; Córchilis: "Memorias íntimas del teatro: Enrique Lacasa", *Nuevo Mundo*, 555, 29-VIII-1904; *El Arte de El Teatro*, II, 40, Madrid, 15-XI-1907; *El Arte de El Teatro*, II, 42, 15-XII-1907; F. Cuenca: *Teatro andaluz contemporáneo. 2. Artistas líricos y dramáticos*, La Habana, Maza, 1940.

EMILIO CASARES RODICIO

Ladvenant Quirante. Familia de cantantes españolas compuesta por las hermanas María y Francisca.

1. María. Valencia, 23-VI-1741; Madrid, 1-IV-1767. Cantante. Primera dama de los teatros de Madrid en canto y declamación. Figuró con carácter permanente en los coliseos madrileños desde 1759, año en que debutó como octava dama, aunque ya había hecho representaciones esporádicas, algunas de ellas antes de 1756. Fue sucesivamente "graciosa", "autora" y "primera dama". Al reabrirse los teatros el 6 de diciembre de 1759 tras la muerte de Fernando VI, ya apareció como cuarta dama en la

María Ladvenant
(Grabado: Museo Municipal de Madrid)

compañía de Parra en el teatro del Príncipe, y antes de concluir el año cómico ascendió a sobresalienta de damas. En la formación de compañías de 1761 fue nombrada graciosa de la de Juan Ángel Valledor, y lo mismo en el siguiente en la compañía de la viuda de Valledor. En 1763 se convirtió en autora o directora de una de las compañías madrileñas, realizando una campaña artística memorable, ya que hizo papeles trágicos, cómicos, intermedios jocosos y hasta burlescos; cantó muchas zarzuelas y óperas, y también bailaba muy bien: era según los que la vieron, sobresaliente en todos los aspectos artísticos que cultivó. En 1766-67 fue también primera dama de la compañía que había sido suya y que dirigía entonces Nicolás de la Calle, pero días antes de comenzar las representaciones, contrajo una enfermedad de la que falleció. Fue sepultada al día siguiente en la iglesia de San Sebastián, ya que pertenecía a la Cofradía de la Novena.

Manuel García Hugalde se refería a ella con las siguientes palabras: "Sin el menor reparo se le puede dar con justicia el nombre de la actriz más excelente que ha tenido nuestro teatro español en el siglo pasado: ella desempeñaba con singular propiedad todo carácter, fuese serio, fuese jocoso: siempre supo poner en movimiento las pasiones, internándose en el corazón de cuantos la oían; además tuvo especial facilidad para aprender la música, y cantaba con notable destreza, donaire y gracia: en fin, fue una mujer de un feliz talento, en quien se reunieron todos los encantos y las gracias a que puede aspirar la naturaleza ayudada por el arte de que se hallaba colmada...".

2. Francisca. ?, 3-IV-1750; Burjasot (Valencia), 11-IV-1772. Cantante. Célebre graciosa a quien el escritor Fernández de Moratín ensalzó repetidamente con el nombre de Donisa, pues también se llamaba Isidora. Figuró en las compañías de Madrid desde 1763, introducida por su hermana. Destacó mucho en tonadillas y zarzuelas. Falleció en Burjasot, donde se encontraba para recuperarse físicamente. Francisca estrenó muchos sainetes y zarzuelas de Ramón de la Cruz.

BIBLIOGRAFÍA: *DMEH*; *HZ*; M. García Hugalde: *Origen, épocas y progresos del teatro español*, Madrid, 1802; E. Cotarelo y Mori: *Estudios sobre la historia del arte escénico en España. I. María Ladvenant y Quirante, primera dama de los teatros de la Corte*, Madrid, 1896; —: *Don Ramón de la Cruz y sus obras. Ensayo biográfico y bibliográfico*, Madrid, 1899.

Mª ENCINA CORTIZO

Lafita, D. España, siglos XIX-XX. Actor. En 1886 estrenó en el teatro Recoletos *El zaragozano* de Tomás Reig y en 1892 en el teatro Novedades *Los hijos de Haraldo* de Carlos Mangiagalli. En 1907 formaba parte de la compañía de Eduardo Bergés y el maestro Bauzá que actuaba en el teatro Principal de Zaragoza y triunfaba en obras como *Marina, Jugar con fuego, El húsar de la guardia* y *Bohemios*.

Mª LUZ GONZÁLEZ PEÑA

Lafón, Elvira. España, siglos XIX-XX. Tiple cómica. En 1904 estrenó en el teatro Novedades de Barcelona *Los alojados*; en 1907 estaba contratada en el teatro Price donde destacaba bailando la "Matchicha". Se hizo famosa con el estreno de *La diosa del placer* de Rafael Calleja y Luis de Larra en 1907. La obra era tan sicalíptica que en 1910 se inició un proceso judicial contra los autores y las intérpretes:

Elvira Lafón (Foto: El Arte de El Teatro, 1907; Ar. SGAE)

Pepita Sevilla, Ascensión Méndez, Antonia de Cachavera y Elvira Lafón que llenó las páginas de todas las revistas teatrales.

Mª LUZ GONZÁLEZ PEÑA

Lahera, Dionisia. España, siglos XIX-XX. Tiple. En 1909 estrenó uno de los grandes éxitos de Apolo, *El método Gorritz*. En la temporada 1910-11 formaba parte de la compañía del teatro Apolo y, según Chispero, era una "tiple cantante de grandes bríos, buena voz, gentil figura y no mal arte interpretativo". En 1910 cantó en *El palacio de los duendes* de Sinesio Delgado, Vives y Serrano y fue muy alabado un dúo que cantaba con Gandía, la "Canción de los titiriteros" que habían de repetir cada noche; la crítica afirmaba que aunque no tuviese más méritos que ese número, la obra se haría centenaria en Apolo. Ese mismo año triunfó con *El trust de los Tenorios*. Obtuvo gran éxito con la música de Pablo Luna de *Sangre y arena* de Blasco Ibáñez, triunfando con la "Canción del calabrés". Cantó en 1911 *El chico del cafetín* de Calleja, encarnando a un pillete, *Tentaruja y compañía* de Roberto Ortells, y en 1912 *Las mujeres de Don Juan, La maja de los claveles* de Lleó y *El arroyo* de Foglietti y Valverde, todas en Apolo, si bien *El arroyo* la estrenó el mismo año en el teatro Avenida

Dionisia Lahera y el Sr. Gandía en una escena de El palacio de los duendes *(Foto: Calvache en Comedias y Comediantes, 1911, Ar. ICCMU)*

de Buenos Aires. En 1913 estrenó en Apolo *La alegría del amor* de Pablo Luna y *Las musas latinas* de Penella. Pasó después al teatro Eslava estrenando diversas operetas como *El ayudante del Duque* de Julio Bretón y Jesús Aroca, 1914 y *La invitación al vals* de Strauss, 1915. En 1918 de nuevo se encontraba en Apolo estrenando *El pretendiente* de Vives y en 1922, aún en Apolo, estrenó *La rubia del Far-West* de Ernesto Rosillo.

FONOGRAFÍA: *El príncipe casto*, Gramophone 264168 (et. verde), 2908; *El señor Pandolfo*, Gramófono w 264359 w 263508 (et. verde), s19592u, s19593u, s19654u, s19594u; *Juegos malabares*, La Voz de su Amo 0264002 (et. verde), 67-68.

BIBLIOGRAFÍA: *HGZ*; *TA*; *Nuevo Mundo*, 884, 15-XII-1910; *Comedias y Comediantes*, 27, I, 1911.

EMILIO CASARES RODICIO

Lajos, Julia. España, siglo XX. Tiple cómica. En 1925 era tiple cómica del teatro Alkázar y en agosto de ese año estrenó un apropósito de Jacinto Benavente para celebrar su beneficio, obteniendo un gran éxito. El mismo año estrenó *El collar de Afrodita* de Jacinto Guerrero y *Madame Pompadour* de José Juan Cadenas y Emilio González del Castillo. Formó parte de la compañía de Celia Gámez y estrenó *Yola* en 1941 en el Eslava. Francisco Alonso le dedicó el chotis *Menos charlestones*. En la temporada 1950-51 formaba parte de la compañía de Erasmo Pascual como característica y estrenaron en el teatro de la Zarzuela diversas revistas como *Las alegres cazadoras* y *El último güito* de García Morcillo.

Julia Lajos (Foto: Nuevo Mundo, *1925; Ar. ICCMU)*

BIBLIOGRAFÍA: *Nuevo Mundo*, 1630, 17-IV-1925; *Nuevo Mundo*, 1644, 24-VII-1926; E. García Carretero: *Historia del teatro de la Zarzuela de Madrid*, Fundación de la Zarzuela Española, 2003.

Mª LUZ GONZÁLEZ PEÑA

Lamadrid [Herbella Lamadrid]. Familia de cantantes españolas compuesta por las hermanas Bárbara y Teodora.

1. Bárbara. Sevilla, 4-XII-1812; Madrid, 21-IV-1893. Cantante y actriz. Su primer apellido era Herbella, pero su padre adoptó para ellas el de Lamadrid, que aunque lejano, también les pertenecía. Su constante estudio y su entonación vigorosa hicieron de ella una gran actriz. Comenzó a pisar la escena en los teatros de Andalucía, y en 1832 se trasladó a Madrid, donde actuó en los escenarios de la Cruz y del Príncipe, representando con gran éxito *La huérfana de Bruselas, María Estuardo, El trovador* en su estreno, y *Don Alfonso el Casto* y *Doña Mencía*, escritos expresamente para Bárbara por Hartzenbusch. Ante la sublime representación de esta última obra, Zorrilla le dedicó las siguientes palabras: "Sólo su asombrosa facultad intuitiva, la penetración y el convencimiento artístico de su papel y su dicción limpia y correctísima hacían comprender, mientras lo explicaba, aquel laberíntico relato". Representó además, con gran maestría, *El príncipe de Viana* de G. Gómez de Avellaneda, que escribió una escena para dos damas en la que compitió con Matilde Díez sin quedar eclipsada. Su escuela de declamación era heredera del lirismo romántico que había iniciado en el primer tercio de siglo XIX García Luna, había continuado Latorre y fue mantenido por Rafael Calvo, pudiendo ser considerada, junto con su hermana Teodora, continuadora de Concepción Rodríguez. Contrajo matrimonio con el célebre bajo cómico Francisco Salas y en los últimos años de su vida quedó paralítica y ciega, privando al teatro español de una de sus primeras actrices.

En cuanto a la relación con la música, al igual que Matilde Díez, Bárbara participó en la puesta en escena de los bocetos líricos; así, estrenó en 1839 en el teatro del Príncipe, la comedia-zarzuela *El novio y el concierto* de Bretón de los Herreros, puesta en música por Basilio Basili. *El Eco del Comercio* (23-III-1839) decía: "Este juguete nos ha proporcionado la ocasión de oír a la señora Bárbara Lamadrid algunos trozos de buena y difícil música, para la cual muestra buena disposición, y como el argumento tiene novedad y la música es hoy género escaso y los que cantaron no lo hicieron mal, fue aplaudida esta zarzuela, como llama su autor, el señor Bretón de los Herreros, resucitando este nombre del teatro antiguo". En 1841 cantó en *El fanático por la música* y participó también en el estreno de *La mensajera* de Gaztambide, 1849. *Véase* SALAS, FRANCISCO.

2. Teodora. Zaragoza, 1821; Madrid, 21-IV-1896. Actriz y cantante. Empezó a actuar desde su infancia y a los ocho años la vio actuar en Sevilla Juan Grimaldi, entonces director del teatro del Príncipe de

Teodora y Bárbara Lamadrid
(Foto y grabado:
Colección Castellano, E:Mn)

Madrid, que la contrató en 1833 como dama joven. Junto a su hermana se convirtió en primera dama del teatro de la Cruz volviendo en 1844 al del Príncipe en el que permaneció seis años, siempre en la cabecera de cartel. En 1851 era primera actriz en el teatro de los Basilios que dirigía Joaquín Arjona, estrenando *Adriana Lecouvreur*, que supuso para ella un gran triunfo, al que siguieron *Bienaventurados los que lloran...*, *El tanto por ciento*, *La rica hembra*, *Locura de amor*, y se dedicó de manera especial a los autores contemporáneos pero sin desdeñar a los clásicos, y así *La villana de Vallecas* de Tirso de Molina era una de sus mejores creaciones. En 1870 se trasladó a América con un ventajoso contrato que le hizo revalidar los triunfos nacionales. Al retirarse de la escena sucedió a Matilde Díez en la cátedra de declamación del Conservatorio de Madrid. Se había casado con el compositor italiano Basilio Basili, y una de las hijas que tuvieron, Enriqueta, fue cantante. Teodora no tenía grandes facultades vocales, pero corrigió con tesón esta deficiencia, brillando tanto en el drama como en la comedia. Participó en el nacimiento de la primitiva ópera española ya que su marido fue uno de los primeros compositores del género con obras como *El novio y el concierto* o *El ventorrillo de Crespo*, estrenada en julio de 1841, en la que cantó Teodora; también lo hizo en *Los solitarios*, zarzuela con letra de Manuel Bretón de los Herreros y música de Basilio Basili estrenada en 1842. *Véase* BASILI, BASILIO.

BIBLIOGRAFÍA: *HGZ*; *HZ*; A. J. Bastinos: *Arte dramático español contemporáneo. Bosquejo de autores y artistas que han sobresalido en nuestro teatro*, Barcelona, Imp. Elzeviriana, 1914; L. Calvo Revilla: *Actores célebres del teatro del Príncipe o Español. Siglo XIX*, Madrid, Imp. Municipal, 1920; F. Cuenca: *Teatro andaluz contemporáneo*, La Habana, Cultura, 1927.

1. Mª ENCINA CORTIZO
2. Mª LUZ GONZÁLEZ PEÑA

Lamas, Miguel. España, siglos XIX-XX. Actor cómico. La primera década del siglo XX formaba parte de la compañía del teatro Eslava, donde estrenó en 1902 *El olivar* de Barrera y Serrano; en 1904 *La torería* de Serrano, *La buena moza* de Foglietti y Muñoz y *Bazar de muñecas* de Lleó. En 1910 actuó en el teatro del Duque de Sevilla y en 1911 pusieron en escena en ese teatro *El conde de Luxemburgo*. A comienzos de 1912 se hizo cargo de la dirección escénica del teatro Novedades, al que sacó rápidamente de la crisis que atravesaba. Obtuvo un gran éxito en *Poca-Pena*, fundamentalmente en el cuadro segundo así como en la reposición de *La moza de mulas* que se había hecho centenaria en el teatro Cómico. En 1913 estaba en Apolo donde estrenó *La alegría del amor* de Luna. De nuevo en la temporada 1917-18 se hallaba en Apolo estrenando *Albi-Melén* de Calleja, 1917, en la que obtuvo un gran éxito, y *El pretendiente* de Vives, 1918.

BIBLIOGRAFÍA: *TA*; *Comedias y Comediantes*, 27, 1911; *Comedias y Comediantes*, 40, 1912.

Mª LUZ GONZÁLEZ PEÑA

Lambert Caminal, Juan Bautista. Barcelona, 1884; Barcelona, 4-V-1945. Compositor y director. Se formó como niño cantor de la catedral de Barcelona, comenzando a los doce años los estudios de composición, órgano y piano con Mas y Serracant, Socías y Roig. También estudió composición con Felipe Pedrell y Enrique Morera, y piano con Pellicer, perfeccionándose con Malats.

Sus dos grandes dedicaciones como compositor fueron la música religiosa y la teatral sobre todo desde que fue nombrado director del teatro Principal de Barcelona desde 1905 donde se daban los Espectacles Graner, y director de la temporada de Teatro Lírico Catalán en el Tívoli de Barcelona, donde estrenó con bastante éxito su ópera *Joan de Serrallonga* y la zarzuela en dos actos *Por una mujer*, 1922, una obra muy

Juan Bautista Lambert
(Foto: Biblioteca de Cataluña)

representada en España y América de la que se popularizó su romanza "Carretera castellana".

OBRAS: *La mare de Deu, quan era xiqueta*, cuadro, 1 act, l, L. Granés, est, 30-VI-1905, Sala Mene (Barcelona); *La Fustots*, l, J. Carner, est, X-1905, Te. Principal (Barcelona); *Doncella que a la guerra va...*, col. J. Sancho Marraco, l, M. de Montoliu, est, 12-V-1906, Te. Principal (Barcelona), E:Bsa; *Juventud de príncipe*, Com, 3 act, l, J. M. Jordá / C. Costa, est, IV-1907, Barcelona, E:Msa; *La eterna historia*, Com lír, 3 act, l, L. Falguera, est, II-1908, Colegio Escuelas Pías (Barcelona); *Por una mujer*, Zarz, 2 act, l, Paso Cano / R. González del Toro, est, 29-X-1924, Te. Tívoli (Barcelona), E:Msa; *Leyenda feudal*, farsa lírica, 2 act, l, L. Angulo / L. Varó, est, 12-I-1927, Te. Novedades, E:Msa; *La alborada*, Zarz, 1 act, l, J. Ramos, est, 25-II-1928, Te. Fuencarral, E:Msa; *Flors de Mar-Bella*, Com, 2 act, l, F. Oliva, est, 15-I-1931, Te. Nuevo (Barcelona), E:Msa; *El maestro ilusión* (después *Estrellas y nubes*), 2 act, col. Sagi Barba, l, C. Lafuente, est, 28-X-1934, E:Msa; *Viva la reina*, Rv, 2 act.

BIBLIOGRAFÍA: *DMEH*.

LUIS G. IBERNI

Lana y Ortazun, Diego. España, siglo XVIII. Compositor. Lana es autor de varias obras de música escénica estrenadas en los teatros públicos madrileños en las décadas de 1720 y 1730. Entre sus obras destacan las comedias *El mejor de los Guzmanes*, con letra de José de Cañizares y *San Cayetano*, compuesta en colaboración con Juan Bautista Mele. La zarzuela *Por conseguir la deidad entregarse al precipicio* fue estrenada en 1733, y representada durante doce días por la compañía de Juana de Orozco. Algunos de los intérpretes principales fueron José Garcés, Rita Orozco, Francisca de Castro y Manuel Joachin. La obra, según Cotarelo, estaba formada por "cuatros, coplas, areas, dúos y mucho recitado", escrita "al estilo italiano".

OBRAS: *El mejor de los Guzmanes*, Com, l, J. de Cañizares, est, 25-XII-1728, Te. del Príncipe; *Hércules furente o Matarse por no morir*, Com, 2 act, l, A. de Zamora, est, 27-XI-1728, Te. Príncipe; *El prodigio de Italia: Santa Columba de Reati*, Com, l, M. F. Armesto, est, 25-XII-1729; *Por conseguir la deidad entregarse al precipicio*, Zarz, 2 act, l, J. Bustamante, est, 5-XII-1733, Te. de la Cruz; *Al audaz fortuna ayuda y a los tímidos desprecia*, Com, est, 26-XI-1734; *San Cayetano*, Com, col. J. B. Mele, l, V. Camacho, est, 25-XII-1734, Te. Príncipe; *Las murcianas*, Sai, l, R. de la Cruz, est, 1779.

BIBLIOGRAFÍA: *DMEH*; *HZ*.

JUDITH ORTEGA

Landa Lluch, Modesto. Madrid, 24-II-1837; ?. Barítono. Estudió canto en el Conservatorio de Madrid y continuó sus estudios con Reart de Copons y Cordero. Se presentó en Madrid en *El grumete*, de Arrieta en junio de 1859 y fue contratado por el teatro de la Zarzuela comenzando con ello su vida de barítono, viajando por toda España. También actuó en los salones de Madrid, dado que el género de la canción iba muy bien con su voz dulce. Estrenó más de 25 zarzuelas la mayoría en el teatro de la Zarzuela del que fue uno de los intérpretes más habituales. En este teatro estrenó *Los circasianos* de Arrieta, 1860; *En las astas del toro* de Gaztambide, 1862; *Los suici-*

das de Fernández Caballero, 1862; *El secreto de una dama* de Barbieri, 1862; *Dos pichones del Turia* de Barbieri, 1862; *Influencias políticas* de Oudrid, 1863; *Matar o morir* de Mariano Vázquez, 1863; *Pan y toros* de Barbieri, 1864, en el papel de capitán Peñaranda; *De tal palo tal astilla* de Arrieta, 1864; *El novicio* de Martín Campos, 1864; *El bufón de su alteza* de Agustín Campo, 1864; *El capitán negrero* de Arrieta, 1865; *El rábano por las hojas* y *Gibraltar en 1890* de Barbieri, 1866; *El molinero de Subiza* de Oudrid, 1870; *El hábito no hace al monje* de Rogel, 1870; *Los holgazanes* de Barbieri, 1871. En este año trabajó también en el teatro del Circo donde estrenó *Flor de Aragón* de Benito Monfort y *Travesuras amorosas* de Manuel Fernández. En 1876 seguía en el teatro de la Zarzuela y en 1898 estrenó *La chavala* de Chapí en el Apolo. En 1910 vivía en Granada retirado.

BIBLIOGRAFÍA: *DMEH*; *HZ*; E. Casares Rodicio: *Francisco Asenjo Barbieri 1. El hombre y el creador. 2. Escritos*, Madrid, ICCMU, 1994.

EMILIO CASARES RODICIO

Langa, Celia. Madrid, 27-IX-1933. Soprano. Estudió con Lola Rodríguez Aragón. Debutó con dieciséis años en el teatro Español cantando obras como *Las golondrinas*, *Madama Butterfly* y *La bohème*, estas últimas junto a Tito Schipa, con el que cantó poco tiempo después en el teatro Calderón el papel de Sophie en *Werther*. A finales de 1949 estrenó la zarzuela de García Leoz *La duquesa del Candil*, y uno de los *Madrigales amatorios* de Joaquín Rodrigo, del que también dio a conocer *Las ausencias de Dulcinea*. En los años cincuenta se fue a Italia para ampliar sus estudios, que compaginó con actuaciones en aquel país, y a su regreso participó en la *Antología de la Zarzuela* de José Tamayo. Además de cantar ópera, emprendió diversas giras por Hispanoamérica con la compañía de zarzuela de Faustino García. En España participó como titular en las formaciones de zarzuela de José de Luna, Juan José Seoane y otras. En la temporada de 1973-74 actuó en el teatro de la Zarzuela con la Compañía Lírica Española que puso en escena *Agua, azucarillos y aguardiente*, *La revoltosa* y *Luisa Fernanda*. Desde la década de 1960 ha compaginado sus actuaciones con la enseñanza, a la que se dedica desde su retirada de los escenarios.

FONOGRAFÍA: *Don Manolito*, Hispavox 7 67430 2 (637.77096); *La duquesa del Candil*, Blue Moon BMCD 7510.

EMILIO GARCÍA CARRETERO

Lanuza Mendoza y Arellano, Marcos de [Conde de Clavijol]. España, siglo XVII. Escritor. Como dramaturgo cortesano, Lanuza es autor de varias obras escénicas estrenadas en la corte a finales del siglo XVII. Entre ellas destacan *Júpiter y Io o Los celos premian desdenes*, fiesta de zarzuela con música de Durón o Navas, 1699, escrita para el domingo de Carnestolendas. Algunos de los intérpretes del estreno fueron Teresa de Robles como Júpiter, Manuela de la Baña como Io, Paula María como Juno, Manuela de la Cueva como Mercurio y Margarita Ruano como Celfa. *Celos vencidos de amor y de amor el mayor triunfo* es una zarzuela con música de Durón, estrenada en 1698. También es autor de la comedia *Las Belides o Hypermenestra y Lince*, estrenada en el Real Palacio en 1686. Se representó con motivo de la celebración del cumpleaños de la reina madre Mariana de Austria.

BIBLIOGRAFÍA: *HZ*; L. K. Stein: *Songs of Mortals, Dialogues of the Gods*, Oxford Clarendon Press, 1993.

JUDITH ORTEGA

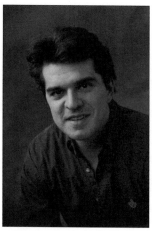

Beatriz Lanza (Foto: J. Alcántara; Cortesía del Teatro de la Zarzuela)

Lanza, Beatriz. Santander, 12-VIII-1969. Soprano. Estudió canto y piano en el Conservatorio de Santander y completó sus estudios en la Escuela Superior de Canto de Madrid. Su debut profesional tuvo lugar en el teatro de la Zarzuela con *Il Trittico* y ha cantado tanto ópera como zarzuela. De este género ha interpretado *La canción del olvido*, *La verbena de la Paloma*, *Pan y toros*, *El barberillo de Lavapiés*, *Jugar con fuego*, *Don Gil de Alcalá*, *La parranda*, *La tabernera del puerto* y *El rey que rabió*. Ha colaborado con la compañía Ópera Cómica en diversos espectáculos, entre ellos el montaje de los tres sainetes picarescos de Barbieri: *El niño, El hombre es débil* y *Los dos ciegos*. Participó en el reestreno de la ópera de Tomás Bretón *Los amantes de Teruel* en el teatro Palacio Valdés de Avilés, llevándola después de gira por diversos escenarios españoles, incluyendo el teatro de la Zarzuela en el que su última interpretación fue el reestreno de *El juramento* de Gaztambide en febrero de 2000. Ha actuado de manera habitual en el Festival de Teatro Lírico Español de Asturias, que se celebra en el teatro Campoamor de Oviedo y en sucesivas temporadas ha cantado *El barbero de Sevilla, El huésped del Sevillano* y *La fama del tartanero*.

Mª LUZ GONZÁLEZ PEÑA

Lanza, Manuel. Santander, 27-VII-1965. Barítono. Discípulo de Isabel Penagos. Aunque se ha dedicado fundamentalmente a la ópera, también ha tenido importantes actuaciones en la zarzuela. Así, en su época de estudiante compaginó sus estudios musi-

Manuel Lanza (Foto: Ar. SGAE))

cales con algunas representaciones con la Compañía Lírica Municipal de Santander, siendo el protagonista de *La alsaciana* y *Molinos de viento*. Debutó en el teatro de la Zarzuela de Madrid en 1990 en *La del manojo de rosas*, que interpretó de nuevo al año siguiente. Cantó en el teatro de Madrid *La revoltosa* y estrenó *La verbena de la Paloma* en el teatro Avenida de Buenos Aires en su reapertura en 1994. Tuvo una gran actuación interpretando el personaje de Germán en *La del Soto del Parral* en el teatro de la Zarzuela en junio de 2000. Asimismo ha ofrecido diversos recitales de zarzuela en numerosas ciudades españolas y americanas.

Además de su grabación de *El barberillo de Lavapiés* para el sello Auvidis tiene también una recopilación titulada *¡Viva la Zarzuela!*.

Mª LUZ GONZÁLEZ PEÑA

Lapuerta Morente, Arturo. ?, 1872; ?, 22-IV-1934. Compositor. En el archivo de la SGAE en Madrid se conservan varias obras suyas de teatro lírico. Activo a finales del siglo XIX y principios del XX, sus obras están estructuradas en un acto y algunas compuestas en colaboración. Entre los compositores con los que colaboró destacan Pablo Luna en *La sultana* y Fernández Caballero en *La barcarola*.

OBRAS (Todas en E:Msa): *La marusiña*, Zarz, 1 act, I, A. Caamaño, est, 11-XII-1899, Te. Romea; *La Barcarola*, 1 act, col. Fernández Caballero, I, E. Selles, est, 20-IV-1901, Te. Zarzuela; *La cachunda*, Ent cóm-lír, 1 act, col. M. Ribas, I, Pío Roca, est, 26-VII-1905, Te. Romea; *El acabose*, 1 act, I, A. Fernández Cuevas, est, 7-VI-1909, Te. Madrileño; *El manantial del amor*, 1 act, I, E. Montesinos/A. Torres del Álamo, est, 4-VI-1909, Te. Noviciado; *T.B.O.*, Rv lír, 1 act, I, E. Montesinos/A. Torres, est, 29-IV-1909, Te. Coliseo del Noviciado; *¡Inclusero!*, col. M. Alcaraz, 1 act, I, J. A. Iniesta, est, 25-V-1909, Te. Latina; *La sultana*, col. P. Luna Carné, I, L. Candelas/E. Nieto, est,

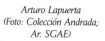

Arturo Lapuerta (Foto: Colección Andrada; Ar. SGAE)

9-I-1915, Te. Martín; *Las pícaras cartas*, col. San Nicolás, I, F. Arenas Guerras, est, 27-I-1915, Te. Martín; *El señor Don Zorro*, 3 act, I, J. B. Berga, est, 26-XI-1927, Te. Novedades; *Fiereza*, Zarz, 3 act, I, J. B. Berga, est, 2-V-1930, Te. Calderón; *Loa, Jácara y Entremés*, I, J. Méndez, est, I-1932, Te. Calderón; *El cuarto poder*, 1 act, col. A. Paredes; *Gitanela*, 1 act; *La pasiega*; *La pata de cabra*; *Los polichinelas*, I, J. Arqués Escrina; *Madrid gráfico*, Rv, 1 act, col. Crespo Burcet, I, E. Montesinos / R. Maroto / A. Torres del Álamo; *Vacaciones tragicómicas*, col. F. A. de San Felipe.

Mª LUZ GONZÁLEZ PEÑA

Lario, Aldo. Santa Clara (Cuba), 5-X-1926. Tenor. Recibió las primeras enseñanzas musicales de su madre. En 1959 inició sus estudios de técnica vocal con Giulia Lucignani y los continuó en la Academia Farelli-Bovi. Debutó en Santa Clara en la ópera *Payasos* de Leoncavallo en 1959. Al actuar en la televisión en el programa *Sala de Conciertos*, se vinculó inicialmente con Rodrigo Prats y luego con Gonzalo Roig. Posteriormente fue contratado por el Grupo Teatro Lírico del Gran Teatro de La Habana, con quien debutó en *Luisa Fernanda* de Moreno Torroba. Aunque interpretó múltiples óperas, fue el género de la zarzuela el que predominó y tuvo mayor significación en su repertorio, interpretando personajes de *La leyenda del beso* y *La del Soto del Parral* de Soutullo y Vert; *Bohemios* de Vives; *Los claveles* de Serrano; *Cecilia Valdés* de Roig; *María la O* y *El cafetal* de Lecuona. Ha actuado en los principales teatros y salas de conciertos de la isla. Dentro de su quehacer ocupó el cargo de regisseur y director artístico en la puesta en escena de *Cecilia Valdés* de Roig, con la que realizó una gira por Polonia, República Democrática Alemana, Unión Soviética, Rumania y Checoslovaquia. Ha obtenido galardones en los países visitados y en su país natal.

BIBLIOGRAFÍA: J. A. González: "La nueva generación de nuestro teatro", *Romance*, La Habana, VII-1963.

JOSÉ PIÑEIRO DÍAZ

Larra. Familia de escritores españoles formada por Mariano José, su hijo Luis Mariano y los hijos de éste Luis y Mariano.

1. Larra y Sánchez de Castro, Mariano José de. Madrid, 24-IV-1809; Madrid, 13-II-1837. Poeta y dramaturgo. A los diecinueve años abandonó sus estudios y fundó los periódicos *El Duende Satírico del Día* y *El Pobrecito Hablador*. Firmaba sus famosos artículos de costumbres bajo el seudónimo de "Fígaro" o "El pobrecito hablador", mostrando en ellos sus grandes dotes de observación y un sentido del humor mordaz. Escribió uno de los primeros dramas románticos en España, *Macías*, 1834. Formó parte de la tertulia El Parnasillo en el café del teatro del Príncipe, principal lugar de encuentro de los románticos en Madrid, donde se reunía con figuras relevantes del mundo literario, Carnerero, Espronceda, Mesonero Romanos, Bretón y García Gutiérrez, entre otros.

Escribió dos libretos para el género lírico, *Amor y leña*, fantochada con música popular de la que apenas se tienen noticias, y *El rapto*, llamada por los autores y por la crítica ópera española. Tenía mucha parte hablada, por lo que era más bien una zarzuela a la que puso música Tomás Genovés. *El rapto* sólo se representó la noche del estreno y la siguiente, debido al escaso éxito de público y crítica, si bien ésta última supo reconocer el intento de restablecer la antigua zarzuela. Larra escribió esta obra con tan sólo 23 años, y la crítica desfavorable impidió que volviese a escribir para el género lírico.

2. Larra Wetoret, Luis Mariano de. Madrid, 17-XII-1830; Madrid, 20-II-1901. Novelista, poeta, autor dramático y periodista. Fue redactor de *La Gaceta* y colaborador habitual de los principales periódicos y revistas de su época. Director artístico del teatro Español en 1871-72. Aunque estrenó obras dramáticas y cómicas sin música y publicó alguna novela, merece un lugar señalado por escribir algunos de los libros de zarzuela más brillantes de la historia del teatro lírico. Sus obras fueron las primeras en alcanzar más de cincuenta representaciones consecutivas. Su estilo se ajustaba perfectamente al gusto popular proporcionándole argumentos en los que se mezclaba lo cómico y lo sentimental en las dosis justas. Era un fino observador, lo que le permitía reflejar con exactitud ambientes y costumbres, un maestro del diálogo —con un lenguaje pulcro y rico— y un expertísimo técnico en el manejo de la escena. El estreno de la zarzuela *Sueños de oro*, 1872, teatro de la Zarzuela, con música de Francisco Asenjo Barbieri, tuvo mucho éxito, tanto por el libreto, que enseguida alcanzó la quinta edición, como por la música. Con ella comenzó una colaboración entre ambos que les proporcionó muchas satisfacciones. Al trazar el libro de *El barberillo de Lavapiés*, Larra se inspiró en el enorme éxito obtenido por *Pan y toros* de Picón y Barbieri, pero, tomándola como modelo, la superó literariamente, con un libreto bien construido que tuvo sobre todo la virtud de facilitar a Barbieri la composición de melodías de gracia y gran inspiración. La obra, con el título originario de *Lavapiés y las Vistillas*, gira en torno a una intriga política en la época de Carlos III. Este tipo de drama entroncaba con la tradición inmediatamente anterior de zarzuela grande, pero a la vez inauguró un tipo de obra lírica que sirvió de modelo a generaciones posteriores. En ella se parodiaba tanto en su título como en ciertos giros textuales la más famosa ópera bufa italiana, *Il Barbiere di Siviglia* de Rossini. Sin embargo el autor lleva a cabo una importante descontextualización que obliga al espectador a olvidar rápidamente el modelo original, el personaje central es el barbero Lamparilla, tipo travieso e intrigante, copia del Fígaro de Beaumarchais, cuyas acciones no ocurren en la Sevilla del siglo XVIII, sino en la turbulenta vida urbana madrileña, en el antiguo barrio de Lavapiés. Junto a las numerosas referencias espaciales de Madrid, Larra introduce el elemento lingüístico para caracterizar a sus personajes y abundan términos del lenguaje castizo, lo que confiere a la obra un acusado aire de cuadro de costumbres, en la que el autor consigue un retrato del alma de Madrid insuperable. Desde el cuadro inicial desfilan grupos populares como los estudiantes, majos y majas. El estreno de *El barberillo de Lavapiés* en el teatro de la Zarzuela el 19 de diciembre de 1874, supuso el último gran éxito en la carrera teatral de Barbieri.

También trabajaron juntos en otra zarzuela y con parecido éxito, aunque sin superar a la anterior: *Chorizos y polacos*, 1876, teatro del Príncipe Alfonso de Madrid, fue definida por su autor como "zarzuela de costumbres teatrales del siglo XVIII", en tres actos y en verso. Larra presenta unos hechos y personajes reales: "chorizos" y "polacos", fanáticos admiradores de sus respectivas estrellas tonadilleras, la Caramba y la Figueras, y rivales acérrimos entre sí. La parte central de la zarzuela es la representación de una tonadilla (teatro dentro de teatro), no deja de ser una sátira sobre el mundo teatral que afecta tanto a actores, como libretistas, músicos y empresarios.

Larra fue uno de los primeros autores en escribir para el género bufo, recién importado desde Francia por Arderius, con la colaboración musical de José Rogel en *Punto y aparte*, 1865; *Los órganos de Móstoles*, 1867; *Los infiernos de Madrid*, 1867. Con Joaquín Gaztambide estrenó *La conquista de Madrid*, 1863. Emilio Arrieta o Manuel Fernández Caballero, entre otros, pusieron música a sus libretos. *Véase* EL BARBERILLO DE LAVAPIÉS; CADENAS DE ORO; CHORIZOS Y POLACOS; LA GUERRA SANTA; SUEÑOS DE ORO; LA VUELTA AL MUNDO.

3. Larra y Ossorio, Mariano de. Madrid, 1858; Valdemoro (Madrid), 1926. Autor dramático y actor. Durante su juventud fue redactor del diario *La Época*. Empezó su carrera como actor en el

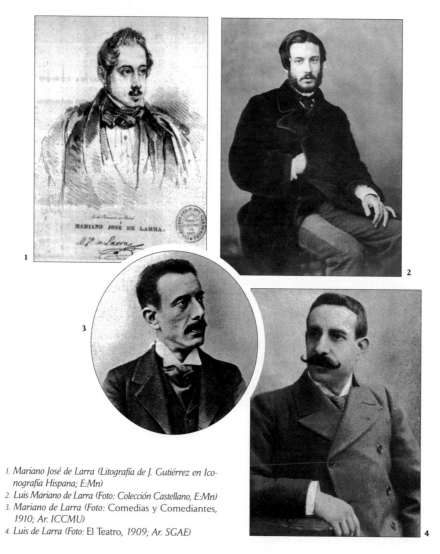

1. *Mariano José de Larra (Litografía de J. Gutiérrez en Iconografía Hispana; E:Mn)*
2. *Luis Mariano de Larra (Foto: Colección Castellano, E:Mn)*
3. *Mariano de Larra (Foto: Comedias y Comediantes, 1910; Ar. ICCMU)*
4. *Luis de Larra (Foto: El Teatro, 1909; Ar. SGAE)*

teatro de la Comedia de Madrid, que dirigía el famoso actor Emilio Mario. Ingresó en la compañía del teatro Lara, en el que durante doce años representó obras de los autores más conocidos del género chico: Ramos Carrión, los Quintero o Pina Domínguez. Sus méritos en la interpretación –era un buen cómico natural– le valieron la dirección del Conservatorio de Declamación de La Habana. Al igual que su padre y su hermano, se dedicó al género chico como autor, destacando entre sus obras el disparate *¡Qué pillín!*, 1883, y la zarzuela *Estar en vilo*, 1882, ambas con música de Luis Arnedo.

4. Larra y Ossorio, Luis de. Madrid, 1862; Madrid, 1914. Periodista y dramaturgo. Fue empresario de los teatros madrileños Cómico y Gran Teatro. Desempeñó el cargo de Secretario de la Sociedad de Autores.

Fecundo y chispeante autor de zarzuelas, pasillos, sainetes, juguetes, revistas y disparates con un estilo ingenioso y lleno de gracia en los diálogos. Sus obras muestran sus grandes dotes para el costumbrismo y su habilidad teatral. Luis de Larra colaboró con otros autores de género chico, José Jackson Veyán, Eugenio Gullón, Jacinto Capella, Asensio Mas y sobre todo con Manuel Fernández de la Puente y Mauricio Gullón. En la parte musical le acompañaron los principales compositores del momento, Manuel Fernández Caballero en *La inclusera*, 1903, teatro Moderno de Madrid; Tomás López Torregrosa en *¡Que se va a cerrar!*, 1906, Gran Teatro de Madrid; con Gerónimo Giménez y Luis Foglietti estrenó *La catedral*, apropósito escrito en colaboración con Fernández de la Puente, que sirvió para abrir la temporada teatral del Apolo el 5 de septiembre de 1913. Se aplaudió mucho la obra y a Loreto Prado en sus graciosísimos diálogos con Enrique Chicote. Uno de sus mayores aciertos fue *Los dineros del sacristán*, 1894, zarzuela escrita en colaboración con Mauricio Gullón, que supuso el éxito mayor de la temporada en el teatro Eslava ante un público que supo apreciar un buen libreto, gracioso y original, y una partitura brillante de Manuel Fernández Caballero. Luis de Larra supo aprovechar la actualidad para trasladar al escenario situaciones sociales o políticas de interés en títulos como *El turno de los partidos*, 1900, Romea de Madrid, juguete con música de Ángel Rubio; *La revolución social*, 1902, Cómico, zarzuela con música de Rafael Calleja; *El diablo en coche*, 1912, zarzuela con música de López Torregrosa y Rafael Calleja.

BIBLIOGRAFÍA: *DAT; EDL; HZ; TLE*; D. L. Shaw: *Historia de la literatura española. El siglo XX*, Barcelona, Ariel, 1986; *Chorizos y polacos*, Madrid, Fundación Caja Madrid, 1992; *El barberillo de Lavapiés*, ed. crítica M. E. Cortizo y R. Sobrino, Madrid, ICCMU, 1994; E. Casares Rodicio: *Francisco Asenjo Barbieri. 1. El hombre y el creador*, Madrid, ICCMU, 1994; D. L. Shaw: *Historia de la literatura española. El siglo XX*, Barcelona, Ariel, 1986.

OLIVA G. BALBOA

Larrea, José María. Madrid, 1828; Madrid, 1863. Comediógrafo y dramaturgo. Trabajó como periodista en *La Iberia* y *Educación Pintoresca*. Realizó traducciones y arreglos de obras francesas y escribió dramas y comedias y fue un poeta romántico. Su colaborador más habitual fue Antonio Lozano en las comedias *Un imposible amor*, 1849, *No es oro cuanto reluce*, 1849, *Una suegra*, 1853, pero también escribió en solitario: *El baile y el entierro*, 1851, *Ellas y nosotros*, *Cuerdos y locos*, 1862, o en colaboración con otros autores como Juan Catalina y Luis Mariano de Larra. Para el teatro lírico estrenó *Pero Grullo*, con música de Oudrid, 1850, y *Por un inglés,* con música de Mariano Vázquez, 1861.

BIBLIOGRAFÍA: *DAT; EDL*.

Mª LUZ GONZÁLEZ PEÑA

Larregla Urbieta, Joaquín. Lumbier (Navarra), 20-VIII-1865; Madrid, 24-VI-1945. Compositor, pianista y pedagogo. Tras sus primeros estudios en Pamplona se trasladó al Real Conservatorio de Música de Madrid para estudiar piano con Zabalza, armonía con Aranguren y composición con Arrieta, obteniendo el primer premio en las tres asignaturas. Años más tarde fue catedrático de piano del mismo centro. Fue además académico de la Real Academia de Bellas Artes de San Fernando en la que ingresó en 1906. Su carrera como concertista se inició en

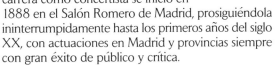

Joaquín Larregla (Foto: Kaulak, en Nuevo Mundo, 1916; Ar. ICCMU)

1888 en el Salón Romero de Madrid, prosiguiéndola ininterrumpidamente hasta los primeros años del siglo XX, con actuaciones en Madrid y provincias siempre con gran éxito de público y crítica.

Su obra compositiva se define por un claro nacionalismo con fuerte presencia del regionalismo navarro, como se refleja en su obra más famosa, la jota *¡Viva Navarra!* o en *Navarra montañesa*. Dejó varias obras para piano y orquesta y algunas zarzuelas como *La roncalesa*, estrenada en el teatro Apolo en 1897 o *Miguel Andrés* estrenada en 1902, ambas editadas por Unión Musical Española. En 1924 se casó con la hija de Federico Moreno-Torroba.

OBRAS (Todas en *E:Msa*): *La roncalesa*, Zarz, 1 act, l, F. Irayzoz Espinal, est, 21-IV-1897, Te. Apolo; *Miguel Andrés*, Dr lír, 3 act, l, P. Millán Cabrera, est, 8-XI-1902, Te. Price; *Los dichos*, 1 act, l, P. Millán Cabrera.

BIBLIOGRAFÍA: *DMEH*; R. Villar: "Músicos españoles. Joaquín Larregla", *Nuevo Mundo*, 1155, 25-II-1916.

LUIS G. IBERNI

Larrubiera Crespo, Alejandro. Madrid, 1869; Madrid, 2-VII-1937. Dramaturgo y novelista. También ejerció como periodista bajo el seudónimo "Juan Sainete". Ejerció como periodista en las más importantes revistas semanales de la época, como *Madrid Cómico*, *Blanco y Negro* o *El Cuento Semanal*, dirigiendo además *Gil Blas*, *Madrid Alegre* y *Sancho Panza*. Fue redactor de *El Globo*, *El Imparcial* y *El Heraldo de Madrid*.

Su producción para el teatro lírico pertenece en su mayoría al género chico, y contó casi siempre para ello con la colaboración del también autor madrileño Antonio Casero. Su talento como escritor y su ingenio a la hora de idear argumentos le permitió trabajar para músicos de éxito, sobre todo con Apolinar Brull en *El querer de la Pepa*, 1899, entre otras; pero también con J. Serrano en *¡Y no es noche de dormir!*, 1901; Ruperto Chapí en *El merendero de la alegría*, 1908, teatro Eslava, o F. Chueca en *Las mocitas del barrio*, 1913.

BIBLIOGRAFÍA: *CDE; EDL; TLE.*

OLIVA G. BALBOA

Larruga y Mariñelarena, Cándido. †España, 11-XI-1919. Compositor. Autor de canciones y cuplés, cultivó además el género lírico en colaboración con autores como Francisco San Felipe, Pablo Luna o Luis Foglietti, y siempre escribiendo obras en un acto, generalmente de carácter cómico estrenadas en la primera década del siglo XX. Sin embargo, su mayor fama la alcanzó con los cuplés, siendo el autor de algunos tan famosos como *A la buena de Dios*, *El sombrero cordobés*, *La bayadera cristiana*, *La chamberilera*, *La chulapona*, *Nicanora*, *Trianerías* y *Pastora ha vuelto*, que escribió para Pastora Imperio.

OBRAS (Todas en *E:Msa*): *El fin del mundo*, fenómeno político, 1 act, col. F. San Felipe, l, E. Paradas / J. Jiménez, est, 26-II-1910, Te. Novedades; *La barbiana*; *La estatua de Don Tancredo*, disparate, 1 act, col. P. Luna Carné, l, M. Garrido / R. Reyes, est, 5-I-1905, Te. Novedades; *La gran maravilla*, col. F. San Felipe; *La reina rubia*, col. L. Foglietti Alberola; *La villa del oso*, Rv, 1 act, col. F. Felipe, l, E. Paradas / J. Jiménez, est, 7-IX-1910, Te. Novedades; *¡Abajo la media!*, Zarz, 1 act, col. F. San Felipe, l, E. Paradas / J. Jiménez, est, 17-XII-1907, Te. Novedades.

Mª LUZ GONZÁLEZ PEÑA

Laserna [La Serna] Nieva, Blas de. Corella (Navarra), 4-II-1751; Madrid, 8-VIII-1816. Laserna fue un prolífico compositor de música escénica, activo durante la segunda mitad del siglo XVIII. El año 1774 ya estaba en Madrid dedicado a la música para el teatro. Desde 1779 fue nombrado compositor de la compañía de Eusebio Riera y desde 1791 asumió además la dirección de la compañía de Manuel Martínez, que tuvo Esteve, después de la jubilación del Moral, pero solamente un año, pues pidió la dimisión por problemas de salud. En 1797 se reincorporó Moral al puesto y vacó Laserna.

El cargo de compositor exigía una ingente actividad. Componer 62 tonadillas al año, y la demás música necesaria para las funciones, comedias, entremeses, además de dirigir la formación, los ensayos y hacerse cargo de la interpretación del clave. Su incansable dedicación le inclinó en alguna ocasión a solicitar ser sustituido, aunque finalmente se arrepintió. Además chocaba con los cantantes, que muchas veces se negaban a cantar los papeles escritos por el compositor lo que daba lugar a duros enfrentamientos y contribuía a que la dedicación de Laserna fuese agotadora. A esto hay que añadir que frecuentemente era también el autor de los textos de sus composiciones.

Escribió por lo menos setecientas tonadillas, género de gran éxito en aquel momento, aunque también comedias, sainetes o zarzuelas. Subirá considera a Laserna, junto a Esteve, protagonistas del período de madurez y apogeo de la tonadilla. Sus obras obtuvieron mucha difusión, llegando a Lima, México y Caracas manuscritos de ellas. También cultivó otros géneros escénicos, siendo autor de la ópera *La gitanilla fingida o La gitanilla por amor*, y de la zarzuela *El premio de la constancia*, conservada en la Biblioteca Nacional de Madrid. Al final de su vida creó una escuela de cantantes especializados en el género al que tanto esfuerzo dedicó, posiblemente debido a las quejas de los cantantes de los teatros acerca de la creciente dificultad de las obras escritas por los compositores como Laserna y Esteve. Además de su trabajo en los teatros, Laserna también participaba de las actividades musicales de la casa de Osuna como intérprete de clave de la orquesta, dirigida entonces por Lidón.

BIBLIOGRAFÍA: *DMEH*; J. Subirá: *La tonadilla escénica*, 3 vols., Madrid, Real Academia Española, 1928-30; J. Gómez: "Don Blas de Laserna- Un capítulo de la historia del teatro lírico español visto en la vida del último tonadillero", *Escritos de Julio Gómez*, ed. A. Iglesias, Madrid, Alpuerto, 1986.

JUDITH ORTEGA

Lasso de la Vega, Ángel. San Fernando (Cádiz), 1831; Madrid, 1899. Dramaturgo, poeta y ensayista. Fue archivero del Ministerio de Marina, colaborador de diversos periódicos y revistas como *El Gato Negro*, *Revista de Madrid*, *Barcelona Cómica* y *La Lidia*. Perteneció a la Academia de Buenas Letras de Sevilla. Además de realizar traducciones de obras de Sófocles, Esquilo, Terencio y Séneca, escribió algunas obras dramáticas. Dejó para el teatro lírico *De Salamanca a Madrid*, 1865, *La*

Ángel Lasso de la Vega (Foto: El Mundo Naval Ilustrado, 1897; E:Mn)

juglaresa, 1867 y *El maestro Fugatto*, 1873, *La regata o La máscara de hierro*, todas con música de Rafael Taboada, y *Los aventureros*.

BIBLIOGRAFÍA: *CDE; DAT.*

Mª LUZ GONZÁLEZ PEÑA

Lastra, Abelardo. España, 1869; Argentina, 1900. Actor. Actuó en zarzuelas en teatros españoles y llegó a Buenos Aires en 1888 como primer actor de la compañía de Pedro Reutort, organizada por Avelino Aguirre, que se presentó en el teatro Nacional. Desde entonces, con otros actores y directores españoles como Mariano Galé y Rogelio Juárez, intervino en numerosas obras del naciente teatro argentino, pues integró la pléyade de intérpretes españoles que contribuyeron a la definitiva consolidación escénica del primigenio sainete local. Abelardo Lastra encarnó con propiedad tipos característicos tanto del arrabal porteño como personajes del campo argentino. Fue uno de los primeros intérpretes de las piezas de los fundadores del sainete criollo, como Trejo o García Velloso. Con la compañía de Rogelio Juárez intervino en *La fiesta de Don Marcos*, del entonces autor novel Nemesio Trejo. Participó en la representación de piezas de Manuel Argerich, Miguel Ocampo, Agustín Fontanella y Ezequiel Soria, entre otros. Su actuación fue continua y muy requerida por autores y directores de finales del siglo XIX. Falleció en escena, víctima de un ataque cardíaco durante la representación de *Gabino el mayoral* de Enrique García Velloso.

MARTA LENA PAZ

Lastra, Salvador. †Madrid, 1889. Actor, autor dramático y empresario. Triunfó en el teatro Variedades de Madrid en la compañía de Riquelme, Vallés y Luján, con los que concibió la idea del teatro por horas, que implantaron con gran éxito en el Variedades trasladándolo después al Apolo. En compañía de los dos autores citados escribió gran cantidad de piezas para este tipo de teatro, entre ellas *Casos y cosas, Medidas sanitarias, Plato del día*, gran éxito en Apolo en 1889, así como varias revistas y juguetes cómicos. Chueca puso música a varias de sus obras como *El sobrino del difunto*, 1866; *Tres ruinas artísticas*, 1876; *Medidas sanitarias*, 1884; *Luces y sombras*, 1882; *De la noche a la mañana*, 1883; *Vivitos y coleando*, 1884; *En la tierra como en el cielo*, 1885; también colaboró con Fernández Caballero, Isidoro Hernández y sobre todo Ángel Rubio, para quien escribió, entre otras, uno de sus mayores éxitos: *Dos canarios de café*, 1888. Con Chapí colaboró en dos ocasiones, siendo *El fantasma de los aires*, 1887, la obra que provocó el fin del teatro Variedades en un incendio al año siguiente de su estreno. Su última obra, con música de Marqués y colaboración literaria de Ruesga y Prieto la estrenó en el teatro

Alhambra. Murió poco después de que el teatro de sus grandes éxitos fuese destruido. Como actor estaba dotado de una gran comicidad.

BIBLIOGRAFÍA: *CDE; EDL; TLE;* J. Deleito y Piñuela: *Estampas del Madrid teatral fin de siglo*, Madrid, Ed. Calleja, 1946.

Mª LUZ GONZÁLEZ PEÑA

Latorre, Adelaida. Madrid, siglo XIX. Tiple. Sobrina del famoso actor Carlos Latorre, estudió canto en el Conservatorio de Madrid con Saldoni durante cuatro años. Inició su vida teatral en el mundo de la ópera interpretando a Elvira de *La muta di Portici* de Auber, en 1847 en el teatro del Circo de Madrid, y a Leonora en la ópera del mismo título de Mercadante durante el mismo año. Inmediatamente se dedicó al nuevo género de la zarzuela como una de las voces más importantes en los inicios de la zarzuela romántica. Como tal fue contratada por la primera empresa del teatro Variedades para el estreno de *La mensajera* de Gaztambide en 1850, junto con Francisco Salas y el tenor José González. Su voz brilló de manera especial desde el comienzo, por ello estrenó algunas de las obras más relevantes de los primeros años del género en el teatro Circo, como *Gloria y peluca*, 1850, primera zarzuela famosa de Barbieri, un año más tarde, *Jugar con fuego*, el mayor acontecimiento del nuevo género, interpretando el papel de la Duquesa de Medina, compartiendo cartel con Salas y Calvet; *La estrella de Madrid* de Arrieta, 1853; *Galanteos en Venecia* de Barbieri, 1853; *Estebanillo* de Gaztambide y Oudrid, 1855; *El sargento Federico* de Barbieri, 1855; *Entre dos aguas* de Gaztambide y Barbieri, 1856; *El conde de Castralia* de Oudrid.

Adelaida Latorre
(Foto: Colección Castellano; E:Mn)

La prueba de su valía es que al establecerse la nueva empresa del teatro de la Zarzuela en 1856, su sueldo diario de 166 reales era el mayor de las cantantes femeninas, sólo igualado por Luisa Santamaría. En este teatro estrenó varias obras como *Cuando ahorcaron a Quevedo* de Fernández Caballero o *Un sobrino* de Núñez-Robres, hasta su marcha al final del año teatral 1856-57, en que, según Cotarelo, rompió con Salas y Gaztambide. Señala este autor: "A Adelaida Latorre debe la zarzuela, en sus comienzos, grande y eficaz ayuda. Fue la primera verdadera cantante, es decir, música con estudios, que tuvo el género cuando más necesitaba artistas profesionales para su cultivo y progreso. Ella fue la que estrenó *Jugar con fuego*. Esta gloria irá unida a su biografía". Este autor sigue la carrera de la tiple que actuó en Cádiz en 1857 y en Málaga, 1859. Se trasladó a Barcelona donde actuó en los años 1860, 1861, 1862, en el que estrenó *Amor y arte* de Balart, y en 1863, *El caudillo de Baza* de Arrieta, ambas en el teatro Principal. Se casó en esta ciudad en 1863, dejando el teatro. En 1871 vivía retirada en Madrid.

BIBLIOGRAFÍA: *DMEH; HZ*, E. Casares Rodicio: *Francisco Asenjo Barbieri. 1. El hombre y el creador. 2. Escritos*, Madrid, ICCMU, 1994.

EMILIO CASARES RODICIO

Emiliano Latorre y Úrsula López en La reina de las tintas *(Foto:* Comedias y Comediantes, *1910; Ar. ICCMU)*

Latorre, Emiliano. España, siglos XIX-XX. Actor cómico. En 1904 estrenó en el teatro de la Zarzuela *La molinera de Campiel* de Arturo Pérez Soriano. En 1910 en el teatro Novedades *El dios del éxito* de Calleja. En 1911 formaba parte de la compañía del Gran Teatro donde estrenó en 1910 la opereta de Manuel Penella *La reina de las tintas*; la crítica atribuía a su trabajo y al de Úrsula López gran parte del éxito de la producción. En 1912 seguía en el Gran Teatro donde estrenó *Las decididas* de Ballesteros y Torroba.

Mª LUZ GONZÁLEZ PEÑA

Lauret Mediato, Benito. Cartagena (Murcia), 3-VII-1929. Director, compositor y violinista. Recibió las primeras enseñanzas musicales de su abuelo y su padre a la edad de cinco años, mostrando desde entonces una gran precocidad. En 1948 se trasladó a Madrid e ingresó en la Banda de Música de la Academia Militar, siendo alumno de Ricardo Dorado y estudió violín con Luis Antón. A los 23 años dirigió la Orquesta Filarmónica madrileña en el Palacio de la Música de Madrid. A comienzos de los años cincuenta estudió dirección con Bartolomé Pérez Casas y completó su formación en Viena en 1856. A su regreso fue contratado por la casa de discos Columbia con la que trabajó hasta 1974 –fue director musical de esta casa discográfica desde 1963– grabando entonces gran cantidad de zarzuelas con las mejores voces del momento como Lorengar, Ausensi, Berganza, Munguía o Kraus, y realizó numerosos arreglos musicales. Ha dirigido en La Scala de Milán y en otros grandes teatros europeos, y ha tenido a sus órdenes orquestas como la Filarmónica de Los Angeles, la Nacional de España y la de Radio Televisión Española. Además ha sido director musical del Ballet de Antonio.

Benito Lauret (Foto: Gyenes; Ar. Emilio G. Carretero)

De 1974 a 1980 estuvo al frente de la Orquesta de Cámara de Asturias, dirección que simultaneó con la de la Capilla Polifónica Ciudad de Oviedo. En los seis años que permaneció en Asturias se identificó con la música de esta región y realizó una importante labor compositiva, al mismo tiempo que ganó por oposición la cátedra de contrapunto, fuga y composición del Conservatorio. De 1980 a 1983 fue director titular de la Orquesta Sinfónica Municipal de Valencia, y de allí pasó a la dirección del teatro de La Zarzuela, hasta 1985. Realizó la edición crítica de *Agua, azucarillos y aguardiente* de Chueca (ICCMU, 1996). Grabó con la Orquesta Sinfónica de Madrid y para Columbia-Alhambra-BMG algunas de las zarzuelas más significativas del género, como *Agua, azucarillos y aguardiente, Chateau Margaux, El anillo de hierro*, 1975, *El Barbero de Sevilla*, 1975, *El cantar del arriero*, 1975, *El pájaro azul*, 1975, *La bruja, La fama del tartanero, La leyenda del beso*, 1975, *La linda tapada*, 1975, *La picarona*, 1975 y *Los sobrinos del capitán Grant*.

FONOGRAFÍA: *Agua, azucarillos y aguardiente*, Orq. Sinfónica, Columbia-BMG España WD 71433 (9D); *Chateau Margaux*, Orq. Sinfónica, Columbia SA, CS 8510 100 (99a) • Orq. Sinfónica, Columbia SA, ZCL 1046 (Zacosa) 113 (112a); *El anillo de hierro*, Orq. Sinfónica, Alhambra-BMG España WD 74555 (9D) • Orq. Sinfónica, Columbia-BMG C 7530, CS 8530; *El barbero de Sevilla*, Orq. Sinfónica, Alhambra-BMG España WD 74552 (9D) • Orq. Sinfónica, Columbia-Alhambra-BMG España C 32022, CS 42022; *El cantar del arriero*, Orq. Sinfónica, Columbia-BMG CCL 32019, SCLL 14008 • Orq. Sinfónica, Columbia-BMG-Ariola-Salvat 1028-2; *El pájaro azul*, Orq. Sinfónica, Columbia SA, ZCL 1067 178 • Orq. Sinfónica, Columbia-BMG SCE 959; *La bruja*, Orq. Sinfónica, Columbia SA, ZCL 1074 y ZCL 1075 (Zacosa) 1-2 • Orq. Sinfónica, Columbia SA, C 7505 3 • Orq. Sinfónica, Columbia C 30066/67 17 • Orq. Sinfónica, Columbia-BMG España WD 75125 2 (9H) • Orq. Sinfónica, Columbia-BMG-Ariola-Salvat 1058-2 y 1059-2; *La fama del tartanero*, Orq. Sinfónica, Columbia 74321 33033 2 • Orq. Sinfónica, Columbia SA, ZCL 1042 194 • Orq. Sinfónica, Columbia C 32020 195; *La leyenda del beso*, Orq. Sinfónica de Barcelona, BMG España WD 71463 (9D) • Orq. Sinfónica de Barcelona, Columbia

SCE 962; *La linda tapada*, Orq. Sinfónica, Columbia SA, ZCL 1022 (Zacosa) 134 • Orq. Sinfónica, Columbia-BMG C 32038, CS 42038; *La picarona*, Orq. Sinfónica, Columbia SA, C 32021 139 • Orq. Sinfónica, Columbia-BMG C 32021, CS 42021; *Los sobrinos del Capitán Grant*, Orq. Sinfónica, Alhambra-BMG España WD 75123 (9D) • Orq. Sinfónica, Columbia SA, ZCL 1088 • Orq. Sinfónica, Columbia SA C30074 171; *Antología de la Zarzuela (2)*, Orq. Sinfónica, Columbia-Salvat 1020-1; *Antología de la zarzuela (3)*, Orq. Sinfónica, Columbia-BMG-Ariola-Salvat 1040-2; *Coros famosos de zarzuelas*, Orq. Sinfónica, Columbia-BMG España C 7503 • Orq. Sinfónica, Columbia-Salvat 1020-1; *Romanzas de zarzuela: Manuel Ausensi*, Orq. Sinfónica, Columbia C 7529; *Teresa Berganza: Romanzas de zarzuela*, Orq. Sinfónica, Columbia CS 8587.

EMILIO CASARES RODICIO

Lavilla Omeñaka, Julián. Ágreda (Soria), 28-I-1905; Rentería (Guipúzcoa), 29-I-1955. Director de banda y compositor. Inició su carrera como instrumentista de la banda militar de Zaragoza, llegando a ser director de la de Pamplona. Compuso, sobre todo, numerosos bailables para banda. Es coautor con su hijo Félix de la zarzuela en dos actos *Elena de Vergara*.

BIBLIOGRAFÍA: *DMEH*.

JUDITH ORTEGA

Lavirgen, Pedro. Bujalance (Córdoba), 31-VII-1930. Tenor. Es una de las más destacadas voces de tenor españolas de la posguerra. Aunque ha triunfado con la ópera, sus primeros pasos los dio en el mundo de la revista, así en la temporada 1957-58 cantó en el teatro de la Zarzuela en la gran revista internacional *Carrusel mágico* de Augusto Algueró y Ramón Vives. En la temporada 1962-63 formó parte de la compañía de José Tamayo con la que cantó *Doña Francisquita* y *El caserío*. A partir de ese momento se dedicó a la ópera pero ha grabado para Hispavox diversas zarzuelas: *Bohemios* y *Doña Francisquita* de Vives, *La Dolorosa* de Serrano y *Luisa Fernanda* de Moreno Torroba, entre otras.

FONOGRAFÍA: *Bohemios*, EMI 7243 5 74209 2 1 (637.02680) • Hispavox 7 67322 2 (673.33800); *Doña Francisquita*, EMI 7243 5 74209 2 1 (637.02680) • Hispavox 7 67322 2 (673.33800); *El húsar de la guardia*, Columbia-BMG C 32024, CS 42024 • Columbia SA, ZCL 1044 (Zacosa) 81 • Columbia SA, OZS 1005 (Alhambra) 92; *La Dolorosa*, EMI 7243 5 74216 2 1(637.02698) • Hispavox 7 67334 2 (637.33883); *La eterna canción*, EMI 7243 5 74344 2 3 (637.05337) • Hispavox 7 67433 2 (637.77054); *Los gavilanes*, EMI 7243 5 74154 2 2 (637.00379) • Hispavox 7 67429 2 (637.77088); *Luisa Fernanda*, EMI 7243 5 74153 2 3 (637.00387) • Hispavox-Montilla 7 67329 2 (637.33834); *Maruxa*, Columbia-BMG-Ariola-Salvat 1038-2 y 1039-2 • Columbia SA, ZCL 1052 y ZCL 1053 (Zacosa), 63 y 64 • Columbia-BMG España WD 71584 (9H); *Me llaman la presumida*, Columbia SA, ZCL 1089 (Zacosa) 135 • Columbia SA, SCE 958 138; *Antología de la zarzuela*, EMI 7 67335 2 (637.33891) • EMI 7 67580 2 (643.96128) • EMI 7 67428 2 (637.83342); *100 Años de zarzuela*, EMI 100 5 66589 2; *Grandes momentos de zarzuela*, EMI (962) 7243 5 57053 2 7; *Lo mejor de la zarzuela*, EMI 5 65432 2 (643.57518).

BIBLIOGRAFÍA: *CCE*; *DMEH*.

LUIS G. IBERNI

Lázaro, Felisa. Valladolid, 29-VII-1867; Barcelona?. Soprano. Su presentación en el teatro Apolo tuvo lugar en la temporada 1888-89 y constituyó todo un acontecimiento. Debutó con *I comici tronati*, obteniendo un gran éxito. En 1893 triunfó con *El dúo de la Africana* donde sus extraordinarias facultades vocales brillaron en la romanza "Yo he nacido muy chiquita". Trabajó en el Eslava consiguiendo grandes éxitos; sin embargo, en 1895 la revista *El Diario del Teatro* daba cuenta de su separación de este teatro, en el que las verdaderas tiples cedían el paso a las mujeres más bellas. En 1896 fue contratada por el teatro de la Zarzuela en el que estrenó *Tiple ligera* de Ángel Rubio y *Tortilla al ron* de Fernández Caballero, y se convirtió en una de las grandes figuras de este teatro junto a Lucrecia Arana. Protagonizó obras como *La viejecita*, *El húsar de la guardia*, *Gigantes y cabezudos* o *La tempranica* en los comienzos del siglo. En 1897 fue contratada por el teatro Liceo de Salamanca y de nuevo por el Eslava de Madrid donde se estrenó *De doce a dos* de Rafael Calleja y la revista *Historia natural* de Brull.

En 1898 reapareció en el teatro de la Zarzuela, donde ya había cosechado grandes éxitos, interpretando *La buena sombra* y *El dúo de la Africana*, uno de los mayores triunfos de su carrera, reconociéndole la crítica su talento y dominio del arte musical, y *La magia negra* de Fernández Caballero. Ese mismo año protagonizó el estreno de *Gigantes y cabezudos* de Caballero y Echegaray y llevó la obra al teatro Gran Vía de Barcelona, con el mismo éxito que en Madrid. En 1899 Ángel Rubio, Perrín y Palacios escribieron para ella *La chica valenciana*, estrenada en la Zarzuela, al igual que *El traje de luces* de Caballero, Hermoso y los Quintero, en la que tanto Felisa Lázaro como Julián Romea obtuvieron un gran triunfo. En 1900 estrenó en la Zarzuela la parodia de *Cavalleria rusticana*, *Cavallería chulapona*, con gran éxito de público que reconocía sus poderosas facultades vocales. A finales de 1901 estrenó *Los timplaos* de Gerónimo Giménez. En 1913 actuaba en Barcelona cantando *La verbena de la Paloma*, dirigida por el propio Bretón, anunciándola en los carteles como "ilustre tiple de zarzuela". En el teatro Cómico de Barcelona seguía a comienzos de 1914. El compositor valenciano José Serrano acudió a ella, ya famosa, en busca de ayuda en los comienzos de su

Felisa Lázaro (Foto: Ar. SGAE)

carrera. En 1921, cuando se rodó la primera versión cinematográfica de *La verbena de la Paloma*, Felisa Lázaro, superviviente del Apolo en que se estrenó, interpretó a una memorable Señá Rita. En 1923 interpretó en Apolo *Doña Fransciquita*, gran éxito del año y permaneció en el repertorio, pero que no alivió la crisis que vivía el teatro. Poseía una voz abundante y bien timbrada, gallarda figura e incansable laboriosidad, al decir de la crítica de la época.

BIBLIOGRAFÍA: *DMEH; HGZ;* J. López Ruiz: *Historia del teatro Apolo y de La verbena de la Paloma*, Madrid, Avapiés, 1994.

EMILIO CASARES RODICIO

Lázaro, Hipólito. Barcelona, 13-IX-1887; Barcelona, 17-V-1974. Tenor. Se costeó los estudios musicales desempeñando diversos oficios. Ingresó en la banda de música durante el servicio militar y allí tocaba el saxofón, aunque su voz fue descubierta gracias a las jotas de *La Dolores* y *La bruja*. Debutó en Olot cantando *Marina* y *Bohemios* y en 1910 llegó al teatro Novedades donde cantó *La favorita*. A partir de este momento, viajó a Italia para perfeccionar estudios, actuó en Inglaterra y se dedicó a la ópera abandonando la zarzuela, de la que sin embargo ha grabado algunas páginas como las romanzas de *La tempranica, Marina* y *El huésped del Sevillano*.

Hipólito Lázaro (Foto: Ar. SGAE)

FONOGRAFÍA: *El huésped del Sevillano*, Columbia R 18268, C 2588 C 2596; *Marina*, Columbia-Alhambra-BMG CCLP 31000-1 • Regal RKX 7001, RS 6504 a RS 6515 (et. roja), KX 157 a KX 180 • Blue Moon BMCD 7502; *Hipólito Lázaro: Romanzas y canciones*, Columbia-BMG España WD 74557 (9D) • Columbia C 7539 • Columbia SA, ZCL 1100 (Zacosa) 100; *Los divos: Romanzas de zarzuela*, BMG España WD 71982 (9D); *Sociedad General de Autores: cincuentenario*, SGAE 1.

BIBLIOGRAFÍA: *DMEH.*

LUIS G. IBERNI

Lázaro Camaño, Gustavo. La Habana, 21-VII-1937; Madrid, 28-I-1996. Bajo. Cursó estudios de canto con Francisco Fernández Dominicis. En 1961 se inició como profesional en el teatro Payret, actuando en las representaciones de *La verbena de la Paloma* de Bretón, *La revoltosa* de Chapí, *Doña Francisquita* de Vives y *Cecilia Valdés* de Roig. La televisión contó con su presencia en programas estelares como *Casino de la Alegría, Álbum de Cuba* y *El bar melódico de Osvaldo Farrés;* así como en las puestas televisivas de óperas y zarzuelas españolas, entre las que se pueden contar *La*

tempestad de Chapí. En 1962 se incorporó al Grupo de Teatro Lírico del cual fue fundador. Después de actuar en óperas, zarzuelas, operetas y en recitales, el entonces Consejo Nacional de Cultura de Cuba le concedió en 1963 una beca para cursar estudios superiores en el Centro de Vocalistas de Sofía, con Cristof Bramburof y Liliana Yablenska. A su regreso a Cuba se reintegró al Grupo Lírico como uno de los primeros solistas. Su repertorio lo integran obras de Puccini, Donizetti, Mozart, Verdi, Rossini, Cimarosa, así como las zarzuelas *Los gavilanes* de Guerrero, *La tempestad* de Chapí y *Cecilia Valdés* de Roig.

JOSÉ PIÑEIRO DÍAZ

Lázaro Díaz, Antonio. Guanabacoa (Cuba), 10-VI-1938. Tenor. Estudió música con Amelia González y canto con el tenor José Ojeda. Años después, el barítono búlgaro Kiriv Krastov le impartió clases de canto, y realizó repertorio con Paul Czenka y Rafael Morales. En noviembre de 1956 actuó por primera vez en un concierto en el teatro de la Escuela Normal de Maestros. Poseedor de una buena técnica y bello timbre vocal, al fundarse el Grupo de Teatro Lírico Nacional formó parte de su elenco artístico e interpretó el papel de Fernando en la obra de Vives *Doña Francisquita*. Posee un amplio repertorio de autores operísticos como Puccini, Cimarosa, Verdi, Leoncavallo y Mascagni, entre otros; así como del género lírico español y cubano, entre cuyas principales obras pueden citarse: *Marina* de Arrieta, *La del Soto del Parral* y *La leyenda del beso* de Soutullo y Vert; *La tabernera del puerto* de Sorozábal; *Los gavilanes* de Guerrero; *Luisa Fernanda* de Moreno Torroba, *Bohemios* de Vives; *El dúo de la Africana* de Fernández Caballero; *La tempestad* de Chapí; *María la O* de Lecuona y *Cecilia Valdés* de Roig. En la televisión ha protagonizado óperas y zarzuelas. Ha actuado en los principales teatros y salas de concierto de Cuba, Venezuela, Puerto Rico, Colombia y Santo Domingo.

JOSÉ PIÑEIRO DÍAZ

Lázaro Martínez, Primitivo. Burgos, 1909; Huelva, 17-V-1997. Compositor. Se formó en el Real Conservatorio de Música de Madrid y después se trasladó a Huelva. En su obra predomina la música vocal y religiosa. El 3 de noviembre del año 2000 se estrenó en el Gran Teatro de Huelva su única zarzuela, *Cuando se ponga el sol*, opereta en dos actos.

BIBLIOGRAFÍA: *DMEH.*

Mª LUZ GONZÁLEZ PEÑA

Leal, Amable. Alcáñiz (Aragón), siglo XIX; ?, siglo XX. Tenor. Su primera formación la recibió en el seminario de Huesca que abandonó para trasladarse a Madrid al morir su madre. En la capital española, Melecio Brull le animó a matricularse en la academia de canto de Alvira en el teatro Real. Tras dos años de estudios, le oyó Luis París que pretendió hacerle debutar con María Barrientos en *El barbero de Sevilla*, pero el proyecto no llegó a realizarse y Leal siguió su formación con Alvira, que le presentó a Julián Biel, quien le contrató para su compañía de ópera debutando con *La bohéme* en Valladolid junto a Rosa Vila. Poco después fue contratado en la compañía de Bonifacio Pinedo para cantar zarzuela y así actuó en el Novedades de Barcelona con un repertorio que incluía *Bohemios*, *Gigantes y cabezudos*, *Moros y cristianos* y *La bohemia*, que era uno de sus grandes triunfos en castellano como lo había sido en su versión original italiana. Posteriormente pasó al género chico con la compañía de Lino Ruiloa en el teatro Martín de Madrid. En la temporada 1906-07 actuaba en el Price de Madrid con *La alegría de la huerta*, *Aires nacionales* y *La vara de alcalde*. Otro de sus títulos era *Marina*. También fue contratado por el Eslava, donde debutó con *Gloria pura* y convirtió *El maño* de Gonzalo Cantó y Tomás Barrera, en uno de los éxitos de la temporada.

BIBLIOGRAFÍA: *El Arte de El Teatro*, II, 19, Madrid, 1-I-1907.

Mª LUZ GONZÁLEZ PEÑA

Leal Berra, Teófilo. Caracas, 8-I-1866; Caracas 15-VI-1940. Cantante. Comenzó sus actuaciones muy joven en los teatros familiares de aficionados de la zona. A los doce años interpretó un diálogo escrito para él por Enrique Chaumer, titulado *Amor y celos de pastores*. Figuró desde muy joven como primer actor y en muchas ocasiones director de escena, cantando y representando en todos los teatros de la república. En 1890 fue contratado por el empresario mexicano López del Castillo y comenzó su verdadero aprendizaje, pues actuó al lado del gran Vico en todas las giras mexicanas y de Centroamérica. En 1900 volvió a actuar en el Municipal de Caracas, recibido con gran interés y aprecio. Los diarios se hicieron eco de su triunfo. En su repertorio de zarzuelas y operetas figuraban todas las piezas que requerían de un primer actor en escena.

BIBLIOGRAFÍA: *DMEH*; C. Salas: *Historia del teatro en Caracas*, Caracas, Ed. de la Secretaría General, 1967.

VÍCTOR SÁNCHEZ SÁNCHEZ

Leandras, Las. Pasatiempo cómico lírico en dos actos. Música de Francisco Alonso. Libreto de Emilio González del Castillo y José Muñoz Román. Estrenado el 12 de noviembre de 1931 en el teatro Pavón de Madrid.

Personajes y reparto. Concha y La Aurelia (Celia Gámez, vedette). Aurora (Amparito Sara, tiple). Fermina (Cora Gámez, tiple cómica). Clementina (Conchita Ballesta, actriz). Manuela (Pepita Arroyo, actriz). Charito (Pyl, cantante de variedades). Chon (Myl, cantante de variedades). Nati (Mary Darson, actriz). Coralina (Mercedes Rodríguez, actriz). Un golfillo (Antoñita Rodríguez, actriz). Un chico (Lola Caballero, actriz). Un botones y Portero (N.N., actor). Tío Francisco y Paco (Pepe Alba, tenor). Leandro (Enrique Parra, actor con parte cantada). Porras (José Bárcenas, tenor cómico). Casildo (Manuel Rubio, tenor cómico). Don Francisco (Julio Lorente, actor). Cartero y El viejo del hongo (Emilio T. Ruiz, actor). Un Marinero (Arsenio Becerra, bailarín). Don Cosme y Guardia 1º (Andrés Gago, barítono). Gomoso, Ernesto y Abonado 2º (Manuel P. Moulián, actor). Guardia 2º y Abonado 2º (Alfredo Perdiguero, actor). Colegialas, viudas, viudas de alivio, chulillas, marineros, banderas, floristas, canarios, camareros y conjunto.

Orquestación. Flautín, flauta, oboe, 2 clarinetes, saxofón, fagot, 2 trompas, 2 trompetas, 3 trombones, timbal, banjo, percusión y cuerda.

Argumento. *Acto I.* En un teatro de Madrid en el tiempo del estreno, tras la apoteosis final de la representación de una revista, un grupo de personajes celebran el éxito de la joven vedette Concha. Entre ellos, están el apuntador Porras y su hija, Aurora, una chula moderna, no del género castizo, que despunta entre las tiples. Están también un caricaturesco vejete catalán llamado Don Cosme que es el empresario del teatro y Leandro, el celoso novio de Concha, un bruto pintoresco y un negociante compulsivo que no para de echar cuentas de cómo sacar algo de dinero. Concha, la vedette, cuenta su historia: al morir su madre se hizo cargo de ella su tío Don Francisco, hombre seve-

(Ar. Familia Alonso)

ro que, por residir en Canarias, la internó en un colegio de Madrid cuando era pequeña y, desde entonces, sólo tenía relación epistolar con ella. Sin que lo supiera su tío, Concha se escapó del colegio detrás de un novio que pronto la dejó y, después, comenzó su carrera en el teatro frívolo. Su tío le había prometido que, al completar sus estudios en el colegio le haría un "ingreso" que le proporcionaría una buena renta anual y, por ello, Concha siguió escribiéndole pretendiendo estar todavía en el colegio.

Contento con el éxito de la última revista y con la temporada que acababa de concluir, Don Cosme prepara una fiesta en el escenario del teatro y

Leandro la emprende a golpes con dos abonados que llevaban unas flores a Concha. Tras leer unas cartas, se enteran de que Don Francisco se dispone a visitar a Concha para sacarla del colegio. Ante la posibilidad de perder el "ingreso" prometido por su tío, a Concha, Leandro, Porras y Aurora se les ocurre la peregrina idea de hacer una especie de colegio, Las leandras, con las vicetiples como colegialas para engañar a Don Francisco. El edificio sería un hotel vacío que tenía Leandro en las afueras de Madrid y donde había tenido hasta entonces una casa de citas. Para disimular mejor, ponen un anuncio y, ante la sorpresa de todos, se matriculan una docena de señoritas y algunas madres. Tres chicas quedan internadas con las vicetiples: Clementina, sobrina de un canónigo, y dos más que pagaron un trimestre por adelantado. Aparece también Manuela, una paleta adinerada que lleva al colegio a su hija Fermina con la pretensión de que la eduquen mínimamente antes de casarla con su primo Casildo ya que, por cierta mala fama que tiene en el pueblo, nadie se quería casar con ella. Cerrado un buen trato en el colegio con Leandro que hace de director, Manuela y Fermina se van a por el dinero y, acto seguido, llegan el Tío Francisco, marido de Manuela, y Casildo, primo y prometido de Fermina. El Tío Francisco, en sus escapadas a Madrid, era un asiduo del lupanar sito en el hotel y traía a su futuro yerno para que le iniciasen ya que el chico, que no quería de ninguna manera casarse con Fermina, se estaba haciendo el panoli. Los farsantes del hotel confunden al Tío Francisco con Don Francisco y a Casildo con un sobrino de Don Francisco que éste iba a traer con la pretensión de que estableciera relaciones con Concha. A partir de entonces se produce toda una serie de malentendidos cómicos.

Acto II. Las chicas se empiezan a quejar de los abusos del Tío Francisco y llegan al colegio Manuela, Fermina y Don Francisco, el verdadero tío de Concha. Don Francisco se presenta de incógnito, porque está amoscado por el súbito cambio de colegio de su sobrina pero, tras una conversación llena de equívocos con el Tío Francisco, se va convencido de que el nuevo colegio es una institución muy decente. Esa decencia es la que desespera y confunde al Tío Francisco cuyas pretensiones eran muy otras y no para de recibir bofetadas de las castas colegialas vicetiples. Se encuentra entonces con su hija y su mujer que le dice, ante su total perplejidad, que trae a su hija para que la ilustren un poco antes del matrimonio. Vuelve entonces Don Francisco con su sobrino Ernesto

y Leandro, confundiendo al primero con un antiguo amante de Concha, les propina una monumental paliza. El embrollo se resuelve con Don Francisco vendado hasta los ojos diciendo que el "ingreso" para Concha –que ya no se lo iba a proporcionar– consistía en meterla de mecanógrafa en un banco… algo que no interesaba para nada a la vedette. Leandro deja a Concha y se va con Fermina, y la obra termina con la apoteosis de la nueva revista que las vicetiples estaban ensayando en el hotel.

Números musicales. Acto I: Nº 1. Introducción. Nº 2. Leandro, Aurora y Colegialas, "A dar lección, a dar lección". Nº 3. Concha, Viudas (tiples) y Vicetiples, "Ay, qué triste ser la viuda". Nº 4. Concha, Tío Francisco y Casildo, "Ahora es casarse cosa de juego". Nº 5. Pichi y Vicetiples. Chotis del Pichi, "¡Pichi! es el chulo que castiga". Nº 6. Clara-Bow y Marineros, "Clara-Bow gentil *star*". Acto II: Nº 7. Concha, Canarias, Canarios, Tiples y Conjunto, "Al bailar el tajaraste". Nº 8. Aurelia y Paco, "Dile al gomoso". Nº 8A. Aurelia, Tiples y Conjunto, "Por la calle de Alcalá". Nº 9. Orquesta sola. Nº 10. Final. Todos, "El beso de una mujer".

Escena de Las leandras *en su estreno (Foto: Ar. Familia Alonso)*

Comentario. *Las leandras* fue el éxito teatral de la década de los treinta, de la misma manera que *Las corsarias*, 1919, había representado para Alonso su gran éxito de los años veinte. Entre una y otra obra se sitúan *Las castigadoras*, 1927, con las que se inició la colaboración entre Alonso y la vedette argentina Celia Gámez que había debutado en Buenos Aires, varios años atrás, como comparsa de una representación de *Las corsarias* precisamente y que con *Las leandras* alcanzó el mayor éxito. Pero se trata de dos obras muy distintas. Frente a la ingenuidad picante de *Las corsarias*, característica de los felices veinte, *Las leandras,* como detectaron los críticos del estreno, está llena de detalles de brocha gorda amparados, en gran medida, por los planteamientos sociales de los primeros momentos de la República. A diferencia de la sencillez tonadillesca de *Las corsarias,* el argumento de *Las leandras* es de más enredo, no sólo se crean situaciones cómicas y líricas sino que hay cierta intriga, que resulta no obstante mejor planteada, ya que se soluciona de un plumazo con unas bofetadas, un equívoco y un cambio de pareja que devuelve un *statu quo* previo al inicio de la obra con Concha liberada del bruto Leandro y Casildo libre de su indeseable compromiso con Fermina.

En términos musicales, la exaltación de los valores patrióticos en la que se funda el número más popular de *Las corsarias,* el pasodoble de la Banderita, desaparece en *Las leandras,* donde los dos éxitos monumentales son el chotis del Pichi, Nº 5, y el pasacalle de Los nardos, "Por la calle de Alcalá", Nº 8A, que se llegó a repetir cuatro veces el día del estreno. El indispensable número regional, en el caso de *Las leandras,* está constituido por las folías canarias "Al bailar el tajaraste", Nº 7, y, como número exótico, Celia Gámez cantó al final del primer acto, en tiempo de blues, "Clara Bow gentil *star*", Nº 6, una imitación de la célebre estrella del primer firmamento de Hollywood, Clara Bow, de legendario erotismo y por aquellos años en la cúspide de su fama como pareja de Gary Cooper en películas fundamentales del cine mudo como *It* y *Alas.* Además, la obra comprende una apoteosis de revista, Nº 10, y, al levantarse el telón, con sólo la música introductoria se escenifica otra apoteosis de revista, lo que añade, en esos dos puntos cruciales de la estructura de la obra, una gran vistosidad con el despliegue de todas las vicetiples en su salsa frívola. Otro de los aciertos cruciales de esta zarzuela está en la referencia al género chico y al tan añorado teatro Apolo con la que se construye todo el cuadro tercero: primero con el recitado a telón corrido del Viejo del hongo, un pobre postulante que pedía en la "cuarta del Apolo"; a continuación, se levanta el telón y la escena representa la calle de Alcalá frente a la entrada del Apolo y un cuadro propio del cambio de siglo con guindillas, un golfillo y una guapa florista, entre otros personajes típicos, que primero recitan sobre la música dando luego paso a un dúo entre Paco el Garboso y La Aurelia, Nº 8, en tiempo de habanera, que remeda cómicamente los dúos de amor del género chico. El cuadro sigue con una parola de Paco y La Aurelia, y culmina con el canto por parte de ésta con las tiples del pasacalle de los Nardos. Los Nºs 2 y 4, un dúo entre Concha y Leandro coreado en tiempo de fox y el trío cómico entre Concha, Casildo y el Tío Francisco, son lo más convencional de la obra, pero entre

ambos se situó la java coreada de las viudas que fue otro de los aciertos de Alonso.

Las leandras se crearon *ex profeso* para Celia Gámez y su compañía del popular teatro Pavón, templo madrileño de la sicalipsis teatral, y para la ocasión, la vedette contrató a Pyl y Myl, dos afamadas artistas de variedades que, a partir de entonces, realizaron algún papel en revistas. Desde el punto de vista escénico la obra era de una riqueza extremada y Celia Gámez lucía hasta diez trajes distintos, cada cual más lujoso. Pero, además de estar perfectamente pensada para el lucimiento de la vedette, *Las leandras* –llamada "pasatiempo" por los autores y dedicada a "A Celia Gámez, la admirable intérprete de esta obra"– era una potente mezcolanza de tres elementos bien codificados: la revista moderna, el antiguo género chico y el juguete cómico "con tendencia astrakanesca", como observó algún crítico. El cóctel, perfectamente proporcionado se demostró de una efectividad aplastante y sólo el descarado verdor de su argumento, que va un poco más allá de lo puramente ingenuo, dificultó su existencia escénica en los tiempos de moralidad más estricta que se avecinaban. No obstante, los números más célebres han gozado de una popularidad continua desde su estreno.

Fuentes manuscritas. La partitura procedente del legado Alonso y los materiales de orquesta se conservan en el archivo de la SGAE en Madrid (5594).

Ediciones de música. Banda, Schottis y Pasacalle, Madrid, UME.

Ediciones del libreto. Madrid, Gráficas Vitoria, 1931.

FONOGRAFÍA: D78rpm: Dir. Daniel Montorio, Enrique Navarro, Sols. Delia Rubens, Mimí Aznar, Tino Moro, Coro de Radio Nacional de España, Orq. de Cámara de Madrid, Zafiro ZOR-130 184 [reed. en LP: Zafiro-Salvat 1021-1, Montilla FM-32 y en EP: Zafiro-BMG EPFM-3] • Odeón 184809, SO 7480 SO 7481 • Odeón 183302 (et. azul), SO 7393 SO 7395.

LP: Dir. José Casas Augé, Orq. Sinfónico-Lírica, Discophon (S) 4113 [ed. en casete (S) 8050] • Dir. Indalecio Cisneros, Sols. Celia Gámez, Carlos S. Luque, Orq. Sinfónica, Columbia-Alhambra-BMG (33rpm-25cm) MC 25022.

CD: Dir. Francisco Alonso, Sols. Aníbal Vela, Celia Gámez, Blue Moon BMCD 7542 y Odeón 183302-304, SO 7392-96 SO 7409.

JAVIER SUÁREZ-PAJARES

Lecca Sillero, Cristina. España, siglo XIX. Tiple. En 1860 fue contratada por el teatro Circo para interpretar el papel de Luisa de *El grumete*, y posteriormente para actuar en la ópera *Los pastorcillos*. Según Cotarelo y Mori tenía buena, aunque no mucha voz, fraseaba muy bien y con claridad y accionaba y declamaba con gusto y estilo. Estrenó *Peluquero y marqués* de Luis Cepeda, Circo, 1861, y *El castillo maldito* de Antonio Rovira en el mismo año y teatro.

BIBLIOGRAFÍA: *DMEH; HZ;* E. Casares Rodicio: *Francisco Asenjo Barbieri. 2. Escritos,* Madrid, ICCMU, 1994.

EMILIO CASARES RODICIO

Lecuona Casado, Ernesto. Guanabacoa (La Habana), 6-VIII-1895; Santa Cruz de Tenerife (Canarias), 29-XI-1963. Compositor, pianista y director de orquesta. Uno de los grandes autores de la época de oro de la zarzuela cubana, considerándosele su creador.

I. Trayectoria teatral y obra. II. Caracterización de su obra.

I. TRAYECTORIA TEATRAL Y OBRA. Su vínculo con el teatro musical comenzó a los trece años, componiendo algunas comedias musicales estrenadas en el teatro Martí, en colaboración con su hermano que escribía los libretos. En 1912 ingresó en la Compañía de Arquímedes Pous, en el teatro vodevil del Politeama, donde se mantuvo trabajando durante un año. Fue en 1919 cuando se inició como compositor de música escénica con el exitoso estreno en el teatro Martí de la revista *Domingo de Piñata*, con libreto de Mario Vitoria y la actuación protagonista de Rosita Clavería. Durante este período fue codirector musical de la compañía española de revistas de Eulogio Velasco, y compuso más de una decena de revistas musicales que fueron estrenadas durante ese año en el propio teatro Martí, manteniéndose este tipo de producción durante los años venideros. En 1922 organizó su propia compañía lírica con la que presentó operetas, revistas y zarzuelas, asumiendo además la labor de empresario teatral asociado al libretista Carlos Primelles, y director de la orquesta. En 1923, y siguiendo la pauta trazada un poco antes por los también destacados músicos cubanos Eduardo Sánchez de Fuentes y Eusebio Delfín, llevó a cabo el proyecto cultural de los Conciertos Típicos Cubanos, importante espacio para la difusión de la música nacional y promoción de las nuevas figuras de la música lírica cubana. De hecho, gran parte de los intérpretes más destacados del teatro musical cubano fueron presentados por primera vez en estos conciertos y orientados y formados por el joven maestro quien no sólo los haría debutar en su país –encauzándolos definitivamente como profesionales de la música en el medio teatral–, sino que los promovió en el ámbito internacional a partir de sus giras artísticas, iniciadas en 1924 con su primer viaje a España. Poco tiempo después de encontrarse en este país, Lecuona estrenó en los teatros Martín y Apolo de Madrid, en 1925, sus revistas *Levántate y anda* y *Radiomanía*, respectivamente, y en Valencia, del mismo género, *Al caer la nieve*. Dicha etapa provocó en el creador un evidente alejamiento del costumbrismo criollo para asumir el estilo revisteril cosmopolita tan de

Ernesto Lecuona
(Foto: O. Urfé / Museo Nacional
de la Música de Cuba)

moda en la época. Durante estos años, tomando como referencia el modelo hispano, logró cristalizar una propuesta superior del teatro lírico cubano, con la creación del sainete lírico *Niña Rita o La Habana en 1830*, compuesto en colaboración con Eliseo Grenet y con libreto de Aurelio G. Riancho y Antonio Castells, estrenado en el teatro Regina el 29 de septiembre de 1927. Desde entonces comenzó una nueva etapa de desarrollo del teatro lírico nacional que dio lugar a la época de oro de la zarzuela cubana, a la que Lecuona aportó un repertorio antológico. Fue en esa misma época cuando la destacada cantante Rita Montaner vinculó su vida artística a la suya, interpretando con éxito el calesero de *Niña Rita*, y otros papeles protagonistas de las obras de Lecuona. Esther Borja, igualmente, una de las grandes voces líricas de Cuba, desarrolló por esta época su intensa carrera como cantante en estrecha comunión con el quehacer teatral de Lecuona.

En octubre de 1928 Lecuona inició una temporada presentándose en el teatro Martí con su compañía Espectáculos Lecuona, integrada fundamentalmente por números de variedades. Junto al libretista Gustavo Sánchez Galarraga estrenó el 3 de noviembre una obra de corte melodramático inspirada por los conflictos sociales de la mujer trabajadora del tabaco, agudizados por aquella época. El sainete *La despalilladora*, aun cuando fuese una obra de pretensiones no logradas, ha quedado como el primer intento del famoso binomio autoral por encauzar el género en una vía diferente a la habitual, de temática social. De aquí en adelante, Galarraga y Lecuona colaboraron ininterrumpidamente hasta el fallecimiento del primero en 1934, aportando a la escena obras fundamentales para el teatro lírico cubano. Una segunda producción de ellos, *Alma de raza*, revista hispanoamericana escrita en colaboración con Elías Herrera, estrenada en Cuba en 1929, defraudó las expectativas de un público deseoso de disfrutar una obra de carácter eminentemente criollo. No obstante, casi seguidamente aparecieron obras de suficiente identificación con lo nacional y de seguro y evidente éxito.

Cabe mencionar entre las obras más importantes de este periodo: *El cafetal*, 1928, *María la O*, 1930, *Rosa La China*, 1932, y *Lola Cruz*, 1935, entre otras también muy conocidas y llevadas a escena en múltiples temporadas. En febrero de 1932 y con motivo de celebrarse sus 25 años en la composición hizo un *Festival Lecuona* en algunos teatros de la capital, reponiéndose para la ocasión *María la O,* a la que añadió un dúo a cargo de los jóvenes debutantes: la soprano Luisa María Morales y el tenor español Marcelino del Llano. Pocos meses después, en una extensa gira por diferentes ciudades de España, se hizo acompañar por cantantes del país de tanto prestigio como Maruja González y Miguel de Grandy, así como por su propia orquesta. En 1933, y ya de regreso a su país natal, el artista asumió junto a Gustavo Sánchez Galarraga la dirección de la hora radiofónica *Siboney,* siendo inaugurada la misma con su zarzuela *María la O.*

En ese año, además, Lecuona hizo un exitoso viaje a México para realizar temporada teatral por un año en el Iris, contando con las jóvenes cantantes cubanas de ya bien ganado prestigio, Luisa María Morales y Tomasita Núñez, así como con Mimí Cal, Fernando Mendoza, Manolo Codina, Constantino Pérez y la conocida mexicana Elisa Altamirano, quien meses antes había estrenado en Cuba con toda gloria la protagonista de *Cecilia Valdés* de Gonzalo Roig, músico con el que Lecuona guardó estrecha relación profesional y de amistad. El debut en el Iris tuvo lugar en 1934 con la zarzuela *El cafetal,* para la que el artista escribió la romanza "Triste es ser esclavo" y el intermedio orquestal. Durante esta jornada dio a conocer también *María la O, Niña Rita, El batey, Rosa la China, La guaracha musulmana, Julián el Gallo, El maizal, La mujer de nadie, La flor del sitio* y *El calesero.* En los casos de *María la O* y *El cafetal,* ambas obras alcanzaron las cincuenta presentaciones en la capital mexicana, llevándose posteriormente todas a los escenarios de San Luis Potosí, Querétaro y Puebla de Ángeles. De regreso a Cuba en 1935 fueron realizados los estrenos de *Julián el Gallo, Lola Cruz* –concebida su primera puesta como homenaje póstumo a su libretista, fallecido meses antes– y *El torrente,* lo que acrecentó la gloria y popularidad del músico quien en el mismo año recibió la Orden Carlos Manuel de Céspedes, en el grado de Caballero, otorgada por el Gobierno de la República de Cuba. En esa época, comentaba R. Pastor: "Ernesto Lecuona constituye un caso único escribiendo música cubana, porque sus ritmos son inconfundibles y el invento melódico se aparta en un todo de lo que producen los demás colegas. Ha demostrado un gran talento al fotografiar las situaciones porque la orquesta refleja fielmente lo que ocurre en escena… no apela en la instrumentación a bastardas estilencias… sino en el desarrollo de la obra se desliza dentro de la poesía y el encanto" (*El Mundo,* 22-IX-1936). Luego de alcanzar nuevos triunfos durante la segunda mitad de la década del treinta en escenarios internacionales de Argentina –país donde fue contratado en reiteradas ocasiones–, Chile, Uruguay, Perú y Puerto Rico, Lecuona, manteniéndose como prolífico compositor de música escénica, fue condecorado y homenajeado junto a Eliseo Grenet y Moisés Simons, el 22 de febrero de 1943 en el teatro Auditorium de La Habana. Dos años después y tras un importante viaje a California donde realizó la música de la película *Carnaval en Costa Rica,* fue nuevamente laureado con la Orden de Carlos Manuel de Céspedes, en el grado de Oficial, y nombrado Presidente de la Federación Nacional de Autores de Cuba, desde cuyo cargo defendió los derechos del compositor cubano. A su regreso de Barcelona en septiembre de 1950 realizó una interesante temporada teatral en el Principal de la Comedia como empresario de la compañía española de Eugenia Zúffoli, haciendo una gira por todo el país. Dos años más tarde, condecorado con la Gran Cruz de la Orden de Carlos Manuel de Céspedes y declarado Hijo Eminente de Guanabacoa, al recibir un homenaje nacional patrocinado por el Ministro de Educación de Cuba, la prensa madrileña, haciéndose eco del reconocimiento, expresaba: "Cuba debía este homenaje a su música… por cuanto Lecuona paseó por todas las fronteras el nombre de la patria. Lecuona hizo cantar al mundo con acentos cubanos… por las melodías de Lecuona se ha entrado Cuba en el corazón de los españoles al punto que hoy no se concibe un solo espectáculo lírico en que no figure algún número *guaracha,* o *conga, son* o *rumba,* en imitación de Lecuona" (O. Martínez: *Ernesto Lecuona*).

Más reafirmativas aún se hicieron estas palabras, cuando poco tiempo después, en 1953, los estrenos de sus zarzuelas *El cafetal* y *María la O,* en la capital española, causaron gran expectación y total éxito. Fue precisamente en ese país donde por esa misma época se grabararon estas dos obras y *Rosa la China.* Muchas de las zarzuelas y revistas de Lecuona fueron estrenadas en España, en gran medida gracias a la intervención de los empresarios Velasco y Santa Cruz, quienes simultaneaban su quehacer en el Martí de la Habana y en el Apolo de Madrid.

Los triunfos de Ernesto Lecuona, en quien confluían además de su excelencia como compositor, una alta capacidad empresarial, el conocimiento psicológico del público y un atinado instinto teatral, le hicieron mantenerse entre los músicos cubanos de mayor realce y de atención pública y de la crítica especializada de la época.

Con el triunfo revolucionario en Cuba en 1959, Lecuona, que se hallaba en Estados Unidos, regresó y organizó en el mes de mayo tres grandes festivales en el teatro Auditorium, donde bajo su dirección orquestal se repusieron sus zarzuelas *María la O, El batey* y *La flor del sitio.* En junio de ese mismo año la Productora Fílmica Continental proyectó hacer la película *Malagueña,* basada en la vida del compositor, intención que quedó truncada a causa de graves problemas políticos en donde se verían involucrados altos funcionarios norteamericanos relacionados con la idea de esta película. En 1960 viajó a Estados Unidos donde se mantenían los mayores compromisos de pago de derecho de autor para el compositor. Radicado en Tampa, tres años después abandonó enfermo ese país, yendo a residir a España, donde falleció en Santa Cruz de Tenerife. Pocas semanas después de su muerte, en diferentes ciudades del mundo, se realizaron homenajes póstumos en su memoria.

II. CARACTERIZACIÓN DE SU OBRA. La prolífica producción zarzuelística de Ernesto Lecuona es quizás una de las más difundidas nacional e internacionalmente en el marco de los compositores cubanos que han trabajado el género; a pesar de la extensión de su catálogo al respecto, es una obra insuficientemente conocida. De hecho, la mayor parte de las partituras completas se hallan inéditas, exceptuando algunas piezas mantenidas en el repertorio de los cantantes líricos, por lo que resulta difícil un estudio completo de su obra.

Habiendo tenido un primer período de creación donde primaba la moda revisteril, y que desde 1924 asumiera un carácter más cosmopolita y menos apegado al criollismo del país como consecuencia de las influencias recibidas durante su estancia en España, el mismo se caracterizaría por presentar obras donde no existía una adecuación del tratamiento vocal a la dramaturgia del texto; y cuya partitura estaba conformada por piezas independientes, sin ninguna clase de interrelación temática y algunas de ellas con funcionalidad danzaria. En el caso de sus sainetes, además hace uso ocasional de interludios y la ausencia de partes con carácter concertante, así como de arias y romanzas de connotación trágica. Sin embargo, ya a partir del estreno de su zarzuela *Niña Rita o La Habana en 1830* –comenzando la significativa temporada de 1927 en el teatro Regina–, el autor marca la pauta de una nueva y superior etapa de creación donde deja sentadas las bases para que el teatro popular nacional llegue a alcanzar categoría de género grande. Desde entonces el músico, junto a otros destacados compositores del género, da inicio a una serie de zarzuelas sobre temas fundamentalmente históricos, del pasado colonial, abordando también los temas de actualidad y en menor medida los de connotación más inverosímil o de fantasía; logrando superar y enaltecer el sainete de moda en el Alhambra, refinando el ambiente, el asunto y las intervenciones musicales, trabajadas con mayor nivel de desarrollo dramatúrgico. Desde el punto de vista musical, el autor crea una partitura más extensa y elaborada, logrando una mayor unidad de la obra en general a partir de la interrelación creada entre algunos de sus materiales temáticos, lo que coadyuva, además, a establecer una estrecha correlación entre la dramaturgia del texto y la dramaturgia musical, en donde se evidencia una sujeción del compositor a las situaciones, contextos y tipos de personajes, a fin de realzar sus contenidos, no obstante no alcance siempre un tratamiento de hondura hacia las caracterizaciones psicológicas de los personajes. Asimismo, existe un mayor empleo de los interludios, así como de los coros y la aparición de la pieza concertante en los puntos más climáticos de la dramaturgia del libreto.

Como el resto de su producción, la música escénica muestra rasgos de estilo muy característicos que fácilmente enuncian su autoría en cualquiera de los géneros trabajados. Con un catálogo tan prolífico y diverso, es factible ver confluir números de tratamiento contrapuntístico y melódico cercano a lo operístico, con piezas sencillas de creación popular. Al respecto, ha planteado José Ruiz Elcoro: "Logra su unidad estilística a través de una poética en la que intervienen elementos de la tradición musical cubana –ya sea de origen foráneo o criollo, profesional o folklórico– vertidos en una forma de componer que desarrolla principios estructurales sobre una base original".

Desde el punto de vista de la dramaturgia, su empleo adecuado de géneros musicales en correspondencia con los diferentes tipos de personajes, le permiten abordar el amplio mosaico de las diversas expresiones de la música popular cubana, desarrolladas con un pleno dominio del melodismo –lo cual le imprime un carácter cantable y un sello de fuerte lirismo a toda su obra–, así como el magnífico y rico empleo de los ritmos nacionales –guajira, bolero, contradanza, guaracha, canción, rumba, conga, entre otros– e inclusive internacionales –recuérdese su exitoso uso del vals, así como su incursión por la gavota, el fado, la mazurca y la marcha–. Desde la romanza y la canción cubana –recreadas en las voces de nuevos tipos de personajes como la damisela y el joven blanco, rico y aristocrático–, hasta el tango congo y los bailes afrocubanos –reservados para los esclavos, las escenas de barracón y las fiestas de Días de Reyes–, son utilizados por el músico en cada ocasión, atendiendo a los requerimientos del libreto, este último casi siempre muy superado por la música. *El cafetal, El Batey, María la O, Rosa la China* y *Lola Cruz*, entre otras muchas, son de los más altos exponentes y de carácter antológico de este quehacer del compositor.

Dentro de los elementos expresivos más característicos de su música debe destacarse, en primer término, su magnífico melodismo. Es usual en su obra el empleo de una línea melódica central, generalmente reservada para la voz –fiel herencia de la cancionística y la música para piano cubana del siglo XIX–, a la que se suma un melodismo acompañante de tanto interés como la primera, seguido de un diseño rítmico melódico que actúa de modo permanente y definitorio para la arquitectura de la obra. Cabe en este caso, un aporte del músico al desarrollar a un nivel superior este principio en la factura orquestal. Por otra parte, siendo el melodismo el elemento expresivo fundamental en la obra de Lecuona, ello explica el hecho de que muchas de sus partituras, siendo piezas que muestran desarrollo musical simple, son salvadas, sin embargo, y llevadas inclusive hasta el éxito, gracias a la belleza de sus temas melódicos. Tal es el caso de números como "Damisela encantadora" de *Lola Cruz* y "La ronda del amor" de *María la O*, cuyo escaso desarrollo, basado en simples progresiones, no garantizarían la popularidad de las obras a no ser por sus contagiosas melodías.

Asimismo, otro de los aportes más importantes es haber creado la estructura definitiva de la romanza cubana, concebida en dos partes: una primera, creada casi siempre a modo de introducción con un cierto sentido de gran recitativo; y la segunda, propiamente definida como la romanza, elaborada sobre un ritmo marcado y constante. Entre sus piezas más importantes de esta especie, destacan: "Triste es ser esclavo" y "Lamento africano" de *El cafetal*; "Canto negro" de *El batey*; María la O, Rosa la China y Lola Cruz (de las obras de los mismos nombres); "Aixa" de *La guaracha musulmana*; "Esclavo libre" de *El torrente*; "Vuelvo a ti" y "Sin ti" de *Sor Inés*.

Hay que añadir a los valores anteriormente expuestos, aquellos extramusicales pero que indudablemente incidirían en el resultado final de su creación. Trátese en este caso de destacar la especial capacidad para explotar al máximo las posibilidades del espectáculo donde, como director artístico, supo utilizar todos los medios a su alcance para que la representación escénica de sus obras alcanzaran la aceptación masiva y más alta popularidad. Por eso, aún cuando la época de oro de la zarzuelística cubana contó no sólo con su figura, sino también con otros como Gonzalo Roig y Rodrigo Prats, la obra aportada por Lecuona se vincula a una concepción integral, donde se le ubica en la historia de la música del país, como el más representativo creador de la zarzuela cubana. *Véase* EL BATEY; EL CAFETAL; LOLA CRUZ; ROSA LA CHINA; SOR INÉS.

OBRAS: *Cuadros nacionales*, Rv, I, F. Lecuona, est, 1909, Te. Martí; *El banquete del Gallego*, Rv, I, F. Lecuona, est, 1909, Te. Martí; *Fantasía tropical*, Rv, I, F. Lecuona, est, 1909, Te. Martí; *Don 19*, Rv, col. Parera, I, J. Elizondo / M. Vitoria, est, 31-XII-1918, Te. Martí; *Domingo de Piñata*, Rv, I, M. Victoria, est, 9-V-1919, Te. Martí, *E:Msa*, La Habana, Biblioteca Nacional José Martí; *El recluta del amor*, cuento lír, 1 act, I, G. Sánchez Galarraga, est, 16-V-1919, Te. Martí,

Ernesto Lecuona
(Foto: O. Urfé / Museo Nacional de la Música de Cuba)

E:Msa; La caravana, Com, 1 act, I, G. Sánchez Galarraga / V. Ruiz París, est, 13-VI-1919, Te. Martí, *CU:HMNM, E:Msa; Una noche en el Maxim's*, pantomima, I, A. Pereda, est, 20-VI-1919, Te. Martí; *La liga de las naciones*, Rv, 1 act, I, M. Victoria, est, 15-VIII-1919, Te. Martí, *E:Msa; El triunfo de Virulilla*, Jug lír, 1 act, col. M. Barrueco, I, R. Medina / M. Vitoria, est, 22-VIII-1919, Te. Martí; *El 20... el de la suerte*, Rv, I, J. González Pastor, est, 31-XII-1919, Te. Martí; *Arco Iris*, Rv, est, 1919, Te. Martí; *¿Dónde está mi mujer?*, Rv, est, 1919, Te. Martí; *La tierra de Venus*, Rv fantástica, 1 act, I, C. Primelles Rodríguez, est, 1919, Te. Martí, Estados Unidos, colección privada Thomas Tirino; *El portfolio del amor*, Rv, I, J. González Pastor, est, 2-II-1920, Te. Martí, *E:Msa; Diabluras y fantasías*, Rv, 2 act, I, C. Primelles Rodríguez, est, 10-III-1922, Te. Martí, *E:Msa; Jaque al rey*, Opt, 3 act, I, C. Primelles Rodríguez, est, 15-IV-1922, Te. Martí, *CU:HMNM, E:Msa; La carrera del amor*, Pas cóm lír bailable, 1 act, col. E. Grenet, I, C. Primelles Rodríguez, est, 12-V-1922, Te. Martí, La Habana, Biblioteca Nacional José Martí, *CU:HMNM; La nueva rica*, Rv, est, 27-II-1923, Te. Gran Teatro; *Es mucha Habana*, Rv, I, J. López Ruiz, est, 28-XII-1923, Te. Martí; *Al caer la nieve*, Opt, 2 act I, M. Merino / A. Paso, est, 26-IX-1924, Te. Ruzafa (Valencia); *¡Levántate y anda!*, Rv, Hum lír. I, F. Torres / A. Varela, est, 23-X-1924, Te. Martín (Madrid), *E:Msa; Radiomanía*, Rv, I, M. Vitoria, 1925, est, 18-III-1925, Te. Apolo (Madrid), *E:Msa; La revista del Eslava*, Rv, 1925, Te. Eslava; *Mi pequeña maldita*, I, A. Bronca, 1925; *Malvarrosa*, Opt, I, A. Paso Díaz / T. Borrás, est, 1925, *E:Msa; La revista sin trajes*, Rv, 1 act, I, T. Borrás, est, 6-I-1926, Te. Eslava (Madrid), La Habana, Biblioteca Nacional José Martí; *La tierra de Venus*, Rv fantástica, 2 act, I, C. Primelles Rodríguez, est (2ª versión), 29-IX-1927, Te. Regina; *Niña Rita o La Habana de 1830*, Sai lír, 1 act, col. E. Grenet, I, A. G. Riancho / A. Castells, est, 29-IX-1927, Te. Regina, *E:Msa; La revista femenina*, Rv, I, J. López Ruiz, 1927, est, 27-X-1927, Te. Regina, La Habana, Biblioteca Nacional José Martí; *Chauffeur al Regina*, Rv, 1 act, col. E. Grenet, I, A. G. Riancho, 1927, est, 3-XI-1927, Te. Regina; *La liga de las señoras*, Rv, 2 act, I, A. Castells Casas, est, 8-XII-1927, Te. Regina, La Habana, Biblioteca Nacional José Martí; *Rosalima*, Opt, 2 act, I, A. Paso Díaz / M. Merino, est, 13-XII-1927, Te. Pavón (Madrid), *E:Msa; Fantasía de colores*, Rv, col. E. Grenet, I, A. G. Riancho / A. Castells Casas, est, 21-XII-1927, Te. Regina; *Cuadros nacionales*, Rv, col. E. Grenet, I, A. G. Riancho / A. Castells Casas, est, 31-XII-1927, Te. Regina; *Alma de raza*, Rv fantástica, 2 act, I, G. Sánchez Galarraga / E. Ferrer, est, 15-II-1928, Te. Regina; *La despalilladora o La mujer de nadie*, Sai lír, 1 act, I, G. Sánchez Galarraga, est, 15-II-1928, Te. Martí; *Sueño de amor*, est, 3-III-1928, Te. Nacional; *¡Al fin... mujer!*, Opt, 2 act, I, J. J. López / F. Soloni, est, 14-XI-1928, Te. Martí; *El cafetal*, Zarz, 1 act, I, G. Sánchez Galarraga, 1928, est, 1-II-1929, Te. Nacional de Panamá y Te. Nacional de San José (Costa Rica), *CU:HMNM, E:Msa; El batey*, Zarz, 1 act, I, G. Sánchez Galarraga, est, 18-IV-1929, Te. Regina, *CU:HMNM*, La Habana, Biblioteca Nacional José Martí; *La flor del sitio*, Zarz, 1 act, I, G. Sánchez Galarraga, est, 15-V-1929, Te. Auditorium, *CU:HMNM; El amor del guarachero*, Zarz, 1 act, I, G. Sánchez Galarraga, est, 12-VII-1929, Te. Payret, *CU:HMNM; María la O*, Sai lír, 2 act, I, G. Sánchez Galarraga / G. Fernández Shaw, est, 1-III-1930, Te. Payret, *CU: HMNM*,

La Habana, Biblioteca Nacional José Martí; *El maizal*, Zarz, 1 act, l, G. Sánchez Galaraga, est, 7-III-1930, Te. Payret; *El calesero*, Zarz, l, G. Sánchez Galarraga, est, 14-III-1930, Te. Payret; *La guaracha musulmana*, Opt Bu, 1 act, l, G. Sánchez Galarraga, est, 11-III-1932, Te. Principal de la Comedia, *CU:HMNM*; *Rosa la China*, Sai cóm lír dramático, 1 act, l, G. Sánchez Galarraga, est, 27-V-1932, Te. Martí, *CU:HMNM*; *La Habana que vuelve*, Com lír, 1 act, col. Prats, est, 12-VIII-1932, Te. Martí; *Caridá*, Com lír, 1 act, l, G. Sánchez Galárraga, est, 1932; *Gotas de rocío*, poema sintético, col. E. Díaz / R. Prats, l, M. de Lunas, est, 17-II-1934, Te. Martí; *Julián el Gallo*, Zarz de costumbres cubanas, 1 act, l, G. Sánchez Galarraga, est, 22-III-1934, Te. Felipe Carrillo, Puerto de Veracruz (México), *CU:HMNM*; *Lola Cruz*, Zarz, l, G. Sánchez Galarraga, est, 13-IX-1935, Te. Auditorium, *CU:HMNM, E:Msa*; *Revista de revistas*, mosaico de Rv, 1 act, l, A. Suárez, est, 5-XI-1935, Te. Principal de la Comedia; *El torrente*, Zarz, 1 act, l, V. Reyes, 1933, est, 8-XI-1935, Te. Principal de la Comedia, *CU:HMNM*, La Habana, Biblioteca Nacional José Martí; *Las mujeres mandan*, Rv, 1 act, l, A. Suárez, est, 13-XI-1935, Te. Principal de la Comedia; *Revoltillo nacional*, Rv, 1 act, l, A. Suárez, est, 19-XI-1935, Te. Principal de la Comedia; *La Habana sin teatros*, Rv de actualidad, l, F. Villoch, est, 22-XI-1935, Te. Principal de la Comedia; *La revista fin de año*, Rv, 1 act, l, A. Suárez, est, 31-XII-1935, Te. Principal de la Comedia; *Estampas tropicales*, Rv, 1 act, l, A. Suárez, est, 1935, Te. Principal de la Comedia; *Aires nacionales*, Rv, 1 act, l, A. Suárez, est, XI-1936, Te. Principal de la Comedia; *Revista fin de año*, 1 act, l A. Castells, est, 31-XII-1936, Te. Martí; *La revista azul*, Rv, 2 act, l, C. Robreño, est, 20-IV-1937, Te. Auditorium; *Sor Inés*, Opt Rv, 2 act, l, F. Meluzá Otero / A. Castells Casas, est, 28-IV-1937, Te. Auditorium, *CU:HMNM*, La Habana, Biblioteca Nacional José Martí; *En la tienda de porcelana*, pantomima, adap de Chaikovski / Strauss, l, P. Boquet, est, 4-VII-1937, Te. Nacional; *Habana-Buenos Aires*, Rv, 1 act, col. VVAA argentinos, est, 29-IV-1938, Te. Martí; *Un viaje al infierno*, visión fantástica, 2 act, col. R. Ortega / Sin Co Sin / Ketelby, l, Yee Ho, est, 3-V-1941, Te. Nacional; *La de Jesús María*, Sai lír, 2 act, l, A. Rodríguez, est, 4-X-1941, Te. Principal de la Comedia, *CU:HMNM*; *Cuando La Habana era inglesa*, Opt, 2 act, l, F. Meluzá Otero / A. Castells Casas, est, 27-III-1942, Te. Principal de la Comedia, Estados Unidos, colección privada Thomas Tirino; *La cubanita*, Com, 2 act, l, A. Rodríguez, est, 26-IV-1942, Te. de la Comedia; *La plaza de la catedral*, Com lír, 2 act, l, F. Meluzá Otero, 1941, est, 10-III-1944, Te. Nacional, La Habana, Biblioteca Nacional José Martí; *María de los Ángeles*, Zarz, 1 act, l, G. Sánchez Galarraga, est, 8-IV-1944, Te. Campoamor; *Rosa*, Com lír, l, G. Fernández Shaw, 1944, sin est; *Mujeres*, Opt, 2 act, l, A. Rodríguez, est, 20-XII-1946, Te. Auditorium, La Habana, Biblioteca Nacional José Martí; *Se lo diré al mundo*, 1946, La Habana, Biblioteca Nacional José Martí; *Malvarrosa*, Opt, col. P. Luna, l, A. Paso Díaz / T. Borras, *E:Msa*; *Night and day*, Rv, 1 act, col. S. Orta, l, C. Robreño, est, 14-IV-1947; *Amigos!*, Sai Rv, 1 act, col. R. Prats, l, C. Robreño, est, 12-IX-1947; *Serenata del Caribe*, Rv, est, 22-III-1948, Te. Stadium de la Habana; *Tropicana*, Rv, col. A. Algueró, l, M. Filos, 1956, est, II-1957, Te. Cómicos (Barcelona), *E:Msa, E:Bsa*; *Enseñanza libre*, Rv, 1 act; *La Tetuana*, Rv, La Habana, Biblioteca Nacional José Martí; *Sueños locos*, Zarz, l, G. Fernández Shaw / C. Primelles Rodríguez, 1949-50, sin est, Estados Unidos, colección privada Thomas Tirino; *Esto es Cuba*, Rv, col. Roig / B. Valdés, est, 10-VIII-1960, Te. Estrada Palma.

FONOGRAFÍA: *El cafetal*, Zafiro-BMG FM-77 • Zafiro-Salvat 1061-2; *María la O*, Zafiro-BMG FM-73 • Zafiro-Salvat 1033-2; *Rosa la china*, Montilla CDMF-75 • Zafiro LM-3032 (C) • Zafiro-Salvat 1064-2.

BIBLIOGRAFÍA: *DMEH; VB*; R. Pastor: *El mundo*, La Habana, 22-IX-1936; O. Martínez: *Ernesto Lecuona*, La Habana, UNION, 1989; H. Rozada Bestard: *Catálogo de obras de Ernesto Lecuona*, Madrid, SGAE, 1995; J. Ruiz Elcoro: "El teatro musical de Ernesto Lecuona", *El arte musical de Ernesto Lecuona*, Madrid, SGAE, 1995; P. Machado de Castro: "España en Lecuona", *La música viva del cubano Ernesto Lecuona*, Madrid, Casa de América, 1995; C. de León: *Ernesto Lecuona*, La Habana, Letras Cubanas, 1996; J. Ruiz Elcoro: "El surgimiento y desarrollo de la zarzuela. Estructura morfológica y análisis", *Cuadernos de Música Iberoamericana*, 2-3, Madrid, SGAE, 1996-97; J. A. Molina: *150 Años de zarzuela en Puerto Rico y Cuba*, San Juan, Ramallo Bros. Printing, 1998; V. Eli, M. A. Alfonso: *La música entre Cuba y España. Tradición e innovación*, Madrid, Fundación Autor, 1999.

CLARA DÍAZ PÉREZ

Ledesma Estrada, Florencio. Madrid, 22-II-1900; Madrid, 1972. Pianista y compositor. Fue discípulo de López Debesa en el Colegio de Ciegos madrileño. Terminó la carrera de piano a los dieciocho años con matrícula de honor. Dio numerosos recitales en Madrid y otras capitales. Destacó como compositor de cuplés, entre ellos *Si vas a París, papá*. En el archivo lírico de la SGAE se conserva una zarzuela suya, *El santo de Lupita*, compuesta en colaboración con González Bastida. Escribió también la revista *Bazar de muñecas*, en colaboración con Agustín Bódalo y con letra de Pascual Lucas y Gerardo G. Agüero.

BIBLIOGRAFÍA: *DMEH; TLE*.

LUIS G. IBERNI

Lefranck, Mauricio. España, siglo XIX; Villarica (Paraguay), 1922. Director. Se formó en el Conservatorio de Madrid y llegó a Paraguay en 1915 integrando la Compañía de Operetas Serrano-Mendoza. Al año siguiente se radicó en Paraguay llegando a subdirector de la Sección Música del Instituto Paraguayo y director del Orfeó Catalá de Asunción. Es autor de una zarzuela con libreto de Fermín Domínguez, *Ni en el cielo hay serenidad o El ensueño de Meluntes*, representada en el teatro Nacional en 1918; la crítica la calificó de divertida y amenamente disparatada.

BIBLIOGRAFÍA: *DMEH*.

EMILIO CASARES RODICIO

Legaza Puchol, José. Salobreña (Granada), 2-XI-1898; Madrid, 10-XII-1983. Compositor. Se relacionó en su juventud con Falla, Lorca, Antonio Gallego y Burín, entre otras personalidades. Una beca de la Diputación de Granada le permitió trasladarse a Madrid a los 19 años y estudiar con Serrano. Desde el inicio de su carrera se dedicó a la música de teatro componiendo en el período previo a la Guerra Civil y en la postguerra. También fue un compositor de cuplés con obras que interpretan las más famosas tonadilleras como *Fandanguillo de Córdoba, Mi barco velero*, o las obras compuestas para Antonio Molina como *El macetero* o *El agua del avellano*. Escribió zarzuelas, entre las que destacan *Juan de Granada* y diversas revistas de éxito como *Una noche de las mil, La granja del heno, El paraíso de los divorciados* o el sainete *S.O.S.* Se hizo especialmente famosa su opereta infantil *El príncipe azul*.

OBRAS: *Juan de Granada*, Zarz, 3 act, col. G. Ribas, I, J. M. Varela / L. Pérez Tejedor, est, 20-I-1926, Te. Zarzuela, *E:Msa*; *Una noche de las mil*, Zarz, 1 act, col. E. de la Torre, I, J. M. Varela, est, 22-XI-1927, Te. Maravillas; *La granja de heno*, 2 act, I, O. Castillo Santos, est, 18-V-1931, Te. Lope de Vega, *E:Msa*; *Un ensayo borrascoso*, 1 act, I, O. Castrillo, est, 18-V-1931, Te. Lope de Vega, *E:Msa*; *La canción del minero*, I, O. Castrillo, est, XII-1932, Madrid; *Paso a Don Juan*, Rv, 2 act, I, O. Castrillo / M. García, est, 10-II-1933, Te. Eslava, *E:Msa*; *El príncipe perdigón*, Com lír, 1 act, I, M. García Bengoa, est, III-1934; *El príncipe azul*, cuento infantil, 2 act, I, M. García Bengoa, est, IV-1934, *E:Msa*; *Estampas vivientes*, cuento, 1 act, I, J. M. Legaza, est, 6-I-1940, Te. Fontalba; *Los enanos de la Alhambra*, 2 act, I, J. M. Legaza, est, 6-I-1940, Te. Fontalba, *E:Msa*; *El rey de la opereta*, Opt, 2 act, col. Gravina y Castelli, I, F. Jackson Pérez, est, 2-III-1940, *E:Msa*; *Los marinos del amor*, Com, 3 act, col. F. Gravina y Castelli, I, F. Jackson, est, 2-III-1940, Te. Juan Bravo (Segovia), *E:Msa*; *La estrella de oriente*, cuento, 1 act, I, J. M. Legaza, est, 20-XII-1940, Cine Bilbao; *El debut de mi niña o Lavandería postinera*, Fant, 2 act, I, G. Gómez Agüero, est, 20-II-1941, Te. Cervantes (Granada), *E:Msa*; *Ratas de Madrid*, Fant, 1 act, I, J. M. Legaza, est, 6-II-1941, Te. Cervantes (Granada); *La Mis*, Fant, 2 act, I, J. M. Legaza, est, 8-VI-1941, Te. Victoria (Priego); *Mari Rosa*, Com lír, 2 act, I, J. M. Legaza, est, 19-VI-1941, Palacio Santo Domingo (Granada); *Caminito de la gloria*, Com, 2 act, I, A. Molina, est, 22-XI-1941, Monzón; *Esperanzas de España*, Com, 1 act, I, A. Soriano, est, 23-XII-1941, Cinema España (Algeciras); *Polito y chapete*, cuento, 2 act, I, J. M. Legaza, est, 19-III-1942, Te. Cervantes (Granada); *Ruedo español*, Fant, 2 act, I, J. Cruz Salmerón, est, 26-VII-1946, Te. Cine Salamanca (Madrid), *E:Msa*; *33 Rubias y 3 morenas con 3 hombres*, Rv, 2 act, col. E. Escobar, I, E. Paso Díaz / A. Paso Díaz, est, 27-III-1948, Te. Olimpia (Linares); *Cantares y bailes españoles*, Rv, 2 act, I, B. García Cabello / R. González Urrutia, est, 14-VI-1948, Te. Zarzuela; *Jaque mate*, Rv, 2 act, col. J. González Liñán, I, R. González Urrutia / S. Cantabrana, est, 18-VIII-1948, Te. Calderón; *Melodías de juventud*, Rv, 2 act, I, A. Retana, est, 13-XII-1948, Te. Alcalá; *¡Ya estamos aquí!*, Rv, 2 act, I, J. López Lerena / P. Llabrés, est, 1-I-1949, Aranjuez, *E:Msa*; *El cuento de Blanca Nieves*, cuento, 2 act, I, J. M. Legaza, est, 16-I-1949; *Sueños de gloria*, Rv, 2 act, I, J. M. Legaza, est, 20-I-1949, Te. Cómico; *Zambra en Nueva York*, Fant, 2 act, I, F. Márquez / L. García Sicilia, est, 29-IV-1949, Madrid; *El botones del Savoy*, Fant, 2 act, T. Luceño, est, 10-VI-1949, Te. Reina Victoria, *E:Msa*; *Verbena*, Rv, 2 act, I, F.

López Delgado / M. García Sanchidrián, est, 6-X-1949, Te. Ayala (Daimiel); *Paso a la juventud*, Fant, 2 act, I, J. García Rodríguez, est, 12-V-1950, Te. Circo Price; *El caballito blanco*, Fant, I, J. Cabo, est, 19-VI-1951, Salón Amaya (La Línea); *Ritmos españoles*, Fant, 2 act, I, J. de Cabo Torres, est, 15-VII-1951, Te. Amaya (La Línea); *De La Habana llegó Don Pancho*, Fant, 2 act, I, J. M. Legaza, est, 19-I-1952, Campo de Criptana; *Salero y garbo español*, espectáculo, 2 act, I, F. Canalejas Montero, est, 18-III-1952, Te. Cervantes (La Roda Albacete); *Solera española*, Fant, 2 act, I, F. Canalejas, est, 8-V-1952, Te. Victoria (Barcelona); *Luna de España o La alegría del querer*, Fant, 2 act, I, R. González Urrutia, est, 28-XI-1952, Sigüenza; *Bronce y oro*, Fant, 2 act, I, J. Almagro, est, 4-IV-1953, Te. La Latina; *Oro y bronce*, Fant, 2 act, I, J. M. Puchol, est, 6-V-1953, Te. Price; *España tiene una copla*, Fant, 2 act, I, P. Llabrés / D. Corbi, est, 1-IX-1953, Te. Calderón; *Una americana en España*, Rv, 2 act, I, J. M. Legaza, est, 23-IX-1953, Crisfel (Alcázar de San Juan); *Su Magestad el folklore*, espectáculo, 2 act, I, A. Retana, est, 10-V-1954, Te. La Latina; *Una canción en tus labios*, espectáculo, 2 act, I, J. Almagro / J. M. Legaza, est, 15-X-1954, Cine (Villarobledo); *Canto para ti*, Fant, 2 act, I, J. M. Legaza, est, 10-IV-1955; *Campanas de gloria*, 2 act, I, E. Ferrer, est, 20-X-1958, Te. Cervantes (Alcalá); *Crisol de estrellas*, Fant, 2 act, I, J. M. Legaza, est, 18-III-1960, Teomelloso (Ciudad Real); *Luceros de España*, Fant, 2 act, I, J. M. Legaza, est, 31-X-1961, Te. Alcázar (Toledo); *Una mujer de bigote*, Rv, 2 act, col. D. de Laurentis, I, A. Suárez / P. Llabrés, est, 20-IX-1962, Te. Argensola (Zaragoza); *Cuando manda el corazón*, Sai, 1 act, I, J. M. Legaza, est, 6-X-1968, Te. Paseo de las Flores (Salobreña); *¡Ay bésame!*, Rv, I, A. Jofre de Villegas, est, 10-X-1983; *Cinco minutos en el Madrid de 1900*, I, O. Castrillo; *El alma de Granada*, I, E. Quesada; *El debut de Don Severo*, I, M. García Bengoa; *El Marajá se enamora*, Com, 2 act, I, S. Cantabrana Ruiz-Aguirre, *E:Msa*; *El paraíso de los divorciados*, I, O. Castrillo; *Flirtear*, Opt, col. A. Moltó, I, O. Castrillo; *Granada cañí*, I, L. F. Tejedor; *Los niños del jazminero*, espectáculo, 3 act, col. J. Solano, I, J. Sánchez Prieto, *E:Msa*; *Madrid de mi alma*, I, A. Retana; *Qué dulces son…*, Apr, 2 act, col. M. Monreal, I, P. Llabrés / A. Suárez del Real; *Mosaicos de España*, I, J. Gómez Díaz; *S.O.S.*, Zarz, 2 act. I, J. L. Sáenz de Heredia / F. Vázquez Ochando; *Van Tarugo y Perdigón a la caza de un ladrón*, Com lír, 1 act, I, M. García Bengoa.

BIBLIOGRAFÍA: *DMEH*; *TLE*.

Mª LUZ GONZÁLEZ PEÑA

Legió d'honor, La. Obra lírica en dos actos. Música de Rafael Martínez Valls. Libreto de Víctor Mora. Estrenada el 26 de febrero de 1930 en el teatro Nuevo de Barcelona.

Personajes y reparto. Carlota (Sofía Vergé, soprano). Madelena (Carme Valor, mezzosoprano). Sussina (Roseta Marco). Marcel (Joan Rossic, Josep R. Goula, tenor). Brissac (Josep Carbonell, barítono). Soldado herido (Josep Llimona). Trabuc (Albert Cosín, tenor). Monsenyor (Miquel Garriga). Lloctinent Richard (Joan Xuclà). Coronel Vendom (Carles Freixas). Ferrés (Joaquim Fernández). Bertrand (Josep Valor). General del Estado Mayor (Joan Ferret).

Orquestación. Flautín, flauta, oboe, 2 clarinetes, fagot, 2 trompas, 2 trompetas, 2 trombones, timbales, caja, bombo, platillos, arpa y cuerda.

Argumento. La acción tiene lugar en un pueblo de Normandía, durante el mes de agosto de 1918, en el último período de la primera guerra mundial. *Acto I.* Madelena y Sussina se lamentan de que los hombres están todos en el frente. Carlota festeja su aniversario; un grupo de normandas le dedica una canción. Llega el cura que anuncia la llegada de un batallón de la Legión Extranjera y Madelena se alegra de poder ver algún hombre, e incita a una Carlota distante a coquetear con los soldados. Marcel, uno de los legionarios, de origen catalán, solicita a Carlota un vaso de agua y entona una canción en la que compara Normandía con el paisaje catalán. Entre los dos empieza a surgir el amor. Ella regresa a la taberna donde sirve. Marcel queda con Ferrés, un compañero, y le confiesa lo que siente por Carlota. Después que ellos abandonan la escena, aparece Brissac, un normando que enloqueció al ver arrasar su pueblo; desde entonces sólo cava fosas para los muertos. El coronel, el cura y Richard compadecen al pobre

Brissac. Richard, también legionario, pretende desde hace tiempo a Carlota. Cuando entra, él se dirige a ella incomodándola. Carlota le rechaza, y Richard promete vengarse. A continuación sigue un número bufo, entre Madelena y Trabuc, legionario de color y corneta de órdenes. Entra Marcel junto con Ferrés buscando a Carlota, pero en su lugar está Sussina, dueña de la taberna. Marcel sale sin ver la llegada de Carlota. Ella se queda sola y Richard se abalanza sobre ella. Marcel les sorprende cuando Carlota rechaza a Richard. Al ser superior en rango a Marcel promete castigar su insolencia. Quedan solos Carlota y Marcel que parte para su batallón, mientras a lo lejos se oyen cantos de soldados catalanes.

Acto II. Cuadro primero. Patio rústico, donde se alojan los soldados. Es la hora del rancho y los soldados están esperando que les sirvan su ración. Trabuc anima un alegre coro y anuncia que se va a casar con Madelena; ella le lleva un cesto con comida. En seguida llegan Sussina y Carlota con un asno que acarrea vino y sidra. Entre la algazara, Brissac entona una canción melancólica. Al acabar, las chicas interpretan una danza normanda, coreada por los soldados y por Carlota. Terminado el baile Marcel entona una sardana seguida con júbilo por todos. Trabuc y Madelena suben al burro y se van, dejando solos en escena a Marcel y Carlota. Ellos se confiesan su amor; cuando él sale a buscar la carta que escribía a su familia Richard aprovecha para besar a Carlota. Ella pide auxilio a Marcel; ambos luchan y cuando Marcel saca su machete para herir a Richard es sorprendido por el coronel, detenido y condenado a muerte, a pesar de las súplicas de Carlota. Súbitamente llega un general con nuevas órdenes: el enemigo está avanzando, y para atajarle necesitan que un voluntario dinamite un puente, a sabiendas que deberá sacrificar su vida. El elegido es Marcel. Canta para despedirse de todos y de su amor. Mientras desfilan los soldados entra Brissac. Después de unas explosiones, se acerca un avión, todos huyen menos él, que desafía al aparato. Una bomba destruye el pueblo, pero Brissac continúa amenazando al avión.

Monólogo. La escena describe una trinchera, con soldados muertos. Es 1918. Un soldado herido reci-

ta un largo monólogo. Después de una mutación y de retretas lejanas, el soldado anuncia entusiasmado el fin de la guerra. *Cuadro segundo.* Han pasado algunos meses; es invierno. Los supervivientes regresan, entre ellos Bretrand –marido de Sussina–, Trabuc, y Richard quien asegura a Carlota que Marcel ha muerto. Carlota insiste en quedarse al lado de la carretera, esperando la llegada de más soldados, pero al encontrarse con Richard, le rehuye. Llega Marcel, manco y decaído que vuelve a su tierra; cree que Carlota le ha olvidado. Sin embargo ella aún le ama y quiere acompañarle. Los soldados se cuadran al ver que Marcel ha sido condecorado con la Legión de Honor. Todos festejan el momento. Brissac acaba alegrándose y pide un recuerdo por los mártires de la patria.

Números musicales. Acto I: Preludio. Nº 1. Carlota y chicas, "Déu te guard amiga nostra". Nº 2. Carlota y coro, "Ja són aquí els braus de nostra terra". Nº 3. Romanza de Marcel, "Bella contrada de Normandia". Nº 4. Carlota y Marcel, "No us mogue d'aquí, Carlota". Nº 5. Raconto de Brissac, "Sota de terra, a mes mans tots caureu". Nº 6. Madelena y Trabuc, "Ai negre, No ho diguis, tens la cra molt alegre". Nº 6bis. Final acto I, coro interno. Acto II: Preludio y Nº 7. Trabuc y coro de soldados, "Esperem el bon menjar, ara és l'hora del tiberi". Nº 8. Carlota, Brisac y coro general, "Les noies venen somrient". Nº 9. Carlota y coro general, "De Normandia, terra gloriosa". Nº 10. Marcel, Carlota y coro, "Ja la cobla toca al lluny, sona que sona el tambor". Nº 10bis. Coro, "El burro amb calces no pot mancar la dolça ofrena". Nº 11. Carlota, Marcel, Brisac y coro de soldados, "Tot s'ha acabat per mí". Nº 12. Monólogo, coro de soldados. Nº 13. Intermedio. Nº 14. Salida de Carlota y chicas, "Déu meu, Senyor, mireu-me dissortada". Final. Carlota, Marcel y coro general, "És orgull la vostra bravesa, molt devem a vostre valor".

Comentario. *La legió d'honor* es, junto con *Cançó d'amor i de guerra,* una de las obras más memorables de Martínez Valls. A pesar de la buena acogida en su estreno, *La legió d'honor* no alcanzó la rápida celebridad de *Cançó.* Sin embargo, presenta una unidad dramática mucho más conseguida y equilibrada, además de contener páginas musicalmente muy inspiradas. Su argumento está alejado de los cuadros de costumbres de raigambre nacionalista, sin renegar por ello de las referencias evidentes a Cataluña en el personaje ficticio de Marcel, que militaba en la Legión Extranjera y casi sacrificaba su vida por la causa francesa, sin duda en clara alusión a las actitudes francófilas, pero sobre todo en abierto posicionamiento de actitudes pacifistas. Por estas razones, la zarzuela es sin lugar a dudas la más coherente y bien estructurada de las obras del compositor.

El estreno estuvo a cargo de la compañía de zarzuela de G. Camarasa Sort, dirigida por Felip Caparrós. La escenografía fue realizada por Batlle i Amigó, Joan García, Valera Zabala i Campsaulines y por Ángel Fernández, un cuadro cada uno de ellos. El compositor combinó con acierto momentos de un intenso lirismo, lindantes al verismo más sentimental, con citas a canciones populares que buscaban la asimilación por parte del público. La presencia de la sardana es uno de los elementos que no suelen faltar en las zarzuelas de Martínez Valls. Es necesario recordar, sin embargo, su idoneidad histórica. La dictadura de Primo de Rivera había prohibido la ostentación de banderas y símbolos catalanes, además del uso público del idioma y de la ejecución pública de la sardana. El rigor con el que se aplicaron las restricciones fue intenso, pero en ocasiones algunos documentos muestran que se pudo burlar la censura. *La legió d'honor* se estrenó un mes escaso después de la caída de la dictadura, en enero de 1930; de ahí el valor añadido que en ese momento tenía también presente en el final del primer acto, cuando Marcel y Carlota se confiesan su amor; se oye a lo lejos a los legionarios catalanes que interpretan una obra coral muy significativa: *La mort de l'escolà*, de Antonio Nicolau sobre texto de Jacint Verdaguer. Esta composición, procedente de la colección de poesías *Montserrat* de Verdaguer, fue divulgada por el Orfeó Català, siendo precisamente una de sus primeras grabaciones fonográficas, y una de las obras que junto con *L'emigrant*, con texto de Verdaguer, ejecutaba con asiduidad el coro de L. Millet. La emocionante escena de la despedida de los amantes se realiza sobre la larga cita de la obra de Nicolau, y el telón cae sobre sus notas. La identificación simbólica es más que evidente: Montserrat, Verdaguer, la tristeza de la patria lejana, e incluso la previsión de un desenlace funesto que se desprende del sentido del texto.

La obra se inicia con un preludio en el que son expuestos temas que más tarde serán reelaborados, entre ellos una sardana, y un primer tema de una amplia profundidad lírica. En ellos destaca el saber hacer de Martínez Valls, buscando siempre el interés y la sorpresa armónica. El coro inicial presenta un aire desenvuelto y alegre. La cuadratura de la melodía, y el cuidado en buscar unas estructuras equilibradas y previsibles en el trazo melódico es ya desde el principio una de las características de la obra. El coro de soldados, y la exposición por parte de Carlota en el registro agudo del tema principal, es de carácter heroico. En su parte central el interludio

de Carlota no abandona el aire marcial. El final del número reexpone el tema del inicio del preludio instrumental. La romanza de Marcel es uno de los momentos más destacados de la obra por su profundidad lírica (Ej. 1). Sobre un arpegiado de la cuer-

Ej. 1

da que recuerda a las orquestaciones puccinianas, Marcel desarrolla una hermosa melodía, de estructura cuadrada, y basada en la alternancia del silabismo de semicorcheas con las notas mantenidas. La pieza está concebida en tres secciones, siendo las dos centrales de un tempo más reposado, primero en modo mayor y luego en menor, y sacando un gran partido con el VII grado rebajado. El final reexpone la segunda sección finalizando el tenor con un brillante agudo. A la romanza le sigue el primer dúo entre Marcel y Carlota, de un apasionado y almibarado sentimentalismo. Su inicio muestra influencias del melodismo de la opereta vienesa, con modulaciones al tercer grado rebajado que acentúan más su emotividad. El final contiene una paráfrasis de la canción popular catalana *Un pobre pagès* que conduce hacia un final exultante. Este número contrasta con el racont de Brissac, momento de profundo patetismo a la vez que uno de los fragmentos más destacados de la obra que aún se interpreta. Su inicio es realmente trágico, con instrumentación masiva en el metal y la madera. La segunda sección de este número, a pesar de lo lúgubre del texto, despliega una melodía de amplio lirismo, un fragmento apasionado, verista, y de una gran efectividad dramática. Después de este despliegue emotivo la aparición de Madelena y Trabuc constituye el contrapunto bufo, cuando no casi vodevilesco por lo ligero y desenfadado de los diálogos. La música presenta el perfil cómico que era de esperar, basada sobre modelos rítmicos que sugieren la habanera. El final del primer acto se introduce con la retreta nocturna y la larga cita de *La mort de l'escolà*.

El segundo acto se abre con un interludio que muestra temas sin llegar a desarrollarlos, y que conduce hacia el coro de soldados. Están a la espera de comer el rancho. Se desprende un aire de ironía tanto en la escenografía –letreros en los que se lee "cocina gratis, más que económica", "hall" para indicar un espacio que da paso al corral–, como en el acompañamiento rítmico de los soldados con las cucharas y los platos de latón, o en el mismo diseño melódico que se convierte en casi jocoso cuando entran los rancheros para repartir un potaje entre la soldadesca. La comicidad y la alegría se mantienen en el coro y en el brindis de Carlota del número siguiente. La aparición de Brissac trunca el clima general para conseguir otro de los momentos más interesantes de la obra. Brissac pide poder cantar una antigua canción normanda. El perfil de la canción, sin embargo, tiene numerosas resonancias a canción popular catalana (Ej. 2). De nuevo, buena parte del

BRISSAC

No-ia que vas a mon - ta - nya   no es-pe-ris no la fos - cor,

que hi ha l'a-mor que t'es - pe - ra___ i és en la fos-ca un trai - dor.

Ej. 2

interés reside en el hábil devenir armónico, con una modulación efectista de Si b mayor a Re mayor, y la intervención momentánea del coro para dar un momento de descanso al solista, antes de emprender un final ampuloso, en el que el barítono llega a un Sol agudo. A continuación sigue el episodio de los bailes normandos, dentro de los cuales se intercala una intervención de Carlota, "Normandesa, rosa gemada", que sigue el ritmo del baile ternario. Este momento es la preparación y la excusa que da pie a Marcel para cantar un baile de su tierra, la sardana, que se convierte, por su desarrollo y ampulosidad coral, en uno de los momentos culminantes de la obra. La sardana es expuesta por Marcel y acaba siendo coreada por todos los presentes. Al finalizar el número sigue súbito un número que repite el material del N° 8. Unas retretas militares principian el N° 11. Su estructura es compleja: Marcel desarrolla un nuevo tema de gran lirismo y expresividad, una segunda y emocionante romanza que desemboca en un dúo entre él y Carlota. Algunos de los giros armónicos y melódicos recuerdan temas de *Cançó d'amor i de guerra*. Después de nuevas citas corales inspiradas en obras de Nicolau, Brissac reexpone el tema de su raconto. A partir de este momento la tensión dramática aumenta sobremanera, es el momento en el que un avión va a bombardear la aldea. A continuación se inicia el monólogo, sobre un diseño melódico el violín concertino desarrolla un acompañamiento incidental. Al monólogo le sigue un intermedio musical del arpa. El N° 14 era en una primera versión un momento también de música incidental, que fue sustituido después por la romanza final de Carlota. El tema de Carlota pretende conseguir un anticlímax con respecto a la tensión siguiente a la escena del bombardeo y al ampuloso

monólogo; este monólogo, con música incidental, tiene sus precedentes en la escena recitada sobre fondo negro de *Cançó d'amor i de guerra*. El final musical consiste en un brevísimo unísono de Carlota y Marcel replicado por el coro y concluido con una cita al himno de *La Marsellesa*, en alusión a la orden de la Legión de Honor.

Fuentes manuscritas. Los materiales de orquesta se conservan en el archivo de la SGAE en Barcelona.

Ediciones de música. Canto y piano, Madrid, UME.

Ediciones del libreto. Barcelona, La Escena Catalana, XIII, 315, 1930; Barcelona, Llibreria Bonavía, 1930.

FONOGRAFÍA: D78rpm: Sols. Rita Esteban, Joan Rosich, Carme Valor, La Voz de su Amo AE 3093 AE 3095, AF 322 [reed. en CD: Blue Moon BMCD 7506] • Sol. Fonoll, La Voz de su Amo AE 3098.

LP: Dir. Rafael Ferrer, Sols. Francesca Callao, Manuel Ausensi, Orfeó Graciençor, Orq. Sinfónica, Columbia-BMG MCE 808, SCE 908.

BIBLIOGRAFÍA: F. Cortés i Mir: "La zarzuela en Cataluña y la zarzuela en catalán", *Cuadernos de Música Iberoamericana*, Madrid, SGAE, 1996-97.

FRANCESC CORTÈS i MIR

Leicibabaza, Miguel Ignacio. Caracas, 5-V-1857; Caracas, XI-1915. Empresario. Uno de los empresarios más importantes de Venezuela. Recibió la educación usual de la época y en 1885 comenzó a traer espectáculos a Caracas, iniciándose con la Compañía de Valentín Garrido y la Compañía Alcaraz-Palou para el teatro Caracas, con gran éxito. Además de la presentación de compañías de zarzuelas, operetas y óperas, también ofreció dramas. Influyó en la mejora profesional de los actores y cantantes y se ocupó de ayudar activamente a los debutantes criollos y a estrenar y hacer representar obras criollas. Su gran conocimiento de las diferentes facetas del espectáculo, lo hacían un referente en su tiempo.

BIBLIOGRAFÍA: *DMEH*; C. Salas: *Historia del teatro en Caracas*, Caracas, Concejo Municipal, 1967.

VÍCTOR SÁNCHEZ SÁNCHEZ

Lejárraga García, María de la O. San Millán de la Cogolla (La Rioja), 28-XII-1874; Buenos Aires, 28-VI-1974. Escritora. Diputada en la época de la República y activa feminista, era hija del doctor Leandro Lejárraga y su educación corrió a cargo de su madre, que había sido alumna de Francisco Giner de los Ríos. Cursó estudios de magisterio y profesorado de comercio. Obtuvo su título en 1894 y en 1895 consiguió por oposición destino en la Escuela Modelo de Madrid. Su afición al teatro la llevó a intimar con Gregorio Martínez Sierra, a quien conocía desde la infancia y con quien se casó; ambos se inscribieron en el modernismo y participaron plenamente en las luchas de este movimiento con el de la Generación del 98; en palabras de Ricardo Gullón "no es posible escribir la historia del Modernismo

María de la O Lejárraga
(Foto: Ar. familiar)

literario español sin tener presente la persona y obra de Gregorio Martínez Sierra y, junto a él, la de su mujer y colaboradora María de la O Lejárraga García". Comenzaron a publicar sus primeras obras, escritas en colaboración, aunque siempre bajo el nombre de Gregorio Martínez Sierra. Así colaboraron en una serie de revistas, en 1897 *Germinal* y *El País*, en 1898 *Vida nueva*, en 1899 *Vida literaria*, dirigida por Benavente, y en 1903 fundaron *Helios*, la revista clave del Modernismo español, con la que tenían su propio órgano de expresión y con una idea fundamental, la belleza como concepto supremo. A partir de este momento, Gregorio se dedicó a la vida literaria, participando en tertulias, y a la dirección escénica, con iniciativas tan importantes como Un teatro de Arte en España, que continuaron Cipriano Rivas Cheriff, también amigo de los Martínez Sierra y García Lorca con La Barraca. María, aún participando activamente en estos proyectos teatrales y literarios, se dedicaba fundamentalmente a escribir.

La afición de María por la música queda patente en estas palabras: "Siento, y he sentido siempre amor apasionado por la música, y no menos fervorosa admiración por los compositores ilustres. Y además, a ella y a ellos debo incomparable agradecimiento, ya que gracias a ellos y por ella logro descansar no pocas veces de la pesadumbre del pensar". En un principio María –al igual que el resto de los intelectuales del momento– rechazaba la zarzuela, por considerar que los argumentos de estos géneros adolecían de un fuerte primitivismo que explotaba las emociones elementales de los personajes. Sin embargo el matrimonio hizo alguna tímida incursión en el campo del género chico. En 1908 estrenaron la opereta *La república del amor*, con música de Vicente Lleó, con el que colaboraron de nuevo en la comedia musical *La Tirana*, cuya protagonista es una bella cupletista en la corte de los zares en Rusia. Los cuplés de Juanita Fons hacían las delicias del público y la obra tuvo un gran éxito económico, que era la mayor preocupación de Gregorio. En 1911 el renombre que les había proporcionado *Canción de cuna*, hizo que los teatros empezasen a pedirles obras. Fue un año de intensa colaboración con el gaditano Gerónimo Giménez con el que estrenaron *La suerte de Isabelita*, *La familia real*, *Lirio entre espinas* y *Melancólica sinfonía de Rubén Darío*. *La familia real*, con música de Giménez y Calleja, se estrenó en el teatro de la Zarzuela en noviembre de 1911 con María Palou como protagonista.

En el verano de 1913 conoció María a Usandizaga, joven compositor muy célebre por su ópera *Mendi-Mendiyan* que estaba entusiasmado con la obra de Martínez Sierra, *Los saltimbanquis*, que se convirtió en *Las golondrinas*, primera colaboración entre Usandizaga y María. La obra se estrenó en 1914 con un éxito "delirante, frenético, brutal", según la crítica de *ABC*. La última obra que hicieron juntos fue *La llama*, truncando la temprana muerte del músico su colaboración. El siguiente compositor con el que colaboraron fue Joaquín Turina, al que habían conocido en París. De vuelta en Madrid, Turina se convirtió en asiduo de la tertulia en la casa de los Martínez Sierra, tertulia compuesta por gente del teatro, la música y la pintura, en la que alternaban Santiago Rusiñol, Conrado del Campo, Jacinto Benavente, José María Usandizaga, Juan Ramón Jiménez, Pablo Luna y los hermanos Alvarez Quintero. En el estreno de *La procesión del Rocío*, surgió la idea de colaboración entre el músico y María y así nació la ópera *Margot*. La obra, sin embargo, fracasó en su estreno debido a los reventadores, si bien la crítica no dejó de reconocer la excelencia de la música. Repitieron la experiencia en 1916 con *La mujer del héroe* y *Milagro*, en 1923 con la ópera *Jardín de Oriente* y en 1927 con *La adúltera penitente*.

La colaboración con Falla se inició al poco de volver el músico de París en 1914, siendo *El amor brujo*, ballet realizado a petición de Pastora Imperio, la obra cumbre de su colaboración. En 1917 la Compañía Dramática de Martínez Sierra estrenó en Eslava *El corregidor y la molinera*, nueva colaboración de María y Falla, partiendo de *El sombrero de tres picos* de Pedro Antonio de Alarcón. La amistad de Falla con María Lejárraga fue larga e intensa, como se desprende en la correspondencia entre ambos. El siguiente proyecto que emprendieron, terminó con la amistad entre Falla y Gregorio y ocasionó el alejamiento del músico y María. El proyecto era la tragicomedia *Don Juan de España*, en el que comenzaron a trabajar en 1916, pero debido a los reparos morales de Falla pasaban los meses y los años y la obra no se terminaba. Esto llevó a Gregorio Martínez Sierra a pedir la colaboración de Conrado del Campo, estrenándose la obra en 1921 en el teatro Eslava. Falla se ofendió y la relación terminó con amargura por ambas partes.

Interesante es la colaboración de María con otra mujer importante para la Generación del 27, María Rodrigo en la ópera *Canción de amor* y las zarzuelas *La linterna mágica*, 1921 o *Salmantina*, 1922. Hubo otros músicos como Vives con el que trabajó en *La flor de loto*. Además de la ópera, opereta, comedia musical y zarzuela, María Lejárraga incursionó e el mundo de la revista con *La revista de Eslava,* cuya música compuso Modesto Romero en 1924, y con *El jardín encantado de París* con música de Ramón López Montenegro. Todos los músicos que colaboraron con la firma Martínez Sierra sustentan que María adaptaba el texto a la música, facilitándole al compositor los medios para que pudiera expresarse adecuadamente.

Mujer comprometida con el socialismo y el feminismo, luchó incesantemente por los derechos, educación y emancipación de la mujer, así como por las clases menos favorecidas de la sociedad. Elegida diputada por Granada en 1933 en la candidatura de Fernando de los Ríos, trabajó activamente en las cortes por las reivindicaciones de los jornaleros andaluces. La guerra la hizo exiliarse a Francia, a su casa de Cagnes-sur-Mer, desde la que ayudó a muchos refugiados españoles, y terminó sus días, casi centenaria, en Buenos Aires, sin abandonar nunca la escritura.

BIBLIOGRAFÍA: *DAT; DMEH; EDL*; M. Martínez-Sierra: *Gregorio y yo. Medio siglo de colaboración*, México, D. F., Biografías Gandesa, 1953; C. Reyero Hermosillo: *Gregorio Martínez Sierra y su Teatro de Arte*, Madrid, Fundación Juan March, 1980; W. O´Connor: *Gregorio y María Martínez Sierra. Crónica de una colaboración*, Madrid, La Avispa, 1987; A. Rodrigo: *María Lejárraga una mujer en la sombra*, Madrid, Ed. Vosa, 1994; J. Aguilera Sastre (coord.): *María Martínez Sierra y la República: ilusión y compromiso*, Actas, Logroño, Instituto de Estudios Riojanos, 2002.

Mª LUZ GONZÁLEZ PEÑA

Lenclos, Beatriz de. España, siglo XX. Vedette. En los años cincuenta formaba parte de la compañía Céspedes de la que era primera vedette. Esa compañía actuó en el teatro de la Zarzuela la temporada 1951-52 estrenando diversas revistas, entre ellas *La media naranja* de Moreno Torroba. Repusieron además *Una noche fuera de casa* de Ernesto Pérez Rosillo y estrenaron *Las matadoras* de Moreno Torroba.

Mª LUZ GONZÁLEZ PEÑA

Lens Viera, Enrique. La Coruña, 17-XI-1854; Lincoln (Argentina), I-1945. Pedagogo, compositor y pianista. Autor de más de un centenar de composiciones, fue discípulo de F. Bascuas. Estrenó una zarzuela de éxito titulada *En la playa*, cuadro lírico-dramático en un acto con libro de J. Millán Astray, estrenada en 1890 en el teatro Principal de La Coruña.

BIBLIOGRAFÍA: *DMEH.*

VÍCTOR SÁNCHEZ SÁNCHEZ

León, Ángel de. España, siglo XX. Actor. En la temporada 1910-11 estaba contratado por el teatro Eslava en el que estrenó *Colgar los hábitos* de Foglietti y Lleó y *Molinos de viento* de Pablo Luna. En 1924 estrenó en el teatro El Cisne de Madrid *En la Cruz de Mayo* de Bernardino Monterde y en 1926 *El caserío* de Guri-

di. En 1930 se encontraba en el teatro Victoria de Barcelona donde estrenó *El cantar del arriero* de Fernando Díaz Giles y en 1931 en el mismo teatro *Katiuska* de Pablo Sorozábal, en la compañía de Marcos Redondo.

Mª LUZ GONZÁLEZ PEÑA

León, Carmela de. Manzanillo (Cuba), 21-XI-1918. Soprano. Desde muy niña se trasladó con su familia a Santiago de Cuba, donde inició sus estudios musicales. Posteriormente recibió clases de canto con Lalo Elósegui, Marcelino del Llano y Sixto Francha. Su debut teatral tuvo lugar en 1935, en el teatro Oriente, con *Molinos de viento* de Luna. En esta etapa de su vida interpretó *María la O* de Lecuona; *Cecilia Valdés* de Roig; *Soledad* y *María Belén Chacón* de Prats; *Los claveles* de Serrano y *La viuda alegre* de Lehár. En 1940 se trasladó a La Habana cantando en programas musicales de la emisora de radio C.M.Q. Al ser presentada a Ernesto Lecuona, éste, encantado con su voz, la incluyó en sus famosos conciertos de Música Típica Cubana. Su debut con Lecuona lo realizó en el teatro Auditorium en 1941, con un notable éxito. Trabajó durante varios años con Lecuona en los teatros Encanto y Auditorium, labor que alternó como cantante lírica en la capital y en Santiago de Cuba. Con el auge de la televisión nacional, interpretó zarzuelas cubanas y españolas. Posteriormente actuó en el teatro Martí, en la revista musical *Los escándalos del Martí*. En 1962 se estableció definitivamente en La Habana. Luego ingresó en el elenco de la Ópera Nacional de Cuba, donde se mantuvo hasta su retirada de la escena en 1984, después de casi cincuenta años de labor artística, y de haber actuado en las salas de conciertos y teatros más importantes de la capital y del interior de la isla. Dentro de su quehacer como artista, ha destacado también como periodista, poetisa, escultora y escritora.

JOSÉ PIÑEIRO DÍAZ

León, Patricio. España, siglos XIX-XX. Actor y director. En 1898 estrenó en Apolo *El guirigay* de Teodoro San José; en 1901 con Carlota Sandford *Plantas y flores* de Quinito Valverde y Tomás López Torregrosa. En 1902 era director de la compañía del teatro Eslava, donde estrenó *Los nenes* de Quinito Valverde y *El olivar*, zarzuela de costumbres aragonesas de José Serrano y Tomás Barrera. En la temporada 1904-05 era primer actor y director de la compañía del teatro Cómico en el que estrenó *Cuadros al fresco* de Giménez, 1904; *La fuentecica* de Pons y Requeijo, 1905; *El túnel* de Saco del Valle, 1905; *El dinero y el trabajo* de Vives y Saco del Valle, en que los autores del libreto, Jackson Veyán y Rocabert, agradecieron en una carta abierta la labor de Patricio León como actor y director de escena. También en 1905 y en el Cómico estrenó *La bohéme* con música de Cassadó y Guitart, y de nuevo los autores del libreto, Isidro Soler y Ángel Custodio les agradecieron a él y a Antonia Arrieta su labor en la obra, que obtuvo un gran éxito pero que la empresa retiró en la quinta representación. En 1916 debutó en el teatro Apolo con *La ale-*

Patricio León (Foto: El Teatro, 1904; Ar. SGAE)

gría de la huerta para obtener poco después uno de sus mayores éxitos al estrenar *El asombro de Damasco* de Pablo Luna en el papel de Alí-Mon. La vis cómica de Patricio León hizo que los "Cuplés de Alí-Mon" hubieran de repetirse hasta tres veces la noche del estreno. La temporada siguiente, 1917-18, seguía en Apolo.

BIBLIOGRAFÍA: *TA.*

Mª LUZ GONZÁLEZ PEÑA

León Arias de Saavedra, Rafael de. Sevilla, 6-II-1900; Madrid, 9-XII-1982. Poeta y dramaturgo. Perteneciente a la nobleza sevillana, ostentaba el título de marqués del Valle de la Reina. Cursó la carrera de Derecho en la Universidad de Sevilla pero debido a su afición a la literatura se dedicó a las letras. Comenzó a publicar libros de poemas como *Pena y alegría de amor*, 1941 y *Jardín de papel*, 1943 y en América el libro de versos *Amor de cuando en cuando.* Obtuvo sus primeros éxitos teatrales con *Cancela, María la O* –de la que se hizo famosísima la canción homónima–, *La casa de papel, Pepa Oro* y *Rumbo.* En Sevilla conoció al compositor Manuel López Quiroga y comenzó su larga y fructífera colaboración. En colaboración con Antonio García Padilla estrenaron la zambra *Manolo Reyes,* con Custodia Romero "La Venus de Bronce". Después de este primer éxito tanto Quiroga como Rafael de León se trasladaron a Madrid donde continuaron colaborando. Quiroga abrió en Madrid una academia

Rafael de León (Foto: Galán; Ar. SGAE)

de música dirigida a ensayar canciones y preparar espectáculos de tonadilleras y cupletistas. El éxito obtenido le llevó a abrir otro centro en Barcelona, dirigido por Rafael de León. Por estas academias pasaron figuras como Mari Paz, Rosita Ferrer, Estrellita Castro, Concha Piquer y Lola Flores, entre otras. A la fructífera unión de Quiroga y Rafael de León, iniciada en los años treinta, se unió en 1942 Antonio Quintero, formando el trío de mayor prestigio de la canción popular española.

Rafael de León llegó a producir más de cinco mil canciones con un gran éxito popular, ya que sus letras son verdaderos dramas comprimidos, con una ancha vena popular y dramática. En cuanto a la música teatral cultivó todos los campos pues escribió comedias, entremeses, zarzuelas, sainetes y fundamentalmente diversos espectáculos, estampas y fantasías, entre las que hay que destacar –además de la citada *María la O*, 1935– *El colmao de la Parrala*, 1942, *Gloria la petenera*, 1947, *Claveles de España*, 1949, *La venta de los toreros*, 1956, *Luna y guitarra*, 1958, *La copla morena*, 1960, *Morena Clara*, 1962, *La guapa de Cádiz*, 1964, *Pasodoble*, 1967, *Al compás de mi cante*, 1967, y muchos títulos más.

BIBLIOGRAFÍA: *DMEH; DUE; EDL;* A. Retana: *Historia de la canción española*, Madrid, Tesoro, 1967; M. Sanz de Pedre: *Maestro Quiroga*, Madrid, Quiroga, 1972; J. Díaz Acosta, M. Gómez Lara, J. Jiménez Barrientos: *Poemas y canciones de Rafael de León*, Sevilla, Alfar, 1989.

Mª LUZ GONZÁLEZ PEÑA

León García, Valeriano. Colloto (Asturias), 1892; Madrid, 1956. Actor. Su primera relación con el teatro se produjo en su infancia a través de su amistad con Luis Melgares, sobrino de la actriz Loreto Prado, que le permitió asistir con frecuencia al teatro Cómico, en el que comenzó a actuar con diez años improvisando un papel en la zarzuela *El jilguero chico* de Calleja y Lleó. Participó también en el estreno de *Los granujas* de Torregrosa y Quinito Valverde, en el Cómico. Posteriormente se integró en una compañía infantil de zarzuela y con sólo catorce años recorrió América en otra compañía, trabajando en México y Cuba. De regreso a España volvió al teatro Cómico y estrenó en 1905 *Rusia y Japón* con música de Caballero y Hermoso. En la compañía de Loreto-Chicote conoció a la actriz Aurora Redondo que se convirtió en su esposa. Juntos participaron en el estreno del sainete de Arniches y Joaquín Valverde, *Gente menuda*, 1911. Más tarde derivaron hacia la comedia revalidando en este género los éxitos que habían conseguido en el género lírico. Valeriano León pasó a dirigir la compañía de Ricardo Ruiz triunfando con su gran vis cómica. A partir de su matrimonio con Aurora Redondo, 1925, formaron su propia compañía Aurora Redondo-Valeriano León con la que recorrieron España y

América. En 1930 Anselmo Cuadrado Carreño y Francisco Ramos de Castro les dedicaron su obra *¡Viva Alcorcón, que es mi pueblo!,* que curiosamente se estrenó en el teatro de la Zarzuela a pesar de no tener música. Representó más de dos mil obras y a partir de 1935 comenzó a trabajar en el cine. *Es mi hombre,* la última comedia de Arniches –que había sido su padrino de boda–, fue escrita expresamente para Valeriano León. Sus últimas temporadas teatrales transcurrieron en los madrileños teatros Maravillas y Cómico. *Véase* REDONDO, AURORA.

BIBLIOGRAFÍA: *DAT.*

Mª LUZ GONZÁLEZ PEÑA

Leonardi de Nasce, Emilia. Granada, siglo XIX. Tiple dramática. En 1862 fue contratada por Salas para la compañía del teatro de la Zarzuela donde estrenó *Los dos mellizos* de Fernández Caballero y *En las astas del toro* de Gaztambide, en la que "la Sta. Leonardi gustó mucho por su armoniosa voz". Cotarelo señala: "Cantaba bien y con buena escuela; se expresaba con claridad y tenía desparpajo y buen gusto". Casada con el tenor valenciano Federico Blasco, en 1864 trabajaron con mucho éxito en Lisboa. En Madrid cantó poco tiempo. Se trasladó a Cuba en la compañía del doctor Sauto en 1866, junto con Eloisa Barrejón, su marido, y Rojas. Tuvieron poco éxito en el teatro Esteban, por lo que se fueron al Tacón de La Habana; allí triunfaron e hicieron fortuna. En 1873 se encontraba ya en México donde, el 12 de abril, estrenó *El diablo en el poder* de Barbieri en el Gran Teatro como primera tiple. Emilia Leonardi creó su propia compañía en la que actuaban Caritina Delgado, Fernando Rousset y José Palou; muy pronto se iniciaron las luchas entre esta compañía y la de Moreno. Señala Olavarría que Emilia Leonardi, "inteligente actriz y graciosa mujer, pronto se hizo favorita del público: su voz era fresca, sonora y agradable y cantaba con expresión y sentimiento sus papeles, bien comprendidos". Representó entonces muchos de los títulos de la zarzuela grande: *Jugar con fuego, Los diamantes de la corona, El dominó azul, Catalina* y *El valle de Andorra,* entre otras. Las crónicas del momento la citan como empresaria de los teatros Nacional y Principal y su figura fue considerada como una de las mayores de la época a la que dedicaron homenajes y poesías: "Calandria granadina, nuestro cielo / repite el eco que tu afán pregona, / para ti son las flores de este suelo". Se señala entonces que "por un tiempo no podremos verla, y nuestra escena pierde una de las mayores celebridades que la han honrado". En efecto, el 19 de junio del 1873 la compañía Leonardi dio su función de despedida con *Un caballero particular* y *La trompa de Eustaquio,* aunque siguió actuando por un tiempo e incluso tuvo algún litigio, y se dedicó a recorrer como empresaria diversas ciudades del interior. En 1876 estaba en Buenos Aires como integrante la compañía de Jarques-Allú, dirigida por el compositor Ricardo Sánchez Allú, y como primera tiple. *Véase* BLASCO, FEDERICO.

BIBLIOGRAFÍA: *HZ; RHTM.*

EMILIO CASARES RODICIO

Leonardo, Conchita. Valencia, siglo XX. Cupletista. Hija de un actor de verso, debutó muy joven como cupletista "fina". Formó parte de algunos espectáculos de varietés denominados "Karaba" en los que se mezclaban cancionistas, bailarinas, duetos y caricatos. Se convirtió después en actriz de verso con el nombre de Concepción G. Leonardo y así estrenó en 1923 en el teatro Imperial de Madrid la historieta cómica *El director es un "hacha"* de Federico Reparaz. Jacinto Guerrero la convirtió en su vedette y protagonizó la mayoría de sus producciones desde que en 1933 estrenó en el teatro Maravillas de Madrid *La camisa de la Pompadour* junto a Miguel Ligero. No la acompañó el triunfo al año siguiente en *Los maestros canteros,* una de las pocas obras de Guerrero que no gustó al público. A este título siguieron *Las insaciables,* 1934, en el teatro Maravillas que se convertiría en 1941, con algunas reformas, en *Las stukas; La españolita,* 1935, con decorados de Fontanals y junto a Marcos Redondo, en el teatro Fontalba. En 1938, en plena Guerra Civil, estrenó en el teatro San Fernando de Sevilla *Los brillantes,* estrenada en 1939 en el teatro Cómico de Barcelona, donde presentó también *La calle 43* con alusiones a la película americana *La calle 42.* En el teatro de Guerrero, el Coliseum, Conchita, al

Conchita Leonardo (Foto: Ferri; Ar. SGAE)

Emilia Leonardi (Foto: Laurent; Ar. Museo Municipal de Madrid)

frente de la compañía de revistas del compositor, estrenó *¡Hip, hip, hurra!*, con muchísimo éxito, *La mentira mayor, El negocio redondo*, 1941, y su mayor éxito, *¡Cinco minutos nada menos!*, 1944, de la que se hizo enormemente popular el número "Eugenia de Montijo". La revista se llevó a Barcelona en el mes de junio. En 1949 estrenó *Los Países Bajos* en el teatro Circo de Zaragoza. En la temporada 1949-50 obtuvo mucho éxito en el teatro de la Zarzuela con las revistas *El oso y el madroño* y *Su majestad la mujer*.

A la muerte del compositor, marchó a Argentina y al regresar a España se retiró de los escenarios. *Véase* GUERRERO TORRES, JACINTO.

FONOGRAFÍA: *Cinco minutos nada menos*, La Voz de su Amo GY 586 GY 587, OKA 706 a OKA 709 • Sonifolk 20124; *Charivari*, Blue Moon BMCD 7552; *¡Déjate querer!*, Sonifolk 20135; *El diablo verde*, Blue Moon BMCD 7552; *El oso y el madroño*, Columbia R 14816 a R 14819, C 8569 a C 8576 • Sonifolk 20135; *El país de los tontos*, Sonifolk 20136; *El sobre verde*, Sonifolk 20125; *El tango de la cocaína*, Blue Moon BMCD 7552; *¡Gol!*, Sonifolk 20125; *La media de cristal*, Sonifolk 20125; *Las alondras*, Sonifolk 20136; *Las inyecciones*, Sonifolk 20136; *Las mujeres de lacuesta*, Sonifolk 20135; *Los Países Bajos*, Sonifolk 20124; *Rápido internacional*, Sonifolk 20135; *Sole, la peletera*, Sonifolk 20124; *Su majestad la mujer*, Columbia R 14901 a R 14903, C 8835 a C 8840 • Sonifolk 20136.

BIBLIOGRAFÍA: *ME*; J. Carabias: *El maestro Guerrero fue así*, Madrid, 1952; A. Retana: *Historia del arte frívolo*, Madrid, Ed. Tesoro, 1967; F. Vizcaíno Casas: *Guerrero, de la zarzuela a la revista*, Madrid, SGAE, 1995.

Mª LUZ GONZÁLEZ PEÑA

Leonís. Familia de cantantes españolas formada por las hermanas Rosario y Rafaela, y la hija de Rosario, Charito.

1. Rosario. Sevilla, siglos XIX-XX. Fue alumna de Reynés en Sevilla, como su hermana Rafaela, y como ella debutó interpretando zarzuela en el teatrito del señor Caravaca. Posteriormente se trasladó a Madrid para estudiar con Luis Iribarne, que la preparó para su debut que tuvo lugar en 1912, en el Gran Teatro, como segunda tiple de la opereta *Canto de primavera*. Formaba parte de la compañía que reinauguró el teatro de la Zarzuela en 1913, tras el incendio que lo destruyó en 1909. Entró en 1913 en el Apolo cuando Enrique Chicote se convirtió en empresario y formó parte del reparto de todas las obras estrenadas en estos años, compartiendo cartel con Consuelo Mayendía y su hermana Rafaela. En 1914 estrenó *La boda de la Farruca* de Alonso junto a Carmen Andrés. La temporada 1915-16 estrenó, siempre en Apolo, *Serafín el pinturero* y *La estrella de Olimpia* y su mayor éxito llegó esa misma temporada con *El asombro de Damasco*, interpretando la Leonís, cargada de joyas y resplandeciente de hermosura, a Zobeida; la temporada siguiente cantó *El gran visir* de Luna. Aunque el éxito la acompañó casi siempre, también hubo algunos fracasos en estos años, como *La casa de enfrente* en que

Rosario Leonís (Foto: Legado Luna. Ar. SGAE)

los artistas y el director de orquesta de Apolo –Pablo Luna–, fueron furiosamente insultados.

Sin embargo su consagración definitiva llegó en 1918 con la "Canción española" de *El niño judío* de Pablo Luna. Esta zarzuela del compositor "aragonésoriental" se representó durante más de cien días, a pesar de que el estreno había comenzado de un modo bastante frío. La forma de interpretar Rosario Leonís la "Canción española", acompañada de su guitarra, salvó la representación y cada noche había de repetir la citada pieza al menos tres veces, que se convertían en seis al representarse en dos funciones la obra. Fue también bién la protagonista de *Los calabreses* de Luna, 1918, obteniendo otro gran éxito; fue, de hecho, la cantante que más obras estrenó de Pablo Luna, aunque también lo hizo de otros compositores como *El aduar* y *El capricho de una reina* de Soutullo y Vert, y en 1921 *La diablesa* de Alonso, *La hora del reparto* de Guerrero, *El sinvergüenza en Palacio* de Vives y Luna, que, no fue bien acogida por la crítica. Junto a Casimiro Ortas obtuvo un gran triunfo en *El Otelo del barrio*, que Guerrero estrenó en Apolo en junio de 1921. *La flor del camino*, obra del cantante y actor Carlos Allen-Perkins, que estrenó poco después, no logró una gran acogida. En 1925 era primera tiple de la compañía del teatro Pavón junto a Ramón Peña, con Pablo Luna de director artístico. Al año siguiente, participó Rosario en el estreno de un gran éxito, *El huésped del Sevillano* de Jacinto Guerrero.

Hizo incursiones en el mundo del cuplé pero no alcanzó los triunfos obtenidos en la zarzuela, por lo que se reintegró a ese género. Tuvo una presencia importante en los comienzos del cine español. Abandonó el teatro, como Rafaela, para casarse.

FONOGRAFÍA: *Cándido Tenorio*, Sonifolk 20126; *El ama*, Blue Moon BMCD 7512; *El asombro de Damasco*, A 138224 A 138225 (et. policolor con figura), SO 1238 SO 1239; *El canastillo de fresas*, Columbia SA, ZCL 1064 (Zacosa) 53 • Columbia SA, C7535 124 • Columbia RG 16183 a RG 16188, CC 782 a CC 785, CC 795 a CC 799, CC 822 a CC 824; *El collar de Afrodita*, Sonifolk 20126; *El niño judío*, Gramófono W 263677, W 264389 a W 264392 (et. verde), 20018 a 20023; *La rumbosa*, Blue Moon Serie Lírica BMCD 7528; *Las niñas de peligros*,

Sonifolk 20126; *Los verderones*, Sonifolk 20126; *Manuelita Rosas*, Blue Moon BMCD 7512; *Maruxa*, A 138242 A 138243 (et. policolor con figura), SO 1253 SO 1256.

2. Rafaela. Sevilla, siglos XIX-XX. Tiple. Debutó en un teatrito sevillano cantando zarzuelas como *El cabo primero*, *La patria chica* y *El señor Joaquín*. Poseía una voz extensa, lo que hizo que perfeccionase en Madrid sus estudios con el tenor Luis Iribarne, convirtiéndose en una buena soprano lírica, abarcando también la ópera. Así debutó en Barcelona cantando arias de *Aida*, *La bohème* y *Cavalleria rusticana*. Actuó, como su hermana, en la Zarzuela y en el Apolo y estrenaron juntas *El asombro de Damasco* de Pablo Luna. Ni su gran belleza pudo evitar el pateo que sufrió *Las malagueñas* de Cantó y Santa Ana. En 1915 interpretó en Apolo *Maruxa* de Vives con gran éxito. La temporada 1914-15 fue contratada por la compañía Luna-Serrano para el teatro de la Zarzuela,

Rafaela Leonís (Foto: Nuevo Mundo, *1925; Ar. ICCMU)*

donde estrenó *Margot* de Joaquín Turina, que no fue muy bien acogida por el público a diferencia de *El príncipe bohemio*, opereta de Rafael Millán estrenada el 30 de octubre, que supuso un triunfo clamoroso para el autor y los intérpretes, entre ellos Rafaela. Volvió a la Zarzuela tras unos meses en el teatro Principal de Zaragoza, en la primavera de 1915, y obtuvo un gran éxito en *Margot* de Turina, mejor acogida por el público que en su estreno, al ser refundida en dos actos.

Tanto Rafaela Leonís como Emilia Iglesias obtuvieron un clamoroso éxito; parecida suerte corrió Rafaela con el estreno de *Becqueriana* de María Rodrigo con libro de los Quintero. El 16 de abril participó en el estreno de *Amores de aldea*, con música de Luna y Reveriano Soutullo y realizó una verdadera creación de la protagonista Mariquiña. Pero uno de sus mayores triunfos lo logró la noche del 30 de abril al estrenar *Mirentxu* de Jesús Guridi, que hubo de salir a saludar ya al terminar el preludio. Después de contraer matrimonio se retiró de los escenarios.

3. Charito [Rosario]. España, siglo XX. Tiple. Poseía una gran belleza, como su madre, y en los años cuarenta estaba en el apogeo de su carrera como vedette. Fue la primera figura de la compañía que Juan Carcellé presentó en el teatro de la Zarzuela en la temporada 1940-41, estrenando *Repóker de corazones* de Padilla. Llevó al cine *La verbena*

Charito Leonís (Foto: Ar. SGAE)

de la Paloma junto a Miguel Ligero y *El huésped del Sevillano* en 1939 junto a Sagi Vela. Grabó la obra póstuma de Guerrero *El canastillo de fresas*.

FONOGRAFÍA: *Aquella canción antigua*, Columbia RG 16207 a RG 16212, CC 839 a CC 840; *El canastillo de fresas*, Columbia RG 16183 a RG 16188, CC 782 a CC 785, CC 795 a CC 799, CC 822 a CC 824.

BIBLIOGRAFÍA: *ME*; F. Cuenca: *Teatro andaluz contemporáneo. 2. Artistas líricos y dramáticos*, La Habana, Maza, 1940.

Mª LUZ GONZÁLEZ PEÑA

Leoz, Esteban. *Véase* GARCÍA LEOZ.

Lerdo de Tejada, Miguel. Morelia, Michoacán (México), 29-IX-1869; México, 25-V-1941. Compositor. Inició sus estudios musicales en Morelia y en su juventud se enroló en el ejército, sin embargo nunca terminó ninguna de estas carreras. Hacia 1890 comenzó a trabajar como pianista en cabarets y gozó de cierta fama como autor de canciones populares. En 1899 escribió una canción que se hizo muy popular, *Perjura*, y a partir de entonces quiso ampliar su carrera como compositor. Incursionó en la zarzuela con la obra *Las luces de la ciudad* que tenía como modelo *La verbena de la Paloma* y que gozó de cierto éxito. Lerdo compuso varias zarzuelas más y obtuvo con ellas distintas respuestas. En *El otro Pérez* la música gustó pero se censuró duramente "la ordinariez de los modismos populares empleados por el libretista" y se opinó que "era una *indignidad* llevar a una sala de espectáculos la multitud de atrevidos juegos de palabras en que abundaba la obra". Lo mismo se dijo años después de *El pájaro azul* estrenada en abril de 1910, obra "plagada de indecencias de la peor clase, y escrita, además, parece mentira siendo de autores mexicanos, con un desprecio inaudito por todo lo del país, pues todo lo denigra y todo lo empequeñece, presentando a nuestro pueblo como carente en absoluto de todo sentido moral". En el mismo tenor se recibió *Crudo invierno*, obra criticada por poseer "un diálogo lleno de obscenidades y retruécanos propios de la gente de más baja estofa. El diálogo empleado es verdaderamente tabernario...". Sin embargo, Lerdo fue un autor que conocía perfectamente los alcances de la música popular y el gusto del público de la época. Así lo atestigua el éxito del censurado *El pájaro azul* que a pesar de su áspero lenguaje y desprecio por lo mexicano ya había alcanzado cien representaciones para noviembre de 1911, sin que la obra pareciera sufrir por los graves acontecimientos que la guerra y la revolución habían desatado. Pero no fue ese el primer gran éxito de Lerdo de Tejada en el teatro de zarzuela. Desde *La doncella maternal* estrenada en 1901 había obtenido un éxito memorable, "los autores fueron llamados varias veces a escena y agradaron los coros de *calandrias* y de *naipes* por sus melodías alegres, bulliciosas y por su buena factura, digna del talento de su compositor". Esas virtudes quizá resulten más evidentes en las canciones de Lerdo, *Tu amor es un milagro, Aleluya, Paloma blanca, Conyugal* y muchas más que se convirtieron en las más populares del momento y que aún forman parte del acervo histórico popular de la canción mexicana.

Una de las facetas más importantes de las tareas artísticas de Lerdo fue la idea de fundar las llamadas "orquestas típicas". Dichas agrupaciones interpretaban música popular –tanto canciones como piezas de baile– y tenían la particularidad de que sus miembros vestían trajes típicos como el de "charros" y "adelitas". Esta combinación de estereotipos le valió a las orquestas típicas de Lerdo un éxito continuo. Tras fundar la primera de ellas en 1901 para asistir a la Exposición Panamericana de Búfalo, Lerdo y su orquesta típica tuvieron una vida continua, aunque con diversos cambios de nombre en virtud de las inestables condiciones sociales y de patronazgo. Victoriano Huerta, Adolfo de la Huerta –presidentes de México durante el período de la Revolución– y posteriormente instituciones como la Policía de la Ciudad de México, hicieron suya la orquesta de Lerdo y promovieron muchas otras presentaciones de la misma tanto en el país como en Estados Unidos, El Salvador, Guatemala y Cuba, países donde la orquesta se presentó como emblemática de México y su música. Algunos populares cantantes mexicanos como Mario Talavera y Pepe Guizar fueron dados a conocer por Lerdo de Tejada y su orquesta típica.

En definitiva, la irrupción de una figura como Miguel Lerdo de Tejada en el ámbito de la zarzuela permite constatar la amplitud de músicos y artistas que nutrieron este espectáculo a la vez que señala una influencia importante: mucho del sentido lírico y poético de la música popular mexicana promulgada por figuras como Lerdo, Esparza Oteo, Talavera y otros, encuentra una de sus raíces más importantes en la zarzuela mexicana de principios de siglo.

OBRAS: *Las luces de los ángeles,* Zarz, 1 act, col. D. Ramos Ortiz, l, A. Morales Puente / A. Beteta, est, 5-VIII-1899, Te. Principal; *El otro Pérez,* col. D. Ramos, l, A. Morales Puente, est, 18-X-1900, Te. Colón; *La doncella maternal* o *El recuerdo del Porvenir,* Zarz, 1 act, l, P. Escalante Palma / A. Beteta, est 12-I-1901, Salón Eslava; *La academia modernista,* Zarz, 1 act, l, A. Michel, est, X-1904; *El pájaro azul,* Zarz, 1 act, l, I. Baeza / L. Andrade, est, 15-III-1910, Te. Principal; *Crudo invierno,* l, I. Baeza / L. Andrade, 1911.

BIBLIOGRAFÍA: *DMEH; RHTM;* R. Miranda: "La zarzuela en México, Jardín de senderos que se bifurcan", *Cuadernos de Música Iberoamericana,* 2-3, Madrid, SGAE, 1996-97.

RICARDO MIRANDA PÉREZ

Lerma, Amparo. *Véase* OLARIA.

Lesén Moreno, Luisa. Madrid, 5-II-1839; Madrid, 15-I-1869. Mezzosoprano. Fue alumna de Saldoni. Obtuvo el segundo premio de canto en los concursos del Conservatorio madrileño en 1858 y su voz pertenecía a la cuerda de mezzosoprano, dotada de un gran volumen. Saldoni define su voz como de "medio tiple acontraltado, de un timbre robusto y pastoso". Como una buena parte de los intérpretes de la zarzuela, inició su carrera en Madrid el 17 de abril de 1860 con *Un pleito.* Tuvo mucha aceptación en su presentación y llegó a ser una primerísima figura. En la temporada 1860-61 y en la siguiente fue contratada como tiple por el teatro de la Zarzuela. Posteriormente recorrió la mayoría de los teatros de provincias especializados en zarzuela como los de Barcelona, 1862, Murcia, 1863, 1864 y 1867, Huesca, 1864 y 1865, Valladolid, 1865, La Coruña, 1865, Valencia, 1866 y Reus, 1866. Fue protegida por Barbieri, del que recibió continuos consejos, estrenando varias obras de este autor como *El relámpago;* también estrenó *Un concierto casero* de Oudrid, Zarzuela, 1861. Tuvo especial fama su interpretación en las obras *La reina topacio* de Caballero, *El planeta Venus* de Arrieta y *Memorias de un estudiante* de Oudrid.

BIBLIOGRAFÍA: *DBE;* E. Casares Rodicio: *Francisco Asenjo Barbieri. 1. El hombre y el creador. 2. Escritos,* Madrid, ICCMU, 1994.

EMILIO CASARES RODICIO

Leyenda del beso, La. Zarzuela en dos actos. Música de Reveriano Soutullo y Juan Vert. Libreto de Enrique Reoyo, José Silva Aramburu y Antonio Paso (hijo). Estrenada el 18 de enero de 1924 en el teatro Apolo de Madrid.

Personajes y reparto. Amapola (María Caballé, soprano). Iván (Jaime Elías, tenor). Mario (Francisco Latorre, barítono), Simeona (Eugenia Galindo, soprano). Gorón (Vicente Mauri, tenor cómico). Coral (Cristina Pereda, soprano). Gurko (Manuel Gómez, tenor).

Orquestación. Flautín, flauta, oboe, 2 clarinetes, fagot, 4 trompas, 3 trombones, 2 cornetines, percusión, arpa y cuerda.

Argumento. *Acto I.* La acción se desarrolla en el parque de un señorial castillo en tierras castellanas. A telón bajado se escucha la canción del zíngaro Iván, en la que expresa la amargura del camino, que sólo es compensada por el cariño de la amada. Entran en escena Mario, el dueño del castillo, y sus amigos, que regresan de una cacería. Se anuncia la llegada de una tribu de gitanos que pretende acampar en los alrededores del castillo y un grupo de estos zíngaros pide permiso a Mario para poder descansar en sus tierras. Entre ellos se encuentra Amapola y Mario se enamora rápidamente de ella. Por esta razón concede el permiso y pide a cambio que se le organice una fiesta gitana. Después corteja a Amapola hasta que Iván la aparta del lugar y se produce una escena de celos entre los dos zíngaros. Poco después un jabalí herido en la cacería ataca a la protagonista femenina y Mario la salva. Cuando vuelve en sí, el noble le declara su amor hasta que Ulita, la hechicera de la tribu, le indica que la madre de Amapola fue engañada por un noble por el que abandonó su raza y, antes de morir, puso la muerte en la boca de su hija para evitar que fuera otra vez humillada. Mario no hace caso de la leyenda y pretende besar a Amapola, pero la hechicera la arrastra fuera de escena.

Acto II. El inicio se desarrolla en el campamento de los gitanos: Iván afila un cuchillo y expresa su desesperación amorosa mientras que los otros zíngaros efectúan diversos trabajos. Llega Gorón, amigo de Mario, y se divierte con las gitanas bailando el fox trot. Después aparecen el resto de los nobles y Amapola lee el porvenir a Mario. Tras una escena cómica entre Gorón y Simeona, novia de un guarda del castillo, las gitanas cantan y bailan una zambra. La zíngara Coral ofrece una copa al dueño del castillo, pero Iván se enfrenta a él y se la arrebata. Después la acción vuelve al mismo paisaje que en el inicio de la zarzuela. Mario acude a una cita que había pactado con Amapola y se besan, pero en seguida aparece Iván armado con un cuchillo. Sin embargo, la llegada de la hechicera impide la venganza de Mario y convence a Amapola para que regrese con los de su raza. Tras esto, Mario comprende que la leyenda se ha cumplido ya que él morirá de amor.

Números musicales. Acto I: Nº 1. Iván, Mario, Alesko, coro general y todos, "Cantando amarguras". Nº 2. Amapola, Iván, Gurko, Alesko, Coral, Ulita, conjunto y coro general, "Caminar sin fin". Nº 3. Dúo de Iván y Amapola, "¡Amor mi raza sabe conquistar!". Nº 4. Dúo cómico de Simeona y Gorón, "Ay sóplame, sóplame, sopla". Nº 5. Mario, Gorón, Luis, Alfonso y Ernesto, "A la una, a las dos, a las tres". Nº 6. Final I. Dúo Amapola y Mario, "Gran Dios, es la gitana". Acto II: Nº 7. Iván, Gurko, Niña, Ulita, Coral, 2as tiples, conjunto y coro general, "Quien trabaja cantando…". Nº 8. Fox trot gitano. Gorón, Coral y tiples, "Se pone el cuerpo así". Nºs 9 y 10. Amapola y coro, "Cuando bajo el cielo suena mi cantar". Nº 11. Orquesta sola. Nº 12. Final. Amapola, Iván, Mario, conjunto y coro general, "¿Vendrás mujer?, mi corazón te aguarda".

Comentario. Sin llegar a la perfección que posteriormente alcanzaron Soutullo y Vert en *La del Soto del Parral*, esta zarzuela muestra ya algunas cualidades de la creativa pareja de compositores. Se observa una cuidada orquestación, una evidente habilidad en la integración de los solistas y del coro, así como un gran conocimiento de las voces y, sobre todo, una

sobresaliente capacidad de creación melódica. Por el contrario, *La leyenda del beso* muestra una desigualdad palpable entre los números que la componen, cierta morosidad en el desarrollo musical de algunos fragmentos y algunas partes corales que no destacan precisamente por su refinado tratamiento. Aún así, el éxito obtenido en Apolo fue grande, Chispero hace referencia a la calurosa acogida que tuvo el famoso intermedio orquestal. En la crítica que apareció al día siguiente del estreno en *ABC* se indicaba la repetición de varios números del primer acto –el dúo cómico, la serenata de Mario– y también del segundo, el fox gitano, la zambra o el ya citado intermedio. El gran éxito se vio también justificado por una buena dirección de Benlloch y una elaborada escenografía del pintor Martínez Garí.

El primer número se inicia con un tema melódico a cargo de las trompas que se va a convertir en uno de los principales de la zarzuela. De hecho, toda la introducción instrumental se basa en variaciones tímbricas de esta melodía que, para Mª Encina Cortizo, constituye uno de los leitmotiven de la obra. Esta utilización de motivos conductores es uno de los factores que ha llevado a señalar a Serge Salaün la influencia de Wagner en *La leyenda del beso*. Por otra parte, la elección de las trompas para exponer por vez primera el tema no es casual ya que el argumento va a situar enseguida en una escena de cacería. Precisamente, a continuación se escucha una animada canción de caza que es interrumpida por una melodía aflamencada que conduce al otro polo de la historia: el de los zíngaros. En este sentido, Soutullo y Vert plantean desde el inicio los dos mundos musicales de los protagonistas: por una parte la caza y la aristocracia representadas por Mario y, en seguida, el mundo de los gitanos nómadas personificados por Iván y Amapola. Por tanto, este triángulo de personajes principales se define musicalmente desde el inicio de la partitura.

Volviendo al primer número, la parte vocal se inicia con la canción gitana de Iván, que evoluciona con los típicos giros melódicos y que los compositores acompañan con la discreción delicada del arpa. Sin embargo, en seguida se produce la entrada del coro en lo que va a suponer una de las constantes musicales de *La leyenda del beso*: las secciones en las que un solista aparece alternándose o bien integrándose con el coro. Este recurso será utilizado a lo largo de los dos actos con desigual fortuna. En este caso, el recurso funciona a partir del momento en que Iván canta "Caminar sin fin…". Hay que destacar la sabiduría orquestadora de los autores que ambientan toda esta sección con percusión relacionada con la sonoridad de los gitanos –panderetas– y que, por otro lado, acompañan a Iván en su triste canto con la intervención de instrumentos como el oboe o la flauta.

Tras este predominio inicial de lo gitano, entra en escena el mundo de los nobles con la canción de caza que entona al unísono el coro: "Que viva Mario…" en el que vuelve a predominar el viento metal y el ritmo marcado en el acompañamiento. Todo ello da paso a la canción de caza –también conocida como la canción de las trompas–, entonada por el aristócrata. Esta pieza vocal sobresale por la nobleza del diseño melódico y por la presencia de un sobrio acompañamiento orquestal. Con el regreso del coro concluye este importante y significativo primer número. El segundo comienza con el tema de los gitanos,"Caminar sin fin…", a cargo del coro, que ya había sido expuesto en el primer número. Con ello se demuestra el juego de motivos al que se hacía referencia anteriormente. En realidad se trata de una introducción al personaje de Amapola, que es presentado con gran habilidad ya que primero se la reconoce de forma instrumental a través de una pandereta que toca la propia soprano mientras suena en la orquesta una melodía orientalizante. Este inteligente tratamiento instrumental da paso a la primera intervención de Amapola, que se desarrolla de forma breve para dar de nuevo entrada al tema de los gitanos. A lo largo de la presencia de Amapola los timbres inciden en ese ambiente musical gitano: pandereta, giros melódicos andaluces del viento-madera. El Nº 3 constituye el dúo entre los gitanos Iván y Amapola, en el que se establecen sus similitudes de raza y, sobre todo, sus diferencias amorosas. Es brillante puesto que se trata de dos solistas agudos, tenor y soprano, y, como era de esperar, el tratamiento orquestal es de gran entidad. Sin embargo, éste podría ejemplificar la desigualdad de la zarzuela. El inicio y la conclusión del dúo –que casi siempre se desarrolla en forma de diálogo– son muy convencionales. No obstante, hay una amplia sección central con tempo más lento que inicia Iván, en la que los compositores dejan a los protagonistas desarrollar más extensión de melodía en cada una de sus intervenciones. Si a esto se añade la presencia del arpa y la delicadeza del acompañamiento, resulta uno de los más conmovedores fragmentos de la zarzuela. Por otra parte, la adecuación al texto es perfecta ya que el libreto habla de ilusiones y anhelos del pasado que se perdieron con el paso del tiempo.

Tras el dúo cómico de Simeona y Gorón aparece el Nº 5, que presenta un gran interés ya que se estructura en dos secciones: la primera es una serenata cómica y la segunda, más seria, en la que Mario les indica a sus amigos cómo deben realizar una serenata. El carácter de la primera ya se revela en el inicio ya que es casi una canción de ronda folclórica: se inicia tarareando y utiliza botellas como instrumentos de percusión, y después desarrolla una letra cómica. No debe descartarse aquí un homenaje a *Il Trovatore* de Verdi, ya que, además de la cita constante a lo que

debe hacer un buen trovador, se indica que la receptora de la serenata se llama Leonor, trasunto castellano de la Leonora verdiana. En la segunda parte, Mario desarrolla la intervención más lírica de toda la zarzuela. El Nº 6 se basa en el dúo del final de acto entre Mario y Amapola. Es el momento en que el noble conoce a la gitana y su intervención constituye una exaltación de ese amor a primera vista. Con la entrada de Amapola comienza el dúo y la parte vocal pierde interés frente al exuberante acompañamiento orquestal que proporcionan los compositores. Sólo cuando Mario vuelve a tener intervenciones más extensas, "Oye gitana…", se recupera el brillante tono lírico del comienzo del número. Mª Encina Cortizo señala la influencia del Puccini más verista en el acompañamiento de cuerda basado en arpegios que coincide con la parte final del número.

El segundo acto se inicia con un número de gran estructura poliseccional que vuelve a demostrar la irregularidad que domina en toda esta zarzuela. El convencional fragmento homofónico de coro mixto de la primera sección mejora un poco con la intervención de las voces femeninas y, sobre todo, llega a la culminación en la tercera sección a cargo de Gurko. Este personaje entona una canción, "Compañero, compañero, de la errante caravana", que se ha convertido en uno de los fragmentos vocales más famosos de la zarzuela. El acompañamiento orquestal es de gran variedad tímbrica y con un ritmo muy pegadizo. Una breve sección que retoma el fragmento coral del inicio da paso a la otra parte destacada de este amplio número: la canción en la que Iván explica su desdicha mientras afila un cuchillo. La presencia del oboe y, sobre todo, del arpa hacen que la participación instrumental sea un componente más en esa tristeza que impregna toda la canción. Como toque magistral de instrumentación, Soutullo y Vert añaden, hacia la mitad de la canción, un violín solista que proporciona una sonoridad zíngara que intensifica aún más la pena. Es otro de los momentos más significativos de la zarzuela. Para finalizar la canción, regresa el coro de forma contrapuntística y, para concluir el número, con la textura homofónica dominante. El siguiente número, denominado también fox trot gitano o fox garrotín, tiene carácter cómico, y demuestra que la zarzuela es un género híbrido, en el que desde finales del siglo XIX fue introduciéndose el mundo de las variedades. De la mezcla de ritmo anglosajón y de danza hispana más el añadido de una hilarante letra surge uno de los números más efectivos y satisfactorios de la obra. Los Nºs 9 y 10 son una de las partes de sabor más andaluz y, de hecho, contiene una zambra orquestada con una gran habilidad. En ella, las intervenciones de Amapola se van alternando con fragmentos a cargo del coro. Hacia el final se unen el tema de Amapola,"Cuando bajo el cielo…", con la aportación del coro, pero se trata de un fragmento que no aporta más que cierta espectacularidad.

En este punto de la partitura aparece el intermedio orquestal, posiblemente la parte más conocida, puesto que tras una introducción que recupera un tema anterior, Soutullo y Vert exponen una de sus melodías más conocidas –ha llegado a recibir incluso adaptaciones de grupos de música ligera como Mocedades– y, sobre todo, la elaboran y la orquestan con un gran cuidado. El último número, no parece lo más adecuado para la conclusión de la zarzuela, puesto que tiene menos fuerza que otros anteriores.

Fuentes manuscritas. Los materiales de orquesta se conservan en el archivo de la SGAE en Madrid (4926).

Ediciones del libreto. Madrid, SAE, 1923; Madrid, Tip. Fenix, 1924.

FONOGRAFÍA: Gramófono: Dir. Concordio Gelabert, Sols. Tana Lluró, Federico Caballé, Sr. Díaz, Santiago Morell (Grab. 1924) [reed. en CD: Blue Moon Serie Lírica BMCD 7547].

LP: Dir. Enrique Estela, Sols. Dolores Pérez, Alberto Agullá, José Picasso, Santiago Ramalle, Coros de RNE, Orquesta de Cámara de Madrid, ZCL 1035, Zafiro LM 3008 y Salvat, Zafiro 1014-1 [ed. en cass: CT-124, Zacosa: ZCC 5035 y Serdisco, Zafiro: 1014-4], [reed. en CD: Iberofón, Zafiro: 1014-2] · Dir. Benito Lauret, Sols. Angeles Gulín, Francisco Ortiz, Antonio Blancas, José Manzaneda, Orfeó Gracienc, Orquesta Sinfónica de Barcelona [ed. en cass: Discos Columbia SC 102 y Columbia BS 7251], [reed. en CD: BMG Ariola, Alhambra WD 71463].

BIBLIOGRAFÍA: *TA*; M. E. Cortizo: "Juan Vert y Carbonell y la última etapa de la zarzuela grande", *Cuadernos de Música*, 2, Madrid, SGAE, 1992; S. Salaün: "La zarzuela, entre híbrida y castiza", *Cuadernos de Música Iberoamericana*, 2-3, Madrid, SGAE, 1996-97.

VICENTE GALBIS LÓPEZ

Leyenda del monje, La. Zarzuela cómica en un acto. Música de Ruperto Chapí. Libreto de Carlos Arniches y Gonzalo Cantó. Estrenada el 6 de diciembre de 1890 en el teatro Apolo de Madrid.

Personajes y reparto. Martina (Leocadia Alba, tiple). Olvido (Luisa Campos, tiple). Doña Sofía (Pilar Vidal, característica). Don Simón (José Mesejo, actor). Valentín (Manuel Rodríguez, actor). Tío Mezquino (Sr. Castro). Melecio (Miguel Soler). El Cangrejo (Sr. Caba). Coro de pescadoras y pescadores.

Orquestación. Flautín, flauta, oboe, 2 clarinetes, fagot, 2 trompas, 2 trompetas, 3 trombones, timbal, caja, triángulo, lira y cuerda.

Argumento. La acción tiene lugar en un pueblecillo de la costa cantábrica. Aparece un grupo de pescadoras y pescadores, junto a Martina, el Tío Mezquino y Melecio. Cantan mientras sacan del mar el copo, celebrando la excelente pesca del día. Mezquino y Martina alaban la calidad de ésta. Melecio, celoso, le echa en cara a Martina que ésta hable a menudo con un forastero, Valentín, que baja del monte y viene todas las tardes a la playa a bañarse. Martina le asegura que es el novio de la forastera que vive alojada en su casa junto a Doña Sofía y Don Simón. Cuando se va Melecio, Martina le cuenta al Tío Mezquino, sólo preocupado por el dineral que va a recoger, los celos de aquél. Le enoja especialmente la falta de confianza de Melecio en ella. En ese momento llega Valentín, que se siente realmente muy atraído por Martina. Aprovechando que no hay nadie, le espeta cuánto le gusta. Los sorprende Melecio que se esconde detrás de una barca y aprovecha para escuchar la conversación. Cuando Valentín intenta propasarse, Martina le da una bofetada, con la consiguiente alegría de Melecio que, en ese momento, promete vengarse de Valentín. Aparecen Doña Sofía, Olvido y Don Simón. Este, a instancias

Cortesía de Unión Musical Ediciones SL

de Doña Sofía, decide ir a pescar esa noche, para lo que el Tío Mezquino le prepara la barca y los aparejos. Mientras están de conversación, Martina les comenta que no se les ocurra visitar las ruinas de un monasterio porque, a veces, se oye el fantasma de un monje, asesinado en su día por un pescador. A instancias de los presentes, Martina canta la historia de un monje, que había seducido a una joven y que fue ajusticiado por el novio de ella. Por su parte, Melecio, con un lío de ropa, baja por las rocas con sigilo cuando empieza a oscurecer. Un grupo de pescadores canta y habla del fantasma. Aparece Don Simón, muerto de miedo, que va a pescar y reconoce el aspecto pavoroso de la zona. Se encuentra con Valentín que iba a nadar como acostumbra y ve que le han robado la ropa. Asustado por el joven, sale despavorido. Don Simón avisa a los pescadores que llegan armados de arpones y palos. Valentín se asusta porque se da cuenta de que le han tomado por un fantasma. Aparece Cangrejo con la ropa de Valentín, generando el consiguiente revuelo porque la gente piensa que el fantasma se ha ahogado. Cuando aparece Valentín, entre las sombras de la noche, asusta a Simon, Sofía, Martina y Mezquino, que lo toman por un espectro. Para darse a conocer, Valentín canta una tonada que Olvido conoce. Le cuenta a ésta sus aventuras y, cuando ella le devuelve sus ropas, se viste. Melecio, que ha visto a Valentín, echa a la gente encima porque le confunden con un fantasma. En el momento en que se descubre el pastel, éste confiesa su amor por Olvido y asegura que cuenta con una importante renta. Eso hace que Don Simón, padre de Olvido, baje la guardia y elimine sus reticencias a la boda de Olvido y Valentín. Termina la obra con la felicidad general.

Números musicales. Preludio. Nº 1. Coro del copo, "¡Oh, vaya!". Nº 2. Leyenda fantástica y romanza de Martina, "A una pescadora como dos no había". Nº 3. Barcarola. Coro, "Pescadora deja los remos que ya es la hora de descansar". Nº 4. Cuplés y coro, "¡Chis! ¡Chis! Prudencia y calma". Nº 5. Dúo de los tiritones, "Abre la venta Olvi...bidido".

Comentario. *La leyenda del monje* fue uno de los grandes éxitos de Chapí. El acontecimiento se materializó en su día a pesar de los reventadores que tenían dispuesto mandar al foso la obra, pateando desde el preludio. El agrado producido al público hizo que los fuertes siseos ahogaran la protesta nada más iniciarse. Chispero señala que ya en el dúo de tiples, Chapí, responsable de la labor de foso, "fue muy aplaudido, así como don José Mesejo en los cuplés coreados".

La colaboración de Gonzalo Cantó y Carlos Arniches fue especialmente fructífera en esta composición. En el caso del segundo, que había sido un protegido de su paisano Chapí, le supuso su primer gran éxito en el teatro Apolo. Como demostración de respeto y cariño, los libretistas expresaron su agradecimiento al maestro, señalando que ya que ha dedicado "las galanas y fáciles bellezas de su inspiración, dándole un mérito que no hubiera tenido seguramente, justo es que le dediquemos nosotros el modesto trabajo que este libro significa". Chispero afirma que "con ser buena la música de Chapí, aún alcanzó el libro de Arniches y Cantó éxito mayor, acogiéndose las situaciones y los chistes con grandes carcajadas que por cuatro veces terminaron en ovaciones tales que hubo de interrumpirse la representación para que los afortunados autores salieran a recibir los aplausos". No es de extrañar que durante más de un mes se representara dos veces diarias, en primera y cuarta sección. Sin embargo, a pesar del éxito, inevitablemente surgieron algunas voces en contra. *El Liberal* señalaba que "el asunto, sobre ser en extremo baladí, no está desarrollado con el ingenio de que en otras ocasiones han hecho gala los referidos autores. La fábula no despierta interés alguno y todo lo que ha de ocurrir está previsto desde las primeras escenas" (Madrid, 7-XII-1890).

En el terreno musical después de un preludio a modo de potpurrí, que recoge algunos temas desarrollados posteriormente, se abre con el Nº 1, el coro del copo donde, sin duda, aparecen referencias a *La tempestad*, reconocibles por el público de la época, que se transforman en una tonada cántabra. El Nº 2 es una romanza, posiblemente el número de mayor entidad (pensado para Leocadia Alba que, por aquel entonces, comenzaba su estrellato en el Apolo). "A una pescadora como dos no ha habido" es una de las mejores romanzas de Chapí y, en alguna medida, máxima responsable de la popularidad de la composición. En ritmo ternario, estructurada en dos partes, la primera en Fa menor y la segunda en Fa mayor, es de una gran eficacia a pesar de la sencillez y de los contados requerimientos, —más expresivos que puramente canoros—, que demanda la intérprete. El Nº 3 es una barcarola, bastante simple para coro con la participación de Don Simón, que adopta una melodía popular. El Nº 4 es un fragmento cómico para mayor gloria de José Mesejo y el coro. Es un fragmento donde se muestra el buen hacer de Chapí, en este caso, al servicio de la comicidad del texto. La agilidad de la música subraya, precisamente, ese talante cómico, que deja libre al actor mientras el foso, y el coro, enmarcan ese aspecto. Culmina la obra con el Nº 5, denominado dúo de los Tiritones. Escrito para dos voces limitadas que se mueven sobre todo sobre cuerdas de recitado, el carácter viene dado tanto en el ritmo ternario, que potencia su faceta popular, como por una orquestación sencilla pero eficaz.

Coincidiendo con este estreno, Pedro Bofill, reconocido crítico teatral en *La Época*, señalaba que "Chapí cuenta con innumerables fanáticos. Si quisiera fundar una religión artística, él sería la divinidad máxima de su Empíreo. Habría fiestas chapinescas, como hubo fiestas eleusinas; tendría sacerdotes y vestales; se erigirían monumentos en su loa y, una vez rodeada su figura del misterio propio de los seres superiores, se forjarían tradiciones acerca de su origen" (*La Época*, Madrid, 7-XII-1890). Por su parte, *El Liberal* escribe que "al insigne autor de *La tempestad* se debe exclusivamente el éxito alcanzado por la obra en cuestión. No hay que dar cuenta detallada de los números de que consta la nueva producción. Todos son inspirados, originales y brillantes, habiendo merecido la mayor parte de ellos los honores de la repetición. Y no sólo se distingue la música de Chapí por sus bellas melodías, sino también por su instrumentación, siempre elegante y fluida, siempre sonora y correcta".

Fuentes manuscritas. La partitura se conserva en la Biblioteca Nacional de Madrid (Legado Chapí, vol. 51). Los materiales de orquesta se conservan en el archivo de la SGAE en Madrid (1614).

Ediciones de música. Canto y piano, Madrid, PM, 1890.

Ediciones del libreto. Madrid, Administración Lírico-Dramática, 1890.

BIBLIOGRAFÍA: *TA*; L. G. Iberni: *Ruperto Chapí*, Madrid, ICCMU, 1995; —: *Ruperto Chapí. Memorias y escritos*, Madrid, ICCMU, 1995.

LUIS G. IBERNI

Li, Jesús. Madruga (Cuba), 27-IV-1952; México, 18-V-2000. Tenor. Se inició en el arte como aficionado. Recibió clases en el Conservatorio Ignacio Cervantes, y continuó en el Instituto Superior de Arte de Cuba, donde se graduó en la especialidad de canto. Poseedor de una bella voz de tenor lírico, obtuvo una beca para ampliar estudios en el Centro de Perfeccionamiento de Artistas Líricos de la Scala de Milán. Debutó como solista con la Ópera de Cuba en el papel de Alfredo Germont, en *La traviata* de Verdi en 1978. Aunque se dedicó principalmente a la ópera, fue destacada su interpretación de la comedia lírica *Cecilia Valdés* de Gonzalo Roig.

JOSÉ PIÑEIRO DÍAZ

Lidón Blázquez, José. Béjar (Salamanca), 2-VI-1748; Madrid, 11-II-1827. Compositor y organista. Desde 1758 se formó en el Real Colegio de Niños Cantores en Madrid, después opositó a una plaza de organista en Orense, donde estuvo muy poco tiempo, ya que regresó a Madrid para ocupar una vacante de organista en la Capilla Real en 1768. Desarrolló toda su carrera al servicio de la corte, como organista –llegando a ser el principal de la capilla–, vice maestro y finalmente maestro de la Real Capilla sucediendo a Antonio Ugena en 1804. Tras el paréntesis que supuso la invasión napoleónica, en 1814 fue confirmado en su cargo por Fernando VII. Durante varios años fue maestro de estilo italiano en el Real Colegio de Niños Cantores, compaginando siempre sus actividades como organista, compositor y profesor. Además de trabajar al servicio real, lo hizo también para los duques de Benavente-Osuna, como director de su orquesta entre 1780 y 1792, y como maestro de clave y compositor.

Aunque la mayor parte de su producción está ligada al ámbito religioso, Lidón cultivó otros géneros musicales relacionados con la música profana. Así, es autor de varias obras escénicas, entre las que destaca *Glaura y Cariolano*, 1791, "drama heroico" en dos actos, escrita con la finalidad de reivindicar el español como idioma operístico, ante la incesante producción de ópera en italiano que dominaba los escenarios españoles. La ópera, con letra de Ignacio García Malo, está basada en *La araucana* de Alonso de Ercilla, conocida obra que narra un episodio de la conquista de Chile. Lidón quería demostrar que se podía escribir ópera seria en castellano, y su objetivo era limitarla "lo más posible para que fuese corta, y pudiese cantarse por pocas personas, a fin de no fastidiar a los espectadores, y únicamente con el objeto de demostrar que nuestro idioma es capaz de las modulaciones de la música". Está escrita para cuarteto vocal y orquesta, sin presencia de coro ni baile. Se estrenó en el teatro del Príncipe en 1792, y se conserva en la Biblioteca Nacional de Madrid. Esta obra plantea ya el problema de la creación de un género operístico en castellano, tema central de la creación lírica española a lo largo de toda su historia.

Lidón escribió además varias tonadillas, como *Los dos hermanos*, y la zarzuela *El barón de Illescas*, con letra de Leandro Fernández de Moratín, cuya música se ha perdido.

BIBLIOGRAFÍA: *DMEH*; D. García Fraile: "Un drama heroico con texto en castellano: *Glaura y Cariolano* de Joseph Lidón", *Teatro y música en España (s. XVIII)*, Kassel-Berlín, Reichenberger, 1996.

JUDITH ORTEGA

Liern y Cerach, Rafael María. Valencia, 1832; Madrid, 1897. Libretista. Fue uno de los hombres integrales de teatro al que dedicó toda su vida. Se trasladó a Madrid desde muy joven. Escribió teatro en valenciano al principio de su carrera, aunque luego escribió casi siempre en castellano. Cultivó la amistad de los principales personajes teatrales y políticos de su tiempo. Además de su labor creadora fue también director escénico de varias compañías en diversas ciudades y durante mucho tiempo de la Compañía de María Guerrero. El talento y la gracia desbordada de este prolífico autor se desarrolló en la parodia, tan bien escrita que a veces logró superar a la obra parodiada. Supo mostrar ingenio y talento en sus creaciones escénicas tanto en valenciano como en castellano. En suma, Liern es uno de los más prolíficos autores del género lírico, con una extensa relación de obras en su haber. Entre ellas hay que destacar *Dos pichones del Turia* de Barbieri, 1863; *Artistas para La Habana*, también con Barbieri, 1877 y una de las escritas a raíz del éxito de *La Gran Vía*, *Efectos de La Gran Vía*, 1887. Aunque colaboró con Chueca, Isidoro Hernández, Fernández Caballero, Oudrid, y otros, los más habituales fueron Benito Monfort, con títulos en castellano y en valenciano y Ángel Rubio, con quien escribió gran cantidad de obras, entre las que sobresale *Dos canarios de café*. También proporcionó libretos al género bufo, como *Telémaco en la Albufera*, parodia con música de José Rogel, 1868, intentando recuperar el gran éxito de *El joven Telémaco* y *¡El demonio de los bufos!* de Oudrid, 1874. *Véase* EL PROCESO DEL CAN-CAN.

BIBLIOGRAFÍA: *CDE*; *CTLBN*; *DAT*; *EDL*; *TLE*.

Mª LUZ GONZÁLEZ PEÑA

Ligero Rodríguez, Miguel. Madrid, 1890; Madrid, 26-I-1968. Actor y cantante. Con doce años entró a formar parte de una compañía infantil debutando en el teatro El Dorado de Madrid. En 1908 estrenó *Colasín* de Antonio San Nicolás en el Salón Victoria de Madrid. En 1917 era ya primer galán en la compañía de Enrique Lacasa. Procedía del teatro cuando en 1927 hizo su debut cinematográfico en *Frivolinas*. En 1928 estrenó en el teatro Martín *Los faroles* de Guerrero del que estrenó en 1933 en el teatro Maravillas de Madrid *La camisa de la Pompadour* junto a Conchita Leonardo.

Miguel Ligero como Don Hilarión en La verbena
de la Paloma *(Foto: Ar. SGAE)*

Su trabajo en el cine continuó en los estudios parisinos de Joinville realizando las versiones españolas de los títulos norteamericanos y también trabajó en Hollywood para la Fox. Regresó a España y rodó sus mejores películas durante la República constituyendo con Imperio Argentina la pareja más popular del cine español en *Morena clara* y *Nobleza baturra*. Asimismo fue autor de comedias y guiones como *Sobresaliente, Caballito* y *Soy un señorito*. Intervino en la versión cinematográfica de *La verbena de la Paloma* que dirigió Benito Perojo en 1935, creando un Don Hilarión que marcó un hito en la vida de este personaje. En esta ocasión Miguel Ligero hubo de ser envejecido por el maquillaje y en 1963 repitió papel en la última versión de José Luis Sáenz de Heredia, hasta el punto de que para muchas generaciones no ha habido otro Don Hilarión que Miguel Ligero. En la temporada 1957-58 participó en la temporada de género chico que José Tamayo dirigió en el teatro de la Zarzuela. Además esa temporada intervino en el estreno de *La canción del amor mío* de Francis López que protagonizó Luis Mariano. La temporada siguiente actuó en la Fiesta del Sainete en el mismo teatro de la calle Jovellanos y en junio de 1960 volvió a interpretar a Don Hilarión en *La verbena de la Paloma*. Estaba casado con la cantante Blanca Pozas.

FONOGRAFÍA: *Agua, azucarillos y aguardiente*, Columbia-BMG España WD 71433 (9D) • Columbia SA, MCE 868 (Alhambra) • Columbia SA, MCE 866 8469; *El barbero de Sevilla*, Alhambra-BMG España WD 74552 (9D) • Columbia-Alhambra-BMG España C 32022 y CS 42022; *El pobre Valbuena*, Alhambra MC 25028 • Columbia SA, C 7500 43 (42a); *La calle 43*, Sonifolk 20128; *La corte de faraón*, Alhambra-BMG España WD 71441 (9D) • Columbia-Alhambra MCC 30056 y SCLL 14047 • Columbia-Salvat 1017-1; *La loca juventud*, Sonifolk 20128; *La patria chica*, Columbia SA, ZCL 1080 (Zacosa) 20 (19a); *La revoltosa*, Alhambra-BMG España WD 71438 (9D) • Columbia-Salvat 1004-1 • Columbia SA, ZCL 1007 (Zacosa) 7 • Columbia SA, MCE 867 (Alhambra) 11; *La verbena de la Paloma*, Columbia-BMG España WD 71435 (9D) • Columbia-Salvat 1001-1 • *Los faroles*, Sonifolk 20128; *Pelé y Melé*, Sonifolk 20128.

BIBLIOGRAFÍA: *DAT*; J. López Ruiz: *Historia del teatro Apolo y de La verbena de la Paloma*, Madrid, Avapiés, 1994.

Mª LUZ GONZÁLEZ PEÑA

Limendoux Gallego, Félix. Málaga, 1871; Madrid, 18-X-1908. Dramaturgo y periodista. Publicó sus primeras poesías en periódicos de Málaga siendo un niño, y colaboró en *Religión y Literatura, La Semana* y *Los Apóstoles*, del que fue redactor. Se trasladó a Madrid, donde colaboró como periodista en *El País*. Residió un tiempo en Barcelona, desarrollando su talento de poeta cómico y redactor en *El Liberal* y *La Tribuna*. Llegó a dirigir su propio periódico, *La Idea*. No tuvo una inspiración cuantiosa, pero la mayoría de sus obras –escritas casi siempre en colaboración de Carlos Arniches y Celso Lucio– tuvieron el reconocimiento y el aplauso del público. Sus libretos poseían los ingredientes necesarios para interesar al auditorio, tenía siempre a mano el chiste ocurrente y sabía dotar a sus diálogos de un ritmo ágil y chispeante. Con tan solo 18 años estrenó, en colaboración de Celso Lucio, *El gorro frigio*, 1888, teatro Eslava, con una música pegadiza de Manuel Nieto, se trata de un sainete en prosa, en el sentido tradicional, que excluye todo asunto reduciéndose a un desfile de tipos que promueven escenas graciosas. Limendoux colaboró de nuevo con Nieto en *Boulanger*, 1889, escrito en colaboración con Celso Lucio, y estrenado en el teatro Eslava de Madrid. Otros compositores que compusieron música para sus obras fueron Ramón Estellés en el pasillo *Fígaro, el Barbero de Sevilla*, escrito en colaboración con Eduardo Sáenz Hermua (Mecachis), 1890, teatro Eslava de Madrid; Apolinar Brull y Teodoro San José en la zarzuela *Los caracoles*, 1895, teatro Martín de Madrid; Rafael Calleja y Vicente Lleó en la fantasía *Venus-Salón*, 1899, teatro Romea de Madrid, escrita en colaboración con López Silva. *Véase* EL GORRO FRIGIO.

BIBLIOGRAFÍA: *CTLBN; HTE; OGCH; TLE*; M. Muñoz: *Historia de la zarzuela y del género chico*, Madrid, Tesoro, 1946; C. Cuevas: *Diccionario de escritores de Málaga y su provincia*, Madrid, Castalia, 2002.

OLIVA G. BALBOA

Linares Becerra, Luis. Madrid, 1887; Madrid, 1931. Escritor y periodista. Licenciado en Filosofía y Letras, fue catedrático de literatura, además de prolífico autor –con desigual fortuna– de dramas, comedias y sainetes. Adaptó obras para el género lírico de Alejandro Dumas –en colaboración de Javier de Burgos– en el melodrama *Alma negra*, 1907, y de Vicente Blasco Ibáñez en el sainete *El calor del nido*, 1908, ambas con música de F. Chaves. De nuevo con Burgos y José

*Luis Linares Becerra
(Foto: Cámara en* Comedias
y Comediantes, *1910;
Ar. ICCMU)*

Mesa escribió la opereta *El barrio latino*, 1915, con música de Manuel Asensi. En colaboración con Javier de Burgos estrenó con gran éxito *El clown bebé*, 1910, teatro Martín, con música de A. G. Goncerlián y la zarzuela *El gran simulacro*, 1914, de Gerónimo Giménez. Otros músicos con los que trabajó fueron Pablo Luna, Teodoro San José, Manuel Quislant, Eugenio Úbeda, López del Toro, Pascual Marquina, Amadeo Vives y Manuel Nieto.

BIBLIOGRAFÍA: *DUE.*

OLIVA G. BALBOA

Linares Rivas y Astray, Manuel. Santiago de Compostela, 3-II-1867; La Coruña, 8-VIII-1938. Dramaturgo. Perteneciente a una distinguida familia de políticos, siguió con la tradición familiar, y estudió Derecho. Compaginó su actividad literaria con los cargos de senador vitalicio y diputado a Cortes, además fue miembro de la Real Academia de la Lengua Española. Aunque escritor de fama y prestigio en su tiempo, ha perdido toda su vigencia y merece ser recordado –dentro del teatro lírico– por la importancia de los compositores con los que colaboró. Su teatro se desenvuelve entre la línea crítica de la burguesía de Benavente, aunque sin la ironía ni la habilidad constructiva de éste. Tenía capacidad para el diálogo y era buen conocedor de las técnicas teatrales, sabiendo mante-

Manuel Linares Rivas (Foto: Ar. SGAE)

ner la atención del público. Su producción exclusivamente lírica no es muy extensa y se dedicó básicamente a la comedia y a la zarzuela con las que disfrutó de algunos éxitos. A pesar de ser un autor todavía novel, tuvo ocasión de trabajar con Ruperto Chapí, quizá por la amistad del compositor con su padre, en la zarzuela *La fragua de Vulcano*, estrenada en el teatro Apolo en 1906, que se pateó ruidosamente. Algo parecido ocurrió con *La magia de la vida*, estrenada en Apolo en 1910. Su último estreno fue el ensayo *Lo que yo quiero*, 1919, con música de Eduardo Fuentes. Ilustraron con sus melodías los libretos de Linares Rivas Rafael Calleja en *Cuando ellas quieren*, 1908, teatro Cómico; Amadeo Vives en *Sangre roja*, 1905; Becerra, Barrera, Reparaz y Lleó, entre otros.

BIBLIOGRAFÍA: *DAT; DUE; EDL; TA; TLE*; E. S.: "La vida de los autores: Manuel Linares Rivas", *El Arte de El Teatro*, Madrid, 15-II-1907; L. G. Iberni: *Ruperto Chapí*, Madrid, ICCMU, 1995.

OLIVA G. BALBOA

Linda tapada, La. Zarzuela en dos actos. Música de Francisco Alonso. Libreto de José Tellaeche. Estrenada el 19 de abril de 1924 en el teatro Cómico de Madrid.

Personajes y reparto. Inés de Cantarilla (Rafaela Haro, tiple). Laura Marialba (Emilia Iglesias, tiple). Mencía (Victoria Argota, actriz con parte de cantado). Teodora (Laura Blasco, tiple). Isabel (C. López, tiple). Mujer 1ª (Bellver). Constanza (C. Haro). Josefa (M. Haro). Clara (Mendizábal). Marta (Moncó). Jacinta (Domingo). Rosa (Carabaño). Jerónimo Chinchilla (Joaquín Roa, tenor cómico). Don Íñigo de Albornoz (José Luis Lloret Peral, barítono). El Corregidor (Abolafia). Alguacil Triguillos (Mariano Ozores). Un gitano (Pepe Marín, barítono). Ambrosio (Carlos Rufart, tenor cómico). Andrés (Faustino Bretaño, actor). Licenciado García (Velázquez, actor con parte de cantado). Luis de Coello (Valle, actor con parte de cantado). Gil-Pérez (Vilches, tenor). Beltrán (Romero, bajo). Tambor (Alcaíne). Soldado 1º (Vilches). Soldado 2º (Rodríguez). Estudiante 1º (Prieto). Estudiante 2º (Bellver). Soldados, estudiantes, alguaciles, arrieros, mujeres del pueblo y coro general.

Orquestación. Flautín, flauta, oboe, 2 clarinetes, fagot, 2 trompas, 2 trompetas, 3 trombones, timbal, percusión, arpa, rondalla y cuerda.

Argumento. *Acto I.* La dama portuguesa Doña Laura de Marialba llega a Salamanca, acompañada por su dueña Mencía, con la intención de enamorar al capitán Don Íñigo de Albornoz, que se encuentra en la ciudad reclutando soldados para los Tercios de Flandes. Don Íñigo, en su estancia previa en la Corte, no reparó en Laura cuando ésta le fue presentada y ella, sin embargo, se enamoró del apuesto capitán hasta el extremo de idear perseguirle a Salamanca oculta, como tapada, tras un velo. Su estrategia comienza a tener éxito cuando las gentes de la ciudad se interesan por su enigmática presencia y comienzan a conocerla, como "La linda tapada". No contaba Laura, sin embargo, con el Corregidor, un hombre casquivano y caprichoso que la va a pretender, y, para librarse de su acoso, recurre a la ayuda que le brindan Inés de Cantarilla y Jerónimo Chinchilla, un matrimonio de pícaros que ven en el lance ocasión de ejercer su oficio y sacar algún

beneficio. Ambrosio, el mesonero de la posada donde se hospeda Laura, está de acuerdo con el Corregidor para allanarle el camino hacia la tapada, pero justo la noche en la que él y sus alguaciles se presentan en el mesón, Íñigo y su ayudante Andrés, les propinan una buena paliza y les ponen en fuga con sus espadas.

Acto II. De acuerdo con los picarescos planes de Inés y Jerónimo, Laura se disfraza de hombre –como primo de la tapada– para acercarse a Íñigo y despertar en él el interés por ella, mientras Inés suplanta a Laura como tapada. No sin pocos enredos, el plan va surtiendo el efecto deseado, Íñigo se enamora y el Corregidor se retira en pos de otras presas a la vez que su traidor alguacil Triguillos, también enamorado de la tapada, cae en las redes de la pícara Inés que le despluma haciéndose pasar por Laura. Cuando llega la hora para Íñigo y los soldados reclutados de partir para la guerra, Laura de Marialba da a conocer su verdadera identidad, el capitán reafirma su amor y ella promete seguirle hasta Flandes.

Números musicales. Acto I: Nº 1. Ambrosio, Inés, Jerónimo, Íñigo y coro, "Una canción alegre" Nº 2. Íñigo, Ambrosio, Jerónimo, Inés, Laura y coro de hombres, "La tapada que aquí llega". Nº 3. Inés, Jerónimo y Ambrosio. Terceto cómico, "En la Corte yo fui comedianta". Nº 4. Inés y coro, "Del amor de un estudiante". Nº 5. Triguillos, Corregidor y coro de hombres. Ronda del Corregidor, "Vigila la ronda toda la ciudad". Nº 6. Final 1º. Laura, Íñigo, Andrés, Jerónimo, Corregidor, soldados, mozas, charras, arrieros y coro, "A mi prima Laura". Acto II: Nº 7. Isabel, Teodora, Gil-Pérez, Beltrán, Gitano y coro, "Comediantes hoy llegaron". Nº 8. Inés, Mencía, Corregidor, Triguillos y Jerónimo, "Permitidme, señora, un momento". Nº 9. Laura, Íñigo, Licenciado García y Luis de Coello, "Escucha este cantar de amores". Nº 10. Inés y 6 Alguaciles, "Prendámosla, cojámosla". Nº 11. Final. Isabel, Teodora, Íñigo, Gil-Pérez, Beltrán, Andrés y coro, "Por el Rey, por su bandera".

Comentario. Después de los estrenos sucesivos de *Las mariscalas* y *El bello don Diego*, el redactor de *El Imparcial* José Tellaeche culminó sus intentos de restauración de la zarzuela tradicional en dos actos, amparado por la cantante y empresaria del teatro Cómico Rafaela Haro, con *La linda tapada*. Cantante y libretista contaron en esta ocasión con la colaboración de Francisco Alonso, compositor encumbrado ya en la escena madrileña gracias al éxito monumental obtenido por *Las corsarias*, pero novel en cuanto a obras de otros géneros más líricos como la zarzuela en dos actos y encasillado –a pesar suyo– por la crítica y el público de los años veinte en la composición de piezas desenfadadas en un acto consistentes en el engarce, más o menos ingenioso en lo argumental, de una serie de cantables de distinto tipo y la intención común de popularizarse. Este debut de Alonso en un género distinto del sainete arrevistado, unido a la reputación literaria de Tellaeche y a la solvencia interpretativa de la compañía de Rafaela Haro, despertó las expectativas de un público que quedó muy satisfecho con el resultado del estreno y entusiasmado cuando, en la temporada siguiente, *La linda tapada* se repuso en el teatro Apolo para subsanar la corta permanencia en cartel de la opereta de Rosillo *La vaquerita*.

La linda tapada es una obra de enredo sentimental con gestos propios del teatro clásico y ambientada en la Salamanca picaresca y estudiantil del siglo XVII. Los líricos amores de la enigmática tapada portuguesa y el valiente y apuesto capitán español, que son los protagonistas, vienen propiciados por las ingeniosas artes de una pareja de pícaros –Inés y Jerónimo– que han de

Cortesía de Unión Musical Ediciones SL.

oponerse a las maquinaciones grotescas del Corregidor y de su alguacil Triguillos que son los antagonistas. A todos ellos se les une la turbamulta típica de aquellos tiempos de la España imperial: soldadesca, alguaciles, estudiantes sopistas y cómicos de la legua que, participando más o menos directamente en el argumento, construyen una trama, tan fácil de seguir como entretenida, en la que se establecen tres niveles dramáticos que se podrían caracterizar como sentimental (Laura, Íñigo y soldados con el añadido del gitano), cómico-simpático (Inés, Jerónimo y estudiantes) y cómico-grotesco (Corregidor, Triguillos y alguaciles).

Estos tres niveles se desarrollan en partes dialogadas en prosa y partes cantadas bien insertadas dentro del argumento general con la salvedad de la primera escena del segundo acto donde aparece el gitano andaluz prisionero con su borrico cantando la romanza "En la cárcel de Villa". El responsable de esta inserción no fue otro que el propio Alonso según él mismo manifestó en una entrevista que le hicieron con motivo del estreno indicando que ése era el número que le parecía más logrado de la obra. Según Alonso, "al empresario le parecía antiestética la salida del borriquillo. A Tellaeche, inoportuna la nota dramática episódica. La Empresa quería suprimir el burro, pero yo no veía sustitución adecuada para la letra. El libretista se arrepentía de haber pensado la situación… Y así hasta el ensayo general, en que tuve que ponerme muy serio". La obstinación del compositor en mantener ese número a toda costa, muestra de alguna manera hasta qué punto en ésta su primera incursión seria en el género tradicional de la zarzuela Alonso estaba tratando de aplicar los mismos conceptos de variedad y pintoresquismo, que tanto éxito le habían dado en otros géneros. Por más que la letra cantada por el gitano fuera intemporal, su carácter es claramente decimonónico saliéndose dos siglos del ambiente de *La linda tapada*. En este mismo sentido, otro de los números principales, la marcha final coreada "Por el Rey, por su bandera", Nº 11, está abiertamente dirigido a la sensibilidad nacionalista de los españoles del tiempo de Alonso y la romanza de Laura "Escucha este cantar de amores", Nº 9, es una especie de fado portugués que tiene poco que ver con el ambiente de la obra.

En contraste con estos números más modernos, los únicos esfuerzos de caracterización musical del tiempo en el que transcurre la acción se encuentran en los comienzos de cada acto donde se insertan, respectivamente, una jácara y una chacona, y en el Nº 8 que tiene como centro un canto cómico entre Inés y el Corregidor con aire de pavana. El Nº 1 es una escena compleja en la que, tras la introducción orquestal, el coro y Ambrosio dan pie en un estilo más declamatorio a la intervención de Inés que se produce en un diálogo cantado estróficamente entre ella y Jerónimo, articulado por breves intervenciones corales, que desemboca finalmente en el núcleo del número que es el canto de la jácara "Casóse una moza" por parte de Inés. El Nº 2 comienza también como una escena con participación de varios personajes, para culminar en un dúo estrófico entre Inés y Don Íñigo "Capitán de los tercios de Flandes" que conduce a una nueva escena concluida con otro dúo estrófico de Inés y Don Íñigo, "Muriéndome de amores". Los siguientes números ya son más sencillos: un terceto cómico el Nº 3; una romanza de Inés, seguida por una estudiantina, el Nº 4, y un coro unisonal de alguaciles con lugar para una mínima pantomima y dueto cómico de Triguillos y el Corregidor el Nº 5. El final del acto primero, vuelve a ser un complejo de formas musicales iniciado por un dúo entre Íñigo y Laura travestida de caballero portugués; le sigue una rondalla, "Consiguió un estudiante", en la que Íñigo canta la jota "¡Por España y por mi dama!" con los estudiantes y el coro general. Los distintos elementos musicales de los que consta este final se separan con recitados sobre la música, entre los que destacan los versos finales de Jerónimo "¡Cesó la pendencia!" que constituyen el único recitado en verso de toda la obra, que no alcanza ni la gracia ni la emoción que suelen tener este tipo de recitados sobre música en las grandes zarzuelas.

El segundo acto empieza con un número de efecto escénico, con los cómicos que primero se presentan, sigue el canto del gitano preso "En la cárcel de Villa" y concluye el número con el baile y el canto coreado de la chacona, dando lugar, en su conjunto, a una especie de paréntesis dentro de la obra. Pese a la prevención del libretista y de la empresa, la intuición musical de Alonso fue certera, el número, en el estreno, se hubo de repetir en tres ocasiones, y el cantante que lo interpretó mereció, en la primera edición del libreto, la siguiente nota de reconocimiento: "El actor Sr. Marín hizo en esta obra el papel del Gitano, por la importancia del número a él encomendado, consignando aquí los autores su gratitud". El Nº 8 es la escena cómica con aire de pavana en cuyo final se puede observar un recurso del cual Alonso abusa en esta obra: el canto, de textos distintos por varios personajes simultáneamente. En este caso en particular, Inés y Jerónimo cantan un texto a dos voces, mientras el Corregidor y Triguillos cantan otros dos textos distintos al unísono con aquéllos y Mencía canta una tercera voz con un cuarto texto. Al final del Nº 4 donde el coro de estudiantes canta "Tuyo es mi corazón", el coro de charras canta "Es falsa tu pasión" e Inés canta "…del juego del amor", y en el final del primer acto, al concluir el dúo inicial de Íñigo y Laura éstos cantan casi veinte compases con textos completamente distintos primero al unísono, luego en dos compases de contrapunto, para terminar en terceras. Sin un uso muy inteligente del contrapunto o unos textos muy parecidos, este recurso, que aparece en casi todos los concertantes de *La linda tapada*, resulta, cuando menos, extraño e imposibilita la comprensión de partes importantes del texto cantado. Los últimos números musicales de *La linda tapada* son la romanza de Laura, Nº 9, un número cómico protagonizado por Inés y seis alguaciles que tratan de apresarla, Nº 10, y la marcha coreada final "Por el Rey, por su bandera", Nº 11, que apela directamente al patriotismo emocional y monárquico promovido en la España de Primo de Rivera. Aunque este número no caló en la sensibilidad de los españoles como lo había hecho en 1919 el pasodoble de la Banderita de *Las corsarias*, ni aún como lo haría el mismo año de 1924 el pasodoble "Bejarana no me llores / porque me voy a la guerra" de *La bejarana*, Alonso, que dirigió la orquesta en el estreno, cosechó con *La linda tapada* su primer éxito en un género que iba a cultivar posteriormente con obras como *La bejarana* o *Curro el de Lora* y que culminaría con piezas en tres actos como *La calesera*, *La parranda*, *La picarona* y *Me llaman la presumida* que formaron parte principal del repertorio de la zarzuela del siglo XX.

Fuentes manuscritas. La partitura perteneciente al legado Alonso y los materiales de orquesta (4975) se conservan en el archivo de la SGAE en Madrid.

Ediciones del libreto. Madrid, SAE, 1924; Madrid, Imp. Clásica Española, 1924; Madrid, La Novela Teatral, IX, 400, 1924.

FONOGRAFÍA: D78rpm: Dir. Concordio Gelabert, Sol. Miguel Fleta, La Voz de su Amo DB 879 • Dir. Ricardo Villa, Sol. Juan García, Electric 55.504 (et. marrón), 71035-71036.

LP: Dir. Benito Lauret, Sols. Dolores Cava, Rosita Montesinos, Manuel Ausensi, Pedro La Virgen, Yolanda Otero, Gregorio Gil, Rafael Campos, López de la Manzanera, Coro de Cantores de Madrid, Orq. Sinfónica, Columbia-BMG C 32038 CS 42038 y Columbia SA, ZCL 1022 (Zacosa) 134.

BIBLIOGRAFÍA: *TA*.

JAVIER SUÁREZ-PAJARES

Liñán, Federico. Cádiz, siglos XIX-XX. Director de orquesta y compositor. Dominaba el piano, violín, contrabajo, flauta, saxofón, trompa y otros instrumentos. Compuso las zarzuelas *El oso y el madroño*, con letra de F. Macarro; *Salón-teatro del Centro*, con letra de Juan Chazarri; *Currito*, un juguete con libro de Francisco Macarro; *El centro de las mujeres*, establecimiento no decente en colaboración con Modesto Romero y letra de Adolfo Sánchez Carrere, estrenada en 1910 en el teatro Noviciado de Madrid. Las tres últimas obras se encuentran en el archivo de la SGAE en Madrid.

Mª LUZ GONZÁLEZ PEÑA

Liñán de la Cuesta, Mariano. Cádiz, siglos XIX-XX. Director y compositor. Es autor de numerosas obras escénicas, estrenadas a comienzos del siglo XX, con un marcado predominio de obras de pequeño formato, generalmente en un acto, y ocasionalmente en dos. Desarrolló parte de su carrera en Andalucía, de donde era natural.

OBRAS: *Almanaque ilustrado*, Zarz, 1 act, col. J. Osuna, l, M. Martínez; *Badajoz por dentro*, Zarz, 1 act, col. Alba / Cabezas, l, F. García Gimeno; *Carlota*, 1 act, l, R. Aparicio; *Casarse por tauromaquia*, 1 act, l, J. A. Possio / A. Galé; *Cinematógrafo sanluqueño*, Rv, 1 act, col. J. M. Peón, l, J. Cardin; *Don Tancredo*, Bu, 1 act, l, J. Arques / V. de la Vega, est, 24-V-1901, Te. Gran Vía (Barcelona), E:Msa; *Dos viruelas a la vejez*, 1 act, l, E. Ramos; *El buque submarino*, Apr, 1 act, col. J. Osuna / E. Sáenz Viruega; *El maestro de música*, 1 act, col. A. Álvarez, l, B. Andrés García / E. Salgado; *El rosario de mi Aurora*, Zarz, 2 act, l, F. Macarro, est, 26-III-1877, Te. Duque (Sevilla); *Inocencia*, Zarz, 1 act, col. M. Puchades, l, V. de la Vega, est, 4-VIII-1906, Te. Nuevo (Barcelona), E:Msa; *La baronesa*, 1 act, l, M. Liñán, E:Msa; *Los Martínez*, 1 act, col. R. Cabas Galván, l, V. E. Arroniz; *Los veinte del ala*, Rv, 2 act, col. R. Fandiño, l, P. Llabrés; *Los zapatos blancos*, col. S. Lope, l, R. Aparicio, est, 1-IV-1903, Te. Ruzafa (Valencia); *Marujilla*, Zarz, 1 act, col. E. Fuentes, l, R. Pérez Olivares, est, 11-II-1903, Te. Duque (Sevilla), E:Msa; *San se acabó*, 1 act; *Tenorio en Nápoles*, Hum, 1 act, col. S. Videgain, l, J. Arques, est, 31-X-1900, Te. Gran Vía (Barcelona), E:Msa.

BIBLIOGRAFÍA: F. Cuenca: *Galería de músicos andaluces contemporáneos*, La Habana, Cultura, 1927.

Mª LUZ GONZÁLEZ PEÑA

Literes Carrión, Antonio. Artá (Mallorca), 18-VI-1673; Madrid, 18-I-1747. Compositor e intérprete de violón. Uno de los compositores españoles de música escénica más importantes de la primera mitad del siglo XVIII, siendo especialmente destacada su contribución en el ámbito de la zarzuela, donde supo unir magistralmente la tradición española con las nuevas influencias italianas llegadas a principios de siglo.

I. Biografía. II. Obra escénica.

I. BIOGRAFÍA. Literes ingresó en el Real Colegio de Niños Cantores de Madrid en 1686 y posiblemente ya tuviera conocimientos de música. En el colegio, además de las actividades habituales del canto y formación musicales, se dedicó de manera especial al estudio del violón, teniendo como maestro a Manuel de Soba, intérprete de la Real Capilla. Otros de sus maestros de música fueron Juan de Aso y José de Torres, entre 1689 y 1692. A Torres le sustituyó Literes como maestro del colegio de niños cantores, ocupando la plaza de manera interina, pasando a ser el profesor de los colegiales. En 1693 obtuvo una plaza de violón en la Real Capilla. En 1701 Felipe V estableció una nueva planta, donde Literes ocupaba la primera plaza que conservó hasta su muerte.

Desde muy joven, comenzó a destacar por la calidad de sus composiciones, y alcanzó tal reconocimiento, que tras la destrucción del archivo por el incendio del Alcázar de 1734 fue encargado, junto a otros músicos –Torres, Nebra y Corselli–, de componer las obras necesarias para la adecuada celebración del culto. En el archivo de música de Palacio se conservan cuatro misas y varios salmos, si bien la mayor parte de las obras conocidas de Literes son profanas, como las cantadas, tonos humanos, óperas y zarzuelas. Además de estar vinculado a la corte y los teatros públicos, Literes estuvo al servicio de la nobleza. Su ópera *Los elementos* está dedicada a la duquesa de Medina de las Torres y fue músico de cámara en la casa de Osuna. Feijoo destaca su figura como insigne representante de la tradición hispana en contraposición a su negativa valoración de Durón, al que acusa de asumir las influencias foráneas. Sin embargo, el estudio de su obra revela que también asumió las nuevas corrientes musicales venidas de fuera. Literes tuvo un hijo de igual nombre que fue organista en la Real Capilla desde 1747 hasta su fallecimiento. Esto da lugar al error de Cotarelo sobre la longevidad de Literes al confundirlo con su hijo y atribuirle la carrera de éste como organista.

II. OBRA ESCÉNICA. Literes asumió la creación de música escénica para la corte en sustitución de Durón, que fue condenado al exilio por su apoyo al archiduque Carlos, perteneciente a la dinastía perdedora en la pugna por la sucesión al trono español. En 1707, para celebrar el nacimiento del heredero Luis, compuso *Todo lo vence el amor*, cuya letra escribió Antonio Zamora, poeta oficial de la corte. Esta comedia, rica en tramoyas y mutaciones, estaba precedida por una loa que alababa las virtudes del recién nacido príncipe, e incluía un entremés y un intermedio con música. Aunque la música no se conserva, del libreto se infiere la similitud con las comedias mitológicas del siglo XVII donde los dioses asumían una extensa intervención musical, contrariamente a los personajes humanos que tienen más partes declamadas. Además de la ópera *Los elementos*, escrita al estilo italiano, al año siguiente compuso la música para la zarzuela *Acis y Galatea*, representada por primera vez en el Coliseo del Buen Retiro el 19 de diciembre de 1708. En esta obra combina la utilización de formas procedentes de Italia, como el aria y el recitativo, y los elementos típicos hispanos como coros a cuatro, tonos y formas estróficas como las seguidillas. En 1709 puso música a otros entretenimientos teatrales destinados a la corte, entre ellos *Con música y por amor*, en colaboración con Juan de Navas y con libreto de Antonio de Zamora y José de Cañizares, escrita para celebrar la jura del príncipe heredero. Dos años después, el 22 de julio se estrenó *Antes difunta que ajena*, de la que se hicieron doce representaciones seguidas, y el 25 de noviembre, con letra de Cañizares, *Las nuevas armas de amor*, que duró siete días. *Celos no guardan respeto* fue estrenada el 16 de octubre de 1723, con letra de Antonio de Zamora, y se representó hasta el 8 de octubre.

Literes es autor de siete zarzuelas propiamente dichas. Su libretista más habitual fue José Cañizares, con el que trabajó en cuatro de ellas, todas de mucho éxito. Literes vivió la progresiva llegada de compositores italianos favorecidos por la reina Isabel de Farnesio, natural de aquel país. Por tanto, su situación como compositor se hizo cada vez más complicada en la corte, ante la creciente importancia de músicos como Facco, Corradini, Mele o Corselli. Literes, aunque formado en la tradición musical hispana supo asumir también el nuevo estilo italiano de las obras que inundaban los espectáculos cortesanos y los teatros públicos. Según L. K. Stein, la influencia italiana se aprecia en la presencia cada vez mayor del recitativo, la utilización cada vez más frecuente del aria para las intervenciones solistas, con líneas melódicas muy melismáticas, la fragmentación del texto poético y rápidas figuraciones en el acompañamiento instrumental, que incrementa su importancia en la obra además de ampliar su instrumentación especialmente en la que se refiere al uso de los violines. Aunque sus obras religiosas responden a una concepción más tradicional, sus obras profanas, y especialmente las zarzuelas, reflejan la asimilación de los diferentes estilos. Así, la utilización del aria o el recitativo, como influencia de la música italiana, la combina magistralmente con la concepción expresiva y la representación de los afectos más típicamente española. Stein considera que Literes es, de hecho, iniciador de una línea estilística plural. *Véase* ACIS Y GALATEA.

OBRAS: *Acis y Galatea*, Zarz, 2 jornadas, l, J. de Cañizares, est, 19-XII-1708, Coliseo del Buen Retiro, E:Mn (ICCMU, 2000); *Júpiter y Danae*, Zarz, 3 jornadas, l, T. Añorbe y Corregel, est, 6-I-1700, Coliseo del Buen Retiro, E:Mn; *Hasta lo insensible adora*, Zarz, 2 jornadas, l, J. de Cañizares, est, 16-V-1713, Te. de la Cruz, E:Vp; *El estrago en la fineza o Júpiter y Semele*, Zarz, 2 jornadas, l, J. de Cañizares, est, 9-V-1718, Te. de la Cruz, E:Vp; *Antes difunta que ajena*, Zarz, 2 jornadas, est, 22-VII-1711; *Celos no guardan respeto*, Zarz, 2 jornadas, l, A. de Zamora, est, 28-XI-1723.

BIBLIOGRAFÍA: *DMEH; HZ;* A. Martín Moreno: *Historia de la música española. 4. Siglo XVIII*, Madrid, Alianza, 1983; L. K. Stein: *Songs of Mortals, Dialogues of the Gods. Theatre in Spain during the Seventeenth Century*, Oxford Clarendon Press, 1993.

JUDITH ORTEGA

Llabrés Rubio, Pedro. Madrid, 1-IV-1900; ?, 1988. Libretista. Estudió medicina en la Universidad de San Carlos de Madrid, aunque por su afición al teatro y la música no llegó a concluir. Esa misma afición puso su vida en peligro ya que se hallaba en el teatro Novedades el día de su famoso incendio. Como letrista abarcó desde el cuplé y la canción con títulos como *Me debes un beso*, *Torre de arena*, *Madrid tiene seis letras*, hasta la zarzuela y la revista. En los años treinta y cuarenta estrenó multitud de obras, fundamentalmente vodeviles y revistas en colaboración con José López de Lerena. Con Alonso estrenó *Rosa la pantalonera*, 1939, *Tu cuerpo en la arena*, 1939, *Luces de Madrid*, 1947, *Aquella noche en Bahía*, 1955 y otras. Muy numerosa fue también su colaboración con Antonio García Cabrera: *Día y noche de Madrid*, 1952; *La verdad por delante*, *Mejores no hay*, 1955, *Vamos tirando* y *Voy con la brocha*; para Jesús García Leoz escribió *El salto de la muerte*, 1944. Uno de sus grandes éxitos fue *Su Majestad la mujer* con música de Jacinto Guerrero, 1950, al igual que *El oso y el madroño*, otro de sus grandes éxitos. Para Moreno Torroba escribió *Olé y Olé*, 1955. Sus colaboradores musicales fueron numerosos como Fandiño: *Los veinte del ala*; García Bernalt: *Sussy la espía* y *Sola ante el peligro*; José Mª Gil Serrano: *El tesoro de Golconda*, 1952; López Quiroga: *Los líos de ellas* y *Pan y quesillo o La marquesa chulapona*; Rafael Oropesa: *El nido de la paloma*; Pérez Rosillo: *Dos pares de gemelas o La bella durmiente del taxi*, 1948.

Fue uno de los decanos de la radio en España. En la emisora Radio España realizaba un programa diario de música y novedades bajo el título *Que vio usted ayer...*, fue también cronista de la Villa de Madrid. *Véase* ROSA LA PANTALONERA.

Mª LUZ GONZÁLEZ PEÑA

Llamosas, Lorenzo de las. Lima, *ca.* 1665; ? Escritor. Autor del libreto de la zarzuela *También se vengan los dioses*, Lima, 1689, con música de Tomás de Torrejón y Velasco. Es la primera composición que tiene el nombre de zarzuela en Perú. En 1691 se trasladó a España, contando con la protección de varios aristócratas. Estrenó en la corte algunas obras teatrales, entre ellas las zarzuelas *Amor, industria y poder*, 1692 y *Destinos vencen finezas*, 1698, ambas con música de Juan de Navas.

BIBLIOGRAFÍA: *DMEH;* R. Vargas Ugarte (ed.): *Obras de Don Lorenzo de las Llamosas*, Lima, Clásicos Peruanos, 1950.

JUDITH ORTEGA

Llaneza, Luis. España, siglos XIX-XX. Tenor. Su carrera transcurrió casi siempre en el teatro Eslava en el que estrenó en 1905 *El estuche de monerías* de Quinito Valverde y *Angelitos al cielo* de Chapí. En 1906 formaba parte de la compañía Prado-Chicote y actuaba en Eslava estrenando obras como *El golpe de estado* de Vives y Giménez. En 1907 estrenó en el Gran Teatro *El estudiante* de Chueca y Fontanals y *La puerta del Sol* de Chapí. Ese mismo año fue muy alabada su actuación en *Los falsos dioses* de Torregrosa, estrenada en el Cómico. En 1908 estrenó en Eslava *El rival de Sherlock Holmes* de Lleó. En 1910 fue elegido vocal de la Asociación de Actores y estrenó *Colgar los hábitos* de Lleó y Foglietti; al año siguiente estrenó *El vals de los besos* de Lleó; en 1912 *Los húsares del kaiser* y *El cuarteto Pons* de Lleó. En 1933 estrenó en el teatro Price *La posada del caballito blanco*.

Mª LUZ GONZÁLEZ PEÑA

Llano, Marcelino del. Asturias, 30-VII-1901; La Habana, 20-VI-1976. Tenor. En 1922 se inició en la música como aficionado. Comenzó a estudiar canto y solfeo con Julio García Coronel. Al escucharlo el empresario Julián Santacruz lo incorporó al elenco de su compañía de zarzuelas que actuaba en el teatro Martí. Así debutó con *Marina* de Arrieta, con notable éxito. Posteriormente perteneció a la compañía de Manolo Noriega, y más tarde fue contratado por el empresario Julián Izquierdo, con quien salió de gira para cantar en el teatro Colón de Bogotá. Tras permanecer dos años cosechando triunfos por América del Sur, regresó a La Habana y actuó en el teatro Martí, donde interpretó *La leyenda del beso* de Soutullo y Vert, *La tempestad* de Chapí, *Los gavilanes* de Guerrero, *El anillo de hierro* de Marqués, *Coplas de Ronda* de Alonso y *Al dorarse las espigas* de Balaguer. Poco después estrenó en el teatro Nacional *Los claveles* de Serrano. Con esta compañía partió de gira hacia México, donde dio a conocer *Los claveles*, *La del Soto del Parral* y *La pícara molinera*, en los teatros Esperanza Iris y Principal, respectivamente. Después de recorrer varios estados del país azteca, y otros países centroamericanos, regresó a La Habana. Lecuona, conocedor de su bella voz de tenor, lo contrató para reestrenar su zarzuela *María la O*, con algunas modificaciones, en el teatro Payret, junto a la soprano Luisa María Morales. Después de haber actuado en diversos teatros de la capital y en la provincia de Camagüey, fue contratado por el libretista Agustín Rodríguez para su compañía del teatro Martí. Después de cierto tiempo en este coliseo, partió hacia Europa. En Madrid actuó en la zarzuela cubana *La virgen morena* de Grenet, con gran éxito, y luego interpretó casi todo el repertorio español. En abril de 1937 fue contratado por Eugenio Casals para el teatro Fuencarral junto a Matilde Vázquez y Blanquita Suárez cantando *Los claveles*, *Gigantes y cabezudos*, *La del manojo de rosas* y otras muchas obras. En septiembre repusieron *Sol de libertad* de Estela que se había estrenado en Barcelona en 1935.

Formó parte del Teatro Lírico Nacional como primer tenor con la soprano América Otero, que después sería su esposa. Después de actuar en los más importantes teatros de la Península Ibérica, la compañía inició una gira por Cuba, Puerto Rico y Venezuela, país donde se disolvió. De nuevo en Cuba residió por unos años en Santiago de Cuba donde trabajó en la formación de la Escuela Provincial de Canto. Al retornar a La Habana se dedicó a la pedagogía musical en la Escuela de Canto de Cubanacán, el Teatro Musical y otros grupos teatrales.

BIBLIOGRAFÍA: M. del Llano: *Microbiografía*, La Habana, 1974.

JOSÉ PIÑEIRO DÍAZ

Llanos. Al menos tres tiples llamadas Ángela, Carmen y Ofelia, llevan el apellido Llanos sin que pueda afirmarse, salvo excepciones, quién estrenó cada obra. Así una señorita Llanos estrenó *La más negra* de Conrotte en el teatro La Infantil, 1890; en 1891 en el Alhambra *Los boquerones* de Quinito Valverde y en Eslava *Pajarón* de Teodoro San José; en 1899, en el teatro Principal, *La boda de Camacho* de Joaquín González; en el Maravillas, *Los presupuestos de Villapierde* de Calleja y Lleó y en 1904, en el teatro Cómico, *Congreso feminista*.

1. Ángela. España, siglos XIX-XX. Tiple. Estrenó en 1889 *El aya* de Tomás Calamita. En 1897 estaba contratada por el teatro Apolo donde estrenó *El ángel caído* de Apolinar Brull.

2. Carmen. España, siglos XIX-XX. Tiple. En 1894 interpretó a la cantadora de *La verbena de la Paloma* en su estreno en el Apolo. También participó en el estreno de *San Antonio de la Florida* de Albéniz. En septiembre de 1910 era segunda tiple de la compañía del teatro del Duque de Sevilla, dirigido por Emilio López del Toro, por el que pasaban todas las grandes figuras antes de llegar a Madrid.

3. Ofelia. España, siglos XIX-XX. Tiple. En la década de 1890 estrenó diversas obras en el teatro de la Zarzuela: 1896, *Tortilla al ron* de Caballero y Hermoso; 1897, *Los bandidos* de Torregrosa; 1898, *El señor Joaquín* de Caballero y en 1899 *El belén del abuelito* de Chalons. Debe ser la señorita Llanos que estrenó en 1901 *Comediantas y toreros o La vicaría* de Nieto.

BIBLIOGRAFÍA: *Nuevo Mundo*, VI, 302, 18-X-1899.

Mª LUZ GONZÁLEZ PEÑA

Llanos Berete, Antonio. Madrid, 27-IX-1852; ?. Compositor y profesor. Obtuvo el primer premio de composición en 1866 como alumno de Arrieta y en 1875 fue nombrado profesor auxiliar de piano. Trabajó como maestro de partes y director de coros del teatro de la Zarzuela y se dedicó de manera especial a la música coral, estando implicado en el nacimiento en 1880 de la Sociedad de Orfeones en España. Compuso una serie de obras de género

Antonio Llanos Berete (Xilografía en La Ilustración Española y Americana; *Ar. E. Casares)*

lírico, algunas de relativo éxito como la ópera en un acto *¡Tierra!*, 1879, basada en el descubrimiento de América, y que se representó más de veinte veces en el teatro de la Zarzuela. En 1880 se estrenó en el Apolo su zarzuela *La abadía del Rosario*. Estas obras sitúan a Llanos entre los maestros españoles de los ochenta que intentaban, una vez mas, la recuperación de la ópera española, y quizá por ello, aún en 1892 volvió a insistir en el tema con una ópera de más vuelo, *Cristóbal Colón*. El resto de su producción está compuesta por zarzuelas, conservadas en el archivo de la SGAE.

OBRAS (Todas en *E:Msa*): *Despacho parroquial*, 1 act, col. C. Calamita, l, J. Caldeiro / M. Labra, est, 17-VII-1888, Te. Recoletos; *Dos damas para un galán*, Zarz, 3 act, col. M. Nieto, l, E. Zumel, est, 16-IV-1876, Te. Zarzuela; *El lazareto*, col. Fresneda; *El paje de la duquesa*, Zarz, 2 act, l, M. Rodríguez Saavedra / J. de Alba, est, 17-VII-1882, Te. Recoletos; *El terror de los mares*, Zarz, 2 act, col. Nieto Matán; *La abadía del Rosario*, l, M. Zapata, est, 6-XI-1880, Te. Apolo; *La divina zarzuela*, l, Cuenca / J. Castillo Soriano, est, 14-X-1885, Te. Martín; *Los goces del amor*, Zarz, 2 act, col. Broca; *Los polvos de la madre Celestina*, l, J. E. Hartzenbusch; *Manolito el rayo*, 3 act, l, A. López Ayllón, est, 4-XII-1886, Te. Zarzuela; *Perder la pista*, l, L. de Larra Ossorio; *Una en el clavo...*, Zarz, 1 act, l, S. Gascón / J. Caldeiro, est, 21-V-1887, Te. Maravillas.

BIBLIOGRAFÍA: *DMEH*.

EMILIO CASARES RODICIO

Llauradó, Amadeo. España, siglos XIX-XX. Tenor cómico. Formó parte de la compañía de Esperanza Iris con la que realizó una temporada triunfal en 1920 en el teatro de la Zarzuela, cantando diversas operetas y alguna zarzuela como *El rey que rabió*, interpretada en su beneficio. La temporada 1933-34 cantó en la Zarzuela *Don Gil de Alcalá* de Manuel Penella, que posteriormente grabó junto a Trini Avelli y Pablo Gorgé, entre otros intérpretes y dirigida por el propio compositor en 1940. Formaba parte de la compañía de Celia Gámez y con ella participó en el estreno de *Yola*, revista con música de Quintero e Irueste, el 14 de marzo de 1941 en el teatro Eslava.

FONOGRAFÍA: *Don Gil de Alcalá*, Odeón 184403 a 184405, SO 7911 SO 7912 SO 7920 SO 7921 SO 7927 SO 7928.

BIBLIOGRAFÍA: E. García Carretero: *Historia del teatro de la Zarzuela de Madrid*, Madrid, Fundación de la Zarzuela Española, 2003.

Mª LUZ GONZÁLEZ PEÑA

Lledó. Apellido de varios cantantes españoles, Arturo, Blas, José y Rafael, además de una señorita Lledó, que posiblemente sea Asunción Lledó. Se desconoce si existe alguna relación de parentesco entre ellos.

1. Arturo. España, siglo XX. Barítono. Muy relacionado con Jacinto Guerrero, compositor del que estrenó *Los faroles*, 1928, *Campanela*, *Miss Guindalera*, 1931, *El ama* y *Sole la peletera*, 1932. En 1929 estrenó en el teatro de la Zarzuela *El romeral* de Díaz Giles. Un barítono apellidado Lledó estrenó en 1926 *El huésped del Sevillano* con gran éxito, aunque en el semanario *Nuevo Mundo*, es Blas Lledó el que aparece entre las figuras del momento. Arturo estrenó en 1933 *La moza que yo quería* de Díaz Giles y en 1949 *¡Alhambra!* del mismo autor. Tiene una amplia fonografía, muy relacionada también con Jacinto Guerrero.

FONOGRAFÍA: *Cándido Tenorio*, Sonifolk 20126; *El ama*, Regal LK 4090 (et. azul), K 3277 K 3280; *El collar de Afrodita*, Sonifolk 20126; *La calle 43*, Sonifolk 20128; *La loca juventud*, Odeón 203337 y 203339 (et. fucsia), SO 7258 SO 7260 SO 7262 SO 7263 • Sonifolk 20128; *La melitona*, Sonifolk 20127; *Las niñas de peligros*, Sonifolk 20126; *Las tentaciones*, Sonifolk 20127; *Los brillantes*, Sonifolk 20127; *Los caracoles*, Sonifolk 20127; *Los faroles*, La Voz de su Amo AE 2139 • Sonifolk 20128; *Los verderones*, Sonifolk 20126; *Pelé y Melé*, Sonifolk 20128.

2. Asunción. España, siglo XX. Tiple. Aparece en las dos primeras décadas del siglo XX en el teatro Reina Victoria en el que estrenó la opereta de Leo Fall *La princesa loca*, 1917, *Los claveles rojos* de Serrano, 1923, y *Teodoro y compañía* de Guerrero, 1924.

3. Blas. España, siglo XX. Barítono. En 1924 estrenó en el teatro Ruzafa de Valencia y posteriormente en el de la Zarzuela de Madrid, *La granjera de Arlés* de Ernesto Pérez Rosillo. La temporada 1925-26 estaba contratado en el teatro de la Zarzuela donde estrenó *Juan de Granada* de Rivas y Legaza y *La linda tapada* de Alonso. No puede afirmarse con seguridad si fue Blas o Arturo el que estrenó *El huésped del Sevillano*, ya que en el libreto y en las críticas sólo se habla de Lledó, y en *Nuevo Mundo* aparece Blas Lledó en febrero de ese año como una de

Blas Lledó (Foto: Nuevo Mundo, *1926; Ar. ICCMU)*

las figuras del momento, por lo que probablemente sea él y no Arturo el que estrenó esa obra.

4. José. España, siglo XX. Barítono. Hizo su debut en el teatro de la Zarzuela en la temporada 1923-24 en la que estrenó *La granjera de Arlés* de Rosillo, *Danza de apaches* de Serrano, *La maga de Oriente* de Serrano y Rosillo, que como casi todas las obras de Sinesio Delgado, fue protestada por el público.

5. Rafael. España, siglo XX. Barítono. Su carrera estuvo fundamentalmente enfocada hacia la ópera y cantó diversos títulos en el teatro de la Zarzuela, como *Doña Francisquita*, en la temporada 1985-86 junto a Enedina Lloris que hacía su debut.

BIBLIOGRAFÍA: *Nuevo Mundo*, 1582, 16-II-1924; E. García Carretero: *Historia del teatro de la Zarzuela de Madrid*, Madrid, Fundación de la Zarzuela Española, 2003.

Mª LUZ GONZÁLEZ PEÑA

Lleó Balbastre, Vicente. Torrent (Valencia), 19-XI-1870; Madrid, 28-IX-1922. Compositor, empresario y director. Es uno de los mejores creadores del género chico en las dos primeras décadas del siglo XX y, siguiendo el gusto del público, trabajó en las tipologías más de moda en la época: la revista tendente a la sicalipsis y la opereta. Junto a esto, su labor como empresario y director fue una de las más sobresalientes de los primeros años del siglo.

I. Biografía. II. Obra.

I. BIOGRAFÍA. Se formó musicalmente como infantillo en la Capilla del Real Colegio de Corpus Christi-Patriarca de Valencia, en la que ingresó a los siete años. Recibió una sólida preparación en la disciplina de composición con Juan Bautista Plasencia Aznar y diversos consejos musicales de Lamberto Alonso, tenor de la Capilla del Patriarca que después sería un gran cantante lírico y pintor de éxito. Como resultado de estas enseñanzas, compuso a los trece años un *Dixit Dominus* a siete voces. Siguió escribiendo piezas religiosas en el ámbito de la Capilla del Patriarca hasta que el cambio de voz le obligó a dejar este centro religioso. Continuó sus estudios de composición en el Conservatorio de Valencia con Salvador Giner y se fue desarrollando en él una gran afición al teatro, por lo que frecuentaba el teatro Ruzafa de la capital valenciana. Al poco tiempo ingresó como corista en este local aunque sólo por una breve temporada, puesto que pronto fue requerido para actuar como director de orquesta en teatros de aficionados y funciones musicales presentadas en diferentes pueblos valencianos. Esta predilección lírica se plasmó en su primera zarzuela, *De Valensia al Grau*, compuesta a los dieciocho años y estrenada en el teatro Ruzafa; fue saludada por la prensa local por su música "agradable y graciosa… de fácil melodía". En 1894 ya consta en la documentación como director titular de la orquesta del Ruzafa. El éxito obtenido con *De Valensia al Grau* también se dio en las sucesivas piezas escénicas que fue componiendo: *Sense títul*, *Un casament del dimoni*, *El señor de Rabanillo* o *Dúo con la sultana*. En concreto, el *Boletín Musical de Valencia* (15-XI-1894) destaca su pieza *Un casament del dimoni*, por la sabia utilización de los motivos populares valencianos y por sus sencillas y accesibles melodías. Otra noticia que llama la atención en esta etapa valenciana es que creó, junto a un socio, un archivo de música y copistería que, simultáneamente, gestionaba asuntos de con-

Vicente Lleó (Foto: Comedias y Comediantes, 1910; Ar. ICCMU)

tratación y representación de músicos y cantantes para diversos teatros españoles, y hay referencias en la prensa sobre su calidad como director de música lírica.

El triunfo obtenido en su tierra natal y en las representaciones que se realizaban de estas zarzuelas en Barcelona le animaron a marchar a la ciudad condal, donde estuvo trabajando dos años como maestro concertador. Aquí también fue presentando obras suyas estrenadas en Valencia y otras que se ofrecieron por primera vez en Barcelona como *Las once mil* y *Miss Leontina*. La pieza citada en primer lugar fue quizá la que más éxito obtuvo en esta etapa barcelonesa; incluso fueron destacados ciertos números como el preludio, el dúo de los protagonistas y unos cuplés que fueron muy aplaudidos en el teatro Gran Vía de Barcelona. En 1896 se trasladó a Madrid e ingresó en el teatro Romea como director. Poco después trabó amistad con Rafael Calleja, que se convirtió en su protector y con el que colaboró en diversas obras que alcanzaron popularidad como *Los presupuestos de Villapierde* o *Venus Salón*. Aquí comenzó su etapa de mayor esplendor, puesto que al éxito como autor se unió su feliz carrera de empresario. Tras su periodo del Romea, Lleó constituyó una gran empresa lírica con Amadeo Vives, Antonio Paso y Manuel Fernández de la Puente, explotando simultáneamente los mejores teatros de Madrid de la primera década del siglo: Eslava, Zarzuela y Cómico, dedicando cada uno de ellos a distintos géneros. El teatro Eslava fue el especializado en el género chico, el teatro de la Zarzuela se dedicó más a la ópera y zarzuela grande y el Cómico a la opereta. Una serie de factores como los costosos montajes, los gastos de mantenimiento y la escasa preparación comercial de los socios llevaron a la necesidad de disolver la agrupación citada por las grandes pérdidas económicas; por lo que quedó sólo Lleó en el teatro Eslava, local del que ya formaba parte como maestro concertador desde 1898.

Comenzó entonces un periodo de auge en el que autores como Pablo Luna estrenaron en Eslava su famoso *Molinos de viento* o el propio Lleó su obra cumbre, *La corte de Faraón*, y otras piezas que oscilan entre el género chico y la revista como *La alegre trompetería* o su arreglo de la opereta vienesa *El Conde de Luxemburgo* de Lehár. De esta última pieza hay que destacar que popularizó las adaptaciones de operetas extranjeras y que obtuvo un gran éxito en su presentación en el Eslava, siendo especialmente aplaudido el "Vals de los besos". Durante tres temporadas los triunfos musicales fueron acompañados por los económicos, con los éxitos de obras como *Santos y meigas*, *La copa encantada* o *La taza de té*. Lleó se casó con la actriz Juanita Manso y se convirtió en uno de los músicos más célebres de Madrid. En su casa se realizaban reuniones a las que acudían los compositores y escritores más importantes del momento: Bretón, Luna, Chueca, Vives, Jacinto Benavente o Arniches. Es de destacar su amistad con Chapí y la presencia en esas tertulias de dos famosos paisanos suyos: el gran compositor lírico José Serrano y el futuro pianista de fama internacional José Iturbi. Durante esta época de esplendor personal hay que citar el hecho de su apoyo a nuevos valores musicales.

Su personalidad inquieta hizo que buscara nuevos desafíos: derribó el teatro Eslava y lo reconstruyó totalmente, fundó el periódico *La Noche* –que acabó en la ruina–, proyectó crear un partido político y presentarse diputado para llegar a ser ministro de Instrucción Pública, intentó ser propietario todos los teatros de Madrid, etc. Como resultado de toda esta dispersión se iniciaron los problemas económicos que culminaron con la pérdida del Eslava. Profundizando un poco en esta cuestión, Antonio Barrera ha señalado dos causas específicas para explicar la ruina de Lleó en el Eslava: se produjo una subida excesiva de la renta del local y, sobre todo, la compañía italiana "La Caramba" se presentó con un repertorio de operetas vienesas que superaban en escenografía e interpretación el nivel ofrecido en el local del autor torrentino. Posteriormente volvió a la dirección de orquesta al aceptar la oferta de la compañía de revistas de Eulogio Velasco para realizar una gira por Hispanoamérica que comenzó en 1918 y duró tres años. Sus interpretaciones fueron muy aplaudidas y estrenó una pieza lírica nueva: *¡Ave César!*. Tras la gira regresó a España enfermo y al poco tiempo falleció en Madrid debido a una angina de pecho. Un año después de su muerte se estrenó en el teatro Apolo *¡Ave César!* y resultó un espontáneo homenaje póstumo por el enorme éxito que obtuvo: se repitieron casi todos los números y al final se tributó una gran ovación dirigida a Lleó que recogió su hijo. Estas muestras de admiración se reprodujeron el 26 de abril de 1929, cuando el teatro Apolo presentó una función conmemorativa en honor de Lleó en la que se ofrecieron *La corte de faraón* y el sainete lírico *Todos somos unos*, finalizando el acto con un discurso de Jacinto Benavente sobre la vida y obra de Lleó.

II. OBRA. De la producción de Lleó se distinguen dos aspectos: por un lado, la gran abundancia de su corpus creativo –aunque no hay que olvidar que un gran porcentaje de piezas fueron llevadas a cabo en colaboración– y, sobre todo, la variedad de los esquemas formales que trabajó en sus obras. Por ejemplo, Ramón Barce lo destaca como uno de los compositores que mejor supieron introducir el cuplé en este tipo de piezas. Cita el caso de la *Canción de la regadera* incluida en *La alegre trompetería* y la define como "un vals bien cargado de alusiones eróticas y detalles escénicos". Precisamente, el éxito de este cuplé provocó la creación de una "consecuencia o epílogo" titulado *La regadera*, con letra de Antonio Casero y Alejandro Larrubiera y música del propio Lleó en colaboración con Foglietti. Barce señala que el citado cuplé perduró en el repertorio de las cantantes de variedades. En esta dirección destaca de forma significativa que el garrotín de *La corte de Faraón* debió ser introducido en la citada opereta bíblica para asegurarse que algún número perduraría en caso de que la obra no tuviera éxito, aunque no fue así. Asimismo, Lleó trabajó la zarzuela paródica con su *Tenorio feminista*, que Eduardo Huertas enlaza con toda una serie de parodias líricas que tratan de forma cómica al inmortal personaje. Los principales personajes son en este caso mujeres –Juana Tenorio, Luisa Mejía– y Huertas destaca la introducción en la obra de la actualidad a través de situar la acción en hoteles modernos y de referencias concretas a noticias del momento en el que se compuso la obra. Por otra parte, su ambición por superar las características elementales de la zarzuela grande dio como resultado *Inés de Castro o Reinar después de morir*, ópera estrenada en el teatro Lírico de Madrid, que representó un esfuerzo por intentar conseguir una ópera nacional. A todo lo anterior, hay que sumar sus comienzos creando diversas zarzuelas valencianas, caracterizadas por utilizar el idioma y argumentos propios de su tierra de origen.

De todos modos, hay que insistir en que su obra más abundante y de mayor calidad se sustancia en las obras de menor extensión: género chico, revista o sainetes líricos. Dos zarzuelas especialmente inspiradas fueron las que compuso sobre libretos de Jacinto Benavente: *La copa encantada* se inspira en un cuento de Ariosto en la Italia del siglo XV y narra la historia de un marido que no siente curiosidad por saber si su mujer le es fiel, por lo que vive feliz y tranquilo. Esta obra tiene un interesante terceto que se solía repetir a petición del público siempre que se representaba. Como curiosidad se puede citar que esta pieza se estrenó en Valencia durante los años de la Guerra Civil. La segunda obra basada en Benavente es *Todos somos unos*, se trata de un sainete cuya acción se produce en una casa de comidas del barrio madrileño de la Bombilla. Otra obra destacable por el hecho de estar creada en colaboración con Amadeo Vives es *Episodios Nacionales*, estrenada el 30 de abril de 1908, que constituye un canto a la resistencia española durante la Guerra de la Independencia. También habría que resaltar la pieza que supuso su testamento, *¡Ave César!*, ya que Chispero señala que era una mezcla de diversos elementos en el más puro estilo de Lleó que tuvo su mayor exponente en *La corte de Faraón*: en ella se puede observar la presencia de características de la opereta, de la gran revista, del ballet parisiense y del género chico y continúa con los elogios señalando que Lleó hizo gala de su alegre inspiración melódica y de su particular facilidad para la orquestación.

Su obra cumbre y la que le ha dado mayor fama es *La corte de Faraón*, basada en un libreto de Guillermo Perrín y Miguel Palacios y estrenada el 21 de enero de 1910 en el teatro Eslava. La popularidad que alcanzó en la época fue inmensa: 762 representaciones seguidas en el local de estreno y una presentación especial para la Familia Real, bajo la dirección del propio Lleó, celebrada el 10 de febrero de 1911 en el teatro Real de Madrid. Además, no deja de ser significativo que esta obra se ofreciera como su creación más representativa junto al sainete lírico *Todos somos unos* en el Homenaje póstumo que el teatro Apolo le tributó en 1929. Según García Franco, Perrín y Palacios se inspiraron en el texto de una opereta francesa titulada *Madame Putiphar*

Vicente Lleó
(Foto: Garduño, Colección Andrada; Ar. SGAE)

pero, dejando aparte este dato, lo que está claro es que el acertado libreto está basado en el episodio del Antiguo Testamento en que se habla de José y de la mujer de Putifar, aunque aparece tratado desde un punto de vista humorístico con situaciones bastante pícaras. Los asuntos más grotescos se soslayan por la gracia y espontaneidad de las situaciones, además del hecho de que todos los asuntos se plantean mediante el lenguaje del doble sentido. Pero, sobre todo, lo que dota a la obra de su validez es una música de una calidad bastante superior a la del argumento al que acompaña. Debido a lo atrevido del texto, la obra se prohibió durante la dictadura de Franco, reponiéndose en 1976 en Madrid y Barcelona con un gran éxito. Este argumento fue desarrollado musicalmente por Lleó con una gran maestría; José Subirá indica que combina con gran habilidad rasgos de la opereta y la revista, constitu-

yendo "una joya insuperable en su género". Antonio Barrera señala dos características que diferencian a esta obra del resto de mezclas de zarzuelas y operetas que se producían en la época: Lleó sabe conservar los aciertos del género zarzuelístico pero sustituye la tendencia a la sicalipsis de la revista de ese periodo por una insinuación pícara más fina; unida a la cómica ridiculización de figuras legendarias, rasgo típico de la opereta francesa. En definitiva, se trata de una obra que sabe conjugar la inspiración y parodia de la *Aida* verdiana, el vals de las viudas, la magnífica orquestación y el aire español del garrotín para crear, junto al magnífico libreto, una de las piezas más libres y redondas del género chico español. La obra recorrió con gran éxito los escenarios de España y América.

Un último aspecto a destacar en Lleó es su talento como adaptador y arreglador. Además de su trabajo con la opereta vienesa *El Conde de Luxemburgo*, hay que citar su interesante adaptación de la ópera italiana titulada *La prova di una opera seria* de Giuseppe Mazza. Su labor consistió en conservar sólo aquello que consideraba importante de la música, por lo que redujo la ópera a diez números que se tradujeron al castellano y que dieron como resultado la zarzuela conocida como *El maestro Campanone*. Se trata de una interesante mezcla de zarzuela y ópera italiana en la que la estructura de género chico, en cuanto a dimensiones y carácter, se ve rellenada por una música claramente influida por Rossini y la ópera de principios del siglo XIX. Curiosamente es, junto a *La corte de Faraón*, la otra obra de Lleó que ha permanecido en el repertorio. Para terminar, será interesante consignar unas palabras del dramaturgo Jacinto Benavente que ofrecen una idea de la significación de este autor: "Lleó, este músico en quien se han juntado corazón, inteligencia y voluntad, raro consorcio en artistas y españoles". *Véase* LA CORTE DE FARAÓN; MANSO, JUANITA.

OBRAS: *De Valencia al Grao*, Zarz, 1 act, l, F. Barba, est, 24-X-1888, Te. Ruzafa (Valencia); *¡Dos Marruecos, un diner!*, Zarz, 1 act, l, F. Barber, est, 29-IX-1889, Te. Colón (Valencia); *Sense títul*, Zarz, 1 act, 1889; *El señor de Rabanillo*, Jug cóm-lír, 1 act, est, V-1894, Te. Ruzafa (Valencia), E:Msa; *El dúo con la sultana*, Zarz, 1 act, l, J. M. de la Torre / B. Güell, est, 3-VIII-1894, Te. Gran Vía (Barcelona); *Un casament del dimoni*, Jug cóm-lír, 1 act, l, J. Campos Marte, est, 13-XI-1894, Te. Ruzafa (Valencia), E:VAsa; *Las traviatas*, Zarz, 1 act, l, L. Milla, est, 20-IV-1895, Te.

Ruzafa (Valencia), *E:Msa*; *Las once mil*, Zarz, 1 act, l, J. M. de la Torre / R. Aparicio, est, 19-VII-1895, Te. Gran Vía (Barcelona), *E:Msa*; *Señoritas toreras*, extravagancia, 1 act, l, M. Figuerola, est, 26-VII-1895, Te. Gran Vía (Barcelona); *Miss Leontina*, Zarz, 1 act, est, XI-1895, Barcelona; *He dicho o La casa del diputado*, Zarz, 1 act, l, M. de Rojas / F. Limendoux, est, 8-X-1896, Te. Romea, *E:Msa*; *El juez interino*, Zarz, 1 act, l, G. Perales / A. Barba, est, XI-1896, Barcelona; *El juicio del año*, Hum, 1 act, col. R. Calleja, l, A. Palomero / C. Lucio, est, 28-XII-1896, Te. Comedia; *El mapa mundi*, 1 act, col. R. Calleja, l, C. Navarro, est, 1896, *E:Msa*; *Las niñas toreras*, extravagancia cóm-lír, 1 act, col. A. Álvarez, l, T. Trevijano, est, 1-II-1897, Te. Romea, *E:Msa*; *El corsé*, Zarz, 1 act, l, J. de Cuéllar / M. De Rojas, est, 19-XI-1897, Te. Romea, *E:Msa*; *Agencia Universal*, Jug cóm-lír, col. R. Calleja, l, A. Tobar / C. Bargiela, est, 20-XII-1897, Te. Romea, *E:Msa*; *Juegos de salón*, Zarz, 1 act, col. R. Calleja, l, E. Navarro, est, XII-1897, Te. Romea, *E:Msa*; *Los remiendos*, Zarz, 1 act, col. R. Calleja, l, E. Navarro Gonzalvo, est, 1898, *E:Msa*; *Los cencerros*, Jug, 1 act, l, J. Domínguez / J. Ramírez de Miguel, est, 11-II-1899, Te. Romea; *Varietés*, despropósito, 1 act, col. Zabala, l, L. Pascual / E. Montesinos, est, 22-III-1899, Nuevo Teatro, *E:Msa* (Cd); *Los gladiadores*, Jug, 1 act, col. Chalons, l, R. de Pazos / R. Gijón, est, 14-VI-1899, Te. Zarzuela, *E:Msa*; *El estado de sitio*, Jug cóm-lír, 1 act, col. R. Calleja, l, L. Falcato / M. Soriano, est, 21-VI-1899, Te. Maravillas, *E:Msa*; *Los presupuestos de Villapierde*, Rv, 1 act, col. R. Calleja, l, S. M. Granés / A. Paso Cano / E. García Álvarez, est, 15-VII-1899, Te. Eslava, *E:Msa*; *El traje de boda*, Sai, 1 act, col. Rubio Laínez, l, G. Perrín / M. Palacios, est, 7-VIII-1899, Te. Eldorado, *E:Msa*; *Cambios naturales*, Zarz, 1 act, col. Rubio, l, V. de la Vega, est, 19-VIII-1899, Te. Maravillas, *E:Msa* (Cd); *La tiple mimada*, Zarz, 1 act, l, D. Jiménez, est, 17-X-1899, Te. Martín (BZ); *¡Y no es noche de dormir!*, Zarz, 1 act, col. Santonja / R. Calleja, l, F. Pérez Capo, est, XII-1897, *E:Msa*; *Venus Salón*, Fant, 1 act, col. R. Calleja, l, F. Limendoux / E. López Marín, est, 24-X-1899, Te. Romea, *E:Msa* (BZ); *Los tercos*, Zarz, 1 act, col. R. Calleja, l, S. M. Granés / J. Pardo, est, 28-II-1900, Te. Eslava; *El Mississipí*, Zarz, 1 act, col. R. Calleja, l, C. Lucio / A. Paso Cano / E. García Álvarez, est, 23-VI-1900, Te. Eldorado; *Cayetano III (El duque Cayetano)*, Opt, 1 act, l, F. Limendoux, est, 19-X-1900, Te. Romea; *Lucha de clases*, Zarz, 1 act, col. R. Calleja, l, S. Delgado / J. Abati, est, 27-X-1900, Te. Eslava; *Sandías y melones*, Zarz, 1 act, col. R. Calleja, l, C. Arniches, est, 17-XII-1900, Te. Eslava; *Polvorilla*, Zarz, 1 act, col. A. Vives, l, C. Fernández Shaw / F. Yraizoz, est, 31-XII-1900, Te. Eslava; *La maestra*, Rv, 1 act, col. R. Calleja / E. Barrera, l, E. Navarro, est, 19-I-1901, Te. Eslava, *E:Msa*; *Cascarrabias*, Sai, 1 act, col. E. Barrera, l, E. Montesinos / S. M. Granés, est, 20-II-1901, Te. Eslava, *E:Msa*; *Jaque a la reina*, Zarz, 1 act, col. R. Calleja, l, S. Delgado, est, 14-III-1901, Te. Apolo, *E:Msa*; *Don César de Bazán*, Zarz, 1 act, col. R. Calleja, l, S. Delgado, est, 28-III-1901, Te. Apolo; *Jilguero chico*, Sai, 1 act, col. R. Calleja, l, A. Luna, est, 7-X-1901, Te. Cómico, *E:Msa*; *Mi buen papá*, Zarz, 1 act, col. R. Calleja, l, V. de la Vega, est, X-1901, *E:Msa*; *Subasta nacional*, miscelánea, 1 act, col. R. Calleja, l, E. Navarro, est, 22-I-1902, Te. Apolo, *E:Msa*; *Gazpacho andaluz*, pasillo, 1 act, col. R. Calleja, est, 30-IV-1902, Te. Cómico, *E:Msa*; *La revolución social*, Zarz, 1 act, col. R. Calleja, l, E. Gullón / L. de Larra, est, 13-V-1902, Te. Eslava, *E:Msa*; *Jaleo nacional*, Rv, 1 act, col. R. Calleja / Serrano, l, C. Cruselles / A. Malentuche / S. M. Granés, est, 28-VI-1902, Parque del Retiro, *E:Msa*; *El respetable público*, Rv, 1 act, col. R. Calleja, l, J. Paso Cano / F. Cánovas / L. Gavaldón, est, 18 IX-1902, Te. Eslava, *E:Msa* (SAE), *Inés de Castro o Reinar después de morir*, Zarz, 3 act, col. R. Calleja, l, J. J. Cadenas / L. Paris, est, 16-III-1903, Te. Lírico, *E:Msa* (SAE); *Copito de nieve*, Zarz, 1 act, col. R. Calleja, l, M. Lastra / E. López Marín, est, 20-V-1903, Te. Nuevo

(Barcelona), *E:Msa*; *El heredero del trono*, Zarz, 3 act, col. R. Calleja, l, F. Limendoux, est, V-1903, Te. Nuevo (Barcelona), *E:Msa*; *El famoso Colirón*, Zarz, 1 act, col. R. Calleja, l, E. García Álvarez / J. J. Cadenas, est, 11-VII-1903, Te. Lírico, *E:Msa* (SAE); *Los hijos del mar*, Zarz, 1 act, col. R. Calleja, l, G. Merino, est, 5-IX-1903, Te. Lírico, *E:Msa* (SAE); *El mozo crúo*, Sai, 1 act, col. R. Calleja, est, 22-IX-1903, Te. Cómico, *E:Msa* (SAE); *El pícaro mundo*, Pas, 1 act, col. R. Calleja, l, D. Jiménez Prieto / F. Pérez Capo, est, 22-IX-1903, Te. Cómico, *E:Msa* (SAE); *El automóvil mamá*, Jug cóm-lír, 1 act, col. R. Calleja, l, M. Palacios / G. Perrín, est, 4-I-1904, Te. Cómico, *E:Msa*; *Gloria pura*, Hum, 1 act, col. Calleja, l, C. Cruselles / A. Paso Cano / S. M. Granés, est, 24-II-1904, Te. Zarzuela, *E:Msa* (SAE); *Siempre p'atrás*, chifladura sátira, 1 act, col. Rubio, l, L. de Larra, est, 27-II-1904, Te. Cómico, *E:Msa* (SAE); *Las de capirote*, Opt, 1 act, col. R. Calleja, l, López Monís / J. Sánchez, est, 29-IV-1904, Te. Cómico, *E:Msa*; *Bazar de muñecas*, Rv, 1 act, l, N. Rodríguez de Celis / A. Varela, est, 14-V-1904, Te. Eslava, *E:Msa* (SAE); *¡Hule!*, Ent, 1 act, col. R. Calleja, l, E. Rodríguez Arias / E. Arroyo, est, 14-VI-1904, Te. Zarzuela, *E:Msa*; *La misa de doce*, Ent, 1 act, col. R. Calleja, l, A. Paso Cano / A. Varela, est, 14-VI-1904, Te. Zarzuela, *E:Msa*; *La regeneración*, Fant, 1 act, col. R. Calleja, l, M. Fernández Palomero, est, 27-VI-1904, Te. Lírico, *E:Msa*; *El rey del valor*, Hum, 1 act, col. R. Calleja, l, C. Cruselles / A. Paso Cano, est, 7-IX-1904, Te. Eslava, *E:Msa* (SAE); *Los cangrejos*, Sai, 1 act, col. R. Calleja, l, F. Pérez Capo, est, 26-X-1904, Te. Cómico, *E:Msa*; *¡M'hacéis reír, Don Gonzalo!*, buñuelo de viento político, 1 act, col. R. Calleja, l, E. Gómez Gereda / A. Soler, est, 1-XI-1904, Te. Cómico, *E:Msa* (SAE); *El premio de honor*, Rv, 1 act, col. R. Calleja, l, C. Lucio, est, 11-XII-1904, Te. Eslava, *E:Msa*; *El Trágala*, episodio histórico, 1 act, col. R. Calleja, l, L. Paris / J. J. Cadenas, est, 14-I-1905, Te. Eslava, *E:Msa*; *Frou-Frou*, Hum, 1 act, col. R. Calleja, l, A. Paso Cano / F. Pérez Capo, est, 27-I-1905, Te. Eslava, *E:Msa*; *Music-Hall*, Pas, 1 act, col. R. Calleja, l, E. López Marín, est, 18-II-1905, Te. Eslava, *E:Msa*; *La mulata*, Zarz, 3 act, col. Valverde / Calleja, l, A. Paso Cano / J. Abati, est, 23-III-1905, Te. Eslava, *E:Msa* (VLL); *Chirivita*, Sai, 1 act, col. R. Calleja, l, R. Tirado, est, 17-VI-1905, Te. Zarzuela; *El maestro Campanone*, Zarz, 2 act, adap de Mazza, l, C. Frontaura, est, 13-X-1905, Te. Cómico (IA/VLL); *Las piedras preciosas*, Zarz, 1 act, l, M. Gullón / L. de Larra, est, 19-X-1905, Te. Martín, *E:Msa*; *El ilustre Recóchez*, Zarz, 1 act, l, A. Paso Cano / D. Jiménez, est, 17-XI-1905, Te. Zarzuela, *E:Msa* (VLL); *El crimen pasional*, disparate, 1 act, l, J. Moyrón / M. Fernández Palacios, est, 28-XII-1905, Te. Cómico, *E:Msa* (VLL); *La taza de té*, caricatura japonesa, 1 act, l, J. Abati / A. Paso Cano / M. Thous, est, 23-III-1906, Te. Cómico, *E:Msa* (VLL); *Los mosqueteros*, Opt, 1 act, adap de Barney, l, J. Abati / E. Sierra / A. Paso Cano, est, 6-IX-1906, Te. Zarzuela, *E:Msa* (VLL); *La casa de Socorro o El crimen pasional*, Ent, 1 act, l, J. Moyrón / M. Fernández Palomero, est, 27-X-1906, Te. Zarzuela, *E:Msa*; *Sangre torera*, Sai, 1 act, col. A. Vives, l, L. Pascual Frutos / A. López Monís, est, 8-XII-1906, Te. Eslava, *E:Msa*; *El susto gordo*, disparate cómico, 1 act, col. L. Foglietti, l, A. Sainz Rodríguez / J. Jackson, est, 25-V-1907, Te. Eslava, *E:Msa*; *El aire*, Jug cóm-lír, col. Mariani, l, A. Paso / J. Abati, est, 24-IV-1906, Te. Cómico, *E:Msa* ; *Venus Kursaal*, Fant, 1 act, col. R. Calleja, l, F. Limendoux / E. López Marín, est, 31-X-1906, Te. Cómico (VLL); *La guedeja rubia*, cuento de Bocaccio, 1 act, l, F. Yraizoz, est, 7-XII-1906, Te. Cómico, *E:Msa* (FA); *Ruido de campanas*, Com, 1 act, l, A. Martínez Viérgol, est, 18-I-1907, Te. Eslava, *E:Msa* (FA); *Todos somos uno*, Sai, 1 act, l, J. Benavente, est, 21-I-1907, Te. Eslava, *E:Msa* (FA); *La loba*, Zarz, 1 act, l, R. Rocabert / A. Paso Cano, est, 25-II-1907, Te. Eslava, *E:Msa* (FA); *La copa encantada*, Zarz, 1 act, l, J. Benavente, est, 16-III-1907, Te. Zarzuela, *E:Msa* (FA); *La vida alegre*, Hum, 1 act, col.

L. Foglietti, l, J. Capella/M. Fernández, est, 5-IV-1907, Te. Cómico, *E:Msa*; *La hostería del laurel*, Zarz, 1 act, l, A. Paso Cano / J. Abati, est, 26-IV-1907, Te. Cómico, *E:Msa* (FA); *Tupinamba*, Ent, 1 act, col. L. Foglietti, l, R. Hernández/C. Afán de Rivera, est, 8-V-1907, Te. Cómico, *E:Msa*; *La fea del olé*, Sai, 1 act, l, L. de Larra / A. Plañiol / A. Fernández Lepina, est, 18-V-1907, Te. Cómico, *E:Msa* (FA); *Apaga y vámonos*, Pas, 1 act, l, J. López Silva / J. Jackson Veyán, est, 31-V-1907, Te. Cómico (FA), *E:Msa*; *La regadera*, Ent, 1 act, col. L. Foglietti, l, A. Larrubiera / A. Casero, est, 14-X-1907, Te. Eslava, *E:Msa*; *La alegre trompetería*, Pas, 1 act, l, A. Paso Cano, est, 16-X-1907, Te. Eslava, *E:Msa* (FA); *Tenorio feminista*, parodia, 1 act, l, C. Servert / A. Paso Cano / I. Valdivia, est, 31-X-1907, Te. Eslava, *E:Msa*; *El pobrecito príncipe*, disparate, 1 act, col. R. Calleja, l, J. de Burgos / M. Fernández Palomero, est, 28-XII-1907, Te. Eslava, *E:Msa*; *La corte de los casados*, Opt, 1 act, col. L. Foglietti, l, F. Pérez Capo, est, 8-II-1908; *Santos e meigas*, idilio, 1 act, col. Baldomir, l, M. Linares Rivas, est, 11-II-1908, Te. Zarzuela, *E:Msa*; *El quinto pelao*, Zarz, 3 act, l, E. Mario/A. Paso Cano, est, 22-II-1908, Te. Eslava, *E:Msa* (FA); *La carne flaca*, Hum, 1 act, col. E. García Álvarez, l, J. Jackson Veyán / C. Arniches, est, 21-III-1908, Te. Eslava, *E:Msa* (FA); *Episodios Nacionales*, Rv, 1 act, col. A. Vives, E. Cerdá / M. Thous, est, 30-IV-1908, Te. Zarzuela, *E:Msa* (FA); *La vuelta del presidio*, Ent, 1 act, l, J. López Silva, est, 22-V-1908, Te. Eslava, *E:Msa* (FA); *Mayo florido*, Sai, 1 act, l, A. Paso Cano / J. Abati, est, 22-V-1908, Te. Eslava, *E:Msa* (IA); *Las de Farandul*, Jug cóm-lír, 1 act, l, P. Ballesteros / E. López Marín, est, 10-VIII-1908, Te. Maravillas, *E:Msa*; *La república del amor*, Opt, 1 act, l, S. Aragón / A. Paso Cano / G. Martínez Sierra, est, 26-IX-1908, Te. Eslava, *E:Msa* (IA); *La golfa del Manzanares o La Tarasca*, Sai, 1 act, col. R. Calleja, l, L. de Larra / N. Martínez, est, 8-X-1908, Gran Teatro, *E:Msa*; *La balsa de aceite*, Zarz, 1 act, l, S. Delgado, est, 13-X-1908, Te. Eslava, *E:Msa* (IA); *Si*

Cortesía de Unión Musical Ediciones SL

las mujeres mandasen, Fant lír, 1 act, col. L. Foglietti, l, M. Fernández de la Puente / L. Pascual Frutos, est, 2-XII-1908, Te. Eslava, *E:Msa*; *Las molineras*, Zarz, 1 act, l, M. Thous / E. Cerdá, est, 12-XII-1908, Gran Teatro, *E:Msa* (IA); *El príncipe sin miedo*, Opt, 2 act, col. L. Foglietti / E. Úbeda, l, G. Jover / E. González del Castillo, est, 24-XII-1908, Te. Martín, *E:Msa* (IA); *Rival de Sherlock Holmes*, Jug, 1 act, l, M. Pina / E. Córdoba, est, 24-XII-1908, Te. Eslava, *E:Msa*; *Los tres maridos burlados*, Sai, 1 act, l, J. Dicenta/P. de Répide, adap de T. De Molina, est, 5-II-1909, Te. Eslava, *E:Msa* (IA); *Ninfas y sátiros*, Sai, 1 act, l, J. López Silva / J. Pellicer, est, 27-III-1909, Te. Eslava, *E:Msa* (IA); *Por todo lo alto*, Ent, 1 act, col. L. Foglietti, l, J. González Pastor, est, 22-V-1909, Te. Eslava, *E:Msa*; *Los hombres alegres*, Sai, 1 act, l, J. Abati / A. Paso Cano, est, 1-VI-1909, Te. Apolo, *E:Msa* (IA); *El método Gorritz*, Zarz, 1 act, l, E. García Álvarez / C. Arniches, est, 18-VI-1909, Te. Apolo, *E:Msa* (IA); *La comisaría*, pasillo cóm-lír, col. E. García Álvarez, l, E. García Álvarez / R. Tirado, est, 19-IX-1909, Te. Zarzuela, *E:Msa* (IA); *La moral en peligro*, Zarz, 1 act, l, S. Delgado, est, 24-IX-1909, Te. Eslava, *E:Msa* (IA); *La corte de faraón*, Opt, 1 act, l, M. Palacios / G. Perrín, est, 21-I-1910, Te. Eslava, *E:Msa* (IA); *El bebé de París*, Zarz, 1 act, l, S. Delgado, est, 7-II-

1910, Te. Eslava, *E:Msa* (FA); *La alegre doña Juanita*, Opt, 1 act, adap de Suppé, l, E. Córdoba / M. Fernández Palomero, est, 26-III-1910, Te. Eslava; *Mea culpa*, disgusto lír, 1 act, l, A. Paso Cano / J. Abati, est, 21-V-1910, Te. Eslava, *E:Msa* (FA); *Colgar los hábitos*, Sai, 1 act, col. L. Foglietti, l, A. Domínguez, est, 2-VI-1910, Te. Eslava, *E:Msa*; *El conde de Luxemburgo*, Opt, 3 act, adap de Lehár, l, J. J. Cadenas, est, 19-X-1910, Te. Eslava, *E:Msa* (VLL); *La partida de la porra*, Sai, 1 act, l, A. Paso Cano/J. Abati, est, 15-XII-1910, Te. Eslava, *E:Msa* (FA); *El chirivita*, 1 act, 1910, *E:Msa*; *Los soldaditos de plomo*, Opt, 3 act, col. J. Vivas, adap de Straus, l, J. J. Cadenas, est, 25-I-1911, Te. Novedades (Barcelona); *La niña de las muñecas*, Opt, 3 act, adap de Fall, l, J. J. Cadenas, est, 4-V-1911, Te. Eslava, *E:Msa*; *El vals de los besos*, Jug, 1 act, l, E. López Marín, est, 27-V-1911, Te. Eslava, *E:Msa*; *El revisor*, Jug cóm-lír, 3 act, adap de Hennequin, l, E. Mario / R. Blasco, est, 13-VI-1911, Te. Eslava, *E:Msa*; *La mujer divorciada*, Opt, 3 act, adap de Fall, l, V. León / J. J. Cadenas, est, 23-XII-1911, Te. Eslava, *E:Msa* (FA);

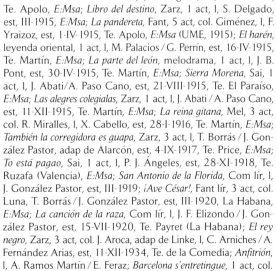

El cuarteto Pons, Zarz, 1 act, l, C. Arniches / E. García Álvarez, est, 19-IV-1912, Te. Eslava, *E:Msa*; *Los borregos*, Zarz, 1 act, l, A. Martínez Viérgol, est, 10-V-1912, Te. Eslava, *E:Msa*; *La maja de los claveles*, Sai, 1 act, l, J. Jover / E. González del Castillo, est, 24-V-1912, Te. Apolo, *E:Msa*; *Las princesitas del Dóllar*, Opt, 3 act, adap de Fall, l, J. J. Cadenas, est, 21-VI-1912, Te. Eslava (FF); *Petit café*, Com, 3 act, l, J. J. Cadenas, est, 25-IX-1912, Te. Eslava, *E:Msa*; *Los húsares del Kaiser*, Opt, 3 act, adap de Kalmann, l, J. J. Cadenas, est, 27-XI-1912, Te. Eslava, *E:Msa*; *Los molinos cantan*, Zarz, 3 act, adap de Van Oost, l, J. J. Cadenas / R. Asensio Mas, est, 24-XII-1912, Te. Apolo; *Mis tres mujeres*, Zarz, 1 act, l, J. J. Cadenas / R. Asensio, est, XII-1912; *La tirana*, Com lír, l, G. Martínez Sierra, est, 28-II-1913, Te. Eslava, *E:Msa* (VLL); *España Nueva*, profecía cóm-lír, 1 act, l, A. Paso Cano / J. Abati, est, 7-IX-1914, Te. Apolo, *E:Msa*; *La tabla de salvación*, Apr, 1 act, l, S. Delgado, est, 28-XII-1914, Te. Apolo, *E:Msa*; *Libro del destino*, Zarz, 1 act, l, S. Delgado, est, III-1915, *E:Msa*; *La pandereta*, Fant, 5 act, col. Giménez, l, F. Yraizoz, est, 1-IV-1915, Te. Apolo, *E:Msa* (UME, 1915); *El harén*, leyenda oriental, 1 act, l, M. Palacios / G. Perrín, est, 16-IV-1915, Te. Martín, *E:Msa*; *La parte del león*, melodrama, 1 act, l, J. B. Pont, est, 30-IV-1915, Te. Martín, *E:Msa*; *Sierra Morena*, Sai, 1 act, l, J. Abati/A. Paso Cano, est, 21-VIII-1915, Te. El Paraíso, *E:Msa*; *Las alegres colegialas*, Zarz, 1 act, l, J. Abati / A. Paso Cano, est, 11-XII-1915, Te. Martín, *E:Msa*; *La reina gitana*, Mel, 3 act, col. R. Miralles, l, X. Cabello, est, 28-I-1916, Te. Martín, *E:Msa*; *También la corregidora es guapa*, Zarz, 3 act, l, T. Borrás / J. González Pastor, adap de Alarcón, est, 4-IX-1917, Te. Price, *E:Msa*; *To está pagao*, Sai, 1 act, l, P. J. Ángeles, est, 28-XI-1918, Te. Ruzafa (Valencia), *E:Msa*; *San Antonio de la Florida*, Com lír, l, J. González Pastor, est, III-1919; *¡Ave César!*, Fant lír, 3 act, col. Luna, T. Borrás / J. González Pastor, est, III-1920, La Habana, *E:Msa*; *La canción de la raza*, Com lír, l, J. F. Elizondo / J. González Pastor, est, 15-VII-1920, Te. Payret (La Habana); *El rey negro*, Zarz, 3 act, col. J. Aroca, adap de Linke, l, C. Arniches / A. Fernández Arias, est, 11-XII-1934, Te. de la Comedia; *Anfitrión*, l, A. Ramos Martín / E. Feraz; *Barcelona s'entretingue*, 1 act, col.

J. Cristóbal, I, E. Córdoba/M. Fernández Palomero, *E:Msa*; *Bemoles y sostenidos*, Zarz, 1 act, I, J. M. López; *Buenos Aires en Roma*, Zarz, 1 act, I, M. Fernández Palomero; *Caretas políticas*, Zarz, 1 act, col. R. Calleja, I, E. García Álvarez / S. M. Granés / A. Paso Cano, *E:Msa*; *Corrida extraordinaria*, 1 act, *E:Msa*; *Costillas falsas*, 1 act, col. R. Calleja, I, Gereda / A. Soler, *E:Msa*; *Chirimoya o La reina sanguinaria*, Bu, 1 act, col. R. Calleja, I, L. de Larra; *De telón adentro*, *E:Msa*; *Delegado especial*, Zarz, 1 act, I, C. Navarro, *E:Msa*; *Don José de Castro*, col. R. Calleja, I, L. París / J. J. Cadenas; *Edén club*, 1 act, col. R. Calleja, I, López Monís / L. París, *E:Msa*; *El Dios Apolo*, col. R. Calleja, *E:Msa*; *El Edén club*, Apr, 1 act, col. R. Calleja, I, L. París / E. López Marín; *El príncipe Carnaval*; *El vals de las olas*, Jug, 1 act, I, E. López Marín; *Grande de España*, Zarz, 1 act, col. Calleja, I, S. Delgado, *E:Msa*; *La boleta*, Zarz, 1 act, col. R. Calleja / González Alcántara, I, A. Custodio / J. Capella, *E:Msa*; *La dama de las Camelias*, Opt, 3 act, col. R. Calleja / A. Vives, I, F. Yraizoz, *E:Msa*; *La perfecta casada*, Zarz, 1 act; *La revista nueva*, Zarz, 1 act, col. R. Calleja; *La Venus del Turia*, Zarz, 1 act, col. M. Penella, I, M. Moncayo; *La toca de encaje*, Zarz, 1 act, I, E. Navarro, est, Valencia; *Las boletas*, parodia, 1 act, col. R. Calleja, I, J. Capella / I. Soler / A. Custodio; *Las costillas falsas*, Zarz, 1 act, col. R. Calleja, I, G. Gereda / A. Soler; *Los guardias de Su Alteza*, col. R. Calleja, *E:Msa*; *Mi torero*, Zarz, 1 act, I, Marell / M. Fernández Bayot, *E:Msa*; *Por esos mundos*, Zarz, 1 act, col. Chueca, I, M. Jiménez / C. Cruselles / J. Paso, *E:Msa*; *Tres estrellas*, Hum, 1 act, col. R. Calleja, I, M. López / J. Abati, *E:Msa*.

FONOGRAFÍA: *El conde de Luxemburgo* (adaptación), Zafiro ZOR-104 155 • C 2052 (et. azul), 55763-1-13, 55761-1-9 • Blue Moon BMCD 7531 • Gramophone 64346, 64349 (et. negra), 17581u • Zafiro LM-3038 (C) 176; *El método Górritz*, Victoria 1556, 1557 y 1558; *El premio de honor*, Gramophone V 53172 V 52292 (et. verde), 5422 y 5470; *Fin de semana*, Sonifolk 20139; *La alegre trompetería*, Sonifolk 20139 • Victoria 1298; *La corte de faraón*, Odeón 184875 a 184880, SO 7145, SO 7158 a SO 7160, SO 7184 a SO 7186, SO 7192, SO 7193, SO 7269 a SO 7271 • Blue Moon BMCD 7503 • Montilla FM-38 • Victoria 1593 y 1594 • Zafiro 30103012 172 • Odeón (et. roja), SO 7158 SO 7160 SO 7184 SO 7185 SO 7186 SO 7271 • Odeón 183263 y 183264 (et. azul), SO 7145 SO 7192 SO 7193 SO 7159 • Odeón 184256 (et. marrón), SO 7269 SO 7270 • Alhambra-BMG España WD 71441 (9D) • Columbia-Alhambra MCC 30056 y SCLL 14047 • Columbia-Salvat 1017-1 • Discophon (S) 1032 (S) 4100 (S) 7281; *Los hombres alegres*, Le Voice de son maitre V54237 (et. verde), 836; *Todo el año es carnaval*, Sonifolk 20139; *Tres días para quererte*, Sonifolk 20139.

BIBLIOGRAFÍA: *DMEH*; M. García Franco: "El apogeo de la Zarzuela", *Historia de la música de la Comunidad Valenciana*, XV, 1992.

VICENTE GALBIS LÓPEZ

Lleroa Salas, Francisco. *Véase* SALAS, FRANCISCO.

Llorens Robles, Carlos. Valencia, 1821; Cartagena (Murcia), 8-IX-1862. Compositor y director. Aunque su mayor aportación desde el punto de vista técnico y de repercusión popular fue la música instrumental, Carlos Llorens presenta una interesante producción de zarzuelas enmarcada en la década central del siglo XIX. Como sucedió con otros compositores, su interés inicial era triunfar en el campo de la ópera y sus primeros intentos los llevó a cabo en ciudades andaluzas antes de presentar sus obras en Valencia. Así, en noviembre de 1850, un perió-

dico de Cádiz hacía referencia al éxito otenido por su ópera *El cuerno de oro*, presentada en el teatro del Circo de dicha capital. En el *Diario Mercantil Valenciano* se recoge la noticia de que el 2 de julio de ese mismo año se estrenó con éxito en el teatro del Circo de Sevilla su opereta *La feria de Sevilla*, indicando el articulista que las primeras producciones líricas importantes de Llorens se estrenaron en dicha ciudad. Tras esta experiencia en Andalucía, la prensa valenciana de la época se hizo eco de la llegada, en marzo de 1853, del prometedor Carlos Llorens para dirigir la orquesta del recién inaugurado teatro Princesa, con lo que también participó en la expansión del género lírico como intérprete. De todos modos, su interés por el género operístico no cayó: a principios de 1854 estrenó en el Princesa su ópera en tres actos *Federico II el Grande*, que obtuvo elogios a la música y ataques al libreto. Es significativo que en alguna crítica se le recomendaba que se fijara en la expansión de la zarzuela y en sus posibilidades. Hasta finales de 1855, Llorens estrenó en el teatro Princesa varias zarzuelas que no obtuvieron el éxito esperado, abandonando la dirección musical del local. Sin embargo, hacia finales de la década cambió su suerte con el sucesivo éxito de varias zarzuelas en las que tocó el genero descriptivo, que ya la había reportado varios triunfos en la música instrumental. Esto se concretó en *La toma de Tetuán*, episodio lírico-dramático estrenado en el teatro Novedades de Madrid 1860. En esta obra se narra un acontecimiento bélico de la guerra de África tratado con un gran aparato escenográfico. En cuanto a la relación entre la zarzuela y la sociedad de su época esta pieza es representativa puesto que *La toma de Tetuán* se enmarca dentro de un ambiente patriótico relacionado con la Guerra de África. Otra obra lírica dentro del género descriptivo fue *Una tempestad en América*, que obtuvo en su estreno en Valencia bastante éxito de público y la crítica alabó su música aunque atacó la letra.

El éxito de García Catalá con *Un casament en Picaña* evidenció la existencia de una demanda de zarzuelas valencianas en cuanto a idioma y temática, y a ello respondió Llorens con *El Foguerer*. En esta obrita colaboró con uno de los autores cómicos más destacados del momento: Josep Bernat i Baldoví. Ello explica el caracter jocoso que ya aparecía enunciado en su denominación: "cuadro lírico-dramático borrical, en medio acto y en verso entero".

En la primera temporada del año cómico 1860-61 estrenó en el teatro Princesa su zarzuela más importante, por la repercusión que tuvo entre el público: *Por balcones y ventanas*. Su gran número de representaciones en dicha temporada –más que autores como Oudrid, Barbieri o Gaztambide– y su permanencia posterior justifican la afirmación anterior.

En ese mismo año cómico, también estrenó *Un inquilino machaca*, aunque tuvo menor aceptación. En la temporada siguiente siguió estrenando con regularidad, sobre todo en la primera temporada de abono del teatro Princesa donde, junto a García Catalá, se constituyó casi un festival de zarzuela valenciana. De esta época data el estreno de *Por tejados y azoteas*, segunda parte de *Por balcones y ventanas* y que fue compuesta debido al éxito de la primera parte. En el año cómico 1862-63 la presencia de las zarzuelas de Llorens en la cartelera valenciana fue también evidente. En estos años centrales del siglo XIX, Llorens se convirtió, junto a García Catalá, en uno de los principales compositores valencianos de zarzuela. De hecho, fue uno de los autores autóctonos que más zarzuelas vieron estrenadas. La principal diferencia con García Catalá es que no escribió apenas zarzuelas en lengua valenciana y, en general, su trascendencia posterior fue menor.

OBRAS: *La feria de Sevilla*, Opt, est, 2-VII-1850, Te. Circo (Sevilla); *El cuerno de oro*, Óp cóm, 3 act, l, F. Sánchez del Arco, est, XI-1850, Te. del Circo (Cádiz), *E:Msa*; *La herencia de las jorobas*, Zarz, 2 act, 1854; *Una broma de campo*, Zarz, 1854; *Una tempestad en América*, descripción de una escena lír-bailable, 1 act, l, N. Serra, est, 1858, Gran Te. Liceo (Barcelona), *E:Msa*; *La toma de Tetuán*, episodio lír-dramático, 2 act, est, 8-II-1860, Te. Principal (Valencia); *La perla de Monzón*, 3 act, est, 18-IV-1860, Te. Princesa (Valencia); *El Foguerer*, cuadro lír-dramático borrical, 1/2 act, l, J. Bernat y Baldoví, est, 30-V-1860, Te. Princesa (Valencia); *Por balcones y ventanas*, Jug cóm-lír-gimnástico, 1 act, R. Blasco, est, 24-XII-1860, Te. Princesa (Valencia); *Madrid y sus misterios*, 3 act, 1860; *Un inquilino machaca*, 1 act, est, 31-I-1861, Te. Princesa (Valencia); *Por tejados y azoteas*, 1 act, l, R. Blasco, est, 28-XII-1861, Te. Princesa (Valencia); *El tío tropiezo*, Zarz, 1 act, *E:Msa*; *La perla gaditana*, Zarz, 1 act, *E:Msa*; *Llegar a tiempo*, Zarz; *Un sacrificio de amor*, Zarz.

BIBLIOGRAFÍA: *DMEH*; V. Galbis López: "La música escénica en Valencia: 1832-1868. Del modelo del Antiguo Régimen a la organización musical del estado burgués", tesis doctoral, U. Valencia, 2000.

VICENTE GALBIS LÓPEZ

Lloret, Enrique. Alicante, siglos XIX-XX. Bajo. Fue primero bajo cantante actuando en la ópera y la zarzuela grande, logrando sobresalir entre los mejores cantantes de su época. En 1855 ya actuaba en el teatro Principal de Alicante con una compañía de comedias. En 1894 hizo una temporada en el mismo teatro en la Compañía lírica de Eduardo Ortiz; durante ella estrenaron la zarzuela *Vía libre* de Chapí quien dirigió la orquesta. Pusieron también en escena *La tempestad*, *El milagro de la Virgen*, *El cañón* de Marqués y *El ángel guardián* de Nieto y Brull. En los primeros años del siglo XX se retiró de la escena.

BIBLIOGRAFÍA: J. D. Aguilar Gómez: *Historia de la música en la provincia de Alicante*, Diputación de Alicante, 1983.

Mª ENCINA CORTIZO

Lloret Peral, José Luis. †Madrid, 28-II-1968. Compositor y barítono. Secretario del Real Conservatorio de Música y Declamación, se presentó en el teatro de la Zarzuela como compositor antes que como cantante, estrenando en 1919 su zarzuela *Nochecita de San Juan* con libreto de Emilio Ferraz Revenga. La obra fue bien acogida y muchas de las romanzas hubieron de repetirse. En 1921 estrenó *El talismán del caudillo*, una parodia de bailes rusos que obtuvo su consagración en el teatro de la Zarzuela y hubo de sustituir repentinamente a Emilio Sagi Barba en el estreno de *La montería* en 1923. El barítono dominaba el papel ya que había estrenado la obra en el teatro Circo de Zaragoza. En el teatro Principal de Zaragoza estrenó *Al dorarse las espigas* de Francisco Balaguer. En 1924 estrenó en el teatro Cómico *La linda tapada* de Alonso, en 1925 *Katia, la bailarina*, en Eslava y en 1932 *La fama del tartanero* en el teatro Calderón de Madrid.

José Luis Lloret (Foto: Ar. Emilio G. Carretero)

Como compositor, además de numerosas canciones y de las zarzuelas mencionadas, escribió *La coqueta* en colaboración con Eugenio Gómez Muñoa; *La corte del rey poeta* con Emilio Gómez Muñoz y Salvador Valverde; la comedia musical *El festín de Baltasar*, con libreto de Federico Romero y Guillermo Fernández Shaw; *El adiós a la vida* con libreto de Enrique Arroyo; *La estrella errante* y el espectáculo *Carrusel de España* escrito en colaboración con López-Quiroga y Carmen Clavero y libreto de Rafael de León y Andrés Molina. Se casó con la tiple Carmen Arenas y al retirarse, se dedicó a la enseñanza del canto y a la dirección orquestal. *Véase* ARENAS, CARMEN.

FONOGRAFÍA: *La montería*, 139590-139591 (et. azul y negra), SO 2866 SO 2867 • *Noche de verbena*, La Voz de su Amo AE 2983.

BIBLIOGRAFÍA: E. García Carretero: *Historia del teatro de la Zarzuela de Madrid*, Madrid, Fundación de la Zarzuela Española, 2003.

Mª LUZ GONZÁLEZ PEÑA

Lloris, Enedina. Alfara del Patriarca (Valencia), 196?. Soprano. Debutó en el teatro de la Zarzuela de Madrid en 1985 con *Doña Francisquita* de Vives, dirigida por José Luis Alonso y Miguel Roa consiguiendo por su voz, sus portentosas facultades y su físico ser saludada por crítica y público como una firme promesa del teatro lírico, tanto en la zarzuela como en la ópera. Su éxito fue comparado con el que años atrás consiguió con la misma obra y en el mismo escenario su paisana Ana María Olaria. A pesar del enorme éxito de su debut, su carrera fue corta pues se retiró por enfermedad. Se dedica a la enseñanza del canto en su tierra natal.

EMILIO GARCÍA CARRETERO

Tana Lluró (Foto: Nuevo Mundo, 1910; Ar. ICCMU)

Lluró, Tana [Gaetana]. España, siglos XIX-XX. Soprano lírica. Debutó en septiembre de 1910 en el teatro Prado Catalán de Barcelona cantando ópera con mucho éxito y con el nombre de Gaetana Lluró. En 1917 estrenó en el teatro Tívoli de Barcelona la opereta *Luzbel* de Padilla, y en 1918 en el teatro Ruzafa de Valencia *El canto de las sirenas* de Miguel Asensi. En la temporada 1921-22, ya como Tana Lluró, formaba parte de la compañía encabezada por Emilio Sagi-Barba y su esposa Luisa Vela, que el empresario Vicente Barber presentó en el teatro de la Zarzuela. En 1921 cantó *La bruja* de Chapí, *Las golondrinas* de Usandizaga junto al matrimonio Sagi-Vela, *Maruxa* de Vives, *Los calabreses* y *Los cadetes de la reina* de Pablo Luna. Participó en el estreno de la primera zarzuela de José Mª Franco, *El emigrante*, en 1921. El 18 del mismo mes estrenó *Glorias del pueblo*, comedia musical en un acto de Rafael Millán, que obtuvo un gran éxito. Ese mismo año estrenó la opereta bufa de Francisco Alonso *El príncipe Carlos*, encontrando la crítica a la tiple muy acertada de voz y de gesto; sin embargo no obtuvo el mismo éxito *Sol de la noche*, estrenada el 14 de diciembre.

FONOGRAFÍA: *La montería*, Gramófono AE 893 AE 894 AE 895 AE 896 AE 869 AE 870 (et. verde), BS 264489 BS 264490.

Mª LUZ GONZÁLEZ PEÑA

Lobo Regidor. Familia de dramaturgos españoles formada por los hermanos Ramón y Manuel.

1. Ramón. España, siglos XIX-XX. Dramaturgo y periodista. Fue redactor de periódicos médicos como *La Medicina Contemporánea* y *El Siglo Médico* y director del Hospital Provincial de Madrid. Su producción teatral se desarrolló casi siempre en colaboración con otros autores como Luis Pascual Frutos con el que escribió el sainete *La buena moza*, con música de Prudencio Muñoz y Luis Foglietti, 1904, y la fantasía morisca *El ramadán*, 1906, con música de Luis Foglietti y Arturo Pérez Soriano. En colaboración con Manuel Lobo Regidor escribió el juguete cómico-lírico *El estudiante de Segovia* y la zarzuela *De conquista*, con música de Vicente Zurrón. Escribió en solitario *El oráculo* con música de Pablo Luna y *Géneros del reino* con música de Jesús Aroca.

2. Manuel. España, siglos XIX-XX. Dramaturgo. Escribió con su hermano Ramón el juguete cómico-lírico *El estudiante de Segovia*, con música de Gualterio Jacopetti y la zarzuela *De conquista* de Vicente Zurrón. En colaboración con A. Merelo escribió el juguete *Toni* en 1896.

BIBLIOGRAFÍA: *CDE; DAT.*

Mª LUZ GONZÁLEZ PEÑA

Loitia, Víctor. España, siglo XIX. Cantante. Muy relacionado con la zarzuela grande y con el teatro de la Zarzuela, en 1869 estrenó *De Madrid a Biarritz* de Arrieta; al año siguiente estrenó dos obras de Cristóbal Oudrid, *El molinero de Subiza* y *La gata de Mari Ramos*. En 1873 estaba contratado por el teatro del Circo, en el que estrenó *El maestro Fugatto* de Rafael Taboada y *Lola* de José Rogel. El teatro de la Zarzuela le volvió a contratar en 1874 y estrenó *El sargento Bailén* de Manuel Fernández Caballero, *Los comediantes de antaño* de Barbieri, *Flor de los cielos* de Soledad Bengoechea y el gran éxito de la temporada, *El barberillo de Lavapiés* de Barbieri. En 1875 estrenó en dicho teatro *Los dos sargentos franceses*, y al año siguiente *Sobre ascuas*, en ambos casos adaptaciones de obras francesas. En 1876 estrenó además otra obra de Barbieri, *Juan de Urbina*. En la temporada 1877-78 se hizo cargo del teatro de la Zarzuela el empresario Felipe Ducazcal, y Loitia, que formaba parte de la compañía, participó en el estreno de *La bruja* de Chapí en 1887, siendo muy alabada su actuación. En 1885 seguía en la Zarzuela estrenando *Un regalo de boda* de Miguel Marqués, y en 1890 estrenó en el teatro Príncipe *Los empecinados* de Apolinar Brull. Ese mismo año fue nombrado vocal de la Junta Directiva del Círculo Artístico y Literario de Madrid.

BIBLIOGRAFÍA: L. G. Iberni: *Ruperto Chapí*, Madrid, ICCMU, 1995.

Mª LUZ GONZÁLEZ PEÑA

Lola Cruz. Opereta revista en dos actos. Música de Ernesto Lecuona. Libreto de Gustavo Sánchez Galarraga y Ernesto Lecuona. Estrenada el 13 de septiembre de 1935 en el teatro Auditorium de La Habana.

Personajes y reparto. Lola Cruz (Caridad Suárez, soprano). Concha Cuesta (Tomasita Núñez, mezzosoprano). Ricardo Chacón (Miguel de Grandy). Federico (Álvaro Suárez). Damisela (Esther Borja). Mamá Trina, abuela de Lola (María Pardo). Ña Regla, madre de Belén (Mimí Cal). María Belén, esclava (Zoila Pérez). Beatriz, amiga de Lola (María Ruiz). Aurelia (Esperanza Menocal). Clara (Elena Méndez). Cortegada (Fernando Mendoza). El Niño Quico, abuelo de Lola (Francisco Lara). Papá Yeyo, bisabuelo de Lola (Enrique Lloret). Chacho, esclavo (Eddy López). Taita Bruno (Juan Blanco). Amazonas (segundas tiples). Una vendedora de ponche de leche (Esperanza Vélez). Una vendedora de alcorza (Rita López). Una vendedora de baratijas (Chelín Cortés). Un monaguillo (Pedro Fernández). Don Periquillo (Fernando Rodríguez). Dimas (Paquito Rodríguez). Víctor, enamorado de Concha (Ramón Cuevas). El Curro del Manglar (Ervigio Pena). El Fullero Negro (Ramón Espigul Jr.). Pepe Robles (Alejandro Cobos). Coronel Viamontes (José Lora). Comandante Caro (Enrique Lloret). El Capitán General (Paco Alfonso). Un ujier (Ervigio Pena). Las reinas de la Tumba (María Ruiz y Yolanda González). 3 Mambí, un abanderado, sacerdotes, mujeres y hombres del pueblo y damiselas.

Orquestación. Flauta, oboe, 2 clarinetes, fagot, 3 trompetas, 2 trombones, 2 trompas, 3 saxos altos, 2 saxos tenor, saxo barítono, piano, percusión y cuerda.

Argumento. *Acto I.* La acción transcurre en La Habana en 1878. Mamá Trini, abuela de Lola Cruz y dueña de la casa, da órdenes a los esclavos y anuncia que ese día tendrán visitantes después de siete años de luto. Al quedar sola con su esposo, Niño Quico, recuerdan sus penas: las pérdidas de su hija, su yerno y su nieto José María, este último muerto en un duelo en París con Ricardo Chacón, mientras en otro duelo había matado al novio de Concha Cuesta, joven de la sociedad habanera, que habiendo sido en otra época amiga de Lola, ahora le profesa un gran resentimiento y enemistad. Finalmente llegan los invitados que estaban esperando, y entre ellos se encuentra Ricardo Chacón, quien viene bajo el nombre de Álvaro de la Fuente, pues al haber conocido a Lola en otra oportunidad y haberse enamorado de ella, ha querido ocultar su verdadera identidad por haber sido quien matara a su hermano. Durante la visita, el supuesto Álvaro corteja a Lola y ésta le corresponde. Por otra parte, Concha Cuesta festeja su santo en compañía de galanes y amigos. La joven comenta que nunca amará a nadie más después de la muerte de su único amor, profesando un gran odio por quien lo mató y a los de su familia. Anuncia que su venganza está por realizarse, cuando le cuente a Lola que está enamorada de quien mató a su hermano. Mientras tanto, Ricardo confiesa a su amigo Federico el amor que existe entre Lola y él, y que se han citado en la iglesia el día de la procesión. Durante su encuentro de enamorados, Lola le confiesa a Ricardo que esa noche, en el baile de Bandos de la Caridad del Cerro, y en donde ella ha sido seleccionada como Reina de un bando y Concha Cuesta del otro, hará público su compromiso con él.

Acto II. Están todos en el Salón principal de la Sociedad de La Caridad de Cerro, donde pronto comenzará el baile de Bandos. Mientras algunos hombres hablan de la causa independentista y de la nueva guerra que llevará a Cuba a su liberación, las amigas de Lola insisten ante Federico para que éste les comente acerca del compromiso entre Álvaro y Lola. Comienza la fiesta y el Capitán General saluda con el regocijo de la Paz del Zanjón y rindiendo homenaje a la belleza de la mujer cubana. Después de bailarse un vals en honor al mandatario español, aparecen Lola y Concha, como reinas de los bandos, y saludan al Capitán General. Concha se acerca a donde están Lola y Ricardo quien se encuentra inquieto ante la presencia de la rival. Lola, generosa, trata de hacer las pases con Concha y le pide que deje atrás la hostilidad y que vuelvan a ser amigas. Con actitud traicionera, Concha le dice que a partir de esa noche va a cambiar. Llega el momento de la coronación y Lola hace público su amor por Álvaro de la Fuente. Seguidamente Concha revela la verdadera identidad del novio, y Ricardo acepta ante Lola esta realidad, lo que ocasiona la ruptura inmediata por parte de la joven totalmente aturdida. Lola le dice a Ricardo que no quiere verlo más y que se olvide de ella, y se va de la fiesta a refugiarse en su casa. Pasado un año, es la Guerra Chiquita y Ricardo Chacón se encuentra con los mambises en la manigua de Oriente. Sus compañeros hablan de los preparativos de la nueva guerra, mientras él sólo desea morir en la lucha. En La Habana, por su parte, Concha ha mostrado su arrepentimiento sincero ante Lola, reanudando ambas su vieja amistad. Lola le confiesa que nunca ha olvidado a Ricardo, y que nunca podrá casarse con quien mató a su hermano. Al salir de la catedral, Lola se encuentra con Ricardo, quien, excluido de la guerra por un defecto físico, ha venido a La Habana a despedirse de todos pues al día siguiente viajará definitivamente a Europa. Ambos se despiden, sabiendo que el suyo es un amor imposible, y del que sólo deberá quedar un dulce y triste recuerdo.

Números musicales. Acto I: Preludio. Nº 1. Dúo de Amazonas, Beatriz y Aurelia, "Vienen aquí de cabalgar" y Lola Cruz, trío y solo, "Yo soy Lola Cruz". Nº 2. Salida de Ricardo, "Fue una disputa de juego" y dúo de Ricardo y Federico, "Bien hiciste en matarle". Nº 3 Lola Cruz, canción, "Los aguinaldos blancos". Nº 4. Dúo de Lola y Ricardo, "La vida es arcano profundo y fatal". Nº 5. Tiple y segundas, vals tropical, "Damisela encantadora". Nº 6. Concha Cuesta, Víctor y coro, "Concha Cuesta viene aquí". Acto II: Nº 7. Coro, Salve, "La procesión va a salir ya". Nº 8. Terceto de Beatriz, Aurelia y Él, mazurka,

"Es usted un embustero de los de marca mayor". Nº 9. Instrumental, piano. Nº 10. Concertante, coro y solistas, Lola, Concha y Ricardo, "Oh, qué horrible desventura me ha colmado de dolor". Nº 11. Romanza de Lola Cruz, "Junto a un amor florecer blancas flores vi ayer". Nº 12. Fiesta negra, coro y solista, "Tumba francesa". Nº 13. Ricardo, romanza, "Canción del mambí".

Comentario. Constituye una de las obras más exitosas del compositor. Basada en un personaje real, María de los Dolores de la Cruz y Vehil, una hermosa joven de la aristocracia matancera de mediados del siglo XIX, cuya hija, Dolores María Ximeno, escribió unas interesantes memorias en las que, en parte, se inspiraron los autores de esta obra, no obstante fueran cambiados, en gran medida, aspectos sustanciales de la historia verdadera.

El estreno de la obra, revestido de carácter solemne en tanto homenaje póstumo al libretista, alcanzó gran éxito y la aceptación de la crítica especializada. Anunciada en aquel momento como obra superior a *María la O*, del propio compositor, en efecto, la misma cubrió las expectativas ofreciendo una magnífica factura musical, representada para la ocasión en dos actos y nueve cuadros. Sobre aquella puesta comentaba para la prensa Rafael Pastor: "La orquesta refleja fielmente lo que ocurre en escena. En el transcurso de la obra hay frases bellísimas que sacuden el espíritu". Sobre ese día, además, dijo E. Robreño: "Se celebraban los ensayos generales de *Lola Cruz*, una de sus más gustadas zarzuelas. Aunque Lecuona estaba satisfecho de la partitura, estimaba que faltaba el número de fuerza que haría al público salir del local cantándolo. Rápidamente esa misma noche lo elaboró y tal como había previsto, La damisela encantadora, que tal es el nombre del número en cuestión, fue el hit de la obra y de paso sirvió para la consagración de una figura que a través de décadas ha mantenido su vigencia en el público, que tanto la admira y la quiere: Esther Borja". A propósito de las intérpretes del papel principal femenino; es de destacar que las mejores voces de soprano del momento asumieron en todos los casos con gran éxito, el personaje de Lola, encontrándose entre las principales, Caridad Suárez, Hortensia Coalla, Josefina Meca y Rita Montaner.

Obra de reconocidos valores, *Lola Cruz* imbrica coherentemente en la dramaturgia de los personajes y clases sociales, los géneros de la música popular cubana y del folclore de la nación. Con numerosas representaciones en diferentes épocas, siempre ha contado con elencos de selectos intérpretes. En agosto de 1983, tuvo una nueva y exitosa puesta en el teatro García Lorca de La Habana, como romance lírico en tres actos y cinco cuadros, en una versión de Abelardo Estorino y Adolfo de Luis, sobre el libreto de Gustavo Sánchez Galárraga.

Fuentes manuscritas. La partitura para canto y piano y los materiales de orquesta se conservan en el Archivo del Museo Nacional de la Música de Cuba.

Ediciones de música. Canto y piano, *Aguinaldos blancos*, 1936; *Damisela encantadora*, ed. Julio Korn, Ed. Lecuona Music, 1936; *Vals azul*, ed. Especial, 1937; *Canción del Masmbí*, Ed. Agencia Internacional de la Propiedad Intelectual, 1939.

BIBLIOGRAFÍA: *LVB*; E. Robreño: *Como lo pienso lo digo*, La Habana, UNION, 1985.

CLARA DÍAZ PÉREZ

Lombay, Natalia [Natalia Bailón]. España, siglo XX. Tiple lírica. Figuraba como tiple lírica alternando en sus funciones con Angelita Navés en la compañía que Sorozábal presentó en el teatro Fuencarral en 1954; al año siguiente integró en el mismo teatro la formación del barítono Antón Navarro con el que permaneció algunas temporadas. Llegó al teatro de la Zarzuela al final de su carrera de cantante: en 1964 con la compañía de José de Luna; a finales de este mismo año y principios de 1965, ya como actriz de carácter, formó parte de la compañía Arte Lírico de la que era empresario y director artístico Esteban Leoz que, con escasa fortuna, recorrió algunas capitales del norte de España. Participó en algunas grabaciones de zarzuela como *Luisa Fernanda*, *La montería* o *El cafetal*. Estuvo casada con el tenor cómico Antonio Pérez "Perecito".

FONOGRAFÍA: *El cafetal*, Zafiro-BMG FM-77 • Zafiro-Salvat 1061-2; *La montería*, Montilla FM-64 • Zafiro-BMG EPFM-127 • Zafiro-Salvat 1050-2 • Zafiro 30103022 123 • Zafiro ZOR-174 59; *Luisa Fernanda*, Montilla FM-67 • Zafiro 30103041 200 • Zafiro LM-3041 (C) 208 • Zafiro ZOR-102 201; *Coros famosos de zarzuela*, Zafiro ZOR-103; *Dúos de zarzuela*, Zafiro ZOR-111 y MS-506.

EMILIO GARCÍA CARRETERO

Lombía, Joaquina. España, siglo XIX. Soprano. Era sobrina del célebre actor Juan Lombía. En 1841 estaba contratada como tiple primera del teatro del Circo, participando en el estreno en el Liceo Artístico y Literario de Madrid de la ópera española *Los contrabandistas* de Tomás Rodríguez Rubí y Basilio Basili, que interpretó con gran éxito, según relata Cotarelo y Mori. El año siguiente, 1842, formó parte de una compañía de ópera italiana en el teatro de la Cruz. Durante la temporada 1852-53 entró a formar parte de la compañía del teatro del Circo, donde estrenó algunas zarzuelas, como *La cotorra*, zarzuela de magia de Inzenga, Hernando, Gaztambide y Barbieri, 1853.

BIBLIOGRAFÍA: *DBE*; *HZ*.

Mª ENCINA CORTIZO

Lope de Vega y Carpio, Félix. *Véase* VEGA Y CARPIO, FÉLIX LOPE DE.

Lope Gonzalo, Santiago. Ezcaray (La Rioja), 23-V 1871; Valencia, 25-IX-1906. Compositor y director. Recibió sus primeras lecciones de Ángel de Miguel, organista de Ezcaray, y a los seis años ingresó en la banda del pueblo tocando el flautín y otros instrumentos. A los doce años se marchó a Madrid para proseguir sus estudios musicales en el Real Conservatorio de Música. Estudió violín con Jesús de Monasterio y armonía y contrapunto con Emilio Arrieta. A los quince años entró a formar parte de la orquesta que actuaba en el teatro Apolo. A los veinte años fue contratado para dirigir la orquesta del teatro Romea y posteriormente realizó varias giras por España como director de orquesta en compañías de zarzuela. Sus trabajos como director de orquesta de teatro le llevaron a componer unas veinte zarzuelas, que posteriormente estrenó en este mismo teatro y cuya composición se concentró en la década de los noventa y comienzos del siglo XX. Su primera obra lírica fue *Los sobrinitos*, a la que siguieron *Las planchadoras*, *El abuelo de sí mismo* y *El mantón de Manila*, entre otras. Posteriormente pasó al teatro Moderno y allí también estrenó varias zarzuelas, siendo *La Candelaria*, la de mayor éxito. Su fama como instrumentador hizo que Federico Chueca le encargase esta tarea en varias de sus obras, como *El bateo* y *La alegría de la huerta*.

En 1902 marchó a Valencia y se puso al frente de la orquesta del teatro Ruzafa en la temporada de invierno, adquiriendo gran prestigio. En 1903 ganó por oposición la plaza de director de la Banda Municipal de Valencia. Su estancia en esta agrupación fue muy fructífera y compuso varias obras para ella, la más famosa el pasodoble torero *Gallito*. Fue nombrado presidente de honor, junto con Ruperto Chapí, de la Unión Musical, una sociedad de profesores músicos valencianos. Su estilo se caracteriza por las inspiradas melodías y la brillante y colorista instrumentación.

OBRAS: *Las medias del hermano Benito*, Zarz, 1 act, l, M. Sánchez Mula, est, 1892, Te. Romea; *En casa de las de Pérez*, Jug, 1 act, col. A. Ruiz, l, E. Chicote, est, 1893; *Madrid al vuelo*, 1 act, l, C. Soler, est, 1893, Te. Romea, *E:Msa; La linterna mágica*, Rv, 1 act, l, R. Guanacoba, est, 1893, *E:Msa; La candelaria*, Zarz cóm, 1 act, col. Pérez de Rozas, l, E. García Álvarez / A. Paso Cano, est, 14-VI-1894, Te. Moderno, *E:Msa; Fray Julio Ruiz*, Hum, 1 act, col. A. Ruiz, l, J. Ruiz, est, 5-VIII-1895, Te. Eldorado; *Escuela musical*, Zarz, 1 act, l, E. Prieto, est, 7-IV-1897, Te. Apolo; *Los autómatas*, Jug cóm, 1 act, l, E. Prieto / A. Ruesga, est, 29-V-1897, Te. Apolo, *E:Msa; Los botijistas*, 1 act, l, A. Casero / A. Larrubiera, est, 6-X-1897, Te. Eslava, *E:Msa; El idiota o La venganza de un bandido*, 3 act, l, A. Ruesga y Prieto, est, 19-XII-1897, Te. Apolo, *E:Msa; Los altos hornos*, Zarz, 1 act, l, S. Delgado, est, 12-IV-1898, Te. Apolo, *E:Msa; Las aguas buenas*, Jug, 1 act, l, C. Navarro, est, 5-VII-1898, Te. Maravillas, *E:Msa; La boda del maragato o Chismes de ve?*, 1 act, l, A. M. Segovia, est, 25-II-1899, Te. Apolo, *E:Msa; Abuelo de sí mismo*, Zarz, 1 act, l, E. Sánchez Pastor, est, 28-XII-1899, Te. Apolo, *E:Msa; Los sobrinitos*, Jug, 1 act, col. V. Velasco, l, M. Soriano / L. Falcato, est, 13-I-1900, Te. Romea, *E:Msa; Las planchadoras*, Sai, 1 act, l, M. Jiménez, est, 20-I-1900, Nuevo Teatro; *La hija del bosque*, Zarz, 1 act, l, M. Arocena, est, 5-II-1902, Te. Principal (Tenerife); *La virgen de la luz*, Zarz, 1 act, l, Paso / J. Prieto, est, 24-XII-1902, Te. Eslava, *E:Msa; Los zapatos blancos*, Zarz, col. M. Liñán, l, R. Aparicio, est, 1-IV-1903, Te. Ruzafa (Valencia); *La corte de Transmania*, Zarz, 1 act, l, A. Sotillo / J. B. Pont, est, 8-IV-1905, Te. Ruzafa (Valencia), *E:Msa; Revolución*, Zarz, 1 act, l, J. M. López, est, 3-X-1906, Te. Apolo (Valencia); *La Venus negra*, 1 act, col. R. Estellés Adrián, l, Ruesga / Prieto, est, 22-

VI-1909, Te. Príncipe Alfonso; *El mantón de Manila*, est, Romea; *La cuarta del primero*, col. E. García Álvarez, l, A. Casero, *E:Msa; Las cerezas*, 1 act, l, M. Pina Domínguez, *E:Msa; Los fotógrafos*, col. J. Power; *Los maestros cantores*, 1 act, col. G. Mateos, l, C. Soler, *E:Msa; Los solícitos*, Jug, 1 act, col. S. Viniegra, l, M. Soriano; *Tenacilla o El barbero de Casvilla*, 1 act, l, M. Casi, *E:Msa*.

BIBLIOGRAFÍA: *DMEH*; V. Vidal Corella: *El maestro Santiago Lope, director y compositor de música*, Valencia, Publicaciones del Conservatorio de Arte Dramático, 1979.

LUIS G. IBERNI

Lopetegui. Familia de cantantes españolas formada por las hermanas Ana y Maruja.

Ana Lopetegui
(Foto: Ar. SGAE)

1. Ana. Madrid, siglos XIX-XX. Soprano. Debutó en el teatro San Fernando de Sevilla junto a Hericlea Darclee y posteriormente trabajó en el Liceo de Barcelona y en diversos teatros de Portugal, Gibraltar y Scala de Milán, entre otros. Después de obtener triunfos en teatros menores, debutó en el Real en 1909 con *La hebrea*, junto a Hericlea Darclee, Perelló y Longobardi. La crítica destacaba su voz limpia, argentina y dulce, con bastante volumen y extensión. Posteriormente se pasó a la zarzuela y en 1911 estaba contratada por el teatro Circo de Price y en 1912 estrenó *Su majestad el Couplet* de Viérgol y Calleja y en Eslava *Los húsares del kaiser*. En 1913 y 1914 actuó en Barcelona; así en el teatro Nuevo interpretó en el mismo programa de su despedida, antes de partir para América con la compañía de Úrsula López, *El dúo de la africana*.

2. Maruja. Madrid, siglos XIX-XX. Tiple. Se dedicó al género chico y a la revista. En 1912 cantaba en el teatro Eslava. En 1924 se presentó en el Romea de Madrid como estrella de variedades y se reintegró a la revista. Actuó como primera vedette en el teatro Martín en 1924. En 1925 dio el paso al cine. Entre su repertorio figuraba *Las tardes del Ritz* de Retana y Monreal.

BIBLIOGRAFÍA: *ME; Nuevo Mundo*, 988, 12-XII-1912.

Mª LUZ GONZÁLEZ PEÑA

Maruja Lopetegui (Foto: Ar. ICCMU)

López, Eugenio Gerardo. Argentina, 1874; Argentina, 1954. Autor dramático. Desplegó una larga y fructífera actividad en el teatro argentino. Se inició en los picaderos circenses y los tablados de los populares circos Anselmi y Roffeto. *El padre Manuel* y *El eterno cuento* se estrenaron en los teatros Liceo y Argentino, respectivamente, y figuran en los registros de Argentores sin indicación de fechas. Pero posiblemente ya en 1899 se había representado *Juan el patriota*, por la compañía de José Corrado, a los que siguieron *El jorobado* y *Fatalidad*.

A partir de 1907 comenzó de forma sostenida su producción, que comprende más de sesenta títulos. Si bien el drama *La santa*, 1913, estrenado por Pablo Podestá en el teatro Nuevo constituyó su obra más significativa, que alcanzó un gran éxito, escribió una serie de sainetes que destacan por la intensidad de los conflictos y el diseño de los personajes; además contó con la aportación de los músicos más significativos de la época, como Antonio Reynoso y Eduardo García Lalanne. Este último escribió la música de las zarzuelas *El pampero* y *El obrero*. De los sainetes escritos por López destaca por su originalidad el sainete "cómico-lírico-burlesco-jocoso-sentimental" *Don Cyrano*, estrenado en 1910 en el teatro Argentino por la compañía de Florencio Parravicini. El autor recreaba el tema de la famosa pieza de Rostand *Cyrano de Bergerac*, pero introdujo una variante fundamental, pues a la protagonista no la conmueven tanto las cartas que en nombre de un hombre de campo honrado y trabajador pero incapaz de expresar sus sentimientos le escribe Don Cyrano, el poeta del barrio. Pero al final la joven lo acepta tal cual es, con su lenguaje simple y llano, que trasluce amor y orgullo por su condición campesina. La música pertenece a Ernesto Loses. También escribió otros sainetes, como *Flor de ceibo* y *Garras*, que se caracterizan por la fuerza de sus personajes. Actores de la significación de José Podestá, Guillermo Battaglia, Antonio Podestá y especialmente Florencio Parravicini, fueron intérpretes de sus obras.

MARTA LENA PAZ

López, Eva. España, siglos XIX-XX. Tiple. En 1912 obtuvo un gran éxito en el teatro Novedades protagonizando el sainete andaluz *Poca-Pena* de Ramón Asensio Mas con música de Torregrosa y Alonso. Fue muy aplaudida en el dúo que cantaba con Puiggrós.

BIBLIOGRAFÍA: *Comedias y Comediantes*, 40, Madrid, II-1912.
Mª LUZ GONZÁLEZ PEÑA

López, Josefa [Pepita Sevilla]. Madrid, 1876; Madrid, 16-XII-1958. Aunque fue más conocida como artista de variedades tras su debut como bailarina en el Salón Bleu de Madrid, se dedicó temporalmente a la zarzuela en el teatro Circo de Price de Madrid, en el que estrenó, en 1906, la zarzuela

Pepita Sevilla (Foto: Ar. SGAE)

de Larra y Calleja *La diosa del placer*, que por su atrevimiento terminó con los autores, empresarios y los artistas ante los tribunales de Madrid, si bien fueron absueltos. Como artista de variedades obtuvo gran éxito en Francia, Portugal y América.

BIBLIOGRAFÍA: F. Cuenca: *Teatro andaluz contemporáneo. 2. Artistas líricos y dramáticos*, La Habana, Maza, 1940.

Mª LUZ GONZÁLEZ PEÑA

López, Lola [Dolores López Gordillo]. Sevilla, 1876; La Habana, siglo XX. Tiple cómica. Debutó muy joven en el teatro Cervantes de Sevilla con *La verbena de la Paloma* y a raíz del éxito obtenido en su presentación actuó en la mayoría de los teatros andaluces durante tres años. Hizo temporadas en Córdoba, Málaga, Sevilla y Cádiz con diversas compañías, llegando a actuar en Gibraltar con la de José Lacarra. En 1898 partió para La Habana donde realizó una brillante temporada en el teatro Albisu cantando *La revoltosa*, *La verbena de la Paloma*, *La viejecita* y *La buena sombra*, entre otras. En 1900 seguía en el Albisu con *La chavala*. Durante la gira se casó con Eusebio Azkue, empresario de la compañía y se retiró durante algún tiempo. Posteriormente volvió a actuar en el Albisu hasta su retirada definitiva, después de tener hijos. Aunque realizó viajes a España la familia se estableció definitivamente en La Habana.

FONOGRAFÍA: *La verbena de la Paloma*, Columbia-Salvat 1001-1 • Columbia SA, MCE 868 (Alhambra).
BIBLIOGRAFÍA: F. Cuenca: *Teatro andaluz contemporáneo. 2. Artistas líricos y dramáticos*, La Habana, Maza, 1940.

Mª LUZ GONZÁLEZ PEÑA

López, Rafael. España, siglos XIX-XX. Tenor. Formaba parte de la compañía de Manuel Fernández de la Puente que actuó en el teatro de la Zarzuela la temporada 1913-14, en la que estrenó *El amor bandolero* de los hermanos Álvarez Quintero y música de Bravo y Torres; *El tren de lujo* de Miguel Mihura y música de Pascual Marquina y Celestino Roig, en la que fue muy aplaudido junto a Luisa Rodríguez y Casimiro Ortas. También fue muy aplaudido en *El marido sonriente* de Manuel Fernández de la Puente, 1913. Al año siguiente era tenor único de la compañía de opereta y zarzuela de Pablo Luna y Arturo Serrano que actuaba en el teatro de la Zarzuela e interpretó *La tempestad* de Chapí. En 1914 obtuvo un gran éxito en la reposición de la opereta *Eva* y uno aún mayor al cantar junto a Emilia Iglesias *Cavalleria rusticana* de Mascagni.

El 28 del mismo mes estrenó *Maruxa* de Vives, con éxito apoteósico. El 11 de septiembre participó en el estreno de *El tirano* de Rafael Calleja y Tomás Barrera. El 14 estrenó *La vida breve* de Falla y el 11 de diciembre la opereta vienesa de Franz Lehár *Al fin solos*, junto a María Marco.

FONOGRAFÍA: *Bohemios*, La Voz de su Amo AF 278; *El barbero de Sevilla*, Alhambra-BMG España WD 74552 (9D) • Columbia-Alhambra-BMG España C 32022 y CS 42022; *La revoltosa*, Columbia SA, ZCL 1007 (Zacosa) 7 • Columbia SA, MCE 867 (Alhambra) 11 • Alhambra-BMG España WD 71438 (9D) • Columbia-Salvat 1004-1.

Mª LUZ GONZÁLEZ PEÑA

López, Sara. España, siglos XIX-XX. Tiple. En 1908 estrenó en el Gran Teatro de Madrid la parodia de Manuel Penella *La perra chica*. En 1910 era primera tiple de la compañía sicalíptica de Sánchez del Valle que actuaba en el Salón Madrid con obras como *Justino el jardinero* o *El secreto de Susana*. Su gracia, figura y belleza conquistaban al público en aquellos momentos. En 1914 participó en el estreno de la astracanada de Manuel Penella *La isla de los placeres* en el Gran Teatro de Madrid.

Mª LUZ GONZÁLEZ PEÑA

López, Úrsula. Canarias, siglo XIX; Madrid?, siglo XX. Tiple de género chico y bailarina. En 1902 se encontraba en México donde se presentó con gran éxito en el teatrillo María Guerrero; las crónicas señalan que había pasado de bailarina a tiple y demostró grandes cualidades en *La Chiclanera*. Su lanzamiento definitivo fue en *Las grandes cortesanas* de Valverde en ese mismo año, en compañía de su hermana Laura. En 1903 era segunda tiple de la empresa Alcaraz y en 1904 trabajaba en el Principal. En 1908 se encontraba en Madrid y debutó en el teatro de la Zarzuela en *La manzana de oro*. Se hizo muy famosa en la primera década del siglo XX gracias a su automóvil –con el que acudía a los ensayos y representaciones, lo que la hizo ser conocida como "la tiple del automóvil"– y a un escándalo provocado al ser víctima de un robo de joyas. Esposa del empresario Luis Bellido, estuvo al frente de las temporadas de revistas alegres del Gran Teatro, siendo muy aclamada por el público amante de la sicalipsis que dividía su afición entre el Gran Teatro y el teatro

Úrsula López
(*Foto:* Nuevo Mundo, *1908; Ar. ICCMU*)

Eslava. Estrenó en el Gran Teatro *El país de las hadas* de Calleja, 1910; *La luna del amor* de Barrera y Calleja, 1910; *El viaje de la vida* y *La reina de las tintas* de Penella, 1911, en esta última su labor junto a Emiliano Latorre contribuyó al éxito de la obra. En 1913 y 1914 actuó en diversos teatros de Barcelona. En los años veinte se convirtió en estrella de variedades del teatro Benavente. Retirada del teatro y viuda, finalmente residió en Madrid.

BIBLIOGRAFÍA: *ME; RHTM;* "La tiple Úrsula López", *Nuevo Mundo*, 780, 17-XII-1908; "Tiples del Gran Teatro", *El Teatro*, 21, Madrid, 6-III-1910.

Mª LUZ GONZÁLEZ PEÑA

López Alarcón, Enrique. Málaga, 22-VI-1891; La Habana, 1963. Poeta, dramaturgo y periodista. Estudió Filosofía y Letras en la Universidad de Granada y en 1903 se trasladó a Madrid llamado por la vocación literaria. Como periodista fue redactor de *El Nuevo Evangelio, El Intransigente, El Mundo, La Mañana* y *La*

Enrique López Alarcón (Foto: Nuevo Mundo, *1923; Ar. ICCMU)*

Época; fue redactor jefe de *La Tribuna* y fundó la *Gacetilla de Madrid* y el periódico literario *Gil Blas*. Dirigió durante varias temporadas el teatro Español. Junto a Eduardo Marquina y Francisco Villaespesa fue un restaurador del teatro poético. Además de sus obras originales y sus colaboraciones con otros autores, realizó numerosas traducciones y adaptaciones. Como poeta, su versificación era elegante y fluida, al estilo modernista y sus *Constelaciones*, publicadas en Málaga, 1906, le dieron gran fama y prestigio. Escribió además novelas, en algunos casos bajo el seudónimo "Guzmán de Alfarache". Para el género lírico escribió *Girasol* con música de Cristóbal de Castro, 1926; *Maragata*, zarzuela en tres actos con música de Eduardo Martínez Torner, 1931; *Los majos del perchel*, 1935, con música de Fernando Carrascosa y Eduardo Ocón, y *Paleta* de Jacinto Guerrero. Al estallar la Guerra Civil se exilió a Cuba.

BIBLIOGRAFÍA: *EDL; DUE;* Nuevo Mundo, 1540, 27-VII-1923; C. Cuevas (ed. y dir): *Diccionario de escritores de Málaga y su provincia*, Madrid, Ed. Castalia, 2002.

Mª LUZ GONZÁLEZ PEÑA

López Ballesteros, Luis. Mayagüez (Puerto Rico), 1869; Madrid, 2-VII-1933. Periodista y dramaturgo.

Luis López Ballesteros
(Foto: Nuevo Mundo,
1910; Ar. ICCMU)

Sus primeros estudios los realizó en Mataró y se licenció en Filosofía y Letras en la Universidad de Madrid. Fue redactor de *La Regencia, La Correspondencia de España, El Heraldo de Madrid, Diario Universal* y *El Imparcial*, del que llegó a ser director. Fue diputado por Vélez-Rubio y Lugo y Gobernador Civil de Sevilla, Cádiz y Málaga. Para el teatro lírico escribió *La buenaventura*, 1901, con música de José Mª Guervós y Amadeo Vives, en colaboración con Carlos Fernández Shaw, y la ópera *Colomba*, 1910, de Amadeo Vives.

BIBLIOGRAFÍA: *CDE; DAT; EDL.*

Mª LUZ GONZÁLEZ PEÑA

López Becerra Pérez, Joaquín. Huelva, 16-VII-1824, ?. Bajo. Conocido por sus segundo apellido, estudió Filosofía en Sevilla y Ciencias en Madrid, donde se matriculó además en el Conservatorio en el que fue alumno de Saldoni y José Reart de Copons. Terminada su estancia en el Conservatorio debutó en el teatro del Circo de Madrid en 1842 en *Linda de Chamonix*. Ante el éxito obtenido le contrató el teatro de la Cruz para su temporada de ópera de 1844 y en las siguientes de 1845 y 1846 donde interpretó *Hernani, Don Pasquale, Nabucco* y *Los puritanos*. En 1846 estrenó en el teatro de la Cruz la primera representación de la ópera de Basili *El diablo predicador*. Tras recorrer diversos teatros españoles y debutar en el teatro Real en 1851 con *Lucia di Lammermoor*, en 1852, invitado por su paisano el tenor Manuel Carrión, se trasladó a Milán, en cuyo teatro de la Scala ofreció once representaciones hasta que la llamada Revolución de los puñales, provocó el cierre de los teatros. A su vuelta a España, pasando por París, tomó contacto con la zarzuela a través de José Valero, empresario del teatro de Sevilla. Desde ese momento su relación con el nuevo género fue tan estrecha que se hizo imprescindible en los estrenos que se iban sucediendo, tanto en el teatro del Circo como en el de la Zarzuela, estrenando títulos de Arrieta, Oudrid, Gaztambide, Inzenga y sobre todo Barbieri, con el que mantuvo una gran amistad; para el bajo escribió *Los diamantes de la Corona*, estrenada en el Circo en 1854. Cuando fue contratado por el teatro del Circo en 1855 su sueldo era el mayor de los bajos, con 130 reales, cuando otro gran bajo, Calvet, cobraba 80. En el mismo teatro estrenó *Pedro y Catalina* de Sánchez Allú, *Amor y misterio* de Oudrid, *El sargento Federico* de Barbieri y Gaztambide y *La dama del rey* de Arrieta, todas en 1855; *El conde de Castralla* de Oudrid y *Entre dos aguas* de Barbieri y Gaztambide, 1856. En el mismo año se estrenó *El hijo del regimiento* de Gaztambide en el teatro de Verano. Con el mismo sueldo de 130 reales fue contratado para la primera compañía que actuó en el teatro de la Zarzuela en 1856, donde estrenó al año siguiente *El lancero* de Gaztambide; posteriormente *Un jaleo en Triana* de Isidoro García Rosetti y *El castillo maldito* de Antonio Rovira, Circo, 1861; *Galán de noche* de Inzenga, *La tabernera de Londres* de Arrieta, *La niña de nieve* de Reparaz, Circo, 1862, *Por un paraguas* de Lázaro Núñez Robres en el Circo, *Cegar para ver* de Salvador Ruiz, todas de 1862; *Una apuesta en la velada de San Juan* de Trinidad Rojas, Circo, 1865, año en que volvió a cantar ópera italiana, aunque no abandonó la música española, y estrenó *Marina* de Arrieta en 1871. En 1862 dirigió por un tiempo el teatro Circo junto con el tenor Font.

Joaquín Becerra debió de ser más importante por el volumen y la extensión de su voz, –sin duda notable, al menos al principio de su carrera cuando se avenía a cantar una parte de barítono brillante como la de Malatesta–, antes que por el arte en manejarla. *La Idea* (Granada, 9-VII-1870) se refería a él con las siguientes palabras: "Su voz clara, llena y sonora, alcanza una extensión de más de dos octavas y tiene facilidad para cantar a media voz. Estudia concienzudamente sus papeles".

Joaquín López Becerra (Foto: Ar. ICCMU)

BIBLIOGRAFIA: *HGZ*; F. Cuenca: *Teatro andaluz contemporáneo. 2. Artistas líricos y dramáticos*, La Habana, Maza, 1940; E. Casares Rodicio: *Francisco Asenjo Barbieri. 1. El hombre y el creador. 2. Escritos*, Madrid, ICCMU, 1994.

EMILIO CASARES RODICIO

López Carrión, Rita. Málaga, 1875; ?. Tiple. Ingresó en 1895 en la Academia de Declamación de Málaga y debutó en 1903 en el teatro Principal de su ciudad. Se trasladó posteriormente a Madrid, donde actuó en los teatros Cómico y Apolo, aunque en la revista *Nuevo Mundo* aparecía como tiple del teatro Eslava en 1902. En 1904 formó parte de la compañía del teatro Moderno que dirigía Enrique Chicote.

BIBLIOGRAFÍA: F. Cuenca: *Teatro andaluz contemporáneo. 2. Artistas líricos y dramáticos*, La Habana, Maza, 1940.

Mª LUZ GONZÁLEZ PEÑA

López Crespo, Félix Máximo. Madrid, 18-XI-1742; Madrid, 9-IV-1821. Compositor y organista. Fue uno de los organistas y compositores más destacados de su época. Desarrolló su carrera de intérprete en la Real Capilla de Madrid, donde ingresó como cuarto organista en 1775, permaneciendo en ella hasta el final de su vida. Escribió numerosas obras para órgano, así como un método de acompañamiento y algunas piezas religiosas.

También se dedicó a la composición de música escénica. Escribió la zarzuela *El disparate o La obra de los locos*, 1815, en tres actos, conservada en la Biblioteca Nacional de Madrid. El propio Félix Máximo es el autor de la letra, escrita al final de su carrera. En ella se refleja la realidad de los músicos en un ámbito asimilable a una capilla de música, que él conocía bien, y lo trata de una manera jocosa e incluso irónica. Los personajes de la obra son cuatro locos, para voces de soprano, mezzo, tenor y bajo, con una instrumentación compuesta por oboes, trompas, violines, viola y violonchelo. Según Barbieri, el libro no pasa de ser una creación de aficionado sin interés literario, e incluso hay algunos fragmentos de mal gusto, contrariamente a la música, que considera de calidad. La obra está impregnada de carácter popular, incluyendo canciones populares, gritos de vendedoras, un sermón burlesco, una corrida de toros, todo con música y danzas típicamente españolas como las seguidillas y boleras.

López también es autor de varias tonadillas como *Las abejas*, 1761; *El abogado y la resalada*; *Los andaluces*, 1761; *La conversación*; *El escondite*; *La mesonera y el arriero*, y de los sainetes en un acto *El matrimonio de Presto, Sainete metafórico* y *La tertulia de una casa*.

BIBLIOGRAFÍA: *DMEH*; E. Casares Rodicio: *Francisco Asenjo Barbieri. 2. Escritos*, Madrid, ICCMU, 1994; J. Ortega: "La Real Capilla de Carlos III: los músicos instrumentistas y la provisión de sus plazas", *RMS*, XXIII, 2, 2000.

JUDITH ORTEGA

López Cumbreras, Manuel [Manuel Cumbreras]. España, siglos XIX-XX. Empresario, dramaturgo y actor. Como dramaturgo escribió el entremés cómico-lírico *¡A la caleta!*, en colaboración con Ventura de la Vega; *Mala semilla* en colaboración con Antonio Jiménez Guerra; *El rey de la serranía* en colaboración con los anteriores y música de Juan Gay y *El barón de la Chiripa*, zarzuela en colaboración con Celestino León y música de Marquina y Borrás. Cómo actor usó el apellido Cumbreras y pasó varias temporadas en el teatro Novedades donde estrenó *El lobato* de Cayo Vela y F. de San Felipe, 1908; *El gabán de Edipo o No hay lucha con el destino* de Giménez Ortells y *Del Sacro Monte* de Cayo Vela y Bernardino Bautista Monterde, 1910; *El primer fresco* de Quislant, 1914; *¡Nadie es ná!* de Taboada y *El siglo de oro* de Cayo Vela y Enrique Bru,

1915; *La granja de los amores* de Marquina y Foglietti, 1916 y *La chicharra* de Vela y Bru, 1917. En 1926 estrenó en el teatro Martín *Las mujeres de Lacuesta* de Guerrero.

BIBLIOGRAFÍA: *TA*.

Mª LUZ GONZÁLEZ PEÑA

López de Ayala y Herrera, Adelardo. Guadalcanal (Sevilla), 1-V-1828; Madrid, 30-XII-1879. Dramaturgo. Desde los siete años comenzó a escribir para el teatro y a los catorce se matriculó en la facultad de Derecho, si bien no terminó la carrera pues al conocer a Antonio García Gutiérrez se decidió por el teatro. Llegó a Madrid en 1849 con tres obras: *La corona y el puñal, Los Guzmanes* y *Un hombre de Estado*, que estrenó gracias a la protección del conde de San Luis y su secretario Manuel Cañete. Políticamente

Adelardo López de Ayala (Grabado de B. Maura; Ar. SGAE)

evolucionó desde su liberalismo juvenil al conservadurismo de madurez. Fue ministro en varias ocasiones y al morir era presidente del Congreso. Perteneció a la Real Academia Española, fue redactor de *El Padre Cobos* y *El Mosaico*, y un gran orador.

Su teatro evolucionó desde un fuerte romanticismo influido por García Gutiérrez a un realismo "moralista". Escribió numerosos títulos para los compositores de la zarzuela romántica, fundamentalmente con Emilio Arrieta, a quien le unió una larga y profunda amistad. Para él escribió *La estrella de Madrid; Guerra a muerte*, 1855; *El agente de matrimonios*, 1862; *San Franco de Sena*, 1883; *El cautivo; El conjuro*, 1866 y *El último deseo*. Escribió para Gaztambide *Los comuneros*, 1855, y para Oudrid *El hijo de familia o El lancero voluntario*, 1853 y *El Conde de Castralla*, 1856. *Véase* LOS COMUNEROS; EL CONJURO; SAN FRANCO DE SENA.

BIBLIOGRAFÍA: *CDE; DUE; EDL; TLE*; M. E. Cortizo: *Emilio Arrieta. De la ópera a la zarzuela*, Madrid, ICCMU, 1998.

Mª LUZ GONZÁLEZ PEÑA

López de Gomara, Justo. España, 1859; Argentina, 1923. Autor teatral y periodista. Realizó estudios de ciencias morales y políticas en la Universidad de Gante, Bélgica; en esa época escribió los dramas *Los corazones* y *Luchas morales*. En 1880 llegó a Buenos Aires, donde desplegó una variada actividad como periodista, funcionario público, poeta, ensayista y colonizador. Poco tiempo después de su llegada se trasladó a Rosario, donde estrenó en 1884 su primer drama, *Gauchos y gringos*. Participó en la vida política, cívica y cultural del país, pues fue director del diario *El Correo Español* y presidente de varias instituciones como El Montepío, los ferrocarriles del Estado, el Banco Provincia y el Banco Hipotecario. Por razones de salud debió trasladarse a Mendoza, donde fundó *El Diario Español* y colaboró en la fundación del diario *El Porvenir*, en cuyos artículos estimuló el desarrollo de la vitivinicultura.

Pero su intervención en la vida pública del país no impidió que desarrollara una acción fundamental con respecto al teatro argentino, por entonces incipiente. Escribió varias obras dramáticas, con una problemática local, como la tragedia *La justicia de la tierra*, 1882; *Valor cívico*, 1890, drama en que se rememora las jornadas revolucionarias de 1890 impulsadas por la Unión Cívica Radical, que si bien fracasó, logró la renuncia del entonces presidente Miguel Juárez Celman. También dramatizó en *Amor y patria*, 1890, la defensa de Buenos Aires durante la invasión inglesa de 1807, y en *Curupaytí*, 1892, teatralizó un episodio de la Guerra de Paraguay. También fue autor de *La sombra del presidio*, 1900, *La virgen de las viñas*, cuya acción transcurre en los valles mendocinos, y *La túnica de Neso* o *Las bisnietas del virrey*, en 1918, *Jorobeta* en 1919, y *El submarino Perales*. Pero, sobre todo, su mayor mérito radica en su pieza *De paseo en Buenos Aires*. El autor la denominó "bosquejo local en dos actos y diez cuadros" en verso, estrenada en el teatro Onrrubia de Buenos Aires, 1890, con música de Avelino Aguirre. Aunque su estructura se asemeja a la revista hispánica, su fundamental significación radica en que constituyó un antecedente fundamental en la consolidación del sainete criollo, pues la obra presenta episodios, personajes y tipos corrientes, que recrean el Buenos Aires de la época. Muestra un Buenos Aires mercantilista y babélico de fines del siglo XIX, donde aparecen los inmigrantes, trabajadores, vivillos, capitalistas extranjeros, rematadores, comisionistas, vigilantes, barrenderos, cocineras, vendedores de diarios, una pareja de negros, que protagonizan situaciones de la vida de la ciudad por aquel entonces. También interviene un terceto de Los cuerditos / compadritos, amigos de lo ajeno, que recuerdan al famoso terceto de los tres Ratas de *La Gran Vía*. Asimismo, se registran lugares muy característicos de Buenos Aires: la plaza de la Victoria (actual plaza de Mayo), el teatro San Martín, la Bolsa de Comercio, el Hotel de Inmigrantes, una casa de vecindad (conventillo), la boca del Riachuelo, el Mercado de Frutos. Se presentan figuras alegóricas como los Frutos del País, la Vitivinicultura, el Azúcar, las fábricas recientes que luego serán muy importantes como Bagley, que expresan las posibilidades del país, cuyo destino de grandeza el autor

presagiaba con seguridad. Si bien la estructura de la pieza es estrictamente hispánica, se advierte la intención del autor, explicitada en el prólogo de "iniciar un ensayo en favor del teatro local".

López de Gomara fijó hitos en la vía por donde transitaron luego los consolidadores del futuro sainete criollo, tales como Nemesio Trejo, Ezequiel Soria, Enrique de María, Enrique García Velloso y Enrique Buttaro.

BIBLIOGRAFÍA: A. M. López de Medina: *Justo López de Gomara*, Buenos Aires, Facultad de Filosofía y Letras, 1938; E. García Velloso: *Memorias de un hombre de teatro*, Buenos Aires, 1942; M. Lena Paz, D. Casadevall (ed., Pról. y notas): *De paseo en Buenos Aires*, Buenos Aires, U. Buenos Aires, 1963.

MARTA LENA PAZ

López de Lerena y Fraile, José. Madrid, 1898; Madrid, 2-III-1955. Libretista. Además de su amplísima producción teatral, fue periodista y ejerció en varios diarios y algunas revistas. Colaboró con otros autores, especialmente con Pedro Llabrés, llegando a formar una especie de razón social: "Lerena y Llabrés" como figuraba en los carteles y programas. Juntos escribieron *El pañuelo de crespón*, 1940, con música de Alonso, *Luces de Madrid*, con Alonso y Montorio al igual que *Tu cuerpo en la arena*, 1939. Cultivó principalmente el género lírico espectacular: sainetes arrevistados, revistas, comedias musicales, aunque no faltaron algunas zarzuelas de éxito como *Rosa la pantalonera*, 1939, de Francisco Alonso. Colaboró de nuevo con Llabrés en *El salto de la muerte*, 1944, de Jesús García Leoz y en *Allo Marte*, 1951, de Guerrero, al igual que *El oso y el madroño* o *Su majestad la mujer*. Autor de gran facilidad, buen constructor, ingenioso y dotado para el chiste y la situación de humor, alcanzó grandes y sostenidos triunfos en los géneros que cultivó. Su colaborador musical más habitual fue Francisco Alonso aunque también trabajó con López Quiroga, Guerrero, Legaza, Montorio, Pérez Rosillo y los principales autores de revista. *Véase* ROSA LA PANTALONERA.

BIBLIOGRAFÍA: *CDE; EDL; TLE.*

Mª LUZ GONZÁLEZ PEÑA

López del Toro, Emilio. Marchena (Sevilla), 18-IV-1873; Córdoba, 4-XI-1941. Compositor. Inició sus estudios musicales en el colegio Sacro Monte de Granada. Todavía muy joven se trasladó a América, donde continuó su aprendizaje. Estudió pedagogía en Buenos Aires y en Trenque Lauquen, trabajando como preceptor en el Colegio Franco-Argentino; con los mejores medios y métodos, su labor dio como fruto una brillante generación de alumnos de violín, flauta, guitarra y piano. Se instaló después en Montevideo abriendo en 1892 el Colegio Colón con clases nocturnas de música. Fundó más tarde el Instituto Bretón, alternando las clases de música con la cátedra de Filosofía que desempeñó en el Instituto Universal. En 1897 regresó a España instalándose en Sevilla, donde su padre había adquirido el teatro del Duque, del que se convirtió en director. Desde este momento se dedicó, casi por completo, a la composición de zarzuelas en número considerable. En las obras de López del Toro predominan los motivos populares, ya del folclore urbano, ya del rural. En casi todas sus zarzuelas se aprecia el tono andalucista propio de las producciones líricas del momento. Sus estrenos se realizaron a comienzos del siglo XX en colaboración con otros compositores como Cabas Galván, Fuentes, Font, Matheu, y fueron siempre acogidos en Sevilla y Madrid con enorme éxito. Años antes de su fallecimiento había dejado de componer, siendo su última obra *El manto de la Virgen*.

Emilio López del Toro
(Foto: Comedias y Comediantes, 1910; Ar. ICCMU)

OBRAS: *La criolla*, Zarz, 1 act, l, R. Cortés, est, 6-X-1897, Te. Duque (Sevilla), *E:Msa*; *Nísperos del Japón*, Zarz, 1 act, col. Cabas Galván, l, R. Urbano, est, 23-XII-1897, Te. Duque (Sevilla), *E:Msa*; *El observatorio*, Zarz, 1 act, col. Cabas Galván, l, Guerra y Mota, est, 26-III-1898, Te. Duque (Sevilla), *E:Msa*; *Juanilla*, Zarz, 1 act, l, Cortés / Escacena, est, 14-XI-1898, Te. Duque (Sevilla), *E:Msa*; *El capitán relámpago*, Zarz, 1 act, l, A. Fayula, 9-XI-1898, Te. Duque (Sevilla), *E:Msa*; *Hombría de campo*, Zarz, 1 act, l, A. Escacena / R. Cortés, est, 16-XI-1898, Te. Duque (Sevilla), *E:Msa*; *El milagro de San Roque*, Zarz, 1 act, l, A. Fayula, est, 29-VII-1899, Te. Maravillas, *E:Msa*; *El caimán*, Zarz, 1 act, l, F. Pérez y González, est, 12-XII-1899, Te. Eslava; *Carrasquilla*, Zarz, 1 act, l, F. Pérez y González, est, 6-IV-1900, Te. Zarzuela, *E:Msa*; *La buena sociedad*, Hum, 1 act, col. M. Font, l, Pascual Frutos, est, 1-VII-1900, *E:Msa*; *La Macarena*, Sai, 1 act, l, S. Alonso, est, 9-XI-1900, Te. Duque (Sevilla), *E:Msa* (SAE); *¡A los toros de Sevilla!*, Sai, 1 act, l, C. L. Olmedo, est, 8-IV-1901, Te. Duque (Sevilla), *E:Msa*; *Los primos*, Jug, 1 act, l, C. L. Olmedo / G. Escobar, est, 25-X-1901, Te. Duque (Sevilla), *E:Msa*; *La Virgen del Rocío*, Sai, 1 act, l, S. Alonso / J. Jackson, est, 29-XI-1901, Te. Duque (Sevilla), *E:Msa*; *El peligroso Mochales*, Zarz, 1 act, col. Fuentes, l, C. Crouselles, est, 1901, Te. Duque (Sevilla), *E:Msa*; *Maldición gitana*, Zarz, 1 act, l, C. L. Olmedo / G. Escobar, est, 1-III-1902, Te. Duque (Sevilla), *E:Msa*; *Canela fina*, Sai, 1 act, l, F. Oviedo, est, 10-IV-1902, Te. Duque (Sevilla), *E:Msa*; *La liga*, Zarz, l, A. Carmona, est, 23-XII-1902, Te. Duque (Sevilla), *E:Msa*; *La rifa del beso*, tradición, 1 act, l, S. M. Granés / García Rufino, est, 26-III-1903, Te. Duque (Sevilla), *E:Msa*; *Flor del campo*, Zarz, 1 act, col. E. Fuentes, l, García Rufino / R. Filoxia, est, 25-XI-1903, Te. Duque (Sevilla), *E:Msa*; *La Patrona del regimiento*, Zarz, 1 act, l, Almansa / F. Gil, est, 23-XII-1903, Te. Duque (Sevilla), *E:Msa*; *La perla del mar*, boceto, 1 act, col. M. Font, l, R. Álvarez, est, 14-II-1905, Te. Duque (Sevilla), *E:Msa*; *La pastora*, Zarz, col. Font, l, I. Pérez Giralde / S. L. Asensio, est, 30-III-1905, Te. Duque (Sevilla), *E:Msa*; *La patrona del cocimiento*, Fant, 1 act, l, García Rufino, est, 1905, Sevilla, *E:Msa*; *El Don Cecilio de hoy*, Rv, 1 act, col. M. López Farfán, l, P. Pérez / J. García Rufino, est, 1906, Sevilla; *La victoria del Cake*, Hum, 1 act,

col. E. Fuentes, l, P. Pérez Fernández, est, 1907, Sevilla, *E:Msa*; *Flores cordiales*, inocentada, 1 act, col. E. Fuentes, l, P. Pérez Fernández, est, 1907, Sevilla, *E:Msa*; *Victoria Expres*, col. E. Fuentes, est, 1907, Sevilla; *La penetración pacífica*, 1 act, col. Fuentes, l, Fernández Palomero / P. Pérez, est, 22-II-, 1908, Te. Duque (Sevilla), *E:Msa*; *Los miuras*, Sai, 1 act, adap de M. Polie, l, F. Palomares, est, 27-I-1909, Te. Duque (Sevilla), *E:Msa*; *Pascualica*, Zarz, 1 act, col. Matheu, l, A. Caamaño, est, 1-IV-1909, Te. Imperial, *E:Msa*; *La viuda inconsolable*, Sai, 1 act, col. E. Fuentes, l, J. García Rufino / F. Palomares, est, 18-XII-1909, Te. Duque (Sevilla), *E:Msa*; *Sangre andaluza*, boceto, 1 act, l, Palomares / García Rufino, est, 1909, Sevilla, *E:Msa*; *La sangre española*, Zarz, 1 act, col. Fuentes, l, F. Palomares / García Rufino, est, 17-II- 1910, Te. Duque (Sevilla), *E:Msa*; *El barrio de la viña*, Zarz, 1 act, col. E. Fuentes, l, F. Palomares / J. García, est, 4-XI-, 1910, Te. Duque (Sevilla), *E:Msa*; *Las tentaciones de Pío*, aventura, 1 act, col. Fuentes, l, J. Castro / E. Lucuix, est, 2-XII-1910, Te. Duque (Sevilla), *E:Msa*; *El doctor Fausto*, Opt, 2 act, col. Fuentes, l, Palomares del Pino / García Rufino, est, 1910, Sevilla, *E:Msa*; *Justicia pleveya*, Dr, 1 act, col. E. Fuentes, l, M. Chaves, est, 12-X-1911, Te. Duque (Sevilla); *Lucha de amores*, Zarz, 1 act, col. E. Fuentes, R. Díaz / J. López, est, 18-XI-1911, Te. Duque (Sevilla), *E:Msa*; *El monte de la belleza*, Fant, 1 act, col. Fuentes, l, Caamaño / Custodio, est, 30-XI-1911, Te. Duque (Sevilla), *E:Msa*; *El monte de la Belleza*, Zarz, col. Fuentes, l, Caamaño, 1911, *E:Msa*; *La justicia plebeya*, Zarz, col. Fuentes, l, M. Cháves, 1911, *E:Msa*; *La canción del trabajo*, Zarz, 1 act, col. Fuentes, l, García Rufino / A. Illanes, est, 20-I-1912, Te. Duque (Sevilla), *E:Msa*; *Safo o La danza de las cavernas*, Apr, col. E. Fuentes, l, García Rufino, est, 16-III-1912, Sevilla, *E:Msa*; *La subida del tabaco*, Zarz, 1 act, col. Fuentes, l, Vázquez / J. G. Olivares, est, IV-1912, Sevilla, *E:Msa*; *El anillo del Rajá*, Opt, 1 act, col. E. Fuentes, l, A. Gómez, est, 11-IX-1914, Te. Mayo (Buenos Aires), *E:Msa*; *La cruz de fuego*, *E:Msa* Zarz, 1 act, col. E. Fuentes, l, A. Pérez / García Rufino, est, XI-1914, Sevilla; *La caza del jabalí*, Zarz, col. E. Torres, l, A. Gómez, est, 1918, Te. Duque (Sevilla), *E:Msa*; *El botones*, Zarz, 1 act, col. E. Torres, l, A. Morillas / J. Quiñones, est, 19-XII-1919, Te. Duque (Sevilla), *E:Msa*; *El refugio (Nazarena)*, Zarz, 1 act, col. Matheu, l, González de la Milla, 28-I-1920, Te. Duque (Sevilla), *E:Msa*; *Nazarena*, Dr, col. E. Fuentes, l, F. de la Milla, est, 28-I-1920, Te. Duque (Sevilla), *E:Msa*; *El secretario particular*, Zarz, 1 act, col. E. Torres, l, G. Jover / E. Arroyo, est, II-1920, Te. Duque (Sevilla), *E:Msa*; *Sevilla Nomadejado (No-Do)*, Zarz, 1 act, col. E. Fuentes, l, García Rufino/M. Pina, est, 1920, Sevilla, *E:Msa*; *Monte Arruit*, Zarz, 1 act, col. E. Torres, l, J. García Rufino, est, X-1921 Sevilla, *E:Msa*; *La cuna de la libertad o La tacita de plata*, Rv, 1 act, col. E. Fuentes / E. Torres, l, J. García Padilla, est, X-1922, Cádiz; *El castillo de Fausto*, Zarz, 2 act, col. E. Torres, l, F. Palomares / J. García Rufino, est, XI-1922, Sevilla, *E:Msa*; *El puente de Triana*, Sai, 3 act, col. E. Torres, l, J. García Rufino, est, XII-1922, Sevilla, *E:Msa*; *El manto de la Virgen*, Sai, 2 act, col. M. Quislant, l, M. Sánchez Arco / S. Valverde, est, 1992, San Fernando (Sevilla), *E:Msa*; *La luz blanca*, Zarz, 1 act, col. Fuentes, J. A. Vázquez / J. García Rufio, est, III-1931, Sevilla, *E:Msa*; *Corazón de Andalucía*, Com lír, 3 act, l, R. Fernández / F. Mesa, est, 8-V-1939, Te. Falange (Motilla), *E:Msa*; *Amarillo y con ojeras*, col. S. Codoñer, l, F. García Loygorri, *E:Msa*; *Andalucía la Brava*, Zarz, 1 act, col. E. Fuentes, l, E. Egocheaga; *Bichito de luz*, Zarz, 1 act, col. E. Fuentes, I, Muñoz San Román, *E:Msa*; *Daoiz*, Zarz, col. Fuentes, I, Chávez, *E:Msa*; *De primera fuerza*, Zarz, I, Mota González, *E:Msa*; *El amor libre*, Zarz, 1 act, col. E. Fuentes, I, M. Fernández de la Puente, *E:Msa*; *El cisne azul*, Opt, 2 act, col. E. Torres, I, J. de Burgos / L. Linares, *E:Msa*; *El club de los curdas*, col. E. Torres, E. Lucuix; *El corral de la esperanza*, Zarz, 1 act, I, Olmedo, *E:Msa*; *El corral del columpio*, *E:Msa*; *El gallinero*, Zarz, col. E. Torres, I, E. Avellán / B. Medina, *E:Msa*; *El hada de los sueños*, Zarz, 1 act, col. E. Fuentes, I, García Rufino, *E:Msa*; *El huerto de las campanillas*, Sai, 2 act, col. E. Torres, I, A. Jiménez Oliver; *El jueves*, col. E. Torres, I, R. Taboada; *El lobo cordero*, Zarz, 1 act, I, S. Cerbón / F. Pérez, *E:Msa*; *El niño contrabandista*, Zarz, *E:Msa*; *El paraíso de Alah*, col. E. Fuentes, I, P. Pérez / M. Fernández Palomero; *El pecado original*, Zarz, col. E. Fuentes, I, García Rufino, *E:Msa*; *El sevillanito*, Zarz, *E:Msa*; *El teléfono*, Zarz, I, I. Pérez / López Asencio, *E:Msa*; *El torero del barrio*, Sai, 1 act, I, J. L. Montoto, *E:Msa*; *El Vaquerito de Encinares*, Zarz, col. E. Fuentes, I, T. Orellana, *E:Msa*; *Flor de Andalucía*, Zarz, I, R. Fernández / F. Mesa; *Flor de apio*, 1 act, I, J. García Rufino; *Friné la cortesana*, Zarz, *E:Msa*; *La bella dorada*, Zarz, 1 act, col. E. Fuentes, I, Pérez Olivares, *E:Msa*; *La cantaora*, col. E. Fuentes; *La condesita*, Zarz, 1 act, col. E. Torres, I, M. Rey / M Mihura, *E:Msa*; *La entrada del año*, Zarz, col. E. Fuentes, I, Allen-Perkins, *E:Msa*; *La fiesta del beso*, I, E. Banauchi / J. García Rufino; *La flor de Triana*, 1 act, col. E. Fuentes, I, V. de la Vega; *La fragua*, Zarz, I, R. Cortés, *E:Msa*; *La leyenda del Arco*, Sai, 1 act, col. E. Torres, J. Pérez / P. Moreno, est, Sevilla, *E:Msa*; *La mujer de mi sobrino*, Zarz, I, F. Oviedo / C. Mavillard, *E:Msa*; *La niña de la Eureka o Saladitos y dulces*, Sai, 1, P. Muñoz, *E:Msa*; *La niña de las saetas*, Sai, 1 act, col. E. Torres, I. A. Jiménez Oliver, est, Sevilla, *E:Msa*; *La quinta de abono*, Zarz, 1 act, I, Cotta / Ferrand, *E:Msa*; *La república de Fémina*, Zarz, *E:Msa*; *La venta de Eritaña*, Zarz, col. F. Chaves, I, J. Tabares / A. López, *E:Msa*; *La Verónica*, Zarz, 1 act, *E:Msa*; *La vida moderna*, Zarz, 1 act, I, F. Romero, *E:Msa*; *Las corraleras*, Zarz, 1 act, I, Olmedo / J. M. Escobar, *E:Msa*; *Letra a la vista*, Zarz, 1 act, col. E. Fuentes, I, R. Rocabert; *Los mocitos de la esquina*, col. E. Torres, I, Galarín; *Los ojos negros o La aventura de un viejo verde*, Zarz, 1 act, I, C. Cruselles, *E:Msa*; *Maravilla*, Zarz, col. Font, I, R. Urbano, *E:Msa*; *María del Rosario*, 1 act, col. E. Fuentes; *Maruja*, A. Gil, *E:Msa*; *Postales sevillanas*, Zarz, 1 act, col. Fuentes, I, J. de Castro / E. Lucuix, *E:Msa*; *Señora casera, ¿qué es lo que se alquila?*, Zarz, *E:Msa*; *Soler y Custodio*, Zarz, *E:Msa*; *Un drama de Calderón*, Zarz, col. E. Torres, I, P. Muñoz Seca / P. Pérez.

BIBLIOGRAFÍA: *DMEH*; *Comedias y Comediantes*, 23, 15-IX-1910; F. Cuenca: *Galería de músicos andaluces contemporáneos*, La Habana, Cultura, 1927.

Mª LUZ GONZÁLEZ PEÑA

López Gordillo, Dolores. *Véase* LÓPEZ, LOLA.

López Marín. Familia de libretistas españoles formada por Enrique y su hijo Manuel.

1. Enrique. Logroño, 1868; Madrid, 11-III-1918. Libretista. Estudió Filosofía y Letras y después, como la mayoría de los autores de su tiempo, se dedicó al periodismo, dirigiendo *El Diablo Mundo* y colaborando en *La Ilustración Española*, *Madrid Cómico* y *Vida Galante*. Se dedicó fundamentalmente al género chico escribiendo un gran número de obras, que le mostraron como autor ingenioso y experimentado, si bien no obtuvo ningún éxito importante. Escribió muchas veces en colaboración con otros autores como Enrique Ayuso, Eduardo Navarro Gonzalvo, Palomero, Montesinos o Pérez Zúñiga, y muchas de sus obras fueron parodias como las que había po-

pularizado Salvador Granés, como *Simón es un lila (Sansón y Dalila)*, 1894, música de Arnau; *La romería del halcón o El alquimista y las villanas y desdenes mal fingidos (La verbena de la Paloma)*, 1894, de nuevo con Arnau; *Miss Hissippi*, 1893, con música de José Sigler. Fue el mejor discípulo de Granés, al que aventajó en cantidad si bien no en calidad. Tan ingenioso como Granés era menos molesto que él, como lo prueba que Fernández Caballero pusiera música a *Los africanistas*, 1894, que parodiaba justamente el gran triunfo de Caballero en *El dúo de la Africana*. Colaboró con Granés en *El balido del zulú*, 1900, con música de Luis Arnedo.

Enrique López Marín
(Foto: Comedias y Comediantes, 1910; Ar. ICCMU)

2. Manuel. †Madrid, 26-IV-1962. Dramaturgo. Se dedicó con éxito al teatro al igual que su padre. Colaboró con Francisco Ramos de Castro en diversas comedias. Escribió algunas obras de gran éxito que llegaron a centenarias en los carteles. Hay que destacar *Aventura de Carnaval*, *Blanco, rosa y violeta* y *Los niños de París*, las tres con música Guillermo Cases Casañ. Con música de Enrique Estela y Jacinto Guerrero escribió *La hora de la verdad*. De nuevo con Ramos de Castro y música de Fernando Moraleda escribió *Las gafas*. Es autor, además, de letras de canciones como *Mimí* y *Modas*, *Miss Lilis*, *Pirandello en casa* y *Roulette*.

BIBLIOGRAFÍA: *CDE*; *DAT*; *TA*; *BSGAE*, 67, I, 1920.

Mª LUZ GONZÁLEZ PEÑA

López Martínez, María. Granada, 1883; Madrid, 4-VI-1960. Soprano y bailarina. Comenzó su carrera en el teatro Principal de Granada en la temporada 1898-99, actuando también en el teatro La Alhambra y el Isabel la Católica de la misma ciudad. Se trasladó a Madrid debutando con gran éxito en el teatro veraniego de Eldorado, estrenando *Los figurines* y *La Soleá*, con tanto éxito que salvaron a la compañía del teatro de la ruina que les amenazaba. Finalizada la temporada veraniega, la compañía pasó al teatro Eslava, estrenando *Plantas y flores*, *La boda*, *El favorito del duque* y uno de los mayores éxitos de María López Martínez, *Enseñanza libre* de Giménez. Contratada la compañía por el teatro Apolo, en 1901 estrenó *San Juan de Luz*, otro gran éxito, y *Las grandes cortesanas*. En ese mismo teatro estrenó *El puñao de rosas*, obra en que la crítica la encontraba encantadora y sugestiva en la juerga del último cuadro; *El terrible Pérez*, donde encarnó con gran éxito a "La bella Cocotero" bailando un "baile inglés", *El rey mago* de Chapí y Sinesio Delgado, y la parodia de *El puñao de rosas*, *El cuñao de Rosa*.

En la temporada 1903-04 abandonó la compañía de Apolo y fue contratada por el teatro Arriaga de Bilbao, realizando posteriormente una temporada en Lisboa junto a las hermanas Taberner. A su regreso de Portugal formó compañía con su padre, alquilando el teatro Cómico donde estrenó *La reina del cuplé*, *El dinero y el trabajo* y *Academia modelo*, entre otras. En 1905 seguía en el Cómico que dirigía Antonio Paso y estrenó *El arte de ser bonita*, *Las granadinas* de Giménez y Vives, *Enseñanza libre* y *La Soleá*, obras estas dos últimas en las que la interpretación de la tiple contribuyó mucho al éxito de las obras. En la temporada 1904-05 estrenó en el teatro Cómico *Cuadros al fresco* de Giménez en la que fue muy celebrada cantando y bailando. Tras unos años alejada de los escenarios, volvió a ellos en los años veinte como actriz de carácter y como tal formaba parte en la década de 1930 de la compañía del teatro de la Comedia. En 1939 formaba parte de la compañía de revistas y zarzuelas de Ramón Peña.

María López Martínez en El terrible Pérez
(Foto: Candela en El Teatro, *1903; Ar. SGAE)*

BIBLIOGRAFÍA: *ME*; Córcholis: "Memorias íntimas del teatro: María López Martínez", *Nuevo Mundo*, 613, 5-X-1905; F. Cuenca: *Teatro andaluz contemporáneo. 2. Artistas líricos y dramáticos*, La Habana, Maza, 1940.

Mª LUZ GONZÁLEZ PEÑA

López Merino, Juan. Málaga, siglos XIX-XX. Dramaturgo y periodista. Estudió en la Real Academia de Música, Declamación y Buenas Letras de Málaga. Publicó algunos de sus trabajos literarios en *La Unión Mercantil* y *La Unión Ilustrada*. Hubo de trasladarse a Melilla y allí fundó *El Heraldo*. Se estableció después en Madrid donde trabajó en un colegio que abandonó para dedicarse al periodismo y posteriormente al teatro. Enrique Borrás estrenó con extraordinario éxito su drama *Pedro Fierro*. Tiene además sainetes y comedias. Para el género lírico escribió algunas zarzuelas como *Entre barcas* y *Lolita Alcázar*, ambas con música de Ramón de Julián. *Lolita Alcázar* se estrenó en 1912 en el teatro Reina Victoria de Sevilla. Escribió otra zarzuela, *El tonto perdido*, en colaboración con Enrique García Álvarez y música de Emilio Borrás.

BIBLIOGRAFÍA: C. Cuevas (ed. y dir.): *Diccionario de escritores de Málaga y su provincia*, Madrid, Castalia, 2002.

Mª LUZ GONZÁLEZ PEÑA

López Monís, Antonio. Granada, 1875; Madrid, 23-XII-1947. Libretista. Antes de dedicarse al teatro estudió Derecho. Ingresó en la Administración pública y ocupó puestos diversos en diferentes gobiernos civiles en Madrid, Cuenca y Soria. También colaboró en la prensa como *El Defensor de Granada* y escribió poesía y alguna novela. Fue autor de extraordinaria fecundidad, estrenó más de setenta obras y colaboró con autores consagrados como Sánchez Gerona, García Álvarez, el actor Ramón Peña, Pascual Frutos, Ramón Rocabert y algunos más. Colaboró con Carlos Fernández Shaw en *La moza bravía*, 1912, con música de José Cabas Quiles. Contó con la colaboración de maestros muy destacados en el género lírico como Francisco Alonso, *Soldado de Nápoles*, 1918, Pablo Luna, *El suspiro del moro*; Tomás Barrera, *El buen ladrón*, 1914; Rafael Calleja, *La mujer del prójimo*, o Luis Foglietti, *Las doce de la noche*, 1907 y *El que paga descansa*, 1910, si bien uno de sus más grandes éxitos fue *La dogaresa* con música de Rafael Millán, Tívoli, 1920. Poseía un ingenio fecundo, buen gusto literario y dominio del diálogo, y de la llamada técnica teatral, siendo atraído por el ambiente madrileño, como tantos otros escritores de la periferia española. *Véase* LA DOGARESA; EL PÁJARO AZUL.

BIBLIOGRAFÍA: *CLE*; *DAT*; *EDL*; *TLE*.

Mª LUZ GONZÁLEZ PEÑA

López Muñoz, Elvira. Córdoba, siglo XIX; España, siglo XX. Contralto. Primera tiple, que actuó en 1907 en el teatro de la Zarzuela, con éxito, trasladándose posteriormente al Apolo, en el que también destacó en sus actuaciones. En 1908 se hallaba de nuevo en el teatro de la Zarzuela, alternando zarzuela y óperas como *Cavalleria rusticana* y *La bohème*. En 1910 era primera tiple en el teatro Circo de Cartagena y posteriormente fue contratada por el teatro Apolo donde estrenó *Sangre y arena* de Luna y Marquina. En 1912 se casó con el compositor Teodoro San Cristóbal.

Elvira López Muñoz
(Foto: Nuevo Mundo, 1908; Ar. ICCMU)

BIBLIOGRAFÍA: *TA*; F. Cuenca: *Teatro andaluz contemporáneo. 2. Artistas líricos y dramáticos*, La Habana, Maza, 1940.

Mª LUZ GONZÁLEZ PEÑA

López Píriz, Avelina. España, siglos XIX-XX. Tiple. Debutó en el teatro Principal de México en *El dúo de la Africana* y *La fiesta de San Antón*, en 1900, siendo muy alabada por la prensa que le atribuyó el éxito de ambas obras y la reacción del público, en principio frío. En 1902 formaba parte de la compañía de Rafael Calleja y Salvador Videgain, que actuó en el teatro del Parque, teatro de verano del Retiro, que preparaba estrenos de Jackson, Granés o Melantuche.

BIBLIOGRAFÍA: M. Mañón: *Historia del teatro Principal de México*, México, Ed. Cultura, 1932.

Mª LUZ GONZÁLEZ PEÑA

López Silva, José. Madrid, 4-IV-1861; Buenos Aires, 25-III-1925. Libretista, comediógrafo y poeta. Nacido en pleno barrio del Avapiés, y conocido como el último chispero, fue dependiente de un comercio textil, frecuentando los barrios bajos; de su trato con chulos y chulaponas obtuvo ese conocimiento que plasmó en sus sainetes. Como la gran mayoría de los autores literarios de la época, colaboró en diversos periódicos, como *Madrid Cómico*, *El Heraldo de Madrid* y *La Lidia*, pasando después al teatro. Escribió algunos libros de temas madrileños: *Migajas*, 1890; *Los barrios bajos*, 1894; *Los Madriles*, 1896; *Chulaperías*, 1898; *Gente de tufos*, 1905; *La gente del pueblo*, 1908 y *La musa del arroyo*, 1911 y publicó también algunos poemas, si bien su labor más importante la desarrolló en los sainetes. López Silva es uno de los escritores de vena popular, si no muy exquisito, sí de fácil percepción y de no menos espontánea exposición. Es quizás uno de los autores más castizos, junto a Antonio Casero, en pintar costumbres y tipos de su tiempo. En sus sainetes colaboró con plumas tan notables como Carlos Fernández Shaw, Arniches o Jackson Veyán. Su colaboración más fecunda fue la que tuvo con Fernández-Shaw, que tenía un estilo completamente opuesto, así la marchosería, gracejo y espontaneidad madrileña de López Silva se conjuntó con la frase pulida, el madrigal galante, la estrofa rotunda y el buen gusto de Fernández Shaw, según Diego San José de la Torre. De su colaboración salieron algunos títulos que todavía mantienen su vigencia, ya que fue coautor de una obra tan completa y bien escrita como *La revoltosa*, 1897, que inmortalizó la música de Chapí, para el que también escribió *Las bravías*, 1896, *La chavala*, 1898, *Los buenos mozos*, 1899, y *El barquillero* entre otros muchos. Con Chueca estrenó *Los descamisados*, 1893, *El*

José López Silva (Foto: Comedias y Comediantes, *1925; Ar. ICCMU)*

coche correo, 1896, *Los arrastraos*, 1899, *La borracha*, 1904 y *El estudiante*, 1907. Con Quinito Valverde *El puesto de las flores*, 1903 o *El arroyo*, 1912; con Rafael Calleja *El noble amigo*, 1906, *El amo de la calle*, 1910, *La flor del barrio*, 1919, *La estrella del Olimpia*, 1915, entre otras muchas. Penella, Barrera, Vives, Lleó, Brull, Estellés, Nieto, Rafael Millán, Cleto Zabala, Julián Benlloch o Tomás López Torregrosa pusieron también música a sus obras, para los que escribió pasatiempos, revistas, operetas, sainetes, juguetes, entremeses y apropósitos.

López Silva merece ocupar un puesto de primer orden entre los libretistas del género chico, ya que aún cuando en ocasiones le faltó una cierta contención en el trazo, siempre mantuvo la fina observación, el buen dibujo de sus personajes y la inteligente armazón de sus tramas. Aunque básicamente escribió sainetes, alguna vez se dejó llevar por la vena sentimental como en *Mariposas blancas*, 1907, escrita en colaboración con Julio Pellicer y estrenada en el teatro Lara. Al morir sus principales colaboradores, con los que se reunía en la tertulia del teatro Apolo, y dar paso el género chico a la opereta austríaca, López Silva emigró a Argentina, donde alcanzó fama pintando compadritos y pebetas igual que había pintado chulos en Madrid. Algunos críticos tacharon a López Silva de inmoral, así lo hizo Cejador, por la pintura realista de los tipos que se encuentra en su obra, mientras que Juan Valera en *Ecos argentinos* de 1901 dice que nada hay de antisocial o inmoral en la obra de López Silva.

En 1911 llegó a Buenos Aires con la intención de permanecer cinco o seis meses, pero al cabo de algunos años se radicó definitivamente en dicha ciudad. Se integró en forma total al ambiente teatral porteño. Escribió en colaboración con Carlos Mauricio Pacheco, uno de los autores más significativos del teatro argentino, *Los piratas* y *Así terminó la fiesta*, 1920, con música de Francisco Payá, denominados sainetes "hispano-argentinos", pues en este último se sintetizan elementos hispánicos –las corralas de Madrid– y porteño –un conventillo y sus típicos habitantes, guapos, payadores y cantores de tango–. Logró sus mayores éxitos en colaboración del conocido comediógrafo Nicolás de las Llanderas: *No me hablen de ellas*, *Sangre en la nieve*, *El hombre de confianza* y *Don Batista*, en la cual Florencio Parravicini realizó una de sus mejores creaciones como actor. López Silva dirigió compañías españolas con las que realizó numerosas giras por el interior del país. Falleció en Argentina, pero sus restos se trasladaron a Madrid por iniciativa del Ayuntamiento de la capital. *Véase* LOS ARRASTRAOS; EL BARQUILLERO; LAS BRAVÍAS; EL CAPOTE DE PASEO; LA CHAVALA; LOS DESCAMISADOS; LA REVOLTOSA.

BIBLIOGRAFÍA: *CDE*; *CTLBN*; *DAT*; *EDL*; *MT*; *TLE*; D. San José de la Torre: *Gente de ayer. Retablillo literario de los comienzos del siglo*, Madrid, Instituto Editorial Reus, 1952; F. Bravo Morata: *El sainete madrileño y la España del sainete*, Madrid, Ed. Fenicia, 1973.

Mª LUZ GONZÁLEZ PEÑA / MARTA LENA PAZ

López Torregrosa, Tomás. Alicante, 24-IX-1863; Madrid, 23-VI-1913. Compositor. Dedicado casi en exclusiva al teatro lírico, es uno de los grandes autores de la década prodigiosa del género, 1890, en la que alcanzó grandes éxitos dejando, a pesar de su temprana muerte, más de cien obras. Estudió en Madrid, en cuyo Conservatorio tuvo magníficas calificaciones y fue discípulo predilecto de su paisano Ruperto Chapí. En 1887 entró en el teatro Apolo para dirigir la orquesta y pronto comenzó a componer zarzuelas, dentro del género castizo madrileño que impuso Federico Chueca. El éxito le acompañó rápidamente, lo que le permitió colaborar musicalmente con autores consagrados como Apolinar Brull y Manuel Nieto y, sobre todo, con el joven Joaquín Valverde San Juan.

El 11 de noviembre de 1892 se estrenó en el teatro Eslava la primera colaboración entre Torregrosa y Quinito Valverde, la humorada cómico-lírica *El gran capitán*, con libro de Celso Lucio y Enrique Ayuso. Fue el primer estreno del otoño y la gracia de la obra, unida al vistoso decorado de Muriel y la oportunidad de su estreno −la víspera del cuarto centenario del descubrimiento de América al que se hacía referencia en la obra−, la convirtieron en el plato fuerte de la temporada doblando en cartel. En 1893 escribió *Los marineros*, una composición coral con texto de Sinesio Delgado, que interpretó con gran aplauso del público el coro de hombres del teatro Apolo en su beneficio realizado el 1 de agosto. El 31 de marzo de 1894 estrenó, de nuevo en Eslava, *Los puritanos*, con texto de Celso Lucio y Carlos Arniches y de nuevo en colaboración con Quinito Valverde. La gracia del libreto hizo triunfar la obra. Dos años después, nuevamente con texto de su paisano Carlos Arniches, obtuvo Torregrosa su primer gran éxito con la zarzuela cómica *La banda de trompetas*, estrenada el 24 de diciembre. En pocas ocasiones se acogió en el Apolo un estreno con tal estrépito; con la actuación de los Mesejo −José y Emilio− en los papeles protagonistas, el éxito fue enorme y la obra, que era un apropósito de Navidad, pasó al cartel de la noche con repetidas representaciones. Se hicieron muy famosas las guajiras que cantaba Mesejo.

Al año siguiente colaboró con Apolinar Brull poniendo música a otra obra de Sinesio Delgado, el boceto lírico *La madre abadesa*, que aunque en

Tomás López Torregrosa
(Foto: Comedias y Comediantes, 1911; Ar. ICCMU)

un principio fue recibida con frialdad, al carecer de los chistes fáciles a los que estaba acostumbrado el público del Apolo, obtuvo el aplauso del público que reconoció su calidad. En septiembre del mismo año, *La zarzuela nueva*, otra colaboración entre Sinesio Delgado y López Torregrosa, sufrió un sonado pateo. En esta obra Sinesio Delgado, con su fina ironía, atacaba las malas costumbres del Madrid de la época, algunas de las cuales el público reconocía como propias, lo que provocó tal furia que hubo que bajar el telón antes de terminar la obra, a la que la música no sirvió de mucha ayuda. Afortunadamente para Torregrosa, la siguiente obra que estrenó en 1897, la revista en un acto *El pobre diablo*, con letra de Celso Lucio y en la que colaboró musicalmente con Quinito Valverde, fue un éxito. Pero mayor fue el conseguido en el teatro Apolo la noche del 19 de febrero de 1898 con el sainete lírico *El santo de la Isidra*, primer éxito del año. Esta obra, con texto de Carlos Arniches, es de las más destacadas dentro del género de piezas de costumbres madrileñas, y era en realidad como una nueva versión de *Los valientes* de Javier de Burgos, aunque con la acción no en la tasca sino en la pradera de San Isidro. Fundamentada en un diálogo chistoso conseguido magistralmente por Arniches, estaba también sostenido por la música de Torregrosa de ambiente chulesco y popular, en la que como Chueca, se muestra un gran cantor de Madrid y sus costumbres. El éxito hizo que la temática de la obra fuese de nuevo tratada por el autor y esto explica la siguiente obra del mismo año, *La fiesta de San Antón*, situada en este caso no a orillas del Manzanares sino en el norte de Madrid donde se celebraba la fiesta de San Antón. Esta segunda obra no fue de tanto éxito como la anterior ya que era en buena manera un calco. En 1899 de nuevo colaboraron Torregrosa y Sinesio Delgado en *Los mineros*, zarzuela dramática en un acto y en prosa estrenada en el teatro Eldorado de Barcelona. La obra fue muy aplaudida aunque la música no fue considerada demasiado buena.

López Torregrosa tuvo un papel destacado en la lucha de los autores por su independencia, ya que fue él quien en 1898, tras haber abandonado Sinesio Delgado la dirección del semanario *Madrid Cómico*, le propuso entrar como socio en la Asociación Lírico-Dramática y aceptar el puesto de secretario de la misma, y estuvo involucrado en la creación de la Sociedad de Autores Españoles. En 1900, en plena lucha contra los editores y con la hostilidad de la prensa, los autores libres seguían trabajando, casi siempre colaborando entre ellos. Así Torregrosa volvió a poner música a un libreto de Sinesio Delgado, *Ligerita de cascos*, zarzuela en un acto que se estrenó en el teatro Romea. También participó en la curiosa "epidemia cómico-lírica" titulada *Aprieta constipado o El catarro nacional*, con música suya, de Ángel Rubio, Salvador Viniegra, Gregorio Mateos, Ruperto Chapí, Vicente Lleó, Quinito Valverde, Rafael Calleja y Arturo Saco del Valle, y texto de Ángel Caamaño. Torregrosa fue demandado por el poderoso editor Florencio Fiscowich, en compañía de Amadeo Vives, Rafael Calleja, Quinito Valverde y Vicente Lleó, debido al convencimiento que el editor tenía de que los seudónimos Montero y Montesinos, bajo los que se estrenaron numerosas obras en estos momentos, se escondían los nombres de estos compositores, ya reputados y que se hallaban bajo contrato con Fiscowich. Afortunadamente la querella se resolvió favorablemente al demostrarse, con la declaración de Sinesio Delgado y la de los propios interesados, que bajo esos seudónimos se escondían dos compositores recién llegados a la Corte, Tomás Barrera, manchego y Manuel Quislant, alicantino como Chapí. En 1901 la recién nacida Sociedad de Autores Españoles compró a Florencio Fiscowich su archivo musical y cesaron las luchas, pudiéndose dedicar los autores a su labor creativa, recompensada con el éxito en diversos títulos como *Los niños llorones*, con libro de Carlos Arniches, Antonio Paso y Enrique García Álvarez y música de Torregrosa y Quinito Valverde, estrenada en julio de 1901, terminando ya la temporada en Apolo. La obra fue un éxito indiscutible. En febrero de 1903, Torregrosa se unió a la moda de la parodia poniendo música a *El cuñao de Rosa*, en la que Candela y Merino parodiaban el gran éxito de la temporada, *El puñao de rosas*, con música de Chapí y libro de Arniches y Asensio Mas. La parodia obtuvo un gran éxito y Apolo presentó en cartel ambas obras a un tiempo.

El 1 de mayo de 1903, día en que se celebraba la Fiesta del Trabajo, tuvo lugar en Apolo el beneficio del gran actor Emilio Carreras, y a tal efecto se estrenó el "juguete cómico-lírico-asainetado" *El terrible Pérez* con libro de Carlos Arniches y Enrique García Alvarez y música de Torregrosa y Quinito Valverde. La colaboración de Arniches y García Álvarez fue tan fructífera que inauguró el tipo de los "frescos" y a Pérez siguieron Valbuena, Cañizares, Gorritz y Melquíades, que constituyeron un auténtico filón de oro para la empresa de Apolo. El buen hacer de Emilio Carreras interpretando a Pérez ayudó mucho al éxito de la obra. De nuevo para el beneficio de Carreras, se estrenó el 1 de julio de 1904 la segunda parte de la tetralogía de los frescos de Arniches y García

Álvarez, que constituyó uno de los mayores éxitos de Tomás López Torregrosa: *El pobre Valbuena*, en colaboración de nuevo con Quinito Valverde. La obra tuvo un éxito sin precedentes —superando ampliamente el obtenido por *El terrible Pérez* que había sido muy grande—, basada en la presentación de tipos llenos de "color, olor y sabor" saineteril. Su éxito estuvo fundamentado en la presentación de una serie de números geniales, como son la canción de las Peinadoras, el cuplé de la Japonesa y, sobre todo, la habanera del Pom-pom, con música de García Álvarez, que, además de comediante era músico. La genial personificación que el gran Emilio Carreras hizo de Valbuena perjudicó a la larga al personaje pues ningún actor de la época se atrevió a interpretarlo después.

Durante unos años Torregrosa se mantuvo alejado del teatro Apolo estrenando en los teatros Cómico, Eldorado, Zarzuela y Circo de Parish, con desigual fortuna. El 28 de diciembre de 1905, fiesta de los Inocentes, estrenó en Eslava *La borrica*, zarzuela en un acto con texto de Luciano Boada y Manuel de Castro, se supone que sería la típica obra intrascendente llena de inocentadas que solía estrenarse cada año en esas fechas. En 1906 estrenó en Apolo *El moscón*, entremés cómico-lírico en colaboración con Quinito Valverde, otro gran éxito; en esta obra se hizo muy famoso el número que bailaban María Palou y Vicente Carrión. En 1907 estrenó en el Gran Teatro con la compañía de Loreto Prado y Enrique Chicote *El palacio de cristal*, con libro de José Jackson y Jacinto Capella, en que fueron muy aplaudidos diversos números de la partitura, como el que imita la marcha de un automóvil —automóvil que salía a escena, siendo, lógicamente, de gran efecto—, el de "La chirimoya" y una gavota amenizada por un cuarteto de monos. La obra obtuvo un gran éxito. Pocos meses después, en junio y de nuevo en el Gran Teatro, Torregrosa y Calleja estrenaron *La brocha gorda*, revista en un acto de Jacinto Capella y Emilio González Pastor, que obtuvo una exelente acogida por la vistosidad de su montaje y la interpretación de Loreto Prado que en un momento imitaba a la famosa cupletista "La Fornarina". En 1909 de nuevo con Loreto Prado y Enrique Chicote estrenó en el teatro Cómico una revista, con libro de Luis de Larra, titulada *Ni frío ni calor*, con la que se inauguró la nueva temporada del Cómico bajo la administración de Prado-Chicote. En las críticas de su estreno se le auguraba un gran futuro tanto en Madrid como en provincias.

En abril de 1911 estrenó en un nuevo teatro, el de la Gran Vía, la comedia lírica en un acto con libro de Julio Pardo, *El amor que huye*, que contó con la espléndida voz de Antonia Arrieta a la que Julio Pardo dedicó el libreto. La obra obtuvo un gran éxito. Finalizando ese mismo año, Torregrosa colaboró con un joven autor, que después obtuvo grandes éxitos en el campo de la zarzuela, Francisco Alonso, en la obra *El verbo amar*, con libro de Joaquín Abati y Antonio Paso, estrenada en el Circo de Parish el 23 de diciembre. En 1913 de nuevo en colaboración con Quinito Valverde volvió a la catedral del género chico con *El sostén de la casa*, sainete de Ricardo González del Toro y Miguel Mihura, con un fino análisis de las costumbres populares. La música fue muy aplaudida repitiéndose varios números, si bien algunos, como el de los pantalones, tenían demasiadas connotaciones políticas –en alusión a los pantalones de cuadros que el dibujante Tovar adjudicó a Juan de la Cierva en las páginas de *España Nueva*, si bien el político jamás llegó a usarlos– como para que el público admitiese su repetición. La obra fue protagonizada por Amalia de Isaura.

Torregrosa estrenó numerosas obras en todos los teatros madrileños que se dedicaban al género, Eldorado, Apolo, Eslava, Zarzuela, Gran Teatro, Romea, Comedia, Cómico, Moderno, muchas de ellas pasaron desapercibidas, o como era muy normal, desaparecieron el día del estreno, pero dejó para la historia una serie de obras de gran valía que lo convierten en uno de los autores importantes de finales de siglo. *Véase* LA FIESTA DE SAN ANTÓN; EL POBRE VALBUENA; EL SANTO DE LA ISIDRA.

Cortesía de Unión Musical Ediciones SL

OBRAS *La invencible*, pasillo cómlír, 1 act, l, L. Gabaldón / A. Molina, est, 30-IV-1889, Te. Eslava, *E:Msa*; *Los mineros*, Zarz dramática, 1 act, l, S. Delgado, est, 11-III-1889, Te. Eldorado, *E:Msa* (SAE); *¡Victoria!*, Jug cóm-lír, 1 act, l, C. Arniches / M. Labra, est, 19-VIII-1891, Te. Tívoli, *E:Msa*; *Adivina quién te dio*, Jug cóm-lír, 1 act, l, E. Villegas, est, 27-VII-1892, Te. Recoletos, *E:Msa*; *El Gran Capitán*, Hum cóm-lír, 1 act, col. J. Valverde Sanjuán, l, C. Lucio / E. Ayuso, est, 11-X-1892, Te. Eslava, *E:Msa* (BZ); *Tragaldabas*, Zarz, 1 act, l, E. Villegas, est, 23-XI-1893, Te. Eslava, *E:Msa*; *Los puritanos*, pasillo cóm-lír, col. J. Valverde Sanjuán, C. Lucio / C. Arniches, est, 31-III-1894, Te. Eslava, *E:Msa* (Cd); *Las amapolas*, Zarz cóm, 1 act, l, C. Arniches / C. Lucio, est, 21-VI-1894, Te. Apolo, *E:Msa* (Cd); *Tabardillo*, Zarz cóm, 1 act, l, C. Arniches / C. Lucio, est, 14-III-1895, Te. Cómico, *E:Msa*; *El príncipe heredero*, viaje Bu lír, 2 act, col. M. Nieto / A. Brull, l, C. Arniches / C. Lucio, est, 9-I-1896, Te. Romea, *E:Msa*; *El año del bólido*, Rv cóm-lír, col. R. Calleja, l, E. Navarro, est, 18-III-1896, Te. Jovellanos, *E:Msa*; *La zíngara*, Zarz Bu, 1 act, col. J. Valverde Sanjuán, l, E. García Álvarez / A. Paso, est, 24-VII-1896, Te. Colón, *E:Msa*; *El jefe del movimiento*, Zarz cóm, 1 act, l, C. Arniches / M. de Labra, est, 31-VII-1896, Te. Maravillas, *E:Msa*; *El vivo retrato*, Jug cóm-lír, 1 act, col. J. Valverde Sanjuán, l, E. Villegas, est, 2-X-1896, Te. Eslava, *E:Msa*; *Los bandidos*, Zarz cóm, 1 act, l, C. Arniches / C. Lucio, est, 24-XII-1896, Te. Zarzuela, *E:Msa*; *Sombras chinescas*, extravagancia cóm-lír, 1 act, col. J. Valverde Sanjuán, l, E. García Álvarez / A. Paso, est, 24-

XII-1896, Te. Eslava, *E:Msa*; *Los cocineros*, Zarz cóm, 1 act, col. J. Valverde Sanjuán, l, E. García Álvarez / A. Paso, est, 6-III-1897, Te. Eslava, *E:Msa* (Cd); *La madre abadesa*, boceto lír, 1 act, col. A. Brull, l, S. Delgado, est, 24-III-1897, Te. Apolo, *E:Msa*; *El arco iris*, pasillo cóm lír, 1 act, col. J. Valverde Sanjuán, est, 14-V-1897, Te. Eslava, *E:Msa*; *La zarzuela nueva*, Zarz, 1 act, l, S. Delgado, est, 7-X-1897, Te. Apolo, *E:Msa*; *El primer reserva*, pasillo cóm-lír, 1 act, col. J. Valverde Sanjuán, l, E. Sánchez Pastor, est, 16-X-1897, Te. Apolo, *E:Msa* (Cd); *Los camarones*, Zarz cóm, 1 act, col. J. Valverde Sanjuán, est, 4-XII-1897, Te. Zarzuela, *E:Msa*; *La banda de trompetas*, Zarz cóm, 1 act, l, C. Arniches, est, 24-XII-1897, Te. Apolo, *E:Msa* (UME); *La niña de Villagorda*, Hum cóm-lír, 1 act, col. J. Valverde Sanjuán, l, J. Jackson Veyán, est, 24-XII-1897, Te. Comedia, *E:Msa*; *El santo de la Isidra*, Sai lír de costumbres madrileñas, 1 act, l, C. Arniches, est, 19-II-1898, Te. Apolo, *E:Msa* (UME); *Toros del Saltillo*, Zarz, 1 act, col. J. Valverde Sanjuán, l, E. Prieto / C. Arniches / C. Lucio, est, 29-IV-1898, Te. Apolo; *Las castañeras picadas*, Sai, 1 act, col. J. Valverde Sanjuán, l, C. Fernández Shaw, est, 28-V-1898, Te. Apolo, *E:Msa*; *La fiesta de San Antón*, Sai lír de costumbres madrileñas, 1 act, l, C. Arniches, 25-XI-1898, Te. Apolo, *E:Msa* (UME); *Los mineros*, Zarz dramática, 1 act, l, S. Delgado, est, 11-III-1899, Te. Eldorado (Barcelona); *El trabuco o Pepet, Nelet y Tonet*, Zarz, 1 act, col. J. Valverde Sanjuán, l, E. Sánchez Pastor, est, 1-IV-1899, Te. Apolo, *E:Msa* (Almagro y Cª); *Instantáneas*, Rv cóm lír, col. J. Valverde Sanjuán, l, C. Arniches / J. López Silva, est, 28-VI-1899, Te. Eldorado, *E:Msa* (Almagro y Cª); *Los flamencos*, Sai lír, 1 act, col. J. Valverde Sanjuán, l, E. Sánchez Pastor, est, 13-VII-1899, Te. Eldorado, *E:Msa* (Almagro y Cª); *El último chulo*, Sai lír de costumbres madrileñas, 1 act, col. J. Valverde Sanjuán, l, C. Arniches / C. Lucio, est, 7-XI-1899, Te. Eslava, *E:Msa* (Almagro y Cª); *Ligerita de cascos*, Zarz, 1 act, l,

S. Delgado, est, 24-IV-1900, Te. Romea, *E:Msa*; *España en París*, Zarz, 1 act, col. E. Montesinos / J. Valverde Sanjuán, l, E. Sánchez Pastor, est, 23-VII-1900, Te. Eldorado, *E:Msa*; *Los niños llorones*, Zarz cóm, 1 act, col. J. Valverde Sanjuán / T. Barrera, l, C. Arniches / E. García Álvarez / A. Paso, est, 4-VII-1901, Te. Apolo (Cd); *Plantas y flores*, Rv cóm lír, 1 act, col. J. Valverde Sanjuán, l, C. Lucio, est, 5-XI-1901, Te. Eslava, *E:Msa*; *El debut de la Ramírez*, Zarz cóm, 1 act, col. J. Valverde Sanjuán, l, G. Merino, est, 11-XI-1901, Te. Cómico, *E:Msa*; *Chispita o El barrio de Maravillas*, Zarz, 1 act, col. J. Valverde Sanjuán, l, J. Francos Rodríguez / J. Jackson Veyán, est, 19-XII-1901, Te. Cómico, *E:Msa*; *La muerte de Agripina*, Psa cóm lír, col. J. Valverde Sanjuán, l, C. Arniches / E. García Álvarez, est, 5-IV-1902, Te. Zarzuela, *E:Msa* (SAE); *La divisa*, Zarz, cóm de costumbres valencianas, 1 act, l, C. Arniches, est, 15-IV-1902, *E:Msa* (SAE); *San Juan de Luz*, Hum cóm lír, 1 act, col. J. Valverde Sanjuán, l, C. Arniches / J. Jackson Veyán, est, 9-VII-1902, Te. Eldorado, *E:Msa* (SAE); *Los granujas*, Zarz, 1 act, col. J. Valverde Sanjuán, l, C. Arniches / J. Jackson Veyán, est, 8-XI-1902, Te. Cómico, *E:Msa* (SAE); *El cuñao de Rosa*, Zarz cóm, 1 act, l, G. Merino / A. Candela, est, 7-II-1903, Te. Apolo, *E:Msa* (SAE); *El puesto de flores*, Zarz, 1 act, col. J. Valverde Sanjuán, l, J. Jackson Veyán / J. López Silva, est, 28-II-1903, Te. Zarzuela, *E:Msa* (SAE); *El terrible Pérez*, Hum tragicómico-lír, 1 act, col. J. Valverde Sanjuán, l, C. Arniches / E. García Álvarez, est, 1-V-1903, Te. Apolo, *E:Msa*

(SAE); *Colorín, colorao*, cuento cóm lír fantástico, 1 act, col. J. Valverde Sanjuán, est, 11-VII-1903, Te. Eldorado, *E:Msa* (SAE); *Los chicos de la escuela*, Zarz, 1 act, col. J. Valverde Sanjuán, est, 22-XII-1903, Te. Moderno, *E:Msa* (UME); *La perla negra*, Jug cóm-lír, I, F. Yrayzoz, est, 9-II-1904, Te. Moderno, *E:Msa* (SAE); *El pobre Valbuena*, Hum lír, col. J. Valverde Sanjuán, I, C. Arniches / E. García Álvarez, est, 1-VII-1904, Te. Apolo, *E:Msa* (SAE); *El ciego de Buenavista*, Sai 1 act, I, A. Domínguez / J. Toral, est, 1-VII-1904, Te. Zarzuela, *E:Msa*; *El cabo López*, Hum lír, 1 act, col. R. Calleja, I, J. Paso Cano / C. Cruselles, est, 24-XII-1904, *E:Msa*; *La guardabarrera*, Zarz, 1 act, I, L. de Larra / E. Gullón, est, 15-II-1905, Te. Moderno, *E:Msa* (SAE); *La borrica*, Zarz, 1 act, I, L. Boada / M. Castro, est, 28-XII-1905, Te. Eslava (VLL); *La guitarra*, Zarz, 1 act, col. J. Valverde Sanjuán, I, L. de Larra / E. Gullón, est, 22-III-1906, Te. Apolo, *E:Msa* (IA); *El recluta*, Jug cóm-lír, 1 act, col. J. Valverde Sanjuán, I, J. Jackson Veyán / J. Capella, est, 23-III-1906, Te. Eslava, *E:Msa* (VLL); *El moscón*, Ent cóm-lír, 1 act, col. J. Valverde Sanjuán, I, J. Jackson Veyán / A. Sainz Rodríguez, est, 21-IV-1906, Te. Apolo, *E:Msa* (VLL); *El galleguito*, Zarz, 1 act, col. J. Crespo, J. Jackson Veyán / E. Paradas, est, 29-IX-1906, Gran Teatro, *E:Msa* (VLL); *¡Que se va a cerrar!*, alcaldada, 1 act, col. R. Calleja, I, L. de Larra, est, 13-X-1906, Gran Teatro, *E:Msa* (VLL); *La pena negra*, Sai lír, 1 act, col. J. Valverde Sanjuán, I, C. Arniches, est, 30-X-1906, Gran Teatro, *E:Msa* (VLL); *La chanteuse*, Zarz cóm, 1 act, col. J. Valverde Sanjuán, I, M. de Labra / F. de Torres, est, 12-XII-1906, Gran Teatro, *E:Msa* (VLL); *El palacio de cristal*, Zarz, 1 act, I, J. Jackson Veyán / J. Capella, est, 21-I-1907, Gran Teatro, *E:Msa* (VLL); *La cañamonera*, Zarz, 1 act, I, L. de Larra / E. Montesinos, est, 4-III-1907, Gran Teatro, *E:Msa* (VLL); *La brocha gorda*, Rv, 1 act, col R. Calleja, I, J. Capella / González Pastor, est, 24-V-1907, Gran Teatro, *E:Msa*; *El solitario*, disparate, 1 act, I, L. de Larra / M. Fernández de la Puente, est, 13-VII-1907, Gran Teatro, *E:Msa*; *Los falsos dioses*, sátira, 1 act, I, L. de Larra, est, 30-X-1907, Te. Cómico, *E:Msa* (IA); *¡Olé con olé!*, Jug cóm lír, 1 act, col. A. Crespo, I, J. Jackson Veyán, 20-I-1908, Te. Cómico, *E:Msa*; *Los niños de Tetuán*, pasillo cóm-lír taurino, 1 act, col. R. Calleja, I, A. Ramos Martín, est, 18-IV-1908, Te. Cómico, *E:Msa* (Cd); *El hurón*, Ent lír, I, C. Arniches / E. García Álvarez, est, 9-V-1908, Te. Cómico, *E:Msa* (FA); *Felipe Segundo*, Ent lír, I, C. Arniches / E. García Álvarez, est, 9-V-1908, Te. Cómico, *E:Msa* (FA); *Las bandoleras*, Zarz, 1 act, I, L. de Larra / G. Jover / E. González del Castillo, est, 6-VI-1908, Gran Teatro, *E:Msa*; *¡Madrid separatista!*, Fant cóm lír, 1 act, I, S. M. Granés / E. Polo, est, 24-VI-1908, Te. Eslava, *E:Msa*; *S. M. el botijo*, Rv, 1 act, I, J. Jackson Veyán / L. de Larra, est, 24-VII-1908, Gran Teatro, *E:Msa*; *¡Qué alma, rediós!*, Sai, 1 act, col. C. Ardid, I, S. Figaredo / L. Larra, est, 13-XII-1908, Gran Teatro, *E:Msa*; *El mantón de la China*, Sai lír, 1 act, I, A. Fernández Lepina / A. Plañiol, est, 17-III-1909, Te. Cómico, *E:Msa*; *Los condes de Carrión*, 1 act, I, L. Larra, est, 23-III-1909, Gran Teatro; *La maja desnuda*, Sai lír, 1 act, I, A. Custodio, est, 27-III-1909, Gran Teatro, *E:Msa*; *El abrazo de Vergara*, Zarz, 1 act, I, L. de Larra / G. Cereceda, est, 10-IV-1909, Gran Teatro; *Sol y alegría*, Zarz, 1 act, col. P. Badía, I, G. Jover / E. González del Castillo, est, 16-IV-1909, Te. Martín, *E:Msa* (FA); *El caballero bobo o Las fieras del Español*, fábulas políticas en acción, 1 act, I, L. de Larra, est, 16-IV-1909, Gran Teatro, *E:Msa* (FA); *La guasa viva*, Sai lír de costumbres andaluzas, 1 act, col. J. Candela, I, Silvio / Figaredo, est, 27-V-1909, Gran Teatro, *E:Msa*; *Las barbas del vecino*, Hum, col. S. Giner, I, F. Yrayzoz, est, 19-VI-1909, Gran Teatro, *E:Msa*; *Ni frío, ni calor*, Fant, 1 act, col. M. Quislant, I, L. de Larra, est, 15-IX-1909, Te. Cómico; *Los perros de presa*, viaje, 4 act, I, A. Paso / J. Abati, est, 13-XII-1909, Te. Cómico, *E:Msa* (FA); *La moza de mulas*, Zarz, 2 act, I, L. de Larra / M. Fernández de la Puente, est, 25-IV-1910, Te. Cómico, *E:Msa* (FA); *El pobre diablo*, Rv cóm lír, 1 act, col. J. Valverde Sanjuán, I, C. Lucio, est, 3-VI-1910, Gran Teatro, *E:Msa* (BZ); *El huracán*, viaje inverosímil, 2 act,

col. Fernández Caballero / Rubio Laínez, I, M. Pina Domínguez, est, 17-XI-1910, Te. Cómico, *E:Msa*; *El amor que huye*, Com, 1 act, I, J. Pardo, est, 28-III-1911, Te. Gran Vía, *E:Msa* (FA); *¡Armas al hombro!*, Zarz cóm, 1 act, col. F. Alonso, I, E. G. del Castillo / C. Dotesio, est, 3-XI-1911, Te. Martín, *E:Msa* (Cd); *El verbo amar*, Opt, 1 act, col. F. Alonso, I, A. Paso / J. Abati, est, 23-XII-1911, Te. Circo de Parish, *E:Msa*; *El amarillo*, Zarz, 2 act, I, L. de Larra / M. Fernández de la Puente, est, 30-I-1912, Te. Cómico, *E:Msa* (Cd); *Lo que manda Dios*, Zarz, 1 act, col. F. Alonso, I, J. Jackson Veyán / M. Flores González, est, 12-XI-1912, Te. Martín, *E:Msa*; *El diablo en coche*, Zarz cóm, 2 act, col. R. Calleja, I, L. de Larra / F. González, est, 22-XI-1912, Te. Cómico, *E:Msa*; *La Misa del Gallo*, el, 2 act, I, L. de Larra / R. Asensio Mas, est, 15-II-1913, Te. Cómico, *E:Msa* (Cd); *El sostén de la casa*, col. J. Valverde Sanjuán, I. R. González del Toro / M. Mihura Álvarez, est, 8-V-1913, Te. Apolo, *E:Msa*; *La última película*, Rv, 1 act, col. J. Valverde Sanjuán, I, L. de Larra, est, 20-V-1913, Te. Cómico, *E:Msa*.

FONOGRAFÍA: *El gran capitán*, La Voz de su Amo 654034, 652207 (et. gamuza), V 52351 V 264233; *El pobre Valbuena*, Alhambra MC 25028 • Columbia SA, C 7500 43 (42a) • Columbia SA, ZCL 1085 (Zacosa) 46 (45a) • Regal DK 8306 (et. azul), K 2541 K 2545; *El santo de la Isidra*, Alhambra-BMG España WD 74392 (9D) • Columbia-Alhambra MC 25015 • Columbia-BMG C 30083 • Columbia SA, ZCL 1087; *La fiesta de San Antón*, Alhambra-BMG España WD 74392 (9D) • Columbia-Alhambra MC 25012 • Columbia-BMG C 30083 • Columbia SA, ZCL 1087 • Regal LK 4030 (et. azul), K 2642 K 2643.

BIBLIOGRAFÍA: *DMEH; CTLBN; MT; TA; Comedias y Comediantes*, II, 30, Madrid, IV-1911.

EMILIO CASARES RODICIO

López Val, Narciso. †Madrid, 1910. Director de orquesta y compositor. En 1899 era el director de orquesta de la compañía de zarzuela y ópera española que actuaba en el teatro Circo de Parish de Madrid y que realizó una gira por Valencia llegando en primavera al Tívoli de Barcelona, con un repertorio que incluía *María del Carmen* de Granados, *Don Lucas del cigarral* de Vives, *Curro Vargas* de Chapí y *El clavel rojo* de Bretón. Posteriormente fue director de la orquesta del teatro Apolo, en el que había empezado como maestro de coro. En la temporada 1904-05 se le consideraba ya una institución y era muy respetado por los compositores que allí estrenaban. En uno de los controvertidos estrenos de Sinesio Delgado, *La perla del harén*, al intentar repetir el maestro una canción mora que se había aplaudido a Consuelo Mayendía, un espectador le amenazó con pegarle un tiro. El director abandonó aquella noche enfermo el teatro y no volvió a recobrar la salud.

Compuso algunas zarzuelas, estrenadas en Apolo, como *Escuela musical*, 1896, con letra de Ruesga y Prieto; de Enrique Prieto también, *Los autómatas*, 1897; de Ruesga y Pastor, *El idiota o La venganza de un bandido*, 1897, y *El abuelo de sí mismo*, 1899, juguete cómico con libro de Emilio Sánchez Pastor.

BIBLIOGRAFÍA: *TA; MIHA*, 10, Madrid-Barcelona, 10-V-1899; *El Teatro*, 48, Madrid, IX, 1904.

Mª LUZ GONZÁLEZ PEÑA

López-Chavarri Marco, Eduardo. Valencia, 29-I-1871; Valencia, 28-X-1970. Compositor. Presenta una escasa pero interesante producción para la escena en la que se inició con *Un yerno como quería*, 1896, y sobresalió en *Terra d'horta*, ilustraciones musicales para el poema dramático de Juan Bautista Pont, estrenada en el teatro Apolo de Valencia en 1907. Se trata de una pieza especial puesto que no es una zarzuela propiamente dicha sino que la música tiene una función básicamente climática. Tanto esta pieza como su obra lírica anterior, con letra de H. Cortés, estrenada en el Apolo en 1907, obtuvieron bastante éxito. López-Chavarri no reincidió en el género escénico aunque tuvo proyectos para realizar obras líricas en colaboración con los escritores Miquel Durán y Adolfo Bonilla y Sanmartín.

BIBLIOGRAFÍA: *DMEH.*

VICENTE GALBIS LÓPEZ

López-Montenegro y de Frías-Salazar, Ramón. Zaragoza, 14-IV-1877; Alfaro (La Rioja), 19-IX-1936. Compositor y escritor. Comenzó la carrera de Ciencias en Zaragoza, pero pronto la abandonó por el Derecho al tiempo que cultivaba el periodismo, desde su ingreso en *El Heraldo de Aragón* en 1896. Ejerció el Derecho en Huesca mientras escribía en *La Voz de la Provincia* y *El Pedal*. Fue delineante de minas en Bilbao y en Santander, donde siguió ejerciendo el periodismo en diarios como *El Noticiero Bilbaino*, *Diario de Bilbao*, *El Gargantúa*, *El Sirimiri*, *El Liberal* y *El Cantábrico*. Se trasladó a Madrid e ingresó en *El Liberal* en 1903 hasta 1911; posteriormente fue redactor de *La Época*, *La Noche*, *La Nación* y *ABC*, además de colaborar en revistas y semanarios como *Gedeón*, *Madrid Cómico*, *Blanco y Negro*, *Mundo Gráfico*, *Nuevo Mundo* y *La Ilustración Española e Hispanoamericana*, los medios más importantes de su época. Muchos de sus artículos humorísticos los firmó con el seudónimo Cyrano y además publicó numerosos dibujos. Debutó como actor en 1896 en una función benéfica en Zaragoza y llegó a actuar en el cine mudo. Cantaba, además, con bastante buena voz y llegó a hacerlo sobre el escenario, incluso participó en un concurso de jotas en Calahorra. Fue Gobernador Civil de Zaragoza durante la dictadura de Primo de Rivera.

Como autor dramático estrenó más de cincuenta obras, generalmente con éxito debido a su ingenio satírico y su vis cómica. Sus comienzos fueron en Bilbao, donde estrenó sus primeros juguetes cómicos, entre ellos *La villa de Don Diego* de Juan Alvarado, Arriaga, 1903 y *Los perdigones*, con música de Víctor de Alvarado y Pedro Martínez, Campos Elíseos, 1906. Ese mismo año, pero ya en el Eslava de Madrid estrenó *El corral ajeno* de Álvaro de Luna. Sus mayores éxitos los obtuvo en colaboración con el actor cómico Ramón Peña, entre ellos las obras *Una*

aventura en París de Pablo Luna, 1920; *Los Gabrieles* de José Parera, 1916, uno de sus mayores éxitos que llevó al cine en 1965 José Luis Sáenz de Heredia con el título de *Fray Torero*; *Pulmonía doble* de José Parera, Centro de Madrid, 1919; *Una aventura en París* de Pablo Luna, Centro, 1920; *Pepe el sereno* de Martínez Faixá, Barcelona, 1924 y *El novio de la Consuelo* de Martínez Faixá y Balaguer, teatro Pavón, 1925. También

Ramón López-Montenegro (Foto: Nuevo Mundo, 1910; Ar. ICCMU)

tuvo otros colaboradores como Federico Reparaz con quien escribió *La faraona* de Cayo Vela y Enrique Bru, Novedades, 1913, y Julio Martínez Lecha con el que escribió *El primer espada* de Tomás Barrera, Gran Vía, 1911. En solitario estrenó *¡¡Al cine!!*, con música suya y de Quislant, 1907; *El suceso del día*, con música suya que instrumentó Manuel Quislant, 1909; *Las hermanas frescales*, opereta de Barrera, Noviciado, 1912; *A cinco céntimos*, revista cómico-lírica-gráfica-bailable con música de Manuel Quislant y Modesto Romero, Salón Madrid, 1914, y *¡A sets!*, revista de Manuel Quislant y Modesto Romero.

Compuso numerosas obras de género chico, en algunos casos siendo autor también del libreto. Su obra se enmarca en el declive del género chico muy contaminado ya por el género ínfimo y las variedades y como era habitual en la época escribió en colaboración con otros autores como Manuel Quislant y Enrique Bru. En mayo de 1910 estrenó con gran éxito en el Gran Teatro de Madrid *La costa azul*, con libro de Miguel Mihura y Ricardo González del Toro.

OBRAS (Todas en E:Msa): *¡¡Al cine!!*, caricatura madrileña, 1 act, col. M. Quislant Botella, l, R. López-Montenegro, est, 22-III-1907, Gran Teatro; *El diablo son los chiquillos*, 1 act, l, E. López Marín, est, 31-VII-1908, Te. Principal (Ávila); *El bello Narciso*, Jug cóm-lír, 1 act, l, E. González del Castillo / L. de Olive, est, 19-VI-1909, Te. Cómico; *El jardín de los amores*, Opt, 1 act, col. E. Bru Albiñana, l, E. López Marín, est, 18-IX-1909, Gran Teatro; *La costa azul*, Opt, 1 act, l, M. Mihura / R. González, est, 20-V-1910, Gran Teatro; *¡¡Al fin solos!... o la noche del amor*, Jug cóm-lír, 1 act, l, E. López Marín / J. J. Cadenas, est, 5-V-1911, Te. Nuevo (Barcelona); *El santo de las niñas*, Hum, 1 act, col. M. Quislant, l, E. López Marín, est, 16-I-1912, Te. Novedades; *El gato rubio*, Zarz, 1 act, col. Quislant Botella, l, E. López Marín, est, 26-I-1912, Te. Novedades; *La viva de genio*, Zarz, 2 act, l, M. Mihura / R. González, est, 4-VI-1912, Te. Cómico; *Los de "la cola"*, Ent, 1 act, l, R. López-Montenegro, est, 12-III-1915, Te. Apolo; *Los que vienen de París*, Ent, 1 act, l, R. López-Montenegro, est,

1919; *El jardín encantado de París*, Rv, 3 act, l, J. J. Cadenas / G. Martínez Sierra; *La sonámbula*.

BIBLIOGRAFÍA: *CDE; DAT; EDL*; J. Barreiro: "Ramón López-Montenegro y de Frías-Salazar", *Galería del olvido. Escritores aragoneses*, Zaragoza, Cremallo, 2001.

Mª LUZ GONZÁLEZ PEÑA

López-Quiroga Miquel, Manuel. Sevilla, 30-I-1899; Madrid, 13-XII-1988. Uno de los más populares compositores españoles del siglo XX, cuyas canciones tuvieron un enorme éxito, siendo cantadas por los más famosos intérpretes. Títulos como *Tatuaje, Ojos verdes, María de la O, Francisco Alegre* o *Y sin embargo te quiero* se han incorporado al acervo popular hispano, sobre la base de un carácter andalucista muy de moda en aquellos años. Fue un prolífico creador, con un catálogo de más de cinco mil piezas, que incluyen numerosas obras para la escena.

Su primer contacto con el mundo teatral se produjo en su ciudad natal, donde con dieciochos años fue contratado para tocar el piano en los intermedios de las funciones de los teatros Portela y San Fernando. Pronto estrenó sus primeras zarzuelas en el teatro del Duque, como *La niña de los perros*, 1921, *Sevilla, qué grande eres* o *Rosa de Triana*, 1924. Aunque algunas llevan la denominación de zarzuela, son piezas breves cercanas al subgénero del juguete cómico-lírico, que incluyen algunos vistosos cuplés con giros andalucistas. El propio Quiroga recuerda lo difícil que fue abrirse camino en Madrid donde, según él, sólo conseguían estrenar los autores ya consagrados como Guerrero, Alonso o Luna. Fue consolidando su posición en Madrid, trabajando como maestro concertador en el teatro Eldorado con Consuelo Portela "La Chelito", para la que compuso algunas canciones en el solicitado estilo sicalíptico. Ya instalado en la capital en 1929, colaboró con Conchita Piquer en el teatro Romea y con Pastora Imperio en el Maravillas. Quiroga era sobre todo compositor de canciones, por lo que la mayoría de sus obras teatrales surgían en torno a algunos de sus éxitos como un modo de dar cierta difusión a sus creaciones. Así sucedió con su famosa *María de la O*, zambra convertida en comedia en 1935, protagonizada por la actriz María Fernanda Ladrón de Guevara, especialista en el género andaluz; luego la fama de la obra se debió sobre todo a la película del año siguiente, basada en la pieza teatral y protagonizada por Carmen Amaya y Pastora Imperio. Durante la Guerra Civil permaneció en

Manuel López-Quiroga
(Foto: Ar. SGAE)

Madrid, consiguiendo con algunas dificultades estrenar el sainete *Los amos del barrio* y la comedia lírica *Yo soy un señorito*; en 1937 también había compuesto el sainete *La marquesa chulapa o Pan y quesillo*, que guardó en un cajón hasta 1951.

Finalizada la contienda civil, Quiroga inició una etapa de trabajo extenuante que se prolongó durante las décadas cuarenta y cincuenta, convirtiéndose en uno de los autores de mayor éxito. Organizó espectáculos denominados "Fantasías líricas", estructurados en dos actos con varios cuadros dramáticos y musicales, que incluían una veintena de números musicales, generalmente bailes y cantes de carácter andaluz; no faltan tampoco ritmos iberoamericanos y aires de revista y variedades. De hecho, muchas de las ilustraciones musicales que jalonan las piezas líricas de Quiroga alcanzaron una extraordinaria popularidad, eclipsando la obra teatral en que surgieron. Muchas llevan letra de su colaborador habitual Rafael de León, al que después se sumó Antonio Quintero, aunque en su prolífica producción no faltan otros literatos como Federico Romero o Guillermo Fernández-Shaw. Los títulos de muchas de ellas muestran claramente su carácter andalucista y nacional: *Solera de España, Zambra, Tonadilla, Retablo español, En el corazón, La maravilla errante, Rosa espinosa, Pena y oro, La copla nueva, El puerto de los amores, Aventuras del querer, Salero de España, El patio de los luceros* y *Puente de coplas*. Con la llegada de los años sesenta, los espectáculos de cuño folclórico experimentaron una clara decadencia, aunque Quiroga permaneció fiel a su estilo y llevó a los escenarios las piezas andalucistas *La copla morena, Olé con olé, Filigrana española, La maestra Giraldilla, Mano a mano, La copla ha vuelto, La guapa de Cádiz* y *Señorío* y *Pasodoble 1967*, entre otras muchas. Al mismo tiempo se acercó a la revista sobre todo colaborando con el actor cómico Tony Leblanc, para quien compuso las partituras de *Lava la señora, lava el caballero, Que viene el moreno, Cita con Tony Leblanc* y *Yo me llevo el gato al agua*. Uno de sus últimos estrenos fue en 1974 el espectáculo folclórico *Ella, la de ayer, la de hoy, la de siempre*. Todavía guardó alguna obra más que no consiguió estrenar como la zarzuela *Las finas majas de Cádiz*, compuesta en 1959 en colaboración con Jesús Guridi sobre un libreto de Federico Romero. Después mantuvo su actividad compositiva en algunos ballets o su sobresaliente *Misa por sevillanas*.

Aunque mantiene algunas tradiciones de la zarzuela, sobre todo antes de la Guerra Civil, el teatro lírico fue tan sólo un marco para difundir sus canciones de carácter andaluz, género fundamental en la creación de Quiroga, como reconocía él mismo.

OBRAS: *La niña de los perros*, Jug, I, A. García Rufino, est, 1921, Te. Duque (Sevilla); *Sevilla, qué grande eres*, Zarz, col. M. Vidriet / M. Carretero / E. Torres, I, A. García Rufino, est, 1921, Te. Duque (Sevilla); *El cortijo de Las Matas*, ensayo cóm lír, I, F. Márquez Tirado, est, 7-XII-1923, Te. Duque (Sevilla); *El presagio rojo*, Com lír, col. Mathéu, I, F. Márquez Tirado / S. Videgain García, est, 18-I-1924, Te. Duque (Sevilla); *Rosa de Triana*, Zarz, I, F. Márquez Tirado, est, 1924, Sevilla; *¿A quién le toca la china? o La dulce mandarina*, Zarz, I, J. López de Lerena / L. Bellido Falcón, est, 27-III-1925, Te. Eldorado (Sevilla); *La sultana de bambú*, Zarz, I, J. López de Lerena / L. Bellido Falcón, est, 1-V-1925, Te. Eldorado (Sevilla); *¡Cochero, al Duque!*, Rv, I, A. Giménez Oliver, est, II-1926, Te. Duque (Sevilla); *Luz roja*, Com lír, col. Mathéu, I, S. Videgain García / F. Márquez Tirado, est, 18-VI-1926, Te. Cisne (Madrid); *Lluvia de humo*, quisicosa, I, F. Márquez Tirado, est, 29-I-1927, Te. Eldorado (Sevilla); *De buena cepa*, Pasa lír, col. R del Valle Alvira, I, F. Cabrerizo Romero / C. Jaquotot, est, 8-VII-1927, Te. Chueca (Madrid); *Bronce y oro*, Com, I, S. Mauri / S. Cantabrana, est, 1930; *Las triunfadoras*, Zarz, I, S. Cantabrana, est, 5-III-1930, Te. Barbieri (Madrid); *El árbol del amor*, Jug cóm lír, I, R. Viera Serrano / P. Muñoz Sánchez, 1930; *María de la O*, Com, I, S. Valverde / R. de León, est, 19-XII-1935, Te. Poliorama (Barcelona); *Los amos del barrio*, Sai, I, J. López de Lerena / P. Llabrés, est, 7-IX-1938, Te. Fuencarral; *Yo soy un señorito*, Com, I, S. Adame / S. de la Cruz, est, 1-X-1938, Te. Lara; *Estampas andaluzas*, I, Ochaíta / León, est, 1940, Te. Poliorama; *La chulapa y el coscón*, Jug, I, E. Chicote, est, IV-1940, Te. Cómico; *Los cinco golfillos*, Com, col. Del Valle, I, González / Manzanos Brochero, 29-XII-1940, Cine Salamanca; *Las 12 Pilongas*, Com, col. Del Valle, I, González / Manzanos Brochero, est, 29-XII-1940, Cine Salamanca; *La reina fea*, Fant lír, I, F. Márquez Tirado / P. Llabrés, est, 26-IV-1941, Te. Alcalá; *Ropa tendida*, apunte de Sai, I, Quintero / León, est, 2-I-1942, Te. Reina Victoria; *Canciones y Bailes Españoles de Mari-Paz*, espectáculo folclórico, I, León, est, 5-VI-1942, Te. Fontalba; *Tabaco y seda*, espectáculo folclórico, I, Quintero / León, est, 5-IX-1942, Te. Gran Kursaal (San Sebastián); *Retablo español*, espectáculo folclórico, I, Quintero / León, est, 1943, Te. Principal (Valencia); *Pepita Romero*, Zarz, I, F. Romero / G. Fernández Shaw, est, 30-III-1943, Te. Calderón; *Solera de España*, Fant lír, I, Quintero / León, est, 30-IX-1943, Te. Eslava (Valencia); *Zambra*, Fant lír, I, Quintero / León, est, 18-II-1944, Te. de la Zarzuela; *Karma*, Com, I, E. Manzanos Brochero / J. M. García Nieto, est, 30-VI-1944, Te. Fuencarral; *Zambra 1945*, Fant lír, I, Quintero / León, est, 5-XII-1944, Te. Villamarta (Jerez); *Romería*, Fant lír, I, García Padilla / Fernández de Córdoba / Sanjuán, est, 1944, Te. Cómico (Barcelona); *Solera de España número 2*, Fant lír, I, Quintero / León, est, 1944; *Pandereta*, Fant lír, I, Quintero / León, est, 25-V-1945, Te. Fontalba; *Romance de petenera*, Ball, est, 1945, Te. de la Zarzuela; *Solera de España número 3*, Fant lír, I, Quintero / León, est, 31-X-1945; *Zambra 1946*, Fant lír, I, Quintero / León, est, 15-III-1946, Te. Reina Victoria; *Coplas*, Fant lír, I, Quintero / León, est, 16-III-1946, est, Tudela; *Bulería*, Fant lír, I, Quintero / León, est, 27-VI-1946, Te. Chueca; *Bronce y oro*, Com, I, Quintero / León, est, 1946, Te. Arnau (Barcelona); *Pregón de feria*, Fant lír, I, Quintero / León, est, 7-IX-1946, Te. Poliorama (Barcelona); *Romería 1946*, Fant lír, I, Quintero / León, est, 7-IX-1946, Te. Poliorama (Barcelona); *Sol de España*, Fant lír, I, A. Molina Moles / León, est, 1946; *Zambra 1947*, apunte de zarz, I, Quintero / León, est, 1946; *Solera de España número 4*, Fant lír, I, Quintero / León, est, 5-IV-1947, Te. Reina Victoria; *Romería 1947*, espectáculo folclórico, I, García Padilla / Fernández de Córdoba / Sanjuán, est, 8-IV-1947, Te. Fuencarral; *Pasodoble 1947*, Fant lír, I, Quintero / León, est, 14-V-1947, Te. Reina Victoria (Madrid); *Pinceladas*, Fant lír, col. A. Wagener Nogués / A. López-Quiroga Segovia, I, A. García Padilla / L. Palomar, est, 9-VII-1947, Te. Reina Victoria; *El Churumbel*, Com, I, Quintero / León, est, 30-IX-1947, Te. Reina Victoria; *Gloria de la Petenera*, Poe lír, I, Quintero / León, 1947; *Las brujas de cuchufleta*, Rv, 1947; *Las que sirven*, Rv, 1947; *Don Quijote de La Mancha*, Ball, 1948; *Solera de España número 5*, Fant lír, I, Quintero / León, est, 13-II-1948, Te. Reina Victoria; *Zambra 1948*, Fant lír, I, Quintero / León, est, 25-II-1948, Te. Madrid; *Feria de coplas*, Fant lír, I, Quintero / León, est, 1-V-1948, Te. Reina Victoria; *Redondel*, Fant lír, I, Quintero / León, est, 29-V-1948, Te. Reina Victoria; *Pregones*, Fant lír, col. A. Wagener Nogués, I, García Padilla / Quintero / León, est, 13-VIII-1948, Te. Pavón; *Corazón de España*, Fant lír, I, Quintero / León, est, 18-XII-1948, Te. Poliorama (Barcelona); *Pasodoble 1948*, espectáculo folclórico, I, Quintero / León, 1948; *Cancionero*, Fant lír, I, Quintero / León, est, 1948, Te. Pavón; *Una canción y un clavel*, Fant lír, I, Quintero / León, est, 25-I-1949, Te. Poliorama (Barcelona); *Solera de España número 6*, Fant lír, I, Quintero / León, est, 12-III-1949, Te. Reina Victoria; *Tonadilla*, Fant lír, I, Quintero / León, est, 26-III-1949, Te. Calderón; *Cancionero de España*, Com, I, Quintero / León, est, 11-XI-1949, Te. Cómico; *A pares y nones*, apunte lír, I, Quintero / León, 1949; *Fotografía al minuto*, apunte de Sai, I, Quintero / León, 1949; *En el corazón, banderas*, Fant lír, I, Quintero / León, est, 17-II-1950, Te. Reina Victoria; *El embrujo*, espectáculo folclórico, I, Quintero / León, 1950; *La maravilla errante*, Fant lír, I, Quintero / León, est, 8-IV-1950, Te. Calderón; *Rueda de coplas*, Fant lír, I, Quintero / León, est, 15-IV-1950, Te. Fuencarral; *Rosa espinosa*, Fant lír, I, Quintero / León, est, 16-IX-1950, Te. Calderón (Valladolid); *Pena y oro*, Fant lír, I, Quintero / León, est, 7-XII-1950, Te. Calderón; *Cante y pasión*, Fant lír, I, Quintero / León, est, 14-II-1951, Te. Fontalba; *La niña valiente*, Romance lír, I, Quintero / León, est, 15-IX-1951, Te. Calderón (Valladolid); *La marquesa chulapa o Pan y quesillo*, Sai, I, J. López de Lerena / P. Llabrés, est, 3-XI-1951, Te. Calderón; *La copla nueva*, Fant lír, I, Quintero / León, est, 21-XII-1951, Te. Calderón; *Alegrías de Juan Vélez*, Ro lír, I, Quintero / León, est, 12-IX-1952, Te. Calderón; *El puerto de los amores*, Fant lír, I, Quintero / León, est, 14-XI-1952, Te. Lope de Vega; *Aventuras del querer*, Fant lír, I, Quintero / León, est, 19-XII-1952, Te. Calderón; *El viudo alegre*, Rv, I, P. Llabrés / L. Palomar, 1952; *Dolores la Macarena*, Fant lír, I, Quintero / León, est, 22-IV-1953, Te. Principal (Valencia); *Torres de España*, Fant lír, I, Quintero / León, est, 14-VIII-1953, Te. Kursaal (San Sebastián); *Salero de España*, Fant lír, I, Quintero / León, est, 30-X-1953, Te. Barcelona; *Los líos de Elías*, Rv, col. Segovia, I, A. Torrado Estrada / F. Márquez Tirado, est, 1-V-1954, Te. Carrión (Valladolid); *Luces de feria*, Fant lír, I, Quintero / León, est, 2-VI-1954, Te. Calderón; *El libro de los sueños*, Fant lír, I, Quintero / León, est, 10-IX-1954; *Copla y bandera*, Fant lír, I, Quintero / León, est, 6-X-1954, Te. Calderón; *Color moreno*, Fant lír, I, Quintero / León, est, 17-XI-1954, Te. Calderón; *Romance de Juan Clavel*, Fant lír, I, Quintero / León, est, 25-II-1955, Te. Calderón; *Copla y suspiro*, Fant lír, I, Quintero / León, est, 14-XII-1955, Te. Calderón; *El patio de los luceros*, Fant lír, I, Quintero / León, est, 11-IX-1956, Te. Gran Vía (Salamanca); *Espectáculo Español de Pilar López*, espectáculo folclórico, I, Quintero / León, est, 29-XI-1956, Te. Calderón; *La Venta de los toreros*, Fant lír, I, Quintero / León, est, 28-XII-1956, Te. Calderón; *Puente de coplas*, Fant lír, I, Quintero / León, est, 30-III-1957, Te. Apolo (Valencia); *El lirio de los deseos*, Ley, I, A. García Fernández / M. García Fernández, est, 13-IX-1957, Te. Calderón; *Carrusel gitano*, Fant lír, I, A. García Padilla, est, 25-X-1957, Te. Calderón; *Copla y romance*, Fant lír, I, Salinas, est, 28-II-1958,

Álcazar de San Juan; *El lunes, a Marte,* Rv, col, Mestres / Escobar, l, F. Prada / I. F. Iquino, est, 13-V-1958, Te. La Latina; *Luna y guitarra,* romance lír, l, León, est, 5-XI-1958, Te. Calderón (Madrid); *Las finas majas de Cádiz,* Zarz, col. J. Guridi, l, F. Romero, 1959; *Carrusel de España,* Fant lír, l, A. Molina Moles / R. de León, est, 17-X-1959, Te. Carrión (Valladolid); *Cante y embrujo,* espectáculo folclórico, col. C. del Campo / Posadas, l, Quintero / León, est, 1959, Te. San Fernando (Sevilla); *Corazón de España,* espectáculo folclórico, l, Quintero / León, est, 1960, Te. Maravillas; *La copla morena,* Fant lír, l, Quintero / León, est, 16-XII-1960, Te. Calderón (Barcelona); *Coplas de Rosa Pinzón,* Fant lír, l, Quintero / León, est, 21-II-1961, Te. Álvarez Quintero (Sevilla); *La copla ha vuelto,* Fant lír, l, Quintero / León, est, 2-IV-1961, Te. Álvarez Quintero (Sevilla); *Olé con olé,* Fant lír, l, Quintero / León, est, 11-X-1962, Te. Cervantes (Málaga); *Mano a mano,* Sai, l, Quintero / León, est, 1-XII-1962, Te. Rojas (Toledo); *La maestra Giraldilla,* l, A. García Fernández / M. García Fernández / A. Molina Moles, est, 13-IV-1963, Te. Calderón (Madrid); *Señorío,* Fant lír, l, Quintero / León, est, XII-1963, Te. San Fernando (Sevilla); *Lava la señora, lava el caballero,* Rv, col. T. Leblanc, l, T. Leblanc, est, 9-IX-1964, Te. Calderón; *La Cantaora,* romance lír, l, A. Molina Moles, est, 31-X-1964, Te. Rojas (Toledo); *La guapa de Cádiz,* Fant lír, l, Quintero / León, est, 11-XI-1964, Te. Calderón; *Filigrana española,* Fant lír, l, Quintero / León, 10-IX-1965, Te. Calderón; *La niña del Agualucero,* Ro lír, l, A. García Fernández / M. García Fernández / A. Molina Moles, est, 23-X-1965, Te. Carrión (Valladolid); *Pasodoble 1967,* Fant lír, est, 28-IX-1967; *Al compás de mi cante,* Fant lír, col. J. M. de Arozamena / León / Juan Solano / J. Quintero / F. Moreno Torroba, l, A. Fernández Montesinos, est, 29-IX-1967, Te. Calderón; *Que viene el moreno,* Rv, col. T. Leblanc, l, T. Leblanc, est, 26-IX-1968, Te. Calderón; *Revolera en el Price,* espectáculo folclórico, l, Clavero / Quintero / León, 1968; *No me quieras tanto,* Com, l, Quintero / León, est, 32-I-1970, Te. Nuevo Cómico; *Cita con Tony Leblanc,* Rv, l, T. Leblanc, 1970; *Yo me llevo el gato al agua,* Rv, col. Tony Leblanc, l, T. Leblanc, est, 1971, Te. Calderón; *Ella, la de ayer, la de hoy, la de siempre,* espectáculo folclórico, col. J. Solano, l, Quintero / León, est, 30-III-1974, Te. Monumental.

FONOGRAFÍA: *Coplas de Luis Candelas,* Odeón 184842, C 16699 C 16656; *La copla nueva,* Columbia R 18271 a R 18273, C 9391 C 9392 C 9387 C9388 C 9390 C 9393; *La marquesa chulapa o Pan y quesillo,* Columbia R 18205 a R 18207, C 9287 a C 9292.

BIBLIOGRAFÍA: M. A. Pidal: "La mujer en el universo de Quintero, León y Quiroga", *Homenaje a Juan Uría Ríu,* U. Oviedo, 1997; —: "El compositor Manuel López-Quiroga", tesis doctoral, U. Oviedo, 1999; M. Espín, R. Molina, M. A. Pidal: *Quiroga, un genio sevillano,* Madrid, Fundación Autor, 1999.

VÍCTOR SÁNCHEZ SÁNCHEZ

Lorengar, Pilar [Pilar Lorenza García]. Zaragoza, 16-I-1928; Berlín, 2-VI-1996. Cantante. Empezó sus estudios musicales en el Conservatorio de Barcelona. Aunque comenzó como mezzo, era en realidad una soprano lírica y caracterizada por un singular vibrato *stretto.* Después de haber ganado un concurso de canto en 1951, comenzó una importante carrera, que inició en distintos lugares de España. Realizó numerosas grabaciones de zarzuela, principalmente bajo la dirección de Argenta. El 16 de noviembre de 1951 en el teatro Albéniz de Madrid estrenó la obra póstuma de Jacinto Guerrero *El canastillo de fresas* junto a Lily Berchman y Pedro Terol. La temporada 1952-53, formando parte de la compa-

Pilar Lorengar (Foto: Ar. SGAE)

ñía de Moreno Torroba, cantó en el teatro de la Zarzuela, en el que estrenó *Sierra Morena* de Moreno Torroba alternando en el papel principal con Ana María Olaria; cantó además *María la Tempranica,* también de Torroba y reapareció en la temporada 1957-58 con la reposición de *Las golondrinas.* Volvió posteriormente al teatro de la Zarzuela en temporadas de ópera.

FONOGRAFÍA: *Adiós a la bohemia,* EMI 7243 5 74345 2 2 (637.05345) • Hispavox 7 67434 2 (637.83508) • Hispavox HH 1037; *Chateau Margaux,* Columbia SA, CS 8510 100 (99a) • Columbia SA, ZCL 1046 (Zacosa) 113 (112a); *El canastillo de fresas,* Columbia RG 16183 a RG 16188, CC 782 a CC 785, CC 795 a CC 799, CC 822 a CC 824 • Columbia 74321 33841 2 • Columbia SA, ZCL 1064 (Zacosa) 53 • Columbia SA, C7535 124; *El caserío,* Columbia-Alhambra MCC 30023-24 • Columbia-Salvat 1009-1 y 1010-1 • Columbia SA, 1058 y 1059 (Zacosa) 129 y 130 • Alhambra-BMG España WD 71468 (9D); *El húsar de la guardia,* Columbia-BMG C 32024 CS 42024 • Columbia SA, ZCL 1044 (Zacosa) 81 • Columbia SA, OZS 1005 (Alhambra) 92; *El maestro Campanone,* Columbia-BMG C 30053 CS 40053; *El puñao de rosas,* Alhambra MCC 30006 • Columbia-BMG-Ariola-Salvat 1044-2 • Columbia SA, C 30006 15; *El rey que rabió,* BMG España WD 71806 (9D) • Columbia-Alhambra MCC 30026; *Jugar con fuego,* Alhambra MCC 30029 • Columbia-BMG España WD 74556 (9D) • Columbia-BMG-Ariola-Salvat 1057-2 • Columbia SA, 30029 166; *Katiuska,* EMI 7243 5 74161 2 2 (637.00353) • Hispavox 7 67330 2 (637.33842) • Hispavox HH 1035; *La alsaciana,* Alhambra-BMG España WD 71591 (9D) • Alhambra MC 25007 • Columbia 74321 33034 2 • Columbia-BMG-Ariola-Salvat 1047-2 • Columbia SA, ZCL 1063 (Zacosa) 63 • Columbia SA, C 30077 34 (33a); *La calesera,* Alhambra-BMG España WD 71810 (9D) • Alhambra MCC 30033 • Columbia-Salvat 1026-1 • Columbia SA, SCLL 14082 140; *La canción del olvido,* Alhambra MCC 30020 • Columbia-BMG-Ariola-Salvat 1035-2 • Columbia SA, C30020 106; *La chulapona,* Columbia-BMG España WD 71977 (9D) • Columbia MCE 802 207; *La del manojo de rosas,* EMI 7243 5 74158 2 8 (637.00395) • Hispavox 7 67325 2 (637.33818) • Hispavox HH 1036 S 20181; *La dogaresa,* Alhambra MCC 30028 • Columbia-BMG España WD 71808 (9D) • Columbia-BMG-Ariola-Salvat 1049-2 • Columbia SA, MCE 868 183; *La generala,* Columbia SA, OZS 1004 (Alhambra) 91 • Columbia SA C32032 65; *La Lola se va a los puertos,* Columbia RE 16203 a RE 16205, CC 833 a CC 838; *La marchenera,* Alhambra-BMG España WD 75127 (9D) • Columbia-BMG C 32042 y CS 42042; *La parranda,* Columbia-BMG España WD 71467 (9D) • Columbia-Salvat 1008-1 • Columbia-BMG MCC 30055 y SCLL 14066 • Columbia SA, ZCL 1018 136 • Columbia SA, SCLL 14066 137; *La pícara molinera,* Columbia-Alhambra-BMG MCC 30036; *La reina mora,* Columbia-Alhambra MCC 30005 • Columbia-BMG-Ariola-Salvat 1042-2 • Columbia SA, ZCL 1057 (Zacosa) 105; *La rumbosa,* Columbia RG 16193 a RG 16196, CC825 a CC832 • Blue Moon BMCD 7528; *La tabernera del puerto,* EMI 7243 5 74158 2 8 (637.00395); *La tempestad,* Columbia-Alhambra-BMG MCC 30012-13, C 7507 • Columbia SA, C 30012 / 13 16 •

Columbia-BMG-Ariola-Salvat 1062-2 y 1063-2 • Columbia SA, ZCL 1068 y 1069 (Zacosa) 68-69 • Columbia SA, C 7507 9; *Las golondrinas*, Columbia-Alhambra MCC 30016-18 • Columbia-BMG-Ariola-Salvat 1053-2 y 1054-2 • Columbia-BMG España WD 75126 (2) (9H) • Columbia-BMG MCC 30027; *Los diamantes de la corona*, Columbia-Alhambra-BMG MCC 30049 y CS 40049 • Columbia SA, SCLL 14073 • Columbia SA, ZCL 1092 (Zacosa) 165 • RCA-BMG España 74321 35973 2; *María Manuela*, Alhambra MCC 30041 • Columbia C30041 206 • Columbia SA, ZCL 1093 (Zacosa); *Maruxa*, Columbia-Alhambra-BMG MCC 30003-4 y CCL 32076 • Columbia SA, OZ 14 y 15 (Alhambra) 86 y 87 • Columbia SA, C7568 79 • Columbia SA, CCL 32076 80; *Molinos de viento*, Alhambra-BMG España WD 74388 (9D) • Columbia-BMG-Ariola-Salvat 1045-2 • Columbia-Alhambra-BMG MCC 30021; *Antología de la Zarzuela*, Columbia-Salvat 1020-1 • Columbia-BMG-Ariola-Salvat 1040-2 • EMI 7 67580 2 (643.96128) • EMI 7 67428 2 (637.83342); *100 años de zarzuela*, EMI 100 5 66589 2; *Grandes momentos de zarzuela*, EMI (962) 7243 5 57053 2 7; *Las divas: Romanzas de zarzuela*, BMG España WD 71983 (9D); *Lo mejor de la zarzuela*, EMI 5 65432 2 (643.57518); *Romanzas de zarzuelas*, Columbia SCGE 80001; *Romanzas y dúos de zarzuela*, Columbia C7516; *Teresa Berganza: Romanzas de zarzuela*, Columbia CS 8587; *Zarzuela: arias & duets*, CBS SMK 39210.

LUIS G. IBERNI

Lorente, Enrique. España, siglos XIX-XX. Tenor cómico. En 1907 estrenó en el teatro Apolo de Valencia *Plors i alegries* de Salvador Giner. En enero de 1910 formaba parte de la compañía de Manuel Fernández Palomero que inauguró el teatro Balear de Palma de Mallorca. En 1911 estrenó en el Gran Teatro de Madrid *La reina de las tintas* de Penella; en 1912 en el teatro Eslava *Princesitas del dóllar* de Leo Fall; en 1925 en el teatro Alkázar de Madrid, *Madame Pompadour* y, finalmente, en 1932, en el Rialto de Madrid *Katiuska* de Sorozábal, interpretando al Comisario.

Mª LUZ GONZÁLEZ PEÑA

Lorente Millán, Juan José. Aragón, 1880; ?, 13-III-1931. Autor dramático. Estudió magisterio y comenzó a trabajar como periodista en el diario de Zaragoza *El progreso*; después pasó a *Diario de Avisos*, del que fue director y luego al *Heraldo de Aragón* como jefe de redacción. En él escribió unas famosas crónicas de actualidad, *Ráfagas*, modelo de corrección periodística. Sin embargo, el éxito de su obra *Madrigal en las cumbres*, hizo que hacia 1920 se dedicara a la literatura. Escritor prolífico, cultivó todos los géneros: la poesía, en sus años de juventud, y posteriormente novelas y comedias como *El dulce veneno*, *Mister Voiture*, y libretos para zarzuelas, entre las que sobresalen, *Aires del Moncayo*, con música de Luis Aula Guillén, 1909, *Huelga de señoras*, chirigota con música de Penella, 1911, y, sobre todo, las dos que realizó para Serrano: *Los de Aragón*, 1927, y *La Dolorosa. Véase* LA DOLOROSA; LOS DE ARAGÓN.

BIBLIOGRAFÍA: *DAT.*

Mª LUZ GONZÁLEZ PEÑA

Los de Aragón. Zarzuela de costumbres aragonesas en un acto. Música de José Serrano. Libreto de Juan José Lorente. Estrenada el 16 de abril de 1927 en el teatro Centro de Madrid.

Personajes y reparto. Gloria (María Badía, contralto). Agustín (Delfín Pulido, tenor). Pilar (Consuelo Hidalgo). Belén (Srta. Salvador). Ignacia (María Caballé). Doncella (Srta. M. Taberner). Señor Dionisio (Valentín González). Releñe (Pedro Barreto). Luis (Alejandro Bravo), Manolo (Sr. García). Colás el Talones (Patricio León). Francisco (Sr. Aguilar). Antonio (Vicente Serrano). Camarero (Sr. Fabra). Inspector (Sr. Bermúdez). Cantador (Sr. Olcina). Rondador 1º (Sr. Badía). Rondador 2º (Sr. Alonso).

Orquestación. Flautín, flauta, oboe, 2 clarinetes, fagot, 2 trompas, 2 trompetas, 3 trombones, percusión, cuerda y rondalla.

Argumento. *Cuadro primero.* En la terraza de un bar de Zaragoza, frente al music-hall Imperio, se reúnen unos parroquianos decididos a reventar la actuación de Gloria. La joven, antigua conocida suya, se fue de casa para dedicarse al mundo del cuplé y de las variedades, actitud que avergüenza a todos, especialmente a su familia —su madre murió de pena; su abuelo y su hermana se sienten humillados—. Ahora Gloria ha regresado para ofrecer un recital. Al mismo tiempo también aparece el que tres años antes fuera su novio, Agustín, que vuelve como militar de África cargado de honores. Cuando Agustín se encuentra con su amigo Luis le narra su reacción al enterarse del camino que había elegido su novia. Poco después Gloria comienza su recital en el interior del music-hall con una canción en francés que levanta las protestas, cada vez más sonoras, de la concurrencia, hasta que la artista se ve obligada a salir del recinto. Entonces, Agustín se hace conocedor de su presencia y decide acudir a protegerla. *Cuadro segundo.* En el exterior de basílica del Pilar, entre el volteo de campanas, Gloria llora el recuerdo de su madre y siente el magnetismo de la tierra chica. Se introduce en el templo antes de que lleguen Agustín y, por otra parte, unos rondadores que le cantan a la Virgen. *Cuadro tercero.* Dentro de la basílica se encuentran los dos protagonistas. Agustín le pide a la joven que deje su vida para poder honrar a su familia, y habla de un posible perdón cuando ella le jura mantener su cuerpo tan puro como su corazón. Gloria se queda a solas pidiéndole consejo a la Pilarica. *Cuadro cuarto.* En la posada de la familia de Gloria se espera su llegada, arrepentida. Cuando por fin aparece, un cliente la quiere obligar a cantar la canción francesa del music-hall, pero lo que ella va a entonar es una jota y el propio Agustín le va a acompañar. Gloria ha vuelto a identificarse con los de su tierra, con los de Aragón.

Números musicales. Introducción. Nº 1. Agustín, "Agüita que corre al mar". Nº 1bis. Intermedio. Nº 2. Gloria,

"Palomica aragonesa". Nº 3. Rondalla (rondalla y mozos), "Cantemos a la Virgen". Nº 4a. Gloria y coro interno, "Dios te salve, María". Nº 4b. Agustín, "Los de Aragón". Nº 4c. Gloria, Agustín y coro interno, "No saben perdonar". Nº 5. Final. Gloria y Agustín, "Palomica aragonesa".

Comentario. El libreto de *Los de Aragón* es un serio obstáculo para que pueda representarse esta obra. No se sabe por qué Lorente eligió semejante argumento, quizá por el éxito que antes obtuvo en el madrileño teatro Novedades una zarzuela titulada *La sombra del Pilar*. Según denunciaba el crítico de *El Socialista*, no se podía ocultar el parecido entre ambas obras. Pero en cualquier caso, en plena dictadura de Primo de Rivera, esa exaltación del valor militar, del fervor religioso, de la familia tradicional y del orgullo patrio tenía, al parecer, buena acogida. Así que el triunfo, efectivamente, llegó. Fue la propia compañía de Serrano la que presentó una obra que pronto alcanzó notable difusión: en junio la compañía abandonó Madrid para presentar la zarzuela por toda España, llegando a Zaragoza el 4 de octubre, donde, entre múltiples agasajos, Serrano y Lorente recibieron la medalla de la ciudad. Posiblemente fue la música la responsable del éxito y así lo reconocía el propio libretista en su dedicatoria.

A Serrano, siempre meticuloso en su trabajo con los libretistas, le preocupaba la organización de la letra en función de las capacidades de la música. Vicente Vidal Corella señala que fue en el verano de 1924 cuando Lorente y Serrano empezaron a considerar la posibilidad de transformar en zarzuela una romanza para tenor, obra de ambos, que Fleta había estrenado en el teatro Real: *La triunfadora*. Ya pensaban entonces que el eje de la obra había de ser un dúo en el interior del Pilar. Según avanzaba el tiempo el título de la zarzuela cambió a *La víspera del Pilar*. Finalmente, poco antes del estreno, se convirtió en *Los de Aragón*. En esta zarzuela, la segunda de localización aragonesa que compuso tras la ya lejana *El olivar*, 1902, Serrano quería servirse únicamente de la jota. Así lo explicaba el propio autor: "Una de las cosas más difíciles para un compositor es imaginar una copla de jota que tenga originalidad y aroma popular; a pesar de esta dificultad, me propuse, hace mucho tiempo, hacer una *obra entera* sin más motivos que la jota, con sus ritmos y estribillos. La obra está hecha; se estrenará en el Centro el sábado de Gloria; pero ¡juro por la gloria de mis mayores que no lo haré más!; con el trabajo que me ha costado la partitura de *Los de Aragón*, hubiera podido hacer seis partituras. Desde luego, estoy muy satisfecho de mi labor; pero… no lo haré más. Era un ferviente deseo de mi espíritu el de rendir un homenaje a Zaragoza y lo he cumplido. Ahora el público dirá". Quizás esa alusión al trabajo que le había costado dar a luz la partitura no sea sino una justificación ante las numerosas críticas que por entonces recibía el músi-

co refiriéndose a su pereza a la hora de componer, pues realmente no hay en *Los de Aragón* avances significativos ni en calidad ni en cantidad con respecto a composiciones suyas anteriores. Pero el caso es que lo que el público y la crítica dijeron fue muy positivo.

Es la música la que inunda la obra de ambiente aragonés, pues el texto se limita a situar la escena en Zaragoza y a delinear sumariamente unos tipos –numerosos para la brevedad de la pieza–: bastaría con cambiar un templo por otro y con adaptar ciertos giros lingüísticos de los personajes para trasladar la acción a cualquier otra región. Sin embargo, la música caracteriza íntimamente el aspecto geográfico en *Los de Aragón*. Pero además de localizar, la música principalmente, da sentido a la zarzuela. Hay tres motivos que van pespunteando, con sus periódicas apariciones, el devenir de los acontecimientos dramáticos. El primero acompaña a una copla de jota que, además, en sí misma funciona como un resumen de la acción: "Palomica aragonesa, / no dejes tu palomar; / que te harán volver de lejos / las campanas del Pilar". El segundo pertenece a otra copla, que resumida dice: "Agüita que corre al mar / atrás no puede volver / así es también mi cariño". Y el tercero es el de los tres compases que se identifican con las palabras "Los de Aragón". Por lo demás, es la música del cuplé cantado por Gloria la que acaba por irritar completamente a los espectadores del music-hall; es la música de las campanas del Pilar la que hiere la conciencia de la cupletista; es la música, en definitiva, la que apela a los sentimientos de los personajes y obra el milagro de hacer que la acción resulte interesante. La copla "Palomica aragonesa" suena por primera vez a modo de preludio, antes de levantarse el telón, a cargo de una anónima rondalla callejera enmarcada por los compases con cuya música se identifica con el motivo de las palabras que dan título a la obra.

Por su parte, el tema de "Agüita que corre al mar" hace su aparición en el Nº 1 de la partitura, destinado al canto de Agustín, tenor lírico, en el que éste hace mención a sus sentimientos al saber, en África, que Gloria se había ido de su casa. En el número alternan dos secciones fundamentales, la primera lenta, en Sol menor, de carácter narrativo, y la otra, la de la jota, más ágil y en Sol mayor. Volker Klotz quiere ver en este número una disociación entre el carácter del texto y de la música: "La letra son puros vítores solemnes a España, la madre patria. No así la melodía. Exterioriza la pasión personal, no tan uniforme, de uno que coloca en el anchuroso paisaje del norte de África únicamente el sueño de la mujer que lo dejó". Le sigue un intermedio pleno de gracia, que recuerda a las antiguas colaboraciones entre Serrano y Quinito Valverde. Aquí se sitúa la canción francesa, "Ma petite tres joli poupé", que tanto contrasta con el resto de la zarzuela. En el Nº 2, una rondalla fuera del escenario da paso a la orquesta que retoma el ambiente popular, aunque el libreto definitivo hace apenas una mención un tanto ambigua a las fechas en las que se desenvuelve la historia, ya que la primera intención de llamar a la zarzuela *La víspera del Pilar* es una pista para entender que la acción se desarrolla en días previos a la fiesta, de ahí tanta presencia de música callejera en la obra. A continuación Gloria, sobre el acompañamiento de campanas, tiene su momento de protagonismo. A ella le corresponde la voz grave que Serrano gustaba otorgar a sus protagonistas femeninas de carácter serio y con empaque. Vuelve en este número la típica disposición estructural de muchos de los números de Serrano ABAB con la alternancia de la misma tonalidad en sus modos menor y mayor, Do en este caso. La primera sección, sincopada, se eleva como un poderoso recuerdo de la madre de Gloria. La segunda constituye la prolongación de este recuerdo a través de la canción con la que ella la mecía, ni más ni menos que "Palomica aragonesa". Con este número Serrano sabe conmover, sabe traer a primer plano la nostalgia ante la pérdida de la madre y de la tierra.

La ronda a la Virgen del Nº 3 sirve como transición hacia el cuadro tercero, enteramente musical. En su primera parte, tras una introducción instrumental, Gloria recita una oración sobre el acompañamiento orquestal. Continúa su ruego cantando, y de alguna forma puede interpretarse que, después de reconciliarse con su madre, lo está haciendo ahora con la madre de Dios. Su canto rompe el acento del compás ternario con frecuentes notas ligadas que pasan de un compás a otro mientras que los aires de jota se van introduciendo progresivamente en el acompañamiento. Un breve recuerdo del motivo de la jota de "Agüita…" enmarca el breve coro religioso que recuerda que la acción tiene lugar dentro de la basílica. De pronto anuncia el encuentro entre los dos amantes una modulante reminiscencia wagneriana –un motivo que parece basado en el tema de la apoteosis de amor de *Tristán*, lo que, de ser cierto, y teniendo en cuenta que la historia transcurre en el Pilar, se erige como una monumental provocación–. De esta forma se llega a la parte central del número, en boca de Agustín, de nuevo ABAB, con el motivo de "Los de Aragón", así descrito acertadamente por Klotz: "Serrano extiende y estampa las cinco sílabas en cuatro sonidos a través de tres compases; en medio, como peripecia, una audaz doble apoyatura que desvía instantánea y bruscamente la tonalidad". La parte final del cuadro recoge en su desarrollo todas las citas anteriores e introduce como novedad una nueva jota con la que Gloria expone su honor y la pareja, a dúo, su amor aún reprimido.

Música como la de este cuadro parece corroborar plenamente aquella maliciosa frase de Vives que decía que "si Serrano supiese algo más que solfeo, ningún músico comería en España; sólo él". El último número de la partitura, el que da cuenta de la conversión total de Gloria se limita a cerrar el círculo exponiendo las coplas "Palomica aragonesa" y "Agüita que corre al mar", mientras que la orquesta concluye como empezó, con el motivo de "Los de Aragón".

Como ya se ha dicho antes la crítica saludó muy favorablemente la música de esta zarzuela y la reivindicó como un triunfo del género lírico hispano frente a otras músicas extranjeras. *El Imparcial* llegó a colocar a Serrano "en la misma línea de importancia que Barbieri o Chapí". También gustaron mucho en la representación, las tres decoraciones de Salvador Alarma, destacando sobre todo la del templo, que según Salazar, volvió "por el prestigio de los buenos tiempos de la decoración teatral".

Fuentes manuscritas. Los materiales de orquesta se conservan en el archivo de la SGAE en Madrid (5242).

Ediciones de música. Canto y piano, Madrid, UME. Dos bandurrias, laúd y guitarra, *Fantasía*, Biblioteca Fortea.

Ediciones del libreto. Madrid, SGAE, 1927; Barcelona, Cisne, ca. 1949.

FONOGRAFÍA: D78rpm: Sol. Tino Folgar, Gramófono AF 282, CJ 2624 CJ 2628 • Dir. Antonio Capdevila, Sols. Emilio Vendrell, Odeón 121001, XXS 4368 XXS 4192 • Dir. Antonio Capdevila, Sol. Marcos Redondo, Odeón 121159, XXS 6347 XXS 6599 • Dir. Modesto Romero, Sol. Ofelia Nieto, Odeón 121050, XXS 4971 XXS 4981.

LP: Dir. Rafael Ferrer, M. Espinalt, J. Permanyer, C. Renon, Orq. Sinfónica Española, Regal LCX 7006 116 • Dir. Daniel Montorio, Enrique Navarro, Sols. Lily Berchman (Dolores Pérez), Vicente Simón, Santiago Ramalle, Coros de Radio Nacional de España, Orq. de Cámara de Madrid, Columbia-Salvat 1010-1, Zafiro ZOR-164 186 y Zafiro LM 3007 C • Dir. Ataúlfo Argenta, Sols. Toñy Rosado, Inés Rivadeneira, Carlos Munguía, Manuel Ausensi, Gerardo Monreal, Orq. Sinfónica, Columbia-BMG C 30084 y Columbia-Alhambra (33rpm-25cm) MC 25004 [reed. en CD: Columbia-BMG España WD 71590 (9D)].

CD: Sols. Josefina Chafer, Delfín Pulido, Mateo Guitart, Dorini de Diso, Mary Isaura, Emilio Sagi-Barba, Blue Moon BMCD 7546.

BIBLIOGRAFÍA: V. Vidal Corella: *El maestro Serrano y los felices tiempos de la zarzuela*, Valencia, 1973; V. Klotz: *Zarzuelas y operetas*, Buenos Aires, 1995; R. Díaz, V. Galbis: *La producción zarzuelística de José Serrano*, Adjuntament de Sueca, 1999.

RAFAEL DÍAZ GÓMEZ

Losada, Maravillas. Madrid, 5-III-1947. Soprano. Inició sus estudios musicales en el Real Conservatorio Superior de Música de Madrid y los de canto con Miguel Barrosa. Completó su formación en la Escuela Superior de Canto con la soprano Teresa Turné. Con Manuel Codeso, actor que regentaba una compañía lírica de zarzuela y revista, debutó en 1969 en el teatro Nacional de Caracas con *Marina* de Arrieta, realizando a continuación una gira por

Puerto Rico, República Dominicana y Sudeste de Estados Unidos. A su regreso a España fue contratada por el teatro de la Zarzuela, y realizó una gira por todo el país interpretando *Maruxa* de Vives, con dirección escénica de José Tamayo.

En la década de 1970 formó parte de la Compañía Lírica Titular del teatro de la Zarzuela de Madrid cantando obras como *Bohemios, La canción del olvido, Molinos de viento, Luisa Fernanda* y algunas más del repertorio clásico e intervino en el espectáculo de José Tamayo *Antología Serrano* donde, entre otros personajes, fue el Niño de los Pájaros de *La reina mora*. De sus últimas actuaciones cabe destacar las de París y Bruselas junto a Plácido Domingo en *Antología de la Zarzuela* de José Tamayo. Se ha dedicado también a la ópera.

EMILIO GARCÍA CARRETERO

Loyola, Víctor de. Sancti Spiritus (Cuba), 25-V-1914; Sancti Spíritus, 21-X-1980. Tenor y actor-cantante. Comenzó su carrera artística como cantante lírico, y a la vez, como actor del género bufo. Más tarde se incorporó a las compañías de los teatros Molino Rojo y Alhambra. Estudió canto durante siete años con Benito Rentería. Posteriormente formó parte de diversas compañías de zarzuelas y operetas. Su primera experiencia internacional fue con la compañía Estrellas del Caribe formada por artistas cubanos, y con la que actuó en Curaçao, Aruba, Colombia y Ecuador. Terminada la temporada se incorporó a otras compañías recorriendo el norte de Chile. Luego se presentó en Buenos Aires, donde actuó en radio, teatro y cabaret. Contratado por el empresario Bruno Bobal debutó en París, donde permaneció un año. De aquí se trasladó a Brasil y posteriormente a Puerto Rico, Santo Domingo y México, hasta que regresó a Cuba. Inició una gira por el interior de la isla con las compañías de Enrique Arredondo y Pedro Castany, con la cual actuó en Estados Unidos. Al surgir un nuevo contrato viajó esta vez a España, donde debutó en el teatro Cómico de Barcelona. Después de una extensa labor artística en la que también recorrió Marruecos, Francia y Bélgica, regresó a su país natal, reapareciendo en el teatro Martí en 1955 con la revista *Las endemoniadas*. Tres años después en el mismo centro actuó con la compañía Águila-Martelo con la obra *Luisa Fernanda* de Moreno Torroba. En 1961 se presentó en una breve temporada lírica que se ofreció en el teatro Payret donde actuó en *La verbena de la Paloma* de Bretón y en *Doña Francisquita* de Vives. Al constituirse el Grupo de Teatro Lírico Nacional, formó parte de su elenco. Su repertorio incluyó *La revoltosa* de Chapí, *Los claveles* de Serrano, *La leyenda del beso* y *La del Soto del Parral* de Soutullo y Vert, *Bohemios* de Vives, *Cecilia Valdés* de Roig, *María la O* de Lecuona y *Amalia Batista* de Prats.

JOSÉ PIÑEIRO DÍAZ

Lozano Bolea, Francisco. †España, 1906. Libretista. Escribió numerosas obras de todos los géneros, más o menos serios, algunas en colaboración. Al final de su carrera se dedicó fundamentalmente a las obras de diversión como revistas, operetas o pasatiempos. Uno de sus colaboradores habituales fue Francisco Alonso con títulos como *La Magdalena te guíe*, 1920, *Las castigadoras*, 1927, *Las cariñosas*, 1928, *Ladronas de amor*, 1941, *Tres días para quererte*, 1945, por citar sólo las más famosas entre casi una veintena de títulos. Otros músicos con los que colaboró fueron Quislant en *El millón de pesos*, 1917; Guerrero en *La reina de las praderas*, 1922; Moraleda en *Tu-tu*, 1947; Daniel Montorio en *Conquístame*, 1952; y otros como Eduardo Fuentes, Pedro Badía y José Luis Lloret. Sin duda fue con Francisco Alonso con el que consiguió sus mayores éxitos.

BIBLIOGRAFÍA: *EDL; TLE.*

Mª LUZ GONZÁLEZ PEÑA

Luca de Tena y García de Torres, Juan Ignacio. Madrid, 23-X-1897; Madrid, 1975. Dramaturgo y periodista. Licenciado en Derecho sucedió a su padre, Torcuato Luca de Tena Álvarez y Osorio, fundador de *ABC* y *Blanco y Negro*, en la dirección de *ABC*, a su muerte en 1929. En 1944 fue elegido miembro de la Real Academia Española con un discurso de ingreso sobre "Sevilla y el teatro de los Quintero".

Juan Ignacio Luca de Tena (Foto: Ar. SGAE)

Como autor teatral obtuvo el reconocimiento del público y crítica con varios premios, entre ellos el premio Piquer de la Real Academia Española el premio Nacional de Teatro por *Dos mujeres a las nueve*, escrita en colaboración de Miguel de la Cuesta. Cultivó distintos géneros teatrales, entre ellos el lírico. Su gran dominio de la arquitectura dramática y un cierto convencionalismo en sus argumentos contribuyeron al gran éxito que obtuvo en sus dos únicas aportaciones a la zarzuela, *El emigrante*, 1920, con música de José Mª Franco Bordons, y la zarzuela en dos actos, *El huésped del Sevillano*, 1926, escrita en colaboración de Enrique Reoyo. La obra triunfó tanto por el libro como por la excelente música de Jacinto Guerrero. *Véase* EL HUÉSPED DEL SEVILLANO.

BIBLIOGRAFÍA: *DAT; EDL;* G. Torrente Ballester: *Teatro español contemporáneo*, Madrid, Guadarrama, 1957; F. Ruiz Ramón: *Historia del teatro español, siglo XX*, Madrid, Cátedra, 1995.

OLIVA G. BALBOA

Luceño Becerra, Tomás. Madrid, 21-XII-1844; Madrid, 27-I-1931. Poeta y dramaturgo. Licenciado en Derecho, trabajó en el ministerio de Ultramar como secretario de varios ministros, entre ellos, el también autor teatral Adelardo López de Ayala. Accedió por oposición en 1871 al puesto de taquígrafo del Senado, puesto que no abandonó hasta su jubilación. Colaboró en varios periódicos como *El Cascabel, Madrid Cómico, El Imparcial* y *La Ilustración*.

Tomás Luceño
(Foto: Ar. SGAE)

Fue un profundo conocedor del teatro clásico español, lo que le llevó a hacer varias refundiciones acertadas y respetuosas de obras de Lope, Calderón o Tirso. Inspirada en la obra *Entre bobos anda el juego* de Francisco de Rojas escribió –en colaboración con Carlos Fernández Shaw– *Don Lucas del cigarral*, 1899, convertida en zarzuela en tres actos con música de Amadeo Vives, que constituyó uno de los primeros éxitos del compositor. Sin duda su figura destaca como uno de los grandes saineteros del último cuarto del siglo XIX, fue pionero en este género con el estreno de *Cuadros al fresco*, 1870. Buen literato, erudito, con un estilo correcto y un lenguaje muy castizo, estudió e imitó, quizá demasiado, a Ramón de la Cruz. Sus sainetes constituyen perfectos cuadros de costumbres, y por ellos desfilan, vistos satíricamente, ambientes eminentemente de clase media: tipos profesionales, literarios o políticos. Aunque sus obras adolecían para el público de escasa intriga, abrió el camino a seguir por otros sainetistas, como los hermanos Álvarez Quintero.

Los compositores que pusieron música a sus sainetes fueron Federico Chueca en *Fiesta nacional*, 1882; Francisco Asenjo Barbieri en *¡Hoy sale, hoy!*, 1884, ambas estrenadas en teatro Variedades. Con Quinito Valverde estrenó el sainete *Los Lunes del Imparcial*, 1894, teatro Lara; la zarzuela en un acto *La niña del estanquero*, 1897, teatro Apolo, para la que Ruperto Chapí escribió una de sus mejores partituras, aunque el público no supo apreciarla en su justa valía. También Bretón, Nieto, San José y Calleja pusieron música a sus obras, que no fueron tan abundantes como era común en la época, quizá por ello todas mantienen una aceptable calidad literaria. *Véase* DON LUCAS DEL CIGARRAL; FIESTA NACIONAL.

BIBLIOGRAFÍA: *CTLBN; EDL; OGCH; TA; TLE*; J. López Ruiz: *Historia del teatro Apolo y de La verbena de la Paloma*, Madrid, Avapiés, 1994; V. Sánchez Sánchez: *Tomás Bretón. Un músico de la Restauración*, Madrid, ICCMU, 2002.

OLIVA G. BALBOA

Lucio y López, Celso. Burgos, 6-IV-1865; Madrid, 3-X-1915. Poeta y dramaturgo. Trabajó como redactor en diversos periódicos y revistas: *El Globo, Madrid Cómico* y *Blanco y Negro*. También se dedicó a la política y llegó a ser diputado provincial por Madrid. Escribió poesía, pero su actividad literaria, se centró esencialmente en el teatro lírico. Casi siempre escribió en colaboración con otros autores. Su aportación al género a través de sainetes, juguetes, pasillos o zarzuelas, consistió en grandes dosis de buen humor, habilidad teatral y su talento poético para hacer cantables. De entre su producción destacan varios títulos como *Los secuestradores*, 1892, teatro Eslava, con Carlos Arniches y música de Manuel Nieto. Un sainete pueblerino con la consiguiente pintura de tipos obligados en tales obras: el alcalde zoquete, el maestro muerto de hambre o el barbero. La obra gustó mucho al público y a la crítica, que elogió especialmente la música como una de las mejores partituras de Nieto.

La humorada cómico-lírica *El gran capitán*, 1892, escrita con Enrique Ayuso, con música de Quinito Valverde y Tomás López Torregrosa, y una buena decoración pintada por Muriel, se estrenó un día antes de la celebración del centenario del descubrimiento de América al que se hace alusión en la obra. En la pieza no había ni verosimilitud, ni pintura de tipos, pero tenía gracia a raudales, aunque fuese de brocha gorda. Fue el plato fuerte de la temporada representándose dos veces cada día. *Los puritanos*, 1894, teatro Eslava, de Lucio y Carlos Arniches, con música de López Torregrosa y Quinito Valverde, tenía gracia en el asunto, en las situaciones y en el diálogo. Los excelentes chistes se sucedían sin interrupción, provocando en el auditorio continuas carcajadas. En 1900 se estrenaba en el teatro Apolo, *María de los Ángeles*, de nuevo con Carlos Arniches y música de Ruperto Chapí, una zarzuela de corte pintoresco, cuya acción se desarrolla en la costa cantábrica, con cuadro de costumbres de marineros, tratado con gran habilidad y efectismo dramático y aderezado con una acertada mezcla de lo sentimental y lo gracioso. La partitura por su parte resaltaba el aspecto popular de la zarzuela, consiguiendo un éxito completo y resonante.

De izquierda a derecha, Celso Lucio,
C. Arniches y T. López Torregrosa

Celso Lucio estrenó algunas de su más importantes obras con Arniches, pero también compartió éxitos con Félix Limendoux en *El gorro frigio*, 1888, teatro Eslava, con música de Manuel Nieto; Enrique García Álvarez en *Congreso feminista*, 1904, teatro Moderno, con música de Quinito Valverde. En solitario estrenó, con música de Quinito Valverde, la revista *Plantas y flores*, 1901, teatro Eslava de Madrid; *El premio de honor*, 1940, teatro Eslava de Madrid, revista con música de Rafael Calleja. *Véase* LOS APARECIDOS; EL CABO PRIMERO; EL GORRO FRIGIO; LA MARCHA DE CÁDIZ; PANORAMA NACIONAL.

BIBLIOGRAFÍA: *CTLBN; DAT; EDL; HZ; OGCH; TA; TLE;* L. G. Iberni: *Ruperto Chapí*, Madrid, ICCMU, 1995; F. Ruiz Ramón: *Historia del teatro español desde sus orígenes hasta 1900*, Madrid, Cátedra, 1992.

OLIVA G. BALBOA

Lucio Mediavilla, José. Torrelavega (Cantabria), 22-VIII-1890; Torrelavega, 3-VII-1958. Compositor y violinista. Inició sus estudios en Santander, y continuó en el Real Conservatorio Superior de Música de Madrid. Su relación con el género lírico se debe a su actividad como violinista de la orquesta del teatro de la Zarzuela. Además, es autor de varias obras escénicas, estrenadas a principios de siglo en Barcelona y Madrid. Aunque vivió en diversas ciudades euopeas, se instaló en su Torrelavega natal al ser nombrado director del Conservatorio.

OBRAS *Academia taurina*, Ent cóm, 1 act, col. Gayoso, l, M. Tirado Fernández, est, 17-XI-1909, Te. Latina, *E:Msa; Canción bohemia*, 1 act, col. Tamayo, l, V. de la Pascua, *E:Msa; El querer de las mujeres*, Sai, 1 act, col. Yust García, l, J. Mariño / F. Lozano Bolea,

est, 26-III-1915, Te. Chueca, *E:Msa; La capa blanca*, Zarz, 1 act, l, V. Tamayo / V. Gutiérrez, *E:Msa; La noche de la Romería*, col. Gayoso, l, Fernández de Castro / Márquez Tirado, *E:Msa; Los anteojos de Mahoma*, col. Yust García, l, A. Retana / M. Berenguer; *Los pícaros estudiantes*, 2 act, l, A. Casañal / Galán Bergua, *E:Msa; Mary*, aventura operetesca, 1 act, col. Alonso López, l, A. Martín / C. Jaquotot, est, Te. Tívoli (Barcelona), *E:Msa; Mujer que soñé*, l, C. Jaquotot / A. Martín Gamero; *Santón Pirulero*, Hum cóm-lír, 1 act, l, R. Martínez Álvarez / A. Vidal, *E:Msa.*

BIBLIOGRAFÍA: *DMEH*; J. C. Arce Bueno: *La música en Cantabria*, Santander, Fundación Marcelino Botín, 1994.

Mª LUZ GONZÁLEZ PEÑA

Lucio Pérez, José de. Madrid, 1884; Madrid, 1949. Dramaturgo. Su principal cualidad fue saber hacer reír al público con sus comedias, farsas y sainetes, a través de las cuales muestra una gran soltura para el manejo de los diálogos, llenos de contrastes y pinceladas cómicas, así como en la descripción de situaciones entretenidas. Para el género lírico colaboró, entre otros, con Joaquín Abati, Jacinto Capella, Enrique García Álvarez en *El asombro de Gracia*, 1927, con música de Reveriano Soutullo y Juan Vert; con Carlos Arniches en *Coplas de ronda* (antes *La moza del Carrascal*), 1929, zarzuela en tres actos con música de Francisco Alonso. Escribió también en solitario algunos títulos como la zarzuela *La moza que yo quería*, 1932, teatro Nuevo de Barcelona, con música de Fernando Díaz Giles.

BIBLIOGRAFÍA: *DMEH*.

OLIVA G. BALBOA

Luisa Fernanda. Comedia lírica en tres actos. Música de Federico Moreno Torroba. Libreto de Federico Romero y Guillermo Fernández Shaw. Estrenada el 26 de marzo de 1932 en el teatro Calderón de Madrid.

Personajes y reparto. Luisa Fernanda (Selica Pérez Carpio, soprano). Vidal Hernando (Emilio Sagi Barba, barítono). Carolina (Laura Nieto, soprano). Javier Moreno (Faustino Arregui, tenor). Mariana (Ramona Galindo, actriz con parte de cantado). Aníbal (Manuel Hernández, actor con parte cantada). Rosita (Soledad Escrich, soprano). Don Florito (Eduardo Marcén, actor). La churrera (Luisa Conde, actriz). Nogales (Vicente Carrasco, barítono). Una criada (Mercedes Salgado, actriz). Bizco Porras (Miguel Pros, actor). Una vecina (Judith García, actriz). Jeromo (José Palomo, actor). Una vendedora (María Sampero, actriz). El Saboyano (Enrique Seva, niño cantante). La mujer del ciego (Judith García). Don Lucas (Alejandro Bravo, tenor). Una burguesa (Carola Hernández). Un vareador (María Yuste). Un capitán (Eloy Parra, tenor). Mozo 1º (Enrique Seva). Mozo 2º (Santiago Rodríguez, bajo). Pollo 1º (Santiago Rodríguez, bajo). Pollo 2º (Eloy Parra, tenor). Un hombre del pueblo (Manuel Plaza, tenor). Otro ídem (Juan Rueda, bajo). Un vendedor (Agapito Galicia, tenor). Ciego 1º (Juan Verdú). Ciego 2º (Manuel Larrica). Un Burgués (Jesús Fernández). Damiselas, pollos, músicos, ambulantes, gente del pueblo de Madrid, vareadoras y vareadores extremeños.

Orquestación. Flautín, flauta, oboe, 2 clarinetes, fagot, 2 trompas, 2 trompetas, 3 trombones, timbal, percusión, arpa, celesta, rondalla y cuerda.

Argumento. *Acto I.* Madrid, plazuela de San Javier, frente a la casa de la duquesa Carolina, camarera de la reina y ferviente monárquica. Son los últimos momentos del reinado de Isabel II y la vida en el barrio se articula en una serie de camarillas lideradas por Mariana, posadera madura en cuya Posada de San Javier habitan el rico hacendado extremeño Vidal Hernando y Luis Nogales, revolucionario clandestino que ha entablado amistad con Aníbal, el mozo de la posada. En la misma plazuela vive Don Florito, ex funcionario y monárquico por principios, con su hija Luisa Fernanda que guarda ausencias a un militar, Javier Moreno, antiguo mozo de la posada de Mariana, que desde que ascendió a coronel la tiene abandonada.

Al inicio de la obra, Mariana está sola, sentada a la puerta de su casa. En el bajo de la casa de Luisa Fernanda hay un taller de costura llevado por Rosita; Carolina cruza la plaza con su criado Jeromo y un vendedor ofrece sus cacharros. Entre los cantos de asuntos cotidianos de estos personajes, se impone la habanera "Marchaba a ser soldado" que explica los antecedentes del argumento. Luisa Fernanda se va a misa cuando llega a la plaza Javier. Mariana, que se encuentra con él, le recrimina su falta de constancia y Aníbal le aborda con la pretensión de que se una a sus ideales revolucionarios. Al darse cuenta de que son observados por la duquesa Carolina, entran en la posada para continuar su plática con Nogales, jefe de la insurrección. Luisa Fernanda regresa entonces sofocada en compañía de Mariana que le ha anunciado la presencia de Javier, pero encuentra vacía la plaza. Mariana aprovecha la ocasión para recomendar a Luisa Fernanda a Vidal Hernando que entabla con ella un galanteo que termina en unas calabazas fundadas en el amor apasionado que Luisa Fernanda siente por Javier.

Cortesía de Unión Musical Ediciones SL

Aníbal sale de la posada alegre por haber convencido a un militar para que participe de su parte en la revuelta y le comunica a Vidal el apoyo que ha encontrado en Javier lo que basta para que Vidal se declare tajantemente monárquico para estar el campo contrario de quien es su oponente en las lides amorosas. Concluida su conversación con Nogales, Javier sale de la posada y se dispone a visitar a Luisa Fernanda, pero en el camino oye la voz de la duquesa Carolina proveniente del balcón de su casa y entabla con ella –sin verla– una conversación llena de requiebros amorosos que termina con la entrada del militar en casa de la duquesa ante los furtivos y airados ojos de Vidal, Aníbal y Nogales, que temen con fundamento que Javier se vuelva a la causa monárquica y les traicione, y Luisa Fernanda que, en un arrebato de celos, se desmaya en brazos de un Vidal aliado, una vez más por despecho, con la causa revolucionaria.

Acto II. En la verbena de San Antonio de la Florida, aparecen Luisa Fernanda, prometida ya con Vidal, y Javier que sigue en relaciones con la duquesa. En el ambiente de la romería Mariana y Rosita se encargan de atender un puesto dedicado a la recaudación de limosnas para el pan de San Antonio. Cerca andan Nogales y Bizco Porras, dependiente de un puesto de bebidas instalado en la verbena. Mujeres con hermosos trajes y pollos ataviados con chulería –entre los que se cuenta Javier de paisano– se mezclan en la verbena en danzas y cánticos festivos en torno a la petición que hacen las solteras al santo de un buen novio.

La duquesa, aprovechando una ausencia de Javier, sabedora de la actitud de Vidal y usando sus encantos, trata, sin éxito, de ganarle para la causa monárquica. A continuación se encuentran los dos rivales: Luisa Fernanda está con Vidal, y Javier, que se topa con ellos, hace una escena de celos ante la displicencia del extremeño. El enfrentamiento culmina cuando la duquesa decide subastar un baile para el cepillo del santo. Después de unas tímidas ofertas, Javier, despechado por la indiferencia de Luisa Fernanda y la prepotencia del extremeño, hace una puja exageradamente fuerte y Vidal, en un alarde de fuerza y desprecio, multiplica por cincuenta la oferta de Javier y le regala el baile. Javier acepta el regalo y reta a Vidal.

En los cuadros siguientes, se prepara la insurrección y comienza la lucha. Mientras Luisa Fernanda reza el rosario con Mariana y otras mujeres, aparece Vidal con Aníbal herido leve. Vidal lucha con bravura, pero confiesa que lo único que lo mueve es el amor a Luisa Fernanda y no ningún ideal político. En la batalla Vidal derriba el caballo de Javier y le pone a merced de los insurrectos. Cuando los revolucionarios intentan agredir a Javier, Luisa Fernanda sale en su defensa y le salva la vida. En el desenlace del acto cambian las tornas de la batalla: llegan los refuerzos monárquicos, aplastan la revuelta y apresan al cabecilla Nogales. El desafío entre Javier y Vidal quedó saldado en el campo de batalla y las parejas de Javier con Carolina y Vidal con Luisa Fernanda se consolidan.

Acto III. La acción tiene lugar en la dehesa extremeña de Vidal, en la frontera con Portugal. Ya se ha librado la batalla decisiva con la consecuente caída de la monarquía. Se rumorea que Javier Moreno ha muerto entre las tropas monárquicas derrotadas en Alcolea. Vidal, exultante de alegría, presume con su prometida Luisa Fernanda. El atolondrado joven Aníbal, a quien Vidal había mandado a Portugal a comprar el vestido de novia de Luisa Fernanda, regresa, sin embargo, sin el vestido y acompañado de Javier a quien encontró refugiado en Portugal. Luisa Fernanda accede a entrevistarse con Javier y a pesar de que ambos se declaran mutuo amor la protagonista permanece fiel en su promesa de casarse con Vidal y se despide para siempre de Javier. De vuelta con Vidal, Luisa Fernanda trata de reponerse de su profunda tristeza y da lugar a una fiesta en la dehesa. Reaparece Javier y, ante la sorpresa de todos, se arrodilla ante Luisa Fernanda y pide su clemencia. Luisa Fernanda, visiblemente emocionada, le pide que se vaya pero Vidal entiende cuál es el verdadero amor de su prometida y, en un último gesto de generosidad, decide no casarse y dar licencia a Luisa Fernanda para que recoja su ajuar y se vaya con Javier.

Números musicales. Acto I: Nº 1. Introducción, escena primera y habanera del Saboyano. Rosita, Mariana, Carolina, Nogales, Saboyano y Vendedor, "Mi madre me criaba". Nº 2. Dúo de Javier y Mariana y romanza de Javier, "Buenos días Mariana". Nº 3. Dúo. Luisa Fernanda y Vidal, "En mi tierra extremeña". Nº 4. Dúo. Carolina y Javier, "Caballero del alto plumero". Nº 5. Final 1º. Luisa Fernanda, Mariana, Vidal, Aníbal, Nogales, Carolina y Javier, "Abrasado en la llama". Acto II: Nº 6A. Carolina, Mariana, Rosita, Javier, Bizco, Damiselas, Pollos elegantes, Músicos, Vendedor y Vendedora, "El soldadito no la contesta". Nº 6B. Mazurca. Carolina, Javier, Damiselas y Pollos, "A San Antonio, como es un santo casamentero". Nº 7. Dúo. Carolina y Vidal, "Para comprar a un hombre". Nº 8. Luisa Fernanda, Carolina, Javier, Vidal, Mariana, Don Lucas, Don Florito, Pollo 1º, Pollo 2º, un hombre y coro, "¿Dónde está Carolina, que no la veo?". Nº 9. Recitado sobre música interna. Churrera, Bizco, Aníbal, Mozos 1º y 2º, Nogales, coro. Nº 10. Vidal, "Luche la fe por el triunfo". Nº 11. Final 2º. Luisa Fernanda, Carolina, Mariana, Javier, Vidal, Aníbal, Nogales, Capitán, Criada y coro, "¡Muera! ¡Muera a él!". Acto III: Nº 11Bis. Introducción. Orquesta. Nº 12. Vidal y coro de Vareadores, "Si por el rido". Nº 13. Dúo. Luisa Fernanda y Javier, "¡Cállate, corazón!". Nº 14. Final 3º. Luisa Fernanda, Javier, Vidal, Mariana, Aníbal, coro y baile, "El *Cerandero* se ha muerto".

Comentario. Casi una década después de *Doña Francisquita*, el histórico tándem de libretistas formado por Federico Romero y Guillermo Fernández Shaw consiguió con *Luisa Fernanda* otro de los éxitos cruciales de su espectacular carrera comenzada en 1916 con *La canción del olvido*. El libreto de *Luisa Fernanda*, subtitulado "Comedia lírica", es un guiño histórico lleno a su vez de pequeñas referencias: escrita en el primer año de la Segunda República el ambiente general de la obra gira en torno a las tensiones políticas y sociales antecedentes de la Primera República. La forma en la que los libretistas se mueven por las arenas movedizas de reproducir en una comedia las circunstancias de una sociedad en la que se estaban produciendo de forma real y no carente de verdadero dramatismo las tensiones ficticias de la comedia es simplemente admirable. A nadie se le puede escapar que en los autores no había ningún afecto en lo más mínimo al nuevo régimen instaurado por la Segunda República, más bien al contrario, pero supieron redondear todas las posibles aristas de su obra hasta tal punto que al final resulta tolerable para todos los públicos porque es una obra roma, en la que la tendenciosidad política queda disuelta en el más profundo sentimentalismo y en una trama argumental muy enrevesada en la que, al final, apenas se puede reconocer en qué bando está cada personaje, ni quién gana ni quién resulta castigado: todo es difuso. No obstante, *Luisa Fernanda* se convirtió en la obra lírica más exportada por el régimen franquista durante los años de la posguerra sirviendo como estandarte propagandístico de las compañías líricas –la de Moreno Torroba era la más importante– que recorrieron Hispanoamérica.

El día del estreno, los libretistas publicaron en *ABC* una autocrítica en la que aclaraban sus intenciones. Según ellos, *Luisa Fernanda* "es también la concreción de un ambiente. La *gloriosa* del 68 no fue una revolución antimonárquica, ni siquiera antidinástica; al derribar el trono de Isabel II fueron del brazo un caudillo antiborbónico –Prim–, un decidido republicano –Figueras– y montpensieristas más o menos embozados, como el duque de la Torre, Avala y Córdova. (No estaban ausentes los alfonsinos –Cánovas entre ellos–, que habían de practicar la virtud de la espera, hasta que su fruto deseado madurase). Sin la revelación del conde de Reus como hombre de enérgicas obstinaciones al servicio de su fobia por la dinastía derrocada, la duquesa de Montpensier –María Luisa Fernanda– habría reinado y quizá merecido el cortejo de loas y gracias que su persona, antaño, y su memoria, todavía ayer, suscitaban en Sevilla. El regocijo con que el pueblo acogió los amores del Rey Alfonso con la infanta Mercedes, hija de Luisa Fernanda, como el sentimiento que produjo su temprano óbito, que inspiró uno de los más ingenuos poemas populares que se cantaron en corros infantiles, ¿no eran tácito homenaje a la infanta que no pudo ser Reina? Nuestra comedia pretende recoger unas estampas madrileñas –con un estrambote extremeño para el desenlace– de la corte en ciernes de Luisa Fernanda, que no llegó a granar". En cuanto a los personajes, los libretistas especifican lo siguiente: " Luisa Fernanda es una señorita, pobre de bienes y opulenta de gracias y de sentimientos, enraizada en este pueblo admirable de Madrid, que quiere *porque quiere y porque le da la gana*, sin cálculo y sin autocrítica, sin precio y hasta sin esperanza de recompensa. Carolina es la aristócrata intrigante en una corte sensual, sostén de un trono que necesitaba entonces apeos de democracia mejor que puntales de amañadas victorias sobre la marca rebelde. Entre los hombres –sin clave ni pretensiones de reconstitución histórica– toda la gama del conspirador: el soldado de fortuna que se enrola en la nave más propicia para su ambición –Javier–; el romántico de la libertad que nunca será subsecretario, porque las prebendas no se dan a los soñadores, sino a los más despiertos cazadores de momios –Nogales–;

el chicuelo ese que todavía podréis contemplar, infinitamente repetida su imagen, en las *fotos* de grupos a quienes tunde la soldadesca o aporrean los guardias –Aníbal–. Y el otro romántico, el que a veces se halla envuelto en una tempestad de costa, por coger una flor que, desde el acantilado, se le había caído a su novia, cuando quiso asomarse al abismo, enfrentando el azul de sus ojos con el azul del mar, que es azul del cielo… –Vidal Hernando–. Entre esta galería de tipos –¡ojalá espejo de caracteres!– el amor de la protagonista, como el Guadiana, eclipsándose, re-iluminándose, entre dudas y resoluciones hasta que cumple su destino. El del río es el mar. El de Luisa Fernanda…".

La crítica, por lo general, alabó la versificación del libreto y la construcción de los personajes, y sólo el crítico de teatro del diario *El Sol* (27-III-1932) realizó una observación que merece la pena tener en cuenta: "En *Luisa Fernanda,* con un asunto de escasa anécdota, han fraguado sus autores tres actos, que, a decir verdad, discurren en proporción inversa al sentido de su dirección. O lo que es lo mismo: mientras la obra avanza, sus méritos extrínsecos declinan. Un acto, el primero, impecable, y dos actos más, que, por difusos, hurtan bastante el interés a su acción. Lo que no quiere decir que sean deleznables, sino que no son perfectos. Un lienzo y dos cromos". Por lo demás, la crítica coincidió en apreciaciones tan laudatorias como éstas de Luis Araujo Costa en las columnas de *La Época* publicadas poco antes de que este diario, abiertamente monárquico, fuera suspendido por el gobierno de la República: "Así el libro de Romero y Fernández Shaw y la partitura de Moreno Torroba realizan con armonía que es un encanto un ideal no de Revolución –porque el buen gusto de los autores no les permite mezclarse para nada en la política ni llevar al teatro pasiones que las más veces desentonan con lo fino del arte– un ideal de esencias exquisitas: de calidades que se imponen por la delicadeza de la expresión de plasticidad elegante; de evocaciones deliciosas; de sonidos que elevan el alma; de bálsamos que mueven el corazón a íntimo y celestial regocijo; de euforia que introduce el espíritu en los horizontes de la belleza y allí le adormece reduciendo a un solo punto de poesía, arte y encanto los mil inci-

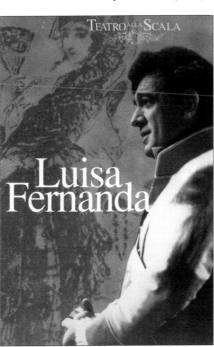

Plácido Domingo en el estreno de Luisa Fernanda *en el teatro alla Scala de Milán en 2003*
(Foto: Ar. ICCMU)

dentes de ese atractivo que une las almas de los hombres y de las mujeres y que con el nombre de amor reina en el mundo".

Por lo que respecta a la música, recorre con singular agilidad todas las categorías de la composición zarzuelista española de principios de siglo: desde la mayor torpeza hasta verdaderos aciertos. Véase como ejemplo el primer número: los libretistas proporcionan, como era preceptivo, una escena compleja articulada en varios grupos. La forma musical empleada por Moreno Torroba es indolente, desapasionada y deja completamente al margen las potencias dramáticas del libreto. En realidad este número y el comienzo de la obra sólo se salva, en primer lugar, por la habilidad de Moreno Torroba en la orquestación enfocada con exigencias que eran más propias de la música sinfónica que de la música lírica; en segundo lugar, por el carácter popular del pregón del vendedor y por el aire castizo muy depurado y muy fino de la canción que lleva el peso musical del Nº 1, "La zurcidora buena / sabe de sobra / que a quien mucho le zurce / poco le cobra", que imita formalmente la construcción melódica de las seguidillas populares del siglo XVIII y principios del XIX; y, en último término, por la inspiración melódica de la habanera del Saboyano que viene por fin a redimir un número que de otro modo hubiera puesto en peligro el futuro éxito de la obra: "Marchaba a ser soldado cuando al mozo / le salió a despedir / la moza que le amaba y que quería / con él partir". La habanera del Saboyano llegó a ser una de las músicas más populares de Moreno Torroba quien más adelante haría un arreglo coral de la misma. Desde el punto de vista dramático, además, es un acierto el colocar el peso de la información del nudo argumental, a modo de prólogo, en boca de un personaje popular y a través de una melodía que hace las veces de las coplas de ciego, pero con un lenguaje más moderno como era el de las habaneras.

Lo fundamental de los siguientes números musicales son las arias de presentación del tenor Javier, "De este apacible rincón de Madrid", Nº 2, y del barítono Vidal, "En mi tierra extremeña", Nº 3, que se desarrolla en forma de dúo con Luisa Fernanda y termina con la hermosísima coda: "Montaranza de mis montes / relicario de mis sueños". Es el primer dúo importante de la obra y de dúo, en términos líricos no tiene más que el nombre ya que los dos personajes en escena no llegan a cantar nunca a la vez sino sólo a alternarse diferentes estrofas del texto con la misma melodía. A pesar de esto y gracias a la brillantez de estas dos melodías, la obra se puede considerar perfectamente encarrilada por los caminos del éxito.

El siguiente dúo entre Carolina y Javier, Nº 4, es de nuevo un dúo estrófico en el que los cantantes se limitan a cantar alternativamente sus estrofas compartiendo un brillante material melódico: "Caballero del alto plumero". El movimiento escénico durante todo este acto ha sido intenso y lo sigue siendo en el número final, Nº 5, donde Moreno Torroba vuelve a enfrentarse a una escena concertante muy bien dispuesta por los libretistas y muy poco aprovechada por el músico. Lo mismo ocurre con el principio del acto siguiente, Nº 6, interesante desde el punto de vista dramático pero musicalmente exasperante hasta que se llega al número que constituyó el gran éxito popular de la obra cuando se estrenó: la mazurca "A San Antonio / como es un santo / casamentero". Con el discurso musical encarrilado de nuevo, se avanza hasta un nuevo dúo entre Vidal y Carolina, Nº 7. Aunque es tan interesante desde el punto melódico como los dúos anteriores, en términos dramáticos, éste resulta más movido, menos estático y, por ello, da una sensación más real de dueto lírico aunque los cantantes sólo intervienen en armonía en los dos últimos compases. Frente a la apatía de las otras escenas concertantes previstas en el libreto, el Nº 8 es el que consigue mejor efecto a través de aciertos melódicos plenos de fuerza como el famoso "¡Cuánto tiempo sin verte, / Luisa Fernanda!" que no puede menos que recordar otro de los más célebres encuentros zarzueleros entre amantes desencontrados, "¿Dónde vas con mantón de Manila?" de *La verbena de la Paloma*, y presagiar el énfasis del "Hace tiempo que vengo al taller" de *La del manojo de rosas*. Dentro de este número, se encuentra la rifa del baile de la duquesa que también está resuelta con elegancia y pericia por Moreno Torroba

Luego viene la batalla. Jamás se vio en la escena una revolución con un "Viva la libertad" más desangelado, ni una batalla menos fragorosa, ni una turba de revolucionarios más ordenada. Algún recitado heroico, alguna referencia suelta al himno de Riego y otra de las grandes arias de la zarzuela, "Luche la fe por el triunfo" de Vidal, que viene a redimir la falta de fuerza dramática de la escena desde su principio hasta que Javier entona el brillante y apasionado "Luisa Fernanda, cariño mío". A partir de este punto, la música vuelve a ser buena compañera de una acción teatral demasiado rápida.

Uno de los aciertos más notables de los libretistas de *Luisa Fernanda* consiste en proporcionar al músi-co dos "espacios musicales" tan diferentes para ejercer su profesión: por un lado Madrid en sus vertientes castiza, popular urbana y verbenera, y por otro, el campo extremeño con su acervo de manifestaciones musicales folclóricas. Moreno Torroba supo explotar con maestría esta característica destacada del libreto y el acto final discurre con mucho más equilibrio que los actos anteriores: volvemos a encontrar interpoladas romanzas tan inspiradas como las antecedentes: "En una dehesa / de la Extremadura" de Vidal, Nº 12, "¡Cállate corazón! / duérmete y calla" de Luisa Fernanda a dúo con Javier, Nº 13, pero ahora dentro de un contexto lírico más interesante proporcionado por el ambiente festivo folclórico que da lugar a melodías como la canción de los vareadores "Si por el rido, / si por la vera", Nº 12, que se popularizó inmediatamente después del estreno de la zarzuela o "El Cerandero se ha muerto", Nº 14, que lleva, desde la temática tragicómica de la canción popular, al final triste –o más bien nostálgico– de esta comedia lírica.

En una lista publicada en *El Derecho de Autor* (1-III-1933) de las cincuenta obras líricas más rentables producidas entre el 1 de agosto y el 31 de diciembre de 1932, *Luisa Fernanda,* a pesar de haberse estrenado hacia la mitad del periodo en cuestión, ocupaba ya el primer puesto de la lista, seguida por *Las leandras* de Francisco Alonso; al año siguiente seguía ocupando ese puesto en la lista seguida de cerca por *Katiuska* de Pablo Sorozábal; y, desde entonces, se ha mantenido como una de las zarzuelas más programadas del siglo XX.

Fuentes manuscritas. La partitura se conserva en el Museo de la Real Academia de Bellas Artes de San Fernando en Madrid. Los materiales de orquesta se conservan en el archivo de la SGAE en Madrid (1609).

Ediciones de música. Orquesta, ed. crítica F. Moreno Torroba, Madrid, 2003. Canto y piano, Madrid, UME, 1932. Bandurria, laúdes y guitarra, selección, Madrid, UME. Acordeón, adap Biok, Madrid, UME. Sexteto, selección, adap J. Fernández Pacheco, Madrid, UME. Orquestina, selección, adap A. Mingote, Banda, selección, Madrid, UME.

Ediciones del libreto. Madrid, SAE, 1932?; Madrid, Biblioteca Teatral, XI, 163, 1932?; Barcelona, Cisne, 1941; Madrid, Teatro de la Zarzuela, 1988 y 1998.

FONOGRAFÍA: D78rpm: Dir. Maestro Godes, Banda Odeón, Odeón 183511 (et. azul), SO 7815 SO 7816 • Odeón 204476, SO 6906 SO 7660 • Dir. Federico Moreno Torroba, Sols. Emilio Sagi-Barba, Laura Nieto, Tino Folgar, Parra, Seva, La Voz de su Amo DA 4205 DA 4207 DA 4208 DA 4216 DA 4217, OJ 378 OJ 381, OJ 383 a OJ 395, OJ 390 a OJ 392 [reed. en CD: Blue Moon BMCD 75041 • Dir. Emilio Acevedo, Sols. Marcos Redondo, Ángeles Ottein, Emilio Vendrell, Coros del Teatro Calderón de Madrid, Odeón 184496 a 184499, SO 7621 SO 7622, SO 7635 a SO 7639, SO 7671 y Odeón 184282 (et. marrón), SO 7621 SO 7639 [reed. en CD: Blue Moon BMCD 75221 • Dir. Emilio Acevedo, Sols. Marcos Redondo, Selica Pérez Carpio, Faustino Arregui, Regal LK 4063 LK 4065 LK 4066 (et. azul), K 2915 K 2916 K 2920 K 2921 K 2982 K 2984 y R 14023 a 14028 (et. roja), WK 2915 a WK

2921, WK 2982 a WK 2986 [reed. en LP: Columbia SA, C 7520 204 y Montilla FM-67].

LP: Dir. Federico Moreno Torroba, Sols. Rosario Gómez, Lolita Torrento, Conchita Panadés, Teresa Sánchez, Josefina Escriba, Marcos Redondo, Pablo Civil, Pepe Márquez, Bartolomé Bardaji, Oscar Pol, Orq. Sinfónica Española, Regal LCX 7001 y Regal SEBL 7003 y 7007 • Dir. Ataúlfo Argenta, Sols. Mª de los Ángeles, Fuensanta Solá, Manuel Ausensi, Carlos Munguía, Coro de Cantores de Madrid, Orq. Sinfónica, Columbia-Salvat 1005-1 y Columbia-Alhambra-BMG (33rpm-30cm) MCC 30022 • Dir. Ricardo Estevarena, Sols. Miguel Sierra, Dolores Pérez, Luis Sagi-Vela, Natalia Lombay, Isabel Penagos, Tino Moro, Coro de Radio Nacional de España, Orq. de Cámara de Madrid, Zafiro 30103041 (Serdisco) 200, Zafiro ZOR-102 201 y Zafiro LM-3041 208 [ed. en EP: EPFM-128 y EPFM-262] • Dir. Rafael Frühbeck de Burgos, Sols. Teresa Berganza, Mª Rosa del Campo, Antonio Blancas, Julián Molina, Enrique del Portal, Alicia de la Victoria, Carmen Ramírez, Luis Frutos, Coro de Cantores de Madrid, Orq. Filarmonia de España, Columbia ZCL 1001 202, Columbia MCE 836 203 y Alhambra SCE 936 205 [reed. en CD: Columbia-BMG España WD 71437 (9D)] • Dir. José Casas Augé, Orq. Sinfónico-Lírica, Discophon (S) 4113 [ed. en casete (S) 8050] • Dir. Federico Moreno Torroba, Orq. Filarmónica de Madrid, Discophon (S) 4099 [ed. en casete (S) 7280] • Dir. Federico Moreno Torroba, Sols. María D. Ripollés, Inés Rivadeneira, Miguel Sierra, Coral de Madrid, Agrupación Sinfónica "La Zarzuela", Philips N 00596 L.

CD: Dir. Federico Moreno Torroba, Sols. Teresa Tourné, Estrella Alsina, Pedro Lavirgen, Renato Cesari, Coros Líricos de Hispavox, Orq. de Conciertos de Madrid, Hispavox-Montilla 7 67329 2 (637.33834) y EMI 7243 5 74153 2 3 (637.00387) • Dir. Antoni Ros Marbá, Sols. Plácido Domingo, Verónica Villarroel, Juan Pons, Ana Rodrigo, Coro de la Universidad Politécnica de Madrid, Orq. Sinfónica de Madrid, Auvidis Valois V 4759.

BIBLIOGRAFÍA: E. Franco: "Moreno Torroba o la supervivencia del casticismo", *La chulapona*, Madrid, Teatro de la Zarzuela, 1988; W. C. Krausse: *The life and works of Federico Moreno Torroba*, Ann Arbor, Michigan, UMI, 1993; R. Alier: "*Luisa Fernanda*, una partitura agraciada", *Ibíd.*; J. Suárez-Pajares: "Pablo Sorozábal en la lírica española de los primeros años 30", *Cuadernos de Música Iberoamericana*, IV, 1997, 104-43; M. Lagos Gismero: "Ocurrencias de un músico para la escena", Madrid, Teatro de la Zarzuela, 1998-99; A. González Lapuente *"¡Está en crisis el teatro!"*, *Ibíd.*; M. P. Espín Templado: "Amor y Revolución", *Ibíd.*

JAVIER SUÁREZ-PAJARES

Luján, Juan José. España, siglo XIX. Actor. Siempre unido al teatro Variedades, era el alma de la compañía. Se caracterizaba por una gracia algo basta, una gran naturalidad y una mímica tan expresiva que el público siempre se identificaba con él, y sus actuaciones tenían la risa garantizada. Obtenía grandes éxitos con el gesto y el ademán, incluso sin articular palabra. Se le llegó a comparar con el célebre "gracioso" del teatro Español Mariano Fernández, si bien no poseía su cultura ni su conocimiento de la comedia clásica. Al pasar del Variedades al teatro Lara, el público pareció abandonarle, de modo que toda la compañía del teatro Variedades parecía estar indisolublemente unida al local y al desaparecer éste, la compañía terminó desapareciendo.

Estrenó en Variedades *De Getafe al paraíso o La familia del tío Maroma* de Barbieri y Ricardo de la Vega, interpretando al Tío Maroma, mientras Ruesga interpretaba a su sobrino, el tenor y Vallés a Don Benito, pretendiente secreto de la hija del Tío Maroma. Fue asimismo el Paco Ternero de *Novillos en Polvoranca o Las hijas de Paco Ternero*, que Barbieri y De la Vega escribieron aprovechando el éxito de la obra anterior. Junto a Vallés estrenó *De la noche a la mañana* de Chueca y Valverde y libro de Lastra, Ruesga y Prieto con la que da comienzo la revista de espectáculo en el Variedades. La obra se representó 96 veces seguidas y pasó a formar parte del repertorio habitual. En 1885 estrenó *En la tierra como en el cielo*, sátira de actualidad política, debida a los cinco autores mencionados.

BIBLIOGRAFÍA: *OGCH*; M. Muñoz: *Historia de la zarzuela y el género chico*, Madrid, Ed. Tesoro, 1946.

Mª LUZ GONZÁLEZ PEÑA

Lumbreras, Francisco. Galicia, *ca*. 1825; ?, siglo XX. Dramaturgo y actor. Trabajó con Carlos Latorre, Julián Romea y otros grandes actores de la época y gozó de la admiración de Zorrilla y otros importantes poetas. Escribió dramas como *La herencia de un valiente*, en colaboración con José de la Villa del Valle, 1842, y *Jaque al rey*, 1857, y juguetes como *¡A la una!*, de nuevo en colaboración con Villa del Valle, 1845. Para el género lírico colaboró en *Colegialas y soldados* de Rafael Hernando, obra que marca el nacimiento de la zarzuela romántica. Lumbreras escribió los cantables aunque el libreto es de Mariano Pina. Véase COLEGIALAS Y SOLDADOS.

BIBLIOGRAFÍA: *CDE*; *DAT*.

Mª LUZ GONZÁLEZ PEÑA

Luna, Adolfo. Sevilla, ?; Madrid, XII-1902. Dramaturgo. Colaboró en la prensa local sevillana y al trasladarse a Madrid entró a formar parte de la redacción de *El País* y posteriormente de *El Heraldo*. Su temprana muerte privó al teatro lírico de un buen autor, ya que con sólo dos títulos obtuvo una gran fama. Su primera obra fue *El velorio*, 1900, zarzuela de costumbres andaluzas, con música de Gregorio Mateos, en la que la crítica juzgó muy prometedoras las cualidades dramáticas del autor. Al año siguiente escribió *Jilguero chico* de Rafael Calleja y Vicente Lleó, 1901, teatro Cómico, que se representó durante más de cien noches gracias a su gran éxito.

BIBLIOGRAFÍA: *Nuevo Mundo*, XI, 465, 5-XII-1902.

Mª LUZ GONZÁLEZ PEÑA

Adolfo Luna (Foto: Nuevo Mundo, 1902; Ar. ICCMU

Luna, Joaquín. Guadalupe, Hidalgo (México), *ca.* 1808; México, 1877. Pianista y compositor. Recorrió a lo largo de su vida varias ciudades mexicanas como Aguascalientes y Zacatecas, donde fundó el primer conservatorio de la ciudad. Fue maestro de capilla en la ciudad de Guadalajara en la que compuso un famoso *Te Deum* conocido en todo México. También se aproximó a la zarzuela como autor de una obra en un acto, *La vieja y el granadero*, estrenada en 1861.

RICARDO MIRANDA PÉREZ

Luna, José de. España, siglo XX. Barítono y empresario. Comenzó su carrera como cantante, y posteriormente se convirtió en empresario lírico. Estrenó en 1927 *El carro de la alegría* de José Serrano en el teatro Fuencarral. En 1938 representaba *La corte de faraón* en el teatro Pavón de Madrid. En mayo del mismo año actuaba en el madrileño teatro Ideal con *Los claveles*, *La tempranica* y *Serafín el pinturero*.

BIBLIOGRAFÍA: A. Collado: *El teatro bajo las bombas en la Guerra Civil. Tragicomedia de actores, figurantes, políticos, personajes y personajillos*, Madrid, Kaydeda, 1989.

Mª LUZ GONZÁLEZ PEÑA

Luna Carné, Pablo. Alhama de Aragón (Zaragoza), 21-V-1879; Madrid, 28-I-1942. Compositor y director. Uno de los creadores más destacados de la zarzuela durante el primer tercio del siglo XX.

I. Biografía y obra. II. Análisis y valoración de su obra.

I. BIOGRAFÍA Y OBRA. Comenzó a estudiar música en Zaragoza, donde fue trasladado su padre, teniente de la Guardia Civil. Allí recibió algunas clases de violín de Teodoro Ballo, obteniendo el primer premio en este instrumento. La Diputación Provincial le becó para estudiar armonía y composición con Miguel Arnaudas, entonces maestro de capilla de La Seo. Al terminar sus estudios se dedicó a tocar el violín por teatros y cafés hasta que en 1900 fue contratado como concertino de la orquesta del teatro Principal de Zaragoza al servicio de las compañías de zarzuela y ópera que visitaban habitualmente el coliseo maño. Participó también en el quinteto de cuerda llamado Mozart, que a instancias de Víctor Broqués formaron el mismo Luna junto a Garrido, Ortubia, Blasco y Sagardía. Estrenó sus primeras zarzuelas, *La escalera de los duendes* y *La rabalera*, en Bilbao y Zaragoza respectivamente, con libretos de Mariano Navarro y Marcelino Urbano. Y paralelamente comenzó a dirigir las formaciones de foso con éxito. En 1905 decidió probar suerte en Madrid

Pablo Luna (Foto: Legado Luna; Ar. SGAE)

donde, a instancias de Chapí, se le requirió para hacerse cargo del puesto de concertador y director de orquesta en el teatro de la Zarzuela, donde permaneció durante casi diez años. Allí tomó contacto con los compositores y libretistas de la época. Importante fue el impulso dado por Chapí, por aquel entonces gran referencia en este campo, de quien dirigió el estreno de *El hijo de doña Urraca* y, algo más tarde, *Ninón*. Tras haber compuesto *El gran embustero*, con libreto de Fernández de la Puente, para el Coliseo Imperial, recibió el encargo de una obra para el teatro Ideal. Nació así *Musetta*, con libro de Luis Pascual Frutos, estrenada en 1908 con fortuna desigual, aunque años más tarde se reestrenó en la Zarzuela y el Apolo. Luna se apuntó al mundo bohemio que, por aquel momento, estaba de moda tras el éxito de Vives. Su debut en el teatro Apolo ese mismo año, con *Fuente escondida*, pasó prácticamente desapercibido. Después de una serie de piezas menores, algunas estrenadas en Barcelona, se dio a conocer en el teatro de la Zarzuela con *¡A, C y T...! ¡Que se va el tío!*, una pieza en colaboración con su amigo Tomás Barrera, codirector musical también en el mismo teatro, y que venía a ser una especie de consecuencia de *ABC* de Giménez que se había estrenado recientemente con gran éxito. Fue recibida con agrado aunque sin grandes consecuencias. Luna tuvo que asistir con gran dolor a la tragedia del incendio que asoló el coliseo de la calle Jovellanos el 8 de noviembre de 1909 que tardó en reconstruirse cuatro años. La compañía se disolvió, pasando algunos actores a otros teatros, mientras que Luna debió dedicarse a colaborar con el Gran Teatro junto a libretistas como Guillermo Perrín y Miguel de Palacios, con *La reina de los mercados*, 1909, que pasó con indiferencia.

Después de casi un año de transitar por los teatros menores de Madrid, escribió *Molinos de viento*, con libreto de Luis Pascual Frutos y estrenada en 1910 en el Cervantes de Sevilla. Apenas dos meses más tarde llegaba con gran éxito al teatro Eslava donde fue acogida triunfalmente. La difusión nacional e internacional de esta pieza fue inmediata. Llegó a ser cantada en Italia y, bajo la dirección del autor, se presentó en el Real, en italiano, protagonizada por la mítica Amelita Galli Curci, el 16 de enero de 1914. Este éxito le abrió las puertas de todos los teatros, incluyendo los de Zaragoza. Con *Huelga de criadas*, 1910, libro de Martínez Viérgol y con la colaboración de Luis Foglietti, el éxito fue tal que hizo que dos teatros de la capital la representaran a la vez, coincidiendo con la apertura del teatro Gran Vía, inaugurado en 1911. En plena racha de éxitos, el estreno de *Las hijas de Lemnos* en el Apolo fue acogida con grandes ovaciones lo mismo que la versión teatral de *Sangre y arena*, sobre la célebre novela de Blasco Ibáñez, que fue tratada casi como un acontecimiento nacional. Chispero afirma que "hubo en la noche del estreno momentos de verdadera y pocas veces superada emoción" y aunque la música no alcanzó el éxito del libro, algunos números gustaron mucho, repitiéndose la "Canción del calabrés". La tendencia, sin embargo, se quebró cuando presentó su opereta *La canción húngara*, de clara influencia de Lehár, y que disponía de un libro de Muñoz Seca y Pedro Pérez, que tras su estreno en el Cervantes sevillano en 1911, casi como una muestra de agradecimiento tras la entusiasta recepción de *Molinos de viento*, llegó al Apolo donde, según Chispero, "el libro no gustó ni poco ni mucho y a más pareció al público y a la crítica un plagio de *La tempranica* y *La buena ventura*". Sobre la música, señala el comentarista que "tampoco fue cosa mayor. Dionisia Lahera, que había patrocinado la obra al estrenarla en su beneficio, fue la única que oyó aquella noche algunos aplausos y no muchos". Con libro de Perrín y Palacios se estrenó *El paraguas del abuelo* en el Gran Teatro que, sin embargo, no acabó de cuajar. Durante el año siguiente la mejor obra fue *Canto de primavera*, estrenada en Bilbao en 1912, para pasar posteriormente a Zaragoza y Madrid. Apenas sirvió para mantener su posición, lo mismo que el sainete *Malas-Pulgas*. A principios de 1913 tuvo lugar otra de las grandes referencias del compositor, *Los cadetes de la reina*, opereta en un acto en el modelo vienés adaptado que también practicaban sus contemporáneos Vives, Giménez y Lleó. El éxito fue importante, apoyado por la excelente creación de Sagi Barba y Luisa Vela. Ese mismo año escribió obras como *La cucaña del Solarillo*, 1913, también junto a Muñoz Seca, que fue estrenada en Apolo y donde se certificó que "el libro superaba a la música", obteniendo una buena interpretación de Dionisia Lahera y Lola Membrives. Meses más tarde el mismo teatro presentaba *La alegría del amor*, junto a Cadenas y Asensio Mas, donde apostaba por la opereta de corte erótico, casi arrevistada, con amplios decorados y la inevitable exhibición de hermosas mujeres "ligeras de ropa". Pese al esfuerzo económico de la empresa, la obra pasó bastante desapercibida, lo mismo que *La gloria del vencido*, estrenada a principios de diciembre en el Arriaga bilbaíno y luego llevada al Apolo donde apenas se tomó en cuenta.

En 1914, en unión de Arturo Serrano, Luna se convirtió en el empresario del renacido teatro de la Zarzuela y demandó de Vives una obra de amplias dimensiones, que a punto estuvo de hacer

quebrar a la empresa antes del estreno, aunque el éxito de *Maruxa* fue tal que acabaría proporcionándole un gran empujón. Bajo su responsabilidad artística dio pie a autores como Conrado del Campo, Joaquín Turina, Rafael Millán, Jesús Guridi y el mismo Falla, empeñado en subir el nivel del género lírico. Luna asumió la responsabilidad musical por lo que se convirtió en una de las batutas más experimentadas del momento en el foso de los teatros. Ese año había empezado bien, ya que *La corte de Risalia*, estrenada en 1914, fue muy bien acogida en su estreno en el Apolo debido a que, como señala Chispero, "gustaron los dos actos porque el libro tenía gracia y la música era en un todo acertada, destacando una canción que cantó formidablemente la Marco y hubo de decirla tres veces". En el estreno se repitió también un dúo. La Zarzuela, quizá con menos fortuna, acogió el estreno de *El rey del mundo*, con libro de José María Martín, y *Salambó*, una pieza cómica, en la línea de los libretos de Antonio Paso y Joaquín Abati, que sirvió para lucimiento de Luisa Vela y poco más, aunque dejó a la posteridad una canción que se hizo célebre, "Los ojos negros". A pesar de mantenerse como empresario de la Zarzuela, Luna hizo un hueco para participar en la célebre fiesta del sainete con *La boda de Cayetana*, estrenada en 1915, que subió el nivel ante la presencia de las personalidades regias que asistieron al acto, con un guiño al público a través de un número que parodiaba la *Tosca* de Puccini, entonces título de referencia. De nuevo el Apolo lo recibió con *El patio de los naranjos*, en 1916, que obtuvo una aceptable acogida mientras que *La señorita del cinematógrafo*, una opereta adaptada por González del Castillo, apenas se dejó ver unos días en el teatro Cómico. Ese mismo año, casi por sorpresa, Luna vivió otro de sus mayores éxitos con *El asombro de Damasco*, una zarzuela en dos actos con libro de sus amigos Paso y Abati que se presentaba en Apolo el 20 de septiembre de 1916. Llegó a traducirse al inglés y obtuvo un notable éxito en su presentación en el teatro Oxford de Londres. El mismo año, Luna abordó en el teatro Eslava una pieza dentro del género de la pantomima: *El sapo enamorado*, con libro de Tomás Borrás, estrenada en 1916, fue pensado para Luisa Puchol e Isabel Garcés, a medio camino de la mímica y la danza y obtuvo un rotundo éxito, obligando a la empresa a representarlo dos veces el mismo día. El año siguiente, sin embargo, no fue tan pródigo en éxitos. *La casa de enfrente*, estrenada en 1917, con libro de los Quintero, fue duramente atacada, lo que Chispero justifica por ser "una obra que estaba muy alejada del ambiente y tradición del Teatro Apolo"; idéntica situación vivieron *El presidente Mínguez* que el público rió sin grandes extremos o *Los postineros* que, pese a un libro de cierta gracia de Asenjo y Torres del Álamo, aguantó poco el peso de la crítica y la falta de interés del público.

Un año más tarde volvió a llegar el éxito. Así, el 5 de febrero de 1918 se estrenó *El niño judío*, con libro de García Álvarez y Antonio Paso, y un éxito inmenso. El público la obligó a repetirla tres veces y el éxito fue, desde ese momento, monumental. El impulso generado al apellido Luna fue considerable hasta el punto de instalarse desde ese momento en uno de los dos o tres referentes absolutos de la lírica española del momento. Este éxito favoreció otras composiciones que también se estrenaron ese año en el Apolo, teatro que, en plena decadencia, se vio obligado a mimar la obra de Luna. Así nació *El aduar*, estrenada en 1918, con un insuficiente libreto de Pellicer que, a pesar del éxito de la conocida como "Canción del camellero", apenas logró mantenerse un par de semanas solo gracias al impulso de Sagi Barba, Vela y Rosario Leonís. Más éxito, dentro de lo que cabe, tuvo *Trini la Clavellina*, 1918, sobre el eterno conflicto de dos mujeres que se disputan el amor de un hombre, planteado con cierta gracia por Fernández del Villar y que fue celebrada por el buen hacer de Paquito Gallego y las Leonís. Mayor importancia tenía *Los calabreses*, 19 de octubre de 1918, una opereta de amplias dimensiones en dos actos con un libreto que todavía firmaba, junto a González del Castillo, el veterano Jackson Veyán. Se había difundido que Luna apostaba por el éxito seguro. La popularidad de la obra se consiguió gracias a dos números, la denominada "Canción del bandido" y la "Serenata". Algunos medios críticos recordaron que la temática era ya muy manida, mostrando con ello su desagrado. A pesar de todo, y gracias a una interpretación excelente del equipo de Apolo, obtuvo un notable éxito que, como señala Chispero, "sin ser tan excepcional como se anunciaba, sí fue lo suficientemente marcado y unánime para asegurar vida centenaria". El año se despidió con el fracaso de *Juanito y su novia*, con un libreto al uso de García Álvarez y Paso que fue despachada con el desinterés general.

Durante 1919 la actividad de Luna, marcada por composiciones que no fueron acogidas con tanto éxito, fue frenética. Algunas, como *Muñecos de trapo*, servían de percha a la comicidad de la compañía Prado-Chicote que mantenía su feudo permanente en el Cómico. Tampoco fue mucho más allá de una aceptable acogida *La mecanógrafa*, 1919, de nuevo una opereta que contenía la inevitable "Canción húngara", que logró una relativa popularidad. Dentro del subgénero conocido como apropósito se ubicó *Pancho Virondo* del dúo García Álvarez y Paso que, siguiendo modelos arrevistados, se llevó a cabo en el Apolo. Aunque fue aplaudida en su estreno y relativamente bien acogida por la crítica, apenas

se mantuvo en cartel. Poca trascendencia tuvieron los estrenos en el Cómico, *¡Llévame al Metro, mamá!*, escrita a medida de Loreto Prado y Chicote, y en el Martín, *El suspiro del moro*, que nuevamente volvía a incidir en la moda exótica del momento, destacándose la zambra. Un año más tarde Luna abordaba una opereta de mayores dimensiones, *Una aventura en París*, 1920, en la que López Montenegro y Ramón Peña presentaban, en tres actos, la típica pieza de aventuras. Nunca llegó a cuajar, pese a la ambición del montaje y el buen hacer de Luisa Puchol. La célebre Argentinita protagonizó un breve sainete, *La Venus de las pieles*, ofrecida en el Eslava en 1920, dentro del espectáculo *Kursaal* de Gregorio Martínez Sierra y para la que Luna adaptó algunos fragmentos musicales de gran sencillez que, sorprendentemente, llegaron incluso a ser conocidos por el público.

De abundante puede considerarse la actividad de 1921, aunque escasa de acontecimientos. Se abrió con *Su Alteza se casa*, de nuevo una opereta donde Luna colaboraba con Sinesio Delgado, 19 de enero de 1921, que nunca había logrado ser un libretista de éxito. En esta ocasión, tampoco fue una excepción. La buena actuación de la veterana, y ya en cierta decadencia, Joaquina Pino, no logró imponer la obra en el Infanta Isabel. El éxito del cuplé "Espuma de champán", cantado por Consuelo Hidalgo, no resultó suficiente para darle una amplia proyección a *Los papiros*, 1921, una zarzuela en tres actos de los Quintero donde el célebre dúo jugó la carta del andalucismo aunque sin el impacto de otras obras. Pese a ello, dos fragmentos, la "Canción andaluza" y un "Bolero", fueron bien recompensados por el público. *El querer quita el sentío* con libro de García Iniesta, 1921, teatro Apolo, incidía en el modelo de una zarzuela de costumbres madrileñas en un acto que, como transcribe Chispero, "era un sainete melodramático en cuyo patetismo el público no quiso entrar ni aun apoyándose en la melódica partitura que puso el maestro aragonés". Como contrapeso a *Las corsarias* de Alonso que, por aquel entonces hacían furor, se estrenó *Ojo por ojo* en el teatro Martín, 1921, sin demasiada trascendencia. Curioso fue el encuentro de Luna con Vives con *El sinvergüenza en palacio*, una zarzuela bufa en tres actos, con texto de Muñoz Seca y Pérez Fernández, cuyo estreno, en 1921, recibió un pateo considerable. El periódico *La Libertad* reclamaba que "esta obra es muy propia para estrenarse en la cabila de Beni Urriaguel pero no en la histórica Catedral del género chico". A pesar de todo, el público fue entrando en la obra y, progresivamente, llegó a ser muy bien acogida. Un año después compuso piezas de menor trascendencia en el desarrollo de Luna, como *Los dragones de París*, 15 de abril de 1922, que se proyectó popularmente gracias a la conocida como "Canción del capitán de dragones" o *Los apuros de Pura*, pieza menor, calificada como "farsa matrimonial", 1922, planteada para servir un típico libreto cómico, casi un vodevil, de Antonio Paso y diseñada para las características, más bien modestas, del teatro Martín. El gran acontecimiento de esta época, sin embargo, llegó con el estreno de *Benamor*. Precedida por una revista en tres actos, *La tierra de Carmen*, 1923, en colaboración con Joaquín Valverde Sanjuán, concebida para la compañía de Eulogio Velasco, que pasó sin más por la programación, la opereta *Benamor*, 1923, fue uno de los mayores acontecimientos de la vida artística de Luna así como del teatro de la Zarzuela donde se estrenó. El libro estaba escrito por dos habituales colaboradores con los que el músico aragonés trabajaba muy a gusto, Antonio Paso y González del Toro. La composición musical es una de las más ambiciosas de Luna, con casi una veintena de números. Luna y sus libretistas volvieron a jugar las bazas que habían conseguido el éxito de *El niño judío*. El éxito fue rubricado por la interpretación donde tanto Esperanza Iris como Enrique Ramos obtuvieron el aplauso de público y crítica. La opereta fue llevada a Londres, donde se estrenó en 1924. Los mismos autores intentaron ese mismo año retomar el éxito con *La moza de campanillas*, en la Zarzuela, aunque quizá por la temática o porque el público percibió que se trataba de una obra de segundo nivel, no obtuvo igual éxito, pese al buen hacer de Esperanza Iris, en ese momento en la cumbre de su carrera, ni de Luisa Vela o Emilio Sagi Barba. Apenas un día más tarde la música de Luna sonaba en el teatro Price con *Su Majestad*, composición menor lastrada por un libreto de escasa trascendencia.

La actividad del músico maño durante los años siguientes fue, de nuevo, frenética, como correspondía a los compositores del momento. Así, durante 1924 presentó tres títulos y, casi sorprendentemente, en 1925, seis piezas que, en casi ningún caso tuvieron mayor trascendencia que el proyectarse durante unas semanas y mantener el nombre de Luna en candelero. *Rosa de fuego*, 1924, es una obra de amplias dimensiones, en tres actos, con libreto de Paso y Borrás donde la temática, las aventuras de una andaluza con un príncipe oriental, era reiterativa. En su estreno fue bien acogida gracias a la música que servía de apoyo a los bailes, coreografiados por Sacha Goudine, cada vez más presentes en las operetas y zarzuelas del momento, así como permitía el lucimiento de las estrellas en mayor medida que aquellas piezas concebidas para ser popularizadas que, en esta ocasión, eran un "Canto a Sevilla" y la "Canción del pirulí". No es de extrañar que María Caballé y Eugenia Galindo obtuvieran notorios éxitos. Sin embargo, la euforia inicial se fue desfondando y la empresa de Eulogio Velasco perdió mucho dinero en la inversión. El modelo opereta volvía a imponerse en *La joven Turquía*, estrenada en 1924 en el tívoli de Barcelona y luego representada al año siguiente en el Pavón de Madrid. A pesar del buen hacer de Rosario Leonís, la composición no cuajó en el repertorio. Mayor impacto popular tuvo con *Calixta la prestamista*, 1924, un sainete con libro de García Álvarez y Luque que, sin embargo, ayudó a salvar el comienzo del otoño en el Apolo, alternando en éxito con *La bejarana*. El año siguiente fue una demostración sorprendente de actividad por parte de Luna. Pero ni *El anillo del sultán* ni *La paz del molino*, 1925, presentadas en el Apolo y el Pavón, respectivamente, aportaron un ápice a la memoria de éxitos del compositor. Mayor ambición había en *Sangre de reyes*, una colaboración junto a Francisco Balaguer, 1925, defendida con éxito por Ramón Peña y Rosario Leonís. Centrada su producción en el teatro Pavón, malamente se impuso *El tropiezo de la Nati* con texto de Arniches y Antonio Estremera, 1925, ni *Las espigas*, en colaboración con Enrique Bru. Y, desde luego, su aparición en el teatro Martín con *Los ojos con que me miras*, una mera humorada al servicio de un insustancial libro de Paso y González del Toro, apenas sirvió para darle un pequeño empujón. Todavía la figura de Luna se yergue como el gran referente de la década, junto a Guerrero, Vives y Alonso. Al año siguiente con el estreno de

Pablo Luna (Foto: Legado Luna; Ar. SGAE)

Las musas del Trianón en la Zarzuela, aparecía su nombre tanto en el coliseo de Jovellanos como en la catedral de Apolo, donde se reponía *Benamor*. Pese a tratarse de una pieza de ambición, *Las musas del Trianón* en tres actos, con libreto de Ramos Martín y García Pacheco no funcionó. Allí sus autores se dejaban guiar por la moda que exaltaba el mundo dieciochesco. Pese al buen hacer de Felisa Herrero, no logró imponerse. El Novedades acogía *La pastorela*, junto a Moreno Torroba, donde Sagi Barba se imponía con su "Canto a Castilla". *Las mujeres son así*, donde el trío Paso, González del Toro y Luna hicieron un trabajo de oficio para el Apolo, obtuvo, según Chispero, "un éxito mediano. De la partitura se aplaudieron y repitieron un terceto y un charlestón que bailaron muy bien Frontera y Consuelito Hidalgo". Los años siguientes fueron considerablemente menos intensos en actividad. *El fumadero*, donde volvió a colaborar con Moreno Torroba, no pasó de un éxito mediano en el teatro Martín. Pese al esfuerzo considerable que supuso *La manola del Portillo*, en tres actos, estrenada en 1928 en el Pavón y la buena acogida que recibió Emilio Carrère, apenas proporcionó unos días de éxito. El mismo problema pareció encontrarse *La chula de Pontevedra*, del mismo año en colaboración con Enrique Bru. El libro fue vapuleado porque la crítica y un amplio sector del público consideraron que el asunto se había estirado demasiado. Así, y pese a los golpes de ingenio de los libretistas, se señaló que los compositores no habían estado demasiado afortunados. En todo caso el estreno fue relativamente bien por el excelente trabajo de Selica Pérez Carpio, la Yankee y el resto de la compañía que se proyectó en el tiempo, convirtiéndose en una de las pocas obras del autor que permaneció en el repertorio.

Con *La pícara molinera*, estrenada en 1928 en el teatro Circo de Zaragoza y que un par de meses más tarde fue llevada al teatro Apolo, Luna obtuvo su último gran éxito, quizá por tratarse de la obra maestra de su madurez. Cuenta con un libro donde se han señalado algunas referencias a *El sombrero de tres picos* de Alarcón aunque basado en una novela de Camín, ambientado en Asturias. El compositor fue acogido con gran éxito en su tierra natal, gracias a una brillante compañía liderada por dos ilustres voces, el barítono Marcos Redondo y la tiple Sélica Pérez Carpio, al lado de valores sólidos como Trini Avelli y Victoria Racionero. En su estreno en el Apolo fue acogida también con idéntico éxito. Chispero califica a la partitura de "extraordinaria, en la que la inspiración y fina técnica del baturro alcanzó grados poco frecuentes de sublimación". A pesar de que el público "de las localidades altas no se decidió a entusiasmarse con la magnífica zarzuela", sin embargo, se mantuvo en cartel unas semanas. La crisis general teatral que se vivía en la época hizo que la obra no acabara de cuajar en el cartel de Apolo. Ruiz Albéniz lo achaca al "mal sino del popularísimo teatro que estaba ya escrito y con caracteres indelebles en el libro del destino". Así *La pícara molinera* empezó a claudicar rápidamente debido a las indisposiciones de la compañía, fruto de un invierno muy duro, y del desinterés del público. En el resto de su producción Luna no volvió a rememorar sus éxitos previos. El año siguiente se abrió para Luna con la revista *El antojo*, 1929, a mayor gloria de la eximia Celia Gámez única responsable de la aceptable acogida. Ni *El caballero del guante rojo*,

donde Luna rescataba una música anterior, ni *La mujer de su marido*, sainete en un acto para el teatro Chueca, merecieron más allá de éxitos medianos y no demasiado duraderos.

La década de los treinta fue especialmente difícil tanto por la contienda civil, 1936-39, que Luna vivió con gran dolor, como, en el terreno lírico, por el declive imparable de la zarzuela frente a otro tipo de espectáculos más ajustados a la realidad y al coste del momento. El éxito, además, pasó de soslayo por el trabajo de Luna que, además, se vio obligado a limitar considerablemente su producción. Están piezas como la zarzuela cómica *Flor de Zelanda*, 1930, llena de tópicos o *La moza vieja* inusual colaboración junto a Federico Romero y Guillermo Fernández Shaw, donde los autores de *Doña Francisquita* parecían aspirar a reconquistar el apoyo del público con un guión de mayor interés, algo hinchado que, el tiempo, obligó a reducir. Los intérpretes favoritos del momento, sobre todo Sélica Pérez Carpio y el excelente Juan García, no fueron suficientes para mantenerla en el repertorio. Tampoco lo consiguió con *¡Cómo están las mujeres!*, 1932, una revista hábil concebida para el lucimiento de intérpretes, más celebradas por su físico que por su labor canora, como Tina de Jarque y Pilar Escuer; *Los moscones*, del mismo año, donde la tentativa era recuperar el sainete de costumbres madrileñas ya en desuso; *Las peponas*, 1934, vuelta a la revista con la inevitable presencia de elementos exóticos y bailes de arlequines; *Al cantar el gallo*, 1935, una opereta bufa que tenía como mayor interés su ubicación en el Cuaternario que, sin embargo, no fue suficiente para arrancar el aplauso de un público demasiado preocupado por el ambiente prebélico. Los años de la Guerra Civil fueron, inevitablemente, de total ausencia de la cartelera por lo que debió esperar hasta su finalización, en 1939, para volver a ella, por cierto con fuerza, ante el deseo del público de recuperar una falsa cotidianeidad. Vinieron allí *Quién te puso Petenera*, 1939, un sainete intrascendente estrenado sin apenas medios; *Currito de la Cruz*, inspirado en una novela de Alejandro Pérez Lugín, 1939, que obtuvo un notable éxito en el momento quizá gracias a la aplaudida canción "Las campanas de Sevilla", donde el tipismo regionalista alcanzaba otra dimensión después de la guerra o *La gata encantada*, 1939, con libro de Tellaeche y Silva Aramburu, basada en una leyenda ubicada y desarrollada en Japón con aceptable éxito aunque sin trascendencia. En el catálogo de Luna todavía aparecen algunas piezas como *Las Calatravas*, última tentativa de ambición, concebida en tres actos, estrenada en 1941, donde volvía al espíritu de la comedia romántica que tanto éxito había tenido en su colega Vives con *Doña Francisquita*. La obra fue reconocida y aplaudida, tanto por el público como por los críticos, aunque era imponente por sí misma para luchar contra la decadencia de un género que se hallaba en franco declive ante los innumerables costes que planteaba frente al cinematógrafo, cada vez más activo y pujante. El propio Luna colaboró con este último con algunas bandas sonoras para películas como *Miguelón*, basado en la vida de Fleta, *El negro que tenía el alma blanca*, *Una aventura oriental* o *La farándula*. A su regreso de Barcelona en 1942, donde se había estrenado *Las Calatravas*, Luna enfermó, y un ataque de uremia lo postró definitivamente.

Como muestra de su popularidad, su entierro fue una impresionante demostración pública de dolor, con presencia del Ministro de Educación y de las personalidades del momento. El cortejo desfiló ante los teatros donde había triunfado, siendo homenajeado por sus respectivas orquestas como era habitual. Todavía el 12 de octubre de 1944 se estrenó en el teatro Principal de su ciudad natal su obra póstuma, *El Pilar de la victoria*, con libro de Manuel Machado y completada por Julio Gómez concluida a instancias de su viuda, llena de evidentes alegorías al régimen triunfador de la guerra. Esta pieza todavía se llevó al Arriaga de Bilbao, para desaparecer definitivamente de los carteles sin haber conocido su estreno en Madrid.

II. ANÁLISIS Y VALORACIÓN DE SU OBRA. Pablo Luna pertenece a lo que puede considerarse la generación de zarzuelistas de transición entre el género chico y la opereta. Era algo más joven que Vives, Lleó, José Serrano y prácticamente de la misma edad que Penella. También por edad está muy próximo a Falla, Conrado del Campo, Joaquín Turina y Jesús Guridi. Queda bastante lejos de los Guerrero, Sorozábal y Moreno Torroba que, con sus aportaciones, cierran la época dorada de la zarzuela coincidiendo con la etapa post-bélica. Es importante enmarcar adecuadamente la producción de Luna –extensa y de gran trascendencia en la evolución del género lírico–, en la realidad de éste. Cuando a principios del siglo XX, Luna se acerca a los escenarios, la herencia recibida viene influida por cuatro

Pablo Luna (Foto: Legado Luna; Ar. SGAE)

grandes figuras: Chapí, Fernández Caballero, Chueca y Giménez. En el caso de este último todavía proyectó algunas composiciones de cierta entidad a la segunda década del XX, pero los tres primeros, sin embargo, desaparecen antes de 1909. Su muerte coincide con la decadencia del género chico que aguantó todavía algún tiempo. El pintoresquismo, la exaltación de la sicalipsis y, con ella, del erotismo potenciada por el género ínfimo y la revista la competencia cada vez mayor del cinematógrafo, componen el terreno sobre el que se construye la obra de Luna en una primera instancia. Paralelamente están surgiendo nuevas voces que se convertirán en referencias absolutas, sobre todo Amadeo Vives y José Serrano, quizá los compositores más populares del momento hasta la llegada de Luna. Estos autores, sobre todo el primero, el principal hasta los años treinta, aportan algunas novedades como la influencia de la ópera, que se hace evidente en *Bohemios* y, sobre todo, de la opereta vienesa de Lehár, heredada de Strauss, aunque mucho más sofisticada y, en cierta medida, decadente. No son las únicas influencias a las que Luna fue sensible. El culto a los paisajes exóticos se haría cada vez mayor. La presencia de Asia en Europa –tanto el Extremo como el Próximo Oriente– era casi inevitable. Desde la Guerra de los Boers hasta la desintegración del Imperio Turco, aireadas continuamente por los periódicos, sin olvidar las guerras del norte de África, ubican a los espectadores ante un potencial mundo que la música supo subrayar. Es la época en la que se pusieron de moda las creaciones de Rimski Korsakov, sobre todo *Sheherezade*, que articuló un lenguaje lleno de referencias exóticas mientras triunfa *Madama Butterfly* con sus melodías extraídas del folclore japonés, a la par que las exposiciones universales facilitaban el encuentro cultural con mundos alejados. También se percibe la influencia del jazz y de los bailes americanos (cake walk, fox trot), la exaltación del neoclasicismo y, cómo no, la integración del folclore español, un folclore estandarizado pero que, para el público del momento, identifica a la perfección los tipos populares de las distintas regiones españolas. Luna pertenece además, en el terreno instrumental y en el armónico, a la generación que ha asimilado perfectamente las lecciones de Wagner, además de Verdi, y de los compositores franceses, especialmente Ravel y en alguna medida Debussy.

Todo ese mundo está en Luna, un compositor que tuvo además una evolución lenta y sostenida, fruto de una educación autodidacta. Dotado de una capacidad melódica sorprendente que en su época sólo fue igualada por la de Vives, otro autodidacta, aprendió con inusitada facilidad el oficio en parte por su vínculo con el foso de la orquesta. No hay que olvidar que desde un principio él se dio a conocer precisamente gracias a su habilidad con la batuta. Hasta casi el final de su trayectoria artística fue responsable de los estrenos y de la labor de ensayos. El trato diario con los músicos debió ser, sin duda, un buen conocimiento de la orquestación y le facilitó el control del equilibrio entre voces e instrumentos. Su labor en este campo no fue nunca la de un compositor de academia. Falta en ella quizás ese toque de sabiduría que se produce como resultado de una formación de elite. Sus orquestaciones son siempre eficaces, pensadas al servicio de las voces y casi nunca concebidas con proyección sinfónica como sí hay en muchas obras de Vives. Sus preludios o intermedios, con alguna excepción como el de *La pícara molinera*, apenas tienen mayor ambición que el de ser una transición o un prólogo. Mucho más interés tienen, sin embargo, sus danzas, sobre todo las exóticas, donde Luna es capaz de asimilar lo más novedoso del lenguaje de la época y adaptarlo al público convencional que llenaba las salas de los teatros españoles. Algunos excelentes ejemplos son *El niño judío* o *Benamor*, entre las más populares. En algunos momentos Luna se deja llevar por el tono pomposo y algo vacío procedente de la instrumentación de la opereta vienesa, como se aprecia en *Los cadetes de la reina*, al que tampoco fueron ajenos ni Vives ni Giménez. Pero en líneas generales se encuentra en su orquesta una buena factura, siempre al servicio vocal y muy bien dosificada. Quizá la mejor definición de su talento en este campo la proporcionaba Conrado del Campo en su necrológica cuando afirmaba que Luna era un compositor "de formación completa, de elevado concepto de su arte, armonista de la más exquisita sensibilidad, orquestador de rica y luminosa paleta y de un claro sentido de la forma!".

En el aspecto vocal es evidente el proceso de evolución. En una primera instancia Luna, lo mismo que Vives y, en menor medida, Serrano, fueron excelentes alumnos de las obras maestras de Chapí. Las romanzas más populares de Luna, sobre todo aquellas que tienen un marco folclórico, son hijas de *La leyenda del monje*, *La chavala* o *El barquillero* del autor alicantino, como se constata en *La chula de Pontevedra* o *El niño judío*. Sin embargo, hay un proceso de liberación, que se acerca al modelo de la canción / romanza del siglo XX, tan divulgada por el cine y luego por el fonógrafo, basada en una melodía menos aferrada a los ritmos folclóricos, influida tanto por los melodistas italianos, sobre todo Tosti, como por el lenguaje post verista de Puccini y, sin duda, de Lehár. Este último caso se constata en el dúo "He pasado la vida en un sueño" de *Molinos de viento*, que es una traslación casi completa de una melodía lehariana. O la romanza de Pinto de *La pícara molinera* como ejemplo de ello, donde las referencias, casi guiños, al folclore asturiano pasan por el tamiz de la opereta. Hay que resaltar, en todo caso, que si bien no demandan voces de grandes cualidades técnicas, las exigencias expresivas de sus composiciones son considerables. Las grabaciones que han llegado de obras como *Molinos de viento* y *La pícara molinera*, estrictamente contemporáneas del compositor, demuestran las exigencias expresivas de un Marcos Redondo, una Mary Isaura o de la no menos conocida Sélica Pérez Carpio. Se aprecia cómo el cantante tiene una cantidad de registros, incluyendo el falsete y la media voz, que no aparecen explícitos en la partitura. En alguna medida Luna parece recuperar el espíritu de los compositores barrocos, donde se deja cierta libertad al intérprete.

En el apartado coral hay que señalar que precisamente los grandes coros vienen determinados por su alto coste en una época en la que los sindicatos habían conseguido las mejoras de sus artistas en perjuicio de unos espectáculos que renqueaban. De ahí que el coro adquiera un papel secundario en la mayoría de sus títulos. Solamente tienen una mayor presencia en aquellas piezas en los que los empresarios invertían en espectáculos de amplias dimensiones. Aquí Luna se mueve entre el coro de influencia popular, basado en melodías y ritmos de carácter más o menos folclorizado y el que parece importado del mundo de la opereta. La larga vida del compositor le permitió asistir a la desintegración del género de la zarzuela, debido a los elevados costes y decadencia tras la Guerra Civil. Tomás Marco afirma que "fue en cierto modo una víctima de la época zazuelera que le tocó. Un poco antes, quizá su producción tendría otra dimensión, si bien lo que nos dejó no es desdeñable". Con media docena de títulos en el repertorio, la obra de Luna necesita a pesar de todo una amplia revisión ya que entre el centenar largo de creaciones hay piezas y fragmentos, sobre todo espléndidas romanzas, que requerirían una antología para constatar su calidad, ya que reflejan el saber hacer de uno de los compositores más importantes del género y referencia absoluta entre 1910 y 1930. *Véase* EL ASOMBRO DE DAMASCO; BENAMOR; LOS CADETES DE LA REINA; LOS CALABRESES; LAS CALATRAVAS; MOLINOS DE VIENTO; EL NIÑO JUDÍO; LA PÍCARA MOLINERA.

OBRAS (Todas conservadas en *E:Msa*): *La escalera de los duendes*, Jug cóm-lír, 1 act, l, M. Navarro, est, 12-II-1904, Te. Campos Elíseos (Bilbao); *La rabalera*, Zarz, l, M. Urbano, est, 29-IX-1904, Te. Pignatelli (Zaragoza); *La corte de Júpiter*, ensueño cóm-lír extravagante, 1 act, col. E. Fuentes Oejo, l, R. Pérez Olivares, est, 7-XII-1906, Te. Nuevo (Barcelona); *El gran embustero*, Zarz cóm, 1 act, l, M. Fernández de la Puente, est, 17-VI-1908, Coliseo Imperial; *Musetta*, Opt, 1 act, l, L. Pascual Frutos, est, 13-VII-1908, Te. Ideal; *La fiesta del Carmen*, Zarz dramática, 1 act, col. P. Córdoba, l, C. Servet, est, 20-VIII-1908, Salón Madrid; *Oro y sangre*, Zarz melodramática, 1 act, l, M. Portolés, est, 24-XII-1908, Te. Lo Rat-Penat (Barcelona); *¡A, C, y T...! ¡Que se va el tío!*, epitafio cóm-lír-conservador, 1 act, col. T. Barrera, l, Fernández Palomero, est, 27-II-1909, Te. Zarzuela; *Las lindas perras*, Sai, 1 act, col. R. Calleja, l, J. Moyrón, est, 5-V-1909; *Pura la cantaora*, Sai lír, 1 act, l, E. Montesinos/F. Porset, est, 25-VI-1909, Te. La Latina; *Las once mil vírgenes*, tontería femenina, 1 act, l, M. Fernández Palomero/C. Pérez, est, 28-VI-1909, Te. Tívoli; *La escollera del diablo*, Zarz, 1 act, l, E. Montesinos/A. Otón, est, 7-IX-1909, Te. La Latina; *El club de las solteras*, Pasa cóm-lír, 1 act, col. L. Foglietti, l, M. Fernández de la Puente/L. P. Frutos, est, 14-X-1909, Te. Zarzuela; *La reina de los mercados*, Opt, 1 act, l, G. Perrín/M. Palacios, est, 3-XII-1909, Gran Teatro; *Vida de un príncipe*, Rv, l, López Monís/A. Mas, est, 6-X-1909, Te. Príncipe Alfonso; *El paraguas del abuelo*, cuento fantástico, 1 act, col. T. Barrera, l, G. Perrín/M. Palacios, est. 22-XI-1909, Gran Teatro; *Salón Moderno*, Apr cóm-lír-bailable, 1 act, l, E. Povedano, est, 29-XII-1909, Te. Barbieri; *¡Llega la derecha!*, recomendación, 1 act, l, J. Aguado Pérez, est, 21-VI-1910, Royal Kursaal; *Vida de príncipe*, aventura cóm-lír-fantástica, 1 act, col. L. Foglietti, l, A. López Monís/R. Asensio Mas, est, 6-X-1910, Te. Príncipe Alfonso; *Molinos de viento*, Opt, 1 act, l, L. Pascual Frutos, est, 2-XII-1910, Te. Cervantes (Sevilla); *Huelga de criadas*, Zarz, 1 act, col. L. Floglietti, l, A. M. Viérgol, est, 20-XII-1910, Te. Novedades; *El dirigible*, Fant cómlír, col. A. Escobar y Rodríguez, l, E. González del Castillo/F. Noriega/J. Tellaeche, est, 6-II-1911, Te. Martín; *Sangre y arena*, Zarz, 1 act, col. P. Marquina, l, G. Jover/E. González del Castillo, est, 26-IV-1911; *Las hijas de Lemnos*, Fant cómlír, 1 act, l, M. Fernández de la Puente/L. P. Frutos, est, 2-IX-1911, Te. Apolo; *La canción húngara*, Opt, 1 act, l, P. Muñoz Seca/P. Pérez Fernández, est, 23-IX-1911, Te. Cervantes (Sevilla); *La Romerito*, Com lír, 1 act, col. R. Calleja, l, R. Asensio Mas, est, 31-X-1911, Te. Apolo; *Canto de primavera*, Opt 2 act, l, L. Pascual Frutos, est, 25-IV-1912, Teatro Arriaga (Bilbao); *Malas-Pulgas*, Sai lír, 1 act, col. A. San Nicolás, l, M. Fernández Palomero, est, 31-V-1912, Te. Novedades; *Los cadetes dela Reina*, Zarz, 1 act, l, J. Moyrón, est, 18-I-1913, Te. Price; *La cucaña de Solarillo*, Zarz, 1 act, l, S. Alonso/P. Muñoz Seca, est, 21-I-1913, Te. Apolo; *La alegría del amor*, Fant lír, 1 act, l, R. Asensio Mas/J. Cadenas, est, 24-V-1913, Te. Apolo; *La gloria del vencido*, Opt, 1 act, col. M. Amenazábal, l, González del Castillo, est, 2-XII-1013, Te. Arriaga (Bilbao); *El rey del mundo*, Opt, 2 act, l, J. M. Martín de Eugenio, est, 11-IV-1914, Te. Zarzuela; *La corte*

Cortesía de Unión Musical Ediciones SL

de Risalia, Zarz, 2 act, l, A. Paso, est, 11-IV-1914, Te. Apolo; *El potro salvaje*, Zarz cóm, 1 act, l, A. Paso/J. Abati, est, 28-IV-1914; *Salambó o los ojos de mi morena*, Zarz cóm, 2 act, l, A. Paso/J. Abati, est, 24-XII-1914, Te. Zarzuela; *La sultana*, Zarz, 1 act, col. A. Lapuerta, l, L. Candela/E. Nieto, est, 9-I-1915; *Amores de aldea*, Com lír, 2 act, col. R. Soutullo, l, J. G. Renovales/F. García Pacheco, est, 16-IV-1915; *La boda de Cayetana o Una tarde en Amaniel*, Sai lír, 1 act, l, A. Torres del Álamo/A. Asenjo, est, 28-IV-1915, Te. Apolo; *Ni rey, ni Roque*, Zarz, 1 act, l, M. Merino/J. M. Martín de Eugenio, est, 9-VI-1915, Te. Zarzuela; *Sybill*, Opt, 3 act, adap de V. Jacobi, l, E. González del Castillo, est, 23-VI-1915, Te. Zarzuela; *El patio de los naranjos*, Sai de costumbres cordobesas, l, J. Pellicer/J. Fernández del Villar, est, 11-II-1916, Te. Apolo; *La señorita del cinematógrafo*, Opt extranjera, 3 act, adap de K. Weinbergen, l, E. González del Castillo, est, 15-V-1916, Te. Cómico; *La guitarra del amor*, Fant musical, 1 act, col. T. Bretón/G. Giménez/A. Vives/T. Barrera/R. Villa/E. Bru/R. Soutullo/E. Anglada, l, G. Perrín/M. Palacios, est, 16-V-1916, Te. Zarzuela; *Jack*, Opt, 3 act, adap de V. Jacobi, l, E. González del Castillo, est, 16-IX-1916, Te. Zarzuela; *El asombro de Damasco*, Zarz, 2 act, l, A. Paso/J. Abati, est, 20-IX-1916, Te. Apolo; *El sapo enamorado*, pantomima, 1 act, l, T. Borrás, est, 2-XII-1916, Te. Eslava; *La casa de enfrente*, Zarz cóm, 1 act, l, Hnos. Álvarez Quintero, est, 20-III-1917, Te. Apolo; *El presidente Mínguez*, astrakanada lír, 1 act, l, P. Pérez Fernández/F. Luque, est, 13-VI-1917, Te. Apolo; *Los postineros*, Sai, 1 act, col, L. Foglietti, l, A. Asenjo/Torres del Álamo, est, 2-XI-1917, Te. Apolo; *El niño judío*, Zarz, 2 act, l, E. García Álvarez/A. Paso, est, 5-II-1918, Te. Apolo; *El aduar*, Zarz, 2 act, l, J. Pellicer, est, 11-V-1918, Te. Apolo; *Trini la Clavellina*, Zarz, 1 act, l, J. Fernández del Villar, est, 29-VI-1918, Te. Apolo; *Los calabreses*, Opt, 2 act, l, J. Jackson Veyán/E. González del Castillo, est, 19-X-1918, Te. Apolo; *Juanito y su novia*, diablura cóm-lír, 2 act, l, E. García Álvarez/A. Paso, est, 23-XII-1918, Te. Apolo; *Muñecos de trapo*, farsa cóm-lír, 2 act, l, A. Paso, est, 22-II-1919, Te. Cómico; *La mecanógrafa*, Opt, 2 act, l, M. Fernández de la Puente, est, 7-V-1919, Te. Centro; *Pancho Virondo*, Zarz, 2 act, l, E. García Álvarez/A. Paso, est, 31-X-1919, Te. Apolo; *¡Llévame al Metro, mamá!*, Zarz, 1 act, A. Asenjo/Torres del Álamo, est, 29-XI-1919, Te. Cómico; *El suspiro del moro*, Zarz, l, López Monís/L. Núñez, est, 19-XII-1919, Te. Martín; *La mujer artificial o La receta del doctor Miró*, Pasa cóm-lír, 3 act, l, C. Arniches/J. Abati, est, 24-XII-1919, Te.

Reina Victoria; *Una aventura en París*, Opt, 3 act, l, R. López-Montenegro / R. Peña, est, 21-II-1920, Te. Centro; *La Venus de las pieles*, Sai, 1 act, l, Torres del Álamo / A. Asenjo, est, 9-IV-1920, Te. Eslava; *Su alteza se casa*, Opt, l, S. Delgado, est, 19-I-1921, Te. Infanta Isabel; *Los papiros*, Zarz cóm, 3 act, Hnos. Álvarez Quintero, est, 25-II-1921, Te. Reina Victoria; *El querer quita el sentío*, Zarz de costumbres madrileñas, 1 act, l, C. García Iniesta, est, 27-IV-1921, Te. Apolo; *Ojo por ojo*, Hum, lír, 1 act, l, A. Paso / J. Rosales, est, 15-X-1921, Te. Martín; *El sinvergüenza en palacio*, col. A. Vives, l, M. Seca / P. Pérez Fernández, est, 28-X-1921; *Los dragones de París*, Zarz, 1 act, l, A. Oliveros / J. M. Castellví, est, 15-IV-1922, Te. Apolo; *El apuro de Pura*, farsa matrimonial, 1 act, l, A. Paso, est, 5-X-1922, Te. Martín; *La tierra de Carmen*, Rv, 3 act, l, col. J. Valverde Sanjuán, l, A. Paso / T. Borrás / C. Primelles, est, 10-II-1923, Te. Apolo; *Benamor*, Opt, 3 act, l, A. Paso / R. G. del Toro, est, 12-V-1923, Te. Zarzuela; *La moza de campanillas*, Zarz, 3 act, l, A. Paso / R. González del Toro, est, 10-X-1923, Te. Zarzuela; *Su Majestad*, historieta cóm-lír, 2 act, l, R. Avecilla / G. Merino, est, 12-X-1923, Te. Price; *Rosa de fuego*, aventura, 3 act, l, A. Paso / T. Borrás, est, 22-III-1924, Te. Apolo; *La joven Turquía*, Zarz 2 act, l, E. González del Castillo / C. Palencia (hijo), est, 25-IX- 1924, Te. Tívoli (Barcelona); *Calixta la prestamista o El niño de Buenavista*, Sai, 1 act, l, E. García Álvarez / F. Luque, est, 15-X-1924, Te. Apolo; *El anillo del Sultán*, Zarz Bu, 2 act, l, L Blanco / J. Lloret, est, 6-II-1925, Te. Apolo; *Sangre de reyes*, Zarz, 2 act, col. F. Balaguer, l, A. Torres del Alamo / A. Asenjo, est, 3-VI-1925, Te. Pavón; *La paz del molino*, Zarz, 2 act, l, L. Manzano / M. de Góngora, est, 10-VI-1925, Te. Pavón; *Los ojos con que me miras*, Hum lír, 1 act, A. Paso / R. González del Toro, est, 10-IX-1925, Te. Martín; *El tropiezo de la Nati o Bajo una mala capa*, Sai, 2 act, l, C. Arniches / A. Estremera, est, 29-X-1925, Te. Pavón; *Las espigas*, Zarz, 2 act, col. E. Bru, l, E. Paradas / J. Jiménez, est, 18-XII-1925, Te. Pavón; *Las musas del Trianón*, Zarz, 3 act, l, F. García Pacheco / J. Ramos Martín, est, 20-X-1926, Te. Zarzuela; *La pastorela*, Zarz, 3 act, col. F. Moreno Torroba, l, F. Luque / E. Calonge, est, 10-XI-1926, Te. Novedades; *Las mujeres son así o Amor con amor se gana*, Sai, 2 act, l, A. Paso / R. González del Toro, est, 12-XI-1926, Te. Apolo; *El fumadero*, Zarz, col. Moreno Torroba, l, F. Luque / F. de Torres, est, 1-XII-1927, Te. Martín; *La Manola del Portillo*, Zarz, 3 act, l, E. Sánchez Carrere / F. G. Pacheco, est, 21-I-1928, Te. Pavón; *La chula de Pontevedra*, Sai, 2 act, col. E. Bru, l, E. Paradas / J. Jiménez, est, 27-II-1928, Te. Apolo; *¡Ras ras!*, Hum, 1 act, col. M. Penella, l, F. de Torres / A. Paso, est, 4-XII-1928, Te. Martín; *La pícara molinera*, Zarz asturiana, 3 act, l, P. Monterde Marcos / E. Fernández Galván / A. Torres del Álamo / A. Asenjo y Pérez Campos, est, 28-X-1928, Te. Apolo; *El antojo*, travesía cóm-lír, 2 act, l, A. Paso / T. Borrás, est, 13-III-1929, Te. Romea; *El caballero del guante rojo*, Zarz, 2 act, l, E. González del Castillo / J. Pérez López, est, 4-V-1929, Te. Centro; *La mujer del marido*, Sai, 1 act, l, J. Fernández del Villar, est, 6-IX-1929, Te. Chueca; *La ventera de Alcalá*, Zarz, 2 act, col. R. Calleja, l, J. M. Granada / D. San José, 9-XII-1929, Te. Zarzuela; *Flor de Zelanda*, Zarz cóm, 2 act, l, A. Carreño / L. Fernández de Sevilla, est, 9-I-1930, Te. Alcázar; *La moza vieja*, Zarz, 2 act, l, F. Romero / G. Fernández Shaw, est, 9-IV-1931, Te. Calderón; *Cómo están las mujeres*, Hum lír bailable, 2 act, l, F. Loygorri, est, 26-III-1932, Te. Maravillas; *¡Toma del frasco!*, Hum vodevilesca, 3 act, l, J. Silva Aramburu / E. Paso, est, 29-IX-1932, Te. Martín; *Los moscones*, Sai, l, A. Carreño / P. Llabrés, est, 25-XI-1932, Te. Ideal; *Las peponas*, Rv, l, E. Povedano / M. Ligero, est, 22-II-1934, Te. Maravillas; *La tasca de Goya*, 2 act, est, 21-XII-1934, Te. Ideal; *Al cantar el gallo*, Opt Bu, l, F. Ramos de Castro / J. L. Mayral, est, 28-II-1935, Te. Romca; *Quién te puso petenera o Una copla hecha mujer*, Opt, l, J. Silva Aramburu, est, 30-VI-1939, Te. Calderón; *Currito de la Cruz*, l, J. Silva Aramburu, est, 15-VII-1939, Te. Calderón; *La gata encantada o Flor del cerezo*, Opt, 2 act, l, J. Tellaeche / J. Silva Aramburu, est, 21-X-1939, Te. Calderón; *Las calatravas*, Com romántica, 3 act, l, F. Tomero / J. Tellaeche, est, 12-IX-1941, Te. Alcázar; *El Pilar de la Victoria*, poema lír-religioso, 2 act, col. J. Gómez, l, M. Machado, est, 12-X-1944, Te. Principal (Zaragoza).

FONOGRAFÍA: *Benamor*, La Voz de su Amo AD 31, CP 25 CP 40, 062080-064205 • Odeón 184834, SO 6360 SO 6376; *¡Como están las mujeres!*, Regal DK 8616 (et. azul), K 2934 K 2935-2; *El asombro de Damasco*, Odeón 121049 (et. marrón), XXS 4973 XXS 4974 • A 138224 A 138225 (et. policolor con figura), SO 1238 SO 1239 • Columbia-Alhambra-BMG MCC 30031 • Electric P 54618 (et. azul), 71.072-71.073 • Gramófono AC 77 (et. burdeos), W 64431 • La Voz de su Amo AE 311 • Victoria 5196, 5247, 5248, 5249 y 5293 • Zafiro-BMG FM-50 • Zafiro-Salvat 1048-2; *El niño judío*, Victoria 5488 y 5494 • Odeón 121080 (et. marrón), XXS 5137 XXS 5147 • Alhambra-Columbia-BMG España WD 71807 (9D) • Discophon (S) 4101 (S) 4102 (S) 4099 (S) 7280 (S) 8038 y (S) 8046 • Columbia R 18142, C 8878 C 8879 • Columbia-BMG-Ariola-Salvat 1027-2 • Columbia-Alhambra-BMG MCC 30045 • Gramófono W 263677, W 264389 a W 264392 (et. verde), 20018 a 20023 • Columbia-Alhambra-BMG MC 25017; *La chula de Pontevedra*, Columbia-BMG España WD 71590 (9D); *La joven Turquía*, Odeón 101221 (et. blanca, naranja y negra), Be 4403 Be 4404; *La pícara molinera*, Columbia-Alhambra-BMG MCC 30036 • Odeón 203122 (et. fucsia), SO 5086 SO 5088 • Regal RS 5018 (et. morada), K 1118 K 1129 • Columbia RG 16214, CCB 5040 CC 851 • La Voz de su Amo AC 137 • Odeón 121041 (et. marrón), XXS 4948 XXS 4949 • Odeón 121188, XXS 5324 XXS 5323 • Regal RS 5525, KX 110 KX 116 • Blue Moon BMCD 7535 • *La sal por arrobas*, La Voz de su Amo AE 3777 (et. verde), OJ 79 OJ 80, 110-2157, 110-2158; *Las campanas de Carrión*, La Voz de su Amo AC 38; *Los cadetes de la reina*, Gramófono 64389-64390 (et. burdeos), 17585u, 17587u • Columbia-BMG MCC 30027 • EMI 7243 5 74341 2 6 (637.05303) • EMI 5 72908 2 (637.36324) • La Voz de su Amo 64389 (et. negra), 17585 • La Voz de su Amo AD 24 (et. burdeos), 02677-02678 • La Voz de su Amo AC 38 • La Voz de su Amo AE 311 • Odeón 184185, SO 6592 SO 6590 • Regal 33 LCX 126 • Victoria 5179, 5180 y 5181; *Los calabreses*, Gramófono W 264409 W 262225 (et. verde), s20306u, s20305u • Victoria 5655, 5656, 5657 y 5829; *Los mosqueteros grises*, La Voz de su Amo AC 35; *Molinos de viento*, A 138373 A 138374 (et. policolor con figura), SO 1416 SO 1418 • Alhambra-BMG España WD 74388 (9D) • Discophon (S) 4100 (S) 7281 (S) 1032 • Columbia-BMG-Ariola-Salvat 1045-2 • Columbia-Alhambra-BMG MCC 30021 • Electric P 54602 (et. azul), 71055-71056 • EMI 7243 5 74226 2 8 (637.02656) • Hispavox 7 67333 2 (637.33875) • La Voz de su Amo AF 387 a AF 391 (et. verde), CN 1079 CN 1080 CN 1081 CN 1085 CN 1086 CN 1087 CN 1090 CN 1091 CN 1098 y CN 1099 • La Voz de su Amo AC 35 • Montilla FM-26 • Odeón 184500 a 184504, SO 6713 a 6715, SO 6718 a SO 6724 • Regal 33 LCX 116 • Victoria 5104, 5105 y 5106 • Zafiro-BMG EPFM-19 • Zafiro LM-3001 (C) • Blue Moon BMCD 7523 y 7535; *Pancho Virondo*, Victoria 5877, 5878 y 5885; *Ris-ras*, Odeón 203107 (et. fucsia), SO 5050 SO 5048; *Roxana la cortesana*, Blue Moon BMCD 7537; *Sangre de reyes*, La Voz de su Amo DB 919.

BIBLIOGRAFÍA: *DMEH*; A. Fernández-Cid. *Cien años de teatro musical en España (1875-1975)*, Madrid, Real Musical, 1975; A. Sagardía: *Luna*, Madrid, Espasa Calpe, 1978; C. Gómez Marco: "El viaje intercontinental de Luna", Madrid, Teatro de la Zarzuela, 2001.

LUIS G. IBERNI

Luna de miel en El Cairo. Opereta en dos actos. Música de Francisco Alonso. Libreto de José Muñoz Román. Estrenada el 6 de febrero de 1943 en el teatro Martín de Madrid.

Personajes y reparto. Martha (Maricarmen, vedette). Myrna (Aurelia Ballesta, tiple). Suzy y Tirolesa (Amparito Pérez, actriz con parte de cantado). Doña Basilisa (Sara Fenor, actriz con parte de cantado). Elena (Pilar Perales, actriz). Lilian y Doncella del Hotel (Margarita Arranz, actriz con parte de cantado). Elsa (Charito Álvarez, corista). Hilda (Maruja Ajenjo, corista). Ketty y Una doncellita (Yoni, corista). Márgara (Mercedes Cerrillo, corista). Blanca (Carmen López, corista). Invitado 1º (Carmina Rodríguez, corista). Invitado 2º (Isabel Sánchez, corista). Amiga 1ª (Victoria del Val, corista). Don Moncho (José Álvarez Lepe, actor cómico). Eduardo (Carlos Casaravilla, tenor). El Mudir (José Bárcenas, tenor cómico). Rufi (Rafael Cervera, actor con parte de cantado). Florido (Luis Heredia, actor con parte de cantado). Ponciano (Tomás González, actor). Maître y Dragomán (Juan Eguiluz, tenor). Lord Clyde (Pedro Taboada, actor). Un policía (Ángel López, actor). Oficiales egipcios, camareras, guardias del Mudir, camareros, recién casados, tiroleses, invitadas, invitados, etc.

Orquestación. Flautín, flauta, oboe, 2 clarinetes, 3 saxos (alto, tenor y barítono), fagot, 2 trompas, 2 trompetas, 3 trombones, timbal, percusión, campanólogo, vibráfono, piano y cuerda.

Argumento. *Acto I.* En un hotel de El Cairo, el joven Eduardo está al piano componiendo una opereta. Los autores del libreto, que se encuentran con él a fin de encontrar inspiración para el argumento y las situaciones de la obra, son Carlota y Pío, ella supuesta musa y él supuesto escritor. Han ido a El Cairo porque Eduardo escuchó por teléfono una voz que, llamándole desde allí, le cautivó con melodía "Ven, que te espero en El Cairo". El pagador del viaje es Don Moncho, un gallego que hizo fortuna en Nueva York gracias a un préstamo del padre de Eduardo con quien quedó en deuda. Para inspirar a Eduardo la composición de música romántica moderna, Carlota y Pío le presentan a Martha, una princesa huida de su casa al querer su padre casarla a la fuerza que está disfrazada de colegiala y accede de inmediato a estas maquinaciones. Cuando llega Eduardo, ella está canturreando "Ven, que te espero en El Cairo", y él cree reconocer la voz que escuchó por teléfono, pero, al verla disfrazada, se desengaña. Ella, sin embargo, le confiesa que es la mujer que le llamó y que se había enamorado de él en un cabaret de Nueva York. En mitad de su cortejo irrumpe Basilisa, que, pretendiendo ser una duquesa rusa, hace de dueña de Martha. Todos se ríen de Eduardo, que ha compuesto un dúo de amor como querían, menos Martha que queda triste por estar enamorada de él.

Llega el Mudir al hotel para detener a un huésped. Basilisa y Martha se alarman, pero Carlota y Pío confiesan que los buscan a ellos, que son en realidad dos amantes fugados. Carlota es Myrna, la hija del ex ministro mexicano de la guerra Ponciano, que se escapó con su novio, Rufi (Pío), un pobre cabo. Ponciano se oponía al matrimonio por haber tenido en su

Ar. Familia Alonso

juventud un desencuentro amoroso con la madre de Rufi. Para evitar que les capturen, Martha se hace pasar por Myrna y Rufi coge la documentación de Eduardo. El Mudir detiene a Eduardo y Martha pensando que son Rufi y Myrna pero, para su sorpresa, no tiene sino orden de casarlos ya que Ponciano y la madre de Rufi, reconciliados, se iban a casar también. Eduardo, que es el único que se mantiene un poco ajeno a la intriga, se encuentra metido en el embrollo y con la obligación de casarse con Martha, a lo cual accede no sin ciertas reticencias. Pactada la boda, vuelve a escena el Mudir satisfecho por haber apresado en el aeropuerto a la princesa Martha –en realidad Myrna– y a su amante el músico español –en realidad Rufi– a quien encarcela.

Acto II. Celebrada la boda, se descubre que el padre de Myrna ha dado al Mudir toda una serie de sobres con las instrucciones. Así, en vez de ir de luna de miel, los recién casados deben quedarse en la residencia del Mudir en un oasis cercano, para que los vigile y, si se llevan bien, les dé una cantidad de dinero. Cuando escapa de la prisión, Rufi, se encuentra con ese problema y empieza a preocuparse porque a Eduardo no le va bien la luna de miel y él teme por su dote. Se presentan el padre de Myrna y la madre de Rufino para pedir a sus hijos consentimiento para casarse y, con ellos, se complica aún más el argumento. Primero porque cada uno habla con el impostor que no conoce: la madre de Rufino habla con Martha creyendo que es Myrna, y Ponciano habla con Eduardo pensando que es Rufino. Luego, cuando les ven acaramelados, como no reconocen en ninguno a sus hijos, caen en la confusión de que se están engañando recién casados. Llegados a este punto, ante la confusión del Mudir que se cree afectado por el alcohol, se revelan las identidades, pero Martha y Eduardo rompen su relación, lo que da lugar a un epílogo. Myrna y Rufino, desheredados, tienen que ganarse la vida, él escribiendo el libro de una opereta y ella preparándose para interpretarla. Ante las dificultades que tienen, Don Moncho les dice que escriban lo que les ha pasado. El problema es que el final no es bueno, porque Eduardo está enamorado de Martha y ella se ha ido. Don Moncho saca entonces la última carta de su manga: Martha no era la supuesta princesa, sino Carmiña, su hija que está enamorada de verdad de Eduardo. Fin de fiesta.

Números musicales. Acto I: Preludio y dos partes para Eduardo y piano, "Amor, amor a lo mejor" y "Ven que te espero en El Cairo". Nº 1. Eduardo, Myrna, Suzy, Lilian, Martha (dentro) y tiples, "Su voz apenas cantaba" Nº 2. Myrna, Suzy, Lilian, Elsa, Hilda, Márgara, Blanquita, Eduardo, Rufi, Don Moncho, Florio, Maître, tiples y camareros, "Llévame a una *boite* que esté de moda". Nº 3. Dúo de Martha y Eduardo, "¡Ven compositor!". Nº 4. Martha y coro de tiples y vicetiples, "¡Está llorando!". Nº 5. Martha, Basilisa, Don Moncho, Mudir, Florido y camareras (vicetiples), "Delicada es la misión". Nº 6. Martha, Eduardo, segundas vedettes, tiples y vicetiples,

Escenas de Luna de miel en El Cairo *(Fotos: Ar. Familia Alonso)*

"En la noche azul". Acto II: Preludio y Dragomán (dentro), "Soy Dragomán y mi dolor". Nº 7. Martha, Myrna, Eduardo e invitados (tiples y vicetiples), "Una princesita de alma soñadora". Nº 8. Myrna, Eduardo y Rufi, "No te enfades ni por nadie ni por nada". Nº 9. Otto, Fritz, Martha, Myrna, Tirolesa, Mudir, Rufi, invitados e invitadas (primeras y segundas tiples) y tirolesas (vicetiples), "El baile tirolés". Nº 10. Martha, Eduardo y vicetiples, "Tu melodía llega a mí". Nº 11. Martha, Eduardo, Don Mocho y todos los que están en escena, "¡Mentían sus ojos!". Nº 12. Final. Martha, Myrna, Myriam, Eduardo, tiples, vicetiples y todos los personajes, "¡Hay que olvidar! ".

Comentario. La programación de *Luna de miel en El Cairo* significó la redención del teatro Martín, cuya antigua especialización en el género astrakanesco, picante y sicalíptico hasta el puro desnudismo, resultaba difícilmente tolerable para la nueva moralidad que imponía el régimen de posguerra. De este modo, hubo una avalancha de celebración en los periódicos de Madrid donde toda la crítica, de forma unánime, se congratuló por el cambio de dirección en las producciones del Martín. Miguel Ródenas en *ABC* (7-II-1943), felicita a los nuevos protagonistas del Martín como "unos hombres que tienen un gran sentido de la responsabilidad teatral y que evitan, a toda costa,

aquel nivel de chabacanería, que, en frases, situaciones y desnudismo, llegó a apoderarse, como aliciente único muchas veces, de las obras de este género. Hoy, en cualquier teatro dedicado al cultivo de las producciones ligeras de entraña lírica, se observa y se practica la moralidad sin gazmoñería, la diversión sin concesiones fáciles a los temas y problemas escatológicos". Hasta el propio libreto de *Luna de miel en El Cairo* –rico en indirectas al público– incorporaba un cantable en ese sentido: "–Mudir: ¿Qué te crees que contesta Fritz cuando le preguntan por qué hay esas colas tan interminables en el teatro Martín? –Otto: Pues contesta… pues contesta que hay esas colas en teatro Martín porque ahora dan género blanco". Y es que el de *Luna de miel en El Cairo* es un libreto inmaculado, una opereta arrevistada en la que no falta la gran escalera practicable en el escenario como pasarela de las vicetiples que lucen hasta diez trajes distintos, ni los bailes realizados con cada modelo, ni la vedette protagonista –Maricarmen–, pero todo de guante blanco, sin destape, sin un solo chiste de gusto dudoso, plena de ingenio en su construcción y abundante en apelaciones al público, a la crítica, a los músicos; una prueba más de la consumada madurez de un libretista como José Muñoz Román, experto en el género.

La acción se ubica en la metrópoli del que estaba siendo el escenario de batallas cruciales de la Segunda Guerra Mundial, pero ese aspecto, como el mundo de las intrigas que allí tenían lugar –una de las primeras películas de Billy Wilder, *Five graves to Cairo*, 1943, trata justamente de ese ambiente–, queda completamente silenciado a favor de una trama que no es más que cómicamente enredada y categóricamente sentimental. Algún crítico del estreno detectó ciertas influencias de la opereta americana que en aquel tiempo estaba sirviendo de origen al desarrollo del musical cinematográfico y alcanzando, por ese medio, una difusión internacional y masiva. Ciertamente, *Luna de miel en El Cairo,* por su mezcla de elementos de revista española, opereta centroeuropea y musical americano, constituyó una propuesta tan novedosa como llena de intención, y eso influyó también en el entusiasmo con el que fue recibida por el público. Jorge de la Cueva en el diario *Ya* (7-II-1943) dijo: "Ha conseguido el señor Muñoz Román algo pocas veces logrado en nuestro teatro: ha conseguido hacer una verdadera opereta. No una copia del género extranjero, sino una opereta a propósito para escenarios españoles, es decir, una obra suelta, animada, desenfadada de técnica, hasta con algo de la arbitrariedad del género, pero contenido siempre por la lógica y sin que se pierda el sentido de la motivación, con más asunto que se expone no en la manera cortada e interrumpida, clásica de la opereta, sino en una línea continua que se hace sinuosa para dar cabida a los números casi siempre motivados por incidentes y situaciones". Del mismo modo, Antonio de las Heras en *Informaciones* (7-II-1943) escribía: "Hay que reconocer que tras los tanteos que los músicos españoles han venido haciendo para dar forma a la opereta de tipo español se ha llegado, por fin, a un lugar cierto. Durante mucho tiempo han fluctuado los libretistas entre unas obras demasiado intencionadas en su frivolidad y otras demasiado ñoñas en su candidez. El libro de *Luna de miel en El Cairo,* que ha escrito José Muñoz Román, está en el justo medio entre esas dos tendencias y, por tanto, el necesario para que un músico tan bien dotado y con tan fácil inspiración melódica como es el maestro Alonso haya compuesto una partitura suelta, ligera, graciosa, con temas de fácil y agradable recuerdo y con una picante sal en sus giros y ritmos".

Pero no sólo la propuesta genérica es un acierto, sino que el desarrollo y la realización de los detalles fundamentales de la construcción del argumento e inserción de la música, están francamente logrados. Aparte de que el protagonista masculino es un compositor de operetas a la búsqueda de un argumento que resulta ser finalmente el de los avatares que le ocurren en el lance, nada más ingenioso que el planteamiento de los antecedentes mediante una entrevista de dos reporteras americanas a los protagonistas o la presentación de la *vedette* que canta dentro y su voz se proyecta en escena a través de unos altavoces que llevan las vicetiples, Nº 1. El embrollo es monumental, pero está llevado suficientemente bien como para que resulte accesible y no demasiado predecible, y la música compuesta por Alonso es una de sus creaciones más interesantes con su indefectible dúo de amor de opereta al final del acto primero, Nº 6, una graciosísima paro-

dia del swing, Nº 2, con solo de trombón tras los versos "¡Hay que darle al swing / más agitación! / ¡¡Tiene que sudar / hasta el trombón!!" y un solo de trompeta marcado como "fuerte y descarado". Dominada por una orquestación moderna en la que sobresalen tres saxos, metales tratados al estilo jazzband, agrupaciones de orquestina con base en los bajos de cuerda, violín solista y piano, e instrumentos poco comunes en la orquesta normal de zarzuela como las armónicas, el campanólogo y el vibráfrono, la sonoridad conseguida por Alonso tiene muy poco que ver con el mundo zarzuelístico, se acerca definitivamente al ambiente moderno del cabaret y, de hecho, fue bastante utilizada por grupos como la Gran Orquesta del Pasapoga. Alonso demostró en esta obra un conocimiento práctico muy sólido de este tipo de orquestación cuyas bases teóricas habría encontrado en el libro de Enrique de Ulierte, *Tratado de instrumentación moderna para orquesta de jazz,* editado en 1914, que se encuentra en su biblioteca. Hay números más convencionales como el dúo de amor del Nº 3 que, sin embargo, encuentra perfecto sentido en el argumento de Muñoz Román, o el pasodoble coreado por las vicetiples vestidas de oficiales egipcios, Nº 4, que empieza por un tiempo de marzurka muy zarzuelístico antes del pasodoble típico del sainete arrevistado de Alonso y sus contemporáneos, como es típica la "marchiña", Nº 8. El Nº 5 es una pomposa y divertida salida del Mudir con *boys* incluidos y el Nº 6 un vals lento en el estilo tan ingeniosamente popularizado a principios de siglo como vals Boston por Pedro Astort –bajo el seudónimo de Clifton Worsley–, y que deriva en un tiempo de blues. El Nº 9, con los chistes ingenuos de Otto y Fritz fue el que menos gustó, pero todos los demás se repitieron dos, tres y hasta cuatro veces en su estreno y la opereta se mantuvo largo tiempo en cartel.

Fuentes manuscritas. La partitura perteneciente al legado Alonso y los materiales de orquesta (6717) se conservan en el archivo de la SGAE en Madrid.
Ediciones de música. Canto y piano, Madrid, SGAE.
Ediciones del libreto. Madrid, SAE, 1943; Madrid, Gráficas Velasco, 1943.
FONOGRAFÍA: CD: Sols. Maruja Tomás, Isabel Nájera, Luis Heredia, Elsie Bayron, L. Lorente, C. de León, Charito Álvarez, Lepe, A. Ballesta, C. Casaravilla, R. Cervera, Mari Carmen, S. Fenor, Bárcenas, Eguiluz, Amparito Pérez, Orq. del Pasapoga de Madrid, Sonifolk 20120.

JAVIER SUÁREZ-PAJARES

Luna Sacristán, Álvaro de. España, siglos XIX-XX. Compositor. Escribió la partitura del juguete cómico en un acto *El corral ajeno,* con libro de Ramón López Montenegro, estrenado en 1902 en el teatro Eslava de Madrid.
BIBLIOGRAFÍA: *El Arte de El Teatro,* I, 4, Madrid, 15-V-1906.
Mª LUZ GONZÁLEZ PEÑA

Luque Aladro, Fernando. †España, 29-I-1927. Libretista. Escribió fundamentalmente en colaboración con autores como Enrique García Álvarez, Ricardo González del Toro, Pedro Pérez Fernández, Francisco de Torres y Antonio Plañiol, aunque también tiene algún título en solitario. Casi toda su producción pertenece al género chico con juguetes, astracanadas, sainetes, con la excepción de *La pastorela*, zarzuela en tres actos con música de Luna y Moreno Torroba, 1926, o *La marchenera*, 1928, en colaboración con González del Toro y música de Moreno Torroba. Sus colaboradores musicales fueron reducidos, así tiene una obra con Luis Foglietti, *Paz y ventura o El que la busca la encuentra*, 1917; dos obras con Eduardo Fuentes: *La última astracanada*, 1917, y *Las mujeres mandan o Contra pereza diligencia*, 1917; cuatro con Pablo Luna: *Calixta la prestamista*, 1924, *El presidente Mínguez*, 1917, *El fumadero*, 1927, y la ya citada *Pastorela*; en cuanto a Moreno Torroba, además de ésta, colaboró en *Intriga de amor*, 1925, y *La caravana de Ambrosio* y sus cola-

*Fernando Luque
(Foto: Ar. SGAE)*

boraciones más numerosas fueron con Soutullo y Vert, en *El regalo de boda*, 1923, *Encarna la misterio*, 1925, *La conquista del mundo*, 1923, *La Venus de Chamberí* y *Primitivo y la gloria o El amor en prehistoria*, 1925, todas de carácter cómico. *Véase* LA MARCHENERA.

BIBLIOGRAFÍA: *DAT*.

Mª LUZ GONZÁLEZ PEÑA

Lustonó, Eduardo. Madrid, 1849; Madrid, 1906. Escritor y periodista. Sus colaboraciones en periódicos de la época, bajo el seudónimo de "Albillo", muestran su estilo satírico y mordaz. Poseía además grandes dotes para la improvisación poética y escribió novela y relato breve. Su producción para el teatro lírico, fundamentalmente de género chico, aunque no cuantiosa, también fue reconocida. Puso su estilo ágil a disposición de compositores como Emilio Arrieta en la caricatura escrita en colaboración de Ramos Carrión, *Un sarao y una soirée*, 1866, perteneciente al género bufo, con la que los tres autores consiguieron un gran éxito; con Javier Gaztambide en el juguete *¡No más ciegos!*, 1868; con Manuel Fernández Palomero escribió el melodrama *El ciudadano Simón*, 1900, con música de M. Manrique de Lara. Manuel Nieto, Manuel Fernández Grajal, o Ángel Rubio fueron otros compositores con los que trabajó. *Véase* UN SARAO Y UNA SOIRÉE.

BIBLIOGRAFÍA: *CDE; CTLBN; EDL; TLE*.

OLIVA G. BALBOA

Macedo y Arbeu, Eduardo. México, D. F., *ca.* 1868; México, D. F., 1943. Dramaturgo y libretista. Realizó estudios y trabajos de ingeniería pero se dedicó al teatro de forma paralela. Entre sus obras más importantes se cuentan la zarzuela *El manicomio de cuerdos* con música de Luis Arcaraz y José Austri, *La vecindad de la Purísima,* sainete en un acto estrenado en 1898 y *Por dos duros,* juguete cómico en un acto, estrenado en el teatro Arbeu en 1894. Según el escritor Ermilo Abreu Gómez, Macedo fue un hombre que hablaba continuamente de teatro, sin pausas ni miramientos, y lo pinta como un personaje bohemio, que fiel al espíritu romántico de su época, tenía una personalidad de rasgos excéntricos como lo denotan las sesiones de espiritismo jocoserio donde Macedo solía oficiar al lado de otros personajes importantes como el astrónomo Luis Enrique Erro.

Debutó en la zarzuela mexicana en 1890 impulsado por el empresario Enrique Labrada, que formó entonces una compañía de zarzuela para el teatro Arbeu. Labrada quiso ofrecer al público zarzuelas de género chico y frecuentes estrenos y encontró en Macedo a su mejor libretista. *El manicomio de cuerdos,* "extravagancia cómico-lírica de costumbres, en dos actos y cinco cuadros" fue estrenada en la ciudad de Puebla en 1890 y en México en septiembre del mismo año y causó un furor inmediato que se extendió a otras ciudades mexicanas. A decir de Olavarría y Ferrari, "el joven Eduardo Macedo autor del libreto, no pretendió ni mucho menos haber producido una obra maestra, y así lo dijo en las dedicatorias y advertencias de que le hizo proceder en la impresión, titulándole 'ensayo de escasísimo mérito y extravagancia cómica'". Olavarría también dejó constancia del carácter típico de los personajes: "No hay pues motivo para ejercitar la crítica contra aquella sucesión de cuadros y escenas de costumbres populares mexicanas; en dicha obra abundan pasajes que acreditan su talento de observación y sus dotes notables para producir verdaderas piezas nacionales de teatro. El éxito fue como el de ninguna otra obra de su especie y durante muchos meses *El manicomio de cuerdos* no desapareció de los carteles, produciendo incesantemente a la Empresa espléndidos llenos... Cualesquiera que sean los defectos de la obra de Eduardo Macedo, tiene la recomendación de presentar costumbres nacionales, que pueden ser tan pintorescas como las de otro país y más nuevas que las de los demás. La buena acogida, casi extraordinaria, que el público le dispensó, está diciendo a los escritores mexicanos que en ese género hay mucho con qué agradecerle y complacerle". En efecto, *El manicomio* situó a Macedo en la línea de Peza y otros quienes recurrieron a tipos y escenas locales para dotar de vida dramática a sus obras, empresa a la que ayudó la música de los conocidos compositores Luis Arcaraz y José Austri. La obra se representó innumerables ocasiones y sólo en 1891 alcanzó setenta representaciones, y siguió en cartel de manera continua hasta 1894. En forma predecible, el éxito de Macedo hizo de su obra un modelo cuya receta trataría de seguir él mismo en obras posteriores, al igual que otros autores quienes copiaron tipos y escenas para trasladarlas a nuevas zarzuelas. En mayo de 1892 se refería el estreno de *La herencia del año nuevo* por la compañía de Isidoro Pastor como el de una obra "cortada por el patrón de *El manicomio de cuerdos* de Macedo, y de *Perfiles y contornos*". Por su parte, el éxito fácil y sonado de esta obra desencadenó la crítica de otros intelectuales, particularmente del importante poeta, escritor y periodista Manuel Gutiérrez Nájera, quien a propósito del *Manicomio* escribió una de las críticas más duras y severas contra la zarzuela mexicana del porfiriato.

"Macedo", dijo Gutiérrez Nájera "vio que con disparates como *El manicomio de cuerdos* se conseguían aplausos, ganando amén algún dinero, y dedicóse al cultivo y cría de disparates, así como otros se dedican al cultivo de la alfalfa... Lo que debe señalarse... es la perversión del gusto público".

Otras zarzuelas de Eduardo Macedo no alcanzaron el éxito de la primera. *Lilly Clay*, con música de Francisco Orive, sólo alcanzó una representación en 1891. *La verbena de Guadalupe*, 1896, aunque siguió el patrón de *El manicomio* tampoco tuvo éxito y fue atacada con dureza en la prensa de entonces. En 1898 repitió la fórmula de estas obras en *La vecindad de la Purísima*, y el periódico *El Imparcial* reconoció de nuevo su talento para pintar escenas de la clase baja: "Lo trabajoso es dar vida artística a los antiestéticos tipos que abundan en las clases inferiores de nuestro pueblo. Eduardo Macedo... lo ha intentado en *La vecindad de la Purísima*". La fama de *El manicomio* le dio a su libretista un lugar preponderante entre los escritores y músicos de zarzuela de su tiempo. Formó parte de la Sociedad de Escritores y Artistas, 1902, posteriormente nombrada Sociedad de Autores líricos, dramáticos, escritores y artistas y finalmente conocida como Ateneo Mexicano Literario y Artístico del que fue "miembro iniciador" junto con Arturo Beteta, Alberto Michel, Juan de Dios Peza y otros. Como parte de tal asociación, trabajó por impulsar la creación de zarzuelas mexicanas y pugnó por obtener mejores regalías por derechos de autor. Con el surgimiento, en 1904 de la Sociedad Mexicana de Autores, Macedo y sus colegas tuvieron por vez primera una personalidad legal que les permitió negociar en mejores términos la creación y pago de libretos de zarzuelas en los teatros mexicanos.

BIBLIOGRAFÍA: *RHTM*; M. Gutiérrez Nájera: "La perversión del gusto", *Espectáculos*, selección, introducción y notas de E. López Aparicio, México, U. Nacional Autónoma de México, 1985; R. Miranda: "La zarzuela en México, Jardín de senderos que se bifurcan", *Cuadernos de Música Iberoamericana*, 2-3, Madrid, SGAE, 1996-97.

RICARDO MIRANDA PÉREZ

Machicha [maxixal. Danza urbana que surgió en los suburbios y en los cabarets de Lapa de Río de Janeiro en torno a 1875. Desde allí se extendió a los carnavales y a las revistas que se estrenaban en los teatros, enriqueciéndose entonces con pasos y figuraciones nuevas. Inicialmente se danzaba con ritmo de tango, habanera o polka. A finales del siglo XIX ya era considerado por las casas editoras como un género musical. Considerada como la primera danza genuinamente brasileña, surgió de la fusión entre tango y habanera en cuanto al ritmo, de la polka en su movimiento y la síncopa característica de la música afrolusitana, pero se distingue de ellas por varias peculiaridades, especialmente por su carácter sensual y lascivo, y la vivacidad rítmica, así como por el uso frecuente de la gíria carioca –jerga propia de Río de Janeiro– cuando es cantado.

Entre 1914 y 1922 esta danza alcanzó un gran éxito en Europa, sobre todo en París con el danzarín Duque, y posteriormente en Inglaterra y España. La machicha apareció en los géneros ínfimos o frívolos, como respuesta a la aplicación de una serie de fórmulas definibles por los nuevos ingredientes de lo visual y la exhibición del cuerpo femenino en el denominado "género piernográfico". Las varietés, la revista de espectáculo y la opereta fueron enriquecidos por una serie de nuevos estratos musicales extraños a la cultura española como el cakewalk, fox trot, one-step, two-step, shimmy, rumba, charlestón, el nuevo tango, las milongas y la machicha. Esta danza tiene una vigencia muy corta y aparece en diversas obras estrenadas en teatros como el Eslava, Apolo, Circo Parish, Romea, Cómico, Martín y Novedades. En 1907 se detecta su presencia en diversas obras como *Ruido de campanas* y *Apaga y vámonos* de Lleó, *La feliz pareja* de Foglietti, *El día de Reyes* de Penella, y *La diosa del placer* de Calleja. En 1908 en *El género grande* de Crespo, *Granito de sal* de Foglietti y *El quinto pelao* y *La carne flaca* ambas de Lleó. En 1909 en *El decir de la gente* y *Los viejos verdes*, ambas de Padilla. En 1910 en *El que paga descansa* de Foglietti, *Eche Vd. señoras* y *Huelga de criadas*, ambas de Foglietti, y en *El centro de las mujeres* de Liñán. En 1913 en *Las píldoras de Hércules* de Valverde. En 1915 en *El capricho de las damas* de Foglietti.

BIBLIOGRAFÍA: *DMEH*.

EMILIO CASARES RODICIO

Macián Salvador. Familia de compositores españoles formada por los hermanos José y Ricardo.

1. José. †18-VIII-1967. Compositor y autor dramático. Escribió numerosas canciones y bailes y también varias obras líricas. Estrenó el 1941 en el Cine Goya de Tortosa *El balneario de moda* de la que es autor de música y libreto, al igual que en *Femina Club*. Además de esta obra tiene otras más de las que se desconocen datos del estreno, la mayoría en colaboración con Indalecio Zurita y Juan López Catalá en el libreto, como la comedia musical *Asi qui mana es la dona* y *Per volver a ser vocalistes*. En otras obras colaboró indistintamente con uno u otro de estos autores: *Canuto y risueño*, comedia con libreto de Indalecio Zurita; *Ché, que tío*, comedia con libro de Juan López Catalá; *La forsa de la Rao*, comedia con libro de López Catalá al igual que *La remataera*; *Per dir que esta mal li arrunquel el quixal*, sainete con libreto de López Catalá. Es autor además de dos comedias sin música *Esperando el amor* y *Estraperlistes a la vista*.

2. Ricardo. España, †3-X-1962. Compositor. Como su hermano José escribió numerosas canciones y bailes y además algunas obras líricas, como el sainete *El patio de Cupido* con libreto de Julio Espí Prats y Julián Villeta López, y *Taca ques llava*, en colaboración con J. M. Esteve, 1932.

Mª LUZ GONZÁLEZ PEÑA

Madán y García, Augusto E. Matanzas (Cuba), 1853; 1915. Dramaturgo. Estudió Derecho y Filosofía y Letras en la Universidad de Madrid. Regresó a Cuba en 1878 fijando su residencia en La Habana, donde comenzó a publicar ensayos y poesías. Realizó diversas traducciones de obras de teatro y reunió una importante biblioteca teatral. Su obra dramática está escrita en ocasiones en colaboración con Rafael María Liern y José Triay y además de dramas históricos, comedias y juguetes tiene una amplia aportación al género lírico con títulos como *La piel del tigre*, zarzuela, 1872; *Los cómicos en camisa*, disparate lírico, 1875; *Este coche se vende*, quid-pro-quo lírico, 1875; *Las redes del amor*, zarzuela bufa, 1875; *Genio y figura hasta la sepultura*, zarzuela con música de Isidoro Hernández estrenada en el teatro del Buen Retiro, 1876; *El gran suplicio*, zarzuela, 1875; *Percances matrimoniales*, juguete lírico, 1876; *Rosa*, zarzuela, 1876; *El talismán conyugal*, juguete lírico, 1876, *Artistas para La Habana*, juguete cómico en colaboración con Liern y música de Barbieri estrenada en el teatro de la Comedia en 1877; *¡Cuidado con los estudiantes!*, juguete lírico, 1877; *Estudiantes y alguaciles*, juguete cómico con música de Bretón estrenado en los Jardines del Buen Retiro, 1877; *Novio, padre y suegro*, juguete lírico con música de Bretón, 1877; *Quién engaña a quién*, juguete lírico con música de Eduardo Barrejón. Estando ya en Cuba se estrenó en el teatro Apolo *La granadina*, en colaboración con Liern y música de Gregorio Mateos, 1890.

BIBLIOGRAFÍA: *CDE; TA.*

Mª LUZ GONZÁLEZ PEÑA

Madrigal, Amparo [Amparo Pompas Yllobre]. Sevilla, 13-VI-1938. Tiple cómica y actriz de carácter. Desde muy joven comenzó a cantar como tiple ligera y recorrió varios países latinoamericanos con una compañía de zarzuela en la que era primer tenor Evaristo Bastarrica, con quien se casó poco después, y sustituyó a la intérprete principal con enorme éxito. De regreso a España, formó parte de prestigiosas formaciones como la Compañía Titular del teatro de la Zarzuela y la Isaac Albéniz del empresario Juan José Seoane, estando considerada durante años como una de las mejores tiples cómicas de la época moderna de la zarzuela. Con los años se convirtió en una excelente actriz característica trabajando en diversas compañías, aunque de manera ocasional ofrece conciertos interpretando algunos de sus mayores éxitos, como el "Ay! Ba, Ay! Ba", de *La corte de Faraón* de Lleó.

BIBLIOGRAFÍA: E. García Carretero: *Historia del teatro de la Zarzuela de Madrid*, Madrid, Fundación de la Zarzuela Española, 2003.

EMILIO GARCÍA CARRETERO

Maestre, Francisco. Mérida (Badajoz), 2-VII-1957. Actor. Realizó sus estudios en la Escuela Superior de Arte Dramático de Madrid. Ha participado en innumerables montajes teatrales, películas y series de televisión. En el teatro de la Zarzuela ha intervenido en *La revoltosa, Agua, azucarillos y aguardiente, La del manojo de rosas* y *El dúo de la Africana*.

Mª LUZ GONZÁLEZ PEÑA

Magenti Chelvi, Leopoldo. Alberique (Valencia), 25-VIII-1896; Valencia, 22-VII-1969. Compositor, pianista y docente. Tras comenzar su formación musical en el seno familiar, estudió en el Conservatorio de Valencia, en el que fue alumno de piano de Juan Cortés y obtuvo premio extraordinario. Amplió estudios en Madrid con Joaquín Turina y en París con Joaquín Nin. Tras una temprana carrera como solista y pianista acompañante que le llevó a importantes auditorios nacionales y extranjeros, Magenti sufrió un derrame sinovial en la muñeca derecha que le llevó a abandonar su carrera como intérprete. Aún así, no perdió el contacto con el piano ya que ganó la cátedra del Conservatorio de Valencia en 1940. Esta lesión también provocó su dedicación a la composición, llevando a cabo una producción muy variada en la que sobresale la música escénica.

De sus zarzuelas cabe destacar *El ruiseñor de la huerta*, obra de temática valenciana y que fue uno de sus grandes éxitos. En esta pieza Magenti ya mostró un rasgo que le diferenciaba de otros compositores de música lírica contemporáneos: su cuidada orquestación. De hecho, el intermedio orquestal de *El ruiseñor de la huerta* se popularizó como pieza independiente y fue interpretada por varias agrupaciones sinfónicas valencianas. La misma temática autóctona se puede encontrar en *La labradora*, cuya acción se desarrolla en la huerta valenciana en torno al último cuarto del siglo XIX. García Franco indica que esta zarzuela también se hizo popular a través de su *Canción a*

Leopoldo Magenti
(Foto: Legado Chávarri; Ar. SGAE)

la huerta valenciana, interpretada frecuentemente por Marcos Redondo.

Sin embargo, el mayor triunfo de Magenti fue *La cotorra del mercat*, traslación al mundo de la revista de esos contenidos musicales y costumbristas valencianos. El éxito de esta pieza fue extraordinario y, desde su estreno en el teatro Serrano de Valencia, llegó a representarse mil quinientas veces en distintos escenarios valencianos. El éxito inmediato de esta revista provocó que Magenti compusiera una secuela, tal y como sucedió con otras obras populares del género lírico español. Esta "consecuencia lírica" se llamó *La cría de la cotorra* y también tuvo texto de Paco Barchino, aunque no llegó a obtener la popularidad de su antecesora. Las reposiciones posteriores de *La cotorra del mercat* –especialmente abundantes en el teatro Ruzafa de Valencia–, confirmaron esta gran aceptación y el éxito se exportó a otros teatros de Barcelona y Baleares. En este sentido, no deja de ser significativo que Magenti concluyera su carrera como compositor lírico creando una última pieza dentro del ámbito de la revista de costumbres valencianas: *¡Bomba va!*, estrenada sólo un año antes de su muerte.

Magenti fue un autor que gozó del favor del público valenciano: de su obra *La novia desconocida* –en principio no tan popular como las citadas anteriormente– se llegaron a realizar más de doscientas representaciones, a lo largo de sucesivas reposiciones. De la misma manera que otros compositores de la época, Magenti también formó compañía lírica. Por ejemplo, entre el 6 y el 20 de septiembre de 1945 se presentó en el teatro Serrano de Valencia una compañía a su cargo que ofreció dos de sus obras: la reposición de *La novia desconocida* y el estreno de *Los iguales*. El 20 de abril la compañía de Magenti vol-vió al citado teatro, produciéndose el estreno de *La cotorra del mercat*.

OBRAS: *El ruiseñor de la huerta*, Zarz de costumbres valencianas, 2 act, l, J. Sánchez Prieto, est, 18-IV-1919, Te. Victoria Eugenia (San Sebastián), E:Msa; *El amor está en peligro*, 1 act, l, F. Casajuana / J. Miñana, est, IV-1924, Valencia, E:Msa; *Barbiana*, Zarz, 2 act, l, R. Fernández Shaw, est, 16-XI-1932, Te. Victoria (Barcelona), E:Msa; *La novia desconocida*, Opt, 3 act, l, R. Fernández Shaw / L. F. Tejedor, est, 30-IV-1943, Te. Apolo (Valencia); *La labradora*, Zarz, 1 act, l, F. Romero / G. Shaw, est, V-1933, Te. Zarzuela, E:Msa; *Juan del mar*, l, J. Ramos Martín, est, 15-X-1935, Te. Ideal, E:Msa; *La condesita* (antes *La novia desconocida*), 2 act, l, L. Tejedor / R. Fernández, est, 30-IV-1943, Te. Apolo (Valencia), E:Msa; *Los veinte iguales (El marquesito)*, l, P. Llabrés / Silva Aramburu, est, 12-IX-1945, Te. Serrano (Valencia), E:Msa; *La cotorra del mercat*, 2 act, l, F. Barchino, est, 20-IV-1946, Te. Serrano (Valencia), E:Msa; *La cría de la cotorra*, Rv, 1 act, l, F. Barchino, est, 19-VI-1947, Te. Ruzafa (Valencia); *Mi padre, tu madre, su padre*, Rv, 2 act, l, A. Paso Díaz / E. Paso Díaz, est, 23-IV-1956, Te. Circo (Alcoy); *¡Bomba va!*, Rv, 2 act, l, F. Hernández, es, 26-IV-1968, Te. Ruzafa (Valencia); *El niño del arroyo*, boceto de Sai, 1 act, l, J. M. López, E:Msa; *La portuguesiña*, Zarz, 2 act, l, F. Hernández Casajuana; *Las chicas del Music-Hall*, l, J. Fernández Serrano / F. Miranda; *Solera para*, Ent en prosa, 1 act, l, R. Fernández Shaw, E:Msa; *Una noche en París*, col. Martínez Marín, l, F. Romero / G. Fernández Shaw, E:Msa.

FONOGRAFÍA: *La labradora*, Regal LK 4095 (et. azul), K 3307 K 3308-2; *Patxinguer Z: Antología de la Comèdia Musical Valenciana*, Diapason 52.5094.

BIBLIOGRAFÍA: *CTLBN*; *DMEH*; M. García Franco: "El apogeo de la zarzuela", *Historia de la música de la Comunidad Valenciana*, Valencia, Ed. Prensa Valenciana, 1992.

VICENTE GALBIS LÓPEZ

Magraner Roig, Juan. España, siglo XX. Compositor. Es autor del sainete lírico en dos actos *La que iba a la verbena* con libreto de M. Just, estrenado en el Gran Teatro de Alcira el 26 de febrero de 1948.

Mª LUZ GONZÁLEZ PEÑA

Magyares [madgyares], Los. Zarzuela en cuatro actos. Música de Joaquín Gaztambide. Libreto de Luis Olona. Estrenada el 12 de abril de 1857 en el teatro de la Zarzuela de Madrid.

Personajes y reparto. Marta, pastora (Carolina Di Franco, soprano). María Teresa de Austria (Isabel Valentín, soprano). Isabel, arrendadora (Dolores Fernández, actriz). Georgey, madgyar (Francisco Salas, barítono). Fray José, lego (Vicente Caltañazor, tenor cómico). Alberto, labrador (Manuel Sanz, tenor). El conde Roberto (Francisco Calvet, bajo). El conde Kelsen (Ramón Cubero, bajo). Enrico, capitán (N. Fernández). Un mercader (N. Galván). Un alférez (N. Rochel). Un aldeano (José Rodríguez). Otro. Coros y comparsas de oficiales de diferentes armas. Monjes. Soldados de distintos regimientos. Segadores, segadoras. Aldeanos y aldeanas. Mercaderes. Hombres y mujeres del pueblo. Músicos de la aldea. Magistrados. Pajes. Caballeros.

Orquestación. Flautín, flauta, 2 oboes, 2 clarinetes, 2 fagotes, 2 trompas, 2 cornetines, 3 trombones, timbales, triángulo, órgano (dentro), campana, tamboril y cuerda. Banda 1: requinto, flautín, clarinetes 1, clarinetes 2, 2 fiscornos, 2 cornetines, 2 trompas, 3 trombas, bombardinos, trombones, bajos, cajas de guerra y redoblante. Banda 2: requinto, flautín, 3 clarinetes 1º, 3 clarinetes 2º, 2 cornetines, tromba, 2 cornos, 2 trombones, bombardino, bajo, bombo, platillos y redoblante.

Argumento. La acción tiene lugar en Hungría en 1742. *Acto I.* La emperatriz María Teresa de Austria, al ver invadido su reino por los franceses y su aliado Federico de Prusia, se refugia con su hijo, de un año de edad, en una aldea de Hungría. En ella habita Alberto, joven montañés y uno de los jefes de la conspiración que ha de salvar a la Emperatriz, y su novia Marta, que no conoce la conspiración y siente celos de su novio, por creer que está enamorado de otra, cuando en realidad acude a visitar a la emperatriz y su hijo. El gobernador de Buda, el conde Roberto, es el traidor, y quiere entregar Hungría al rey de Prusia. Fray José, lego de un convento, ayudará a los conspiradores. El conde Roberto y su ayudante Enrico se enteran de la presencia de la emperatriz en la aldea y urden un plan para detenerla. Aparece Georgey, viejo magyar exiliado, que desea vengar a su hijo, asesinado por orden de alguien cuya letra ha encontrado en un documento y que él cree que es la emperatriz. El conde Roberto se finge su amigo y le utiliza para descubrir la conspiración, aprovechando los celos de Marta, que describe a una supuesta labradora que es en realidad la emperatriz, y que roba a Alberto una carta en la que se indica que la sublevación está prevista para esa misma noche.

Acto II. En una cabaña del monte, Alberto protege al hijo de la emperatriz, mientras los jefes de las aldeas y Beltrán concretan la señal para sublevarse. El conde y Enrico, ocultos, se enteran de la hora prevista para la señal –el toque de ánimas– y echan de allí a fray José. Marta, engañada por Georgey, acude a la cabaña de Alberto, que intenta que se vaya de allí; al oírse el toque de ánimas, Marta revela a su novio que le ha quitado la carta, entregándosela a Georgey, y Alberto echa a correr por la montaña. Georgey entra en la cabaña, y ve al niño; fray José, que sospecha algo, entra también y se sienta en la cabaña con el madgyar y la joven; Marta

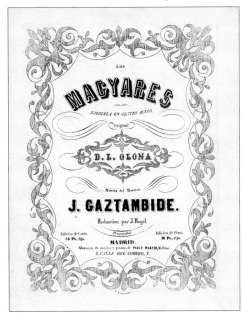

Cortesía de Unión Musical Ediciones SL

comprende su error, y asesorada por fray José, decide echar el narcótico que Georgey le había dado para que durmiera a su novio en una copa de vino, forzando fray José al madgyar a beberla. Fray José sale, y después Marta, tras haberse dado cuenta de su traición. Georgey oye a Enrico que va a matar al niño y, apiadado, decide protegerle, pero se duerme. Finalmente, el niño es salvado por fray José, que escapa en su mula.

Acto III. En el monasterio de San Esteban, donde está encerrada la emperatriz con su hijo. El conde ha conseguido, tres noches antes, la victoria sobre los conjurados, pero aún quedan rebeldes. El conde, que sospecha de fray José, le ha puesto un espía que le sigue a todas partes. Marta, para reparar el mal que ha hecho, penetra en el convento fingiéndose ciega, es retenida por el conde, que duda de su ceguera y hace que pase junto a ella Alberto, allí detenido, teniendo que simular la joven que no lo ve. El conde exige a María Teresa su abdicación a favor del rey de Prusia, amenazándola con separarla de su hijo, pero ésta se niega, rompiendo el documento que le presenta Roberto. Marta logra hablar con Kelsen, coronel fiel a María Teresa, y halla una salida secreta, de la cual tenía ya noticia, que sirve para huir ella en compañía de Georgey, que al ver

la letra del conde en una carta que le entrega para que pueda entrar en la fortaleza de Buda, se ha dado cuenta que su enemigo es el conde Roberto. La emperatriz es conducida por el conde a Buda, para forzar allí su abdicación.

Acto IV. En la feria de Buda. Al mandar el Conde suspender la feria, los mercaderes y aldeanos se alborotan, y se unen a los montañeses que había traído Alberto, liberado por los campesinos. La emperatriz va a ser obligada a abdicar en la catedral de Buda, pero Georgey, que dispone aún del documento firmado por el conde, penetra en la fortaleza y consigue salvar al niño, dando fray José la señal para la sublevación del pueblo, que vence a las pocas tropas del traidor y proclama rey de Hungría al hijo de María Teresa.

Números musicales. Acto I: Nº 1. Introducción, coro de Segadores y Carreteros y canción de Marta con coro, "¡Je! ¡Ah! ¡Los carros acá!". Nº 2. Escena de fray José con coro, "Arre mulita, arre mulita". Nº 2bis. Canción de fray José, con coro, *Ego sum, ego sum*, el leguito del convento". Nº 3. Terceto de Marta, Alberto y fray José, "¡Marta! ¡Eh! ¡Marta mía!". Nº 4. Canción y bailable, Georgey y coro, "¿Quién al son de mi viola quiere cantar, quiere bailar?". Nº 5. Final del acto I. Marta, Georgey, fray José, el Conde y coro, "Al monte, pues, marchad". Acto II: Nº 6. Introducción del acto II, y escena de Alberto y coro de jefes de aldeas, "Fieles a la voz tuya". Nº 7. Duetino de Marta y Alberto, "Escucha. ¡La hora ésa!". Nº 8. Terceto de Marta, Georgey y fray José, "Cuidad no os haga daño". Nº 9. Final del acto II. Georgey, Enrico, soldados y fray José, "¡Cielos! Es imposible". Acto III: Nº 10. Introducción del acto III y coro de soldados, "Mientras a maitines toca la campana". Nº 11. Escena y Romance, Marta, Georgey, María Teresa, Kelsen y coro, "La entrada libre tienes". Nº 12. Escena. Orquesta. Nº 13. María Teresa, Kelsen, Georgey, el Conde y coro, "Ese sonido bélico". Nº 14. Final del acto III. Marta, Georgey, coro de soldados y coro interno, *"Dixit Dominus Domino meo"*. Acto IV: Nº 15. Introducción y coro de vendedores y habitantes de Pesth y Buda, "¡Vengan, señores, a la feria de Buda!". Nº 16. Canción húngara, Alberto, con Marta y coro, "Es el canto de mi patria". Nº 17. Gran marcha y coro, "Rendir su altiva frente hoy la traición". Nº 18. Final. Coro, "Llene los ámbitos el grito de victoria".

Comentario. Durante la Semana Santa de 1857 la compañía de la Zarzuela ensayaba una nueva obra en cuatro actos, *Los magyares*, anunciada anteriormente con el título de *El espía*, estrenada en la Pascua con gran éxito. En palabras de Velaz de Medrano en *La Zarzuela*, "un interés dramático que no decae un solo momento y va en aumento desde el principio hasta el fin; situaciones musicales muy propias para que se luzcan el poeta y el compositor; gran contraste en los caracteres que aparecen en escena, incidentes imprevistos que se amontonan sin cesar y despiertan nuevamente la curiosidad del auditorio; el drama y la comedia, la risa que alterna con el llanto, éstas y otras muchas condiciones de éxito reúne la nueva zarzuela, que atrae todas las noches inmenso gentío al coliseo de la calle de Jovellanos, y seguirá durante mucho tiempo llamando la atención pública". Los diferentes episodios, cambios de lugar y de sentimientos, proporcionan un libreto adecuado para la elaboración de la zarzuela.

Gaztambide compuso dieciocho números musicales, muchos de ellos muy admirados en su época. La obra se inicia con un número poliseccional, en el que una introducción orquestal anticipa los temas cantados al final del número por Marta; sigue un coro de pastores, y tras una nueva transición orquestal, hace su presentación Marta la pastora, que es saludada por el coro y canta una bella romanza biseccional en *Andantino*, con dos estrofas, concluyendo el número con una breve coda a cargo de la solista, coro y orquesta. El Nº 2 es la escena y canción de Fray José, en la canción se imita el toque de campana, y gozó de una extraordinaria popularidad en toda España e Hispanoamérica, siendo citado con frecuencia su estribillo en diversas publicaciones satíricas. El Nº 3, es en realidad un dúo de amor entre ambos protagonistas, en el que el lego realiza algunas intervenciones de carácter cómico. El Nº 4 sirve para la presentación de Georgey, donde Gaztambide recurre a un ritmo de pastorela en 6/8. El primer acto concluye con un breve coro sobre el que cantan Marta, el Conde, Georgey y Fray José.

En la introducción al segundo acto, Gaztambide utiliza un procedimiento habitual en sus obras en tres o cuatro actos, presentar en la orquesta los temas que a continuación serán repetidos por orquesta y coro; el número incluye un pasaje en el que se figura que se toca el cuerno de caza y se escucha su eco, y un hablado sobre la música; en el Nº 6 Alberto toma juramento de fidelidad a los campesinos, correspondiéndose el pasaje con un fragmento de carácter heroico. El Nº 7 es el precioso dúo de Marta y Alberto, de honda expresividad y gran dramatismo. El terceto del Nº 8 recurre a una estructura bipartita empleando un ritmo de polka para la elaboración del número; el terceto era repetido todas las noches a petición del público. El acto concluye con un *Agitato*, al servicio de la acción dramática, durante la cual Georgey intenta no dormirse para poder salvar al príncipe niño, oyéndose un coro de soldados que pretenden entrar en la casa; y finaliza con la intervención de Fray José, que salva al niño en su mula, presentando de nuevo el material musical del Nº 2.

El tercer acto comienza con una introducción descriptiva. El Nº 11, de estructura bipartita, es la escena y romance cantado por Marta, que se finge ciega, y Georgey, en que se exhorta a los magyares a salvar a su rey. El Nº 12 es un interludio orquestal y sigue un número de sabor militar en el que asumen el protagonismo los toques de tambores y metales, al servicio de la acción dramática. El acto concluye con el Nº 14, una yuxtaposición de elementos sonoros de los monjes –escuchándose el *Dixit Dominus* anticipado en el número de inicio del acto–, del coro y Marta y Georgey que se disponen a huir, de nuevo los monjes, el coro y los protagonistas que escapan. El cuarto acto se inicia con una introducción orquestal, que anticipa el material inmediatamente posterior, y un brillante coro de los participantes en la feria de Buda, en el que se describen los artículos en venta. El Nº 16 presenta una introducción y la canción húngara cantada por Alberto, que consta de dos estrofas con estructura A-B-C-B'; la canción gozó de gran popularidad, siendo publicada de forma independiente. El Nº 15 es la Gran marcha para la abdicación de la reina; presenta la estructura: Introducción orquestal, A en orquesta, B (IV grado) por el coro y la orquesta, A' coro y orquesta, A'' coro y orquesta, y coda por la orquesta con el coro; el número logró gran éxito, al que contribuyó su puesta en escena con la participación de dos bandas militares y 213 personas en escena. La obra concluye con un breve final a cargo del coro de hombres, en el que se exalta el valor magyar.

Desde el punto de vista musical, es frecuente en los números poliseccionales –Nºs 6, 7 y 8 entre otros– que la tonalidad principal de las secciones iniciales se convierta en la dominante que resuelve en la tonalidad principal de las secciones siguientes; con ello Gaztambide mantiene un procedimiento habitual en su lenguaje armónico, ya utilizado en su primera obra, *La mensajera*, que dota de coherencia tonal a estos números. Según Cotarelo, la música de *Los magyares* "prueba sobradamente lo inagotable de la inspiración del gran maestro; la variedad infinita de formas de que sabía revestirla y darle aplicación adecuada en cada trozo melódico, según lo exigía el momento y estado psicológico de los personajes. A todo eso agréguese la sabiduría, la discreción y oportunidad en el empleo y disposición de los sonidos concordantes no vocales, tantos y tan diversos, y no podrá uno menos de inclinar con respeto la cabeza ante aquel poderoso genio musical español".

En la interpretación destacaron Carolina Di Franco, Salas y especialmente Caltañazor en su papel de Fray José. Destacó también el gran aparato escénico, el lujo y cuidado de las decoraciones, la profusión y variedad de trajes y la dirección escénica, siendo representada con todos los medios del teatro. Barbieri recuerda que él mismo intervenía en la obra "tocando entre bastidores el órgano, la campana y el tamboril, y dirigiendo toda la parte musical interior".

No obstante, Manuel Fernández y González criticó en *La discusión* la falta de verosimilitud histórica del libreto, y Pedro Antonio de Alarcón lanzó varios artículos "contra la zarzuela", ridiculizando al público que acudía a presenciar el espectáculo y a la propia obra, a la que califica de "disparate literario musical, indigno de ser representado en un teatro nuevo, ante un público de guantes blancos, en nombre del arte y de la literatura y a costa de tantísimo dinero", a lo que respondió Velaz de Medrano: "Cada día que pasa se afianza más el éxito de *Los magyares*, con gran sentimiento sin duda de los que para juzgar una zarzuela tienen la peregrina ocurrencia de citar las reglas aristotélicas o acuden al arsenal de los preceptistas más rigurosos, sin tener en cuenta la índole del espectáculo, sus condiciones especiales, ni las infinitas razones que median para no considerar un libreto de zarzuela bajo el mismo prisma que una producción teatral destinada a ser representada sin la asociación de la música".

La obra, "una mina de oro", en palabras de Barbieri, logró un gran éxito de público, "estrepitoso y brillante" para el autor de *Jugar con fuego*, consagrando aún más a sus autores y proporcionando grandes ganancias económicas a la empresa de la Zarzuela. La obra, "función que todo Madrid se ha propuesto ver una y más veces", se representó cincuenta veces en la temporada, pasando a ser de repertorio, y obteniendo un gran éxito en provincias, en Hispanoamérica y Filipinas, así como en las representaciones ofrecidas en Madrid en sucesivas temporadas. El personaje de Fray José aparece en escena cincuenta años después de su estreno en la revista *Cinematógrafo nacional* de Perrín y Palacios y Giménez, lo que prueba la popularidad de la obra.

Fuentes manuscritas. Cuatro partituras (TL-581) y los materiales de orquesta (2219) se conservan en el archivo de la SGAE en Madrid. Otra partitura (M-3746) y una parte de apuntar se conserva en la Biblioteca Nacional de Madrid (M-4548).

Ediciones de música. Canto y piano, J. Rogel, Madrid, CM. Piano, J. Rogel, Madrid, CM (reed. PM, Cd).

Ediciones del libreto. Madrid, Imp. de José Rodríguez, 1857; 2ª ed., Madrid, Florencio Fiscowich, 1860.

BIBLIOGRAFÍA: *HZ*; P. A. de Alarcón: "Contra las zarzuelas", *Cosas que fueron*, Madrid, Imp. de La Correspondencia de España, 1871, 404-13; R. Sobrino: "Joaquín Gaztambide: la necesidad de una reparación", *Luces y sombras del patrimonio histórico y cultural en Navarra*, Pamplona, Comunidad Foral de Navarra, 1998.

RAMÓN SOBRINO

Máiquez. Familia de cantantes españolas formada por las hermanas Carmen y Josefa.

1. Carmen. Puerto de Santa María (Cádiz), siglo XIX; ?, siglo XX. Soprano ligera. Realizó sus estu-

dios musicales en Sevilla. Aunque comenzó a cantar en las iglesias, pronto se pasó al mundo del cuplé, y así recorrió la mayoría de los teatros españoles hasta que Penella la contrató como tiple cómica de su compañía en la que estrenó diversas obras del compositor, entre ellas *El gato montés*. Poco después fue contratada por los empresarios hermanos Velasco que la llevaron a La Habana donde cantó en el teatro Martí entre 1917 y 1919. Sin moverse de La Habana en 1920 volvió a ser contratada por Penella para el teatro Payret y de nuevo retornó a la compañía de los Velasco con la que recorrió México y Estados Unidos. Después actuó en el Apolo de Madrid, cuando los hermanos Velasco se quedaron con el teatro. Participó en el estreno de *Los claveles* de José Serrano en el teatro Fontalba de Madrid, 1929, que protagonizaron Matilde Vázquez y Tino Folgar. Posteriormente formó parte de diversas compañías y en la década de 1940 trabajaba aún en Barcelona.

FONOGRAFÍA: *La del Soto del Parral*, La Voz de su Amo AE 2034, BJ 1103 BJ 1105.

2. Josefa [Pepita Máiquez]. Puerto de Santa María (Cádiz), 1900; ?. Tiple cómica y bailarina. Al igual que su hermana, se formó artísticamente en Sevilla. Debutó en la compañía de Penella en Valencia como bailarina. Con su hermana se incorporó a la compañía de los Velasco y así actuó en 1917 en La Habana. Estando allí la contrató Mario Vitoria para inaugurar el teatro Esperanza Iris de México. Contratada por el empresario Alcaraz regresó a La Habana al teatro Payret y después realizó varias temporadas de zarzuela en el teatro Martí en la compañía de zarzuelas y revistas de Julián Santa Cruz. En 1915 se casó con el escritor Luis G. Wangüemert estableciendo su residencia en La Habana y abandonando el teatro.

BIBLIOGRAFÍA: F. Cuenca: *Teatro andaluz contemporáneo. 2. Artistas líricos y dramáticos*, La Habana, Maza, 1940.

Mª LUZ GONZÁLEZ PEÑA

Máiquez, Gonzalo. España, siglos XIX-XX. Actor. Se desconoce si tiene algún parentesco con las cantantes del mismo apellido, y, sobre todo, con el gran actor Isidoro Máiquez. Gonzalo aparece en diversos estrenos entre los últimos años del siglo XIX y primeros del XX. Así, en 1892 participó en el estreno de *El milagro de San Antonio* de Rafael Cabas y Joaquín González en el teatro de Verano de Málaga; en 1902 ya en el teatro Apolo de Madrid participó en el gran éxito de Giménez, *La torre del oro*, así como en *La venta de Don Quijote* de Chapí. En 1905 seguía en Apolo en el estreno de *El perro chico* de Quinito Valverde y José Serrano y *El mal de amores* de Serrano.

BIBLIOGRAFÍA: *TA*.

Mª LUZ GONZÁLEZ PEÑA

Mal de amores, El. Sainete en un acto. Música de José Serrano. Libreto de Serafín y Joaquín Álvarez Quintero. Estrenada el 28 de enero de 1905 en el teatro Apolo de Madrid.

Personajes y reparto. Carola (Joaquina Pino, mezzosoprano). Mariquilla (Lola Membrives, mezzosoprano). La Amapola (Julia Mesa, mezzosoprano). Antonillo (Anselmo Fernández, tenor). Rafael (Juan Reforzo, barítono). Don Lope (Emilio Carreras). El señor Cristóbal (José Mesejo). Don Ramón (Vicente Carrión). Felipe (Luis Manzano). Campesino (Victoriano Picó). Campesino (José Valverde). Guardia civil (Manuel Sánchez). Guardia civil (Gonzalo Maiquez). El mayoral (Antonio P. Soriano). Un soldado (Miguel Mihura Álvarez). Un estudiante (Manuel Rodríguez). Un pasajero. Un fraile (Melchor Ramiro). Un chiquillo (Antoñita Espinosa). Rovira (Andrés Ruesga).

Orquestación. Flautín, flauta, oboe, 2 clarinetes, fagot, 2 trompas, 2 trompetas, 3 trombones, percusión y cuerda.

Argumento. La acción tiene lugar en un apartado ventorrillo, regentado por Cristóbal y su joven hija Mariquilla. A la posada, en la que hay un pozo cuya agua, según se dice, cura el mal de amores, llegan unos guardias con una gitana presa, Amapola. Ésta cuenta a Mariquilla las razones de su prendimiento. Posteriormente acude una hermosa y triste mujer, Carola, quien se ha citado allí para fugarse con Rafael, su amor, huyendo así del novio que le había sido impuesto. Éste llega a la venta, pero Rafael finge su propia muerte de forma violenta, con lo que el novio escapa asustado para evitar problemas. En la argucia Rafael es ayudado por Mariquilla y su novio, Antonillo. Así, los amantes quedan libres para casarse. A ellos les ha funcionado el agua del pozo, todo lo contrario que a Don Lope, un vejestorio que se las da de conquistador infalible y que no hace otra cosa sino ponerse en continuo ridículo.

Números musicales. Introducción. Nº 1. Dúo de la gitana y Mariquilla, "Dame un buche d'agua". Nº 2. Terceto. Mariquilla, Antonillo, Carola, "A la zombra de mi amó". Nº 3. Dúo de Carola y Rafael, "Aquí me tienes Carola". Nº 4. Escena final, "A la zombra de mi amó".

Comentario. Este sainete de Serrano y los Álvarez Quintero pasó del fracaso al éxito en tan sólo una jornada, de lo que se hizo eco la prensa de la época. La crítica tampoco fue unánime en su opinión respecto a la calidad del texto y la música. En realidad, el texto tiene la agilidad y gracia típicas de los Quintero en el campo del sainete, gracia que apenas se desluce por la presencia de una corriente suavemente trágica, quizá debida a una cierta contaminación de los modelos melodramáticos entonces cada vez más en boga. Lo que podía haber sido un oscuro drama rural –mujer obligada a casarse con quien no desea, rivalidad entre los pretendientes y muerte de alguno de ellos– se ve contrarrestada por el final feliz y por el tratamiento amable y desenvuelto de los personajes. Los más trágicos de ellos, Don Ramón y Felipe –los que buscan a Carola para que vuelva a su noviazgo forzoso–, tienen un mínimo peso específico en la obra. Sólo la gitana Amapola condensa en su breve aparición cantada el drama que la obra podría haber sido: ella sí que ha apuñalado a su novio a causa de un desengaño. Esto último, que para Ángel Guerra de *El Imparcial* es impropio de una pieza jocosa que se da en llamar sainete, no es comparable, según el de *El Globo*, a la difícil-

mente soportable "golfemia callejera y sentimental de Arniches". Añade que es "una de las obras más artísticas que he visto por esos escenarios de Dios". Además, achaca el fracaso inicial del sainete a una "columna volante que va haciendo el papel de reventadores en todos los estrenos". En cambio, *El Heraldo de Madrid* publica que en la primera representación no intervino la "*reventadura* profesional", sólo que el público no supo darse cuenta de las excelencias de la obra. Por otra parte, Guerra denuncia la mala calidad de los cómicos de Apolo, mientras que en *La Época* se puede leer que "la ejecución fue menos que mediana". Cosa curiosa esta última, y con la que las demás crónicas no están de acuerdo. Ciertamente el cartel del estreno era, dentro del género chico, de relumbrón, pero todo apunta a que algunos actores corrigieron algunos excesos tras la primera representación, lo que ayudó a la mejor aceptación de la pieza.

Con respecto a la música, la crítica del estreno también se dividió. José de Laserna en *El Imparcial* se mostró descontento: "Lo mejor de la partitura es el dúo de la gitana y la hija del ventero, con reminiscencias de *La reina mora*. En los demás números la pobreza melódica e instrumental es evidente. En esto no ha diferido el público de las tres noches, que se deleita con el dúo y deja pasar indiferente lo demás". Es probable que con su visión negativa de esta música, empezara a acusar en Serrano cierta repetición de sus modelos compositivos, puesto que la partitura de *El mal de amores*, decimoquinta obra teatral del catálogo de su autor, no es muy diferente de las anteriores: una armonía muy sencilla; la alternancia de una misma tonalidad en sus modos mayor y menor dentro de cada número; una orquesta cuya misión principal es hacer de soporte de la voz, sin audacias tímbricas pero coloreando con eficacia; el compás 3/4 casi omnipresente, y unas melodías muy cálidas y coloreadas a la andaluza. No obstante, no se debe acusar a Serrano de pobreza melódica, pues si por algo destaca es por lo contrario. El compositor construye la música de este sainete a base de dúos, porque incluso el segundo número, denominado "Terceto", es en realidad una combinación de dos dúos, uno, que abre y cierra el número, entre Mariquilla y Antonillo y otro, central, entre Carola y Mariquilla. Y para caracterizar la letra de todos estos dúos los dota de melodías muy diferentes, aunque no se trate de piezas pegadizas. Es cierto que el tema del dúo entre Mariquilla y Antonillo viene anunciado ya en el breve preludio de la obra y conforma también la "Escena final", pero esta característica no cansa y, sobre todo, funciona muy bien en el devenir dramático. Volviendo a la prensa, difirió en su opinión sobre la música *El Heraldo de Madrid*: "Muy bonita, melancólica y soñadora es la partitura puesta por el joven maestro Serrano, acreditando una vez más el dominio de los procedimientos orquestales y la más elevada inspiración en la melodía… La orquesta excelente y dirigida por el autor Serrano". La escenografía de Amalio Fernández gustó, salvo "el tamaño de una carretilla, a la que por el sitio donde está colocada puede suponerse que el escenógrafo dio proporciones de veinte metros de larga por doce de altura". Y lo importante, en definitiva, fue que a la larga el público acogió la obra con gusto, tal y como apunta Chispero: "*El mal de amores* fue creciendo noche tras noche en la estimación del público, pasó a ocu-

par el puesto de honor en la cartelera, bisó en muchas jornadas, y desde luego, fue a incorporarse al buen repertorio del género chico".

Fuentes manuscritas. Los materiales de orquesta se conservan en el archivo de la SGAE en Madrid (2487).

Ediciones de música. *Colección completa de las obras musicales de José Serrano*, Madrid, Mott, 1912. Canto y piano, Madrid, SAE. Banda, selección, transcripción de J. M. Navarro, Madrid, UME.

Ediciones del libreto. Madrid, R. Velasco, 1905; Madrid, SAE, 1905; Valladolid, Celestino González?, 1905; Madrid, Ed. La verdad; *Teatro completo de Serafín y Joaquín Álvarez Quintero*, Madrid, Sociedad General Española de Librería, Espasa-Calpe, 1923-45.

FONOGRAFÍA: LP: Dir. García Navarro, Sols. Isabel Rivas, María Uriz, Cecilia Fondevila, Ramón Contreras, Dalmacio González, Orquesta Sinfónica de Barcelona, Columbia SA, ZCL1079 (Zacosa) 97 (96 a) • Aalhambra, SCE 976 04 (103 a) [reed. en CD: Alhambra-BMG España WD (74554 9D)]

CD: Dir. P. Godés, Sols. Marcos Redondo, Cora Raga, Antonio Palacios, Trini Avelli, Angelina Viruete, Manuel Otero, Blue Moon Serie Lírica BMCD 7543.

BIBLIOGRAFÍA: R. Díaz, V. Galbis: *La producción zarzuelística de José Serrano*, Adjuntament de Sueca, 1999.

RAFAEL DÍAZ GÓMEZ

Mala sombra, La. Sainete lírico en un acto. Música de José Serrano. Libreto de Serafín y Joaquín Álvarez Quintero. Estrenada el 25 de septiembre de 1906 en el teatro Apolo de Madrid.

Personajes y reparto. Pepa la garbosa (Joaquina Pino, mezzosoprano). Leonor (María Palou, mezzosoprano). Angelillo (Luis Manzano, tenor). Baldomero (Emilio Carreras, tenor). Curro Meloja (José Ontiveros, tenor). La Sorda (Pilar Vidal). Taburete (Pedro Ruiz de Arana). Peregrín (José Mesejo). Juan de Dios (Vicente García Valero). Badana (Sr. Soriano). José Poto, Potito (Miguel Mihura Álvarez). Un forastero (Sr. Gordillo). Manolo (Vicente Carrión). Luis (Manuel Rodríguez). Un chiquillo (niño Candelas). Otro chiquillo (niño Alares).

Orquestación. Flautín, flauta, oboe, 2 clarinetes, fagot, 2 trompas, 2 trompetas, 3 trombones, percusión y cuerda.

Argumento. La acción se desarrolla en una lluviosa Sevilla, dentro de una betunería y tienda de aperitivos y refrescos regentada por Baldomero. Cualquier negocio que éste emprenda se viene abajo dada su mala suerte y no parece que su nueva tienda vaya a ser una excepción. Por ella pasan dos estudiantes pillos que le timan; una vendedora de lotería que pregona sus números destempladamente debido a su sordera; un forastero a quien el dueño acaba confundiendo con un policía corrupto; un matón, apodado Taburete, que ahuyenta a los parroquianos al mostrarse enfermizamente celoso de Pepa, su novia, la cual sirve en la tienda; tres tuertos de carácter sombrío que parecen echar el mal por su único ojo; un novillero supersticioso asustado ante el maleficio que cree que trasmiten los tuertos; unos niños que se burlan de la proverbial mala sombra de Baldomero y, finalmente, un sujeto, Curro Meloja, que se siente de lo más gracioso y capaz de convocar a su alrededor a mucho personal, cuando en realidad es tremendamente soso. Cuando peor se ponen las cosas será Angelillo, el limpiabotas, quien ponga orden en la tienda, despachando a todo el mundo que incomoda y lastra el negocio. Angelillo promete a Baldomero poner las cosas en su sitio en un mes y a cambio le pide la mano de Leonor, su hija. Bal-

domero accede. A partir de entonces la tienda se llamará "La buena sombra".

Números musicales. Nº 1. Introducción, escena y tango, "Con uno de tus sapatos". Nº 2. Terceto de Pepa, Taburete y Angelillo, "Várgame er sielo". Nº 3. Dúo de Leonor y Angelillo, "Ven aquí clavellina". Nº 4. Coplas de Curro Meloja y de Pepa, "Au… Au..". Final.

Comentario. Durante su primera etapa como compositor de zarzuelas y desde su primer éxito, *El motete*, Serrano ponía música regularmente a sainetes de los hermanos Quintero, en los que, con su natural habilidad para recrear la música andaluza, ambientaba el escenario donde desfilaban toda una galería de personajes típicos. Exceptuando la ópera *La venta de los gatos*, fueron seis las obras en las que colaboraron músico y escritores, siendo *La mala sombra* la penúltima de ellas. Es esta la época en la que el compositor más obras escribió, lo que influyó en la simplificación del lenguaje musical que muestra: registros medios para las voces, reducidas distancias interválicas en las líneas vocales, rítmica regular y acompañamientos orquestales sencillos que doblan el canto. Aunque Serrano no se alejó a lo largo de toda su carrera de estos cauces, no puede dejarse de relacionar esta simplificación con el tipo de actores que habían de interpretar las partituras, a los que se les admiraba, en palabras de Antonio Valencia, "no por su proclividad al bel canto, sino por su sal y su gracia al incorporar sus tipos". Salvo excepciones, aún faltaban algunos años para que se incorporaran al repertorio zarzuelístico voces que además de actuar supieran cantar con la suficiente flexibilidad. No obstante, la música de *La mala sombra* cumple a la perfección el cometido que tiene dentro del sainete, y aunque la crítica cargó la responsabilidad del éxito de la obra al texto, la partitura sabe situarse en los mismos niveles de gracia y espontaneidad. Así se manifiesta ya desde el primer número, que coincide con el comienzo del sainete. Una introducción instrumental con dos secciones, la primera de carácter andaluz, da paso a una tercera parte sobre la que recitan los versos iniciales del libreto los personajes que trabajan en la tienda. Esta última sección, que aparecerá más tarde como transición, cuenta con una melodía decorada a la andaluza elevándose sobre un acompañamiento en corcheas en *staccato*, que pueden hacer alusión a la lluvia que cae sobre la ciudad. El canto comienza cuando Angelillo y Leonor alternan en tiempo de tango unas coplas alusivas a su amor. La juventud, alegría y naturalidad de ambos personajes queda magníficamente reflejada por esta música. Igualmente bastan unas pocas notas, casi recitadas, para que el talante perdedor de Baldomero quede también esbozado: simplemente se está quejando de lo salado que está el bacalao que se está comiendo, pero por la música se sabe que su persona es cómicamente malhadada. A continuación, tras una breve transición, le toca el turno a Pepa, quien echándose a sí misma las cartas, se pregunta por la ausencia de su enamorado. Su canto, correspondiéndose con la idiosincrasia del personaje, es de un tinte más serio. De nuevo la transición conduce al tiempo de tango entre Angelillo y Leonor, tras el cual la música de los pasajes de transición ejerce de cierre.

El segundo número tiene como introducción el segundo de los motivos instrumentales que iniciaron el sainete. Aunque Serrano lo titulara terceto, en realidad la presencia de Taburete no implica canto. Es Pepa la que, intentando reconquistar la confianza de su celoso novio, soporta el peso del número. Por su parte, Angelillo se limita a intercalar algunos comentarios sarcásticos entre las estrofas de Pepa –él piensa que una mujer tan hermosa como Pepa debería ser además inteligente y enamorarse de otro hombre con más méritos–. Cada una de las cuatro estrofas de la cantante recibe un tratamiento distinto en tiempo, tonalidad y compás. Las tres primeras parecen una preparación para la última, la más intensa, que recoge el tema de la introducción.

El dúo entre Angelillo y Leonor, según el crítico de *El Heraldo de Madrid*, "lleno de delicadeza de instrumentación", y "admirablemente dicho por María Palou y el Sr. Manzano" mereció ser repetido el día del estre-

no. Cuenta con tres partes (promesa de Angelillo de resucitar el negocio, requiebros y persecución) cada una de las cuales, gracias al correcto manejo de recursos tímbricos, rítmicos y agógicos va aumentando en progresión cómica, hasta llegar a la simpática persecución final en la que el muchacho acaba dando caza a la chica. Pero tampoco las "Coplas de Curro Meloja" le van a la zaga en comicidad, al menos cuando es este personaje el que canta, desafinando y arrastrando todo lo que puede la vocal "u", vocal que hace aparecer venga o no a cuento. La poca chispa de Curro, que tan gracioso se cree, queda bien patente con la música. El hecho de que Pepa acabe cantando en este mismo número dos ornamentadas coplas en tempo de tango por invitación de Curro no hace sino acabar de situarla en el bando de los personajes negativos y de los que, por lo tanto, han de abandonar la tienda cuando Angelillo se ponga serio.

La crítica del estreno destacó de *La mala sombra* su condición de auténtico sainete, al margen de las tendencias "pornográfica", "fantástica", "bufa" o de "melodrama comprimido" que por entonces tentaban a los autores. En este sentido, se podía leer en *La Época*: "*La mala sombra* es un sainete en el que no salen mujeres en porreta, ni hay trasiego de decoraciones, ni apoteosis, ni bailes, ni chistes desvergonzados, ni otra cosa más que ingenio, observación del natural y copia, claro que un tanto caricaturesca, de tipos y costumbres populares". Si acaso, *El Heraldo* consideró que la obra podía fatigar por exceso de situaciones cómicas. De cualquier forma, según apunta Chispero, el juicio del público no dejó lugar a dudas: "Los chistes –naturales, rápidos, de situación más que de retruécano– de diálogo se hicieron pronto populares en toda España. Pocas veces se alcanzó más completamente la total aquiescencia de un público para una obra regional… ¡El telón se levantó dieciocho veces al acabar la obra! No hay que decir que en el mes de octubre se llenó Apolo hasta el tejado todas las noches en primera y última sección, pues *La mala sombra* dobló desde el día siguiente de su estreno".

Fuentes manuscritas. Los materiales de orquesta se conservan en el archivo de la SGAE en Madrid (2661).

Ediciones de música. *Colección completa de las obras musicales de José Serrano*, Madrid, Mott, 1912. Canto y piano, Madrid, IA. Piano, VLL.

Ediciones del libreto. Madrid, SAE, 1906; Madrid, Valladolid, Celestino González?, 1906; Madrid, R. Velasco, 1906; Madrid, R. Velasco, 1908; Madrid, Biblioteca Teatral, 1946; *Teatro completo de Serafín y Joaquín Álvarez Quintero*, Madrid, Sociedad General Española de Librería, Espasa-Calpe, 1923-45.

FONOGRAFÍA: CD: Dir. Pascual Godés, Sols. Cora Raga, Trini Avelli, Antonio Palacios, Asensio, Gil, Blue Moon Serie Lírica BMCD 7543.

BIBLIOGRAFÍA: A. Valencia (ed.): *El género chico. Antología de textos completos*, Madrid, Taurus, 1962; R. Díaz, V. Galbis: *La producción zarzuelística de José Serrano*, Adjuntament de Sueca, 1999.

RAFAEL DÍAZ GÓMEZ

Malagueña. Canto y baile popular español perteneciente, según Eduardo Ocón, al grupo del fandango, al igual que la rondeña, las granadinas y las murcianas. En sus *Cantos españoles* Ocón recoge dos ejemplos que se diferencian por la forma de rasguear la guitarra con que se acompañan, y por su forma melódica; la primera, rondeña o malagueña, presenta un acompañamiento rasgueado, y la segunda, malagueña, responde a una "forma melódica antigua", con final en Mi, que incluye una copla con texto construida en torno a la nota Do aguda. Los diccionarios de Pedrell y de Pena y Anglés repiten las ideas de Ocón, indicando el último que "el estereotipado acompañamiento armónico de la malagueña principia y concluye con la dominante del modo menor, manteniendo una fórmula de cuatro acordes consecutivos, por grados diatónicos descendentes, que producen una sucesión de 5ª y 8ª". La malagueña fue empleada en obras instrumentales, destacando las de Sarasate; ofrece una malagueña estilizada la *Rapsodie espagnole* de Ravel.

En el género lírico español la malagueña es utilizada con escasa frecuencia y a menudo se asocia a la aparición de personajes procedentes de Málaga o Andalucía, sin que en general la malagueña sea bailada en escena. En el pasillo filosófico fúnebre *Nadie se muere hasta que Dios quiere*, 1860, Oudrid escribió en su Nº 4 una malagueña cantada por Magdalena, joven muchacha nacida en Málaga, y por Arturo; el número comienza en el modo de Mi con una introducción, cantada sobre la sílaba "Ay", con acordes de Mi, Fa y Mi 6/4, cuya melodía, iniciada en Si, asciende hasta el Mi agudo para descender por dos veces, con abundantes adornos, al Mi grave; se inicia la copla, sobre la región melódica de Do-Sol, y con acordes de Do y Sol, para concluir esta sección con los acordes de Fa y Mi; en la siguiente sección canta Arturo un ritmo atiranado en el que se tonaliza la música, convirtiendo el pasaje en una especie de La mayor sin armadura; a continuación se repite la malagueña y la sección de Arturo, con una segunda letra; por último tiene lugar un dúo de ambos ya en la tonalidad de La mayor. En *Los caballeros de la tortuga*, 1867, Gaztambide intercala una malagueña, cantada con éxito por la Zamacois. También se emplea la malagueña en el Nº 4 de *A las máscaras*, 1881, de Isidoro Hernández, autor a quien se debe la publicación de una malagueña en el Nº 1 de su colección para piano *Ecos de Andalucía*, de enorme difusión, otra dentro del pot-pourrí *Brisas españolas* para piano, y una más en su colección *Flores de España. Álbum de los cantos populares más característicos, transcritos para piano*, publicado por Pablo Martín. Rubio recurre a la malagueña en el Nº 2 de *El talento y la virtud*, en el Nº 3 de *¡Eh, a la plaza!*, 1880, donde dicha forma es seguida por un vito, y en el Nº 2bis de *Flamencomanía*, 1883, continuada por un tango. Fernández Caballero la emplea también en el Nº 6 de *Cuba libre*, 1887, y en el Nº 3

de *El pícaro mundo*, 1904. Mateos la incluye en el Nº 5 de *El velorio*, 1900, cuya acción discurre en la Serranía de Ronda, hacia 1840. Valverde Sanjuán en el Nº 4 de *El género ínfimo*, 1901, y en el Nº 4 de *Los granujas*, 1902, malagueña y final. También Chapí emplea la malagueña en la sátira cómico-lírica *Ortografía*, 1888, cuyo Nº 5 recurre a la malagueña para presentar a la letra Z, personificada en una andaluza, siendo seguida por una jota cantada por la letra J; la malagueña está transportada a la región del modo de La, con un pasaje central construido sobre el área de Fa y Do; este autor ofrece nuevos ejemplos en *El fonógrafo ambulante*, 1899, cuyo Nº 2 es una jota y malagueña, y *El estreno*, 1900. Chueca, que había esbozado un ritmo similar al de la malagueña en el preludio y en el Nº 5 de *Agua, azucarillos y aguardiente*, 1897, escribe en *Las mocitas del barrio*, 1913, su obra póstuma, una malagueña en el Nº 2.

Puede constatarse en estas obras la presencia de una estructura ternaria, en la que las secciones inicial y final están en el modo de Mi (o su equivalente La, una cuarta superior) y la central se construye en torno a Do con su auxiliar Sol, mostrando así cierta relación con la estructura del modo Deuterus auténtico; son característicos los pasajes melismáticos y el ritmo ternario, pero es habitual que la malagueña no se presente en su forma pura y aislada, sino que suele estar asociada a otras estructuras musicales. Habitualmente, en el repertorio lírico la malagueña es escrita para ser interpretada por una soprano.

BIBLIOGRAFÍA: *DMEH*; E. Ocón: *Cantos españoles*, reed. UME; F. Pedrell: *Diccionario Técnico de la Música*; Barcelona, Víctor Berdós, 1894; J. Pena, H. Anglés: *Diccionario de la música Labor*, Barcelona, Ed. Labor, 1954.

RAMÓN SOBRINO

Maldonado, Dolores. España, siglos XIX-XX. Soprano. Según E. Carretero se marchó de España en los comienzos de su carrera y apareció en el teatro de la Zarzuela en un estreno de 1871, *La sota de espadas* de Arrieta. En 1899 cantaba en el teatro Apolo, donde estrenó *La familia de Sicur* de Gerónimo Giménez junto a Joaquina Pino. Volvió al teatro de la Zarzuela la temporada 1907-08 junto a Joaquina Pino y enseguida triunfó por su magnífica actuación en *Cavalleria rusticana* y *Payasos*, junto

Dolores Maldonado (Foto: Santuzza en Nuevo Mundo, 1913; Ar. ICCMU)

a Lorenzo Simonetti. En 1908 estrenó *Pepe Botellas* de Vives y *El niño de Brenes* de Pedro Córdoba.

BIBLIOGRAFÍA: *TA*, E. García Carretero: *Historia del teatro de la Zarzuela de Madrid*, Madrid, Fundación de la Zarzuela Española, 2003.

Mª LUZ GONZÁLEZ PEÑA

Maldonado Rojo, Constancio. España, siglos XIX-XX. Compositor y dramaturgo. Estrenó el 9 de abril de 1911 el melodrama en un acto *Gente que emigra* con libreto de Carlos Secades y González Caces en el teatro Campoamor de Oviedo. La obra se conserva en el archivo de la SGAE en Madrid. Probablemente fuese asturiano, ya que además de este estreno en Oviedo, en su obra aparecen diversos temas relacionados con Asturias, como *Romería asturiana*, *Popurrí asturiano*, *Ribadesella*, *Trubia* o *San Roque Llanes*. Posiblemente estuvo muy vinculado al ámbito militar, ya que compuso numerosos himnos y composiciones para regimientos de artillería e ingeniería. Es autor asimismo de música sinfónica y escribió una comedia sin música, *Almas gemelas*.

Mª LUZ GONZÁLEZ PEÑA

Manella, Eduardo. España, siglos XIX-XX. Compositor. Estrenó el 27 de abril de 1900 en el teatro Eslava el cuadro de costumbres madrileñas *La alternativa*, con libreto de Ángel Vergara de Prado. La obra se conserva en el archivo de la SGAE en Madrid. Otros títulos son *Alma de Friné* y *Molino Rojo*. Es autor de dos canciones en colaboración con Joaquín Guichot, *Cosas del corazón* y *Juegos del corazón*.

Mª LUZ GONZALEZ PEÑA

Manent i Mauran [Puig], Nicolau. Mahón (Baleares), 22-VI-1827; Barcelona, 11-V-1887. Compositor y director.

I. Formación y obra. II. Estilo y géneros.

I. FORMACIÓN Y OBRA. A los cinco años inició sus estudios musicales con Benet Andreu i Pons. Al cabo de tres años ingresó como tiple en la capilla de música de Santa María de Mahón, donde permaneció hasta mudar la voz a los catorce. Durante esos años inició el estudio de la flauta y del órgano. Con tan sólo once años realizó su primera composición, una "bagatela o juguete". En 1838 empezó a colaborar en la orquesta del teatro Principal de Mahón como primer flauta. En 1844 fue aceptado como contrabajo en la misma orquesta, donde inició su formación en el repertorio lírico. Según Saldoni y otros artículos biográficos, su interés en la composición le animó a dejar la isla. En 1845 se estableció en Barcelona. Aunque no está suficientemente documentado parece que al inicio de su residencia recibió clases de Mateu Ferrer, maestro de capilla de la catedral de Barcelona. En 1847 entró a formar parte de la orquesta del recién

creado teatro del Liceu, como contrabajo, después de haber superado examen de ingreso. Permaneció allí hasta la temporada de Carnaval de 1851. Durante esas temporadas pudo participar en la llegada de las óperas de Donizetti, Verdi y Meyerbeer, el estreno de *Der Freischütz*, y obras de Donizetti y Bellini, trabó amistad con Marià Obiols y Juan B. Dalmau, directores de ópera, zarzuela y conciertos, así como M. Angelo Rachelle, o el mismo M. Ferrer que dirigió también en el Liceo. Al mismo tiempo, y en el propio teatro, participó en los estrenos de *El duende*, 1850, *A última hora*, 1851, *Buenas noches señor don Simón*, 1852, o *El tío Caniyitas*, 1852. Terminada la temporada de Carnaval de 1851, fue nombrado maestro de capilla y organista de la iglesia de Sant Jaume, recién fundada ese mismo año. Saldoni asegura que compuso alrededor de 136 obras sacras, entre ellas 25 misas y 4 *Stabat Mater*. Fue un compositor muy respetado y sus obras religiosas cuentan con numerosas copias en los archivos catalanes.

Manent se caracterizó por una intensa actividad creadora. Desde 1851 hasta noviembre de 1868 Saldoni asegura que el público barcelonés pudo escuchar hasta 219 obras. A partir de 1853 su producción experimentó un giro. Ese año estrenó en el teatro del Liceo la ópera cómica española *La tapada del Retiro*, con texto de Víctor Balaguer y de Gregorio Amado Larrosa. Con ella consiguió un éxito destacable, reponiéndose varias noches. En noviembre del mismo año estrenó, de nuevo en el Liceu, la zarzuela en un acto *Buen viaje, señor don Simón*, realizada en colaboración con Solera, Soriano y Bernat Calvó Puig. Esta obra era una segunda parte de *Buenas noches señor don Simón*, una obra que se repetía sin cesar en los teatros barceloneses, y en el teatro Principal estrenó *Tres para una*, con texto de F. Camprodón y con la cual consiguió una aceptación aún mayor que con las precedentes; la obra tenía ambientación en la época de Felipe IV. En sólo una temporada Manent se granjeó la fama de buen compositor lírico. El 23 de mayo de 1857 estrenó la ópera *Gualtero di Montsonís*, con libreto de Joan Cortada, en el teatro del Liceo. Se representó un total de cuatro veces, con buena acogida, sirviendo para su beneficio la última función. Después del estreno de *La Fattucchiera* ninguna otra obra había recibido por parte de la prensa de la época una acogida tan cálida y benévola, aparte de *Cleonice, regina di Siria* de Saldoni.

A partir de los estrenos de sus primeras zarzuelas en Barcelona, aún con texto en castellano, el nombre de Manent aparece de forma recurrente tanto en las interpretaciones de música religiosa, como en las programaciones de los bailes-conciertos de las nuevas sociedades que surgieron coetáneamente esos años, como en otros conciertos de los salones y jardines al aire libre. Trabó amistad con J. A. Clavé. Ya desde los primeros conciertos que Clavé dirigió en los jardines de Euterpe las obras de Manent estaban presentes. Así, en el noveno concierto le programaron una "Sinfonía española (nueva)" de *La tapada del Retiro*. La persistencia del título indica el favor del que aún gozaba su composición seis años más tarde de su estreno; la obra se repitió en diferentes conciertos. Compuso también una fantasía sinfónica sobre motivos de piezas corales de Clavé, titulada *La Euterpense*, 1864. *La Euterpense* fue editada en arreglo para piano realizado por J. Goula en 1888, otro indicador de la perdurabilidad del repertorio creado por Manent. Algunos números corales de sus zarzuelas y otras obras líricas pasaban al repertorio de las sociedades claverianas, como el coro de mujeres de la comedia *Juan Garín*.

A principios de la década de los sesenta se implicó activamente en el proyecto barcelonés que pretendía organizar una sociedad lírica para la consecución de la ópera nacional. Manent participó como vocal de la comisión que se creó en 1861, y en la que también fueron muy activos Luis Olona, Gabriel Balart y Mariano Soriano Fuertes. Durante este período compuso abundante música bailable. De entre todo este corpus destacan los ballets que compuso para el teatro del Liceo. La programación de bailes sería hasta 1873

Nicolau Manent (Foto: Celebridades Musicales... de F. de Arteaga, Barcelona, 1886)

un empeño problemático para los empresarios, por el elevado coste de su producción. En estas funciones de danza Manent estrenó los ballets en un acto *La contrabandista de rumbo*, 1860, *Jig*, 1865 y *La perla de Oriente*, 1860. Otras piezas bailables se estrenaron en los teatros Apolo y Circo. Saldoni, y otras fuentes, recogen que una de sus piezas –sin especificar– estuvo de moda en Londres durante unos cinco meses. Hasta la década de los ochenta continuó componiendo obras de este género, caso de *Clorinda*, un gran baile de espectáculo en tres actos con coreografía de Moragas, 1879. También se le atribuye *El carnaval de Venecia*, 1859.

En 1866 compuso la zarzuela catalana *Maria*, con letra de E. Vidal y Valenciano, estrenada en los Campos Elíseos. Supone un giro importante en la trayectoria de las zarzuelas escritas en catalán, género dentro del cual Manent desempeñó un papel crucial. Dos años antes, en 1864, se había estrenado *L'esquella de la Torratxa* con música de Sariols. La obra mostraba la viabilidad de adaptar el modelo

zarzuelístico castellano al catalán, superando el género aflamencado que había impuesto hasta ese momento Dardalla, y en el cual había compuesto Clavé *L'aplec del Remei*. Aunque después compondría aún obras con libretos en castellano, a partir del inicio de los años setenta inició una colaboración continuada con Frederic Soler "Pitarra" que fue muy fructífera, a parte de encadenar una serie de éxitos populares inauditos hasta entonces en el panorama lírico catalán, que son la serie de cuadros de costumbres catalanas: *La festa del barri*, 1870, *Els estudiants de Cervera*, 1871, *A posta de sol*, 1871, *La fira de sant Genís*, 1872, *Lo moro Benani*, 1873, *Lo sagristà de sant Roc*, 1874, obras estrenadas en los teatros barceloneses Novetats, Circo y Tívoli. Este conjunto de obras dieron identidad al subgénero y abrirían una interesante vía que llegó hasta las obras de Mestres y de Rusiñol. A Manent también se le atribuyen las obras líricas *Cargar con la suerte*, *El conquistador*, *Cargar con el muerto*, *De Barcelona al Parnàs*, *Paraula del rey*, *Lo secret dels sabis* y *Una Vecchia Zitella*. A parte de estas obras que, por lo general, comprendían más de un acto, Manent cultivó los juguetes y entremeses en un único acto, caso de *A sort y ventura*, una humorada de Vidal y Valenciano, *Lo pou de la veritat*, *Pardalets al cap* con texto de T. Baró, o el juguete *La por!!*, 1877, sobre texto de Campmany, una obra que se mantuvo en el repertorio catalán durante varios años. De bastante aceptación gozó también *Lo somni daurat*, obra en un acto con texto de J. Arimón. En la década de los setenta Manent solicitó permiso a Zorrilla para convertir el drama *Don Juan Tenorio* en zarzuela, pieza estrenada en 1877 en Madrid; antes había realizado otra obra de argumento similar, con libreto de Rafael del Castillo, *El convidado de piedra*, estrenada en el teatro Circo en 1875.

Otra de las asociaciones afortunadas de Manent fue la que surgió entre los libretistas Campmany y Molas, con los cuales estrenó en el teatro Tívoli *Lo cant de la Marsellesa*, 1877, y *Lo rellotge del Montseny*, 1878, teatro en el que además actuaba como director de orquesta durante las temporadas de verano. Ambas obras alcanzaron un éxito perdurable. A ellas siguió otra de las zarzuelas memorables, *De la terra al sol*, 1879, que seguía la moda de los grandes espectáculos bufos inspirados en obras de Jules Verne, y en las cuales destacaba la fastuosidad y espectacularidad de las decoraciones. En esas temporadas del teatro Tívoli, que durante el verano trasladaba sus actuaciones al teatro del Circo barcelonés, fueron activos Gervasi Roca como director de escena, los escritores Molas, Campmany y sobre todo Eduard Vidal y Valenciano, y como directores de orquesta Nicolau Manent junto con el joven Felip Pedrell, recién llegado de Tortosa.

Después de haber conseguido con estos títulos convertirse en el compositor lírico más respetado del panorama catalán, su intensidad creativa, por lo menos en el terreno zarzuelístico, fue decayendo. Se registran sólo *Petaca i boquilla*, 1880, un nuevo juguete lírico con letra de Campmany; *El gran conquistador*, 1881, con texto en castellano en la cual parodiaba otra pieza teatral de éxito, y *Laura*, 1885, obra con la que concluyó su colaboración con el libretista Campmany, estrenada en el teatro Español.

Manent, un autor reconocido y respetado en su tiempo, empezaba a desaparecer de la vida teatral barcelonesa. Era presidente de la sección de Bellas Artes del Ateneo Barcelonés. Entre sus discípulos destacaron el director Joan Goula, Trullàs y Josep Rodoreda. En las notas necrológicas de la prensa de la época se recogía la importancia de sus obras lírico dramáticas así como de la música religiosa. Curiosamente, el *Diario de Barcelona* recoge en su esquela un segundo apellido distinto al de la mayor parte de las fuentes: Nicolás Manent y Mauran. En los días sucesivos en que la esquela volvió a publicarse, en formatos distintos, de nuevo se comunicaba como segundo apellido el de Mauran. En el sepelio presidieron los beneficiados de la iglesia de San Jaime, junto con los de Santa Ana. Asistieron representantes de todas las asociaciones musicales barcelonesas de la época. El recuerdo de Manent fue diluyéndose rápidamente. Al cabo de unas semanas aparecieron en la prensa algunas notas biográficas, que ocupaban espacios discretos. De su olvido progresivo es sintomático que Pedrell ni tan siquiera hubiera planeado incluir su biografía en *La Ilustración Española e Hispanoramericana*, cosa que sí hizo en cambio con otros autores líricos entonces aún con vida. Ya en el siglo XX su nombre fue recogido de forma muy tangencial en los diccionarios dirigidos por Pena y Anglés o en el de Ricart i Matas; R. Mitjana obvió su nombre en su *Historia de la música en España* publicada en Francia. Otras crónicas de la actividad teatral, caso de la de Curet, destacaron la importancia de su papel, y lo injusto del olvido que se ha cernido sobre sus obras.

II. ESTILO Y GÉNEROS. Las primeras composiciones líricas de Manent se produjeron en un momento clave de la historia de la ópera española. Él debió ser testigo, sin ninguna duda, de las primeras representaciones zarzuelísticas en Barcelona en 1847, al menos de las nuevas producciones románticas que llegaron desde Madrid. Cuando estrenó su primera producción de envergadura, *La tapada del Retiro*, se producía en el Liceo una de las primeras temporadas en las que la presencia de zarzuelas adquiría proporciones notables: se habían representado con éxito *El valle de Andorra, Jugar con fuego*, la zarzuela *Buenas noches señor don Simón* se repetía a petición del público. No es de extrañar, pues, que el joven y prometedor Manent se interesara por el fenómeno, al igual que el literato Víctor Balaguer empezaba también su andadura. Balaguer desempeñó un papel importante en el teatro del Liceo; para su inauguración publicó una composición poética que empezaba de forma grandilocuente: "Alzad, llenas de gloria /sombras ilustres de eternal renombre". De ahí lo significativo que él fuera uno de los libretistas. También era de una importancia decisiva el libretista de su única ópera *Gualtero de Montsoní*; Joan Cortada era uno de los padres de la Renaixença literaria, y al mismo tiempo un poeta muy vinculado con el Liceo, realizando arreglos literarios de distintos libretos. El *Diario de Barcelona* recomendaba al público la zarzuela *La tapada del Retiro*, con música del "ya acreditado" Manent. Decía la prensa el 1 de marzo: "Pocas composiciones han merecido la honra de que sus autores hayan sido llamados cuatro veces a la escena, en la primera y en la segunda representación". Manent fue laureado, al rehusar tanto Balaguer como Amado Larrosa salir a saludar a fin de dar preferencia al joven compositor. Cotarelo juzgaba que el éxito fue quizás desmesurado. La reducción para canto y piano de aquella "ópera cómica española en tres actos" se vendía ya durante los días de la representación, editada por el barcelonés Juan Budó. La estructura de la obra muestra un cierto desequilibro. La prensa consideraba que el "argumento es de sumo interés y escenas de efecto, aparte de una versificación fácil", según el cronista del *Diario de Barcelona*. Entre los números más destacados señalaban el gran final del segundo acto, quizá la pieza de más mérito y de más extensión, de tipo poliseccional y espectacular, el coro de baile que abría la obra, el coro de los jardineros, y se lamentaba que el último acto pareciera desprovisto de música en comparación a los dos primeros. Concluía la crítica con unas palabras muy significativas acerca del nuevo género lírico: "El feliz éxito… debe animar a sus autores a continuar trabajando… las composiciones de esta clase para llegar a cimentar la ópera nacional con las firmes bases de otras naciones que nos han llevado la delantera". En una de las reposiciones del mes de abril, el público del Liceo solicitó la repetición del coro de damas; al no ser bisada la pieza se organizó tal griterío que dio por terminada la función a instancias de las autoridades. A mediados de abril, los autores añadieron un dúo en el tercer acto que se cantó por primera vez el 13 de abril –quizá se trataba del dúo de tenor y barítono–. Durante los mismos días se representaba una obra teatral cómica que resultó premonitoria: *Els estudiants de Cervera*, y también la ópera seria española de Temístocles Solera *La hermana de Pelayo*. Se demuestra, pues, la existencia de un ideario de tipo nacionalista ya en esos momentos, que tomaba forma en una serie de propuestas, dispares en sus objetivos. Además, cabe anotar la coincidencia de una circunstancial suspensión gubernativa a las obras italianas, lo cual facilitó la programación de un repertorio alternativo.

Musicalmente la obra tiene interés. Por una parte recoge las influencias del modelo belcantista italiano: los pasajes de *fioriture* de tipo belcantista predominan en el papel de Estrella, que fue cantado por Teresa Rusmini de Solera, esposa de Temístocles Solera. Es al final de la obra cuando el despliegue de las exigencias virtuosísticas para la soprano es mucho mayor. Para los demás papeles los requerimientos técnicos son menores. En los números bailables abundan los elementos popularizantes. Manent siguió con fidelidad el modelo de zarzuela grande, con números desarrollados, poliseccionales en los cuales busca el interés en los desarrollos musicales, muy influidos por los modelos operísticos italianos.

Cuando cuatro años más tarde estrenó *Gualtero di Montsonís* la situación musical de Barcelona había experimentado cambios. Ello se refleja muy bien en la crítica aparecida en el *Diario de Barcelona*: "Cuando empezaron a tomar incremento, seis o siete años hace, en Madrid las óperas cómicas españolas, concebimos la doble esperanza de que la ópera nacional iría desarrollándose en una vía de progreso tal, que no pararía hasta llegar a la ópera seria, o sea el verdadero drama lírico español". ¿Cuáles son las razones por las que se truncaron las expectativas? La calidad de las obras era buena. Sin embargo, su interpretación que era por lo general desigual y la siempre socorrida desprotección oficial del género, eran las razones aducidas en la Barcelona de esos años como causas de la falta de continuidad en el desarrollo del género. Años después, se añadían otras explicaciones: "Quedaban en las compañías, al fenecer la segunda mitad de la centuria, algunos elementos oriundos de la extinta rama tonadillera. Hombres y mujeres que en determinadas coyunturas y con pretextos varios, amenizaban con canciones, regularmente de corte andaluz, ciertas piezas del repertorio. Formaron en los primitivos cuadros interpretantes de los esbozos zarzuelísticos los supervivientes tonadilleros y los recitantes cedentes a una modalidad que llevó el pánico a la clase… No obstante adolecer la interpretación del inconveniente de no ser el canto el fuerte de una parte de los actores ni la declamación la de los otros, se dieron veinte o más representaciones de *Jugar con fuego*, eclipsador de cuantas producciones se habían escrito con vistas a la implantación del teatro lírico español". Así se justificaba en 1947 en *Primer centenario de la Sociedad del Gran Teatro del Liceo* la coyuntura cronológica en la cual comenzó a componer Manent, y que condicionó parte de sus obras. El momento histórico era además singular en Barcelona: se desarrollaba la actividad teatral y se diversificaban las actividades de ocio en las que la música tenía un papel destacado; en 1853 se abrieron los jardines del Tívoli, al tiempo que los novedosos salones de los Campos Elíseos, en los que se montaron decoraciones de Félix Cagé, el escenógrafo francés traído por el Liceo, y del arquitecto Josep Oriol Mestres.

Sobre la acogida a la zarzuela *Tres para una*, las críticas coincidieron en señalar su bondad, con una mejor unidad de estilo más conseguida en relación con *La tapada del Retiro*, y con un desarrollo musical superior. Estas buenas expectativas, sin embargo, no animaron al compositor a continuar con el camino recién trazado. Su siguiente proyecto de más envergadura fue la ópera, de la que ya se ha hablado. Los motivos del cambio de género los proporciona la crítica que el 26 de mayo de 1857 se publicó en el *Diario de Barcelona*: "Desde entonces, convencido sin duda de que le sería infructuoso continuar escribiendo zarzuelas por la dificultad de ser bien desempeñadas en esta capital, a falta de cantores españoles de suficientes facultades para cantarlas, se decidiría a componer una ópera italiana". La apreciación del cronista no es unánime, por ejemplo, con las confesiones que Olona manifestó a Barbieri sobre la excepcional calidad de las zarzuelas representadas en Barcelona. Manent quería con toda probabilidad un nivel de exigencia técnica homologable al repertorio operístico, como se deduce del estudio de sus primeras obras, sin ser consciente de la distancia que existe entre ambos géneros por la necesidad de declamar y actuar de la zarzuela.

Las obras que compuso a partir de 1860 muestran un importante cambio en su lenguaje musical. Los números son más breves, y principalmente redujo las exigencias técnicas de los cantantes. Al mismo tiempo, desaparece casi por completo la influencia belcantista en favor de un tratamiento de la melodía en el que se adivina que Manent estudió los modelos franceses de la opereta y de la *mélodie*. Incorporó los bailes de moda: las jotas, polkas, pasodobles, las habaneras o americanas, la mazurka. Mantuvo aquellos elementos dramáticos más interesantes: el dominio de los números de conjunto; la caracterización melódica de los personajes principales; el efectismo de los números corales a través de recursos pintoresquistas o a través de la fusión con elementos de baile. Con estas características se explica el número relativamente importante de fragmentos zarzuelísticos que se editaron de sus obras: dúos de tiples y pasodobles de *Lo cant de la Marsellesa*, las americanas de *De la terra al sol* o, de *La festa del barri* o de *La fira de sant Genís*, la jota y la "mazurka de las horas" de *Lo rellotge del Montseny*, entre otras. Cuando las zarzuelas en catalán empezaron con decisión su andadura Manent pudo desarrollar un estilo maduro y experimentado, seguro en el uso de los recursos dramáticos para cosechar un éxito tras otro. El género pudo desarrollarse gracias al empuje literario de Serafí Soler, pero la respuesta en la vertiente musical le corresponde a Nicolau Manent, sin lugar a dudas, un compositor injustamente olvidado. *Véase* A POSTA DE SOL; LO CANT DE LA MARSELLESA; DE LA TERRA AL SOL; ELS ESTUDIANTS DE CERVERA.

OBRAS: *La tapada del Retiro*, Zarz, 3 act, l, V. Balaguer, est, 1853, Te. Liceo (Barcelona); *Tres para una*, Zarz, 3 act, l, F. Camprodón, est, 1853; *¡María!*, cuadro, l act, l, E. Vidal Valenciano, est, 4-VIII-1866, Te. Campos Elíseos (Barcelona); *La festa del barri*, cuadro de costums, 2 act, l, S. Soler, est, 12-IX-1870, Te. Novedades (Barcelona); *Pardalets al cap*, joguina, 1 act, est, IV-1871, Te. Baró (Barcelona); *Els estudiants de Cervera*, Zarz, 2 act, l, S. Pitarra, est, 3-VII-1871, Te. Tivoli (Barcelona); *A sort y ventura*, Hum, l act, l, E. Vidal Valenciano, est, 25-VIII-1871, Te. Tivoli (Barcelona); *A posta de sol*, balada, 2 act, l, S. Pitarra, est, 18-IX-1871, Te. Novedades (Barcelona); *Lo somni daurat*, Zarz, 2 act, l, J. Arimón / E. Vidal, est, 22-III-1872, Barcelona; *La fira de Sant Genis*, quadro de costums, 2 act, l, S. Pitarra, est, 13-VII-1872, Te. Tivoli (Barcelona); *Lo moro Benani*, Pas, 2 act, l, S. Pitarra, est, 15-III-1873, Te. Circo (Barcelona); *Paraula de Rey*, est, VI-1874, Te. Tivoli (Barcelona); *Lo sacristá de Sant Roch*, cuadro, 2 act, l, S. Pitarra, est, 20-VI-1874, Te. Tivoli (Barcelona); *Lo pou de la veritat*, Zarz, 3 act, l, C. Colomé, est, 20-II-1875, Te. Circo; *El convidado de piedra*, Zarz, 3 act, l, R. del Castillo, est, 30-X-1875, Te. Circo; *!!La por!!*, Zarz, 1 act, l, N. Campmany Pahissa, est, 10-IV-1877, Te. Novedades; *Lo cant de la Marsellesa*, Zarz, 3 act, l, N. Campmany / J. Molas, est, 6-VI-1877, Te. Tivoli; *Don Juan Tenorio*, Zarz, 3 act, l, J. Zorrilla, est, 31-X-1877, Te. de la Zarzuela; *Lo rellotje del Montseny*, Zarz, 4 act, l, N. Campmany / J. Molas, 24-VII-1878, Te. Tivoli; *De la terra al sol*, viaje, 3 act, l, N. Campmany, 23-VIII-1879, Te. Tivoli; *Petaca y boquilla*, Jug, l act, est, 6-III-1880, Te. Novedades.

BIBLIOGRAFÍA: R. Alier, F. X. Mata: *El Gran Teatro del Liceo*, Barcelona, 1991; F. Cortès: "La zarzuela en Cataluña y la zarzuela en catalán", *Cuadernos de Música Iberoamericana*, 2-3, Madrid, SGAE, 1996-97, 289-317.

FRANCESC CORTÈS i MIR

Mangiagalli, Carlos F. V. ?, 1842; ?, 1896. Compositor y profesor de canto. Su producción, claramente orientada al teatro lírico, presenta algunas obras de éxito en las décadas finales del siglo. Uno de sus primeros éxitos fue *El amor de un boticario*, zarzuela estrenada en el verano de 1877 que obtuvo 36 representaciones consecutivas. En el verano de 1880 fue director de la compañía de zarzuela de los Jardines del Buen Retiro, donde estrenó *La cachucha* y *Picio, Adán y compañía*, obteniendo con ésta última un nuevo éxito, con más de veinte representaciones consecutivas. Se trata de una obra breve, que presenta seis números musicales: preludio, escena y vals de tiple, canción, couplets de tenor, ter-

ceto y final. En 1881 *Los sietemesinos polka* obtuvo un "éxito estrepitoso" en la primera representación, aunque fue silbada en la tercera. En septiembre del mismo año, se anunciaba en la prensa la apertura del teatro Eslava de Madrid con la puesta en escena de *Picio, Adán y compañía*, siendo entonces Mangiagalli director de la orquesta de dicho teatro. En 1889 obtuvo un discreto éxito con *El cotillón de Tapioca*, obra estrenada a beneficio de Julio Ruiz; la prensa destaca la calidad del bolero de la obra. Ese mismo año, colaboró con Fernández Caballero en una revista titulada *¡A ti suspiramos!*, que revisa los distintos géneros teatrales de moda entonces; destaca una jota en el cuadro que representa el género político y un tango, cantado por la señora Segovia, en el cuadro que representa el género flamenco. La obra sigue el modelo del género chico, presentando nueve números musicales que, como es habitual, responden a modelos de danza. El 5 de abril de 1890 estrenó en Apolo *El cabo Baqueta*, que, en palabras de Chispero, era una obra llena de gracia y "con música muy alegre". Sin embargo se recibió con un "tremendo pateo, tan preparado como injusto"; en vista de lo cual sus "autores y la empresa la mantuvieron en cartel", convirtiéndose en un título centenario que perduró en el repertorio del género chico, siendo interpretada con mucha frecuencia por todas las compañías. En 1875 fue condecorado con la Cruz de Caballero de la Orden de la Corona de Italia.

OBRAS: *El amor de un boticario*, Jug cóm-lír, 1 act, l, A. M. Segovia, est, 2-VIII-1877, Te. de Verano del Prado; *Quiera usted a mi mujer*, Zarz cóm, 2 act, l. M. Cuartero / W. Ferrer Garayta, est, 1-X-1877, Te. Novedades (Locuras madrileñas); *Lo que puede decirse* (2ª parte de *Una quisicosa*), parodia, 1 act, l. M. Cuartero, est, 5-XI-1877, Salón de Eslava; *El diablo en la abadía*, Zarz, 2 act, l. J. A. Almela, est, 24-VIII-1878, Jardines del Buen Retiro; *Las hijas del Tambor Mayor*, Jug cóm-lír, 1 act, l, R. L. Palomino de Guzmán, est, 23-VIII-1879, Recreos Matritenses; E:Msa; *La cachucha*, pasillo histórico-lír, 1 act, l, R. L. Palomino de Gúzman, est, 24-VI-1880, Jardín del Buen Retiro; *Picio, Adán y compañía*, Jug cóm-lír, 1 act, l, R. M. Liern, est, 29-VI-1880, Te. Jardín de Buen Retiro, E:Msa (UME); *Artistas a gala*, Jug cóm-lír, 1 act, l. B. Gastaminza, est, 15-I-1881, Te. de la Zarzuela, E:Msa; *El rosal de la belleza*, espectáculo lír-fantástico, 3 act, l, R. M. Liern, 4-III-1881, Te. de la Zarzuela; *Los sietemesinos polka*, Jug cóm-lír, 1 act, l. B. Gastaminza, est, 5-III-1881, Te. de la Zarzuela, E:Msa (UME); *Un par de lilas*, Zarz, 1 act, l, R. M. Liern, est, 26-IX-1881, Salón Eslava, E:Msa (UME); *Sin contrata*, Jug. cóm-lír, 1 act, l. J. de la Cuesta / H. Criado y Baca, est, 20-XII-1882, Te. Lara; *Los novios de Brunete*, Rv, col. Navarro y Alba, est, V-1883, Te. Martín; *La venganza de Mendrugo*, Sai lír, l, R. L. Palomino de Guzmán, est, 30-VI-1883, Te. Recoletos; *I comici tronati*, fantochada cóm-lír-macarrónica, 1 act, l, R. L. Palomino de Guzmán / J. de la Cuesta, est, 14-VII-1883, Te. Recoletos, E:Msa; *Un loco hace ciento*, Jug cóm-lír, 1 act, l. H. Criado y Baca / J. Escudero, est, 19-VIII-1883, Te. Recoletos; *El jefe número 4*, Jug cóm-lír, 1 act, l. R. Caballero, est, 5-II-1884, Te. Martín; *¡Muchacho!*, Sai cóm-lír, 1 act, l. L. M. de Larra, est, 30-XI-1885, Te. Martín, E:Msa; *Fuegos artificiales*, Jug cóm-lír, 1 act, l. V. García Valero, est, 23-XII-1886, Te. Eslava; *El cotillón de Tapioca*, Jug cóm-lír, 1 act, l R. M. Liern, est, 19-IV-1889, Te. Apolo, E:Msa;

La tertulia de Susana, Jug cóm-lír, 1 act, l, García Valero, est, 7-VI-1889, Te. Apolo; *¡A ti suspiramos!*, Rv cóm-teatral, 1 act, col. M. Fernández Caballero, l. R. M. Liern / S. M. Granés, est, 10-VI-1889, Te. Maravillas (UME); *El cabo Baqueta*, Zarz, 1 act, col. Brull, l, R. Monasterio / J. López Silva, est, 5-IV-1890, Te. Apolo (Madrid); *¿Quién es el calvo?*, Jg cóm-lír, 1 act, l, E. Zumel / G. Merino, est, 15-XII-1890, Te. Martín, E:Msa; *Los hijos de Haraldo*, Dr lír, prólogo y 3 act, l, R. L. Palomino de Guzmán, est, 9-XII-1992, Te. Novedades; *Barba-Azul petit*, Opt Bu, 1 act, E:Msa; *El rey de los mirlos*, Jug, 1 act, E:Msa.

M ª ENCINA CORTIZO

Manini, Joaquín. Madrid, 11-VII-1839; ?. Actor, cantante y compositor. Fue alumno, en el Conservatorio, del famoso actor José García Luna, que le eligió como protagonista del monólogo *Un héroe de las barricadas* que conmemoraba la revolución de 1854; desempeñó tan bien su trabajo que en 1855 ya formaba parte de la compañía del teatro del Príncipe –hoy Español– cuando lo dirigía Julián Romea y permaneció en ese teatro hasta 1857, a partir del cual pasó un tiempo en Italia y América cantando ópera y zarzuela. Enrique Pérez Escrich le dedicó su drama *Herencia de lágrimas,* estrenado en el teatro del Príncipe en 1857, alentando al joven Manini en la difícil carrera teatral. La alusión que hace el autor a la amistad de las dos familias permite aventurar que la familia de Manini pudiese ser valenciana al igual que la del dramaturgo.

De regreso a Madrid, estrenó en el teatro de la Zarzuela diversas obras, como *Esperanza* de Miguel Ramos Carrión con música de Guillermo Cereceda, escrita para él y para Matilde Franco; *Sueños de oro* de Barbieri y *El motín contra Esquilache* de Arrieta, 1872. En 1874 estrenó en el teatro San Fernando de Sevilla *Los rosales de Mañara* de Guillermo Cereceda y en 1875 en el teatro de la Zarzuela *Los dos sargentos franceses* de Mazzucato. Se convirtió en un firme puntal del teatro Eslava en el que estrenó en 1877 *El figón de las desdichas* de Chapí junto a Lucía Pastor y el mismo año *Los sobrinos del capitán Grant* de Manuel Fernández Caballero en el teatro Príncipe Alfonso. En diciembre de 1883 estrenó en Eslava *De Cádiz al puerto* de Ángel Rubio y Casimiro Espino y *En el otro mundo* de Manuel Nieto. En 1886 estrenó *Muerto el perro...* de Isidoro Her-

Joaquín Manini (Foto: A. Esplugas, Colección Delgado; E:Bit)

nández y *El oro de la reacción* de Manuel Fernández Caballero; en 1887 seguía en Eslava estrenando junto a Juana Pastor *Los molineros* de Gerónimo Giménez y junto a Lucía Pastor *La fiesta de la Gran Vía* de Manuel Nieto, y en septiembre del mismo año otra secuela de la Gran Vía, *Efectos de la Gran Vía* de Isidoro Hernández en el teatro Felipe. En 1895 estrenó en el teatro Martín *Se suplica la asistencia* de Rafael Calleja.

Su papel más recordado es el del Caballero de Gracia de *La Gran Vía*, que interpretó con tal gracia y elegancia que durante mucho tiempo, se convirtió en un referente. Después abandonó el género lírico para volver al dramático en el que no sólo fue actor sino empresario, realizando una brillante campaña por provincias. Como compositor estrenó en Apolo, como obra de Pascua en 1887, *Champán, manzanilla y peleón,* con libro de Felipe Pérez que superó con mucho a la música.

BIBLIOGRAFÍA: *HZ; Madrid Cómico,* 45, 28-XII-1883.

M ª LUZ GONZÁLEZ PEÑA

Manrique de Lara y Berry, Manuel. Cartagena (Murcia), 24-X-1863; San Blasien (Alemania), 2-III-1929. Compositor, folclorista y crítico musical. Comenzó los estudios musicales con su madre. Ingresó en el Cuerpo de Infantería de Marina de su ciudad en 1879, obteniendo a los dieciséis años el empleo de oficial. Su carrera militar fue brillante. En 1880 fue nombrado Ayudante de Campo de su padre, entonces Gobernador Militar en El Ferrol. En 1898 tomó parte en la Guerra contra Estados Unidos, al mando de una batería en el acorazado Pelayo. En 1913 fue nombrado Gobernador de Pontevedra. Ascendido a Coronel en 1922, llegó a ser General de Brigada por méritos bélicos un año más tarde y en 1925 de División, paralelamente al nombramiento como Inspector General del cuerpo. Fue delegado de la Sociedad de Naciones encargado de la realización del canje de prisioneros griegos y turcos. En 1924 la misma Sociedad de Naciones lo eligió mandatario para la protección de la minoría albanesa en Grecia y le encargó la redacción de una memoria sobre la situación de las minorías griega en Estambul y turca en Tracia occidental.

Como compositor fue alumno de Rita San Martín en su ciudad natal y, posteriormente en Madrid, de Ruperto Chapí. Su primera obra escrita fue la trilogía musical *La Orestiada* estrenada en 1890 y completada en 1893. Más tarde concluyó su único *Cuarteto* que ganó un polémico concurso. Su última creación es sobre la leyenda del Cid, un poema sinfónico denominado *Rodrigo de Vivar* que fue ejecutado por Arbós. También hay que señalar su labor como folclorista. Como reconoció Menéndez Pidal, con el que trabajó muy directamente, a Manrique de Lara se debe el mayor incremento de textos recogidos por un solo individuo en la confección del romancero español. Llegó a documentar más de dos mil versiones no sólo de la tradición oral, sino también copias de colecciones manuscritas de los siglos XVIII y XIX. Su labor como crítico fue determinante, especialmente por su trabajo en el diario *El Mundo* a partir de 1907. Fue un teórico muy notable, posiblemente el más agresivo de su época, dedicando amplios esfuerzos a resaltar la labor de Chapí especialmente en el terreno de la zarzuela. Así señalaba que "la música genuinamente española no se ha revelado en el drama lírico hasta que Chapí concibió sus obras maestras *La chavala, Curro Vargas* y *La cortijera*. En ellas, aunque no hay una sola melodía que no proceda de la inspiración genial del compositor, se advierte un hondo sentimiento de nuestra música popular, más espontáneo y más profundo cuando más dramática era la situación que lo inspiraba (*El Mundo*, Madrid, 27-II-1908). Manrique de Lara se enfrentó a la escuela pedrelliana que despreciaba la zarzuela, justificando sus valores. En un artículo fundamental en la historiografía del género afirmaba que "en la zarzuela se formó el estilo verdaderamente español; a la zarzuela, con ligeras excepciones, pertenecen las obras maestras de nuestra música teatral; por la zarzuela se desarrolló en España la influencia benéfica y fecunda de la música alemana y ese género, ante el cual aparentan sentir compasivo desdén los que disfrazan su ignorancia y su impotencia con el fantasma de un gran arte, que son incapaces de comprender; ese género, ante el cual sonríe displicente la crítica que presume de sabia, la cual, para encontrar sujetos dignos de ser tratados por su pluma necesita nutrirse del arte elevado y puro de Perosi o Leoncavallo; ese género, en fin, que el público estima y aplaude con entusiasmo, aunque por la idea sugerida por la preocupación lo coloque por bajo de la ópera, la zarzuela, la vilipendiada zarzuela, ha sido en España, como lo fue en Alemania, lo más alto y noble de nuestro arte musical, y ha preparado entre nosotros el florecimiento posible del drama lírico, como en la patria de Ricardo Wagner preparó el camino al triunfo de sus obras inmortales" (*El Mundo*, Madrid, 8-II-1908). En otro artículo, igualmente fundamental, afirma que "es un error suponer que la zarzuela representa, en nuestro arte, un género equivalente al que fuera de España se denomina ópera cómica. La zarzuela es eso y algo más que eso. De un lado bordea las jocosidades de la opereta o se extiende hasta el límite de la tonadilla o del sainete, y, fiel a sus orígenes, hace vivir en la escena, revestida de un ropaje artístico, la canción popular; de otro llega a las ficciones refinadas, aunque frívolas, de la comedia de magia, o se remonta a las alturas de la pasión más intensa en el drama o la tragedia lírica. En todo caso, siempre se nutre su vida en la acción poética y es obra dramática antes de convertirse en obra musical" (*El Mundo*, Madrid, 31-X-1907).

Su única zarzuela dada a conocer fue *El ciudadano Simón*, en tres actos, con letra de Lustonó y Palomero y estrenada el 6 de diciembre de 1900 en el teatro Parish. A partir de un libro ya añejo aunque adaptado, obtuvo un cierto éxito de crítica en la época en la que se planteaba una fuerte renovación del género. La crítica destacó en ella "una partitura en que la inspiración, la originalidad y la brillantez campean al lado de la claridad y sencillez del procedimiento" (Mariano Barber, *La Época*, Madrid, 7-XII-1900). Destacaron varios números. En el primer acto "el dúo de barítono y tiple; una romanza de tenor, tan sentida como admirablemente hecha y la gran escena musical con la que termina. En el segundo, un cuarteto muy lindo; el dúo de tiples, que si no tiene tanta originalidad como otros números, merece, por su importancia, mención especial, y el final del acto, en que el compositor supo hallar grandes efectos de sonoridad y entusiasmar a la galería con los acordes de la *Marsellesa*. El último acto tiene un intermedio musical, seguido de un coro interno que gustó mucho, y hermosas situaciones musicales, en que el Sr. Manrique de Lara llenó cumplidamente las exigencias del libreto". La crítica destaca que su música se consideraba como "una brillante tentativa de un compositor dramático de gran porvenir. La orquesta ha sido tratada de un modo admirable y en ella está el mayor interés en casi todos los momentos. Las voces no han sido tratadas con tanto acierto y esto sólo a inexperiencia puede atribuirse. El compositor confía demasiado en las condiciones artísticas de los cantantes de zarzuela que, como pudo advertirse, dejan bastante que desear en punto a educación musical y facultades vocales".

BIBLIOGRAFÍA: A. García Segura: *Músicos en Cartagena*, Ayuntamiento de Cartagena, 1995; L. G. Iberni. "Un acercamiento a Manuel Manrique de Lara", *AnM*, 52, 1997.

LUIS G. IBERNI

Manso, Juanita. †Madrid, 29-I-1957. Tiple. Culta, elegante, inteligente, graciosa y de gran belleza, debutó en 1902 en el teatro Cómico apadrinada por Lleó, con el que después se casó y del que estrenó la mayoría de sus producciones. Su trabajo transcurrió en los teatros Cómico, Martín y fundamentalmente en el Eslava, del que Lleó era empresario. En 1903 estrenó en el teatro Moderno *El pícaro mundo* de Fernández Caballero y en el teatro Cómico *El mozo crúo* de Calleja y Lleó, donde obtuvo gran éxito. En 1904 seguía en el Cómico donde estrenó *La molinera de Campiel* de Arturo Pérez Soriano y *El túnel* de Arturo Saco del Valle y obtuvo un gran éxito con *La reina del couplet* de Luis Foglietti, aunando a sus dotes de tiple las de buena actriz. Estrenó también *El capitán Robinsón* de Foglietti y Fuentes, *La fuentecica* de Requeijo y Pons, *Perico el jorobeta* de Marquina y Fuentes, *La cueva de Salamanca* de Juan Gay, *El maestro Campanone* de Mazza en adaptación de Lleó, y

Juanita Manso (Foto: Calvache en Nuevo Mundo, *1912; Ar. ICCMU)*

finalizó el año con *Las granadinas* de Vives y Giménez, junto a la compañía habitual del Cómico en esa temporada: María Palou, Carmen Andrés y María López Martínez. En 1906 estrenó aún en el Cómico *La taza de té* de Lleó y *El aire* de Mariani. En 1907 se celebró en el teatro Cómico su beneficio con una obra de Vicente Lleó, *La fea del ole*, siendo la protagonista muy aplaudida como actriz y cantante.

En 1907 comenzó a trabajar en el teatro Eslava en el que estrenó *La alegre trompetería*, junto a Julia Fons y Carmen Andrés, siendo la crítica mucho más favorable a ella que a Julia Fons. En 1908 estrenó *La corte de los casados* y *¡Si las mujeres mandasen!* de Lleó; en 1909 *La moral en peligro* de Lleó y *¡Viva la libertad!* de Álvarez del Castillo; en 1910 estrenó *La alegre Doña Juanita* y *Colgar los hábitos* de Lleó y *El Conde de Luxemburgo* de Lehár. En febrero de 1911 estrenó la opereta de Luna *Molinos de viento* que había sido un gran éxito en su estreno sevillano en el teatro Cervantes y volvió a serlo en Eslava. Ese mismo año estrenó en el teatro Martín *El pueblo del peleón* de Padilla y *El dirigible* de Pablo Luna. De nuevo en Eslava estrenó *El vals de los besos* de Lleó y *La niña de las muñecas* de Leo Fall. En 1912 se retiró del teatro por una grave enfermedad y reapareció en *El Conde de Luxemburgo*, una vez recuperada. Estrenó ese mismo año *El cuarteto Pons*. Juanita Manso y Julia Fons personificaron para el público en la segunda década del siglo XX el espíritu de la opereta: *Las princesas del dollar, La mujer divorciada, El Conde de Luxemburgo*, estaban tan unidas a estas dos tiples que cuando una compañía repuso *El Conde de Luxemburgo* en el teatro de la Comedia con protagonistas diferentes, el público acogió la obra fríamente, mientras en Eslava había sido un clamoroso éxito. En el estreno de *Las princesas del dóllar*, para el beneficio de Juanita Manso, la revista *Comedias y Comediantes* reconocía en Juanita y Julia Fons las bases que sustentaban el teatro Eslava, donde estrenaron en 1913 *La Tirana* de Lleó y Martínez Sierra, en la que Juanita triunfaba con unos cuplés del primer acto y un dúo junto a Ramón Peña en el segundo.

Poco después pasó a formar parte de la compañía de zarzuela y opereta de Pepe Bergés y Amadeo Vives que actuaba en el teatro Novedades de Bar-

celona obteniendo la Manso un gran éxito en *Los cuáqueros* de Jackson Veyán y L. Monckton y *El mal de amores* de Serrano y los Quintero. En 1914 seguía en el Novedades estrenando *La gentuza* de Arniches y Serrano. En 1916 estrenó *La guitarra del amor* en el teatro de la Zarzuela con música de varios compositores. En los años treinta se convirtió en actriz de comedia e incluso llegó a actuar en el cine. Así intervino en 1949 en la versión cinematográfica de *La revoltosa*, protagonizada por Carmen Sevilla y Tony Leblanc.

FONOGRAFÍA: *El estreno de anoche*, La Voz de su Amo AF 60; *En los toros*, La Voz de su Amo AF 60.

BIBLIOGRAFÍA: *ME*; "Tiples del teatro Cómico", *Nuevo Mundo*, X, 507, 24-IX-1903; "Teatro Cómico: *El mozo crúo*", *Nuevo Mundo*, X, 508, 1-X-1903; *El Teatro*, 58, VII, 1905; *El Teatro*, 62, Madrid, XI, 1905; *El Arte de El Teatro*, 29, Madrid, 1-VI-1907.

Mª LUZ GONZÁLEZ PEÑA

Manso, Ricardo. España, siglos XIX-XX. Actor. En 1888 aparecía un señor Manso en el estreno de la obra de Eusebio Sierra *El de anoche* en el teatro Lara. Al año siguiente en el teatro de la Zarzuela estrenó *El motín de Aranjuez* de Ángel Chaves, también como actor. Su primera actuación conocida en una obra lírica fue en *Las alegres chicas* de Berlín de Rafael Millán estrenada en 1916 en el teatro de la Zarzuela. En 1920 estrenó en el teatro Cómico *Modistillas y perdigones, Muñecos de trapo* y *Las hijas de España*.

Mª LUZ GONZÁLEZ PEÑA

Màntua, Gastón [Gastón Alonso i Manaut]. Barcelona, 1878; Barcelona, 1947. Autor teatral y actor. Empezó actuando en el teatro Circo barcelonés, en la compañía de Enrique Giménez. En la misma compañía estaba trabajando como contable Mestre Calvet, que más tarde fue empresario del Liceu. Gastón Alonso i Manaut era sobrino de un banquero que fue quien lanzó a la Bella Otero. Cuando ingresó en la compañía del teatro Eldorado cambió su nombre, ante el disgusto que causó a su familia al dedicarse al teatro. El estilo de sus obras teatrales es de raigambre popular, ágil y buen conocedor del *coup de théâtre*, en obras como *Un milionari del Putxet*, 1927, o *La veïna del terrat*, 1930, y *La morena de Coll-Blanc*, 1930. En la temporada de 1929-30 estrenó en el teatro Talia, del Paralelo, *El paradís artificial*, obra que alcanzó una acogida favorable. Colaboró con Josep Amich "Amichatis" en el mayor éxito de su carrera, *Baixant de la font del gat*, 1924, a pesar de que su nombre quedó ensombrecido por Amichatis y por Pepe Santpere. Escribió la opereta *Deauville, port de París*, 1932, con música de J. M. Torrens. Se casó con la actriz Juanita Bozzo. Su hija, que firmaba como Cecília Màntua, fue escritora teatral. *Véase* BAIXANT DE LA FONT DEL GAT O LA MARIETA D'ULL VIU.

FRANCESC CORTÈS i MIR

Manuelita Rosas. Zarzuela en tres actos. Música de Francisco Alonso. Libreto de Luis Fernández Ardavín. Estrenada en el teatro Calderón de Madrid el 21 de enero de 1941.

Personajes y reparto. Manuelita Rosas (Pepita Rollán, soprano). Chonita (Charito Leonís, tiple cómica). Ña Bernarda (actriz con parte de cantado). Rosita Fuentes (actriz). Eugenia Castro (actriz). Rafael Mendoza (Luis Sagi-Vela, barítono). Chucho, payador (Guzmán, tenor). El Emperaor (Eduardo Marcén, actor con parte cantada). Gilillo (Manuel Alares, tenor cómico). Juan Manuel Rosas (Oller, actor). Ramón Maza (actor). Máximo Terrero (actor). El Capataz (actor con parte cantada). El Resero (actor). Cuitiño (actor). Mazorqueros, Caballeros, Estancieros, Estancieras, Chacareras, Reseros, Troperos, Músicos y bailarines porteños, Gauchos de la Pampa, Indios del desierto, La guardia de "colorados", Dos bufones, Dos ayudantes.
Orquestación. Flautín, flauta, oboe, 2 clarinetes, fagot, 2 trompas, 2 trompetas, 3 trombones, timbal, percusión, piano, arpa y cuerda.

Argumento. *Acto I.* En la Pampa argentina hacia 1840. Tras un telón corto en el que se glosa la figura histórica del libertador Juan Manuel de Rosas, varios personajes de origen español, entre ellos el pintoresco Emperaor, se mezclan con los oriundos de Argentina. El caballero andaluz Rafael Mendoza, que tuvo que dejar España por liberal y que en Argentina tenía una rica herencia, saluda a los congregados y canta con ellos a su tierra. Luego, a solas con Chonita, joven pampera y doncella de Manuelita, confiesa su interés por la protagonista. De pronto, se oye cantar tras una celosía cercana: es Manuelita que pide amparo y protección a la Virgen para su padre, allá donde se encuentre. Se produce una escena de galanteo entre Rafael y Manuelita en la que él pide una prueba y ella le entrega un pañuelo rojo. Al irse, Rafael se encuentra con Ramón Maza que, aunque viste uniforme de coronel de las milicias de Rosas es, sin embargo, un unionista infiltrado que lucha contra los federalistas de Rosas y descubre que Rafael está en ese mismo partido. Algo más tarde llega Rosa Fuentes, prima de Manuelita y novia de Ramón que habla con ella acerca de Manuelita, a la que considera una hermana: sus padres eran buenos amigos y ellos se habían criado juntos; ahora, sin embargo, Ramón y Manuelita estaban en partidos contrarios, pero Rosa no lo sabe. Entra en escena Gilillo, pícaro criado de Rafael que habla con Chonita, la corteja y juntos bailan una pavana de moda. Manuelita y Ramón hablan del libertador y ella le anuncia que tiene ya la aprobación para casarse con Rosa. Manuelita finge alegría pero, al quedarse sola, canta su decepción porque ella siempre había estado enamorada ocultamente de Ramón. Chonita llega con carta de Rosas para su hija: quiere que vaya cuanto antes a su encuentro en Buenos Aires y, como escolta, le envía a su fiel Terrero. Los

Cortesía de Unión Musical Ediciones SL

preparativos del viaje son interrumpidos por Eugenia, una bella mestiza antigua amante de Rosas, que advierte a Manuelita que debe tener cuidado pues se está preparando una conspiración contra el libertador. Entra Rafael y recuerda a Manuelita la escena de la celosía. Ella le pide que se mantenga neutral en la lucha de unionistas y federales, y reclama su pañuelo, pero como él no quiere devolverlo, le da a cambio su corbata celeste de unionista y confiesa que, aunque se había acercado a ella inicialmente para sonsacar secretos de Rosas, ahora está realmente enamorado, se pone el pañuelo rojo y reniega de los unionistas, pero no se da cuenta de que está siendo observado por el Resero, otro espía unionista. El acto concluye con una fiesta.

Acto II. En el camino hacia Buenos Aires, con una caravana de carretas, Rafael siente celos de Terrero que no se aparta de Manuelita. Ramón se interesa por las pretensiones de Rafael sobre Manuelita, luego, Rosa, que ya es su esposa, le dice todo lo que debe al libertador, pero él, aparte, se reafirma como unionista. Eugenia escucha una conversación de Ramón con el Resero en la que ambos se ponen de acuerdo para matar a Rafael –que al lucir el pañuelo rojo piensan que les va a traicionar– y al propio Rosas. Tras una fiesta improvisada en el descanso de la caravana, Rafael y Terrero disputan por Manuelita y acaban retándose a duelo. Eugenia avisa entonces a Manuelita de la trama que ha escuchado: Rafael es leal y van a tratar de asesinarle esa misma noche. Llega entonces Juan Manuel de Rosas, pero la alegría general es interrumpida por los gritos del duelo. Rosas se extraña de que uno de los que se baten sea Terrero a quien había confiado la custodia de su hija. Manuelita, por su parte, ordena a los soldados que prendan a Rafael y éste queda completamente sorprendido por ello. El acto prosigue en la prisión del bonaerense Cuartel del Retiro custodiado por los feroces mazorqueros de Rosas a los que se ha unido el Emperaor como sargento. Cuando se van los otros mazorqueros, el Emperaor habla con Gililllo, que decidió acompañar a Rafael en su encierro. Ambos se extrañan de que les traten tan bien en la cárcel, y comentan que Ramón y todos los conjurados han sido descubiertos y están también encerrados. Rafael está sólo y desengañado en su celda cuando Manuelita se presenta para visitar a Ramón que se da por perdido y le pide que rece por su alma. Tras despedir a Ramón, Manuelita va a ver a Rafael, a declararle su amor, liberarle y sacarle de la confusión en que se encuentra: ella mandó que le encerraran con el fin de evitar su muerte. Por último, Manuelita le anuncia que en España hay nuevas revueltas y le anima a volver porque, en su situación, su relación no tiene futuro.

Acto III. En el Jardín de la Quinta de Palermo, propiedad de Rosas, se celebra una fiesta en honor a Rafael como desagravio por haberle tenido encarcelado. Al fondo, en la distancia, se ve una fragata española con su bandera ondeante. Chonita está dispuesta a acompañar a Gililllo a España sin saber que éste tiene allí esposa y lo que quiere es arreglar el casamiento de Chonita con el payador Chucho quien, desde hace mucho tiempo, está enamorado de ella. El Emperaor ahora es un elegante lacayo de los Rosas. Entra Manuelita rodeada por un grupo de caballeros que la galantean y, cuando se marchan, aparece Rosa para pedir el favor de Manuelita para el indulto de su esposo Ramón condenado a muerte. Cuando llega Rosas, ambas se aprestan a implorar el perdón y él concede una última entrevista a Ramón. Después, Rafael y Terrero se reconcilian y éste deja vía libre a la relación de Rafael con Manuelita. Pero Rafael ya ha decidido volver a España y se lo comunica a Manuelita que está de acuerdo. Rosas, que ha escuchado los exaltados y patrióticos argumentos de Rafael, le felicita por su decisión. Al despedirse definitivamente Rafael, Cuitiño, un mensajero enviado por Rosas para detener la ejecución de Ramón y concederle una nueva entrevista, le comunica que llegó tarde y que la sentencia se había cumplido. Termina así, con más sombras que luces, la zarzuela.

Números musicales. Acto I: Preludio y Nº 1. Chonita, Ña Bernarda, Muchachas, Payador y Emperaor, "Cuando pasea el mazamorrero". Nº 2. Rafael, Chucho (payador), Emperaor, Capataz, Resero y coro de gauchos, "Donde quiera que canten los españoles". Nº 3. Manuelita, Chonita y Rafael, "Virgen de Luján, vidalita". Nº 4. Dúo cómico. Chonita y Gililllo, "Levantando así la planta". Nº 5. Romanza de tiple. Manuelita, "Nunca pensé que mi amor". Nº 6. Final del primer acto. Manuelita, Rafael, Máximo, Ña Bernarda, Capataz, Gililllo, Chonita, Emperaor, Chacareros, Chacareras y coro general, "–Manuela– Sed bien venido". Acto II: Nº 7. Chucho, voces de Estancieros, Capataz y coro general, "A lo lejos, la distancia". Nº 8. Romanza de tenor. Chucho, "Tú me has vuelto la espalda". Nº 9. Manuelita, Chonita, Chacareras, Chacareros y coro general, "Manuelita Rosas, la bella pampera". Nº 10. Final del segundo acto. Manuelita, Chonita, Ña Bernarda, Chucho, Capataz, Emperaor, Terrero, Resero, Gauchos, Gauchas y coro general, "Bajo la luz de la Pampa". Acto III: Nº 11. Emperaor y Mazorqueros, "Somos la banda de mazorqueros". Nº 12. Romanza de barítono. Rafael, "En la noche dormida". Nº 13. Dúo. Manuel y Rafael, "Virgen de Luján, vidalita". Nº 13bis. Final del primer cuadro del acto tercero. Manuelita y Rafael, "Paloma, mi palomita". Nº 14. Manuela, Chonita, Rafael, Cucho, Gaucho, Gauchos, Gauchas, conjunto y coro general, "La fiesta comience". Nº 15. Manuelita y 12 galanes, "Manuelita, Manuelita, linda rosa de Palermo". Nº 16. Final (instrumental).

Comentario. Cuando el 21 de enero de 1941, como primer estreno de la temporada, el teatro Calderón –en el que habían hecho empresa José Luis Mañes, Francisco Alonso y Federico Moreno Torroba– presentó *Manuelita Rosas,* el público y la mayor parte de la crítica se congratularon por la reanudación de la tradición de la zarzuela clásica frente al creciente predominio del género arrevistado. Después de éxitos tan sonados como *La bejarana* salmantina y *La parranda* murciana, volvían a confluir los esfuerzos musicales de Alonso con el estro poético de Luis Fernández Ardavín y la nueva zarzuela, de ambiente argentino esta vez y muy oportunamente adaptada al genio nacionalista de la posguerra, nacía con visos de convertirse en un gran éxito. No se escatimaron recursos en su montaje y tanto la música como el texto estaban expresamente preparados para lucimiento de los aéreos agudos de Pepita Rollán y la curiosa voz baritonal de Luis Sagi-Vela así como su apostura sobre las tablas. Con todo ello, el éxito de los autores, de los intérpretes y de la empresa fue grande y *Manuelita Rosas* se mantuvo largo tiempo en repertorio.

Algún crítico perspicaz como Sánchez Camargo se dio cuenta de que tras la apariencia de zarzuela tradicional en tres actos había algo más que él no juzgó tan loable: "La paradoja del liberal, antiliberal, convertido por amor y no por convicción, es el guión general, cerca del cual gira toda la riqueza nacional argentina, convertida en danzas, cantos y trajes, consiguiendo la vistosidad del conjunto, borrar las ligeras diferencias del texto, falto de nervio y con lentitud creciente, que sirve mejor una necesidad de revista que todo un concepto clásico de zarzuela". A pesar de esta dura crítica, no obstante bien justificada, *Manuelita Rosas* tiene un interés muy positivo, sobre todo como obra de un moralismo patriótico exacerbado que refleja muy bien el sentir oficial de la España de los años cuarenta. El gesto quizá sí es de zarzuela clásica, pero el argumento tiene un desenlace tan dramático que ronda la tragedia. Ninguno de los amores que se plantean en la trama se resuelve positivamente: la relación principal entre Rafael y Manuelita concluye porque aquél antepone el deber con su patria al amor; la pareja cómica formada por Chonita y Gilillo tampoco prospera porque él tiene esposa en España; la relación de Eugenia con Juan Manuel Rosas se esfuma en la misma niebla en la que apareció, y la de los secundarios Rosa y Ramón tiene un final trágico con la ejecución de Ramón que, aunque no se desarrolla en el argumento, viene a reforzar hasta lo lacrimoso el tinte dramático del final. Toda esta serie de amores frustrados no se compensa, en absoluto, con que Manuelita, enamorada originalmente del ajusticiado Ramón, acepte la marcha de su nuevo amor Rafael y se quede con Terrero, ni con que Chonita se quede con el payador Chucho, dejando la situación en una especie de *statu quo* previo al desarrollo del argumento. Eso son cabos sueltos rematados por un libretista cuidadoso y esmerado que eligió como contexto para el desarrollo de su argumento lírico un episodio muy delicado de la historia argentina. Este episodio, a pesar de la lectura que le dio Fernández Ardavín, no acabó de convencer a los críticos y, menos aún, que el deber por el que Rafael abandona a Manuelita sea el servicio a la causa de Espartero, que estaba lejos de ser un santo de la devoción de la historiografía franquista. Pese a esos reparos, en el planteamiento que hace el libretista, no puede dejarse de identificar la figura del libertador –por otros llamado simplemente tirano– con la del general Franco y el enfrentamiento entre unionistas y federalistas con la Guerra Civil española, 1936-39, con el cambio de colores: en la zarzuela el rojo es el color de los triunfadores y azul el de los perdedores. Además, el autor dejó bien claras sus intenciones escribiendo en el telón corto sobre el que sonaba el preludio de la obra la siguiente glosa: "Fue Juan Manuel de Rosas un gran patriota argentino que, al frente de su pueblo, supo librarlo de la rapiña extranjera y darle unidad y grandeza. Representaba al partido federal, cuyo símbolo era un pañuelo encarnado, frente al de los unionistas, cuyo símbolo era un pañuelo azul, que, defendiendo un funesto liberalismo, hubieran entregado el país a Francia o a Inglaterra. Rosas es aún discutido por sus procedimientos de fuerza y rigor. Pero a él, y a pesar de sus sangrientos *mazorqueros*, le debe la Argentina su racismo y su unidad nacional. Manuelita Rosas, hija de este hombre tosco y glorioso, inspiró la comedia que ahora vais a ver". Apelación descarnada, directa y no carente de cierta ingenuidad a una audiencia de vencedores de una guerra civil que, pocos años después del estreno de *Manuelita Rosas* –cuando la guerra se santificó como una cruzada y el dictador español caminaba bajo palio–, se pudiera mantener.

Aunque el tratamiento es muy distinto, *Manuelita Rosas* tiene algunos puntos en común con una de las grandes zarzuelas de su tiempo como es *Luisa Fernanda*. Para empezar, la ambientación en la vorá-

gine de un proceso revolucionario, pero también la figura central de Rafael Mendoza con sus bandazos políticos es muy del estilo del Vidal Hernando de *Luisa Fernanda,* pero no alcanza el empaque lírico y dramático del hacendado extremeño labrado por Moreno Torroba, Romero y Fernández Shaw. No porque al libretista le falten recursos, ni tampoco por falta de música, sino quizá por la planificación lírico-dramática más inicial. El centro argumental de esta zarzuela es la relación de Manuelita con Rafael, pero el triángulo dramático es difuso porque Ramón, que es a quien Manuelita quiere verdaderamente, desaparece muy pronto y sólo da lugar a que Manuelita cante su romanza de desengaño "Nunca pensé que mi amor", Nº 5. En el segundo acto, Terrero reemplaza a Ramón en el tercer vértice del triángulo principal, pero eso no da ocasión a ninguna música, sino a escenas exclusivamente teatrales y de poco interés. Y es que ni Ramón ni Terrero cantan. El tenor de *Manuelita Rosas,* a quien, en lógica zarzuelística, le correspondería el papel antagonista, es el payador Chucho, el personaje en quien recae, con la ayuda de las escenas costumbristas, todo el peso de la ambientación pampera de la obra. Pero este personaje, a pesar del último esfuerzo de Fernández Ardavín para dejarle incorporado a la trama central de su obra –emparejándole con Chonita–, durante todo el desarrollo aparece un tanto, si no completamente, descolgado, hasta tal punto que su romanza "Tú me has vuelto la espalda", Nº 8, la interpreta como una mera canción en el contexto de una fiesta y no como parte del desarrollo dramático de la zarzuela. En este sentido, la ambientación exótica de esta obra radica sobre todo en lo escénico más que en lo musical donde, por ejemplo, llama la atención la pavana "Levantando así la planta", Nº 4, –que suena más bien a chotis– cantada y bailada por la pareja cómica en el primer acto como si fuera un baile pampero de moda.

En definitiva, se puede decir que el planteamiento de *Manuelita Rosas* es un tanteo arriesgado pero completamente buscado por los autores, tratando quizá de encontrar en la zarzuela un nuevo equilibrio entre lo lírico y lo dramático. De otro modo, no se podría explicar que, tras el esencialmente lírico acto primero, el segundo tenga un claro predominio del verso gracias a la figura de Juan Manuel de Rosas y a sus dos amplios recitados –"¡Viva la Federación / pero, ante todo, la patria!" y la silva "Mal sabéis lo que es la Pampa"–, y el último acto tenga el equilibrio entre lo lírico y lo dramático, aunque el clímax está situado precisamente en el recitado de Rafael dedicado a la bandera nacional española que gozó de los honores de ser grabado en voz de Fernández Ardavín en la primera grabación de la zarzuela.

Sánchez Camargo acierta también en la observación que hace a la música de esta zarzuela: "Una línea melódica que no sirve a un conjunto musical sino a un determinado número, es la clave del gran éxito que alcanzó anoche *Manuelita Rosas,* cuya luminaria se sostiene a base de fugaces fogatas". Reforzando su tesis de que detrás de la apariencia de zarzuela se esconde un trasfondo de revista que era precisamente lo que los empresarios del Calderón querían combatir, es cierto que la partitura de Alonso carece de un plan general, construyéndose como una serie de cantables, muchos de ellos coreados, algo más propio del género chico que de la zarzuela grande. Como completamente propio de la revista es el Nº 15 "Manuelita, Manuelita, linda rosa de Palermo" cantado por la tiple con "doce galanes" y que Antonio de las Heras criticó abiertamente en su columna de *Informaciones* (22-1-1941) en estos términos: "Manuelita Rosas, que al principio de la obra aparece entre celosías, se convierte en *vedette* que evoluciona entre un coro de galanes, y que a nuestro entender, este número no añade nada nuevo y más bien pesa un poco después de la cantidad de música escuchada".

En general, Alonso huye de procedimientos constructivos propios de la ópera –no obstante hay un curioso recitativo en el Nº 3– a los que se estaban aproximando en su día compositores como Pablo Sorozábal o el propio Federico Moreno Torroba, y no pretende más que acertar con el gusto del público con una música copiosa, variada, con detalles de orquestación y esas melodías amables que fluían continuamente de su imaginación. Otra crítica del estreno observó, no obstante, lo siguiente: "A Salamanca o Murcia ha sucedido la Pampa argentina. Es igual. Los sonoros versos del señor Ardavín siguen siendo lo que todos recordamos y tantos plácemes han merecido en tan diversas ocasiones. La música del maestro Alonso ha perdido, tal vez, garbo y espontaneidad, pero sigue siendo pimpante y jaranera, cuando no dulce y sentimental". Es posible, porque parece que la música de *Manuelita Rosas* la escribió Alonso durante la Guerra Civil con intención de escapar del Madrid republicano y estrenarla en Buenos Aires que, en aquellos años fatídicos, era el sueño de muchos españoles. No pudo ser así pero, dentro de toda la parafernalia patriótica con la que se exorna esta zarzuela hay muchos desencuentros, mucho pesimismo, mucha decepción que se acomoda al humor sombrío de un tiempo de guerra más que a las celebraciones de un tiempo de triunfo.

Fuentes manuscritas. La partitura se conserva en el legado Alonso en el archivo del ICCMU. Los materiales de orquesta y el libreto mecanografiado se conservan en el archivo de la SGAE en Madrid (6534).

Ediciones de música. Canto y piano, Madrid, UME.

FONOGRAFÍA: CD: Sols. Conchita Panadés, Rosario Leonís, Blue Moon BMCD 7512.

JAVIER SUÁREZ-PAJARES

Manzanares García, Miguel. España, siglos XIX-XX. Autor y compositor. Aún vivía en 1967, cuando la SGAE publicó su Lista de Socios. Es autor de numerosas canciones y bailes y de la zarzuela en un acto *La alegría del abuelo,* con libreto de José Jackson Veyán y Miguel Flores, estrenada el 7 de octubre de 1911 en el teatro Novedades de Madrid. La obra se conserva en el archivo de la SGAE en Madrid.

Mª LUZ GONZÁLEZ PEÑA

Manzaneda, José [José López de la Manzanara]. Manzanares (Ciudad Real), 20-VII-1936. Tenor. Pasó su niñez y adolescencia en Murcia, donde estudió con Masotti Litell, su primer maestro. Más tarde, ya en Madrid, estudió con Mercedes García López, Marimí del Pozo y Miguel Barrosa. En 1958 formaba parte del coro del teatro de la Zarzuela y debutó en la ópera *Marina.* El éxito obtenido fue inmediato y comenzó su importante carrera de tenor, siendo habitualmente comparado con Alfredo Kraus. Ha compaginado la interpretación de ópera y zarzuela, en los mejores teatros de España y América, afrontando un repertorio que incluye *Doña Francisquita, Marina, Luisa Fernanda, La del Soto del Parral, Los gavilanes, El huésped del Sevillano, La leyenda del beso* y un largo número de obras. Ha actuado en compañías como la titular de la Zarzuela, José de Luna, Isaac Albéniz de Juan José Seoane, Lírica Española de Antonio Amengual y algunas otras en las que compartió escenarios y éxitos con su esposa, la soprano Dolores Cava. Ha grabado con distintas casas discográficas varias zarzuelas en los papeles de tenor y tenor cómico. A finales de los años ochenta asumió la producción artística del teatro de la Zarzuela que alternó en los primeros momentos con su carrera de cantante, y que poco tiempo después abandonó definitivamente al ser nombrado jefe de Escenario del mismo teatro, cargo en el que se jubiló en 2001.

FONOGRAFÍA: *El pájaro azul,* Columbia-BMG SCE 959 • Columbia SA, ZCL 1067 178; *La Dolorosa,* Columbia-BMG España WD 71588 (9D) • Columbia-Salvat 1007-1 • Columbia SA, ZCL 1012 (Zacosa) 94 • Columbia SA, SCE 963 110; *La leyenda del beso,* BMG España WD 71463 (9D) • Columbia SCE 962; *La villana,* Columbia-BMG SCE 960-1 • Columbia SA, ZCL 1061 y 1062 (Zacosa); *Los claveles,* Columbia-BMG España-Alhambra WD 71588 (9D) • Columbia SA, ZCL 1012 (Zacosa) 95 (94a) • Columbia SA, SCE 963 111 (110a); *Me llaman la presumida,* Columbia SA, ZCL 1089 (Zacosa) 135 • Columbia SA, SCE 958 138.

BIBLIOGRAFÍA: E. García Carretero: *Historia del teatro de la Zarzuela de Madrid,* Madrid, Fundación de la Zarzuela Española, 2003.

EMILIO GARCÍA CARRETERO

Manzano Bodega, Alejandro. España, siglos XIX-XX. Autor y compositor. Como compositor se dedicó fundamentalmente al género de la canción, siendo autor de numerosos títulos. Incursionó también en el género lírico, con obras como *La Nochebuena en Madrid*, de la que también es autor del libreto; el juguete en un acto *La nodriza de Betanzos*, con libreto de J. Mazo, estrenado en 1890 en el teatro La Infantil de Madrid, ambas conservadas en el archivo de la SGAE en Madrid. Otras obras suyas son *Los transformadores*, comedia musical inédita con libreto de Bonifacio Pérez Rioja y *El esquilaor*, parodia de *El trovador* con letra de Federico Montañés y estrenada en 1889.

Mª LUZ GONZÁLEZ PEÑA

Manzano Mancebo, Luis. España, †29-III-1965. Libretista, actor y cantante. Formaba parte de la compañía del teatro Apolo desde la temporada 1896-97, estrenando obras como *Las bravías* de Chapí, *Las mujeres* de Gerónimo Giménez y *La banda de trompetas* de Torregrosa en 1896; *La roncalesa* de Joaquín Larregla, *Aquí va a haber algo gordo o La casa de los escándalos* de Giménez, 1897, *El santo de la Isidra* de Torregrosa, que fue un gran éxito de 1898, año en que también estrenó *Toros del saltillo* de Quinito Valverde, *El mantón de Manila* de Chueca, *El reloj de cuco* de Bretón y *La chavala* de Chapí. Estrenó en 1905 *El mal de amores* formando la pareja cómica junto a Julia Mesa, siendo muy aplaudidos ambos; *El alma del pueblo* de Chapí, *La favorita del rey* de Vives y *El iluso Cañizares* de Rafael Calleja, y en 1906 *La mala sombra* de José Serrano junto a Joaquina Pino y María Palou, *El pollo Tejada* de Serrano y Quinito Valverde, *Sangre moza* de Joaquín Valverde y *Los bárbaros del Norte* de Chapí, y en 1907 *La mujer del prójimo* de Rafael Calleja. En 1909 participó en el gran éxito de Vicente Lleó *El método Górritz* y en *La alegría del batallón* de Serrano. En 1910 estrenó *Sangre y arena* de Luna y *Juegos malabares* de Vives y Miguel Echegaray, en cuya edición del libreto se alaba su actuación. También en 1910 estrenó *El palacio de los duendes* y *Mano de santo* de Sinesio Delgado y sustituyó a Emilio Carreras en muchos de los papeles que éste había hecho famosos, augurándose un brillante porvenir en Apolo. En 1911 estrenó *Lirio entre espinas* de Gerónimo Giménez y *¡El 20 pelao!* de Arturo Escobar, y

Luis Manzano (Foto: Comedias y Comediantes, 1910; Ar. ICCMU)

en 1912 *La moza bravía* de José Cabas. En 1925 actuó en *La pescadora de Ubiarco* de José María Tena en el teatro del Cisne de Madrid. Hizo famosos los tipos cómicos en *Las bribonas, El húsar de la guardia, El barbero de Sevilla, El método Gorritz, La patria chica, Las mil maravillas, El cine de Embajadores* y *Caza de almas*.

Cómo libretista, entre sus obras más famosas figuran *La fama del tartanero* con Jacinto Guerrero, escrita en colaboración de Manuel de Góngora, 1931, teatro Lope de Vega de Valladolid; *La mujer de aquella noche*; de nuevo en colaboración con Góngora y con música de Moreno Torroba estrenada en el teatro Lara, y *La paz del molino*, zarzuela en colaboración con Manuel de Góngora y música de Pablo Luna. *Véase* LA FAMA DEL TARTANERO.

BIBLIOGRAFÍA: *DAT*; "Actores jóvenes. Luis Manzano", *Comedias y Comediantes*, II, 11, 15-III-1910; M. Gómez García: *El teatro de autor en España (1901-2000)*, Madrid, Asociación de Autores de Teatro, 1996.

Mª LUZ GONZÁLEZ PEÑA

Manzano Pastor, Fernando. Madrid, 1862; Madrid, 5-II-1893. Escritor. Escribió algunas obras dramáticas como *Chismes y cuentos* en colaboración con José López Silva o el sainete *Merienda de negros*, 1887, pero sus mayores triunfos los obtuvo en el género lírico para el que colaboró con Manuel Nieto en dos ocasiones, *Los trasnochadores*, estrenada en Eslava en 1887, y repuesta en la temporada 1889-90 en Apolo, y *Los callejeros*, sainete en colaboración con Fiacro Yrayzoz y estrenado en Eslava en 1888. En dos ocasiones también colaboró con Ruperto Chapí: *Las doce y media y sereno*, estrenada en el teatro Apolo en 1890 y *El mismo demonio*, estrenada en el mismo teatro al año siguiente. *Las doce y media y sereno* fue un gran éxito, interpretada por Emilio Carreras, y fue una de las obras que salió de la apuesta en el Círculo Artístico-Literario en el que se reunían los autores más famosos de aquel momento. Fue una obra divertida que, con música de Chapí, constituyó un hito en la historia del teatro Apolo y aseguró el éxito del teatro por horas. Con esta obra nació la "cuarta" de Apolo y el fenómeno de la reventa de entradas. En la noche del estreno el público pidió el nombre de los autores desde la segunda escena de la obra, los cinco números de la partitura de Chapí hubieron de repetirse y los chistes de Manzano se aplaudieron incesantemente. Aunque todo el reparto fue muy aplaudido, Riquelme hubo de cantar hasta tres veces la "Canción del organista", Manolo Rodríguez, Concha Segura, Patricio León, todos obtuvieron un gran éxito pero Emilio Carreras obtuvo el más grande de su carrera. *El mismo demonio*, por su parte, constituyó el primer éxito de Apolo en la temporada 1891-92. Aunque según Chispero el libro no era muy original, tenía gracia y el público rió los chistes y situaciones aunque el verdadero responsable del triunfo fue Chapí con una magnífica partitura, de la que se repitieron tres números el día del estreno. Este fue el último éxito de Fernando Manzano que murió dos años después, en plena juventud, malográndose así una firme carrera de dramaturgo. Es además un importe autor de canciones.

BIBLIOGRAFÍA: *CDE; DUE; TA.*

Mª LUZ GONZÁLEZ PEÑA

Mañas, Vicente. España-México, siglos XIX-XX. Compositor y pianista. De origen español, llegó a México en 1896, año en que se presentó al público mexicano en el Conservatorio Nacional. Radicó en México al menos hasta 1906, período en el que realizó una discreta labor como maestro y se distinguió entre los pianistas locales. Se le recuerda, ante todo, como maestro de piano de Manuel M. Ponce y como autor del *Metodo Mañas* para tocar el piano publicado por la casa Wagner y Levien. En el género de la zarzuela realizó una única incursión cuando puso música al texto de Aurelio González Carrasco *El tiro por la culata.* Estrenada el 6 de julio de 1901, el público "celebró algunos de los chistes de la obra, varios de ellos más que picantes, y, nada más, pues desde antes que terminara la obra comenzó a manifestar desagrado, cuyas manifestaciones aumentaron notablemente al final". La música, según el diario *El Universal,* no era significativa.

RICARDO MIRANDA PÉREZ

Mañón, Manuel. México, 1884; México, 1942. Periodista, dramaturgo e historiador. Escribió libretos para algunas obras líricas, entre ellas la pieza de género chico *Aventuras galantes,* 1911, con música de Manuel Castro Padilla, la zarzuela *El terrible Vázquez,* 1912, en colaboración con Humberto Galindo y con música de Lauro Uranga y *La hija de Tetis* con música de Velino M. Preza, estrenada en 1915. Sin duda, esta última fue la más importante de sus contribuciones. Según el periódico *El Pueblo, La hija de Tetis* fue "bocado de cardenal, algo delicado y bello que hace tiempo no veíamos en el escenario de la catedral de la tanda [el Teatro Principal... Muy hermosos los versos que el señor Mañón puso en boca de la poesía, la música es muy inspirada y bella y la interpretación –*rara avis*– fue muy correcta". En 1914 Mañón obtuvo el segundo lugar en el concurso de zarzuelas convocado por la Compañía Teatral Mexicana con *Bianca,* música de Rafael Ordóñez. Apasionado de la historia teatral en México, publicó en 1933 su *Historia del teatro Principal,* valioso testimonio de las actividades de aquel teatro y una de las fuentes más útiles de la historia de la zarzuela mexicana. A su muerte dejó inconclusa otra *Historia del teatro Nacional* que comenzó a publicar en forma de entregas periodísticas en *El Universal* de la ciudad de México.

BIBLIOGRAFÍA: *RHTM.*

RICARDO MIRANDA PÉREZ

Marcén, Eduardo. España, siglos XIX-XX. Actor y director. Muy ligado al teatro Novedades, en 1907 estrenó el juguete cómico *Los celosos* de Rogelio Pérez Olivares, la zarzuela *El rey de la serranía* de Juan Goytisolo, la zarzuela cómico-dramática *¡Mala semilla!* de Antonio Somoza, el melodrama lírico *Alma negra* de Federico Chaves, la zarzuela cómica *El barón de la Ciripa* de Pascual Marquina y Tomás Borrás, la zarzuela *El cortijo de la gloria* de José Porras, la humorada cómico-lírica *Las mil y dos noches* de Antonio Porras, y la tontería cómico-lírica *Imposible l'hais dejado...* de José Fonrat. En 1912 también en el teatro Novedades estrenó *El hambre nacional,* pasatiempo cómico lírico bailable de Manuel Quislant y Cayo Vela. En 1925 en el teatro de la Zarzuela *La mesonera de Tordesillas* de Moreno Torroba con Marcos Redondo y Cora Raga. En 1930 estrenó *La picarona* de Alonso, al año siguiente *La castañuela,* también de Alonso en el teatro Calderón de Madrid y *El cantar del arriero* de Díaz Giles, en el teatro Calderón. En 1932 estrenó *La fama del tartanero* de Guerrero, *Luisa Fernanda* y *La chulapona* de Moreno Torroba. Participó en el estreno de la obra de Moreno Torroba *La boda del señor Bringas o Si te casas la pringas* en el teatro Calderón en mayo de 1936, protagonizada por Felisa Herrero y Pedro Terol.

Mª LUZ GONZÁLEZ PEÑA

Marcha. Forma musical y danza de movimiento binario o cuaternario, existiendo algunas en ternario doble, compuesta para toda clase de instrumentos e introducida en todo género de composiciones. Suele constar de tres secciones: marcha, trío y marcha, contrastando la sección central por el número de los instrumentos que la interpretan y por su carácter expresivo. En la música lírica española del siglo XIX es frecuente su interpretación por bandas, con o sin coro. Existen al menos cuatro tipos diferentes de marcha, en relación con situaciones argumentales y con los procedimientos análogos empleados en el contexto europeo.

1. Marcha militar. Las marchas de carácter militar son frecuentes en la zarzuela romántica restaurada; uno de los primeros ejemplos se presenta en *Colegialas y soldados,* 1849, de Hernando, que combina marchas con rataplanes y con himnos marciales, como el que se incluye en el final del primer acto. También aparecen en la ópera cómica *La mensajera,* 1849, de Gaztambide, cuya introducción tiene un claro carácter marcial y cuyo Nº 5, final, "al soldado el eco llama de ese bélico clarín", recurre a un *Tiempo de marcha,* pues el protagonista de la obra es un guardia de corps, relacionado con el entorno militar. Otro ejemplo lo proporciona la ópera cómica *El campamento,* 1851, de Inzenga, cuya acción se sitúa en un campamento militar, y en la que se escucha una marcha en la introducción y en el *Allegro marcial* del final, así como una retreta y una diana a cargo de dos cornetines y dos tambores. *Catalin* 1854, de Gaztambide recurre en el Nº 8 a una marcha de reclutas, y en la escena del Nº 11 a otra marcha en el momento en que aparece en escena una patrulla militar. Este tipo de marcha continúa utilizándose en el repertorio de la zarzuela de los siglos XIX y XX. Así, *La alsaciana*, 1922, de Guerrero, zarzuela ambientada en la época de Napoleón I con la que su autor inicia el camino de la opereta, emplea el ritmo de marcha en los Nᵒˢ 1, 3, 4 y 7, al servicio de la descripción de los movimientos de tropas.

Una variante es la marcha patriótica, cuyo máximo exponente aparece en el episodio nacional cómico-lírico-dramático *Cádiz*, 1886, de Chueca y Valverde, que además de emplear pasajes que describen –generalmente con la utilización de la banda– situaciones heroicas, como ocurre en la introducción o en el Nº 5, contiene en su Nº 10 la famosa Marcha de la Constitución que, tras el estreno de la obra, pasó a convertirse en una especie de segundo himno nacional. También en *La bejarana*, 1924, de Emilio Serrano y Francisco Alonso, se recurre a este tipo de marcha para recordar la catástrofe acontecida en Marruecos en 1860, fecha en que se sitúa la acción de la obra. Una parodia de este tipo de marcha es el empleo en el Nº 3A de *El año pasado por agua*, 1888, de Chueca, del tema de *La Marsellesa* al presentarse en escena el periódico *El Globo*.

2. Marcha solemne. Se utiliza para la presentación de santos, sacerdotes, personajes de la realeza o la nobleza, de marcado carácter triunfal o heroico. El modelo seguido por los compositores españoles de mediados de siglo XIX es el de la ópera histórica de Meyerbeer, y en concreto la marcha de la coronación, Nº 24, del cuarto acto de *El Profeta*. Así, la zarzuela de temática histórica –o pseudohistórica– recurre a la marcha heroica en situaciones de especial solemnidad; es el caso de las dos marchas del acto primero de *Moreto* de Oudrid, 1854, en homenaje al Conde-Duque y el propio Moreto; la del Nº 17 de *Los magyares*, 1857, de Gaztambide, que es la Gran marcha para la abdicación de la reina, en la que aparecen en escena, además de numerosos cantantes y comparsas, dos bandas militares; la estructura de esta marcha presenta relación con el modelo marcha-trío-marcha, y en ella participa el coro además de la orquesta y las bandas. El modelo belliniano es seguido en la marcha del final 1º *Colegialas y soldados*, 1849, de Hernando. En *El estreno de una artista*, 1852, de Gaztambide, aparece una marcha solemne en el Nº 5, al presentarse en escena el Duque en cuyo palacio tiene lugar la acción. En *El rey que rabió*, 1891, de Chapí, se recurre a este tipo de marcha en escenas relacionadas con la presencia del joven monarca. Otros dos referentes para este tipo de marcha son las Marchas de las antorchas de Meyerbeer, difundidas en los conciertos sinfónicos, y las marchas triunfales de Verdi, en especial la de *Aida*, que dio lugar a parodias como la presentada en *La corte de faraón*, 1910, de Lleó.

3. Marcha orientalizante o exótica. Recurre con frecuencia a elementos sonoros que sugieren el carácter oriental o árabe. A este tipo pertenece la Marcha Oriental, Nº 9, de *Por seguir a una mujer*, 1851, escrita por Inzenga; con frecuencia es empleado en obras de gran espectáculo ambientadas en países lejanos, como *La guerra santa*, 1879, de Arrieta, cuyo Nº 12A se inicia con una marcha tártara interpretada por la banda; en la zarzuela de gran espectáculo *El diamante rosa*, 1890, de Marqués, escrita al igual que la anterior sobre un argumento de Julio Verne, su Nº 12 es la breve marcha del rey cafre Tonaía, y el Nº 13 es la marcha cafre, ambas interpretadas por la orquesta, siendo este último número un pretexto al servicio del lucimiento de la escena y el vestuario. También son orientalizantes las numerosas marchas moras, frecuentes en las zarzuelas de moros y cristianos, de las que Chapí –autor de la Marcha al torneo de la *Fantasía morisca*, para banda y después para orquesta– y José Serrano aportan numerosos ejemplos. En ocasiones este tipo de marcha es utilizado en obras sin relación temática con lo árabe o lo oriental; es el caso de *La leyenda del beso*, 1924, de Soutullo y Vert.

4. Marcha fúnebre. Se distingue por su tempo lento y su tonalidad menor. La más representativa es la del pasillo filosófico-fúnebre *Nadie se muere hasta que Dios quiere*, 1860, de Oudrid, anticipada en el número inicial por la orquesta y coreada más tarde. En *Los sobrinos del Capitán Grant*, 1877, de Fernández Caballero hay una marcha fúnebre tocada originariamente por una banda interna. *La caza del oso* o *El tendero de comestibles*, 1891, de Chueca, emplea en su Nº 5 la parodia irónica de una marcha fúnebre en el acompañamiento orquestal cuando uno de sus protagonistas, Don José, explica su viaje a Asturias con el fin de matar un oso. Otra parodia de marcha fúnebre que ha permanecido en el repertorio lírico es la de *El niño judío*, 1918, de Luna. En las últimas décadas del siglo XIX se produjo una hibridación entre la marcha y el pasodoble, perdiendo así la marcha sus connotaciones militar, solemne o fúnebre para pasar a ser utilizada como otra más de las danzas de salón de moda en el momento. Así, el Nº 1 de *¡Cómo está la sociedad!*, 1881, de Rubio y Espino, es una canción estrófica escrita sobre un ritmo binario a modo de marcha-pasodoble. En *La caza del oso* o *El tendero de comestibles*, 1891, de Chueca, el Nº 3 se inicia con un ritmo híbrido entre marcha, polka y pasacalle, que recuerda el sonido de las marchas triunfales verdianas, y que permite la presentación de un coro de cazadoras. En el Nº 2bis del sainete *El bateo*, 1901, de Chueca, se emplea una marcha tras un coro infantil, careciendo de relación con ninguno de los contextos en que la marcha se utilizaba anteriormente.

En la zarzuela del siglo XX, la marcha-pasodoble se integra en el teatro lírico junto a otros bailables del folclore urbano, como fox-trots o tangos, que estaban de moda en el Madrid de la época y conectaban con los gustos del público. Alonso, Guerrero, Sorozábal y casi todos los autores del periodo emplean en sus obras la marcha, a menudo hibridada con el pasodoble, con éxito. Por ejemplo, en *La alsaciana*, 1921, Guerrero emplea varias veces la marcha para la aparición en escena de la tropa; *La montería*, 1922, cuyo N° 1 tiene una marcha y cuyo final, N° 4, la repite, en relación con los monteros; *Los gavilanes*, 1923, donde emplea una marcha al inicio del acto segundo; *Las alondras*, 1927, en la que el N° 3, marcha de Colette y las midinettes, es una marcha couplet, y el N° 7A es una marcha, que pre-cede al número de La Guillotina; *El sobre verde*, 1927, cuyo N° 1 es la marcha del premio gordo y los premios chicos; *La orgía dorada*, 1928, que incluye la marcha-pasodoble "Soldadito español", que convirtió a Guerrero en uno de los compositores más conocidos de su tiempo; o *¡Cinco minutos nada menos!*, 1944, en la que el N° 1 es la marcha de Don Justo y los reporteros, y cuyo N° 8 es la conocidísima marcha-pasodoble de Eugenia de Montijo, con coro de dragones. La marcha-pasodoble aparece con profusión en la zarzuela de los años anteriores a la Guerra Civil, y quizás alcanza sus mayores cotas en la utilización que hace de él Sorozábal para el dúo de los protagonistas de *La del manojo de rosas*, 1934.

RAMÓN SOBRINO

Marcha de Cádiz, La. Zarzuela cómica en un acto. Música de Joaquín Valverde Sanjuán y Ramón Estellés. Libreto de Celso Lucio y Enrique García Álvarez. Estrenada el 10 de octubre de 1896 en el teatro Eslava de Madrid.

Personajes y reparto. Clarita (Sofía Romero, tiple cómica). Doña Filo (Pilar Galán). Atilano (Emilio Carreras, tenor cómico). El Señor Lucas, el alcalde (Talavera). Teodorico (Antonio González –Gonzalito–, tenor cómico). Don Trifino, el secretario (Estellés). Paredón, el confitero (Salvat). Tapia (Bernat). Deogracias, el flautín (Fonseca). Fagot (Mendizábal). Trompa (Martínez) Platillos (Estellés). Nelo (Vázquez). Mozo 1° (Gallo). Mozo 2° (Vals).

Orquestación. Flautín, flauta, oboe, 2 clarinetes, clarinete (dentro), fagot, 2 trompas, 2 trompetas, 3 trombones, percusión y cuerda.

Argumento. La acción se sitúa en Castilla. Al lado de la casa del alcalde y de una confitería se encuentran unos mozos engalanándolo todo para recibir a unos invitados ilustres. El alcalde, el secretario –que tiene una forma de hablar pomposa y hueca–, y el confitero, supervisan satisfechos el trabajo. Mientras el confitero le pregunta al secretario qué debe de poner en el cartel de bienvenida que hay delante de la confitería, el alcalde se ausenta y regresa disgustado, contando que ha recibido una misiva del gobernador pidiéndole que la banda del pueblo, para la que han enviado una

Cortesía de Unión Musical Ediciones SL

subvención grande, que el alcalde y sus colegas han gastado en otra cosa, les reciba a él y al diputado que va a llegar, con los acordes de la *Marcha de Cádiz*. Se preocupan todos y Paredón, el dueño de la confitería, propone contratar a un tal Pérez, músico prestigioso que reside en otra localidad. Todos de acuerdo planean contratar a unos cuantos músicos más y disfrazar a otros de músicos para que hagan de relleno y parezca una auténtica banda. Entretanto llega al pueblo un forastero persiguiendo, según dice, a la hermana del alcalde Doña Filo, con la que coincidió hace unos meses en Madrid en una pensión, y, con la que, pensando que tiene dinero, ha planeado casarse. Filo es a su vez pretendida por el confitero amigo de su hermano. Aparecen en escena Teodorico, que trabaja en la confitería y está ensayando un coro de señoritas para ganarse la voluntad de su suegro, y Clarita, que son novios en secreto, porque el padre de ella, Paredón, el dueño de la confitería, se opone a su relación.

El alcalde y el confitero confunden al pretendiente de Doña Filo con uno de los músicos, llamado Pérez, que viene de otro pueblo. Atilano que así se llama el pretendiente, no se atreve a deshacer el equívoco y se hace pasar por el músico, aunque no sabe tocar. En la siguiente escena aparecen cuatro músicos contratados para la ocasión: un flautín, Deogracias, un trompa, un fagot, y otro que toca los platillos, pero que viene a reforzar al clarinete. En la trastienda de la confitería se encuentran Paredón, el carpintero, Deogracias, el flautista y los otros músicos, Paredón les dice que tendrán que tocar la *Marcha de Cádiz* dirigidos por Pérez que según dicen es un músico notable. Entretanto Teodorico planea descubrir el engaño y ganarse así el favor de su futuro suegro. Finalmente Atilano consigue hablar con Deogracias y decirle lo que sucede; le pide ayuda y pretende que éste se oculte detrás de la puerta y toque mientras él simula tocar; a cambio le ofrece dinero. Entran el alcalde, el secretario, Paredón, Tapia, Teodorico, Doña Filo y Clarita que vienen a oírles. Comienza a tocar Deogracias según lo pactado y Atilano a simular que toca, y todos están encantados de la pericia del supuesto Pérez. En este momento aparece un mozo que viene a avisar de que Pérez no podrá venir por hallarse enfermo y se descubre todo el engaño. Atilano confiesa que realmente está enamorado de Clarita, no de Filo, que le parece una vieja. Finalmente todo se arregla y el alcalde contrata al flautín para que dirija la *Marcha de Cádiz*.

Números musicales. Nº 1. Preludio y coro, "Es más dulce tu boca". Nº 2. Polka de los músicos, "Somos cuatro músicos". Nº 3. Pasodoble y habanera, Teodorico, "Puesto que todas estáis aquí". Nº 3B. Pasodoble, Teodorico, "Ahora varía y entre la marcha". Nº 4. Gavota, dúo de los patos, Teodorico, "Yo soy el Pato". Nº 5. Mazurca del clarinete. Todos, "Hay que poner mucha atención". Nº 6. Final.

Comentario. La Marcha de Cádiz fue una de las obras de gran éxito del teatro lírico en los años noventa, que contribuyó a mejorar sustancialmente la economía del teatro Eslava que, salvo en los éxitos de *El tambor de granaderos*, 1895, y *El cortejo de la Irene*, 1896, apenas había tenido durante esos dos años estrenos que atrajeran al público. *La marcha de Cádiz* se convirtió en uno de los grandes éxitos del año y se hizo merecedora de una de esas frases a las que aspiraban todas las obras, publicada en este caso por el periódico *El Imparcial*: "Al compás de la *Marcha de Cádiz* desfilará por el Eslava todo Madrid". Como señala Deleito y Piñuela, en su factura coincidían cuatro hombres de teatro que dominaban el género cómico: Celso Lucio y Enrique García Álvarez autores de la letra y Quinito Valverde y Estellés de la música. El éxito de la obra está basado en la gracia del libreto, lleno de incidentes cómicos, y, sobre todo, en los números de música que alcanzaron una enorme popularidad. Al éxito colaboró, en buen grado, Emilio Carreras, quizás el mejor "gracioso" actor que tuvo el género chico, especializado en papeles como el que requería su personaje, un hombre indeciso y asustado ante las situaciones difíciles. La "Marcha de Cádiz" que era el Nº 10 de la zarzuela *Cádiz*, de Chueca y Valverde, estrenada en 1886, y que ha de tocar la banda del pueblo para recibir al diputado del distrito, da origen y título a la obra. Esta marcha se había convertido en realidad en un auténtico himno nacional, hasta que en 1898 se desacreditó con la pérdida de las colonias.

La obra sigue un modelo muy usado en el género chico, es decir, se estructura en una sucesión de danzas que conforman una auténtica suite, como ya había sucedido en *Agua, azucarillos y aguardiente* o *La Gran Vía*. Desde el preludio en el que se oye una gavota, al Nº 2 basado en una polka, el Nº 3 es una mezcla de un pasodoble y habanera, seguido del Nº 3B también pasodoble, el Nº 4 que vuelve a una gavota y el Nº 5, la famosa mazurca del clarinete, el espectador es seducido a través de esa sucesión de danzas. El preludio, que sirve para introducir al coro, tiene una estructura ternaria ABC, que introduce al coro "Es más dulce tu boca que un caramelo". Un largo hablado conduce al segundo número conocido como "Polka de los músicos", una música de murguistas llena de gracia, donde en una introducción del fagot, la trompa, el flautín, y los platillos se presentan los músicos: "Somos cuatro músicos de Majalandrín". Una música que propicia un movimiento mímico circense. El Nº 3 está también sometido al espíritu de la danza; de estructura binaria, en él que se suceden un pasodoble y una habanera en el diálogo entre Teodorico y el coro de tiples, que unen sus voces al final. El Nº 3B es un típico pasodoble con carácter de pasacalle, protagonizado por los mismos, y que recuerda números de la opereta vienesa. El Nº 4 está reservado para el diálogo amoroso entre esa pareja necesaria en toda obra de género chico: Clarita y Teodorico, y es conocido como el "Dúo de los patos". Se trata de uno de los más famosos de la obra, con ritmo de gavota, y en el que los dos protagonistas asumen esa especie de mímica zoológica que hizo las delicias del público. La obra llega a su culmen con el Nº 5, la "Mazurca del clarinete", donde el "escondido músico hace sonar su clarinete", número en el que actúan seis personajes: Clara, Filo, Alcalde, Paredón, Secretario y Tapia. Un bello tema del clarinete dominado por el ritmo de mazurca, hace de ritornello y establece la unión entre los diversos momentos del diálogo; el clarinete se recrea en un lenguaje virtuoso que contribuye a variar e incrementar el interés del número.

En esta obra, perteneciente al género chico, el texto se impone a la música.

Fuentes manuscritas. La partitura (TL-1612) y los materiales de orquesta (1688) se conservan en el archivo de la SGAE en Madrid.

Ediciones de música. Canto y piano, Madrid, Cd (reed. Madrid, UME, 1967).

Ediciones del libreto. Madrid, Hijos de E. Hidalgo, F. Fiscowich, Arregui y Aruej, 1896; 2ª ed., 1897; 4ª ed., 1897; Madrid, Velasco, Imp. Marqués de Santa Ana, 1904; Madrid, La Novela Teatral, II, 52, 1917; 16ª ed., Madrid, SAE, 1929; Madrid, UME, 1967.

FONOGRAFÍA: D78rpm: Sols. Yebra, Gorgé, Vidal, Parra, Mary Isaura, La Voz de su Amo AE 3111 • Dir. Pascual Marquina, Sols. Consuelo Mayendía, Benítez, Carrión, Valverde, Gramófono 63768-64323 (et. negra), 822, 772.

BIBLIOGRAFÍA: *OGCH*.

EMILIO CASARES RODICIO

Marchenera, La. Zarzuela en tres actos. Música de Federico Moreno Torroba. Libreto de Ricardo González del Toro y Fernando Luque. Estrenada el 7 de abril de 1928 en el teatro de la Zarzuela de Madrid.

Personajes y reparto. Paloma (María Badía, soprano). Valentina (Felisa Herrero, soprano). Taravilla (Flora Pereira, tiple cómica). Jeroma (Laura Blasco, actriz con parte de cantado). Chacha Pepa (Srta. Suárez). Amparo (Srta. Gijón, actriz). Socorrito (P. Herrero, actriz). Una gitana (Srta. Muñoz, cantante flamenca). Una mocita (Srta. Suárez). El Conde de Hinojares (Sr. Estarelles, barítono). Don Félix Samaniego (Delfín Pulido, tenor). Orentino (Manuel Hernández, tenor cómico). Don Miguelito (Carlos M. Baena, actor con parte de cantado). Cárdenas (Sr. Guillot). El Niño de Algeciras (Sr. Gandía, actor con parte de cantado). Sentimientos (Sr. Rodríguez, actor con parte de cantado). Mezquita (Sr. Ramírez, actor con parte de cantado). Pituti (Sr. Bayón, actor con parte de cantado). Un Embozado (Sr. Rodríguez, actor). Coro general.

Orquestación. Flautín, flauta, oboe, 2 clarinetes, fagot, 2 trompas, 2 trompetas, 3 trombones, timbal, percusión, piano, arpa, carillón y cuerda.

Argumento. *Acto I.* La acción se desarrolla en el ventorrillo de Jeroma, en Marchena, en 1842. Un grupo variopinto, en el que destacan tres guitarristas grotescos –Sentimientos, Pituti y Mezquita– y un curtido contrabandista conocido como el Niño de Algeciras, prepara una fiesta de cumpleaños para Paloma, la ahijada de Jeroma, hija de una cantaora flamenca muerta muy joven. Mientras unos festejan, otros aprovechan para conspirar discretamente y otros se cortejan como es el caso de Taravilla –criada del ventorrillo– y Cárdenas, el mayoral del Conde de Hinojares a quien esperan los conspiradores porque va a organizar una partida de patriotas para contribuir al alzamiento revolucionario en Sevilla. Suenan fuera unos tiros: Don Félix, un donjuán madrileño que tiene a todas las mujeres enamoradas, ha tumbado a garrochazos a tres oficiales que molestaban a Amparo, Socorro y Don Miguel, y entra en la venta. Don Félix está sinceramente enamorado de Paloma, pero ella se resiste por la fama de mujeriego de aquél. Precisamente, llega a la venta, tapada, Valentina, la hija del Conde de Hinojares, "alegre, decidora e ingenua", encaprichada también de Don Félix. Orentino, un cobarde que huye de las revueltas en Madrid y había dormido en la puerta de la venta, comienza a contar lo que vio por la noche hasta que un embozado le da una bolsa llena de monedas y un billete que dice "el silencio es oro". Don Félix, escamado, trata de sonsacarle emborrachándole en medio de la fiesta en la que, como Paloma no quiere cantar, canta Valentina vestida de flamenca. Reaparece el Conde de Hinojares y Valentina tiene que escapar aprovechando un descuido. Se descubre entonces que el embozado que entró en la venta la noche anterior fue el Conde y que estuvo con él Paloma. Don Félix, celoso, recrimina a Paloma su aparente recato.

Cortesía de Unión Musical Ediciones SL

Acto II. En la feria de Mairena, una tarde de abril, Don Félix ha urdido un plan para vengarse a la vez de Paloma y del Conde de Hinojares. Piensa que ambos han traicionado su amor sincero por Paloma y, aprovechando el capricho de la hija del Conde, se dispone a pasear por toda la feria a Valentina en la grupa de su caballo y llevársela luego a la sierra. Taravilla, cortejada por Orentino y regalada con el dinero que éste recibió en la bolsa, anda en relaciones con él y Cárdenas, para asustarle, le reta a un duelo. Se revela entonces cuál es la verdadera relación del Conde con Paloma: él la ha protegido siempre como si fuera un padre y, sabiendo que ella está enamorada de Don Félix, se propone unirles hasta que se entera de que éste ha paseado a su hija por la feria y se la ha llevado a la sierra. Herido en su honor, pide entonces su caballo y se apresura a perseguirles.

Acto III. Cárdenas vigila la puerta del palacio del Conde. Valentina y Paloma se ven en el patio que media entre el palacio y la venta: entre ellas las cosas están claras, nunca ha habido ninguna rivalidad y temen que el Conde quiera exigir a Don Félix que se case con Valentina como reparación de su afrenta. Se relata entonces el desenlace del acto anterior: el Conde alcanzó a Don Félix y le hirió con su espada, llegó Paloma y confesó a Don Félix su amor por él contándole que el Conde era su padrino y que sus visitas nocturnas a la venta eran sólo para conspirar. Valentina y Paloma preparan la fuga de Paloma con Don Félix. Repentinamente, aparece el Conde. La sublevación ha fracasado y, perseguido, tiene que huir a Gibraltar. Como va embozado, Don Miguelito, que está tramando la fuga de Paloma, confunde al Conde con Don Félix y le descubre los planes.

Finalmente, todo se soluciona: Paloma y Don Félix se unen con el consentimiento del Conde; Orentino y Taravilla se van con ellos a Madrid, el uno como amanuense y la otra como doncella, y el Conde prosigue su huida a Gibraltar acompañado de Cárdenas.

Números musicales. Acto I: Introducción y Nº 1. Taravilla, Pituti, Mezquita, Sentimientos, El Niño de Algeciras, Cárdenas y coro, "Ya está el patio *adornao*". Nº 2. Conde de Hinojares, "Caballero veinticuatro". Nº 3. Félix, Taravilla, Cárdenas, El Niño de Algeciras, Jeroma, Don Miguelito, Sentimientos, Pituti, Mezquita, "–¡Cerrad! –¿Qué ha sido? –¡Callad!". Nº 4. Paloma, Félix y Don Miguelito, "Aún está aquí". Nº 5. Valentina, Amparo, Socorro, Félix, Jeroma, Orentino, Don Miguelito y coro, "Bailaores, tocaores". Nº 6. Final del acto I. Paloma, Félix, Conde de Hinojares, Jeroma, Don Miguelito y coro, "¿A qué presumir de brava?". Acto II: Nº 7. Paloma, Jeroma, Un Aguador, La Naranjera, Un Vendedor, La Gitana de los Buñuelos, coro, "Viva abril que es la alegría". Nº 8. Valentina y Félix, "Frente al tenderete de la buñolera". Nº 9. Taravilla, Orentino y 8 Mocitas (segundas tiples), "Con mi falda escarolada". Nº 10. Paloma y Conde de Hinojares, "Alza esa frente Paloma". Nº 11. Final del acto II. Paloma, El Niño de Algeciras, Pituti, Conde de Hinojares, Chacha Pepa, Jeroma, Taravilla, Orentino, Mezquita, Sentimientos y coro, "A beber va Mairena". Acto III: Nº 12. Preludio. Nº 13 Voz de mujer (dentro), "Deseando estoy que llegue". Nº 14. Don Félix, "Callada noche andaluza". Nº 15. Taravilla y Orentino, "Yo en Madrid de damisela". Nº 16. Final. Valentina, Paloma, Don Félix y Conde de Hinojares, "Aun siendo una villanía".

Comentario. El libreto de *La marchenera* carece del más mínimo interés: no hay verdaderamente un enredo, sino pequeños equívocos muy predecibles; la parte más sustancial de la acción ocurre fuera de la escena y se relata en unos cuadros muy estáticos desde el punto de vista dramático; los chistes no tienen ninguna gracia; el trasunto político de la conspiración revolucionaria del Conde de Hinojares no se desarrolla en absoluto y apenas se entiende; los personajes no tienen ni fondo ni desarrollo, y los desenlaces son tan faltos de preparación como infundados. Lo único interesante es el planteamiento, que cruza un triángulo amoroso formado por dos mujeres amigas –Paloma y Valentina– que pretenden, por motivos diferentes –amor y capricho, respectivamente– a un mismo hombre –Don Félix–, con un triángulo filial resultante de que el Conde de Hinojares sea el padre de Valentina y una especie de padrino y protector de Paloma. Este nivel lírico se complementa con un triángulo cómico formado por Taravilla, Cárdenas y Orentino. La razón de la radical distinción entre el interés del planteamiento y la torpeza de la realización final se puede encontrar en el proceso de creación del libreto relatado por González del Toro al redactor Abraham Polanco del diario *La Voz* (7-IV-1928), pocas horas antes del estreno: Fernando Luque, que estaba trabajando desde Málaga con

Moreno Torroba en la preparación de esta zarzuela, murió el 29 de enero de 1927 con el proyecto apenas iniciado. Entonces, el músico contactó con González del Toro y le dio unas cartas de Luque en las que trataba del libreto y estaba trazado el plan general de la obra; a partir de ahí, toda la responsabilidad es de González del Toro, un autor que solía actuar en colaboración y más habituado a géneros menores que, en esta incursión en la zarzuela grande, fracasó estrepitosamente. Ni siquiera la buena memoria del recientemente fallecido Luque atemperó las iras de la crítica contra el libreto: "*La marchenera* es una momia zarzuelera vestida de ricos y sabrosos ritmos", según Rodríguez de León (*El Sol*, 8-IV-1928), mientras el crítico de *La Voz* (9-IV-1928) constataba que "en *La marchenera* lo único que importa es la música; el libro tiene poco de *felice*".

Todo el valor de esta obra está en la música con la que Moreno Torroba vistió un asunto tan mal tratado. Ahora pudiera parecer extraño que el músico se tuviera que conformar con un libreto tan insuficiente, pero en 1927, cuando comenzó a trabajar en esta zarzuela, Moreno Torroba era un recién llegado al círculo de la música lírica popular, al que se incorporaba, además, con el estigma de ser un músico sinfónico –cosa vista con cierto recelo en los ambientes teatrales–. Eso le apartaba de algún modo de los cauces de producción de buenos libretos que eran ávidamente demandados por compositores ya consagrados dentro del repertorio lírico. La consagración de Moreno Torroba no llegó hasta el estreno de *Luisa Fernanda* en marzo de 1932 y, antes de *La marchenera*, sólo había estrenado dos zarzuelas: *La mesonera de Tordesillas* y, en colaboración con Pablo Luna, *La pastorela*. Frente a la rapidez con la que el músico compuso estas obras previas, la creación de *La marchenera* se prolongó durante diez meses. El resultado fue lo suficientemente bueno como para salvar el libreto y la obra duró hasta mediados de junio, tras haber inaugurado el Sábado de Gloria la temporada en el teatro de la Zarzuela donde, desde 1925 y con la protección de Primo de Rivera, Moreno Torroba y Pablo Luna habían hecho empresa. Siendo el compositor un músico de formación y vocación sinfónica involucrado con elementos de la vanguardia madrileña, aunque más tarde se concentraría plenamente en la lírica tradicional, no es extraño que el público y la crítica de aquel tiempo percibieran en la partitura de *La marchenera* ciertos trazos de modernidad, que los hay, sobre todo, en las páginas orquestales y, particularmente, en el preludio, así como en la cuidada orquestación de los números vocales. En realidad, el distintivo de Torroba dentro de la lírica popular, ya percibido por algunos críticos en el estreno de *La mesonera de Tordesillas,* fue el de llevar a la zarzuela las buenas artes de los jóvenes compositores sinfónicos en un momento en el que la especialización dentro del género zarzuelístico había simplificado mucho el oficio compositivo. A este respecto, tras el estreno de *La marchenera,* el crítico teatral de *La Voz* observó: "Moreno Torroba quiere romper una lanza en pro de nuestra zarzuela grande, y para ello se dispone con el bagaje de su cultura y técnica musical, en tantos puntos superior a la de la mayoría de los zarzueleros, que no acepta fácil comparación, a la lucha".

Buen ejemplo de la ambición y estilo de Torroba, el número inicial se construye con una introducción instrumental realizada con el ímpetu rítmico de las seguidillas, sobre una armonía disonante y con la alternancia de modo entre el menor de la introducción y ritornello y el mayor de las coplas que, al tiempo que se enraíza en la tradición de la zarzuela grande decimonónica, presenta aristas rítmicas y armónicas de cierta modernidad en comparación con la producción zarzuelística contemporánea. A continuación, la escena se desarrolla con unos coros e intervenciones puntuales de los personajes cómicos. Aunque a los coros les falta viveza, funcionan bien en la construcción dramática musical cuyo clímax se alcanza cuando la tiple cómica, Taravilla, canta el tema principal de la zarzuela, "Paloma la marchenera", sobre un trémolo de los violines que crea una atmósfera que será también utilizada así en *La del manojo de rosas* de Sorozábal. Con la transición de un hablado sobre la música final del primer número, el segundo número es la romanza de presentación del barítono, Conde de Hinojares, que, partiendo también de una estructura de carácter hispano levemente aguajirada que tiene sentido por la letra "Caballero veinticuatro / de Jerez de la Frontera", siendo Jerez considerada tradicionalmente como un punto de partida de la difusión de la guajira flamenca. La segunda parte de esa romanza "Amores / son mis amores" es de un lirismo más convencional y sin referencias andaluzas ni españolas de ningún tipo. Tras una sección bastante corta de diálogo, el Nº 3 narra la escena de Félix y los Soldados y conduce a la romanza de presentación del tenor, "Es para mí la vida" ,que, más que brillar por los agudos, lo hace por la duración de algunos sonidos, buscando, seguramente, el lucimiento de Delfín Pulido Rivas, el tenor que estrenó la obra, de cuya voz comentó el crítico de *La Voz:* "Posee una bonita media voz, no muy extensa y voluminosa, pero en mucho superior a la que es frecuente en este tipo de teatro". El Nº 4, aunque se introduce también con una escena en la que participa Don Miguel, es básicamente el dúo entre el tenor y la soprano realizado

en varias estrofas distintas con diferentes músicas y dos puntos álgidos al final: la habanera "Ya sé que usía" y el canto de nuevo, esta vez entre la soprano, Paloma, y el tenor, Félix, de la melodía "Paloma la marchenera".

Después de este comienzo de amplio vuelo lírico, sigue un largo diálogo sucedido de un número en estilo de zapateado andaluz, Nº 5, con participación de coro y varios personajes que desemboca en la romanza de presentación de Valentina, la segunda soprano: la petenera "Tres horas antes del día" que mereció ser repetida en el estreno. A pesar de ser un personaje estructuralmente antagónico, la interpretación que le dio Felisa Herrero hizo que se destacara por encima de la soprano principal, Paloma, interpretada por María Badía. En este sentido, el crítico del diario *El Sol,* Rodríguez de León, comentó: "Anoche, Felisa Herrero ratificó en forma que no admite dudas que ella es hoy nuestra primera tiple del género. En la canción en tiempo de petenera del primer acto, su sensibilidad de mujer y sus poderosas facultades de cantante se unieron tan diestra y persuasivamente, que su voz pasó con facilidad inusitada de la caricia gachona y sinuosa al treno implacable. Una ovación cerrada se le rindió a los pies". El acto concluye después con un número de buena música dramática en el que se enfrenta el dúo de soprano y tenor (Paloma y Félix), con participación de casi todos los personajes y del coro que concluye con el canto de la copla de Paloma, con melodía básicamente igual que la de "Paloma la marchenera", pero con un texto distinto que acaba en sollozos: "Si por una mala lengua / con mi pena te diviertes / maldita sea la hora / que yo he pensado en quererte". En el acto segundo, tras una escena costumbrista, Nº 7, con vendedores que vocean sus productos, una coplilla cantada por Paloma en forma de tirana ("Mocito que estás mirando") y un final zapateado ("Cuando te veo *mové*"), los números que más éxito obtuvieron en el estreno fueron el dúo de Félix y Valentina del Nº 8 en el que Felisa Herrero, columpiándose, cantaba en tiempo de barcarola la estrofa "Del columpio el vaivén", y el dúo cómico de Taravilla y Orentino, Nº 9, con participación de las inevitables vicetiples para deleite de la vista del público masculino. El tercer acto consta de cuatro números musicales: el zapateado sinfónico con el que Moreno Torroba preludió el acto, Nº 13; la segunda romanza de tenor "Callada noche andaluza", Nº 14; una nueva intervención de la pareja anterior en el dúo "Yo en Madrid de damisela", Nº 15, y un final en el que concierta el cuarteto protagonista y se produce el desenlace dramático de la obra: una vez más, es el compositor el que tiene que asumir toda la responsabilidad incluso en la construcción dramática de la obra. *La marchenera* es, en definitiva, una zarzuela deslavazada desde el punto de vista del libreto, pero con una partitura meritoria, concebida esencialmente para tres sopranos y un tenor, que se mantiene en repertorio sólo gracias a la música de Moreno Torroba y al poder que este compositor tuvo como empresario y gestor en los años en los que se fijó el repertorio zarzuelístico que aún sigue vigente.

Fuentes manuscritas. Los materiales de orquesta se conservan en el archivo de la SGAE en Madrid (5341).

Ediciones de música. Canto y guitarra, *Petenera*, adap J. Azpiazu, UME, 1953.

Ediciones del libreto. Madrid, La Farsa, II, 33, 21-IV-1928.

FONOGRAFÍA: D78rpm: Sols. Tino Folgar, Felisa Herrero, La Voz de su Amo AE 2170, AF 183 • Sols. F. Pereira, M. Hernández, Regal RS 744 (et. negra), K 1019 K 1002.

LP: Dir. Federico Moreno Torroba, Sols. Pilar Lorengar, Conchita Balparda, Manuel Ausensi, Carlos Munguía, Coro de Cantores de Madrid, Orq. Sinfónica, Columbia-BMG C 32042 y CS 42042 [reed. en CD: Alhambra-BMG España WD 75127 (9D)].

JAVIER SUÁREZ-PAJARES

Marchiña. Término que define un peculiar uso de la marcha en Brasil, de carácter alegre y ritmo veloz. Tiene una música binaria con acento muy marcado en el primer tiempo, y se usaba en los grupos de desfile de los carnavales que marchan a su ritmo. Tuvo un gran desarrollo a partir de la segunda década del siglo XX debido a la influencia comercial de las jazz-bands norteamericanas.

La marchiña fue otra de las músicas de sabor brasileño como la machicha y la samba, pero se introdujo más tardíamente, en realidad después de la Guerra Civil, 1936-39, y especialmente en el último período de la nueva revista de visualidad que se ofrecía en los teatros Albéniz, Martín, Maravillas y Victoria. La marchiña aparece en las obras de Alonso, Guerrero y algún otro compositor de revistas. Se puede ver en *Tres días para quererte*, en dos ocasiones, con su famosa "Yo soy Lucinda"; *24 horas mintiendo*, 1947; *Luna de miel en el Cairo*, en dos ocasiones, 1943, todas de Alonso; en *Una rubia peligrosa* de Montorio, 1942; *Esta noche no me acuesto* de Antonio García, 1950; *Los babilonios*, y en *¡Cinco minutos nada menos!*, 1944; y, *¡Yo soy casado, señorita!*, 1948, de Guerrero, entre otras.

EMILIO CASARES RODICIO

Marco. Familia de músicos españoles formada por Mario, sus hijos Eugenio Mario, Nora y María Dolores, el primer esposo de ésta y los hijos de sus dos matrimonios, José, Amelia y Montserrat, Graciela, Lorenzo y Marco.

1. Mario. Odón (Zaragoza), 17-IV-1904; Barcelona, 9-VII-1975. Tenor. Desarrolló su trabajo fundamentalmente en las regiones catalana y valenciana cantando con distintas compañías todo el repertorio de zarzuela grande destacando en títulos como *Doña Francisquita, Don Gil de Alcalá, Maruxa* y *La tempestad*, obra en la que fue el primer intérprete masculino que cantó el papel que Chapí escribió para mezzosoprano.

2. Eugenio Mario. Barcelona, 4-X-1932; Las Palmas de Gran Canaria, 9-III-1984. Director de orquesta. Dirigió en los más prestigiosos teatros de España desde el Liceo de Barcelona a la Zarzuela de Madrid, tanto en operísticas campañas como en temporadas de zarzuela con compañías del prestigio de la de José Tamayo o la Isaac Albéniz de Juan José Seoane. Una interesante labor discográfica avala su trabajo como director que también desarrolló tanto en tierras hispanoamericanas como europeas.

3. Nora. Barcelona, 27-IV-1933. Tiple cómica. Durante algún tiempo actuó con la compañía lírica de Pablo Civil. Al contraer matrominio abandonó su carrera.

4. María Dolores. Barcelona, 10-IX-1935. Directora de orquesta. A los diez años inició sus estudios musicales con su padre Mario Marco, y a los once pasó a estudiar con José Font, con quien se casó. Su debut oficial fue en 1953 en la población barcelonesa de Ostalfrach donde dirigió la zarzuela de Jacinto Guerrero *Los gavilanes*, convirtiendose una de las pocas directoras de orquesta. Su predilección por el género lírico nacional es notorio desde el principio de su carrera, así fue contratada por la compañía de Faustino García para recorrer toda Hispanoamérica donde llevó a cabo temporadas con las mejores obras de repertorio. Tras regresar a España en la década de los sesenta, dirigió junto a Angel Fernández Montesinos la compañía lírica Isaac Albéniz del empresario Juan José Seoane con la que recorrió España, debutando en el teatro de la Zarzuela el 23 de julio de 1975 con la opereta *La viuda alegre*. También el espectáculo de José Tamayo *Antología de la Zarzuela* ha sido dirigido en muchas ocasiones por María Dolores Marco, que en 1974 dirigió en el teatro Calderón *Voces y aires de España*, espectáculo regional del que era empresa y primera figura Antoñita Moreno. Como pianista, ha desarrollado una interesante labor como acompañante de cantantes, y se ha dedicado posteriormente a la docencia.

5. Font Sabaté, José. Mayals (Lérida), 18-III-1903; Barcelona, 8-VIII-1964. Compositor y director de orquesta. Autor de varias zarzuelas y muy popular por su ballets y sardanas entre las que destaca *Cristineta*. Fue director musical de distintas compañías de zarzuela entre ellas la de José Tamayo.

6. Font Marco, Amelia. Barcelona, 30-IV-1959. Tiple cómica. Comenzó su carrera siendo una niña en compañías de comedia de su ciudad natal. A los dieciséis años se inició en la zarzuela en la compañía Isaac Albéniz, dirigida por su madre. Con la obra de Guridi *El caserío* debutó como tiple cómica en el teatro de la Zarzuela en 1977 con la Compañía Lírica Nacional, en la que permaneció varias temporadas interpretando títulos como *La del Soto del Parral, La marcha de Cádiz, El pobre Valbuena, La Dolorosa, La Calesera, Don Gil de Alcalá, La leyenda del beso* y muchas otras. Alterna los papeles de tiple cómica con los de actriz de carácter habiéndose encargado del personaje de Mariana en la última producción de *Luisa Fernanda* de la Compañía Lírica Nacional.

7. Font Marco, Montserrat. Barcelona, 28-II-1962. Pianista y directora de orquesta. Alternó su trabajo en distintas compañías de zarzuela y revista con los estudios musicales, y al término de éstos se dedicó de lleno al acompañamiento de cantantes siendo una de las mejores pianistas en esta modalidad. Asimismo, se dedica a la dirección de orquesta, con especial interés por el teatro lírico.

8. Moncloa Marco, Graciela. Lima, 26-VII-1967. Mezzosoprano. Pertenece al Coro Titular de la Compañía Lírica Nacional alternando su trabajo en el mismo que con el perfeccionamiento de estudios y su labor como solista en distintas formaciones líricas.

9. Moncloa Marco, Lorenzo. Lima, 9-VII-1970. Tenor. Alterna la interpretación tradicional de zarzuela con la actuación en comedias musicales americanas. Ha intervenido en diversos montajes de la Compañía Lírica Nacional como *Los sobrinos del capitán Grant* o *¡Agua, azucarillos y aguardiente!*

10. Moncloa Marco, Pedro [Marcos Moncloa]. Barcelona, 28-III-1972. Barítono. Pese a su juventud, está considerado como uno de los mejores cantantes de su cuerda siendo también muy relevantes sus dotes de actor. En el teatro de la Zarzuela ha intervenido en montajes de la Compañía Lírica Nacional como *El juramento* o *¡Agua, azucarillos y aguardiente!* En 2002 ha sido primer premio de zarzuela de la fundación Jacinto Guerrero. En 2003 ha interpretado en el teatro Arriaga de Bilbao el papel de Dulcamara en la ópera *L'elisir d'amore*.

EMILIO GARCÍA CARRETERO

Marco, María. España, siglos XIX-XX. Tiple. De agradable voz y muy buena actriz, era además una mujer muy hermosa por lo que triunfó durante algunos años. Formó parte de la compañía de Manuel Fernández de la Puente que actuaba en el teatro de la Zarzuela la temporada 1913-14. En la función de noche de la inauguración de la nueva tempora-

da cantó *Molinos de viento* de Luna y *El barbero de Sevilla* de Nieto y Giménez junto a Enriqueta Guardia, y la prensa destacó el talento de la cantante. El 28 de octubre intervino en la caricatura de opereta *Pan de Viena* de Rafael Calleja. La temporada 1914-15 fue contratada de nuevo por la compañía Luna-Serrano y protagonizó el estreno de *Margot* de los Martínez Sierra, con música de Joaquín Turina que no llegó a interesar al público, aunque la actuación

María Marco
(Foto: Colección París, E:Bit)

de María Marco fue muy apreciada, junto a Rafaela Leonís y al barítono Parera. El 30 de octubre se estrenó con gran éxito la opereta de Rafael Millán *El príncipe bohemio,* y supuso también un gran triunfo para María Marco, su protagonista. En 1923 Julián de Santa Cruz la contrató como estrella de la compañía que llevó al teatro Martí de La Habana.

BIBLIOGRAFÍA: *Nuevo Mundo*, XXX, 1522, 23-III-1923.

Mª LUZ GONZÁLEZ PEÑA

Marco Sanchís, José. Valencia, 1830; Madrid, 1895. Periodista y dramaturgo. Dirigió *La España Musical* y *La España Artística y Literaria*, fue colaborador de *El Teatro* y *El Día* y fundador de *Pro Patria*. Entre sus obras predominan las comedias y también escribió un juguete, *Adán y Eva*, con música de Francisco de Asís Gil estrenado en el teatro del Príncipe en 1860.

Mª LUZ GONZÁLEZ PEÑA

Marco Valls, Emilio. España, siglos XIX-XX. Compositor. Tiene numerosas canciones y es autor de *Los hombres de bien*, sainete en un acto con libreto de José María Aracil, estrenado en el teatro Novedades el 20 de enero de 1919.

Mª LUZ GONZÁLEZ PEÑA

Marcolini, Juan. †Madrid, 27-XI-1788. Compositor y violinista. Entró como violinista en la Real Capilla de Madrid en 1771, y permaneció allí hasta su muerte. Su actividad como compositor está vinculada esencialmente al teatro musical, siendo autor de numerosas obras escénicas, sobre todo tonadillas, de las que se conservan más de cuarenta en la Biblioteca Histórica Municipal de Madrid. Subirá incluye a Marcolini en el grupo de compositores perteneciente a las épocas de crecimiento y juventud y apogeo del género. Aunque la mayoría permanecen inéditas, José Subirá realizó una transcripción para voz y piano de *Naranjera, petimetre y extranjero*, publicada por UME en 1973. Marcolini también compuso la zarzuela *La dicha en la desgracia y vida campestre*, en dos actos, y cuya letra se debe al propio compositor; *Con bellezas no hay venganzas*, comedia con música, con letra de A. de Zamora, el sainete y *Bailes de la calle de San Pedro*.

BIBLIOGRAFÍA: J. Subirá: *La tonadilla escénica*, Madrid, Tipografía de Archivos, 1928-30; J. Ortega: "La Real Capilla de Carlos III: los músicos instrumentistas y la provisión de sus plazas", *RMS*, XXIII, 2, 2000.

JUDITH ORTEGA

Mardones, José. Fontecha (Álava), 14-VIII-1868; Madrid, 4-V-1932. Cantante. Uno de los más destacados bajos españoles. Hijo de acomodados labradores, iba encaminado al sacerdocio y por ello se trasladó a Briviesca (Burgos), donde inició su formación musical con el organista Eustaquio Recio y participó como tiple en el coro de la Colegiata, aunque de inmediato pasó a cantar como bajo. Pronto abandonó la vocación y en Vitoria estudió piano con Arámburu. Después de ser admitido como salmista en la catedral de Palencia, permaneció allí cuatro años y se trasladó a Madrid. Sin embargo, no tuvo en principio mucha suerte: no le admitieron en el Conservatorio, fue rechazada su petición de beca para estudiar en el extranjero, se le negó una plaza en la Capilla Real y, por último, no pudo entrar en el teatro Real, ni como partiquino ni como corista fijo. Comenzó entonces a participar en espectá-

José Mardones (Foto: E:Bit)

culos de zarzuela y debutó con *Música clásica* de Chapí. Luego, Perosi le eligió para interpretar la parte principal en la presentación madrileña de su oratorio *Moisés*. Siguió cultivando la zarzuela y viajó a otras provincias; estrenó en la capital *Circe* de Chapí y al año siguiente viajó a Buenos Aires con la compañía de Sagi-Barba, quien le animó a completar su formación en Italia con objeto de dedicarse a la ópera. En 1907 volvió a Suramérica y una temporada más tarde fue contratado por el teatro San Carlos de Lisboa. Allí cantó ópera y comenzó su lanzamiento internacional. Tos-

canini, que le reclamó otras veces, le dirigió en Roma en 1911, en el *Requiem* de Verdi, que supuso su consagración como gran cantante lírico, y desde entonces se dedicó con gran éxito a la ópera. Volvió a España en 1926, cuando la voz iniciaba un cierto declive, y aquí cantó sobre todo recitales, aunque hubo de espaciar mucho sus actuaciones debido a problemas de salud.

Mardones realizó numerosas grabaciones, algunas dedicadas al género de la zarzuela, como *Marina* de Arrieta, 1929, junto a Mercedes Capsir, Hipólito Lázaro y Marcos Redondo.

FONOGRAFÍA: *Hipólito Lázaro: Romanzas y canciones*, Columbia C 7539 • Columbia SA, ZCL 1100 (Zacosa) 100; *La alegría del batallón*, La Voz de su Amo DA 710; *Marina*, Columbia-Alhambra-BMG CCLP 31000-1 • Regal RKX 7001, Regal RS 6504 a RS 6515 (et. roja), KX 157 a KX 180 • Columbia RG 16000 a RG16011, KX 157 a KX 180.
BIBLIOGRAFÍA: *DMEH*.

EMILIO CASARES RODICIO

María, Enrique de. Montevideo, 1869; Uruguay, 1943. Dramaturgo, poeta y periodista. Descendiente de una familia de escritores e historiadores, comenzó su actividad literaria como colaborador de la popular revista montevideana de ambiente criollo *El Fogón*, en la cual publicó diversas composiciones bajo los seudónimos "Pancho Truco" y "El indio Jesús". Estrenó sus primeras obras en Montevideo, entre 1894 y 1895: *Gachos y galeras*, *Salús corpus* y *Los lanzamientos*, en colaboración con Ulises Favaro. En 1897 estrenó en Buenos Aires *A vuelo de pájaro*, con el autor español Rogelio Juárez. A partir de entonces casi toda su producción fue estrenada por las compañías Podestá Hermanos, Podestá-Seodi y Podestá-Petray. Pero su obra esencial para el desarrollo del incipiente sainete criollo fue la "revista callejera" *Ensalada criolla*, con música de Eduardo García Lalanne, reestrenada por la compañía Podestá Hermanos en 1898. En dicha obra aparece el famoso terceto de cuchilleros, el rubio Pichinango, el pardito Zipitria y el negro Pantaleón, transposición local del famoso terceto de los tres Ratas de *La Gran Vía*. Constituyó un modelo de tríos, cuartetos, sextetos, que fue incluido en numerosas expresiones del sainete local. Su producción, de fuerte acento nacionalista, incluye personajes de pura raigambre criolla-porteña, como el "compadrito orillero" Sinforoso, que aparece en el sainete revista, *Bohemia criolla*, con música de Antonio Reynoso, estrenada en 1902 por la Compañía Podestá Hermanos en el teatro Rivadavia. Escribió además una serie de sainetes, zarzuelas y revistas de gran amenidad. Su última pieza, *El reloj de doble esfera*, se estrenó en Montevideo en 1915.

MARTA LENA PAZ

María Belén Chacón. Comedia lírica en un acto. Música de Rodrigo Prats. Libreto de José Sánchez Arcilla. Estrenada el 31 de julio de 1934 en el teatro Martí de La Habana.

Personajes y reparto. María Belén Chacón (Caridad Suárez, soprano). Nena (Carmita Ortiz). Cucusa (Candita Quintana, tiple). Mercedes Chacón (Lolita Berrio). Chichita (Julita Muñoz, tiple cómica). Matilde (Consuelo Novoa, tiple). Berta (Josefina Banda). Enrique (Miguel de Grandy, tenor). Don Germán (Julio Díaz). Don Gaspar (Arnaldo W. Sevilla). Don Vicente (Federico Piñero). Gustavito (Alberto Garrido). Gasparito (Ñ. Rodríguez).

Orquestación. Flauta, oboe, clarinete, fagot, trompas, 3 trompetas, trombón, saxo Mi b, piano y cuerda.

Argumento. La acción transcurre en La Habana, en época contemporánea al estreno. Don Gaspar Villares, padre de familia, quien ha dedicado treinta años de sacrificio para hacer fortuna y darle bienestar a su esposa y sus dos hijos, siente la nostalgia de un hogar ya que su familia lleva una vida totalmente desordenada. Comenta sus pesares con su cuñado Don Germán, que le aconseja que pague con la misma moneda, saliendo a divertirse con otras mujeres, que Don Gaspar rechaza. Llega su hija Nena y, al abrazarlo, le pide una alta cantidad de dinero que él le da. Poco después llega su esposa Berta, que luego de hablar con su hermano, vuelve a salir. Al quedar nuevamente solo, Don Gaspar decide ir a buscar refugio a la casa de su amante, la mulata Mercedes Chacón, de cuya relación tienen una hija, María Belén Chacón, bellísima joven que adora a su padre y que causa la admiración de todos los hombres. La muchacha, que vive con su madre en un apartamento que les compró Don Gaspar, aún cuando no lleva el apellido de su padre, también es querida y atendida por éste, que le paga los estudios. Al llegar Don Gaspar a visitarlas, María Belén no se encuentra pues ha ido a una fiesta de una amiga donde la está esperando su enamorado Enrique, joven pobre y muy apuesto. Una de las asistentes a la fiesta, Chichita, que está interesada en Enrique, le echa en cara a María Belén su condición de bastarda, que no debería estar compartiendo una fiesta de personas decentes. María Belén defiende su condición y a su madre, y al regresar triste a su casa se encuentra con su padre, que ha confesado a Mercedes que su verdadero hogar está allí, con ellas dos, y que sólo los dogmas sociales son los que le han obligado a vivir con otra familia y ocultando su amor por ellas.

Pasan los días y en una mañana soleada del mes de julio, Nena es salvada de ahogarse en la playa por el joven Enrique. La muchacha se interesa en él y prepara una fiesta en su casa, anunciando a su padre que ha decidido casarse con el joven. Enrique, sin saber que Nena es medio hermana de la mujer que

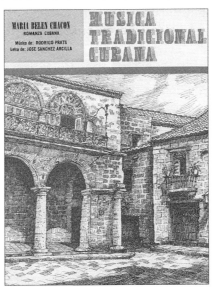

ama, acepta las coqueterías de la misma pero desconoce sus intenciones matrimoniales. Enterado por Don Germán, le hace ver que él a quien quiere es a María Belén. Mientras tanto, Don Vicente, enterado de todo y deseoso de romper las relaciones de María Belén con Enrique, pues él aspira a conquistar a la hermosa mulata, utiliza a Gustavito, vecino del edificio, para que haga saber a María Belén la infidelidad de su novio.

Al llegar la joven, Gustavito le comenta que debe olvidarse de Enrique pues hay una muchacha rica que se ha enamorado de él, y que es lógico que él la deje por aquélla, recomendándole aceptar el amor de Don Vicente. Indignada, María Belén los echa y entre llantos es sorprendida por Enrique, quien le asegura que ella es su único y verdadero amor, reconciliándose la pareja. No obstante, Nena Villares insiste en su conquista, y decide visitar a Enrique a su apartamento de soltero. Chichita y Gustavito ven cuando la muchacha entra en el apartamento del joven, y decidiendo alejar para siempre a María Belén de Enrique, la mujer decide llamar por teléfono a Don Gaspar para que sepa dónde está su hija. Mientras tanto, María Belén ha decidido subir hasta el piso de Enrique para que él le repita todas las promesas de amor que le ha hecho. Al acercarse, siente en el interior de la habitación una risa de mujer. Chichita viene a sacarla de dudas y le dice con mala intención que allí está Nena Villares, su medio hermana que, además, es su rival en amores. También le confiesa que avisó a su papá, y que en breve allí estará Don Gaspar. María Belén, desesperada, pide a Enrique que le abra que tiene que hablar con ellos, y al entrar, le dice a Nena que es su hermana y que no está allí por celos, ya que todo se acabó entre Enrique y ella, sino para evitarle el gran disgusto a su padre de que la encuentre allí. Le pide que se esconda pues Don Gaspar ya está llegando y tocando violentamente la puerta, y ella es la que va a enfrentar la situación. Nena la obedece, y al entrar Don Gaspar y encontrarse con María Belén, la maldice y la condena a su eterno olvido, alejándose decepcionado del lugar. María Belén, anegada en llanto cae en brazos de Enrique quien le repite una vez más su eterno amor. Ella se niega y da por terminada su relación con Enrique quien la ha estado engañando con Nena, pero esta sale y le confiesa que ella era la que lo perseguía a él, y que Enrique a quien siempre ha amado es a María Belén. Nena la acepta como hermana, y le reitera que Enrique le pertenece pues es ella quien lo merece.

Números musicales. Nº 1. Instrumental de aires cubanos. Nº 2. Gustavito y Cucusa, duettino, "Cuando yo siento el saxofón". Nº 3. Instrumental, danzón. Nº 4. María Belén Chacón y coro, "Criolla embriagadora, mezcla de canela y ron". Nº 5. Instrumental, "Fantasía cubana". Nº 6. Coro y solista, "Ya no más padecer, corazón". Nº 7. Enrique y María Belén Chacón, dúo, "Serme fiel tú me juraste". Nº 8. María Belén Chacón, romanza, "María Belén Chacón sufre la herida mortal".

Comentario. La obra, cuya protagonista es una vez más la típica mulata de la época de oro del teatro lírico cubano –recuérdese *Cecilia Valdés* y *María la O*, como otros ejemplos paradigmáticos–, se inspira en el personaje del poema homónimo de Emilio Ballagas, aunque aborda un momento diferente de su vida: "Ballagas hace en sus versos la elegía de María Belén Chacón. Se supone que ha pintado los últimos días de la mulata… En cambio yo hago la historia de una María Belén Chacón que bien pudo ser la misma heroína de Ballagas, pero en sus buenos tiempos de pomposa y triunfante juventud (Don Galaor: "Entrevista a José Sánchez Arcilla", *Bohemia*, 23-IX-1934, pág. 19). La trama de la obra, censurada en su época como una osada apología del adulterio, no obstante, obtuvo un rotundo éxito, en gran medida por la excelencia de la música escrita por Rodrigo Prats, siendo uno de los títulos más aplaudidos de la temporada. Hábil combinación de ritmos de blues, jazz y conga, siempre coherentes con el sentido de la dramaturgia del texto; empleo amalgamado de aires de bolero, son, criolla, guaracha y rumba en cuadros como el de la *Fantasía cubana*; el logrado lirismo de la romanza de María Belén y cuyo tema se convierte en leit motiv que mantiene la unidad de toda la obra; son de los mayores méritos presentes en esta partitura, a lo que se suman las excelentes interpretaciones de sus cantantes, entre quienes destaca Caridad Suárez, que estrenó esta comedia lírica en el papel principal e hizo una verdadera creación de su personaje.

Fuentes manuscritas. La partitura de orquesta y la de canto y piano se conservan en el Archivo del Museo Nacional de la Música de Cuba.

Ediciones de música. Canto y piano, romanza *María Belén Chacón*, 1934.

BIBLIOGRAFÍA: *LVB*.

CLARA DÍAZ PÉREZ

María la O. Sainete lírico en un acto. Música de Ernesto Lecuona. Libreto de Gustavo Sánchez Galarraga y Guillermo Fernández Shaw. Estrenado el 1 de marzo de 1930 en el teatro Payret de La Habana.

Personajes y reparto. María la O (Conchita Bañuls, soprano). Niño Fernando (Miguel de Grandy, tenor). Charo (Raquel Domínguez, soprano). Lola (Candita Quintana, tiple). Niña Tula (Natalia Gentil). José Inocente (Julio Gallo). Mercé, Santiago Mariño (F. Mendoza). Caridad Almendares y Ña Salú (Mimí Cal). Marqués del Palmar (Alfonso Miranda). Conde de las Vegas (Armando French). Un convidado, desconocido, calesero, una dama, una damisela, petimetre, curro del manglar, un botero, vendedor de fotografías, vendedora de agua, cargador de baúles, guardia 1º y guardia 2º, convidados, curros y mulatas chancleteras.
Orquestación. Flauta, oboe, 2 clarinetes, fagot, 2 trompas, 3 trompetas, 2 trombones, saxo alto, saxo tenor, saxo barítono, piano, percusión y cuerda.

Argumento. La acción transcurre en Cuba, a comienzos del siglo XIX. La negra Caridad Almendares ofrece una fiesta en su casa a donde asisten no sólo los amigos de su misma condición social sino también parte de la aristocracia de la localidad, que va allí a divertirse. Comidilla de todos los círculos es la pretensión amorosa que Caridad siente hacia Santiago Mariño, rico zapatero español, que no le muestra interés debido a su predilección por la bella mulata María la O. Caridad, celosa, le previene a Santiago que María de quien está enamorada es del Niño Fernando, joven aristócrata que tiene una novia y se va a casar. Los comentarios son que Fernando tiene a María como entretenimiento y que José Inocente, un negro curro del manglar a quien no aceptó María la O, ha jurado que aunque esa mujer nunca sea suya, está dispuesto a castigar al canalla que pretenda burlarse de ella. Llegan Fernando y María la O a la fiesta, donde todos le dan el tratamiento de Reina del Manglar a la bella mulata. Caridad le pregunta a Fernando si él y María son novios, y él dice que aunque su categoría social es superior a la de ella, ha decidido unirse a María. Esta le dice que confía plenamente en él y que de haber dudado, ella se hubiera muerto o lo hubiera matado. Fernando le asegura que no tendrá que matarlo, pero aparece José Inocente y pone en duda lo expresado por el joven y le dice a María, delante de Fernando, que éste piensa casarse con otra y que se está burlando de ella. Fernando lo niega y María no le cree, echándolo de la fiesta tras evitar que Fernando le golpee. José Inocente se marcha no sin antes alertar a Fernando de que lo está vigilando. Fernando le pide a María que no crea lo que José Inocente le ha dicho y le manifiesta que está dispuesto a casarse con ella. María confía en él y sigue la fiesta. Al amanecer, María despide a Fernando y cuando éste se marcha, aparece José Ignacio exhortándola a que vaya a la casa de los

Marqueses del Palmar, para que confirme lo que él le está diciendo. Ella se angustia, pues siente que si es verídica la noticia los celos y el dolor la llevarán de seguro al presidio. No obstante, necesita salir de dudas, y decide ir ese mismo día. Mientras tanto, Santiago Mariño confiesa a su calesero la frustración de su amor por María la O, y éste le cuenta lo del matrimonio de Don Fernando con la hija de los Marqueses del Palmar. La Niña Tula habla con su esclava y madre de crianza, comentándole que faltan siete días para su casamiento con Fernando, a quien ama mucho, y que lo celebrarán en el ingenio de su padre. A su vez, el Marqués del Palmar y el Conde de las Vegas, abuelos respectivos de Tula y de Fernando, hablan sobre el amor de sus nietos y de que la boda debe ser lo antes posible. El Conde dice que ha escuchado algunos comentarios acerca de que su nieto anda en aventurillas con María la O, pero él considera que no es de tomar en cuenta el asunto, pues está convencido que eso se acabará cuando Fernando se case. El Marqués planea hacerle una visita a María la O para definirle bien esa situación. Santiago Mariño, por su parte trae a Tula el encargo de los zapatos de la boda, confirmando con la propia joven la noticia acerca de su matrimonio con Fernando. Éste llega a la casa de los Marqueses del Palmar, donde Tula lo ha estado esperando y le dice a ella que se acostó muy tarde en la madrugada, quemando papeles viejos. Ella le declara su inmenso amor. En eso llegan los abuelos y los invitan a ir a ver el Cabildo de Reyes que ya va a empezar. Salen todos, y María la O, que está acechando, comprueba el compromiso de su amor con la joven rica. Fernando, al descubrirla, la arrastra del brazo y le pregunta cómo es que se ha atrevido a ir hasta allí. Ella le da de plazo un día para que deje a Tula. Él le dice que no tiene nada que temer, que ya ese amor se acabó, confesando María que quiere morir. Al enterarse Santiago de que la bella mulata estuvo en la Casa de los Marqueses, va a declararle su amor y a aconsejarle que se olvide de Fernando y que lo ame a él quien pudiera darle una vida cómoda aunque no para casarse con ella. María lo echa de la casa y al insistir él, ella saca una navaja y le impone que se vaya. María asegura, además, que si Fernando no deja a Tula lo matará con esa navaja y cuando salga de prisión será de José Inocente que es el único que ha demostrado quererla de verdad. Santiago le dice que no, que él es el que va a castigar a Fernando, pero María no le cree y lo toma como paluncherías del zapatero.

Acto II. Fernando y Tula, felices de haber contraído matrimonio, se hallan junto a sus familiares y amigos en el muelle, a punto de embarcar hacia Europa. Muy cerca de allí María la O, sumida en un estado pasional de fuertes contradicciones, acecha desde un ángulo oculto del escenario, sabiendo que José Inocente, también allí y empuñando una navaja, amenaza con dar muerte a su amado. En el momento en que el curro se decide a ir a consumar su cometido, María la O se le interpone y le pide que no lo mate porque ella va a tener un hijo suyo. Con el tema musical de la romanza, que repite María la O, termina la zarzuela.

Ernesto Lecuona con los intérpretes de María la O, 1956, Teatro Martí de La Habana (Foto: Ar. ICCMU)

Números musicales (Según la versión original de 1930). Nº 1. Instrumental y coro, preludio, "Viva, dichosa viva la bella Caridad". Nº 2. María la O y coro, "Viva, viva siempre la reina del manglar". Nº 3. María la O y Fernando, Charo, Caridad, Mersé y todos, "Dulce bien, la ilusión eres tú de mi amor". Nº 4. María la O y Fernando, dúo de amor, "Soy tuyo, sólo tuyo". Nº 5. Charo y coro, vals serenata, "Los enamorados" (también llamada "Hoy es la noche de Reyes"). Nº 6. Instrumental y coro, danza de los ñáñigos, "El Cabildo". Nº 7. Coro, tango congo, "Los negros curros". Nº 8. María la O, canción, "La venganza". Nº 9. Instrumental. Nº 10. María la O, romanza, "María la O, bella como flor". Nº 11. Final.

Comentario. Fracasados en su propósito de llevar al teatro lírico la principal novela costumbrista cubana del siglo XIX, *Cecilia Valdés o La loma del Ángel*, debido a la negativa de autorización dada por los herederos del escritor, Lecuona y Galarraga idearon a cambio el sainete lírico *María la O*, inspirado en el personaje real del propio nombre, del siglo XIX y prototipo de la mulata de rumbo; y en determinados elementos de la anécdota melodramática de la novela de Cirilo Villaverde. Estrenado con el título de *María de la O* –preposición que le fue omitida definitivamente en menos de dos años–, este sainete lírico fue considerado en su época como una obra de gran exigencia, al mismo tiempo que la más popular de sus autores. La crítica de su estreno expresaba: "Para nosotros no constituyó sorpresa el éxito de *María la O*, porque conocedores del libro y de la música, descontado teníamos el triunfo… Bello el asunto escogido por el libretista, asunto de ambiente, escenificado y dialogado con positivo acierto, logra mantener al espectador en constante atención porque, a las escenas cómicas, de gracia indiscutible, suceden los momentos de intensa dramaticidad… Tal libro, dio ocasión a Ernesto Lecuona, siempre genial, para producir números de música de positiva belleza e inspiración" (J. Bonich: *María la O. Teatros. La temporada cubana en el Payret*). No obstante el gran éxito alcanzado, la dramaturgia de la obra mostró una endeblez evidente dado su carácter revisteril en no pocas ocasiones, carente, asimismo, de una caracterización dramática de los personajes y las situaciones de la trama a través del tratamiento musical, independientemente de contar con un excelente melodismo a lo largo de todo su discurso. La romanza dedicada a la protagonista –y que diera lugar a un arquetipo para las creaciones posteriores con el salto interválico de dos octavas– fue estrenada antes que la obra, y desde entonces y dada su alta popularidad, se convirtió en pieza obligada de los repertorios de las cantantes líricas del país.

En cuanto al libreto, aún cuando igualmente la obra denotase aspectos endebles de su dramaturgia, se logró, sin embargo, una adecuada caracterización social y lingüística de los personajes negros y sus diversas maneras de hablar.

Desde su estreno en marzo de 1930 se convirtió en una de las obras más representadas de todo el teatro lírico cubano y una de las que más adaptaciones sufrió. Concebida originalmente en un acto y cinco cuadros, se amplió posteriormente a nueve, y ocho años después fue representada en el teatro Auditorium en dos actos y doce cuadros, formato finalmente más generalizado de la obra. A lo largo de sus puestas en escena, su final se modificó cinco veces: a) en la versión original, María la O mata a Fernando; b) María la O intenta matar a Fernando pero José Inocente se lo impide; c) María la O quiere matar a Fernando, José Inocente se lo impide y lo mata él mismo; d) María la O pide a José Inocente que mate a Fernando y éste lo hace; e) María la O pide a José Inocente que mate a Fernando y se lo impide en el último instante pues está esperando un hijo de él y no quiere que muera el padre.

Respecto a la música, igualmente se hicieron modificaciones desde su primera puesta en escena. El vals de los enamorados "Hoy es la fiesta de Reyes", fue sustituido por la ronda de los enamorados "Amor dime dónde has ido". El número de la Venganza, escrito expresamente para Conchita Bañuls en su estreno del papel protagonista, posteriormente fue eliminado por el propio compositor en febrero de 1932 y sustituido por el gran dúo que fue compuesto especialmente para Luisa María Morales y Marcelino del Llano. "La Chancletera", destinada en un inicio al personaje de María la O, después se le confió a otro personaje. La canción "Canta ruiseñor" fue incorporada en 1964 para el personaje de Niña Tula, así como la "Romanza de José Inocente" fue agregada en 1940.

La obra subió al escenario del teatro Martí 56 veces, interpretada por las sopranos Caridad Suárez (35 veces), Hortensia Coalla (15 veces), Rita Montaner (3 veces) y Maruja González (3 veces), y los tenores Miguel de Grandy (28 veces), Marcelino del Llano (9 veces), Arturo Vila (13 veces) y Constantino Pérez (6 veces).

Sin duda, *María la O* constituye una de las obras antológicas de la zarzuelística cubana, teniendo el gran mérito de haber sido una de las primeras obras de su tipo y a través de la cual se sentaron pautas acerca del nuevo teatro lírico cubano.

Fuentes manuscritas. La partitura de orquesta, la partitura de canto y piano y los materiales de orquesta se conservan en el Archivo del Museo Nacional de la Música de Cuba.

Ediciones de música. Canto y piano, *Canta ruiseñor*, Nueva York, Internacional Music Pub., 1939; *La chancletera*, La Habana, Ed. Lecuona Music, 1930; *Los curros del manglar*, La Habana, Ed. Lecuona Music, 1930; *Los enamorados*, La Habana, Ed. Lecuona Music, 1929; La Habana, Ed. Agencia Internacional de Propiedad Intelectual, 1929; Nueva York, Ed. Edward B Marks Music, 1931; *María la O*, La Habana, Ed. Lecuona, 1929; La Habana, Ed. Agencia Internacional de Propiedad Intelectual, 1930; Nueva York, Ed. Edward B Marks Music, 1931 y 1959; *La mulata chancletera*, La Habana, Ed. Lecuona Music, 1941.

FONOGRAFÍA: LP: Dir. Félix Guerrero, Sols. Dolores Pérez, Luis Sagi-Vela, José Granados, Luisa de Córdoba, Maño López, Coro de RNE, Orq. de Cámara de Madrid, Zafiro-BMG FM-73 [reed. en CD: Zafiro-Salvat 1033-21]; FM-73, Montilla, Madrid 1955; CD-0122, Areito, EGREM, La Habana, 1990.

BIBLIOGRAFÍA: *LVB*.

CLARA DÍAZ PÉREZ

Mariani. Familia de compositores españoles compuesta por Luis Leandro y su hijo Emigdio.

1. Mariani González, Luis Leandro. Sevilla, 31-III-1864; Sevilla, 19-IV-1925. Compositor, pianista y profesor. Descendía de una familia italiana que se afincó en Sevilla a comienzos del siglo XIX. Inició sus estudios musicales con su tío Emigdio, beneficiado de la catedral sevillana y con dieciocho años ya dirigía una "compañía infantil de zarzuelas" donde estrenó *El grado de Capitán*, con la

Luis Leandro Mariani (Foto: Ar. ICCMU)

que inició su carrera. Fundó en 1880, en el seno de la Sociedad Filarmónica Sevillana, la Academia Filarmónica que se convirtió en un centro docente musical, precedente del conservatorio. Como compositor de zarzuelas ha dejado varios títulos que alcanzaron popularidad. Su estética es folclorista adaptándose a unos libretos de fuerte color local.

OBRAS: *Agencia de suicidios*, chifladura, 1 act, l, P. Moreno; *Agustina de Aragón*, episodio, 2 act, l, B. Mas y Prat, est, 21-XII-1891, Te. Cervantes (Sevilla), *E:Msa*; *Al pie de la reja*; *Cuestión de peso*, Zarz, 1 act, l, Berdejo; *Champagne, manzanilla y peleón*, Hum, 1 act, l, F. Pérez, 24-XII-1887, Te. Apolo, *E:Msa*; *De buenas a primeras*, Zarz, 1 act, est, 29-VI-1889, Te. Apolo; *Del Infierno a Madrid, viaje de ida y vuelta*, Fant, 1 act, l, Gutiérrez de Alba, est, 26-V-1893, Te. Cervantes (Sevilla), *E:Msa*; *Don Celso Canillejas*, Zarz, 1 act, col. M. Damas / E. Fuentes, l, G. Blanco, est, 19-VI-1879; *El aire*, Sai, 1 act, col. V. Lleó, l, Paso / J. Abati, est, 4-III-1904, Te. Eslava, *E:Msa*; *El año veinte*, Zarz, 1 act, l, J. de Velilla, 21-I-1896, Te. Duque (Sevilla), *E:Msa*; *El corral de la Pacheca*, Zarz, 1 act, l, Martínez Barrionuevo; *El corral*, Zarz, 1 act, l, S. Alonso Gómez, est, VI-1903, Te. Apolo, *E:Msa*; *El Diamantito*, Zarz, 1 act, l, A. Carmona; *El grado de Capitán*, Zarz; *El joven de las Trinitarias*, Jug, 1 act, col. I. Hernández / S. Luna, l, J. Mota, est, 18-I-1894, Te. Cervantes (Sevilla); *El talismán de mi suerte*, Sai, 1 act, l, J. Mota, est, 18-VII-1887, Te. Maravillas, *E:Msa*; *El tío Curro*, Zarz, *E:Msa*; *El tío Paco*, Zarz, 1 act, l, J. Mota; *La campana de la Vela*, Zarz, 1 act, l, A. Fernández; *La Chicharra*, Zarz, 1 act, l, S. Alonso Gómez, est, 3-II-1904, Te. Zarzuela, *E:Msa*; *La reina del desnudo*, Vo, 1 act, l, P. Moreno; *La señorita*, Zarz, 1 act, *E:Msa*; *La tribu gitana*, farsa, 1 act, l, A. Paso / Asensio Mas, est, 28-XI-1908, Te. Martín, *E:Msa*; *Los claveles dobles*, Zarz, col. A. Vives, l, F. Yraizoz; *Los gordos*, disparate, 1 act, l, F. Castellón, est, 7-II-1891, Te. Martín, *E:Msa*; *Picci*, Zarz, 1 act, l, A. Carmona; *Sierra Nevada*, Zarz, 1 act, l, A. Paso / R. Asensio Mas, *E:Msa*; *Soltero y Mártir*, Jug, 1 act, l, J. Jackson Veyán / M. Casañ, est, 24-VII-1888, Te. Felipe, *E:Msa*; *Tribulaciones*, Zarz, l, A. Paso / R. Asensio Mas.

2. Mariani Piazza, Emigdio. Sevilla, 5-IV-1901; ?. Compositor y director. Estudió con su padre y su madre, Josefa Piazza, pianista. Desde muy joven se incorporó como profesor en la Academia Filarmónica y desde 1925 se hizo cargo de la dirección de la misma. Ha estrenado y dirigido numerosas obras en diferentes teatros sevillanos y en Madrid. Es autor de varias obras líricas, entre las que destacan: *La hora de la verdad*, sainete en dos actos con letra de J. Alarcón y A. Jiménez, estrenada el 26 de abril de 1924 en el teatro Eslava; *Cruz de mayo sevillana*, sainete en un acto, conservado en el archivo de la SGAE en Madrid; *Soleares trianeras*, con libreto de Millán y J. del Pozo, 1930, y *Dolorosa soy yo*, zarzuela en dos actos con libreto de P. Morneo y Manuel G. Álvarez.

BIBLIOGRAFÍA: F. Cuenca: *Galería de músicos andaluces contemporáneos*, La Habana, Cultura, 1927; A. Martín Moreno: *Historia de la música andaluza*, Sevilla, Biblioteca de la Cultura Andaluza, 1985.

EMILIO CASARES RODICIO

Mari-Begoña. España, siglo XX. Actriz y cantante. Comenzó a trabajar como cantante y bailarina de muy niña y ha participado en todo tipo de espectá-

culos: revista, folclore y comedia. En 1944 llegó al teatro de la Zarzuela como cantante en el espectáculo *Zambra* de Lola Flores y Manolo Caracol. En 1949 participó en la función homenaje al cincuentenario de la Sociedad de Autores celebrado en el teatro de la Zarzuela, y cantó en *El género ínfimo*. Ha tomado parte en el espectáculo *Pasodoble*, con Rocío Jurado, Rosita Ferrer y Andrés Pajares, también en la Zarzuela. En su faceta de vedette de revista hay que destacar *Róbame esta noche* de

Mari-Begoña
(Foto: Ar. Emilio G. Carretero)

Francisco Alonso y Daniel Montorio que se estrenó en el Albéniz y permaneció allí varias temporadas.

Su versatilidad le ha permitido hacer tanto teatro como cine y televisión, y es este último medio el que más popularidad le ha proporcionado con series como *Hostal Royal Manzanares* junto a Lina Morgan. También ha actuado en series en la televisión mexicana Televisa. En teatro ha alternado comedias como *La corbata*, *Buenísima sociedad*, *¡Cómo está el servicio!*, de Alfonso Paso, *El refugio* de Pedro Muñoz Seca, *Los viernes a las seis* y *La novia del Príncipe* de Juan José Alonso Millán, con el drama, *Doña Rosita la soltera* de Lorca, y *Los intereses creados* de Benavente. Su último trabajo, 2002, fue *Aprobado en castidad* con la compañía de Chicho Ibáñez Serrador.

Mª LUZ GONZÁLEZ PEÑA

Marimón, Federico. Segunda mitad del siglo XIX. Tenor. No se conocen datos de los primeros años de su carrera, pero tal vez sea el mismo que figura en un papel secundario en el amplio reparto de la zarzuela cómica de Arrieta *De Madrid a Biarritz*, estrenada en el teatro de la Zarzuela en la Nochebuena de 1869. Según Manuel Abascal en 1876 había actuado en el teatro Imperial de San Petersburgo, siendo felicitado por el propio zar. En la temporada 1876-77 figura en el elenco del teatro de la Zarzuela, compartiendo cartel con los tenores Manuel Sanz, director de la compañía, y el debutante Eduardo Bergés, participando en los estrenos de *Juan de Urbina* de Barbieri, la adaptación española de la ópera cómica francesa *Ruede la bola* y la ópera en un acto *La muerte de Garcilaso*, con libreto de Antonio Arnao y música de Espinosa de los Monteros. Fue un año difícil, con el género grande en plena crisis, que obligó al veterano Manuel Sanz a disolver la empresa en el mes de febrero. Después debió figurar en compañías secundarias, probablemente de Madrid y provincias, ya que Bretón en sus diarios recuerda en 1881 que a petición de Marimón arregló para tenor el papel protagonista de *Guzmán el Bueno* "en una circunstancia crítica". Tal vez esta fuese la causa de su marcha a América, donde tuvo mejor fortuna. En 1881-82 lo contrató José Jarques como primer tenor para actuar en el teatro Nacional de Valparaíso, Chile, formando parte de uno de los principales elencos de zarzuela grande que actuaron en aquel país, en una compañía en la que figuraban además del matrimonio Jarques e Isidora Segura, el tenor cómico Ricardo Sánchez Allú, la tiple Ramona Allú, los bajos Julián Cubero y Heriberto Francesch. Según las noticias Marimón procedía de Argentina, donde había alcanzado fortuna en los últimos años como un destacado tenor en el género de la zarzuela. Había recorrido gran parte de América, ya que otras crónicas recuerdan sus problemas con compañías en Perú y Cuba, debido a que "era un tipo excéntrico, algo avaro, exigente y difícil de contentar", pidiendo siempre sus pagos en moneda de oro española. Marimón fue la principal figura de la compañía de Jarques en Valparaíso, destacando su interpretación de los papeles protagonistas de *Jugar con fuego, El anillo de hierro, Galanteos en Venecia, Los diamantes de la corona, El dominó azul, El salto del pasiego, La Marsellesa* y, sobre todo, en el Jorge de *Marina*, donde la prensa destacó su gran estilo de canto que refleja una voz de claro carácter lírico: "En *Marina* lució su gran escuela de canto; pero pone más empeño que nada en las modulaciones de la voz, en la delicadeza para expresar el sentimiento y decir la palabra. Nunca vemos en él esos esfuerzos de voz tan comunes en los cantantes, ni esa prolongación de los calderones con el objeto de arrancar aplausos, verdaderas pruebas de aliento o de resuello, como si los artistas fueran buzos". En las propinas ofrecidas en su beneficio además mostró su gran capacidad musical, cantando la romanza *L'Oblio*, escrita para él por el Antonio M. Celestino, y acompañándose a sí mismo al piano en unas guarachas cubanas. Tras más de cien exitosas funciones, la compañía de Jarques continuó en marzo de 1882 su gira por el norte de Chile, actuando en las localidades de La Serena, Copiapó e Iquique, donde Marimón continuó siendo la máxima atracción del elenco. En La Serena, donde ofreció como beneficio la zarzuela *Juan de Urbina* de Barbieri, fue calificado como "una notabilidad que justifica su fama esclarecida", mientras que en Copiapó se indicaba que "rayó en lo sublime". En agosto la compañía se disolvió, marchándose Marimón hacia Panamá. Según contaba el propio Jarques con posterioridad, Marimón vivía de sus rentas en Madrid hacia 1910, aunque había perdido casi totalmente la vista.

BIBLIOGRAFÍA: M. Abascal Brunet: *Apuntes para la historia del teatro en Chile. La zarzuela grande II*, Santiago de Chile, Imp. Universitaria, 1951; E. García Carretero: *Historia del teatro de la Zarzuela de Madrid*, Madrid, Fundación de la Zarzuela Española, 2003.

VÍCTOR SÁNCHEZ SÁNCHEZ

Marín, Carlos. Rüsselheim (Alemania), siglo XX. Barítono. Realizó sus estudios de canto en Alemania y en el Conservatorio de Madrid, completando su formación en las clases magistrales de Montserrat Caballé y Jaime Aragall, perfeccionándose posteriormente con Ángeles Gulín. En 1995 ganó el concurso de canto Francisco Alonso y al año siguiente obtuvo el premio de la Fundación Guerrero y el segundo premio del Concurso Internacional Julián Gayarre de Pamplona. Además de sus conciertos y recitales, ha cantado ópera y zarzuela con títulos como *La tabernera del puerto, Marina, La del manojo de rosas* y *La canción del olvido* con la que debutó en el sevillano teatro de la Maestranza. En 1996 participó en el IV Festival de Zarzuela de Canarias, cantando *La calesera* de Francisco Alonso. Obtuvo un gran éxito con el musical *La bella y la bestia* que se mantuvo en cartel más de tres temporadas seguidas en el teatro Lope de Vega de Madrid.

Mª LUZ GONZÁLEZ PEÑA

Marín, José. España, siglos XIX-XX. Actor-cantante. Formaba parte de la compañía de Maximiliano Thous que inauguró el teatro Serrano de Valencia en el verano de 1910. Al año siguiente estrenó en el Ruzafa de Valencia *Porta-Coeli*, zarzuela fantástica de Vicente Peydró. Formó parte de la compañía que inauguró el teatro de la Zarzuela en 1913, tras el incendio que lo destruyó en 1909. En 1913 cantó la zarzuela de Fernández Caballero *Las dos princesas* y en la función de noche, *El rey que rabió* de Chapí, junto a Luisa Rodríguez y Asunción Aguilar. En 1933 estrenó en el teatro Nuevo de Barcelona *La moza que yo quería* de Fernando Díaz Giles. Participó en el estreno de la obra de Moreno Torroba *La boda del señor Bringas o Si te casas la pringas*, en el teatro Calderón en 1936, protagonizada por Felisa Herrero y Pedro Terol.

FONOGRAFÍA: *Adiós a la bohemia*, Hispavox HH 1037 • Hispavox 7 67434 2 (637.83508); *Black el payaso*, Hispavox 7 67431 2 (637.77070); *La del manojo de rosas*, Hispavox HH 1036 y S 20181; *La viejecita*, Zafiro ZOR-177 127 • Zafiro LM-3028 (C) 188 • Zafiro-Salvat 1043-2.

BIBLIOGRAFÍA: *Comedias y Comediantes*, II, 18, 1-VII-1910; E. García Carretero: *Historia del teatro de la Zarzuela de Madrid*, Madrid, Fundación de la Zarzuela Española, 2003.

Mª LUZ GONZÁLEZ PEÑA

Marín del Río, Enrique. España, siglos XIX-XX. Compositor y autor. Es autor de varias obras líricas de género chico, estrenadas en diversos teatro madrileños en las décadas de 1880 y 1890.

OBRAS (Todas en E:Msa): *Doble suicidio*, Jug, 1 act, l, M. Muzas / E. Melero, est, 24-IX-1892, Te. Felipe; *El arremangao*, 1 act, l, E. Pérez Alarcón; *El último recurso*, Zarz, 1 act, l, J. Álvarez; *Guernicacoarbola*, boceto, 1 act, col. R. de Julián, l, E. Gullón / A. Vergara, est, 16-IX-1893, Te. Príncipe Alfonso; *Precipitaciones*, Jug cóm-lír, 1 act, l, T. Liberal Rubio, est, 3-XI-1893, Te. Romea.

Mª LUZ GONZÁLEZ PEÑA

Marín García, José María. España, siglos XIX-XX. Compositor. En la lista de socios de la SGAE de 1969 ya figuraba como fallecido. Autor de diversas canciones, escribió también varias obras líricas, algunas de las cuales se conservan en el archivo de la SGAE en Madrid.

OBRAS: *Desde Cuba*, Jug, 1 act, col. A. Rubio, l, A. González Rendón, est, 1888; *La cruz del barranco*, Zarz, 1 act, l, R. Blanco, est, 1-V-1940, Te. Ortiz (Murcia), *E:Msa; La postulanta*, Ent, 1 act, l, A. Osete; *La virgen del Socorro*, boceto, 1 act, col. E. Giménez Arderius, l, E. Calero / V. Escames, est, 18-XII-1908, Te. Madrileño, *E:Msa; Los de Cuba*, Jug, 1 act, col. A. Rubio, l, R. M. Liern / M. Falcón, est, 18-VIII-1888, Te. Felipe; *Luz divina*, ensayo, 1 act, col. E. Giménez Arderius, l, J. M. Martín, est, 19-XI-1908, Te. Madrileño; *Malas tripas*, acción, 2 act, col. J. Aguilar, l, J. Selgas, est, 10-IX-1910, Te. Romea (Murcia); *Postales de Cuenca*, 1 act, l, R. G. Eslava; *¡Vaya una niñita!*, Zarz, 1 act, l, Navarro, *E:Msa*.

Mª LUZ GONZÁLEZ PEÑA

Marín Varona, José. Camagüey (Cuba), 10-III-1859; La Habana, 17-IX-1912. Compositor, director de orquesta, pedagogo y pianista. Radicado en La Habana desde 1878, tuvo a su cargo la dirección de diversas orquestas de compañías de zarzuelas, desempeñando esta labor fundamentalmente en el teatro Albisu, la que alternaba con Modesto Julián. Según Gaspar Agüero, "dirigió con acierto y con aplauso grandes compañías de zarzuela española y de ópera italiana, primero en La Habana, luego en toda la América, adquiriendo gran renombre como jefe de orquesta. Fue lo que en el lenguaje de bastidores se llama un maestro de cartel; su batuta se cotizó siempre muy alto en el mercado teatral". Compuso numerosas zarzuelas, operetas, revistas y sainetes, entre las que sobresale su zarzuela *El brujo*, modelo del género bufo cubano, estrenada en el teatro Albisu en 1896. En ese

José Marín Varona (Foto: O. Urfé / Museo Nacional de la Música de Cuba)

mismo año y a causa de sus ideas independentistas, se vio obligado a exiliarse en Estados Unidos, donde continuó desarrollando sus actividades musicales y ejerciendo el periodismo. Colaboró con la revista *Yara* bajo el seudónimo de Juan Manigua. Concluida la guerra entre Cuba y España, regresó a La Habana en 1899. Como reconocimiento a su trayectoria le fueron concedidas diversas condecoraciones como Palmes de Premiere Classe de la Academie du Progress, de París, 1912, y la del Busto del Libertador, de la República Venezolana; así como las medallas de la Exposición Universal de París, 1900, de la Exposición Universal de San Luis, Missouri, 1904, de la Exposición Nacional, 1911, y el Premio del Consejo Provincial de la Habana, por su labor como compositor. De él dijo José Mauri, que "su sensibilidad fue excesivamente personal e íntima, puesto que Marín educóse a sí mismo y encontró en su propia mentalidad la disciplina y la orientación de sus facultades, no habiendo buscado inspiraciones, normas ni métodos, sino en el ritmo dominante en nuestra cadenciosa música... Fue Marín Varona, por esencia y potencia, un músico cubano... penetróse hasta saturarse de nuestro ritmo con la devoción de un verdadero patriota artístico".

OBRAS: *El brujo*, Zarz Bu, 1 act, l, J. R. Barreiro, est, 1896, Te. Albisu, *CU:HMNM; El crimen de Batabanó*, Jug cóm, l, J. B. Ubago, est, 31-V-1897, Te. Alhambra; *Los granujas*, Rv, l, J. B. Ubago, est, 6-VIII-1897, Te. Alhambra; *Los galenos*, Bu, 1 act, l, R. Delmonte, est, 24-XI-1898, Te. Alhambra; *El alcalde de la güira o La invasión de Occidente*, Apr, 1 act, l, J. Robreño, est, 4-I-1899, Te. Alhambra, *CU:HMNM; Paz*, Zarz, 1 act, l, M. Valdés Pita, est, 10-I-1899; *El 10 de octubre*, Opt, 1 act, l, O. Díaz, est, 17-II-1899, *CU:HMNM; El grito de Baire*, Zarz, 1 act, l, A. del Pozo, 24-II-1899; *Los guerrilleros*, Zarz, l, O. Díaz, est, 27-II-1899; *Por tener el mismo nombre*, Zarz, 1 act, l, Nuza, est, 15-III-1899; *Los excursionistas en La Habana*, Zarz, 1 act, l, F. Villoch, est, 30-V-1902, Te. Alhambra, *CU:HMNM; La guaracha*, Sai, 1 act, l, F. Villoch, est, 28-X-1902, Te. Alhambra, *CU:HMNM; Simancas en Atarés*, Zarz, 1 act, l, S. Maldonado, est, 8-VIII-1903, *CU:HMNM; Los artilleros en campaña*, Zarz, l, F. Villoch, est, 26-I-1906, Te. Alhambra; *Maniobras militares*, Apr cómlír, 1 act, est, 1911; *Ábreme la puerta*, Zarz, l, F. Villoch, *CU:HMNM; Banquete, concierto y baile*, Zarz, *CU:HMNM; El hijo del Camagüey*, Zarz cubana, 1 act, l, A. del Pozo *CU:HMNM; El tambor de bomberos*, Zarz, 1 act, l, R. Arnautó / J. B. Ubago, *CU:HMNM; Es parodia y no es parodia o La ganzúa de Juan J.*, *CU:HMNM; La familia de Socarrás*, Zarz, 1 act, l, R. Arnautó / J. B. Ubago, *CU:HMNM; La ganzúa de Juan J.*, Zarz Bu, l, R. M. Álvarez, *CU:HMNM; La víspera de San Juan*, Zarz, l, J. B. Ubago, *CU:HMNM; Los brillantes de la pelona*, Zarz, l, R. Arnautó / J. B. Ubago, *CU:HMNM; Tute arrastrado*, Zarz, 1 act, l, M. Zardoya, *CU:HMNM*.

BIBLIOGRAFÍA: J. Mauri Esteve: "Conferencia leída por el académico señor José Mauri en la sesión solemne celebrada a la memoria del académico fallecido señor José Marín Varona, el día 26 de febrero de 1913, en lo salones del Ateneo y Círculo de la Habana", *Anales de la Academia Nacional de Artes y Letras*, La Habana, VII/IX-1916.

CLARA DÍAZ PÉREZ

José Mariner como Repeluco en La Macarena de Sebastián Alonso (Foto: Candela en El Teatro, 1903; Ar. SGAE)

Mariner, José. España, siglos XIX-XX. Actor cómico. Su actuación en diversos teatros madrileños se extiende entre 1900 y 1931. En 1900 estrenó en Eslava *Las venecianas* de Abati y García Álvarez, *El rey de la Alpujarra* de Vives, *El fondo del baúl* y *El tesoro del estómago* de Quinito Valverde. En 1901 hizo una gran interpretación en *El capote de paseo* de Chueca, estrenado en Eslava, donde actuó también en *Cascarrabias* de Lleó y Barrera. En 1902 estrenó *La mazorca roja* de Serrano, *Piquito de oro* de Barrera y Guervós y *La muerte de Agripina* de Quinito Valverde y Torregrosa en el teatro de la Zarzuela. En 1904 formó parte de la compañía del teatro Eslava dirigida por José Riquelme en la que estrenó *El rey del valor* de Calleja y Lleó, pero también trabajó en la Zarzuela donde estrenó *El serrano* de Salvador Viniegra y Rafael Calleja. En 1905 estrenó en el teatro Cómico *Perico el jorobeta* de Pascual Marquina y Eduardo Fuentes, *El capitán Robinsón* de Foglietti y Fuentes, *Rusia y Japón* de Caballero, *La cueva de Salamanca* de Juan Gay, *La cantinera* de Tomás Barrera; y *La bohème* de Cassadó y Guitart. En 1907 obtuvo Mariner un gran éxito en su interpretación de un borracho en el juguete lírico *El aire* estrenado a beneficio de Pepe Ontiveros en el teatro Cómico. Ese mismo año en Eslava estrenó *Todos somos unos* de Lleó. Estrenó también *La reina del couplet* de Foglietti, *Las granadinas* y en 1910 *El Conde de Luxemburgo* y *La corte de faraón* en Eslava. En 1915 presentó *Las alegres colegialas* de Lleó en el Martín y en 1916 *Las alegres chicas de Berlín* de Rafael Millán y *La guitarra del amor*, de varios autores, en el teatro de la Zarzuela. Aún actuaba en 1931, cuando estrenó *La musa gitana* de José García Baylac en el teatro Apolo de Barcelona.

FONOGRAFÍA: *El estreno de anoche*, La Voz de su Amo AF 60; *En los toros*, La Voz de su Amo AF 60; *Gigantes y cabezudos*, Gramophone 52349 (et. verde), 4498, 432.

BIBLIOGRAFÍA: *El Teatro*, 2, Madrid, XII, 1900; *El Teatro*, 5, Madrid, III, 1901; *El Teatro*, Madrid, 48, IX, 1904; *El Teatro*, Madrid, VII, 1905; *El Teatro*, Madrid, XI, 1905; *El Arte de El Teatro*, II, 30, Madrid, 1-III-1907.

Mª LUZ GONZÁLEZ PEÑA

Marqués García, Pedro Miguel. Palma de Mallorca, 20-V-1843; Palma de Mallorca, 25-II-1918. Compositor y violinista. Fue el máximo exponente del sinfonismo español de la segunda mitad del siglo XIX, y también se dedicó con éxito a la música escénica.

I. Etapa de formación. II. Compositor de zarzuela grande, 1871-1888. III. Compositor de género chico, 1889-1895.

I. ETAPA DE FORMACIÓN. Ingresó en una escolanía, donde comenzó a estudiar solfeo y violín. Sus primeros profesores fueron Honorato Noguera y Francisco Montis y, posteriormente, el italiano Foce, que dirigía la orquesta del Círculo Mallorquín. A los once años entró como primer violín en la orquesta de una compañía de ópera que entonces actuaba en el Círculo Palmesano. Poco después escribió una fantasía original para violín, que interpretó con aplauso. Sus aptitudes para la música llamaron la atención de sus maestros, que consiguieron fondos para que pudiese continuar sus estudios. Así, a los quince años de edad, becado por amigos y familiares se trasladó a París, donde estudió violín con Armingaud desde 1859, y después con Alard. A los dieciséis años realizó, durante las vacaciones, una gira artística por Alsacia y Lorena junto con dos condiscípulos de su edad, los hermanos Alfonso. En este período compuso algunas melodías para violín. En 1861 ingresó en el Conservatorio de París, y estudió violín con Massart, y armonía con Bazin. Según refiere Estelrich: "Berlioz convirtió amorosamente en discípulo especial y único de instrumentación y estética musical a Miguel Marqués, adivinando con ojos sagaces lo que el discípulo prometía". Durante su estancia en París, para costearse los estudios, actuó como violinista en orquestas de teatros —entre ellas, las del teatro Lírico y la Gran Ópera—. Tomó parte en los estrenos de *Fausto, Mireille* y *El médico a palos* de Gounod, y en las representaciones de obras de Bizet, Thomas, David, Auber y Meyerbeer. En 1863 regresó a Mallorca para cumplir con sus obligaciones militares y después se trasladó a Madrid y continuó sus estudios musicales, matriculándose en octubre de 1866 en el Conservatorio, en 5º curso de violín con Monasterio, y en 2º de armonía con Galiana. Obtuvo el primer premio en el concurso público de armonía celebrado en junio de 1868, y el primer premio de violín en junio de 1869, bajo la dirección de Monasterio. También estudió composición con Arrieta, pero abandonó las clases de composición tras el estreno de su *Primera sinfonía*.

II. COMPOSITOR DE ZARZUELA GRANDE, 1871-1888. En 1867 ingresó en la orquesta de la Sociedad de Conciertos como violinista, siendo recomendado por Monasterio a Barbieri. Permaneció en ella desde su fundación hasta el 12 de noviembre de 1884. Actuó también como violinista en el teatro de la Zarzuela y en el teatro Real. Fue en el seno de la Sociedad de Conciertos de Madrid donde sintió la necesidad de componer su primera sinfonía y a partir de entonces la música sinfónica se convirtió en su primera dedicación siendo el sinfonista más importante del siglo XIX español.

Pero su dedicación a la música sinfónica ni impidió que la zarzuela ocupase un lugar central en su creación y a lo largo de toda su vida. Su primera zarzuela es *Los hijos de la costa*, en tres actos sobre libro en verso de Luis Mariano de Larra, que se estrenó en el teatro de la Zarzuela en 1871, con gran asistencia de público. La acción dramática, inspirada en una obra francesa, se sitúa en Sicilia, durante la dominación francesa, los últimos días de marzo de 1282. Tuvo un éxito notable, representándose la obra dieciséis veces. No obstante, Peña y Goñi, en *La Ilustración de Madrid*, se muestra especialmente duro, insistiendo en que el autor no había concluido sus estudios de instrumentación. Posiblemente la dureza de la crítica se explique al recordar que Peña y Goñi era buen amigo de Arrieta. Más elogiosa fue la crónica de *El Entreacto* donde se resalta la sinfonía y el final segundo. El 25 de octubre de 1871 se estrenó en el teatro de la Zarzuela *Justos por pecadores*, en tres actos, con texto en verso de Luis Mariano de Larra, escrita en colaboración con Oudrid. La obra consiguió veinte representaciones en la temporada, aunque no alcanzó el éxito esperado. Apenas un mes más tarde, el 2 de diciembre de 1871, tuvo lugar el estreno en el teatro de la Zarzuela de la obra en un acto, con libro de Juan José Herranz y Gonzalo, *Perla*, que tampoco logró todo el éxito esperado, quizá por la falta de interés del libreto, el primero escrito por su autor. El 2 de septiembre de 1873 se estrenó en el teatro Circo de Madrid el pasatiempo cómico-lírico en un acto *La hoja de parra*, con texto de Ramos Carrión, que alcanzó un éxito discreto. Según los datos de los anuncios de espectáculos teatrales, se mantuvo once días en la cartelera del teatro Circo. En 1874 Marqués se dedicó a la composición lírica. En septiembre, al darse a conocer la nueva compañía de zarzuela del teatro Apolo se anunció entre las nuevas obras la zarzuela de Marqués *La monja alférez* –que no se estrenó hasta un año más tarde–. Al tiempo, Marqués compuso la música para la zarzuela *El maestro de Ocaña*, con texto de Frontaura "sobre un pensamiento de Scri-

Pedro Miguel Marqués (Xilografía de Badillo en La Ilustración Española y Americana; *Ar. E. Casares)*

be", que se estrenó en el teatro de la Zarzuela el 31 de octubre de 1874. La obra había sido arreglada previamente por Bretón de los Herreros, estrenándose con el título *El agente de policía*, pero en la nueva versión de Frontaura la acción se localiza en la época de Carlos IV. Peña y Goñi, en la revista *La crítica*, se muestra especialmente duro con la producción lírica de Marqués. El 24 de noviembre de 1875 tuvo lugar en el teatro de la Zarzuela el estreno de la zarzuela histórica en tres actos *La monja alférez*, con texto de Carlos Coello y un prólogo de José Gómez de Arteche. La acción discurre en Callao en 1615. La obra no tuvo éxito, ofreciéndose un total de ocho representaciones. La siguiente obra lírica compuesta por Marqués es la zarzuela en tres actos con libro de Balaciart, titulada *Temores y sobresaltos*. A principios de diciembre la prensa anunciaba los ensayos de la obra en el teatro de la Zarzuela, produciéndose su estreno en torno a la Navidad, sin que la obra lograse agradar al público. En palabras irónicas de *La Ópera Española*, "*Sobresaltos y temores* / es una cosa muy buena: / no ha tenido espectadores; / pero los mismos autores / se llamaron a la escena".

El 7 de noviembre de 1878 se presentó una de las obras cumbres de Marqués, el drama lírico *El anillo de hierro*, con libro de Marcos Zapata, en el teatro de la Zarzuela. La acción dramática se sitúa en Noruega. La obra, de gran formato, fue considerada como una especie de ópera, logró una excelente recepción por parte del público y la crítica y mereció incluso una parodia en el teatro del Recreo, debida a Vázquez y Dupuis. *El anillo de hierro* alcanzó gran éxito, siendo interpretada setenta veces en la temporada 1878-79 en el teatro de la Zarzuela, y pasó al repertorio de las compañías que actuaban en provincias, Portugal e Hispanoamérica, logrando una enorme difusión. El éxito obtenido por *El anillo de hierro* animó a sus autores a escribir un nuevo drama lírico, en esta ocasión el cuadro lírico-dramático en un acto titulado *Camöens*, que se estrenó el 24 de febrero de 1879 en el teatro de la Zarzuela a beneficio del primer tenor Rosendo Dalmau. Como complemento a la función se anunció el estreno, en la primera parte, de una balada en dos actos y en verso, original de un aplaudido escritor (Zapata), con música de un popular maestro (Marqués), titulada *El santuario del valle*. El 6 de marzo de 1880 tuvo lugar en el teatro de la Zarzuela el estreno del drama lírico-histórico de Jiménez Delgado y Marqués en tres actos *Florinda*. La acción se sitúa en el año 714, y hace referencia a los amores del último rey visigodo, Don Rodrigo, que concluyen en los márgenes del Guadalete con la derrota y muerte del infortunado rey. Se ofrecieron catorce representaciones, siendo retirada por diferencias de los autores con la empresa, que en lugar de hacer que dirigiera la orquesta su titular, Fernández Caballero, encomendó la batuta a Nieto, el maestro suplente, considerado de inferior calidad artística. Ese mismo año y en el mes de diciembre se estrenó en Apolo la zarzuela en tres actos *La mendiga del Manzanares*, con letra de Lastra, Ruesga y Prieto, y música de Marqués. La obra no tuvo excesivo éxito. El tema tampoco era afortunado, pues "a nadie le gusta oír lamentaciones de mendigos, y más cuando estos mendigos se lamentan en versos tan malos como los de la del *Manzanares*", en palabras de la *Crónica de la Música*.

Marqués formó parte en septiembre de 1881 del jurado encargado de dictaminar sobre la compañía formada en el teatro Real, junto a Arrieta, Inzenga, Espín y Guillén, y Saldoni. También acudió a una reunión convocada por Arderius, nuevo empresario del teatro de la Zarzuela, con compositores y autores dramáticos para pedirles la creación de nuevo repertorio lírico. El 21 de enero de 1882 se estrenó en el teatro de la Zarzuela *El alcaide de Toledo*, en tres actos, con libro de Eugenio Olavarría. De nuevo no fue acertada la elección del libreto, cuya acción se sitúa en Toledo el año 1223, desperdiciando su esfuerzo creador al componer sobre un texto que no logró convencer al público. A pesar del pretendido éxito del estreno, la obra no gustó, y sólo alcanzó dos representaciones, siendo retirada inmediatamente.

Marqués había escrito, a petición de Arderius, la zarzuela en tres actos *La cruz de fuego*, con libro de Estremera, pero la obra, empezada a ensayar durante la temporada 1882-83, fue retirada por decisión del empresario, pese a estar anunciada y la empresa del teatro hizo que la obra fuera retirada por sus autores, siendo necesario esperar hasta la temporada 1883-84 para el estreno, pero no en la Zarzuela, sino en el teatro Apolo. Esa temporada, el teatro Apolo fue arrendado por la Sociedad Lírico-Dramática de Autores españoles, que anunció el estreno de obras de Marqués, Arrieta –*San Franco de Sena*– y Chapí –*La bruja*–, indicando que una de la obras a representar sería *El velo blanco*, de Zapata y Marqués, nombre inicial de la obra después estrenada con el título *El reloj de Lucerna*, que Marqués, que había regresado a mediados de agosto de sus vacaciones en Palma de Mallorca, estaba ultimando. La temporada de Apolo se inició con *Marina* de Arrieta, a la que siguió *La cruz de fuego*, drama lírico en

tres actos de Estremera y Marqués, que se estrenó el 8 de octubre de 1883, sin demasiado éxito. La acción de la obra se supone en Escocia en 1649, y el argumento refiere un episodio de las luchas entre puritanos y caballeros, guardando estrecha relación con *I Puritani* de Bellini. Pese a todo se mantuvo en cartel y alcanzó unas veinte representaciones, alternando con *El anillo de hierro* y otras obras de repertorio.

En 1884 Marqués alcanzó otro de sus éxitos más destacados al representarse en el teatro Apolo su drama lírico en tres actos *El reloj de Lucerna*, con texto en verso de Marcos Zapata. La obra, inicialmente anunciada como *El velo blanco* y después como *El reloj de Ginebra*, comenzó a ensayarse en enero de 1884, aunque se esperó para su estreno hasta la conclusión de los beneficios de los artistas de la compañía. El estreno tuvo lugar el 1 de marzo de 1884. El éxito de la obra fue enorme, haciéndose la prensa eco del mismo. La crítica de *El Imparcial* incide en cuestiones musicales. Según anota Estelrich, "Marqués cree que esta obra es muy superior al *Anillo de hierro*, pero la necesidad de tres tiples ha hecho siempre su ejecución difícil". La obra consiguió ochenta representaciones consecutivas, y fue publicada por Zozaya, siendo distribuidos algunos de sus números en la revista *La Correspondencia Musical*. La obra fue interpretada después en provincias, regresando de nuevo al teatro Apolo a principios de la temporada siguiente, 1884-85, para permanecer en el repertorio hasta comienzos del siglo XX, pasando a ocupar el segundo puesto, tras *El anillo de hierro*, entre las obras grandes más interpretadas de su autor.

Hasta el 5 de diciembre de 1885 no se produce el estreno de la siguiente obra lírica de Marqués, el drama lírico en tres actos y en verso *Un regalo de boda*, de nuevo con libro de Zapata, cuya acción se sitúa en Holanda a principios del siglo XIX. La obra alcanzó las treinta representaciones, siendo repetidas la sinfonía y el vals del tercer acto interpretado por la señorita Soler Di-Franco, vals repartido por *La Correspondencia Musical* entre sus suscriptores. Los números principales de la obra fueron editados por Zozaya.

El 3 de marzo de 1888 se estrenó en el teatro Circo de Price el drama lírico en tres actos y en verso, original de Marcos Zapata, con música de Marqués y García Catalá, *La campana milagrosa*. La acción se sitúa en un pueblo del Golfo de Nápoles, a fines del siglo XVIII. El preludio hizo furor. La obra obtuvo mucho éxito, llegando a contabilizar treinta representaciones en la temporada, y publicándose una trascripción para sexteto. A pesar de que se anunció la composición de otro drama lírico en tres actos titulado *El tío Jorge*, con libro de Zapata y música de Caballero y Marqués, dicha obra no llegó a representarse, concluyendo con *La campana milagrosa* la colaboración entre Zapata y Marqués. Esta fue la penúltima en tres actos escrita por Marqués, dedicándose desde ese momento prácticamente a escribir obras en un acto, y sólo dos en dos actos y una en tres.

III. COMPOSITOR DE GÉNERO CHICO, 1889-1895. A partir de 1889 la producción de Marqués se orienta hacia el teatro por horas, y la lírica se convierte en su dedicación primordial. En general, son obras concebidas según un planteamiento poco ambicioso desde el punto de vista artístico, en muchas de las cuales aparecen sólo algunos números musicales a modo de ilustración, sin excesiva vinculación con la acción dramática. Con ello, Marqués se suma a la respuesta de los autores ante la demanda de obras nuevas por parte del público. No obstante, en este período también compuso algún drama lírico en un acto, así como dos zarzuelas en dos actos y una en tres, y algunas de sus obras del género chico obtuvieron un enorme éxito, llegando a tener miles de representaciones.

La primera obra de esta etapa es el juguete cómico-lírico *¡Ese Buitrago!*, estrenado en el teatro Eslava el 20 de febrero de 1889, con libro de Constantino Gil, que fue un fracaso completo, sobre todo debido al texto. El episodio histórico-popular en dos actos, con letra de Ángel R. Chaves y José Torres Reina, *El motín de Aranjuez*, fue estrenado en el teatro de la Zarzuela el 2 de marzo de 1889. El 20 de abril de 1889 se estrenó en el teatro de la Alhambra la extravagancia lírica *El plato del día*, con libro de Andrés Ruesga, Manuel Lastra y Enrique Prieto, especialistas en el género arrevistado, que discurre en 1889. Se estrenaron dos decoraciones de Busato, Bonardi y Amalio Fernández. *El plato del día*, dedicado a Mariano de Cavia, tuvo un éxito inmenso, llegando a representarse más de mil veces. Su reducción fue editada por Zozaya. Un mes más tarde, el 25 de mayo de 1889, se estrenó en Apolo el pasillo cómico-lírico en un acto de Perrín y Palacios *¡Al otro mundo!*, compuesto por Marqués en colaboración con Reig, con éxito moderado. En la temporada 1889-90 se estrenó en la Zarzuela la zarzuela de gran espectáculo en dos actos y seis cuadros, escrita en verso "sobre el pensamiento de una novela de Julio Verne" por Guillermo Perrín y

Miguel de Palacios, con el título *El diamante rosa*, cuya primera función tuvo lugar el 25 de enero de 1890. La obra fue dedicada a los empresarios del teatro de la Zarzuela, Francisco Sicilia y Joaquín Lahoz, que no habían escatimado recursos económicos, apostando firmemente por el éxito de la obra, al recordar el éxito de otras zarzuelas inspiradas en obras de Verne, como *Los sobrinos del capitán Grant*. Para el estreno, Muriel y Amalio Fernández pintaron once decoraciones. Obtuvo un éxito extraordinario, llegando a las setenta representaciones en la temporada, y siendo representado en Madrid y en provincias en años posteriores. El libreto incluye indicaciones para intérpretes y directores de escena, con objeto de respetar el propósito de los autores en las representaciones de la obra. La reducción para voz y piano fue publicada en el almacén de Lodre. La siguiente obra de Marqués fue el juguete cómico-lírico en un acto *Tila*, original de Eduardo Sánchez Hermua y Antonio Liminiana, estrenado en el teatro Apolo el 4 de marzo de 1890.

En otoño de 1890 Marqués volvió a escribir un drama lírico, en esta ocasión en un acto, con un libro de Felipe Lavín inspirado en una novela de Pérez Galdós. El drama lírico *Magdalena* se estrenó en el teatro Apolo el 5 de noviembre de 1890, consiguiendo "un bonito éxito", en palabras de Estelrich, aunque poco significativo a juzgar por la escasa recepción crítica. En mayo de 1891 se asiste, en el plazo de tres días, al estreno de dos nuevas obras cómicas: *Los tortolitos*, juguete cómico-lírico en un acto original de Constantino Gil, se estrenó en el teatro de la Alhambra el 23 de mayo de 1891, siendo un fracaso completo; y *El monaguillo*, zarzuela cómica en un acto y dos cuadros, original de Emilio Sánchez Pastor con música de Marqués, estrenada en el teatro Apolo el 6 de mayo de 1891, que fue un auténtico éxito. En 1892 la obra fue traducida al italiano para ser representada por una compañía de opereta italiana. La obra, cuya reducción fue editada por Zozaya, continuó ofreciéndose la temporada siguiente en Apolo y en el teatro Felipe, así como en numerosos teatros de España e Hispanoamérica, alcanzando miles de representaciones, y siendo interpretada también por compañías infantiles de

Pedro Miguel Marqués
(Óleo sobre lienzo de F. Bauzá, Palma de Mallorca)

zarzuela. En el verano de 1891, se estrenaron en el teatro Felipe dos obras más: *El zortzico*, zarzuela en un acto en prosa original de Emilio Sánchez Pastor, estrenada el 23 de julio de 1891 situándose la acción en Pasajes en 1874. La obra obtuvo buen éxito. La segunda es la zarzuela en un acto y tres cuadros en verso, original de Sinesio Delgado con música de Marqués y Ramón Estellés, *El toque de rancho*, estrenada el 1 de agosto de 1891. La acción se sitúa en la época contemporánea, y no abunda en demasiados elementos para favorecer el entusiasmo del público. La obra fue representada en diciembre de 1891 en el teatro Eldorado de Barcelona, con éxito.

En la temporada 1891-92 Marqués estrenó cuatro obras líricas: dos en el teatro Eslava, una en el teatro Circo de Parish y otra en el teatro Apolo. La primera es *Amores nacionales*, apuntes para un viaje en un acto y seis cuadros originales y en verso de Perrín y Palacios, cuya música fue compuesta por Marqués en colaboración con Manuel Nieto. El estreno tuvo lugar en el teatro Eslava el 13 de noviembre de 1891, con buen éxito. La obra fue presentada con lujo por el empresario Noriega, del teatro Eslava, pintándose siete decoraciones nuevas en los talleres de Busato y Amalio. Si bien *Amores nacionales* pertenece al género de la revista, ofrece la originalidad de ser "una revista cosmopolita", según *La España Artística*. La segunda es la zarzuela de gran espectáculo en tres actos y nueve cuadros *El cañón*, con libro de Perrín y Palacios, estrenada el 22 de diciembre de 1891, que es el último acercamiento de Marqués al género grande. La empresa del teatro Circo de Price presentó la obra con inusitado lujo, pintando nueve decoraciones los escenógrafos Muriel y Amalio. La acción se traslada al reinado de Alejandro II en Rusia, país considerado pintoresco por sus paisajes y vestuario. Marqués escribió veinte números de música, algunos de extensión breve o sólo instrumentales, con función de contextualizar un cambio de escena o de decorado. La obra alcanzó treinta representaciones en la temporada. Prueba de su éxito es el estreno de la parodia *El mortero*, en febrero de 1892 en el circo de Parish. La tercera es el sainete lírico en un acto y en prosa de Emilio Sánchez Pastor *El centinela*, estrenado en el teatro Apolo el 20 de enero de 1892. El libro recurre a sustituciones inverosímiles de personajes, lo cual enfrió la acción dramática y molestó al público. La obra fracasó por culpa del libro. La cuarta obra estrenada por Marqués en la temporada fue *La salamanquina*, zarzuela cómica en un acto, dividida en tres cuadros, de Perrín y Palacios, estrenada en el teatro Eslava el 16 de abril de 1892. La acción se sitúa en la provincia de Salamanca, a principios del siglo XIX. Al éxito de la obra contribuyó la interpretación de Lucrecia Arana. Permaneció en el repertorio del teatro, siendo interpretada en provincias y Ultramar.

En la temporada de verano de 1892 tuvo lugar en el teatro Tívoli el estreno del juguete cómico-lírico en un acto y dos cuadros, en prosa, original de Eduardo Sáenz Hermua "Mecachis" y Antonio Liminiana, *El castañar*. La música es superior al libreto, de enredo. En la temporada 1892-93 continuó escribiendo pequeñas obras en un acto. El 12 de noviembre de 1892 se estrenó en la Zarzuela el viaje alegórico en un acto y cuatro cuadros de Jaques *Fraternidad*, apropósito escrito especialmente para la función de gala celebrada en honor de la Unión Ibero-Americana, dentro de los actos organizados para conmemorar el IV Centenario del Descubrimiento de América.

Los últimos estrenos líricos tuvieron lugar en la temporada 1893-94 en el teatro Eslava. El 5 de octubre de 1893 se estrenó *El cornetilla*, zarzuela cómica en un acto y en verso de Perrín y Palacios, cuyo argumento transcurre en un pueblo cercano a Zaragoza. La obra logró considerable éxito, publicándose en la edición del libro cuplés alternativos para las repeticiones. Dos meses más tarde, el 11 de diciembre de 1893 vio la luz en Eslava *El abate San Martín*, zarzuela en un acto dividido en dos cuadros, de Perrín y Palacios, cuya acción se sitúa en Auvernia (Francia), en 1770. Por fin, el 9 de enero de 1894 se estrenó el sainete lírico de costumbres cubanas *Boda, tragedia y guateque o El difunto de Chuchita*, en un acto dividido en tres cuadros, en verso, de Javier de Burgos, cuya acción se sitúa en Villa Clara (Cuba). La reducción para voz y piano fue publicada por Zozaya. A modo de epígono, el 7 de diciembre de 1894 se estrenó en el teatro Eslava la zarzuela en un acto, con seis números de música, *El santo milagroso*, de Emilio Sánchez Pastor, cuyo estreno es posible que fuera a producirse un año antes.

Marqués se retiró a Mallorca "cuando el cierzo de los años y el olvido de las noveles generaciones le apartó de los ruidosos triunfos escénicos", en palabras de Benito Pons. A ello se sumó el fallecimiento prematuro de su hija, y por otro lado la estabilidad económica proporcionada por la herencia de un familiar, junto a los ingresos obtenidos en su cargo de inspector músico y los derechos de autor de algunas de sus obras. En Palma de Mallorca, al no depender sus ingresos de la composición para el teatro, abandonó la creación lírica, dedicándose a la composición de poemas sinfónicos, preludios y melodías para orquesta, así como obras de cámara y religiosas. Al salir de Madrid, vendió sus obras teatrales a Fiscowich, conservando los derechos sobre las obras orquestales y se dedicó en el período final de su vida de nuevo a la música instrumental.

En su producción teatral destacan los dramas líricos en tres actos *El anillo de hierro* y *El reloj de Lucerna*, así como la zarzuela en un acto *El monaguillo*. Algunas de sus zarzuelas grandes muestran relaciones más o menos implícitas con la ópera italiana y francesa, mientras que sus zarzuelas en un acto, en especial las posteriores a 1888, pueden ser vinculadas con el repertorio de danzas centroeuropeas e hispanoamericanas afincadas entonces en España. Además, la crítica destacó el valor intrínseco de los preludios e intermedios orquestales de las obras líricas de Marqués. *Véase* AMORES NACIONALES; EL ANILLO DE HIERRO; BODA, TRAGEDIA Y GUATEQUE O EL DIFUNTO DE CHUCHITA; EL CORNETILLA; EL DIAMANTE ROSA; EL MONAGUILLO; EL RELOJ DE LUCERNA.

OBRAS: *Los hijos de la costa*, Zarz, 3 act, l, L. M. Larra, est, 10-II-1871, Te. Zarzuela, *E:Msa*; *Justos por pecadores*, Zarz, 3 act, col. C . Oudrid, l, L. M. Larra, est, 25-X-1871, Te. Zarzuela; *Perla*, Zarz, 1 act, l, J. J. Herranz, est, 2-XII-1871, Te. Zarzuela; *La hoja de parra*, Pas cóm-lír 1 act, l, M. Ramos Carrión, est, 2-IX-1873, Te. Circo, *E:Msa*; *El maestro de Ocaña*, Zarz, 3 act, l, C. Frontaura, est, 31-X-1874, Te. Zarzuela; *La monja alférez*, Zarz histórica, 3 act, l, C. Coello, est, 24-XI-1875, Te. Zarzuela; *Temores y sobresaltos*, Zarz, l, Balaciart, est, XII-1876, Te. Zarzuela; *El anillo de hierro*, Dr lír, 3 act, l, M. Zapata, est, 7-XI-1878, Te. Zarzuela, *E:Msa* (Cd); *El santuario del Valle*, balada, 2 act, l, M. Zapata, est, 24-II-1879, Te. Zarzuela; *Camöens*, Dr lír, 1 act, l, M. Zapata, est, 24-II-1879, Te. Zarzuela, *E:Msa*; *Florinda*, Dr lír-histórico, 3 act, l, J. J. Jiménez Delgado, est, 6-III-1880, Te. Zarzuela; *La mendiga del Manzanares*, Zarz, l, A. Ruesga / M. Lastra / E. Prieto, est, 14-XII-1880, Te. Apolo; *El alcaide de Toledo*, Dr lír, 3 act, l, E. Olavarría Huarte, est, 21-I-1882, Te. Zarzuela, *E:Msa*; *La cruz de fuego*, Mel, 3 act, l, J. Estremera, est, 8-X-1883, Te. Apolo; *El reloj de Lucerna*, Dr lír, 3 act, l, M. Zapata, est, 1-III-1884, Te. Apolo, *E:Msa* (BZ); *Un regalo de boda*, Dr lír, 3 act, l, M. Zapata, est, 5-XII-1885, Te. Zarzuela; *La campana milagrosa*, Dr lír, 3 act, col. García Catalá, l, M. Zapata, est, 3-III-1888, Te. Circo de Price, *E:Msa*; *¡Ese Buitrago…!*, Jug cóm-lír, 1 act, l, C. Gil, est, 20-II-1889, *E:Msa*; *El motín de Aranjuez*, episodio histórico-popular, 2 act, l, A. R. Chaves / J. Torres Reina, est, 2-III-1889, Te. Zarzuela, *E:Msa*; *El plato del día*, extravagancia lír, 1 act, l, A. Ruesga / M. Lastra / E. Prieto, est, 20-IV-1889, Te. Alhambra; *¡Al otro mundo!*, pasillo cóm-lír, 1 act, l, Perrín / Palacios, est, 25-V-1889, Te. Apolo; *El diamante rosa*, Zarz de gran espectáculo 2 act, l, Perrín / Palacios, est, 25-I-1890, Te. Zarzuela, *E:Msa*; *Tila*, Jug cóm-lír, 1 act, l, E. Sáenz Hermua / A. Liminiana, est, 4-III-1890, Te. Apolo, *E:Msa*; *Magdalena*, Dr lír, 1 act, l, F. Lavín, est, 15-XI-1890, Te. Apolo; *Los tortolitos*, Jug cóm-lír, 1 act, l, C. Gil, est, 23-V-1891, Te. Alhambra, *E:Msa*; *El monaguillo*, Zarz cóm, 1 act, l, E. Sánchez Pastor, estr, 26-V-1891, Te. Apolo, E:Msa; *El zortzico*, Zarz, 1 act, l, E. Sánchez Pastor, est, 23-VII-1891, Te. Felipe, *E:Msa*; *El toque de rancho*, Zarz, 1 act, col. R. Estellés, l, S. Delgado, est, 1-VIII-1891, Te. Felipe; *Amores nacionales*, apuntes para un viaje, 1 act, col. M. Nieto, l, G. Perrín / M. Palacios, est, 13-XI-1891, Te. Eslava, *E:Msa*; *El cañón*, Zarz de gran espectáculo, 3 act, l, G. Perrín / M. Palacios, est,

22-XII-1891, Te. Circo de Parish, *E:Msa*; *El centinela*, Sai lír, 1 act, l, E. Sánchez Pastor, est, 20-I-1892, Te. Apolo, *E:Msa*; *La salamanquina*, Zarz cóm, 1 act, l, G. Perrín / M. Palacios, est, 16-IV-1892, Te. Eslava, *E:Msa*; *El castañar*, Jug cóm-lír, 1 act, l, E. Sáenz Hermua / A. Liminiana, est, 21-VII-1892, Te. Tívoli, *E:Msa*; *Fraternidad*, viaje alegórico, 1 act, l, F. Jaques, est, 12-XI-1892,

Te. Zarzuela; *Las mariposas*, Zarz cóm, 1 act, l, G. Perrín / M. Palacios, est, 18-III-1893, Te. Apolo, *E:Msa*; *La procesión cívica*, Zarz, 1 act, l, E. Sánchez Pastor / S. Delgado, est, 13-VI-1893, Te. Apolo, *E:Msa*; *El cornetilla*, Zarz cóm, 1 act, l. G. Perrín / M. Palacios, est, 5-X-1893, Te. Eslava, *E:Msa* (BZ); *El abate San Martín*, Zarz, 1 act, l, G. Perrín / M. Palacios, est, 11-XII-1893, Te. Eslava, *E:Msa*; *Boda, tragedia y guateque o El difunto de Chuchita*, Sai lír de costumbres cubanas, 1 act, l, J. Burgos, est, 9-I-1894, Te. Eslava, *E:Msa*; *El santo milagroso*, Zarz, 1 act, l, E. Sánchez Pastor, est, 7-XII-1894, Te. Eslava, *E:Msa*; *El aquelarre*, Zarz, 1 act, l, S. D., est,

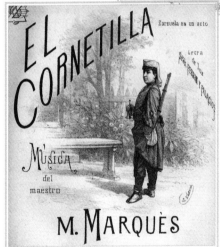

Cortesía de Unión Musical Ediciones SL

Te. Príncipe Alfonso, *E:Msa*; *El Dios chico*, l, E. Sánchez Pastor, est, Te. Apolo; *El remendón*, l, C. F; *La llama errante*, Zarz, 3 act, est, Te. Zarzuela; *Las ánimas*, Zarz, 1 act, l, E. Sáenz Hermua; *Los redentores*, l, Torres Reina, est, Te. Zarzuela; *Verso y prosa*, Zarz, 2 act, est, Te. Zarzuela.

FONOGRAFÍA: *El anillo de hierro*, Alhambra-BMG España WD 74555 (9D) • Columbia-BMG C 7530, CS 8530 • La Voz de su Amo AF 52 (et. verde), 0260505-0260503 • La Voz de su Amo AC 33 • La Voz de su Amo AF 189, CS 2565 CS 2576 • Odeón 184779, SO 5638 SO 5639 • Victoria 1423; *Gran sinfonía*, Victoria 2754.

BIBLIOGRAFÍA: *DMEH*; *OE*; J. L. Estelrich: *El maestro Marqués, hijo ilustre de Mallorca*, Palma, J. Tous, 1912; R. Sobrino: "El sinfonismo español en el siglo XIX: la Sociedad de Conciertos de Madrid", tesis doctoral, U. Oviedo, 1992.

RAMÓN SOBRINO

Márquez Tirado, Fernando. Sevilla, 1888; ?. Libretista. Su considerable producción para el teatro lírico se desarrolló entre las décadas de 1920 y 1950, por lo que cultivó, además de zarzuela, los géneros más de moda en aquel momento como la comedia musical y revista. Su talento para la escena destacaba en la descripción de tipos populares y en la habilidad para construir libretos de interés y efecto cómico. Escribió libros para el también sevillano Manuel López Quiroga. Juntos consiguieron algunos de los éxitos más importantes de su carrera con obras como el ensayo cómico-lírico *El cortijo de las matas*, 1923, la comedia *El presagio rojo*, 1924, con la colaboración de Salvador Videgaín, y estrenadas ambas en el teatro Duque de Sevilla; la fantasía *La reina fea*, 1941, teatro Alcalá, con Pedro Llabrés; la revista *Los líos de Elías*, 1954, teatro Calderón, Madrid, con la colaboración de Adolfo Torrado. Los compositores J. Sama de Torres y A. Bódalo también pusieron la música de la revista *La campanera*, 1938 y la humorada *Por tierras de España*, 1949, respectivamente. Al contrario de otros autores, Fernando Márquez no posee una amplia lista de colaboradores; la parte musical se reduce a los citados anteriormente, y tan solo el autor y actor Salvador Videgaín y Enrique Lucuix compartieron ocasionalmente la autoría de sus libretos.

BIBLIOGRAFÍA: *EDL; TLE.*

OLIVA G. BALBOA

Marquina, Pedro. Zaragoza, 1834; Madrid, 23-VIII-1886. Dramaturgo. Fue un prolífico autor muy admirado en su época. Comenzó a estudiar en el seminario de Zaragoza y al ser expulsado se trasladó a Madrid, donde llevó una vida bohemia y triunfó con sus primeras obras dramáticas: *El arcediano de San Gil* y *El poeta de la guardilla*. Para el teatro lírico escribió *Para palabra, Aragón*, con música de Isidoro Hernández, estrenada en el teatro del Duque de Sevilla, 1888, con extraordinario éxito, así como *Rosa y clavel*, también con música del maestro Hernández, estrenada en 1884 en el teatro Martín, y *El laurel de Erato*, 1867, con música de Cecilio Sanmartí.

BIBLIOGRAFÍA: *CDE; DAT;* V. García Valero: *Dentro y fuera del teatro*, Madrid, Librería General de Victoriano Suárez, 1913; J. Barreiro: "Pedro Marquina", *Galería del olvido. Escritores aragoneses*, Zaragoza, Cremallo de Ed., 2001.

Mª LUZ GONZÁLEZ PEÑA

Marquina Angulo, Eduardo. Barcelona, 21-I-1879; Nueva York (Estados Unidos), 21-XI-1946. Poeta y dramaturgo. Académico de la Real de la Lengua, fue el primer presidente de la SGAE en 1932. Empezó colaborando con el Modernismo en la revista *Pel y Pluma* y *Joventut*. Con sólo diecinueve años estrenó su primera obra dramática, *Jesús y el diablo*, y con veinte publicó su primer libro de poemas, *Odas*,

siendo muy elogiado por Juan Valera. Poco después se trasladó a Madrid y gracias a Ruperto Chapí consiguió estrenar su obra *El pastor*. Tradujo algunas obras teatrales de Guimerá. Cultivador afortunado de un teatro dramático con temas, por lo general, históricos, varias de sus obras fueron premiadas por la Real Academia Española. Varias de sus obras han sido traducidas al francés, al italiano y al inglés. Entre sus mejores creaciones escénicas están: *Las hijas del Cid, Doña María la Brava, En Flandes se ha puesto el sol, Flores de Aragón, El rey trovador, El pavo real, El monje blanco* y *La ermita, la fuente y el río*. Sus obras triunfaron en España y en Hispanoamérica. Bajo su presidencia la SGAE participó en junio de 1932 en el Congreso Internacional de Sociedades de Autores celebrado en Viena. La labor desarrollada por Marquina en este Congreso, así como su trayectoria literaria y su eficacia al frente de las tareas sociales de la Entidad hicieron que se le nombrase Presidente Perpetuo de SGAE, cargo en el que permaneció hasta su muerte.

Dejó algunos títulos para el teatro lírico como *La vuelta del rebaño*, con música de Juan Gay estrenada en 1903 en Apolo; *El delfín*, zarzuela en un acto escrita en colaboración con J. Salmerón y música de Tomás Barrera, 1907; *Emporium*, en colaboración con Angelo Bignotty, y música de Enrique Morera, 1906 en el Liceo de Barcelona; *Morisca*, con música de Jaime Pahissa estrenada en 1918 en el Liceo de Barcelona; *Bergamino Lampo*, zarzuela en dos actos en colaboración con Gregorio Martínez Sierra y música de Enrique Morera, estrenada en 1922 en el Tívoli de Barcelona; *El collar de Afrodita*, ópera en tres actos, en colaboración con José Juan Cadenas, en la letra y Jacinto Guerrero en la música, se estrenó en 1925 en el teatro Alcázar de Madrid y la obra inacabada de Amadeo Vives, *El abanico duende*.

BIBLIOGRAFÍA: *CDE; DAT; EDL.*

Mª LUZ GONZÁLEZ PEÑA

Marquina Narro, Pascual. Calatayud (Zaragoza), 1873; Madrid, 13-VI-1948. compositor. Hijo del director de bandas Santiago Marquina, estudió armonía y composición en Barcelona con Martínez Sorolla, Bonet y Varela Silvari. A los diecisiete años asumió la dirección de la Banda Municipal de Daroca y posteriormente dirigió otras. Se le considera uno de los mejores compositores españoles de música militar.

A partir de 1904 se dedicó al teatro lírico, que comenzaba entonces su época de crisis. Esta dedicación se debe en buena medida al hecho de que a partir de 1913 se encargó de la orquesta del teatro de la Zarzuela, lo que le obligó a componer numerosas obras que se estrenaron en los teatros de Madrid en muchos casos en colaboración con otros autores. Uno de los primeros estrenos en ese teatro fue *El tren de lujo*, 1913, zarzuela con libro de Miguel

Pascual Marquina
(Foto: Portillo, Colección
Andrada; Ar. SGAE)

Mihura, y en la que colaboró con Roig, con gran éxito para Luisa Rodríguez, Casimiro Ortas y Rafael López. En la zarzuela tuvo otros éxitos mayores como *Santa María del mar*, 1915, leyenda barcelonesa con libro Luis Pascual Frutos y Luis Monegat, y compuesta en colaboración de Cayo Vela, que contó con grandes cantantes como Cora Raga y Marcos Redondo.

Estéticamente sus obras están dentro del espíritu de un género chico en decadencia. Compuso también numerosas canciones, cuplets y pasodobles tan famosos como *España cañí*. En todo este tipo de obras su obra se haya imbuida de un claro folclorismo.

OBRAS (Todas en E:Msa): *Los cabezudos*, Sai, 1 act, col. Foglietti Alberola, l, J. Gamero / M. Mora, est, 10-VI-1901, Te. Tívoli; *La última copla*, Zarz, 1 act, l, J. Jackson Veyán / J. de la Plaza, est, 25-II-1904, Te. Moderno; *Teje-maneje*, caricatura, l, A. Fernández Cuevas, est, 14-XI-1904, Te. Cómico; *Perico el jorobeta*, Zarz, 1 act, col. Fuentes Oejo, l, M. Fernández Palomero / A. López Laredo, est, 14-III-1905, Te. Cómico; *Academia modelo*, Zarz, 1 act, col. Foglietti Alberola, l, E. Córdoba, est, 19-V-1905, Te. Cómico; *La marujilla*, Zarz, 1 act, col. Saco del Valle, l, Jackson Veyán / Cuevas Sabaut, est, 29-V-1905, Te. Moderno; *Consueliyo*, 1 act, col. Córdoba Rozas, l, C. León / M. Falcón, est, 11-VII-1905, Te. Zarzuela; *La reina del tablao*, Sai, 1 act, col. Borrás, l, A. Fernández Cuevas / J. García Ontiveros, est, 22-II-1906, Te. Circo; *Las siete cabrillas*, cuento cóm, 1 act, col. Borrás, l, E. F. Campano / J. García, est, 12-III-1907, Te. Eslava; *El Barón de la Chiripa*, Zarz, 1 act, col. Borrás. l, C. León Jiménez / M. Cabrera, est, 26-XI-1907, Te. Novedades; *Los gatos*, Sai, 1 act, l, E. Gómez Gereda / A. Soler, est, 31-I-1908, Te. Novedades; *Cuentan de un sabio que un día*, extravagancia cóm-lír, 1 act, col. Barrera Saavedra, l, A. Soler / M. Fernández, est, 24-XII-1908, Te. Cómico; *La ola negra*, Zarz, 1 act, col. Córdoba Rozas, l, E. Zaballos / J. Bermúdez, est, 2-IV-1909, Te. Barbieri; *El dulce himeneo*, 1 act, l, Fernández Palomero / A. Soler, est, 7-XII-1910, Te. Nuevo Apolo; *Sangre y arena*, Zarz, 1 act, col. Luna Carné, l, V. Blasco Ibáñez / G. Jover / E. del Castillo, est, 26-IV-1911, Te. Apolo; *La golferancia*, 1 act, l, A. López Monís, est, 12-IX-1912; *El banderín de la cuarta*, Zarz, 1 act, col. Foglietti Alberola, l, M. Fernández Palomero, est, 13-XII-1912, Te. Novedades; *Las luchadoras del amor*, novelilla picaresca, 1 act, col. Foglietti Alberola, l, M. Fernández Palomero, est, 1-VII-1913, Te. Eslava; *El tren de lujo*, Zarz cóm, 1 act, col. Roig Pallarés, l, M. Mihura, est, 20-XII-1913, Te. Zarzuela; *La trianera*, Zarz, 1 act, col. Martínez Faixá, l, F. C. Duarte / S. Pujana, est, 13-V-1914, Te. Eslava; *La primera centinela*, Pas, 1 act, l, M. Fernández Palomero, est, 10-VI-1914, Te. Novedades; *La casa del Sultán*, col. Benaiges, l, L. Linares Becerra / J. de Burgos, est, 16-VI-1914, Te. Cómico; *El chavalillo*, Sai, 3 cuadros, col. E. Bru Albiñana, l, E. Paradas / J.

Jiménez Velasco, est, 22-VI-1914, Te. Novedades; *Los traperos de Madrid*, 1 act, col. Foglietti Alberola, l, V. de la Vega, est, 10-XI-1914, Te. Martín; *El querer de una gitana*, Zarz, 1 act, col. Quislant Botella, l, M. Fernández Palomero, est, 25-XI-1914, Te. Novedades; *El soldado de cuota*, Zarz, 1 act, col. Foglietti Alberola, l, M. González de Lara / J. Casado Pardo, est, 18-XII-1914, Te. Martín; *La alegría de la casa*, 1 act, col. Morenilla Martín, l, E. González del Castillo, est, 15-I-1915, Te. Martín; *La niña curiosa*, col. Foglietti Alberola, l, E. Polo / J. de Burgos, est, 22-I-1915, Te. Martín; *El pañolón de Manila*, Sai, col. Vela, l, J. Fernández del Villar, est, 4-V-1915, Te. Novedades; *Hace falta una mujer*, disparate com-lír, 1 act, l, L. Navarro Serrano, est, 18-VI-1915, Te. Novedades; *La Gioconda*, Bu cóm-lír, 1 act, col. Quislant Botella, l, B. Suárez Zarza, est, 29-VIII-1915, Te. del Parque de los Recreos ; *Las abejas del amor*, col. San Nicolás, l, Díaz Alonso / Rodríguez, est, 13-X-1915, Te. Barbieri; *La granja de los amores*, col. Foglietti Alberola, l, M. Pecci Contreras, est, 21-III-1916, Te. Novedades; *La villa triste y escacharrada*, Rv, 1 act, col. Quislant Botella, l, F. Pérez Capo, est, 27-VI-1916, Te. Coliseo Imperial; *La codorniz sencilla*, 1 act, l, R. González del Toro, est, 30-III-1917, Te. Apolo; *Madrid a oscuras*, col. Quislant Botella, l, F. Pérez Capo, est, 8-II-1918, Te. Martín; *El niño castizo*, Sai, 1 act, col. Foglietti Alberola, l, J. de Burgos / C. González Torres, est, 16-IV-1918, Te. Apolo; *Señoras garantizadas*, col. Quislant Botella, l, F. Pérez Capo, est, 10-V-1918, Te. Martín; *Lo que a usted no le importa*, Sai, lír, 1 act, col. J. Cabas Quiles, l, V. de la Vega, est, 8-XI-1918, Te. Martín; *Las niñas de mis ojos*, Zarz, 1 act, col. C. Roig, l, N. Puga / J. de Burgos, est, 11-III-1919, Te. Martín; *Madrid en broma*, col. L. Romo, l, M. Fernández Palomero, est, 21-VI-1921, Te. Latina; *La feria de las mujeres*, col. E. Fuentes, 1 act, l, M. Fernández Palomero, est, 27-X-1921, Te. Latina; *El mardito sino*, 1 act, l, V. Soriano, est, 4-VIII-1922, Te. Verano; *Lisbhet*, Zarz, l, F. Duarte / A. González Álvarez, est, I-1924, Palma de Mallorca; *Santa María del mar*, col. Vela, l, L. P. Frutos, est, 17-XI-1925, Te. Zarzuela; *La bandera legionaria o Almas gemelas*, Zarz, col. Capó, l, M. Fernández Palomero, est, 26-II-1926, Te. Novedades; *El candil del rey*, col. Cayo Vela, l, M. Fernández Palomero, est, 8-III-1928, Te. Eslava; *Madrid charleston*, col. Vela Marqueta, l, Fernández Palomero, est, VI-1929; *El domador*, 2 act, l, Adame / M. Ibáñez, est, 16-VI-1934, Pavón; *¡A ver qué pasa, Colasa!* (antes *La codorniz sencilla*), col. Padilla, l, González del Toro / Mihura; *El Trianero*, Zarz, 1 act, col. Córdoba Rozas, l, J. Tavares / A. López; *La alegría de las mujeres*, Fant, 1 act, col. Fuentes, l, M. Fernández Palomero; *La de las coquetas*, col. Roig Pallarés; *La diosa fortuna o La diosa fortuna*, col. Aulí; *La escuela de las coquetas*, Zarz, 3 act, l, F. G. Clemente; *Sol y caireles*, Sai lír, 1 act, col. Padilla, l, M. Fernández Palomero.

FONOGRAFÍA: *Cuentan de un sabio que un día*, Gramophone VX-54124 VX-54127 VX-54525 VX-53256 (et. verde), 133.4, 133.5, 133.6, 133.7 (D) • Zonophone X-54124 X-54127 X-54525 (et. granate), 133.1, 133.2, 133.3 (D); *Diana*, Odeón 182160 (et. azul), SO 4498 SO 4501; *El barón de la chiripa*, Zonophone X-52293 (et. granatc), 041.1 (D); *El estreno de anoche*, La Voz de su Amo AF 60; *El teje-maneje*, Gramophone VX-53201 VX-52351 (et. verde), 406.2 (D) • Zonophone X-53201 (et. granate), 406.1 (D); *La capa de la Cibeles*, La Voz de su Amo AE 2515; *La ola negra*, Gramophone 264011 (et. verde), 314.1 (D); *La reina del tablao*, Gramophone VX-52358 (et. verde), 362.1 (D); *La última copla*, Gramophone VX-52338 (et. verde), 431.4 (D) • Zonophone X-54048 X-53210 X-52338 (et. granate), 431.1, 431.2, 431.3 (D); *Los cabezudos*, Gramophone 263009 y 264034 (et. verde), 069.1, 069.2 (D); *Perico el jorobeta*, Gramophone G-6230H (et. negra), 330.1 (D).

BIBLIOGRAFÍA: *DMEH*; A. Sagardía: "El compositor aragonés Pascual Marquina Narro", *Cuadernos de Zaragoza*, 39, 1979.

EMILIO CASARES RODICIO

Marrero, Zoraida. Bejucal (Cuba), 19-IX-1911; Estados Unidos, ? Soprano. Desde muy joven comenzó a cantar en actividades culturales de su pueblo natal. Inició su carrera profesional con Ernesto Lecuona, que la incorporó a su compañía con la que realizó exitosas giras por México, Puerto Rico, Brasil, España y Argentina, país donde residió algunos años. Protagonizó obras tan significativas como *Luisa Fer-* *nanda, Cecilia Valdés* y *Amalia Batista*. Desde 1961 se estableció en Estados Unidos, donde realizó presentaciones a través de la Sociedad Pro Arte Grateli de Miami. Por sus condiciones vocales y alta musicalidad fue llamada "La alondra de Cuba".

BIBLIOGRAFÍA: *DMEH*; A. J. Molina: *150 Años de Zarzuela en Puerto Rico y Cuba*, San Juan, Ramallo Bros. Printing, 1998.

CLARA DÍAZ PÉREZ

Marsellesa, La. Zarzuela histórica en tres actos. Música de Manuel Fernández Caballero. Libreto de Miguel Ramos Carrión. Estrenada el 1 de febrero de 1876 en el teatro de la Zarzuela de Madrid.

Personajes y reparto. Flora (Elisa Zamacois, tiple). Magdalena Dietrich (Matilde Franco, tiple). La Marquesa (Luisa Santamaría, Tiple Rouget de l'Isle (Manuel Sanz). Renard (Sr. Jimeno). San Martín (Miguel Tormo, tenor cómico). El barón de Dietrich (Sr. Arcos). El ciudadano Layard (Sr. Benavides). El comisario (Sr. González). Aldeanas, voluntarios, guardias, carceleros, presos.
Orquestación. Piccolo, flauta, oboe, 2 clarinetes, fagot, 2 trompas, trompeta, cromorno, trombón, percusión, arpa y cuerda. Tres bandas.

Argumento. *Acto I.* El cuadro primero, denominado "La patria en peligro", está ubicado en Estrasburgo en 1792. Al salón bajo de la alcaldía de la ciudad alsaciana, llegan grupos de hombres y mujeres que se manifiestan a favor de luchar por la patria en peligro, amenazada por los ejércitos extranjeros. Rouget de l'Isle les arenga para luchar. Llega Flora que quiere ir también como cantinera. El barón de Dietrich, alcalde de Estrasburgo, les exhorta a marchar en pro de la libertad. En un diálogo entre el barón y Rouget se expone la situación actual en Francia donde, después de siglos, se han liberado de la monarquía absoluta. El barón le recuerda si ha conseguido componer un himno que materialice el espíritu de la revolución. Rouget le señala que sí. Llega Magdalena, hija del barón que está enamorada de Rouget, y tiene lugar un dúo entre ellos donde se exponen sus sentimientos y temores ante la situación bélica y surgen los celos que muestra Magdalena de Flora. Se va Rouget y llega Renard que la pretende aunque ella se niega. Enfadado Renard la amenaza aunque el ruido invita a éste a abandonar la sala. Ella canta una romanza de amor donde muestran sus inevitables dudas ante los sentimientos de Rouget. Por su parte Flora le cuenta a Magdalena que también está enamorada de aquel que amenaza a Magdalena la cual se siente sorprendida por algunos comentarios confusos. Cuando se va, Flora llora su espontaneidad y su falta de mesura. Al llegar la Marquesa y San Martín son acogidos por Magdalena, su sobrina, y el barón. La aristócrata confía

Cortesía de Unión Musical Ediciones SL

en que las potencias reunidas derriben el gobierno revolucionario. Cuenta la historia del sacristán San Martín. Rouget trae el himno que, de entrada, no tiene nombre y cuenta lo que le ha inspirado. En el cuadro segundo, en la plaza de la catedral, aparecen gentes que celebran la partida de los soldados revolucionarios. Rouget entona el himno que repite el pueblo mientras las tropas desfilan, culminando con ello el primer acto.

Acto II. El cuadro tercero, denominado "El terror", se enmarca en París, en una calle, por donde bajan varias vecinas que comentan el miedo a ser denunciadas por el ciudadano Nerón (el ex sacristán San Martín) y la situación de terror generada por el ambiente revolucionario. Aparece San Martín con un grupo que canta la necesidad de matar aristócratas. San Martín juega la baza de estar de incógnito ya que se sabe que lo andan buscando para ajusticiarle. Sin embargo, cuando se queda solo comenta su extraña situación actual. Aparecen de repente Rouget, Magdalena y la Marquesa, vestidas éstas como del pueblo bajo con escarapela tricolor en la cabeza. Cuentan la terrible situación de haber visto al padre de Magdalena ajusticiado en la guillotina. Se encuentran con San Martín que les pide que mantengan su incógnito. Comenta Rouget que está disgustado porque le han llamado *Marsellesa* a su himno, cuando debería ser conocido como Canto de la Nación. Aparece Flora que ha llegado a la calle porque Renard le ha comentado la posibilidad de que viva allí Rouget. Se encuentra con San Martín a quien reconoce.

Éste, nervioso, señala que está dispuesto a hacer lo que ella le pida. Cuando aparece Magdalena, Renard le vuelve a insistir sobre sus sentimientos. Como ella no acepta sus insinuaciones, Renard se promete venganza y se dispone a denunciarla. Aparece Rouget y se da de bruces con Flora a la que muestra su gratitud, aunque es poco para lo que ella espera de él. De repente, a instancias de Renard, un comisario prenderá a Magdalena y a Rouget.

Acto III. El cuadro cuarto, denominado "La Conserjería" se ubica en la galería baja de la prisión de la Conserjería. Se abre la verja y llega el ciudadano Nerón (es decir San Martín) con la Marquesa a la que presenta como su mujer. Le preguntan qué hace en la prisión y él comenta su deseo de conocer ese mundillo. San Martín se queja a la Marquesa de que quiere salir de París cuanto antes y muestra su amor por ella. Llegan Flora y Renard que están maquinando, aunque por razones diferentes, la manera de salir de Rouget y Magdalena, de quien ambos están enamorados. Flora entra en la celda y le comenta a Magdalena su dolor y confiesa a ésta que viene dispuesta a salvarlos. En un dúo muy intenso, ambas mujeres se reconcilian. Magdalena y Rouget huyen y Flora se hace pasar por Magdalena mientras, con la confusión, prenden a Renard. Ambos mueren ajusticiados mientras los enamorados huyen lejos de Francia, junto a San Martín y la Marquesa.

Números musicales. Preludio. Acto I: Nº 1A. Introducción y coro, "Llegando va la gente". Nº 1B. Estrofa de Rouget, "Oíd con atención". Nº 2. Dúo de Magdalena y Rouget, "¡Rouget! ¡Mi bien amado!". Nº 3. Romanza de Magdalena, "Sal ya del alma mía". Nº 4. Escena y estrofas de San Martín, "¡Pasad aviso! ¿No hay nadie aquí?". Nº 5A. Final I. Gran Escena y coro de voluntarios, "La hora se acerca de la partida". Nº 5B. Recitado y escena, "Siglos son los instantes". Nº 5C. Concertante y pasodoble. "¡Adiós! ¡Mi bien querido!". Acto II. Nº 6A. Introducción y coro de mujeres, "Felices ciudadanos". Nº 6B. Escena. Coro y recitado, "¡Mueran! ¿Oís ese tumulto?". Nº 6C. Estrofas de San Martín, "Yo quiero ver cien nobles colgados de un farol". Nº 6Bis. Escena, "El pueblo, el pueblo sus cadenas ha roto ya". Nº 7. Escena. Tempo de marcha. Nº 8. Aria de Flora, "Esta es la calle". Nº 9. Terceto, "¡Dios mío!". Nº 10A. Dúo de Flora y Rouget, "¡Rouget! ¡Qué veo! ¡Flora!". Nº 10B. Escena, "¡Ah, bien va! A colgar realistas de los faroles". Nº 11A. Introducción y coro de gendarmes, "Alerta ciudadanos". Nº 11B. Escena y estrofa de San Martín, "La puerta se abre; ¡atención!". Nº 12. Escena. Nº 13. Dúo de Flora y Magdalena, "Veo en el llanto que a pesar vuestro no tenéis prueba". Nº 14. Escena, "Sepamos las noticias". Nº 15. Final, "Marchemos, hijos de la Patria".

Comentario. *La Marsellesa* pertenece a uno de los mejores momentos creativos de Fernández Caballero. El compositor murciano venía de obtener grandes éxitos en piezas como *La gallina ciega* o *Las nueve de la noche*. Esta última, estrenada en 1875, lo había catapultado a la primera fila del género lírico español. Por otra parte, *La Marsellesa* debe ser ubicada en plena euforia por la Restauración monárquica –no

se olvide que apenas un año antes de su estreno, había entrado Alfonso XII en Madrid–, por lo que se comprende que sea una obra crítica con la Revolución Francesa y que ofrecía una especie de catarsis a la España post-republicana. Es lógico el impacto que tuvo desde su estreno en la Zarzuela. Con indudable perspicacia, Matilde Muñoz señala la manipulación del texto de base, ya que el libreto se planteaba "debidamente falseado en términos que libra a Rouget de l'Isle de la guillotina por el amor obstinado de una bella cantinera y lo casa con una joven aristócrata salvada, como él mismo, del patíbulo". A pesar de ello, hay que reconocer su hábil construcción por un Ramos Carrión dominador de los recursos habituales de este tipo de género. El libretista le dedicó su trabajo a Edmond Gommés "porque en ella canto la desdichada gloria de un compatriota suyo. Vea en esto una prueba más del invariable afecto que le profesa un amigo". A pesar de la manipulación evidente del libreto, que incide sobre todo en el apartado terrorífico de la revolución y en las miserias humanas, para Matilde Muñoz, "las escenas están perfectamente conducidas dentro de un interés poderoso; la música, a la que se mezcla constantemente el himno revolucionario francés, está colocada de mano maestra, y la situaciones cómicas muy bien buscadas y con cierta lógica dentro del sombrío ambiente de terror y violencia en que la obra se desarrolla y que llega a hacer desfilar ante el público las fatales carretas que conducían a los aristócratas al patíbulo". El padre Villalba achacaría el éxito de esta obra a que "en esta tierra donde nos reímos de nuestra sombra, la feliz caricatura que se ofrece de la República atraía a todos los sinceros republicanos a reírse de la buena sombra y gracia del ciudadano Nerón".

En todo caso, fue la celebrada música de Fernández Caballero que se popularizó por todos los ámbitos, su verdadera protagonista. Matilde Muñoz comenta que "es suelta, ligera, llena de inspiración a veces, otras impregnada de apasionado dramatismo. Se hizo muy popular la escena en que las turbas vienen buscando al ciudadano Nerón, por el que sienten terror creyéndole un terrible revolucionario". Para la analista, el éxito de esta obra "elevó a Caballero hasta las cimas de la popularidad que ya nunca había de perder". Caballero aporta una partitura de clarísima influencia italiana, incluso con estructuras extraídas de las partituras belcantistas, si bien el tratamiento coral, de gran relevancia, parece mirar en alguna medida a los modelos franceses. La obra se inicia con el preludio breve construido sobre *La Marsellesa* a la que sigue una sección melódica sobre una melodía alegre sin apenas desarrollo. Continúa con la introducción al uso a la que sigue el coro general trabajado para generar una inquietud dramática. Continúa con la intervención de Rouget y el himno conocido como "Marcha alsaciana", con aire de pasodoble al que le sigue el dúo entre Magdalena y Rouget que está construido al modo clásico en varias secciones. Una primera más dramática y una segunda, mucho más lírica, donde Caballero acude a su habitual melodismo para culminar en un *allegro assai* más eufórico que da pie a un pasaje brillante con el que culmina el dúo. El Nº 3 es la romanza de Magdalena, construida al modo italiano. Precedida por una cadencia instrumental, se inicia con un tema más lírico y luego otro más brillante que ofrece el inevitable pasaje coloratura, una cadencia impactante, al final de la composición. El Nº 4 abre una escena entre la Marquesa y el sacristán para dar pie a los cuplés de éste, característica escena de tenor cómico a partir de una construcción clásica –el tema original recuerda al comienzo del concierto para flauta y arpa de Mozart– y una estructura muy simple. El final primero es una escena brillante que se abre con aire marcial, incluye nada menos que tres bandas, que se funde con la entrada del coro general transformada en un himno de corte eufórico, "A la voz de la patria despertó la Nación". Continúa con una escena en la que alternan los solistas y el coro en la que Rouget da a conocer *La Marsellesa* por vez primera que, en traducción de Ramos, se convierte en "Marchemos hijos de la patria, glorioso día luce ya" convertido en un espectacular fragmento en varias estrofas. Después de un concertante culmina el final con un pasodoble de gran brillantez.

El segundo acto se presenta con un coro de mujeres que, inevitablemente, va a venir precedido por el aire de la *Marsellesa* que se ha dado a conocer en el acto anterior. Es de destacar la habilidad de Fernández Caballero a la hora de transformar el tema original y mezclarlo con temas populares o con aires de vals, "Dicen que a todos los girondinos hoy juzga al cabo la Convención". A esta escena le sigue un coro popular en ritmo ternario al que siguen los cuplés cómicos de San Martín, "Yo quiero ver cien nobles colgados de un farol", que potencia la gracia del personaje. Tras una escena de transición que utiliza el mismo material musical de los cuplés anteriores y un interludio con aire de polka, se entona un aria –así llamada por el mismo Caballero que prefiere este término al habitual de romanza–. El fragmento está precedido por una introducción orquestal bastante ambiciosa, con cadencia incorporada, a la que sigue un recitado de la intérprete, "Goce mi alma, no haya recelos", a modo de cavatina donde el inteligente melodismo de Caballero se deja llevar para dar paso a una segunda sección construida según la estructura de la cabaletta italiana, donde la intérprete, "Si él a mi acento enamorado", da paso a la euforia con los momentos de agilidad que le son propios. El Nº 9 es un terceto entre Flora, Magdalena y Renard bastante ambicioso, construido al modo italiano, donde

Magdalena se ve sometida a la presión psicológica de los otros dos personajes. En el dúo de Flora y Rouget se diseña el pasaje más dramático para ambos personajes confrontados ante sus diferentes sentimientos. Construido en varias secciones es de indudable efecto dramático. El Nº 10B es una escena general que culmina con la reiterada *Marsellesa* entonada por el coro de fondo con el contrapunto de Flora que, por su parte, afronta un brillante pasaje de bravura con el que termina el segundo acto.

El tercero viene precedido por una introducción orquestal que recupera sones del himno que da pie al título de la obra aunque con un tratamiento más paródico que textual. El coro de gendarmes, en la línea en que este tipo de fragmentos está tratado al modo italiano al que siguen unos cuplés de San Martín, de nuevo un fragmento de gran comicidad. Tras una escena orquestal llega uno de los momentos de mayor belleza, el dúo de Flora y Magdalena, pensado para dos artistas de gran fuste aunque de voces muy distintas como eran Elisa Zamacois y Matilde Franco. Construido en tres partes como un dúo belcantista, tras un fragmento recitado se da paso a un andantino en 6/8 más lírico que se transforma en un pasaje de gran brillantez. Tras la escena coral la Marquesa tiene su única intervención solista en un pasaje de corte cómico, una irónica sátira sobre el cambio de los nombres de los meses. Culmina la zarzuela con una escena final de gran brillantez en la que la *Marsellesa* vuelve a resonar, en este caso con absoluto efecto. Hay que recordar que el éxito de la pieza llevó a la composición de *El marsellés*, una parodia de Salvador María Granés y música de Manuel Nieto, estrenada el 22 de abril de 1876 en el teatro Jovellanos de Madrid.

Fuentes manuscritas. La partitura (TL-485) y los materiales de orquesta (2290) se conservan en el archivo de la SGAE en Madrid. Otra partitura incompleta se conserva en el Museo del Teatro de Almagro (345).

Ediciones de música. Canto y piano, Madrid, Cd.

Ediciones del libreto. Madrid, Administración Lírico-Dramática, 1876; Madrid, Viuda de Hernando y Compañía, 1895; Valladolid, Celestino González, 1904.

BIBLIOGRAFÍA: N. Blanco Álvarez: "Un hito en la historia de la zarzuela", *El dúo de la Africana*, Madrid, Teatro de la Zarzuela, 2000; M. Fernández Caballero: *Los cantos populares españoles considerados como elemento indispensable para la formación de nuestra nacionalidad musical*, discurso, Madrid, Real Academia de Bellas Artes de San Fernando, 1902; P. L. Villalba Muñoz: *Últimos músicos españoles del siglo XIX*, Madrid, Ciudad de Dios, 1908.

LUIS G. IBERNI

Marsillach Soriano, Adolfo. Barcelona, 25-I-1928; Madrid, 21-I-2002. Escritor, actor y director teatral. Una de las figuras más importantes del teatro del siglo XX. Desde muy joven tuvo relación con el mundo teatral ya que su familia estaba vinculada a la escena a través del periodismo y la crítica. Fundó el Centro Dramático Nacional en 1978. En 1985 fue nombrado Director de la Compañía Nacional de Teatro Clásico y en 1989 Director del INAEM. En 1992 volvió a dirigir la Compañía Nacional de Teatro Clásico, que él mismo había fundado, pero abandonó ese cargo en 1996. Como escritor, fue distinguido con numerosos premios. Su vinculación al género lírico está relacionada con los montajes de *La Gran Vía* y *La tempranica* para el teatro de la Zarzuela en 1983, y en 1998 realizó el montaje de *La Celestina* para el teatro Real.

BIBLIOGRAFÍA: *DAT; DUE.*

Mª LUZ GONZÁLEZ PEÑA

Antonio Martelo (Foto: Ar. SGAE)

Martelo Bejarano, Antonio. Sevilla, 24-VII-1904, Málaga, 5-I-1970. Tenor cómico, actor y director. Hijo de cantantes de zarzuela, estuvo desde niño en contacto con los escenarios. Debutó en el teatro del Duque de Sevilla como corista y en 1927 se convirtió en tenor cómico. En 1928 estrenó *La orgía dorada* de Jacinto Guerrero y participó después en el estreno de *Luisa Fernanda* de Moreno Torroba. Su carácter inquieto, alegre y gracioso le convirtió en un tenor cómico muy requerido. En 1937, en plena Guerra Civil, actuaba en el teatro Maravillas de Madrid con la compañía de revista de Concha Rey que ponía en escena el gran éxito de Alonso, *Las leandras*. En el mismo teatro seguía en 1938 con la revista *La niña de La Mancha*. En 1946 era primer actor y director escénico de la compañía de zarzuela y opereta de Luis Sagi Vela que actuaba en la Zarzuela donde estrenaron *Mambrú se va a la guerra* de Dotras Vila y *Matrimonio a plazos* de Jesús Quintero. En 1955 participó –con la misma compañía– en el estreno en el teatro de la Zarzuela de la comedia musical *Al sur del Pacífico* de Manuel Parada. Formó compañía de zarzuela y opereta con la tiple Teresita Silva con la que había coincidido en la compañía de Sagi Vela y con la que realizó una exitosa gira por Argentina y otros países americanos entre 1958 y 1959 con *La rosa del azafrán* y *Luisa Fernanda* entre otros títulos. También actuaron en el teatro Martí de Cuba. Ya de regreso en España, volvió a actuar en el teatro de la Zarzuela con *Bohemios*. La temporada 1963-64 actuó en la compañía lírica Tomás Bretón que repuso en el teatro de la Zarzuela *Don Gil de Alca-*

lá. Poco después, en la misma temporada pasó a formar parte de la compañía de José de Luna que realizó una temporada de género chico con los títulos más populares como *La alegría del batallón*, *El barquillero*, *La viejecita*, *Alma de Dios*, *Molinos de viento*, *El puñao de rosas*, *El dúo de la Africana*, *La Dolorosa*, *Los claveles*, *¡Agua, azucarillos y aguardiente!*, *La verbena de la Paloma*, *La revoltosa*, *Bohemios*, *La patria chica*, *La alegría de la huerta*, *La Gran Vía* y *Gigantes y cabezudos*, obteniendo un gran éxito. La temporada siguiente José de Luna volvió a presentar una campaña de género chico, donde trabajó nuevamente Antonio Martelo. La temporada 1966-67 siguió en la compañía de Luna que estrenó en la Zarzuela *El amor no tiene edad*, con música de Chueca y Valverde adaptada por Daniel Montorio.

Simultaneó su labor de tenor cómico con la de actor, y así interpretó junto a Lola Membrives *La malquerida* de Benavente. A finales de los años sesenta se hizo muy popular en España a través de la serie televisiva *El Séneca* de José María Pemán, por lo que su muerte, en accidente de automóvil, cuando viajaba con Juanito Valderrama, fue muy sentida.

FONOGRAFÍA: *Alma de Dios,* Alhambra-BMG España WD 71587 (9D); *Blanco y negro,* Sonifolk 20141; *El asombro de Damasco,* Zafiro-Salvat 1048-2 • Zafiro-BMG FM-50; *Gran Revista,* Sonifolk 20141; *La Gran Vía,* Alhambra-BMG España WD 71587 (9D); *Las de Villadiego,* Sonifolk 20147; *Las tocas,* Sonifolk 20141; *¡Que me la traigan!,* Sonifolk 20147; *¡Qué sabes tú!,* Sonifolk 20141; *Una rubia peligrosa,* Sonifolk 20147; *¡Vales un Perú!,* Sonifolk 20147.

BIBLIOGRAFÍA: A. Collado: *El teatro bajo las bombas en la Guerra Civil. Tragicomedia de actores, figurantes, políticos, personajes y personajillos,* Madrid, Kaydeda, 1989.

Mª LUZ GONZÁLEZ PEÑA

Martí, Amparo. Valencia, siglos XIX-XX. Tiple cómica. En el verano de 1910 formaba parte de la compañía del teatro del Duque de Sevilla, dirigido por Emilio López del Toro. El 27 de noviembre de 1912 estrenó *Los húsares del kaiser*, opereta de Kálmán en el teatro Eslava de Madrid. Estrenó en el teatro Lírico de Valencia *La canción del olvido* de José Serrano en 1916 en el papel de Flora Goldoni. En el teatro de la Zarzuela debutó con *El tesoro*, zarzuela con libro de Manuel Fernández de la Puente y música de Amadeo Vives, esperada con expectación debido a las numerosas veces que se había anunciado y que Vives

Amparo Martí (Foto: Comedias y Comediantes, 1910; Ar. ICCMU)

había retirado por desacuerdos con la empresa. El éxito fue casi comparable al de *Maruxa* aunque la obra haya caído en el olvido. En la temporada 1921-22 formaba parte, como tiple cómica, de la compañía que encabezaban Emilio Sagi Barba y su esposa Luisa Vela, y que el empresario Vicente Barber presentó en el teatro de la Zarzuela. El 14 de diciembre de 1921 participó en el estreno de la obra de Millán *Sol de la noche*.

BIBLIOGRAFÍA: Perico: "La temporada en Sevilla-Compañía del Duque", *Comedias y Comediantes*, II, 23, 15-IX-1910.

Mª LUZ GONZÁLEZ PEÑA

Martí, Pilar. Valencia, 1888; ?. Tiple cómica. Después de alcanzar grandes éxitos en Valencia, se trasladó a Barcelona donde alcanzó una popularidad similar a la de Loreto Prado en Madrid. Estrenó *Amor baturro* de Mario Bretón en el Gran Teatro del Bosque de Barcelona en 1908. En 1908 estrenó *Porta-Coeli* de Vicente Peydró en el teatro Ruzafa de Valencia. En

Pilar Martí (Foto: Comedias y Comediantes, 1910; Ar. ICCMU)

1910 en el teatro Novedades de Barcelona estrenó *La princesa de los Balkanes* de Eysler. En 1912 estrenó en el teatro Novedades de Madrid la opereta de Lehár *Eva, la hija de la fábrica*, y poco después en el teatro Cómico de Barcelona *Los apaches de Sabastó*.

BIBLIOGRAFÍA: *Comedias y Comediantes*, II, 18, 1-VII-1910; *Mundo Gráfico*, II, 35, 26-VI-1912.

Mª LUZ GONZÁLEZ PEÑA

Martí Alegre. Familia de músicos españoles formada por los hermanos José y Luis.

1. José. España, †25-II-1944. Compositor. Autor de numerosas canciones, tiene además algunas obras líricas como *Sonoro*, *La faba de Ramonet* y *El pintor gitano*. Colaboró habitualmente con su hermano, como autor de los libretos de sus obras. Tras su muerte se estrenó *Rellonche de l'achuntament*, también con libreto de su hermano Luis, el 26 de septiembre de 1946 en el teatro Apolo de Valencia.

OBRAS: *Les miches cares*, Sai, 1 act, l, L. Martí Alegre, est, 25-IV-1927, Te. Moderno (Valencia); *El faba Ramonet*, l, L. Martí Alegre / I. Serneguet, est, 31-I-1933; *El tutor*, Com lír, 1 act, l, L.

Martí Alegre / I. Serneguet, est, 24-III-1933, Te. Novedades (Valencia); *Sonoro*, Sai, 1 act, l, G. L. Marco, est, 1933, Valencia; *Miss Kakau*, Sai, 1 act, l, L. Martí Alegre / I. Serneguet, est, 9-XI-1934, Te. Novedades (Valencia); *El pintor gitano*, Zarz, 2 act, col. R. Puig, l, L. Martí Alegre / I. Serneguet, est, 22-II-1943, Te. Apolo (Valencia); *El rellonche de l'achuntament*, Zarz, 1 act, l, L.Martí Alegre, est, 26-IX-1946, Te. Apolo (Valencia); *Vellea y choventut*, est, Valencia.

2. Luis. Valencia?, 25-X-1891; ?. Compositor y escritor. Escribió sainetes, comedias y monólogos. Es autor de numerosos libretos para su hermano José, actividad en que colaboró en diferentes ocasiones con Ismael Serneguet.

BIBLIOGRAFÍA: *DMEH*.

Mª LUZ GONZÁLEZ PEÑA

Martí Alonso, Manuel. España, †23-IX-1962. Libretista. Autor de numerosas comedias, para el teatro lírico, colaboró con Emilio González del Castillo en dos obras con música de Sorozábal: *Katiuska*, zarzuela en dos actos que se estrenó en 1931 en Barcelona, y al año siguiente en Madrid, y *La isla de las perlas*, también en dos actos estrenada en 1933 en el teatro Coliseum. Para Jesús Romo escribió *En el balcón de Palacio* en colaboración con Antonio Casas y José Méndez. La obra se estrenó en el teatro Coliseum de Barcelona en 1943. *Véase* KATIUSKA.

Mª LUZ GONZÁLEZ PEÑA

Martí Blay, Mariano. España, siglo XX. Compositor. Además de numerosas canciones, es autor de dos obras líricas: *La del mercado de flores*, y el auto sacramental *Magdala*, estrenada en 1935 en el teatro de Sueca (Valencia).

Mª LUZ GONZÁLEZ PEÑA

Martí Termes, Salvador. España, †4-VII-1936. Compositor. Autor de numerosas canciones, compuso además algunas zarzuelas como *Lucrecia*, *El pago de los lobos* y *Camelo greco romano o El jefe del movimiento*. Su actividad se centra en las primeras décadas del siglo XX.

OBRAS: *¡Carranque!*, Pas, 1 act, col. G. Cereceda, l, V. de la Vega, est, 20-V-1907, Salón Victoria, E:Msa; *Lucrecia*, Zarz, 1 act, l, M. Rovira, est, 25-XI-1907, Te. Zarzuela, E:Msa; *La maja de Goya*, Zarz, 1 act, col. E. Reñé, l, E. Navarro Tadeo / M. Falcón, est, 7-IX-1908, Te. Madrileño; *El temible Gómez*, Hum, 1 act, col. E. Reñé / J. Cristóbal, l, J. C. Pla / C. Agustino / G. Cruzada, est, 17-X-1908, Salón Victoria; *Taller de novios*, Sai, 1 act, l, J. García Olivares / J. Quiñones, est, 20-IV-1914, Te. Duque (Sevilla) , E:Msa; *La vela de San Juan*, Zarz, 1 act, l, J. García Olivares / J. Quiñones, est, 30-X-1914, Te. Duque (Sevilla); *El pago de los lobos*, Dr, 1 act, col. J. Arroyo, l, J. García León / L. García Cotte, est, 19-II-1915, Te. Duque (Sevilla), E:Msa; *Tenorio en el siglo XX*, Hum, 1 act, col. M. Quislant, l, J. Huete, est, 2-XI-1917, Te. Martí; *El triunfo de Miguel Ángel*, Zarz, 1 act, l, F. Ávalos, est, 2-VI-1922, Te. Novedades, E:Msa; *Camelo greco-romano o El jefe del movimiento*, l, J. García Rufino, E:Msa; *Ellas*, Est, 1 act, l, F. Conde; *El gallo Morón*, l, M. Requena / L. Ferreiro; *La guardia de la favorita*, col. M. Pigem, l, A. González / F. C. Duarte.

Mª LUZ GONZÁLEZ PEÑA

Martierra. Zarzuela en tres actos. Música de Jacinto Guerrero. Libreto de Alfonso Hernández-Catá. Estrenada el 28 de septiembre de 1928 en el teatro de la Zarzuela de Madrid.

Personajes y reparto. Santa (Dorini de Diso, tiple). Emilia (Adriana Soler, tiple). Caracol (Flora Pereira, tiple). Tía Lágrimas (Ramona Galindo, mezzosoprano). Camila (Esperanza Hidalgo, tiple). José (Luis Almodóvar, barítono). Américo (Rogelio Baldrich, tenor). Párroco (Joaquín Arenas, barítono). Tío Tormentas (Francisco Gallego, tenor cómico). Tío Encinas (Ángel de León, tenor cómico). Terruño (Antonio Bayón). Gavia (Fernando Viniegla). Campesinos, marineros y mujeres del campo y de la tierra.

Orquestación. Flautín, flauta, oboe, 2 clarinetes, fagot, 2 trompas, 2 trompetas, 3 trombones, 2 cornetines, percusión, arpa y cuerda. Tamboril, colleras, guitarra y cuerda.

Argumento. La acción se sitúa en "Martierra, pueblecillo imaginario enclavado entre el monte y el mar". *Acto I.* Tarde de fiesta, un grupo de hombres de mar, integrado por el Tío Tormentas, Gavia y Américo, intercambian frases amenazantes con un grupo de labriegos integrado por el Tío Encinas, Terruño y José; la discusión comienza por el interés que despierta en ellos Emilia, y para evitar un final trágico, Caracol, joven huérfana que recibe ese nombre por su continua tendencia a la ensoñación escuchando una caracola, llega acompañada del párroco, que los apacigua animándoles a pasar el día de fiesta en inocente diversión. Llega Emilia acompañada de la Tía Lágrimas, que la quie-

Cortesía dse Unión Musical Ediciones SL

re como a una hija y le recrimina su frívolo coqueteo con los jóvenes José y Américo; ella reniega de sus consejos, manteniendo su soberbia actitud. Aparece Caracol, acusada por Emilia de amar a José en secreto, haciendo huir a la joven acobardada. Entre tanto, comienzan a llegar a la playa restos de un navío por la tempestad de la noche anterior. Américo observa un náufrago a lo lejos y sale en su barca para salvarlo, mientras los aldeanos con el párroco a la cabeza, dirigen una plegaria al Altísimo. Llega Américo con el cuerpo inerte de una mujer joven y hermosa; tras una pelea entre los marineros y los labriegos por su custodia, el párroco, indignado, ordena conducir a la joven al interior de la iglesia, y manda a José a Pueblo Grande en busca del médico.

Acto II. Santa, la joven salvada del mar, ha recuperado la salud tras debatirse un mes entre la vida y la muerte; labriegos y marineros están encandilados por su bondad, y tanto José como Américo enamorados de ella, que ha venido al pueblo a reconciliar a los dos bandos. Unos y otros, los de la mar y los de la tierra, captados por lo noble y digno de su condición, van abandonando poco a poco su odio y para siempre volverá la paz; además, Santa quiere convertir a Caracol en una verdadera señorita. Sin embargo, el misterio la rodea, nadie sabe cuál es su tierra, envía muchas tardes a Caracol a Pueblo Gran-

de con misivas secretas, no acude a misa…, pero sin embargo, todos la adoran, menos Emilia, que no puede soportar su presencia y se va airada. Cuando Santa se dispone a contar una de sus historias, llega asustada Caracol que acusa a Emilia de haberle quitado por la fuerza la carta para Santa, que traía desde Pueblo Grande. La joven ruega que haya paz y pide al cura que acompañe a Caracol para recuperarla. José le declara apasionado su amor, pero Santa, tras jurarle que no ama a otro, le ruega se calme y busque el amor en alguien más cercano –insinuando a Caracol–. Con la llegada del cura que porta la carta, concluye el primer cuadro. En el cuadro segundo, el Tío Encinas y el Tío Tormentas han decidido matarse en una ficticia pelea, para que así se acaben las rivalidades entre labriegos y marineros en Martierra; Santa llega a tiempo de detener la farsa. Ya en el cuadro tercero, en una casa marinera, Santa ayuda a coser las redes. Llega José, contando que a Emilia la han castigado, cortándole el pelo, por intentar difamar a Santa, y además han jurado todos los mozos del pueblo no casarse con ella. El cura se acerca, anunciando que en la iglesia hay un anciano que busca a Santa y que tiene el mismo extraño acento que ella tenía cuando llegó a Martierra.

Acto III. Con el pueblo engalanado para la fiesta, todos esperan el regreso de Santa. Américo, enamorado, disimula en su charla con Gavia, afirmando que debía ser una sirena, ya que hasta ha conseguido que José el labriego ame a Caracol, que es del bando de los marineros. Todos esperan el mediodía para voltear las campanas, como ella pidió. Cuando se acerca la hora, Caracol se va; suenan las campanas al dar las doce del mediodía, pero Santa no aparece. Es Caracol la que afirma que ella está en Martierra, ya que a través de una carta ha dado dinero para reconstruir el pueblo, pagar la escuela, los subsidios de los marineros y labradores desde que dejen de trabajar hasta su muerte…, con la única condición de que se perdone a Emilia. Ella se ha quedado en el pueblo, sacando de cada uno lo mejor. El párroco anima a Gavia a bailar con Emilia. Américo, desesperado, se hace a la mar en su barca, mientras los demás aldeanos elevan al cielo una plegaria.

Números musicales. Acto I: Prólogo. Nº 1. Américo, José, Tío Tormentas, Gavia, Terruño y Tío Encinas, "Acordeón y guitarra". Nº 2. Emilia, Tía Lágrimas y José, "Quien desoye consejos". Nº 3. Canción de Caracol, "No tengo en el mundo". Nº 4. Final del acto I, "Señor que en el firmamento". Acto II: Nº 5. Preludio, escena, Américo, José, Camila, Tía Lágrimas, Párroco, Tío Encinas, Tío Tormentas, Terruño, mozas y mozos, "Ya se lleva el invierno", y canción del tomillo, "Tomillo, hierbabuena, salvia". Nº 6a. Escena y dúo, Santa, Caracol, José, Párroco, Tío Tormentas y Tío Encinas, "Salió detrás de un árbol". Nº 6b. Dúo de Santa y José, "Si quien te ultraja fuera hombre". Nº 7. Gañanadas, Santa, José y coro general, "Estamos encerrando". Nº 8. Jota pueblerina, Santa Caracol, Tío Encinas, Tío Tormentas y coro general, "Mejor agua salada". Nº 9a. Escena de mar, Santa, Caracol, Américo, Tío Tormentas, mozas y coro general, "¡Al estira y encoge!". Nº 9b. Canción de la vela marina, Américo, "Ancha vela marina". Nº 10. Cuarteto, Santa, Caracol, Américo y José, "Déjate siempre guiar como ahora". Nº 11. Final del acto II, "¿Por qué calláis así?". Acto III: Preludio. Nº 12. Canción del vino, Américo, "Vino, serás generoso". Nº 13. Dúo de Caracol y José, "Playerita, estoy contento". Nº 14. Final del acto III, "Mar, unas veces blando".

Comentario. Guerrero decidió colaborar en esta obra con un escritor cubano, de cierto prestigio como novelista y diplomático, que intentó escribir para *Martierra* un texto con enjundia literaria, cuajado de interesantes situaciones corales para ser puestas en música. Lamentablemente decae el interés de la historia en el último acto, con un forzado desenlace que no soluciona la obra de manera adecuada.

La partitura revela cierta grandilocuencia derivada del texto retrotrayéndose a la zarzuela grande del siglo XIX, aunque el resultado sea bien diferente. Con cuidada orquestación, trata de huir de los tópicos propios del compositor, y sorprende por ciertos giros, poco habituales en su lenguaje, que responden más a un intento de embellecimiento armónico que a verdaderos cambios en la línea estructural. El desarrollo formal de la partitura revela el empleo sistemático de temas recurrentes, recurso común en todas sus zarzuelas y la elaboración de diálogos sobre música, como el final del primer acto, recurso que el autor ya había empleado de forma efectiva dos años antes, en el nocturno, Nº 12, de *El huésped del Sevillano*.

El prólogo presenta, como es habitual, estructura seccional con motivos de varias secciones posteriores de la obra, revelando ya desde el comienzo la fractura entre marineros y labradores que preside toda la obra. Los marineros cantan una hermosa melodía a ritmo de barcarola, mientras los labradores exponen una copla de acentos populares y carácter recio, elaborada sobre un hispánico pentacordo descendente; de nuevo la orquesta repite el tema de la barcarola y el de las "Gañanadas". En el Nº 1 mientras el marinero Américo entona un hermoso motivo acompañado del acordeón, en ritmo de barcarola, José, el labriego, expone un melancólico canto a la guitarra, desarrollado sobre el tetracordo descendente de la cadencia andaluza. El número concluye con la unión de Américo y José, el acordeón y la guitarra, en la repetición de la barcarola marinera, presagio de la armonía que reinará entre ambos bandos al final de la obra. El número siguiente, presenta a dos de las protagonistas femeninas, Tía Lágrimas y Emilia, que desarrollan un diálogo en coplas de hermosa sonoridad popular, interrumpido por un motivo de José –dentro– en tiempo de zortzico, ritmo retomado por Emilia para continuar con su canto. La copla inicial de Emilia es empleada por el compositor con un breve, pero efectivo motivo de caracterización del personaje, funcionando de esta forma en el Nº 4 y la introducción del Nº 6a. Sigue la canción del Caracol y concluye el acto con un extenso número de relleno, de escasa importancia musical, que se limita a proporcionar el adecuado "paisaje" sonoro sobre el que se desarrolla la acción.

El segundo acto comienza con un extenso número seccional, que configura una compleja escena coral. El fragmento de mayor belleza melódica es la seguidilla mulera de Américo, "Tomillo, hierbabuena, salvia y cantueso", de clara inspiración popular, que es coreada por todos para concluir y que recuerda las hermosas coplas del tartanero Juan León escritas cuatro años después por Guerrero para *La fama del tartanero*. Tras una sección de introducción, elaborada con diversos motivos orquestales –el inicial elaborado sobre el tema de "los consejos" del Nº 2–, se escucha la copla de Caracol, que, asustada, relata cómo Emilia le ha arrebatado la carta de Santa. Finalizada dicha sección introductoria –Nº 6a–, se escucha el dúo de Santa y José –Nº 6b–, uno de los clímax líricos de la obra. De estructura bipartita, contiene un tema lírico, íntimo y contenido, en modo menor, y otro de mayor efecto dramático debido a su carácter pretencioso y perfil belcantista. Lamentablemente, la belleza melódica de este segundo tema se ve enturbiada por la orquestación elegida, en la que la cuerda dobla el tema melódico, mientras el viento metal apoya las partes fuertes. El paralelismo que el crítico del diario *ABC* observa entre este dúo y el de Aurora y Fernando, Nº 3, de *Doña Francisquita*, 1923, de A. Vives, responde, sin duda, a la estructura también bipartita, de dicho número, evidenciando quizá la referencia que Guerrero pudo emplear para construir este dúo; sin embargo, es necesario recordar que resulta habitual, desde los comienzos de la zarzuela grande, la elaboración de dúos de estructura bipartita, que se trasladan de modo menor a modo mayor para concluir. El Nº 7, "Gañanadas", expone la copla popular que emplea Guerrero en el prólogo de la obra; la relación música-texto evoca el cambio de acentuación propio de los cantos populares. Con la popular jota pueblerina se cierra el primer cuadro. El segundo, que presenta un contexto marinero, comienza con un extenso número, una introducción que presenta a las mozas entonando una cancion de corro, seguida de un fragmento elaborado a modo de diálogo recitado entre Santa y Américo, que concluye con un tema cantabile que da paso a la "Canción de la vela marina". Dicha canción, solo de tenor de la obra, elaborada sobre una estructura ABA, presenta un tema *cantabile* de gran belleza y una sección contrastante, de menor interés. Tras una breve introducción, comienza el cuarteto del Nº 10, escrito en un solemne ritmo de marcha lenta. El tema es de gran belleza melódica. El acto concluye con un pretencioso final, en el que tras una sección introductoria hay una nueva marcha lenta y solemne, que cierra el acto con gran brillantez.

El último acto, irrelevante desde el punto de vista argumental, comienza con un preludio elaborado a la manera del prólogo de la obra, empleando temas nuevos, de carácter popular, junto a otros ya expuestos, como el zortzico del Nº 2, o la seguidilla mulera de Américo del Nº 5. Continúa el solo del barítono, Américo, que interpreta la "Canción del vino", uno de los números de mayor efecto, con estructura ABA, presentando A una melodía de tintes líricos y melancólicos, y B, un tema contrastante, que otorga variedad al anterior. Tras un dúo entre la nueva pareja de enamorados, Caracol y José, elaborado sobre motivos de la "Canción del Caracol", Nº 3, se cierra la obra con un número coral, que trata de proporcionar el adecuado contexto sonoro al final de la obra. Tras una sección orquestal elaborada sobre los materiales de la "Jota pueblerina", Américo desesperado, se hace a la mar, entonando el lírico tema marinero del prólogo de la obra, ahora en la tonalidad menor. El párroco solicita entonces al resto del pueblo, que canten con fuerza el canto de los labradores del mismo prólogo, que es interpretado en un solemne *tutti* coral, tras el que la orquesta evoca en cuatro compases el canto a Martierra del Nº 11, que cerraba el acto segundo para concluir.

El mismo año del estreno, se ofrecen en el catálogo de pianolas Victoria la "Jota pueblerina", la "Canción de la vela marinera" y la "Canción del vino", signo de su popularidad. La expectación ante el estreno fue tal que el mismo día del acontecimiento, anunció el diario *ABC* que no quedaban palcos ni butacas a la venta en el teatro de la Zarzuela. Y *El Heraldo de Madrid* publicó ese mismo día, una breve entrevista de su crítico, José Forns, con los autores, en la que confesaban sentirse muy satisfechos del resultado de su colaboración. Forns afirmaba que Guerrero, tratando de elevar su arte a un nivel más serio, elevado y artístico, se presenta como es él mismo, "melodista espontáneo y sencillo", pero "huye de la ruidosa instrumentación propia de las danzas de moda y se acoge a armonías y distribuciones orquestales mucho más delicadas y distinguidas". Sus mayores críticas están dedicadas al libretista, que es justamente acusado de escribir un libreto que resulta "un poco confuso, abstracto y conceptuoso [*sic*]". Elogios finales para la dirección de escena de Ángel de León, la concertación de los maestros Juan Antonio Martínez y Pavón, los intérpretes, figurinista y decorador.

También *El Sol* consideraba fallido el intento de los autores de recuperar la zarzuela grande, ya que el compositor mostró "una invención escasa, una invención casi nula, una falta de estructura dramática o una débil unidad" que se convertía en monotonía. Critica además el excesivo empleo de repeticiones, que en lugar de proporcionar la deseada unidad dramática, conducen al público al agotamiento auditivo. Sin embargo, se valora la iniciativa mostrada por los autores de intentar recuperar el "tradicional prestigio de la zarzuela", quizá único camino de salvación del género, volviendo la mirada hacia la zarzuela grande de mediados del siglo XIX. Con nuevos elogios para los intérpretes, la orquesta, bien dirigida por el mismo Guerrero, las decoraciones y figurines, concluye el artículo.

Fuentes manuscritas. La partitura (procedente del legado de Alonso) y los materiales de orquesta (5362) se conservan en el archivo de la SGAE de Madrid.

Ediciones de música. Canto y piano, adap J. F. Pacheco, Madrid, UME. Banda, adap J. Romo, Madrid, UME; adap J. M. Domingo, Madrid, UME.

Ediciones del libreto. Madrid, SAE, 1928; Madrid, Imp. de G. Hernández y Galo Sáez, 1928; Madrid, Gráfica-Literaria, 1928?.

FONOGRAFÍA: D78rpm: Sols. Tino Folgar, Gallego, León, Dorini, Pereira, Almodóvar, La Voz de su Amo AE 2363 a AE 2367 • Sols. Federico Caballé, Alabert, Saus, Alarcón, La Voz de su Amo AE 2416 AE 2417 • Sols. Sagi-Barba, Dorini, Pereira, La Voz de su Amo AC 138 • Dir. Arturo Pavón Sánchez, R. Baldrich, Marcos Redondo, Odeón 121041 (et. marrón), XXS 4948 XXS 4949 • Dir. Jacinto Guerrero, Sols. Dorini de Diso, Peñalba, R. Baldrich, L. Almodóvar, Aníbal Vela, Odeón 184108 (et. marrón), SO 4899 SO 4903.

CD: Sols. Tino Folgar, Dorini di Diso, Luis Almodóvar, Blue Moon BMCD 7527.

BIBLIOGRAFÍA: *DMEH*; J. Carabias: *El maestro Guerrero fue así*, Madrid, Ed. Prensa Castellana, 1952; A. Fernández-Cid: *El maestro Jacinto Guerrero y su estela*, Madrid, Fundación Jacinto e Inocencio Guerrero, 1994; VVAA: *Jacinto Guerrero. De la zarzuela a la revista. 1895-1995. Homenaje en el centenario de su nacimiento*, Madrid, SGAE, 1995.

Mª ENCINA CORTIZO

Martín, Matilde. Tenerife, siglo XX. Contralto. Debutó en el teatro de la Zarzuela la temporada 1926-27 y era una de las bazas de la compañía junto con la ya consagrada Felisa Herrero. Debutó con *Doña Francisquita* para estrenar después *Las musas del Trianón* de Pablo Luna, que no tuvo mucho éxito el día del estreno, según la crítica, porque los intérpretes no habían ensayado lo suficiente; la obra fue gustando más en días posteriores. *La reina del directorio* de Alonso, el siguiente estreno de Matilde Martín, fue muy bien acogido. En 1932 estrenó en el teatro Nuevo de Barcelona *La moza que yo quería* de Díaz Giles, que en Madrid cantó al año siguiente Dorini de Diso. Volvió al teatro la temporada 1933-34 con *El hermano lobo* de Penella, compartiendo protagonismo con Pablo Hertog. Además de las obras citadas, en su repertorio se incluían *Maruxa, Los magyares, La tempestad, Don Gil de Alcalá* y *La revoltosa*.

FONOGRAFÍA: *Los claveles*, Odeón 184143, SO 5584 SO 5583.
BIBLIOGRAFÍA: E. García Carretero: *Historia del teatro de la zarzuela de Madrid*, Madrid, Fundación de la Zarzuela Española, 2003.

EMILIO GARCÍA CARRETERO

Martín, Milagros. Madrid, 23-VIII-1959. Soprano. Inició sus estudios de canto a los quince años con Luis Arnedillo e inmediatamente después con María Dolores Marco. Al mismo tiempo inició sus estudios en la escuela Superior de Canto de Madrid, como alumna de Carmen Pérez Durias y posteriormente con Ángeles Chamorro. En el mismo centro llevó a cabo su formación escénica con José Luis Alonso. Debutó en el musical *Sonrisas y lágrimas* y cantó posteriormente en diversas producciones del Centro Cultural de la Villa de Madrid. A partir de entonces inició una carrera probablemente sin parangón en el mundo actual de la zarzuela. Ha cantado en los principales teatros de España; participó en producciones teatrales del Centro Dramático Nacional bajo la dirección de José Luis Alonso, interviniendo por primera vez en la teatro de la Zarzuela en el montaje de *El dúo de la Africana* dirigido por José Luis Alonso en 1984, en el papel de Amina. En este el teatro ha intervenido posteriormente en *La Gran Vía, La revoltosa, La chulapona, El bateo, El barberillo de Lavapiés, Luisa Fernanda* y *La del manojo de rosas*. Actuó en Buenos Aires con el Teatro Lírico Nacional de la Zarzuela interpretando *La revoltosa* y *La verbena de la Paloma*, en el teatro Bellas Artes de México, en la Ópera Cómica de París con *La chulapona* y en la Ópera de Roma con *La del manojo de Rosas*; protagonizó *El gato montés* de Penella en la Ópera de Washington. En 1991 intervino en la *Nueva Antología de la Zar-*

Milagros Martín (Foto: Cortesía del Teatro de la Zarzuela)

zuela. 25 años bajo la dirección de José Tamayo, junto a voces como Montserrat Caballé o José Carreras. Colabora habitualmente con la compañía Ópera Cómica de Madrid y ha participado en los conciertos de zarzuela organizados en las plazas de Madrid en los veranos bajo la dirección de Fernando Argenta. Actúa habitualmente en el Festival Lírico Español de Asturias desde su inauguración en 1994, temporada en la que protagonizó *La del manojo de rosas*, que repitió al año siguiente y en la temporada de 1998; en 1996 cantó *Doña Francisquita* y *El gato montés*; en 1999, *Los gavilanes, La revoltosa* y *La verbena de la Paloma*; en la temporada 2000, *La calesera, El asombro de Damasco* y *Los gavilanes*, y en 2001, *Don Manolito*. En ese mismo año ha participado en la reposición de *Pan y toros* de Barbieri en el teatro de la Zarzuela. En 1988 recibió el Premio Federico Romero de la SGAE. Su dedicación a la zarzuela no ha impedido su presencia en el campo de la ópera, destacando especialmente en el papel de Carmen de la obra homónima de Bizet, que ha representado en varios teatros de España y de Francia.

Milagros Martín es una cantante naturalmente dotada para el género zarzuelístico, portadora de los mejores valores que desde mediados del siglo XIX se estimaron imprescindibles para un cantante de zarzuela, según Vicente Cuenca: la triple facultad para cantar, hablar y actuar, aspecto éste en el que se la ha considerado heredera de Josefina Meneses, debido a sus excelentes cualidades como actriz y cantante. Poseedora de una magnífica voz de soprano, tiene la potencia necesaria para los momentos cumbres del canto zarzuelístico, una capacidad enorme de agilidad, flexibilidad y gracia en las complejas y continuas decoraciones del canto hispano, dotada de una dicción perfecta, domina de forma excelente la transición entre voz impostada y natural, lo que el citado Cuenca describía así: "Ora hablando, ora cantando o haciendo una mixtura agradable de ambas cosas", sobre todo, hacer creíble el personaje que interpreta, realidad tan importante en un género lírico en el que el teatro hablado es fundamental. Todas estas dotes la han convertido en una de las figuras más deseadas en el campo de la interpretación de la zarzuela y garantía de éxito ante cualquier representación.

FONOGRAFÍA: *La Gran Vía*, RTVE-Música 65150; *La verbena de la Paloma*, Audivis Valois V 4725.

EMILIO CASARES RODICIO

Martín Domingo, José María. Mahón (Baleares), 1889; Madrid, 1961. Compositor. Su carrera musical fue muy rápida, obteniendo por oposición a los catorce años plaza de primera clase en la banda del batallón de Cazadores de Barbastro, de guarnición en Madrid. Ingresó luego como cornetín en la de Alabarderos, y desde entonces se lo disputaron numerosas orquestas y conjuntos instrumentales, hasta que al crearse en Madrid la Banda Municipal de música, Ricardo Villa le confió el puesto de trompeta solista. Nunca abandonó dicha institución, de la que llegó a ser subdirector, y en la que realizó una labor magnífica, organizando el archivo de partituras y transcribiendo diversas páginas sinfónicas y dramáticas. Dejó un brillantísimo repertorio, en el que destacan numerosos pasodobles, con los que obtuvo merecida popularidad. Su catálogo incluye además obras líricas y numerosas adaptaciones para banda de zarzuelas, como *Martierra* de Guerrero.

OBRAS: *Galería popular*, 1 act, col. J. Mula, l, F. Carrasco / T. Gutiérrez, est, 23-IV-1915, Te. Chueca; *La pantera del canalillo*, 2 act, l, A. Quintero Ramírez / P. Guillén, est, 13-V-1930, Te. Pavón, E:Msa.

BIBLIOGRAFÍA: *DMEH*.

Mª ENCINA CORTIZO

Martín Garríguez, Luis. Málaga, ?; Málaga, 1900. Barítono. Comenzó como partiquino de la compañía de Ventura de la Vega pasando en seguida, gracias a su buena voz, a primer barítono de la misma. Matilde Pretel le contrató para su compañía y tras actuar en Madrid una serie de temporadas se incorporó a la compañía de Casimiro Ortas –padre– en la que permaneció muchos años. Cantó sobre todo zarzuela grande, destacando *El grumete* y *La Indiana*. También llegó a cantar ópera, como *El barbero de Sevilla*.

BIBLIOGRAFÍA: F. Cuenca: *Teatro andaluz contemporáneo. 2. Artistas líricos y dramáticos*, La Habana, Maza, 1940.

Mª LUZ GONZÁLEZ PEÑA

Martín López, José María. *Véase* GRANADA, JOSÉ MARÍA.

Martín Pompey, Ángel. Montejo de la Sierra (Madrid), 1-X-1902; Madrid, 11-IX-2001. Compositor. Inició los estudios musicales en su pueblo natal con el director de la banda municipal, para la que compuso a los ocho años una habanera, un vals y un pasodoble. Se trasladó a Madrid en cuyo Conservatorio se matriculó teniendo como maestros a Conrado del Campo, José Cubiles, José Francés y Arturo Saco del Valle. Sus primeras obras fueron religiosas, pero en 1921 estrenó su primer sainete, *Quereres primeros*, con libreto de J. Muñoz Román y D. Serrano, estrenado en el teatro Luminoso de Madrid, con lo que inició su creación profana, en cuyo catálogo existen numerosas obras para orquesta, cámara y piano. Pasada la guerra y en 1939 le fue encomendada la dirección musical del teatro Español de Madrid. Aunque su obra teatral no es muy abundante, Martín Pompey se define como un "compositor de teatro". Además del citado sainete

compuso *El rayo de sol*, sainete en dos actos en colaboración de Sebastián Pla Iglesias y libreto de J. Muñoz Román y Antonio López Monís, estrenada el 24 de septiembre de 1925, y *Hasta la muerte*, comedia musical en un acto, con letra de Genaro Xavier Vallejos, estrenada el 24 de abril de 1946 en Madrid.

BIBLIOGRAFÍA: *DMEH*.

EMILIO CASARES RODICIO

Martín Quirós, Vicente. España, 15-IX-1894; 19-IV-1969. Compositor. No se conocen datos de este autor, que compuso numerosas obras para la escena. Desarrolló su extensa actividad a lo largo de toda la primera mitad del siglo XX, colaborando con autores destacados del género como Francisco Alonso. Sus estrenos tuvieron lugar fundamentalmente en el área catalana, si bien, estrenó ocasionalmente sus obras en Madrid.

OBRAS: *Las caramellas*, 1 act, col. E. Morera, l, S. Delgado, est, III-1902, Te. Apolo; *El sultán de la Persia*, Sai, 1 act, col. F. Alonso López, l, J. Pérez López, est, 24-VII-1914, Te. Barbieri, E:Msa; *Las mujeres libres*, Com, col. F. Alonso, l, F. Alenza, est, 22-I-1915, Te. Madrileño; *El teniente Vaselina*, Zarz, col. F. Alonso, est, 22-II-1915, Te. Madrileño; *El viaje de placer*, Jug, 1 act, col. F. Alonso, l, J. Luengo, est, 26-II-1915, Te. Madrileño; *Gitanas del Sacromonte*, 1 act, l, S. Valverde, est, 26-III-1925, Te. Romea; *Adán y Eva en el paraíso perdido*, 1 act, l, A. Serrano, est, VII-1925, Barcelona; *Mujeres de la vida*, tragicomedia, 4 act, l, R. Estrada, est, 1929, Barcelona, E:Msa; *La sonámbula*, l, E. Guiró, est, 8-XI-1933, Te. Victoria (Barcelona), E:Msa; *Kodak*, 1 act, col. Garrido, l, L. Bori / S. Gondine, est, 23-XII-1933, Barcelona, E:Msa; *Los pantalones de Clodomira*, 1 act, l, G. Cea, est, V-1934, Barcelona, E:Msa; *Una mujer desnuda*, col. M. Ruiz Arquelladas / Garza, l, Fuentes / Mallol / Sierra, est, 21-X-1935, Barcelona, E:Msa; *Caritas de marfil*, 3 act, l, S. Franco Padilla, est, 16-II-1940, Te. Martín, E:Msa; *Una venta en el camino*, Zarz, 2 act, l, J. Pons / G. A. Mantua, est, 18-XII-1941, Te. Victoria (Barcelona), E:Msa; *Canción de juventud*, 1 act, l, J. Ochoa / J. Pons, est, 23-I-1942, Te. Victoria (Barcelona), E:Msa; *La novia de Luis Candelas*, Com lír, 3 act, l, J. Silva, est, 4-IV-1942, Te. Victoria (Barcelona), E:Msa; *No hay prenda como la vista*, Rv, 3 act, l, J. Silva, est, 5-IV-1942, Lérida; *Si te quieres curar, imírame!*, Rv, 3 act, l, J. Silva / M. Serrataco, est, 16-V-1942, Te. Alegría (Tarrassa); *Malas yerbas o Las Branzas*, 3 act, l, F. Fernández Sierra / J. Pons, est, 7-III-1944, Te. Victoria (Barcelona), E:Msa; *La pintosilla*, Zarz, 2 act, l, E. Vendrell, est, 14-VIII-1945, Te. Principal (Barcelona); *La Flama*, Com lír, 3 act, l, J. Nombru / G. Carrasco, est, 10-VI-1947, Te. Nuevo (Barcelona), E:Msa; *La vuelta al mundo en 80 días*, Rv, 5 act, col. E. Fernández Blanco, l, M. Paso Andrés / E. Rambla / E. Gómez de Miguel, est, 1949, Valencia; *Mi canción eres tú*, Com, 3 act, l, F. Prada Blasco / J. Volart, est, 7-XII-1951, Te. Victoria (Barcelona), E:Msa; *Diversión a chorro*, espectáculo, 2 act, l, J. Valls / J. A. de Prada / C. Saldaña, est, 12-I-1954, Te. Victoria (Barcelona); *¡Ay qué ladrón!*, Rv, 3 act, l, E. Roig / L. García, est, 14-III-1954, Victoria (Barcelona); *Siguiendo la flota*, Com lír, 2 act, l, G. Carrasco, est, 29-VI-1955, Te. Posito (Cambrils); *Zapatillas verdes*, Com lír, 3 act, l, J. Valls, est, 22-XI-1955, Te. Apolo (Barcelona); *En la cumbre nace el sol*, Zarz, 3 act, l, G. Carrasco / P. Martínez Aliau, est, 9-X-1956, Te. Calderón (Barcelona); *Caras bonitas*, col. F. Soriano, l, M. Casals / S. Franco; *Ceferino el marmolista*, 1 act, l, J. Pelegrín / L. Mata; *Cocktails del nuevo*, Rv, 2 act, col. E. Granados / R. Martínez Valls / J.

Torres / P. Godes, l, J. M. Segarra / J. Montero, est, Te. Nuevo (Barcelona); *Color*, Zarz, 2 act, col. Martínez Valls, l, J. M. Segarra / P. Godés / A. Lázaro; *De celuloide y a prueba*, col. F. Alonso, l, I. Muñoz Latorre; *El conejo*, col. F. Alonso, l, J. Vicente Quiles; *Fri-Fri*, Zarz, 2 act, l, J. F. Alburquerque; *Hagan juego… señores*, 1 act, l, L. Marcias / E. López Marín; *Hai-kai*, l, I. Rodríguez Grahit; *La pavera*, Rv, l, J. F. Alburquerque; *Los parranderos*, col. J. Viladomat / J. Costa, l, E. Nieto de Molina; *Pasatiempos*, Rv, 1 act, l, D. Villán; *Polvos de pica-pica*, 1 act, l, E. Nieto de Molina; *Son… naranjas de la china*, col. F. Soriano, l, M. Casals / S. Franco; *Tamtam*, 1 act, l, F. Serrano.

Mª LUZ GONZÁLEZ PEÑA

Martín y Soler, Vicente. Valencia, 2-V-1754; San Petersburgo (Rusia), 11-II-1806. Compositor. Martín y Soler se formó en Valencia y después se trasladó a Madrid, donde debutó en el género operístico en 1776. En 1780 consiguió un puesto al servicio del príncipe de Asturias, futuro Carlos IV, contacto con la familia real que se produjo a través de un tenor amigo llamado Guglietti, que le presentó al príncipe de Asturias, Carlos Antonio, que le concedió una ayuda para instalarse en Nápoles. Su éxito como compositor operístico fue muy temprano, y recibió encargos desde Nápoles, Turín, Lucca, Venecia Florencia y Parma. Después de 1785 vivió en Viena, donde gracias al patronazgo de Isabel, consiguió el favor de Joseph II. Dos años después se trasladó a San Petersburgo donde trabajó al servicio de la zarina Catalina II como compositor de óperas, y donde se desempeño además como profesor. En 1796 se fue a Londres, donde su actividad como compositor de óperas estuvo marcada por un extraordinario éxito. Algunos de sus mayores éxitos operísticos fueron *Una cosa rara*, *Il burbero di buon cuore* o *Il arbore di Diana*, escritos en colaboración con Da Ponte, libretista de algunas de las mejores óperas de Mozart.

Antes de su carrera triunfal por diversos países europeos, y durante su breve estancia en Madrid, compuso *La madrileña o El tutor burlado*, zarzuela en dos actos y en verso, estrenada en Madrid en 1778. El libreto, anónimo, está basado en un original de Filippo Living. En su origen, esta obra era un *drama giocosso* en italiano titulado *Il tutore burlato*. El original, conservado en la Biblioteca Histórica de Madrid, fue compuesto en 1775. La transformación de obras líricas en italiano o francés en zarzuelas en español, fue una práctica común en las décadas de 1760 y 1770, como hizo, entre otros autores, Ramón de la Cruz con muchas obras de Goldoni. El estreno tuvo lugar en el desaparecido coliseo de San Ildefonso, en La Granja. La transformación de la ópera en zarzuela se debió a la iniciativa de Manuel Martínez, empresario del Coliseo de la Cruz, y se estrenó la temporada 1778-79.

La partitura comienza con una preciosa sinfonía en cuatro movimientos, e incluye varios concertantes que marcan momentos importantes de la acción dramática, como el quinteto final del primer acto y el del segundo acto, que precede al dúo y coro finales. Los recitativos tienen escasa presencia, habiendo sido sustituidos en su mayoría por partes declamadas, y abundan las arias como forma de expresión solística. La música, profundamente adherida al estilo italiano imperante en el ámbito internacional, aún siendo la primera obra de un compositor muy joven, avanza las grandes dotes de Martín y Soler como compositor lírico, donde la maestría en el dibujo de las voces se une a la riqueza de tratamiento orquestal.

FONOGRAFÍA: *El tutor burlado o La madrileña*, Audivis, 2001.
BIBLIOGRAFÍA: *DMEH*; V. Pagán: "Breve historia de una transformación", notas al CD, *El tutor burlado o La madrileña*, Audivis, 2001.

JUDITH ORTEGA

Martínez, Concepción. Sevilla, siglo XIX; ?, 1909. Tiple cómica. Alberto Dallal nombra a tres artistas con este nombre, una de ellas bailarina. Entre los datos de Dallal y los de Francisco Cuenca puede reconstruirse la historia de esta cantante que causó furor en el siglo XIX, gracias a su hermosa voz y sobre todo su arrogante presencia física. En 1891 Concha Martínez llegaba a Málaga para cantar, siendo ya una estrella, como lo eran María Montes y María González. Pocos años antes, en el teatro del Duque de Sevilla, tenía partidarios tan furibundos que atacaban verbalmente y de otros modos a otra tiple, bastante menos famosa y con menos seguidores. En 1893 cantaba en el teatro Novedades de Barcelona, formando parte de la compañía de zarzuela que encabezaban Bonifacio Pinedo y Matilde Pretel. Su éxito en *Caramelo* fue tan grande que había noches en que debía repetir la zarzuela completa por exigencias del público. En 1894 actuaba en el teatro Cervantes con la tiple Fernanda Rusquella, bella sevillana que tenía al público alborotado. La empresa rescindió el contrato de Concha Martínez tras cantar *Caramelo, I comici tronati* y *La Indiana*. En 1900 figuraba en la compañía de Servando Cerbón con la que actuaba en el teatro Gran Vía de Barcelona. Formó parte de las compañías líricas más importantes realizando varias giras americanas, siempre coronadas por el éxito, sobre todo fue memorable la temporada que realizó en el teatro Albisu de La Habana en 1901-02. En 1905 Dallal la cita actuando en México, y también en la misma época hay en México una Conchita Martínez que debutó con *El barquillero* de Chapí.

Una de las tiples que ha quedado en la memoria de los mexicanos por ser la madre de Julio Villarreal, actor de teatro y cine que debutó en el teatro Principal de México en octubre de 1906, por lo que

Concepción Martínez (Foto: Comedias y Comediantes, 1909; Ar. ICCMU)

se puede aventurar que su madre sería la creadora de *Caramelo*, que murió en 1909, ya que es bastante improbable que se trate de la tiple que debutó en 1905 con *El barquillero*. La creadora de *Caramelo* cantó los títulos más importantes del momento, pero se la recuerda, sobre todo, en la obra de Chueca y en *Chateaux Margaux* de Fernández Caballero, aunque no estrenó ninguna de las dos. Acababa de regresar de México cuando falleció.

BIBLIOGRAFÍA: *Comedias y Comediantes*, 3, 1-XII-1909; F. Cuenca: *Teatro andaluz contemporáneo. 2. Artistas líricos y dramáticos*, La Habana, Maza, 1940; A. Dallal: *La danza en México, tercera parte. La danza escénica popular 1877-1930*, México, U. Nacional Autónoma de México, Instituto de Investigaciones Estéticas, 1995.

Mª LUZ GONZÁLEZ PEÑA

Martínez, Concha. Puerto de Santa María (Cádiz), 1917; ?. Cantante y bailarina. Sin estudios musicales, actuó en escena gracias a sus facultades naturales y debutó en 1934 obteniendo un gran éxito tanto en el teatro de la Zarzuela como en el Coliseum de Barcelona y en sus giras a provincias. Con el estallido de la guerra se marchó a Argentina donde actuó con gran éxito en Buenos Aires. En 1939 fue contratada en Chile y en 1940 seguía su gira americana por Perú.

BIBLIOGRAFÍA: F. Cuenca: *Teatro andaluz contemporáneo. 2. Artistas líricos y dramáticos*, La Habana, Maza, 1940.

Mª LUZ GONZÁLEZ PEÑA

Martínez, Juanita. Granada, siglo XIX; ?. Cantante. Hija del actor Enrique Martínez, Juanita comenzó a actuar desde niña. Debutó profesionalmente en el Liceo de Barcelona pasando después al Cervantes de Sevilla; estas primeras actuaciones fueron como actriz de verso, lo mismo que sus temporadas en Cádiz y Valencia. A su vuelta a Barcelona actuó como primera actriz en la compañía de José Valero, en la última temporada teatral del gran actor. Posteriormente se trasladó al teatro del Circo de Barcelona donde cantó su primera obra, *Niña Pancha*, pasando después al Calderón de Valladolid y al Príncipe Alfonso de Madrid. Volvió de nuevo a Barcelona, en esta ocasión al teatro Novedades, en la compañía de Emilio Mario, de nuevo como actriz de verso. Estrenó en el teatro de la Zarzuela *Mujer y reina* de Chapí con gran éxito y entre su repertorio sus obras favoritas eran *Los amantes de Teruel* y *El dúo de la Africana*, así como las citadas *Niña Pancha* y *Mujer y reina*.

BIBLIOGRAFÍA: *ME*; *Boletín Musical de Valencia*, 52, Valencia, 2-III-1895.

Mª LUZ GONZÁLEZ PEÑA

Martínez, Miguel Ángel. España, siglo XX. Actor. Estudió en el Teatro Español Independiente de Madrid entre 1972 y 1977, con William Layton, Miguel Narros y José Carlos Plaza. Ha trabajado en diversos montajes teatrales dirigidos por Miguel Narros, en la Compañía de Repertorio de Teatro Clásico Español y en numerosas películas, pero debe su popularidad a la serie de televisión *La casa de los líos*, protagonizada por Arturo Fernández. Actúa habitualmente en el teatro de la Zarzuela en el que ha intervenido en *La montería*, *La del manojo de rosas*, *La viejecita* y *El niño judío*.

Mª LUZ GONZÁLEZ PEÑA

Martínez, Nina. España, siglos XIX-XX. Tiple. Formaba parte de la compañía del teatro Cómico en la temporada 1900-01 en la que participó en diversos estrenos como *El rey de los aires* de Caballero, 1900; *La dinamita* de Cereceda, 1901, que obtuvo un gran éxito, y *El juicio oral* de Ángel Rubio, 1901.

Mª LUZ GONZÁLEZ PEÑA

Martínez, Pura. España, siglos XIX-XX. Tiple cómica. Debutó en el teatro de la Zarzuela en 1902 y actuó allí durante las dos siguientes temporadas. Pasó luego, como primera figura, al Lírico y después al Eslava, donde estrenó en 1905 *Music-hall* y *Froufrou*, ambas de Calleja y Lleó. En 1907 actuó en *La alegre trompetería* de Lleó.

Pura Martínez (Foto: Ar. SGAE)

Al año siguiente estrenó *La perra chica* de Manuel Penella en el teatro Tívoli de Barcelona. Fue quizá la primera en introducir en el género chico la canción aflamencada. Realizó una triunfal gira por América de la que regresó en 1911.

BIBLIOGRAFÍA: *ME*.

Mª LUZ GONZÁLEZ PEÑA

Martínez Báguena, Juan. Valencia, 24-V-1897; Valencia, 19-V-1986. Compositor. Estudió con

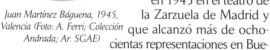

Amparo Meseguer, Francisco Antich, Fernando Galiana y Pedro Sosa. Fue director y profesor de Estética e Historia de la Música del Instituto Musical de la Sociedad Coral El Micalet. Como compositor su labor en el campo teatral es extensa, con más de veinte títulos, siendo el más aplaudido por el público *La de la falda de Céfiro*, estrenada en 1945 en el teatro de la Zarzuela de Madrid y que alcanzó más de ochocientas representaciones en Buenos Aires. Sus obras teatrales son de un eficaz melodismo y una cuidada instrumentación, no siempre acompañadas por libretos de interés.

Juan Martínez Báguena, 1945, Valencia (Foto: A. Ferri; Colección Andrada; Ar. SGAE)

OBRAS: *El galán de la noche*, farsa lír, l, M. Fernández, 1921; *El rey Pepet*, Rv, 2 act, l, J. M. Juan / A. Martí, est, 23-II-1935, Nostre Teatro (Valencia), E:Msa; *La caminera*, Zarz lír, 2 act, l, Ñ. Ferrer, est, 1936, Te. Apolo, E:VAsa; *El chico del surtidor*, Sai lír, l, E. Beltrán, est, 1937; *Moraima*, Zarz, 1 act, l, R. Guillamón, est, 1939, Valencia, E:Msa; *La cruzada*, Com lír, 1 act, l, L. Ferrer, est, 4-II-1940, Palacio Ducal (Gandía); *La enamorada del silencio*, Com lír, 2 act, l, A. Sendín / J. L. Almunia, est, 24-II-1940, Te. Principal (Valencia), E:Msa; *El duende enamorado*, Com lír, l, A. González Álvarez / A. Paso Díaz, 1941; *El falso pirata*, Zarz, 1941; *Lucciola*, Zarz, l, R. Guillamón, 1941; *Luna en la sierra*, Zarz, col. Morante Borrás / Sánchez Roglá, 1941; *Un beso*, Sai lír, 1941; *Tanagra*, Com musical, l, A. Zapata / E. Lamay, 1943; *La de la falda de Céfiro*, Sai lír, 2 act, l, A. González Álvarez / L. Ferrer / A. Paso Díaz, est, 17-VII-1945, Te. Zarzuela, E:VAsa; *La última moda*, Sai lír, 1945; *Veinte millones de pesos*, Rv, 1945; *El Micalet de la Seu*, Rv, 3 act, l, J. Peris, est, 27-III-1948, Te. Apolo (Valencia), E:Msa; *El pazo de las camelias*, Zarz, 1948; *Los cuatro ases*, Zarz lír, l, P. Llabrés / J. L. de Lerena, 1948; *El beso*, Com lír, 3 act, l, L. Fernández de Sevilla, est, 30-III-1949, Te. Principal (Valencia); *El tigre*, Zarz, 1949; *Eh, la raspa*, Sai lír arrevistado, 3 act, l, E. Beltrán, est, 21-VII-1950, Te. Alcázar (Valencia), E:VAsa; *Las señoras gratis*.

FONOGRAFÍA: *Patxinguer Z: Antología de la Comèdia Musical Valenciana*, Diapason 52.5094.

BIBLIOGRAFÍA: J. Climent: *Historia de la música contemporánea valenciana*, Valencia, 1978; E. López-Chavarri Andújar: *Compositores valencianos del siglo XX*, Valencia, Generalitat Valenciana, 1992.

RAFAEL DÍAZ GÓMEZ

Martínez de la Roca Bolea, Joaquín. Zaragoza?, *ca.* 1676; Toledo, *ca.* 1756. Compositor y organista. Se formó con Nassarre y fue organista del Pilar de Zaragoza desde 1695 hasta 1699, y en esta misma catedral fue maestro de capilla y organista entre 1709 y 1715. Se trasladó a Palencia y finalmente, en 1723, a Toledo, donde permaneció hasta su muerte.

Compuso para la escena la comedia en tres actos *Los desagravios de Troya*, con libreto de Juan Francisco Escobar, estrenada en la casa del conde de Montemar. La partitura se publicó en Madrid en 1712, siendo la edición más temprana del género. La obra refleja un estilo híbrido, ya que junto a elementos de marcado carácter conservador, incorpora algunas influencias del nuevo estilo italiano. La mayor parte de la música se concentra en la loa que precede al inicio de la obra, el baile inserto entre el primer acto y el segundo, y el entremés entre el segundo y el tercero. Como era habitual en la tradición española en las comedias de tema mitológico, las intervenciones musicales se confieren a las divinidades, mientras los mortales se expresan declamando. La obra se inicia con una interesante sinfonía en cuatro movimientos, de clara influencia napolitana, que es ejecutada por toda la orquesta. La parte musical incluye áreas –denominadas así las formas de aria da capo–, solos, cantadas o graves. Mitjana atribuye a Martínez de la Roca la ópera *La Casandra*, estrenada en 1737 en Madrid, pero no se ha localizdo.

BIBLIOGRAFÍA: *DMEH*; A. M. Pollin: "*Los desagravios de Troya* de Francisco de Escuder: fiesta dramático-musical del otoño del barroco", *Segismundo*, 37, 1983, 49-60; J. J. Carreras: "La música para la comedia *Los desagravios de Troya* (1712)", *Spanish Baroque Music from Aragonese Cathedrals*, Zaragoza, Diputación de Zaragoza, 1988, 43-51; P. L. Rodríguez: "Algunas consideraciones sobre la carrera profesional y la producción musical de Joaquín Martínez de la Roca en Zaragoza (1695-1714)", *Artigrama*, 13, 1998, 347-63.

JUDITH ORTEGA

Martínez Díaz, Pura María. Granada, 1944. Comenzó los estudios musicales en el Conservatorio de su ciudad natal. En 1964 se trasladó a Madrid y en el Real Conservatorio Superior realizó estudios de canto, culminándolos dos años más tarde con la obtención de los Premios Fin de Carrera y Nacional Lucrecia Arana. En 1967 consiguió el primer premio internacional Francisco Viñas y el primer premio al Mejor Valor Nuevo en el IV Festival de la Ópera de Madrid y protagonizó el estreno mundial de la ópera *Zigor* de Francisco Escudero. Actuó varias temporadas como primera figura en el teatro de la Zarzuela de Madrid con la Compañía Lírica Nacional. Con la Orquesta Nacional de España, bajo la dirección de Rafael Frühbeck de Burgos, ha grabado una extensa serie de zarzuelas para la firma Columbia.

FONOGRAFÍA: *Bohemios*, Columbia-BMG España WD 71434 (9D) • Columbia SA, MCE 850 74 • Columbia SA, OZS 1001 (Alhambra) 88 • Columbia SA, ZCL 1017 (Zacosa) 67; *El puñao de rosas*, Columbia SA, SCE 956 36 (35a); *La canción del olvido*, Alhambra-BMG España WD 71436 (9D) • Columbia SA, MCE 853 170; *La Gran Vía*, Alhambra-BMG España WD 71587 (9D) • Columbia SA, MCE 851 38; *La reina mora*, Columbia SA, SCE 956 35; *Me llaman la presumida*, Columbia SA, ZCL 1089 (Zacosa) 135 • Columbia SA, SCE 958 138.

BIBLIOGRAFÍA: *DMEH*; J. Piñero: *Músicos españoles de todos los tiempos*, Madrid, 1984.

Mª ENCINA CORTIZO

Martínez Eguílaz y Eguílaz, Luis. *Véase* EGUÍLAZ, LUIS DE.

Manuel Martínez Faixá, Madrid, 1926
(Foto: Walken, Colección Andrada; Ar. SGAE)

Martínez Faixá, Manuel. España, 1892; VI-1960. Compositor. Cultivó con éxito el género de revista, y fue, además, un excelente director-concertador que actuó al frente de las principales compañías de zarzuela, alcanzando notoria fama. En la segunda década del siglo XX comenzó a escribir género chico, como zarzuelitas en un acto, juguetes, pasacalles e incluso una ópereta cómica estrenada en el Real, *Sebastián y Sebastiana*, sus obras están escritas generalmente en colaboración, y ya en los años veinte cuando el género lírico empezaba a recuperarse, comenzó a escribir obras en dos o tres actos, tanto sainetes como revistas u operetas. A partir de los años treinta y hasta los cincuenta, su producción estuvo centrada sobre todo en la revista y comedia musical. Su colaborador musical más habitual fue Martínez Mollá.

OBRAS: *El fin del viaje*, Zarz, 1 act, I, E. Tecglen, est, 8-VII-1911, Te. Madrileño; *La viudita*, Jug cóm-lír, 1 act, col. Foglietti Alberola, I, A. López Monís, est, 20-II-1914, Te. Martín, *E:Msa*; *La trianera*, Zarz, 1 act, col. P. Marquina, I, F. C. Duarte / S. Pujana, est, 13-V-1914, Te. Eslava, *E:Msa*; *¡Buena noche!*, Pas cóm-lír-pascual, I, L. Llaneza, est, 17-VIII-1915, Te. Paraíso, *E:Msa*; *Los nuevos ricos*, Jug cóm, I, A. López Monís, est, 26-IV-1920, Te. Centro, *E:Msa*; *El gran premio*, Opt, 2 act, I, A. López Monís / R. Peña, est, 23-II-1921, Te. Apolo (Valencia), *E:Msa*; *El ingenio de papá*, disparate cóm-lír, 3 act, col. J. Forns, I, A. López Monís / A. Paso Díaz / R. Forns, est, 22-XII-1923, Te. Cómico, *E:Msa*; *Comedias y comediantes o A qué teatro vamos*, Rv, 2 act, col. Millán, I, J. Dicenta / A. Paso Díaz, est, 1923, *E:Msa*; *Pepe el sereno*, Sai, 2 act, col. Balaguer, I, R. López Montenegro / R. Peña Ruiz, est, II-1924, Barcelona, *E:Msa*; *La emperatriz Mesalina*, Opt, 3 act, I, L. Gabaldón / Gutiérrez Roig, est, 4-VII-1925, Te. Pardiñas, *E:Msa*; *El novio de la Consuelo*, Sai, 2 act, col. F. Balaguer, I, R. Peña / R. López Montenegro, est, 28-VIII-1925, Te. Pavón; *Fridolín*, 1 act, I, Gutiérrez Roig / L. Gabaldón, est, I-1926, Santander, *E:Msa*; *¡Que se mueran las feas!*, 2 act, col. Martínez Mollá, I, A. Paso (hijo) / E. Paso, est, 23-VIII-1929, Te. Pavón, *E:Msa*; *Las dictadoras*, Fant, 2 act, col. Martínez Mollá / F. Alonso, I, R. M. Moreno / J. M. Campúa / J. Vela, est, VIII-1931, Barcelona, *E:Msa*; *Las chicas del ring*, 2 act, col. Mollá, I, Adame / J. López Campúa, est, 5-IV-1934, Te. Romea, *E:Msa*; *Que me la traigan o Mi Martirio o Mujeres de Oriente*, Rv, 2 act, col. Martínez Molla, I, A. y E. Paso, est, 27-XII-1935, Te. Pavón, *E:Msa*; *Ahora verás*, Rv, 3 act, col. J. Forns / J. Martínez Molla, I, J. M. Molina / M. Paso / E. Paso / A. Paso, est, 24-

I-1936, Te. Pavón; *El cuarto de Gallina*, disparate cóm, 1 act, col. Martínez Molla, I, J. Dicenta / A. Paso Díaz, est, VIII-1937, Te. Ascaso, *E:Msa*; *Tú y yo somos dos*, Com lír, 3 act, col. Martínez Molla, I, Silva Aramburu / J. Ramos Martín, est, 24-V-1939, Te. Eslava, *E:Msa*; *La guapa y la fea o Por mi cara bonita*, Sai, 2 act, col. P. Luna, I, J. Silva / C. Beltrán / G. Peraita / J. Pons, est, 26-II-1943, Te. Victoria (Barcelona), *E:Msa*; *Noches de París*, Com, col. J. Guerrero / R. Rougemont, I, L. Muñoz / L. F. Tejedor, est, 23-IX-1943, Te. Cómico (Barcelona); *La gata de China* (antes *¡Que me la traigan!*, *Mi mártir*), Rv, 2 act, col. Martínez Molla, I, A. y E. Paso Díaz, est, 13-VIII-1948, Te. Barcelona (Barcelona), *E:Msa*; *¡Cirilo que estás en vilo!*, Rv, 3 act, col. Pérez Rosillo / Martínez, Mollá, I, M. Jiménez / E. Paradas Jiménez, est, 28-XI-1953, Te. Lírico (Palma de Mallorca), *E:Msa*; *A vivir del cuento*, 2 act, col. Moraleda Bellver / Guerrero, I, J. Muñoz Román, est, 1953, Te. Martín, *E:Msa*; *Ton-Goron-Go*, Hum, 1 act, col. J. Martínez Molla, I, J. López Campúa / F. Moreno, est, 28-XII-1954, Te. Romea; *El día de la fiesta*, 1 act, I, F. Martínez Morata / C. Moro, *E:Msa*; *El gordo*, col. Martín, I, E. Paso Díaz / A. Paso Díaz / J. Silva, *E:Msa*; *El hijo de Yalu*, 1 act, col. Martínez Molla, I, J. López Campúa / F. Moreno, *E:Msa*; *El nuevo presidente*, Fant, 1 act, I, G. Hernández / L. Fernández de Sevilla, *E:Msa*; *Natida*, 2 act; *Sonrisas de París*, Rv, col. J. Guerrero / R. Rougemont, I, L. Muñoz / M. Ortega / L. F. Tejedor; *Un día en París*, Rv, col. J. Guerrero, I, L. Tejedor / L. Muñoz / M. Ortega.

FONOGRAFÍA: *¡A vivir del cuento!*, Columbia R 18291 a R 18294, C 9419 a C 9421, C 9424 a C 9426, C 9437 C 9438; *¡Que se mueran las feas!*, Blue Moon BMCD 7537.

BIBLIOGRAFÍA: *DMEH*; *Nuevo Mundo*, 1602, 3-X-1924.

Mª LUZ GONZÁLEZ PEÑA

Martínez Garí, José. Alicante, 4-XII-1869; Madrid, *ca*. 1940. Escenógrafo. Fue discípulo del valenciano Alós en cuyo taller permaneció desde 1884 a 1888, al tiempo que seguía su formación en perspectiva, modelado y dibujo en la Academia de San Carlos. Martínez Garí tuvo una fuerte formación realista. Se trasladó a Madrid y pasó por los talleres de los más afamados escenógrafos del momento como Bussato, Bonardi y Muriel López, y a su depurado realismo inicial fue añadiendo influencias del modernismo aunque nunca llegó al decorativismo. Sus primeros trabajos teatrales los realizó en Alicante, en los teatros San Juan y Circo para pasar después a otros teatros como el Romea de Murcia y el Ruzafa de Valencia. Su primer contrato en Madrid fue para las decoraciones del teatro de Apolo como las de *El tirador de palomas* de Vives, 1902, *La cabeza popular* de Calleja, *La mala sombra* de Serrano, *Las mil maravillas* de Chapí, 1908, *El coche del diablo* de Giménez, 1910, *Las*

José Martínez Garí
(Foto: Mundo Gráfico, 1913; Ar. ICCMU)

mujeres de Don Juan y *La reina del Albaicín* de Calleja, 1912, *Las musas latinas* de Penella, 1913, *La alegría del amor* y *Los cadetes de la reina* de Luna, 1913, *El amigo Melquiades* de Valverde y Serrano, 1915, *La boda de La Farruca* de Alonso, 1915, y un largo número, ya que siguió trabajando intermitentemente para el teatro Apolo hasta los años veinte, así por ejemplo en 1925 pintó las decoraciones de *Encarna la Misterio* de Soutullo y Vert.

Martínez Garí pintaba las decoraciones sobre papel, lo que no hacían ni Muriel ni Amalio Fernández, por lo que tras los primeros éxitos en Apolo el escenógrafo alicantino vio llegar encargos de todos los teatros de Madrid, así en 1904 pintó las decoraciones de *La cuna* de Chapí para el teatro Moderno, para el que al año siguiente hizo las de *La guardabarrera* de Torregrosa; para el teatro Cómico pintó en 1907 las de *Los falsos dioses* de Torregrosa, en 1909 los de *Ni frío ni calor*, también de Torregrosa, en 1911 los de *Gente menuda* de Valverde, en 1913 los de *El bueno de Guzmán* de Alonso y García Álvarez y *Los apaches de París* de Valverde y Foglietti. En 1909 pintó para el Gran Teatro los decorados de *El jardín de los amores* de López Montenegro; en 1913 pintó para Eslava los decorados de *Las píldoras de Hércules* de Valverde y Foglietti. En 1914 pintó para el teatro de la Zarzuela las decoraciones de *La vida breve* de Falla, *Las vírgenes paganas* de Vert, *Sybill* de Pablo Luna y *Covadonga* de Bretón. En 1923 trabajó de nuevo en la Zarzuela pintando las decoraciones de *La montería* de Guerrero; para el Español las de *Don Juan Tenorio* y las de *El fin justifica los medios*. En el teatro Lírico realizó las correspondientes a las obras *La pena negra*, *El palacio de cristal* y las de *La edad del hierro* entre otras. Para el Price las de *La viuda alegre* y *El reloj de arena*, entre otras muchas. Para el Eslava las de *Una noche de verano*, *Bazar de muñecas* y *La modista de mi mujer*. Para el Cómico las de *Alma de Dios*, *Las mil y pico noches*, *Los viajes de Gulliver*; para el Moderno las de *La cuna* y *Las estrellas*. Además desde que en 1916 se inaugurara el teatro Reina Victoria y hasta la temporada de 1922, Martínez Garí hizo todas las decoraciones de las obras que allí se representaron como *La araña azul* de Calleja, 1918, *El as*, también de Calleja, y *Las verónicas* de Vives,1919, entre muchas otras. Prácticamente no había teatro madrileño para el que no trabajara, así pintó para Eslava *Los trovadores* de Calleja y Foglietti, 1916; para el teatro del Centro los de *Una aventura en París* de Pablo Luna, 1910; para el teatro Cervantes los de *Las delicias de Capua* de Rosillo, 1921, por citar sólo algunos de los más conocidos.

Desde la temporada 1914-15 y hasta 1925 estuvo contratado como escenógrafo titular del teatro Real. Junto a E. Amorós trató de crear una asociación de pintores escenógrafos que constituyese una especie de Montepío –al igual que habían hecho los autores desde la constitución de la SAE en 1899– para el caso de enfermedad, inutilidad o jubilación de los artistas, pero lamentablemente el continuo desacuerdo con otros escenógrafos impidió que esta idea cuajase, aunque deja clara constancia del compromiso de Martínez Garí con su profesión.

BIBLIOGRAFÍA: *TA*; *Mundo Gráfico*, III, 107, 12-XI-1913; J. Muñoz Morillejo: *Escenografía española*, Madrid, 1923; A. M. Arias de Cossío: *Dos siglos de escenografía en Madrid*, Madrid, 1991.

Mª LUZ GONZÁLEZ PEÑA

Martínez Marín, Juan Antonio. España, 22-VIII-1886; 1950. Compositor. Autor de numerosas obras escénicas estrenadas en Madrid. Su actividad se extiende a lo largo de las primeras décadas del siglo XX, colaborando con algunos de los más destacados libretistas, como Javier de Burgos, González del Castillo o Fernández Shaw.

OBRAS: *Blancaflor*, I, F. Romero / G. Fernández, est, 1926, Valencia; *El arte fotográfico*, I, Asensio Santos; *Él, ella y el otro*, I, P. Moreno García; *El primo alumbrao o Doña Belenes*, I, J. Pérez López / E. González del Castillo, est, XI-1924; *¡Es mucho Madrid!*, Rv, 1 act, I, E. González del Castillo, est, 23-IX-1922, Te. Circo de Price; *La cacería*, Zarz, 1 act, I, A. Salcedo / M. Monterrey, est, 11-X-1911, Te. Salón Romero (Zafra); *La rosa del Albaicín*; *Las flechas de oro*, Fant, 1 act, I, E. González del Castillo / J. de Burgos, est, III-1925; *Las mujeres españolas*, I, E. González del Castillo / J. de Burgos, est, IV-1954; *Una noche en París*, col. Magenti Chelvi, I, F. Romero / G. Fernández Shaw; *Una nochecita clara*, Ent, 1 act, I, A. López Monís, est, 8-III-1918, Te. Price.

Mª LUZ GONZÁLEZ PEÑA

Martínez Mollá, José. España, siglo XX. Compositor. Se dedicó fundamentalmente al género de la revista y compuso sus obras casi siempre en colaboración con Martínez Faixá o Ernesto Pérez Rosillo, siendo su colaborador literario habitual Antonio Paso. Su actividad se desarrolló durante las primeras décadas del siglo XX, y fue Madrid el lugar más habitual de sus estrenos.

OBRAS: *Postinerías o La vida es una película*, Sai, 1 act, col. E. Ruiz de Azagra. I, A. Pérez / J. Almela Meliá, est, 3-VII-1920, Te. La Latina, E:Msa; *Mujeres de Barba Azul*, Zarz, 1 act, E. Paso / J. Silva Aramburu, est, 11-IV-1925, Te. Eldorado; *Que se mueran las feas*, 2 act, col. M. Martínez Faixá, I, A. y E. Paso Díaz, est, 23-VIII-1929, Te. Pavón; *Las dictadoras*, Fant, 2 act, col. M. Martínez Faixá / F. Alonso, I, R. M. Moreno / J. Vela / J. L. Campúa, est, VIII-1931; *La pipa de oro*, col. Pérez Rosillo, I, E. Paradas / J. Jiménez, est, 5-V-1932, Te. Romea; *Las chicas del ring*, 2 act, col. M. Martínez Faixá, I, S. Adame / J. López Campúa, est, 5-IV-1934, Te. Romea; *Mujeres de oriente (Que me las traigan)*, Rv, 2 act, col. M. Martínez Faixá, I, A. Paso Díaz / E. Paso Díaz / M. Paso Andrés, 27-XII-1935, Te. Pavón, E:Msa; *Que me la traigan*, Rv, 2 act, col. Martínez Faixá, I, A. y E. Paso Díaz, est, 27-XII-1935, Te. Pavón; *Ahora verás*, Rv, 3 act, col. M. Martínez Faixá / J. Forns, I, A. Paso / E. Paso / J. M. Molina, est, 24-I-1936; *El cuarto de Gallina*, disparate cóm, 3 act, col. M. Martínez Faixá, I, J. Dicenta / A. Paso Díaz, est, VIII-1937, Te. Ascaso, E:Msa; *Mi Martirio*, Rv, 2 act, col. M. Martínez Faixá, I, A. y E. Paso Díaz, est, 22-IV-1939, Te. Eslava; *Tú y yo somos dos*, col. M. Martínez Faixá, I, Silva Aramburu / J. Ramos Martín, est, 25-V-1939, Te. Eslava, E:Msa; *La gata de China* (antes

¡Que me la traigan!, Mi mártir), 2 act, col. M. Martínez Faixá, l, A. Paso Díaz / E. Paso Díaz, est, 13-VIII-1948, Te. Barcelona (Barcelona); *Cirilo que estás en vilo*, 2 act, col. E. Pérez Rosillo / M. Martínez Faixá, l, C. Paradas / F. de Torres, est, 28-XI-1953, Te. Lírico (Palma de Mallorca); *Ton-Goron-go*, Hum, 1 act, col. M. Martínez Faixá, l. F. Moreno / J. López Campúa, est, 28-XII-1954, Te. Romea; *Amor verdadero*, Zarz, 1 act, l, L. Álvarez Pastor; *El gordo*, col. M. Martínez Faixá, l, E. Paso / A. Paso / J. Silva Aramburu; *El hijo de Yalu*, col. M. Martínez Faixá, l, J. López Campúa / F. Moreno, E:Msa; *Por el mismo caminito*, Zarz, 1 act, E:Msa; *¿Quién soy yo?*, Rv, 3 act, l, Silva Aramburu / M. Ozores.

BIBLIOGRAFÍA: *CTLBN; TLE.*

Mª LUZ GONZÁLEZ PEÑA

Martínez Raventós, Daniel Marcos. La Habana, 7-X-1927; Matanzas, 27-V-1984. Barítono. Inició sus estudios musicales en el Conservatorio Municipal de La Habana, recibiendo clases de canto de Francisco Fernández Dominicis. En 1955 comenzó a trabajar como solista profesional en diversos programas de radio y televisión. Debutó como solista en 1961 en una temporada operística. Graduándose en el Conservatorio Amadeo Roldán en 1963, siguió formándose con Ana Talmaceanu, Kivil Krastev e Iris Burguet. En 1968 comenzó su labor como profesor de canto en Matanzas. Su trabajo pedagógico fue el germen del Grupo lírico de esa ciudad, fundado ese mismo año. Fue el primer director general del teatro Lírico de Matanzas, desde 1969 hasta 1971. A pesar de poseer una tesitura de barítono, interpretó papeles de tenor por su amplio registro. *Cecilia Valdés* de Roig, *Lola Cruz* y *El cafetal* de Lecuona, *Luisa Fernanda* de Moreno Torroba, *Amalia Batista* de Rodrigo Prats y *Los gavilanes* de Guerrero, figuran entre las obras interpretadas por Daniel Marcos, que además difundió obras de otros compositores cubanos como Eduardo Sánchez de Fuentes, Gisela Hernández y Olga de Blanck. Entre sus actuaciones más destacadas se halla su interpretación del personaje de Leonardo en la primera puesta de *Cecilia Valdés*, tras la muerte de Gonzalo Roig en 1971. Dentro de su labor como pedagogo, también realizó hacia 1978 un importante trabajo con el Movimiento de Aficionados en Cárdenas, surgiendo bajo su orientación, destacados cantantes como Elina Calvo y Lucrecia Pérez. Un año después realizó su última actuación en el teatro, protagonizando junto a Alina Sánchez la zarzuela *Amalia Batista*.

CAROLE FERNÁNDEZ MARTÍNEZ

Martínez Román, Luis. Madrid, 30-IX-1875; Madrid, 3-VI-1942. Dramaturgo y poeta. Fue ingeniero industrial y catedrático de ingeniería. Muy aficionado al teatro y al mundo de la farándula, alternaba en diversas tertulias, como la mayoría de los intelectuales y la gente de teatro del momento. En solitario y para el teatro escribió *De tejas arriba, Mi tío*

Recaredo y *El Pampero*. Sus mayores éxitos los obtuvo en el género lírico, en unión con Emilio González del Castillo y con música de Francisco Alonso: *La calesera* en 1925 y *La picarona* en 1920, ambas zarzuelas en tres actos. *Véase* LA CALESERA.

BIBLIOGRAFÍA: *DAT.*

Mª LUZ GONZÁLEZ PEÑA

Martínez Rücker, Cipriano. Córdoba, 12-XII-1861; Córdoba, 16-VII-1924. Profesor y compositor. Estudió en el Conservatorio de Madrid y después se trasladó a Oporto, donde estudió con Juan Franchini, discípulo de Mercadante. Completó su formación en Italia, Alemania, Francia y Portugal. Se dedicó fundamentalmente al piano y a su enseñanza, siendo profesor de este instrumento en el Conservatorio de Córdoba y en su residencia de esta ciudad inauguró un salón,

Cipriano Martínez Rücker (Foto: La Música Ilustrada, 1899; Ar. ICCMU)

donde se celebraban veladas musicales. Fue miembro de la Academia Musical de Florencia, de la de Bellas Artes de San Fernando de Madrid, así como de otros centros musicales españoles y del extranjero. Además de su trabajo como docente, Martínez-Rücker fue notable compositor y musicólogo. En su catálogo, además de música de cámara, sinfónica, y para voz y piano figuran algunas zarzuelas, entre ellas *El peluquero de palacio* y *Quítese usted la ropa*, estrenada en el Príncipe Alfonso de Madrid.

OBRAS: *El peluquero de la condesa* o *El peluquero de palacio*, Zarz, 3 act; *Quítese usted la ropa*, Zarz, 1 act, l, J. Mota González, E:Msa; *Tarantela*, Zarz, 1 act, l, en portugués.

BIBLIOGRAFÍA: *DMEH.*

EMILIO CASARES RODICIO

Martínez Sierra, Gregorio. Madrid, 1881; Madrid, 1-X-1947. Dramaturgo y director teatral. Su primera y casi exclusiva vocación fue el teatro, tanto en la línea de creador como en la de director y fundador de compañías. Su primera actriz predilecta fue Catalina Bárcena, quien estrenó la mayor parte de sus obras dramáticas. Parece probado que algunas de sus obras fueron en realidad escritas por su mujer, María de la O Lejárraga, lo que explica esa característica femenina que los críticos han apreciado en la mayoría de sus obras. En el género lírico dejó títulos

Gregorio Martínez Sierra (Foto: Ar. SGAE)

tan importantes como las dos versiones de *Las golondrinas*, primero zarzuela y después ópera, con música de Usandizaga. Los compositores más ilustres como Falla, Turina, Vives, Giménez o María Rodrigo escribieron partituras para sus obras, y a menudo trabajó también en colaboración con otros autores. Entre sus obras destacan *La llama y Las golondrinas* de Usandizaga; *Jardín de Oriente, Margot, La mujer del héroe* y *Navidad*, de Turina. Su mayor aportación al teatro la constituye su labor como empresario y editor, abierto en ambos casos al teatro universal que difundió en España. *Véase* Lejárraga García, María de la O.

BIBLIOGRAFÍA: *CDE; CTLBN; DAT; EDL; TLE;* E. de Mesa: "Un empresario poeta", *Apostillas a la escena*, Madrid, Renacimiento, 1929; A. Rodrigo: *María Lejárraga una mujer en la sombra*, Madrid, Ed. Vosa, 1994; M. Gómez García: *El teatro de autor en España (1901-2000)*, Madrid, Asociación de Autores de Teatro, 1996.

Mª LUZ GONZÁLEZ PEÑA

Martínez Torner, Eduardo Fernando. Oviedo, 7-IV-1888; Londres, 17-II-1955. Musicólogo, folclorista, compositor y profesor. Su interés por el folclore español le llevó a desarrollar una amplia actividad de recopilación y edición, tanto desde su Asturias natal como en todo el ámbito nacional a través del Centro de Estudios Históricos, que dirigía Menéndez Pidal. De ahí que inicialmente expresara su disgusto por la superficial utilización de los elementos populares en la zarzuela, de la misma manera que Pedrell había comentado años antes acerca de la ópera nacional. Así, en una carta a Adolfo Salazar de 1923 dedicaba unas duras palabras al género y en general a la situación de la música en España. Al margen de su dedicación a la investigación folclórica y musicológica, Torner fue un activista buscando una regeneración de la música nacional mediante conferencias,

Eduardo Fernando Martínez Torner (Foto: Ar. ICCMU)

organización de coros, conciertos y diversas actividades de difusión musical. En este sentido, destacan las llamadas Misiones Pedagógicas con el Teatro y Coro del Pueblo, cuyos responsables fueron, respectivamente, Alejandro Casona y Eduardo Martínez Torner, una iniciativa muy beneficiosa para la educación de los medios rurales durante los años de la Segunda República. De ahí que su acercamiento a la zarzuela se revistiese de un cierto sentido pedagógico, ofreciendo no sólo un ejemplo de zarzuela regionalista, sino también un modelo de utilización de los elementos populares en el género con el rigor y cientifismo que caracterizó su producción. Así, el 9 de mayo estrenó en el teatro de La Latina de Madrid la zarzuela asturiana *La promesa*. El libreto se debía a Fernando Dicenta y Alfredo Escosura, presentando una ambientación asturianista que resultaba muy adecuada para que Torner pusiese sobre la escena sus amplios conocimientos del folclore regional. La prensa destacó lo acertado de la producción en este sentido: "Cuantos intentos se han hecho hasta ahora adolecieron de algún defecto, ya fundamental, ya accesorio, de forma o fondo, predominando, generalmente, los tópicos folklóricos y los motivos rústicos, mal convertidos o defectuosamente traducidos a la técnica teatral. Ahora con *La promesa* parece que se trata de algo serio y completo". En el diario *ABC* se incidía en esta idea, describiendo la favorable recepción de la obra: "La partitura responde a la fama, sino dilatada bien seleccionada, de su autor. Continuamente veteada por la savia popular, es graciosa, fresca, alegre, melódica y sencilla. Hasta tres veces se repitieron algunos números, en que los ritmos y canciones populares de Asturias adquirían concreción y tomaban cuerpo teatral; otros por difusos, pasaban inadvertidos, aunque su calidad superaba acaso a los mejor aceptados, y en general toda la labor del joven maestro mereció una sanción entusiasta". En realidad, la partitura de Torner trataba con sobriedad los materiales populares originales, utilizando sobre todo una armonización modal, siguiendo sus investigaciones y las teorías pedrellianas sobre el canto popular.

A pesar de su acierto, *La promesa* fue una obra circunstancial tanto dentro de la carrera de Torner como del ambiente teatral madrileño de su época. Tan sólo se volvió a ver a finales del año en el teatro Dindurra –actual Jovellanos– de Gijón, donde fue recibida con el lógico entusiasmo. En algunas entrevistas posteriores se alude al proyecto de una nueva zarzuela asturiana titulada *Rosina*, mencionando algunos ejemplos musicales que había seleccionado el propio Torner para dicha obra. El libreto, con diálogos del propio Alfredo Escosura y adaptación de León Artola, desarrollaba una acción en las montañas asturianas de hacia 1870. Se ha localizado el texto inédito bajo el título de *Cumbres*. Torner compuso la música de una nueva zarzuela regionalista, *La maragata*, esta vez ambientada en las tierras leonesas en las que también había realizado muchas de sus investigaciones etnomusicológicas. La partitura fue realizada en colaboración con el compositor valenciano Guillermo Cases y el libreto se debía una vez más a Alfredo Escosura, junto a López Alarcón. Fue estrenada en el teatro Fuencarral de Madrid en marzo de 1931, siendo recibida con desinterés. Eran tiempos de crisis, lo que produjo el alejamiento de Torner del género, agudizado tras su exilio en Londres desde 1939. No obstante, sus dos zarzuelas constituyen todo un testimonio de la aplicación de sus investigaciones folclóricas a un género zarzuelístico en el que el regionalismo −en este caso asturiano y leonés− tuvo una amplia aceptación en aquellos años.

OBRAS: *La promesa*, Zarz, l, F. Dicenta / A. Escosura, est, 9-V-1928, Te. La Latina; *La maragata*, Zarz, 2 act, col. Cases, l, López Alarcón / A. Escosura, est, 3-III-1931, Te. Fuencarral.

BIBLIOGRAFÍA: *DMEH*; A. Muñiz Toca: *Vida y obra de Eduardo M. Torner*, Oviedo, Instituto de Estudios Asturianos, 1961; M. L. Mallo del Campo: *Torner más allá del folklore*, Oviedo, Ethos-Música, 1980; M. González Cobas: *Investigación musicológica y folklore musical de Asturias*, Oviedo, Consejería de Educación y Cultura, 1983.

VÍCTOR SÁNCHEZ SÁNCHEZ

Martínez Valls, Rafael. Onteniente (Valencia), 1887; Barcelona, 1946. Compositor.

I. Biografía y obra. II. Estilo.

II. BIOGRAFÍA Y OBRA. Comenzó a estudiar música en el colegio. Después pasó a Valencia donde inició estudios de medicina, siguiendo el deseo de su familia. Allí, sin embargo, mantuvo contacto con Juan Bautista Pastor Pérez, con Juan Cortés −fundadores del Conservatorio de Valencia− y con el organista José María Úbeda. En esos años valencianos, mientras concluía el bachillerato e iniciaba estudios, empezó a tocar como pianista en el Café Moderno. Finalmente abandonó los estudios de medicina para dedicarse por completo a la música. Uno de sus primeros puestos relevantes lo alcanzó al encomendársele la dirección de la Banda Artística valenciana. Se trasladó posteriormente a Madrid, para ampliar estudios de composición con Emilio Vega, alumno de Emilio Serrano. La mayor parte de las fuentes recogen que se trasladó a Madrid para ejercer como maestro concertador y organista del teatro Real de Madrid, si bien las noticias aportadas por Pérez Jorge parecen contradecirlo. Posteriormente se trasladó a Barcelona. Allí actuó durante siete años como maestro de capilla y organista de la iglesia de San José

Oriol, en el Ensanche barcelonés, manteniendo también contactos con la Sagrada Familia. Su producción musical de tipo religioso es una de sus vertientes más destacadas, con obras destinadas para la parroquia en que servía en Barcelona, así como obras escritas para Onteniente. Probablemente a causa de su formación con Úbeda, Martínez Valls otorgaba una gran significación a sus obras religiosas. De entre ellas, las de tipo devocional adquirieron bastante difusión, sobre todo en su ciudad natal, así como sus himnos y gozos.

Paralelamente a su trabajo como maestro de capilla, desplegó una importante actividad en Barcelona, al dirigir los conciertos y demás actividades culturales en la sala Aeolian, donde además se divulgaba el repertorio de las pianolas de esa marca comercial. También fue gerente de la casa de pianos Izábal. La fama le llegó a partir de su colaboración con el mundo teatral, las revistas y las zarzuelas que se estrenaban en los años dorados del Paralelo barcelonés. Después de haber escrito alguna zarzuela en castellano, como *Así canta mi amor*, 1925, el éxito definitivo lo alcanzó con la composición de zarzuelas catalanas. En la década de los años veinte los teatros del Paralelo marcaron en buena medida la pauta de la actividad lírica en España, y sin duda en Barcelona. Los empresarios pugnaban por conseguir la exclusiva de las obras de J. Guerrero, Quinito Valverde, Moreno Torroba o A. Vives. La compañía que el barítono José Llimona organizó en 1926 encargó a Lambert que compusiera una zarzuela con argumento militar donde se pudiera lucir Josefina Bugatto. Las marchas militares de Lambert tenían buena acogida. El escritor Capdevila situó la acción en el Rosellón. Al ver que Lambert no ponía música a la obra, Llimona pasó el libreto a Martínez Valls, que compuso con relativa celeridad *Els soldats de l'ideal*. Poco antes del estreno, la obra fue prohibida por el Gobernador Civil, el general Milans del Bosch. Emilio Junoy, ex-senador, Capdevila y Llimona acudieron al Gobierno Civil para intentar arrancar de Milans del Bosch un permiso, organizándose una escena de auténtico vodevil: Capdevila confundió al gobernador con su secretario, que era sordo. Finalmente, se introdujeron una serie de supresiones, y se cambió el título por *Cançó*

Rafael Martínez Valls (Foto: Ar. SGAE)

d'amor i de guerra, permitiéndose el estreno. El éxito no tenía precedentes, y situó de forma inmediata a su compositor como uno de los más sobresalientes autores de zarzuelas catalanas. Pocas obras alcanzaron la popularidad de la *Cançó d'amor i de guerra*, posiblemente sin que su propio autor lo pudiera prever, hasta el punto que oscureció el resto de su producción musical. Incluso podría hablarse de una serie de obras que tomaron como punto de referencia, tanto argumental como musical a dicha obra; tal es el caso de *La pubilla de l'hostal*, un drama lírico de L. Tatché Pol, que guarda gran similitud en argumento como en distribución de números musicales así como en la aparición de la sardana como uno de los momentos claves de la obra.

En 1927 Martínez formó parte de la compañía que el promotor de revistas Miró organizó en el remozado teatro Nuevo. Allí se encontraban los cantantes Rosita Rodrigo, el actor José Viñas, el escritor y libretista Josep Maria de Sagarra, y como compositores Demón y Godes, Padilla, junto con Rafael Martínez Valls. Uno de los mayores éxitos de la temporada se alcanzó con la revista *Charivari*, original de Sagarra, en la que además de un cuadro de éxito –el "Baile de la candelera en 1860 en el Liceo"–, Martínez Valls compuso un coral y un himno a Barcelona que causaron sensación. Este himno fue publicado por UME. Su siguiente producción, *La ventera de Ansó*, 1929, escrita en colaboración con Godes, mantuvo un alto interés en la prensa y en el público de la época, aunque sin levantar el apasionamiento de la *Cançó*. De hecho, Martínez Valls no cosechó un éxito similar hasta que compuso *La legió d'honor*, 1930. Nuevamente consiguió llegar a concebir una obra lírica en catalán original y de gran calidad. La romanza de Marcel, que interpretó magistralmente el tenor Rossich, se popularizó inmediatamente, imponiéndose con facilidad entre todas las obras líricas que en esos momentos se representaban en Barcelona. Colaboró con asiduidad con el libretista Salvador Bonavia i Panyella, el cual firmaba a menudo sus producciones con el pseudónimo de "Jordi Canigó". Bonavia continuó la empresa editorial de su padre. Ambos consiguieron algunas obras de considerable éxito, como la fantasía *La volta al món en patinet*, 1932. Bonavia redactó textos para algunas revistas y comedias musicales, caso de *Les aventures d'en Titelleta*, obra que Martínez Valls acabó de componer en octubre de 1931 y que consisten en unas ilustraciones musicales. En el terreno de la revista, en el que se mostró bastante activo, no se interesó por el subgénero sicalíptico. Sí en cambio hay referencias a temas cinematográficos –el más evidente es la peculiar versión de *Tarzan de les mones*–, a canciones y temas populares –caso de *Quimet I rei de Xauxa* o *El general Bum-Bum*, obra que alcanzó cierto relieve–, hasta tratar temas más desgastados como la anécdota histórica y el género arrevistado en *Cocktails del Nuevo*.

La influencia de la música popular se refleja en la presencia de la sardana dentro de sus producciones zarzuelísticas más significativas. Además, compuso sardanas para cobla, entre ellas destacan *Gratitud, Homenatge, Comiat a Cabrils, Soledat,* y principalmente *Evocació del Pirineu*, es un arreglo sardanístico del número homónimo perteneciente a *Cançó d'amor i de guerra*. La referencia a la temática popular se hace evidente en la mayor parte de su repertorio lírico. Ocupa un lugar singular dentro de las obras de tipo navideño, caso de *Els Pastorets o Les figures del Pessebre*, obra terminada en diciembre de 1930. Este tipo de obras cuentan con unos patrones y lugares comunes, tanto en la acción como en la concepción musical, que desde el punto de vista teatral se han fijado en el siglo XIX: uso de villancicos y canciones populares de forma predominante. Martínez Valls no pudo escapar a este encorsetamiento, aunque musicalmente intentó conseguir un mayor interés en el trabajo armónico.

Se interesó también por la composición de bandas sonoras de películas. Su mayor éxito lo cosechó con la música para *La tonta del bote*, película dirigida por Gonzalo Delgrás y estrenada en 1939; también compuso la banda sonora del film de Armando Vidal *Un marido barato*, estrenado en 1942 sin demasiada trascendencia.

II. ESTILO. Uno de los grandes dilemas del teatro lírico catalán consistía en encontrar una estética que se diferenciara del género chico y los sainetes de Chapí, Chueca y Valverde, por citar algunos, cuyas zarzuelas arrasaban en el gusto del público barcelonés de la época. La alternativa de no caer en una subsidiariedad no era fácil, y los continuos devaneos y tentativas acababan por originar obras desiguales, sin encontrar una línea estética definida. Además, se estaba produciendo una clara disociación entre las expectativas de una crítica absolutamente intransigente y el gusto del público ajeno en parte a las especulaciones. Martínez Valls se asomó al panorama barcelonés exento de los condicionantes que arruinaron las propuestas modernistas, conociendo en cambio los entresijos del teatro lírico, asumiendo el clima cultural que buscaba una salida al nacionalismo musical en la vertiente zarzuelísitca, y con la pretensión de crear un repertorio elevado en el contexto de la música de consumo que imperaba en el Paralelo barcelonés. Ahí se encuentran las claves que justifican el éxito de sus obras, hasta el punto de poderlas considerar aún obras paradigmáticas en el contexto del teatro lírico catalán. Poseía una técnica compositiva sólida, y procuraba evitar los temas vulgares. A menudo se ha hecho referencia a los vínculos que presentan algunos de sus números con el verismo italiano, es absolutamente cierto. La mayoría de sus obras se cimentan sobre un melodismo emotivo muy bien conducido, conocedor de los momentos culminantes de la acción dramática. A partir de unas células temáticas relativamente sencillas y rítmicamente regulares, construía unas frases interesantes, de estructuras cuadradas, y sostenidas siempre por un sustrato armónico en el que la modulación tiene un papel destacable. Este es otro aspecto que le singulariza: su proximidad a los perfiles armónicos usados por Puccini o Leoncavallo, con modulaciones recurrentes a los grados II y VI rebajados. Combinaba los momentos de intenso patetismo con números de talante cómico, aunque en estos últimos no lograba brillar con el mismo acierto. El otro elemento interesante es la mixtura de la canción popular que realiza en sus obras. En este punto se hace evidente la postura pragmática que adoptó Martínez Valls, quizás ajeno a las polémicas que envolvían la eterna cuestión de la lírica nacional en España, y en especial manera en la Barcelona de los primeros años del siglo XX. En el uso que realizó del material popular se encuentra desde la cita literal hasta la incardinación de los ritmos y motivos populares empleados como motivos recurrentes. Ciertamente, allí donde Martínez Valls se mostró afortunado fue en evitar las glosas de canciones populares, unas técnicas de las que se hizo uso y abuso y que acaban por restar interés al discurso musical dramático. Sin embargo, ésta era la tendencia que habían mostrado hasta entonces algunas de las obras surgidas en el entorno del teatro lírico catalán. Martínez Valls, consciente seguramente de que el uso reiterado de la glosa y los desarrollos de canciones populares frenaban el discurso de la acción dramática, optó por usar la técnica de la cita motívica y la utilización de ritmos de danzas populares para estructurar la obra. Al igual que había hecho E. Morera con alguna de sus composiciones líricas, situó la danza de la sardana en momentos culminantes de la acción. Ahora bien, así como en el caso de Morera la sardana puede convertirse en una pieza autónoma, que frecuentemente conseguiría mayor popularidad como pieza de danza que no dentro de la obra lírica, Martínez Valls optó por evitar la forma de sardana en sentido estricto –con la cuadratura rítmica de compases y secciones– integrándola tanto en el contexto dramático como en el perfil melódico. De ella pervive la estructura rítmica biseccional, las hemiolias finales y los perfiles melódicos populares. Las citas temáticas de estos números suelen aparecer en el transcurso de la obra, con lo que dota de mayor cohesión al conjunto de la zarzuela y supera una posible utilización trivial de la sardana, sin caer en la redundancia. Los temas de ascendencia popular no aparecen en las zarzuelas castellanas, en las cuales seguía manteniendo importancia el perfil melódico, junto con unas instrumentaciones correctas, que seguían los patrones de las zarzuelas de esos años. Puede resultar paradógico

considerar que Martínez Valls sea recordado por un repertorio al cual se vio impulsado sin él pretenderlo, y que se haya prácticamente olvidado sus vertientes religiosa y sinfónica en las que depositó un verdadero interés. *Véase* L'àliga roja; Boris d'Eukália; Cançó d'amor i de guerra; La legió d'honor.

OBRAS: *Así canta mi amor*, Zarz, I, G. Mantua, est, XII-1925; *Cançó d'amor i de guerra*, Zarz, 2 act, I, L. Capdevila / V. Mora, est, 16-IV-1926, Te. Nou, *E:Bsa*; *El perdón del Rey*, Zarz, 2 act, I, A. Torres del Álamo / A. Asenjo Pérez, est, 10-X-1926, Te. El Dorado; *Charivari*, Rv, col. J. Padilla, I, J. Viñas / J. M. Solana, est. 1927; *La ventera de Ansó*, Zarz, 2 act, col. P. Godes, I, A. Vidal i Planas / A. Ballesteros, est, 12-XII-1929; *La legió d'honor*, 2 act, I, V. Mora, est, 26-II-1930, Te. Nuevo, *E:Bsa*; *La Mosquetera*, Zarz, 3 act, I, G. Mantua, est, 10-X-1930, Te. Novetats; *Els Pastorets, o Les figures del Pessebre*, ilustraciones, I, S. Bonavia, est, 1931, *E:Bsa*; *La Duquesita*, Zarz, 2 act, I, J. A. de Prada / L. Calvo, est, 1932, Te. Nuevo; *Les aventures d'en Titelleta*, ilustraciones, I, S. Bonavia, est, 1931 *E:Bsa*; *L'àliga roja*, 2 act, I, V. Mora, est, 12-IV-1932, Te. Apolo, *E:Bsa*; *La volta al món en patinet*, Fant "de nines", 3 act, I, S. Bonavia, est, 13-X-1932, Te. Romea, *E:Bsa*; *El General Bum-bum*, Zarz, 3 act, I, S. Bonavia, est, 5-X-1933, Te. Romea, *E:Bsa*; *Quimet I, rei de Xauxa*, Rv, 3 act, I, S. Bonavia, est, 1934, *E:Bsa*; *Fray Jerónimo*, Zarz, 3 act, col. I. Rosselló, I, V. Mora, est, 16-II-1935, Te. Nuevo; *Tarzan de les mones*, ilustraciones, I, S. Bonavia, est, 1936, *E:Bsa*; *La princesa de los cabellos de oro*, Com, 3 act, I, S Bonavía / R. de León, est, 23-XI-1939, Te. Pompeya; *Soy una mujer fatal*, Rv, 2 act, I, A. Lapena Casañas / L. Blanco, est 19-XII-1939; *Los pastorcillos de Belén o El Nacimiento del niño Dios*, Com, 5 act, I, S. Bonavia / R. de León, est, 21-XII-1939, Te. Pompeya; *La curandera*, Zarz, I, L. Fernández de Sevilla, est, 1941, Te. Tívoli; *Olvido o La Rosaleda*, Zarz, 2 act, I, L. Fernández de Sevilla, est, 30-I-1941, Te. Tívoli; *Boris d'Eukàlia*, Opt, 2 act, I, A. Suárez / J. Campmany, *E:Bsa*; *Carmen la soberana*; *Cocktails del Nuevo*, Rv, 2 act, col. E. Granados / V. Martín Quirós / J. Torres Nin / P. Godes, I, J. M. de Sagarra, est, Te. Nuevo; *Color*, Zarz, 2 act, col. V. Martín Quirós I, J. M. de Sagarra / P. Godes / A. Lázaro; *El boig de les Campanilles*, gatada, I, J. Campeny / A. Suárez; *Els tres tambors*, rondalla, 3 act, I, S. Bonavia, est, Te. Romea; *La tribu*, Zarz, 1 act, I, V. Mora / C. Caballero Gómez de la Serna; *Las aventuras de Mike*, I, S. Bonavia / G. Sánchez; *Les peripècies d'en Belluguet*, I, S. Bonavia; *Los frescales*, Rv, 1 act, I, F. Prada / L. Calvo, est, Te. Victoria; *Paz en la guerra*; *Princesita*; *Un lance de carnaval*, Zarz, 1 act, I, A. M. Ballester; *Una mujer y un cantar*, Rv, 3 act, col. I. Rosselló, I, G. Mantua.

FONOGRAFÍA: *Cançó d'amor i de guerra*, Columbia-BMG España WD 71466 (9D) • Columbia-BMG-Ariola-Salvat 1065-2 • Columbia-Alhambra-BMG MCC 30052 • La Voz de su Amo AE 1579 • Blue Moon BMCD 7506; *La legió d'honor*, Blue Moon BMCD 7506 • Columbia-BMG MCE 808 y SCE 908 • La Voz de su Amo AE 3093 AE 3095 AE 3098, AF 322.

BIBLIOGRAFÍA: *DMEH*; I. Pérez-Jorge: *La música en la provincia franciscana de Valencia*, 1950; E. López-Chavarri Andújar: "Martínez Valls, el músico valenciano que triunfó en el teatro... a su pesar", *Cuadernos de Música y Teatro*, 2, SGAE, 1988.

FRANCESC CORTÈS i MIR

Martínez Viérgol, Antonio [Antonio M. Viérgol]. Madrid, 18-XI-1872; Buenos Aires, 25-V-1935. Escritor. Dotado de vivo ingenio y vasta cultura, comenzó sus relaciones con el periodismo en Valladolid como redactor de *El Eco de Castilla* y director de *La Opinión*. Trasladado a Madrid fue redactor de *El Nacional* y *La Justicia* hacia 1895 y, sobre todo de *El Liberal* en cuya

*Antonio Martínez Viérgol
(Foto: El Teatro, 1902;
Ar. SGAE, Madrid*

plantilla permaneció muchos años popularizando el seudónimo de "El sastre del Campillo", con el que firmaba sus crónicas que le hicieron rápidamente famoso. Su colaboración con el teatro tiene dos títulos básicos, *Las bribonas*, con música de Calleja y *Ruido de campanas*, con Lleó, obra de carácter anticlerical que levantó grandes polémicas y se representó centenares de veces desde su estreno en 1907, y que salvó al teatro Eslava del inminente cierre que la mala temporada hacía prever. *Las bribonas* fue un rotundo éxito, tanto por la música de Calleja –se repitieron todos los números salvo uno la noche del estreno– como por el libro satírico y liberal de Viérgol. Lleó y Viérgol mantuvieron otra colaboración para la Zarzuela que no llegó a producirse, sin embargo volvieron a estrenar en Eslava *Los borregos* en 1912. En 1915, en el apogeo de su trabajo y fama Viérgol se fue a Argentina y alcanzó en la prensa y teatros de Buenos Aires la misma fama, que había obtenido en España. En diciembre de 1917 estrenó, de nuevo junto a Calleja, *Los novios de las chachas* en el teatro Novedades de Madrid con gran éxito. Colaboró con las revistas *El Suplemento y La Novela Semanal*, 1919; escribió para el teatro y compuso gran número de tangos y canciones argentinas.

Entre sus obras hay que destacar, aparte de las ya citadas, *La visión de fray Martín*, con música de Gerónimo Giménez, 1902; *Miss Full* de Chapí, 1905; al igual que *Los contrahechos, Huelga de criadas*, 1911, secuela de *La Gran Vía*, con música de Luis Foglietti y Pablo Luna; *S. M. el Cuplet*, 1912 de Rafael Calleja como *El "cine" de Embajadores*, 1908; *El banco del Retiro*, 1908; *Caza de almas*, 1908; *Las bribonas*, 1908; *El poeta de la vida*, 1909; *La hija del guarda*, 1914, todas en España mientras que desde su llegada a Argentina estrenó en Buenos Aires *La europea, Bronces y porcelanas, La revista del Cervantes, La estrella de España, La señorita nº 15, Copa de champán, Los hijos del biógrafo, El remate del Ba-ta-clán, Buenos Aires embataclanado* y *El pibe del corralón*, entre otras. Su principal colaborador musical fue Rafael Calleja, y su año más activo 1908, en el que ambos autores estrenaron en Apolo cuatro obras. *Véase* LAS BRIBONAS.

BIBLIOGRAFÍA: *DAT*; J. Francos Rodríguez: *El teatro en España 1908*, Madrid, Imp. Nuevo Mundo, 1909; E. Chicote: *Cuando Fernando VII gastaba paletó... Recuerdos y anécdotas del año de la nanita*, Madrid, Instituto Editorial Reus, 1952; —: *Biografía de Loreto Prado*, Madrid, Instituto Editorial Reus, 1955; —: *La Loreto y este humilde servidor*, Madrid, Ed. M. Aguilar, sf.

Mª LUZ GONZÁLEZ PEÑA

Martín-Gruas, Amalia. España, siglos XIX-XX. Tiple. En 1885 estrenó en el teatro Apolo *Villa y Palos* de Manuel Nieto, y *Término medio* de Chapí en el Martín. En 1887 en el teatro Martín *Libertad de cultos* de Luis Reig y en 1889 en Eslava *Liquidación general* de Manuel Nieto. En *Madrid Cómico* aparecía su caricatura con estos versos: "Pronto en la lírica escena / Logrará puesto de honor. / Como artista es *buena, buena*. / Como mujer...¡superior!".

BIBLIOGRAFÍA: *TA*; *Madrid Cómico*, 185, VI, 4-IX-1886.

Mª LUZ GONZÁLEZ PEÑA

Maruxa. Égloga lírica en dos actos. Música de Amadeo Vives. Libreto de Luis Pascual Frutos. Estrenada el 28 de mayo de 1914 en el teatro de la Zarzuela de Madrid.

Personajes y reparto. Maruxa (Ofelia Nieto, tiple). Rosa (Emilia Iglesias, tiple). Eulalia (Sra. Ortega). Pablo (Juan Corts, barítono). Antonio (Rafael López, tenor). Rufo (Francisco Meana, bajo). Un zagal (Sr. Vela). Pastoras y pastores, el gaitero, el tamborilero y criados.

Orquestación. Flautín, flauta, oboe, 2 clarinetes, fagot, 2 trompas, 2 trompetas, 3 trombones, tuba, arpa, percusión y cuerda.

Argumento. *Acto I.* En un prado gallego, la joven pastora Maruxa peina a su oveja Linda cuando escucha una gaita a lo lejos que le hace saltar de alegría. Se trata del también pastor Pablo, que se acerca en busca de su amada. Juntos se emocionan cantando su amor mutuo. El capataz Rufo les ha sorprendido y los pastores escapan corriendo al verle. Los tutores han encargado a Rufo que cuide y proteja los amores de los primos Rosa y Antonio, pero Rufo piensa que a sus años es un papel impertinente. Con muy malhumor y con el propósito de que los primos no se salgan con la suya, el capataz decide marcharse, pero cambia de opinión al ver a Rosa y a su primo, que llegan en plena disputa. Antonio acusa a su prima de su excesivo desdén que acabará obligándole a buscar el amor en otra mujer. El capataz, mientras, interrumpe la discusión alegando que acaba de llegar. Aunque Rosa no le cree, celebra la llegada de Rufo porque le libra de los acosos de su primo, a quien no ama. Antonio, por su parte, se siente contrariado. Comienza a pensar en dar celos a Rosa intentando conquistar a Maruxa. Rosa y Rufo han quedado solos, lo que ella aprovecha para ordenar al capataz que busque a Pablo, al que desea ver inmediatamente porque le ama. Rufo le recuerda que su novio es Antonio y que, de seguir pensando en el pastor, habrá un escándalo. Así que se niega a obedecer. Rosa dice que ella es la que manda, cosa que admite Rufo, aunque se niega a proteger la locura de ésta. De repente Pablo viene cantando, pero interrumpe su canción al verla. Ésta le invita a sentarse a su lado y, como en un sueño, le dice que su nombre será Maruxa. Pablo entra en el equívoco transportado por la imagen de su Maruxa y entre ambos se desarrolla una escena pasional en la que los deseos de ella van hacia Pablo pero los de él a la imaginada Maruxa. En el momento que Rosa besa al pastor, aparece Rufo. Avergonzado Pablo, escapa, mientras Rosa maldice al capataz. Maruxa, mientras, ha perdido a su ovejita Linda y la busca. Viéndola en esa situación, Antonio y Rosa se ofrecen a ayudarla. Triste, porque la oveja era un regalo de Pablo, Maruxa acepta con dolor el ofrecimiento que le hace Rosa para entrar a su servicio, cosa que la señora hace con intenciones ocultas. Cuando llega Pablo, Rufo le comenta que se la han llevado porque la señora necesita una doncella.

Acto II. Se desarrolla en la entrada de la casa de Rosa, en la montaña. Rufo ha dado a Maruxa en presencia de Antonio y de Rosa, una carta de Pablo. Como no sabe leer, Antonio propone que la lea su prima, pero Rosa dice que la lea Rufo, quien astutamente también se niega, alegando que él no está capacitado. Al final es Antonio el obligado a leerla. En ella Pablo muestra su tristeza por la ausencia de su amada. Maruxa quiere contestar, pero como no sabe escribir, lo hará Rosa. Requieren que Rufo la lleve inmediatamente, aunque éste protesta. La pastora se pregunta qué escribir a Pablo, y Antonio le sugiere que le diga que vaya a verla aquélla noche. La señorita escribe la carta en términos tan apasionados que sorprende a Maruxa. Con todo, Rosa prosigue su carta, en la que recuerda su encuentro y ruega que vaya Pablo a verla para devolverle el beso que le dio. Maruxa no entiende el significado de la carta y reclama de la señora que no prosiga. Rosa es consciente de que se ha traicionado. Cuando quiere romper la carta, Maruxa le pide, a pesar de todo, que Pablo la reciba para que sepa que ella le espera aquella noche. Se firma la carta con el nombre de Maruxa y Rosa la entrega a Rufo para que la lleve a su destino. Regresa Antonio y le pide Rufo que le entregue la carta. Cambia la hora de la cita con el propósito de que cuando llegue Pablo, él se haya llevado a Maruxa. Llegan Rufo y Pablo, que ya reci-

Cortesía de Unión Musical Ediciones SL

bió la carta. El pastor está impaciente por ver a Maruxa, pero Rufo le calma diciéndole que no se preocupe que podrá marcharse con su pastora. Esa noche, cuando Pablo espera que llegue el momento, canta, Rufo le ve y está decidido a que los primos no se salgan con la suya para favorecer los amores de los pastores. Avisa a Maruxa y la conduce sigilosamente donde está Pablo esperándola. Con ello, el capataz intenta burlar a los señoritos. Los pastores se abrazan amorosamente y Pablo le devuelve la oveja Linda que es acariciada con emoción por Maruxa. El zagal le pide a ésta que se vaya con él a los prados, a lo que ella accede con entusiasmo. Mientras, Antonio se ha disfrazado de pastor y acude a la hora de la cita, haciendo sonar una esquila, con el propósito de que Maruxa crea el engaño y piense que es Pablo. Pero es Rosa, también vestida de pastora, la que acude al reclamo pensando que va a encontrar a su pastor. En la oscuridad no se reconocen y los dos primos se abrazan apasionadamente, creyendo cada uno por su parte que está con su pastora o con su pastor. Sólo se darán cuenta de su error cuando escuchen las voces de Maruxa y Pablo, que cantan sus amores.

Números musicales. Acto I: Escena 1, "La luz del nuevo día nos llama a las labores". Escena 2, "Con la aurora salió la zagaliña". Escena 3, "Teño unha nena'n Betanzos". Escena 4, "¡Ganapanes! ¡Atrevidos!". Escena 5, "¡Guarda Rufo que vienen los novios riñendo!". Escena 6, "¡Rufo amigo!". Escena 7, "Alala, que en las montañas donde pacen mis ovejas". Escena 8, "¡Mayordomo! ¡Señorita!". Escena 9, "Con la aurora sale mi zagala". Acto II: Preludio. Escena 1, "Si la señora quiere al pastor". Escena 2, "¿Cumpliste mis instrucciones?". Escena 3, "¡Voy a morir de impaciencia!". Escena 4, "¿Se han marchado?". Escena 5, "An qu'a tua porta me poñaná artillería volante". Escena 6, "Todas las chuvias d'Abril e as xiadas de Xaneiro". Escena 7, "¡Nadie! ¡Nadie! ¡Por fortuna!". Escena 8, "Aquí n'este sitio, sitio". Escena final, "¡Silencio! ¡Habla bajo por favor!".

Comentario. Cuando en 1914 el empresario Arturo Serrano asumió la responsabilidad económica del teatro de la Zarzuela recién reconstruido tras su incendio de 1909, ofreció a Vives la dirección artística y el consiguiente estreno de *Maruxa*. El compositor se hizo cargo de la producción contratando a Francisco Meana, que también asumió la dirección de escena. Para el papel principal eligió a una joven alumna de Simonetti, Ofelia Nieto, que dio el salto a la fama. También dio la opción a otro valor desconocido, Emilia Iglesias. Buscando todo tipo de seguridades pidió a Pablo Luna que preparara a la orquesta mientras que para la escenografía se acudió a un valor seguro, el pintor Luis Muriel. El boca a boca generó una enorme expectación. Y aunque se anunció el estreno para el 26 de abril de ese mismo año, no quedó más remedio que retrasarlo dos días. El estreno de esta obra de amplias dimensiones fue precedido por *Música clásica* de Chapí, en lo que puede considerarse como el continuo homenaje a quien Vives valoraba como su maestro.

El libreto, adecuado a las características del Vives de esta década, está lleno de lugares comunes con una trama más eficaz para presentar a unos personajes en un ambiente popular que para plantear un auténtico conflicto dramático cuyo desarrollo es poco creíble. Hay que destacar que frente a la habitual estructura en números, Luis Pascual Frutos lo plantea en escenas sin solución de continuidad, algo bastante inusual en el mundo de la zarzuela. También llama inevitablemente la atención el calificativo de "égloga lírica". El escritor Federico Romero, amigo y colaborador de Vives, afirma que "aunque el texto era todo cantado, el maestro no la calificó de ópera, sino de égloga lírica, para significar que quiso hacer una zarzuela sin

Ofelia Nieto, Emilia Tejada Iglesias y Francisco Meana en Maruxa *(Foto: Mundo Gráfico, 1914; Ar. ICCMU)*

hablado, con música de zarzuela y sin la pretensión de rivalizar con Verdi o con Puccini". La crítica señaló que Pascual Frutos "ha escrito un libro discreto y que sirve muy bien a la música, dando ocasiones al compositor para lucir su inspiración" (*La Época*, 29-V-1914). La referencia a temas gallegos omnipresentes en la partitura fue también un motivo de controversia. Corrió por Madrid un bulo que decía que parte de la música pertenecía a José Losada. Federico Romero confirmaba de alguna manera la realidad del hecho aunque señalando que Losada "le dio a conocer algunos temas rigurosamente populares, de los cuales Vives sólo aprovechó tres". Ello se debió a que "los coleccionistas gallegos de folklore lo guardaron inédito con avaricia sentimental hasta cuarenta años después".

La obra es de amplias dimensiones con notables exigencias para sus intérpretes por los sucesivos dúos entre los cinco personajes principales, que se convierten en únicos protagonistas del devenir dramático. Vives se mueve en la terrible encrucijada en la que vivía la lírica española a principios de siglo entre un vínculo con el nacionalismo folclorista decimonónico y la influencia de un verismo en decadencia, sin perder de vista el peso fortísimo de la opereta, con la que debe emparentarse por concepción y tratamiento vocal. Hay que señalar el vínculo dramático de sus protagonistas con los de *Lohengrin* de Wagner, partitura a la que se rendirá homenaje en el preludio del segundo acto. Todo ello bien peraltado por la facilidad melódica del compositor catalán, cuya fertilidad en este terreno había demostrado previamente. La crítica se expresó con entusiasmo sobre su trabajo de lo cual es explícita la impresión de Saint Aubin en su particular expresión, cuando afirmaba que "no se ha entregado Vives a snobismos ni a vaguedades modernistas. No ha querido obtener la victoria con estrepitosas incoherencias ni con sorpresas de timbres raros que si alguna vez suenan bien muchas más sólo con efectos de quincallería. Vives ha trabajado su partitura con riqueza de melodías firmemente definidas, de línea que se acusa con vigor entre un fastosísimo ropaje orquestal... En el conjunto del trabajo musical se ve cómo supo apoderarse Vives de los cantos populares llevándolos a la obra teatral y convertir en pan sabroso el áspero trigo, después de una labor guiada por el talento" (*Heraldo de Madrid*, 29-V-1914).

El primer acto se inicia con un breve fragmento instrumental apenas desarrollado con aires populares –que podían ser gallegos aunque también de otro tipo de evocación folclórica– al que se añade el coro para dar paso a Maruxa que afronta una tonada de raíces más evidentes, subrayado por el oboe que parece imitar la gaita y el tamboril, a la que se añade la entrada de Pablo que aborda un dúo "de situación" que presenta a los personajes principales. Hay que destacar cómo subraya Vives los toques veristas en el canto de Pablo manipulado por el lenguaje vienés, especialmente de Lehár a quien Vives rinde homenaje en varias ocasiones. Con la llegada de Rufo se añade un nuevo elemento al transcurrir y da paso al célebre "Golondrón", precedido por una escena con curiosos sones que parecen mirar a la antigua zarzuela de Barbieri. El "Golondrón" es un fragmento pensado para el aplauso inmediato y se convirtió desde el primer momento en uno de los motores populares de la composición. Vives acude al guiño seudofolclorista a partir de una célula rítmico-melódica sencilla pero eficaz. El trío siguiente tiene indudables resonancias veristas, con algún que otro efecto post-wagneriano, donde dramáticamente se enfrenta a los tres personajes secundarios de peso: Rosa, Antonio y Rufo. El trío se transforma en dúo entre Rufo y Rosa donde Vives mantiene el interés confrontando a los dos personajes con un guiño a los ritmos americanos familiares al público español del momento. En la segunda parte Vives se hace más deudor, si cabe, del vínculo con la opereta centro-europea. El dúo se ve sucedido por otro entre Pablo y Rosa donde el intento de manipulación emocional de la señorita y la actitud franca e ingenua del pastor vienen marcados por los sones populares gallegos fundidos con referencias vienesas. Continúa con un cuarteto entre Maruxa, Rosa, Rufo y Antonio, donde los personajes aparecen claramente marcados. La llegada de Maruxa se hace evocando la tonada, aunque cuando el cuarteto se materializa, sigue los modelos tradicionales italianos, con una hermosa melodía enunciada por la protagonista, "¡Ah! Comprenda mi queja", que viene a reflejar el candor y la inocencia de la pastora, frente al retorcimiento de Rosa. Con la llegada de Pablo, culmina la escena final del primer acto en un quinteto estructurado al modo italiano, quizá provisto de melodías menos interesantes que, en este caso, siguen giros melódicos gallegos.

Se abre el segundo acto con un preludio de aparente ambición que ha ayudado a popularizar la obra en el ámbito de las salas de conciertos. Federico Romero cuenta que Vives le señaló que, después del ensayo general, le había mostrado su incomodidad por el comienzo del segundo acto: "He advertido que flojea algo. Quiero hacerle un preludio para reforzarlo". En apenas una noche compuso el fragmento que se ensayó sobre la marcha. Las influencias tanto de Wagner como de Richard Strauss son evidentes. El preludio tiene varias secciones. Tras un comienzo vibrante, con resonancias heroicas, entonado por el metal, se da paso a un aire donde la referencia vuelve a ser folclórica sobre todo en lo que sostiene al cantabile que se transforma directamente en un *Allegro giusto*, de nuevo una tonada gallega, retoma el cantabile anterior, en este caso enfatizado por toda la orquesta, para cerrar el preludio con una vuelta a los sones heroicos del comienzo aunque más breves y cercenados por una especie de cadencia rota que da paso a unos acordes que culminan el fragmento. La primera escena de este segundo acto se abre con una breve romanza de corte sentimental donde Rufo acude a aires populares. Sigue una escena de mayor ambición musical. Vives se deja llevar por sus inagotables recursos melódicos en el tema entonado por Antonio, "Maruxa del alma no se como escribo", un momento de gran efusión lírica donde las múltiples influencias de la obra se hacen evidentes. La siguiente escena se transforma en un dúo femenino con un subrayado de Rufo que ejerce de contrapunto cómico. La escena quinta se abre con un aire de muñeira, en uno de los pasajes instrumentales más eficaces y mejor construidos por Vives a la que sucede un coro general y el consiguiente baile, definido sobre una muñeira que obtuvo una

gran popularidad desde su estreno, conociendo numerosos arreglos desde sexteto a banda sinfónica. El otro pasaje orquestal de relevancia de este acto se sucede con la tormenta, donde Vives de nuevo se siente influido, sobre todo, por el mundo germánico. Le sucede el coro con un tono entre nostálgico y sereno. La escena octava da pie al personaje de Pablo a una romanza donde, sorprendente, la influencia parece proceder de la tradición nórdica –la idea "Aquí n'este sitio, sitio" parece extraída de Grieg–, para luego transformarse al modo verista. Es el momento de mayor efusión y lucimiento del personaje principal y donde la línea melódica del compositor se impone con uno de sus mayores aciertos en la partitura. Se le une Maruxa y culmina en un dúo efusivo que culmina al final de la obra con la intervención de todos los personajes principales.

La crítica fue bastante unánime sobre la interpretación. Así Rafael Rotllán en *El Debate* afirmaba que "la labor de Luna ha debido ser penosísima tanto como inteligente, pero los laureles logrados anoche coronarán siempre su autorizadísima batuta". Sobre Ofelia Nieto el crítico celebraba que "cosechará muchos aplausos en la ópera a que piensa dedicarse. Aunque anoche pisaba las tablas por vez primera, no hay zozobra ni cortedad que empañe voz como la suya ni haga faltar escuela de canto como la que practica. Todos los registros son hermosos, pero el medio es de una sonoridad que hechiza" (Madrid, 29-V-1914). Tambien se celebró la labor de Emilia Iglesias afirmando que "tiene grandes condiciones de cantante; su arte y su voz la colocan en primer fila; fue aplaudida ruidosamente" (*La Época*, Madrid, 19-V-1914).

El impacto que causó en la opinión pública fue sorprendente. Apenas unos días más tarde se ofrecía un homenaje a Vives a cargo de la Asociación Española de Compositores, que contó con las personalidades más relevantes del momento y que fue presidida por el ministro de Instrucción Pública, José Bergamín, con representación de los ayuntamientos de Madrid y Barcelona. En la misma línea puede considerarse el testimonio de Francisco Viñas que, en carta al compositor, consideraba que "la impresión que me produjo fue inmensa. Y satisfacción íntima, profunda, por ser la obra espontáncamente gigantesca de un catalán que sin discursos ha construido un buen trozo del edificio 'Teatro Nacional'".

Fuentes manuscritas. La partitura (TL-1679) y los materiales de orquesta (4135) se conservan en el archivo de la SGAE en Madrid.

Ediciones de música. Canto y piano, Madrid, UME, 1914.

Ediciones del libreto. Madrid, SAE, 1914.

FONOGRAFÍA: RP: Victoria, 3012, 3018, 3010, 3015, 3011 y 3013.

D78rpm: Dir. Capdevila, Coros del Teatro del Liceo, Odeón 21, 22 XXS 6157, XXS 5860 y Odeón 129018XXS 5839, XXS 5901 • Sol. Marcos Redondo, Odeón 121187 XXS 4656, XXS

4658 • Dir. Rafael Ferrer, Orq. Sinfónica Española, Regal C 10197 CK 3730, CK 3731 • Sol. Inocencio Navarro, La Voz de su Amo, 1930 AA 57 • Orq. Sinfónica del Gramófono, La Voz de su Amo, 1930 AB 109 y La Voz de su Amo, 1930 F 271 • Sols. Luisa Vela, Emilio Sagi-Barba, La Voz de su Amo, 1930 AC 144, La Voz de su Amo, 1930 AD 32, La Voz de su Amo, 1930 AD 34 y La Voz de su Amo, 1930 AD 35 • Dir. Pascual Marquina, Banda de Ingenieros de Madrid, Gramófono W260316 (et. verde) S 19608, S 19609 CDM-DP 576 R 10.494 • Dir. Luis Foglietti, Sols. Rosario Leonís, Alfonso Meana, Gramófono A 138.242, A 138.243 (et. policolor con figura) SO 1253, SO 1256 CDM-DP 873 R 10.851 • Dir. Ricardo Villa, Banda Municipal de Madrid, 121.070 (et. marrón) XXS 5135, XXS 5136 CDM-DP 1025 R 11.050 y R 10.958

LP: Dir. Enrique García Asensio, Sols. Ana Riera, Vicente Sardinero, Montserrat Caballé, Pedro Lavirgen Víctor Narke, Rosa Mª Riba, Ramón Contreras, Orfeó Gracenc, Orq. Sinfónica de Barcelona, Columbia SA, ZCL 1052 (Zacosa) 63-64 [reed. en CD: Columbia-BMG España WD 71584 (9H) y Columbia-BMG Ariola-Salvat 1038/9-2]• Dir. Federico Moreno Torroba, Sols. Dolores Pérez, Luis Sagi-Vela, Chano Gonzalo, Josefina Cubeiro, Julio Julián, Coro Cantores de Madrid, Orq. Lírica Española, La voz de su Amo 2XKA - U 264-265 (EMI) 71-72 [reed. en CD: EMI 7 67452 2 (637.64946) y EMI (DS) 7243 5 74212 2 5 (637.02664)]• Dir. Ataúlfo Argenta, Sols. Toñi Rosado, Pilar Lorengar, Manuel Ausensi, Luis Corbella, Enrique de la Vara, Cantores de Madrid, Orq. Sinfónica de Madrid, Columbia SA C7568 79-80, Columbia SA OZ 14 (Alhambra) 86-87 y Columbia-Alhambra-BMG MCC 30003-4 y CCL 32076.

CD: Sols. Ofelia Nieto, Carlo Galeffi, Blue Moon BMCD 7530.
BIBLIOGRAFÍA: *OGCH*; J. Montero: "Relatos y recuerdos. Amadeo Vives", *El Día Gráfico*, Barcelona, 26-VII-1931; F. Hernández Girbal: *Amadeo Vives*, Madrid, Ed. Lira, 1971; A. Sagardía: *Amadeo Vives*, Madrid, 1971; S. Burguete: *Vives*, Madrid, Espasa Calpe, 1978; J. M. Lladó i Figueres: *Amadeu Vives (1871-1932)*, Barcelona, Biblioteca Serrador, 1988.

LUIS G. IBERNI

Masllovet Sanmiguel, José. Sabadell (Barcelona), 16-VIII-1879; Sabadell, 1946. Compositor y director. Realizó sus estudios con Nicolau y Vidiella a partir de 1896. Fundó en Sabadell el quinteto Eslava para el que escribió sus primeras composiciones y estrenó en esta misma ciudad en 1898 su primera obra para el teatro, un sainete de costumbres locales, *El ball del carrer del Sol*, lo que marcó su línea posterior de creación. En 1899 ingresó como maestro de coros en la compañía de zarzuela que actuaba en el teatro Euterpe de su ciudad y posteriormente se hizo cargo del teatro Campos donde se programaba zarzuela catalana. Allí estrenó *Marcela* en 1900, y posteriormente en el Olimpia de Barcelona *Currita la chalequera* y *Los filarmónicos*.

A comienzos de 1901 se instaló en Madrid asistiendo al período de declive del género chico que comenzaba entonces y contribuyendo a este género con obras de éxito, *La tuna de Alcalá*, *Milord* y *El chico de la portera*. En 1903 realizó un viaje a Filipinas llegando en Manila a organista de los padres Jesuitas y director musical del Ateneo y profesor de piano y composición, todo en organismos de la compañía. Se le nombró director de la orquesta Rizal y de la

José Masllovet (Foto: La Música Ilustrada, *1902; Ar. ICCMU)*

Sociedad Recreativa Apolo. Fundó el Orfeó Catalá de Manila. A finales de la década de 1910 regresó a Sabadell pero volvió a Manila dirigiendo una compañía de ópera y de zarzuela y haciéndose cargo de diversos teatros de esta ciudad, estrenando su drama lírico *El pirata*. De nuevo en Sabadell en 1913 fue nombrado director de la Banda Municipal, puesto en el que permaneció muchos años.

OBRAS: *Amores y millones*, Opt, 3 act, l, F. Masllovet / J. E. Morant, est, 20-X-1919, Te. Victoria (Barcelona), *E:Msa*; *Currita la chalequera*; *El ball del carrer del Sol*, 1 act, l, P. Griera; *El chico de la portera*, Jug cóm, 1 act, col. Rubio Laínez, l, A. Caamaño, est, 16-XI-1901, Te. Cómico, *E:Msa*; *La chiquilla*, Zarz, 1 act, col. Rubio Laínez, l, V. de la Vega, est, 13-VII-1901, Te. Pignatelli (Zaragoza), *E:Msa*; *La tuna de Alcalá*, Zarz, 1 act, col. Rubio Laínez, l, L. Boada /A. López, est, 19-XII-1903, Te. Cómico, *E:Msa*; *Los filarmónicos*; *Magda la toscana*, l, J. E. Morant, est, 24-XI-1942, Te. Cómico (Barcelona); *Marcela*, 1900; *Milord*, col. Rubio Laínez, *E: Msa*; *Tarjetas postales*.

BIBLIOGRAFÍA: *DMEH*; "José Masllovet Sanmiquel", *Boletín de la Asociación Nacional de Directores de Bandas de Música Civiles*, 15-III-1936, 17, 3-5.

EMILIO CASARES RODICIO

Mata Oreamuno, Julio. Cartago (Costa Rica), 9-XII-1899; San José, 4-III-1969. Compositor, intérprete y director. Comenzó sus estudios de música en su ciudad natal y posteriormente se formó en Nueva York. En 1932 regresó a Costa Rica y fue nombrado secretario e instructor de teoría y solfeo en la Banda de San José. Además de su actividad como intérprete de banda y director, fue profesor del Conservatorio Nacional, siendo miembro fundador del centro, así como de la Orquesta Sinfónica Nacional. Se marchó a Guatemala, donde fue invitado a dirigir la Orquesta Sinfónica de Guatemala, y también dirigió ocasionalmente la Orquesta Sinfónica Nacional de Costa Rica, dirigiendo sus propias obras. Fue una personalidad musical muy influyente en su país natal, donde ostentó importantes cargos. Sus catálogo, además de música de cámara y sinfónica, incluye algunas zarzuelas.

OBRAS: *Rosas de Norgaria*, Opt, 3 act, l, C. Orozco, 1937; *Toyupán*, Zarz, 3 act, l, J. Mata, 1938; *Aladino y la lámpara maravillosa*, Zarz, 1 act, l, M. Agurcia Membreño, 1951; *Fantasía de Navidad*, Zarz, 3 act, l, M. Agurcia Membreño, 1951.

BIBLIOGRAFÍA: *DMEH*; B. Flores: *La música en Costa Rica*, San José, Ed. Costa Rica, 1978; E. Cordero: *Julio Mata*, San José, Ministerio de Cultura, Juventud y Deportes, 1981.

EMILIO CASARES RODICIO

Mateos, Juan Antonio. México, 1831; México, 1913. Escritor y político. Realizó sus estudios profesionales en el Instituto Científico y Literario del Estado de México, en Toluca, donde ingresó en 1847. Allí fue discípulo de Ignacio Ramírez el Nigromante. Se instaló en la capital de la República en 1853 e ingresó en el Colegio de San Juan de Letrán donde se tituló en Derecho en 1857. Liberal destacado, participó en distintas batallas acontecidas en México durante el siglo XIX. Su destacada participación en la guerra le valió importantes puestos durante el porfiriato. Orador reconocido, fue periodista, poeta, autor teatral y novelista. Colaboró en los más importantes periódicos de su época. Se le atribuyen más de cincuenta obras teatrales, casi todas perdidas. Escritor popular en su tiempo, famoso por sus ideas anti religiosas, sus obras llegaron a los lugares más apartados de la República y gustaron por su carácter histórico.

La vocación teatral de Mateos le llevó a incursionar de manera esporádica en la zarzuela. Amigo cercano de notables libretistas como Alberto Michel y Eduardo Macedo, Mateos conoció bien el mundo de la zarzuela mexicana y ello le llevó a colaborar con algunos de los más importantes compositores mexicanos de zarzuela como Jordá, Arcaraz y Austri. En particular *La rifa zoológica* y *El sueño de un loco* le valieron éxitos notables.

BIBLIOGRAFÍA: *RTHM*; R. Miranda: "La zarzuela en México, Jardín de senderos que se bifurcan", *Cuadernos de Música Iberoamericana*, 2-3, Madrid, SGAE, 1996-97.

RICARDO MIRANDA / ROCÍO TERÁN

Mateos Santos, Gregorio. Madrid, 11-X-1859; Griñón (Madrid), 31-VIII-1910. Compositor. Entró a estudiar en 1872 en la Escuela Nacional de Música. Fue discípulo de Compta. Era tenor y formó una capilla de músicos para la celebración de actos religiosos. Fue además maestro de coro del teatro Real y notable organista. Este último puesto lo ejerció en la basílica de San Francisco el Grande de Madrid. Además de algunas obras religiosas, compuso varias zarzuelas de éxito.

OBRAS (Todas en E:Msa): *Tres tristes trogloditas*, trastada cóm lír, 1 act, col. H. Rodríguez, l, E. López Marín / E. Ayuso Miguel, est, 17-IV-1890, Te. Zarzuela; *La granadina*, Jug cóm, 1 act, l, R. M. Liern / A. Madán, est, 7-VII-1890, Te. Apolo; *Las manzanas del vecino*, cuento viejo en acción, 1 act, l, E. López Marín / E. Ayuso, est, 19-XI-1890, Te. Eslava; *Pizpireta*, Jug cóm, 1 act, l, R. M. Liern, est, 21-XI-1890, Te. Maiquez (Cartagena); *La víspera de San Pedro*, Sai, 1 act, l, E. López Marín, est, 30-V-1891, Te. Alhambra; *La boda del inspector*, 1 act, l, E. Navarro Gonzalvo, est, 30-XII-1891, Te. Eslava; *Guerra europea*, alegoría cóm política, 1 act, l, A. M. Segovia, est, 6-VIII-1892, Te. Jardines del Buen Retiro; *Madrid-Colón*, Hum cóm lír, 1 act, l, López Marín / A. Palomero / E. Montesinos,

est, 8-X-1892, Te. Alhambra; *El capitán Mefistófeles*, 1 act, l, L. Cocat / H. Criado, est, 29-IX-1894, Te. Apolo; *Charivari*, Rv cóm lír, l, F. Limendoux / E. López Marín, est, 7-IX-1896, Te. Romea; *El tío Pepe*, Jug cóm lír, 1 act, l, E. López Marín, est, 22-VI-1897, Te. Maravillas; *El mentidero*, Rv cóm lír, 1 act, l, G. Merino / E. López Marín, est, 1-XI-1898, Te. Eslava; *Fruta del tiempo*, apuntes, 1 act, col. Vives Roig, l, M. Piccido, est, 22-XI-1899, Te. Martín; *El cuerno de oro*, Zarz, 1 act, l, C. Navarro / G. Merino, est, 9-III-1900, Te. Romea; *El velorio*, 1 act, l, A. Luján, est, 14-IV-1900, Te. Romea; *La lucha por la existencia*, col. J. Valverde San Juan, l, J. Pérez / J. Díaz, est, 4-II-1891, Te. Eslava; *El caballo de Atila*, 1 act, l, E. Navarro; *La estudiantina*, Zarz, 3 act, l, E. Sierra, est, 4-I-1893, Te. Zarzuela; *Los maestros cantores*, col. S. Lope, l, C. Soler; *Madrid castillo famoso*, l, F. Limendoux; *Sueño de invierno*, col. A. Vives Roig, l, G. Merino Piccido.

BIBLIOGRAFÍA: *DMEH*.

EMILIO CASARES RODICIO

Matilla, Francisco. Madrid, 26-IV-1949. Barítono y director de escena. Alternó sus estudios en el Conservatorio de Madrid con los de Ciencias Económicas en la Universidad Complutense. Pasó a la Escuela Superior de Canto donde fue alumno de Lola Rodríguez Aragón, Miguel Zanetti, Félix Lavilla y Tito Capobianco. En 1971 debutó como Fígaro de *El barbero de Sevilla* y desde entonces ha sido incesante su actividad como cantante de

Francisco Matilla
(Foto: Ar. personal)

ópera, zarzuela, oratorio y concierto, participando en producciones junto a Montserrat Caballé, José Carreras, Alfredo Kraus, Plácido Domingo, y otros destacados intérpretes.

En 1979 debutó en el teatro de la Zarzuela con *La calesera* de Francisco Alonso. En el mismo teatro ha participado en el estreno de *El poeta* de Moreno Torroba y en el estreno en Madrid de *Mendi Mendiyan* de Usandizaga. Ha desarrollado una actividad paralela a la de intérprete como promotor y colaborador en la creación de espectáculos, giras y temporadas; en 1977 creó la Compañía de Ópera Estudio, primera compañía lírica de jóvenes creada en España, que tuvo un gran éxito en ese año y al siguiente. Miembro del grupo Euridice desde su fundación en 1979, ha trabajado para la difusión del género lírico español en más de quinientos conciertos por más de un centenar de ciudades de España, Estados Unidos, Rusia, China, Corea, Inglaterra, y otros países. En 1985 fundó junto a otros destacados profesionales la compañía Ópera Cómica de Madrid, con la que ha desarrollado una gran labor en el campo de la zarzuela y ha llevado más de una veintena de títulos a los escenarios españoles, incidiendo en la difusión con títulos tan poco habituales como *Las labradoras de Murcia* de Antonio Rodríguez de Hita que presentaron en 1988 en El Escorial dentro de los actos conmemorativos del Bicentenario de la muerte de Carlos III. El Consorcio "Madrid Capital Europea de la Cultura 1992" les encargó la temporada de Zarzuela del teatro de Madrid para el que hicieron *La revoltosa* de Chapí y *El bateo* de Chueca en programa doble, *Jugar con fuego* y *Robinson* de Barbieri y *Las foncarraleras* de Ventura Galván. En 1994, en el centenario de la muerte de Arrieta y Barbieri escribió junto a Luis Álvarez *Arrieta y Barbieri, una zarzuela en dos actos* estrenada en el teatro Palacio Valdés de Avilés. Con Ópera Cómica montó *El niño*, *El hombre es débil* y *Entre mi mujer y el negro*, englobados bajo el título de *Tres sainetes picarescos* de Barbieri que se estrenaron en el Círculo de Bellas Artes de Madrid. Especial interés para la difusión de la zarzuela tuvo el ciclo de conciertos ofrecido en el Ateneo de Madrid en 1995 donde se pudieron escuchar en concierto *El juramento* de Gaztambide, *El dominó azul* de Arrieta, *Entre mi mujer y el negro* y *De Getafe al paraíso* de Barbieri y *La sobresalienta* y *La venta de Don Quijote* de Chapí.

En el campo de la dirección escénica mantiene una actividad continuada desde 1987. Desde 1983 asesora artísticamente al teatro Arriaga de Bilbao en su programación lírica y desde 1987 es coordinador de la programación lírica del teatro Cervantes de Málaga. Desde 1997 es productor ejecutivo del Festival del Teatro Lírico Español de Asturias, además ese mismo año cantó en Oviedo *El rey que rabió*. La temporada de 1998 cantó en *El dúo de la Africana* y fue además el director escénico de ese montaje y el de *El barbero de Sevilla*, que se presentaban en la misma función. En 1999 se encargó de la dirección escénica de *Los gavilanes*, repetida al año siguiente, en el que realizó un aplaudido montaje de *El asombro de Damasco* de Pablo Luna. En 2001 ha realizado el montaje de *La bruja* de Chapí y *La fama del tartanero* de Guerrero. Ha dirigido *El Legado de Guerrero*, espectáculo que ha obtenido un gran éxito y en marzo de 2003 montó *Emigrantes* y *La señora capitana* de Barrera, ambas para inaugurar el teatro de Tomás Barrera de La Solana, Ciudad Real.

FONOGRAFÍA: *La Gran Vía*, RTVE-Música 65150; *La revoltosa*, RTVE-Música 65150.

Mª LUZ GONZÁLEZ PEÑA

Matrás, Blanca. Madrid?, 1876. Tiple. Debutó con quince años en Zaragoza como dama joven en la compañía de verso de Rafael de León, pasando después a la de Julián Romea, que la aconsejó dedicarse al género lírico, debutando con *Robinson* de Barbieri. Actuó en Canarias y a su regreso a Madrid perfeccionó sus estudios de canto con el maestro Lla-

nos. Ingresó en la compañía de Loreto Prado y posteriormente fue contratada por el teatro Apolo en el que actuó una temporada pasando a la compañía de Lino Ruiloa en la que actuó junto a Lucrecia Arana en Murcia, Cartagena y Barcelona, donde obtuvieron grandes éxitos en el teatro Eldorado. En Madrid estrenaron en el teatro Romea *La venida de Jesús o La estrella con rabo* de Álvarez y Chalons, 1893; *Siluetas madrileñas* de Álvarez y Chalons, y *Calma chicha* de Apolinar Brull, 1894; *La manía de Tomás* de Joa-

Blanca Matrás (Foto: El Arte de El Teatro, *1908; Ar. SGAE)*

quín Valverde y *Charivari*, revista de Gregorio Mateos, 1896. En el teatro Principal de Cádiz estrenó en 1897 *El embajador* de Salvador Viniegra. En el teatro Eldorado de Madrid *El ratón y el gato* de Eugenio Contreras, *La batalla de Tetuán* de Quinito Valverde, 1898, *El fin de Rocambole* de Quinito Valverde y Ramón Estellés, 1898. En el teatro Maravillas estrenó *Concurso Universal* de Quinito Valverde en 1899. Del mismo autor estrenó *El sueño de una noche de verano*.

Sus giras por España —trabajó poco en Madrid— duraron hasta 1903 en que fue contratada por el teatro Albisu de La Habana, en el que permaneció largo tiempo hasta que fue contratada para el teatro Doña Amelia de Lisboa junto a Amparo Taberner y Clotilde Rovira. A su vuelta a España trabajó en diversas localidades y de nuevo volvió a América, contratada por el teatro Principal de México, en el que actuó durante seis meses para volver a La Habana, a los teatros Payret y Albisu. Su nombre se hizo muy popular y el compositor Gustavo Campos la contrató para su compañía, siendo sus actuaciones en el Payret un verdadero acontecimiento en Cuba. Cantó también en Puerto Rico y Caracas. A su buena voz y sus dotes como actriz unía una ductilidad que le permitía encarnar los tipos más opuestos con el mismo éxito y así llevaba en su repertorio *Bohemios, Venus-salón, La revoltosa, La gatita blanca, La cuna, Caramelo, El pobre Valbuena, La viejecita, La trapera, La ola verde, El húsar de la guardia, Carceleras* y *El arte de ser bonita*.

BIBLIOGRAFÍA: *El Arte de el Teatro,* III, 46, 15-II-1908.

Mª LUZ GONZÁLEZ PEÑA

Mauri. Familia de músicos hispano-cubanos formada por José Manuel y sus hijos José y Manuel.

1. Mauri Capilla, José Manuel. España,?; La Habana?, siglo XIX. Empresario teatral y libretista. Se casó con la cantante aficionada Salvadora Esteve Martín con quien viajó en 1855 a La Habana para residir en esta ciudad. Posteriormente radicó durante algunos años en Lima, de donde regresó a Cuba para asentarse definitivamente. En 1868 escribió el libreto del juguete lírico *El merenguito* con música de Manuel Úbeda.

2. Mauri Esteve, José. Valencia (España), 12-II-1855; La Habana, 11-VII-1937. Compositor y director de orquesta. Comenzó sus estudios musicales en Perú, que continuó en la capital cubana tras su regreso en 1864. Con trece años, y considerado niño prodigio, actuó junto a su madre en el juguete cómico en un acto *El merenguito*, escrito por su padre, con música de Manuel Úbeda y estrenado en el teatro Albisu el 18 de agosto de 1868. Dos años después, ocupó un atril de los violines en el teatro Tacón, y ya en 1871 fue nombrado concertino del teatro Albisu, donde también desempeñó, un año más tarde, el cargo de maestro de coros y partes. A los dieciocho años comenzó como director de la orquesta del teatro Cervantes donde estrenó 23 zarzuelas y juguetes cómicos en un acto de su propia autoría. Fue, además, maestro director de una Compañía de Zarzuela que actuó en Bogotá en 1881. A partir de entonces, comenzó un intenso período de viajes a Europa y América, dándose a conocer como compositor y orquestador reconocido, fundamentalmente en Madrid, y como director de compañías de zarzuelas en Guatemala, Venezuela y Colombia. De regreso a La Habana en 1889 asumió la dirección de la Gran Compañía de Zarzuela y Ópera de la Empresa Palau, en el teatro Tacón, donde estrenó con gran éxito algunas de sus zarzuelas, entre las que destacan *Seguridad personal* y *El colono de Luisiana*. Desde 1891 y durante casi una década, desplegó nuevamente una temporada internacional, de nuevo como director de compañía lírica, en teatros de Puerto Rico, Nicaragua, Guatemala, El Salvador y México. En este último país, contratado por la empresa del teatro Abreu, recibió una de las mayores ovaciones y reconocimientos de la crítica, con la dirección musical de la puesta en escena de la ópera *Aida* de Verdi. Radicado definitivamente en Cuba, desde 1901 fue contratado por la empresa del teatro Albisu. No obstante, los cambios producidos en la nueva República neocolonial incidieron en la vida económica y cultural del país, relegando a este destacado músico a permanecer, desde entonces, alejado de los escenarios y de la gran ciudad. En 1917, sin embargo, en colaboración con su amigo y periodista Tomás Juliá, compuso la ópera *La esclava*, estrenada en 1921

en el teatro Nacional de La Habana. Creador de numerosas zarzuelas, fue considerado como un compositor hábil y conocedor del género, demostrando una gran maestría de la música escénica.

OBRAS: *El sombrero de Felipe II*, Zarz, 1 act, l, R. Espinosa de los Monteros, est, 1874, Te. Cervantes, *CU:HMNM* (Ed. A. López, 1913); *El barberillo de Jesús María*, Jug cóm, 1 act, l, J. Domínguez, est, 22-VIII-1877, Te. Cervantes; *Los efectos del can-can*, Zarz, 1 act, l, J. Ruiz, est, 1878, Te. Cervantes; *Los natales de Doña Chumba*, Zarz, 1 act, l, J. Ruiz, est, 1878, Te. Cervantes; *Escenas en un vagón*, Zarz, l, L. Olona, est, 1879, Te. Cervantes; *La mujer del día*, Zarz, 1 act, l, N. Gudel, est, 1879; *Virarse la tortilla*, Zarz, 1879; *De encargo*, Zarz, est, 1880; *De Washington al Louvre*, Zarz, 1 act, l, J. Perié, est, 1880, Te. Cervantes; *El amor libre*, Zarz, l, M. Díaz de Quijano, est, 1880, Te. Cervantes; *La ley del beso*, Zarz, est, 1880; *La malanga*, Zarz, 1 act, l, O. Díaz / R. Morales, est, 1880, Te. Torrecillas; *La Pilarica*, Zarz, est, 1880; *Coser en blanco*, Zarz, est, 1885; *Martes 13*, Zarz, l, S. Granés / C. Navarro, est, 1887, *CU:HMNM*; *Angelina*, Zarz, est, 1889; *Intrigas de un secretario*, Zarz, l, R. Cabrera, est, 25-VI-1889; *Lucrecia Borgia*, Zarz, est, 1889; *Pradera de San Isidro*, Zarz, est, 1890; *Seguridad personal*, Zarz, est, 1890; *La gaitera*, Zarz, 1 act, l, F. Eligio, est, 1902, Te. Alhambra, *CU:HMNM* (Ed. A. López); *Globos dirigibles*, Zarz, est, 1902, Te. Alhambra; *Antagonismos de empresarios*, Rv, 1 act; *Escenas en un vagón*, Zarz, 1 act; *La domadora*, Zarz; *La fiesta de San Isidro*, 1 act; *Lucas Gómez*, Zarz.

3. Mauri Esteve, Manuel. La Habana, 28-XII-1857; La Habana, 7-VI-1939. Compositor y director de orquesta. En 1877 comenzó su carrera como compositor de música escénica, estrenando pequeñas obras teatrales en el teatro Cervantes que alternaría con las de su hermano. Esta actividad la hizo extensiva hacia otros teatros de la capital como el Torrecillas e Irijoa, hasta 1883, año en que se inició como director concertador de orquesta, comenzando a actuar en el teatro Albisu, en la compañía de zarzuelas del género chico español del empresario Paco Gil. Desde 1884 hasta 1886 sustituyó a su hermano como director musical del teatro Cervantes, ocupando un año después las mismas funciones en el Albisu donde se mantuvo hasta 1891 en que, al frente de la compañía de zarzuelas de Jorge Romero, partió hacia México donde actuó en Veracruz, Jalapa, Puebla y en la capital azteca. A su regreso a La Habana, a fines de ese mismo año, volvió a ocuparse de la dirección de la orquesta del teatro Albisu, y en 1896, una vez disuelta aquella compañía, comenzó a trabajar en el Alhambra donde obtuvo resonantes éxitos. En septiembre de 1899 inició una breve temporada de óperas y zarzuelas en el teatro Payret, donde dirigió el estreno en Cuba de la ópera *La Dolores* de Bretón. Al regresar al Alhambra en 1900 se mantuvo durante casi tres lustros dirigiendo la orquesta y estrenando con gran aceptación sus propias obras. En 1911, durante varios meses, la compañía fue incorporada al teatro Payret, haciendo una gira por todo el país, siempre bajo su dirección musical. Pocos meses después volvió a incorporarse al Alhambra, hasta 1914 en que se retiró de éste definitivamente.

A lo largo de su trayectoria artística, realizó múltiples viajes de trabajo a México. Para el teatro compuso más de quinientos títulos, entre zarzuelas, revistas, comedias líricas y sainetes, de los cuales cerca de cien pertenecen a libretistas mexicanos, llevados a escena en aquella nación. Su revista cómico-lírica sobre asuntos cubanos, *Del parque a la luna*, compuesta en 1885 y estrenada el 3 de febrero de 1888 en el teatro Cervantes, ha sido señalada por algunos estudiosos como la primera obra del llamado género bufo donde se incluye una pieza de música cubana. La característica fundamental de su extensa producción teatral, se basa precisamente en la gran inclusión de géneros de la música popular nacional.

OBRAS: *Para dos primas, dos primos*, Zarz, 1 act, l, Escosura, est, 27-VII-1875, Te. Cervantes; *Por un capricho*, Zarz, 1 act, l, Bianchi, est, 1877, Te. Cervantes; *A la fuerza ahorcan*, Zarz, 1 act, l, D. N. Beltrán, est, 1882, Te. Cervantes; *Amor de encargo*, Zarz, 1 act, est, 1882, Te. Cervantes; *Secretos públicos*, Rv, 1 act, l, A. Clarens, est, 1883, Te. Torrecillas; *Del parque a la luna*, Rv cóm-lír, l act, l, R. Cabrera, 3-II-1888, Te. Cervantes; *Vapor Correo*, Zarz, l, R. Cabrera, est, 2-XI-1888, Te. Tacón; *Intrigas de un secretario*, Zarz, 1 act, l, R. Cabrera, est, 25-VI-1889, Te. Tacón; *Las cocinas económicas*, Zarz, 1 act, l, O. Díaz, est, IX-1896, Te. Alhambra; *La ninfa aérea*, Zarz, 1 act, l, Cascabel, est, X-1896, Te. Alhambra; *Por salvar la pelleja*, Jug cóm, 1 act, l, R. Morales, est, XI-1896, Te. Alhambra; *La cruz de San Fernando*, Zarz, 1 act, l, F. Villoch, est, 29-I-1897, Te. Alhambra; *En el cuarto del Sargento*, Zarz, l, R. Morales, est, 23-III-1897, Te. Alhambra; *Sangre y oro*, Zarz, 1 act, l, F. Villoch, est, IV-1897, Te. Alhambra; *¡Envainen sables!*, Zarz, l, C. Guardiola / R. García, est, 30-IV-1897, Te. Alhambra; *Caballería chulesca*, Zarz, 1 act, l, F. Villoch, est, 3-VI-1897, Te. Alhambra; *Regino ciclista*, Zarz, 1 act, l, F. Domínguez, est, VII-1897, Te. Alhambra; *Cuchí-Manía*, Zarz, 1 act, l, A. Clarens, est, 30-XI-1897, Te. Alhambra; *Gran encerrona*, Zarz, 1 act, l, F. Villoch, est, XII-1897, Te. Alhambra; *El año pasado*, Rv, l, F. Villoch, est, 31-XII-1897, Te. Alhambra; *Casa cuartel*, Apr cóm, 1 act, l, R. Morales, est, I-1898, Te. Alhambra; *Zaragoza*, Zarz, 1 act, l, F. Villoch, est, IV-1898, Te. Alhambra; *El bombardeo del mulo*, Jug cóm, 1 act, l, F. Villoch, est, 9-V-1898, Te. Alhambra; *Nemesio el bravucón*, Sai lír, 1 act, l, J. Robreño, est, 16-V-1898, Te. Lara; *Casarse con su hermano o Pepita y el soldado*, Zarz, l, J. Tamayo, est, 11-X-1898, Te. Alhambra; *Los baños de San Rafael*, Zarz, 1 act, l, J. R. Barreiro, est, 24-V-1899, Te. Lara; *Los centenes*, Zarz, 1 act, l, F. Villoch, est, 2-VI-1899, Te. Lara; *Un juramento en San Isidro*, Sai, 1 act, l, F. Villoch, est, 23-VI-1899, Te. Lara; *Pepia y el soldado*, Sai, 1 act, l, N. N., est, 15-IX-1899, Te. Lara; *La madre de los tomates*, Zarz cóm, 1 act, l, G. Robreño, est, 22-IX-1899, Te. Lara; *Huelga general*, Zarz, 1 act, l, Piloto, est, 6-X-1899, Te. Lara; *Tenorio, Mejía y comendador*, Zarz, 1 act, l, R. Morales, est, 22-X-1899, Te. Alhambra; *El ferrocarril central*, Rv, 1 act, l, F. Villoch, est, 21-XI-1899, Te. Lara; *El censo o Percances de un enumerador*, Jug-cóm, 1 act, l, G. y F. Robreño, est, 28-XI-1899; *El rapaz*, Zarz, 1 act, l, Rodríguez, est, 5-I-1900, Te. Lara; *El pecado original*, Zarz, 1 act, l, F. del Todo, est, 16-I-1900, Te. Lara; *La exposición de París*, Rv, 1 act, l, F. Villoch, est, 13-II-1900, Te. Lara, CU:HMNM; *The Cuban Dans*, Zarz Bu, 1 act, l, Saladrigas, est, 20-II-1900, Te. Lara; *M. y P. en el Transvaal*, Zarz, 1act, l, F. Villoch / G. Robreño, est, 6-III-1900, Te. Lara; *Cuba en París*, Rv, 1 act, l, R. del Monte, est, 16-IV-1900, Te. Lara; *Xuanón enamorado*, Zarz, 1 act, l, F. Villoch, est, 24-IV-1900, Te. Lara; *La marcha de Loló*, Apr, 1 act, l, G. y F. Robreño, est, 11-V-1900, Te. Lara; *Los Yankees en la luna*, Rv, l, F. Villoch, est, 18-VI-1900, Te. Lara; *Edén Concert*, Apr, l, F. Villoch, est, 10-

XI-1900, Te. Alhambra; *La herencia de Pepín (Club Astur)*, Zarz, 1 act, l, F. Villoch, est, 13-XI-1900, Te. Alhambra; *Los amores de Colás*, Zarz, 1 act, l, C. Sarzo, est, 23-XI-1900, Te. Alhambra; *La salerosa*, Zarz, 1 act, l, F. Villoch, est, 28-XI-1900, Te. Alhambra; *Para toreros Galicia*, Apr, l, F. Villoch, est, 4-XII-1900, Te. Alhambra; *Viaje de recreo*, Jug-cóm-lír, 1 act, l, O. Díaz, est, 13-XII-1900, Te. Alhambra; *El danzón de la bollera*, Zarz Bu, 1 act, l, V. Pardo, est, 21-XII-1900, Te. Alhambra; *Rojos y azules*, Zarz, 1 act, l, O. Díaz, est, 28-XII-1900, Te. Alhambra; *El santo de Resorte*, Zarz, 1 act, l, F. Villoch, est, 4-I-1901, Te. Alhambra; *El proceso del siglo XIX*, Rv, l, O. Díaz, est, 14-I-1901, Te. Alhambra; *El cinematógrafo parlante*, Jug-cóm-lír, 1 act, l, O. Díaz, est, 25-I-1901, Te. Alhambra; *Mamertoff*, Apr, 1 act, l, R. Gras, est, 5-II-1901, Te. Alhambra; *El velorio de Pachencho o TinTan te comiste un pan*, Zarz, 1 act, F. y G. Robreño, est, VII-1901, Te. Alhambra; *Fregolitripas*, Zarz, 1 act, l, A. Ramírez, est, 11-II-1902; *El aura blanca*, Zarz, 1 act, l, F. y G. Robreño, est, 9-IV-1902; *De la Habana a Santiago de Cuba o La llegada del Presidente*, l, F. Villoch, est, 18-IV-1902, Te. Alhambra; *A la luna de Valencia*, Zarz, 1 act, l, R. Meireles, est, 9-V-1902, Te. Alhambra; *El 20 de mayo*, Zarz, 1 act, l, O. Díaz, est, 15-V-1902, Te. Alhambra; *Artilleros y rurales*, Zarz, l, R. Meireles, est, 4-VII-1902, Te. Alhambra; *La rumba de los dioses*, Zarz Bu, l, F. Villoch, est, 24-VIII-1902, Te. Alhambra; *El viaje de papá*, 1 act, l, F. Villoch, est, 2-IX-1902, Te. Alhambra; *Los tres golpes*, Zarz, 1 act, l, A. Ramírez, est, 6-X-1902, Te. Alhambra; *El proceso de Regino*, Zarz, 1 act, l, R. Martínez, est, 29-XII-1902; *El año viejo en la corte*, Rv, 1 act, l, F. Villoch / G. y F. Robreño, est, 30-XII-1902, Te. Alhambra; *Pachencho capitalista*, Zarz, 1 act, F. y G. Robreño, est, 10-I-1903, Te. Alhambra; *Tribunal supremo*, Sai, l, O. Díaz, est, 1-V-1903, Te. Alhambra; *El cinturón eléctrico*, Zarz, 1 act, l, F. y G. Robreño, est, 2-VI-1903, Te. Alhambra; *En el paso de la madama o El bobo de la yuca*, Zarz, l, J. Robreño, est, 17-VII-1903; *Juan Jolgorio*, parodia, 1 act, col. J. Anckermann, l, G. Robreño, est, 28-X-1903; *Los impuestos*, l, F. Villoch, est, 10-XI-1903, Te. Alhambra; *Los lindos*, Sai, 1 act, l, F. Villoch, est, 1-XII-1903, Te. Alhambra; *La lotería*, Zarz, 1 act, l, O. Díaz, est, 15-XII-1903; *Las elecciones*, l, F. Villoch, est, 1903; *¡Pa que sude!*, Zarz, 1 act, l, F. Villoch, est, 1903, Te. Alhambra; *Almanaque de Alhambra*, Rv, 1 act, l, F. y G. Robreño, est, 7-I-1904, Te. Alhambra; *La destrucción de Pompeya*, Zarz, l, G. Robreño, est, 2-III-1904, Te. Alhambra; *Rusia y Japón*, Zarz, l, F. Villoch, est, 22-III-1904, Te. Alhambra; *El pago del ejército*, Zarz, l, F. Villoch, est, 19-IV-1904, Te. Alhambra; *Rojo y verde... y con punta*, Rv, l, F. y G. Robreño, est, 6-VII-1904, Te. Alhambra; *Pasto habanero*, Zarz, 1 act, l, A. del Pozo, est, 4-VIII-1904, Te. Alhambra; *La inundación de Oriente*, Zarz, 1 act, l, F. Villoch, est, 27-IX-1904, Te. Alhambra; *Alhambra en San Luis*, Rv, 1 act, l, F. Villoch, est, 25-VIII-1904, Te. Alhambra; *Salón realista*, Rv cóm-lír, 1 act, l, D. de Mario, est, 9-IX-1904, Te. Alhambra; *La reina del barrio*, Sai, 1 act, l, F. Villoch, est, 14-XI-1904, Te Alhambra; *El cochino mágico o La cena de Nochebuena*, Apr cóm-lír, 1 act, l, D. de Mario, est, 21-XII-1904, Te. Alhambra; *La Guabinita*, Com lír, 1 act, l, G. Robreño, est, 30-XII-1904, Te. Alambra, CU:HMNM; *Los guarapetas*, Sai, 1 act, l, D. de Mario, est, 12-I-1905, Te. Alhambra; *Balance del año*, Rv, l, F. y G. Robreño, est, 6-II-1905, Te. Alhambra; *Los saramagullones*, Zarz, 1 act, l, D. de Mario, est, 20-II-1905, Te. Alhambra; *Las carreras de automóviles y La batalla de flores*, disparate, 1 act, l, F. Villoch / G. Robreño, est, 8-III-1905, Te. Alhambra; *El Carnaval de Venecia*, Zarz, 1 act, l, F. Villoch, est, 27-III-1905, Te. Alhambra; *Viciópolis*, Rv fantástica, 1 act, l, D. de Mario / Rioma, est, 10-IV-1905, Te. Alhambra; *En la playa de vapor*, Sai, l, M. Saladriagas, est, 8-V-1905, Te. Alhambra; *La comparsa de los chinos*, Sai, 1 act, l, F. Villoch, est, 23-V-1905, Te. Alhambra; *La muñeca de recortes*, Zarz, 1 act, l, J. Robreño, est, 6-VII-1905, Te. Alhambra; *Las bomberas*, Zarz, D. de Mario, est, 26-VII-1905, Te. Alhambra; *El hombre dios*, Zarz, l, A. Ramírez, est, 8-VIII-1905, Te. Alhambra; *Batalla de tiples*, Opt, 1 act, l, F.

Villoch, est, 21-VIII-1905, Te. Alhambra; *Ni son todos los que están*, Zarz, l, L. Pérez / R. Morales, est, 19-IX-1905, Te. Alhambra; *Una noche de boda*, Zarz, l, F. Villoch, est, 24-X-1905, Te. Alhambra; *De Oriente a Occidente*, Zarz, l, D. de Mario, est, 7-XI-1905, Te. Alhambra; *El hijo de Don Gregorio*, Zarz, 1 act, l, J. Robreño, est, 16-XI-1905, Te. Alhambra; *Entre cubanos... o Antes de las elecciones*, Zarz, l, F. y G. Robreño, est, 28-XI-1905, Te. Alhambra; *Los calaverones*, Zarz, 1 act, l, F. Villoch, est, 26-XII-1905, Te. Alhambra; *Los casos de apendicitis*, Zarz, 1 act, l, Valio / Ener / D. de Mario, est, 1905, Te. Alhambra; *El terror de los campos*, Zarz, l, F. Villoch, est, 9-I-1906, Te. Alhambra; *Testamento nacional*, Zarz, l, D. de Mario, est, 6-III-1906, Te. Alhambra; *Noche de carnaval*, Sai, l, F. Villoch, est, 12-III-1906; *Escenas del arroyo*, Sai callejero, l, O. Díaz, est, 22-III-1906, Te. Alambra; *El triunfo de la rumba*, Rv, l, F. Villoch, est, 29-III-1906, Te. Alhambra; *Los 15 oro de marras*, Zarz, l, D. de Marco, est, 6-IV-1906, Te. Alhambra; *El parque de Palatino*, Zarz, l, O. Díaz, est, 19-IV-1906, Te. Alhambra; *¡Está vivo!*, Rv, l, F. Villoch, est, 26-IV-1906, Te. Alhambra; *Los efectos de la peonía*, Zarz, l, F. Villoch / R. Morales, est, 16-V-1906, Te. Alhambra; *El mando de mi mujer*, Zarz, l, F. Villoch, 12-VI-1906, Te. Alhambra; *Carne fresca*, Zarz, l, F. Villoch, est, 20-VIII-1906, Te. Alhambra; *De que los hay... los hay*, Zarz, l, F. Villoch, est, 19-X-1906; *Sin pies ni cabeza*, Zarz, l, J. Robreño, est, 16-XI-1906, Te. Alhambra; *Lo que cuesta ser tenorio*, Zarz, l, F. Villoch, 6-XII-1906, Te. Alhambra; *El ciclón*, Zarz, 1 act, F. y G. Robreño, est, 1906, Te. Alhambra; *Enseñar al que no sabe*, Zarz, l, F. Villoch, est, 1906; *La casa de Madama*, l, O. Díaz, est, 1906; *Sin pantalones*, Zarz, l, R. Martínez, est, 1906; *El último ensayo*, Zarz, 1 act, l, D. de Mario, est, 23-I-1907, Te. Alhambra; *El comprador de botellas*, Zarz, 1 act, l, D. de Mario, est, 8-II-1907, Te. Alhambra; *Dos a la vez*, Zarz, l, F. Villoch, est, 13-II-1907, Te. Alhambra; *Un marido que no lo es*, l, F. Villoch, est, 28-II-1907, Te. Alhambra; *Yo comí flores, Adela*, Sai, l, F. Villoch, est, 9-IV-1907, Te. Alhambra; *Cornelio Manso*, Zarz cóm, 1 act, l, F. Villoch, est, 27-V-1907; *¿De quién será?*, Zarz, 1 act, l, M. de Luis y Pla, est, 10-VI-1907, Te. Alhambra; *La rumba de los casados*, Zarz, 1 act, l, M. de Luis y Pla, est, 20-VI-1907, Te. Alhambra; *¡A doblar el lomo, salaos!*, Zarz Bu, est, 14-I-1907, Te. Alhambra; *Un hombre armado*, Zarz, l, J. León / E. Morales, est, 24-VII-1907, Te. Alhambra; *La india palmista*, Zarz cóm, l, M. de Luis y Pla, est, 31-VII-1907, Te. Alhambra; *El triunfo del obrero*, Sai cóm-lír, l, M. de Luis y Pla, est, 7-VIII-1907, Te. Alhambra; *Tipos de guaricandilla*, Zarz, 1 act, l, L. Guerrero, est, 22-VIII-1907, Te. Alhambra; *Los amigos de Benito*, Zarz, l, F. Villoch, est, 11-IX-1907, Te. Alhambra; *La mulata de la bulla*, l, A. del Pozo, est, 17-IX-1907, Te. Alhambra; *Tres mujeres para un marido*, l, F. Villoch, est, 21-X-1907, Te. Alhambra; *Un gallego en la gran China*, Zarz, l, L. Pérez, est, 31-X-1907, Te. Alhambra; *La minina*, Zarz, 1 act, l, M. de Luis y Pla, est, 11-XI-1907, Te. Alhambra; *La mosquita muerta*, Zarz, 1 act, l, F. Villoch, est, 20-XI-1907, Te. Alhambra; *En tierra desconocida o El Rey de la rumba*, viaje cóm, 1 act, l, M. de Luis y Pla, est, 28-XI-1907; *El año que se fue*, Rv, l, G. Robreño, est, 24-I-1908, Te. Alhambra; *La princesa Berenice*, Hum cóm-lír, l, León Pérez, est, 9-III-1908, Te. Alhambra; *Las píldoras del amor*, Zarz, l, F. Villoch, 7-I-1908; *El elefante blanco*, Zarz, 1 act, l, J. Robreño, est, 27-III-1908, Te. Alhambra; *La intervención*, Zarz, l, L. Delmonte, est, 3-IV-1908, Te. Alhambra; *Los festejos invernales*, Rv, 1 act, l, F. Villoch, est, 20-IV-1908, Te. Alhambra; *La exposición de horticultura*, Zarz, 1 act, l, G. Robreño, est, 5-V-1908, Te. Alhambra; *El que rompe paga*, aventura cóm-lír, 1 act, l, L. Pérez, est, 12-V-1908, Te. Alhambra; *¡A leche entera!*, Zarz cóm, l, F. Villoch, est, 3-VI-1908, Te. Alhambra; *La Nautilus en La Habana*, Apr, l, O. Díaz, est, 29-VI-1908, Te. Alhambra; *El marido de todas las mujeres*, Zarz, 1 act, l, G. Robreño, est, 12-VI-1908, Te. Alhambra; *La bella Pepita*, Sai lír, 1 act, l, F. Villoch, est, 13-VII-1908, Te. Alhambra; *Un gallego en el Olimpo*, disparate cóm-lír, 1 act, l, L. Pérez, est, 20-VII-1908; *El harem de Armando*, Zarz, l, M. de Luis y Pla,

est, 24-VII-1908, Te. Alhambra; *Cocinero y secretario*, Zarz, l, J. de J. Rivero, est, 7-VIII-1908, Te. Alhambra; *Las bodas de Mimí*, Zarz, l, A. del Real y Luis, est, Zarz, 1 act, l, G. Robreño, est, 14-VIII-1908, Te. Alhambra; *Cinematógrafo cubano*, Rv, l, F. Villoch, est, 19-VIII-1908, Te. Alhambra; *La carne gorda*, Zarz, 1 act, l, J. Robreño / F. Villoch, est, 14-IX-1908, Te. Alhambra; *Jugar a los escondidos*, Jug cóm-lír, l, M. de Luis y Pla, est, 24-IX-1908, Te. Alhambra; *Noche feliz*, Sai, l, J. J. / C. Sarza, est, 2-X-1908, Te. Alhambra; *Ni gorda ni flaca*, l, L. Pérez, est, 13-X-1908, Te. Alhambra; *El amor en automóvil*, Zarz, l, M. de Luis / J. de Jota / A. del Real, est, 2-XI-1908, Te. Alhambra; *Los viejos sicalípticos*, Hum lír, l, L. Pérez, est, 12-XI-1908, Te. Alhambra; *La dicha de un asturiano*, Zarz, l, M. de Luis / J. de Pola, est, 9-XII-1908, Te. Alhambra; *El gallo y el arado*, Rv cóm-lír, 1 act, l, F. Villoch, est, 21-XII-1908, Te. Alhambra; *La muerte chiquita*, Jug cóm-lír, l, F. del Río, est, 1908; *Me hace falta un hombre*, Jug cóm-lír, l, R. Morales, est, 1908; *Bodeguero y guayabito*, Sai cóm-lír, l, E. Álvarez del Real, est, 14-I-1909, Te. Alhambra; *La tía de Periquín*, Zarz, 1 act, l, J. Robreño, est, 22-I-1909, Te. Alhambra; *La gran hembra*, Hum cóm-lír, l, M. de Luis, est, 3-II-1909, Te. Alhambra; *Las tres monjas*, l, F. Villoch, est, 15-II-1909, Te. Alhambra; *Hotel para señoras solas*, Zarz, 1 act, l, J. Robreño, est, 1-III-1909, Te. Alhambra; *La pelota de un alcalde*, Hum lír, l, L. Pérez, est, 13-III-1909, Te. Alhambra; *El Rey del Carnaval*, Zarz, l, F. Villoch, est, 22-III-1909, Te. Alhambra; *El nuevo gobierno*, Sai cóm-lír, l, M. de Luis, est, 31-III-1909, Te. Alhambra; *Bañarse en seco*, Zarz, est, 12-IV-1909, Te. Alhambra; *Un administrador en campaña*, Zarz, l, M. de Luis, est, 14-V-1909; *Matinée con regalos para caballeros*, Zarz, l, F. Villoch, est, 27-V-1909, Te. Alhambra; *El movimiento continuo*, Zarz, 1 act, l, M. Más, est, 8-VI-1909, Te. Alhambra; *Huyéndole a la manteca*, Sai lír, l, M. de Luis, est, 29-VI-1909, Te. Alhambra; *Películas callejeras*, Zarz, est, 6-VII-1909, Te. Alhambra; *La Habana en el infierno*, Zarz, l, F. Villoch, est, 14-VII-1909, Te. Alhambra; *La isla del desnudo*, Zarz, l, F. Villoch, est, 23-VII-1909, Te. Alhambra; *Lo que ella diga*, Zarz, l, est, 30-VII-1909, Te. Alhambra; *Maximin en Marruecos*, Zarz, l, J. Robreño, est, 17-VIII-1909, Te. Alhambra; *La vuelta de Regino*, Rv cóm-lír, l, R. Conte, est, 27-VIII-1909, Te. Alhambra; *Sodoma y Gomorra*, sátira Bu, 1 act, l, F. Villoch, est, 13-IX-1909, Te. Alhambra; *Los diablos verdes*, Zarz, l, J. de J. y Palomera, est, 24-IX-1909, Te. Alhambra; *La familia Mela*, Zarz, l, Vila y López, est, 5-X-1909, Te. Alhambra; *La crisantema en el polo*, Zarz, 1 act, l, F. Villoch, est, 13-X-1909, Te. Alhambra; *No hay billetes*, Sai cóm-lír, 1 act, l, M. de Luis / M. Más, est, 22-X-1909, Te. Alhambra; *Detroit en La Habana o El triunfo del Almendares*, Zarz, 1 act, l, M. Más, est, 2-XII-1909, Te. Alhambra; *El viudo alegre*, Opt (parodia), 1 act, l, F. Villoch, est, 16-XII-1909, Te. Alhambra; *Don Jaime el coquistador*, Zarz, 1 act, l, Alpízar, est, 1909; *El papel de Navidad*, Apr, 1 act, l, M. Sorondo, est, 4-I-1910, Te. Alhambra; *Un pintor sicalíptico*, Jug cóm, l, F. Villoch, est, 12-I-1910, Te. Alhambra; *La venganza de Toribio*, Sai, 1 act, l, M. Sorondo, est, 24-I-1910, Te. Alhambra; *Venus Pilar*, Zarz, l, M. Sorondo, est, 17-II-1910, Te. Alhambra; *Zizi*, Zarz, l, F. Villoch, est, 9-III-1910, Te. Alhambra; *Un error policiaco*, Sai, l, M. Sorondo, est, 14-III-1910, Te. Alhambra; *El terror del barrio*, Sai, l, M. Sorondo, est, 28-III-1910, Te. Alhambra; *La dama del antifaz*, Zarz, l, M. de Luis / A. Bazi, est, 5-IV-1910, Te. Alhambra; *Regino en el convento*, Zarz, l, F. Villoch, est, 13-IV-1910, Te. Alhambra, *CU:HMNM* (Ed. *Por amarte*); *Los apuros de Pepón*, Zarz, l, J. Robreño, est, 21-IV-1910, Te. Alhambra; *Los efectos del cometa o El fin del mundo*, Apr cóm-lír, l, F. Villoch, est, 2-V-1910, Te. Alhambra; *La reapertura de Alhambra*, Apr, 1 act, l, M. Mauri, est, 29-VI-1910, Te. Alhambra; *La bomba del tío Samuel*, Zarz, l, M. Delmonte, est, 21-VII-1910, Te. Alhambra; *El hijo del alcalde*, Zarz, est, 28-VII-1910, Te. Alhambra; *Las desventuras de Liborio*, Zarz, l, F. Villoch, est, 17-VIII-1910, Te. Alhambra, *CU:HMNM*; *Gloria o La reina de la Canela*, Sai cóm-lír barriotero, 1 act, l, M. de Luis / M. Mas, est, 8-IX-1910, Te. Alhambra, *CU:HMNM*; *El Conde de Mipuchundo*, Zarz, l, R. Delmonte, est, 29-VIII-1910, Te. Alhambra; *Un viaje en aeroplano o La isla de Bo-Chin-Che*, Zarz, l, J. Robreño, est, 1-XI-1910, Te. Alhambra; *La Habana en caricatura*, Rv, 1 act, l, Hnos. Ardois, est, 3-XI-1910, Te. Alhambra; *La gran conquista*, Zarz, l, M. Mas, est, 9-XI-1910, Te. Alhambra; *La venta de ento o El negocio del canal*, Zarz, l, F. Villoch, est, 21-IX-1910, Te. Alhambra; *La pesadilla del permanente*, Zarz, 1 act, l, M. M. Sorondo, est, 30-IX-1910, Te. Alhambra; *Víctima de la política o Un cadáver vivo*, Zarz, l, R. Delmonte / B. Sánchez Maldonado, est, 11-X-1910, Te. Molino Rojo; *Médico de señoras*, Zarz, l, F. Villoch, est, 24-X-1910; *El centenario de Cuba*, Fant cóm-lír, 1 act, l, F. Villoch, est, 8-XII-1910, Te. Alhambra; *A la Habana me voy*, Zarz, 1 act, l, J. A. Ramos, est, 23-XII-1910, Te. Alhambra; *Aviación*, Jug cóm, 1 act, l, J. Samora / C. Ximénez, est, 10-I-1911, Te. Alhambra; *La Chelito del solar*, Sai, 1 act, l, M. Sorondo, est, 19-I-1911, Te. Alhambra; *Los apuros de un organillero*, Jug cóm-lír, l, Palomera, est, 27-I-1911, Te. Alhambra; *Regino aviador*, Apr, 1 act, l, F. Villoch, est, 10-II-1911, Te. Alhambra; *El 606*, Apr cóm-lír, l, M. de Luis y G. Rodríguez, est, 17-II-1911, Te. Alhambra; *La exposición nacional*, Rv, 1 act, l, E. Álvarez del Real / M. Más, est, 28-II-1911, Te. Alhambra; *Los amores del arroyo*, Sai cóm-lír barriotero, 1 act, l, M. de Luis / G. Rodríguez, est, 9-III-1911, Te. Alhambra; *La casa de los fantasmas*, Sai, 1 act, l, N.N., est, 17-III-1911, Te. Alhambra; *El divorcio en la India*, Opt, 1 act, l, F. Villoch, est, 4-IV-1911, Te. Alhambra, *CU:HMNM*; El *padre Prior*, disparate cóm-lír, 1 act, l, E. Álvarez del Real / M. Mas, est, 25-IV-1911, Te. Alhambra; *La Revolución de México*, Zarz, 1 act, l, F. Villoch, est, 29-V-1911, Te. Alhambra; *Amor gallego*, Sai, l, Hnos. Ardois, est, 2-VI-1911, Te. Alhambra; *Modus vivendi*, Sai cóm-lír, 1 act, l, M. Más / E. Álvarez del Real, est, 15-VI-1911, Te. Alhambra; *Maniobras militares*, Zarz, l, F. Villoch, est, 23-VI-1911, Te. Alhambra; *La Ley Corona*, Apr, 1 act, l, Corona, est, 19-VII-1911, Te. Alhambra; *Las hijas de Elena*, Zarz, 1 act, l, M. de Luis, est, 26-VII-1911; *La ataquia del Maine*, Apr cóm-lír, 1 act, l, F. Villoch, est, 3-X-1911, Te. Alhambra; *Solís, Alvarez y Cñía.*, Zarz, 1 act, l, F. Villoch, est, 13-X-1911, Te. Alhambra; *El Hai-Chi*, Sai Apr cóm-lír, 1 act, l, E. Álvarez del Real / M. Mas, est, 20-X-1911, Te. Alhambra; *El Tenorio gallego*, Zarz, l act, l, G. Rodríguez, est, 24-XI-1911, Te. Alhambra; *El triunfo feminista*, Zarz, 1 act, col. J. Anckermann, l, M. Sorondo, est, 26-XII-1911, Te. Alhambra; *El de Bainoa*, Zarz, l, L. Delmonte, 1911; *La barra maravillosa*, Zarz, 1 act, est, 2-I-1912, Te. Alhambra; *El debut de Constantino*, Apr, 1 act, l, F. y G. Robreño, est, 24-IV-1912, Te. Alhambra; *A campaña o Todo por la patria*, Zarz, 1 act, l, R. Delmonte, est, 17-VI-1912; *El block feminil*, Zarz, 1 act, l, H. Galindo, est, 20-VII-1912, México; *Apuntes al lápiz*, Rv, 1 act, l, Baeza / Andrade / Armas, est, 3-VIII-1912, México; *Vírgenes a medias*, Zarz, 1 act, l, Romero / H. Chávez, est, 9-XI-1912, México; *Las cosquillas*, Jug, 1 act, l, B. Pérez, est, 16-XI-1912, México; *Soñar con la gloria*, Zarz, 1 act, l, S. Acebal, est, 16-VII-1913, Te. Alhambra; *Dale candela como al macao*, Jug, 1 act, est, 16-IX-1913, Te. Alhambra; *Acebal Torero*, Zarz Bu, 1 act, l, F. del Todo, est, 8-X-1913, Te. Alhambra; *El país de verano*, Rv, 1 act, l, R. Romero / H. Chávez, est 28-III-1914; *Almoneda Nacional*, Rv, 1 act, l, R. Romero / Careaga / Chávez, est, 4-VII-1914, México; *¡Qué amigos tienes, Cardoso!*, Vo, l, R. Romero / Careaga, est, 31-X-1914, México; *La mansión de los grifos*, Rv, 1 act, l, R. Romero / Careaga, est, 14-XI-1914; *Pepa y Pepita*, Jug, 1 act, l, A. Bochinchos, est, 8-XII-1914, México; *El año rojo*, Rv, l, R. Romero / O. Careaga, est, 31-XII-1914; *Las delicias de la playa*, Zarz, col. J. Anckermann, l, F. Villoch, est, 1921, Te. Alhambra; *El premio gordo*, Zarz, l, M. Sorondo, est, 30-VI-1922, Te. Actualidades; *Aventuras de Florimbó o Un viaje por el norte*, Zarz, 2 act, l, F. Villoch, est, Te. Alhambra; *Don Tancredo en La Habana*, Zarz, 2 act, l, F. y G. Robreño, est, Te. Alhambra; *Ejército permanente*, Zarz; *El billete de navidad*, Zarz, *CU:HMNM*; *Kokorokó de Kitiklá*, 1 act, l, L. Escribá, est, Te. Alambra, *CU:HMNM*; *Un viaje a la luna*, Zarz, 2 act, *CU:HMNM*;

A la Habana me voy; *Chichi Póo al combate corred*; *Chungo*; *El dedo de la experiencia*, l, Z. M. Romo, est, México; *El gordo en la mano*, est, México; *El muerto vivo*; *El sombrero de plumas*; *El triunfo de Regino*; *El viaje del Presidente*; *Hombre de empuje*, est, México; *La púdica Lola*, est, México; *Las carreras de autos*; *Las Pilmanas*, est, México; *Maridos y mujeres cayeron en la trampa*, est, México; *Mosaicos*; *Padre de ocasión*, est, México; *Soñar en la gloria*; *Un viaje al sol*, est, México; *Zaza*.

BIBLIOGRAFÍA: *LVB*; M. A. Henríquez: "José Mauri: boceto de una biografía", *Boletín Música Casa de las Américas*, La Habana, III / IV-1974.

CLARA DÍAZ PÉREZ

Mauri Martínez, Salvador. Madrid, 15-X-1895; 25-VII-1974. Compositor y letrista. Es autor de letra y música de *El bazar encantado* y *Córdoba la sultana*, en la que colaboró en el libreto Antonio Prada Notario. Como libretista escribió para Enrique Bru y Cayo Vela Marqueta el sainete lírico *La perla del barrio*; para Guillermo Cases Casañ *Las esmeraldas de Buda*, en colaboración con Sixto Cantabrana y Manuel Moras, y *Rosas de España*; con música de Ramón de Julián López, *El diablo persa*; para Luis Barta Galé y Bernardino Bautista Monterde escribió *Los de mi pueblo*. Es autor además de cientos de canciones en las que escribió tanto la letra como la música.

Mª LUZ GONZÁLEZ PEÑA

Mayendía, Consuelo. Valencia, 1889; ?. Tiple. Debutó a los quince años en el Apolo de Valencia, habiendo concluido con varios premios las carreras de canto y piano. Poseía excelente voz, mucha más de la que se acostumbraba a exigir en el género chico, preparación musical, gracia, picaresca, desenfado y belleza. Estrenó en 1905 en Valencia *Moros y cristianos* de Serrano, obra que obtuvo en esta ocasión éxito mucho mayor que al estrenarse en la Zarzuela, teatro en el que estrenó *Ideicas* de Barrera. Se trasladó después a Madrid, donde triunfó en el Apolo madrileño y comenzó a trabajar en el teatro de la Zarzuela, siendo muy apreciadas sus cualidades de actriz. Interpretó *Bohemios* de Amadeo Vives, superando absolu-

Consuelo Mayendía (Foto: Ar. SGAE)

tamente la interpretación de la también valenciana Amparo Taberner y alcanzando con esta obra el puesto de primera tiple. Estrenó obras como *El puñao de rosas* de Chapí, 1902; *El club de las solteras* de Pablo Luna, 1909; *La reina Mimí* y *Juegos malabares* de Vives, 1910, logrando un gran triunfo con la "Canción del pajarito" y *El trust de los tenorios*, estrenada en las Navidades de 1910 junto a Salvador Videgaín. Cultivó también el cuplé, pero fue principalmente intérprete de zarzuela y de género chico. Podía ser tiple cómica o soprano, según las demandas de la obra y cantaba tanto opereta como sainete. La prensa de 1911 se hacía eco de su próximo matrimonio con el tenor cómico Cristóbal Sánchez del Pino, anunciando que el 27 de enero de 1911 ofrecía en Apolo su última función de soltera. Tras su matrimonio se embarcó para América con su marido, donde tenían un contrato de seis meses pasados los cuales volvió al Apolo. En 1914 estrenó *Zhinta*, que el día del estreno transcurrió sin pena ni gloria en atención a Emilia Iglesias, para cuyo beneficio se realizaba el estreno, pero en las funciones siguientes el público comenzó a protestar de modo que el tercer día Consuelo Mayendía abandonó llorando el escenario entre las monedas de cobre que los espectadores lanzaban. Formó parte de las compañías de Riquelme y Moncayo e hizo giras por América con la compañía Velasco y obtuvo un gran triunfo en México en 1920. Al fallecer su marido, Consuelo se retiró a un convento. *Véase* SÁNCHEZ DEL PINO, CRISTÓBAL.

FONOGRAFÍA: *El señor Pandolfo*, Gramófono w 264359 w 263508 (et. verde), s19592u, s19593u, s19654u, s19594u; *Juegos malabares*, La Voz de su Amo 0264002 (et. verde), 67 y 68; *La alegría de la huerta*, Gramophone 261000-264111 (et. verde), 881y; *La alegría del batallón*, Gramófono GC 2-62100 GC 63765 (et. negra), 920y 1005y; *La marcha de Cádiz*, Gramófono 63768-64323 (et. negra), 822, 772; *La montería*, 139.590, 139.591 (et. azul y negra), SO 2866 SO 2867; *Las carceleras*, Gramófono 63768-64323 (et. negra), 822, 772; *Serafín el pinturero*, 100.627 (et. azul).

BIBLIOGRAFÍA: *ME*; *TA*; E. C.: "Triunfos personales: La Mayendía en Bohemios", *El Arte de El Teatro*, 30, Madrid, 15-VI-1907; Floridor: "Consuelo Mayendía", *El Teatro*, I, 7, Madrid, 28-XI-1909; *Nuevo Mundo*, 863, 21-VII-1910; *La Correspondencia de España*, Madrid, 27-I-1911; J. Alfaro López: *Madrid. Primera década del siglo XX (1901-1910)*, Madrid, Ed. Magisterio Español, 1979; J. López Ruiz: *Historia del teatro Apolo y de La verbena de la Paloma*, Madrid, Avapiés, 1994.

Mª LUZ GONZÁLEZ PEÑA

Mayral, Ricardo. Barcelona, 8-V-1907; 25-XII-1975. Tenor. Hijo del cantante Mariano Mayral, que estrenó *Parsifal* en el teatro del Liceo, inició su formación en la Escolanía Belén con Juan B. Lambert; posteriormente estudió canto en el Conservatorio del Liceo. En 1931 decidió dedicarse a la zarzuela y consiguió un gran triunfo con *Los gavilanes*. Inmediatamente fue contratado para el teatro Lírico Nacional por la república. Creció su fama con la

Ricardo Mayral
(Foto: E:Bit)

obra de Vives *Balada de carnaval* y con el estreno de *Don Gil de Alcalá* de Penella, 1932. En los mejores años de su vida artística perteneció a las compañías de Marcos Redondo y Pablo Gorgé. En su repertorio figuraban entre otras, *La generala, El hermano lobo, Luisa Fernanda* y *La tabernera del puerto*. Con ellas recorrió España y América y también formó compañía propia con la que cantaba operetas.

FONOGRAFÍA: *El caballero del amor*, Blue Moon BMCD 7517; *Los gavilanes*, La Voz de su Amo DA 4227 a DA 4230, OJ 854 a OJ 856, OJ 858 a OJ 862 • Blue Moon BMCD 7504.

Mª LUZ GONZÁLEZ PEÑA

Mazurka [mazurca]. Danza originaria de Polonia escrita en 3/4 en movimiento moderado o allegro, más lento que el vals, en la que predomina el esquema rítmico corchea con puntillo, semicorchea, negra, negra, corchea con puntillo, semicorchea, negra. Si bien la danza ya era conocida a fines del Renacimiento, escribiéndose con frecuencia en el Barroco sobre bajos ostinatos, la mazurka que se emplea en la zarzuela española de los siglos XIX y XX toma como referencia la estilización de la obra debida a Chopin. A mediados del XIX, la mazurka es considerada una más de las danzas de salón populares y, por tanto, susceptibles de ser incluidas dentro del repertorio lírico. A partir del desarrollo del teatro musical por horas, la mazurka, junto al schottisch y otras danzas de origen foráneo, pasó a ser considerada parte integrante del folclore urbano español, dando lugar, en palabras de Barce, "a un curioso fenómeno de folclore urbano que ha llegado a ser distintivo del Madrid castizo". Así, la mazurka, fácil de reconocer e identificar por su ritmo, forma parte de las suites de danza frecuentes en muchos sainetes líricos y revistas. Algunos ejemplos significativos son las mazurkas que aparecen en obras de Fernández Caballero como *Los sobrinos del capitán Grant, La revista, El dúo de la Africana, El cabo primero, La rueda de la fortuna* o *Este mundo es un fandango, La viejecita* y *El señor Joaquín*. En el sainete de Barbieri y Chueca *¡Hoy sale, hoy…!*; en obras de Chapí como *¡Ya pican, ya pican!, El rey que rabió, La cara de Dios* y *La polka de los pájaros*; de Chueca –algunas en colaboración con Valverde– como *¡A los toros!, Fiesta nacional, La Gran Vía, El año pasado por agua, La caza del oso* o *El tendero de comestibles, Los descamisados, Agua, azucarillos y aguar-*

diente, *Los arrastraos*, *La alegría de la huerta* y *La borracha*; la obra cumbre de Bretón, *La verbena de la Paloma*; *Amores nacionales* y *El cornetilla* de Marqués. En la transición del siglo XIX al XX la mazurka permanecía de moda, apareciendo en numerosas obras líricas de Valverde Sanjuán, Calleja, Estellés, Saco del Valle y otros autores. En la zarzuela del siglo XX se siguió utilizando con frecuencia; obras como *El coco* o *La luz verde* de Vives, *El último romántico* de Soutullo y Vert, *Coplas de ronda*, *La picarona*, *Las castigadoras* y *¡Por si las moscas!* de Alonso, la mazurka de las sombrillas de *Luisa Fernanda* de Moreno Torroba –quizá la cima del género en el siglo XX–, o las obras *Tiene razón don Sebastián* o *¡Cinco minutos nada menos!* de Guerrero.

BIBLIOGRAFÍA: F. Pedrell: *Diccionario técnico de la música*, Barcelona, Víctor Berdós, 1894; J. Pena, H. Anglés: *Diccionario de la música Labor*, Barcelona, Labor, 1954; R. Barce: "Sainete lírico", *DMEH*.

RAMÓN SOBRINO

Me llaman la presumida. Sainete en tres actos. Música de Francisco Alonso. Libreto de Francisco Ramos de Castro y Anselmo Cuadrado Carreño. Estrenado el 4 de diciembre de 1935 en el teatro Ideal de Madrid.

Personajes y reparto. Gracia, la Presumida (Maruja Vallojera, soprano). Doña Olga (Amparo Bori, característica). Pepa (María Téllez, tiple cómica). Lola (Sra. Piñero, actriz con parte cantada). Tere (Sra. Gómez). Carmen (Srta. Vera). Mujer 1ª (Srta. Gómez). Mujer 2ª (Srta. Blanco). La Madrina (Srta. Causer, actriz). La Novia (Srta. Moncayo, actriz). Pompi (Srta. Zafra). Paco (Luis Sagi Vela, barítono). Don Basilio (Francisco Arias, actor con parte cantada). Pepe (Manuel Cortés, tenor). Cayetano (Eladio Cuevas, tenor cómico). Señor "Urquijo" (Francisco Ruiz, actor con parte cantada). Señor Eugenio (Rafael Gallegos, actor con parte cantada). El Novio (Sr. Hidalgo, actor). Heterodino (Vicente Gómez Bur, actor). Santi y Muchacho 2º (Sr. Daina, actor con parte cantada). El Padrino (Sr. Codeso, actor). Muchacho 1º (Sr. Rodríguez, actor con parte cantada). Muchacho 3º (Sr. Ritoré, actor con parte cantada). Un Camillero (Sr. Pedrote). Vecinos, enfermeras y camilleros de la Cruz Roja.

Orquestación. Flautín, flauta, oboe, 2 clarinetes, fagot, 2 trompas, 2 trompetas, 3 trombones, timbal, percusión, arpa y cuerda.

Argumento. *Acto I.* La acción transcurre, en tiempos del estreno en una plaza de "los barrios bajos de Madrid, a la que ha llegado la moderna urbanización". Este suburbio resultaba ser el barrio de Chamberí. Tras una escena de mercado, Paco, un joven aprendiz de joyero, requiebra a Gracia, la bella y presumida encargada de una tienda de modas, que le desprecia con frescura causando la risa de las demás modistillas de la tienda –Pepa, Carmen y Lola. Aparecen en escena los novios, los padrinos y los invitados de una boda persiguiendo a Cayetano, un joven fotógrafo que trabaja en la tienda de su tío Don Basilio, cuarentón apuesto, soltero, vacilón y chulapo que no hace vida de su sobrino. Cayetano tiene la cabeza a pájaros y unas ideas modernas de la fotografía que, traducidas en descabelladas poses, le han acarreado más de un disgusto y espantan a la clientela. En el mercado quedan hablando Doña Olga, un "curioso tipo de verdulera" madre de la modistilla Pepa, y el Señor Joaquín, alias "Urquijo", un pobre "viejecillo pulcro y optimista", abuelo de nueve nietos con la hija en el paro y el yerno fugado con una bailarina, cuya tienda es un estrafalario bazar de cosas que no tienen ninguna utilidad ni interesan a nadie. Pepa tiene novio formal, pero ella está prendada de Pepe le Chavalier, el donjuán del barrio,

Ar. Familia Alonso

primer boy de la compañía de Celia Gámez y amigo de la infancia de Paco. Aprovechando su amistad y la experiencia de Pepe con las mujeres, Paco, que es más apocado, le pide que tantee a Gracia para ver si estaría dispuesta a salir con él. Craso error porque, aunque Pepe accede con las mejores intenciones de ayudar a su amigo, Gracia piensa que es Pepe quien la pretende y se rinde a sus encantos, ocasión que el donjuán no desaprovecha, ni siquiera por la amistad de Paco, para añadir un nombre más a su lista de conquistas. Entre tanto, Basilio vuelve a la tienda de fotografía después de dar un paseo. Viene acompañado por Paloma, "guapa mujer, bien vestida pero un poquito flamenca" a la que quiere retratar "artísticamete" en paños menores a cambio de algún regalo. Mientras estos entran en la tienda, en la plaza tiene lugar una graciosa escena con Heterodino, un locutor de Unión Radio que habla cómicamente con un discurso entreverado de anuncios radiofónicos. Heterodino propone a Pepa matrimonio, pero ella le rechaza con el argumento de que es una mujer moderna y prefiere un joven que no le hable de bodas, como Cayetano. Cuando Pepe se vuelve a encontrar con Paco, trata de ocultarle lo que ha pasado y aquél se impacienta queriendo saber qué había dicho Gracia. Finalmente todo se descubre y Paco tiene un arranque de leve violencia sofocado con la displicencia acostumbrada por Gracia.

Actos II y III. Dos meses después, en pleno verano, las cosas siguen más o menos igual en la plaza chamberilera; sólo que, en una tienda que antes estaba vacía, ahora hay una horchatería regentada por "Urquijo" cuyo yerno fugado se había presentado con algún dinero, y Lola ya no es la modistilla de antes, ahora viste bien, aunque "un poco llamativa": ha tenido suerte en el teatro y hace pareja artística con Pepe, lo que ha sentado muy mal a Gracia que no se habla con ella. Don Basilio ha embrollado a otra joven, una tal Tere, para sus sesiones fotográficas privadas, pero ésta le sale díscola, se va haciendo escándalo y prometiendo contar a su novio las pretensiones del fotógrafo. Paco sigue calladamente enamorado de Gracia, compungido y esperando resignado una nueva oportunidad para declararse. Heterodino aparece ahora cortejando a Gracia y Paco, sin venir a cuento, se interpone como valido de Pepe, a quien sigue considerando su amigo. El barrio está revolucionado por la inminencia de un simulacro de ataque con gases asfixiantes por la amenaza alemana. Se reparten unas aparatosas mascarillas antigás y cada cual tiene un papel determinado: las chicas son enfermeras, "Urquijo" ayudante de la Cruz Roja, y Paco y Basilio "atacaos". Don Basilio está cortejando seriamente a Doña Olga, cuando llegan Cayetano y Pepa con las máscaras. Cayetano, aprovechando la cuerda que le da Pepa, va recuperando las joyas que su tío Don Basilio regalaba a sus "modelos" seduciéndolas a su vez. Llegan entonces Gracia y Pepe de bronca, y Paco, haciendo de tripas corazón, intenta que se concilien. Aprovechado un momento a solas, Gracia y Paco hablan seriamente pero no llegan a nada porque vuelve Pepe. Basilio aparece con Santi, un gigantón, que quiere ver las fotos que hizo a su novia Tere y, cuando las ve, quiere lincharle.

En torno al patio del vecindario donde viven Gracia, Carmen, Paco y Heterodino, a través de las ventanas, tiene lugar un nuevo desencuentro entre Gracia y Paco a pesar de que aquél le confiesa su antiguo amor por ella y ésta su desengaño con Pepe. Su relación sigue, sin embargo, sin prosperar lo más mínimo y dan todo por zanjado. De nuevo en el escenario principal, tiene lugar el simulacro de ataque con gas. Santi, el novio ofendido por Don Basilio, hace de oficial de la Cruz Roja y "Urquijo" aparece borracho. Doña Olga convence a Gracia de que deje su presunción y testarudez y ponga las cosas en claro con Pepe y Paco, porque se da cuenta de que Gracia sólo sigue con Pepe por necedad y a quien verdaderamente quiere es a Paco. Luego media con Paco, que está acercándose peligrosamente a Carmen, para que vuelva

a verse con Gracia, pero una vez más el encuentro de Paco y Gracia termina mal porque ella descubre en el dedo de Paco un anillo con el retrato de Carmen y vuelve a ponerle en ridículo con sus desdenes sin que él sepa ni siquiera por qué. Dispuesta entonces a quitar a Lola de su camino con Pepe, Gracia se enfrenta a ella descubriendo que está embarazada. Este hecho precipita el desenlace: Pepe arregla su relación con Gracia quedando como amigo de ella para cumplir con Lola, más por gusto que por obligación; dice entonces a Gracia que el anillo que llevaba Paco era sólo para repararlo con lo que, por fin, Gracia y Paco se emparejan; Don Basilio, salvado por los pelos de Santi, habla de matrimonio con Doña Olga, y Pepa y Cayetano dejan atrás sus modernidades e inician planes de boda. Todos felices.

Números musicales. Acto I: Preludio. Nº 1. Gracia, Pepa, Lola, Doña Olga, Mujeres 1ª y 2ª, Señor "Urquijo" y Señor Eugenio, "*Tié usté* unos tomates". Nº 2. Gracia, Lola, Pepa y Muchachos 1º, 2º y 3º, "¿Es aquí donde trabaja?". Nº 3. Gracia y Pepe, "Hace tiempo que he leído". Nº 4. Pepe y Paco, "¿La has hablado?". Nº 5. Final del acto I. Gracia, Lola, Pepa, Carmen, Doña Olga, Paco, Pepe, Don Basilio, Señor Eugenio y Cayetano, "Yo no es que riño". Acto II: Nº 6. Paco, "No sé lo que me sujeta". Nº 7. Pepa y Cayetano, "Frente al tenderete de la buñolera". Nº 8. Gracia, Pepe y Paco, "No reñir por tan poco". Nº 9. Gracia y Paco, "Si presumo es porque quiero". Nº 10. Olga y Don Basilio, "Un socio le busca". Nº 11. Final 2º. Instrumental.

Comentario. Lo primero que llama la atención cuando se analiza *Me llaman la presumida* es su similitud con *La del manojo de rosas*. De hecho, todos los críticos del estreno observaron esto describiendo el nuevo sainete de Ramos de Castro y Cuadrado Carreño como una mera réplica del original pero, si bien es cierto que el modelo es *La del manojo de rosas*, sería injusto decir que *Me llaman la presumida* se limita a aplicar aquella receta de éxito. Los autores realizaron un buen trabajo y alcanzaron una frescura que no es en absoluto propia de una réplica sin más. Así, en el comentario de *Me llaman la presumida*, si bien no conviene prescindir de la comparación, interesan tanto las semejanzas con *La del manojo de rosas*, como los matices distintivos. Para empezar, a pesar de la estrafalaria división de esta obra en tres actos, con los dos últimos unidos sin interrupción, *Me llaman la presumida* es un sainete de las mismas dimensiones de *La del manojo de rosas* que, al igual que ésta, tiene del sainete la ubicación en el tiempo y en el espacio del estreno así como los tipos urbanos representados pero, para poder funcionar teatralmente en una dimensión de más de un acto, toma la estructura general de la opereta con los típicos triángulos sentimentales, la doble trama lírica y cómica, y el final feliz. Aunque el argumento es más lineal y menos enredado que en *La del manojo de rosas*, a cambio hay un mayor número de personajes involucrados en las distintas redes de la trama, como las modistillas Carmen y Lola que hacen de parejas antagónicas de los protagonistas Paco y Pepe, respectivamente, o Tere y Santi que, con Don Basilio y Doña Olga, dan lugar a una trama colateral que no existe en *La del manojo de rosas*. Por lo demás, es claro que Gracia es el equivalente de Ascensión, Paco el de Joaquín y Pepe el de Ricardo, pero cada cual con sus diferencias: Gracia carece de la ingenuidad digna de Ascensión y tiene, por el contrario, un punto antipático de presunción que es básico en el argumento, ambas son chulas pero de distinto género –Ascensión graciosa y Gracia displicente–; toda la ingenuidad la tiene aquí, añadida a una candidez inverosímil, Paco, que no recibe el mismo desarrollo dramático de Joaquín quedándose en una especie simpática de pelele amoroso; por el contrario, Pepe está más involucrado en la trama que Ricardo, traicionando a su amigo, engañando a Gracia y dejando embarazada a Lola, aunque todo con un sesgo cordial que le aleja en todo momento de la villanía convencional. Eso ya lo observó un crítico del estreno: "En los sainetes de Ramos de Castro y Carreño no hay personajes torvos. Si los hay, es que se dejan las malas ideas en el guardarropa" (*La Voz*, 5-XII-1935). En los secundarios quizá se vean coincidencias más exactas, pues Cayetano es un remedo total de Capó aunque algo más vivo y menos pusilánime, y Pepa es una chica moderna, como Clarita, pero más tonta. A diferencia de los característicos de *La del manojo de rosas* –Doña Mariana y Don Pedro Botero, padres de Joaquín que sólo intervienen en la parte hablada– los de *Me llaman la presumida* cantan y son, en términos dramáticos, una proyección de la pareja cómica porque Doña Olga es la madre de Pepa y Don Basilio el tío de Cayetano. Es claro que falta una equivalencia para el magistral Espasa, pero los autores, conscientes de ello, reparten rasgos de este personaje inolvidable entre el curioso engendro de Heterodino –con un discurso absurdo mezclado con anuncios a modo de cuñas–, Doña Olga –que llama a Cayetano "percebe fotogénico" y amenaza a su hija Pepa: "¡Te voy a hacer la vivisección, inverecunda!"– , y Don Basilio, más afortunado que Espasa, pero lleno por igual de ese desparpajo que se acerca más a la delincuencia que a la cortesía. El propio elenco dispuesto para el estreno de *Me llaman la presumida*, refrenda estas asociaciones de manera clara y, tras varios aplazamientos, se cambió a la soprano titular de la compañía actuante en el teatro Ideal –Conchita Panadés– por Maruja Vallojera, al parecer por imperativo de uno de los autores, lo que dio lugar a una leve polémica –en las representaciones siguientes al estreno, alternaron en el papel de Gracia, las dos sopranos: Vallojera y Panadés–.

El texto está salpicado de chispas de la realidad cotidiana madrileña, tan abundantes como en el sainete anterior: locales con nombre propio como Botín

o Chicote, personalidades de todo tipo como Ortega y Gasset, Lalanda, el fotógrafo Alfonso o García Sanchiz, y el miedo al militarismo expansivo de la Alemania nazi, que aquí da lugar al cuadro final de las máscaras antigás, es el paralelo de las frivolidades sobre una nueva gran guerra que aparecen premonitoriamente en *La del manojo de rosas*. Ahora bien, si sobre *La del manojo de rosas*, por ser pionera en el género, cupieron dudas acerca de su lirismo, la estructura de *Me llaman la presumida* no deja lugar para ellas y se observa una planificación perfectamente clara de las situaciones líricas en las que debe actuar el músico. Ahí está la clave de la cuestión en el análisis comparativo: el cambio más sustancial es el del compositor, que en este caso no es Pablo Sorozábal sino Francisco Alonso. Este hecho agitó bastante las estancadas aguas de la lírica y generó en el público un interés morboso por el resultado de este curioso enfrentamiento de dos músicos de formación, inspiración, intereses y orígenes tan dispares, lo que se tradujo en una gran expectativa el día del estreno bien puesta de relieve por la crítica. Ambos músicos debieron afrontar, como es de rigor, una escena costumbrista de barrio como Nº 1 y las soluciones delatan una diferencia palmaria: mientras Sorozábal hace todo cantado y culmina con la presentación apoteósica de la protagonista "Dice la gente del barrio", Alonso utiliza recitados sobre la música para articular un primer dúo de los protagonistas. En comparación con el dramatismo de *La del manojo de rosas*, esta apertura de *Me llaman la presumida* es tan suave que parece un anticlímax y la presentación canora de Gracia se tiene que diferir al Nº 2 con una escena un tanto forzada por los libretistas –menos, en cualquier caso que la farruca de *La del manojo de rosas*– en la que se presentan tres muchachos a cortejar a la dama, allí donde Sorozábal tuvo la ocasión de introducir el dúo de los protagonistas y dejar ya encarrilada su obra por la vía del éxito. Esta carencia inicial es responsabilidad de los autores del texto, pero Alonso solventa el caso de manera brillante al poner la música de los muchachos cortejadores en tiempo de schottisch y la de Gracia en un vigoroso pasodoble, "Dejen ya la calle franca", culminado con un estribillo pegadizo y castizo, inmediatamente coreado: "Una mujer madrileña" con el que termina también el primer acto, Nº 5. Así, desde los dos primeros números, se ponen de manifiesto cuáles son las armas de cada autor: las de Sorozábal, la música dramática y la solución de situaciones aparentemente poco líricas; las de Alonso, un melodismo más fluido, de invención propia, que no necesita inspirarse en cancioneros, sino que, más bien al revés, tiene el don de popularizarse de manera inmediata como "Una mujer madrileña", o tocar la fibra sensible de los espectadores como el trío en habanera "No reñir por tan poco", Nº 8, o la romanza de barítono "No sé lo que me sujeta", Nº 6, tan perfectamente adecuada a los recursos vocales de Luis Sagi Vela como el Nº 9 de *La del manojo de rosas,* "No me importa que con otro". Son dos vías distintas, pero las dos alcanzaron el éxito de forma instantánea y se instalaron en el repertorio de la lírica popular española.

Fuentes manuscritas. Los materiales de orquesta se conservan en el archivo de la SGAE en Madrid (6244).

Ediciones del libreto. Madrid, Gráfica Literaria 1936.

FONOGRAFÍA: D78rpm: Dir. Francisco Alonso, Sols. Maruja Vallojera, María Téllez, Salvador Castelló, Luis Sagi-Vela, Piñero, Rodríguez, Daina, Ritoré, Amparo Bori, Paco Arias, Eladio Cuevas, La Voz de su Amo DA 4248 a DA 4250, GY 201, OKA 246 a OKA 253 [reed. en CD: Blue Moon BMCD 7528].

LP: Dir. Rafael Frühbeck de Burgos, Sols. Ángeles Gulín, Pura Mª Martínez, Carmen Orihuela, Mercedes Ronderos, Margarita Romeo, Pedro Lavirgen, Antonio Blancas, José Manzaneda, José Peromingo, Aurelio Rodríguez, José Foronda, Antonio de Marcos, Rafael Enderiz, Orq. Sinfónica, Columbia SA, ZCL 1089 (Zacosa) 135 y Columbia SA, SCE 958 138.

JAVIER SUÁREZ-PAJARES

Meana, Francisco. Gijón, 8-III-1875; Buenos Aires, 19-X-1951. Bajo, director de escena, profesor de canto y compositor. No tuvo estudios académicos aunque recibió consejos de los hermanos Llaneza. Comenzó su actividad como aficionado y a los 25 años se trasladó a Madrid donde actuó en coros hasta que el libretista Miguel Ramos Carrión consiguió que entrase en el teatro Real, acogido por Ricardo Villa y aconsejado por el músico Alvira. Debutó en Gijón en el teatro Dindurra en 1901, cantando *Jugar con fuego* de Barbieri. En 1902 estrenó en el teatro Lírico *Don Juan de Austria* de Chapí. En 1907 estrenó *La patria chica* de Chapí en el teatro de la Zarzuela, y en ese mismo teatro *Pepe Botellas* y *Episodios nacionales,* ambos de Vives en 1908. Se presentó en el teatro Real sustituyendo a un bajo indispuesto y acompañando a Titta Ruffo en *Linda de Chamonix*; en ese teatro estrenó en 1909 la obra de Chapí *Margarita la Tornera* en el personaje de Gavilán. Marchó a Argentina y allí desarrolló una gran actividad. Cuando en 1913 Pablo Luna se hizo cargo del teatro de la Zarzuela, Meana

Francisco Meana como Mariano en La patria chica de Chapí (Foto: El Arte de El Teatro, 1907; Ar. SGAE)

aparece como director de escena, primer actor y bajo, presentándose como tal en *La tempestad* de Chapí, y tuvo su primer gran éxito en el estreno de *Maruxa* en el personaje de Rufo con una creación genial, y un gran éxito como director de escena. En 1914 estrenó en el teatro de la Zarzuela *La vida breve* de Falla en el papel de Tío Salvador, *El tirano* de Calleja y *El príncipe bohemio* de Rafael Millán. En 1915 siguió actuando en el teatro de la Zarzuela estrenando *La mujer indecisa* de Millán, *La flor del agua* de Conrado del Campo y *Mirentxu* de Guridi. A partir de 1916 fue contratado por el teatro Apolo, presentándose con *La patria chica* y estrenando numerosas obras como *El señor Pandolfo* de Vives, 1916; *El presidente Mínguez,* 1917; *Los calabreses,* 1918, y *El asombro de Damasco,* todas de Luna. Volvió a Argentina, donde fue administrador del teatro Avenida, dio lecciones de canto, fundó el Sindicato de Actores e incluso llegó a componer una zarzuela, *Carmina,* estrenada en el teatro Colón.

FONOGRAFÍA: *La rabalera,* 63022 (et. negra); *Los dineros del sacristán,* 63022 (et. negra); *Maruxa,* A 138.242 A 138.243 (et. policolor con figura), SO 1253 SO 1256; *Pepe Gallardo,* Gramophone V. 54203 (et. verde), 493y.

BIBLIOGRAFÍA: *CCE; HGZ.*

EMILIO CASARES RODICIO

Meca, Josefina. Camagüey (Cuba), ?; La Habana, ?. Soprano. Recibió las primeras lecciones de canto de Lola de la Torre, estudiando posteriormente en el Conservatorio González Molina de La Habana, y luego en Estados Unidos con Vidal y Enrico Rosati. En este país, acogida por María Luisa Ferrer y Oscar B. Cintas, realizó algunas presentaciones privadas e hizo un concierto en el Carnegie Hall de Nueva York, en mayo de 1931, y posteriormente otro en Washington, acompañada por la banda de la Marina. Desde su regreso a La Habana en ese mismo año, participó durante esa década en diferentes temporadas de teatro lírico, actuando en los teatros Auditorium, Fausto, Encanto, Martí y Principal de la Comedia, fundamentalmente, donde representó exitosamente papeles protagonistas como los de *Lola Cruz* y *El barbero de Sevilla.* Formó parte del elenco de la Compañía de Ernesto Lecuona, con el que debutó en 1935 interpretando *El barbero de Sevilla,* y unos días después, *La virgen morena* de Eliseo Grenet, junto a Miguel de Grandy. En 1936 le

Josefina Meca (Foto: Ar. ICCMU)

fue ofrecido un homenaje en el teatro Principal de la Comedia, donde actuó haciendo el segundo acto de *Rigoletto,* en compañía de Romano Splinter y Miguel de Grandy. Pocas semanas después se presentó en un acto de variedades del teatro Martí, y contratada por la empresa de Suárez-Rodríguez, debutó dentro de ese elenco con la obra de Gonzalo Roig, *La Habana de noche,* a la que sumaría las reposiciones de *El pirata* de Rodrigo Prats, y *La hija del sol* de Gonzalo Roig, así como el estreno de *Camino de perdición,* de este mismo compositor. El 26 de junio de 1936 realizó su función de despedida, con *Lola Cruz* de Ernesto Lecuona. Trabajó, además, dentro del medio radiofónico ofreciendo conciertos.

BIBLIOGRAFÍA: *LVB*; A. J. Molina: *150 Años de zarzuela en Puerto Rico y Cuba,* San Juan, Ramallo Bros, 1998.

CLARA DÍAZ PÉREZ

Medina, Rafael. México, D. F., 1870; México, D. F., 1914. Escritor. Descrito como "un delicioso escritor festivo" por Carlos González Peña, la contribución de Rafael Medina a la historia de la zarzuela mexicana resulta definitiva y crucial. Autor de los libretos de algunas de las obras más importantes del repertorio mexicano, Medina desempeñó asimismo un papel preponderante en la promoción de los libretos mexicanos y en la organización de los escritores locales. Su primera incursión en la zarzuela tuvo lugar en 1899 con *La luz en las tinieblas.* Aunque el público celebró el argumento, la música de Arturo Cuyás resultó poco afortunada. A decir de *El Universal* "la música resultó mala, árida, fúnebre, sin inspiración, sin carácter, sin colorido; del fracaso del sábado –añadió el cronista–, el noventa y cinco por ciento correspondió a la música." Quizás a raíz de esta experiencia, Medina buscó trabajar en colaboración con mejores músicos, en particular con Luis G. Jordá. El resultado no se hizo esperar y poco a poco Medina y Jordá consiguieron una impresionante cadena de éxitos, convirtiéndoles, sin duda, en el binomio de compositor y libretista más exitoso de la historia de la zarzuela mexicana. En 1899 *Palabra de honor* les valió un sonado triunfo. "Tanto como el libreto agradó la música" dijo un periódico local, "sobre todo un dúo, una romanza y una guaracha; los tres autores fueron repetidas veces llamados al proscenio y colmados de aplausos y dianas". A esta obra siguió *Los de abajo,* zarzuela que combinó la ligereza del género chico con escenas realistas. *"Los de abajo"* resume Olavarría "fue un cuadro real, una patética pintura de la vida de miseria y abandono en que la embriaguez hunde al pueblo; para no desagradar al público *de tandas* que no gusta de lo muy dramático, el autor intercaló escenas cómicas, chispeantes y graciosas, que hacían fuerte contraste con los pasajes serios. Medina se impuso a sus oyentes y alcanzó todos los honores de la victoria". A partir del éxito

de estas obras, Medina se estableció como uno de los más importantes libretistas y ello le aseguró colaboraciones no sólo con Jordá, sino con otros músicos. En 1900, por ejemplo, se estrenó *El novio de Tacha* con música de Carlos Curti y *C.B.D.O.P.B.T.* con música de Rafael Gascón y Susano Robles. Esta última, sin embargo, no tuvo una favorable acogida y los propios autores ofrecieron retirarla de la cartelera, lo que les valió un gentil reconocimiento de la prensa. Medina escribió asimismo dos libretos para Manuel Berrueco y Serna, *Noche de amor,* 1906, y *Carita,* 1908. Estas obras cosecharon un éxito notable, sobre todo *Noche de amor,* de la cual se comentó que "sus autores pusieron oportuno gracejo, situaciones interesantes y agradables números musicales; gustaron... el *indispensable* cake-walk... y un dúo de *murguistas*... La decoración final que representaba el lago de Chapala, valió a los pintores una ovación". En 1911 una nueva colaboración con Carlos Curti supuso otro notable estreno, *La cuarta plana,* zarzuela con la cual la célebre tiple Esperanza Iris alcanzó legendarias noches consecutivas de teatros llenos.

Sin embargo, las mejores obras de Medina fueron las escritas en colaboración con Jordá. A los primeros estrenos ya referidos, seguirían otras obras cuyo éxito osciló entre el furor desbordado de la célebre *Chin-chun-chan* y algunas otras de fama discreta como *¡Que descansada vida...!,* 1904, obra que, según cuentan las reseñas, quiso ser saboteada por una parte del voluble público de las tandas mexicanas. Con *El Champión,* 1905, Medina, en colaboración con José F. Elizondo y Jordá, tuvo un nuevo triunfo aunque parte de la prensa le recriminó el tono soez y populachero de algunas de sus escenas. Ese mismo año, Medina encabezó la lucha que los autores de zarzuelas mexicanos libraron contra la empresa de Arcaraz Sucesores cuando ésta anunció su veto al montaje de zarzuelas mexicanas. Como Presidente de la Sociedad Mexicana de Autores, fundada ese mismo año, Medina encabezó una pugna ventilada en la prensa capitalina respecto al pago arbitrario de regalías que la empresa Arcaraz realizaba. Este incidente tuvo un impacto positivo en la unión del gremio de autores mexicanos de zarzuelas y promovió la creación local del género. En buena medida, el movimiento y la idea de la fundación de una sociedad que velara por los intereses de los autores locales, fue obra e idea de Rafael Medina.

En 1907 se estrenó *Fiat* también en colaboración con José Elizondo y música de Jordá. *El Imparcial,* en un comentario que sin duda revela los méritos de la pieza pero también un evidente sesgo hacia las zarzuelas españolas señaló, que "los autores de *Fiat,* Pepe Elizondo, Jordá y Medina, recurrieron a los bailables, y el estreno se salvó. Las primeras escenas resultaron un tanto cansadas; diálogos vulgares y chistes sosos; pero en conjunto, la obrita es de lo mejor que ha producido la Sociedad de Autores Mexicanos." Nada, sin embargo, pudo compararse a la obra más famosa de Medina, *Chin-chun-chan,* que desde su estreno en 1904 causó un furor sin precedentes.

La vida de Medina, quien solía firmar en los periódicos como "Pobre Valbuena", entró en declive hacia 1909 cuando fue víctima de problemas mentales. En su ayuda se organizaron distintas funciones de beneficio y resulta interesante constatar que incluso compañías y figuras a quienes Medina había atacado por cuestiones de crítica artística, concurrieron a su ayuda. Sin embargo, el escritor y libretista no pudo recuperarse del todo y pasó sus últimos años agobiado por su declive mental. Por ello, quizá no pudo comprender ni aquilatar el notable alcance y éxito de sus zarzuelas, algunas de las cuales como *El Champión, La cuarta plana* y la imprescindible *Chin-chun-chan* siguieron reponiéndose aún en el México de la época revolucionaria. Todavía en 1911 Esperanza Iris reestrenó *La cuarta plana* y el público abarrotó el teatro para recordar la obra que en 1899, año de su estreno, había llenado los teatros de la ciudad de México. *Véase* CHIN-CHUN-CHAN.

BIBLIOGRAFÍA: *RHTM*; R. Miranda, "La zarzuela en México, Jardín de senderos que se bifurcan", *Cuadernos de Música Iberoamericana,* 2-3, Madrid, SGAE, 1996-97.

RICARDO MIRANDA / ROCÍO TERÁN

Medio, Antonio. Gijón, 14-IV-1911; Gijón, 30-VIII-1977. Barítono. Sin estudios académicos se formó como actor en grupos populares de teatro como La Constancia, formado por tabaqueros y cigarreras de Gijón, según cuenta él mismo en sus *Memorias.* Sus primeras nociones de solfeo las aprendió en la Escuela de Artes e Industrias. Con quince años pasó a formar parte del Cuadro Artístico del Centro Católico de Gijón donde destacó como actor y cantante. Finalizando los felices años veinte ya formaba parte de numerosos grupos artísticos gijoneses en los que su amplia tesitura le permitía cantar indistintamente como tenor o barítono hasta que el director de la Banda de Música de Gijón, Amalio López, fundador de la Orquesta Sinfónica Provincial, le encuadró definitivamente en la cuerda de barítonos. Con Amalio López completó su formación vocal y comenzó a familiarizarse con las romanzas de zarzuela de su cuerda. La gran afición zarzuelística que existía en Gijón llevó a la formación de la Compañía Asturiana de Comedias que dirigió José Manuel Rodríguez y en la que Antonio Medio comenzó a interpretar sus primeros papeles protagonistas.

En 1936 le oyó cantar el gerente del teatro Dindurra –el actual Jovellanos– y le propuso debutar de modo profesional en *Luisa Fernanda,* que la compañía de Moreno Torroba llevaba en gira por el norte de España, pero el estallido de la contienda civil frustaría este debut. La guerra llevó a Antonio Medio a

Antonio Medio (Foto: Saus; Ar. ICCMU)

Valladolid donde se integró como barítono solista en la Coral Vallisoletana. Allí conoció al representante de Luis Sagi Vela y a Eladio Cuevas, que dirigía la única compañía de zarzuela que actuaba en la zona nacional. En 1938 debutó como Juan el Indiano de *Los gavilanes* en el teatro Calderón de Zamora. Su éxito fue clamoroso y se incorporó a la compañía de Cuevas con la que estrenó en 1939 *La bengala* de Guridi y *Los brillantes* de Guerrero. En 1939 pasó a formar parte de la compañía de Celia Gámez con la que cantó operetas como *La viuda alegre, La casta Susana* y *El Conde de Luxemburgo.* A finales de ese año se integró en la Compañía Lírica del Teatro Calderón consagrándose definitivamente con estrenos como *La zapaterita* de Alonso, 1941, junto a la soprano Conchita Panadés. Con Pepita Embil estrenó *Black el payaso* y *Don Manolito* de Sorozábal y *En el balcón de palacio* de Romo. En 1946 formó la Compañía de Ases Líricos junto a Pepita Embil, Manolo Gas y Marcelino del Llano. En 1947 obtuvo el Premio Nacional de Lírica y Teatro y ya era conocido como "el barítono con la voz de hierro", equiparándole la crítica con Marcos Redondo, que si le superaba en voz era superado en dotes de actor por el gijonés, que posteriormente llegó a trabajar como actor de comedia. En 1949 con otros actores y cantantes organizó el "Tren romántico" en el que ataviados con trajes del siglo XIX recorrieron España. La llegada a Gijón el 13 de agosto de 1949 propició el estreno de las *Estampas líricas asturianas.* Ese mismo año formó en Gijón la Compañía de Arte Asturiano Antonio Medio, que le llevó a la ruina y se fue a Buenos Aires en 1951. Allí se prodigó en televisión, teatros, radio y en el Centro Asturiano que le otorgó su Medalla de Oro. Emprendió una gira con el tenor Antonio Vela por Argentina, Uruguay, Bolivia y Venezuela. En 1953 llegó a México donde se reencontró con Pepita Embil volviendo a cantar zarzuelas y ofreciendo conciertos en el Centro Asturiano. En la radio tenía una sección fija, *Viñetas de Asturias.*

Regresó a España en 1955 y formó la Compañía Lírica Antonio Medio que debutó en Madrid con *Tiene razón don Sebastián* de Guerrero, pero en estos años estaba viviendo la zarzuela una grave crisis por lo que Antonio Medio se retiró en 1956 en el teatro Arriaga de Bilbao con *Las golondrinas* de Usandizaga. El barítono reconvirtió su compañía de zarzuela en compañía teatral e incluso llegó a actuar en el cine con *El puente de la paz* de Rafael Salvia. Uno de sus últimos papeles fue el monólogo *Bandera negra*, estrenado en los años sesenta, un emotivo alegato contra la pena de muerte.

Enfermo y arruinado, el barítono que había estrenado títulos fundamentales de la zarzuela del siglo XX como *Manuelita Rosas* de Alonso, *Loza lozana* de Guerrero o *El gaitero de Gijón* de Romo, además de las anteriormente citadas, se retiró a Gijón. En agosto de 2002, coincidiendo con los 25 años de su muerte, el Ayuntamiento de Gijón y el teatro Jovellanos le ofrecieron un homenaje, descubriendo una placa en el citado teatro e inaugurando una Temporada Antonio Medio que lleva cada verano a Gijón importantes títulos zarzuelísticos.

FONOGRAFÍA: *Entre Sevilla y Triana*, Columbia R 14878 a R 14882, C 8783 a C 8790, C8794 C 8795; *La tabernera del puerto*, Blue Moon BMCD 7518; *Ladronas de amor*, Blue Moon Serie Lírica BMCD 7515; *Un día de primavera*, Columbia R 14608 a R 14610, C 7744 a C 7749.

BIBLIOGRAFÍA: *CCE*.

Mª LUZ GONZÁLEZ PEÑA

Melantuche Lacoma, Anastasio. Utebo (Zaragoza), 1869; 15-VII-1927. Libretista. Como casi todos los autores teatrales de su tiempo, compaginó sus actividades escénicas con las de periodista, escribiendo en diarios y colaborando en revistas y semanarios. Fue un gran amante de su tierra y estudió y llevó a escena tipos y costumbres aragonesas. De su producción escénica destaca la abundante parte lírica en que escribió libretos a los compositores más populares de su tiempo, como Calleja, Barrera, Vives, Serrano y otros muchos a los que proporcionó operetas, sainetes, revistas y zarzuelas. Varias de sus obras obtuvieron notable éxito como *El olivar* con música de Serrano, 1902; *La vara de alcalde* e *Ideicas* de Tomás Barrera, 1905; *El golpe de estado* de Vives, 1906; *La manzana de oro* y *El hijo de Budha* de Rafael Calleja, 1906; *La tajadera* de nuevo con Barrera, 1909 o *Las píldoras de Hércules*, vodevil con música de Quinito Valverde, 1913. Su producción lírica se extiende entre las dos primeras décadas del siglo XIX y su colaborador más habitual fue Tomás Barrera.

*Atanasio Melantuche
(Foto: El Arte de El Teatro,
1906; Ar. SGAE, Madrid)*

BIBLIOGRAFÍA: *CTLBN; CDE; EDL; TLE.*

Mª LUZ GONZÁLEZ PEÑA

Melchor, Luisa. España, siglos XIX-XX. Tiple. Su dedicación fundamental fue la opereta. En 1910 actuaba en el teatro Eslava donde participó en *Colgar los hábitos* de Luis Foglietti y Vicente Lleó y *El Conde de Luxemburgo*, siendo muy aplaudida en el número de "Los sombreros parisienses". Al año siguiente, 1911, seguía en Eslava participando en los estrenos de diversas operetas como *La niña de las muñecas* de Leo Fall, *El vals de los besos* de Lleó y *Molinos de viento* de Pablo Luna; en 1912 estrenó *Los húsares del kaiser* de Kalman, adaptada por Lleó, y *El cuarteto Pons* de Lleó. Entre 1913 y 1914 formaba parte de la compañía del teatro Cómico, encabezada por Loreto Prado y Enrique Chicote y estrenó entre otras obras *El potro salvaje* de Quinito Valverde y Pablo Luna y *La gitanada* de Quinito y Foglietti. En años sucesivos estrenó en ese teatro *Ellas* de Foglietti, 1917, *Las hijas de España* de Quislant y Badía, 1918, *Muñecos de trapo* de Luna, 1919, *Modistillas y perdigones* de Quislant y Badía, 1920 y dos años depués, en 1922, apareció en el teatro Circo de Price en el estreno de *¡Es mucho Madrid!*.

BIBLIOGRAFÍA: *Nuevo Mundo*, 986, 28-XI-1912.

Mª LUZ GONZÁLEZ PEÑA

Meliá, Pepita. España, siglos XIX-XX. Tiple. Debutó en el teatro siendo una niña. Más tarde actuó como vicetiple en sugestivas revistas del Gran Teatro, como *La diosa del placer*. Triunfó por su juventud, belleza y simpatía. Tras casarse con el primer actor Benito Cebrián, pasó a convertirse en primera actriz de comedia, como ya habían hecho Lola Membrives o María Palou. Junto a su marido interpretó diferentes obras de Jardiel Poncela y posteriormente se establecieron en Buenos Aires, donde ambos siguieron actuando.

BIBLIOGRAFÍA: *Nuevo Mundo*, 882, 1-XII-1910.

Mª LUZ GONZÁLEZ PEÑA

Membrives, Dolores [Lola]. Buenos Aires, 27-VI-1885; Buenos Aires, 31-X-1969. Tiple y actriz. Universalmente conocida como actriz dramática y una de las mejores intérpretes del teatro de Benavente, en su juventud fue tiple de zarzuela. Hija de un matrimonio relacionado con el teatro, se inició en él a muy temprana edad, en compañías infantiles: a los nueve años se presentó por primera vez en un escenario en un festival organizado por el Círculo Valenciano. Estudió música y canto por lo que pasó a formar parte de una compañía de género chico como tiple. Entró en la compañía de Joaquín Montero con *La buena siembra* de los hermanos Álvarez Quintero. Se presentó después en el teatro Eldorado de Barcelona con *La viejecita* de Fernández Caballero. Con la misma obra debutó en Apolo el 9 de junio de 1904, ya que el teatro temía perder a Isabel Brú, que deseaba retirarse de la escena y a Joaquina Pino, que pensaba en dedicarse

*Dolores Membrives
(Foto: Gombau
en* El Teatro, *1904;
Ar. SGAE)*

al verso tentada por el teatro Lara, por lo que la catedral del género chico necesitaba reforzar su elenco de tiples. Los Quintero escribieron para ella *La contrata*, en la que bailaba un cake-walk con el actor Vicente Carrión, contagiados del éxito mundial que estaba obteniendo esa danza. Los hermanos Quintero le dedicaron la obra con estas palabras: "Usted quería bailar su 'cake-walk' en un escenario de Madrid, ¿no es verdad? Nosotros tuvimos la suerte de verla a usted bailar ese 'cake-walk' –cosa digna de verse, por cierto– y de adivinar los deseos de usted. De ahí *La contrata*. No vale un comino, pero ha cumplido su misión en este bajo mundo. Por ello nos congratulamos nosotros, que hemos tenemos una satisfacción en poner nuestro escaso ingenio al servicio de quien, como usted, es, a la par que una mujer bonita, una artista de mérito".

Otro gran éxito obtuvo ese mismo año interpretando a una de las Hermanas Pay-Pay de *El perro chico* de Serrano y Valverde. Permaneció en el Apolo varias temporadas siendo muy recordada su actuación dramática en *La puñalada* de Chapí y Fernández Shaw en la que interpretaba a una anciana, papel en el que salió airosa como actriz y como cantante. Participó del estreno de *El paraíso de los niños* de Quinito Valverde en la función de Inocentes de 1904. Los Quintero le escribieron otro éxito, esta vez con música de José Serrano, *Mal de amores*, estrenada en 1905, que, si bien fue rechazada el día del estreno, fue calando posteriormente entre el público. Por entonces, en el Ateneo de Madrid se celebró la "fiesta de la tonadilla", en la que dio a conocer once tonadillas de Enri-

que Granados. Debido al éxito obtenido, desde entonces se dedicó de lleno a cultivar la tonadilla y el cuplé.

Se casó con el barítono Juan Reforzo y finalizado su contrato con Apolo, en la temporada 1906-07, se fue a Buenos Aires, actuando en el teatro de la Comedia, en el que se simultaneaban zarzuela, sainete, comedia y opereta. Lola se dedicó de lleno a la comedia y actuó también en el teatro Apolo junto al conocido actor Roberto Casaux. A su vuelta a España se había decantado ya por la comedia, si bien nunca dejó de cantar, pues lo hacía en los fines de fiesta de los teatros. Su primer éxito como actriz lo obtuvo con *La niña de plata* de Lope de Vega seguida por *La honra de los hombres*, de Jacinto Benavente, autor del que estrenó obras con más frecuencia. Otros estrenos famosos fueron *Cancionera, Pepa Doncel* y *La Lola se va a los puertos*. Alcanzó tanta fama

*Dolores Membrives con los hermanos Álvarez
Quintero (Foto:* Nuevo Mundo, *1925; Ar. ICCMU)*

en España como en Argentina llevando en su repertorio autores de ambas naciones. Impuso en Argentina el teatro de Lorca con *Bodas de sangre, La zapatera prodigiosa* o *Yerma*. En 1922 emprendió con Benavente una gira mundial en la que su interpretación de *La malquerida* alcanzó un éxito antológico. *Véase* REFORZO, JUAN.

BIBLIOGRAFÍA: *ME; DAT; MT; TA;* E. de Mesa: *Apostillas a la escena*, Madrid, Renacimiento, 1929; I. Sánchez Estevan: *Jacinto Benavente y su teatro*, Barcelona, Ariel, 1954; J. López Ruiz: *Historia del teatro Apolo y de La verbena de la Paloma*, Madrid, Avapiés, 1994.

Mª LUZ GONZÁLEZ PEÑA / MARTA LENA PAZ

Memorias de un estudiante. Zarzuela anecdótica en tres actos. Música de Cristóbal Oudrid. Libreto de José Picón. Estrenada el 5 de mayo de 1860 en el teatro de la Zarzuela de Madrid.

Personajes y reparto. Isabel, Duquesa de Malva (Josefa Mora, soprano). Elena, Duquesa de Rías (Adamina Moya, tiple). Luisa, Duquesa de Buenafuente (Adela Ibarra, tiple). La Condesa de Troncoviejo (Luisa García). La abadesa de las Salesas Reales (María Soriano). Una máscara (Dolores Fernández). Enrique Sánchez Toscano (Tirso de Obregón, barítono). Michana (Vicente Caltañazor, tenor cómico). Don Juan de Aranda, capitán de Guardias de Corps (Francisco Calvet, bajo). El Conde de Troncoviejo, exento (Ramón Cubero, barítono). Rivera, estudiante (Sr. García). Molina, estudiante (Domingo Parcero). Carrasco, guardia de corps (José Bornachea). Revellón, guardia de corps (Sr. Soler). El alcalde de corte (José Rochel). Canosa (Enrique López). Un mozo (Mariano Romero). Cortesanos, alguaciles, máscaras, estudiantes, educandas, etc.

Orquestación. Flautín, flauta, 2 oboes, 2 clarinetes, 2 fagotes, 2 trompas, 2 cornetines, 3 trombones, timbales, triángulo, castañuelas, cuerda, bandurrias y guitarras. Banda: 2 flautas, 2 clarinetes, trombones, bandurrias, guitarras 1 y 2, violines 1 y 2, bajo.

Argumento. La acción tiene lugar en Madrid durante el Carnaval, bajo el reinado de Carlos IV. *Acto I.* En la botillería de Canosa, Michana y los estudiantes, que esperan la llegada de Enrique, hablan con los guardias y el Conde, los cuales esperan a Don Juan, anciano capitán de Guardias de Corps a quien el rey ha concedido la mano de su prima la joven duquesa de Malva. Al llegar, Enrique refiere a sus amigos que ha ayudado a levantarse a una dama que se había caído de un carruaje, recibiendo de ella un bofetón, dándole a cambio dos abrazos y un beso, pues se ha enamorado de ella sin conocer su nombre, enterándose después que ha sido destinada por el rey para casarse con Don Juan de Aranda, quien al oírlo desafía al joven a un duelo, que éste no acepta. Al salir D. Juan y los guardias, llegan vestidas de majas las duquesas de Malva, Rías y Buenafuente, que al ver al estudiante que había besado a la duquesa de Malva, y al ser invitadas por Enrique, hacen un derroche en el consumo de aloja y otros refrescos, que el pobre estudiante no podía pagar, a lo cual sigue una gran reyerta con los guardias de corps. En la pugna entre los guardias, que querían saber quiénes eran las majas, y los estudiantes, por facilitarles la huida, la de Malva pierde un rizo, que le corta su propio prometido, Don Juan de Aranda, y la de Rías un zapato, que recoge otro guardia.

Acto II. Tiene lugar en un baile de máscaras en palacio, donde los cortesanos esperan saber quiénes habían dejado el rizo y el zapato, pues todos sospechan que eran damas principales. Tras varias peripecias, el estudiante las salva, haciendo que las tres se corten los rizos de los dos lados, diciendo ser moda nueva, y que sólo aparezca con un rizo cierta Condesa, sobre quien recaen las sospechas.

Acto III. En el convento de las Salesas reales, donde el Rey había enviado a las tres damas a hacer penitencia, y donde la duquesa de Malva espera, sin poder hacer nada, el momento de su matrimonio con Don Juan. Enrique hace que Don Juan viole la clausura del convento, lo que le lleva a vérselas con la Inquisición, y consigue al final casarse con la bella Duquesa.

Números musicales. Acto I: Nº 1. Introducción y coro de guardias y estudiantes, con Michana y el Conde, "Los pájaros nocturnos". Nº 2. Terceto de Enrique, Michana y el Conde, con Don Juan, estudiantes y guardias, "Estaba en el regio alcázar". Nº 3. Seguidillas. Isabel, Luisa, Elena y Enrique, "Haga-

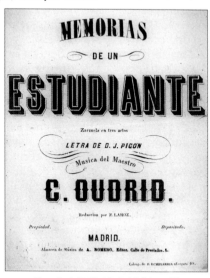

Cortesía de Unión Musical Ediciones SL

mos mucho gasto". Nº 4. Coro de guardias y Enrique, con Isabel, Luisa y Elena, "El estudiante aquí otra vez". Nº 5. Final del acto I. Coro de alguaciles, con Enrique, el Conde, Don Juan y el Alcalde, "La corte es un infierno". Acto II: Nº 6. Orquesta. Nº 7. Estudiantina y jota. Enrique, Isabel, Luisa, Elena y coros, "Si entre nubes de topacio". Nº 8. Coro y escena. Isabel, Luisa, Elena, Michana, el Conde, Enrique, Don Juan y coro, "Esta escena, señores". Nº 9. Cuarteto de Enrique, Michana, Don Juan y el Conde, "¡Hola!..., ¡señores guardias!". Nº 10A. Coro de damas y coro de hombres, con Don Juan y el Conde, "En una sucia botillería". Nº 10B. Final del acto I. Duquesas, Enrique, el Conde, Don Juan, coro de damas y coro de hombres, "Damas y caballeros". Acto III: Nº 11. Coro de colegialas, con Isabel, Luisa y Elena, "La madre sor Inés". Nº 12. Dúo de Isabel y Enrique, "Mis oraciones". Nº 13. Final. Duquesas, abadesa, Don Juan, coro de colegialas, coro de guardias y coro de estudiantes, "¡Profanar este convento!".

Comentario. José Picón escribió un libreto delicioso, "con sumo ingenio y gracia", que da lugar a una obra "enteramente española en la forma, en las costumbres, en el chiste y donaire del diálogo", según comenta Luis Rivera en *La Discusión* (6-V-1860). Al margen de la verdad histórica, Picón quiso recordar "algunas de las aventuras, verdaderas o falsas, atribuidas a las duquesas de Alba, Frías y Benavente, apenas disfrazadas con los nombres de Malva, Rías y Buenafuente", a fines del siglo XVIII, como indica Cotarelo. Los personajes son los habituales en la zarzuela pseudohistórica de intriga amoroso-palaciega: el viejo noble que quiere casarse con la noble joven, que es el personaje escarnecido en la obra; la bella joven noble que ama a un simple villano, al principio como capricho; y el villano que se enamora de la noble; estos personajes se presentan fuera del ambiente cortesano donde suelen vivir, siguiendo la moda "castiza" de mezclarse y confundirse con el pueblo en las romerías y fiestas populares; así la obra sigue el planteamiento presentado en 1849 por Olona para *La mensajera*.

La música de Oudrid es, para Cotarelo, "como toda la suya, afluente, melodiosa, alegre y siempre grata al oído". Con frecuencia, el compositor recurre a la yuxtaposición de fragmentos musicales, con numerosos cambios de tempo y compás; así ocurre, por ejemplo, en el Nº 12, dúo de Isabel y Enrique, donde se yuxtaponen un *Allegro animato*, un *Andante mosso*, con cuatro cambios de compás, un *Allegro moderato* y un *Allegro gracioso* en ritmo de polka. La obra obtuvo gran éxito. Según indica *La Época* (7-V-1860), "un diálogo salpicado de chistes, una música ligera y agradable, son las dos cualidades principales que resaltan en esta obra, que abunda en lindísimos cuadros y en escenas de efecto, que fueron aplaudidas repetidas veces". Picón, "que tiene un ingenio dramático privilegiadísimo", fue llamado por el público al terminar el primer acto, y de nuevo al concluir la obra, presentándose con Oudrid. Fueron repetidos la estudiantina y jota del acto segundo, que pronto se hizo popular, y el hermoso coro de colegialas del acto tercero. En la ejecución sobresalieron la Mora y Obregón. La obra fue representada muchos días seguidos en esa temporada, permaneciendo en repertorio al menos otras dos décadas. La segunda edición del libreto indica que a excepción del papel de Duquesa de Malva, pueden encomendarse los demás a las damas jóvenes y actrices de verso, porque su parte musical es muy breve, e incluye un apéndice en el que se explican los trajes que deben usar los intérpretes.

Fuentes manuscritas. La partitura (TL-1103) y los materiales de orquesta (2198) se conservan en el archivo de la SGAE en Madrid.
Ediciones de música. Canto y piano, adap F. Lahoz, Madrid, AR, [1860].
Ediciones del libreto. Madrid, Centro General de Administración, 1860; 2ª ed. Madrid, González.
BIBLIOGRAFÍA: M. E. Cortizo: "Oudrid Segura, Cristóbal", *DMEH*.

RAMÓN SOBRINO

Mencía y Echeverría, Antonio. España, siglo XIX. Dramaturgo. Escribió comedias y alguna zarzuela como *El novicio* con música de Luis Martín Campos y *Angelita* con música de Antonio Miró, ambas estrenadas en la Zarzuela en 1864. El mismo año escribió también *El centinela de vista*.

Mª LUZ GONZÁLEZ PEÑA

Méndez (I). Familia de cantantes españolas formada por las hermanas Amelia y Carolina.

1. Amelia. España, siglos XIX-XX. Tiple. A finales de los años ochenta estaba en su apogeo como actriz y cantante, habiendo estrenado en el teatro de la Zarzuela *Bocaccio* de Franz von Suppé con arreglo de Manuel Nieto en 1882 y *Gileta de Narbona* de Audran al año siguiente, puesta en escena por Arderius. En el Maravillas estrenó en 1888 *Satanás en la abadía (Otro cuento de Bocaccio)* de Rafael Taboada. Fue contratada por Arregui y Aruej cuando se hicieron cargo del teatro Apolo en 1889 para reforzar la compañía lírica que actuaba en dicho coliseo, que era la del veraniego teatro Felipe. La Méndez triunfó con *La primorosa* y *La cruz blanca*. En los años noventa una señora Méndez que puede ser ella estrenó en Lara *Los lunes del Imparcial* de Quinito Valverde a beneficio de Balbina Valverde.

2. Carolina. España, siglos XIX-XX. Tiple. Fue contratada por Arderius en la temporada 1882-83 para sustituir a Almerinda Soler di Franco.
BIBLIOGRAFÍA: *TA*; E. García Carretero: *Historia del teatro de la Zarzuela de Madrid*, Madrid, Fundación del Teatro de la Zarzuela, 2003.

Mª LUZ GONZÁLEZ PEÑA

Méndez (II). Familia de cantantes españolas formada por Ascensión y su hija Lolita.

1. Ascensión. España, siglos XIX-XX. Tiple cómica. La temporada 1905-06 estaba contratada por el teatro de la Zarzuela cuando lo dirigía Pablo Luna, y estrenó *Ideicas* de Tomás Barrera. Actuaba con gran éxito en el teatro Apolo de Valencia en 1910.

2. Lolita. España, †1933. Tiple. Poseía, como su madre, una voz privilegiada y acertada dicción. Comenzó cantando en el estilo de Raquel Meller y como cupletista actuó en el teatro de la Zarzuela. Acabó siendo vedette de revista en el teatro Martín, pero falleció muy joven.
FONOGRAFÍA: *La melitona*, Sonifolk 20127; *La sal por arrobas*, Sonifolk 20129; *Las tentaciones*, Sonifolk 20127; *Los brillantes*, Sonifolk 20127; *Los caracoles*, Sonifolk 20127; *París-Madrid*, Sonifolk 20129; *¡Yo soy casado, señorita!*, Sonifolk 20129.
BIBLIOGRAFÍA: *El Teatro*, 14, Madrid, 16-I-1910.

Mª LUZ GONZÁLEZ PEÑA

Méndez Velázquez, Fernando. Zamora, Michigan (Estados Unidos), 15-VIII-1882; La Habana, 8-V-1916. Compositor y director de orquesta. Estudió música en Guadalajara, donde llegó a los veinte años. Allí se incorporó como músico en la compañía de la tiple Esperanza Iris. Con ella fue a la ciudad de México y trabajó por algún tiempo en el teatro Principal. Junto con José F. Elizondo produjo la revista *Las musas del país*, cuyo número "Los Chichicuilotes" fue muy famoso. En colaboración con Humberto Galindo compuso la zarzuela *El rosario de Amozoc*, una de sus obras más exitosas. En 1908 se incorporó a la compañía de Prudencia Grifel y en 1910 fue director de la orquesta del teatro Virgina Fábregas. En 1916 se trasladó a Cuba, temeroso de represalias políticas por su actividad artística, crítica del gobierno de Victoriano Huerta. En Cuba realizó algunos conciertos y murió horas después de dirigir la Orquesta Alvizu en el teatro Martí de La Habana durante una función de la opereta *El barrio latino*. Méndez alcanzó cierta celebridad como autor de canciones populares, varias de ellas con letra de José F. Elizondo, siendo la más famosa *Ojos tapatíos*. Además escribió música para cerca de treinta operetas y zarzuelas, casi todas extraviadas, entre las que destacan: *El rosario de Amozoc*, 1910, *Después de un beso, Los aristócratas, El príncipe heredero*, con letra de José F. Elizondo y Alberto Michel, 1897, y *Sangre azul*.

RICARDO MIRANDA PÉREZ

Méndez Vigo, Mariano. España, †1982. Compositor y letrista. Escribió numerosas canciones, pasodobles y bailes, de los que muy a menudo es autor de música y letra. Su aportación al género lírico se reduce a una obra escrita en colaboración con Daniel Montorio Fajó, *El conde de Manzanares*, en dos actos, con libreto de José Muñoz Román, que se estrenó en el teatro Martín y cuyos materiales se conservan en el archivo de la SGAE en Madrid.

Mª LUZ GONZÁLEZ PEÑA

Mendizábal, Ramón. Córdoba, 1865; ?. Barítono. Sus primeros estudios musicales los realizó con su padre y debutó con sólo quince años. Cantó *Los amantes de Teruel* en el teatro Príncipe Alfonso de Madrid y después fue contratado para formar parte de una compañía de ópera con la que realizó dos temporadas más en ese teatro pasando después al Moderno y a los Jardines del Buen Retiro. En 1894 se hallaba en el Colón de Madrid en una brillante temporada en la que interpretó *El juramento, Los diamantes de la Corona* y *El valle de Andorra*. Recorrió España, Italia y Portugal cantando zarzuela grande, si bien pronto se vio obligado a cantar género chico cuando comenzó la decadencia del género grande. Inauguró el teatro Eldorado de Madrid y también cantó en el de la Zarzuela, siendo sus mejores creaciones *La verbena de la Paloma, Los borrachos* y *El querer de la Pepa*. En 1900 formaba parte de la compañía de Servando Cerbón, la misma en que estaba Concepción Martínez que actuaba en el teatro Gran Vía de Barcelona, y en los años siguientes realizó diversas giras por los teatros españoles. Fue además, autor de la fantasía cómico-lírica *El gran bajá* en colaboración con Francisco García Loygorri.

BIBLIOGRAFÍA: F. Cuenca: *Teatro andaluz contemporáneo. 2. Artistas líricos y dramáticos*, La Habana, Maza, 1940.

Mª LUZ GONZÁLEZ PEÑA

Mendo, Estela. España, siglos XIX-XX. Tiple cómica. En 1912 participó en el estreno de la opereta *Los molinos cantan* de Van Oost, en el teatro Apolo. También cantó en la opereta de Englander *Juego de amor*. En 1913 participó en el estreno de *Las musas latinas* de Penella.

BIBLIOGRAFÍA: *TA; Comedias y Comediantes*, 22, 1-IX-1922.

Mª LUZ GONZÁLEZ PEÑA

Menéndez, Ángel. Cárdenas, Matanzas (Cuba), 5-VII-1928. Barítono. Desde su niñez sintió afición por el canto. Al trasladarse la familia a la capital recibió lecciones de solfeo y teoría en el Conservatorio Municipal de Música de La Habana con Antonio O´Hallorans. Años después realizó estudios superiores en Sofia, Bulgaria, con Jristo Brambarov. Sus primeras actuaciones las realizó en conciertos ofrecidos por la soprano Zoila Gálvez. Participó también en las primeras trasmisiones de la televisión cubana, y antes de ser solista del teatro Lírico participó en la Coral Saudade del Centro Gallego de La Habana. Su debut escénico fue en el Palacio de Bellas Artes en 1957 con el Grupo Experimental de Ópera, del que fue fundador, en la ópera *Amelia va al baile* de Menotti. Su bello timbre de barítono, agudos brillantes y musicalidad le hicieron conquistar una posición destacada entre los cantantes líricos de su época. Formó parte como miembro fundador del Grupo de Teatro Lírico Nacional, en calidad de solista, donde no sólo se destacó en el género operístico, sino también en el campo de la zarzuela y la opereta. Participó en la primera grabación de la zarzuela cubana *Amalia Batista* de Rodrigo Prats, bajo la dirección orquestal de su autor. Su arte ha recorrido las más importantes salas de conciertos y teatros del país, así como los principales teatros de óperas de Bulgaria y Checoslovaquia.

FONOGRAFÍA: *Amalia Batista*, LD-3929-2, EGREM, 1980.

BIBLIOGRAFÍA: J. A. González: "La nueva generación de nuestro teatro", *Romances*, La Habana, IX-1963; A. Abella: *Cronología: Ángel Menéndez. 35 Aniversario de su debut escénico*, La Habana, Ministerio de Cultura, 1986.

JOSÉ PIÑEIRO DÍAZ.

Menéndez, Mercedes. Cuba, siglo XX. Soprano. Realizó sus primeros estudios de canto con Amelia Izquierdo. En 1926 fue presentada por Ernesto Lecuona en calidad de pianista y cantante en el teatro Payret, convirtiéndose desde entonces en una intérprete habitual de sus obras. Debutó en 1927 en el teatro Martí y en el Tosca, representando zarzuelas del país. Junto a Panchito Naya y la Orquesta Sinfónica de La Habana hizo el dúo de *Cecilia Valdés* de Gonzalo Roig, siendo la primera vez que esta pieza se presentaba en concierto de manera independiente. Entre 1933 y 1934 realizó algunas presentaciones en la radio, integrándose por esta misma fecha a la Compañía de Acebal y del Campo en el teatro Payret, y posteriormente a la de Lecuona en el teatro Principal de la Comedia, destacándose en los papeles principales de *Rosa la China, Lola Cruz* y *El torrente*, todas obras de este compositor. Incursionó, además, en el género español, interpretando con éxito numerosas zarzuelas españolas. En 1942, junto a su esposo, el barítono Rafael Pradas, fundó y dirigió un coro masculino.

BIBLIOGRAFÍA: *LVB*; J. Bonich: "En la intimidad del camerino", *El Mundo*, 10-VIII-1932; A. Ramírez: "El conjunto vocal Dicoteba", *Carteles*, 9-VIII-1942; A. J. Molina: *150 Años de Zarzuela en Puerto Rico y Cuba*, San Juan, Ramallo Bros. Printing, 1998.

CLARA DÍAZ PÉREZ

Mensajera, La. Ópera cómica en dos actos. Música de Joaquín Gaztambide. Libreto de Luis Olona. Estrenada el 24 de diciembre de 1849 en el teatro Español de Madrid.

Personajes y reparto. Don Gil, músico de aldea (Francisco Salas, barítono). Don Cleto, mayordomo del rey (Joaquín Arjona, bajo). Marquesa de San Juan (Bárbara Lamadrid, actriz-tiple). Inés, hija de Don Gil (Emilia Moscoso, tiple). Conde de Mérida, bajo el nombre de Don Juan (Sr. Osorio). Doña Ana (Sra. Córdoba). Enrique, guardia de corps (José González de Castro, tenor). Aldeanos y aldeanas.

Orquestación. Flautín, flauta, 2 oboes, 2 clarinetes, 2 fagotes, 2 trompas, 2 cornetines, 3 trombones, figle, timbales, arpa, cuerda y clarín dentro.

Argumento. La obra transcurre durante el reinado de Felipe V. *Acto I.* En una aldea cercana a Aranjuez, Inés, hija de Don Gil, músico de la aldea, tiene amores con un guardia de corps llamado Enrique, que residía en Aranjuez al servicio de los reyes, y con quien había de casarse cuando éste acabase el servicio. Pero la Marquesa de San Juan se enamora del soldado, y decide casarse con él, contrariando los deseos de Don Cleto, viejo mayordomo de palacio que aspiraba a la mano de la Marquesa, y rompiendo un compromiso con el Conde de Mérida, señor italiano que, disfrazado, había venido a España para verla. Don Cleto averigua quién es la amada del soldado que se comunicaba con ella por medio de una paloma mensajera educada por la joven, y se propone decírselo a la Marquesa para que desista de su capricho, obteniendo del rey una orden para enviar a Enrique a Italia. Mientras tanto, el Conde de Mérida ve a Inés, se enamora de ella y se propone romper el proyecto de Don Cleto, anulando los amores de Inés y Enrique, y favoreciendo el proyecto matrimonial de la Marquesa. Don Cleto, que era pariente del músico Don Gil y hasta le detentaba una herencia, decide llevar a la corte a su primo y consigue que Inés sea nombrada menina de la reina.

Acto II. Jardines del palacio de Aranjuez. Las intrigas que urden Don Cleto por un lado y el Conde de Mérida por otro, provocan una serie de conflictos, y la honra de Inés aparece dudosa a los ojos de Enrique e incluso a los de su padre, hasta que lo aclara todo la aparición de la *Mensajera*, es decir la paloma que había sido herida por un tiro del Conde, pero que trae el mensaje que por orden de su padre Inés había enviado a Enrique, y que el Conde había impedido que llegase a tiempo. La Marquesa, finalmente enterada de todo, entrega a Inés a Enrique; ella se casa con el Conde y casa a Don Cleto con Doña Ana.

Números musicales. Acto I: Preludio. Nº 1. Coro de aldeanos y Don Gil, "¡Tan, tan, tan, tan! Ya el alba colorea". Nº 2. Aria de Don Gil, con coro, "Aquí tenéis al músico". Nº 3. Cantinela de Enrique, "Respira, pecho mío". Nº 4. Dúo de Inés y Enrique, "¡Ah! ¿A quién de la morada de Inés saliendo vi?". Nº 5. Terceto de Inés, Enrique y Don Gil, "¡Canasto! –Ah –¿Qué es esto?". Nº 6. Romanza de Inés a la paloma, "Blanca tórtola inocente". Nº 7. Cavatina de Don Cleto, con coro, "Don Gil. –¿Qué diablos pasa?". Nº 8. Canto de despedida. Don Gil, Cleto, Inés y coro de aldeanos, "Adiós, amenos valles". Nº 9. Final 1º. Enrique y coro, "¡Gran Dios! Inés, Inés, bien mío". Acto II: Nº 10. Introducción y coro de guardias de corps, "Juego. –Juego". Nº 11. Escena y coro de meninas con Inés y Don Cleto, después Enrique y guardias, "Don Cleto, acercaos". Nº 12. Dúo de Don Gil y Don Cleto, "¡Pichirracas. –Señor". Nº 13. Cantinela de la Marquesa, "Pero al triste desengaño". Nº 14. Concertante. Don Gil, Enrique, Inés y coro, "La frente, oh mísera". Nº 15. Plegaria y cavatina de Inés, "Ve piadosa desde el cielo". Nº 16. Coro final con Inés y Don Gil, "Que viva la alegría".

Comentario. Al organizarse el beneficio de los actores del teatro Español en la Nochebuena de 1849, se programó el estreno de *La mensajera*, escrita por Gaztambide un año antes para ser representada en el teatro de la Cruz. Por ser preciso contar con cantantes en lugar de actores para interpretar la obra, Saldoni presentó a la Moscoso para el papel de tiple, contando con la colaboración de Francisco Salas –que no pertenecía al teatro– y de José González –tenor discípulo de Barbieri–. El teatro presentó así la obra: "*La mensajera*, ópera nueva en 2 actos, letra de D. Luis de Olona, música de D. Joaquín Gaztambide. Los autores de esta ópera la han ofrecido a la compañía, para uno de sus beneficios de Nochebuena, y la compañía la ha aceptado, deseosa de complacer a dos artistas españoles [Gaztambide y Salas] y creyendo que no desagradará al público la variedad que así resulta en los espectáculos destinados al referido día. Se ha procurado poner en escena esta obra del modo conveniente en punto a trajes y decoraciones, y tomarán parte en su desempeño los actores que a ello han sido invitados". La obra se estrenó a las 4 de la tarde con gran éxito, y sus autores fueron los primeros en percibir derechos de representación según el nuevo decreto orgánico que otorgaba el 20% en las tres primeras representaciones y el 10% en las sucesivas, a repartir al 50% entre poeta y compositor. Barbieri comenta que la obra aparece en el programa como ópera, en el libreto como ópera-cómica, mientras que él mismo opinaba que debía denominarse zarzuela, aunque Gaztambide creía que la palabra zarzuela rebajaba el espectáculo en la consideración del público. Al cabo de pocas representaciones, el cartel del teatro pasó a denominarla zarzuela, ayudando así a definir musicalmente los rasgos del naciente género lírico español.

La mensajera recurre a un género sentimental y serio en el fondo, aunque con episodios cómicos a cargo de los graciosos Don Cleto y Doña Ana. El libreto está en prosa, salvo los cantables. Los personajes son, según María Encina Cortizo, los que pronto serán habituales en la zarzuela restaurada de argumento histórico y de intriga amoroso-palaciega: el noble disfrazado que representa a su propia persona bajo la apariencia de un lacayo, Don Juan; el viejo noble que quiere casarse con la noble joven, que será el personaje criticado y escarnecido en la obra; la bella joven noble que ama a un simple villano, a veces como capricho; el villano, que según la obra, puede amar a la noble o, como en este caso, a otra joven villana. Todos estos personajes se caracterizan fuera del ambiente cortesano donde suelen vivir, siguiendo cierta moda "castiza" de mezclarse y confundirse con el pueblo en las romerías y fiestas populares. La obra sigue en su distribución escénica el modelo de *El duende* de Rafael Hernando, obra que consta de ocho números en el primer acto y siete en el segundo. Se han conservado tres partituras diferentes, que difieren ligeramente entre sí en cuanto a números musicales; así, en la conservada en la Biblioteca Nacional aparecen el N° 7, cavatina de Don Cleto con coro, y un final primero, N° 9, ausentes en las otras, figurando el texto del N° 7 en el libreto, sin que se encuentre impreso el del N° 9, lo que indica que fueron omitidos en representaciones posteriores de la obra; esta misma partitura incluye dos números incompletos para el acto segundo y uno final más largo de este acto, y en cambio carece del dúo de Don Gil y Don Cleto, N° 12. La versión musical que se puede deducir del texto del libreto impreso muestra –incluyendo el preludio– un total de quince números musicales, ocho en el primer acto y siete en el segundo.

La mensajera muestra el trabajo de articulación lírico-dramático utilizado por el compositor, donde el coro desempeña uno de los papeles principales. El primer acto presenta una forma cerrada y bien estructurada. El coro actúa como elemento de apertura y cierre musical del acto, al igual que en numerosos ejemplos de ópera cómica italiana. Su función es de observador externo de la acción, pudiendo eliminarse los números corales manteniéndose intacta la trama dramática de la obra. Los números corales están motivados por un interés únicamente musical y no por necesidades dramáticas, y responden a la moda del teatro lírico popular de integrar tramas cortesanas en ambientes populares –recuérdese posteriormente el caso de *Jugar con fuego*, 1851–. Los tres personajes centrales de la trama –soprano, tenor y bajo– están perfectamente caracterizados desde el comienzo de la acción. Los números de conjunto –el dúo y el terceto– son desempeñados por dichos personajes principales, y contribuyen a desarrollar su caracterización dramática. Hay una caracterización de Don Gil, padre de la protagonista y músico que toca el fagot, instrumento de las situaciones cómicas, lo que sugiere un personaje de carácter tranquilo y bonachón. En el segundo acto de *La mensajera* los solos desaparecen –exceptuando la romanza de la protagonista, N° 14, y la pequeña cantinela de la Marquesa, N°12–, en favor de los números corales –el N° 9, el N° 10, y el N° 15– y dos concertantes –el dúo entre los dos bajos, N° 11, y el concertante central, N° 13–. Destaca en el dúo cómico la utilización de bailes de salón populares a mediados del siglo XIX, entre los que se puede identificar el vals lento, ritmos próximos al chotis y una polka, que alternan con las frases cantadas por ambos protagonistas.

De todos los números, el más conseguido dramáticamente es el concertante, sentando un precedente ausente hasta entonces del teatro lírico, al que ofrece una nueva vía de desarrollo mediante la integración de números corales y concertantes vocales. La obra se adelanta a los avances generales del repertorio, en consonancia con el resto del arte lírico europeo, que se harán ciertos en España con *Jugar con fuego* de Barbieri. En la obra destaca el movimiento armónico de los números poliseccionales, pues es frecuente que un número se inicie en un área tonal, que realice una flexión hacia el área de la mediante, y continúe bien en la tonalidad homónima, si se partía de un tonalidad en modo menor, o bien en la de su cuarta justa ascendente, si la obra empezaba en modo mayor, lo que hace que la tónica de una región se convierta en dominante de la siguiente. El dominio del medio instrumental es otra característica destacada de la escritura de Gaztambide. La obra emplea formas típicas del repertorio de salón de mediados de siglo –como la polka de la segunda sección del dúo de Don Gil y Don Cleto, quizá un remedo de la polka de Doña Sabina que había obtenido gran éxito en *El duende*–, junto a estructuras propias de la ópera italiana –como la cavatina–, demostrando la versatilidad de su lenguaje teatral y la combinación de una tendencia hispánica con un lenguaje europeo, próximo a la ópera cómica francesa, que preferirá en su producción de zarzuela grande. El lenguaje lírico de Gaztambide posee gran libertad armónica, mayor que la de sus contemporáneos españoles, libertad que es controlada por un adecuado trabajo motívico y formal, que otorga coherencia a su discurso musical.

Según Sánchez Allú, "*La mensajera* se puso en escena con propiedad; se cantó bien, y se caracterizó mejor; en una palabra, hizo fortuna; y los Sres. Olona (Don Luis), como autor de la letra, y Gaztambide como el de la música, adquirieron reputación, dando a entender que ambos eran a propósito para conducir la zarzuela a su mayor esplendor… La música es quizá lo mejor que ha hecho el señor Gaztambide. Pensamientos elevados, combinaciones armónicas y melódicas, bastante filosofía, sobre todo, y buen orden y desarrollo de ideas, son las dotes de esta obra, que unidas a una brillante instrumentación forman un conjunto agradable y bello". Según Cotarelo, los números que más gustaron fueron "el coro de guardias y meninas; el dúo de los dos bajos y el concertante y coro de la maldición, que canta primero el padre solo; luego el tenor y el coro, que repiten igual motivo, y después la orquesta mientras que el coro cambia y ejecuta un contramotivo. Esta pieza es un alarde que al autor hace de sus grandes cualidades de armonista". Tras el éxito de *La mensajera*, Hernando consiguió convencer a la empresa del teatro de Variedades para que contratase cantantes, con el fin de representar mejor las zarzuelas, y se contrató a Francisco Salas, José González y Adelaida Latorre, además de varios coristas y músicos para la orquesta. La temporada de Variedades se reanudó el 15 de febrero de 1850 con *La mensajera*, y Salas convenció a la empresa de que Gaztambide debería formar parte de la dirección, al igual que Barbieri, lo que la empresa y Hernando aceptaron. Las repeticiones de *La mensajera* y el éxito del estreno de *Gloria y peluca* de Barbieri, animaron a la empresa a mejorar las instalaciones del teatro, trasladándose al teatro de los Basilios, ahora designado Supernumerario de la Comedia, o del Drama. El éxito de *La mensajera* hizo que Gaztambide reuniera en su casa a los que se dedicaban al establecimiento de la zarzuela, siendo fruto de estas reuniones la creación de la empresa del teatro del Circo en septiembre de 1851. Según Saldoni, "*La mensajera* fijó la suerte próspera y feliz que le esperaba a este género de espectáculo".

Fuentes manuscritas. Dos partituras, una de ellas autógrafa (TL-578), y los materiales de orquesta (994) se conservan en el archivo de la SGAE en Madrid. Otra partitura se conserva en la Biblioteca Nacional de Madrid (M-3368).

Ediciones de música. Canto y piano, Madrid, CM.

Ediciones del libreto. Cádiz, Imp., Librería y Litografía de la Revista Médica, 1850.

BIBLIOGRAFÍA: *HZ*; M. E. Cortizo: "La restauración de la zarzuela en el Madrid del XIX", tesis doctoral, U. Complutense de Madrid, 1993; R. Sobrino: "Gaztambide. 1.", *DMEH*.

RAMÓN SOBRINO

Mercado, Ignacio O. México, siglos XIX-XX. Compositor. Se dio a conocer en 1900 con *Los rayos X*, zarzuela que fue aplaudida por su música aunque censurada por su libreto. "La pieza abunda en chistes de color subido" –dijo el periódico *El Universal*–"y aun cuando se trata de un compañero nuestro lo censuramos severamente y creemos que por ello deben comenzar los recortes; aparte de esto la obra gustó por su mucho movimiento y por el lujo con que está puesta; la música agradó a su vez y fueron muy celebrados el vals de las *Estrellas* y el número del *Confeti* y *la Serpentina*". En 1901 estrenó *El rebumbio de Santa Ana* "graciosa pintura de costumbres populares mexicanas" que agradó lo suficiente para ser repuesta en años posteriores. En 1903 estrenó

Los dos osos, "obra bien puesta y ensayada [que] valió a sus autores aplausos y llamadas a escena". Colaboró en todas sus obras con el libretista Carlos Valle Gagern.

OBRAS: *Los rayos X*, Zarz, 1 act, l, C. Valle Gagern, est, 10-II-1900, Te. María Guerrero; *El rebumbio de Santa Ana*, Zarz, 1 act, l, C. Valle Gagern, est, 1901, Te. María Guerrero; *Los dos osos*, Zarz 1 act, l, C. Valle Gagern, est, 16-V-1903, Te. María Guerrero.

RICARDO MIRANDA PÉREZ

Merenciano Bosch, Francisco. España, 12-X-1905; 9-XII-1969. Compositor. Es autor de numerosísimas obras, algunas muy relacionadas con Granada. Escribió pasodobles, bulerías, música religiosa y hasta una banda sonora, *Carmen la de Triana*. En el archivo de la SGAE en Madrid se conservan dos obras líricas suyas, el sainete en un acto *La alegre farándula*, con libreto de Alfredo Sendín y *Música en el aire*, escrita en colaboración con Gil Serrano, con libreto de Pedro Llabrés y José Mª Espinosa, estrenada el 6 de noviembre de 1947 en Aranjuez. Pero además de estas dos, es autor de otras obras líricas como *Azabache*, *En mi querer mando yo*, sainete en colaboración con Ramón Perelló; *Humos de señorío*, *Vea usted run run*, revista y el espectáculo *Verbena número 2*.

BIBLIOGRAFÍA: *TLE*.

Mª LUZ GONZÁLEZ PEÑA

Merino Campos, Julio. España, 1908; 1989. Compositor y autor. Tiene en su haber numerosas canciones y bailes de los que es autor, frecuentemente, tanto de la música como de la letra. En el archivo de la SGAE en Madrid se conserva su obra lírica *Estampas frívolas*, con libreto de Manuel Paso Andrés, estrenada en el teatro Alkázar de Madrid el 7 de mayo de 1933.

Mª LUZ GONZÁLEZ PEÑA

Merino Piccido, Gabriel. Madrid, 1862; Madrid, 2-V-1904. Libretista. Alternó su vocación teatral con la de periodista, como la mayor parte de los comediógrafos, colaborando en *El Imparcial*, como redactor, y en *El Arte* y *Gente Teatral* de los que fue director. Fue uno de los más fecundos hombres de teatro de su tiempo que cultivó con facilidad e ingenio todos los géneros, desde el apropósito a la zarzuela, pasando por las bufonadas, fantasías, humoradas o juguetes. Autor de renombre y popularidad logró éxitos muy considerables, algunos de los cuales se hicieron centenarios, no sólo por la habilidad del autor y de sus colaboradores, sino también por la labor de compositores como Rubio, Chalons, Luna, Fernández Caballero, Valverde, Torregrosa, Calleja, Arnedo y otros muchos que pusieron su música al servicio de su ingenio. De entre sus obras *La venida de Jesús o La estrella con rabo*, *Cepa Club*, *Los adelantos del siglo* y sus parodias como *El cuñao de Rosa* de *El puñao de rosas*, *Los africanistas* de *El dúo de la Africana*, *¿Cytrato? ¡De ver será!* del *Cyrano de Bergerac*, y tantas otras que acreditan su bien humorado talento, pues sus parodias en general no revisten caracteres hirientes o molestos para los parodiados. En suma, hábil y experto en la construcción, fácil en el diálogo, fue uno de los libretistas más acreditados de su tiempo. Es autor de la primera reacción conocida provocada por *La Gran Vía*, titulada *La Pequeña Vía*, estrenada cuatro meses después del gran éxito de Chueca, Valverde y Pérez, anterior por tanto a otras obras provocadas por *La Gran Vía* como *Efectos de La Gran Vía* o *Las criadas* del año siguiente.

BIBLIOGRAFÍA: *CDE; DAT; EDL; TLE.*

Mª LUZ GONZÁLEZ PEÑA

Mesa, Julia. España, siglos XIX-XX. Tiple cómica. Llegó al teatro por casualidad, ya que vivía en el mismo edificio que Chalons, cuñado de Manuel Fernández Caballero y al oírla éste cantar le sugirió hacer una prueba en el teatro de la Zarzuela, siendo muy niña; la prueba fue un éxito de modo que quedó contratada y obtuvo abundantes éxitos interpretando papeles masculinos en zarzuelas como *La tempranica*, donde representaba el papel del gitanico Grabié, que bailaba "La Tarántula", llegando a oscurecer la labor de Conchita Segura, que daba vida a la protagonista, María "la Tempranica" y Julio Ruiz la quiso contratar de inmediato para su compañía. El papel de Grabié

sacó a Julia Mesa del coro del teatro de la Zarzuela y le dio la oportunidad de interpretar papeles protagonistas en *La manta zamorana* de Manuel Fernández Caballero, 1902, y sobre todo en *La reina mora* de Serrano, donde interpretaba al niño vendedor de pájaros y obtuvo un gran éxito con el pregón. Cantó también *La revoltosa*, *El general* y *Los pícaros celos*, entre otras. Permaneció tres temporadas en el teatro de la Zarzuela y después emprendió una gira por México, y a su vuelta a Madrid cantó en el tea-

Julia Mesa en La revoltosa *de Moreno Torroba (Foto: Nuevo Mundo, 1907; Ar. ICCMU)*

tro Eldorado hasta que éste se incendió, pasando entonces al Gran Vía de Barcelona, aunque Arregui y Aruej la contrataron y en la temporada 1903-04 debutó en Apolo, precisamente con *La tempranica*, que le proporcionó un gran triunfo y pronto la convirtió en primera tiple de Apolo. En diciembre de 1903 obtuvo un nuevo triunfo con el Niño de los pájaros de *La reina mora* de Serrano, en la que hubo de repetir dos veces el "Pregón de los pájaros" la noche del estreno. Fue muy aplaudida en *Los pícaros celos* de Giménez, estrenada en 1904, y en *El pobre Valbuena* de Torregrosa y Quinito Valverde estrenada un mes después. En 1905 fue muy aplaudida en *El mal de amores* de Serrano, junto a Luis Manzano. Dos años permaneció en la catedral del género chico hasta que problemas de salud la hicieron trasladarse de nuevo a Barcelona contratada por el Gran Vía en el que permaneció siete meses, y posteriormente por el Cómico de la misma ciudad, volviendo a Madrid al cabo de año y medio para debutar en el Circo de Parish en la compañía de Emilio Mesejo y Eugenio Casals. Con Emilio Mesejo realizó una larga gira por Andalucía y volvió después al teatro de la Zarzuela.

Para ella escribieron Ángel Rubio y José Masllovet Sanmiquel la zarzuela *La chiquilla*, estrenada en el teatro Pignatelli de Zaragoza. En la temporada 1904-05 de nuevo fue contratada por el Apolo donde estrenó *El pobre Valbuena* de Torregrosa y Valverde. En 1907 formaba parte de la compañía del teatro de la Zarzuela donde estrenó *El gallo de la pasión* con música de Joaquín y Quinito Valverde, compartiendo el protagonismo con Pepe Moncayo. En 1910 figuraba como primera tiple cómica en la compañía de Maximiliano Thous que inauguró el teatro Serrano de Valencia. Se casó con el escrito Ramón Asensio Mas. *Véase* ASENSIO MAS, RAMÓN.

BIBLIOGRAFÍA: *ME; MIHA*, 67, Madrid-Barcelona, VII-1902; *El Teatro*, 39, XII-1903; *El Teatro*, VII-1904; *El Teatro*, IX-1904; Córcholis: "Memorias íntimas del teatro. Julia Mesa", *Nuevo Mundo*, 683, 7-II-1907; *El Arte de El Teatro*, 1-VI-1907; "Figuras del teatro: Julia Mesa", *El Arte de El Teatro*, 49, 1-IV-1908; *Comedias y Comediantes*, 18, 1-VII-1910.

Mª LUZ GONZÁLEZ PEÑA

Meseguer, Jerónimo. Almansa (Albacete), 12-IX-1908; Madrid, 24-IX-1990. Tenor. Se trasladó a Madrid donde estudió con Ignacio Tabuyo durante tres años. Se presentó en 1933 en el teatro Fuencarral en la compañía del cubano Eduardo Brito con la obra *La Virgen Morena* de Lecuona. Posteriormente se incorporó a la compañía de Moreno Torroba con la que presentó un extenso repertorio de Torroba, Alonso, Guerrero, Millán, Luna, Vert, Soutullo y Vives, por los teatros españoles. Con una voz de tenor de gran belleza de timbre, se le consideró uno de los mejores tenores de la década de 1930. Dejó de cantar después de la Guerra Civil.

FONOGRAFÍA: *La canción del olvido*, EMI-Regal LCX 7007 115; *La del Soto del Parral*, EMI 7243 5 74228 2 6 • EMI 7243 5 74228 2 6 (637.02623) • Regal 33 LCX 108; *Romanzas de zarzuelas*, Regal SEBL 7050 y SEDL 19041.

BIBLIOGRAFÍA: *OCCE.*

Mª LUZ GONZÁLEZ PEÑA

Meseguer Andreu, Manuel. España, †1973. Compositor y autor. Es autor de muchas canciones y bailes y al menos de dos obras líricas, *África* y *La niña de Lajardín*, de la que es autor también del libreto y que se estrenó el 30 de abril de 1952 en el teatro Tívoli de Valencia.

Mª LUZ GONZÁLEZ PEÑA

Mesejo. Familia de cantantes españoles formada por José y su hijo Emilio.

1. José. Madrid, 19-III-1841; Madrid, 16-I-1911. Actor y cantante. A los quince años era ya actor y dirigía una compañía de aficionados. Fue aprendiz de tipógrafo y de pintor decorador. Aunque comenzó estudios de Derecho los abandonó para estudiar en el Conservatorio con Julián Romea. Debutó en 1860 en el teatro Novedades en la compañía de Juan de Alba. Formó su propia compañía y posteriormente integró la de Pedro Delgado en la que permaneció cuatro años actuando en Sevilla. Regresó a Madrid y actuó en escenarios como Eslava, Novedades, Jardines del Buen Retiro, Martín y Lara. Uno de sus mayores triunfos lo obtuvo con su interpretación de uno de los Ratas de *La Gran Vía*, en compañía de Julio Ruiz y su hijo Emilio, en 1886, en el teatro Felipe; en la misma obra interpretó en el cuadro "En las afueras" a un soldado, personaje que no habla y en el que, sin embargo alcanzó un gran éxito, agradeciéndoselo los autores en la edición del libreto. Ese mismo año, en su número 151 del 9 de enero, el *Madrid Cómico* presentaba su caricatura en portada con estos versos:"Un actor de P. y P. / De la gente de teatro, / iya quisieran más de cuatro / la gracia de don José!".

Entre 1886 y 1890 actuó en Maravillas, Variedades, Felipe, Eslava y Príncipe Alfonso, estrenando obras como *Chateau Margaux* y *La chiclanera*. En la temporada 1890 ingresó en el teatro Apolo, permaneciendo quince temporadas estrenando obras como *La leyenda del monje, El monaguillo, La caza del oso, El señor Luis el tumbón, La verbe-*

José y Emilio Mesejo (Fotos: Ar. Familia Delgado / Franzen en El Teatro, *1904; Ar. SGAE)*

na de la Paloma, Los aparecidos, El cabo primero, Doloretes, Las mujeres, Agua, azucarillos y aguardiente, Las bravías, La revoltosa, El santo de la Isidra, La chavala, La fiesta de San Antón, Quo vadis?, El terrible Pérez y *El género ínfimo.* José Mesejo bordaba los tipos populares de pobre hombre engañado. El mayor éxito de esas quince temporadas fue, sin duda, *La verbena de la Paloma*, en la que, como en tantas otras, actuó con su hijo Emilio, interpretando José al tabernero, caústico y sentencioso, con frecuentes equivocaciones en sus frases, que sin embargo consagró con su solemnidad que rozaba el ridículo. En 1901, junto a su hijo Emilio, interpretó *Doloretes* de Vives y Arniches. En 1902 cantó junto a Isabel Brú *El tirador de palomas* de Vives y Fernández Shaw, destacando su buen arte de veterano primer actor. Su último gran éxito en Apolo lo obtuvo en *Juegos malabares*, 1910, junto a Consuelo Mayendía.

Permaneció en escena durante cincuenta y un años, en diversos teatros de la corte, siendo uno de los mantenedores del género chico. En su última época fue uno de los puntales del teatro Apolo, en cuya compañía permaneció hasta 1910, cuando se le quiso conceder una pensión a lo que el actor se negó, y siguió trabajando prácticamente hasta su muerte, ya que en su último año de vida, desde octubre de 1910 al 8 de enero de 1911 dirigió una compañía en el Teatro-Circo Balear de Palma de Mallorca. Muy enfermo, volvió a Madrid donde murió ocho días después constituyendo su entierro una muestra de la simpatía que el público madrileño le profesaba.

2. Emilio. Alcalá la Real (Jaén), 1864; Burgos, 23-II-1931. Cantante y actor. Nació camino de Alcalá la Real durante una gira de la compañía de su padre y desde sus primeros años apareció en escena formando parte de la compañía infantil de Luis Blanc. Ya mayor, se convirtió en relojero y fue cajista de imprenta hasta que convencido su padre de sus condiciones artísticas lo llevó con él, si bien antes de darle papeles de actor le hizo copista y segundo apunte del teatro. Trabajó en el teatro de Novedades, Jardines del Buen Retiro, Felipe, Maravillas, Eslava y Lara, siempre con su padre, con el que estrenó *La Gran Vía* en el Felipe en 1886, haciendo uno de los Ratas. También en Felipe estrenó en 1890 *El chaleco blanco* y *La* *baraja francesa.* En 1890 debutó en la catedral del género chico y se convirtió en primera figura, especializado en los chicos tímidos o bien en los chulos o galanes de barrio, de modo que llegó a ser el protagonista de las principales obras del género: el Julián de *La verbena de la Paloma*, el Felipe de *La revoltosa*, el Giuseppini de *El dúo de la Africana* y el Visentico de *Doloretes*, estrenando *La leyenda del monje*, *El monaguillo*, *El santo de la Isidra*, *Agua, azucarillos y aguardiente*, *La fiesta de San Antón*, *Las bravías*, y otros muchos títulos esenciales del género chico. En *La verbena de la Paloma* interpretó por primera vez un papel serio, en el que fue muy alabado por la crítica, según Enrique Sepúlveda, "Lo matiza a maravilla y lo dice con verdadero gusto; y la verdad, nos sorprendió a todos ver tan actor al que hasta la fecha nos resultaba más artista de circo que de teatro. Es muy simpático el tipo de Julián que representa, y Emilio Mesejo, felizmente inspirado en su interpretación, lo hizo agradabilísimo. Merece un aplauso entusiasta". Aquél era uno de los críticos más severos de la época, y a menudo había atacado sin compasión a Mesejo hijo, que había sido el blanco de los críticos "serios" que le acusaban de ser vulgar e histriónico. Curiosamente, la crítica aludió a la primitiva profesión de Emilio Mesejo, cajista de imprenta como Julián para explicar la perfecta simbiosis entre el actor y el personaje. Fue también muy alabado su Felipe de *La revoltosa*, y a pesar de no ser un buen cantante, la crítica y el público alabaron su famoso dúo con Mari-Pepa. Fue uno de los puntales de la empresa del Apolo cuyo público le adoraba, lo que no les impidió recibirle con una gran bronca cuando regresó al teatro tras haberse fugado a Barcelona en pos de una corista.

En la temporada 1904-05 pasó a formar parte de la compañía Guerrero-Mendoza como actor cómico, pero aún cantó en algunas obras como *La sobresalienta* de Chapí, con María Guerrero, Nieves Suárez y José Santiago. Volvió al género lírico en temporadas en Price y Zarzuela y de nuevo a la compañía Guerrero-Mendoza en la Princesa de donde pasó a la compañía de Carmen Cobeña en el Español, entre 1916 y 1918. Posteriormente y en el mismo teatro fue primer actor de las compañías de Ricardo Calvo y Jacinto Benavente. Pasó después a la compañía de Enrique Borrás donde interpretó su último papel: el de Rebolledo de *El alcalde de Zalamea*. Su popularidad era enorme, como lo demuestra el hecho de que *La Correspondencia de España* el 27 de junio de 1899 se hacía eco de la grave enfermedad del actor, que había tenido que abandonar las funciones de Apolo. Sin embargo, después de su muerte nadie se ocupó de la noticia y su desaparición pasó inadvertida, ya que sus últimos años, a diferencia de su padre, fueron bastante oscuros, pasados entre la mesa de juego del Círculo de Bellas

Artes y el teatro Apolo, al que acudía confundido con el público.

BIBLIOGRAFÍA: *DAT; MT; OCCE; OGCH; TA; Madrid Cómico*, 151, Madrid, 9-I-1886; *El Teatro*, 8, VIII-1901; *El Teatro*, 30, III-1903; M. Zurita: *Historia del género chico*, Madrid, 1920; F. Cuenca: *Teatro andaluz contemporáneo. 2. Artistas líricos y dramáticos*, La Habana, Maza, 1940; T. Caballé y Clós: *Barcelona de antaño. Memorias de un viejo reportero barcelonés*, Barcelona, Ed. Aries, 1944; I. Sánchez Estevan: *María Guerrero*, Barcelona, Iberia-Joaquín Gil Ed., 1946; —: *Jacinto Benavente y su teatro*, Barcelona, Ariel, 1954; A. Valencia: *El género chico*, Madrid, Taurus, 1962; G. Fernández-Shaw: *Un poeta de transición. Vida y obra de Carlos Fernández-Shaw (1865-1911)*, Madrid, Ed. Gredos, 1969; A. Barrera Maraver: *Crónicas del género chico y de un Madrid divertido*, 3ª ed., Madrid, Avapiés, 1992; J. López Ruiz: *Historia del teatro Apolo y de La verbena de la Paloma*, Madrid, Avapiés, 1994.

Mª LUZ GONZÁLEZ PEÑA

Mestres i Oñós, Apel.les. Barcelona, 29-X-1854; Barcelona, 19-VII-1936. Dramaturgo, poeta y dibujante. Fue un verdadero exponente del romanticismo tardío, con una actividad muy polifacética. Su padre, Josep Oriol Mestres, había sido el arquitecto que reedificó el teatro del Liceu en 1861. Su hermano Arístides Mestres destacó como ilustrador y escritor. Sus estudios de juventud se centran principalmente en la disciplina artística, además fue un hombre profundamente interesado en la literatura. En 1879 inició su colaboración como ilustrador en *La Campana de Gràcia*, y al poco en *L'Esquella de la Torratxa*. Con rapidez se convertiría en uno de los dibujantes y caricaturistas más apreciados; en *La Publicidad* realizó el chiste diario desde 1896 a 1906. A parte de ello desarrolló una intensa actividad como ilustrador literario, sobrepasando su faceta de las colecciones e historias cómicas. En 1875 ilustró las *Cançons de noys y noyas* de Josep Rodoreda, hizo los figurines teatrales para *Nit de Reis*, *Gaziel*, *Los Pirineus*, *Flors de cingle* o *Nausica*, o los libros de creación bibliográfica caso de *Idilis*, *Balades*, *Cants íntims* o *Liliana*.

En el aspecto literario, su primera obra, *Avant*, se remonta a 1875; en ella muestra una actitud romántica, situando la acción en ambientes medievales, arcaizantes, cuando no dominados por el elemento natural, onírico y fabuloso. A esta actitud exaltada se oponía su formación positivista, que asomaba en una fina vertiente satírica. Siguiendo algunas crónicas de la época, Mestres había empezado a escribir obras teatrales sólo con diez años. Al cumplir los diecinueve redactó una zarzuela a la cual puso música Porcell; la obra no se estrenó jamás, Mestres rompió el manuscrito, temeroso por su audacia. En 1883 obtuvo la Flor Natural en los Juegos Florales de Barcelona, y la Viola de Oro en 1884. Era habitual obtener el galardón de maestro en Gai Saber al poco tiempo de haber obtenido las tres distinciones más importantes del certamen; la actitud tendente al modernismo de Mestres puede explicar el que no lo obtuviera hasta 1908, después de haber publicado colecciones de poesías. Apel.les se relacionó y mantuvo una estrecha amistad con F. Asenjo Barbieri, al cual le pidió consejos para la publicación de su biografía sobre Clavé. Los documentos epistolares conservados adquieren en ocasiones la categoría de obras de arte por los esbozos y dibujos que incluía Mestres.

La vertiente dramatúrgica apareció de forma gradual, y fue consecuencia por una parte de la derivación de sus poemas dialogados y por otra, de los contactos que lo vincularon con el grupo modernista. En 1873 redactó el libreto de la zarzuela *Lo senyor del pis de dalt*, terreno en el que no volvió a participar hasta 1880 con *La nit al bosc*, un idilio dramático con música de Rodoreda, estrenado en 1883. Su estilo evolucionó desde el estilo intimista hacia un realismo del cual hizo su ideario, y en el que cabían desde la sátira, a actitudes pre-rafaelistas, o a plantear una nueva vitalidad a la forma baladística. Como expone Joaquim Molas, "Mestres sumó al modelo lingüístico de tradición urbana la novela realista y, en concreto la naturalista, produjo un lenguaje sencillo y espontáneo que, con toda fluidez, reprodujera los movimientos más libres de la realidad y que, sin duda, preparó el terreno a Maragall, Rusiñol y todos sus colegas." En sus libretos líricos desaparecieron las frases chocarronas y las situaciones bufas que dan vitalidad a las obras de Serafí Soler "Pitarra". En 1897 escribió el libreto para *La flor de la vall*, con música de Joan Goula. A partir de estos años, casi no salía de su domicilio, en el pasaje Permanyer. Allí se hicieron habituales sus reuniones artísticas, a las cuales concurrían Granados, Morera, I. Iglesias, Rodoreda y J. Renart, entre otros. Con *La Rosons*, 1901, con música de Morera, y la balada *Picarol* de Granados, Mestres dio su paso definitivo hacia el mundo lírico. Las dos obras formaban parte del proyecto de Morera de teatro Líric Català, alcanzando un éxito inmediato, tal y como Serafí Soler lo había predicho tiempo atrás: Mestres era un hombre de teatro. En 1903 se estrenó *Follet* en el Liceo, con música de Granados, y el mismo año otra de sus obras significativas por lo que supuso de ahondamiento en los cuadros de costumbres marineras, *La barca*, con música de Morera. A partir de estos años su presencia en el mundo musical se fue incrementando. Sus libretos se reponían en la empresa de Graner, redactó el libreto para una de las obras modernistas más sugerentes, *Nit de Reis*, 1906, con música de Morera, también *Gaziel* de Granados —obra redactada en 1891 e influida por Goethe—, y la obra de menores pretensiones, pero de una sátira fina y punzante, *Pierrot lladre*, con música de C. Sadurní. Al año siguiente redactó el libreto de *Liliana*, a la que pondría música Granados, una de sus obras más modernistas, así como el cuento popular

Apel.les Mestres (Foto de Campúa en La Esfera, *1915; Ar. ICCMU)*

Joan de l'Ós, y que pertenece al teatro infantil, a pesar de su gran calidad literaria. Con Morera, autor con el que trabó amistad y con quien compartía gustos modernistas estrenaron *La viola d'or*, 1914, concebida para su representación al aire libre, en cuyo estreno participó Adrià Gual y realizó las decoraciones S. Alarma; también participó de un espíritu similar a *La viola d'or*. Perdió progresivamente la visión de ambos ojos. Entonces se dedicó exclusivamente a la literatura y también a la música. A partir de 1922 inició la publicación de cuadernos de *Cançons*, un repertorio muy extenso y de variada tipología, que comprende desde baladas, a canciones infantiles, pasando por obras jocosas y dedicatorias.

En los primeros años del siglo XX las notas de la crítica solían mostrar reconocimiento y respeto hacia su figura y obra. Sin embargo, no se pasó por alto el hecho de que unas obras tan inspiradas como *Gaziel* o *Nit de Reis* fueran poco aptas para la acción dramática. Según el cronista de la revista semanal *La Escena Catalana* (3-XI-1906), "el poema de Apeles Mestres necesita, para entrar en el corazón, la soledad y la abstracción de la lectura, y se difumina y pierde toda la intensidad emotiva al encontrarse con el convencionalismo de las tablas". A pesar de ello, *Nit de Reis* consiguió alcanzar en una temporada ciento sesenta representaciones, muestra suficientemente del éxito arrollador. Parecidas objeciones se vertieron sobre *Pierrot lladre*. En cierto sentido se le podría calificar como un caso singular en su tiempo. Para F. Curet, Mestres fue un poeta y artista que tocaba con los pies en el suelo: "Sus fantasías, dotadas de una lata espiritualidad, se pueden tocar e identificar". En conjunto, Mestres redactó cerca de unas sesenta obras dramáticas, además de unos quince monólogos. Fue nombrado caballero de la Legión de Honor, y miembro de la Real Acadèmia Catalana de Bellas Artes. *Véase* LA BARCA.

BIBLIOGRAFÍA: F. Curet: *Història del teatre cátala*, Barcelona, Ed. Aedos, 1967; VVAA: *Apel.les Mestres (1854-1936)*, Barcelona, Fundació Jaume I, 1985.

FRANCESC CORTÈS i MIR

Mestres Pérez, Moisés. Barcelona, siglo XX. Compositor. En Barcelona presentó un gran número de revistas, de música juguetona y pegadiza, por lo que se hicieron muy populares. Entre otros títulos obtuvo un gran éxito *Ceguera de amor* creada para Rosita Ferrer, pero no sólo escribió para artistas "frívolas" como Rosita Ferrer o la Bella Dorita, sino incluso para Pilar Lorengar.

BIBLIOGRAFÍA: A. Retana: *Historia de la canción española*, Madrid, Ed. Tesoro, 1967.

Mª LUZ GONZÁLEZ PEÑA

México. México tuvo una intensa actividad zarzuelística a lo largo de su historia y desarrolló además un género propio. Esta nación es, junto con Cuba, la más activa en el cultivo de la zarzuela en Hispanoamérica.

I. Historia. II. Principales obras y autores.

I. HISTORIA. Sobre la presencia de la zarzuela en México existen algunas noticias que se remontan al último tercio del siglo XVIII, cuando el término zarzuela comenzó a ser utilizado en relación a presentaciones teatrales. La referencia más antigua consignada por Olavarría tiene que ver con un pleito sobre el teatro del Coliseo en 1768. En los papeles legales de dicho asunto se menciona una mezcla curiosa de obras y géneros que se representaban en aquel teatro: sainetes, tonadillas y seguidillas. Pero además, Olavarría consigna la ópera *La dicha en el precipicio* y un poco más adelante, la existencia en los inventarios de dicho foro de "cuatro lienzos de teatro en cotense florete nuevo, pintados al temple, que forman una plaza de la zarzuela *Las segadoras*". A esta noticia siguen algunas otras como la publicada en 1790 por el empresario Ramón Blasio, quien prometía en un periódico, a raíz de sus proyectos teatrales, "dar al publico comedias de gusto y al propósito al estado en que se halla la rama de cómicos, las comedias serán de Calderón y Moreto y los mejores autores; pondré los mejores bailarines y los domingos daré una comedia de todo gusto, con una tonadilla buena, unas seguidillas en el primer intermedio y en el segundo una zarzuela o sainete y un baile grande que variará la diversión para no dar lo mismo unas semanas que otras". Hay otras noticias

similares que abarcan los últimos años del virreinato y los primeros del México independiente y que, ante todo, son testimonios de un proceso de surgimiento del género en tierras mexicanas. Al igual que en España o en otros países hispanos, los tipos de espectáculo lírico se mezclan y varían durante el siglo XVIII y el inicio del XIX: tonadillas, óperas en español o zarzuelas propiamente dichas, suelen confundirse en programas y anuncios. En todo caso, la presencia de la tonadilla en los escenarios novohispanos dejó una influencia en el gusto local que sólo se incrementó durante el siglo XIX. Esa influencia se tradujo en un rancio gusto por los bailables y por las canciones satíricas en español, dos de los ingredientes cruciales del futuro repertorio de género chico. Además, entre la independencia de España en 1821 y la representación mexicana en 1855 de una zarzuela de Barbieri, hay un período de inestabilidad política y teatral que, sin embargo, puede considerarse como el caldo de cultivo ideal para la zarzuela. En efecto, se presentaron en los escenarios mexicanos de entonces una mezcla de comedias, tonadillas, sainetes, seguidillas y bailes, que se fundieron finalmente en un solo espectáculo, el favorito de la sociedad mexicana del siglo XIX.

1. El siglo XIX. Desde la perspectiva actual, la historia de la zarzuela mexicana es, ante todo, la historia de un género decimonónico en el México independiente. Si bien sus ramificaciones pueden remontarse hasta la colonia y sus ecos aún sonaron con fuerza durante el siglo XX, lo cierto es que la zarzuela mexicana vivió su auge definitivo durante el siglo XIX. Más aún, es posible establecer una clara conexión entre la relativa estabilidad alcanzada por la vida social y política del país tras el establecimiento de los primeros gobiernos liberales en la década de los años cincuenta y el auge que la zarzuela experimentó en tierras mexicanas a partir de ese mismo momento. De hecho, son muy pocas las noticias de representaciones de zarzuela entre 1821 y el medio siglo. En cambio, a partir de la restauración del gobierno liberal en 1867, –un período que el historiador Luis González describe con precisión como la época del "liberalismo triunfante"–la zarzuela se convierte en el gran espectáculo y en la manifestación musical pública más importante.

Cartel de cantantes del Teatro Colón (Foto: Ar. ICCMU)

El año de 1855 bien pudiera marcar el inicio de una etapa donde la zarzuela floreció con vigor y resonancia renovadas. Coincide la reapertura del teatro Nacional con la presencia en México de la compañía española dirigida por José Freixes. Se representaba entonces una famosa zarzuela de género grande, *Jugar con fuego*, a la que siguieron otras semejantes entre las que destacó *El dominó azul* de Arrieta. El éxito de esta compañía es un indicador del renovado arraigo del género español e incluso de un público que ya aceptaba −en aquel año y de modo entusiasta− obras un tanto más complejas a las que estaba acostumbrado y que seguramente habían sido representadas con creciente persistencia desde años anteriores. Pero en definitiva, aquellas representaciones de abril de 1855 señalan una inflexión, como se desprende de la lectura de anuncios como éste: "Sabiendo la actual compañía del bien formado y exquisito gusto que tienen los ilustrados habitantes de esta capital... y que hasta ahora ha sido casi desconocido en México el género de zarzuelas que por su novedad ha llamado tanto la atención en todas las capitales de España y la isla de Cuba, emprendió su viaje, sin embargo de los grandes gastos que ha tenido... y aunque ninguno de sus individuos se crean unos grandes méritos... piensan no obstante, que en un espectáculo casi del todo desconocido en México podrían con una u otra zarzuela de su caudal, si no entusiasmar, pasar al menos ante los ojos del público mexicano como unas mediocridades que hacen todos los esfuerzos posibles por complacer a un público que es generoso con los artistas propios y extraños". A esta nota, siguió un primer testimonio donde se dijo en forma escueta: "La zarzuela es un género nuevo en México, que bien merece ser estudiado por los amantes del arte y que puede proporcionar ratos muy agradables a los *dilettanti*. Creemos que tendrá buen resultado un abono, si se fijan precios que no sean muy altos". Además, la crónica elogió la música de Barbieri describiéndola como "una composición bastante notable".

En efecto, hacia finales de los años cincuenta la escena mexicana estaba lista para que en ella germinase una actividad inusitada y la marea iniciada por la compañía de José Freixes −cuya orquesta fue formada por músicos mexicanos encabezados por el notable violinista mexicano Eusebio Delgado− fue arrolladora. Una tras otra, distintas compañías de zarzuela quisieron participar del recién descubierto mercado, aprovechar una plaza que acabó por ser −junto con La Habana− la más productiva y exitosa del hemisferio occidental. Tan buenos resultados cosecharon las primeras compañías, que comenzaron a surgir las primeras agrupaciones locales, cuyo trabajo fue formando un curioso contrapunto con las visitas de compañías españolas y cubanas. Sin duda, la primera de las compañías mexicanas importantes fue la de Joaquín Moreno. Su época de actividad se expande durante

veinte años −entre 1869 y 1889− aún cuando sus actividades quizá se hayan iniciado anteriormente. Además de representar un repertorio amplio y diverso, tuvo el mérito de haber sido el semillero de una serie de personajes como Luis Arcaraz o la tiple Romualda Moriones que tiempo después jugaron papeles protagonistas en la zarzuela mexicana. Asimismo, fue esta compañía la primera en hacer frente a la competencia extranjera, llegando incluso a triunfar sobre ella. Ya desde aquella lejana temporada de 1869 anunciaba entre sus atractivos la presencia de Amalia Gómez, cantante que había abandonado la compañía de Joaquín Gaztambide, de visita por aquel entonces en el país para pasarse a las filas de la compañía local. Otro signo de la fuerza que tuvo la compañía de Moreno surgió al seguir la ambigua trayectoria de los cantantes Juan Prats y Emilio Carratalá. La compañía formada por éstos llegó a México procedente de la Habana en 1874 cuando la empresa de Moreno comenzó a consolidarse. Tanto que, siete años más tarde los propios Prats y Carratalá figuraban como miembros de la compañía de Moreno cuando ésta estrenó su temporada en el teatro Arbeu, lo que explica la pujanza y seguridad de dicha agrupación. Quizás aquella temporada de 1881 sea además una de las fechas cruciales en la historia de la zarzuela mexicana, pues aparece ya como director Luis Arcaraz −figura que es, en realidad, el músico a quien se debe en gran medida el auge de la zarzuela en México durante los últimos años del siglo XIX−. También debutó entonces la citada tiple Romualda Moriones, cantante española que al parecer dio a la compañía de Moreno un prestigio nunca antes alcanzado por ninguna otra de las compañías mexicanas. La Moriones fue posiblemente la primera tiple que para el público mexicano reunió todos los atributos de una diva de zarzuela

Hasta qué punto la zarzuela en México y sus compañías se convirtieron en buenos y notables negocios, lo ilustra un curioso suceso acontecido en 1883, cuando los cantantes Prats y Carratalá desertaron la compañía de Moreno para pasarse a la de un nuevo competidor, el empresario Zapata. El 25 de marzo de aquel año ambas compañías abrieron su temporada en distintos teatros. La de Moreno se estableció en el teatro Arbeu con un elenco cuya principal novedad fue la presencia de Modesto Julián como director y el paso de Luis Arcaraz de la dirección orquestal a la escena, apareciendo como uno de los tenores disponibles de la compañía. Por su parte, la compañía de Zapata no habría de ser menos, pero tampoco más. Establecida en el teatro Nacional, esta compañía formó un elenco en el que además de los acomodadizos Prats y Carratalá figuró Isidoro Pastor, bajo notable y futuro empresario. Lo curioso, es que el mismo día y a la misma hora, inauguraron su temporada con la misma obra: *La tempestad* de Chapí. El incidente sirve para dejar en claro que la capital mexicana fue durante esa década de los ochenta un centro socio-cultural donde la zarzuela gozó de tan buena salud que se suscitaban eventos como el ya descrito, sin que ello repercutiera en la salud financiera de las empresas y sus caprichosos integrantes, mucho menos en el público que con gusto pagaba las entradas necesarias para ver, varias veces, la misma obra en dos producciones distintas.

Durante los años setenta y ochenta la compañía de Joaquín Moreno fue la protagonista de la zarzuela en México, particularmente entre 1877 y 1885. Signo de empresa feliz y quizá presagio de nuevos derroteros, la empresa celebró en 1885 media década de su presencia en los primeros planos con el matrimonio entre el empresario y su cantante más afamada, Romualda Moriones. Aquel matrimonio no deja de ser una alegoría muy a propósito para el tema, pues la zarzuela era la causa del casorio entre una reconocida cantante española y el empresario mexicano más exitoso por aquel entonces. El maridaje del género español y sus intérpretes, con los teatros, público y empresas mexicanas, no sólo fue una feliz aventura económica, sino que conformaba todo un curioso fenómeno socio-cultural. Ante todo, la zarzuela se tornó en un medio de cohesión cultural y de identidad que ningún otro espectáculo o manifestación han superado. Por ejemplo, el simple traslado de las compañías permitió que el público de Veracruz, Puebla y México conociera y escuchara las mismas obras, fenómeno que en ciertos momentos se extendió a muchas más ciudades, a Querétaro, San Luis o Guadalajara como puntos de visita interiores o a Campeche y Mérida cuando las compañías se enfilaban hacia Cuba o Colombia y Venezuela. Curiosamente, algunos puntos clave de este recorrido gozaron de representaciones continuas de zarzuela gracias a su privilegiada situación geográfica. Para compañías que desembarcaban en Veracruz, el viaje a México les aseguraba funciones en Xalapa, Apizaco –sede de un estupendo teatro– y Puebla. Otros puertos ya desde su desembarco garantizaban a las compañías nutridas funciones. Tal fue el caso de Tlacotalpan, que por haber sido durante el siglo XIX un puerto de gran callado, tuvo medios para construir un maravilloso teatro de zarzuela –el teatro Nezahualcoyotl, recientemente restaurado– donde muchas veces las compañías ofrecieron funciones antes que en la propia capital. Incluso cuando la llegada de compañías de zarzuela coincidía con las fiestas locales, la zarzuela se convirtió en el principal punto de atracción.

La consolidación de las empresas de zarzuela mexicanas trajo consigo el surgimiento paulatino de un repertorio local. Por ejemplo, la empresa de Moreno vivió, entre muchas, dos noches de estreno que no pueden dejar de mencionarse. La primera, en 1877, cuando a la búsqueda de novedades para hacer menos a sus competidores, puso en escena la zarzuela

en tres actos *A cual más feo*, música y letra del mexicano Lauro Beristáin. Esa noche nació propiamente la zarzuela mexicana de género grande y de su éxito dejó una idea el propio Olavarría, quien recuerda que "desde la obertura, que dirigió el autor en persona, comenzaron para él los aplausos francos y entusiastas; los artistas, animados con aquél primer éxito trabajaron con empeño e inteligencia... y la bella obra de Beristáin gustó mucho en esa noche y en las repeticiones sucesivas". Sin embargo, las crónicas consignadas por Luis Reyes de la Maza revelan una historia ligeramente distinta y que narra cómo fue necesario que transcurrieran algunas funciones antes de que la obra pudiera considerarse un éxito. Después del estreno, *El Monitor Republicano* por medio de su crítico Juvenal –Enrique Chávarri– reconfortaba al autor en los siguientes términos: "No hay cuidado, señor Beristáin, nadie es profeta en su tierra. México es en algunos momentos un país excepcional: si en lugar de una obra que debe conmover el orgullo nacional se anuncia un hombre-culebra, el teatro habría estado como en misa de once...". Es interesante observar que Beristáin enfrentó a un público desconfiado de los autores nacionales y que el éxito de su obra no se debió al fervor patriótico sino todo contrario, y es significativo el reconocimiento a una obra que a contracorriente enriquecía significativamente el repertorio mexicano. La otra noche memorable escenificada por la compañía de Moreno fue el estreno, el 23 de febrero de 1879, de *El paje de la virreina*, zarzuela en dos actos con música de José Austri y letra del poeta Alfredo Chavero. Esta zarzuela –dice Olavarría– "como casi todas las composiciones del distinguido literato, gustó mucho y fue muy aplaudida". Ambos estrenos proporcionaron a la compañía de Moreno un lugar de honor en el desarrollo de la zarzuela mexicana ya que estas dos obras destacan entre los cientos de piezas escritas por autores mexicanos.

Entre la creación de zarzuelas mexicanas y la composición de zarzuelas con temática mexicana hay un paso significativo que se dio en 1886 cuando otra compañía mexicana, la de Isidoro Pastor en colaboración con los hermanos Arcaraz, estrenó una obra particularmente curiosa e interesante: el apropósito *Un paseo por Santa Anita* con música de Luis Arcaraz y libreto de Juan de Dios Peza. Todo parece indicar que el mérito de esta obra se nutrió del previsible éxito que tendría la aparición en escena de personajes, ambientes y música locales, características bien logradas por la habilidad de sus respectivos autores. Y, en efecto, la obra alcanzó un éxito notable, tanto por sus méritos intrínsecos como por haber establecido un apartado nuevo dentro del género, el de las zarzuelas con asuntos mexicanos. Cuenta Luis Reyes de la Maza (*Circo, maroma y teatro*, pág. 263) que como el argumento de esta obra aludía en algún momento a España, "al finalizar, la orquesta y toda la compañía terminaba entonando el Himno de Riego y el Himno Nacional Mexicano con las banderas de ambos países empuñadas por las dos primeras tiples que las hacían ondear con fuerza". Quizá la escena no estaba de ninguna manera fuera de tono pues la música de esta pieza era obra de un español, el cantante y director Luis Arcaraz que, con esta obra, sentaba las bases de un modelo que fue imitado profusamente y que además le ganaba una famosa reputación como compositor. A la fina pluma de Juan de Dios Peza, Arcaraz supo unir una música fresca, emotiva y que, además, como dijo un cronista, "hablaba por primera vez algo nuestro y cuya música no era de pandereta y castañuelas, ni de valses o mazurcas, sino de jarabes y canciones populares". Al año siguiente, 1887, Pastor y su compañía ofrecieron una gran temporada en la que pusieron en escena tres grandes zarzuelas mexicanas: la reposición de *Una fiesta en Santa Anita*, una nueva obra del dúo Peza-Arcaraz y el estreno de *Sustos y gustos*, música de Julio Ituarte, destacado compositor y pianista mexicano y uno de los primeros autores del siglo XIX en estilizar melodías populares. La presencia de estas obras señala hasta qué punto la conformación de un repertorio local era un

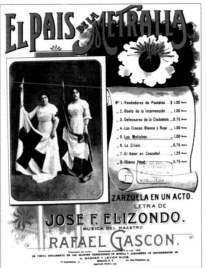

asunto que preocupó a Pastor y a los Arcaraz, en virtud de las ganancias económicas potenciales que representaban, así como de las ventajas que ofrecían frente a las programaciones tradicionales, enteramente españolas, de otras empresas rivales. Para empezar, Peza y Arcaraz, estrenaron una nueva obra intitulada *El capitán Miguel*. Confiados en su éxito pasado, arriesgaron pasar de lo cómico a lo trágico y escribieron su zarzuela de índole histórica y de género grande. Según Reyes de la Maza *El capitán Miguel* "trataba de un imaginario episodio acaecido en la guerra de intervención francesa con canciones llenas de ardor bélico y tiradas de versos demagógicos pero muy efectivos en el entusiasmo del público. Sin embargo, la alusión escenográfica al castillo de Chapultepec parece apuntar hacia la guerra con Estados Unidos y no con Francia". Sin duda, obtuvieron nuevamente un gran triunfo y fueron halagados por "el talento que desplegaron en presentar aquel episodio de la guerra de México", además de recordarse especialmente —como apunta Olavarría— "una muy bonita decoración representando el bosque y el castillo de Chapultepec", parque de la ciudad de México donde los cadetes mexicanos dieron la más grande de sus batallas. Sin embargo, parece que la

seriedad del tema fue demasiada y esto habrá impedido alcanzar un éxito mayor al de la fiesta en Santa Anita. Pero *El capitán Miguel* —al abordar un episodio de la historia nacional— emprendió un ejercicio que la ópera mexicana, de manera inexplicable y con excepción del *Guatimotzin*, 1870, de Aniceto Ortega, no hizo suyo hasta finales de siglo. Por otra parte, *Sustos y gustos* —zarzuela en un acto con texto de Ernesto González— sí repitió la receta infalible de recrear lo local, "siendo el lugar de la escena" —dice Olavarría— "una casa que se suponía sita en el barrio de San Cosme. Lances cómicos bien combinados con una intriguilla de novios sirvieron al distinguidísimo maestro y compositor Julio Ituarte para crear una preciosa obertura, un primoroso dúo de tiple y tenor, una muy buena aria de tiple, y muy originales coros. El desempeño fue también de lo mejor por parte de Adelaida Montañés, Rosa Palacios, José Vigil y Robles e Isidoro Pastor. Sin embargo —confiesa el cronista— aquello fue "demasiada música para un juguetillo", comentario que plantea una característica importante: no será la zarzuela el terreno idóneo para la composición de obras complejas ni el terreno más fértil para compositores de grandes aspiraciones como Ituarte. Sin embargo, este gran pianista no fue el único en traspasar los linderos de la música seria y sus prejuicios para incursionar a la zarzuela y su mundo, buscando con ello la creación de un repertorio lírico de calidad para el gran público.

La compañía de Isidoro Pastor y los Arcaraz fue de un triunfo a otro y consiguió permanecer al frente de los escenarios mexicanos alrededor de veinte años. A la ya referida temporada de 1887, siguieron temporadas semejantes hasta 1890, además de algunas temporadas especiales como la que ofreció en San Francisco en 1889. En la temporada de 1890 Luis Arcaraz alcanzó otro de sus triunfos memorables por el impacto que tuvo en el mundo de la zarzuela mexicana. Ya desde los anuncios, aquella temporada prometía mucho con el regreso a escena de Soledad Goyzueta, soprano que fue una de las más famosas de los escenarios mexicanos y a quien después de una gira triunfal por La Habana el periódico *La Escena* la recordaba como "la bella mexicana de voz argentina y esbelta figura". Pero la presencia de esta cantante no fue sino el preludio de un gran estreno: *Manicomio de cuerdos*, zarzuela con libreto de Eduardo Macedo que marcó un hito en la historia teatral mexicana y que llevó a escena una serie de elementos ya consabidos –el humor, lo costumbrista, lo nacional y la gustada música de Arcaraz– a un nivel nunca antes alcanzado.

2. El siglo XX. Entre 1890 y 1910, es decir, los años de plenitud del gobierno de Porfirio Díaz, la zarzuela mexicana vivió su época dorada: funciones y compañías se multiplicaban, las obras se sucedían unas a otras con paso asombroso y la zarzuela era el espectáculo público por antonomasia: sus chistes se repetían en la calle, sus melodías se tarareaban por doquier y sus protagonistas, sobre todo las famosas tiples, marcaron modas y gustos y ocuparon corrillos y periódicos. Las divas de la escena mexicana también se sucedían unas a otras y desde Romualda Moriones hasta Virginia Fábregas y Esperanza Iris, todo un elenco de cantantes de zarzuela era el centro del interés social de México, dando a la zarzuela motivos de admiración, comentarios o críticas. Sus fotografías ofrecen ante todo una pregunta sin respuesta frente a lo que el público gustaba entonces: mujeres regordetas, ataviadas en extrañas y a veces estrafalarias vestimentas. La mujer como centro de atención de la zarzuela mexicana hizo del género un terreno propicio donde afloraron prejuicios, estereotipos e imágenes preconcebidas. Ellas fueron el detonador de las fantasías, el objeto del deseo que a la vista de todos y sólo protegida por el escenario, permitió a muchos sublimar sus deseos eróticos y romper –aunque sólo fuera temporalmente y con el pretexto formal de un espectáculo artístico– los atavismos y tabúes de una sociedad que se preciaba de estricta y respetuosa. En México, la combinación del género chico con la exhibición de las mujeres dio como resultado un subgénero propio, el de las zarzuelas sicalípticas. En estas obras, música y libreto resultaban totalmente intrascendentes, pero teatros de menor categoría como el María Guerrero, se llenaban de un público que buscaba el espectáculo de las suripantas españolas en versión local, el espectáculo de la "onda sicalíptica" como se le nombraba. Incluso hacia 1910 Lauro Uranga, compositor popular y reconocido, compuso la música para el texto de Humberto Galindo *El monstruo sicalíptico*, cuyas repetidas funciones llevaron a las autoridades a intentar la clausura del teatro María Guerrero. Si la empresa de este teatro "no retiraba de su escena tan obsceno género de producciones, se verían precisados a ordenar la clausura", advirtieron. Pero lo cierto es que ninguna de las tres partes –autoridades, autores o público– hicieron nada por cambiar las cosas. Cuanto más se quejaba una crónica del lenguaje soez y de las obscenidades del espectáculo, mayores parecían ser las ventas de boletos y más gorda cada vez la vista de las autoridades. Por otra parte, resulta fácil observar en la historia de la zarzuela mexicana la paulatina desnudez de las mujeres. Si en 1894 algún periodista se quejaba de que las coristas de la empresa Alcaraz se moldeaban las piernas con algodones escondidos bajo las mallas; en 1905 el poeta Urbina se alarmaba ante "la coquetería que se desnuda, la voluptuosidad que se viste de mallas, la lascivia que se envuelve en gasas transparentes"; el triunfo inobjetable –en otras palabras– del género sicalíptico.

La época de mayor auge de la zarzuela mexicana se adivina en la profusión de empresas y funciones. Las famosas tandas, funciones por hora y de permanencia voluntaria, hacían que las representaciones de zarzuela fueran sumamente accesibles y redituables: al emprender múltiples funciones, los costos bajaban y las ganancias aumentaban con un teatro lleno desde la tarde hasta la noche. El teatro Principal –cuartel de la poderosa compañía Arcaraz– ofreció durante dos décadas tandas continuas de zarzuela y marcó con esta actividad incesante a toda una sociedad. Otras compañías mexicanas compitieron con esta empresa poderosa, las mejores como la del tenor Enrique Labrada desde el teatro Arbeu, y otras desde foros menos prestigiosos como el Circo-Teatro Orrín o el ya referido teatro María Guerrero. Muchas veces estos teatros menores recurrían a efectos y recursos que los teatros serios no tenían. En 1894, el *clown* Ricardo Bell aprovechó la importación de un gigantesco tonel de agua situado en la pista del circo Orrín para escribir el texto de *Una boda en Santa Lucía*, zarzuela acuática con música de Carlos Curti. En la obra, amén de la gustada música de Curti, todos los protagonistas acababan mojados y echados por la borda de una barcaza que se movía por el escenario acuático.

Un episodio entre muchos de la historia de la zarzuela mexicana denota como ninguno ciertas tendencias y conceptos operantes en aquel entonces y permite acceder en forma íntima a los motivos y agentes que participaban en este género, así como a los gustos imperantes y la clase de espectáculo a la que se aspiraba. En efecto, las políticas de programación dieron lugar a una curiosa batalla legal entre las empresas de los Hermanos Pedro y Luis Arcaraz y José Austri, quienes entablaron un pleito sobre los derechos de representación de las zarzuelas españolas en México. En 1902 las autoridades locales quitaron a la empresa de Austri partichelas y materiales de *El bateo* de Chueca, favoreciendo con ello a la empresa Arcaraz. Sin embargo, el incidente legal se transformó en el asunto de moda cuando a pesar de la falta de partituras, músicos y director ejecutaron de memoria la zarzuela. Ante tal incidente, la batalla por los derechos tuvo que trasladarse forzosamente a España y desembocó en la firma de un tratado de derechos artísticos, literarios y científicos entre España y México en 1903. El monopolio de las obras españolas que hasta entonces tuvo Arcaraz en contubernio con Eduardo Luque, representante de la Sociedad de Autores Españoles, fue roto por este tratado que garantizó a cualquier empresa los derechos de representación de las obras españolas, previo arreglo directo con la Sociedad. De por medio estaba un monopolio de cuantiosas ganancias que hasta entonces había favorecido a los agentes y a la empresa Arcaraz. Pero a partir de entonces, la competencia se volvió más real y los teatros mexicanos debieron pugnar en una lid más justa por el público y sus favores.

En medio de tal polémica, José Austri supo actuar con astucia y aprovechó los incidentes de este asunto –que incluso le costó algunos días en la cárcel– para conformar un repertorio alternativo, un repertorio local. A tal punto consiguió aglutinar a músicos y artistas que los compositores y libretistas locales fundaron en 1904 una Sociedad de Autores Dramáticos y Líricos dedicada a la promoción de las obras mexicanas. En esta asociación, que transformó su nombre, pero no sus integrantes, participaron los más importantes autores mexicanos o residentes en México de entonces: Macedo, Jordá, Galindo, Elizondo, Berrueco y Serna, Curti, Medina y muchos otros. Para entonces, la propia compañía Arcaraz se dio cuenta del potencial de esta asociación artística y fue precisamente de esta colaboración entre la empresa más poderosa y los talentos de la Sociedad Mexicana de Autores Dramáticos y Líricos de donde surgió la más importante y exitosa de las zarzuelas mexicanas, el "conflicto chino" *Chin-chun-chan* con música de Luis G. Jordá y libreto de José F. Elizondo y Rafael Medina.

En efecto, la primera década del XX fue de una actividad inusitada. Nuevos compositores y libretistas produjeron una zarzuela tras otra y los compositores circularon entre la producción de piezas serias, música de salón y zarzuelas con una comodidad que el público de entonces daba por buena y aceptada. No es casual que un compositor como Luis G. Jorda, autor de obras sinfónicas y de sutiles piezas para piano, fuera el autor del citado *Chin-chun-chan* cuyas melodías se escucharon en más de doscientas presentaciones seguidas antes de ser exportada, algo poco frecuente, a la propia España, pues se representó en Barcelona en 1907. Carlos Curti, Miguel Lerdo de Tejada e incluso los propios Ricardo Castro y Ernesto Elorduy que se dedicaron también a la zarzuela y con ello plasmaron algunas de las mejores páginas musicales del género. Mientras tanto, toda una legión de compositores que no se dedicaron al género de concierto o a la ópera, simplemente se contentaron con acrecentar el tono popular, fácil y melodioso que toda zarzuela requería para contar con éxito. Lauro Uranga, Manuel Berrueco y Serna, José Austri, el propio Luis Arcaraz y muchos otros, pertenecen a esta categoría y son los autores cuyas obras –al lado

de las ya referidas– constituyen, sin duda, el conjunto de zarzuelas mexicanas más notable

La zarzuela mexicana no ha tenido éxito más grande que el de *Chin-chun-chan*. En cambio, encontró en producciones más discretas lo más original y valioso de su producción como en *Zulema*, la "zarzuela oriental" de Ernesto Elorduy y Rubén M. Campos, quizá la partitura mexicana más original y lograda del género. Al parecer, un trasfondo comercial desproporcionado encontró en la zarzuela una fuente de riqueza que acabó por sacrificar la calidad y la novedad a favor de una mediocre calidad del espectáculo. A la larga ese paulatino declive, el desenfrenado gusto sicalíptico y la aparición de nuevos híbridos como las revistas y de nuevos espectáculos como el cinematógrafo se combinaron para terminar con la época de mayor auge de la zarzuela.

Aunque por ser el mayor entusiasta de la tradición de ópera italiana en México, la zarzuela le merecía todo su desprecio, los comentarios de Melesio Morales –autor de varias óperas serias– no dejan de traslucir algo de la verdad que rodeó a la zarzuela en México durante la primera década del siglo XX: "Acá somos más hombres, en esta bendita Italia de América se piden zarzuelas en tres y cuatro actos, conteniendo payos, borrachos, mujeres desnudas y estrofas satíricas; la obra así presentada, pasa a la censura de un... Tal, que si es amigo del autor, acepta su composición con gestos; y si es enemigo la devuelve con desprecio y aún con grosería. Ya aceptada hay que apechugar con las lindas voces de los artistas y con su fino trato... Si se salva la pieza –cosa muy problemática si es hechura paisana– como no hay en ello, ni puede haber la satisfacción de un triunfo artístico, sólo restan las esperanzas de lucro; pero éste consiste en dos pesos, si dos pesos por cada representación, los cuales no alcanzan ni para pagar las copas que ingieren los gorreros adictos amigos felicitantes... ¡Qué negocio tan brillante, 'non é vero'! ¡Y que vivan las semicorcheas que producen el uno por ciento a los autores y el noventa y nueve por 'ídem' a las empresas!" (Morales: *Labor periodística*, págs. 166-7).

Es así como la zarzuela mexicana se sitúa a medio camino entre estas dos posibilidades, buscando en ciertas obras y autores un refinamiento musical y literario que las distinga, pero cediendo en la gran mayoría de los casos al gusto imperante, a la música fácil, el chiste de tono subido, el espectáculo femenino y al humor picaresco del género chico. Sin embargo, el público mexicano del porfiriato muchas veces no supo distinguir –quizá porque no había diferencia alguna– entre la música de los compositores de ópera y concierto y la de las zarzuelas. De manera particular, tal fenómeno se aprecia en el consuetudinario traslado de la música de las zarzuelas entre los escenarios y los pianos de los salones. Arreglada como popurríes, romanzas, transcripciones y paráfrasis, la música de zarzuela compartió los atriles de las señoritas porfirianas con otras piezas de los mismos autores locales o con los extranjeros. Una paráfrasis sobre Arrieta podía competir en el gusto con otra de Melesio Morales sobre alguna ópera famosa, y cualquier chotis o mazurka solía desplazar en el piano a un vals o una mazurka de Chopin. Sin duda, la transformación del repertorio de zarzuela en música de salón constituye un fenómeno fascinante y revelador del gusto musical de la sociedad porfiriana, del México del *fin de siécle*.

Tras el cambio de régimen que la Revolución Mexicana de 1910 trajo consigo, se aprecia de manera palpable el fin de la zarzuela como espectáculo favorito. La sociedad mexicana dirigió su atención hacia otras formas y medios y no dejó de asociar a la zarzuela como el espectáculo por antonomasia de la época pasada, del porfiriato destruido e incluso condenado por el nuevo régimen. A partir de entonces, la zarzuela no desapareció de los escenarios mexicanos, pero sí se terminaron la composición y estrenos de obras locales. Fue hasta mediar el siglo, cuando la llegada de los emigrados españoles despertó de nuevo el interés por el género. La compañía de Moreno Torroba visitó México en 1946 y también ese año la compañía de Josefina Embil de Domingo, conocida como Pepita Embil, visitó el país al que decidió, junto con su familia, adoptar. En particular, las actividades de Pepita Embil dotaron a la zarzuela de un nuevo auge, aunque ya sin la composición de nuevas obras. Sin embargo, se creó desde entonces un pequeño pero tenaz público que gusta de adquirir las grabaciones del repertorio y de asistir a las esporádicas funciones de zarzuela que se ofrecen en México. Además, ese único entorno de una compañía española de zarzuela que radica en México durante el siglo XX vio el surgimiento de una figura tan relevante como es el tenor Plácido Domingo. La zarzuela es en México un género que pertenece al pasado y que permanece en las grabaciones discográficas, y esporádicamente en radio y televisión. Las grabaciones del repertorio clásico español de cantantes como Domingo, Kraus, Lorengar y otros, han contribuido a mantener una cierta vigencia del género. En cuanto a las obras mexicanas, sin embargo, el futuro parece incierto y sólo dos obras de tan vasto repertorio —*Chin-chun-chan* y *Zulema*— han sido recuperadas en épocas recientes.

II. PRINCIPALES OBRAS Y AUTORES. El repertorio de zarzuela mexicano sorprende por su amplitud ya que los títulos abarcan varios centenares de obras, quizá más de quinientas. Sin embargo, la investigación se enfrenta al problema de que ninguna ha sido editada, la gran mayoría se halla perdida y muchas quizás están depositadas en fondos aún no catalogados. Resulta mucho más fácil reconstruir la fortuna crítica del repertorio que forjar una imagen sonora del mismo. Además, la investigación sobre el tema es prácticamente nula y por lo general es necesario recurrir a estudios sobre el teatro y la danza en México que se ocupan de la zarzuela. A pesar de ello, es evidente que hay en este repertorio una serie de obras que revisten una importancia histórica, mientras que otros títulos prometen ser obras artísticas de valía en virtud de sus autores y de la música o textos dramáticos que de ellos se conoce. De tal suerte puede conformarse una nómina de obras centrales del repertorio mexicano que puede recorrerse a partir de su recepción y sobre el cual es posible intentar una lectura musicológica del repertorio.

Sobre los autores de zarzuela, sorprende la presencia de algunos compositores y literatos que dados su calidad e importancia se relacionaron con este género. Entre los músicos, Rafael Jesús Tello (1872-1946), contemporáneo de Ponce, Rolón y Carrillo, y al igual que ellos, destacada aunque menos conocida figura de la historia musical mexicana. Tello —en cuyo *Nicolás Bravo*, 1910, puede situarse el surgimiento de la opera moderna mexicana— fue el autor de la música para *San Crisóforo y Anexas*, zarzuela en un acto en la que Octavio Barreda, escritor e intelectual de renombre que acompaña a Tello en la única aparición de ambos dentro del género chico. En el libreto de esta zarzuela —compuesta en 1899— participó también el escritor y político Juan Sánchez Azcona. Según Olavarría, el estreno en diciembre de 1899 fue un fracaso en virtud de la poca preparación con la que se puso en escena. En el terreno de los libretistas hay otras presencias significativas, como la de Heriberto Frías —famoso por su relato realista de la masacre de indígenas tarahumaras ocurrida en el poblado de Tomóchic— o la de Juan de Dios Peza, colaborador de Luis Arcaraz en *Un Paseo por Santa Anita*, *El capitán Miguel* y *Ora Ponciano*. Otros autores de renombre son Amado Nervo, el refinado poeta autor de *Consuelo* con música de Luis G. Jordá y la de Ángel de Campo, exquisito autor de cuentos y reseñas, de cuya zarzuela *Telepatía* se ignoran tanto su paradero como el autor de la música.

La nómina de compositores incluye algunos de los nombres más conocidos del repertorio musical mexicano del siglo XIX. Sin embargo, hay muchos otros que aún no han sido incorporados a la historia musical mexicana de aquel período. Invisibles para quien revisa el repertorio pianístico u operístico de entonces, los nombres de Salvador Pérez, Lauro Uranga, Manuel Berrueco y Serna o José Austri se transforman —tras acercarse a la historia de la zarzuela— en los de prolíficos y exitosos compositores cuyas vidas y obras forman una singular cadena de enigmas. Un poco más conocidos, Luis G. Jordá, Miguel Lerdo de Tejada y Luis Arcaraz forman con los anteriormente citados, el núcleo de compositores sobre quienes se alza una época de esplendor de la zarzuela. Son los autores de las zarzuelas más exitosas y comentadas, los compositores cuyas melodías cantó la sociedad mexicana durante más de medio siglo. Sin duda el estreno el 5 de abril de 1877 de *A cual más feo* de Lauro Beristáin guarda una especial importancia por ser la fundadora del género grande mexicano. Aunque precisamente por sus ambiciones, la obra no tuvo una buena acogida inicial, al parecer la música salvó incluso las dificultades inherentes a un libreto débil.

Con la aparición en las zarzuelas de personajes, escenas y tipos mexicanos, surgió una nueva época. Al éxito sin precedentes de *Un paseo por Santa Anita* siguieron otras muchas de temática semejante. Pero si la obra de Peza y Arcaraz, además de su importancia histórica, fue ampliamente gustada y reconocida, la zarzuela de tema mexicano más afamada fue *Manicomio de cuerdos*, cuyo estreno aprovechó al máximo el potencial que la zarzuela de temas nacionales tuvo desde su origen. "El éxito fue como el de ninguna otra obra de su especie" –apunta Olavarría– "y durante muchos meses no desapareció de los carteles, produciendo incesantemente a la empresa espléndidos llenos. La música fue muy apropiada y agradable, las decoraciones muy bonitas y el desempeño de los artistas muy bueno". Al parecer esta obra fue estrenada en Puebla por la compañía de Enrique Labrada en agosto de 1890 y posteriormente fue representada en el teatro Arbeu de la capital del país en septiembre de 1890. Curiosamente, el éxito abrumador de esta pieza fue seguido de una fuerte crítica que señaló la baja calidad artística –sobre todo literaria– de estas obras. Probablemente, Gutiérrez Nájera está en lo cierto al sugerir que las representaciones de zarzuela se dieron en México con gran facilidad y profusión y que muchas de las obras representadas –mexicanas o españolas– tuvieron mucho de ligereza, facilidad e intrascendencia. Pero lo que seguramente no aquilató este crítico –y que es en realidad, la aportación fundamental del campo de la zarzuela a la música mexicana– es que algunos de los músicos asociados al género español realizaron obras que enriquecieron la música de México de manera significativa y vital. En la medida en que la zarzuela fue el género lírico dominante en la escena musical pública del siglo XIX, su mundo fue el ámbito profesional desde el cual algunos autores pudieron emprender la composición de obras de calidad extraordinaria, poseedoras de una personalidad estética notable, de raigambre romántica y de altas aspiraciones estéticas. La zarzuela cobró tal fuerza durante el porfiriato que al revisar las mejores obras lírico-teatrales de aquella época, debe limitarse a construir un solo conjunto de obras líricas. La nómina de tales obras, las más relevantes del teatro lírico mexicano del porfiriato puede definirse con

cierta certeza. Además del referido apropósito *Una fiesta en Santa Anita* de Peza y Arcaraz, 1886, el conjunto incluye *Atzimba*, 1900, música de Ricardo Castro y texto de Alberto Michel; *El rey poeta*, 1900, ópera con música de Gustavo Ernesto Campa y texto del mismo Michel; *Zulema*, 1902, de Ernesto Elorduy y libreto de Rubén M. Campos y *Chin-chun-chan*, 1904, el célebre "conflicto chino" de Luis G. Jordá con texto de Rafael Medina y José F. Elizondo. Sin duda, aquí se localiza lo más destacado del repertorio lírico de aquellos años, salvo la posterior aparición de obras como *Keofar*, 1893, de Felipe Villanueva, "ópera cómica (zarzuela por su libreto en español)" extraviada y cuyo fracaso fue atribuido por Luis G. Urbina a tener "el mortal defecto de no ser música de zarzuela", o de alguna otra de las zarzuelas de Jordá como *Consuelo*, con texto de Amado Nervo. Lo primero que salta a la vista es que no obstante el haber sido considerada un género menor, de ser despreciada por alguna parte del público, por los críticos o incluso por algunos compositores, todas estas obras –incluida la de Campa que es ópera y *Atzimba* que primero fue zarzuela y luego ópera– tienen mucho que ver con el ámbito del género español. Los músicos que las es-

María Conesa y Miguel Wimer en la zarzuela Verde, blanco y colorado *(Foto: El Universal Ilustrado, 1920)*

trenaron, los cantantes, los teatros y los compositores y libretistas fueron en su mayoría personalidades activas en la producción de zarzuelas. Alberto Michel, por ejemplo, además de periodista, dramaturgo y traductor de innumerables piezas escénicas, gozó de una presencia indiscutible y constante en los teatros mexicanos durante el porfiriato. Pero la fama de Michel en la escena mexicana no se debe únicamente a sus obras dramáticas: Michel fue el autor de libretos para gran cantidad de obras y por los compositores con los que trabajó, sólo queda aceptar que su contribución fue fundamental para el desarrollo de la zarzuela en México: Miguel Lerdo de Tejada, José Austri, Eduardo Vigil y Robles y Salvador Pérez. Sus libretos, sólo equiparables en éxito y número a los de Rafael Medina, le dieron una experiencia que acabó por reflejarse en los textos de obras líricas de algunos de los más importantes compositores mexicanos de su tiempo como fueron Ricardo Castro y Gustavo E. Campa, este último un compositor que además desempeñó como crítico una notable trayectoria y que siempre atacó la baja calidad artística de las zarzuelas mexicanas. Fue Campa, por cierto, quien tras el estreno de la zarzuela *Atzimba* de Castro y Michel, recomendó al compositor musicalizar sus recitativos para convertir la obra en una ópera. En resumen, las aportaciones indiscutibles de Campa y Castro al desarrollo de la ópera en México están sustentadas por un libretista cuya formación se debe a la zarzuela, y no a la ópera.

Un caso similar se da entre *Zulema* de Ernesto Elorduy y *Atzimba* de Ricardo Castro. Común a estas dos obras es la figura de Eduardo Vigil y Robles, director de orquesta y compositor. Vigil y Robles fue autor de varias zarzuelas –*Jetattore*, *María de la Luz*, *Momentáneas* y *La condenación de Don Juan*, las tres últimas con libreto de Alberto Michel– además de algunas otras obras como la revista *Agua va* y el episodio lírico-dramático *Por la bandera*, todas con letra de Michel. La relación de Vigil y Robles con *Atzimba* es fácil de explicar ya que fue este compositor quien dirigió su estreno en 1900. Sin embargo, su participación en *Zulema* es un poco menos directa. Al parecer, Vigil y Robles instrumentó la partitura de la obra para una audición de la misma posterior a su estreno en 1902. Verdadero jardín de senderos que se bifurcan –y se encuentran– es necesario recordar aquí que la primera instrumentación de *Zulema* se debe al propio Ricardo Castro. Cabe preguntarse si la experiencia de Vigil y Robles en materia de orquestas no habrá llevado a Elorduy a buscar una segunda versión del trabajo de su colega Ricardo Castro, quien encomendó al mismo Vigil y Robles el estreno de su propia ópera. En todo caso, lo que no es una conjetura es la presencia indiscutible e importante de otro hombre del "bajo mundo" de la zarzuela en las "altas esferas" de la ópera mexicana.

En *Atzimba*, Castro consiguió una obra lograda y de impacto dramático. Gustavo Campa tuvo que reconocer el mérito de la obra –una de las mejores zarzuelas mexicanas cuyos interludios orquestales aun se escuchan en la programación de las orquestas mexicanas– y sólo se limitó a sugerir que "con el empleo del recitado musical aprovechado en la forma usada por Bizet, en su *Carmen*, y por Gounod en su *Fausto*, *Atzimba* sería una verdadera ópera que nada tendría que envidiar a muchas de las contemporáneas europeas". De hecho, el comentario no consigue ocultar que Campa sólo reconocía una diferencia formal –el diálogo hablado– que en casos como este permite distinguir entre una ópera y una zarzuela. Aunque siempre considerada un género inferior, la zarzuela mexicana consiguió mucho más que su compañera de escenarios, la efímera ópera mexicana del siglo XIX.

El caso de *Zulema*, la zarzuela oriental de Ernesto Elorduy es muy curioso. Este autor tomó para su obra un texto de Rubén M. Campos, poeta modernista y uno de los intelectuales más importantes del México anterior a la Revolución. Precisamente en virtud de la calidad y propósitos estéticos de sus autores, la pieza puede considerarse como un esfuerzo por ofrecer una alternativa real frente a la "zarzuela de alfalfa" que dijera Gutiérrez Nájera, esfuerzo que obtuvo un importante éxito que relata Olavarría. *Zulema* representa una simbiosis muy interesante entre la forma española y el trabajo de dos artistas mexicanos que –a diferencia de Castro o Campa– quisieron respetar el molde tan arraigado de la zarzuela para construir con él una obra completamente nueva, reflejo de una estética original y que por ello mismo evita lo obvio, es decir, lo cómico, lo nacional o lo ligero. Al contrario, la ambientación exótica de la obra se sitúa al lado de lo que en aquel entonces representaba la vanguardia estética, lo que Reyes de la Maza llama "exotismo" y que alcanza su punto culminante dentro del arte mexicano en los *haikus* de José Juan Tablada. Pudiera aplicarse a la música de *Zulema* lo que a decir de Carlos Monsiváis representa la poesía del propio Tablada y otros, una "alternativa real frente a la sensibilidad porfiriana, una alternativa que trasciende el chovinismo, niega las autocomplacencias verbales y ofrece, desde la vanguardia, un reencuentro con la tradición fincado en la innovación". Curiosamente –y a decir de Reyes de la Maza– el "exotismo" de *Zulema* tuvo mucho mayor impacto que la evocación prehispánica de las óperas de Castro o Campa. Sin duda, por su apego estricto a la forma pero también por la belleza de su poesía y la excelente música de Elorduy, *Zulema* es una de las mejores zarzuelas mexicanas, quizá la más lograda entre todas y que además –por el contenido de su argumento– pudo leerse como una obra política, crítica de los gobernantes arbitrarios que como el sultán –o como Porfirio Díaz– no sabían medir el ejercicio del poder.

En un terreno menos sutil, pero con muy buenas dosis de invención, belleza lírica e ingenio, se sitúa *Chin-chun-chan*, la famosa pieza de Jordá, Medina y Elizondo. Esta zarzuela –de importancia histórica indiscutible por ser reflejo de los anhelos de la Sociedad de Autores Líricos y Dramáticos y por ser la más representada entre todas las obras mexicanas– tiene también un mérito estético indiscutible. Jordá supo captar como ninguno la lírica de la música de salón, la amplitud melódica de canciones y romanzas populares y el ritmo sensual y cadencioso de las habaneras y otras danzas, con lo cual dotó a su música de un encanto inmediato. Así como *Atzimba* y *Zulema* representan lo mejor del repertorio mexicano en términos de género grande, nada mejor que *Chin-chun-chán* para aquilatar los altos logros del repertorio mexicano en el género chico.

La existencia de un acervo tan vasto de zarzuelas mexicanas, la aportación que el repertorio de zarzuela contribuye al nacionalismo –evidente en las obras de Beristáin y Arcaraz ya referidas– la participación de artistas formados en el mundo de la zarzuela –tales como Alberto Michel, Soledad Goyzueta, o Eduardo Vigil y Robles– en el florecimiento de la ópera mexicana de finales del siglo XIX y el hecho de que los mejores compositores porfirianos participaron de la zarzuela en una forma u otra, son todos aspectos que el estudio de la zarzuela mexicana revela y que deben formar parte de los conceptos historiográficos de una nueva historia de la música mexicana.

BIBLIOGRAFÍA (Todos publicados en México, salvo indicación contraria): *RHTM*; L. G. Urbina: "Ecos teatrales", *El siglo Diez y Nueve*, 7-VII-1893; R. M. Campos: *El folklore y la música mexicana*, Secretaría de Educación Pública, 1928 (reimpr. Cenidim 1991); R. M. Campos: *El folklore musical de las ciudades*, Secretaría de Educación Pública, 1930 (reimpr. Cenidim, 1995); M. Mañón: *Historia del teatro Principal en México*, Cvltvra, 1932; F. Monterde: *Bibliografía del teatro en México*, Secretaría de Relaciones Exteriores, 1933; L. Reyes de la Maza: *El teatro en México con Lerdo y Díaz, 1873-1879*, U. Nacional Autónoma de México, 1963; G. Baqueiro Foster: *Historia de la música en México III: la música en el período independiente*, Secretaría de Educación Pública-Instituto Nacional de Bellas Artes, 1964; L. Reyes de la Maza: *El teatro en México durante el Porfirismo*, U. Nacional Autónoma de México, 1965; –: *El teatro en México en la época de Juárez*, U. Nacional Autónoma de México, 1965; –: *El teatro en México durante el Segundo Imperio*, U. Nacional Autónoma de México, 1965; –: *El teatro en México durante la Independencia, 1810-1839*, U. Nacional Autónoma de México, 1965; –: *El teatro en México en la época de Santa Anna*, U. Nacional Autónoma de México, 1979; M. Gutiérrez Nájera: *Espectáculos*, U. Nacional Autónoma de México, 1985; L. Reyes de la Maza: *Circo, maroma y teatro*, U. Nacional Autónoma de México, 1985; M. Ramos Smith: *El ballet en México en el siglo XIX, de la Independencia al Segundo Imperio (1825-1867)*, Conaculta, 1991; L. A. Benito Ribagorda: "La zarzuela en hispanoamericana: una dilatada descolonización", *Imágenes de la Música Latinoamericana*, Santander, Fundación Isaac Albéniz, 1992; J. C. Romero: *Efemérides de la música mexicana*, Cenidim, 1993; M. Morales: "Género chico", *Labor periodística*, Cenidim, 1994; M. Ramos Smith: *Teatro musical y danza en el México de la Belle Epoque (1867-1910)*, U. Autónoma Metropolitana, 1995; A. de Maria y Campos: *El teatro de género chico en la Revolución mexicana*, Conaculta, 1996; R. Miranda: "La zarzuela en México, Jardín de senderos que se bifurcan", *Cuadernos de Música Iberoamericana*, 2-3, Madrid, 1996-97, 451-73; J. Sturman: *Zarzuela, Spanish Opereta, American Stage*, U. Illinois Press, 2000; R. Miranda: *Ecos, alientos y sonidos, ensayos sobre música mexicana*, Fondo de Cultura Económica, 2001.

RICARDO MIRANDA PÉREZ

Mezzosoprano. *Véase* VOZ

Michel Parra, Alberto. Sombrerete, Zacatecas (México), 3-V-1867; México, 9-IV-1947. Periodista, dramaturgo, compositor y pianista. Uno de los libretistas más importantes del repertorio mexicano de zarzuela y una figura de notable influencia en la escena cultural mexicana del porfirato.

Se trasladó en su juventud a la ciudad de México donde, al parecer, estudió piano con el compositor y pianista Julio Ituarte. Sobreviven algunas partituras de Michel, piezas de salón de un gusto fino y emotivo. Compuso la música para su propio libreto intitulado *El cabaret de Diavolina*, 1906, cuyo estilo fue descrito en la prensa de la época como "alegre y ligero". Sin embargo la mayor parte de su vida profesional la dedicó a las letras y el periodismo. Fue colaborador de los periódicos *El Nacional*, *El Universal*, *El Mundo Ilustrado* y *Excélsior*, para el que escribió críticas teatrales. La primera de sus obras dramáticas que se representó fue *Luz de las tinieblas*, 1899, escrita en colaboración con Rafael Medina. Esta vinculación profesional permite suponer que desde su juventud Michel conoció de cerca el ámbito de la zarzuela en México y que la figura de Medina ejerció una influencia en su trabajo como libretista. Asimismo, Michel tradujo una cantidad considerable de obras líricas y dramáticas. Olavarría y Ferrari le describe en términos elogiosos y elocuentes como "el espiritual y amenísimo Alberto Michel, fácil y gracioso improvisador... autor de sonoras y vistosas décimas... simpático poeta... y feliz traductor". Además, también subió a escena en múltiples ocasiones como actor y cantante.

La incursión en la zarzuela se remonta a 1897 cuando estrenó *El príncipe heredero* con música de Méndez Velázquez. Curiosamente, Michel produjo entonces una serie de obras dramáticas que acabaron por ser el libreto de dos de las óperas más importantes del siglo XIX mexicano, *Atzimba* de Ricardo Castro y *El rey poeta* de Gustavo E. Campa. En octubre de 1898 el Club Dramático Mexicano conmemoró su aniversario con el estreno en el teatro Nacional del cuadro dramático en un acto y en verso, *El rey poeta*, "figurando en la obra Netzahualcoyotl, Rey de Texcoco, la joven Citlálin, el guerrero Ocelótzin, y los capitanes tepaneca y mexica Tilmatzin y Coatiyolotl... *El rey poeta* de Michel, gustó muchísimo y fue aplaudidísimo", según describe Olavarría. Meses después de tal estreno, la prensa anunciaba ya que Michel había terminado dos libretos situados en el México antiguo que serían musicalizados por Campa y Castro. *Atzimba* fue estrenada como zarzuela en 1900 y consiguió un éxito notable, gracias al trabajo literario de Michel y la música inspirada de Castro. Por su parte, Campa no quiso dar formato de zarzuela a su ópera y el libreto de Michel fue convertido en ópera. Aunque la recepción de esta obra fue poco afortunada, ello se debió más a la crítica respecto a la música de Campa que al trabajo dramático de Michel. Sin embargo, la colaboración de éste con destacados compositores le ubica en una posición única entre sus contemporáneos –con excepción de Rubén M. Campos– y constituye una muestra importante respecto a la influencia que la zarzuela ejerció en la ópera mexicana de entonces.

Los trabajos posteriores de Michel denotan una variedad temática inusual entre sus contemporáneos y que amplían de manera notable el alcance y empuje de la zarzuela mexicana, casi siempre constreñida a los preceptos del género chico. Por ejemplo, también en 1900 estrenó el episodio lírico-dramático *Por la bandera*, con música de Eduardo Vigil y Robles. La obra, según cuenta Olavarría, "tenía por argumento un episodio de la guerra *transvaalense*... Esa obra mexicana se titulaba *Por la bandera*, y fueron sus actores Alberto Michel que escribió un libreto tierno, conmovedor y poéticamente dialogado, y el joven maestro Eduardo Vigil y Robles, que compuso una partitura inspirada, encantadora y científicamente bella. La simpática obra obtuvo un espléndido éxito". Otra obra semejante fue su versión de *Quo Vadis?*, novela del polaco Sienkiewicz y para la cual también Vigil y Robles compuso música incidental. Estas obras, quizá más cercanas al melodrama que a la zarzuela, fueron sin embargo un producto artístico que derivó directamente del auge de la zarzuela en México, pues música, libreto, intérpretes, teatros y compañías que estrenaron dichas piezas fueron las mismas que día a día ofrecieron tandas de género chico hasta el cansancio. Por otra parte, en obras como *El Pípila*, 1903, y *La bandera Trigarante*, 1910, Michel concibió propiamente zarzuelas de corte histórico, ambas relacionadas con episodios notables de la guerra de independencia mexicana. *El Pípila*, según la prensa de entonces, "fue muy aplaudida por sus toques patrióticos y por la presentación de personajes de la época de la Guerra de Independencia".

La seriedad y altos fines de tales obras, sin embargo, constituyen sólo un aspecto de la producción dramática de Michel. Con *El cabaret de Diavolina* estrenada en 1906 el literato se dio el gusto de proveer su propia música y lograr un buen estreno según Olavarría: "La obra es una especie de revista, donde desfilan tipos diversos, tiene interés y tiene escenas graciosas y movidas. Los números más aplaudidos fueron el dúo del Pobre Kerman y el cura Zao, que fue repetido cuatro veces, y llamado a escena el autor de la zarzuela; las peteneras, bailadas por la señora Monterde y la danza del Arack, con la que termina la obra. La música es alegre y ligera y adaptada a la obra. En resumen, la obrita durará mucho en el cartel". Otra obra de género chico, *Ni tanto que queme al Santo...* – "ni tanto que no lo alumbre", según el refrán mexicano al que alude el título– también tuvo una buena recepción al estrenarse en 1908. La prensa consignó que "la pieza estuvo escrita con ingenio y con mesura, y a menudo brotaron espontáneos los aplausos de la concurrencia que, entre *dianas*, hizo salir a los autores varias veces a escena; la música resultó agradable y fácil y fue muy gustada en todos sus números". Sin embargo, Michel no dejó de ceder al impulso sicalíptico que tantos dividendos dio a las compañías mexicanas. En 1910 escribió *Un deshabillé comprometido*, farsa en la que tomó parte la entonces célebre bailarina rusa Lidia Rostow y cuyo argumento fue catalogado como "de muy mal gusto". Michel escribió asimismo diversas revistas, sobre todo entre 1915 y 1917, que no gozaron de mayor éxito. En cambio, en 1914 estrenó *La condenación de Don Juan*, zarzuela con la que Michel y Vigil y Robles ganaron un concurso de zarzuelas organizado por la Compañía teatral Mexicana y en la que fueron jurados notables literatos como Luis G. Urbina y Federico Gamboa. De tal suerte la vida y obra de Michel, polifacética y prolija, se extendió desde la seriedad de los libretos históricos hasta la revista de chiste pasajero y fácil. Sin embargo la calidad literaria de la mayor parte de sus obras fue siempre reconocida como sin duda lo demuestra el hecho de que en 1907 fue presidente de la Sociedad Mexicana de Autores Dramáticos y Líricos, asociación encargada de promover la creación y puesta en escena de zarzuelas mexicanas, empeño al que en realidad, Michel dedicó toda su vida. *Véase* ATZIMBA.

BIBLIOGRAFÍA: *RHTM*.

RICARDO MIRANDA / ROCÍO TERÁN

Micrós. *Véase* CAMPO, ÁNGEL DE.

Miguel Ángel, Amparo. España, siglos XIX-XX. Tiple. Estrenó la opereta en dos actos de Pablo Luna, *Roxana*, tanto en el Tívoli de Barcelona como en el Eslava de Madrid.

Mª LUZ GONZÁLEZ PEÑA

Mihura Álvarez, Miguel. Medina Sidonia (Cádiz), 1878; San Sebastián, 12-VII-1925. Dramaturgo, actor y empresario teatral. Era estudiante en un seminario de Cádiz cuando se despertó en él la afición al teatro y probó suerte en varias compañías de aficionados, de las muchas que había en Cádiz. Se trasladó a Madrid y en la capital encontró la confirmación de su valía codeándose con los mejores actores del momento, trabajó en la compañía del teatro Apolo, donde estrenó las obras de los Álvarez Quintero, *La reina mora*, 1903, con música de José Serrano, *La gente seria*, 1907, con música de Quinito Valverde y José Serrano y *La mala sombra*, 1908, también de José Serrano. Alternó su carrera de actor con la de

Miguel Mihura
(Foto: Ar. SGAE)

dramaturgo, convirtiéndose en reconocido autor del género lírico para el que escribió en abundancia comedias, zarzuelas, sainetes, juguetes cómicos, revistas y operetas, casi siempre en colaboración con Ricardo González del Toro. Era un hombre con una gracia muy andaluza y con un estilo guasón que debió heredar su famoso hijo, Miguel Mihura, autor de *Tres sombreros de copa*. Sin embargo, su carrera no cuenta con éxitos rotundos, tal vez la rapidez con la que escribía, exigida por los empresarios, propició que sus libretos fuesen más bien flojos, superficiales, abusando del andalucismo de moda.

Entre los compositores que pusieron música a la larga lista de títulos figuran Gerónimo Giménez, con quien estrenó la zarzuela *El ojo de gallo*, 1914, además de la fantasía *Cine Fantomas* de 1915. Colaboró con Tomás Bretón, y con poco acierto al proporcionarle un libreto de escaso interés en el sainete andaluz *Las percheleras*, 1912. El público aplaudió por respeto al propio Bretón, que dirigió la orquesta en la noche del estreno. Escribió una parodia de la zarzuela *La corte de faraón* titulada *El pueblo del peleón*,

1911, con música de Padilla, con el que estrenó ese mismo año *Pajaritos y flores*, ante un público que aplaudió la obra. Ambos autores de nuevo consiguieron un gran éxito con el sainete *El sostén de la casa*, 1912, con música de Quinito Valverde y Tomás López Torregrosa, de cuya partitura se repitieron varios números; el libro gustó, tal vez por la acertada descripción de costumbres populares. Amadeo Vives y Tomás Barrera compusieron la música de la opereta *La canción española*, 1911, de Mihura y González del Toro. Otros compositores que colaboraron con Mihura fueron: Moreno Torroba, Manuel Penella, Emilio López del Toro, Manuel Quislant, Celestino Roig, Arturo Saco del Valle, lo que da una idea del amplio repertorio que aportó al teatro lírico, a pesar de su prematura muerte, sobre todo en lo que se refiere a su actividad como empresario de los teatros Cómico y Príncipe Alfonso.

BIBLIOGRAFÍA: *DAT; EDL; TA; TLE;* F. Cuenca: *Teatro andaluz contemporáneo. 2. Artistas líricos y dramáticos,* La Habana, Maza, 1940.

OLIVA G. BALBOA

Milagro de la Virgen, El. Zarzuela en tres actos. Música de Ruperto Chapí. Libreto de Mariano Pina Domínguez. Estrenada el 8 de octubre de 1884 en el teatro Apolo de Madrid.

Personajes y reparto. María (Almerinda Soler di Franco, tiple). Gabriela (Srta. Roca, tiple). Gertrudis (Srta. Baeza, tiple). Mateo (Eduardo Bergés, tenor). Roberto (Sr. Navarro, barítono). Bernardo (Miguel Soler, bajo). El conde (Sr. Constanti). Ambrosio (Sr. Subirá). Tabernero (Sr. González). Sacristán (Sr. Toscano). Natario (Sr. Navarro). Pregonero (Sr. Arjona).

Orquestación. Flautín, flauta, oboe, clarinete, fagot, trompa, trompeta, 2 trombones, percusión y cuerda.

Argumento. *Acto I.* En el patio de la alquería de Bernardo cantan las muchachas en torno a Gertrudis mientras preparan el altar de la Virgen. Gertrudis le pregunta a María qué le pasa, pero ésta no le responde. Llega la procesión y Mateo celebra la fiesta de la patrona. Después de un baile popular, los habitantes se hacen eco de que todos los años tiene lugar un milagro en la aldea. Por su parte, Mateo comenta que dentro de poco tendrá lugar su boda con María. Cuando se van, Gertrudis le señala a Bernardo que su hija María lleva unos días triste mentando la posibilidad de que pueda estar enferma por lo que le preparará una tisana. Mateo señala a Bernardo que quiere casarse con María. Ante la extraña actitud de ésta, dejará un ramo en su ventana como prueba. Si al amanecer no cambia de sitio, significa que fijará la boda inmediatamente. Y si cambia, quiere decir que sus sentimientos están equivocados. Cuando María se queda sola se explaya señalando que otro amor más profundo anida en su corazón. Este no es otro que Roberto, con el que se funde en un abrazo apasionado cuando aparece. Sin embargo, Roberto tiene otras intenciones menos espirituales y urde un plan que les permita verse esa noche delante de la ermita para ser bendecidos. Paralelamente, María está disgustada por

que se siente culpable por el amor de Mateo. Aparecen el Conde y Gabriela que le profesa a María un gran cariño. Debido a la enfermedad del primero que le obliga a tomar las aguas, han decidido pasar a verlos. Al presentarles a Mateo, Gabriela sospecha que la actitud de María esconde algo. Se quedan solas y María le abre su corazón, a lo que responde Gabriela que ella también tiene un amado que se llama Beltrán. Al anochecer, Mateo trae las flores a la ventana de María. Sin embargo, María se ha decidido a encontrarse con Roberto cuando un profundo sueño parece impedírselo.

Acto II. Los aldeanos celebran la boda de Gabriela, la hija del conde, que va a tener lugar en los próximos días. Ella llega y señala su alegría, aunque la extraña desaparición de María empaña la posibilidad de que sea absoluta. Parece ser que había huido sin indicar donde, ya las flores, puestas por Mateo, habían sido arrojadas en el fango con la tristeza del lugareño. Sorprendiendo a todos, aparece María que comenta lo que ha pasado. Afirma que se había dormido pero que, al final, había logrado vencer al sueño. Después de tirar las flores al fango, se había encontrado con Roberto. Sin embargo, al abrazarla éste, un terror profundo acabó alejándola del hombre al que aparentemente amaba. Luego, el miedo le impidió volver a la aldea. Gabriela la protege y le pide que no se aleje que le quiere presentar a su amado. Este no es otro que Roberto que ha estado cortejando a Gabriela con el nombre de Beltrán. Llegan buscando a María, su padre y Mateo. Ambrosio les comenta que no se preocupen que ella está aquí y que todo ha sido fruto de una broma. Mateo reniega de haberla amado cuando de repente llega Roberto con la sorpresa de María. Ella le espeta si es el criado del marqués, a lo que afirma él que sí. María siente brotar de nuevo el amor en su corazón y le comenta que quiere casarse con él, que su padre bendecirá la boda. Roberto, nervioso ante la posibilidad de que llegue Gabriela, se va. Llega Bernardo y Gabriela le convence de que permita la boda de su hija con Roberto. Sin embargo con la llegada de éste, se descubre la trama. Gabriela se siente engañada y María, también, con un dolor profundo. Culmina el acto, con el clamor general y la petición de María de que la Virgen la ayude.

Acto III. Se oye el sonido de una fiesta de aldeanos y aldeanas. Llega el pregonero que anuncia la subasta de los muebles de Bernardo, que ha fallecido, para poder pagar a los acreedores. El coro cuenta la historia de María que, maldita de su padre, ha huido del pueblo. Su padre, destrozado, abandonó todo y se arruinó. María baja de la montaña, miserablemente vestida. Entona una romanza en la que se muestra arrepentida. Cuando se entera del fallecimiento de su padre, el dolor la aflige y se verá incrementado al conocer que Mateo, ante el desprecio de ella, tras pasar por la guerra había perdido la vista. La subasta le rompe el corazón lo que hace que todos la reconozcan y la desprecien, excepto Mateo que sigue enamorado de ella. Le cuenta que su padre, en el lecho de muerte, la perdonó. Más tranquila, opta por entrar en un asilo para socorrer a los desgraciados. De repente, llega Roberto y le cuenta que Gabriela se casará con él, sólo si María vuelve con Mateo. Indignada, ésta le espeta su vileza y egoísmo. Al intentar agredirla, María se defiende y mata a Roberto con el puñal de éste. De repente, sin embargo, Gertrudis la despierta. Todo ha sido un mal sueño premonitorio. Llega Roberto, vestido como en el primer acto, y le echa en cara que no haya ido a la cita. Cuando Gabriela lo presenta como el marqués que se va a casar con ella, María les pide que sean felices y le dice a él que todo ha sido por el milagro de la Virgen. Al final ella se casará con Mateo a quien considera como único merecedor de su amor.

Números musicales. Introducción. Acto I: Nº 1A. Coro y arieta, "Trabajemos con ardor y de nuestra Santa Virgen adornemos el altar". Nº 1B. Escena y coro, "Ya repican las campanas pronto terminad". Nº 1C. Salve, "Salve virgen del consuelo todos ruegan a tus pies". Nº 1D. Escena, coplas y baile, "Ya hora Señores permitidme que un pobre". Nº 1E. Mutis del coro, "Ora pro nobis, laus tibi Christi". Nº 2. Dúo de tiple y barítono, "¡Sola, oh ventura!". Nº 3. Cuarteto, "Gracias al mismo diablo que al fin pude llegar". Nº 3bis. Sexteto. Vals, "Mi cariño, Gabriela del alma". Nº 4. Dúo de tiples, "Hace tiempo que Mateo me expresaba su pasión". Nº 5A. Romanza de tenor, "Flores purísimas". Nº 5B. Final 1º. Gran escena de tiple, "Todos reposan, Reina la calma". Acto II: Nº 6. Coplas del ajo, "Díganos buen Ambrosio". Nº 7. Conjunto, "Aquí está el Señor Marqués y el Notario al fin llegó". Nº 8. Cuarteto, "¡Padre querido! Serenidad". Nº 9. Dúo de tiple y barítono, "¡Roberto! –¿Qué miro?". Nº 10. Concertante, "¡Ah es el marqués!". Acto III: Preludio. Nº 11A. Coro, "¡Venid! ¡Venid! ¡Venid! Es el tambor del pregonero". Nº 12. Romanza de tiple, "Gracias al cielo pude llegar". Nº 13. Escena, "¡María! ¡María! ¡María! Su dulce acento no me engañó". Nº 14A. Dúo de tiple y tenor, "¡Ya se alejan! ¡Virgen mía!". Nº 14B. Melodrama. Nº 15. Coro, "Con su muerte ha pagado mi deshonra".

Comentario. Cuando en la temporada 1884-85 la Sociedad Lírico Dramática de Autores Españoles apostaba en su segundo año por "continuar con la obra de sostenimiento y desarrollo de la zarzuela, emprendida el año anterior, con los buenos auspicios que conoce el público de Madrid", estaba en la línea de renovación que demandaba un género en plena crisis. La Sociedad presentó obras de Arrieta, Barbieri, Llanos, Brull, Caballero o Marqués, es decir el núcleo más sólido de los compositores del momento. Chapí, después del éxito de *La tempestad*, había asumido un papel importante y, posiblemente, estaba dispuesto a ir más lejos de su obra anterior. Es posible que *El milagro de la Virgen*, injustamente olvidada, sea una de las creaciones más interesantes y merecería una recuperación completa. En ella se aprecia la tendencia del creador a asumir las lecciones aprendidas en su pensionado, tanto en lo que se refiere en el capítulo vocal como en el instrumental. Algunos de los momentos conseguidos, caso de la romanza "Flores purísimas", son seguramente de lo mejor de la zarzuela de su época y donde se aprecia la clarísima influencia del Wagner de *Lohengrin*. Además, el libreto de Pina, de indudable oficio y eficacia, juega con inteligencia con un conflicto dramático entre la realidad y el sueño, que resulta muy actual para el espectador del siglo XXI, tal y como se ha mostrado en recientes puestas en escena de obras como *El holandés errante*.

Quizá por su libertad y su tratamiento melódico-orquestal, que en cierta medida parecen darle un talante de vanguardia, no obtuvo éxito, como lo reflejan los medios de comunicación de su época. *El Liberal* (Madrid, 9-X-1884) afirma que "aunque las ovaciones se repitieron con frecuencia, y los nombres del Sr. Pina y del maestro Chapí se proclamaron al fin del primer acto, en el curso del segundo y del tercero no faltaron señales de disgusto y manifestaciones de irónica sorpresa". Resulta curioso que el comentarista afirme que el libreto "tiene muy poca novedad y no mayor interés; las zarzuelas serias no entusiasman ya, sino prodigando en ellas tesoros literarios y musicales; y que lo devoto en este género no tiene más prestigio que el que poseen, de suyo, un Moreto y un Arrieta". Sobre la música de Chapí, *El Liberal* firma la más interesante crítica que asegura que "es elegantísima y brillante. Algunos números obtuvieron justamente los honores de la repetición. Con todo, era opinión general, entre los amigos y admiradores del joven compositor, que en *El milagro de la Virgen* no lucen la inspiración y la originalidad de otras partituras. En ésta se advierten, en efecto, algunas reminiscencias que, si dañan a la novedad, no por eso perjudican al talento y maestría de Chapí, cualidad que se echa de ver aún en lo menos importante". De la ejecución se alabó la labor de la tiple Soler di Franco y de Bergés. Algunos años más tarde, sin embargo, a raíz de la reposición que se hizo en el teatro Parish, el crítico J. Zahonero valoró la calidad de esta composición: "Lo que es sorprendente en las creaciones de Chapí es la variedad abundante sin que por ello haga borroso jamás el fino, original, ora ingenuo e idílico, ya majestuoso y dramático motivo melódico, alma de sus obras" (*Heraldo de Madrid*, 7-XII-1897). Zahonero comenta que "es un primor la música de *El milagro de la Virgen*, primor que hace al público perdonar lo deslabazado del libro; obra de hermoso asunto, pero dispuesta de modo que la acción teatral que se refiere a la representación de hechos reales que llega a confundir con la acción supuesta a la que se refiere al sueño".

La obra se inicia con una introducción a modo de preludio, seccionada en varias partes cuya influencia italianizante, claramente perceptible en su línea melódica, no esconde, sin embargo, una fuerte tendencia al cromatismo, evidente desde los mismos inicios del fragmento y que acude a algunos momentos importantes de la obra (Salve, cuarteto del primer acto). El Nº 1 es un coro popular que enlaza con una arieta de Gertrudis, sencilla de planteamiento, muy italiana de construcción. El Nº 1B, tras una escena de transición, da paso a un coro rogante, al que no es difícil establecer algún parentesco con el coro de peregrinos de *Tannhäuser*. Se une, sin solución de continuidad, la Salve, Nº 1C, un aire popular ternario al que suceden las coplas de Bernardo y el baile. En el dúo de Roberto y María la línea melódica se convierte en protagonista aunque Chapí parece rehuir el modelo italiano para adoptar una influencia más germánica. El Nº 3 es el inevitable cuarteto de carácter más cómico, cuya melodía ya había sido enunciada en la introducción que se funde directamente con un sencillo vals. Más fuerza tiene el dúo de tiples siguiente, donde de nuevo se muestra Chapí como dominador del lenguaje cromático, a la par que tan eficaz como de costumbre con el tratamiento melódico. El aria de tenor es, sin duda, uno de los mejores momentos de la obra y no en vano fue inmortalizada por Caru-

so, que la grabó. El vínculo con el *raconto* de *Lohengrin* es evidente. La orquestación es, lo mismo que el resto de la creación, muy interesante. Importada del modelo alemán tras una introducción se abre con una idea del clarinete que se apoya en una armonía muy modulante. La entrada del tenor, sobre el fondo tremolante de la cuerda, muestra el vínculo de *Lohengrin*. El canto es más declamado que estructurado en la línea italiana. El tenor apenas se mueve del Mi b, dominante de La b, tono básico de la romanza. En la sección B Chapí establece un cambio donde una idea melódica gallega o asturiana toma el relevo. Se cierra con una vuelta al material del comienzo, aunque con un tratamiento armónico más audaz. El final del acto se mueve en la línea del concertante italiano.

Un coro, sostenido por un ritmo de tarantela –teóricamente, el drama se ubica en Italia–, da paso sin embargo a las inevitables coplas con matiz cómico, a cargo de Ambrosio. Tras un conjunto, Nº 7, de transición, da paso a un intenso dúo entre Roberto y Gabriela, plagado de cromatismos, lo que refleja la lección wagneriana aprendida. El cuarteto es uno de los momentos dramáticos más importantes de la obra con lo que la música se aplica a exponer esa tensión acudiendo a los recursos habituales. Estructurado en dos partes el final resulta más italianizante, según los modelos, todavía muy presentes, de la ópera belcantista. La tensión continúa en el siguiente número, el dúo de Roberto y María, donde se manifiesta el talante mentiroso del barítono, lo mismo que en el concertante final del segundo acto, donde se desvela la traición. El acto tercero se abre con un coro, donde el ambiente de tristeza de la destrucción de la familia de María es transmitido por la música. Llega la primera romanza de la protagonista, que Chapí ha esperado hasta el tercer acto para presentar en toda su plenitud. Tras una introducción, da paso a la romanza en sí, que es un bello ejemplo del dominio al que había llegado Chapí en este tipo de formas. Es una pieza más bien corta de relativa exigencia para la solista, pero de gran habilidad tanto en el tratamiento melódico como en la orquestación. Tras la escena del Nº 13, llega al dúo de tiple y tenor, culminación dramática del último acto, donde en alguna medida planea la sombra de Meyerbeer. Se percibe la libertad armónica de Chapí, especialmente en el *Andante mosso* donde vuelve a mostrarse el juego de apoyaturas y notas de paso asimilados por el compositor alicantino. El tratamiento vocal es exigente, quizá más para el tenor que para la soprano. La estructura del dúo es, sin embargo, claramente belcantista. La zarzuela termina con un coro general vibrante.

Fuentes manuscritas. La partitura se conserva en la Biblioteca Nacional de Madrid (legado Chapí, vol. 39). Los materiales de orquesta se conservan en el archivo de la SGAE en Madrid (2236).

Ediciones de música. Canto y piano, Madrid, Cd, 1884.
Ediciones del libreto. Madrid, Administración Lírico-Dramática, 1884.
FONOGRAFÍA: D78rpm: Sol. Enrico Caruso, La Voz de su Amo DB 639 [reed. en CD: Naxos Historical AAD 8.110726].
BIBLIOGRAFÍA: *MT*; J. M. Esperanza y Sola: *Treinta años de crítica musical en España*, Madrid, Tip. viuda e hijos de Tello, 1906; A. Salcedo: *Ruperto Chapí. Su vida y su obra*, Madrid, Aguilar, 1958; J. J. Águila: *Ruperto Chapí y su obra*, Diputación Provincial de Alicante, 1973; A. Sagardía: *Ruperto Chapí*, Madrid, Espasa Calpe, 1979; V. Prats Esquembre: *R. Chapí, un hombre excepcional*, Villena, Apaids, 1984; L. G. Iberni: *Ruperto Chapí*, Madrid, ICCMU, 1995; –: *Ruperto Chapí: Memorias y escritos*, Madrid, ICCMU, 1995.

LUIS G. IBERNI

Millà i Gàcio, Lluís. Madrid, 1865; Barcelona, 1946. Escritor, actor y editor. Fue actor profesional en diversas compañías barcelonesas. Colaboró en *L'Esquella de la Torratxa*, *El Teatre Cátala* y *Lo Teatro Regional*. Dejó un ingente corpus de obras teatrales, de los más diversos géneros, como la policial *La captura de Raffles o El triunfo de Sherlok Holmes*, 1908, hasta obras de contenido antifascista, como *19 de juliol o El triomf del poble*, 1936. Dirigió publicaciones teatrales como *La Dida* o *Teatre Mundial*. Dirigió además diversos catálogos de obras de teatro en catalán, y en 1901 fundó la Llibreria Arxiu-Teatral Millà, uno de los fondos más importantes de teatro en catalán.

FRANCESC CORTÈS i MIR

Millán. Familia de músicos españoles compuesta por Dionisio, padre, y Rafael y Valeriano, hijos.

1. Millán, Dionisio. Córdoba, siglo XIX; ?. Compositor. Era músico militar y muy aficionado al teatro lírico. Compuso varias obras para la escena, como *La Cruz de mayo*, con libreto de Toro Luna; *El yerno del alcalde*, con libreto de L. Peñalver y *La noche de los dichos*, del mismo libretista.

2. Millán Picazo, Rafael. Algeciras (Cádiz), 24-IX-1894; Madrid, 8-III-1957. Compositor, violinista y director.

I. Biografía y obra. II. Estilo.

I. BIOGRAFÍA Y OBRA. Recibió de su padre las primeras lecciones de Música que perfeccionó en la Academia de música de Córdoba. Se trasladó a Madrid para estudiar violín y obtuvo brillantes calificaciones; sus conciertos en España y en el extranjero le proporcionaron merecida fama, que pronto amplió como director de orquesta, faceta que pudo desarrollar al frente de orquestas de teatros líricos. El contacto con este ambiente le familiarizó con la zarzuela, a la que entregó su gran capacidad de trabajo como autor e intérprete y en la que destacó como uno de sus mejores cultivadores. Su primer éxito se debe al estreno de *El príncipe bohemio*. El teatro de la Zarzuela, regentado durante la temporada

Rafael Millán (Foto: Amadeo, Colección Andrada; Ar. SGAE)

de 1914 por Pablo Luna, sufría grandes pérdidas económicas. Pensando que podía alcanzarse el éxito con la reunión de una serie de números sueltos que había compuesto Millán, en esos momentos violinista del teatro, el director de escena Merino ideó un libreto y unos cantables que se adaptaron a la música de Millán, estrenándose así *El príncipe bohemio*, obra con la que el teatro logró aliviar las pérdidas. La obra se estrenó en la Navidad de 1914 en Barcelona, obteniendo un importante éxito de crítica y público. Días más tarde se estrenó en el teatro de la Zarzuela de Madrid la opereta *Una mujer indecisa* que, interpretada entre otros por la Vela y Sagi Barba, obtuvo otro resonante éxito para el autor. "Millán –comenta Ignacio Salvador– es de los jóvenes que prometen dejar muy atrás a este sin fin de compositores matritenses que no saben escribir otra música que *marchichas* y *couplets*. *Una mujer indecisa* está preciosamente instrumentada y además la melodía es sobria y elegante. En la noche del estreno tuvieron que repetirse varios números. Es verdad que el maestro Millán no ha demostrado nada nuevo en su nueva opereta, pues todos los números parecen una continuación de *El príncipe bohemio*, pero, como la melodía es fácil y elegante y la orquestación está bien cuidada, el público recibió con agrado la música del joven compositor". En marzo de 1916 estrenó en el mismo teatro la opereta en tres actos *Las alegres chicas de Berlín*. *La Lira Española* dedicó una elogiosa columna a la música. Tras esta obra, en 1916 estrenó en el teatro Novedades la zarzuela en un acto *Los piratas*, con texto de Garrido que, según *La Lira Española* era "bastante graciosa y su música bien aceptable".

En sus primeras obras trabajó más la opereta elegante y la revista distinguida, que la zarzuela propiamente dicha, quizá por su elegancia melódica y su habilidad teatral; pero, sin embargo, hay en sus partituras más populares tantos gérmenes de zarzuela que no es difícil incluirlas en el catálogo de las que se escriben en el período de renacimiento del género, que arrancó a partir de la temporada 1923-24. En estos géneros alcanzó triunfos tan resonantes como *La rosa de Kioto*, *La mujer indecisa*, *La mala tarde*, *El chico de las peñuelas*, *La famosa*, *Maldición gitana*, *La escuela de Venus* y *Las alegres chicas de Berlín*. Tras estos estrenos, trasladó su residencia a Barcelona y allí escribió y estrenó varias de las obras que le proporcionaron mayor celebridad, como *La dogaresa* o *El pájaro azul*. La primera, zarzuela con texto del periodista Antonio López Monís, colaborador habitual del maestro, se estrenó en el teatro Tívoli de Barcelona en 1920. Por la originalidad de la inspiración, la fluidez con que surgen los temas, el sentido noble de la melodía, y el contagioso lirismo que desprenden las voces, *La dogaresa* es una pieza importante, y una de las más imperecederas obras del género. *El pájaro azul*, estrenada en 1921, también en el Tívoli, constituyó otro gran éxito, siendo entonces empresario de la compañía que encabezaban Emilio Sagi Barba y Luisa Vela. La prensa de la época destacó "la belleza melódica y el poderoso instinto teatral del compositor". También en Barcelona, en 1923, estrenó *El dictador*, que representó otro triunfo tanto para el compositor como para los libretistas Federico Romero y Guillermo Fernández Shaw. Sin embargo esta obra estuvo siempre unida a Emilio Sagi Barba por su creación de la romanza "Mi carta, mujer de mis amores", que junto con la romanza de "El champán", para tenor, son los dos números de la partitura que han conseguido el éxito. Marcos Redondo también incorporó esta obra a su repertorio y no fue menor el éxito que alcanzara interpretando el fragmento de "la carta". En sus memorias, el barítono dice: "Al maestro Millán no le estrené nada. Fue Emilio Sagi Barba quien le estrenó en Barcelona *La dogaresa* y *El pájaro azul* –el cantante olvida mencionar *El dictador*–, por cierto que con un éxito extraordinario. Sin embargo, es de todos los músicos de entonces del que estoy más contento y agradecido, sobre todo por las noches de triunfo que le debo en los teatros del Paralelo. ¿Por qué sus obras no gustaban en Madrid? Es algo que nunca se sabrá. Y esto es hasta el punto cierto, que en 1945, cuando me disponía a hacer la temporada en el teatro de Madrid, la empresa me puso una sola condición: retirar del repertorio *La dogaresa*. Me negué en redondo. O se incluía esa zarzuela o rescindía el contrato. Y la empresa tuvo que claudicar. Estrené la obra, y fue todo un éxito. Y a la tercera representación se le hizo un sentido homenaje al autor. Todavía me parece recordarlo en su sillón de ruedas, porque estaba paralítico, llorando de emoción en el palco. La verdad es que todos hicimos cuanto sabíamos y más en aquella *Dogaresa*". Los números más aplaudidos de sus zarzuelas pronto se convirtieron en canciones de moda: las milongas de *Blanco y negro*; la romanza de la carta de *El dictador*; la tarantela de *La dogaresa*; el fado de *El pájaro azul*, casi todas creaciones del barítono Emilio Sagi Barba, fueron éxitos durante muchos años. A estas canciones hay que añadir los éxitos de *La gaviota* y *La severa*, esta última, su partitura más cuidada técnicamente. La ópera cómica *Glorias del pueblo*, estrenada en Madrid en 1921, despertó en el público un gran interés, debido sin duda, según Cuenca, a su "caudalosa melodía, de cuidada y frondosa

orquestación que se apoya en temas de clásico gusto español estilizado y desarrollado con amplio vuelo". Si se piensa que esta carrera de triunfos se había logrado en menos de treinta años de vida, puede suponerse el brillante camino artístico que hubiera recorrido el compositor, si una parálisis sufrida en 1925 no le hubiera apartado de toda actividad. Enfermo escribió algunas obras, que no gozaron del éxito esperado, como *El tesoro de Golconda*, estrenada en el teatro Victoria de Barcelona en 1952, que no causó buena impresión.

II. ESTILO. Millán es uno de los autores que, junto a otros como Vives y Sorozábal, marcó un cambio de estilo en la zarzuela al revitalizar el antiguo género grande. Como buena parte de compositores de su época, mostró la influencia de la opereta vienesa de Fall, Lehár o J. Strauss, y al mismo tiempo dio entrada a la influencia de géneros menores, caso de la revista. La voluntad por dotar a la zarzuela de un lenguaje más ampuloso justifica la aparición de procedimientos y desarrollos que son más propios del drama musical, así como

Cortesía de Unión Musical Ediciones SL

el uso de una orquestación que buscaba efectos originales, brillantes e impactantes, sin llegar jamás a propios del lenguaje operístico.

Una de las características del estilo de Millán radica en su facilidad para crear melodías sencillas, originales y fluidas. El recurso es similar al de otros compositores del momento: división de la melodía en subperíodos; repetición de la cabeza del tema construida con elementos rítmicos simples y estables, fácilmente identificables, y con una fuerte implicación armónica. Los pasajes más extensos presentan melodías de estructura A-B-A, siendo la parte central rítmicamente diferenciada, más lírica. Las introducciones instrumentales de sus obras adquieren importancia, como en *Blanco y negro*, *Las alegres chicas de Berlín* o *La dogaresa*, empleando contrastes tímbricos acentuados. Los números bailables están presentes en la mayoría de sus producciones, y tienen un papel destacado: el vals de los bañistas y fotógrafos en *Blanco y negro*, las marchas de *El pájaro azul*, los fox-trot o los valses en *Tutankamen*, el bolero y los ritmos marciales en *Amores reales*, son un ejemplo de ello. Igualmente aparecen formas más antiguas, caso de las seguidillas de marcado tinte cómico en *Blanco y negro*. La armonía presenta unas construcciones sólidas, con una consciencia clara de la tonalidad, unos perfiles funcionales previsibles y tópicos del mundo de la opereta. Los cromatismos, los grados rebajados están presentes para dotar de exotismo en aquellas obras que por su argumento lo requieren, caso de la romanza "Alhambra de mis amores" de *Blanco y negro*, o de la escena de la tempestad en *Tutankamen*; en otras ocasiones, caso de *El dictador* se mueve en unos perfiles predecibles: las modulaciones casi nunca sorprenden durante el desarrollo de las romanzas y los pasajes solísticos, sino que se emplean de forma intensa en los recitados, los diálogos y en la conducción musical de la acción dramática. Otro elemento a destacar es el sentido de la oportunidad dramática que tienen la mayoría de sus obras, el poder descriptivo, el uso de la comicidad —rayano en algunas ocasiones en el chiste fácil, pero sin caer jamás en la vulgaridad—. Este sería el caso del "Fado" de *Blanco y negro*, donde bajo los efectismos tímbricos la melodía recurre a formas que acabarán convirtiéndose en estereotipos, o el caso del coro de motoristas de la misma obra, en la que entre los "hurras" y "vivas" a las motos "Harley Davidson", suenan bocinas afinadas como acompañamiento que rompe la cuadratura clásica de la melodía. El buen dominio de estos recursos, la mezcla del género arrevistado con el dramático es muy clara en *Las alegres chicas de Berlín*, una obra que alcanzó mucha fama en su tiempo —incluso es citada en alguna ocasión por Robert Gerhard—. A pesar de la popularidad de algunos títulos, la mayor parte de sus obras parecen cumplir con los clichés de las zarzuelas de su tiempo, no se debe olvidar que cronológicamente fue él quien creó y dio carta de naturaleza a unas formas estilísticas que luego fueron utilizadas por otros compositores del momento. *Véase* LA DOGARESA; EL PÁJARO AZUL.

OBRAS (Todas en *E:Msa*): *El príncipe bohemio*, Opt, 1 act, l, M. Merino / Lara Avecilla, est, 30-X-1914, Te. Zarzuela; *Una mujer indecisa*, Opt, 1 act, l, M. Merino / Borrás, est, 9-I-1915, Te. Zarzuela; *La mala tarde*, Zarz, 1 act, l, R. Avecilla / M. Merino, est, 24-IV-1915, Te. Zarzuela; *El chico de las peñuelas*, Zarz, 1 act, l, C. Arniches, est, 12-V-1915, Te. Apolo; *La escuela de Venus*, Rv, 1 act, l, González de Lara / Casado, est, 30-VII-1915, Te. El Paraíso; *El genio de León*, Hum, 1 act, l, G. Hernández / L. Fernández de Sevilla, est, 2-X-1915, Te. Nuevo (Barcelona); *La famosa*, Zarz, 1 act, l, L. Navarro Serrano, est, 8-X-1915, Te. Novedades; *Las alegres chicas de Berlín*, Opt, 3 act, l, C. Avecilla / M. Merino, est, 22-III-1916, Te. Zarzuela; *Los piratas*, Zarz, 1 act, l, M. Garrido, est, 22-IV-1916, Te. Novedades; *Música, luz y alegría*, Zarz, 1 act, l, A. Varela / F. de Torres, est, 20-V-1916, Te. Novedades; *La hija del payaso*, Zarz, 1 act, l, L. Navarro Serrano, est, 9-VI-1916, Te. Novedades; *El preceptor de su Alteza*, Zarz, 1 act, l, L. García Conde / A. Paso (hijo), est, 18-VI-1916, Te. Apolo; *El pan nuestro*, Zarz, 3 act, l, A. Sánchez Carrere / C. Allen-Perkins / J. Casaso, est, 1916, Te. Zarzuela; *La mano que atosiga*, Jug cóm-lír, 1 act, l, L. Fernández de Sevilla / M. González de Lara, est, 7-II-1917, Te. Martín; *El cabo Pinocho*, Fant, 1 act, col. E. García Álvarez, l, J. Casado / E. García Álvarez, est, 2-VIII-1917, Jardín del Buen Retiro; *La paciencia de Job*, Zarz, 1 act, l, J. Pardo, est, 5-X-1917, Te. Martín; *Sol de la noche*, Zarz, 2 act, l, González Lara / Prada, est, 1917, Barcelona; *Los amos del mundo*, Zarz, 1 act, l, A. O. de Rendón, est, 11-III-1918, Te. Cómico; *¡Hagan juego!*, Rv, 1 act, l, Moyrón / Hoyos, est, 3-IV-1918, Te. Cómico; *Los faranduleros*, Zarz, 2 act, l, F. Munárriz / J. R. Mediamarca, est, 16-XI-1918, Te. ABC; *El elefante blanco*, Opt, 3 act, l, M. González Lara / R. Díaz Mirete, est, 11-VI-1919, Te. Centro; *El telón de anuncios*, Rv, 1 act, est, 3-IV-1920, Te. Centro (Barcelona); *Amores reales*, Zarz, 2 act, est, 1920, Barcelona; *Blanco y negro*, Rv, 2 act, l, A. López Monís / R. Seña, est, 1920, Madrid; *La dogaresa*, Zarz, 2 act, l, A. López Monís, est, 19-VII-1921, Te. Retiro; *El pájaro azul*, Zarz, 2 act, l, A. López Monís, est, 17-IX-1921, Te. Zarzuela; *Glorias del pueblo*, Op cóm, 1 act, l, Berzosa, est, 18-XI-1921, Te. Zarzuela; *Las uñas del gato*, Rv, 2 act, l, A. González Rendón, est, 1922, Barcelona; *Los buscadores de oro*, escenas de la vida americana, 2 act, est, 1922, Barcelona; *Nuevo Mundo*, Rv, 2 act, l, A. López Monís, est, 5-IV-1923, Te. Cómico; *El bello don Diego*, Opt, 3 act, l, J. Tellaeche, est, 1-IX-1923, Te. Cómico; *El dictador*, Opt, 3 act, l, F. Romero / G. Fernández Shaw, est, 23-XI-1923, Te. Price; *¿A qué teatro vamos? o Comedias y comediantes*, Rv, 2 act, col. Faixá, l, J. Dicenta (hijo) / M. Aguilar y Ruiz, est, 24-XI-1923, Te. Latina; *¡Vaya una noche!*, monólogo con ilustraciones musicales, l, P. Sañudo, est, 15-II-1924, Te. Politeama (Barcelona); *El triunfo de las mujeres*, Zarz, 1 act, l, Agudín / Moraga, est, 27-VI-1924, Te. Eldorado; *La gaviota*, Zarz, 2 act, l, A. Oliveros / J. Amich, est, 19-XII-1924, Te. Nuevo (Barcelona); *Tutankamen*, Zarzv Bu, 2 act, l, J. Dicenta (hijo) / A. Paso (hijo), est, 22-IV-1925, Te. Apolo; *La severa*, Dr, 4 act, l, F. Romero / G. Fernández Shaw, est, 25-XII-1925, Te. Tívoli (Barcelona); *El abanico*, Zarz, 1 act, l, Fernández de la Torre, est, 17-XI-1926, Te. de la Comedia; *La morería*, arr de *La severa*, 3 act, l, F. Romero / G. Fernández Shaw, est, 20-IV-1928, Te. Latina; *Noche de guerra*, arr, de *Noche de las coplas*, Zarz, 2 act, est, 1928, Barcelona; *El tesoro de Golconda*, Opt, 2 act, col. Gil Serrano, l, S. Conde / P. Llabrés, est, 19-IV-1952, Te. Victoria (Barcelona); *El Principito*, Opt, l, A. Paso (hijo); *Maldición gitana*, Zarz, l, González Lara / Díaz Mirete.

FONOGRAFÍA: *Blanco y negro*, La Voz de su Amo AC 82; *Certamen nacional*, Victoria 1109; *El dictador*, Odeón 184834, SO 6360 SO 6376 • Regal LK 4016 (et. azul), K 2129 K 2130; *El elefante blanco*, Victoria 5796, 5797 y 5798; *El pájaro azul*, Gramófono AC 65 (et. fucsia), 2-62257, 64455, 4507, 4499 • Columbia-BMG SCE 959 • Columbia SA, ZCL 1067 178 • Odeón 121187, XXS 4656 XXS 4658; *El príncipe bohemio*, Victoria 5214, 5215 y 5216; *La dogaresa*, Odeón 184177 (et. marrón), SO 6346 SO 6375 • Gramófono W 64449 W 64450 (et. fucsia) • Alhambra MCC 30028 • Columbia-BMG España WD 71808 (9D) • Columbia-BMG-Ariola-Salvat 1049-2 • Columbia SA, MCE 868 183 • Odeón 121142, XXS 6413 XXS 6343.

3. Millán Picazo, Valeriano. Algeciras (Cádiz), siglo XIX?; Algeciras, 17-XI-1942. Compositor. Se dedicó como su hermano a la música teatral en la que dejó varias obras.

OBRAS: *El padre eterno*, Pas, 1 act, l, I. Moraga / P. López, est, 4-I-1920, Te. Juan Bravo (Segovia), *E:Msa; La noche de las coplas*, Zarz, 1 act, l, E. Enderiz / J. Fernández, est, 1923, Valencia; *El triunfo de las mujeres*, Hum, 1 act, l, I. Moraga / P. López, est, 27-VI-1924, Te. Eldorado, *E:Msa; Piensan los enamorados*, Zarz, 1 act, l, I. Moragas / P. López Agudín, est, X-1924, Córdoba; *El tesoro de Tutankamen*, Zarz, l, J. Dicenta / A. Paso, est, 22-IV-1925, Te. Apolo; *Las pupilas de la Charo*, l, R. López / J. Barceló, est, X-1926, *E:Msa; El abanico*, Zarz, 1 act, l, A. y E. Fernández de la Torre, est, 17-XI-1926, Te. de la Comedia; *La isla de los sueños*, cuento, 2 act, l, M.

García Bengoa, est, 31-X-1935, Te. Ideal; *Caminito de Belén*, 1 act, I, M. García / F. J. Olondriz, est, 19-XII-1935, Benavente; *Arriba las manos o Los tres aventureros*, Rv, 2 act, I, M. García Bengoa, est, 19-III-1936, Te. Cervantes (Sevilla), *E:Msa*; *Usted es mi hombre*, Fant lír, 2 act, I, M. G. Bengoa, est, 4-V-1938, Te. Eslava, *E:Msa*; *El baile del candil*, Dr lír, 1 act, I, F. Prado, est, XII-1952, Madrid; *Del Turquestán*, I, López Agudín / L. Rodríguez; *Dolores y Consuelo*, Vo, 1 act, I, F. Prado, *E:Msa*; *El reino de los gandules*, Zarz, 1 act, I, Rodríguez; *En el pueblo mando yo*, 1 act; *Es un film Paramount*, I, J. Remón Vallejo; *Karaba hotel*, I, L. Rodríguez; *La almea o La guerra de Melilla*, I, I. Moraga / P. López Agudín; *La Colasa debuta*, Sai, 1 act, col. Ruiz de Azagra, *E:Msa*; *Los ases de la pantalla*, 2 act, I, L. Rodríguez / J. R. Vallejo.

BIBLIOGRAFÍA: *DMEH*; *BSGAE*, 88, 1961-63; F. Cuenca: *Galería de músicos andaluces contemporáneos*, La Habana, Cultura, 1927.

1. 2. I. 3. Mª ENCINA CORTIZO
2. II. FRANCESC CORTÈS i MIR

Millán Astray, Pilar. La Coruña, 1879; Madrid, 22-V-1949. Novelista y autora teatral. Era hermana del general Millán Astray. La revista *Blanco y Negro* premió en 1919 su novela corta *La hermana Teresa*. Colaboró con los principales periódicos y revistas del momento. Aunque escribió cuentos y novelas, no alcanzó el éxito en la narrativa, pero sí en el teatro, con o sin música. Sainetera, retrató las costumbres madrileñas de la época con gracia y acierto, a pesar de su origen gallego, como lo hicieran Ramos Carrión y Arniches. Es un caso atípico, pues triunfó en un mundo que parecía coto cerrado masculino y tras su primer éxito, *El juramento de la primorosa*, estrenada por Irene Alba, casi todas las actrices del momento estaban deseando estrenar una obra suya ya que los personajes femeninos eran muy ricos en matices. El mayor triunfo de Pilar Millán Astray fue *La tonta del bote*, 1925, gran éxito de Aurora Redondo y Carmita Oliver, llevada años después al cine por Lina Morgan. El mismo año 1925 estrenó *Las ilusiones de la Patro* en la que Loreto Prado y Enrique Chicote obtuvieron un gran éxito, en ese año tenía una obra en el Lara, otra en la Comedia, un sainete en Apolo y "la Patro" en el Cómico. Otros éxitos fueron *La mercería de la Dalia Roja*, 1925 o *Los amores de la Nati*, 1931. Hay que destacar en ella la importancia de los tipos femeninos, clave de su éxito, sin embargo esa especie de sensiblería y "casticismo" postizo, heredados de Arniches, hacen que su teatro se halle ya

Pilar Millán Astray (Foto: Ar. SGAE)

desfasado y sólo sirva como testimonio de las costumbres sociales de su época.

Para el teatro lírico escribió *Por los flecos del mantón*, con música de Jacinto Guerrero, estrenada en el teatro Apolo en 1924; *Magda la Tirana*, drama en tres actos con música de Serrano, estrenado en el teatro Lara en 1926; *La talabartera*, en colaboración con Javier de Burgos, del que se desconoce autor musical, fecha y lugar de estreno y *Cayetana, la Rumbosa*, con música de Alonso, estrenada en el teatro Calderón en 1951, ya fallecida la autora.

BIBLIOGRAFIA: *DAT*; *EDL*; *TLE*; A. Mori: "Pilar Millán Astray y sus cooperadoras: Irene Alba, Carmita Oliver, Loreto Prado y las chulas de Lavapiés", *Nuevo Mundo*, 1653, 25-IX-1925; J. López Ruiz: *Historia del teatro Apolo y de La verbena de la Paloma*, Madrid, Avapiés, 1994.

Mª LUZ GONZÁLEZ PEÑA

Millanes. Familia de cantantes españoles compuesta por las hermanas Dolores, María, Carlota y Teresa, su marido, Germán Bilbao; las hijas de Carlota, Emilia y María Caballé; la hija de Emilia, Carlota Bilbao; y las hijas de Teresa, María Isabel y Teresa Saavedra.

1. Dolores [Lola]. Barcelona, 1859; ?, 4-VIII-1906. Tiple. Se inició como corista en compañías de zarzuela en 1880, alcanzando pronto papeles de responsabilidad por sus grandes cualidades vocales. Cantó *Caramelo* de Chueca con gran éxito como lo reflejaban los versos que *Madrid Cómico* le dedicaba en su portada de 1886: "Hay que verla en *Caramelo* / Para decirla:— Señora, / Yo no voy al cielo ahora / Si usté no canta en el cielo". Se fue a Buenos Aires en 1886 contratada para el elenco de Avelino Aguirre trabajando en el teatro Nacional de la calle Florida. Posteriormente permaneció en el país durante varios años actuando con la compañía de Juan Orejón en el antiguo Colón. Destacó en Argentina en personajes como la Menegilda de *La Gran Vía* o la Mari Pepa de *La revoltosa*. En 1881 estrenó *El rosal de la belleza* de Carlos Mangiagalli. En 1903 formaba parte de la compañía de José Ontiveros en el teatro Cómico y la prensa se hacía eco de su potente voz que le habría permitido figurar en una compañía de ópera. Con esta compañía estrenó la revista *El pícaro mundo* de Fernández Caballero y Vicente Lleó. Falleció ahogada en la catástrofe del "Sirio", según información de la revista *Nuevo Mundo* de agosto de 1906.

2. María. Barcelona, 1861; Madrid, 1924. Actriz. Después de actuar con éxito en España, llegó a Buenos Aires llamada por sus hermanas Dolores y Carlota, realizando giras por los países vecinos. En 1909 se encontraba en México en Compañía de Carlota contratada por el teatro Arbeu como característica, y en el 1910 en la compañía del teatro María Guerrero.

1. Dolores Millanes.
2. María Millanes.
3. Carlota Millanes.
5. Germán Bilbao.
6. Emilia Caballé.
7. María Caballé.
8. Teresa Saavedra.
9. Carlota Bilbao
(Fotos: Álbum familiar;
Ar. Emilio G. Carretero)

3. Carlota. Barcelona, 1865; Madrid, 1924. Tiple. Se casó con un violinista de apellido Caballé y tuvo a Emilia y María Caballé. Se casó de nuevo con Alberto Moreno, de cuya unión nació Alberto. Sus descendientes viven en Buenos Aires.

Comenzó a actuar en 1884 en el teatro Tívoli de Barcelona. Llegó a Buenos Aires en 1888, dos años después de su hermana, con la compañía de Juan Orejón, y actuó en el teatro San Martín. Residió en Argentina durante catorce años cultivando la zarzuela grande y el género chico. Durante ese tiempo actuó también en Chile, Uruguay y Perú. Regresó a España contratada por el teatro Lírico de Madrid y, posteriormente, actuó en La Habana. Obtuvo un gran triunfo en *El mozo crúo* de Calleja y Lleó en 1903. En 1907 estaba en Panamá en el teatro Metropole con la compañía de Diestro y Cousirat, obteniendo grandes éxitos con *Los mosqueteros grises*, *El estudiante de Salamanca*, *Jugar con fuego* y *Marina*. En diciembre seguían su campaña y Carlota triunfó con *El dominó azul*. En 1909 se encontraba en México para inaugurar la temporada de Pascua en el teatro Arbeu en la compañía Amaya y Cousirat; interpretó incluso *La traviata* y *El dúo de la Africana*. Por su magnífica voz era conocida como "la Patti de la zarzuela". En 1910 seguía en México interpretando opereta y zarzuela española. Estrenó la revista *El pícaro mundo* de Fernández Caballero y Vicente Lleó y *El mozo crúo* de Calleja y Lleó. La prensa señalaba de ella que tenía magnífica voz y exquisito timbre. Fue la madre de las cantantes María y Emilia Caballé.

4. Teresa. Zaragoza, 1867; Buenos Aires, 1933. Actriz. Llegó a Buenos Aires acompañando a su hermana Dolores en 1886, formando parte del elenco de Avelino Aguirre que actuó en el teatro Nacional. Tuvo así activa intervención en el primer desarrollo del género chico en Argentina, siendo muy destacada como intérprete del género durante estos años. Fue madre de las tiples María Isabel y Teresa Saavedra.

5. Bilbao Basterra, Germán. País Vasco, 1888; México, D. F., 1932. Director, compositor y arreglista. En 1910 se encontraba ya en la capital mexicana dirigiendo orquestas en varios teatros. Fue el autor del primer arreglo publicado que se conoce para canto y piano de la tradicional canción oaxaqueña *La zandunga*. Posteriormente y cuando el tango se puso de moda, escribió algunos con letra de Guzmán Águila y para la voz de Eugenia Galindo, conocida como "La Negra Galindo". También compuso para el teatro y en el 1920 estrenó con éxito en el teatro Colón *La revista del año*, en un acto y cuatro cuadros con letra de Joaquín González Pastor; en la obra deseaba lo mejor para 1921 y las alusiones políticas eran muy tibias. Ese mismo año estrenó *Las diosas modernas* con libreto de Luis T. Morente,

pensada para María Conesa y en la que se criticaban las esclavitudes de los tiempos modernos, situando la obra en el antiguo Egipto; la obra consistía en una serie de bailables de tangos y fox y los personajes eran la Política, la Música, la Opinión y las Diplomáticas. Al año siguiente estrenó *El rayo de Júpiter* con letra de Manuel Mañón, en la que tuvo muy poco éxito. En 1922, y siempre en el teatro Colón estrenó otras dos obras, *El diablo mundo*, revista de Tirso Sáenz que generó un auténtico tumulto y estuvo a punto de suspenderse en su estreno al hacer alusiones a "los rateros y otros funcionarios". Otra de sus obras fue *El amor a la vida* basada en la técnica de usar sucesos de resonancia cotidiana. Se casó con la tiple Emilia Caballé y fue padre de la famosa Carlota Bilbao.

OBRAS: *Las diosas modernas*, l, L. T. Morente, est, 6-XI-1920, Te. Colón; *El rayo de Jupiter*, l, M. Mañón, est, III-1921 Te. Colón; *A que invitó al coronel*, Jug, l, T, Sáenz, est, XI-1922, Te. Colón; *El diablo mundo*, Rv, l, T. Sáenz, est, 16-XII-1822, Te. Colón; *El amor a la vida*, l, G. Carrasco, est, Te. Colón; *La revista del año*, 1 act, l, J. González Pastor, est, Te. Colón.

6. Caballé Millanes, Emilia. Buenos Aires, 1894; Madrid, I-1979. Tiple. Llegó a España en la primera década de siglo y viajó muy a menudo a México y a otros países americanos. Casada con el compositor Germán Bilbao, se especializó en revista y opereta.

7. Caballé Millanes, María. Buenos Aires, 1892; Madrid, 1976. Soprano. Hermosa mujer y buena artista, ya había triunfado en el teatro Arbeu de México como tiple cómica en 1909 en la compañía de los empresarios Amaya y Coussirat, donde también actuaban su madre Carlota Millanes y su tía María; en 1911 y en el teatro Lírico de la misma ciudad actuó en varias operetas. En 1917 Atanasio Melantuche le dedicaba su obra *La tajadera*, con estas palabras, "A la aplaudidísima primera tiple María Caballé, con el sincero testimonio de profunda admiración". Triunfó en *Arco Iris*, revista de Tomás Borrás con música de Aulí y Benlloch, junto a Eugenia Zúffoli. La revista se estrenó en 1921 y obtuvo un clamoroso triunfo en Valencia, Barcelona y América Latina. Cuando Eulogio Velasco se hizo cargo del teatro Apolo en la temporada 1922-23, orientó la programación hacia la revista de gran espectáculo e inauguró el teatro el 27 de septiembre con *Arco Iris* con el mismo éxito. Estrenó *La tierra de Carmen* de Pablo Luna en 1923. La compañía Velasco dio un giro a su programación y puso en escena *La montería* de Jacinto Guerrero, en la que María Caballé obtuvo un gran éxito en el número del "¡Hay que ver!" que cantó en el teatro de la Zarzuela en la función que organizó Esperanza Iris en 1923 a beneficio del Sindicato de actores. El 18 de enero de 1924 la compañía de revistas y sainetes de los hermanos Velasco volvió a hacerse cargo del teatro Apolo. María Caballé estrenó la zarzuela *Rosa de fuego* de Pablo Luna. Ese mismo año, el 16 de mayo estrenó *La suerte*, con música de Ángel Barrios, pero el gran éxito, tanto de María Caballé como del teatro Apolo en 1924 fue el estreno de *La bejarana* de Emilio Serrano y Francisco Alonso. Destacó también su interpretación en la revista *En plena locura* con libro de Tomás Borrás y música de Julián Benlloch, estrenada en el teatro Victoria Eugenia de San Sebastián en 1926. En 1927 participó en el rodaje de *Frivolinas* de Arturo Carballo, que supone el único testimonio filmado de las revistas de Velasco y que recientemente ha recuperado la Filmoteca Nacional. En 1928 seguía formando parte de la compañía de revistas de Eulogio Velasco que actuaba en el teatro Circo Price y se encontraba en la Fiesta del sainete de Apolo en el sainete *En los flecos del mantón*. Se casó con el tenor Rafael Martínez, enviudó, y después de casó con Julián Benlloch.

FONOGRAFÍA: *La orgía dorada*, La Voz de su Amo AE 2168 y AE 169; *La viuda alegre*, Zafiro Zor-108 162 • Zafiro LM-3018 (C) 163 • Zafiro 30103018 164 • Zafiro FM-25; *Marina*, Zafiro LM-3.011-C y LM-3.013-C • Zafiro Zor-165 198.

8. Saavedra Millanes, María Isabel. ?, siglo XX. Tiple. Se encontraba en México en 1909 en el teatro Arbeu como tiple cómica en la compañía de los empresarios Amaya y Coussirat al lado de su tía Carlota y su prima María Caballé. En esta nación seguía en 1910 y 1911.

9. Saavedra Millanes, Teresa. ?, siglo XX. Cantante de opereta que actuaba en el teatro Reina Victoria en los espectáculos de Cadenas hacia 1915. Una de sus mejores creaciones fue *El príncipe Carnaval* de Cadenas, Serrano y Valverde. Participó en *El asombro de Damasco* estrenada en Apolo en 1916.

10. Bilbao Caballé, Carlota. Chihuahua (México), 2-III-1915. Cantante y actriz. Siguiendo la tradición familiar comenzó siendo una niña a trabajar en las compañías donde lo hacían sus padres, destacando pronto por sus magníficas cualidades de actriz y cantante. Además de su destacada participación en la zarzuela y otros géneros como la comedia o las variedades, también ha trabajado en otros medios como el cine y la televisión. Se retiró de la escena, por problemas familiares, cuando estaba en plena actividad.

BIBLIOGRAFÍA: HGZ; RMTH; TA; E. García Carretero: *Historia del teatro de la Zarzuela de Madrid*, Madrid, Fundación de la Zarzuela Española, 2003.

EMILIO GARCÍA CARRETERO / EMILIO CASARES RODICIO

Mingote Lorente, Ángel. Daroca (Zaragoza), 19-XII-1895; Madrid, 30-XII-1961. Compositor y musicólogo. Hijo de un organista, realizó los primeros estudios de música con su padre y a los nueve años ingresó en La Seo de Zaragoza, donde continuó su formación. Allí estudió armonía con Arnaudas. A los diecisiete años dirigía la Banda Municipal de

Daroca. De allí pasó a Teruel donde actuó como pianista y director de orquesta; de entonces son sus primeros trabajos de recolección de canciones aragonesas que aparecieron en su *Cancionero*. Mingote se estableció posteriormente en Madrid y fue director de la revista *Harmonía*, y profesor del Real Conservatorio de Música de Madrid. Autor de abundante música instrumental de carácter regionalista, también se dedicó al teatro musical con *Los Mayos*, zarzuela folclórica, *Las medallas de las madres*, *Sendas de amor* y *Sierralta*.

BIBLIOGRAFÍA: *DMEH*.

LUIS G. IBERNI

Miquelarena Regueiro, Jacinto. Bilbao, ?; París, 1962. Periodista y dramaturgo. Inició su labor periodística en Bilbao como cronista deportivo, alcanzando cierta fama. A su llegada a Madrid ingresó en la redacción de *ABC*, en la sección deportiva y como corresponsal de guerra, y posteriormente como corresponsal de *ABC* en Buenos Aires, Berlín, Londres y París, donde falleció a consecuencia de un accidente en el Metro de esa capital. Para el género lírico escribió la zarzuela *El joven piloto* de Juan Tellería y *Pepinillo y Garbancito en la isla misteriosa*, comedia con música de Federico Moreno-Torroba. *Véase* EL JOVEN PILOTO.

BIBLIOGRAFÍA: *BSGAE*, 97, VIII-IX, 1962.

Mª LUZ GONZÁLEZ PEÑA

Miras Nebot, Antonio. Barcelona, 13-VI-1912; 21-XII-1989. Tenor. Se presentó en *Marina* con sólo quince en el teatro Circo Olimpia. Inmediatamente fue contratado por el empresario Tomás Ros, y actuó frecuentemente con Marcos Redondo. Posteriormente pasó por las compañías de José Llimona, Amparo Saus y Luis Calvo. Con un repertorio muy extenso interpretaba *Jugar con fuego*, *La tempestad*, *La generala*, *Los gavilanes*, *Los claveles* y *El barberillo de Lavapiés*. En 1931 se incorporó a la compañía del teatro Lírico Nacional residiendo en Madrid. En el último período de su vida estrenó *Me llaman la presumida* y *La Carmañola* de Alonso, *La gaviota* de Millán, *El hermano lobo* de Penella, *Talismán* de Vives y *La del manojo de rosas*. Formó pareja con su mujer Isabel Marigot y se retiró en 1965.

BIBLIOGRAFÍA: CCE; E. García Carretero: *Historia del teatro de la Zarzuela de Madrid*, Madrid, Fundación de la Zarzuela Española, 2003.

Mª LUZ GONZÁLEZ PEÑA

Miró, Joaquín. †Cádiz, 1878. Tenor y compositor. Según Saldoni, era un "cantante de zarzuela muy aplaudido". En efecto, fue contratado por el teatro Circo como tenor cómico en 1860 presentándose con una obra de su composición, *La pupila*. Había cantado ya en Barcelona y Valencia. Es autor al menos de seis zarzuelas conservadas en el archivo de la SGAE en Madrid. Durante la fiebre social que provocó la guerra África y que produjo varias zarzuelas, estrenó *La toma de Tetuán* con texto de Rafael María Liern.

OBRAS: *Adiós mi dinero*, Jug cóm-lír, 1 act, l, M. Pina Domínguez, est, 13-V-1870, Te. Zarzuela; *Angelita*, 1 act, l, A. M. Echevarría, est, 30-IX-1864, Te. Circo; *La pupila*, Apr cóm-lír, 1 act, l, A. Rinchán, est, 11-X-1860, Te. Circo; *La toma de Tetuán*, l, R. M. Liern; *La vida en un tris*, Zarz, 1 act, l, M. Pina; *Orlando y Ferraguito*, Zarz, 1 act, col. Escriú, l, Miró / Escriú.

BIBLIOGRAFÍA: *HGZ*.

EMILIO CASARES RODICIO

Miró, Miguel. España, siglos XIX-XX. Cantante y actor. Formó compañía con José Gamero y realizaron una gira por Lisboa. Llegó a Madrid precedido de un gran éxito en provincias. Obtuvo un gran éxito en *Ruido de campanas* de Viérgol y Lleó, 1907. El siguiente estreno fue la zarzuela *El maño* de Tomás Barrera, que supuso otro éxito para Miró, y según la crítica estuvo "delicioso en el 'Fray Fisga'".

BIBLIOGRAFÍA: *El Arte de El Teatro*, Madrid, 1-II-1907.

Mª LUZ GONZÁLEZ PEÑA

Mis dos mujeres. Zarzuela en tres actos. Música de Francisco Asenjo Barbieri. Libreto de Luis Olona. Estrenada el 26 de marzo de 1855 en el teatro del Circo de Madrid.

Personajes y reparto. Don Diego (Francisco Salas, bajo). Blas (Vicente Caltañazor, tenor cómico). Don Félix (Manuel Sanz, tenor). Don Gaspar comendador (Francisco Calvet, bajo cantante). Don Onofre, notario (Manuel Franco). Un aldeano (José Rodríguez). Doña Inés (Amalia Ramírez, tiple). La Condesa (Carolina di Franco, tiple). La madre Angustias (María Bardán, característica). Una colegiala (Dolores Fernández, tiple).

Orquestación. Flautín, flauta, 2 oboes, 2 clarinetes, 2 fagotes, 2 cornetines, 2 trompas, 2 trombones, figle, timbales, triángulo, castañuelas, tambor, órgano y cuerda.

Argumento. La acción se sitúa en La Granja en época de Carlos III. *Acto I.* El joven coronel Don Diego, casado secretamente con la Condesa, viuda joven, recibe la noticia de que el rey quiere casarle con una prima huérfana, que aquel mismo día saldrá del convento y en compañía de su tío el comendador, vendrá a hospedarse en la quinta que en La Granja posee y habita la Condesa. Saben además Don Diego y su esposa que el matrimonio debe celebrarse inmediatamente porque han de salir los novios para Barcelona con cierta comisión urgente. Don Diego, que ya había suplicado a la Reina su amparo, consigue que

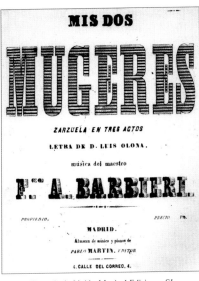

Cortesía de Unión Musical Ediciones SL

ésta reclame al Comendador a su lado el día señalado para la boda; pero el Comendador, dejando firmado el contrato, encarga al notario que ejecute los demás actos del matrimonio y se va al lado de la Reina. La sobrina es una jovencita muy inocente pero que ya se ha enamorado de D. Félix, joven oficial de Guardias de Corps que, herido por unos forajidos, había permanecido en el convento durante tres días, y que es amigo de Don Diego y tiene su quinta en los alrededores. Al ser él quien trae el encargo de la Reina, tiene ocasión de ver a Doña Inés y hablar con ella, aunque contiene su amor desde que oye que en aquel día se va a casar con Don Diego. Buscando éste y su mujer los medios de suspender, si quiera por un día, la boda, no hallan otro que el de encerrar durante veinticuatro horas al notario y en la capilla fingir el matrimonio del coronel y la joven.

Don Félix lo da por hecho; pero en un momento en que creyéndose solos la Condesa y su marido hablan, oye las frases tiernas que se dirigen, y se indigna por lo que supone una traición a la inocente Inés.

Acto II. Cuando Félix se entera de que Don Diego ha citado para aquella misma noche a la Condesa, se propone vigilarlos; pero Don Félix logra hablar, no a la Condesa, que no había recibido la cita, sino a Inés, que había hallado el papel en un libro de la Condesa; Inés sabe los amores de esta y Don Diego, así como que Don Félix la ama a ella y que se propone ausentarse para dejarla tranquila. El jardinero, al ver que andaban hombres en torno al edificio, pues no conoce a Don Diego, que se ocultaba para vigilar, dispara un tiro que alarma a todos los de la casa, incluso al Comendador que ya había regresado, y hallan a Inés desmayada. Don Félix, cumpliendo lo ofrecido y por no comprometer a Inés, había huido. En tal estado de cosas no hay más remedio que declarar al Comendador todo lo ocurrido. Este lleva a un convento a su sobrina y el rey que se entera del matrimonio de Don Diego, contraído sin su permiso, envía a la dama al mismo convento en que está Inés y al coronel a un castillo.

Acto III. Han transcurrido varios meses, es el día en que se va a celebrar la profesión de Inés y en que la Condesa piensa fugarse con su marido, que también había salido del castillo y vendrá a recogerla, disfrazado de maestro de música de las educandas del convento. Se presenta Don Félix para notificar a las monjas que sabiendo la Reina que se iba a celebrar una profesión les enviaba a decir que pensaba asistir a ella, pues estaba muy cerca del convento. Pero al mismo tiempo sabe Don Félix que la que va a profesar es su amada Inés y piensa en oponerse a ello. El criado Blas, protector de todos estos amores, le esconde, ofreciéndole que verá a Inés, cosa que no puede cumplir por el momento a causa de la presencia de Don Diego y tener que facilitar la fuga de la Condesa. Mientras ésta se dispone a ello, el fingido abate da la graciosa lección de música. Pero como la Condesa no se presenta, el peligro se acrecienta y ya Don Diego y Blas no saben qué hacer, cuando las monjas gritan que la Condesa se ha fugado. Don Diego y Don Félix que también salen de su escondite en aquellos momentos de confusión, están perplejos cuando al fin aparece la Condesa con el Comendador, la cual explica su desaparición, diciendo que al oír que el rey andaba por aquellos alrededores había ido a postrarse a sus pies y no sólo había obtenido su perdón y el de su marido, sino la licencia para que Inés se case con Don Félix.

Números musicales. Acto I: Nº 1. Coro de aldeanos y Blas, "Blas, Blas, Blas, asoma a la ventana". Nº 2. Condesa y Don Diego, "Ya va, esposa". Nº 3. Inés, la Condesa, Blas, Don Diego, Gaspar y coro concertante, "Ved, aquí, la bella". Nº 4. Don Félix, Blas, el Comendador y la Condesa, "Fogoso es por mi vida". Nº 5. Aria de Don Félix, "Hasta mañana, marido". Nº 6. Escena final. Acto II: Nº 7. Coro de la gallina ciega, "Mucho cuidado que no nos sienta". Nº 8. Cuarteto de Don Diego, Doña Inés, Don Félix, la Condesa, "Deciros que sois bella". Nº 9. Terceto de Don Diego, Don Félix, el Comendador, "Escucha mi consejo". Nº 10. Canción de Doña Inés, "Por que se oprime el alma". Nº 11. Final. Dúo de Doña Inés y Don Félix, "¡Ah! Voz aquí". Acto III: Nº 12. Coro de educandas, "Silencio en sus labores". Nº 13. "Salve, o Purísima Virgen María". Nº 14. Lección de solfeo, Don Diego, Blas y colegialas, "La, Do Mi, mi mujer no aparece". Nº 15. Concertante final, "Jamás ya dos mujeres".

Comentario. Luis Olona había tomado el texto de *Mis dos mujeres* de la antigua ópera cómica francesa de Planard *Mina*, texto farragoso y muy problemático; no obstante Olona la llenó de momentos amenos e incidentes nuevos, dotándola de una buena versificación; por otra parte se trataba de una obra difícil de seguir por el público y que se alejaba de ese carácter populista de la mayor parte de la producción de Barbieri. Barbieri respondió a esta realidad reduciendo la presencia de lo hispano en la música, por ejemplo, con muy poca presencia de la seguidilla muy apropiada para una obra situada en el reinado de Carlos III, aunque existen algunas referencias a elementos populares y folclóricos, como en el coro de la gallina ciega. A pesar de su inverosimilitud, el libreto ofrece buenas situaciones dramáticas que sabe aprovechar Barbieri, construyendo una obra coherente y con gran unidad interna.

La obra consta de tres actos y quince números, por ello es la más extensa compuesta hasta entonces por Barbieri, y con una densidad y extensión específica en el primer acto. El Nº 1 es un coro de introducción en el que se presenta a Blas, el criado y amigo de Don Félix, una especie de Fígaro que ayuda a su patrón en los problemas amorosos. Es un personaje de tenor bufo, escrito a la medida del gran cantante Caltañazor; el coro es de sumo interés, con magníficos momentos cómicos y paródicos, conseguidos a base de repeticiones; el coro se convierte en barcarola en la segunda parte y permite la entrada de Blas que canta una pequeña aria. El Nº 2 es un dúo entre la Condesa y Don Diego, un numero poliseccional, ayudado por los cambios de tonalidad y en el que Barbieri plantea la mezcla de lo cómico con lo semitrágico, pues Don Diego tiene que comunicar a su esposa secreta, la Condesa, que el Rey ha decidido casarle con otra. Se recurre además a elementos españolistas, como el floreo de la dominante, con lo que se sugiere la sonoridad de la escala menor armónica, y también a través de los adornos de tresillos y una música rítmicamente relacionada con la tirana; el número termina con un dúo en ritmo de vals. Desde el punto de vista de la acción, el Nº 3 es fundamental para comprender lo que va a suceder en la obra. Se trata de un coro y un completo concertante poliseccional, donde Barbieri describe musicalmente los rasgos psicológicos de los personajes: Inés, la Condesa, Blas, Don Diego y Gaspar. El Nº 4 es una escena en la que participan Don Félix, Blas, el Notario, Don Diego y Don Gaspar. Barbieri va a contraponer en ella el lenguaje español con el italiano, tema vital en aquellos años. La primera sección, en Mi menor, es un aria del militar Félix, en la que éste, con una música próxima a las granaínas, canta a su caballo; en ella aparecen muchos elementos andalucistas: ornamentaciones en tresillos, escalas menores de sabor andalucista, etc. En el compás 91 Barbieri se acerca al lenguaje de la ópera cómica italiana, y para expresar la sorpresa del joven, emplea acordes de séptima disminuida, con tesituras en ambas voces que llegan al Sib$_3$. El protagonista Félix queda aquí perfectamente descrito y será el responsable del siguiente Nº 5, aria en la que no hay cambios de compás, tempo o modulaciones con el fin de reflejar el único sentimiento: la renuncia del protagonista a un amor imposible. Pesa de nuevo en él la tradición italiana a lo belliniano, con una bella melodía introducida por el corno inglés, con un compás que aproxima la música al ritmo de barcarola, forma ternaria, melancólicos saltos de sexta y octava, y el acorde napolitano. Este acto termina con el Nº 6, un concertante en el que se relata la despedida entre los nuevos esposos. Barbieri recurre al estilo de la ópera cómica rossiniana, con el uso irónico de motivos asociados a instrumentos que asumen protagonismo a través de articulaciones instrumentales repetidas que doblan a las voces, y con cambios en la acentuación de los compases, que favorecen la comicidad.

El segundo acto se inicia con el coro de la gallina ciega, realizado a través del contraste entre un tema ternario y uno binario, que permite la llegada del N° 8, un cuarteto entre Don Diego, Doña Inés, Don Félix y la Condesa. Iniciado con unas típicas seguidillas, utilizadas como excusa para improvisar versos. Es Diego el primero que inicia el juego, dedicándoselas a la Condesa. Barbieri juega a esbozar una imitación a distancia de compás entre ambas melodías. M. E. Cortizo señala que no puede ser un canon perfecto por la naturaleza de la melodía, pero que "está totalmente en la línea de la lírica verdiana que estaba escribiéndose en ese momento" –*La traviata* había sido estrenada un año antes–. Viene a continuación el N° 9, un terceto entre Don Félix, Don Diego y Don Gaspar que comienza con ritmo de minué, recordando el tema de Inés en el N° 3. El N° 10 es un aria de Inés, que no aparece en la reducción para piano, de tono melancólico que Barbieri sitúa antes del final de un acto –como en "Un tiempo fue" de *Jugar con fuego*–, en la que la protagonista canta su tristeza. El siguiente número es un concertante.

El tercer acto se inicia con la escena cómica del Coro de educandas, uno de los números más famosas de la obra, y donde, una vez más, Barbieri se muestra como un maestro coral consumado. Esta lección de música influirá en algunos pasajes de la zarzuela *Música clásica* de Ruperto Chapí. Barbieri hizo en ella algunas aportaciones orquestales que fueron muy valoradas como tocar los trombones con sordina, lo que era una novedad en España. También el numero siguiente, la *Salve*, es coral, cantada por el coro de tiples colocadas dentro del escenario y acompañadas de órgano; Don Félix realiza algunos pasajes contrapuntísticos, a modo de súplica personal, en los pasajes en que cesa la plegaria del coro. El N° 14 es la famosa lección de solfeo, cantada por Don Diego, Blas, y las colegialas, otro número famoso de la obra, que finaliza con un breve concertante final.

El que mejor situó la importancia de *Mis dos mujeres* fue Peña y Goñi, quien con toda agudeza, valoraba la obra dentro del contexto de la producción barbieriana del momento: "*El Marqués de Caravaca, Los diamantes de la corona* y *Mis dos mujeres* enseñan cada vez más el objetivo de Barbieri, su credo artístico-musical. Los tipos populares de la música ya no son esbozos, son reproducciones exactas del ingenio del maestro, son encarnaciones de su idea". En efecto, son un precedente perfecto de esa segunda cumbre que es *Pan y toros*, pero las tres son obras de primera magnitud y en las que Barbieri no se reduce a repetir modelos trillados sino aporta como

se ha señalado, novedades. El éxito de la obra fue grande y el teatro apareció continuamente lleno; a ello contribuyeron los actores que hicieron bien sus partes, destacando, Amalia Ramírez y Salas, al que la enfermedad sufrida no había mermado en condiciones dramáticas. Por ello estuvo en cartel hasta el 24 de abril, y se repuso muchas veces a lo largo del año.

Fuentes manuscritas. Tres partituras (TL-142) y los materiales de orquesta (2250) se conservan en el archivo de la SGAE en Madrid.

Ediciones de música. Canto y piano, ed. M. S. Allú, Madrid, CM.

Ediciones del libreto. Madrid, Imp. de José Rodríguez, 1855.

BIBLIOGRAFÍA: M. E. Cortizo: "La restauración de la zarzuela en el Madrid del XIX (1832-1856)", tesis doctoral, U. Complutense de Madrid, 1993; E. Casares Rodicio: *Francisco Asenjo Barbieri. 1. El hombre y el creador*, Madrid, ICCMU, 1994.

EMILIO CASARES RODICIO

Misón, Luis. Mataró (Barcelona), bautizado 26-VIII-1727; Madrid, 13-II-1766. Flautista y compositor. Desarrolló su actividad como intérprete de flauta y oboe en la Real Capilla, donde obtuvo una plaza en 1748 y permaneció hasta su muerte. También actuaba habitualmente en las academias celebradas a iniciativa del duque de Alba, a quien dedicó alguna de sus obras instrumentales. Su vinculación a los teatros está relacionada, además de compositor, como intérprete, ya que entre 1747 y 1758 formó parte de la orquesta del teatro del Buen Retiro.

Como autor de música escénica –conservada casi en su totalidad en la Biblioteca Histórica de Madrid y en la del Real Conservatorio de la misma ciudad– se dedicó fundamentalmente a la tonadilla, siendo considerado por Subirá como el creador del género, aunque parece que Rosales ya había compuesto anteriormente alguna obra con esta denominación. Algunos de los títulos más sobresalientes son *Los ciegos o Una mesonerilla y un arriero*, editadas por UME, en adaptación para canto y piano de Subirá. Misón escribió además otros géneros escénicos como sainetes, entremeses, comedias y algunas zarzuelas. De estas últimas destacan las tituladas *Eco y Narciso, El triunfo de amor* y *Píramo y Tisbe*, con letra de Antonio Fernández, todas de tema mitológico. En 1757 compuso la música para la adaptación al español de la obra de Metastasio *Le cinesi*. Subirá apunta que su obra titulada *El tutor enamorado* aparece en algunas fuentes como "comedia en verso con arias", pero en otras se define como "ópera cómica". El libreto se debe a Ramón de la Cruz y a diferencia de la música, sí se ha conservado.

BIBLIOGRAFÍA: *DMEH*; *HZ*; J. Subirá: *La tonadilla escénica*, Madrid, Tipografía de Archivos, 1928-30; J. Ortega: La Real Capilla de Carlos III: los músicos instrumentistas y la provisión de sus plazas", *RMS*, 2000.

JUDITH ORTEGA

Molas i Casas, Joan. Barcelona, 1854, Barcelona, 1904. Autor teatral y periodista. Su carrera se inició en publicaciones barcelonesas, *Lo Nunci*, *Diari Català* o *La Renaixensa*. En la década de los setenta alcanzó gran popularidad con las obras líricas, de tipo bufo. Su primer gran éxito fue *Caramboles*, 1876, a la que siguieron *La festa de Barcelona*, o la parodia de una obra de Frederic Soler, *Batalla de pescateres*, 1887. Las zarzuelas de Joan Molas combinaban las obras bufas y de gran espectáculo con los trazos más costumbristas, caso de *El rellotge del Montseny*. Trabajó en colaboración con Josep Coll i Britapaja y con Narcís Campmany. De él es la obra inspirada en Julio Verne *De la terra al sol* de Nicolau Manent, o la zarzuela *Lo cant de la Marsellesa*, también de Manent, y *Las cuas*, con música de Joan Rius. Molas fue empresario del teatro Eldorado, donde había introducido con mucho éxito en Barcelona títulos del género chico. *Véase* LO CANT DE LA MARSELLESA; DE LA TERRA AL SOL.

FRANCESC CORTÈS i MIR

Molina, Julián. Yecla (Murcia), 29-V-1940. Tenor. Estudió canto con Mercedes García López y Lola Rodríguez de Aragón, y obtuvo el premio fin de carrera de Real Conservatorio de Madrid. Después se marchó a Italia donde tuvo como profesores a Gino Becci y Tagliabue. Debutó el 29 de enero de 1964 en el teatro Eslava de Madrid con la ópera de Verdi *Rigoletto*. Fue contratado por el barítono Francisco Kraus junto al que realizó una interesante temporada zarzuelística en el teatro Fuencarral y otros escenarios de diversas capitales de provincias. Alternando conciertos con representaciones de ópera y zarzuela, en 1969 debutó en el teatro de la Zarzuela en *El último romántico*, de la que se hizo una controvertida versión. Un gran éxito fue la *Antología Serrano*, dirigida por Tamayo y Moreno Buendía, donde cantaba lo mejor del compositor José Serra-

Julián Molina
(Foto: Gyenes; Ar. Emilio G. Carretero)

no, como *Los claveles*, *La venta de los gatos*, *La alegría del batallón*, *La canción del olvido*, *Alma de Dios* y *La Dolorosa*, entre otras. José Tamayo le eligió en 1975 para protagonizar *El rey que rabió* siendo uno de los pocos varones que hasta el momento han interpretado el personaje que Chapí escribió para la soprano Almerinda Soler di Franco.

Molina cuenta en su haber con una extensa discografía. Ha dirigido para EMI la primera grabación de *La niña del boticario*, opereta en dos actos de Julián Santos Carrión. Desde 1996 se dedica a la docencia y es subdirector de la Escuela Nacional de Canto. Está casado con la soprano y profesora de canto Silvia Leivinson.

FONOGRAFÍA: *Don Manolito*, Alhambra-BMG España WD 71581 (9D) • Columbia CS 8583 151; *Doña Francisquita*, Columbia SA, OZS 1002 y 1003 (Alhambra) 89 y 90 • Columbia-BMG España WD 71440 (9H); *Katiuska*, Columbia MCE 829 y SCE 929-942; *La canción del olvido*, Alhambra-BMG España WD 71436 (9D) • Columbia SA, MCE 853 170; *La del manojo de rosas*, Columbia-Alhambra SCE 930 SCE 943/4 • Columbia-BMG España WD 71583 (9H) • Columbia SA, ZCL 1011 (Zacosa) 141; *La taberna del puerto*, Zafiro-Salvat 1030-2 • Zafiro LM-3009-C • Zafiro 30103009 143 • Zafiro-Salvat 1031-2 • Zafiro LM-3014-C • Zafiro 30103014 144 • Zafiro 30112102 149 • Zafiro ZOR-160 153; *Los gavilanes*, Alhambra-BMG España WD 71432 (9D) • Columbia MCE 849 y SCE 949; *Luisa Fernanda*, Alhambra SCE 936 205 • Columbia-BMG España WD 71437 (9D) • Columbia MCE 836 203 • Columbia SA, ZCL 1001 202; *Pepita Jiménez*, Columbia SA, ZCL 1096 y 1097 (Zacosa) 147 y 148.

EMILIO GARCÍA CARRETERO

Molinero de Subiza, El. Zarzuela histórico-romancesca en tres actos. Música de Cristóbal Oudrid. Libreto de Luis Eguilaz. Estrenada el 21 de diciembre de 1870 en el teatro de la Zarzuela de Madrid.

Personajes y reparto. Blanca Mergelina (Elisa Zamacois, soprano). Guillén Rotrón (Modesto Landa, barítono). Gonzalo (Manuel Sanz, tenor). Conde Don Gil (Vicente Caltañazor, tenor cómico). Melendo (Víctor Loitia, bajo). Don Pedro Tizón (Luis Crespo, bajo). Maese Langustino (José Escriu, bajo característico). El abad (Francisco Calvet, bajo característico). Pelegrín Castellezuelo (Federico Marimón, tenor). Vasco (Casimiro Lasfuentes, barítono). El hermano Galindo (Sr. Zamacois). Villanos y villanas, molineros, pajes, escuderos, monjes, conjurados, damas, niños, romeros, consejeros, danzantes, nobles y pueblo.

Orquestación. Flautín, flauta, 2 oboes, 2 clarinetes, 2 fagotes, 2 trompas, 2 cornetines, 3 trombones, percusión, órgano, cuerda, bandurrias y guitarras.

Argumento. El drama transcurre en Navarra, en 1134, y refiere la rebelión de los nobles contra Ramiro el Monje y la coronación de García Ramírez. *Acto I*. En las inmediaciones del castillo de Subiza, Don García, herido, que se hace pasar por el molinero Gonzalo, se enamora de Blanca, hija del conde Guillén Rotrón, la cual a su vez se hace pasar por pastora. Don Pedro, amigo de Don García, le mantie-

ne informado de la situación del reino, e insiste en que no revele a Rotrón quién es él, pues, al enterarse, su respeto revelaría a los adversarios su presencia allí. Don Pedro convoca a los navarros conjurados para proclamar como nuevo rey a García Ramírez, nieto del rey Sancho y del Cid; para evitar las susceptibilidades de Castilla, acuerdan casar al nuevo rey con una infanta castellana. Los conjurados juran guardar la unión y defenderse de los otros aspirantes hasta la proclamación del rey Don García. El grotesco conde Don Gil, que se hace acompañar por Langustino para que éste escriba la supuesta crónica de sus triunfos, ofrece a Rotrón su ayuda, a condición de casarse con Blanca. Don Gil critica la cobardía del futuro rey, que no se ha presentado allí, y Gonzalo le recrimina; Rotrón, que ha perdido sus soldados por defender al futuro rey, no sabe si debe conceder a Don Gil la mano de su hija, y Gonzalo le anima a que lo haga, sin saber que es la joven de la que se ha enamorado. Al darse cuenta de su error, los jóvenes rezan a la imagen de la Virgen que sale en procesión desde el cercano convento.

Acto II. En la sala de armas del castillo de Guillén Rotrón, junto al cual han acampado diez días antes las tropas enemigas, se va a celebrar el día siguiente la boda de Blanca con Don Gil. Rotrón, preocupado por la tristeza de su hija, no sabe qué hacer, pues ha dado su palabra. Su escudero Melendo le dice que tal vez esté enamorada de otro, y refiere a su amo que la noche pasada ha visto a alguien escalar al balcón de la joven, sin haber podido detenerlo ni averiguar su identidad. Gonzalo sube por una escala y se encuentra con Blanca; al oír ruido de gente, se marcha, y Rotrón riñe a su hija e intenta cortar la escala. Llega Don Gil y Rotrón pide a su hija el nombre del villano, pero ella se niega y dice a su padre que la mate; Melendo, que intentaba detener al seductor, es herido por éste, pero dice que el seductor se encuentra en la casa. Rotrón pretexta la herida de su escudero para retrasar la boda de su hija, por creerla deshonrada; Don Gil no acepta el retraso y jura vengarse de Rotrón. Éste exige a Gonzalo, a quien considera un hijo adoptivo, que jure vengar su honor, y al notar sangre en su mano, que sólo puede proceder de Gonzalo, se da cuenta de que éste es quien visitaba a su hija, y le exige un duelo, a lo que el joven se niega. La acción es interrumpida al llegar al castillo nobles y caballeros desde Pamplona, que aclaman al nuevo rey. Gonzalo acepta la corona, y la entrega a Guillén en prenda de su deuda de honor, marchándose a Pamplona.

Acto III. El primer cuadro tiene lugar en el claustro bizantino del monasterio de Santa María de la Serna, donde acude Gonzalo a entrevistarse con el abad y comprobar lo que dicen allí los caballeros navarros, que reprochan al rey que no se haya casado aún con la infanta de Castilla por querer casarse

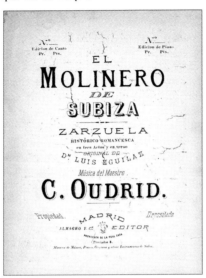

Cortesía de Unión Musical Ediciones SL

con Blanca, y que creen que es preciso que Blanca se case con Don Gil, para evitar el ataque de éste contra Rotrón y para forzar así la boda real. El segundo cuadro ocurre en el castillo de Guillén Rotrón, donde todos esperan el ataque de Don Gil, concluido el plazo para entregar a Blanca. Gonzalo llega y encuentra a Blanca, besándola; Guillén, al verlos, se dispone a matarlos, pero su lealtad a su rey se lo impide. García Ramírez rechaza su matrimonio con Doña Urraca de Castilla y pide a Guillén la mano de Blanca. En el cuadro tercero, en la catedral de Pamplona, García se casa con Blanca, y Rotrón, al ver feliz a su hija, puede afirmar su fidelidad al rey.

Números musicales. Acto I: Nº 1A. Preludio y coro de introducción, villanos, villanas y molineros, "Pues el día es de fiesta y holgura". Nº 1B. Canción del columpio, coro, "En dos cosas se parecen el columpio y la mujer". Nº 1C. Salida de los pajes y canción del conde Don Gil, con coro, "Lo dicen los trajes, la gala gentil". Nº 1D. Canción del conde Don Gil, con tiples, "¡Quién fuera gato!". Nº 1E. Coro de monjes, "Suba en nubes el incienso". Nº 2. Dúo de Blanca y Gonzalo, "Una niña se fue al molino", canción de Gonzalo, "Rosa de abril, cándida flor" y dúo. Nº 3. Coro de monjes, "Por todas partes, Señor", y coro de conjurados, con Don Gil, "La campana, Navarro, ha sonado". Nº 4. Coro y escena de la conjuración. Don Guillén, Don Gil, Don Pedro, Melendo y coro, "Silencio, recato, misterio". Nº 5. Final 1º. Blanca, Gonzalo, Don Gil, Don Guillén, Melendo, Langustino y coro general, "Salve, estrella de los mares". Acto II: Nº 6. Introducción del acto II y coro, con Gonzalo, "¡Alerta!, ¡alerta!, ¡alerta!". Nº 7A. Solo de clarín y recitado de Gonzalo, "¡Nadie!, ¡nadie! De la cita la perjura". Nº 7B. Aria de Gonzalo, "En los campos de grata verdura". Nº 8. Duetino de Blanca y Don Guillén y coro pastoral, "¡Matadme! ¡Matadme!". Nº 9. Terceto de Blanca, Gonzalo y Don Guillén, "Detén el brazo impío". Nº 10. Final 2º. Blanca, Gonzalo, Guillén, Pedro y coro, "¡Es el Rey! –¿Qué me pasa?". Nº 11. Preludio y coro de introducción al acto III, monjes y campesinos, "Con el alba se levanta el cristiano labrador". Nº 12. Instrumental. Nº 13. Dúo de la torre. Blanca y Gonzalo, "¡Ah, qué gozo y pena!, y terceto de Blanca, Gonzalo y Guillén, con coro. Nº 14. Instrumental. Nº 15. Danza de los enanos y jota, "Si García está aquí". Nº 16. Final 3º. "Te Deum Laudamus".

Comentario. *El molinero de Subiza* es, posiblemente, la mejor obra lírica de Oudrid. Tras el fallecimiento de Gaztambide en marzo de 1870, la empresa encargó a Eguilaz y Oudrid la composición de la zarzuela destinada a ser estrenada en las Navidades de 1870, escribiendo ambos una obra que se convirtió en un rotundo éxito y que permaneció en la escena durante décadas. El libro de Eguilaz es un "drama romántico de entonación vigorosa, versificación robusta, interés sostenido y creciente, muchas y buenas situaciones y caracteres bien dibujados" según *El Entreacto* (24-XII-1870), que lo asimila a las obras de García Gutiérrez y Zorrilla, recordando *El trovador* y *Sancho García* por sus "hermosos pensamientos, rudeza caballeresca en aquellos soldados del siglo XII y sabor de época y de país". Para *El Teatro* (25-XII-1870), el libreto "es de primera fuerza. Su argumento histórico recuerda el amor patrio de los nobles navarros del siglo XII, y un episodio novelesco en que se envuelve la acción mantiene el interés del drama, que crece hasta el final. Versificación elegante y fluida, lenguaje correcto y adaptado en lo que cabe a la época de la obra, y conceptos y frases de una valentía sin igual" dan a la obra un puesto honroso en la literatura española.

La música de Oudrid fue considerada por la crítica como la mejor de su producción. Destaca la utilización de números musicales de amplias proporciones, en los que se yuxtaponen situaciones dramáticas y musicales, como ocurre por ejemplo en el número inicial, constituido a su vez por siete pasajes musicales diferentes seguidos. Además, se imbrican sonoridades pertenecientes a diversos elementos que participan simultáneamente en la acción; así ocurre, por ejemplo, con las interpolaciones del órgano o de los coros de monjes dentro de otros contextos. Oudrid recurre a números de sabor hispano como la jota –en que era reconocido compositor– con rondalla y guitarras, o a ritmos populares españoles –como el Nº 1B, "Canción del columpio", en tiempo de fandango–, junto a sonoridades de corte más europeizante, como el vals, así como a recursos habituales en el lenguaje zarzuelístico, como ocurre en el Nº 6, introducción al segundo acto, con banda dentro, que es un típico cuadro de ronda nocturna militar, similar al de *El Juramento*, 1858, de Gaztambide, que a su vez enlaza con procedimientos de la ópera cómica francesa e italiana.

Tras un amplio número inicial en siete secciones, en el que se presentan el coro y Don Gil, el Nº 2 es el dúo de presentación de los personajes principales, Blanca y Gonzalo, que se inicia bajo el pretexto de una canción de sabor popular, para continuar con una transición, en la que Gonzalo canta su amor con el texto "Rosa de abril, cándida flor", pasaje que consiguió gran popularidad. El Nº 3 superpone un coro de monjes a cargo de los bajos, con otro de nobles navarros, tenores, que oyen la llamada de la campana que les invita a apoyar al infante. El Nº 4 recurre a la trompa y a la banda para caracterizar musicalmente la conjura de los nobles navarros, destacando los efectos de eco durante la intervención de Guillén, que debe cantar su pasaje "con poca voz pero con mucha energía", según indica la partitura, y recurre a un brillante pasaje de sabor francés en la parte del juramento, construido sobre un ritmo emparentado con la polonesa. El Nº 5 es la

conocida "Salve, estrella de los mares", –que en el libreto aparece como "Salve, estrella de los cielos"–, donde la oración ante la imagen de la Virgen se combina con pasajes hablados sobre la música en los que discurre la acción dramática. El segundo acto se inicia con una introducción y un coro en los que el tambor, los timbales, los metales y la banda dentro ayudan a crear el contexto adecuado para describir el ambiente militar; también el texto de Gonzalo, "Vela, vela, centinela", acrecienta el efecto. El Nº 7 comienza con una larga introducción al servicio del ascenso de Gonzalo por la escala, en la que el clarinete ostenta el protagonismo musical; la segunda parte del número es el aria de Gonzalo, de estructura bisecional, con una primera parte en modo menor –siguiendo el tono de la introducción orquestal– y una segunda en mayor. El Nº 8 consta de un breve duetino de Blanca y Guillén, seguido por un *Allegretto pastoril* en el que interviene el coro, dispuesto a celebrar la inminente boda de Blanca con Don Gil. El terceto del Nº 9 tiene una estructura poliseccional, es uno de los más logrados musical y dramáticamente, siendo su segunda sección tributaria del final del segundo acto de *Jugar con fuego* de Barbieri. El Nº 10 también presenta un lenguaje más propio de la ópera que de la zarzuela al uso en el momento, estando construido en tres grandes secciones, la segunda de las cuales sirve para que Gonzalo, hablando sobre la música, acepte la corona. El tercer acto se abre con una introducción poliseccional, Nº 12; es una breve pieza instrumental, y el Nº 13 presenta tres partes: la primera es el dúo entre Blanca y Gonzalo, la segunda es un pasaje hablado sobre la música, que introduce un ritmo de vals en el que interviene el coro, y la tercera es el terceto de Blanca, Gonzalo y Guillén, concluyendo con el vals cantado por el coro. El Nº 14 repite la pieza instrumental del Nº 12. El Nº 15 se inicia con la danza de los enanos, a la que sigue la jota introducida por bandurrias y guitarras, sumándose la orquesta y el canto; este número logró extraordinaria popularidad. La obra concluye con un breve final sobre el texto de alabanza a Dios "Te Deum laudamus".

La obra logró un éxito completo. Tanto los autores –sólo estuvo presente Oudrid, pues Eguilaz se encontraba enfermo– como los intérpretes y los pintores escenógrafos fueron aplaudidos repetidamente, siendo muchos de los números repetidos a instancias del público. *El Imparcial* (22-XII-1870) recoge que fueron repetidos el coro de introducción y el coro del juramento del acto primero, y la jota del último cuadro del último acto, repitiéndose dos veces el preludio de bandurrias de la misma; fueron muy aplaudidas también la escena final de la procesión del acto primero, el terceto del acto segundo y el dúo de tiple y tenor del tercero; fueron llamados al palco los pintores Antonio Bravo, autor de la decoración inicial, y Ferri y Busato, pintores de las tres decoraciones del tercer acto.

Por enfermedad de Landa a finales de diciembre, se encargó Loitia del papel de Rotrón, saliendo airoso; en enero la Bernal tuvo que suplir a la Zamacois, Dalmau a Sanz y Miró a Caltañazor, lo que permitió que el público asistiera a nuevas recreaciones de los personajes de la obra. Según refiere *El Entreacto* (31-XII-1870), la jota se repetía todas las noches seis y siete veces. El 19 de enero de 1871, en que está fechada la dedicatoria del libreto a José Cort, la obra llevaba treinta representaciones; el 27 de enero de 1871 tuvo lugar la 38ª representación de la obra, con lleno total en el teatro; las representaciones se vieron interrumpidas por nuevas enfermedades de los intérpretes, volviendo a escena al comienzo de febrero de 1870, y tras nuevas enfermedades, de nuevo a mediados de marzo; a principios de mayo llegó a su setenta representación, en la que se repitió la jota del tercer acto seis veces, y a comienzos de junio a la 84ª; en 1879, fecha de la séptima edición del libreto, eran ya 327 sus representaciones en Madrid.

Oudrid fue agraciado en febrero de 1871 con la encomienda de Carlos III en recompensa a sus trabajos a favor de la música nacional, tras el éxito de *El molinero de Subiza*. La obra logró también el éxito en provincias y en Hispanoamérica, manteniéndose en cartel durante varias décadas. Sobre la popularidad de la obra, Cotarelo comenta que la familia real española dio durante muchos años a la infanta Isabel el nombre cariñoso de Rotrón, por su firme y leal fidelidad a su hermano el rey Alfonso XII. El Nº 5, "Salve, estrella de los mares", permanece en el repertorio como himno a la Virgen del Carmen, tanto en las cofradías marineras como en la marina militar.

Fuentes manuscritas. Los materiales de orquesta se conservan en el archivo de la SGAE en Madrid (2270).

Ediciones de música. Canto y piano, adap Isidoro Hernández, Madrid, AR (reed. Almagro y Cía).

Ediciones del libreto. Madrid, Imp. José Rodríguez, 1871; 4ª ed., Madrid, Hijos de A. Gullón, 1974; 7ª ed., Madrid, Hijos de A. Gullón, 1879; Valladolid, Celestino González, 1907.

BIBLIOGRAFÍA: *HZ*; M. E. Cortizo: "Oudrid García, Cristóbal", *DMEH*.

RAMÓN SOBRINO

Molinos de viento. Opereta en un acto. Música de Pablo Luna. Libreto de Luis Pascual Frutos. Estrenada el 2 de diciembre de 1910 en el teatro Cervantes de Sevilla.

Personajes y reparto. Capitán Alberto (Manuel Villa, barítono). Margot (Teresa Lacarra, tiple). Romo (Pedro García, tenor) Cabo Stock (Valentín González, tenor cómico). Sabina (Consuelo Mesejo, tiple cómica). Oficiales, mozos y mozas.

Orquestación. Flautín, fluta, oboe, 2 clarinetes, fagot, 2 trompas, 2 trompetas, 3 trombones, 2 cornetines, percusión, arpa y cuerda.

Argumento. En una aldea holandesa la estancia de unos marineros ingleses provoca la discusión entre los mozos y las mozas, ya que éstos sienten celos por las atenciones de los apuestos visitantes, que ellas aceptan con agrado. El cabo Stock les cuenta que llevan cuatro años vagando de puerto en puerto en viaje de instrucción a las órdenes del capitán Alberto, príncipe heredero de una corona real. La nueva noticia provoca el alborozo de ellas y desencadena aún más los celos de ellos. El ingenuo Romo se muestra desconsolado porque ama a la hermosa Margarita, aunque no se atreve a declararle sus sentimientos. Los chicos del pueblo deciden mostrar indiferencia para ver cómo reaccionan, no dirigiéndoles la palabra, aunque ellas —encabezadas por Margarita— comentan que sólo pretenden darles celos. Una vez que se han retirado todos, al son de una marcha entran unos oficiales ingleses leyendo las cartas de las enamoradas que han dejado en otros lugares. Sabina, una vieja del pueblo, persigue al cabo Stock,

Cortesía de Unión Musical Ediciones SL

ante su desesperación pues no sabe cómo librarse de ella. El capitán Alberto le recrimina su innoble actitud y obliga a su subordinado a que mantenga su promesa, aunque cuando Sabina se marcha todos se ríen de la escena. El capitán se encuentra a solas con Romo, ofreciéndole su ayuda agradecido por haberle salvado del naufragio. El mozo le cuenta que quiere casarse con Margarita, pero no sabe cómo pedírselo. La noticia sorprende al capitán, ya que se siente también atraído por la hermosa moza. Sin embargo, manteniendo su promesa, el capitán le dice que pruebe cantándole una copla al pie de la ventana. Romo lo intenta con no muy buen resultado y el capitán le muestra cómo se hace, entonando una hermosa y lírica serenata. Romo piensa que será mejor mediante una carta y le pide al capitán que se la escriba. Una vez más, se ve pasar a las mozas coqueteando con los marineros ingleses, ante los celos de los mozos del pueblo. Margarita, mientras lamenta que es la única que no tiene novio, casualmente ve

Juana Manso y sr. González en una escena de Molinos de viento
(Foto: Marín en Comedias y Comediantes, *1911; Ar. ICCMU)*

cómo escribe la carta el capitán y se la entrega a Romo. Tímidamente Romo se la da a Margarita quien la lee con pasión, pensando que es el propio capitán quien se le declara. Los mozos les sorprenden y reprochan a Romo haber roto su palabra de no hablar a las mujeres. Como disculpa Romo, pensando que miente, dice que la carta es del capitán. Los mozos atacan entonces a Margarita por dejarse cortejar por el capitán forastero y cuando la situación llega a su máxima tensión, sale el capitán defendiéndola. En medio de la discusión, descubre que la carta la escribió a petición de Romo, ante el desconsuelo de Margarita. De noche, los mozos y mozas parecen reconciliarse al dirigirse a la fiesta de despedida de los marineros. Alberto se acerca a Margarita para consolarla, y le cuenta que escribió la carta por una promesa con Romo, pero que realmente la ama. En medio de su pasión, Romo les ve abrazándose. Es noche cerrada y el cabo Stock se acerca para despertar al capitán comunicándole que la tripulación está lista para marcharse. El capitán se aleja con tristeza por dejar a Margarita, entonando el tema de la serenata. Cuando se va, sale Margarita y Romo le informa que ha huido, y ambos quedan destrozados por no ver consumado su amor. A lo lejos se escucha nostálgicamente una vez más el tema de la serenata en la voz del capitán.

Números musicales. Introducción y N° 1. Coro, "Dejadnos paso franco". N° 2. Quinteto de la carta, "Las misivas de diario no se cansan de escribir". N° 3. Dúo y serenata. Romo y Capitán, "¿Y qué canto? Buena es esa". N° 4. Mímica. N° 5. Dúo de Margarita y Romo, "Tralara, lara, lara". N° 6. Concertante, "Atrás miserables". N° 7. Concertante, "La, la, la, la". N° 8. Melopea, "Capitán, capitán… todo duerme…".

Comentario. *Molinos de viento* fue una de las primeras propuestas de opereta a la española, adaptada al marco de acto único del género chico, en un intento de renovar las temáticas tradicionales del género excesivamente agotadas por el reiterado costumbrismo chulesco. El libretista Luis Pascual Frutos ya había estrenado el año anterior *La viuda más alegre*, 1909, parodia de la exitosa opereta de Franz Lehár, que hizo furor en los teatros madrileños de aquella temporada. Dos eran los rasgos fundamentales de la opereta vienesa: la ambientación exótica y distante –a la manera de un cuento de hadas– y las edulcoradas melodías a ritmo de vals, sobre la base de una ingenua trama amorosa. Estos dos elementos están presentes en *Molinos de viento*. Lo exótico se limita a la ubicación de la acción en el campo holandés, situación extraña para el público de la época excesivamente acostumbrado a ver en la zarzuela lo local y costumbrista. Significativamente, en un periódico sevillano se indicó que "el ambiente de *Molinos*, holandés, sorprende, no se parece a nada". Luna y Pascual Frutos ya habían colaborado anteriormente en el pasatiempo *El club de las solteras*, 1909, lo harían posteriormente en la fantasía *Las hijas de Lemnos*, 1911, ambas dentro de la moda sicalíptica con sus picantes cuplés y sus absurdos escénicos. Sin embargo, realizaron un interesante giro sobre el modelo de la opereta vienesa, que se impuso durante muchos años en la zarzuela española. Luna lo explotaría como uno de sus mejores promotores –sobre todo junto a Antonio Paso– en títulos como *El asombro de Damasco*, *El niño judío* o *Benamor*.

No obstante, el éxito de *Molinos* no estuvo en un libreto excesivamente tópico y dramáticamente poco sólido, sino en la brillante partitura de Luna. Como muy bien señala el mencionado periódico sevillano, "la música… supera [al libro]: la sabemos ya de memoria; las bandas de los regimientos la tocan por la calles; las notas brillantes de la partitura recorren triunfalmente su camino en esta ciudad de la Giralda y continuamos oyéndola todos los días en el teatro… ¡y muy a gusto, gracias a Dios!". Lo cierto es que resulta difícil salir de una función de esta zarzuela sin al menos canturrear sus melodías, debido tanto a la habilidad de Luna como melodista como a la insistente repetición de los motivos principales. Sobre todo dos: el de la serenata del capitán "Mis ojos de ver los tuyos", de claro sabor español con su estructura andalucista, y el hermoso vals de Margarita "Yo he pasado la vida en un sueño", cuya rítmica y estructura motívica remite a los conocidos modelos vieneses. Ambos temas, que definen claramente el carácter de cada personaje, se repiten varias veces en los momentos claves de la obra: el melancólico vals en el reencuentro de la pareja y en la triste despedida.

Otros muchos son los rasgos destacables de la partitura, cuyo desarrollo se ve favorecido por la escasa consistencia dramática del libreto. Uno de los más destacables es el de la delicada y refinada orquestación, que muestra el dominio de los recursos instrumentales de un compositor que ejerció durante muchos años como director desde el foso. Un buen ejemplo se encuentra en el número de "mímica", una auténtica pieza de ballet de carácter descriptivo lleno de detalles en las maderas, al igual que sucede en el nocturno que acompaña la escena final. Otro de los elementos que incorpora con éxito Luna es el de un melodismo directo muy influido por la ópera verista, sobre todo en la pareja protagonista, que requieren en determinados momentos una fuerza vocal poco habitual en la zarzuela. Además no faltan en la obra algunos coros populares y, sobre todo, unos efectistas y desarrollados conjuntos, que siguen con muy buen resultado los modelos operísticos de la tradición italiana, como el impresionante Nº 6, lleno de contrastes, cuyo carácter dramático no hace que Luna pierda su acertado dominio melódico.

Molinos de viento fue así el primer gran éxito de Pablo Luna y su consolidación como compositor. Según cuenta él mismo la compuso "en condiciones profundamente emotivas" ante el fallecimiento de su hermano tras una grave enfermedad. Dolor que seguramente se deja traslucir en las melancólicas melodías de la partitura y en la tristeza general de la obra. Luna, que aún no había alcanzado su éxito en Madrid, encontró dificultades para el estreno de *Molinos de viento*, que al final hizo con fortuna en el teatro Cervantes de Sevilla. Pocos meses después pudo presentarla en el madrileño teatro Eslava, que dirigía Vicente Lleó, aunque éste sólo solía representar sus propias obras. El éxito alcanzado en el Eslava catapultó la obra por todo el país, viéndose poco después –en una gira en la que figuraba el propio Luna como director– en Barcelona, Valladolid y Bilbao, cantada por Hervás, Asensio y la Severini.

El estreno en Zaragoza, ciudad casi natal del compositor, se realizó en marzo, recibiendo una impresionante acogida, tal como relata la prensa: "Cruzó Pablo Luna el patio de butacas para dirigirse al sitio que había de ocupar como director de orquesta y apenas advirtió el público su presencia, parecía que el teatro se venía abajo. Tan cálida y unánime fue la ovación con que sus paisanos saludaron al compositor". El 16 de enero de 1914 *Molinos de viento* se representó en el teatro Real de Madrid, en un hecho excepcional en un coliseo operístico, dentro de una función extraordinaria a beneficio de la prensa, junto a fragmentos de *Lohengrin*, *Tristán*, *Aida* y *Manon*. Para ello se utilizó una traducción al italiano, que cantaron la soprano Galli Gurci, el barítono Viglione Berghese y el actor del Apolo Patricio León como Romo; todos bajo la batuta de Luna. La extraordinaria aco-

La Sra. Cárcamo y el sr. Alarcón en Molinos de viento
(Foto: Marín en Comedias y Comediantes, 1911; Ar. ICCMU)

gida, más allá incluso de los circuitos habituales de la zarzuela, consagró a Luna como compositor, con una brillante y atractiva partitura, en la que muestra su dominio de la orquestación y de un melodismo claro y directo, que siempre gustó al público lírico.

Fuentes manuscritas. La partitura (TL-779) y los materiales de orquesta (3498) se conservan en el archivo de la SGAE en Madrid.

Ediciones de música. Orquesta, selección, UME. Canto y piano, Madrid, UME, 1935. Orquestina, selección, UME. Sexteto, selección, UME. Banda, selección, UME.

Ediciones del libreto. Madrid, SAE, 1910; Barcelona, Ramón Vives, 1910?; Valladolid, Celestino González, 1911; Madrid, Imp. R. Velasco, 1911; 4ª ed., Madrid, Imp. R. Velasco, 1912; Madrid, 1917; 10ª ed., Madrid, SAE, 1929; Madrid, Biblioteca Teatral, XV, 190.

FONOGRAFÍA: RP: Victoria 5104, 5105 y 5106.

D78rpm: Sols. Aníbal Vela, Marcos Redondo, A. Gonzalo, Conchita Panadés, Odeón 184500 a 184504, SO 6713 a 6715, SO 6718 a SO 6724 [reed. en CD: Blue Moon BMCD 7523] • Sols. Manuel Russel, Mercedes Melo, A 138373, A 138374 (et. policolor con figura), SO 1416 SO 1418 • Dir. Concordio Gelabert, Sols. Tino Folgar, Mary Isaura, Orq. Teatro del Liceo, La Voz de su Amo AF 387 a AF 391 (et. verde), CN 1079 CN 1080 CN 1081 CN 1085 CN 1086 CN 1087 CN 1090 CN 1091 CN 1098 CN 1099 [reed. en CD: Blue Moon BMCD 7535] • Dir. Eduardo Toldrá, Orq. de Eduardo Toldrá, Electric P 54.602 (et. azul), 71.055-71.056 • Dir. Pascual Marquina, Sol. Emilio Sagi-Barba, La Voz de su Amo AC 35.

LP: Dir. Daniel Montorio, Enrique Navarro y Ricardo Estevarena, Sols. Luis Sagi-Vela, Lily Berchman, Pascual Bloise, Santiago Ramalle, Orq. de Cámara de Madrid, Zafiro LM-3001 y Regal 33 LCX 116 [ed. en EP: EPFM-19] • Dir. José Casas Augé, Orq. Sinfónico-Lírica, Discophon (S) 4100 (S) 7281 (S) 1032 • Dir. Ataúlfo Argenta, Sols. Pilar Lorengar, Manuel Ausensi, Carlos Munguía, Arturo Díaz Martos, Coro de Cantores de Madrid, Orq. Sinfónica, Columbia-Alhambra-BMG (33rpm-30cm) MCC 30021 [reed. en CD: Alhambra-BMG España WD 74388 (9D) y Columbia-BMG-Ariola-Salvat 1045-2].

CD: Dir. Pablo Sorozábal, Sols. Teresa Tourné, Renato Cesari, Coro de Cantores de Madrid, Orq. de Conciertos de Madrid, Hispavox 7 67333 2 (637.33875) y EMI 7243 5 74226 2 8 (637.02656).

BIBLIOGRAFÍA: *DMEH*; A. Sagardia: *Luna*, Madrid, Espasa-Calpe, 1978.

VÍCTOR SÁNCHEZ SÁNCHEZ

Molins Gelada, Antón. Olot (Gerona), 1835. Dramaturgo. Es autor de algunas zarzuelas y dramas de tema religioso como *La perla olotina o La Verge del Tura*, con música de Ignacio Rubio, 1880; *El nacimiento del Salvador o La redención del esclavo*, 1888, con música de Ignacio Rubio al igual que *La adoración de los Magos*, segunda parte de la anterior, con música de Juan Bonet Giralt, 1889.

BIBLIOGRAFÍA: *CDE*.

Mª LUZ GONZÁLEZ PEÑA

Monaguillo, El. Zarzuela en un acto. Música de Miguel Marqués. Libreto de Emilio Sánchez Pastor. Estrenada el 26 de mayo de 1891 en el teatro Apolo de Madrid.

Personajes y reparto. Colás, monaguillo de Grijota (Luisa Campos, tiple). Antonia, sobrina del cura de Grijota y hermana de Colás (Srta. Hernando, tiple). Brígida, ama del cura (Srta. Rodríguez, actriz). Directora del colegio de monjas de Santa Tecla (Pilar Vidal, actriz). Tornera del colegio (Irene Alba, actriz). Luisa, colegiala (Consuelo Mesejo, actriz). Pepita, colegiala (Srta. Ferrándiz, actriz). Carolina, colegiala (Srta. Rodríguez, actriz). Juanito (Emilio Mesejo, tenor cómico). Antón, alguacil de Grijota (José Mesejo, bajo cómico). Quirós, comandante de caballería (Manuel Rodríguez). Beatas, colegialas.
Orquestación. Flautín, flauta, oboe, 2 clarinetes, fagot, 2 trompas, 2 cornetines, 3 trombones, percusión y cuerda.

Argumento. El primer cuadro tiene lugar en la plaza del pueblo de Grijota, junto a la iglesia, donde los vecinos comentan la fuga de Antonia, sobrina del cura, con Juanito, hijo del boticario, que han sido encontrados en Villar y devueltos a sus casas. Aparece Colás, monaguillo hermano de Antonia, que toca las campanas al *Angelus*; al salir de la iglesia, Brígida, el ama del cura, entrega al joven una carta del cura y un uniforme del colegio-convento de Santa Tecla para Antonia, a la que su tío no quiere ver, y a la que quiere hacer entrar inmediatamente en el convento. Llega Antón, alguacil librepensador que cita constantemente el periódico *El Motín*, que ha traído a Antonia. Ésta, muy contenta, lee la carta de su tío en la que le ordena ir al convento; pero comenta a su hermano que en realidad está enamorada de Quirós, comandante de caballería, que vendrá el día siguiente a buscarla, pues piensan casarse inmediatamente. Antonia se lamenta de las órdenes de su tío, pues cree que si ingresa en el convento no podrá salir de allí, y su hermano se ofrece a hacerse pasar por ella, intercambiando sus ropas. Se presenta Juanito, acusado injustamente de raptor, que se encuentra con Antón, diciéndole que ha sido engañado por Antonia, pues al llegar a Villar a casa de su tía, la joven lo despidió, diciéndole que todo había sido una broma, y al regresar se encontró con Quirós, comandante de caballería, que le dio las gracias por su acción, sin que él entienda por qué. Colás, disfrazado de colegiala, monta en el burro preparado por Antón para llevarle al convento, y finge llorar mientras parte con él. Antonia se esconde en el cuarto de su hermano, pero Brígida llama a Colás para que hable con su tío. El segundo cuadro tiene lugar el día siguiente en el convento de Santa Tecla, a la hora del recreo. Las colegialas quieren conocer a Antonia y saber por qué está allí. Colás, disfrazado, se inventa la historia de su fuga entre contradicciones producidas por su cambio de personalidad, aprovechando para darles besos y abrazos –"Algo pescas, Colás"–. La directora riñe a Colás por su falta de disciplina, y le manda que se prepare para confesar. Se presenta la hermana Tornera con una carta del Padre Capellán de Palencia, en la que se dice que el cura de Villar ha casado a Antonia con un comandante de caballería, indicando que debe enviar a la joven con su marido, evitando que el colegio se meta en líos. La directora recibe a un joven que desea hablar con ella; se trata de Juanito, pero la religiosa cree que es el marido de Antonia y le ordena que se la lleve del convento. Luisa, una colegiala, acusa a Colás de estar fumando, por lo que la directora se marcha con ésta. Juanito, confuso, se encuentra con la hermana Tornera, que es de su pueblo, que le avisa de la llegada del alguacil Antón para prenderle. La monja esconde al muchacho en un encierro de las educandas hasta que pueda salir sin peligro. Colás, que ha presenciado la escena, es sorprendido por la Tornera, que le pone de rodillas en castigo por no estar en clase. Antón busca a Juanito y la Tornera le envía al despacho de la directora. Después pone de espaldas a Colás y le entrega un devocionario para que lea, mientras trata de sacar de su escondrijo a Juanito, pero la llegada de gente se lo impide. Antonia, vestida de monaguillo, cuenta a su hermano cómo fue descubierta la noche anterior por su tío, quien la ha traído al convento y está hablando con la abadesa. La muchacha no está preocupada, pues ya está casada. Colás se muestra muy feliz de la situación por estar conviviendo con tantas jovencitas, mientras Juanito, asomando la cabeza por el agujero de su encierro, lamenta su desgracia. Al retirarse Antonia, aparece Luisa, a quien Colás encierra con Juanito por acusona. A los gritos de la pareja acude Antón, que se sorprende de encontrar al chico con otra muchacha, y decide llevárselos presos. Aparece el comandante Quirós, que protege a Juanito frente al alguacil, y se retira luego con éste y Luisa para hablar con la directora. Colás se presenta a Juanito y le propone que escapen saltando la tapia. Cuando ambos están arriba, son sorprendidos por Antón y después por Quirós. El alguacil trae una escalera para que desciendan, mientras van apareciendo Antonia, la directora y las colegialas.

Todo se aclara y el comandante se lleva a su mujer y a Colás a vivir con él.

Números musicales. Nº 1. Introducción orquestal. Nº 2. Coro general, "Dicen que a la sobrina del señor cura". Nº 3. Terceto de Antonia, Colás y Antón, "Yo no sé lo que me pasa". Nº 4. Antonia, Colás, Juanito, Antón y coro, "Ya se la llevan, ¿dónde será?". Nº 4bis. Interludio orquestal. Nº 5. Escena de Colás y coro de internas, "¡Señorita, señorita! Vaya, qué hora de bajar". Nº 6. Terceto de Antonia, Colás y Juanito, "¿Te han conocido? –Ya ves que no". Nº 7. Final. Orquesta.

Comentario. *El monaguillo* fue un auténtico éxito. El libreto de Sánchez Pastor, de gran sencillez, presenta situaciones cómicas de efecto y tipos graciosos, y narra una historia cómica. El asunto del chico que se hace pasar por chica para entrar en un convento donde habitan colegialas es habitual en el teatro español y conocido en el teatro musical: basta recordar *Colegialas y soldados*, 1849, de Hernando. Para *La Época* (27-V-1891), *El monaguillo* es la obra en que se ha mostrado "más hábil y más autor dramático", pues la zarzuela "tiene un punto de partida claro y natural, un argumento interesante y un desarrollo entretenido y ameno". La misma crítica indica que Sánchez Pastor "ha revestido su trabajo con toques verdaderamente originales, con ocurrencias chistosísimas y con una forma literaria fluida, rápida y nerviosa, que no da lugar sino a la risa franca y bonachona del público. La malicia, si es que la hay, no pasa nunca de ser juguetona e inofensiva. Pero todo se resuelve satisfactoriamente: la gracia y la ligereza del autor son bastantes para quitar toda clase de asperezas. Hay animación, color y ambiente sano en *El monaguillo*. Puede decirse que *huele bien*. Es un trabajo limpio y donosamente ataviado". Según *La España Artística* (1-VI-1891), "es obra entretenida y la partitura, sobre todo, es de primer orden".

Marqués escribió una música adaptada a la sencillez del libreto y "agradable en extremo, algunos de cuyos números son inspiradísimos", según *El Heraldo de Madrid* (27-V-1891). Comienza con una introducción orquestal que fue repetida el día del estreno. El Nº 2 es el coro de la murmuración –tema también habitual en el teatro musical, como en *El dominó azul* o *El juramento*–, coro sencillo y agradable, en el que se combinan los comentarios sobre la fuga de los jóvenes con el *Angelus*; también fue repetido a petición del público. El Nº 3 presenta una estructura tripartita, en cuya sección central Antonia explica la razón de su fuga, al no tener vocación religiosa, y en la final las dos cantantes deben cantar el La_4. El Nº 4 permite la salida hacia el convento de Colás, vestido con el uniforme destinado a su hermana, y evoca la sonoridad de la música de carácter popular. El Nº 4bis es un breve intermedio orquestal, para ser interpretado durante la mutación escénica. El Nº 5 es la escena de Colás con el coro de colegialas, que consta de una introducción, las coplas

de Colás, en que cuenta su amor por "una muchacha, digo muchacho", y una segunda sección, "Cuando juntos estuvimos", construida en ritmo de mazurka, que concluye con el coro "de los besos"; este número fue repetido, y Marqués tuvo que salir a saludar al palco escénico. El Nº 6 es el terceto de Colás, Antonia y Juanito, que en su primera parte es un dúo entre los dos hermanos, en el que destaca la aceleración musical producida por las preguntas de Antonia y las respuestas de su hermano, sumándose en la segunda parte Juanito para completar así el trío. El final de la obra es hablado, participando la orquesta al caer el telón con la repetición abreviada de la mazurka del Nº 5. La música de Marqués, según Chispero, acerca la obra al estilo de la opereta francesa. El día del estreno, al finalizar la función el telón se alzó ocho veces. Destacó la interpretación de Luisa Campos en el difícil papel de Colás el monaguillo, pues tenía que fingir ser un chico que finge, a su vez, ser una muchacha; también la de José Mesejo como alguacil librepensador y Emilio Mesejo como hijo del boticario. Fue aplaudido el cambio de decorado, realizado a la vista del público, con decoraciones de Amalio Fernández. En octubre de 1891 tuvo lugar la 200ª representación de la obra. Luisa Campos alcanzó con *El monaguillo* el triunfo más destacado de toda su vida artística, creando, como señala Chispero, "el tipo del enredador y travieso acólito con un verismo y un donaire nunca superados, y justo es decirlo, añadiendo a la simpatía de su papel el atractivo del lucimiento de sus bien torneadas pantorrillas al montar en un borrico, cosa que en las postrimerías del siglo pasado, en que aún imperaban en el teatro el recato y la pudibundez, resultaba tan insólita que sacó de sus casillas, enardeciéndolos, a los viejos tenorios y pollos 'sicalípticos' asiduos concurrentes a la cuarta de Apolo". El mismo autor comenta, en relación a los otros intérpretes, el acierto de Emilio Mesejo en su papel de Juanito, que hizo que durante mucho tiempo fueran populares las fotografías de Emilio Mesejo "presentado de espaldas y con el sombrero hongo metido hasta las orejas, que era como apareció en escena la noche del estreno, arrancando sólo con tan grotesca presentación una formidable carcajada en el público. También don José Mesejo dio vida y efectividad cómica al personaje del alguacil del Juzgado, el famoso servidor de la Justicia, suscriptor del gran periódico *El Motín* y librepensador porque no pensaba en na". Como indica Deleito, fue popularísimo el número que cantaba la Campos con las colegialas, contándoles una supuesta aventura de amor; a cada paso tenía que equivocarse, pues el personaje olvidaba que era varón, al pasar por hembra. El "monaguillo-educanda", para demostrar a las jóvenes "cómo" podía ser aquello, iba besando por turno a todas las "colegas". Según Deleito, "creo que ningún número del género chico madrileño haya tenido más divulgación que éste, ni se haya repetido más, a lo cual contribuía lo pegadizo de su música en tiempo de mazurca". La frase "¡Algo pescas, Colás!", dicha por el monaguillo cada vez que daba un achuchón a una de las educandas, quedó incorporada al lenguaje popular madrileño, entre los dichos de origen teatral.

En 1892 la obra fue traducida al italiano para ser representada por una compañía de opereta italiana. La obra continuó ofreciéndose las temporadas siguientes en Apolo –al menos hasta 1903– y en el teatro Felipe, así como en numerosos teatros de España e Hispanoamérica, alcanzando miles de representaciones, y siendo interpretada también por compañías infantiles de zarzuela.

Fuentes manuscritas. Los materiales de orquesta se conservan en el archivo de la SGAE en Madrid (1954).

Ediciones de música. Canto y piano, Madrid, BZ.

Ediciones del libreto. Madrid, Administración Lírico-Dramática, 1891; 2ª, 3ª, 4ª, y 5ª ed., 1892; 5ª ed., Madrid, R. Velasco, 1892; Valladolid, Celestino González?, 1910.

BIBLIOGRAFÍA: *OGCH; TA*.

RAMÓN SOBRINO

Monasterio Pozo, Ricardo. Zamora, 1855; Madrid, 6-VII-1937. Libretista. Realizó sus estudios primero en la capital castellana y después en Madrid. Fue amigo de Vital Aza, que le ayudó en sus primeros avatares, unidos por ser ambos médicos y escritores. Siguió después la carrera militar y fue también periodista, colaborando en *Madrid Cómico, El Gato Negro* o *La Ilustración Española*. Sus artículos levantaron encendidas polémicas, pues era un acérrimo revolucionario, y alejado de la corte fue nombrado corresponsal de guerra en Filipinas para el diario *El Imparcial,* con lo que aumentó su fama de hombre insobornable que decía y escribía lo que veía y pensaba. La vocación teatral le atrajo desde joven y pese a sus diversas correrías y profesiones cultivó el drama y la comedia, así como el género lírico. La única obra lírica de Fernández Arbós, *El centro de la tierra,* tiene libreto de este autor. Además de Arbós, colaboraron con él Joaquín Valverde, Nieto, Chapí y algunos otros. Sus obras se distinguen por la habilidad en la construcción y la gracia de los diálogos. Una de las secuelas de *La Gran Vía, Las criadas,* tiene letra suya con música de Isidoro Hernández y fue estrenada en febrero de 1887.

BIBLIOGRAFÍA: *CDE; EDL; TLE; El Liberal*, Madrid, IV-1894; J. Yxart: *El arte escénico en España*, Barcelona, Imp. La Vanguardia, 1894.

Mª LUZ GONZÁLEZ PEÑA

Moncayo Cubas, José [Pepe]. Málaga, 22-VI-1867; Madrid, 1941. Actor y cantante. Hijo del empresario teatral Moncayo y de la tiple Manuela Cubas, nació en un ambiente dedicado a la música y al teatro, ya que su abuelo, Pedro Cubas, había sido un afamado cantante. Su infancia transcurrió en Córdoba a donde se trasladó con sólo unos días. A los once años comenzó a trabajar en el teatro como segundo apunte en la compañía de los Bufos de Arderius y en la de Antonio Vico. Después se incorporó a la compañía de zarzuelas de Cereceda como corista y en ese puesto permaneció más de ocho años en diversas compañías.

José Moncayo con María Palou en Las bribonas
(Foto: Nuevo Mundo, 1908; Ar. ICCMU)

Como actor debutó en Madrid y así en 1893 actuaba en el teatro Moderno interpretando el monólogo de la zarzuela *Cepa Club* y se consagró en 1894 cantando *Chateau Margaux, El cornetilla* y *El cabo Baqueta* en el teatro de la Alhambra. De este teatro pasó al del Príncipe Alfonso donde estrenó *Campanero y sacristán* con gran éxito. Excelente caricato, obtuvo uno de sus mayores triunfos con su creación del personaje de Parejo de *El cabo primero.* Alcanzó gran popularidad dedicado casi por completo al género chico, y protagonizó *La viejecita, La guardia amarilla* y *El juicio oral,* entre las obras más significativas del género. En el teatro Apolo estrenó *La alegría del batallón* de Valverde. En la Zarzuela, *Los borrachos,* 1899, de Giménez; *La barcarola* de Caballero, 1901, y *El barbero de Sevilla* de Nieto y Giménez. En 1906 intervino en la adaptación de la opereta de gran éxito, *Los mosqueteros grises* que bajo el título abreviado de *Los mosqueteros* se representó en la Zarzuela, interpretando al abate Custodio. En la temporada veraniega de ese mismo año fue contratado para la empresa del Gran Teatro. En la temporada 1906-07, de nuevo en el teatro de la Zarzuela, interpretó a un viejo pastor en *La noche de Reyes* de Serrano y al zapatero Guiñitos de *El gallo de la pasión,* obra de los Valverde padre e hijo. En 1909 obtuvo un gran éxito con el estreno en Apolo de *La alegría del batallón.* A su medida se escribió el "fresco" de *El trust de los tenorios,* en el que pudo desarrollar toda su gracia. En 1910 estrenó en Apolo la parodia de *Lohengrin, Lorenzín o El camarero del "Cine"* de Arnedo, en la que obtuvo un gran éxito junto a Dionisia Lahera, Vicente Carrión y García Valero.

Su primer viaje a América lo realizó en 1910 debutando en el teatro San Martín de Buenos Aires con las hermanas Blanquita y Cándida Suárez con *Sangre gorda*. De aquí, pasaron a Chile y Perú. Ese mismo año fue elegido vocal de la Asociación de actores. En 1911 *El chico del cafetín* de Calleja, fue un nuevo gran éxito. Otra de sus grandes creaciones fue el protagonista de *El príncipe Casto* de Quinito Valverde, 1912. Su papel de Plumitas en *Sangre y arena* de Luna y Blasco Ibáñez fue uno de sus mayores triunfos, seguido por *La suerte de Isabelita* de Giménez y Calleja. En mayo de 1912 abandonó Apolo para emprender una nueva gira por América. En 1924 se le ofreció un gran homenaje en Madrid. Cantó en la versión cinematográfica de *La revoltosa*, 1925, dirigida por Florián Rey. En 1939 se celebró en el Calderón de Madrid una función en homenaje a Moncayo que trabajó más de 35 años en el teatro cultivando todo tipo de géneros: sainete, zarzuela, opereta y género chico. *Véase* CUBAS, MANUELA.

BIBLIOGRAFÍA: *DAT*; L. Arnedo: "Teatro de Apolo. 'Lorenzín o El camarero del 'Cine'…", *Comedias y Comediantes*, 21, 15-VIII-1910; *Comedias y Comediantes*, 40, II-1912; *Nuevo Mundo*, 957, 9-V-1912; *Nuevo Mundo*, 1592, 25-VII-1924; F. Cuenca: *Teatro andaluz contemporáneo. 2. Artistas líricos y dramáticos*, La Habana, Maza, 1940; J. López Ruiz: *Historia del teatro Apolo y de La verbena de la Paloma*, Madrid, Avapiés, 1994; E. García Carretero: *Historia del teatro de la Zarzuela de Madrid*, Madrid, Fundación de la Zarzuela Española, 2003.

Mª LUZ GONZÁLEZ PEÑA

Moncayo Cubas, Manuel.

Madrid, 15-IV-1880; Madrid, 1945. Dramaturgo. Profundo conocedor del mundo teatral al que se dedicó con éxito en distintas facetas: como autor y empresario, dirigiendo sus propias compañías. Influenciado por las corrientes literarias del momento, su teatro lírico se caracteriza por un carácter ligero y festivo, sin más pretensiones que la de entretener y divertir a base de parodias, situaciones absurdas e inverosimilitud. Su colaborador casi en exclusiva en el terreno musical fue Manuel Penella, junto a Ruiz de Arana, Reñé y Sainz García. El talento musical de Penella unido al ingenio y la gracia de Moncayo consiguieron el reconocimiento del público con *El padre cura*, 1908, las astracanadas *El viaje de la vida*, 1911, y *La isla de los placeres*, 1914. Manuel Moncayo firmó sus libretos en colaboración de Hernán Cortés, J. Díaz Plaja y Manuel Penella,

Manuel Moncayo (Foto: Comedias y Comediantes, 1911; Ar. ICCMU)

que además de componer la música, colaboró en la parte del libreto de *Las musas latinas*, 1913, cuyo éxito se extendió hasta los escenarios de Hispanoamérica –donde fue acogida con entusiasmo–, *Frivolina* y *El teniente Florisel*, ambas de 1918.

BIBLIOGRAFÍA: *DAT*; *EDL*; *TA*; *TLE*.

OLIVA G. BALBOA

Moneró, María Luisa.

Madrid, siglos XIX-XX. Actriz. Comenzó a trabajar en la Sociedad El Teatro dirigida por Ricardo de la Vega, de donde salieron actrices tan notables como Catalina Bárcena o Rafaela Abadía. En 1910 fue contratada en el teatro Lara y estuvo representando papeles de última categoría hasta 1911 cuando, con uno de estos papeles —en *La losa de los sueños* de Benavente— mereció un artículo laudatorio por

Mª Luisa Moneró (Foto: Ar. SGAE)

parte del eximio dramaturgo. En 1912 estrenó en Lara la fantasía cómico lírica *Las decididas* de Moreno Torroba, con gran éxito. Al dejar el Lara, pasó al Infanta Isabel donde los hermanos Álvarez Quintero la retrataron en la criadita de *Así se escribe la historia*, 1917. A finales de los años diez pasó al Coliseo Imperial. Se destacaba en ella tanto su gracia como su belleza y unos chispeantes ojos negros. Terminó su carrera como actriz característica. En el teatro de la Zarzuela participó en el estreno de *Las viejas ricas* de Tellería.

BIBLIOGRAFÍA: *ME*; E. García Carretero: *Historia del teatro de la Zarzuela de Madrid*, Madrid, Fundación de la Zarzuela Española, 2003.

Mª LUZ GONZÁLEZ PEÑA

Monfort, Benito de.

España, siglo XIX. Compositor. Fue discípulo y amigo de Meyerbeer, y dio a conocer algunas de sus opiniones a través de artículos en la prensa musical. Compuso al menos cuarenta y siete zarzuelas entre 1869 y 1882, entre las que sobresalen las escritas sobre textos de Rafael María Liern, muchas de ellas estrenadas en el teatro Jardín del Buen Retiro, así como algunas zarzuelas bilingües en valenciano y castellano. También publicó arreglos de bailes para piano y escribió las colecciones de fantasías fáciles *Ecos de la zarzuela*, para piano, elaboradas a partir de fragmentos de zarzuelas de Barbieri y Oudrid y de óperas cómicas y operetas de Offenbach, Flotow, Lecocq y Massé.

Su primera zarzuela de éxito fue *Flor de Aragón*, estrenada en el teatro Circo, 1871, cuya "Jota" alcanzó gran popularidad, publicándose arreglos para banda militar, guitarra, y flauta y violín, convirtiéndose dos años y medio después del estreno en una de las primeras piezas de zarzuela que se incorporó al repertorio de los entonces sorprendentes organillos de Madrid. En 1871 estrenó la humorada lírico-bufa *¡Palomo!*, en el teatro de los Bufos Arderius, siendo publicados los Nᵒˢ 2, 3, y 4, "Canción del perro". La acción transcurría en Madrid y la obra estaba dedicada al actor Ramón Rosell. El libreto llevaba esta curiosa dedicatoria: "Al distinguido actor Don Ramón Rosell. Vd. tuvo la humorada de querer imitar en escena a un individuo de la raza canina, y me encargó le justificara la salida de un hombre perro en las tablas. Contando con la feliz ejecución de V. escribí este juguete, que ha hecho más agradable aún con su linda música el maestro Monfort, y por lo visto hemos acertado los tres a juzgar por los aplausos del público". La zarzuela cómica en un acto *La fuerza de la voluntad*, Circo de Paul, 1872, con texto de Salvador María Granés y cuya acción se sitúa a mediados del siglo XIX, se representó durante 22 noches consecutivas. La zarzuela en dos actos *La liquidación social*, con argumento de tipo político, estrenada en julio de 1872, logró cierto éxito, siendo publicados algunos números. El mismo año se estrenó en el teatro Circo de Madrid *Por una sátira*, con libro de Castellanos y cinco números musicales, que consiguió gran éxito, llegando a las 31 representaciones. El primer estreno de Monfort en 1873 tuvo lugar en el teatro San Fernando de Sevilla, con *Guerra al extranjero*, con texto de Manuel Cano Cueto, basado en la batalla de Vitoria. La obra consta de tres números musicales, y su estreno se produjo en homenaje al barítono Maximino Fernández. Al estrenarse en el Circo de Rivas la zarzuela en dos actos *Casimiro*, 1873, "el público aplaudió algunas piezas musicales, que en general son dignas de la reputada fama de aquel maestro", según *El Imparcial*. Ese mismo verano se estrenó, en una función a beneficio de la viuda del jefe de batallón de cazadores de Madrid, Martínez Llagostera, la piececita *Tecla*, ambientada en las inmediaciones de Madrid, que obtuvo "un éxito muy lisonjero, siendo aplaudidos en extremo la señora Perla y el Sr. Carceller", como recoge *La Lira Española*. El 6 de febrero de 1874 se estrenó en el teatro del Circo una de las obras de mayor éxito de Monfort: la zarzuela en un acto *Pedro el Veterano*, con texto adaptado de la obra francesa *L'heure de sentinelle* por Rafael María Liern, y ambientado en el París del siglo XVIII. El estreno fue valorado por *El Tiempo* "entre los acontecimientos dramáticos más importantes que han tenido lugar en Madrid en la presente temporada. Ejecutada en medio de continuados aplausos, llegó a su fin sin dejar en el ánimo de los espectadores otra impresión que la producida por su mérito y el sentimiento de que terminara tan pronto. Satisfechos debieron quedar los Sres. Liern y Monfort, el primero, autor de uno de los mejores libros en su género, el segundo compositor de música tan agradable siempre, y profunda y de gran sentimiento en ocasiones. Especialmente la sinfonía militar, de overtura, es notable para el asunto, y la pronosticamos fama y larga vida". La reducción de la obra fue editada por Villegas y Martín y la obra fue repuesta en otoño de 1875 en el teatro Romea. Su zarzuela bilingüe *Carracuca*, con texto de Liern, llegó a obtener 24 representaciones en Valencia en febrero de 1874, repitiéndose la jota de la obra, hasta cuatro veces cada noche. En marzo de 1874 compuso la zarzuela *Caza de maridos*, con texto en verso de Retes y Echevarría. Ese mes se ensayaba en el teatro de la Zarzuela su obra *El amor y la calceta*.

En 1874 se estrenó en los Jardines del Buen Retiro la zarzuela en un acto de Monfort, letra de Rafael María Liern, *La comedianta Rufina*. En noviembre de 1874, Monfort recibió, junto con Aceves, el encargo de escribir la música necesaria para la nueva versión de la comedia de magia *Las manzanas de oro*, que contaba con música de Arrieta y entonces se quería convertir en zarzuela.

Al tener lugar la Restauración borbónica en el trono de España, Monfort compuso el himno patriótico *La restauración. Viva Alfonso XII*, publicado por la calcografía de Santamaría. En el verano de 1875, Monfort escribió varias zarzuelas con destino al teatro de los Jardines del Buen Retiro, algunas de las cuales no llegaron a ser interpretadas en esa temporada, por el éxito alcanzado por la primera de las obras del compositor representada en ese teatro. Debe destacarse el cuento cómico-lírico-fantástico en dos actos *El diamante negro*, con libro de Liern, cuya acción transcurría en Tirol, en 1875: "La música del Sr. Monfort, indicada por lo general, tiene piezas, como la tirolesa del primer acto y el coro del beso del segundo, que el público no se contenta con oír una sola vez, y los bailes son vistosos y de muy buen efecto", según comenta *El Imparcial*. *El Tiempo* indica que "la música fue muy aplaudida, y con justicia, tanto por las bellezas en que abunda el libro como por su preciosa música". En el verano de 1875 fue interpretado también el juguete cómico-lírico-famélico en un acto *¡Carracuca!*, que ya había obtenido éxito en enero de 1874 en Valencia, y que fue repuesta en el verano de 1876 en los Jardines del Buen Retiro. De ese mismo año es el primer volumen de la colección *Ecos de la zarzuela*, pequeñas fantasías fáciles para piano elaboradas a partir de los fragmentos más populares de algunas zarzuelas, operetas y óperas cómicas. El 27 de julio de 1876 se entrenó en los Jardines del Buen Retiro la zarzuela fantástica en tres actos *Azulina*, con letra de Liern, para la que se contó con un lujoso vestuario, con más de cien prendas de sastrería, atrezzo y cuatro decorados. La zarzuela se compone de tres actos, cada uno de los cuales presenta un título propio, denominándose el primero, "En los aires"; el segundo, "La torre del duende"; y el tercero, "La gruta del torrente", según refiere *La Iberia*. La obra obtuvo un éxito brillante.

En el verano de 1877, año de la composición de otras obras no escénicas, Monfort siguió vinculado a los Jardines del Retiro, como acredita una carta dirigida por Bretón a Barbieri. En noviembre de 1877 se había establecido en París como representante de los teatros españoles Novedades y Buen Retiro de Madrid, al frente de una agencia franco-española establecida en la Rue Feydeau, nº 30 de la capital francesa, desde la que envió una circular a Barbieri ofreciendo sus servicios para el envío de partituras contra reembolso. En 1881 publicó una tanda de rigodones y dos tandas de valses para piano. Su último estreno documentado fue el del proverbio cómico-lírico *El marqués del Pimentón*, con libro de Liern, 1882.

OBRAS: *Flor de Aragón*, Zarz, 1 act, l, F. Fernández San Román, est, 13-IX-1871, Te. Circo, *E:Msa* (SMA, 1872); *¡Palomo!*, Hum lír-Bu 1 a, l, R. García Santisteban, est, 11-XI-1871, Te. Bufos Arderíus, *E:Msa* (SMA, 1872); *La fuerza de la voluntad*, Zarz cóm, 1 act, l, S. M. Granés, est, 19-IV-1872, Te. de la Risa (Circo de Paul), *E:Msa*; *La liquidación social*, Zarz, 2 act, l, R. García Santisteban, est, VII-1872, Te. Circo, *E:Msa* (SMA, 1872); *Por una sátira*, Jug lír, 1 act, l, J. Castellanos, est, 28-VII-1872, Te. Circo, *E:Msa*; *Luisa*, Zarz, 1 a, l, J. Castellanos, est, 16-IX-1872, Te. Circo, *E:Msa*; *Guerra al extranjero*, Zarz, 1 act, l, M. Cano Cueto, est, 1-II-1873, Te. San Fernando (Sevilla), *E:Msa*; *Una martín-gala*, jugada cómlír, 1 act, l, L. T. Pastor, est, 3-VI-1873, Te. Jardín de la Alhambra, *E:Msa*; *Casimiro*, Zarz, 2 act, l, arr J. Castellanos, est, 28-VI-1873, Te. Circo, *E:Msa*; *Tecla*, Jug cóm-lír-romántico, 1 act, l, M. Barranco Caro, est, 29-VII-1873, Te. Jardines del Buen Retiro; *La flor de cardo*, Zarz burlesca, 1 act, l, F. Martínez Pedrosa, est, 1873, *E:Msa*; *¡Carracuca!*, Jug cóm-lír-famélico, 1 act, l, R. M. Liern, est, I-1874, Valencia, *E:Msa*; *El que fuig de Deu*, Jug bilingüe-cóm-lír, 1 act, l, R. M. Liern, est, 31-I-1874, Te. Princesa (Valencia); *Pedro el veterano*, episodio lír-dramático, 1 act, l, R. M. Liern, est, 6-II-1874, Te. Circo (SMA, 1874 / UME); *La comedianta Rufina*, Zarz, 1 act, l, R. M. Liern, est, 13-VIII-1874, Jardín del Buen Retiro; *¡Als lladres!*, Zarz valenciana, 1 act, l, E. Escalante, est, 19-IX-1874, Te. Circo (Valencia); *Las manzanas de oro*, refundición de la obra de Arrieta, col. Aceves, est, XII-1874, Te. Apolo; *El impuesto de guerra*, Jug cóm-lír-gastronómico y antipolítico, 1 act, l, R. M. Liern, est, 13-VI-1875, Te. Jardín del Buen Retiro, *E:Msa*; *El diamante negro*, cuento cóm-lír-fantástico, 2 act, l, R. M. Liern, est, 7-VII-1875, Te. Jardín del Buen Retiro, *E:Msa* (Vidal e hijo y Bernareggi, 1875/UME); *¡7!*, extravagancia cóm-lír, 1 act, l, Valladares Saavedra / Liern, est, 1875, Jardines del Buen Retiro, *E:Msa*; *El fénix de los maridos*, Jug cóm-lír, 1 act, l, Valladares Saavedra / Liern, est, 1875, Jardines del Buen Retiro, *E:Msa*; *Mientras preparan la sopa*, Jug cóm-lír, 1 act, l, Valladares Saavedra / Liern,

est, 1875, Jardines del Buen Retiro, *E:Msa*; *¡Otelo número 2!*, Jug cóm-lír, 1 act, l, Valladares Saavedra / Liern, 1875, Jardines de Buen Retiro, *E:Msa*; *Un cambio de pasaporte*, Jug cóm-lír, 1 act, l, Valladares Saavedra / Liern, est, 1875, Jardines del Buen Retiro, *E:Msa*; *Azulina*, Zarz fantástica de gran espectáculo, 3 act, l, R. M. Liern, est, 27-VII-1876, Te. Jardín del Buen Retiro; *El marqués del Pimentón*, proverbio cóm-lír 1 act, l, R. M. Liern, est, 14-II-1882, *E:Msa*; *Barbarita*, Zarz, 1 act, *E:Msa*; *Don Ramón y Don Román*, Zarz, 1 act, *E:Msa*; *El amor y la calceta*, Zarz; *El doctor virulento*, Zarz, 1 act, *E:Msa*; *El reino de los hombres*, Zarz Bu, 3 act, l, P. de Górriz, *E:Msa*; *El señor de Juan Abad*, Zarz, 3 act, l, P. de Górriz, *E:Msa*.

BIBLIOGRAFÍA: *DMEH*.

RAMÓN SOBRINO

Monstruo. Se denomina con este término una especie de plantilla literaria con las palabras y acentos que necesita el músico para la página que ya tiene compuesta. Por ello lo suele escribir el propio músico con el fin de que el libretista lo siga a la hora de escribir los versos o textos definitivos. Luna cuenta que para el número del personaje Juan de León de *Benamor*, les envió este monstruo: "Las mujeres, todas tienen muebles en su casa… las mujeres, todas tienen muebles en su casa", que dio lugar a que los libretistas escribieran: "Su recuerdo, llena mi alma de melancolía, y despierta las pasiones en el alma mía".

EMILIO CASARES RODICIO

Montaner, Rita. Guanabacoa (Cuba), 20-VIII-1900; La Habana, 18-IV-1958. Soprano y actriz. En 1910 ingresó en el Conservatorio Peyrellade, donde se graduó con Medalla de Oro en canto, piano y armonía. En 1922 hizo su primera presentación pública en los conciertos ofrecidos en La Habana por el compositor Eduardo Sánchez de Fuentes. En este mismo año fue la primera voz femenina que se escuchó en la inauguración de la radio en Cuba. De vacaciones en Nueva York inició su carrera teatral en ese país. A su regreso en 1927 inauguró el teatro Regina con la Compañía de Ernesto Lecuona, estrenando el sainete *Niña Rita o La Habana en 1830* de Grenet y Lecuona, y la revista *La tierra de Venus*, también de este último compositor. Piezas de las mismas como *Ay, mamá Inés* de Grenet, y *Canto Siboney* de Lecuona, recorrían el mundo en su voz alcanzando gran popularidad. Durante la misma temporada,

Rita Montaner
(Foto: Ar. SGAE)

estrenó, además, la revista *Es mucha Habana*, *La liga de las señoras* y *La revista femenina* de Lecuona; las comedias líricas *Mi pequeña maldita* y *Como las golondrinas*, entre otras. En 1928 actuó en París con los trovadores Sindo y Guarionex Garay, el pianista Rafael Betancourt y los bailarines Carmita Ortiz y Julio Richard. Sus triunfos en Francia hicieron época. En este año aparecieron sus primeras grabaciones. A su regreso a Cuba ofreció diversos conciertos con repertorio de canciones afrocubanas, y poco después, contratada por la Compañía Velasco, viajó a España para actuar en los teatros Apolo e Infanta Beatriz de Madrid. A partir de entonces su periplo internacional se hizo constante. Actuó en Nueva York con la Compañía de Al Jolson, luego en México, Argentina y Venezuela. De nuevo en Cuba desarrolló una intensa labor en la radio y en el Cabaret Tropicana, donde fue estrella absoluta durante cuatro años; así como en la cinematografía mexicana y cubana, y luego en la televisión. Por su gran carisma fue calificada como "La Única". En su larga carrera interpretó todo tipo de género, entre los que se destacan títulos como las zarzuelas *Amalia Batista* y *Cecilia Valdés*; las operetas *La viuda alegre* y *El Conde de Luxemburgo* y, en general, el género vernáculo. Con el surgimiento de las pequeñas salas se incorporó a las mismas actuando en *Mi querido Charles* de Alan Merville y *Fiebre de primavera* de Noel Coward, que fue su última actuación.

FONOGRAFÍA: *Ay, Mamá Inés* (*Niña Rita o La Habana en 1830*), Columbia, 2926-X; *Canto Siboney* (*La tierra de Venus*), Columbia, 2927-X; *El calesero* (*Niña Rita o La Habana en 1830*), Columbia, 2965-X; *El traje de soirée* (*La tierra de Venus*), Columbia, 2964-X; *Galanes y damiselas* (*Niña Rita o La Habana en 1830*), Columbia, 2963-X; *La gitana* (*La tierra de Venus*), Columbia, 2927-X; *Alí Babá* (*La guaracha musulmana*), Columbia, 3684-X; *Allá en el batey* (*El batey*), Columbia, 3656-X, 1928; *Canto indio* (*La flor del sitio*), Columbia, 3684-X; *Lamento esclavo* (*La virgen morena*), Columbia, 3656-X; *Canto de Reyes*, Cubanacán, CD 1708; *Romanza de María la O* (*María la O*), Cubanacán, CD 1708.

BIBLIOGRAFÍA: R. Becali: "Entrevista con la Montaner", *El País*, La Habana, I-1932; J. de La Habana: *Figuras del teatro lírico cubano*, La Habana, 1935; J. Piñeiro Díaz: *Rita Montaner. 80 Aniversario 1900-1980*, La Habana, Museo Nacional de la Música, 1980.

JOSÉ PIÑEIRO DÍAZ

Montaña, Dolores. *Véase* MONTI, LOLA.

Montañés. Familia de cantantes formada por Joaquín, padre, María Soriano, madre, Adela y Consuelo hijas, Isidoro Pastor, esposo de Adela, Felicidad e Isidoro Pastor Montañés, hijos de ambos, y Felicidad Montañés García que posiblemente es también familia.

1. Joaquín. España, siglo XIX. Tenor cómico. Aparece ya en 1846 en el teatro del Instituto a la cabeza de una compañía en la que también estaba su esposa María Soriano, que interpretaba óperas italianas traducidas al español. En 1853 reemplazó a Caltañazor que había enfermado. Estrenó entre otras obras *Don Ruperto Culebrín* de Barbieri y Gaztambide y *Don Simplicio Bobadilla* de varios autores, 1853.

2. Soriano, María. †Madrid, 17-II-1865. Tiple y característica. Recorrió numerosos escenarios españoles desde la década de 1840 en compañía de su marido. En la temporada 1852-53 fue contratada por el teatro del Circo para suceder a la mítica María Bardán como característica, y se presentó en *El secreto de una reina* de Gaztambide, Hernando e Inzenga: "Poseer una característica que cantase era de sumo interés para este teatro, y en adelante sabrán aprovecharse los compositores de tan buena fortuna", dijo Cotarelo de ella. Cantó durante muchos años como tiple caricata de zarzuela, llegando a convertirse en una de las más sobresalientes, especialmente genial en papeles bufos. Tuvo una actividad destacada en el teatro de la Zarzuela, donde estuvo contratada durante muchos años. Estrenó más de 35 zarzuelas, entre ellas *El valle de Andorra* de Gaztambide, 1852; *La espada de Bernardo* de Barbieri, 1853; *El marqués de Caravaca* de Barbieri, 1853; *El litera del oidor* de Fernando Gardín, 1853; *La estrella de Madrid* de Arrieta, 1853; *Un día de reinado* de Barbieri, Gaztambide, Inzenga y Oudrid, 1854; *La cacería real* de Arrieta, 1854. En 1856 estaba actuando en el teatro Principal de Zaragoza y en una compañía de verano de San Sebastián.

Desde la apertura del teatro de la Zarzuela en 1856 perteneció a la primera compañía contratada con el sueldo de 60 reales. Allí estrenó *El sonámbulo* de Arrieta, 1856; *El diablo en el poder* de Barbieri, 1856; *El lancero* de Gaztambide, 1857; *La corte de Mónaco* de Saldoni, *Casado y soltero* de Gaztambide, 1858; *El capitán español* de Cepeda, 1859; *Entre mi mujer y el negro* de Barbieri, 1859; *Los circasianos* de Arrieta, 1860; *Memorias de un estudiante* de Oudrid, 1860. En el año teatral 1860-61 apareció como miembro del nuevo teatro competidor de la Zarzuela, el Circo, donde estrenó *El magnetismo… ¡animal!* de Antonio Raparaz, 1860, aunque la temporada siguiente estaba de nuevo en la Zarzuela donde estrenó *Un viaje alrededor de mi suegro* de Gaztambide; *El hijo de Don José* de Carlos Frontaura, 1862; *Los herederos* de Barbieri, 1862; *¡En las astas del toro!* de Gaztambide, 1864. Las últimas obras en las que se conoce su actuación fueron dos estrenos: *Los regalos* de Rogel y *Sin familia* de Javier Gaztambide. Señala Cotarelo, "como, en general, todas las características, pecaba de exagerada cuando se le iba la mano; pero cuando acertaba era una actriz perfecta en su género".

3. Montañés Soriano, Adela [Adelaida].
España, siglo XIX. Tiple cómica. En 1858 se encontraba en El Ferrol y La Coruña; en 1859 y 1860 fue contratada por el teatro de la Zarzuela, donde estrenó numerosas zarzuelas como *Una emoción* de Fernández Caballero; *Juan sin Pena* de Luis Arche; *El sordo* de Adolfo Adam, 1859; *Los dos primos* de Fernández Caballero, 1860; *La cruz del valle* de Reparaz, 1860; *El magnetismo…¡animal!* y *El paraíso en Madrid* ambas de Antonio Reparaz, 1860. En 1861 fue contratada en Barcelona como "Primera del género cómico". En enero de 1862 por disensiones con los empresarios se pasó a la compañía del teatro del Circo junto con su madre, cobrando un sueldo de 3.000 reales, el mayor de la compañía después de Elisa Villó, lo que indica que era ya una voz destacada en el mundo de la zarzuela. Estrenó *¡Si yo fuera rey!* de Inzenga y *La niña de nieve* de Reparaz, ambas en 1862. En 1864 estrenó en el Circo *Una revancha* de Campo, y en 1866, *El rábano por las hojas* de Barbieri. Llegó a México en enero de 1882 con una compañía de zarzuela y la estudiantina Fígaro, acompañada de su esposo Isidoro Pastor y la prensa la denominó "la perla de la sección cómica". En aquel país permaneció al menos desde 1882 a 1891 como primera tiple cómica en los teatros Nacional, Gran Teatro y Abreu, estrenando zarzuelas de compositores mexicanos. Las crónicas hablan de sus magníficas cualidades como actriz. En 1895 todavía se encontraba en México actuando de característica.

4. Montañés Soriano, Consuelo. España, siglo XIX. Tiple. En 1865 estaba contratada por el Circo donde estrenó la obra *De Salamanca a Madrid* de Rafael Taboada y Mantilla. En 1867 se encontraba en Málaga en cuyo teatro Principal estrenó *Por un capricho* de Tomás Gómez. Perteneció a la compañía bufa de Valencia en 1868 e interpretó en 1878 en el teatro Español de Barcelona *El sargento Federico*. Todavía seguía activa en 1888 cuando estrenó en el teatro Circo Price la obra de Ch. Millocker *El alcalde de Strassberg*. En 1887 estrenó la *El cocinero de S. M.* de Valverde en Eldorado. Se casó con el compositor de zarzuela Guillermo Cereceda.

5. Pastor, Isidoro. España, ?; San Salvador, 26-IX-1896. Cantante y empresario. Se presentó en la compañía del Circo la temporada 1861-62. Debutó en el teatro de la Zarzuela con *Las damas de la Camelia* de Miguel Galiana, 1861. Llegó a México en 1882 con la Estudiantina Española Fígaro. Se trataba de un grupo que además de canciones, ofrecía "un cuadro de zarzuela… La primera función de esa Empresa artística, que dejó imperecedera memoria y gratísimos recuerdos, se dio el martes 5 de diciembre con las zarzuelas *La salsa de Aniceta* y *Torear por lo fino*". Al parecer, el éxito de estas funciones llevó al "cuadro de zarzuela" a quedarse en México y a tomar plaza en el teatro Principal donde se estableció en 1883 con Isidoro Pastor como su director y con Adelaida Montañés como su tiple estelar. Ese año Pastor también fue primer bajo de la Empresa Zapata y al año siguiente, actuó, al lado de Luis Arcaraz, en una función de *El día y la noche*. El 19 de septiembre Arcaraz y Pastor reaparecieron con el estreno de la zarzuela de Arrieta, *El Planeta Venus o El caballo de bronce*. En 1885 la compañía de Arcaraz anunciaba a Pastor como su "Director de escena y primer tenor cómico". Siempre al lado de su esposa Adelaida Montañés, participó en innumerables funciones entre las que se recuerdan particularmente su estreno de *La cisterna encantada*, 1885, y los "selectos disparates" como "*El Mascoto…* ejecutada con detalles capaces de ruborizar a un santo de piedra, por Isidoro Pastor y Adelaida Montañés". En 1886, el dúo Pastor-Montañés prolongó su buena acogida y

Adela y Consuelo Montañés (Fotos: Colección Castellano; E:Mn / Ar. Emilio G. Carretero). María Soriano (Foto: Colección Castellano; E:Mn)

participó en el histórico estreno de *Un paseo en Santa Anita* de Peza y Arcaraz, obra fundamental de la zarzuela mexicana. En esa función, Pastor aparecía caracterizado a la mexicana, vestido "de charro con igual propiedad y lujo [que la Montañés]; calzonera con botonadura de plata; rico jarano; chaqueta bordada de plata y finísimo *zarape*". El éxito le llevó a separarse de Arcaraz en 1887 cuando estableció su propia compañía en el teatro Nacional. Así surgió una época de particular auge, pues ambas compañías –las de Pastor y Arcaraz– rivalizaron por un público que no se cansó de ver en uno y otro teatro innumerables funciones de zarzuela. En 1888, sin embargo, Arcaraz y Pastor volvieron a unir fuerzas y Arcaraz debutó como director concertador de la compañía de Pastor. En aquel entonces, las funciones ofrecidas de *La Gran Vía* se convirtieron en un éxito rotundo. Además, la compañía de Pastor hizo su especialidad con las óperas "azarzueladas". La empresa de Pastor sobrevivió hasta 1890, cuando la prensa le alaba como un exitoso empresario. Sin embargo, en una aclaración publicada el 14 de febrero de ese año, Pastor explicó los avatares de su quehacer: "En los tres años que llevo de empresario, he procurado colocar el Teatro Nacional a la altura que merece el primer coliseo de esta importante República, complaciéndome en consignar que lo he sostenido sin faltar a ninguno de los compromisos, pagando a todos religiosamente, a costa muchas veces de grandes sacrificios, pues hace años que los empresarios del Teatro Nacional... han salido de la Empresa con pérdidas y deudas. Se ha hablado en todos los tonos de las fabulosas cantidades ganadas últimamente con la Compañía de ópera; mas los que tal dicen no recuerdan las pérdidas que en otras ocasiones he tenido que soportar". Pastor continuó siendo hasta su muerte un personaje central de la escena mexicana. Testimonio de su permanencia como empresario no sólo fue su continua presencia en el teatro Nacional sino las giras que organizó con su compañía, lo mismo a puntos de la provincia mexicana que a Centro América. Sin embargo, los últimos años de su vida artística, diversas dificultades económicas le llevaron a emprender las más diversas empresas teatrales, a menudo a costa de la calidad. Por tanto, Pastor y su compañía estrenaron diversas zarzuelas mexicanas de género chico, que a menudo generaron escándalo. Tal fue el caso de *Cuadros plásticos*, libreto de Eduardo Macedo y música de varios autores. Para 1891, la compañía de Pastor contaba con destacados integrantes como Soledad Goyzueta, Matilde Navarro y su propia hija Felicidad Pastor Montañés. Pese a todo, el público parecía preferir por entonces las funciones de la compañía Arcaraz en el teatro Arbeu y Pastor comenzó a tener pérdidas consecutivas. Una rebaja al precio de entrada a trece centavos la tanda, cosa "que nunca se había visto en el primer teatro de la República", tampoco sirvió para mejorar las finanzas. En definitiva, para 1892 Pastor abandonó su carrera de empresario y sólo se contrató como cantante, tanto de zarzuela como de ópera. Una reseña en verso publicada en *El Teatro* describe a este personaje: "Si veis a un hombre chaparro / que corre, que se sofoca, / y no aparta de la boca / el veguero o el cigarro; / que siempre va en pos de socios / para una empresa cualquiera, / y anda como si estuviera / abrumado de negocios; / que se anuncia a voz en cuello, / y declamando es tal cual, / pero que canta muy mal, / si es que cantar es aquello; / si le veis, no tengáis duda / acerca de ese hombrecillo; / llamadle recio ¡Currillo! / y veréis como os saluda". En 1893 Pastor quiso volver a establecer una empresa, pero a pesar de ofrecer algunas funciones en el teatro Arbeu, no tuvo éxito. Al año siguiente, volvió al escenario del Principal, pero esta vez como cantante de la empresa Arcaraz, su antigua competidora. Al lado de su esposa estrenaron en México *La verbena de la Paloma*. Sería el último triunfo en México de un artista que contribuyó, mediante sus tenaces empeños teatrales como empresario y cantante, a forjar de manera sobresaliente la tradición de la zarzuela mexicana.

6. Pastor Montañés, Felicidad. Andalucía, 1874?; ?. Tiple. Se presentó como tiple en México en 1887 en el Gran Teatro que dirigía su padre, en la obra *Una fiesta de Santa Anita* de Luis Arcaraz; tuvo un gran éxito sobre todo en el jarabe que bailó en el escenario. Después de este éxito volvió a España y estudió con Fernández Caballero. Regresó a México y en 1890 ya pertenecía a la compañía de su padre en el teatro Nacional donde en 1891 fue presentada en un beneficio con la obra *Mis dos mujeres*. A partir de entonces estrenó diversas zarzuelas mexicanas como *Viva México*, 1891, pero también españolas como *De Madrid a París* de Chueca y Valverde. En 1892 pertenecía a la compañía de los hermanos Arcaraz que trabajaban en el teatro Arbeu y cantó en diversas operetas. Sus obras favoritas fueron *Rosa Michon*, *La archiduquesa*, *Gran Casimiro*, *Los Brigantes* y *Mignon*. Todavía en 1910 se encontraba en plena actividad.

7. Pastor Montañés, Isidoro. España-México, siglos XIX-XX. Barítono. Debió de ser más joven que su hermana o al menos se presentó mucho después, en 1894, en el teatro Nacional de México con *La tempestad*. La crítica lamentó que se presentase tan joven "casi un niño" y por ello con la voz sin hacer. Tuvo una actividad muy inferior a la de su hermana.

8. Montañés García, Matilde. España-México, siglo XIX. Tiple. Aunque no se conoce la relación de parentesco, es muy probable que perteneciera a esta familia. En 1868 se encontraba en México como primera tiple de zarzuela de la compañía Villalonga y Reig. Hizo su vida en esta nación con gran éxito y tuvo fama sobre todo en la obra *El proceso del can-cán*, 1875 y en *La Marsellesa* de Fernández Caballe-ro, que vivía entonces en México. En 1880 Villa-longa se despidió de México y prometió volver con Matilde Montañés.

BIBLIOGRAFÍA: *HGZ*; *HZ*; *RHTM*; E. Casares Rodicio: *Fran-cisco Asenjo Barbieri. 2. Escritos*, Madrid, ICCMU, 1994; E. García Carretero: *Historia del teatro de la Zarzuela de Madrid*, Madrid, Fun-dación de la Zarzuela Española, 2003.

1-4 EMILIO CASARES RODICIO
6-8 ROCÍO TERÁN / RICARDO MIRANDA PÉREZ

Montemar y Moraleda, Francisco de Paula.

Sevilla, 1825; Sevilla, 1889. Periodista y dramaturgo. Marqués de Montemar y Conde de Rosas. Dirigió *Las*

Novedades y *Revista de Teatros*, además de colaborar en *La Nación*. Su actividad revo-lucionaria le llevó al exi-lio en Francia aunque después fue diputado y senador. Además de sus numerosas obras dramáticas escribió pa-ra el teatro lírico *Miste-rios de bastidores* y *La paga de Navidad*, ambas con música de Oudrid, estrenadas en el teatro del Instituto en 1849.

Mª LUZ GONZÁLEZ PEÑA

Francisco de Paula Montemar y Moraleda (Foto: E:BN)

Montería, La. Zarzuela en dos actos. Música de Jacinto Guerrero. Libreto de José Ramos Martín. Estre-nada el 24 de noviembre de 1922 en el teatro Circo de Zaragoza.

Personajes y reparto. Marta (Tana Lluró, soprano). Ana (Amparo Saus, soprano). Ketty (Amparo Albiach, actriz). La Marquesa (Antonia Padrones, soprano). La Condesa (Amalia Sanchís, soprano). La Vizcondesa (Palmira Miralles, soprano). La Baronesa (Matilde Gallardo, soprano). Aldeana 1ª (María Sanz, soprano). Aldeana 2ª (Carolina Luna, soprano). Edmundo (Federico Caba-llé, barítono). Pipón (Rafael Díaz, tenor cómico). El Duque (Ramón Casas, actor). Hugo (Bernardino Ponseti, actor). Enrique (Miguel Pros, actor). Eduardo (Emilio G. Ruiz, actor). Aldeano 1º (Domingo Montó, actor). Aldeano 2º (Alberto Martí, actor). Monteros y aldeanos.

Orquestación. Flautín, flauta, oboe, 2 clarinetes, fagot, 4 trompas, 2 trompetas, 3 trombones, percusión, arpa y cuerda. Ronda-lla: bandurrias, laúdes y guitarras.

Argumento. La acción se sitúa en una aldea inglesa, en la época del estreno de la obra. *Acto I.* Los aldeanos, reunidos en la hacienda del Duque de Jet-kinsson, brindan para celebrar el buen desarrollo de la próxima cacería. Entre ellos se encuentra Pipón, montero que pretende a la sirvienta Ana; Edmundo, el enamoradizo hijo del Duque, pretende también a escondidas a Marta, hermana de Pipón. Cuatro damas se enteran de las intenciones de Edmundo, bur-lándose de su interés por una aldeana y recordándole que está prometido con su prima Ketty, que acude también a la cacería. Pipón recuerda al Duque que en

Cortesía de Unión Musical Ediciones SL

dos días tendrá lugar en la aldea la Fiesta de la Jus-ticia del Amor, en la que se escogerá a una reina encargada de dirimir los agravios amorosos. Hugo y Enrique, amigos de Edmundo, se burlan de sus deva-neos con la adeana; Pipón, sintiéndose ofendido por la frívola actitud de los nobles, amonesta al hijo del Duque, acusándole de jugar con los sentimientos de su hermana Marta; Edmundo le responde en tono amenazante y, tras pedir perdón, el montero afirma

que él sabrá defender su honra. Marta, cortejada de nuevo con insistencia por Edmundo, cede a sus ruegos, mientras su hermano Pipón, que los observa en secre-to, llora de rabia. La llegada de Ana proclamada reina de la fies-ta de los aldeanos, ofrece la res-puesta a su anhelo de venganza. *Acto II.* En el cuadro primero, todos están reunidos en la Plaza de la aldea para celebrar la fies-ta. Llega Ana, la reina, engala-nada para la ocasión, y advierte a Marta de la falsedad de los sentimientos de Edmundo, con-venciéndola de que lo olvide. Edmundo se reúne en una cerve-cería cercana con Hugo, Enrique y Eduardo, para contarles sus progresos con la aldeana. A su regreso, Pipón se acer-ca para leerles una carta que ha escrito a su nuevo amor; Edmundo descubre que se trata de su prima Ketty y le quita el papel entre protestas del aldeano. Tras celebrar el baile de las argollas y cintas, Pipón se convierte en vencedor, con la potestad de elegir a la joven que quiera besar, eligiendo a Ketty. El Duque, sorprendido, le pregunta la razón de tal atrevimiento, respondiendo Pipón que la clave de la respuesta la posee su hijo Edmundo. En el cuadro segundo, Pipón y Ketty, se esconden, por separado, en distintos lugares del jardín de la hacienda. Es de noche, y Edmundo llega para dedicar a Marta una serenata amorosa. Ésta aparece y ambos se abrazan, pero la escena de amor dura poco, ya que entra Pipón para explicar a su hermana que el Duque, enterado de todo, ha dispuesto que su hijo regrese a Londres con el fin de apartarle de la aldeana. Marta se echa a llorar y Ketty, emocionada, la consuela advirtiéndole que el joven volverá porque la ama. En el cuadro tercero se celebra el día de la Justicia del Amor, con Ana como reina de la aldea. Comienzan las consultas, siendo el primero en acercarse a la reina Pipón, acompañado de Marta y Ketty. El muchacho explica lo ocurrido entre Marta y Edmundo, exigiendo justicia y venganza. Ana y el Duque, como jueces, determinan que Edmundo despose a Marta. Todos alaban la bondad de Ketty y la justicia de la reina.

Números musicales. Acto I: Preludio. Nº 1. Marta, Pipón y coro de aldeanos, "Hermosa aldeana". Nº 1Bis. Marcha. Nº 2. Cuarteto. Ana, Pipón, Marta y Edmundo, "¡Bravo!, ¡Bien! Así me gusta". Nº 3. Fox-trot. Marquesa, Condesa, Vizcondesa, Baronesa y Edmundo, "La murmuración es el pecado". Nº 4. Marcha. Marta y Monteros, "Escucha, bella niña, por favor". Nº 5. Final I. Marta, Ana, Pipón, Edmundo y coro, "No importunéis a la bella". Acto II: Nº 6. Ana, Aldeanas y coro, "Alegre día"; Tango-milonga, "¡Hay que ver!". Nº 7. Dúo de Ana y Pipón, "No corras así, escucha mi amor". Nº 8. Coro, "En el alegre baile de los colores". Nº 8Bis. Fox-trot. Nº 9. Serenata. Marta, Ketty, Pipón, Edmundo, seis monteros y Tiples, "Ésta es la ventana". Nº 9Bis. Tango-milonga. Nº 10. Final. Coro, "¡Hurra por nuestra reina!".

Comentario. Tras el exitoso estreno de *La alsaciana* en el teatro Tívoli de Barcelona en noviembre de 1921, Guerrero y Ramos Martín regresaron a Madrid dispuestos a escribir otra obra de éxito. Josefina Carabias comenta cómo la idea de la nueva zarzuela nació de manera casual, encontrándose ambos autores en una cevercería de Madrid. La obra plantea un conflicto social, de fácil solución, cuyo desenlace se adivina desde el comienzo de la obra. Ramos Martín, fecundo colaborador de Guerrero consigue una de sus mejores creaciones. La obra, dedicada por el escritor a su padre, se aleja del espíritu castizo del sainete madrileñista –género genialmente cultivado por su padre en títulos como *Agua, azucarillos y aguardiente* o *El chaleco blanco*–, situando el desarrollo de la acción en Inglaterra. Sin duda, la opción de vincular el género lírico con la opereta europea, respondía a un nuevo intento de recuperar la zarzuela en un momento agónico, incapaz de competir con el triunfante cinematógrafo. Los autores emplearon en esta obra la tradicional doble pareja de protagonistas: Marta y Edmundo, pareja seria, que emplea un lenguaje de mayores proporciones dramáticas; y Pipón y Ana, pareja cómica que recrea en numerosas ocasiones la ligera sonoridad de la opereta.

Comienza con un preludio que presenta varios temas y evoca "el galope de los caballos en una montería". Guerrero acude a lugares comunes del teatro musical para elaborar el motivo rítmico (dos semicorcheas y corchea), que recuerda tanto la sonoridad operística del *Guillermo Tell* rossiniano, como la de ligera opereta de von Suppé. Desde este preludio se hacen presentes muchas de las características orquestales propias de Guerrero: duplicaciones continuas de la melodía, construcción de la dinámica orquestal mediante yuxtaposiciones y adiciones instrumentales, texturas armónicas ligeras en el acompañamiento que no enturbien la melodía, utilización del redoble inicial para generar expectación en el público. Las melodías son siempre interpretadas al unísono (o dobladas a la octava) por la cuerda o el viento-madera. Toda su concepción orquestal está siempre supeditada a la melodía: frases arqueadas, fáciles de memorizar, de enorme lirismo e inspiradas multitud de veces en esquemas de melodías populares.

El Nº 1, es coral y presenta a Pipón y su hermana Marta; para la salida a escena de ésta, el maestro escribe una melodía solemne, que evoca la distancia que la separará socialmente de los aldeanos cuando, al final de la obra, Edmundo la despose. A partir del compás 52, la versatilidad del lenguaje del compositor se hace presente, y la protagonista expone un tema de marcha, después Marta expone otro tema ligero. El Nº 2 incluye el tema del noble "Si en el pecho sentís", que evocaba el compositor en el preludio orquestal. Después aparece un nuevo tema melódico en la voz, para el que Guerrero elige los tintes folclóricos que tan bien dominaba. El número concluye con el tema del *Andante* interpretado por todos los personajes, Marta, Ana Pipón y Edmundo, siendo repetido por la orquesta, con un ritmo acelerado, para concluir. El coro de la murmuración a ritmo de fox-trot, Nº 3, conduce la obra al estilo de la más pura revista. Tras un diálogo entre el coro femenino y Edmundo, aparece el primer tema del barítono que revela una clara relación con la construcción melódica de José Serrano. A continuación comienza el ritmo de fox-trot, empleando ahora trompetas y trombones con sordina acompañados de la caja china para destacar algunos motivos rítmicos, evocando sonoridades cercanas a la comedia musical. Termina con una nueva melodía que repite el coro tras ser interpretada por el barítono protagonista.

El número siguiente es un solo de Marta, acompañada por el coro; tras unos compases introductorios, muy en la línea de la revista, se expone la primera sección melódica de nuevo a ritmo de marcha-pasodoble como el anterior coro de monteros. Marta expone un nuevo fragmento melódico en el que continúa con un tema ligero de acentos irónicos, que subraya el carácter del personaje que ya había aparecido en el primer número. El Nº 5 funciona como un verdadero final primero, siendo el fragmento de mayores pretensiones y donde aparece el tema central de la obra que funcionará como breve *leit motiv*, "Ya la ilusión con que soñé". Marta responde con la melodía del fox-trot del Nº 3. Tras entregarse Marta a Edmundo, los protagonistas se unen para responder de nuevo al tema anterior. Este número revela dos claras referencias del compositor: por una parte, su relación melódica con el vals de Musetta de *La bohème* pucciniana, y por otra, la vinculación formal entre este número y el Nº 6 de *La canción del olvido* de José Serrano.

El segundo acto comienza con el fragmento de música más popular de la partitura; de estructura seccional el número comienza con el tema final del primer acto, confirmando su función de ingenuo *leit-motiv*. La orquestación elegida por Guerrero recuerda la sonoridad que José Serrano imprimió a algunas de sus obras, logrando en algunos momentos un sonido cercano a la banda, en la que aparecen incluso los platillos. Aparece el coro con una nueva melodía de tintes populares, tras la que se escucha el famosísimo tango-milonga –siguiendo la denominación de su autor– "¡Hay que ver!", interpretado primero por Ana y luego por el coro de aldeanas. Este tipo de formas de baile suponen la integración en el teatro lírico de los años veinte de numerosas fórmulas del folclore urbano, marchas-pasodobles, fox-trots o tangos que estaban de moda en Madrid y conectaban con los gustos del público. El tango-milonga fue coreado por el público desde la misma noche del estreno. El Nº 7 es el dúo cómico entre Pipón y Ana. Es evidente que Guerrero decide retrasar el desenlace, gracias a números ligeros, de factura fácil, hermosa melodía y textura ligera, recursos que el maestro dominaba. El Nº 8 comienza de nuevo con un tema coral ligero, que remeda el mundo de la opereta, tras el que el compositor sitúa el baile popular de la Fiesta de la Justicia, donde va a tener lugar el desenlace argumental. A partir del compás 19 se inicia la danza, con un tema esbozado por la orquesta al que se unen todos los participantes en la escena, incluido el coro. Este tema de danza permite al autor mantener la presencia esporádica de ciertos elementos del patrimonio musical culto, que también aparecen en otros casos de su producción –entre otros, la chacona de Gaspar Sanz que incluye en *El huésped del Sevillano*–, y que enlazan de forma más o menos consciente, con características de tipo neoclasicista. En el compás 59 el mismo tema de la danza reaparece en modo mayor, interpretado por las partes y el coro general. El acompañamiento, que mantiene el ritmo del tema –semicorchea con puntillo y corchea–, se repite sin cesar, machaconamente, gene-

rando un aumento de la tensión hacia el final, cuando los diálogos conducen el número a su fin. El siguiente fragmento, Nº 8 Bis, repite, a modo de transición escénica, el fox-trot del Nº 3, para conducir al Nº 9, final real de la obra, a pesar de que sea habitual repetir el tango-milonga –a manera de Nº 9 Bis– para concluir. Comienza el número con la cabeza del tema central de la obra, especie de *leit-motiv*, que aparecía en el Nº 5, tras la que aparece una transición que conduce a la serenata que Edmundo dedica a Marta; dicha serenata requiere la intervención de una rondalla -bandurrias, laúdes y guitarras–. A partir del compás 138 aparece de nuevo el *leit-motiv* en violas y violonchellos, dando entrada a la reexposición del tema de Marta en el Nº 1 (compases 93 y ss). Concluido este fragmento, el autor emplea de nuevo el diálogo sobre fondo musical para lograr el desenlace de la obra, cerrando musicalmente el número con el sonido de la ronda de Edmundo en la orquesta sola.

Ya en el estreno en el teatro Circo de Zaragoza la obra logró un importante éxito, que obligó a los autores a dirigirse al público y a repetir varios números, uno de ellos siete veces. Tras el éxito inicial, "Guerrero afirmó su pronóstico de que aquella obra armaría en Madrid un verdadero alboroto y produciría dinero a mares. Muchas compañías se la pedían para hacerla cuanto antes en la corte, pero Jacinto no se apresuraba porque quería para su *Montería* un excelente coto de caza, es decir, un teatro grande, el más grande que hubiera, y unos artistas de excepción". El autor, con su optimismo desbordante, que ya contagiaba a los intérpretes de la obra, convenció a Victoria Pinedo de que emprendiera la aventura teatral por su cuenta, aun a sabiendas de que comportaba muchos riesgos. Así, "tomó el Teatro de la Zarzuela, el más grande de Madrid entonces; contrató a los artistas que quiso –Sagi Barba, y su esposa, Luisa Vela, que eran de los más caros–, y montó la obra sin omitir esfuerzo ni gasto". Una indisposición pasajera obligó a Emilio Sagi-Barba –encargado del papel de Edmundo– y a su esposa Luisa Vela –como Marta– a suspender el día previo al estreno, por lo que hubo que sustituir a toda prisa a la pareja protagonista, siendo finalmente estrenada por dos intérpretes de la compañía del Apolo, José Luis Lloret y Matilde Rossy.

En el estreno, el público se mantuvo frío en los números iniciales, pero, tras el tango-milonga "¡Hay que ver...!", la entrega fue total. La prensa se hizo eco al día siguiente del éxito alcanzado por Guerrero y Ramos Martín. Un mes más tarde del estreno el teatro seguía lleno, y centenares de personas tenían que quedarse todas las noches en la puerta. Pero llegaban los Carnavales y era preciso dejar libre el coliseo para los famosos bailes de máscaras, por lo que Guerrero decidió alquilar el único teatro que había libre en Madrid: el de la Princesa. Según Carabias: "Todos los 'entendidos' opinaron que era un disparate, una locura, por tratarse de un teatro de público especial, público de 'cuello alto', que en ningún caso se prestaría a cantar a coro, como el de la Zarzuela… Cómo sería el éxito que durante aquellos Carnavales hasta las máscaras abandonaron el Paseo de la Castellana para meterse en el teatro a cantar el '¡Hay que ver!'. Lo silbaban los barrenderos, los cocheros, los guardias… Lo tarareaban los estudiantes en la Universidad, los presos en la cárcel, los médicos en la consulta, los jefes de negociado y los jefes de estación…; las modistillas, las niñas 'bien', las madres de familia, los militares, los ministros… Fue como una especie de epidemia nacional, y por eso a la gripe se la llamó *La montería*".

Fuentes manuscritas. Los materiales de orquesta (4838) se conservan en el archivo de la SGAE en Madrid, Valencia y Barcelona. La partitura, perteneciente al legado Guerrero, se conserva en el archivo del ICCMU en la SGAE en Madrid.

Ediciones de música. Ed. crítica B. Lauret, Madrid, ICCMU-SGAE, 1995. Canto y piano, Madrid, UME.

Ediciones del libreto. Madrid, Establecimiento Tip. de J. Amado, 1923; Madrid, Galería Dramática de Autores Españoles, IX, 395, 15-VI-1924; Madrid, Revista de Obras Teatrales de Benjamín Bentura, IV, 78, 1947?.

FONOGRAFÍA: RP: Victoria 6463, 6464 y 6465 • Diana 1266, 1267 y 1268.

D78rpm: Sols. Sagi-Barba, Luisa Vela, La Voz de su Amo-Gramófono AC 28 (et. morada), BS 1103 • Sols. Federico Caballé, Lluró, Mayendía, Sans, Díaz, Gramófono AE 869 AE 870 AE 893 AE 894 AE 895 AE 896 (et. verde), BS 264489 BS 264490 • Sols. Consuelo Mayendía, José Luis Lloret, 139.590, 139.591 (et. azul y negra), SO 2866 SO 2867.

LP: Dir. Enrique Navarro, Sols. Natalia Lombay, Luisa de Córdoba, Santiago Ramalle, Luis Sagi-Vela, Coro RNE, Orq. de Cámara de Madrid, Montilla FM-64, Zafiro SA, ZOR-174 59 y Zafiro 30103022 123 [ed. en EP: Zafiro-BMG EPFM-127 y reed. en CD: Zafiro-Salvat 1050-2] • Dir. Indalecio Cisneros, Sols. Lina Huarte, Julia Bermejo, Manuel Ausensi, Gerardo Monreal, José Perera, Orq. Sinfónica, Columbia SA, ZCL 1020 (Zacosa) 122 y Alhambra-BMG (33rpm-30cm) MCC 30035 y SCLL 14016 [reed. en CD: Columbia 74321 330302].

BIBLIOGRAFÍA: *DMEH*; J. Carabias: *El maestro Guerrero fue así*, Madrid, Ed. Prensa Castellana, 1952; *La montería*, notas al programa, Madrid, Teatro de la Zarzuela, 1995-96.

Mª ENCINA CORTIZO

Montero, Eladio. *Véase* BARRERA SAAVEDRA, TOMÁS.

Montero Delgado, Joaquín. Valencia, 1869; Santiago de Chile, 1942. Dramaturgo, empresario y actor. Su nombre se vincula a la época dorada del Paralelo barcelonés, donde alcanzó gran fama como actor cómico y creador de títulos dramáticos de oportunidad. Sus inicios fueron modestos. Empezó en el teatro con una compañía de aficionados de Gracia, junto a Manuel Salvat. En la temporada del teatro Principal de 1899 consiguió su primer éxito como actor, al tiempo que ya había empezado a escribir sus primeras obras: *El nano del cap pelat*, una parodia del *Cyra-*

no de Bergerac. En 1900 formó una compañía con la que viajó a América, en la que se encontraban como directores A. Padovani y Emilio Acevedo, junto con Penella. La compañía representaba comedias, operetas, zarzuelas y revistas. Actuaron en Buenos Aires, en el teatro Hipódromo, y en Santiago de Chile, donde consiguió un éxito considerable que le permitió acumular una rápida fortuna, pero que se desvaneció con igual celeridad por deudas y despilfarros. En 1913 regresó a Barcelona en compañía de su esposa, la actriz Matilde Xatart. El empresario del teatro Nou, Senén Vergés, le contrató como director de la compañía, junto a su mujer. Montero captó con gran intuición el gusto del público, y desarrolló una habilidad oportunista en montar repertorios. Era la época en que la opereta dominaba el gusto popular, y decidió adaptar al castellano la obra de Franz Lehár *Eva*. Al lado de Montero estaba el director y compositor F. Montserrat Ayarbe y la tiple Pura Montoro. Antes de la opereta, Montero escribió una revista, *¡Arriba el telón!*, con música de Montserrat Ayarbe. El éxito fue absoluto, logrando ensombrecer el estreno de *Los quáqueros* de Vives que se representaba en el Novedades. Era la primera vez que la atención lírica barcelonesa se desplazaba al Paralelo en detrimento de los teatros del centro de la ciudad. Según F. Curet, Montero "realizó con éxito la prueba de volver a poner en escena los arreglos de Conrad Colomer –su maestro–". La buena acogida de la obra motivó la aparición de la secuela, *¡Sigue arriba el telón!*, también con música de Montserrat Ayarbe.

El gran acierto de Montero estriba en intuir el éxito que en ese momento alcanzaría la reposición de obras de teatro lírico en catalán, caso de *L'alegria que passa*, y promover el estreno de obras nuevas, varias de ellas de mérito, como *El casament d'en Tarregada*, texto de J. Vallmitjana y música de Montserrat Ayarbe, *A la "casa de socorro"*, texto de los hermanos Corominas Prats y música también de Montserrat. Los proyectos anteriores promovidos por Enric Morera o por el pintor Graner habían conducido al fracaso de obras líricas que, sin embargo, merecían una acogida más cálida. Viendo el éxito que alcanzaban aún entonces las parodias y las adaptaciones, Montero promovió el estreno de *La Baldirona* y *La sala d'espera*, ambas con música de Morera, e introdujo en la programación *La verbena de la Paloma*. Inmerso en un torbellino de actividad, contrató a cantantes de relieve internacional, como el barítono Sanmarco, o la joven Conchita Supervía. La fama que gozó esos años el teatro Nou motivó que por allí pasaran Rubén Darío, Leopoldo Frégoli, Ramón Casas o Gómez Carrillo, entre otros. Montero llegó a ser contratado en el Liceo para montar *La verbena de la Paloma*, en unas funciones a beneficio de la Asociación de la Prensa. Sin embargo, la temporada del teatro Nou acabó decayendo, a juzgar por la prensa. El abuso del chiste fácil y la comicidad demasiado ligada a sucesos inmediatos desgastaron el modelo que había impuesto Montero.

Cuando el público de zarzuelas volvía a desplazarse hacia los teatros del centro de Barcelona, Montero ingenió una nueva producción que acabaría por convertirse en modelo de las futuras revistas del Paralelo: *Monterograf*. En esta obra se suceden unos cuadros de "estatuas de catalanes ilustres", con diálogos de gracejo que sacaban partido de la parodia. El centro de las revistas era la política y la actualidad. La música se componía a toda prisa, generalmente a partir de monstruos manidos sin demasiado interés. A pesar de que la acogida de la prensa fue esquiva, el éxito popular fue incontestable. Le siguieron *Monterograf II*, y otra tercera parte. Hasta 1915 Montero fue la figura más activa del Paralelo, hasta la muerte de Purita Montoro por la epidemia de tifus. En julio de 1915 se tributó a Montero un homenaje en unos terrenos de Montjuic donde se había de celebrar la Exposición Universal en 1929. El diálogo cómico *La minyona i el soldat* que interpretó el veterano actor en compañía de M. Xatart serviría como inspiración a Amichatis y Mantua para redactar *Baixant de la font del Gat*. Montero ingresó luego en la compañía de Martínez Sierra y actuó en Madrid. Hasta muy entrados los años treinta se mantuvo en activo como actor. La temporada de 1927-28 dirigió el teatro Novetats, donde de nuevo organizó una temporada de teatro catalán con la participación de intérpretes de primera fila, dirigiendo también temporadas en el teatro Romea. En 1939 emigró a Chile.

Según Cabañas Guevara, Montero "tenía talento, fino oído y piernas firmes que le permitieron ser uno de los bailarines más ágiles que se vieron en las tablas durante veinte años. No era autor ligero, aun cuando actuó como tal". Sus obras teatrales ascienden a una cuarentena de títulos, entre comedias, vodeviles, revistas y zarzuelas, entre ellas *La paral.Lela*, 1916; *A Montserrat*, 1925; *Jazz-Band*, 1927; *Lo senyor Palaudàries, Els capells d'En Cunill*, 1927; *Llegint "Tarzán de los Monos"*, 1928, o la popular revista *El Papitu Santpere*, 1933, o *Lo sarau de ca la Quima*, con música de Modesto Ferrer. Colaboró en distintas publicaciones barcelonesas donde publicó críticas y noticias teatrales. Desde 1934 dirigió el diario *La Noche*. Véase XATART, MATILDE.

BIBLIOGRAFÍA: F. Curet: *Historia del teatre català*, Barcelona, Aedos, 1967.

FRANCESC CORTÈS i MIR

Montes, Lola. *Véase* FERNÁNDEZ, MERCEDES.

Montes, Luis. España, siglo XIX. Dramaturgo. En 1851 publicó su primera obra dramática, *Los cuentos de la reina de Navarra* y posteriormente estrenó las zarzuelas *La flor del Zurgén*, 1852, *El sexto marido* y *La sirena*, ésta con música de Antonio Rovira, 1858.

Mª LUZ GONZÁLEZ PEÑA

Montes, María. Granada, siglos XIX-XX. Tiple cómica. Poseía grandes cualidades artísticas y realizó una importante carrera. En 1886 *Madrid Cómico* publicaba su caricatura bajo el epígrafe "Tiples cómicas", acompañada de estos versos: "Tiene una gracia ¡hasta allí! / una hermosura ¡hasta allá! / y me gusta ¡porque sí! / y es una actriz ¡que ya, ya"!.

En 1889 había actuado con gran éxito en Eslava, Apolo y el teatro Alhambra de Madrid y al finalizar la temporada fue contratada para el Real Coliseo de Lisboa. Entre sus mayores éxitos de 1889 se cuenta *Los zangolotinos* de Fernández Caballero y libreto de José Jackson Veyán, que dedicó a la tiple —para quien lo había escrito expresamente— y a Julio Ruiz. En 1891 era muy famosa y llegó a Málaga para cantar como una verdadera estrella, al igual que Concha Martínez y María González. En las temporadas 1894 y 1895 actuaba en los teatros Príncipe Alfonso y Zarzuela compartiendo escenario con Lucrecia Arana o Felisa Lázaro. Cantó el papel de María Jesús de *El mundo comedia es o El baile de Luis Alonso* en la Zarzuela en 1896 y al año siguiente, tras superar una larga enfermedad, repitió papel en *La boda de Luis Alonso o La noche del encierro*, alcanzando un éxito indiscutible. Junto a Lucrecia Arana y Conchita Segura encabezaba el cartel del teatro de la Zarzuela en los últimos años del siglo XIX. En 1922 aún se hallaba actuando en el teatro Apolo de Madrid.

BIBLIOGRAFÍA: *TA*; *Madrid Cómico*, 178, Madrid, 17-VII-1886; *IMHA*, 74, 19-II-1891; *Blanco y Negro*, 337, Madrid, 16-X-1897; F. Cuenca: *Teatro andaluz contemporáneo. 2. Artistas líricos y dramáticos*, La Habana, Maza, 1940.

Mª LUZ GONZÁLEZ PEÑA

Montesinos, Rosita. Barcelona, 1884; ?. Tiple cómica de género chico. En su Barcelona natal triunfó en el teatro Gran Vía. Debutó en Madrid en 1903, en la fracasada temporada del teatro Lírico. Graciosa y de voz agradable, era además hermosa y buena actriz, por lo que triunfó en la Zarzuela durante varias temporadas interpretando en 1904 *El señor Joaquín, El húsar de la guardia* en la que la crítica alabó mucho su papel de Lissette, *La tragedia de Pierrot* y otras producciones famosas. En 1906 con *Los mosqueteros*, en

Rosita Montesinos (Foto: Ar. SGAE)

el teatro de la Zarzuela; en verano del mismo año fue contratada por Arderius para el Gran Teatro. Formando parte de la compañía que Pablo Arana organizó para el teatro Eslava estrenó, en 1907, *Ruido de campanas* de Lleó, que fue un gran éxito. Poco después, en ese mismo año, hizo una primorosa creación de Lucía en *El maño* de Tomás Barrera, que se convirtió en un gran triunfo gracias, sobre todo a la Montesinos. Fue Cosette en *Bohemios*. Murió muy joven.

FONOGRAFÍA: *La linda tapada*, Columbia-BMG C 32038, CS 42038 • Columbia SA, ZCL 1022 (Zacosa) 134; *La tempranica*, Columbia SA, ZCL 1027 • Columbia SA, 32043 167; *La verbena de la Paloma*, Zafiro-BMG FM-168 • Zafiro ZOR-172 50 • Zafiro-BMG EPFM-259.

BIBLIOGRAFÍA: *ME*; *El Teatro*, 49, X, 1904; *El Arte de El Teatro*, 3, Madrid, 1-V-1906; *El Arte de El Teatro*, 4, Madrid, 15-V-1906; *El Arte de El Teatro*, 21, Madrid, 1-II-1907; J. Alfaro López: *Madrid. Primera década del siglo XX (1901-1910)*, Madrid, Ed. Magisterio Español, 1979.

Mª LUZ GONZÁLEZ PEÑA

Montesinos López, Eduardo. Granada, ?; Madrid, 3-I-1930. Periodista, autor y compositor. Redactor del diario político *La Época*, conocido popularmente como *La Cotorra*, era además empleado del Ayuntamiento de Madrid, aunando estos trabajos con su dedicación al género chico, para el que escribió numerosos libretos tan famosos como *La Cañamonera*, estrenada por la compañía de Loreto Prado y Enrique Chicote, que alcanzó cientos de representaciones. Pero Montesinos se dedicó fundamentalmente al cuplé, hasta el punto de ser considerado por Álvaro Retana uno de los "abuelos" de dicho género y era muy conocido por la rapidez y diligencia con la que trabajaba. Fue director artístico del Salón Actualidades, una de las sedes más importantes del género ínfimo y fundador de la Comisión del Pequeño Derecho en la SGAE, con una eficaz gestión que repercutió en todos los compositores y letristas de cuplés, que eran numerosísimos.

Comenzó traduciendo los cuplés que llegaban de Francia e Italia, así escribió la letra española de la polka italiana *La pulga*, quizás el cuplé más famoso de todos los tiempos que introdujo en España la alemana Augusta Bergés y que después cantaron casi todas las cupletistas, empezando por Pilar Cohen. Además, Montesinos es autor de temas tan famosos como *La violetera, Car-*

Eduardo Montesinos
(Foto: Ar. SGAE)

men *la contrabandista, Agüita amarga, Así soy yo, El cuarto de hora, Fachendosa!, Golondrina de mi alero…* de José Padilla, *Su majestad el chotis* y *La nieta de Carmen*, con música de Manuel Font de Anta, el famoso *Colón 34*, con música de Antonio Rincón y muchos títulos más, colaborando de manera más habitual con José Padilla. Las principales estrellas del cuplé acudieron a él durante más de treinta años y así cantaron sus temas La Fornarina, Pastora Imperio, la Bella Belén, Amalia Molina, la Bella Chelito, Raquel Meller, La Goya, Carmen Flores, Resurrección Quijano, Candelaria Medina, y las principales tiples de zarzuela y género chico que abandonaban ese mundo por el de las variedades, mucho mejor remunerado: Ursula López, las hermanas Rosales, Consuelo Hidalgo, Amalia de Isaura, hasta Sara Montiel que interpretó *¡Flor del mal!* en la película *Pecado de amor*.

Entre sus zarzuelas, como compositor, sin duda la más popular es *El niño de Jerez*, escrita en colaboración con Cleto Zabala, de la que se ha hecho famosísimo el pasodoble. En cuanto a sus libretos escribió *Los ángeles mandan*, 1912, para Gerónimo Giménez, *La cañamonera* de López Torregrosa, 1907, *El alma del león* de Quislant, *Los enemigos del cuerpo* de Tomás Reig, 1891, *El manantial del amor* de Arturo Lapuerta, *La violetera* de Padilla, y *Pura la cantaora* de Luna, entre las más destacadas.

BIBLIOGRAFÍA: A. Zúñiga: *Una historia del cuplé*, Barcelona, Ed. Barna, 1954; M. Díaz de Quijano: *Historia del cuplé. Tonadilleras y cupletistas*, Madrid, Cultura Clásica y Moderna, 1960; A. Retana: *Historia de la canción española*, Madrid, Ed. Tesoro, 1967; J. López Ruiz: *Aquel Madrid del cuplé*, Madrid, Ed. Avapiés, 1988; E. Montero: *José Padilla*, Madrid, Fundación Banco Exterior, 1990.

Mª LUZ GONZÁLEZ PEÑA

Monti, Lola [Dolores Montaña]. Barcelona, siglo XIX; Madrid, siglo XX. Tiple. Según el crítico teatral "Senex" de un diario cordobés, procedía de una distinguida familia barcelonesa y las dificultades económicas por las que pasaban la llevaron a debutar en las tablas en los albores del siglo XX, así llegó a Córdoba con la compañía de Casimiro Ortás interpretando *La alegría de la huerta*. En Zaragoza disfrutaba de gran favor entre el público actuando con frecuencia en el teatro Pignatelli, con obras como *Los pícaros celos, Los charros, Los zangolotinos, Venus Salón, Bohemios, La diva* y *Lola Montes*. El mismo crítico cordobés decía de ella que poseía una voz de poca extensión pero bonita y bien timbrada mientras años después la crítica de Zaragoza solicitaba para ella papeles más relevantes en los que pudiera lucir sus buenas condiciones artísticas y hermosas facultades de voz. En su interpretación de *El barbero de Sevilla* en Oviedo el crítico "Clotaldo" la calificaba de buena tiple ligera de ópera destacando la dulzura de su voz, clara,

Lola Monti
(Foto: Coyne, Legado Luna; Ar. SGAE)

aguda y de gran brillantez. La Monti triunfó ampliamente en provincias, tanto con la compañía de Ortás en Andalucía, como con la de Sagi Barba en Asturias. Interpretó *Marina* y *La rabalera*, *Bohemios*, *La Fosca* y *El barbero de Sevilla*, en el teatro Dindurra de Gijón; triunfó en el Ruzafa de Valencia con *Los bárbaros del Norte* de Chapí y Valverde y *El cabo primero* de Caballero; en el Apolo de Santander con *La patria chica*, *El barbero de Sevilla* y *Bohemios*; en el Variedades de Almería con *Lola Montes*, *El barbero de Sevilla* y *La balada de la luz*.

En Madrid actuó durante siete meses en el teatro de la Zarzuela en 1905, en el que debutó con *Bohemios* para después cantar *Ideícas* de Tomás Barrera. Con el triunfo del género chico dejó el teatro de la Zarzuela para pasarse al Gran Teatro donde obtuvo grandes triunfos con *El cabo primero* de Caballero. Pasó a formar parte de la compañía de Orozco y Luna en la segunda década del siglo, así en 1911 celebraba su beneficio en La Coruña. Se casó con el compositor Pablo Luna, del que cantó varias obras, entre otras *Musetta*, en el Ideal Polístilo, y *Lolilla la petenera*. *Véase* LUNA CARNÉ, PABLO.

BIBLIOGRAFÍA: *ME*; *El Teatro*, 61, Madrid, X, 1905; A. Sagardía: *Luna*, Madrid, Espasa Calpe, 1978.

Mª LUZ GONZÁLEZ PEÑA

Montiel, María José. Madrid, 24-VI-1960. Soprano. Realizó la carrera superior de canto en el Conservatorio de Madrid terminándola con el premio de honor Lucrecia Arana y posteriormente amplió estudios con Ana María Iriarte. Premiada en el Concurso Internacional de Canto Francisco Viñas de Barcelona, obtuvo una beca para estudiar en Italia y ya en Madrid obtuvo el trofeo Plácido Domingo de la Asociación de Amigos de la Música. Aunque ha cantado fundamentalmente ópera —entre 1988 y 1991 formó parte del elenco de la Ópera de Viena—, lied y oratorio, su

Mª José Montiel
(Foto: Ar. personal)

especial interés en la música española la ha acercado a la zarzuela y así en 1992 cantó *La revoltosa*. En producción de Ópera Cómica de Madrid interpretó la Reina Ananás en *Robinsón* de Barbieri. Grabó con Ópera Cómica para TVE, *Las labradoras de Murcia* de Rodríguez de Hita, bajo la dirección de Luis Remartínez. En junio de 1994, debutó con Plácido Domingo en la reapertura del teatro Avenida de Buenos Aires con *La verbena de la Paloma* y *El bateo*, que posteriormente interpretó en el teatro de la Zarzuela. En 1996 interpretó tanto en este teatro como en el de Perelada *Pepita Jiménez* de Albéniz. En enero de 1999 intervino en la Gala Lírica que la SGAE ofreció en el teatro Real de Madrid para celebrar su primer centenario, junto a otras destacadas figuras como Montserrat Caballé, Alfredo Kraus y Carlos Álvarez. Su interpretación de la "Canción española" de *El niño judío* y la "Romanza de María" de *La tempranica* fue excelente, uniendo, como acostumbra, a sus dotes de cantante, las de actriz. En mayo de 1999 participó en el "reestreno" de *Las golondrinas* de Usandizaga, en el teatro Real de Madrid. En el verano de 2000 participó en la grabación de *La Gran Vía*, con Plácido Domingo.

FONOGRAFÍA: *La Gran Vía*, RTVE-Música 65150.

Mª LUZ GONZÁLEZ PEÑA

Montilla, Ángeles. Jaén, siglo XIX; Buenos Aires, siglo XX. Tiple. Mujer de gran belleza, obtuvo gran éxito en Madrid y en diversas provincias españolas a comienzos del siglo XX y se trasladó después a Argentina donde cantó en teatros como Victoria o Mayo. Consiguió en la América hispana un gran renombre, interpretando sobre todo zarzuela grande y su fama fue mayor en Argentina, donde se casó y fijó su residencia.

BIBLIOGRAFÍA: F. Cuenca: *Teatro andaluz contemporáneo. 2. Artistas líricos y dramáticos*, La Habana, Maza, 1940.

Mª LUZ GONZÁLEZ PEÑA

Montorio Fajó. Familia de músicos españoles formada por los hermanos Daniel y Pedro.

1. Daniel. Huesca, 4-I-1904; Madrid, 24-III-1982. Compositor. Comenzó su actividad como pianista en varios cines de Huesca. En 1923 llegó a Madrid para estudiar en el Conservatorio armonía, composición y piano, siendo durante un tiempo auxiliar de Bartolomé Pérez Casas. También pasó a formar parte de la orquestina privada de Alfonso XIII y Victoria Eugenia. En estos años Daniel Montorio ejercía también como pianista en varios locales madrileños, obteniendo además en 1929 por oposición el puesto de director de la Real Banda de Alabarderos de Madrid, con la que viajó por toda España y el extranjero dando conciertos en París y Bruselas. En los años treinta comenzó a estrenar sus primeras obras escénicas, colaborando con Alonso en la revista *Las noches de Montecarlo* y con Pérez Rosillo en *Bésame que te conviene*. Junto a Alonso siguió colaborando tras la Guerra Civil, ayudando al maestro en sus últimos años, cuando sus obligaciones administrativas en la Sociedad de Autores le dejaban poco tiempo de trabajo. Se pudieron así completar obras como el vodevil flamenco *Tu cuerpo en la arena,* las revistas *Róbame esta noche* o *Me gustan todas* y la exitosa aventura cómica *A La Habana me voy.* También continuó su trabajo junto a Ernesto Pérez Rosillo componiendo algunas canciones y danzas para obras ligeras como *Vampiresas 1940 (Una noche contigo), Historia de dos mujeres* o *Dos mujeres de historia* y *Rápteme Vd. caballero.* Las obras de Montorio se estrenaron por todo el país. En 1943 se presentó en Barcelona con *Paralelo a la vista,* escrita en colaboración con el barcelonés Dotras Vila y en 1944 estrenó en el teatro Serrano de Valencia *Una mujer imposible.* A partir de 1950 Daniel Montorio desarrolló una amplia actividad lírica, llegando a tener en cartel hasta cinco obras en teatros diferentes. Destaca la colaboración junto a Moreno Torroba en *Paka y Paya,* 1954, y el estreno en el teatro de la Zarzuela de *Póker de damas* junto a Augusto Algueró, 1953. Junto a Algueró, que por entonces no había cumplido todavía los veinte años, había estrenado apenas un mes antes *Una conquista en París,* primera de una larga serie de colaboraciones en obras escénicas de carácter ligero como *Al rico bombón Eladio, De pillo a pillo, Los siete pecados, Aquí hay gata encerrada* y sobre todo *Diga Vd. 33,* su mayor éxito a partir de un libreto de A. Paso Gil. En los años sesenta encontró otros colaboradores como García Bernalt y García Cabrera, además de los libretistas Alfonso y Manuel Paso, con títulos como *Pobrecitas millonarias, Una chica que promete, La espía es pía* o *Es para hombres solos.* Junto a su hermano Pedro estrenó en 1960 *Éste y yo S.L.* con libreto de M. Gila Cuesta. A partir de 1964 abandonó el género teatral debido a la crisis general del teatro ligero, cerrando una carrera que se desarrolló a través de los géneros arrevistados del teatro español. Su interés por la música lírica también le llevó a compilar gran cantidad de zarzuelas durante los once años que fue director de las casas discográficas Regal, Montilla y Columbia. Su legado se conserva en el archivo de la SGAE en Madrid.

OBRAS (Todas en *E:Msa*): *Las arrepentidas,* 2 act, col. Uya, l, E. Paso / Dicenta Alonso, est, 18-II-1932, Te. Maravillas; *Las noches de Montecarlo,* Rv, 2 act, col. Alonso López, l, A. Paso Díaz, est, 8-I-1935, Te. Martín (Madrid); *Bésame que te conviene,* 2 act, col. Pérez Rosillo, l, C. Arniches / A. Estremera, est, 11-IV-1936, Te. Martín; *Mi marido está en peligro,* l, P. Massa / F. de la Milla Alonso, est, 5-V-1939; *Tu cuerpo en la arena,* Vo flamenco, 2 act, col. Alonso López, l, Lerena / Llabrés Rubio, est, 17-XII-1939, Te. Martín; *La sal de mi tierra,* l, F. Ramos de Castro, est, 13-V-1940, Te. Principal (Palencia); *Vampiresas 1940 (Una noche contigo),* Com musical, 2 act, col. Rosillo, l, González del Castillo / Muñoz Román, est, 18-X-1940, Te. Alcalá (Madrid); *El maestro castañuela,* l, F. Ramos de Castro, est, 17-V-1941, Te. Zarzuela; *La rubia platino* (ahora: *Una rubia peligrosa),* Opt, 3 act, l, A. Paso Cano / M. Paso Andrés, est, 16-X-1942, Te. Maravillas; *Una rubia peligrosa* (antes *La rubia platino),* Rv,

2 act, l, A. y M. Paso, est, 16-X-1942, Te. Maravillas; *Tabú* (antes *Yo quiero ser tuya),* Com musical, 2 act, l, A. y M. Paso, est, 23-VII-1943, Bilbao; *Paralelo a la vista,* col. Dotras Vila, l, S. Bonavia / J. Castells, est, 31-VII-1943, Te. Victoria (Barcelona); *Una mujer imposible* (antes *Engáñame por lo que más quieras),* farsa, 3 act, col. Pérez Rosillo, l, A. y M. Paso, est, 2-III-1944, Te. Serrano (Valencia); *El hombre que las enloquece,* Opt, 3 act, l, A. y M. Paso, est, 20-IV-1945, Te. Maravillas; *El gitano blanco* (antes *Ventura Molina),* 2 act, col. Garrido García, l, V. L'Hotelerie, est, 20-XII-1945, Te. Cómico (Madrid); *Róbame esta noche,* Rv, 2 act, col. Alonso López, l, A. Paso Cano / M. Paso Andrés, est, 15-I-1947, Te. Albéniz (Madrid); *Dos mujeres de historia* o *Historia de dos mujeres,* Opt, 2 act, col. Pérez Rosillo, l, J. Muñoz Román, est, 5-IV-1947, Te. Martín; *Luces de Madrid,* 2 act, col. Alonso López, l, Lerena / Llabrés, est, 12-VI-1947, Te. Circo Price; *A La Habana me voy,* aventura cóm, 3 act, col. Alonso López, l, A. Paso Cano / M. Paso Andrés, est, 30-IV-1948, Te. Albéniz; *Un pitillo y mi mujer,* Rv, 2 act, col. Alonso López, l, C. Fernández Montero, est, 20-V-1948, Te. Fuencarral; *Mis dos maridos,* col. Luna, l, A. Paso Cano / T. Borrás Bermejo, est, 30-III-1949, Te. Ruzafa (Valencia); *Eres un sol,* 2 act, l, A. y M. Paso, est, 24-XII-1949, Te. Ruzafa (Valencia); *Los tres maridos de Eva,* Opt, 2 act, l, A. Portes / P. Llabrés, est, 4-X-1950, Te. Martín; *Tentación,* l, A. y M. Paso, est, 9-II-1951, Te. Madrid (Madrid); *Tú eres la otra,* Opt, 2 act, l, A. y M. Paso, est, 24-III-1951, Te. Ruzafa (Valencia); *Me gustán todas,* Rv, 2 act, col. Alonso López, l, A. Paso Cano / A. Paso Díaz, est, 9-XI-1951, Te. Ruzafa (Valencia); *Devuélveme mi señora,* col. Algueró, l, A. Paso Cano / M. Paso, est, 8-II-1952, Te. Albeniz; *Seis mentiras* (ahora *Tengo momia formal),* Com musical, 2 act, col. Algueró, l, M. Gila / E. Manzano, est, 19-III-1952, Te. Español (Barcelona); *Conquístame,* 2 act, l, A. y M. Paso / F. Lozano, est, 7-XI-1952, Te. Madrid (Madrid); *Una conquista en París,* col. Algueró, l, A. y M. Paso, est, 23-I-1953, Te. Albéniz; *Póker de damas,* col. Algueró / Solano, l, J. Maura, est, 14-II-1953, Te. Zarzuela; *Mujeres de papel,* l, M. Paso Andrés, est, 12-III-1954, Te. Albéniz (Madrid); *Vengan esos cinco,* espectáculo, 2 act, col. Algueró, l, A. Ozores / M. Ozores / J. M. Ozores, est, 17-IV-1954, Te. Apolo (Valencia); *Paka y Paya,* col. Moreno Torroba, l, M. Jiménez / C. Paradas / F. Torres, est, 30-X-1954, Te. Madrid (Madrid); *Que sí, que sí,* Sai, 3 act, l, J. y L. Fernández Díez, est, 7-I-1955, Te. Alcázar; *De pillo a pillo,* Com, 3 act, col. Algueró, l, A. Torrado Estrada, est, 2-II-1955, Te. Alcázar; *Operación Pi,* Rv, 2 act, l, L. Fernández / F. Galindo / J. Fernández, est, 4-IV-1955, Te. Campoamor (Oviedo); *Diga Vd. 33,* 2 act, col. Algueró, l, A. Paso Gil, est, 9-IV-1955, Te. Zarzuela; *Catapún chin chin,* 2 act, l, L. Fernández Díez, est, 17-II-1956, Te. Latina; *Punto y coma,* col. Algueró, l, F. Vázquez Ochando, est, 8-III-1956, Te. Alkázar (Madrid); *De limón y menta,* 2 act, l, P. Llabrés, est, 22-VI-1956, Te. Alcázar; *El cosaco y el rajá,* 2 act, col. Algueró, l, A. Torrado, est, 8-II-1957, Te. Alcázar; *Americana para caballero,* 2 act, col. García Bernalt, l, M. Martín García, est, 16-VII-1957, Te. Calderón (Madrid); *Cha-cha-cha,* Rv, 2 act, col. J. Olmedo, l, P. Llabrés Rubio / E. González, est, 24-V-1957, Te. Ruzafa (Valencia); *Castígame,* Opt, 2 act, col. Laurentis, l, L. Cuenca / M. Yáñez, est, 6-VIII-1957, Te. Príncipe (Vitoria); *Si vas a París papá,* Rv, 2 act, col. García Bernalt, l, P. Llabrés / L. C. de Cuenca / R. Clemente Muñoz, est, 15-X-1957, Te. Cervantes (Málaga); *Los siete pecados,* col. Algueró, l, A. Torrado, est, 9-IV-1958, Te. Madrid (Madrid); *La española misteriosa,* Com, 2 act, col. Gómez Castellanos, l, F. Ramos de Castro / S. Guerrero, est, 28-IV-1959, Te. principal (Zaragoza); *El gato celoso,* 2 act, col. Algueró, l, V. Soriano, est, 16-I-1960, Te. Maravillas (Madrid); *Hija de mi vida,* Rv, 2 act, col. P. Montorio, l, V. Carla Jiménez / P. Llabrés, est, 13-IX-1960, Te. Fuencarral; *Este y yo S.L.,* 2 act, l, M. Gila Cuesta / I. Fernández Sánchez, est, 3-XI-1960, Te. Calderón; *Buscando un millonario,* Com, 3 act, l, A. Paso Cano / M. Paso Andrés, est, 20-I-1961, Te. Maravillas; *Pobrecitas millonarias,* col. García Bernalt, l, A. Paso Díaz, est, 5-V-1961, Te. La Latina;

Éramos pocos y..., Rv, 3 act, col. García Bernalt, J. I, A. de Echenique, est, 27-VII-1961, La Coruña; *Aquí hay gata encerrada*, 2 act, col. Algueró, I, J. Muñoz Román, est, 22-XII-1961, Te. Martín (Madrid); *El conde de Manzanares*, Sai, 2 act, I, Méndez Vigo / Muñoz Román, est, 20-II-1962, Te. Martín; *Que viene mi mujer*, Rv, 2 act, col. García Bernalt / P. Montorio, I, P. Llabrés, est, 27-VI-1962, Te. Calderón; *Una chica que promete*, col. García Bernalt, I, M. Paso, est, 6-XII-1962, Te. Fuencarral; *Un aprendiz de marido*, Rv, 2 act, col. Cofiner / García Bernalt, I, M. Paso Andrés / A. Paso Ramos / A. Paso Díaz, est, 13-II-1964, Te. Alcázar; *Con el primero que pase*, col. García Cabrera, I, A. Paso / M. Paso, est, 29-VIII-1964, Te. La Torre (Toro); *La espía es pía*, Rv, 2 act, col. García Cabrera, I, A. y M. Paso Andrés, est, 29-III-1964, Te. Alcázar; *Tres hombres para mi sola*, Rv, 2 act, col. Cofiner, I, M. L. Paso Andrés / E. Arana / I. F. Iquino, est, 31-V-1964, Te. Gran Teatro (Cáceres); *Es para hombres solos*, 2 act, col. García Cabrera, I, Blanca Flores / A. García Torregrosa, est, 29-VIII-1964, Te. Valdepeñas; *¿Y esta noche qué?*, Rv, 3 act, col. Cofiner / P. Montorio, I, A. y M. Paso / A. Laborda, est, 22-IX-1964, Te. Martín; *¡Oh, la dolce vita!*, com musical, col. García Cabrera, I, L. Navarro (hijo), est, 10-X-1964, Te. Maravillas; *Una mujer despechada*, Rv, 3 act, col. Cofiner, I, A. y M. Paso / A. Laborda, est, 1-VI-1965, Te. Argensola (Zaragoza); *Usted sí que sabe*, Rv, 3 act, col. García Segura / P. Montorio, I, A. y M. Paso / A. Laborda, est, 29-IV-1966, Te. Cervantes (Ciudad Real); *Quién me compra un lío*, Sai, 2 act, col. Cofiner, J. de Lucio / J. Moyrón / M. Pozón, est, 6-I-1967; *El amor no tiene edad*, Sai, 2 act, col. Valverde Durán / Chueca, I, F. Romero, est, 1-VII-1967, Te. Zarzuela; *Suave que me estás matando*, Rv, col. García Cabrera / P. Montorio, I, A. Paso / M. Paso Andrés, est, 27-VIII-1967, Te. Bellas Artes (Zaragoza); *Una viuda de estreno*, Rv, 2 act, col. P. Montorio Fajó / Cofiner, I, A. y M. Paso / A. Laborda, est, 20-I-1968, Te. Calderón; *Una mujer para todos*, Rv, 2 act, col. García Segura / Cofiner, I, A. y M. Paso / A. Laborda, est, 12-IX-1969, Te. Calderón; *Al rico bombón Eladio*, col. Algueró, I, Tono / Llopis / Mingote / S. Andía; *El gaditano*, Sai, 1 act, I, Ramos de Castro / Cuadrado Carreño; *Las Meninas de Velázquez; Rápteme Vd. Caballero*, Sai, 2 act, col. Pérez Rosillo, I, J. Muñoz Román; *Sola ante el peligro*, Rv, 2 act, col. García Bernalt / P. Montorio, J. I, P. Llabrés, est, Te. Olimpia (Linares).

FONOGRAFÍA: *¡Conquístame!*, Columbia R 18395 a R 18398, C 9598 a C 9605 • Columbia R 18407, C 9641 C 9642; *Devuélveme mi señora*, Columbia R 18307 a R 18309, C 6455 a C 6460 • Columbia R 18310 R 18311, C 9457, C 9465 a C 9467; *Doña Mariquita de mi corazón*, Sonifolk 20119; *Eres un sol*, Columbia R 14833 a R 14839, C 8643 a 8647, C 8650 C 8653 C 8654; *Mujeres de papel*, Columbia R 18643, C 10206 C 10207; *¡Róbame esta noche!*, Sonifolk 20119 • R 14529 (et. roja), C 7564-2, C 7565-2 • Blue Moon BMCD 7519; *Tentación*, Columbia R 18.051 (et. roja), C 9081 C 9082.

2. Montorio Fajó, Pedro. Huesca, 23-IV-1911;? Compositor e intérprete. Estudió en el Conservatorio de Madrid, donde se tituló en 1926. Como intérprete de violín, clarinete y saxofón, fue integrante de diferentes orquestas españolas. Embajador de la música española por Europa, África y América. Formó con el maestro José Fernández el conjunto Los Churumbeles de España que causó furor en toda América, desde Hollywood, Los Ángeles y Nueva York a Panamá, Costa Rica, Colombia, Cuba, El Salvador y sobre todo México, donde su pugna con la orquesta de Agustín Lara les hizo llenar los teatros y plazas de toros del país. Con un repertorio de más de cinco mil composiciones, llegaron a vender más de un millón de discos. Pedro Montorio colaboró con los nombres más importantes del mundo del espectáculo en México como Jorge Mistral, el Trío Calaveras y el propio Agustín Lara. Su contrato inicial de dos meses se prolongó catorce años, regresando a Madrid en 1967. Es autor de varias obras escénicas, compuestas en colaboración con su hermano Daniel.

BIBLIOGRAFÍA: *DMEH*; J. Ricart Matas: *Diccionario biográfico de la música*, Barcelona, Ed. Iberia, 1956; A. Retana: *Historia de la canción española*, Madrid, Tesoro, 1967.

VÍCTOR SÁNCHEZ SÁNCHEZ

Montserrat, Albert. Barcelona, 30-V-1969. Barítono lírico. Comenzó sus estudios musicales con quince años, si bien la afición al canto fue mucho más tardía y no le surgió hasta los veinticinco, a raíz de asistir como espectador al montaje de *El barbero de Sevilla* de los talleres de ópera de la Universidad de Barcelona. Decidió comenzar sus estudios de canto, primero en una academia y posteriormente, 1997, en el Conservatorio del Liceo de Barcelona, tras interesarse por él Carmen Bustamante. Desde su segundo año en el Liceo comenzó a compaginar sus estudios con las actuaciones en talleres y pequeños montajes. El año 2000 obtuvo el primer premio en el concurso del Otoño Lírico Jerezano. Aunque se ha dedicado especialmente a la ópera y a la música contemporánea, también ha cantado zarzuela, así debutó en el teatro de la Zarzuela en julio de 2001 interpretando a Manacor en *El niño judío*, que cerró con un grandioso éxito la temporada 2000-01 del teatro.

BIBLIOGRAFÍA: J. Casanovas: "Albert Montserrat barítono lírico", *Melómano*, 62, VII, II-2002.

Mª LUZ GONZÁLEZ PEÑA

Montserrat Ayarbe, Francisco. Villanueva y la Geltrú (Barcelona), 13-III-1879; Barcelona, II-1950. Compositor y director. Recibió su primera formación en su ciudad natal de Magín Sans, estudiado violín posteriormente en el Conservatorio de Barcelona con Sánchez Deyá y composición con Antonio Nicolau y Eusebio Daniel. Se ha dedicado fundamentalmente al género lírico cuando este vivía su época de decadencia, y dentro de lo que se denomina zarzuela catalana. La práctica de la dirección contribuyó a que consiguiese un especial arte en la orquestación, y fruto de ello es su obra teórica, *Curso práctico de orquestación*, editado por la Central Catalana de Publicaciones en Barcelona en 1946.

OBRAS: *A la casa de socorro*, Sai, 1 act; *Bodes d'en Cirilo*, E:Bsa; *Casament d'en Tarregada*, E:Bsa; *El miracle de Sancta Agnès*, 3 act, 1908; *En Biadó-Don Pancho*, E:Bsa; *Invasión militar*, 1908; *La Pomera*, E:Bsa; *Les Noies del estatut*, col. Ferrés Musolas, I, V. Mora Alsinella, est, 11-VII-1934, Barcelona; *L'Escarment*, E:Bsa; *L'Escolá del somni*, E:Bsa; *L'Infant Princep*, col. N. Porcel, E:Bsa; *Pecat amagat*, E:Bsa; *Portfolio de novedades o Miss república 1932*, col. Ferrés Musolas, I, L. Calvo / F. Prada Blasco, est, 26-III-1932, Barcelona.

BIBLIOGRAFIA: *DMEH*.

EMILIO CASARES RODICIO

Mora i Alzinelles, Víctor. Barcelona, 1879; México, 27-XI-1961. Dramaturgo. Sus primeras obras teatrales pertenecían al género costumbrista, como *La masia de les flors,* 1923, o *La embruixada,* 1924. Estas obras alcanzaron un interés desigual. A partir de su colaboración con Ll. Capdevila y la redacción de libretos para zarzuelas catalanas Víctor Mora cosechó éxitos memorables con *La cançó d'amor i de guerra,* 1926, y *La legió d'honor,* 1930, o *L'àliga roja* de Martínez Valls. Otras obras líricas de V. Mora merecieron una buena acogida, sin alcanzar la perdurabilidad en el repertorio de las dos anteriores, caso de *La taverna d'en Mallol,* 1930, con música de Felipe Caparrós, o *La revolta,* también de Caparrós, *Gent de camp o Xiquets i mossos* de Modesto Ferrer, o *Les noies de l'Estatut* con música también de Ferrer. Véase L'ALIGA ROJA; CANÇÓ D'AMOR I DE GUERRA; LA LEGIÓ D'HONOR.

FRANCESC CORTÈS i MIR

Mora Vergel, Josefa. Córdoba, 18-III-1830; Córdoba, ?. Contralto. Era hija de un tenor de la capilla de la catedral de Córdoba, con quien hizo sus primeros estudios. Inició su carrera dando clases de arpa, hasta que, casada, se trasladó con su marido a Madrid, ingresando en el conservatorio donde estudió hasta 1854. Ya como estudiante hizo su presentación en el teatro Real, en *Luisa Miller* de Verdi. Los papeles en *Rigoletto* y *El trovador* la hicieron famosa. En 1857 debutó en el teatro de la Zarzuela con *El relámpago* de Barbieri, donde el público aplaudió la romanza hecha para su voz, a la que siguió en este año, *La roca negra* de Inzenga y Vázquez. Su fama le llevó a estrenar a partir de 1858, y durante los cuatro siguientes, turnándose con la otra gran diva del teatro de la Zarzuela, Josefa Murillo, como primera tiple, las obras, *Por conquista* de Barbieri, *El planeta Venus* de Arrieta, con enorme éxito, *Armas de buena ley* de Mariano Vázquez, *Un pleito* de Gaztambide, *El planeta,* en el personaje de María, *Quien manda, manda.* Durante el año musical 1858-59, y considerada como una de las grandes divas, fue contratada como contralto y estrenó *La perla negra* de Mariano Vázquez, *Casado y soltero* de Gaztambide, *Azón Visconti* de Emilio Arrieta –uno de sus grandes éxitos–, *Armas de buena ley* de Mariano Vázquez, *El juramento* de Gaztambide en el papel de María. En 1859 *El robo de las Sabinas* de Barbieri, en 1860 *Memorias de un estudiante* de Oudrid y *Los circasianos* de Arrieta –otro enorme éxito para ella–, *Los piratas* de Luis Cepeda, *La hija del pueblo* de Gaztambide y *Marta* de Flotow. En 1862 se pasó al teatro Circo, donde estrenó *Dos coronas* también de Arrieta, pero comenzaba ya a perder la voz por haber trabajado en exceso; del Circo volvió a su Córdoba natal. En 1863 estaba de nuevo en la Zarzuela donde estrenó *La conquista de Madrid* de Gaztambide. Desde 1864 a 1867 trabajó en diversas ciudades, Málaga, Córdoba, Zaragoza, Pamplona y Valencia, ciudad en la que formó una compañía de ópera con la Gazzaniga y el tenor Malvezzi. A su vuelta a Madrid actuó en el teatro Rossini de los Campos Elíseos y en el teatro Real. En 1868 abandonó la escena y se estableció en Córdoba. Los años 1867 y 1868 actuó de nuevo como primera contralto en el teatro Real. En agosto de 1868 se retiró de nuevo a su ciudad natal.

Por las crónicas del momento se sabe que tenía deficiencias en el registro alto, sin embargo, poseía una gran potencia y extensión de voz, y estaba dotada tanto para el canto como para la declamación. La cúspide de su carrera tuvo lugar al final de los años cincuenta.

Josefa Mora
(Foto: Colección Castellano; E:Mn)

BIBLIOGRAFÍA: *HGZ; HZ;* F. Cuenca: *Teatro andaluz contemporáneo. 2. Artistas líricos y dramáticos,* La Habana, Maza, 1940); E. Casares Rodicio: *Francisco Asenjo Barbieri. 2. Escritos,* Madrid, ICCMU, 1994.

EMILIO CASARES RODICIO

Morais, Ángeles. España, 1884; ?. Tiple. Fue discípula de Justo Blasco en el Conservatorio y de José Suárez en declamación, habiendo completado sus estudios en sólo dos años. Cultivó la zarzuela y el género chico. Debutó en 1903 con *El juramento* de Gaztambide en el teatro Lírico cuya compañía dirigía el tenor Eduardo Bergés. Interpretó poco después *El anillo de hierro* de Marqués. A finales 1907 actuaba en el Apolo de Valencia, junto a Ramón Peña, José Ontiveros y las hermanas Taberner, siendo muy aplaudida en *Cinematógrafo nacional.* En 1914 estrenó *El sultán de la Persia* de Alonso, en el teatro Barbieri. La

Ángeles Morais (Foto: Ar. SGAE)

crítica destacaba el agradable timbre de su voz, su gusto para cantar y su elegancia y belleza así como unas cualidades que escaseaban entre las tiples de zarzuela: su clara dicción y sus aptitudes dramáticas.

BIBLIOGRAFÍA: *HGZ.*

EMILIO CASARES RODICIO

Morais, María. España, siglos XIX-XX. Tiple. Debutó en 1907 en el teatro Rojas de Toledo con gran éxito y a partir de su debut actuó en Albacete, Linares, Córdoba y otras ciudades. A su éxito contribuyó su bonita figura, su hermoso rostro y su bonita voz y excelente escuela de canto. Llevaba en su repertorio *Bohemios, El húsar de la guardia, Marina, El maestro Campanone* y *El barbero de Sevilla.* Su éxito y popularidad la hicieron merecedora de la portada de la revista *El Arte de El Teatro* en junio de 1907.

Mª LUZ GONZÁLEZ PEÑA

Moral, Pablo del. España, siglos XVIII-XIX. Compositor y violinista. Junto a Blas de Laserna, es uno de los más prolíficos autores de música escénica de la segunda mitad del siglo XVIII. Dedicado fundamentalmente a la composición de tonadillas, se conservan en la Biblioteca Histórica de Madrid más de ciento cincuenta. En relación a este género, pertenece a la época de madurez y apogeo, 1771-1790, tal como Subirá estableció las diferentes etapas de producción del género. Además de música escénica compuso obras religiosas, y alguna sinfonía, obras de especial interés. Como violinista, formó parte de la capilla de San Cayetano, y también integró diversas orquestas teatrales, ganando por oposición en 1778 la plaza de primer violinista de los teatros de Madrid. En 1790 sustituyó a Esteve como compositor de los teatros madrileños, y se retiró dos años después por problemas de salud. Este cargo exigía una actividad agotadora, componer más de cuarenta tonadillas anuales y dirigir todas las funciones del teatro. En 1797 de nuevo fue nombrado compositor de una compañía hasta 1805, cuando dimitió al ser creada una nueva plaza y no estar de acuerdo con el compositor que la obtuvo.

La música escénica de Moral está imbricada en el estilo hispano popular, con una fuerte presencia de danzas como el bolero o la seguidilla, utilizadas para representar unos libretos mayoritariamente castizos que buscan la cercanía con el pueblo madrileño a quien iban dirigidas estas obras.

BIBLIOGRAFÍA: *DMEH.*

JUDITH ORTEGA

Moraleda Bellver, Fernando. Madrid, 30-IV-1911; Madrid, 2-V-1985. Compositor. Nació en una familia ligada a la música, ya que su padre, Gabino Moraleda, pertenecía a la Capilla Real durante el reinado de Alfonso XIII. Estudió en Madrid con diversos maestros. Terminada la carrera fue oboe en la Orquesta Clásica que fundó y dirigió Saco del Valle. Fue director musical del teatro María Guerrero y del teatro Nacional.

Fernando Moraleda (Foto: Ar. ICCMU)

Su dedicación al teatro comenzó con la obra *La Cenicienta del Palace,* con libreto de Luis Escobar, cantada por Celia Gámez, una de las principales intérpretes de sus obras y se produjo toda en la postguerra, llenando por ello el último período de la historia de la zarzuela, con obras dentro del espíritu de la revista y géneros similares. A partir de entonces su dedicación fue casi exclusivamente al teatro, estrenando más de cuarenta obras. Ha sido uno de los más populares compositores de música para comedias y revistas musicales dada la facilidad e inspiración melódica de su música; era un maestro del cantable, fundamental para el género en que trabajaba; varios de sus pasodobles como "La florista sevillana", perteneciente a *Gran revista,* "Si yo tuviera rosas" de la revista *Cantando en primavera,* o el chotis "Manoletín" y el famoso fox "Vivir, vivir" de *La Cenicienta del Palace,* o el número "Un millón" de *Si Fausto fuera Faustina,* llenaron los medios de comunicación del momento. Los teatros de Madrid, Martín, La Latina, Eslava, María Guerrero y muchos de provincia fueron testigos de sus éxitos.

Entre sus obras más famosas destacan: *Dólares, Gran revista, A vivir del cuento, Los diabólicos, Te espero en el Eslava, Ay molinera, La dama boba, Las mentirosas, Cuidado con las curvas, En busca de las manchas, Tócame Roque, Por la calle Alcalá* y otras muchas. En 1998 sus herederos depositaron su legado en la SGAE.

OBRAS (Todas en *E:Msa*): *Una semana de amor,* l, F. García Loygorri, est, 24-IV-1943, Te. Tívoli (Barcelona); *Hoy como ayer,* 2 act, col. S. Straus, l, E. Llovet Sánchez / A. Lara Gavilán, est, 21-IX-1945, Te. Alcázar; *Anoche soñé contigo,* Com musical, 2 act, l, M. Ramos Durán, est, 26-IX-1945, Te. Jovellanos (Gijón); *Gran revista,* 2 act, l, F. Ramos de Castro / M. Gómez Domingo, est, 11-I-1946, Te. Alcázar; *Soy feliz,* l, O. Castrillo / L. Lazcano Gallo, est, 17-VIII-1946 (Zamora); *Tu-tu,* Opt Bu, 2 act, l, F. Lozano / A. del ?, est, 28-V-1947, Te. Zarzuela; *La estrella de Egipto,* 2 act, col. Gámez Carrasco, l, A. Ortega Martí, est, 17-IX-1947, Te. Alcázar; *Vinieron las rubias,* l, F. García Loygorri, est, 19-IX-1947 (Zaragoza); *No me hable usted de señoras,* l, A. Paso Díaz / A. González Álvarez, est, 9-I-1948, Te. Fuencarral; *Los dos iguales,* 2 act, col. Vilches Criado, l, L. Tejedor / M. Taramona, est, 4-III-1949, Te. Fuencarral; *Esposa contra reembolso,* 2 act, col. García Cano, l, J. Carmona / E. de Leyva, est, 26-IX-1949, Te. Principal (Valencia); *La perla de embajadores,*

I, J. Senén de la Fuente / E. Gómez Sebastián, est, 22-XII-1949, Te. Calderón (Madrid); *Los haigas*, I, L. Tejedor / M. Taramona, est, 22-XII-1949, Te. Fuencarral; *Las frigoríficas*, I, L. Muñoz Llorente / F. Galindo, est, 17-III-1950, Te. Albéniz (Madrid); *Conozca usted a sus vecinos*, I, G. Santana, est, 30-VI-1950, Te. Price (Madrid); *Las gafas*, I, Ramos de Castro / López Marín, est, 22-IX-1950, Te. Fuencarral; *Lo que Alberto se llevó*, Com musical, 2 act, I, D. España / P. Llabrés, est, 15-VI-1951, Te. Victoria (Madrid); *Ole con ole*, Rv, 2 act, I, L. Muñoz / F. Galindo, est, 3-VIII-1951, Te. Reina Victoria (Madrid); *En busca de las Leandras*, 2 act, I, Roldán Alcalde / La Torre, est, 12-VII-1952, Te. Gayarre (Pamplona); *Las mentirosas*, I, A. Portes Alcalá, est, 17-VIII-1952, Te. Arango (Gijón); *Ensayo general*, 2 act, I, Ramos de Castro / E. Rambal, est, 19-II-1953, Te. Lope de Vega; *Amor a tanto por ciento*, I, C. Losada Sánchez / A. Soler, est, 26-IV-1953, Te. Álvarez Quintero (Madrid); *A vivir del cuento*, 2 act, col. Martínez Faixá, Guerrero, I, J. Muñoz Román, est, 1953, Te. Martín; *Dólares*, col. E. Pérez Rosillo, I, F. Ramos de Castro / O. Carciela, est, 11-II-1954, Te. Lope de Vega (Madrid); *Dos virginias*, 2 act, I, L. Navarro, est, 15-I-1955, Te. Maravillas (Madrid); *Tontita*, I, L. Navarro, est, 23-IX-1955, Te. Fuencarral (Madrid); *Sofía y Loren*, I, L. Navarro Benet, est, 9-V-1956, Te. Latina (Madrid); *Cuidado con las curvas*, 2 act, I, Navarro Benet, est, 17-X-1956, Te. Fuencarral (Madrid); *Una jovencita de 800 años*, col. E. Cofiner, I, Muñoz Román, est, 25-IV-1958, Te. Martín; *Tócame Roque*, col. Cofiner, I, J. Muñoz Román, est, 15-X-1958, Te. Alcázar (Madrid); *Manolo ante el peligro o Festival del beso*, 1 act, I, Prada / Iquino, est, 28-XII-1958, Te. La Latina (Madrid); *Luna sin miel*, I, Navarro, est, 30-IX-1959, Te. Alcázar; *Colomba*, 2 act, col. Torroba. I, Tejedor / Arozamena, est, 14-XII-1961, Te. Alcázar; *Que cuadro de Velázquez esquina Goya*, I, J. Muñoz Román, est, 20-IX-1963, Te. Martín (Madrid); *La perrichola*, I, J. I. Luca de Tena, Est, 9-X-1963, Te. Eslava (Madrid); *A las diez en la cama estés*, 2 act, col. García Cabrera, I, J. Muñoz Román, est, 10-IV-1966, Te. Martín; *Las siete niñas de Écija*, I, A. Ortega / P. Llabrés, est, 20-IV-1968, Te. Rojas (Toledo); *Cantando en primavera*, col. Parada de la Puente, I, J. M. Arozamena; *Cenicienta del Palace*, I, L. Escobar; *Festival del Beso Manolo ante el peligro*, col. Moraleda, Luis, I, F. Prada Blasco / I. Ferres; *La cena del Rey Baltasar*, I, Calderón de la Barca; *Peribañes*, ilustraciones; *Periquito entre ellas (ahora: Maridos odiosos)*, col. Rosillo. I, J. Muñoz Román; *Si vas a París; Te espero en Eslava; Tú i yo*, I, L. Escobar; *Uve 3 (piernal de Ocaña)*, I, E. Manzanos / J. Llopis.

FONOGRAFÍA: *¡A vivir del cuento!*, Columbia R 18291 a R 18294, C 9419 a C 9421, C 9424 a C 9426, C 9437 C 9438; *Blanco y negro*, Sonifolk 20141; *Gran Revista*, Columbia R 14357 a R 14359, C 7085 a C 7890 • Sonifolk 20141; *Hoy como ayer*, Columbia R 14334 a R 14337, C 6822 a C 6825, C 6830 C 6831 C 6833 C 6839 • Columbia V 9428 V 9429, C 6940 a C 6943 • *Las tocas*, Sonifolk 20141; *¡Qué sabes tú!*, Sonifolk 20141.

EMILIO CASARES RODICIO

Morales, Alberto. México, siglo XIX. Barítono y director de escena. Realizó su debut en 1889 con *La tempestad*, ocasión en que dio a conocer su "bella y extensa voz". A partir de entonces fue uno de los más constantes cantantes de zarzuela en los escenarios mexicanos. Como parte de la Compañía de zarzuela hispano-mexicana, Morales cantó innumerables temporadas en el teatro Principal. En 1891 se incorporó a la Empresa Romero y Compañía, rival de las poderosas compañías de Enrique Labrada y los Hermanos Arcaraz y en la que fue además, director de escena. A pesar de los buenos cantantes que dicha compañía tuvo, la competencia fue demasiada y no tuvo éxito. Posteriormente se incorporó a la Empresa Arcaraz y con ésta cosechó nuevos triunfos, sobre todo como cantante de Chapí y de algunas obras mexicanas como *De Puebla a México*. Además cantó en algunas óperas, si bien su incursión en este género no fue exitosa. Ese mismo año se aventuró como empresario y abrió temporada en el teatro Arbeu, pero también fracasó. Entonces Morales regresó a cantar ópera y zarzuela con otras compañías y a buscar nuevos públicos, y realizó algunas giras por provincias para probar mejor fortuna.

En 1902 estaba de regreso en la capital como cantante y libretista de la zarzuela *Cambio de forma*, estrenada el 4 de enero en el teatro Principal, pero esta nueva empresa tampoco resultó. Al año siguiente, sin embargo, Morales dio un nuevo giro incorporándose como director de escena de la empresa con la que antes había competido, la de Arcaraz Hermanos Sucesores. Así tuvo oportunidad de impulsar el estreno de nuevas obras de su creación como *El collar de la Virgen* con música de Rafael Zamora estrenada en diciembre de 1904. Un año más tarde, en la que fue una de sus últimas aventuras escénicas, regresó a las tablas del teatro Hidalgo donde participó como cantante de la Empresa Quintanilla, una compañía de menor categoría, que estrenó diversas obras de género chico de factura local. La carrera de Morales ilustra de manera elocuente el medio mundo de la zarzuela mexicana, el ámbito profesional que sujeto a la voluntad de los empresarios más poderosos y al gusto fácil del público, nutrió sin embargo la trayectoria profesional de muchos otros cantantes.

BIBLIOGRAFÍA: *RHTM*.

RICARDO MIRANDA PÉREZ

Morales, Julio. Santander, 23-VIII-1969. Tenor. Comenzó sus estudios musicales en Santander completándolos en la Escuela Superior de Canto de Madrid, asistiendo a los cursos de Victoria de los Ángeles, Alfredo Kraus o Ángeles Chamorro. Obtuvo el Premio Plácido Domingo a los jóvenes valores españoles. Ha cantado ópera tanto en Italia como en España y en cuanto a zarzuela ha cantado *El barberillo de Lavapiés*, *Pan y toros* y tonadillas escénicas. En 2002 interpretó en el teatro de la Zarzuela a Tomillo en *La bruja* de Chapí.

Mª LUZ GONZÁLEZ PEÑA

Morales Landgrave, Julio María. México, 12-X-1860; México, 6-XI-1944. Compositor y pianista. Era hijo de Melesio Morales, destacado compositor de óperas con quien realizó sus primeros estudios. En 1892 compuso una ópera alusiva al tricentenario del descubrimiento de América, *Colón en Santo Domingo*, obra que tuvo poco fortuna. Además escribió música para piano y numerosos coros y escribió el libro *Elementos de gráfica musical*, 1896.

En 1904 compuso *El cocodrilo*, zarzuela con texto de Heriberto Frías, destacado escritor porfiriano. Aunque la trayectoria de sus autores prometía una buena obra, la pieza no gustó y duró poco en cartelera. Estrenada en el teatro Principal el 12 de noviembre, "el famoso *Cocodrilo* fue silbado desde el principio hasta el fin, y no por obra de los revendedores sino del público en masa, que manifestó con largueza su desaprobación". Según Olavarría, *El Imparcial* dio una visión menos tajante de la obra y alabó algo de la música como el "Vals de los billaristas", el terceto de los Lagartijos y el baile final. Escenificada por la empresa Arcaraz y "corregidas y reformadas por el señor Frías algunas escenas", la obra pudo durar varios días en cartel, pero al fin fue definitivamente retirada.

BIBLIOGRAFÍA: *RHTM*.

RICARDO MIRANDA PÉREZ

Morales y Ruiz, Luisa María. Marianao (Cuba), 25-VIII-1912; La Habana, 12-VIII-1973. Soprano. Recibió las primeras nociones de música con su tía Lizzie Morales de Batet. En 1924 inició sus estudios de canto en el Conservatorio de Música Filarmónica en La Habana, al tiempo que ingresó en el Conservatorio Hubert de Blanck donde concluyó en 1927. Considerada una de las sopranos más sobresalientes del teatro lírico cubano de su época, fue intérprete versátil que se desenvolvió en todos los géneros de la música escénica. Tras diversas presentaciones desde junio de 1925 en importantes teatros de la capital, un año después actuó por primera vez acompañada por Lecuona, manteniendo su carrera unida a él. Durante la década de 1930 realizó una intensísima labor que abarcó diversos géneros. En 1932 asumió el papel principal del sainete lírico de Lecuona *María la O*, obteniendo un formidable triunfo como cantante y como actriz. De Lecuona interpretó también, con igual éxito, *La tierra de Venus*, *El calesero*, *La liga de las señoras*, *Lola Cruz* y *Rosalima*, además de óperas de repertorio, la zarzuela *Marina* y la opereta *El Conde de Luxemburgo*, entre otras. En enero de 1934, junto a la compañía lírica de Lecuona, inició la temporada en el teatro Esperanza Iris de México, representando con gran acierto *El cafetal*, *María la O*, *Niña Rita*, *Rosa la China*, *La Guaracha Musulmana*, *Julián el Gallo*, *El maizal*, *El calesero*, *La flor del sitio* y *La mujer de nadie*.

Luisa María Morales (Foto: Ar. ICCMU)

De éstas, *María la O* y *El cafetal* alcanzaron cincuenta funciones cada una en el teatro Iris, siendo desbordante el éxito alcanzado por la cubana en ese país. Poco después fue contratada para actuar con los mexicanos Toña la Negra, Lucha María, Pedro Vargas y Carmen Godoy, entre otros, en la revista musical de Agustín Lara, *Picardía*, representada en varias funciones en el teatro Politeama. Realizó giras por diferentes ciudades del país, actuando en Veracruz, Tampico, San Luis de Potosí, Querétate y Puebla de los Ángeles. En 1935 fue contratada por la Compañía de revistas mexicanas de Joaquín Pardavé, representando las obras *El pueblo es feliz*, *México se derrumba*, *El proceso de la canción*, *Así está México* y *El país del mañana*. Al regresar a La Habana en ese mismo año, debutó en el teatro Martí con *Cecilia Valdés* de Gonzalo Roig. Sus posteriores giras por Argentina, Estados Unidos, Santo Domingo y Puerto Rico, así como su intensa participación en la programación radiofónica nacional y en los conciertos de divulgación celebrados en el Anfiteatro Nacional de La Habana, afianzaron el triunfo de su carrera artística. En 1938 participó junto al tenor español Hipólito Lázaro en el teatro Nacional. En marzo de 1942 estrenó junto a Constantino Pérez *Cuando la Habana era inglesa* de Lecuona, habiendo representado, además, por aquella misma época, las zarzuelas de Roig *La hija del Sol* y *El Clarín*. En octubre de 1943 viajó a Estados Unidos ofreciendo con gran éxito un concierto de música cubana con obras de Lecuona y Gonzalo Roig, en el Carnegie Hall de Nueva York. En los años siguientes ardua fue su labor en el teatro Principal de la Comedia, sumando a las obras ya conocidas en su repertorio, otras nuevas como *La leyenda del beso*, *La del Soto del Parral*, *Luisa Fernanda*, *La duquesa de Tabarín* y *La plaza de la catedral*. A finales de la década de 1950 se presentó en la televisión nacional, actuando en el programa *Gran Teatro Lírico*. Su última actuación fue en 1960 en el programa televisivo *Sala de Conciertos* donde interpretó el aria de *El Cid* de Massenet. Participó como actriz en varias películas, tanto en México como en Cuba.

BIBLIOGRAFÍA: *LVB*; J. Bonich: "En la intimidad del camerino", *El Mundo*, 1-VIII-1932; C. Díaz: *Luisa María Morales (1912-1987)*, La Habana, Ministerio de Cultura, 1987.

CLARA DÍAZ PÉREZ

Morante Gómez, Francisco. Catral (Alicante), 7-II-1867; Catral, 31-V-1919. Organista, compositor y director. Se formó musicalmente con su padre, Francisco Morante Costa, organista de la iglesia de los Santos Juanes de Catral. Con él aprendió la técnica organística y le sustituyó en la parroquia citada a los once años, permaneciendo en este puesto hasta su muerte. Como otras actividades musicales habría que citar sus conciertos de piano en ciudades como Alicante, Torrevieja o Elche, y sus actuaciones esporádicas como director de la banda La Constancia de su pueblo natal. En cuanto al ámbito creativo, hay que distinguir el campo profano, en el que compuso música para banda, piano y canto y piano. De todos modos, se trata de obras menores excepto la zarzuela titulada *La fe triunfante*.

BIBLIOGRAFÍA: *DMEH*; J. de D. Aguilar Gómez: *Historia de la música en la provincia de Alicante*, Alicante, Instituto de Estudios Alicantinos, 1978.

VICENTE GALBIS LÓPEZ

Morató i Grau, Josep. Girona, 1875; Barcelona, 1918. Libretista y crítico. Como crítico teatral colaboró asiduamente en *La Veu de Catalunya*. Experimentó en distintos géneros literarios, desde la narración –*Arran de cingle*, 1905– a una densa obra dramática. Sobresalió en los dramas y también en la comedia. Mantuvo una importante relación con los espectáculos organizados entre 1905 a 1907 por Graner. Allí estrenó las obras *La sardana dels promesos*, 1906, con música de A. Esquerrà, el drama en un acto *La jove*, *La dama d'Aragó* con ilustraciones de Esquerrà, y más tarde para la empresas de Antoni Niubó redactó el libreto de la zarzuela *Els gendarmes o Qui vigila no dorm*, 1907, con música de C. Sadurní. También dentro de las iniciativas por vitalizar el teatro catalán escribió *El començar de les coses* y *Les arrels*. Realizó una escenificación de la canción popular *La dama d'Aragó*, 1906, con música de Esquerrà. La crítica de *La Escena Catalana* calificó la obra de "bien redondeada y escrita con conocimiento de causa".

FRANCESC CORTÈS i MIR

Morató y Maynou, Benito. Granollers (Barcelona), ?; Madrid, 26-VII-1958. Compositor. Inició sus estudios musicales en su ciudad natal, continuándolos en Vich y posteriormente en Barcelona. Atraído por el teatro, a él se dedicó contando entre sus colaboradores Amadeo Vives y Enrique Granados. Acompañó en su viaje a Nueva York en 1916, con ocasión del estreno de *Goyescas*, aunque decidió quedarse en Estados Unidos y no corrió la mala suerte de Granados. Una vez en Barcelona, continuó con sus trabajos dirigiendo varias orquestas y en 1922 se trasladó a Madrid. En la capital conoció a Luis Fernández Sevilla y Anselmo C. Carreño que le confiaron el libreto de *Guzlares*, para la que Morató escribió una música magní-

Benito Morató
(Foto: Ar. SGAE)

fica, reconocida así por el público desde su estreno en el teatro de la Zarzuela. Sus últimas actuaciones en Madrid fueron al frente de la orquesta del teatro Albéniz y con la compañía de revistas de Ramón Clemente en el teatro Alcázar.

OBRAS (Todas en *E:Msa*): *Guzlares*, 2 act, l, L. Fernández de Sevilla / A. C. Carreño, est, 9-XI-1928, Te. Zarzuela; *Los pelaos*, 2 act, A. Paso (padre)/R. González del Toro, est, 16-I-1931, Te. Price.
FONOGRAFÍA: *Guzlares*, La Voz de su Amo AE 2414.
BIBLIOGRAFÍA: *DMEH*; *BSGAE*, 1957-58 y 1961.

Mª ENCINA CORTIZO

Moreno. Familia de músicos españoles formada por Francisco, padre, sus hijas Francisca y Benita, dedicadas a la ópera y difusoras de la obra de Rossini en España, y por las hijas de esta, Ángela y Luisa. Las dos primeras actuaron antes de constituirse la zarzuela romántica.

1. Benita. La Coruña, 31-X-1792; Puente del Arzobispo (Toledo), 29-I-1872. Soprano. A la edad de ocho años se trasladó a Italia para realizar sus estudios. Su debut como *prima donna* tuvo lugar en el teatro La Fenice de Venecia con *La Festa de la Rosa* de Pavesi. Tras este éxito, recorrió triunfalmente Europa y regresó a España con su hermana. Al terminar la Guerra de la Independencia ambas dieron conciertos y en 1814 pasaron a formar parte de la compañía del teatro de la Cruz. En 1815 se las contrató como primeras damas absolutas, y en 1816 cantaron *La italiana en Argel*, introduciendo a Rossini en Madrid. Benita hizo nuevas presentaciones por el extranjero; cantó también en provincias, y cuando la edad y ocaso de su voz la hicieron dejar el teatro, se estableció en Madrid, donde tuvo durante años una escuela particular de canto y piano desde la que influyó en varios cantantes de zarzuela.

2. Moreno de Farro, Ángela. 1824; ?. Cantante. Estudió música en Italia, durante algunas temporadas en las que acompañó a su madre. En 1842 ya aparece con el apellido de Farro, debido a que había contraído matrimonio con José Farro, empresario de ópera. En la compañía de ópera formada en 1843-44 para Valencia, Granada y Málaga figuraban como primeras tiples Antonio Campos y la italiana Felicitá Roca, era la "altra prima donna Angela Moreno de Farro". Y al año siguiente, en septiembre, en la gran compañía de ópera que para el teatro del Circo formó el empresario José de Salamanca, aparece su nombre después de las célebres cantantes italianas Isabel Ober-Rossi y Rosalía Gariboldi. En esta temporada cantó *Roberto de Evreux*, *Las treguas de Tolemaida*, *Los puritanos*, *Los lombardos* y *Nabuco*. En los años siguientes recorrió varios teatros de provincias y el 12 de abril de 1848 se anunciaba en los periódicos de la capital su regreso a la corte.

Ángela Moreno de Farro
(Foto: Colección Castellano; E:Mn)

A partir de la temporada 1852-53 se la contrató en la compañía del Circo donde se presentó el 1 de octubre de 1852, para cantar el papel de la Duquesa de *Jugar con fuego*, debido a la indisposición de su hermana Luisa. En el cartel del anuncio se decía que "al hacer su primer ensayo en este género nuevo para ella, se recomienda a la benevolencia del público"; en ese año estrenó también *El valle de Andorra* de Gaztambide. Inmediatamente estrenó *El secreto de una reina* de Gaztambide, Hernando e Inzenga, y *El dominó azul* de Arrieta, 1853. En el año teatro 1853-54 abandonó el Circo junto a su hermana. En julio de 1856 la prensa madrileña recogía la llegada a la corte de Ángela procedente de la compañía de zarzuela del teatro Tacón de La Habana, y en septiembre aparece el anuncio de su contrato con una compañía de zarzuela en Granada, dirigida por Máiquez hijo. Esta compañía representó gran cantidad de zarzuelas de Barbieri, Oudrid y Gaztambide, entre ellas *El valle de Andorra* de la que dice la crítica que "la señora Moreno, aunque algo exagerada en el papel de María, recibió nutridos aplausos".

3. Santamaría Moreno, Luisa. Valencia, 1827; 28-II-1883. Tiple. Fue una de las artistas más notables que tuvo el teatro lírico español en las décadas de 1860 y 1870. Después de recibir lecciones de su madre, estudió en París, donde completó su educación musical, y hacia 1848 vino a España, para seguir la carrera de su hermana. En 1849 visitó Santiago de Compostela donde conoció a Juan Losada y Astray con quien se casó en Madrid en 1850. Visitó varias provincias de España interpretando ópera. En 1851 estaba contratada por el teatro Real donde interpretó la Adalgisa de *Norma*, pero viendo la dificultad de competir en este teatro con las cantantes italianas que venían con las plazas acotadas como primeras "absolutas", decidió dedicarse a la zarzuela a partir de 1852, escriturada en el teatro del Circo, donde se presentó con la Sofía de *El estreno de un artista* de Gaztambide, acompañada de Francisco Salas, y con un éxito extraordinario. Gaztambide había concebido especialmente la obra para el lucimiento de la Santamaría. La prensa española fue consciente de inmediato de la excepcionalidad de su voz

y a partir de entonces y durante veinte años fue considerada como una de las mejores tiples de zarzuela, con una presencia especialmente importante dado que numerosas obras fueron pensadas para su voz, especialmente por los compositores de la primera generación romántica. En 1852 fue contratada por el Circo como primera figura y en este teatro estrenó numerosas obras hasta la apertura del teatro de la Zarzuela en 1856. En 1852 estrenó la obra de Barbieri *El Manzanares*; en 1853 *La flor de Zurguén* de Inzenga, *La espada de Bernardo* de Barbieri, *El dominó azul* de Arrieta en el papel de la Marquesa de San Marín, *La cotorra* de Gaztambide; en el año 1854 formaba parte de una compañía lírica que actuó en Cádiz y Sevilla; en 1855 estrenó *El alcalde de Tronchón* de Oudrid; de octubre a julio de este año estuvo en Sevilla. A su vuelta fue contratada para el nuevo teatro de la Zarzuela que se inauguró en octubre de ese año; su contrato era el mayor de las voces femeninas con 166 reales diarios, igual que la otra gran diva Adelaida Latorre. En ese año estrenó *El diablo en el poder* de Barbieri y *Juan Lanas* de Fernández Caballero, *Campanone* de Mazza; en 1857; en 1858 *Un cocinero* de Fernández Caballero, y *El juramento* de Gaztambide, en el personaje de la Baronesa en el que tuvo un gran éxito; en 1859 *Compromisos del no ver* de Barbieri, *Enlace y desenlace* de Oudrid; en 1860 *El*

Luisa Santamaría
(Foto: Colección Castellano; E:Mn)

diablo las carga de Joaquín Gaztambide. En octubre de este año abandonó el teatro de la Zarzuela y pasó a la compañía de la competencia que se estableció en el teatro del Circo, dirigida por Arrieta y Oudrid. Aquí estrenó en su primer año *La cruz del valle*, *El paraíso de Madrid* y *Ardides y cuchilladas*, todas de Antonio Reparaz y *El castillo maldito* de Rovira. En octubre de 1861 regresó al teatro de la Zarzuela, al abandonar la compañía la famosa tiple Josefa Ramos, y estrenó *La reina Topacio* de Fernández Caballero; en 1862 *El agente de matrimonios* de Arrieta y *Del palacio a la taberna* de Gaztambide. En octubre de 1862 abandonó de nuevo el teatro de la Zarzuela, según Cotarelo porque "amiga de hacer zarzuelas grandes, serias y aun dramáticas, no le agradaba el verse condenada casi a la inacción por el predominio que iba adquiriendo la zarzuela cómica… y se fue". Todavía en 1875 estrenó *Compuesto y sin novia* de Oudrid, *El hidalguillo de Ronda* de López Almagro, en la Zarzuela,

*Luisa Santamaría
(Foto: Colección
Castellano; E:Mn)*

y en 1876 *La Marsellesa* de Fernández Caballero.

Según una semblanza que se publicó de ella en *El Arte Musical* en 1860, "tiene voz de tiple neta, de mediana calidad; flexible, ágil, extensa, fuerte y vibrante. Es en el teatro hermosa, tiene talento, mediana sensibilidad y buena figura". Cotarelo añade que era la tiple más completa y perfecta de su tiempo, aun incluyendo a la Ramos y la Ramírez. En 1878 Saldoni confirma que todavía estaba cantando en los escenarios madrileños, retirándose poco después.

BIBLIOGRAFÍA: *DMEH; HGZ; HZ*; E. Casares Rodicio: *Francisco Asenjo Barbieri. 2. Escritos*, Madrid, ICCMU, 1994.

EMILIO CASARES RODICIO

Moreno, Carlos. Abarán (Murcia), 22-IX-1965. Tenor. Comenzó su formación en el Conservatorio de Murcia, completándola en la Escuela Superior de Música de Madrid con Ginés Torrano. En los primeros momentos cantó como barítono y comenzó su carrera como tenor solista, tras debutar en Rumanía con la *Antología de la Zarzuela* de Tamayo. Cantó después en Yugoslavia y Centroamérica. Se graduó en la Academy of Vocal Arts de Filadelfia y sus protagonistas en diversas óperas fueron muy alabados por la crítica. Ha cantado ópera en Estados Unidos y América Latina y en relación a la zarzuela, cantó en el Centro Cultural de la Villa *Los claveles* de Serrano y debutó en el teatro de la Zarzuela en 2002 interpretando a Leonardo en *La bruja* de Chapí.

BIBLIOGRAFÍA: E. García Carretero: *Historia del teatro de la Zarzuela de Madrid*, Madrid, Fundación de la Zarzuela Española, 2003.

Mª LUZ GONZÁLEZ PEÑA

Moreno, Emilio. †Zaragoza, 1976. Cantante. Participó en el estreno de *La alegría del batallón*, 1909, de Valverde celebrado en el teatro Apolo. Interpretó con éxito la famosa farruca "Por el mismo rey moro". Se casó con la también cantante Pilarín Andrés y juntos formaron compañía.

BIBLIOGRAFÍA: *OCCE*; J. López Ruiz: *Historia del teatro Apolo y de La verbena de la Paloma*, Madrid, Avapiés, 1994.

Mª LUZ GONZÁLEZ PEÑA

Moreno, Marta. Madrid, 1-II-1964. Soprano. Realizó sus estudios en la Escuela Superior de Canto de Madrid. Debutó en los Veranos de la Villa en la misma ciudad y a partir de entonces ha cantado en diversas compañías líricas, interpretando, debido a su versatilidad, papeles tan diferentes como Aurora y Doña Francisquita en la zarzuela homónima de Vives, Mary Pepa y Gorgonia en *La revoltosa*, Paloma y Marquesita en *El barberillo de Lavapiés*, Pepa, Manuela y Doña Simona en *Agua, azucarillos y aguardiente*. Ha cantado también *La Gran Vía* y *La Dolorosa*. Con la Compañía Lírica Española ha participado —como actriz y cantante— en *La calesera, Luisa Fernanda, El caserío, La corte de faraón, Gigantes y cabezudos, La leyenda del beso* y *Black el payaso*. En el teatro de la Zarzuela ha cantado *La bruja*. Grabó, junto a Plácido Domingo, *La Gran Vía* y *La revoltosa* para el sello RTVE.

BIBLIOGRAFÍA: E. García Carretero: *Historia del teatro de la Zarzuela de Madrid*, Madrid, Fundación de la Zarzuela Española, 2003.

Mª LUZ GONZÁLEZ PEÑA

Moreno, Trinidad. Pachuca (México), 1877; México, ?. Pianista y compositor. Su música fue ampliamente conocida en los salones porfirianos. Entre sus obras destacan chotis, mazurkas y valses. En 1899, al lado de Heriberto Frías, escribió la música para *Crisantemas*. La obra formó parte de los esfuerzos impulsados por el periódico *El Mundo* para dar a conocer las producciones nacionales, pero al parecer la pieza no se estrenó.

RICARDO MIRANDA PÉREZ

Moreno-Buendía, Manuel. Murcia, 25-III-1932. Compositor, docente y director. Perteneciente a la denominada Generación del 51, su carrera musical se ha orientado fundamentalmente hacia la escena y el teatro lírico, siendo uno de los últimos compositores españoles más destacados del género.

Realizó los estudios musicales en Madrid donde se formó en piano con Julia Parody, armonía con Victorino Echevarría y composición con Conrado del Campo y Julio Gómez, de quien recibió el interés por la música lírica y escénica. En 1956 se trasladó a Siena con una beca para ampliar su formación en la Accademia Chigiana con Vito Frazzi, y en 1957 en el Conservatorio Benedetto Marcello de Venecia. En 1957 formó, junto con otros jóvenes músicos españoles, el Grupo Nueva Música y compuso una serie de obras instrumentales de éxito.

Al inicio de los sesenta cambió totalmente su dedicación musical. La comedia musical *Carolina* de 1963, o el disparate escénico *El sueño de unos locos de verano* de 1964, con los humoristas Tip y Coll, fueron ejemplos de esta etapa. Otro estreno fue *La isla de los sueños posibles*, 1970, comedia musical para niños estrenada en el teatro María Guerrero, que seguía el camino de obras como *My fair lady* desarrollando un género intermedio entre la zarzuela y revista. Estas obras fueron completadas con *El embrujado*, 1969, *Ligazón*, 1969 y más adelante con *Antonio y Cleopatra*, 1980. Esta dedicación se completó de 1970 a 1981 con la dirección musical del teatro de la Zarzuela, cargo desde el que revitalizó el género lírico español. En 1970 tuvo lugar en ese escenario el inicio de la *Antología de la Zarzuela* bajo la dirección escénica de José Tamayo. Moreno Buendía ejerció como director musical, realizando además las adaptaciones e instrumentaciones de los fragmentos zarzuelísticos escogidos con el fin de darles un sentido unitario. Siguieron otros como la *Antología Serrano* de 1973, también en colaboración con Tamayo. Cuando en 1982 se desligó del teatro de la Zarzuela, José Tamayo le propuso participar en la segunda etapa de su *Antología de la Zarzuela*, que supuso la gira del espectáculo por distintos países de Hispanoamérica, Estados Unidos, Canadá o Japón hasta aproximadamente 1990.

Como consecuencia de esta etapa, así como de su labor como director-concertador en la Escuela Superior de Canto de Madrid, se produjo su acercamiento al género zarzuelístico como compositor estrenando en el teatro de la Zarzuela *Los vagabundos*, 1977 y, *Fuenteovejuna*, con libreto de J. L. Martín Descalzo, 1981. La primera basada en un libro de Máximo Gorki, adaptado por Joaquín Deus, se inspira en la cultura rusa con una música apropiada a esta realidad y con gran presencia de coros y ballet que la aproximan al mundo de la opereta; la obra tuvo éxito. En *Fuenteovejuna* hay en cambio un consciente nacionalismo hispano pero ya en la línea del Falla del *Retablo* o de los *Carmina Burana* de Orff La polirritmia y una armonía evolucionada eran un intento de cambio en el viejo lenguaje de la zarzuela, pero sin perder nunca de vista al público tradicional de la zarzuela. Había también algo de musical moderno y la obra tuvo un éxito enorme con un público rendido.

Moreno-Buendía ha estado relacionado con la zarzuela además a través de la enseñanza en la Escuela Superior de Canto y como autor de las ediciones críticas de *Las Leandras* y *La Parranda* publicadas por el ICCMU / SGAE.

BIBLIOGRAFÍA: *DMEH.*

EMILIO CASARES RODICIO

Moreno González, Juan Carlos. Asunción, 19-I-1916; Asunción, 30-I-1983. Compositor. Empezó los estudios de música en su ciudad natal, trasladándose posteriormente a Argentina y después a São Paulo. De vuelta en Paraguay asumió la dirección de la Sección de Música del Ateneo Paraguayo. Moreno cultivó muchos géneros musicales, y en su creación, destaca la comedia musical. Incluyó en sus obras temas indígenas y del folclore del país, dando así lugar a la zarzuela propiamente paraguaya, con cuyas obras logró importantes éxitos que le hacen ocupar un lugar destacado en la historia del teatro lírico en Paraguay.

OBRAS: *La tejedora de Ñanduti*, Zarz, 1956; *Corochiré*, Zarz, 1958; *María Pacuri*, Zarz, 1959; *Las alegres Kygua Verá*, Zarz.

BIBLIOGRAFÍA: *DMEH.*

EMILIO CASARES RODICIO

Moreno Rodríguez, María Teresa. Cádiz, 14-XII-1912. Soprano. Se trasladó de muy niña a Barcelona y allí estudió solfeo y piano. Posteriormente ingresó en el Conservatorio del Liceo donde estudió con Camila Clarice y Vidal Nonell. Debutó en 1932 en el teatro Nuevo de Barcelona con *Marina*, y el éxito de este debut le proporcionó un contrato con el empresario Luis Calvo con el que cantó *Katiuska* en el teatro Novedades. Tras darse a conocer en Barcelona pasó a Madrid y realizó una gira por provincias. Se dedicó especialmente a la opereta alternándola con la zarzuela. Así cantaba *Don Gil de Alcalá*, de Penella, *Doña Francisquita* de Vives, *Romanza húngara* de Dotras Vila, *La isla de las perlas* de Sorozábal, y otras muchas. Se retiró en pleno éxito en 1940 para casarse, aunque reapareció un año después. En 1948 realizó una gira por América y volvió a actuar en Barcelona hasta su retirada definitiva en 1965.

BIBLIOGRAFÍA: *OCCE.*

Mª LUZ GONZÁLEZ PEÑA

Moreno Torroba, Federico. Madrid, 3-III-1891; Madrid, 12-IX-1982. Compositor y empresario. Fue una de las personalidades más influyentes, como compositor y como gestor, del último periodo creativo de la zarzuela. A él se deben obras de gran popularidad así como importantes iniciativas que contribuyeron a establecer el repertorio histórico del género.

I. Origen, formación y primeras obras. II. Los comienzos líricos. III. El éxito. IV. El ocaso del género.

I. ORIGEN, FORMACIÓN Y PRIMERAS OBRAS. Su madre, Rosa Torroba, provenía de una familia de abolengo

Federico Moreno Torroba
(Foto: SGAE)

musical y su padre, José Moreno Ballesteros, era profesor del Conservatorio, compositor, organista de la iglesia de la Concepción y director de la orquesta del teatro Lara. Ambos trataron por todos los medios de conducir a su hijo por un sendero profesional distinto del de la música pero fracasaron y la música se convirtió en su profesión. Los primeros pasos en ese terreno los dio en compañía y bajo la tutela de su padre. Así, en 1912, firmaron juntos la fantasía lírica en un acto y dos escenas titulada *Las decididas*, estrenada en el teatro Lara el 27 de mayo de 1912, comienzo temprano de un catálogo de producciones líricas que habría de ampliarse de una forma extraordinaria. En el mismo teatro, en abril de 1915, padre e hijo participaron, como director y pianista respectivamente, en el estreno de *El amor brujo* de Manuel de Falla, obra que en su día tuvo una acogida muy desigual por parte de la crítica, lo que da buena idea de hasta qué punto esos años iniciales del siglo XX fueron un momento de crisis y tanteo. Sin embargo, entre la profesión musical española y en especial entre la juventud más abierta a las novedades, *El amor brujo* se recibió con un entusiasmo absoluto y se convirtió, en gran medida, en el eje del despegue de Falla como maestro. Pero Falla enseñó sobre todo, y casi exclusivamente, con el ejemplo de sus creaciones mientras que, en el mundo de la enseñanza oficial de la música, destacaba una figura con nombre propio: Conrado del Campo. Compositor y pedagogo –tan incansable en su labor creadora como en su actividad didáctica– Conrado del Campo fue el maestro de casi todos los músicos de la edad de Moreno Torroba y éste no fue una excepción. Aunque su gusto se vinculaba abiertamente con la vieja guardia wagneriana y postromántica, este profesor desempeñó un papel de primer orden en la renovación de la música española que tuvo lugar en los años veinte y treinta del siglo. No sólo mostraba a sus discípulos las técnicas de la composición, sino que les inculcaba la disciplina de trabajo necesaria para la mayor parte de los creadores, les animaba a crear libremente y, en los casos en los que era necesario, les enseñaba el oficio de compositor teatral, gracias al cual muchos de sus discípulos pudieron ganarse la vida con el ejercicio de la música. Las primeras obras orquestales de Moreno Torroba –el poema sinfónico *La ajorca de oro* estrenado por la Orquesta Sinfónica de Enrique Fernández Arbós en 1918 y *Cuadros* estrenado por Bartolomé Pérez Casas con la Orquesta Filarmónica– reflejan claramente la influencia del magisterio de Conrado del Campo. Desde el punto de vista musical, estos estrenos dicen poco de lo que iba a ser el estilo futuro del compositor pero, sin embargo, revelan una de las claves de su personalidad: su habilidad para emplazarse ventajosamente entre sus colegas de profesión. De este modo, consiguió que dos orquestas con políticas de producción muy diferentes –por no decir opuestas– fueran las encargadas de estrenar las dos primeras obras importantes de su catálogo sinfónico.

En la biografía de Moreno Torroba resulta interesante también que, tal vez por su pertenencia desde la cuna, a la estructura de la música española, no se involucrara con los experimentos de los más jóvenes músicos de la Generación del 27, ni se relacionara con sus asociaciones. A este aislamiento debió también contribuir la apertura de Moreno Torroba hacia el mundo de la lírica popular al que tan radicalmente se oponía la vanguardia musical madrileña. Es significativo a este respecto que, mientras los jóvenes compositores de vanguardia, articulados en torno a la ideología de Adolfo Salazar, entre los que se encontraban los hermanos Halffter, Julián Bautista o Rosa García Ascot, se vincularon muy pronto al renacimiento de la guitarra española escribiendo obras para Regino Sainz de la Maza, Moreno Torroba hiciera lo propio para Andrés Segovia, una figura opuesta, de un modernismo que todavía no había soltado amarras del siglo romántico. La importancia de Segovia en el establecimiento del repertorio moderno guitarrístico y la constante aplicación de Moreno Torroba a componer música para él, determinó que sea la música para guitarra, junto a la música lírica, las dos facetas más reconocidas de la actividad creativa del compositor. Aquí, el joven compositor se aparta ya de las enseñanzas de Conrado del Campo y empieza la búsqueda de un lenguaje que le conducirá a ese casticismo musical del que la *Sonatina* para guitarra, compuesta en 1923, es pieza paradigmática. Dentro de este casticismo es donde Moreno Torroba comienza a desenvolverse a gusto en el terreno de la composición.

II. LOS COMIENZOS LÍRICOS. El matrimonio en 1924 de Federico Moreno Torroba con Pilar Larregla, hija del compositor Joaquín Larregla, terminó por cerrar los vínculos familiares de Moreno Torroba con el mundo de la música y dio paso a sus primeros éxitos en ámbito escénico. La composición de música sinfónica no podía ser en España, de ninguna manera, fuente de ingresos suficiente para el mantenimiento de una familia; de ahí, esa repentina vuelta a la composición de música para la escena de jóvenes compositores –Moreno Torroba y Pablo Sorozábal son ejemplos claros– en el mismo instante en el que tratan de hacer carrera profesional de la creación. Además, la composición de música lírica se ve en muchos casos incentivada de forma determinante por la mera necesidad de supervivencia de los músicos; la creación de una ópera nacional, aunque tenga mucho de reto estético y se defienda como una necesidad nacional, es, más que nada, una guerra de intereses económicos articulada en contra del imperio financiero creado en torno de la ópera italiana y alemana y, por lo tanto, abocada a un final tan poco glorioso como el de la ópera *La virgen de mayo* compuesta en 1925 por Moreno Torroba. Esta obra ocupa un lugar en la historia de la lírica española, más que por sus valores musicales, por una mera razón anecdótica: fue la última ópera estrenada en el teatro Real antes de su cierre. Su estreno se verificó el 14 de febrero y las críticas no fueron demasiado buenas, destacando la que insertó Adolfo Salazar en *El Sol* en la que, sobre todo, se cuestionaba la viabilidad de una ópera nacional. La decepción por parte de Torroba fue tan grande que no volvió a aventurarse en el campo de la ópera hasta los últimos años de su dilatada existencia reconduciendo su creación para la escena hacia terreno de la zarzuela e iniciando su carrera como empresario asumiendo la dirección de la compañía del teatro Centro.

Durante estos años, España estaba regentada por el dictador Miguel Primo de Rivera quien tuvo en Moreno Torroba un hombre de confianza hasta el punto de nombrarle, desde 1925, empresario del teatro de la Zarzuela junto con Pablo Luna. En ese teatro, a finales de octubre de ese mismo año, poco después de estrenar sin pena ni gloria la zarzuela *La caravana de Ambrosio,* Moreno Torroba obtuvo su primer éxito escénico relevante con la zarzuela *La mesonera de Tordesillas* que se mantuvo algún tiempo en cartel y debió de proporcionarle unos ingresos, cuando menos, alentadores. Ya dedicado por completo al género lírico, en 1926 compuso tres nuevas zarzuelas: *Mari-Blanca, Colasín, el chico de la cola* y *La pastorela,* una colaboración con Pablo Luna estrenada en el teatro Novedades el 10 de noviembre de 1926; sin embargo, su siguiente éxito digno de mención no llegó hasta el 7 de abril de 1928 con el estreno de *La marchenera* realizado, de nuevo, en su feudo del teatro de la Zarzuela. A pesar del desastre de libreto el músico dedicó a la composición de esta zarzuela diez meses —mucho más tiempo del que había dedicado a las obras anteriores, compuestas casi de un plumazo— y suplió las carencias del libreto con un caudal de música que sorprendió a propios y extraños el día del estreno, hasta llevar a algún crítico perspicaz a aconsejar cierta moderación en la abundancia de música.

Durante la dictadura de Primo de Rivera se asistió al auge de lo que iban a ser los dos espectáculos que más duramente competirían con la zarzuela en sus últimos años de su esplendor:

Federico Moreno Torroba
(Foto: Gyenes; Ar. SGAE)

el cine y la radio. Por otra parte, el viejo teatro Novedades, uno de los centros de mayor prestigio del género lírico, se incendió en septiembre de 1928 reduciendo a cenizas una tradición que venía desde mediados del siglo XIX. En último término, el final de la dictadura de Primo de Rivera en 1930 determinó que Luna y Moreno Torroba perdieran su monopolio en la programación del teatro de la Zarzuela y esto dio, a su vez, lugar a que este teatro comenzara su moderna historia de producciones misceláneas con óperas, ballets, zarzuelas, llegando incluso, en los años treinta, a programar con cierta frecuencia películas de cine. Así, con la nueva y fuerte competencia de la radio y el cine –a la que se debe sumar el desarrollo del teatro de variedades–, la pérdida de un núcleo de producción tan importante como el Novedades y la falta de rumbo del teatro de la Zarzuela, el género lírico español por antonomasia pudo haber visto acelerado su final de no haber sido por el empeño renovado de Moreno Torroba al hacerse cargo en 1930 de la empresa del teatro Calderón gracias a sus influencias con el duque del Infantado que financiaba ese teatro que se convirtió en la nueva fortaleza de la zarzuela. En el primer año de andadura bajo la responsabilidad de Moreno Torroba se repusieron en el Calderón obras básicas del género zarzuelístico como *Jugar con fuego, Las golondrinas,* y *Doña Francisquita;* en 1930, Torroba estrenó dos nuevas zarzuelas de su autoría –*María la tempranica* y *Baturra del temple*– y repuso *La marchenera,* pero el gran éxito de la temporada calderoniana fue *La rosa del azafrán* de Jacinto Guerrero. Así, en 1930 el teatro Calderón fue el que tuvo unos ingresos más elevados de todos los coliseos de Madrid, incluidos los dramáticos.

III. EL ÉXITO. En 1931 se declaró la Segunda República y se sentaron las bases de una nueva organización musical en la que Moreno Torroba volvió a encontrar –ni más ni menos que como con Primo de Rivera antes y luego con Franco– un lugar privilegiado y su teatro Calderón se convirtió en la sede del Teatro Lírico Nacional concebido por los estrategas culturales de la República. Al respecto de este Teatro Lírico Nacional, un diputado y crítico teatral republicano pidió que se intervinieran las cuentas del mismo por causa de ciertos rumores de despilfarro que le habían llegado y el ministro socialista de Cultura le contestó en estos términos: "El Teatro Lírico Nacional, como toda obra de protección al Arte español, no puede ni debe ser motivo de lucro. Tiene que costar dinero al Estado; es preciso que le cueste mucho dinero si ha de responder a lo que es, desde el punto de vista público, una justísima demanda, y desde el gubernamental, un vehemente deseo". El boletín de la SGAE se congratuló con esta enérgica respuesta, pero previno que debería abolirse cualquier despilfarro. En respuesta a la prevención de la SGAE, Óscar Esplá señaló que el presupuesto de la Junta Nacional de la Música y Teatros Líricos era de 1.224.000 pesetas, de las cuales, algo más de la tercera parte se destinaba al Teatro Lírico Nacional lo cual, dijo Esplá "si comparamos esta cifra con las correspondientes a las que los Estados europeos destinan a sus Teatros Líricos oficiales actualmente, resulta que aquella cifra de nuestro presupuesto no llega a la cuarta parte de la más pequeña de dichas subvenciones, que es la que corresponde al Teatro Lírico Nacional de Viena".

Tras programar en 1931 tres obras propias y la versión operística de *Marina* de Arrieta, en 1932 siguió dirigiendo la empresa del teatro Calderón en la misma línea que había trazado desde 1930 y repuso *Las golondrinas* y *Marina* además de *La Dolores* y *Balada de carnaval* de Vives. Pese a que Moreno Torroba estaba ya bien instalado desde el final de los años veinte en el panorama lírico español y tenía un puesto de extraordinario relieve como empresario del Calderón, como compositor todavía no había conseguido ninguno de esos éxitos que hacen época e introducen a su autor en la historia del género. Su perseverancia, sin embargo, se vio finalmente recompensada y su consagración llegó con el estreno de *Luisa Fernanda* el 26 de marzo de 1932. Obra que emplea argumentos musicales similares a *La marchenera, Luisa Fernanda* tiene la ventaja, sin embargo, de contar con un libreto más que aceptable en su trama y cuidadosamente realizado por dos de los autores más reputados del género como eran Federico Romero y Guillermo Fernández-Shaw. A partir de este éxito monumental, las obras de Torroba comenzaron a merecer esa atención propia sólo de los músicos a quienes el público otorga su confianza y, en 1933, además de reponer con bastante frecuencia diversas obras suyas, estrenó en el Calderón dos nuevas zarzuelas de su autoría –*Xuanón* y *Azabache*– que, aunque se aproximaron, no llegaron a obtener el éxito de su segunda gran zarzuela, *La chulapona* –otro libreto de Romero y Fernández-Shaw–, estrenada el último día de marzo de 1934. Poco antes del estreno de *La chulapona*, en una de sus polémicas actuaciones fechadas en 1933, la Junta Nacional de la Música y Teatros Líricos convocó un concurso de empresarios para premiar a dos empresas que se hubieran distinguido por su labor en favor del arte lírico, una de Madrid (con un premio de 25.000 pesetas) y otra de provincias (con un premio de 50.000 pesetas). El ganador en provincias fue el empresario barcelonés Luis Calvo y el madrileño, Federico Moreno Torroba y, para herir susceptibili-

dades lo menos posible, el fallo del premio se acompañó de la siguiente mención: "El jurado acordó por unanimidad hacer constar que estimaba en todo lo que vale el esfuerzo que en pro del arte lírico nacional realiza la empresa de D. Jacinto Guerrero, de Madrid". El esfuerzo de Guerrero, que se sintió razonablemente agraviado, había sido titánico y consistió nada menos que en la edificación de un nuevo teatro, el Coliseum, que se inauguró en otoño de 1933 pero que, ante la crisis del género lírico, tuvo ya que iniciar su programación como cine a pesar de estar perfectamente concebido como teatro.

Después de año y medio sin estrenos y animado sin duda por el éxito sucesivo de Pablo Sorozábal con *La del manojo de rosas* en 1934 y de Francisco Alonso con *Me llaman la presumida* en 1935, valiéndose de un libreto de los mismos autores, Francisco Ramos de Castro y Anselmo Cuadrado Carreño, Torroba atacó el género del sainete grande con la obra en tres actos *La boda del señor Bringas o Si te casas la pringas*. Llama la atención que, siendo Moreno Torroba el único zarzuelista madrileño de una generación copada por autores de provincias, sus sainetes no alcanzara el éxito que obtuvieron las obras del vasco Sorozábal o del granadino Alonso. De alguna manera, el casticismo de la música de Moreno Torroba funcionaba mejor para caracterizar el Madrid decimonónico de obras como *Luisa Fernanda* o *La chulapona* que el Madrid moderno de los años treinta.

Personaje políticamente incombustible, Moreno Torroba –católico practicante, monárquico y anticomunista– consiguió en tiempos de la República algunos de sus éxitos personales más destacados y, además del estreno de sus obras líricas más representativas –*Luisa Fernanda* en 1932 y *La chulapona* en 1934–, fue nombrado académico de la Real Academia de Bellas Artes de San Fernando en 1934. Esta habilidad extremada para manejarse en la turbulenta sociedad española de la primera mitad del siglo volvió a servirle en los momentos dramáticos de los primeros días de la Guerra Civil, cuando fue detenido y encarcelado durante quince días por las fuerzas republicanas como sospechoso de haber compuesto el himno falangista *Cara al sol*, obra de Juan Tellería, que pudo escapar de la cárcel. En cuanto le fue posible, Moreno Torroba se pasó a la zona nacional y reanudó su carrera como compositor porque, incluso durante la Guerra Civil, se siguieron estrenando zarzuelas en ambas zonas.

IV. EL OCASO DEL GÉNERO. Nada más terminar la guerra, Moreno Torroba estrenó una comedia lírica en tres actos titulada *Monte Carmelo*, otra colaboración con Federico Romero y Guillermo Fernández-Shaw, pieza del género en el que Sorozábal había conseguido otro gran éxito en los momentos finales de la república con *La tabernera del puerto* de los mismos libretistas, y obra que el compositor distinguía como lo mejor de su producción escénica y que, sin embargo, no ha permanecido en el repertorio. Ya en los años cuarenta, escribió *Maravilla*, con libreto de Arozamena y Quintero, *La Caramba* sobre un texto de Fernández Ardavín y *Polonesa*. El 20 de mayo de 1944 volvió a intentar el género del sainete de costumbres madrileñas con un nuevo texto de Ramos de Castro y Cuadrado Carreño, *La niña del cuento*, que obtuvo menos éxito aún que *La boda del señor Bringas*. Los éxitos alcanzados en los años de la República, sin embargo, no se repitieron sobre todo por una razón fundamental: la época de la zarzuela había llegado a su fin y cualquier intento por resucitarla demostró ser vano. Sabedor de la imposibilidad de restaurar la zarzuela, Moreno Torroba dedicó bastantes de sus últimas fuerzas creativas a la revista, el género que más público había robado a la zarzuela. Surgieron así obras como *El duende azul* escrita en 1946 y con bastante poco éxito en colaboración con Joaquín Rodrigo. Ese mismo año, sobre un texto de Artuto Cuyás de la Vega, Moreno Torroba compuso *Lolita Dolores*, una zarzuela grande tradicional en tres actos, estrenada por el gran barítono Marcos Redondo quien, en sus memorias, la recordó en los términos siguientes: "La música de Moreno Torroba es sencillamente encantadora, al menos para mi gusto; sin embargo, como el público tiene sus predilecciones y es quien manda, duró poco en cartel". Una prueba más del ocaso que estaba viviendo el género. En 1974, Moreno Torroba culminó su carrera como gestor al ser nombrado presidente de la Sociedad General de Autores de España en la que había servido durante catorce años como vicepresidente y en la que realizó una labor muy importante de reordenación interna y modernización.

La vitalidad de Moreno Torroba se ha convertido en algo legendario dentro de la historia de la música española: aún a sus 89 años estaba en plena actividad y con fuerza suficiente para acometer la composición de una nueva ópera. El libreto era de José Méndez Herrera, se titulaba *El poeta* y trataba sobre la vida de Espronceda. El estreno se produjo en el teatro de la Zarzuela el 19 de junio de 1980 protagonizado por Plácido Domingo, que había sido quien convenció a Torroba para la composición de esta nueva ópera. Esta obra, junto con la *Fantasía castellana* para piano y orquesta estrenada por Humberto Quagliata en París en octubre de 1980, constituye el testamento musical de Moreno Torroba y el fin de setenta años de ininterrumpido ejercicio musical en toda su amplitud –interpretación, creación y gestión– en los que se mantuvo siempre fiel a unos principios estéticos que definió dentro de la categoría de "casticismo" y de los que nunca le interesó apartarse porque le satisfacían completamente. Esta fidelidad a sus principios se refleja también en lo que fueron sus últimas composiciones: una colección de seis preludios para guitarra dedicados a Andrés Segovia y terminados poco antes del fallecimiento del compositor a los 91 años de edad y casi tantos de dedicación a la música. *Véase* LA CHULAPONA; LUISA FERNANDA; LA MARCHENERA; XUANÓN.

OBRAS (Todas en *E:Msa*): *Las decididas*, Fant, 1 act, col. Moreno Ballesteros, l, T. Rodríguez Alenza, est, 27-V-1912, Te. Lara; *La luna nueva*, l, A. Plañiol, est, 31-V-1916, Te. Zarzuela; *¡Cuidado con la pintura!*, l, A. Plañiol, est, 12-IV-1920, Te. Palace Hotel; *Las fuerzas ocultas*, 1 act, l, A. Plañiol, est, 15-VI-1920, Te. La Latina; *Artistas para fin de fiesta*, 1 act, l, M. Rahumi, est, 28-XII-1920, Te. Lara; *La manola del portillo*, 3 act, col. P. Luna, l, E. Carrere / García Pacheco, est, 21-I-1921, Te. Pavón; *La mujer de nieve*, Zarz Bu, 3 act, col. Pérez Rosillo, l, P. Muñoz Seca / P. Pérez Fernández, est, 8-XII-1923, Te. Cómico; *Intriga de amor*, 2 act, l, F. Luque / A. Plañiol, est, I-1925, Te. Tívoli (Barcelona); *La virgen de Mayo*, est, 14-II-1925, Te. Real; *La caravana de Ambrosio*, l, E. García Álvarez / Luque, est, 11-V-1925, Te. Zarzuela; *La vuelta*, l, F. Luque, est, 10-VI-1925, Te. Zarzuela; *La mesonera de Tordesillas*, aventura de farándula, 3 act, l, R. Sepúlveda / J. Manzano, est, 30-X-1925, Te. Zarzuela; *La mari-blanca*, Zarz, 2 act, l, R. González del Toro / R. Hernández Bermúdez, est, 4-III-1926, Te. Zarzuela; *Colasín-El chico de la cola*, Sai, 2 act, l, E. Calonge / R. Sepúlveda, est, 6-V-1926, Te. Novedades; *Las Musas del trianón*, Zarz, 3 act, col. Luna, l, J. Ramos Martín / F. García Pacheco, est, 20-X-1926, Te. Zarzuela; *La pastorela*, 3 act, col. Luna Carné, l, F. Luque / E. Calonge, est, 10-XI-1926, Te. Novedades; *El fumadero*, 1 act, est, 12-VII-1927, Te. Martín; *Mi mamá política*, 1 act, col. Luna, l, F. Torres Díaz / Varela, est, I-1928; *La marchenera*, Zarz, 3 act, l, R. González del Toro / F. Luque, est, 7-IV-1928, Te. Zarzuela (UME, 1928); *Azabache*, Sai, 3 act, l, A. Quintero / M. Desco Sanz, est, 18-VIII-1928, Te. Calderón; *Cascabeles*, Sai lír, 2 act, l, J. Tellaeche / J. M. de Granada, est, 20-XII-1928, Te. Zarzuela (UME, 1929); *Guayabitos*, 2 act, l, González del Toro, est, III-1929; *El mascoto*, Pas grotesco, 1 act;, est, 1929; *María la tempranica*, Com lír, 1 act, col. Giménez, l, J. Romea / R. González del Toro, est, VI-1930, Te. Calderón; *Baturra del temple*, 2 act, l, Redondo del Castillo, est 26-VIII-1930, Te Calderón (UME); *Una de caballería*, 1 act, l, J. de Torres / R. González del Toro, est, 9-III-1931, Te. Martín; *Luisa Fernanda*, l, Fernández Shaw / F. Romero, est, 26-III-1932, Te. Calderón (UME, 1932); *El Aguaducho*, Ent, 1 act, l, F. Romero / G. Fernández, est, VII-1932, Barcelona; *La mujer de aquella noche*, l, L. Manzano / M. de Góngora, est, 14-IX-1932, Te. Lara (UME, 1932); *Xuanón*, Com lír, 2 act, l, J. Ramos Martín, est, 2-III-1933, Te. Calderón (UME, 1933); *Ayer y hoy*, 1 act, l, L. Calvo / A. Palacio, est, X-1933, Barcelona; *Por la salud de mi madre*, disparate cóm-lír, 1 act, l, E. Marcén, est, 26-I-1934, Te. Victoria (San Sebastián); *La chulapona*, Com lír, 3 act, l, F. Romero / G. Fernández, est, 31-III-1934, Te. Calderón (UME); *Luces de verbena*, 2 act, col. G. Baudot / R. Soutullo, est, 2-V-1935, Te. Calderón; *Paloma moreno*, Zarz, 3 act, l, F. Serrano Anguita / J. Tellaeche, est, 7-XI-1935, Te. Colón (Buenos Aires); *La boda del Señor Bringas o Si te casas la pringas*, Sai, 3 act, l, Ramos de

Cortesía de Unión Musical Ediciones SL

Castro / A. Cuadrado, est, 2-V-1936, Te. Calderón (UME); *Sor Navarra*, Zarz, 3 act, l, L. F. Tejedor / L. Muñoz Lorente, est, 7-XII-1936, Te. Victoria Eugenia (San Sebastián) (UME); *Nacimiento*, col. J. Guridi / F. Cotarelo, l, J. M. de Arozamena / V. Espinós, est, 3-I-1938, Te. Victoria Eugenia (San Sebastián); *El retablo de Navidad*, col. Garbizu / Cotarelo Romanos / García Leoz, l, V. Espinós / J. M. de Arozamena, est, 31-I-1938, Te. San Sebastián; *Oro de ley*, escena de la vida madrileña, l, L. Candela / M. Merino / M. Góngora Ayustante, est, XI-1938, Te. Victoria Eugenia (San Sebastián); *Pepinillo y garbancito en la isla misteriosa*, cuento, 2 act, l, J. Miquelarena y Regueiro, est, 1938, Te Argensola (Zaragoza) *Monte Carmelo*, Com lír, 3 act, l, F. Romero / G. Fernández Shaw, est, 17-X-1939, Te. Calderón (UME); *Escalera de color*, 3 act, l, L. Navarro, est, 9-IV-1940, Te. Polibrama (Barcelona); *Tú eres ella*, Com, 3 act, l, L. F. Tejedor Pérez / L. Muñoz Llorente, est, 26-IV-1940, Te. Calderón; *El que tenga un amor que lo cuide*, 3 act, l, F. Ramos de Castro / A. F. Carreño, est, 16-XI-1940, Te. Romea (Murcia); *Maravilla*, l, A. Quintero / J. M. Arozamena, est, 12-IV-1941, Te. Fontalba (UME, 1941); *La caramba*, Zarz, 3 act, l, L. Fernández Ardavín, est, 10-IV-1942, Te. Zarzuela (UME, 1942); *Desperezada*, inocentada, 1 act, l, A. Plañiol, est, 9-V-1942, Te. Fuencarral; *Una reja y dos pelmazos*, 1 act, l, B. Prada, est, 17-VII-1942, Te. Tívoli (Barcelona); *Boda gitana*, 3 act, P. Guillén, est 31-VII-1942, Te. Teatro Argentino (Buenos Aires); *La leyenda del castillo*, estampa poética, 1 act, l, M. de Ortega / García Lopo, est, 5-IX-1942, Te. Fuencarral; *Un viaje a la fortuna*, Fant, 2 act, col. Garbizu, l, J. M. Arozamena / J. M. Cavanillas / J. M. Laita, est, 31-XII-1942, Te. Areneros (Madrid); *La ilustre moza*, Zarz, 3 act, l, L. Tejedor / Luis Muñoz, est, 3-III-1943, Te. Tívoli (Barcelona) (UME, 1943); *Polonesa*, Zarz lír, 3 act, l, A. Torrado / J. M. Arozamena, est, 27-I-1944, Te. Fontalba (UME, 1944); *La niña del cuento*, Sai de costumbres madrileñas, 2 act, l, F. Ramos de Castro / A. Carreño, est, 20-V-1944, Te. Fontalba; *Baile de trajes*, 2 act, l, L. Fernández Ardavín, est, 6-IV-1945, Te. Zarzuela; *Usted gusta...?*, Com, l, F. Prada / F. Vázquez, est, XI-1945, Te. Rojas (Toledo); *Soy el amo o Los Laureles*, Sai, 3 act, l, L. Muñoz Lorente / L. Tejedor Pérez, est, 4-XII-1945, Te. Principal (Zaragoza); *Lolita Dolores*, Zarz, 3 act, l, A. Cuyás de la Vega, est, 20-IV-1946, Te. Calderón (UME, 1946); *El duende azul*, Com musical, 2 act, col. J. Rodrigo, l, E. Castell / Villaseca, est, 22-V-1946, Te. Calderón; *Los laureles o Soy el amo*, Sai, 2 act, l, L. Tejedor / L. Muñoz, est, 10-V-1947, Te. Fuencarral; *La niña del polisón*, Com lír, 3 act, l, L. Navarro / F. de Lapi, est, 14-VII-1948, Te. Calderón (Barcelona); *La canción del organillo*, Zarz, 2 act, l, L. Fernández Ardavín, est, 16-IV-1949, Te. Zarzuela; *Hoy y mañana*, Com, l, L. Muñoz Lorente / F. Galindo, est, 14-X-1949, Te. Lope de Vega; *Un día en las carreras*, Sai, 2 act, l, A. Carreño / P. Llabrés, est, 5-V-1950, Te. Madrid; *La media naranja*, l, L. García Fernández / L. Tejedor, est, 24-III-1951, Te. Zarzuela; *Huelga de Maridos*, Com, 3 act, col. Moreno-Torroba Larregla, l, L. Tejedor Pérez / A. Portes, est, 5-VIII-1951, Te. Moderno (Logroño); *Pitusa*, Com musical, 3 act, l, L. Fernández de Sevilla / L. F. Tejedor Pérez, est, 11-X-1951, Te. Circo (Zaragoza); *El tambor del Bruch*, l, Prada / Iquino / Lladó, est, 19-X-1951, Te. Borrás (Barcelona); *Hola Cuqui*, 2 act, l, L. Tejedor Pérez, est, 9-XI-1951, Te. Zarzuela (Madrid); *La señorita bombón*, l, A. Paso Díaz / R. Perelló, est, 9-XII-1951, Te. Arriaga (Bilbao); *Las matadoras*, Com, 2 act, l, L. Fernández Sevilla / L. Tejedor, est, 12-IV-1952, Te. Zarzuela; *Sierra morena*, Opt, 3act, l, L. Fernández Ardavín, est, 13-XII-1952, Te. Zarzuela; *Una noche en Oriente*, 2 act, l, A. Paso Cano / M. Soriano Torres, est, 23-XI-1953, Te. Lírico (Zaragoza); *A lo tonto a lo tonto*, 2 act, l, L. Navarro / V. L'Hotellerie, est, 2-X-1954, Te. Principal (Alicante); *Paka y Paya*, col. Montorio Fajó, l, M. Jiménez / C. Paradas / F. Torres, est, 30-X-1954, Te. Madrid; *Ole y ole*, l, P. Llabrés Rubio, est, 30-IV-1955 (Toledo); *La monda*, l, L. Navarro Benet, est, 22-VI-1955, Te. Alcázar; *María Manuela*, Com lír, 3 act, l, G. y R. Fernández Shaw, est, 1-II-1957, Te. Zarzuela; *Un pueblecito español*, Zarz, 3 act, l, L. Tejedor, est, 3-I-1959, Te. Avenida (Buenos Aires); *Mano-*

lo eres mi padre, l, F. Prada Blasco / A. Casal, est, 3-II-1960, Te. Principal (Alicante); *Baile en la capitanía*, Com lír, 2 act, l, A. de Foxá, est, 16-IX-1960, Te. Zarzuela; *El chocolate*, 2 act, l, Fernández de García / L. Tejedor, est, 15-IV-1961, Te. Cómico; *El rey de oros*, 3 act, Fernández de Sevilla, L, Tejedor Pérez, L est 19-IV-1961, Te Cómico; *Colomba*, 2 act, Arozamena, J, M. est 14-XII-1961 Te. Alcazar; *Vaya satélite*, l, A. Suárez del Real / L. Requena / A. Laborda, est, 23-III-1962, Te. Capitol; *Un millón de dólares*, Fant, 2 act, l, Perelló / A. Paso, est, 31-VIII-1962, Tomelloso; *Historias del paralelo*, 3 act, J. M. Arozamena, est 9-X-1964, Te Victoria (Barcelona); *Rosaura*, Zarz, 2 act, l, L. Tejedor, est 12-III-1965, Te. Colón (Bogotá); *Una estrella para todos*, 3 act, l, J. M. Arozamena / R. de León / A. Quintero / A. Fernández Montesinos, est, 11-XII-1965, Te. Maravillas; *El fabuloso mundo del music hall*, l, J. M. Arozamena, est, 16-IX-1966, Te. Victoria (Barcelona); *Ella*, 2 act, J. M. de Arozamena, 11-X-1966, Te. Maravillas; *El poeta*, Óp, l, J. Méndez Herrera, est, 19-VII-1980, Te. Zarzuela; *El divo*, 3 act, l, R.González del Toro / A. Fernández Lepina; *El hechizo o Maleficio*, l, S. y J. Álvarez Quintero; *El Yegüero*, 1 act, l, J. Solares / V. Escohotado; *Era él*, 1 act, l, F. Villaespesa; *Flor de espino*, 2 act; *Hay que ver*, 2 act, l, L. Tejedor Pérez; *La viuda guapa*, Com, 2 act, l, L. Tejedor; *Pizpireta*, Zarz, 1 act, l, A. Cuyás de la Vega; *Una noche en Aravaca*, estampa lír, 1 act, l, A. Cuyás de la Vega.

FONOGRAFÍA: *Azabache*, Blue Moon BMCD 7544; *¡Hola, Cuqui!*, Columbia R 18232, C 9325 C 9326; *La caramba*, Blue Moon BMCD 7526; *La chulapona*, Columbia-BMG España WD 71977 (9D) • Columbia MCE 802 207 • La Voz de su Amo DA 4252, OKA 312 OKA 313 • Philips; *La ilustre moza*, Blue Moon BMCD 7526; *La marchenera*, Regal RS 744 (et. negra), K 1019 K 1002 • Alhambra-BMG España WD 75127 (9D) • Columbia-BMG C 32042 y CS 42042 • La Voz de su Amo AE 2170, AF 183; *La media naranja*, Columbia R 18056 R 18057, C 9075 a C 9078; *La mesonera de Tordesillas*, Odeón 184917, SO 6983 SO 6985; *La pastorela*, La Voz de su Amo AC 124 (et. fucsia), BS 2458 BS 2459; *Luisa Fernanda*, Regal SEBL 7003 SEBL 7007 • Odeón 183511 (et. azul), SO 7815 SO 7816 • Odeón 184282 (et. marrón), SO 7621 SO 7639 • R 14023 a 14028 (et. roja), WK 2915 a WK 2921, WK 2982 a WK 2986 • Regal LK 4063 LK 4065 LK 4066 (et. azul), K 2915 K 2916 K 2920 K 2921 K 2982 K 2984 • Alhambra SCE 936 205 • Auvidis Valois V 4759 • Discophon (S) 4099 (S) 4113 (S) 7280 (S) 8050 • Columbia-BMG España WD 71437 (9D) • Columbia-Salvat 1005-1 • Columbia-Alhambra-BMG MCC 30022 • Columbia MCE 836 203 • Columbia SA, C 7520 204 • Columbia ZCL 1001 202 • EMI 7243 5 74153 2 3 (637.00387) • Hispavox-Montilla 7 67329 2 (637.33834) • La Voz de su Amo DA 4205 DA 4207 DA 4208 DA 4216 DA 4217, OJ 378 OJ 381, OJ 383 a OJ 395, OJ 390 a OJ 392 • Montilla FM-67 • Odeón 184496 a 184499, SO 7621 SO 7622, SO 7635 a SO 7639, SO 7671 • Odeón 204476, SO 6906 SO 7660 • Philips N 00596 L • Regal LCX 7001 • Zafiro 30103041 200 • Zafiro LM-3041 208 • Zafiro ZOR-102 201 • Zafiro-BMG EPFM-128 y EPFM-262 • Blue Moon BMCD 7504 y 7522; *Maravilla*, Discophon (S) 4101 (S) 8046 • Philips N 00596 L • Regal C 8529, CR 3036 CR 3035 • Blue Moon BMCD 7526; *María la tempranica*, Blue Moon BMCD 7544; *María Manuela*, Alhambra MCC 30041 • Columbia C 30041 206 • Columbia SA, ZCL 1093 (Zacosa); *Monte Carmelo*, R 6027 (et. roja), C 4633-4 C 4615 • Discophon (S) 4099 (S) 7280; *Xuanón*, Blue Moon BMCD 7544.

BIBLIOGRAFÍA: M. Redondo: *Un hombre que se va*, Barcelona, Planeta, 1973; E. Franco: "Moreno Torroba o la supervivencia del casticismo", notas al programa de *La chulapona*, Madrid, Teatro de la Zarzuela, 1988; W. C. Krausse: *The life and works of Federico Moreno Torroba*, Ann Arbor, Michigan, University Microfilms International, 1993.

JAVIER SUÁREZ-PAJARES

Morera i Viura, Enric. Barcelona, 22-V-1865; Barcelona, 11-III-1942. Compositor. Enric Morera es uno de los compositores líricos más activos en Cataluña. Preocupado por encontrar una estética acorde con su ideario nacionalista, encabezó distintas tentativas para dar carta de naturaleza al teatro lírico catalán, sin cejar a pesar de los desiguales resultados que obtuvo. Su obra, está en parte olvidada a pesar de que varios títulos mantienen aún su vigencia como piezas sardanísticas o números corales, obviando la popularidad que alcanzaron sus zarzuelas y obras líricas durante el primer tercio de siglo.

I. Formación y primeras obras líricas. II. Desde El Teatre Líric Català (1901) a los espectáculos de Graner. III. El regreso de Argentina: del Liceu al Paralelo. IV. Estilo.

Enric Morera
(Foto: Colección Andrada; Ar. ICCMU)

I. FORMACIÓN Y PRIMERAS OBRAS LÍRICAS. En su entorno familiar la música era una actividad habitual. Su padre, de oficio carpintero, se dedicaba como amateur a tocar el contrabajo y el piano. En 1867 la familia emigró a Argentina, residiendo primero en Buenos Aires y desde 1875 en Córdoba. Al llegar, su padre se vinculó con más intensidad al mundo musical: En Buenos Aires tocó en un teatro de variedades, el Alcázar, daba lecciones de piano, y en Córdoba dirigió la banda municipal y ejerció como maestro de capilla. De su mano, Enric aprendió solfeo, piano y también violín con un profesor de Córdoba. Su padre no se dedicó, sin embargo, enteramente a la música: en Córdoba abrió un almacén de alimentación. De la lectura de su autobiografía y de los testimonios de otros biógrafos se desprende el gran impacto que la vida aventurera en esa etapa americana ejerció en el carácter de Morera: sus correrías como monaguillo de un cura, su intervención como cornetín en la banda de su padre, las costumbres de los gauchos, desprendían aún fascinación en el Morera adulto. Fue también en esos años cuando el joven Morera entró en contacto con el repertorio lírico: tocaba el violín en el teatro de Córdoba, junto con su padre que era contrabajista; así descubrió el repertorio de zarzuelas importadas desde España y las óperas italianas. Estas actividades las desarrolló antes de que se abriera el instituto de música y antes de abrirse el teatro Riviera Indarte.

La familia regresó a Barcelona, donde Morera quedó solo –sus padres regresaron a Argentina–, para continuar el estudio de la música; según el testimonio de Morera, con un profesor que sólo le hacía practicar fugas. En esta estancia en Barcelona entró en contacto con I. Albéniz, estudió violín con Cioffi, piano con Vidiella, e ingresó como violín de la orquesta del teatro del Liceo, al tiempo que empezó a ir a clases con F. Pedrell, aconsejado por Albéniz. Entre ambos acabó por surgir una incomprensión que derivó en abierta oposición. Durante su permanencia como violín en la orquesta, Morera tocó en el estreno en 1887 de *Tannhäuser* en Barcelona. Regresó a Argentina, y desde allí buscó recursos para continuar estudios en Bélgica con F. Fievez. A su regreso a Barcelona, Morera se manifestó contundentemente en el panorama barcelonés; el contacto con la música europea le había dotado de un calibre distinto para con la realidad musical catalana. La crítica de la época recoge como "Morera cayó como una bomba entre los aficionados y los músicos". Entre sus primeras obras descolló en 1893 una *Introducció a l'Atlàntida*, obra inspirada en el poema épico de Verdaguer; Morera previsiblemente quería realizar una adaptación operística de la obra. En esos primeros meses de estancia en Barcelona, Morera entró en contacto con el grupo modernista de la revista *L'Avenç*, donde intimó con Massó i Torrents, Cases-Carbó, Jaume Brossa, Cortada, E. Guanyabens, Casellas, Maragall, S. Rusiñol, Casas, y con los literatos Àngel Guimerà y J. Verdaguer. En estos círculos, además de en la villa de Sitges, ciudad emblemática del modernismo catalán, Morera divulgó el repertorio tardorromántico francés de Franck y D'Indy.

En 1894 estrenó en el teatro Novetats la tragedia sacra *Jesús de Nazareth*, con texto de Guimerà. Realmente se trataba de unas ilustraciones musicales. El resultado fue un éxito considerable, que impulsó con decisión el nombre de Morera en el panorama lírico catalán. Parte del éxito de *Jesús de Nazareth* y de *Les monjes de Sant Aiman*, ambas con texto de Guimerà, fue deudor de unas magníficas decoraciones, realizadas por F. Soler i Rovirosa, Miquel Moragas y por M. Vilomara. Repartida en catorce magníficas escenas, el dibujante L. Labarta realizó los figurines para los treinta y siete personajes. El empresario del teatro Nuevo, Salvador Mir, contribuyó sin duda al éxito premonitorio de aquella temporada, al facilitar una espléndida puesta en escena y confiar en un joven y en buena medida desconocido Morera. Entre los números que se destacaron en la prensa sobresalen el "entierro de Lázaro" o la "marcha al Calvario". Para *Les monges de sant Aimant*, 1895, se realizaron quince nuevas decoraciones, junto con un importante número de actores, cantantes, coros y figurantes. En esta segunda obra, Morera dispuso de dieciocho números, también con una estética intermedia entre la ilustración musical y la zarzuela; en general, se destacaron más números musicales en esta segunda obra, en especial el preludio y los interludios, las escenas de las brujas, y el cuadro del asalto a las murallas. Acabadas las funciones, las decoraciones fueron aprovechadas en el teatro Onofri para otras representaciones. Posteriormente, Guimerà adaptó esta última pieza como ópera, *Euda d'Uriac*, a la que puso música A. Vives. A pesar de la cálida acogida de las dos producciones, a los elogios unánimes de la prensa por la calidad de las funciones, la empresa de S. Mir cerró por no poder hacer frente al importante costo de las representaciones –número elevado de figurantes, actores, gran orquesta sinfónica– y no contar con ninguna ayuda.

Otro de los momentos álgidos en su carrera lírica llegó en 1897, con el estreno de la ópera *La fada*, con texto de Massó i Torrents, en el teatro Prado de Sitges. La obra debe situarse en el entorno del modernismo catalán, las Festes Modernistes de Sitges; combina una referencia wagneriana bajo la cual late una peculiar ironía modernista, junto con elementos que aproximan su propuesta al incipiente nacionalismo lírico catalán. La trascendencia de esta representación se tradujo en una gran afluencia de público, que obligó a reforzar la línea férrea desde Barcelona. Morera logró, de nuevo, otro triunfo con el que afianzaba la bondad de sus creaciones líricas; al mismo tiempo, se hacía evidente su posición estética comprometida por una parte con el modernismo y también con el nacionalismo catalanista más progresista, simpatizante con las posiciones de izquierdas. El estreno de *La fada* no estuvo exento de las polémicas y controversias que enfrentaron a Morera con parte de la vida musical barcelonesa, además de causar críticas divergentes en el propio seno del modernismo. Su vinculación con la corriente renovadora del teatro catalán representó un compromiso a lo largo de la vida de Morera. En 1899 participó en el proyecto encabezado por Adrià Gual por renovar de forma radical la escena catalana, a través del Teatre Íntim. En enero de ese año se estrenó el cuadro lírico *L'alegria que passa*, con texto de Santiago Rusiñol. Las funciones, en las que se representaron obras como *Interior* de Maeterlinck, *Ifigenia en Tauride* de Goethe, se realizaban en el teatro Líric. Granados representó en la misma temporada *Blancaflor*. El mayor éxito de toda la temporada le correspondió a la obra de Morera, una pieza que aún no se había publicado y por la cual nadie había mostrado ningún interés; Gual aceptó la obra por el simple hecho de no haber podido encontrar ninguna obra lírica de autor catalán asequible a lo modesto del presupuesto de su temporada. *L'alegria que passa* acabó por convertirse en un referente dentro del teatro lírico catalán, y sin lugar a dudas en una de las mejores obras del período. La identificación de Morera con el texto de Russiñol es destacable, como ya señaló la prensa en su momento. La obra se repuso en varias ocasiones, la primera en la primera temporada de Teatre Líric Català de Morera, o en 1926 con motivo del homenaje tributado a Russiñol.

II. DESDE EL TEATRE LÍRIC CÁTALA (1901) A LOS ESPECTÁCULOS DE GRANER. No hay duda alguna que la experiencia que Morera vivió en las representaciones que tenían lugar en el Cau Ferrat de Sitges, las llamadas Festes Modernistes, habían de influirle en la organización de su ambicioso proyecto de Teatre Líric Català. El año 1900 Morera concibió una temporada de teatro lírico constituido solamente por obras catalanas, la mayoría de ellas escritas *ex profeso*. Su propuesta pretendía conseguir unas obras que fueran una alternativa auténtica al género chico y a las zarzuelas que dominaban el panorama lírico barcelonés. A principios de 1901 se iniciaron las representaciones en el teatro Tívoli, arrendado por el padre de Morera, en el que sería hasta el momento la tentativa más intensa en el proyecto. Colaboraron con Morera los escritores Ignasi Iglesias –amigo y biógrafo de Morera–, Miquel Utrillo, Emili Vilanova, Josep Maria Jordà, Apel.les Metres, Josep Maria Folch i Torres, Eduardo Marquina, Rusiñol, y los compositores E. Granados, Joan Gay, Bartolí y Lapeyra. Entre las obras representadas sobresalieron las de Morera *Cigales i formigues* con texto de Russiñol, *La reina del cor*, *Les caramelles*, *L'adoració dels pastors* –con texto de J. Verdaguer en un hecho que fue considerado como un acto de desagravio de la sociedad catalana al poeta promovido por el grupo modernista–, *Nit de Nadal*, *L'aligot*, pero sobre todo la reposición de *L'alegria que passa*. Menos difusión alcanzaron *Picarol* de Granados, o *Cors joves* de Gay. El balance final puede considerarse poco positivo, no por el valor de las obras en general, sino por la mala acogida que le dispensó la prensa de la época, y en particular por lo agrio de la crítica que paradójicamente provenía de los ambientes modernistas. La mayor parte de las obras fueron tildadas de poco aptas para la escena. En la mayoría de los casos se delataba la premura de tiempo con la que se elaboraron los montajes. Lo curioso del caso es la desazón que ello produjo, más aún por ser el ambiente muy propicio para su propuesta. El crítico J. Yxart, en su obra *El arte escénico en España* se posicionaba contrario al género chico y auguraba una mejor suerte para futuros montajes próximos a la estética modernista; J. Maragall había redactado un artículo, "La sardana y el género chico", en el que era particularmente áspero con las producciones zarzuelísticas. De todas las obras de aquella temporada, *La Rosons* era destacada por su frescor e intensidad dramática, *La reina del cor* por lo válido de una propuesta en la línea del sainete y del tipismo, *L'alegria que passa* fue el único éxito indiscutible, *Picarol* fue ponderado por su exquisitez. Ignasi Iglesias, amigo y más tarde biógrafo de Morera, colaboró en la vertiente literaria de este primer proyecto. Él fue, además, libretista de la obra *Els primers freds*, 1901, a la cual puso música Morera.

Como continuación de esa temporada fallida, Morera quiso estrenar *Merlín* de Albéniz, *Follet* de Granados y su nueva ópera *Emporium*, arrendando el teatro Novedades. El proyecto se abandonó, creándose una tensión evidente entre los tres compositores. Después del fracaso, Morera marchó a Madrid con la esperanza de ver su ópera *Emporium* representada en el proyecto del Teatro Lírico de Berriatúa. Al final, Morera colaboró con Chapí a instancias de Berriatúa en la zarzuela *El tío Juan*. No consiguió ver cumplido el objetivo del estreno de su ópera, pero en cambio, produjo títulos que no deberían caer en el olvido, caso de *La canción del náufrago* o *La devoción de la cruz* o el arreglo de una obra anterior, *Las caramellas*.

En 1905 retornó a Barcelona, un regreso con tintes de frustración. Entonces compuso su primera sardana, *Enyorança*. Su regreso coincidió con el inicio del nuevo proyecto encabezado por el pintor y escenógrafo Lluís Graner, los Espectacles-Audicions. A esta ingeniosa y brillante acción, Morera aportó títulos de valor. La empresa logró mantener durante dos temporadas un nivel comparable al de Salvador Mir. Morera estrenó en estos espectáculos *El Comte Arnau*, 1905,

Enric Morera
(Foto: Arenas; E:Bit)

–posiblemente el éxito más importante, con unas doscientas representaciones en las que descollaron las aparatosas decoraciones de Junyent, Alarma, Moragas, Urgellés y Vilomara, sobre texto de Josep Carner–, *El miracle del tallat*, 1905, *Els tres tambors* –una obra que pertenece más a la glosa de la canción popular–, *Fra Garí* –con texto de Xavier Viura y con unas 52 representaciones, y decoraciones de Moragas, Vilomara y Junyent–, *La barca* –con texto de A. Mestres–, y se repusieron *L'alegria que passa*, *La Rosons* y *La reina del cor*. Sin duda alguna, el compositor más representado era de nuevo Enric Morera. En la temporada 1906-07 se representaron *Nit de Reis* –con texto de A. Mestres, alcanzando las 135 funciones–, *La Santa Espina* –otro de los títulos emblemáticos de Guimerà, con decoraciones de Moragas, Junyent, Vilomara y Urgellés, y con unas 120 representaciones–, *Joan de l'Ós* –nuevamente una leyenda popular, con texto de Mestres, pero que pese a su simplicidad alcanzó unas 64 funciones–. De nuevo otro proyecto valioso en el panorama catalán acabaría por irse al traste, y en este caso no por la poca calidad de las obras o por unos montajes sin atractivo, al contrario. Al igual que le sucedió a S. Mir, Graner no pudo hacer frente a los gastos, aún teniendo el teatro completo en cada función. Uno de los títulos deficitarios fue *La Santa Espina*, al requerir una gran orquesta además de treinta y un personajes y numerosas comparsas. Esta obra, originariamente tenía que ser puesta en música por Amadeo Vives. A parte de los numerosos fragmentos de valor, la obra ha pasado a

la historia por la popularidad y significación simbólica de su sardana. Después de que Graner abandonase Barcelona, la empresa intentó su continuación por el pintor Modest Urgell. Morera y Guimerà tenían que componer *El cavaller sant Jordi*, pero la inviabilidad económica truncó su continuación.

La temporada de 1906 fue rica en estrenos. En enero fue estrenada en el Liceu la ópera *Emporium*, un éxito clamoroso que se justificó en un teatro repleto durante las funciones. La crítica fue unánime en ponderar la ópera. Años después volvió a ser repuesta. La excepcional acogida motivó que la empresa le encargara una nueva producción, *Bruniselda*, una ópera en tres actos, en la cual el modelo wagneriano seguido es mucho más evidente. Su acogida no fue demasiado buena. En otoño estrenó en el teatro Principal *Nit de Reis*, con texto de A. Mestres. La comedia era recogida en *La Escena Catalana* como una "comedia excelente, digna de sus autores; una caricatura que cumple muy bien sus propósitos". La obra parecía augurar una temporada afortunada para el teatro lírico catalán. En la empresa estaban implicados Santpere, Morató, Puiggaría, Tort, Puiggener y otros. Esta obra, en concreto, fue elegida como muestra de lo que era en esos momentos el teatro lírico catalán dentro de los actos paralelos al primer Congreso de la Lengua Catalana, celebrado en 1906. Pasadas las semanas del estreno, la obra se mantenía aún con éxito franco. En esa misma temporada se programaría *Gaziel* de Granados. La temporada organizada por Graner, en la que la intervención de Morera era destacada, no acabó de cuajar: *Gaziel* fue considerada poco, o nada, teatral, *Permeti'm* funcionó bien sólo a impulsos, y para remediarlo se optó por reponer títulos de éxito seguro. El fenómeno del teatro lírico catalán surgido a principios del siglo XX encuentra su justificación en el movimiento nacionalista que en esos momentos cobraba fuerza y relevancia política. Decía un artículo editorial de *El Teatre Català* de 1906: "Hoy que por doquier ha florecido el regionalismo, para dar impulso a la idea, muchos jóvenes de distintas poblaciones se han encerrado dentro de obras catalanas y de ellas no quieren salirse". Ese es el contexto en el que surge la producción lírica de Morera, más en un momento en el que, siguiendo el mismo artículo, "la música es lo que atrae al teatro. Hoy el repertorio de zarzuela catalana es muy reducido. Unas cuantas de antiguas, que todos las hemos interpretado y con música casi infantil".

III. EL REGRESO DE ARGENTINA: DEL LICEU AL PARALELO. El año 1909 significó un momento de declive para el compositor. Se había trasladado a vivir a en Sitges. Junto con reveses económicos, sus obras no se representaban. Emigró a Argentina, donde la suerte tampoco le favoreció, y no hizo más que unas adaptaciones y música circunstancial para *La fierecilla domada* en el teatro Avenida de Mayo de Buenos Aires. Regresó a Barcelona en 1911, siendo recibido con un homenaje multitudinario. Asistieron sus amigos incondicionales I. Iglesias, Guanyabens, Jaume Massó i Torrents, J. Casas-Carbó, y Ll. Millet, E. Granados y J. Pahissa. Le ofrecieron una plaza de profesor de armonía, contrapunto y composición en la Escuela Municipal de Música. Ello representó un giro radical en su vida. Al año siguiente estrenó en el Liceu la ópera *Titaina*, con texto de Guimerà. La obra seguramente estaba compuesta pensando en los espectáculos Graner, y debía de estar acabada desde hacía años. En 1916 estrenó otra ópera, *Tassarba*, profundizando en la línea verista que había abierto con *Titaina*. Morera se vinculó también con los proyectos de Joaquín Montero en el Paralelo, donde cosechó numerosos éxitos, tanto en las comedias, como en revistas y obras de tipo dramático. Uno de los triunfos le llegó en 1914 con la adaptación del texto guimeriano *La Baldirona*. La prensa de la época coincidía a equiparar la obra con *La verbena de la Paloma*. Fue Montero quien indujo la adaptación del sainete, al cabo de pocas semanas de haberse establecido en el teatro Nuevo. En la misma temporada Morera adaptó otro texto de Guimerà, *La sala de espera*. Àngel Guimerà acabó convirtiéndose en el autor con el que de forma más asidua colaboró Morera. En idéntico contexto debe situarse otro de los momentos culminantes de su carrera lírica, con *La Santa Espina*, una obra en la que el actor y cantante cómico Josep Santpere –uno de los personajes vinculados al Paralelo– logró un éxito sin parangón. Sin embargo, ese año 1914 representó un momento de crisis y de tristes recuerdos, sobre todo personales. Después del estreno del sainete *Colombina se divierte* en el teatro Novedades, la epidemia de tifus que causó estragos en Barcelona segó la vida de su hijo Jordi. Antes, en agosto, había estrenado *La viola d'or*, con texto de Mestres. Esta obra singular se representó en el teatro al aire libre de can Terrés, en La Garriga, y consistía en un cuento para niños que también servía como obra lírica. Posteriormente fue repuesta en los teatros de Barcelona, con una buena aceptación.

Los avatares por crear un teatro lírico catalán no cesaron. Según el mismo compositor asegura en su autobiografía, había solicitado en diversas ocasiones a Guimerà, Iglesias o a Russiñol obras nuevas con las que volver a dar un impulso al proyecto. El fracaso por no encontrar nuevas obras válidas indujo al compositor a buscar la colaboración de Francesc Pujols, con el cual arreglaron obras antiguas, y emblemáticas del teatro romántico catalán, de Serafí Soler o de otros autores de la época, sobre las cuales Morera

compuso música nueva. La propuesta evitaba el camino seguido hasta entonces: la creación de un repertorio teatral nuevo, apostando por reposiciones de dramas y comedias con probada bondad. El nuevo proyecto se canalizó a través de la empresa del teatro Lírico, con la cooperación de Lluís Reig, arrendando el teatro Tívoli en febrero del 1922 para iniciar la temporada de teatro lírico catalán en octubre.

En la temporada de 1922 de nuevo Morera pasó a encabezar la lista de los estrenos zarzuelísticos, gracias *Don Joan de Serrallonga*, una obra original de Víctor Balaguer y arreglada por Pujols. Para su estreno, en el que participó Sagi-Barba, no estaba decidido poco antes del estreno quien ocuparía el papel de tenor. Pujol, que había escuchado ese mismo año a Emili Vendrell cantando como solista el papel de evengelista en la *Pasión según san Mateo* con el Orfeó Català, sugirió su nombre. Morera tenía algunas reticencias con el cantante que "olía a sagristía" –según su testimonio–. La insistencia de Pujol significó el descubrimiento del tenor en el terreno de la zarzuela, y su paso al mundo lírico del Paralelo, muy distante de la vida musical de concierto del Orfeó Català, realmente dos entornos musicales separados en la Barcelona del momento. Una de las peculiaridades de la representación fue la reconstrucción que se hizo como añadido al final del segundo acto del baile popular "Ball d'en Serrallonga", para el que Morera compuso una vibrante pieza. Ese mismo año estrenó *La font de l'Albera* en Ceret, Francia. También pertenece a 1922 otra de las obras afortunadas, la adaptación de la gatada de Pitarra *El castell dels tres dragons*. Nuevamente debe citarse otra iniciativa para impulsar el teatro lírico catalán, en este caso en la compañía que dirigía Josep Bergés. A pesar de la originalidad de la propuesta, esta obra no consiguió mantenerse en el repertorio. También pertenece a este periodo una obra de cariz distinto, más próximo al género del cuplé, *La Paula en té unes mitges*. El 9 de julio de ese mismo año se estrenaba en el teatro de las Arenas de Ceret, en Francia, una obra singular en dos actos *La font de l'Albera*. El texto era de los escritores rosselloneses Gustave Violet y Josep Sebastià Pons, una obra de talante costumbrista, y con unas ilustraciones escénicas con acompañamiento de cobla. Como en otros casos, la sardana alcanzó una rápida popularidad, desligándose de la obra dramática. Lo interesante del caso, a parte del texto en dialecto rosellonés, es la tipología de obra, pensada para interpretarse al aire libre, por una parte, pero también proponiendo un ensamblaje de la cultura catalana entre ambas vertientes de los Pirineos. En 1924 debería haber estrenado la obra *Les noies enamorades*, con texto de Avelí Artís. Con Ignasi Iglesias, al cual le unió una estrecha amistad, tenía que haber compuesto una obra para niños, *La baldufa d'or*, obra que quedó también como proyecto inacabado. Los últimos años de su vida fueron penosos, con incomprensiones, disgustos personales y conflictos; por una parte no consiguió ser nombrado director de la Escuela de Música, y por otro lado consideró una afrenta personal que su obra no estuviera apenas presente en los conciertos dados en Barcelona en 1936 con motivo de la celebración del Festival de la Sociedad Internacional de Música Contemporánea y el Congreso de la Sociedad Internacional de Musicología. Morera se sentía apartado de la vida cultural, a pesar de que sus obras corales, sus sardanas, canciones, algún cuplé e incluso algunas de sus obras líricas continuaban manteniendo su vigencia.

IV. ESTILO. Decía Joaquín Pena: "Entre las características principales de las obras de Morera, a menudo inspiradas en la musa popular, encontramos generalmente la espontaneidad, la claridad y la firmeza, sin nebulosidades ni divagaciones, la frescura en la inspiración y el trazo firme del tejido armónico y orquestal. En ellas se hace patente el predominio de la línea melódica, sin la cual el maestro no comprende la música. Y, en cambio, un gran amor a la patria. Sabe admirar los nuevos procedimientos técnicos, pero no le interesan ni llegan a conmoverlo, y su desideratum consiste en conseguir el máximo de emoción valiéndose de la más profunda simplicidad". Iglesias, sobre su personalidad le definía: "Como catalanista, a pesar de no estar afiliado a ninguna agrupación política, Morera es radical, intransigente, decantando, en consecuencia, sus simpatías hacia la izquierda catalana. Entusiasta del Teatro nacional, no falta, con su familia, a ninguno de los estrenos de nuestro primeros dramaturgos. Esta estampa completa la visión de personaje huraño, impetuoso, apasionado e intransigente que reflejan parte de las crónicas de su tiempo.

En su justa medida, la historia del teatro lírico catalán sería incomprensible sin la obra de Morera, no sólo por la intensidad con la que se dedicó a ella, o por sus desvelos en erigir un estilo propio, acorde con lo que era el teatro catalán de su tiempo, sino sobre todo por la popularidad que alcanzaron alguno de sus títulos. Tal y como manifiesta Pena, buena parte de su cualidad reside en la bondad y simplicidad del trazo melódico, en ocasiones de inspiración –cuando no de cita– en la canción popular. Pero son precisamente aquellos fragmentos donde la presencia de lo popular no es aparente en los que el compositor conseguía su mejor calidad. El sustrato armónico también es objeto de atención: Morera desarrolló una teoría propia basada en el sistema de quintas, sobre el cual basaba sus desarrollos armónicos. En la realidad, el procedimiento es menos cromático de lo que cabría esperar, y en pocas ocasiones induce por sorpresa o con manipulaciones complejas, procedimientos que en cambio sí que fueron usados por otros compositores de su tiempo. Como muestra de sus ideas, Morera no usaba casi nunca armadura en sus obras, y se limitaba a escribir siempre las alteraciones como accidentales. Su carácter impetuoso se traducía en la cos-

tumbre que tenía en evitar las reelaboraciones y en obviar siempre que le era posible los borradores y los trabajos preparatorios para la composición. Ello, es cierto, puede ser el causante de la desigualdad que se presenta en algunas obras. Por otra parte, Morera poseía un buen instinto dramático, sabía encontrar el momento culminante para situar de forma emotiva los temas principales; la acomodación con los libretos es desigual: en general sintonizaba muy estrechamente con las obras de Russiñol y Guimerà, en parte también con Iglesias. En esos casos resulta una música que se suma al discurso dramático, mientras que en otras obras se abusaba de la recurrencia en los temas populares y en las danzas, singularmente en la sardana, o sardana coral. Varias de las sardanas más populares de Morera proceden de obras líricas, repetidas a lo largo de su desarrollo. Este procedimiento es el que puede haber dejado inviables algunos títulos; sin embargo, esto era lo que esperaba el público de la época, el número patriótico, la melodía "franca y pegadiza" en las palabras de su tiempo. Son muy recurrentes las críticas que ponen de relieve la actitud del público de la Barcelona de Morera: se podía pasar toda una zarzuela sin comprender casi nada de la acción, pero los números cantados o la pieza bailable podían salvar la obra y convertirla en un éxito incontestable. Morera era consciente de ello, al igual que fue consciente de la necesidad de encontrar un modelo propio, en cuya búsqueda puede decirse que ocupó toda su vida creativa. *Véase* L'ALEGRIA QUE PASSA; BAIXANT DE LA FONT DEL GAT O LA MARIETA D'ULL VIU; LA BALDIRONA; LA BARCA; EL CASTELLS DELS TRES DRAGONS; DON JOAN DE SERRALLONGA.

OBRAS: *La baldirona*, Zarz, 1 act, l, A. Guimerà, est, 28-III-1892, Te. Novedades (Barcelona); *Les monges de Sant Ayman*, l, A. Guimerà, est, 25-IV-1895, Te. Novedades (Barcelona); *L'alegria que passa*, cuadro lír, 1 act, l, S. Rusiñol, est, 8-I-1899, Te. Eslava; *La reina del cor*, Com, 1 act, l, I. Iglesias, est, 24-VIII-1899, Te. El Retiro (Sitges)); *El firaire*, cuadro, 1 act, l, J. Orpinell, est, 1900; *L'arc de sant Martí*, 1 act, l, T. Monegal, 1900; *L'esparver*, cuadro, 1 act, l, C. Capdevila Recasens, 1900; *Villa Blanca*, cuadro lír, 1 act, l, J. Llopart, est, 1900, Barcelona; *Les Caramelles*, Sai, 1 act, l, I. Iglesias, est, 12-I-1901, Te. Tívoli (Barcelona); *L'adoració dels pastors*, 1 act, l, J. Verdague r, est, 1-II-1901, Te. Tívoli (Barcelona); *Nit de Nadal*, cuadro lír, 1 act, l, J. M. Jordá, est, 8-II-1901, Te. Tívoli (Barcelona); *Cigales i formigues*, cuadro, 1 act, l, S. Rusiñol, 20-II-1901, Te. Tívoli (Barcelona); *L'aligot*, Opt, 1 act, l, C. Capdevila Recasens, est, 20-II-1901, Te. Apolo (Barcelona); *El tío Juan*, Zarz, 1 act, col. R. Chapí, l, C. Fernández Shaw, est, 23-VI-1902, Te. Zarzuela; *La canción del náufrago*, Dr, 3 act, l, C. Fernández Shaw / C. Arniches, est, 10-I-1903, Te. Tívoli (Barcelona); *La barca*, idilio, 1 act, l, A. Mestres, est, 23-IX-1903, Te. Principal (Barcelona); *La vuelta de Pierrot*, Zarz, 1 act, l, A. Gual, est, 1904; *El Comte Arnau*, Zarz, 4 act, l, J. Carner, est, 22-X-1905, Te. Principal; *El miracle del tallat*, Ley, 1 act, l, J. Carner / A. Gual, est, 27-XI-1905, Te. Principal (Barcelona); *Els tres tambors*, visión legendaria, 1 act, l, A. Gual, est, 27-I-1906, Te. Principal (Barcelona); *Fra Garí*, 1 act, l, X. Viura, est, IV-1906, Te. Principal (Barcelona); *Nit de reis*, cuento, 2 act, l, A. Mestres, est, 20-IX-1906, Te. Principal (Barcelona); *La Santa Espina*, rondalla, 3 act, l, A. Guimerà, est, 19-I-1907, Te. Principal (Barcelona); *Joan de l'Ós*, Ley, 2 act, l, A. Pestres, est, 21-IX-1907, Te. Principal (Barcelona); *La reina vella*, 1 act, l, A. Guimerà / A. Danvila, est, 16-I-1908, Te. Principal (Barcelona); *La fierecilla domada*, Com lír, 3 act, l, adap de L. de Zulueta / J. M. Jordá, est, 1910, Te. Avenida de Mayo (Buenos Aires); *Al cantar de la jota*, Zarz, 2 act, l V. Garibondo / J. Rourell, est, 1912; *Colombina se salva*, Zarz, 1 act, l, r. Asensio Mas, est, XI-1914, Te. Novedades; *La sala d'espera*, Zarz, l, A. Guimerà, est, 1914, Te. Nuevo (Barcelona); *La font de l'Albera*, l, G. Violet / J. S. Pons, est, 9-VII-1922, Ceret; *Don Joan de Serrallonga*, Dr, 3 act, l, F. Pujols sobre texto de V. Balaguer, est 7-X-1922, Te. Tívoli (Barcelona); *El Castell dels tres dragons*, Zarz, 3 act, l F. Oler, est, 2-XII-1922, Te. Tívoli (Barceona); *La Paula en té unes mitges o El guapo dels encants*, Zarz, 2 act, l, L. Planas de Taverner, est, 8-X-1923, Te. Victoria (Barcelona); *Baixant de la font del gat*, Zarz, 3 act, l, Amichatis / G. Mantua, est, 29-I-1926, Te. Tívoli (Barcelona); *La vall de la bruixa*, poema lír, l, S. Perarnau, 1936; *El rancho de los Rosales*, Zarz, 2 act, l, G. Mantua, est, 28-XI-1940, Te.

Victoria (Barcelona); *La masía*, Zarz, 3 act, l, E. Nieto de Molina, 1940; *La Viola d'or*, rondalla, 3 act, l, A. Mestres, est, 16-X-1973, Bosque La Garriga; *Cantos de aldea*, Zarz, 2 act, l, A. D. Orriol / A. Pérez Herrero (inc); *Flor de Provenza*, 3 act, l, V. Gabirondo, est, Barcelona; *L'any de la picó*, l, S. Rusiñol (inc); *La daga*, Zarz, 3 act, est, 1919, Te. Fuencarral; *La festa del poblet*, 1 act; *La ronda tràgica* ; *Los cortesanos de Farsalia*, Opt, 3 act, l, R. Nogueras Oller; *Nit de trons*, l, J. Benaprès; *Oro de ley*, Zarz, 1 act.

BIBLIOGRAFÍA: I. Iglesias: *Enric Morera*, Barcelona, A. Artís, 1921; E. Morera: *Moments viscuts (Auto-biografía)*, Barcelona, Gràficas Barcelona, 1936; L. Cabañas Guevara: *Biografía del Paralelo (1894-1934)*, Barcelona, Ed Memphis, 1945; X. Aviñoa: *Gent nostra. Morera*, Barcelona, Nou Art Thor, 1985.

FRANCESC CORTÈS i MIR

Moreto. Zarzuela en tres actos. Música de Cristóbal Oudrid. Libreto de Agustín Azcona. Estrenada el 20 de mayo de 1854 en el teatro del Circo de Madrid.

Personajes y reparto. Don Agustín Moreto (Francisco Salas, barítono). El Conde-Duque de Olivares (Francisco Calvet, barítono). Don César (José Font, tenor). El Marqués de San Roque (José Alverá, bajo). Tacón (Vicente Caltañazor, tenor cómico). Doña Inés (Adelaida Latorre, tiple). Doña Ana (Luisa García, actriz-tiple). El Marqués de San Vicente (Vicente Fernández Pombo, no habla). El Conde de Villafranqueza (Sinforoso López, no habla). Don Jerónimo Muñoz (Alfonso Caballero, no habla). El Conde de Castro (José García, no habla). El Ujier de Viana (Román Pavón, no habla). Caballeros y damas de la corte de Felipe IV, reyes de armas, pajes del rey, pajes del Conde-Duque. Guardia amarilla, con tambor y pífano.

Orquestación. Flautín, flauta, 2 oboes, 2 clarinetes, 2 fagotes, 2 trompas, 2 cornetines, 2 trombones, figle, percusión y cuerda.

Argumento. La acción ocurre en el palacio del Buen Retiro, bajo el reinado de Felipe IV. *Acto I*. En el palacio tiene lugar la entrega al Conde-Duque de Olivares de una copa de oro concedida en 1637 por el rey por el socorro de Fuenterrabía. Los cortesanos, tras aplaudir al homenajeado, se preparan para asistir a la representación de la comedia de Moreto titulada *El parecido*. El Conde-Duque ha hecho venir a palacio al escritor Agustín Moreto desde Toledo, donde residía, a la corte, acompañado por su criado Tacón y por sus hermanas Doña Ana, enamorada de Don César, y Doña Inés, que en realidad es la esposa en secreto de Moreto y finge ser hermana del literato para evitar la persecución de un familiar a quien Moreto hirió en un duelo. Pero en realidad el Conde-Duque ha hecho venir a las hermanas de Moreto porque pretende conquistar a la hermosa Inés. La representación del drama de Moreto es un éxito; el Conde-Duque le corona y él lo agradece con una improvisación patriótica.

Acto II. En un banquete y baile en palacio, tras un brindis de Don César, el Conde-Duque intenta conquistar a Doña Inés, sin conseguirlo; Tacón, que ha visto el final de la escena, es amenazado por Olivares para que guarde silencio. Doña Ana, celosa por las atenciones que César presta a la Condesa de Olivares, finge desdeñar a su amado. El

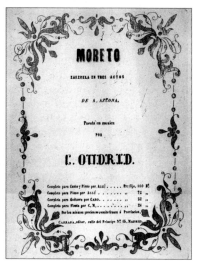

Cortesía de Unión Musical Ediciones SL

Conde-Duque encarga a Tacón que entregue un brazalete a Doña Inés. Tacón intenta revelar a su amo lo que ha visto, pero no lo consigue por miedo y por presentarse allí Don César, que revela a Moreto que está dispuesto a cortejar a la esposa de Olivares, al verse rechazado por Doña Ana; el escritor le reprocha su insensatez. Tacón no entrega el brazalete a Doña Inés, sino a Doña Ana, lo cual sirve para desatar las iras, celos y temores de los presentes.

Acto III. En sus dependencias en palacio, Moreto reflexiona sobre lo que ha pasado, lleno de cólera y celos, que aumentan cuando recibe una carta anónima, con letra de mujer, en la que se le dice que esa noche no salga de su habitación. Llega Don César con un retrato y una carta de la Condesa-Duquesa, citándole para esa noche en que su marido estará ausente; Moreto comprueba que la letra es la misma que la de su carta y se queda con el retrato. Al salir Moreto de su habitación, entra el Conde-Duque disfrazado en busca de Doña Inés, pero a quien encuentra es a Moreto, que le desafía a duelo, le encierra y le humilla, enseñándole el retrato de su mujer y diciéndole que en ese momento estará ella con otro hombre. Pero esa cita era falsa, pues todo había sido urdido por la Condesa-Duquesa y por el rey, para castigar a Olivares y premiar a Moreto.

Números musicales. Acto I: Nº 1. Introducción y marcha, Conde-Duque y coro, "A la fiesta, a la fiesta del día". Nº 2. Coro de cortesanos (tenores y bajos), "Que ha de ser, se me figura". Nº 3. Aria de Moreto, con coro de cortesanos, "Si con damas venturoso". Nº 4. Final 1º, Himno. Moreto y coro general, "Es tu plectro el del Dios rubicundo". Acto II: Nº 5. Introducción y brindis. Don César y coro, "Nutrida en el dolor, escasa de placer". Nº 6. Terceto de Doña Inés, Conde–Duque y Tacón, "Vana quimera es la esperanza". Nº 7. Romanza de Don César, "Es una dama de alta estirpe". Nº 8. Dúo de Doña Inés y Moreto, "¿Dudarlo puedes? –Nunca, nunca". Nº 9. Final 2º. Doña Inés, Doña Ana, Moreto, Conde-Duque, Tacón, Marqués, Don César y coro, "Protege, amor benigno, la férvida pasión". Acto III: Nº 10. Intermedio. Orquesta. Nº 10bis. Intermedio. Orquesta. Nº 11. Coro de soldados, Marqués y coro (tenores y bajos), "Avanzad, avanzad, brava gente". Nº 11bis. Intermedio. Orquesta. Nº 12. Dúo de Moreto y Conde-Duque, "Reportad la libre lengua". Nº 13. Final 3º. Doña Inés, Doña Ana, Moreto, Conde-Duque, Don César, Tacón, Marqués y coro, "Contened el odio insano".

Comentario. *Moreto*, última obra de Agustín Azcona, es un drama excelente que tuvo la fortuna de convertirse en una magnífica zarzuela. Oudrid compuso una de sus mejores obras líricas, con cuatro números en el primer acto, cinco en el segundo –que inicialmente eran seis, suprimiéndose después la canción de Tacón–, y cuatro –más otros dos interludios orquestales– en el tercero. Destaca la utilización de números seccionales, así como el empleo de danzas de salón, habituales en la ópera y la ópera cómica del momento, como la marcha, la polonesa, la polka o los rigodones, así como el recurso a pasajes de sonoridad italianizante e incluso más propios del repertorio operístico que del zarzuelístico, como ocurre en los finales de los actos. La obra se inicia con un amplio número seccional, que comienza con una introducción orquestal y un coro; tras un enlace sigue una brillante marcha en la orquesta al servicio de la acción teatral, que representa el homenaje al Conde-Duque; en ella intervienen en escena tambores y pífanos; después el Conde-Duque canta un fragmento de sabor italianizante; un enlace vuelve al ritmo de marcha, cantada ahora por el coro; sigue después un ritmo de polonesa, sobre el cual el Conde-Duque canta su agradecimiento por el homenaje que le han brindado, sirviendo el número de cabaletta respecto a la sección anterior, interviniendo el coro; el número concluye con la marcha en la orquesta. Para *La España* (1-VI-1854), la marcha "es verdaderamente regia; aquellos tambores y aquellos pitos de la Guardia amarilla, que en unión de la orquesta marcan de una manera tan agradable y tan precisa la solemnidad de *paso regular*, trasladan nuestra imaginación a la fastuosa corte de Felipe IV". Cotarelo indica que Oudrid debió aprender a componer piezas de este tipo de su padre, que había sido músico militar. El Nº 2 es el coro de cortesanos que comentan la llegada a la corte de Moreto y sus hermanas; enlaza con los habituales números de murmuración del género lírico español, consiguiendo un efecto brillante y de interés para el público. El Nº 3 es el aria de presentación de Moreto, que consta de seis secciones. El primer acto concluye con un brillante himno cantado por Moreto con el coro, construido básicamente sobre ritmos de marcha.

El acto segundo comienza con una introducción y el brindis de Don César y coro; de estructura tripartita A-B-A, recurre, tras una amplia introducción orquestal en la que se anticipan los materiales de A, a un ritmo binario para las secciones inicial y final, que recuerda la estructura de los rigodones; la sección central evoca una sonoridad de corte italiano. Vendría después un número de Tacón, en el que celebra su nombramiento como "Gracioso de la corte", cuyo texto se conserva en las ediciones del libreto, pero cuya música es omitida en las representaciones para no alargar su duración. El Nº 6, terceto de Inés, el Conde-Duque y Tacón, presenta una estructura tripartita, constando, a su vez, la primera parte de dos secciones: una breve romanza de Inés, en la que emplea estructuras armónicas habituales en el lenguaje musical italiano, como la sexta napolitana y la sexta aumentada que sensibiliza a la dominante, y la primera parte del terceto propiamente dicho; la segunda sección es en la que el Conde-Duque aumenta su presión sobre la joven, para que acepte su amor, a lo que ésta se niega, glosando Tacón la acción; la tercera funciona a modo de cabaletta del número, con una aceleración final. El Nº 7 es la bella romanza de Don César, que exige al intérprete llegar, al cantar, hasta un La 3. En el Nº 8, dúo de Inés y Moreto, Oudrid recurre de nuevo a una estructura poliseccional, en la que se pueden señalar tres grandes secciones y el acto concluye con un brillante final, de estructura a su vez tripartita que termina con la intervención de todos los personajes y el coro en uno de los finales más brillantes de toda la producción lírica de Oudrid. Barbieri recuerda la brillante interpretación de Font en el *Andante* de este final, "que es muy bueno", y que fue cortado y corregido por Gaztambide; el público pidió su repetición con entusiasmo.

El acto tercero comienza con un breve intermedio orquestal, en el que se reproduce la melodía del canto del final del acto segundo, "Sepa el mundo que siempre mi norte", mientras Moreto está sentado en un sillón muy pensativo. Tras un monólogo de Moreto, la orquesta reproduce muy piano el motivo del final del aria de Moreto en el primer acto , "Batid, batid las palmas"; este pasaje no figura en la reducción para canto y piano. El Nº 11, coro de soldados y el Marqués, consta de cuatro secciones; la cuarta es el pasaje cantado por el coro "Buscarle, pararle, cercarle, embestirle", que logró gran popularidad. La obra presenta después un nuevo intermedio a cargo de la orquesta, en el momento en que el Conde-Duque se dispone a entrar en la estancia de Moreto, escuchándose el motivo del terceto del acto segundo, que corresponde a los versos "Bella Señora"; este pasaje tampoco figura en la reducción para canto y piano. El Nº 13, dúo de Moreto y el Conde-Duque, recurre de nuevo a una estructura poliseccional, en la que los dos intérpretes repiten las mismas melodías en cada una de las secciones. El final de la obra es también seccional, en la inicial canta el Conde-Duque, después César y después Moreto, para a continuación escucharse un concertante de ellos tres más las dos mujeres, Inés y Ana; tras una breve transición orquestal comienza la segunda sección, en la que intervienen César, después el Conde-Duque y Moreto, con un pasaje hablado sobre la música –en el que Olivares pide el retrato de su esposa a Moreto– continuando con un dúo del Conde-Duque y Moreto, al que se suman los otros personajes y el coro, concluyendo brillantemente la obra.

Para *La España Musical* (26-V-1854), "el drama es interesante y está escrito con conciencia y esmero; la partitura encierra piezas de grande efecto, entre ellas el magnífico final del acto segundo, que el público entusiasmado hizo repetir, llamando al poeta y al compositor dos veces a la escena. No es esto sólo lo que contiene de verdadero mérito: merecen citarse las dos marchas del primer acto, el dúo de tiple y barítono, y en fin, el precioso coro de soldados, cuya letra es una feliz imitación del célebre *Murciélago alevoso*… La zarzuela se ha puesto en escena con propiedad y lujo, y promete dar brillantes resultados, pues cada día se aplauden más las bellezas que encierra por una numerosa concurrencia que ocupa todas las localidades del teatro". En *La España* (1-VI-1854) se publicó un comentario sobre la orquesta: "La instrumentación de *Moreto* es bastante dificultosa y tiene pasajes de empeño para la orquesta". En su crítica en *La Nación* (28-V-1854), Arrieta indica el éxito de Oudrid, destacando "las ideas llenas de fuego y perfectamente desarrolladas, la excelente colocación de las voces, la buena armonización y por último, la instrumentación clara y vigorosa", y subrayando el final del acto segundo, que "será una de las mejores páginas de la historia artística del señor Oudrid". *Moreto* se mantuvo en cartel hasta el 7 de junio, terminando la temporada con los beneficios de los artistas; la obra pasó a ser de repertorio, siendo interpretada en 1874 en el teatro Apolo de Madrid.

Fuentes manuscritas. Dos partituras (TL-1105) y los materiales de orquesta se conservan en el archivo de la SGAE en Madrid (1427 y 3062).

Ediciones de música. Canto y piano, adap M. Sánchez Allú, Madrid, Carrafa Ed. Piano, adap M. Sánchez Allú, Carrafa Ed. Guitarra, adap Cano, Carrafa Ed.; Flauta, Carrafa Ed..

Ediciones del libreto. Madrid, J. Rodríguez, 1854.

BIBLIOGRAFÍA: *HZ*; E. Casares Rodicio: *Francisco Asenjo Barbieri. 2. Escritos*, Madrid, ICCMU, 1994.

RAMÓN SOBRINO

Moreu, Elisa. España, siglos XIX-XX. Tiple cómica y característica. En 1903 actuaba en el teatro Apolo, donde estrenó *El terrible Pérez* de Arniches y García Álvarez con música de Quinito Valverde. En 1908 era tiple de la compañía del teatro Apolo. En los años veinte pasó a formar parte de la compañía de Lola Membrives como actriz de carácter, ya que también en la zarzuela había sido característica.

Su carrera está muy

Elisa Moreu en El terrible Pérez
(Foto de Franzen en El Teatro,
1903; Ar. SGAE)

unida al teatro Apolo, donde, durante los más de veinte años que permaneció, estrenó obras como *Pepe Gallardo* de Chapí, 1898; *El fonógrafo ambulante* de Chapí, 1899; *La torre del oro* de Giménez, 1902; *El cisne de Lohengrin* de Chapí; *El terrible Pérez* de Quinito Valverde, 1903; *Pasacalle* y *Pícara lengua* de Valverde; *El perro chico* de Valverde y Serrano, 1905; *El cuento del dragón* de Giménez; *El niño de San Antonio* de Juan Gay, 1907; *¡El 20 pelao!* de Arturo Escobar y *El chico del cafetín* de Calleja, 1911; *La cocina* y *Las mujeres de Don Juan* de Calleja, Apolo, 1912; *La farruca* de Alonso, 1914; *La estrella de Olimpia* de Calleja, 1915; *El número 15* de Guerrero, 1922. En los años veinte pasó a formar parte de la compañía de Lola Membrives como actriz de carácter y aún se hallaba actuando en 1931 cuando estrenó en el teatro Fontalba *Madreselva* de los hermanos Álvarez Quintero.

BIBLIOGRAFÍA: *ME*.

Mª LUZ GONZALEZ PEÑA

Morillo González, Enrique. Sevilla, 1880; Sevilla, 1970. Actor. Dedicado al género chico como actor cómico, fue muy conocido en Sevilla ya que su trabajo se circunscribió al teatro del Duque de la capital hispalense, salvo cuando estrenó en el Apolo de Madrid *Diana cazadora* de los hermanos Álvarez Quintero. Actuó en 1907 en la compañía de Fernando Vallejo en el teatro Portela de Sevilla y fue primer actor y director de la compañía del compositor López del Toro que actuó por diversas capitales andaluzas. Además escribió para estrenarse en el teatro el Duque, *El patio andaluz*, con música de José Gardey, Luis Rivas y Cipriano Gómez, de la que se hizo famosa la canción *Cruz de mi patio*, y los sainetes *La fiesta de la cruz*, con los mismos compositores, *El santo del abogado* y *Una buena acción*.

BIBLIOGRAFÍA: F. Cuenca: *Teatro andaluz contemporáneo. 2. Artistas líricos y dramáticos*, La Habana, Maza, 1940.

Mª LUZ GONZALEZ PEÑA

Morín, Vicente. La Habana, 31-III-1902; La Habana, 29-X-1977. Tenor. Comenzó a cantar con diez años en el coro de la catedral de La Habana, realizando estudios con Leonardo Uribe y Néstor de la Torre, con este último se graduó en el Conservatorio Municipal de Música de La Habana en 1925. Formó parte de la compañía de Alberto Garrido, padre. Luego se integró a la compañía Torres e interpretó durante una gira por la isla las zarzuelas *La alegría de la huerta* de Chueca y *Marina* de Arrieta. Ernesto Lecuona, atento a la calidad de su potente y bella voz de tenor, lo contrató para que integrara el elenco de una nueva compañía que había formado con el empresario Luis Estrada, que inauguró el nuevo teatro Regina, debutando el 29 de septiembre de 1927 con los estrenos de *Niña Rita o La Habana en 1830*, sainete lírico de Lecuona y Grenet, y la revista *La tierra de Venus*, con denotado éxito. Otros de los estrenos de este autor fueron las revistas *La liga de las señoras* y *Es mucha Habana*, y las zarzuelas *El batey*, *La flor del sitio* y *El calesero*. Posteriormente se integró a la compañía de Eliseo Grenet con la cual viajó a diversos países de América Latina. Luego ingresó en el elenco de la compañía del teatro Alhambra donde cosechó nuevos lauros en el género vernáculo interpretando obras de Jorge Anckermann. Realizó un viaje a España junto al compositor Moisés Simons y a su regreso se incorporó al teatro Alhambra. En 1932 actuó en el teatro Martí en *Cecilia Valdés* de Roig y en *El cafetal* de Lecuona. Ese año, incorporado a la nueva compañía de Lecuona en el teatro Principal de la Comedia, se presentó en tres obras de este autor: *El amor del guarachero*, *Niña Rita o La Habana en 1830*, y estrenó *La guaracha musulmana*. Después de una fructífera carrera como cantante lírico se dedicó a la radio, como actor y cantante, retirándose en 1961.

BIBLIOGRAFÍA: E. Robreño: *Historia del teatro popular cubano*, La Habana, Oficina del Historiador de la Ciudad de La Habana, 1961; J. Piñeiro Díaz. *Rita Montaner 80 Aniversario 1900-1980*, La Habana, Museo Nacional de la Música, 1980; O. L. López: *La radio en Cuba*, La Habana, Letras Cubanas, 1981.

JOSÉ PIÑEIRO DÍAZ

Moriones, Romualda. España, siglo XIX. Tiple y empresaria. Fue una gran figura de la zarzuela en la época de la Restauración. En 1869 trabajaba en el teatro de la Zarzuela donde se presentó con obras de Offenbach; en 1870 estrenó *Un loco más o Los bufos franceses en Madrid* de Juan García en el teatro Circo de Madrid; en 1871 *Se necesitan oficialas* de Monfort, en el Jardín del Buen Retiro; en 1875 *El diamante negro* también de Monfort. En 1876 fue contratada por el teatro Apolo para iniciar las actividades zarzuelísticas estrenando *Los contrabandistas* de Cereceda. Por entonces debió abandonar España y en 1881 se encontraba en México como nueva estrella de la zarzuela interpretando en el teatro Arbeu *Jugar con fuego*. En 1882 actuó en el Gran Teatro Nacional con la compañía del empresario José Joaquín Moreno, que introdujo en su programación conciertos sinfónicos en los que actuaba esta artista. En este año estrenó un himno a la Paz de Melesio Morales y *Música clásica* de Chapí. En 1883 estrenó la *Carmen* en su papel central, cantada en castellano. Por esta época se retiró de los escenarios al contraer matrimonio con José Joaquín Moreno. Sin embargo, regresó en 1885 al teatro Nacional, lo que fue celebrado por un público mexicano que había lamentado su desaparición. Al parecer, la crisis económica de su marido fue la razón de su vuelta a los escenarios. Los cronistas señalan la influencia que sobre ella tuvo Luisa Theo, a quien había contemplado desde el palco durante aquellos años. En 1890 murió su marido y en 1891 reapareció como primera tiple en la compañía de Enrique Labrada interpretando de nuevo *Carmen* de Bizet.

No sólo fue destacada como cantante sino como empresaria y se convirtió en una de las más importantes de México en compañía de su hermana Genara. En 1901 ambas hermanas tomaron el teatro Principal de México, adquiriendo el edificio, aunque con la oposición de los que consideraban lo que allí se hacía como símbolo de la decadencia teatral. Ellas fueron las grandes importadoras de lo que en México se denominaba "teatro tandista" zarzuelas en funciones, por tandas, similar al teatro por horas. Su éxito y visión comercial fue enorme; como empresarias sabían darle al público mexicano lo que este pedía, que era entonces el género chico, tanto español, como mexicano. Entre sus logros se cuenta la contratación de María Conesa, que habiendo huido de España tras el asesinato de su hermana Teresita, obtuvo un gran éxito en La Habana con *La gatita blanca*. En 1912 se retiraron como empresarias por lo que el género chico desapareció del teatro Principal.

Con magníficas cualidades para la declamación, era una gran artista, dotada de una excelente figura y unas maneras que llamaban la atención. Fue considerada como una de las grandes intérpretes del siglo XIX mexicano y, según las crónicas, españolizó la música por medio de giros "al estilo flamenco" y otras decoraciones vocales.

BIBLIOGRAFÍA: *HGZ; RHTM;* A. Dallal: *La danza en México, tercera parte. La danza escénica popular 1877-1930,* México, U. Nacional Autónoma de México, 1995.

EMILIO CASARES RODICIO

Morlet, Salvador. México, siglo XX. Compositor. Autor de algunas piezas de salón, Morlet perteneció al mundo de la zarzuela mexicana. El 5 de julio 1902 y con libreto de José F. Elizondo, estrenó en el Principal *La Gran Avenida,* parodia mexicana de *La Gran vía.* Aunque algunas danzas de Morlet gustaron al público y fueron repetidas, la obra tuvo una vida escénica breve. Aunque fue miembro de la Sociedad Mexicana de Autores, Morlet no parece haber sido un músico interesado en altos fines artísticos. Sin embargo, su música tuvo buena aceptación en un teatro como el María Guerrero, cuartel de las zarzuelas sicalípticas mexicanas.

RICARDO MIRANDA PÉREZ

Moros y cristianos. Zarzuela de costumbres valencianas en un acto. Música de José Serrano. Libreto de Maximiliano Thous y Elías Cerdá. Estrenada el 27 de abril de 1905 en el teatro de la Zarzuela de Madrid.

Personajes y reparto. Amparo (Pilar Pérez, mezzosoprano). Daniel (Enrique Gandía, tenor). Lilí (Rosita Montesinos). Madame (Nieves González). Una moza (Sra. Vedia). Melchor (Francisco Ruiz-París). Toni (José Moncayo). Castelar (Pedro Ruiz de Arana). Gastón (Hilario Vera). Centinela (Vicente del Valle). Ganapán (Nicolás Nadal). El Tremendo (Sr. del Moral). Gacheta (José Galerón).
Orquestación. Flautín, flauta, oboe, 2 clarinetes, fagot, 2 trompas, 2 trompetas, 3 trombones, percusión, arpa, cuerda, dulzaina y tamboril.

Argumento. *Cuadro primero.* En Alcocera, pueblo imaginario de la comarca alcoyana, tienen lugar las típicas fiestas de moros y cristianos. Después de que los mozos se hayan reunido en torno a una cucaña, Melchor, el capitán moro, habla con su viejo criado Toni de la posible infidelidad, aún no del todo verificada, de la mujer del primero, Amparo. Son malos presagios, pero el impulso de la fiesta obliga a todos a continuar con los actos que ella programa. El rudo Castelar, el cristiano encargado de proclamar la embajada frente a las tropas moras, provoca con sus ensayos la risa de Gastón, un

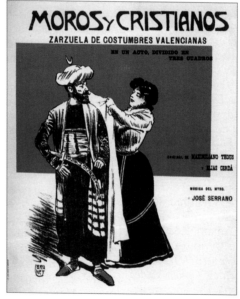

Cortesía de Unión Musical Ediciones SL

sobrino de Amparo, llegado de Orán para las fiestas. La reacción airada de Castelar da lugar a diversas escenas cómicas. Por fin aparece Daniel, el capitán cristiano, quien al quedarse a solas con Amparo le habla de amor. Promete volver por la noche, cuando Melchor tenga que abandonar su casa para, según manda la tradición, velar en el castillo moro.

Cuadro segundo. Ya de noche, Daniel llega junto a Amparo, que después de ciertas dudas, se entrega a su amante. Toni, que hacía guardia, advierte el adulterio y lucha con Daniel sin que pueda llegar a reconocerle, aunque al menos sabe que ha dejado marcado su cuello en la pelea.

Cuadro tercero. Castelar pifia la declamación de la embajada. Por su parte, Toni advierte de lo sucedido en su casa a Melchor, que, aunque desolado, ha de proseguir con su papel en la fiesta. Se trata de fingir un combate entre los capitanes de los bandos moro y cristiano, en el que, gracias a la intervención de un santo, vence el segundo. En plena actuación, Melchor descubre en el cuello de Daniel las heridas producidas por Toni, con lo que la lucha se torna real y acaba con la muerte, por una vez, del capitán cristiano.

Números musicales. Nº 1. Introducción, "La cucaña, la cucaña". Nº 2. Marcha mora. Nº 3. Intermedio y cuadro 2º, "Que sigan la zambra y la orgía". Nº 4. Intermedio. Nº 5. Final.

Comentario. Sin duda, en esta obra se advierte el espíritu del teatro verista, de igual forma que se puede localizar en otras zarzuelas de la época. Pero lo que llama la atención en *Moros y cristianos* es la profunda disociación que se da entre una trama trágica, la que se pretende más importante, y otra cómica, secundaria, que es a la postre la que más escenas ocupa. Tan sólo en una breve ocasión ambas corrientes se unen, cuando Madame, la madre de Gastón, le insinúa a Amparo que en Orán ocurre igual que en Alcocera, a saber: cuando un marido falta por las noches se oyen ruidos "de roedores", para confusión de los criados, en la habitación matrimonial. Esta tendencia a cargar de dramatismo una obra de género chico tan nutrida por la presencia de tipos y situaciones cómicas era denostada por Villegas en *La Época*. Otro síntoma de que la mezcla no resultaba muy acertada para la crítica es también el comentario de en *El Imparcial*. Da la sensación, por lo tanto, de que en el libreto había una línea argumental que, quizá por moda, obligatoriamente se tenía que tratar, la del adulterio y la consecuente venganza, y otra línea independiente, graciosa y típica, mucho mejor resuelta, pero que no se integra nada bien con la primera. Se desconoce hasta qué punto esta disposición fue exigencia del compositor para que quedara a su arbitrio un segundo cuadro, serio, enteramente musical, casi en su totalidad dominado por un dúo entre los amantes, pero el caso es que los libretistas, dejaron constancia en un libreto que, por lo demás, llenaron a acotaciones, lo siguiente: "Conste que suelen resultarnos muy malos los versos de los cantables, pero la culpa de que en estos apenas haya rima ni medida, la tiene el maestro compositor, que nos ha obligado a escribir esta monstruosidad. Pero, ¿qué se le va a decir si la música resulta tan bonita?…)".

Moros y cristianos vio la luz en un año en el que Serrano estrenó otras seis obras más, pertenece al primer período compositivo de su autor, de abundante producción en el cual se fue ganando un nombre entre los más importantes artistas del género.

Escena de la entrada del Embajador de Moros y cristianos *(Foto:* El Teatro, *1905; Ar. SGAE)*

Esta obra es la primera en la que recurrió un tema valenciano. Incluso, afinando más, a su Sueca natal, porque Serrano ambienta musicalmente el lugar donde acontece la fiesta utilizando al comienzo de la partitura una variación acelerada de una pieza del folklore de su pueblo: una de Les Danses con dulzaina (el dulzainero y el tamboril han de figurar en escena). Un sencillo pero efectivo coro a dos voces recrea el jaleo de mozas y mozos en torno a la cucaña, mientras que no falta una cita musical del tema de *Mambrú* cuando un fanfarrón apodado el Tremendo intenta, sin éxito, alcanzar los trofeos que coronan la cucaña. El siguiente número que ambienta la fiesta no aparece hasta el final del primer cuadro, cuando Melchor ha de abandonar su casa para ir con sus tropas al castillo en el que pasarán la noche. Se trata de la famosa "Marcha mora", con la que Serrano, sagaz, consiguió un importante éxito muy difundido en versiones para banda. A sus sones es posible conseguir una atractiva espectacularidad visual en escena con el desfile de las distintas filadas de las huestes moras. El motivo inicial de la fanfarria es varias veces repetido, con el que comienza el "Intermedio" que precede al cuadro segundo. Le sigue una ondulante melodía, diferentemente instrumentada, y con el puntual acompañamiento de la pandereta con sonajas. La insistencia de esta melodía se va intensificando hasta que un redoble de timbal da paso a un breve coro masculino a dos voces a la octava que retoma el tema principal de la "Marcha mora". Después se inicia el dúo con un tema otra vez de sonoridad oriental, que parece ilustrar la placidez de la noche. Sigue el dúo entre Amparo y Daniel. La introducción a la "Marcha mora" abre el segundo "Intermedio". Tras ella se escucha una nueva fanfarria, más desarrollada, que es anuncio de los heraldos que proclamarán la lucha entre los capitanes de las dos facciones. La última sección, mucho más extensa, aúna la fanfarria con un tema mucho más cercano al espíritu cómico de la obra.

Sr. Martí como Melchor, Sra. Domingo como Amparo en una escena de Moros y cristianos *(Foto:* El Teatro, *1905; SGAE)*

La música de la escena final, la del combate entre los capitanes, está confeccionada a base de cortas reminiscencias de los motivos principales de la obra. La partitura de *Moros y cristianos* es muy efectiva a la hora de ambientar y colorear el drama y sólo de lejos manifiesta alguna similitud con la *Fantasía morisca* de Chapí. Por su parte, el público la recibió calurosamente, y entre los elementos del estreno, debe destacarse la escenografía de Rivas.

Fuentes manuscritas. Los materiales de orquesta se conservan en el archivo de la SGAE en Madrid (2519).

Ediciones de música. *Colección completa de las obras musicales de José Serrano*, Madrid, Mott, 1912. Canto y piano, Orfeo Tracio. "Marcha" para guitarra, laúd y tres bandurrias, Fortea. Selección para orquestina, transcripción Á. Mingote, UME. Banda, "Marcha mora".

Ediciones del libreto. Madrid, SAE 1905.

FONOGRAFÍA: RP: Victoria 1871 y 1872.

D78rpm: Sols. Manuel Murcia, Cora Raga, Vicente Sempere, Odeón 184505 a 184507, SO 7117 a SO 7122 [reed. en CD: Blue Moon BMCD 7524] • Dir. Vicente Quirós, Orq. Sinfónica, Odeón 204376, SO 10546 SO 10547 • Dir. Ricardo Villa, Banda Municipal de Madrid, Odeón 184111 (et. marrón), SO 4800 SO 4813 • Orq. Columbia A 612 (et. azul), WK 2176 WK 2177.

LP: Dir. Ataúlfo Argenta, Sols. Ana Mª Iriarte, Carlos Munguia, Coros de Cantores de Madrid, Orq. Sinfónica, Columbia SA, C 30059 101 [reed. en CD: Columbia-BMG España WD 74389 (9D) y Columbia-BMG-Ariola-Salvat 1042-2].

BIBLIOGRAFÍA: R. Díaz, V. Galbis: *La producción zarzuelística de José Serrano*, Adjuntament de Sueca, 1999.

RAFAEL DÍAZ GÓMEZ

Moscat, Luisa. España, siglos XIX-XX. Tiple. Debutó en 1907 en el teatro Albisu de La Habana con *San Juan de Luz*, siendo muy bien acogida por el público, ya que además de cantar era buena actriz. Este triunfo lo revalidó con *El ratón* y *¡Ruido de campanas!* A continuación estrenó *Casta y pura*, en la que fue muy aplaudida. En enero de 1908 seguía triunfando en el mismo teatro con *El gallo de la Pasión* y *La hostería del Laurel*. En 1911 estrenó *El carro de sol* de Serrano, en el Gran Teatro de Madrid, y *La boda de la Farruca* de Alonso, en el teatro Cervantes de Sevilla.

Mª LUZ GONZÁLEZ PEÑA

Moscoso de Valero, Emilia. Madrid, 8-IV-1829; Madrid, 6-III-1859. Cantante. En 1842 ingresó en el Conservatorio; sus progresos fueron rápidos, ya que contaba con la ayuda de Ildefonso Santos, profesor de música con quien vivía. El 11 de marzo de 1843 se matriculó en la clase de canto de Baltasar Saldoni, a la que asistió hasta 1847, fecha en que abandonó las aulas del Conservatorio, pero no las clases de su maestro. En el Conservatorio estudió además italiano, acompañamiento y composición. En 1849 fue contratada por el teatro Español para cantar *La mensajera* de Gaztambide, que se estrenó en diciembre de 1849. También estrenó la ópera *Boabdil* de Saldoni en 1845. Fue escriturada en el teatro Real de Madrid desde la fecha de su inauguración en 1850. En todas las óperas donde actuaba era recibida con muestras de aprobación, pero sobre todo fue muy aplaudida en *La sonambula*, *La Cenerentola* y *La favorita*, en las que cantaba la parte de comprimaria. En 1852 pertenecía a la compañía del teatro del Circo. En 1853 estrenó *La espada de Bernardo* de Barbieri y *El grumete* de Arrieta. Se casó con el famoso actor José Valero, y durante la temporada 1856-57 intervino en la compañía de ópera italiana del teatro de la Cruz de Barcelona. Su voz poseía bello timbre y perfecta afinación; según el propio Saldoni, se distinguía de las voces del resto de sus compañeras por su pastosidad y su amplitud –era una voz grande incluso cuando empezó a estudiar a los catorce años de edad–. Su prematura muerte producida por una tisis causó gran impresión en todo el mundo artístico madrileño.

BIBLIOGRAFÍA: *HGZ; HZ.*

EMILIO CASARES RODICIO

Moya, Adamina. España, siglo XIX. Tiple. Fue contratada como tiple por el teatro de la Zarzuela en 1859 y se presentó como tal en la obra *El diablo las carga* y *El relámpago* y poco después, en 1860, tuvo éxito en la obra de Oudrid *Memorias de un estudiante*. Ese mismo año estrenó *Gil Blas* de José Manzocchi.

BIBLIOGRAFIA: *HGZ; HZ.*

EMILIO CASARES RODICIO

Moyrón Sánchez, Julián. Madrid, 1883; Madrid, 1935. Dramaturgo y periodista. Colaboró en diversas revistas teatrales de la época. Escribió numerosas obras líricas para los compositores de más relevancia de las primeras décadas del siglo XX. Abarcó con éxito varios géneros como sainetes, entremeses y zarzuelas, derivando después a un estilo más ligero y frívolo a través de la opereta, bien con obras originales o adaptando éxitos del extranjero, como *Eva, la niña de la fábrica* de Franz Lehár, 1914, y para Pablo Luna –con el que ya había colaborado anteriormente– escribió el libreto de la opereta *Los cadetes de la reina*, 1913, teatro Price de Madrid, con un gran éxito para ambos. Escribió libretos para otros compositores como Luis Foglietti y Jesús Aroca Ortega en *Las lindas paraguayas*, 1908, teatro Romea de Madrid, escrita en colaboración con Álvarez Díaz, A. y J. Gómez, que supuso uno de sus primeros éxitos; Gerónimo Giménez en la zarzuela *Los hombres que son hombres*, 1912, teatro Cómico de Madrid; Francisco Alonso en *El dinero y la vergüenza*, 1917, teatro Novedades, entre una larga lista de éxitos. *Véase* LOS CADETES DE LA REINA.

BIBLIOGRAFÍA: *DMEH.*

OLIVA G. BALBOA

Mozo crúo, El. Sainete lírico en un acto. Música de Rafael Calleja y Vicente Lleó. Libreto de Diego Jiménez-Prieto y Felipe Pérez Capo. Estrenada el 22 de septiembre de 1903 en el teatro Cómico de Madrid.

Personajes y reparto. Quisquillas (Luz García Senra, tiple y actriz). Celi (Carlota Millanes, tiple). Manolita (Juana Manso, tiple cómica). Seña Baldomera (Juana Sanz). Juana (Carmen Andrés, tiple). Gloria (María Mayor). El osito (Antonia Sánchez Jiménez). Curro Cambrales (José Ontiveros, actor). Señor Ramón (Julián Fuentes). Señor Ambrosio (Pedro Vera). Expedito (Hilario Vera). Porciales (Antonio Camacho). Agapito (Sr. Monteagudo). Edelmiro (Ramón Lobera). El cangrejo (Guillermo Amodeo). Un guardia, (Luis Vals). Otro guardia (Luis Ballester). El chico de la taberna (Niño Castaño). Vendedor 1º (José Gadea). Vendedor 2º (Candela).

Orquestación. Flautín, flauta, oboes, 2 clarinetes, fagot, trompeta, 2 trompas, 3 trombones, piano, percusión y cuerda.

Argumento. La acción transcurre en Madrid, en época contemporánea al estreno. El cuadro primero se sitúa en una plaza de un barrio de Madrid, en la que hay una taberna, una buñolería y un puesto de flores. Expedito, el hijo del tabernero, estudia para sacerdote, pero está enamorado de Manolita, la hija del señor Ambrosio, el buñolero. Las peleas entre Ambrosio, anticlerical y un tanto revolucionario, y los padres de Expedito, Ramón y Baldomera, son casi continuas, ya que el primero defiende el amor de los chicos, un amor que Expedito ni siquiera manifiesta a Manolita. Los taberneros tienen en su local a un personaje fanfarrón, chulo y peleón, Curro Cambrales, que con su garrote mantiene a raya no sólo a los clientes de la taberna sino a Ambrosio. La florista, Celi, quiere a Manolita como una hermana y dispuesta a conseguir su felicidad pide a su novio, el organillero Quisquillas, que para probarle su amor, se enfrente a Curro Cambrales en la verbena de San Lorenzo, que tendrá lugar al día siguiente, de modo que escarmentado el matón, Expedito tenga el valor de enfrentarse a sus padres y sacar adelante su historia de amor con Manolita. Curiosamente Curro Cambrales dará a Quisquillas una lección de lucha, siempre fanfarroneando, lo que deja a Quisquillas atemorizado. El cuadro segundo, muy breve, transcurre en la calle y sirve para afirmar el carácter de los diversos personajes y para que Quisquillas se declare dispuesto a todo por el amor de la florista. El cuadro tercero transcurre ya en la verbena de San Lorenzo, en la plaza adornada con farolillos, con un salón de baile y con la buñolería del señor Ambrosio. Curro Cambrales trata de buscar bronca con el señor Ambrosio pidiendo que sea Manolita quien les sirva, a lo que él se niega. Quisquillas, bastante asustado por la situación, se convertirá sin embargo en el héroe de la noche, pues al ver que Curro empuja a Celi de mala manera, la defiende con pasión, devolviéndole a Curro los golpes que éste le había enseñado. El señor Ramón y la señora Baldomera, viendo burlado a su matón ya no tienen fuerza para oponerse a las razones del señor Ambrosio y sobre todo al amor de Manolita y Expedito, por lo que la obra termina felizmente.

Números musicales. Preludio. Nº 1. Canción de la florera, Celi, Espedito y Ambrosio, "De rositas". Nº 2. Dúo de Celi y Manuela, "¡Mal hayan los hombres que no tienen genio". Nº 3A. Celi, Manuela, Quisquillas, y el Osito, schottish y mazurca del manubrio, "Qué *sus* pasa chiquillas". Nº 3B Celi, Manuela y Quisquillas, "En mí confía, hermana mía". Nº 4A. Edelmiro, Juana, Cangrejo, Gloria, y Guardias, "Pase mi pareja". Nº 4B. Pasacalle, Señoras, "Aquí está la gracia fina". Nº 5A. Escena de baile, Edelmiro, Cangrejo, Quisquillas, Celi, Curro, Manuel y coro, "Darle ya al manubrio". Nº 5B. Seguidillas, Coro y todos, "Aunque tú no me lo digas". Nº 5C. Tango del cangrejo. Baldomero, Curro, Celi, Quisquillas, "Pues mejor que todo eso".

Dúo de Quisquillas, de El mozo crúo (*Foto:* El Teatro, *1903; Ar.* SGAE)

Comentario. La obra pertenece a lo que entonces se denominaba género de costumbres populares, y constituyó uno de los mayores éxitos del año teatral. Lleó y el periodista Diego Jiménez-Prieto, a quien esta obra dio popularidad, consiguieron animar la temporada a través de la excitación política que produjo la obra, y también del famoso "Tango del cangrejo", interpretado por Luz García Senra, una cancioncilla picante y regocijada, que llegó a hacerse casi tan popular como el famoso "Tango de la Menegilda" de *La Gran Vía* y que algún crítico señalaba, "viene a continuar, como himno nacional, las glorias y andanzas de *La marcha de Cádiz*. El mozo crúo es, por supuesto, una demostración más de cuanto de periodismo y de crítica política y social había en numerosas zarzuelas del momento.

La obra se inicia con un pequeño preludio, que, después de una corta introducción en forma de pasacalle, que reaparecerá en el Nº 4B, pasa a una segunda parte bitemática. Sigue uno de los números más famosos, la canción de Celi, "De rositas", de fuerte definición hispana; en realidad una canción andaluza, con rica decoración melismática. Continúa un dúo entre Celi y Manuela, del mismo carácter. El Nº 3 está compuesto por dos de las danzas más usadas en el género chico: un schotis y una mazurka. El Nº 4 es un concertante entre cuatro personajes y los guardias seguido del pasacalle de la introducción. El Nº 5 lo constituyen tres partes: una escena de baile, con una introducción seguida de un schotish, unas seguidillas, cantadas a dúo en terceras por el coro, y finalmente el famoso "Tango del cangrejo", donde se arremetía contra los gobiernos de Silvela, Fernández Villaverde y Maura, que se sucedieron en el poder en poco tiempo. En él destacaba la siguiente letra: "Cuando Dios creó al cangrejo / dijo: por estrafalario, / tú serás siempre la pauta / del partido reaccionario. / Siempre pa atrás, / tu lo verás". En otro: "Aunque se marche Silvela, / como Maura no se ha ido, / hoy me ha dicho Villaverde que sigue igual el partido". Los cuplés se extendieron a Sánchez Guerra y a la Iglesia.

La obra tuvo un gran éxito desde su estreno y permaneció en el teatro Cómico hasta que por desavenencias con la empresa los autores hubieron de retirar la obra tras representarla 92 veces consecutivas. El 24 de diciembre de 1903 fue llevada al teatro de la Zarzuela, donde se seguía representando a comienzos de 1904 con el mismo éxito, mientras el libreto iba ya por su tercera edición. Los cuplés alusivos a Maura y otros que se añadían cada día servían para criticar todo lo criticable, y provocaron que cuando el *El mozo crúo* se reprisó en la Zarzuela, la crítica llegó a tal extremo, que por orden gubernativa se cerró el local el 11 de enero, estallando un escándalo tal que los actores de la Zarzuela intentaron que todos los teatros de Madrid se pusiesen en huelga. Los directivos de diversas entidades como la Sociedad de Autores, profesores de orquesta, coristas y actores se entrevistaron con el conde de San Luis, tratando de que se levantase la sanción, a lo que el Gobernador Civil respondió exigiendo la supresión de los cuplés, y el cambio de empresa en el teatro de la Zarzuela. La Sociedad de Autores estuvo a punto de entrar en crisis y el Ministro de la Gobernación amenazó a la Sociedad con investigar si estaba constituida con todos los requisitos legales; también entraron en acción los aficionados amenazando con reunirse en los cafés y cantar los cuplés. Por fin autorizaron la apertura del teatro para el día 14, representándose el mismo programa y llegando la obra al lleno absoluto. La decepción del público fue enorme al ver la inocencia de los nuevos cuplés, que fueron silbados, amenazando con destrozar el local si no se les complacía. La policía que se encontraba en el escenario, entendió que lo mejor era echar

Escena del Tango del cangrejo de El mozo crúo
(*Foto:* El Teatro, *1903; Ar. SGAE*)

el telón y dar la representación por terminada. El público fue calmado por Rosario Soler —sustituta de Luz García Senra en el papel del organillero—que, ante el telón de boca, suplicó al público asistente se abstuviese de pedir los cuplés que de ningún modo podían cantar por el momento. El "Tango del cangrejo" quedó reducido a sus estrofas originales y la obra siguió su andadura en la Zarzuela.

Todos los intérpretes contaron con el favor del público desde el día del estreno, destacando Carlota Millanes como la florista Celi, muy aplaudida en la romanza con que comienza la obra. José Ontiveros bordó el papel de matón, Hilario Vera y Juanita Manso interpretaron a los tímidos novios que no se atreven a luchar por su amor; pero, sin duda, la más aplaudida fue Luz García Senra, en el papel del organillero Quisquillas, que por amor a su florista es capaz de enfrentarse con el matón Curro Cambrales. La Senra interpretaba además el "Tango del cangrejo", que se convirtió en el número estrella de la obra desde su estreno.

Fuentes manuscritas. Los materiales de orquesta se conservan en el archivo de la SGAE en Madrid (2348).
Ediciones de música. Canto y piano, Madrid, SAE.
Ediciones del libreto. Madrid, Imp. R. Velasco, 1903; 2ª ed., 1903; 3ª ed., 1904; 4ª ed., 1906; Valladolid, Celestino González?, 1904.

EMILIO CASARES RODICIO

Muiño, Enrique. Argentina, 1881; Argentina, 1956. Actor. Fue uno de los intérpretes que más contribuyó a la consolidación del teatro criollo, pues comenzó su trayectoria escénica en 1902, en la compañía de Gerónimo Podestá en el teatro Rivadavia. Luego se incorporó al elenco del teatro Apolo, a cargo de José J. Podestá. Destacó en la composición de tipos populares y alcanzó gran relieve en la compañía dirigida por

Florencio Parravicini. Integró en varias ocasiones –1916, 1922 y 1932– compañías con el prestigioso actor Elías Alippi. En 1922 ambos emprendieron una gira por España. Tal vez el mayor éxito del dúo fue *Lo que le pasó a Reynoso*, 1932. También grabó películas muy significativas, como *Donde terminan las palabras*, *La guerra gaucha* y *Su mejor alumno*.

MARTA LENA PAZ

Muirón, Julio. México, siglos XIX-XX. Compositor y pianista. Músico activo durante el porfiriato, Muirón realizó algunas presentaciones como pianista, varias de ellas en conciertos para reunir fondos para hospitales y asilos. En 1895 Ricardo Castro le invitó

como pianista a la serie de conciertos de música de cámara que entonces se organizó, lo que habla de los méritos de Muirón como intérprete. Asimismo hizo conciertos al lado del reconocido violinista Luis G. Saloma. En 1891 ejecutó la *Danza macabra* de Saint Saëns con los pianistas Elena Padilla, Alberto Michel y Eduardo Vigil, éstos últimos, reconocidos autores de zarzuelas. Su colaboración con Michel en el terreno lírico le llevó a escribir la música para *Tenochtitlán*, zarzuela que presumiblemente seguía la línea de inspiración prehispánica de *Atzimba* y *El rey poeta*, todas con libreto de Michel. Sin embargo, sólo se estrenaron algunas partes de dicha pieza.

RICARDO MIRANDA PÉREZ

Mujer y reina. Zarzuela melodramática en tres actos. Música de Ruperto Chapí. Libreto de Mariano Pina Domínguez. Estrenada el 12 de enero de 1895 en el teatro de la Zarzuela de Madrid.

Personajes y reparto. María Stuardo (Sra. Martínez, tiple). Enrique Darnley (Sra. Montilla, tiple). Estrella (Sra. Rodríguez, tiple). Jacinta (Sra. Gil). Vendedora 1ª (Sra. Plaza). Mujer del pueblo (Sra. Catalán). Paje (Sra. Pastor). Artabán (Sr. Carbonell, barítono). Conde de Chatelar (José Sigler). Galopín (Sr. Gamero, tenor). Maxwell (Luis Visconti). Comediante 1º, Montgiront, Carnof, Samuel (Vicente García Valero). El canciller del Louvre, Comediante 2º, Embajador de España (Sr. Guardia). Belford, Hombre del Pueblo (Sr. Soucasse). Brantome, Moston, Comediante (Sr. Rex Torrano). Comediante 4º, Embajador de Inglaterra, Cayetano, Lindsay (Sr. Mañas). Estudiante 1º (Sr. Vera), Estudiante 2º (Sr. Rimbau). Merinero 1º (Sr. Beut). Marinero 2º (Sr. Vera). Soldados escoceses y franceses. Damas y caballeros, comediantes, marineros y puritanos.

Orquestación. Flautín, flauta, oboe, clarinete, fagot, trompa, 2 trombones, cornetín, percusión y cuerda.

Argumento. *Acto I.* La Feria de San Germán. En una plaza pública el pueblo celebra la calidad y cantidad de los productos que se venden durante la feria. Cuando sale Galopín, el mozo de taberna, que reniega de su profesión y aspira a ser escudero de algún potentado. Llega una comparsa de comediantes entre los que figura Artabán, que dice que es un noble caballero procedente del reino de Navarra, al que, en malas condiciones tras un asalto, han subido al carro. Ante el discurso del aristócrata, Galopín ve ahí la oportunidad que espera si bien Artabán deja caer que no es quien dice ser. Artabán le pide en préstamo a Galopín una cantidad que el otro concede

Cortesía de Unión Musical Ediciones SL

a cambio de ser admitido como su escudero. Se produce un tumulto cuando Estrella, que se dice doncella de una dama parisina, se ve perseguida por unos estudiantes a los que espanta Artabán. Ambos sienten una fuerte atracción inmediata. De repente varios guardias escoceses liderados por Lod Maxwell reclaman a la señorita. Maxwell cuenta la situación de María Stuardo que se encuentra ante la necesidad de elegir esposo y él se arroga el deber de nombrar

a su primo, el Conde Enrique Darnley, odiado por María, por razón de estado. Llega Darnley que se presenta con una romanza. Este es un mujeriego despreciable que espera ser elegido por su prima. Se van y aparece el conde de Chatelard que se encuentra con Artabán al que conoce. El primero revela su amor por María Stuardo aunque sabe que es imposible. Artabán, con su alma de gascón, celebra la aventura. Negocian con el sastre Samuel que les preste unos trajes, a lo que éste accede. Todos se ven interrumpidos con la llegada de un coro de zíngaras. Cuando termina, en pleno jolgorio general, Artabán y Galopín optan por dirigirse a París.

Acto II. Jardines del Louvre. En medio de un coro de cortesanos, aparece María Stuardo, joven viuda de Francisco II, que habla de su papel como reina de Francia y comenta algunos avatares políticos con sus cortesanos. Se suman Lord Maxwell y Darnley que reclaman la elección de un esposo a la reina. Con la llegada del embajador de Felipe II se produce un momento de crispación. Cuando se va, Darnley se queda con la reina y le declara su amor que no acepta María. Darnley, molesto, afirma su interés por volver a Escocia. Estrella, su confidente, se acerca y le cuenta a la reina sus recientes aventuras. Ésta le transmite su sobresalto e interés por unos versos. Al fondo de los jardines salen Artabán, Chatelard y Galopín, lujosamente vestidos haciéndose pasar por miembros de la embajada de Navarra. Estrella reconoce a Artabán y le sigue el juego, ganándose a la corte a la vez con sus hábiles mentiras. Así, cuando el Canciller reclama las credenciales de la legación, la reina, a instancias de Estrella, muestra su sorpresa, de tal manera que Artabán, en lugar de las credenciales, le entrega unos versos de su amigo Chatelard que María reconoce. La reina pide quedarse a solas con el gascón el cual le reclama el interés de su amigo por ella a quien presenta. La emocionada reina y Estrella se van, dejando solos a Artabán, Chatelard y Galopín. Éste les comenta el complot capitaneado por Maxwell que se prepara contra María. Aparece el séquito del embajador de Inglaterra que le brinda la mano del duque de Leicester. Indignada María, le echa en cara a su prima Isabel a través del embajador que le proponga que se case con su amante. Molesto, el embajador declara la guerra a Escocia mientras que María acepta la afrenta afirmando que partirá a Escocia para ponerse al frente de las tropas que defiendan el honor de su tierra. En el cuadro III, Ambrosio y Jacinta, en una hostería de Calais, preparan todo ante la inminente llegada de los ejércitos procedentes de Francia con destino a Escocia. Aparecen Galopín y Artabán que comentan las dificultades de su situación económica. Chatelard les trae como nuevas que ha encontrado varios caballeros que se suman a las fuerzas de la reina. Artabán le insta ante la necesidad de encontrar un barco que les transporte. De éstas, aparece Carnof, junto a Cayetano y unos marineros. Artabán, siempre lleno de recursos, les cuenta la historia de un tesoro que se halla en unas grutas escocesas. Aunque el capitán no se lo cree, sin embargo acepta llevarles por honor y respeto a la reina. El cuadro cuarto tiene lugar en el puerto de Calais, donde la multitud despide a María.

Acto III. El cuadro quinto tiene lugar a las puertas de Edimburgo. Los nobles calvinistas y parte del pueblo no quieren a una reina católica y francesa. Algunos como Lundsey y Moston, están conspirando con Lord Maxwell en contra de María. Cuando llega ésta, le piden que adjure de su religión, a lo que ella se niega. Los calvinistas se rebelan aunque tras la defensa de los hombres de la reina, ésta puede llegar al castillo. El cuadro sexto se inicia con una conversación de Lord Maxwell y Darnley que maldicen de su mala suerte. Darnley, celoso ante el amor que la reina siente por Chatelard, expresa sus deseos de venganza. Cuando se van, aparecen Artabán, Chatelard, Galopín y Estrella. La reina, en agradecimiento

a su valor, les premia convirtiéndoles en parte de su corte. Maxwell, irónicamente, lo aplaude y le comenta a la reina que ha preparado una gran fiesta en su honor, cosa que ella celebra. Cuando se marcha, Maxwell deja caer que conoce los secretos de Chatelard y Artabán, aunque el gascón reacciona airado. Artabán recibe un billete perfumado con una cita que implica el honor de la reina. El cuadro séptimo, bajo la nieve, tiene lugar en el parque de Holy – Rood. Cuando se va la ronda, un grupo de caballeros franceses entona una serenata. La reina lo ve y le pide prudencia. Lord Maxwell, Lindsey y Moston, conspirados, tienden una trampa a Artabán. Sin embargo, a quien acaban viendo subir el muro regio es a Chatelard. Detienen a Artabán y corren a dar el aviso para descubrir a la reina con su amante. El cuadro octavo tiene lugar en la cámara de la reina que canta una romanza pidiendo el apoyo divino. Se produce el encuentro entre los enamorados. María le pide que se vuelva a Francia cuando llega Estrella señalando que les han tendido una trampa. Artabán abre una puerta secreta por la que se va Chatelard cuando llega Maxwell. Se descubre la traición de éste que es arrestado. María, desconsolada, decide casarse por deber con Darnley y nombra príncipe de Puigcerdá a Artabán. En el último cuadro tiene lugar, con la celebración del pueblo, la boda de Darnley con María Stuardo.

Números musicales. Acto I: Nº 1. Coro de la feria, "¡Todo en la feria de San Germán! ¡Todo se vende!". Nº 2. Cuplés de Artaban, "Venga sin cuidado la comiquería". Nº 2Bis. Mutis. Nº 3. Terceto, "Linda es la muchacha". Nº 4. Arieta de tiple, "Salud a los valientes guardias de Calais". Nº 5A. Escena. Nº 5B. Canción de las zíngaras, "¡Silencio muchachos! ¡Silencio, escuchad!". Nº 5C. Bailable y final 1º, "En baile no hay temor de una prueba de su primor". Acto II: Nº 6. Coro y aria de la reina, "El dibujo es caprichoso". Nº 7. Escena de la embajada, "Sin tregua alguna puede pasar". Nº 8. Dúo de tiples, "Hace un instante fiero dolor sintió de pronto mi corazón". Nº 9. Cuarteto cómico, "Ya dijo alguna cosa no es mudo, no señor". Nº 9Bis. Mutis. Nº 10. Declaración de guerra, "Comprendo la añagaza". Nº 11. Balada de Artaban, "La historia es increíble". Nº 12. Marcha y final 2º. "La brisa suave, tranquilo el mar". Acto III: Nº 13. Escena del juramento, "A bailar compañeros, a bailar". Nº 14. Escena del motín, "Ya viene, ya se acerca, prudencia y decisión". Nº 15. Dúo de tiple y bajo, "La reina entró en palacio, perdimos otra vez". Nº 16. Ronda. "La ronda ha gamos con ciega fe". Nº 17. Melodrama. Nº 18. Plegaria, "Ya los ecos de la ronda perdiéndose van". Nº 19. Marcha y final, "La reina María se vuelve a casar".

Comentario. *Mujer y reina* fue uno de los mayores acontecimientos de 1895. Los periódicos, desde tiempo atrás, se habían hecho eco de los preparativos. De ahí que el estreno levantara el mayor de los entusiasmos, por lo que se volcaron los medios de comunicación, sobre todo los especializados, a cuya cabeza estuvo ese singular proyecto que fue el *Diario del Teatro*. La empresa puso gran cuidado en la presentación. En los talleres de Juan Elías, en Barcelona, se realizaron cuatrocientos trajes ajustados a los figurines de Labarta, procurando la mayor exactitud histórica. Han llegado algunas muestras documentales a través de la revista *Blanco y Negro*, en su número del 26 de enero, y el *Diario del Teatro*, que reproducen algunos momentos de la puesta en escena y los bocetos para las decoraciones. Realizados por Bussato y Amalio Fernández resultan, sin duda, espectaculares. Nada menos que nueve decorados distintos diseñaron los pintores. No es de extrañar que la resolución del libreto fuera considerada de gran dificultad. El propio autor afirma, por ejemplo, en el comienzo del tercer acto que "ahí tiene usted, señor director de escena, un cuadrito donde puede lucirse... Aquí es necesario pensar algo, y manejar bien esas masas que quieren lanzarse sobre la Reina, y que a duras penas contienen los jefes del motín... Hay que arreglar el *tableau* final con talento y con tino para que resulte algo original". En el *Diario del Teatro*, el prestigioso director de orquesta italiano Leopoldo Mugnone, entonces responsable del foso del teatro Real, hizo una valoración bastante extensa de la partitura de Chapí. Anteriormente había tenido la ocasión de conocer *El rey que rabió*. Según este maestro, "cuando un maestro escribe para un melodrama veinte piezas de música de excelente factura, y además, cuando entre estas veinte piezas hay seis o siete que arrebatan al público hasta el entusiasmo, puede decirse con verdad: *Ecco un compositore!*". Más adelante destaca "una danza digna de figurar en programa de los mejores conciertos, tanto por la factura como por el delicadísimo gusto de la instrumentación... Para el final del acto primero, se repite la danza zíngara con mayores efectos de instrumentación aún. Parece increíble que el maestro Chapí haya podido conseguir efectos de sonoridad tan sorprendentes, con una orquesta tan pequeña y sin abusar del bombo ni de los platillos". Y sobre el segundo acto señala que "el número de tiple es elegantísimo y muy original, y más que original, originalísimo el ritornello del coro; como resulta muy eficaz para terminarlo el final con voces solas y *pizzicatto* del cuarteto de cuerda. Es bueno el movimiento orquestal que sigue en Si bemol, para la entrada del embajador español, indicado por los violines, desarrollado por las trompas y recogido por el cuarteto en *crescendo* general. El *duetto* de tiples, lleno de brío, es digno de un verdadero maestro, y le sigue otra pieza culminante, el cuarteto para hombres, dominado por una graciosísima nota de violín, sobre la cual campea el dialogado de las voces con una verdad y elegancia extraordinarias". Del tercero refiere que "en la segunda escena de este acto, hay un dúo de tiple y bajo que es uno de los números más dignos de encomio; el adagio de la pieza con declamado por las voces, está hecho con estupenda hermosura, iniciando la frase el oboe y siendo óptima la entrada de la trompa".

Sin duda, es una de las creaciones más ambiciosas de Chapí, como constata una partitura amplia como pocas y donde se acentúa la influencia de la opereta vienesa y, en parte también, francesa, que ya había sido perceptible en *El rey que rabió* aunque aquí todavía más subrayada por la utilización del vals y, sobre todo, por el tratamiento melódico. La obra se inicia, después de una breve introducción, con un coro de corte popular. Siguen los inevitable cuplés de Artabán, necesario personaje cómico, guiño obligado a la zarzuela clásica. El terceto siguiente tiene elementos de indudable interés. Así hay que destacar el tratamiento declamado de Artabán –donde Chapí transmite literalmente en la partitura, "sin rigor de compás"–. El terceto de Artabán, Estrella y Galopín tiene claras influencias populares como corresponde a sus personajes. La arieta de Darnley –convertido por Chapí en tiple, siguiendo las convenciones teatrales que demandan este tipo de travestismos para los personajes jóvenes– es sencilla en su tratamiento melódico, aunque hay que destacar los efectos cromáticos demandados por Chapí en la partitura. En la escena siguiente, de transición, corresponde a las continuas miradas a la zarzuela cómica a la que se sucede el coro de zíngaras tan admirado en su momento, donde resulta imposible no pensar en su antecesor de *La traviata* aunque con mayor libertad en la instrumentación. Se suceden los bailables –un vals– con el que concluye el acto. El segundo se abre con un coro, siguiendo modelos más italianos, al que sigue una de las mayores romanzas de Chapí, "En la plácida alegría de esta corte soberana" pensada para el lucimiento de su protagonista y donde la línea melódica se construye a ritmo de vals quizá por la influencia de la opereta vienesa presente ya en *El rey que rabió*. La escena de la embajada, donde se manifiesta un espíritu similar al del dúo, se transforma en el dúo de Darnley y María, construido al modo belcantista, con una introducción, un *Allegro moderato*, muy lírico e intenso para concluir con brillantez y exigencia canora. El cuarteto cómico, más tradicional, tiene el encanto de la hábil instrumentación que refuerza el tratamiento de las voces. De mayor impacto es la escena siguiente, la declaración de la guerra, donde Chapí vuelve a mirar al concertante de opereta, heredero en muchos aspectos, del belcantista. La balada de Artabán con el coro, cuyo tratamiento parece moverse entre lo cómico y lo lírico. Culmina el segundo acto con una marcha y una escena final al uso.

El tercer acto se abre con un baile con intervención del coro que da paso a la escena del juramento en contra de la reina. La escena del motín es una de las más ambiciosas del teatro lírico español, tanto por el tratamiento contrapuntístico entre los protagonistas y el coro, como por los efectos requeridos en la orquestación. El Nº 15 es un dúo entre Darnely y Maxwell, mantenido por el efecto del vals, omnipresente en la composición que se transforma aunque sin perder la línea melódica característica de la opereta. Continúa con una ronda a cargo del coro masculino que se transforma en una serenata con la intervención de Chatelard. El pasaje más exigente, al menos en el terreno dramático, para la protagonista se muestra en la denominada "Plegaria", de gran sencillez y donde el melodismo característico de Chapí se muestra exultante. Tras la marcha, se llega al concertante final, de talante apoteósico como suele ser en este tipo de creaciones.

El libreto fue bien acogido en su momento, aunque con disparidad de opiniones. Carlos Fernández Shaw, entonces crítico de *La Época*, afirma que no se está "ante una obra histórica, sino ante un verdadero libro de zarzuela, en el que alterna con la nota melodramática la nota cómica, hábilmente combinadas una y otra por el ingenio del autor. Pina, que es un verdadero hombre de teatro, como dicen los franceses, que conoce su *métier* muy a fondo, sigue siendo en *Mujer y reina* el de siempre, con todas las cualidades que ya le reconoce el público desde hace tiempo. Pero justo es añadir, aun sin echar tampoco un pudoroso velo sobre los defectos de la obra, que hallaría, sin mucha dificultad, una crítica rigurosa, que su libro *Mujer y reina* es uno de los mejores que ha escrito. Abundan en él las escenas entretenidas y los rasgos felices, y las situaciones musicales están encontradas y presentadas con envidiable acierto" (*La Época*, Madrid, 13-I-1895). José de Laserna en *El Liberal* señala sobre el libro que "el argumento, aunque inverosímil por lo exagerado, tiene mucha gracia y está desarrollado con habilidad. El tipo de Artabán, perfectamente caracterizado por el señor Carbonell, es de lo mejor que se ha visto en el teatro. El espectador confunde a Artabán con Artagnan, no por la semejanza de nombre, sino por la semejanza del carácter... Los demás personajes de *Mujer y reina* tienen varios puntos de contacto con otros de la famosa novela de Dumas. María Stuardo con Ana de Austria; el conde de Chabelar con Buckingham y Maxwell con Richelieu. Quizá la obra extranjera en que se ha inspirado el Sr. Pina esté inspirada, a su vez, en un episodio de *Los tres mosqueteros*". Aquí el crítico madrileño daba un patinazo en su pretensión de encontrar la inspiración del libretista.

Sobre la música todo fueron parabienes. Carlos Fernández Shaw, en su comentario, afirma que "Chapí se encuentra hoy en el apogeo de sus facultades. Ha derrochado, con generosidad sin tasa, en la música de *Mujer y reina* su poderosa inspiración, su arte exquisito, su inagotable ingenio y sus variados recursos; la elegancia suprema que distingue sus obras con indeleble sello y ese colorido instrumental, no menos característico en él que, ya destaca las melodías con vigoroso relieve, ya las reviste de suave y encantador matiz, ya parece que, convertido en misterioso genio, vaga y bulle por la orquesta, desparramando notas de luz. Ha recorrido además Chapí en su última obra, larga serie de tonos opuestos, apasionados y vehementes, dramáticos en grado sumo, pintorescos, alegres, francamente cómicos". Laserna en *El Liberal*, afirmaba que "el dúo de tiple y bajo, admirablemente cantado por la señora Montilla y el señor Visconti, es quizá el mejor número de la obra, y con esto queda hecho su mejor elogio. Conseguir después de tantas ovaciones una formidable que superase a todas, era empeño dificilísimo: este hermoso dúo allanó las dificultades y el éxito adquirió entonces proporciones extraordinarias". Por su parte, José María Esperanza y Sola, dentro de su línea ampulosa característica, decía que "el bailable de zíngaros del primer acto, lleno de animación y de vida; el cuarteto entre el diplomático, el general, el escritor y Artabán, convertido, por obra y gracia de su picaresco desenfado, nada menos que en embajador del Rey de Navarra, lleno de vis cómica, delicadamente instrumentado, y en el cual las voces dialogan, mientras la orquesta toca un tiempo de mazurca, elegante y agradable; y la sentida despedida de María Stuardo al abandonar las playas francesas para emprender el viaje a Escocia, cuadro impregnado de sentimiento, trozos ambos que se oyen en el acto segundo, creciendo la importancia de la música en el que luego sigue, y con el cual termina la zarzuela. El dúo entre Robert Darnley y el escocés Maxwell, dramático y tan bien pensado como escrito, sobre todo en su primera parte es tal vez la página capital de toda la obra, a punto de ponerse en parangón con el del tercer acto de *El duque de Gandía*, acto que, entre paréntesis, es, a mi juicio, la obra más importante que Chapí ha escrito después de *La tempestad* y *La bruja*, las tres joyas de más valía, sobre todo la última, de cuantas adornan su corona de artista; no desmereciendo, ciertamente, al lado del dúo que acabo de citar, la original ronda de los guardadores del castillo donde se alberga María Stuardo, y la apasionada serenata que al pie de los muros del mismo canta el enamorado Chatelard. Pretender que lo demás que en *Mujer y reina* se oye esté a la misma altura, sabiendo cómo se ha hecho, sería sobrada exigencia, y la crítica debe tenerlo en cuenta al emitir sus juicios. De aquí el que sea excusable la menor importancia de otros trozos musicales; la originalidad harto relativa de muchas de las ideas que en ellos aparecen, y hasta más de una reminiscencia y cierto parecido en la estructura y procedimiento de alguna pieza, cosas todas que, si bien aparecen revestidas con una instrumentación sobria y bien entendida, a tener lugar para meditar sobre ellas, seguramente el autor hubiera sido el primero en hacer desaparecer" (*La Ilustración Española y Americana*, Madrid, 30-III-1895).

En relación con la interpretación, las alabanzas fueron unánimes. Fernández Shaw señala que fue muy buena: "La Srta. Martínez desempeñó su papel de Reina con gran acierto. La Srta. Montilla dijo su parte muy discretamente y cantó de un modo notable, distinguiéndose mucho en el dúo del tercer acto, que terminó magistralmente con un do agudo; Carbonell entendió y representó muy bien el papel de Artaban; Gamero hizo con verdadera vis cómica el de Galopín; Sigler, encargado del conde de Chaterlard, entonó deliciosamente la serenata del tercer acto, y completaron el conjunto la Srta. Rodríguez y los Sres. García Valero, Soucasse, Guardia y Mañas... Para terminar, un aplauso al maestro Pérez Cabrero, que ha ensayado la obra con infatigable actividad y dirigió anoche la orquesta con su pericia acostumbrada, y otro a Don Juan Elías, que ha demostrado ser un excelente director de escena".

El éxito de *Mujer y reina* se celebró con el consiguiente banquete al uso, que tuvo lugar el 19 de enero. Chapí fue agasajado por más de doscientos compositores, periodistas, actores, pintores, empresarios, editores y aficionados a la música. Chapí tomó la palabra para encarecer cuánto celebraba ver en torno suyo a todos los elementos que contribuyen poderosamente al triunfo de las producciones teatrales; sus colaboradores, los artistas que interpretan las obras, los representantes de la prensa "que cuando elogian sirven de estímulo y cuando censuran dar a los autores saludables enseñanzas" así como "encuentro aquí a mis hijos pero conste que no han venido a hacer bulto, sino para que conserven de un modo indeleble el recuerdo de esta noche". Pérez Galdós mandó un telegrama donde señala que "todo es poco, tratándose de honrar una vida consagrada al arte y al trabajo. Muchos años de vida, salud y los alientos de hoy, para continuar su grande obra contra viento y marea, le desea su verdadero amigo".

Ante el éxito se escribió una parodia, *Mujer y ruina o Mariquita stoique ardo*, calificada como memo-drama de magia en un acto y ocho cuadros (casi un museo) con libreto de Felipe Pérez y González y música de Rubio, que fue estrenada en el teatro Romea el 8 de febrero de 1895.

Fuentes manuscritas. La partitura se conserva en el Biblioteca Nacional de Madrid (legado Chapí, col. 65). Los materiales de orquesta se conservan en el archivo de la SGAE en Madrid (1669).

Ediciones de música. Canto y piano, Madrid, PM, 1895.

Ediciones del libreto. Madrid, Administración Lírico-Dramática, 1895.

FONOGRAFÍA: RP: Victoria 2728.

BIBLIOGRAFÍA: *MT*; J. M. Esperanza y Sola: *Treinta años de crítica musical en España*, Madrid, Tipografía viuda e hijos de Tello, 1906; A. Salcedo: *Ruperto Chapí. Su vida y su obra*, Madrid, Aguilar, 1958; J. J. Águila: *Ruperto Chapí y su obra*, Diputación Provincial de Alicante, 1973; A. Sagardía: *Ruperto Chapí*, Madrid, Espasa-Calpe, 1979; V. Prats Esquembre: *R. Chapí, un hombre excepcional*, Villena, APA-DIS, 1984; L. G. Iberni: *Ruperto Chapí*, Madrid, ICCMU, 1995; —: *Ruperto Chapí: Memorias y escritos*, Madrid, ICCMU, 1995.

LUIS G. IBERNI

Munguía Altamira, Carlos. San Sebastián, 4-XI-1921. Tenor. De niño formó parte de la Escolanía de los Carmelitas, demostrando buenas aptitudes para el canto. Con 17 años pasó al Orfeón Donostiarra en el que permaneció doce años, ofreciendo diversos conciertos y debutando como solista en el teatro Victoria Eugenia en la primera Quincena Musical Donostiarra, con *La condenación de Fausto* de Berlioz. A partir de este momento actuó

Carlos Munguía
(Foto: Ar. Emilio G. Carretero)

como solista en diversos oratorios y conciertos en el ámbito del País Vasco. En 1951 interpretó *Mendi Mendiyan* de Usandizaga en el Victoria Eugenia, al año siguiente *La llama* y en 1953 *Las golondrinas*. Su debut como profesional fue en 1955 en el teatro Cervantes de Málaga con *Fausto*, junto a Pilar Lorengar. A esta ópera siguieron *La traviata* y *Cavalleria rusticana* para finalizar con *Otello*.

Sin embargo, lo que más le interesaba era el género lírico español y así fue contratado por José Tamayo, con el que participó en la reposición de *Doña Francisquita* en el teatro de la Zarzuela, a la que siguieron *Luisa Fernanda, Bohemios, Pan y toros*, entre otras, en los años sesenta interpretó diversas operetas con montajes de Tamayo. Sólo Manuel Ausensi puede comparársele en la zarzuela. Munguía ha cantado más de cuatrocientas veces *Doña Francisquita*, más de trescientas *Bohemios*, más de doscientas *El caserío* y *Luisa Fernanda* y más de un centenar de ocasiones títulos tan emblemáticos como *Los gavilanes, Los claveles, La tabernera del puerto* y *La generala*. Con Ataúlfo Argenta realizó más de cuarenta grabaciones. Se retiró en 1992 en Sant Cugat del Vallés con *Doña Francisquita* tras más de cincuenta años dedicado al género lírico español en una dilatada carrera que se circunscribió a la Península. En 1959 recibió el Premio Nacional de Interpretación del Ministerio de Información y Turismo y su ciudad natal le homenajeó en 1990.

FONOGRAFÍA: *Bohemios*, Columbia-BMG-Ariola-Salvat 1041-2 • Columbia-Alhambra- BMG-MCC 30019 • Columbia SA, OZ 11 (Alhambra) 83; *Don Gil de Alcalá*, Alhambra-BMG España WD 74553 (9D) • Columbia-BMG C 30038-9 y CS 40038-9 • Columbia-Zacosa SA, ZCL 1065 y 1066, 192 y 193

• Columbia SA, C7506 190 • Columbia-BMG-Ariola-Salvat 1056-2; *Doña Francisquita*, Columbia SA, OZ 12 y 13 (Alhambra) 84 y 85 • Columbia-Alhambra MCC 30014-15 • Columbia SA, C 7508 69; *El anillo de hierro*, Alhambra-BMG España WD 74555 (9D) • Columbia-BMG C 7530, CS 8530; *El baile de Luis Alonso*, Alhambra MC 25019 • Columbia-Salvat 1011-1 • Columbia SA, ZCL 1060 182 (181a) • Alhambra-BMG España WD 71464 (9D); *El barberillo de Lavapiés*, Alhambra-BMG España WD 71978 (9D) • Alhambra MCC 30030 • Columbia 1023-1 157; *El barquillero*, Alhambra MC 25003 • Columbia SA, C32047 25 • Columbia SA, ZCL 1037 (Zacosa) 21; *El cabo primero*, Columbia-BMG CCL 32046; *El cantar del arriero*, Columbia-BMG-Ariola-Salvat 1028-2 • Columbia-BMG CCL 32019 y SCLL 14008; *El caserío*, Columbia-Alhambra MCC 30023-24 • Columbia-Salvat 1009-1 y 1010-1 • Columbia SA, ZCL 1058 y 1059 (Zacosa) 129 y 130 • Alhambra-BMG España WD 71468 (9D); *El dúo de La Africana*, Alhambra-BMG España WD 74387 (9D) • Columbia-Alhambra MCC 30011 • Zafiro-Salvat 1034-2; *El huésped del sevillano*, Alhambra-BMG España WD 71809 (9D) • Columbia 74321 33034 2 • Columbia CLL 32023 y SCLL 14061; *El maestro Campanone*, Columbia-BMG C 30053 y CS 40053; *El rey que rabió*, BMG España WD 71806 (9D) • Columbia-Alhambra MCC 30026; *Gigantes y cabezudos*, Alhambra-BMG España WD 71465 (9D) • Columbia-Alhambra MCC 30009 • Columbia-Salvat 1003-1; *Jugar con fuego*, Alhambra MCC 30029 • Columbia-BMG España WD 74556 (9D) • Columbia-BMG-Ariola-Salvat 1057-2 • Columbia SA, 30029 166; *La alegría de la huerta*, Alhambra-BMG España WD 71589 (9D) • Columbia-BMG CCL 32046 • Columbia-Salvat 1016-1 • Columbia-Alhambra-BMG MC 25006; *La alegría del batallón*, Columbia-Alhambra-BMG MC 25030 • Columbia SA, CS 8510 99 • Columbia SA, ZCL 1046 (Zacosa) 112; *La alsaciana*, Alhambra-BMG España WD 71591 (9D) • Alhambra MC 25007 • Columbia 74321 33034 2 • Columbia-BMG-Ariola-Salvat 1047-2 • Columbia SA, ZCL 1063 (Zacosa) • Columbia SA, C30077 34 (33a); *La boda de Luis Alonso*, Columbia-Salvat 1011-1 • Columbia-Alhambra MC 25018 • Columbia SA, ZCL 1060 181 • Alhambra-BMG España WD 71464 (9D); *La bruja*, Columbia-BMG-Ariola-Salvat 1058-2 y 1059-2 • Columbia-BMG España WD 75125 (2) (9H) • Columbia SA, C 30066/67 17 • Columbia SA, ZCL 1074 y 1075 (Zacosa) 1 y 2 • Columbia SA, C 7505 3; *La canción del olvido*, Alhambra MCC 30020 • Columbia-BMG-Ariola-Salvat 1035-2 • Columbia SA, C30020 106; *La chula de Pontevedra*, Columbia-Alhambra-BMG MC 25017 • Columbia-BMG España WD 71590 (9D); *La del Soto del Parral*, Columbia-BMG-Ariola-Salvat 1032-2 • Columbia SA, C 30025; *La dogaresa*, Alhambra MCC 30028 • Columbia-BMG España WD 71808 (9D) • Columbia-BMG-Ariola-Salvat 1049-2 • Columbia SA, MCE 868 183; *La dolorosa*, Columbia-Alhambra-BMG MC 25009 • Columbia-BMG C 30075; *La fama del tartanero*, Columbia C 32020 195 • Columbia 74321 33033 2 • Columbia SA, ZCL 1042 194; *La marchenera*, Alhambra-BMG España WD 75127 (9D) • Columbia-BMG C 32042 y CS 42042; *La patria chica*, Alhambra MC 25029 • Columbia SA, ZCL 1080 (Zacosa) 20 (19a) • Columbia SA, C 30058 23; *La picarona*, Columbia SA, C 32021 139; *La tempestad*, Columbia-Alhambra-BMG MCC 30012-13 y C 7507 • Columbia SA, C 30012/13 16 • Columbia-BMG-Ariola-Salvat 1062-2 y 1063-2 • Columbia SA, ZCL 1068 y 1069 (Zacosa) • Columbia SA, C 7507 9; *La viejecita*, Columbia-Alhambra-BMG MCC 30010; *Las golondrinas*, Columbia-Alhambra MCC 30016-18 • Columbia-BMG-Ariola-Salvat 1053-2 y 1054-2 • Columbia-BMG España WD 75126 (2) (9H); *Los cadetes de la reina*, Columbia-BMG MCC 30027; *Los claveles*, Columbia-Alhambra-BMG MC 25010 y C 30075; *Los de Aragón*, Columbia-Alhambra MC 25004 • Columbia-BMG C 30084 • Columbia-BMG España

WD 71590 (9D); *Los gavilanes*, Alhambra ALG 23005, CC 862 CC 863 • Columbia-Salvat 1019-1 • Columbia 74321 33032 2 • Columbia-Alhambra-BMG MCC 30002; *Luisa Fernanda*, Columbia-Salvat 1005-1 • Columbia-Alhambra-BMG MCC 30022; *María Manuela*, Alhambra MCC 30041 • Columbia C30041 206 • Columbia SA, ZCL 1093 (Zacosa); *Molinos de viento*, Alhambra-BMG España WD 74388 (9D) • Columbia-BMG-Ariola-Salvat 1045-2 • Columbia-Alhambra-BMG MCC 30021; *Moros y cristianos*, Columbia-BMG España WD 74389 (9D) • Columbia-BMG-Ariola-Salvat 1042-2 • Columbia SA, C 30059 101; *Pan y toros*, Alhambra-BMG España WD 74390 (9D) • Columbia-BMG-Ariola-Salvat 1029-2 • Columbia-Alhambra-BMG MCC 30040 y CS 40040; *Antología de la zarzuela (2)*, Columbia-Salvat 1020-1; *Romanzas y dúos de zarzuela*, Columbia C 7516.

BIBLIOGRAFÍA: *OCCE*.

Mª LUZ GONZÁLEZ PEÑA

Muñiz, Ricardo. Madrid, 195?. Tenor. Cursó estudios musicales en el Real Conservatorio Superior de Madrid y de canto en la Escuela Superior de Canto en la misma ciudad, ampliándolos posteriormente con Alfredo Kraus. Integrante del Coro Titular de la Compañía Lírica Nacional, donde encontró sus mejores oportunidades cantando obras como *Doña Francisquita*, *Don Gil de Alcalá*, *Luisa Fernanda*, *La del Soto del Parral*, *Jugar con fuego*, *El gato montés* y algunas otras, ya que actúa habitualmente en los montajes del teatro de la Zarzuela cuyas producciones ha cantado además en países como México, Venezuela, Francia, Bélgica o Japón. Canta también regularmente con la compañía Lírica Española de Antonio Amengual, y en distintos festivales, tanto españoles como internacionales, en los que ha encarnado los protagonistas de títulos como *La bruja* o *Marina*. Ha participado además en varias grabaciones discográficas, entre las que destaca *La revoltosa*, junto a Plácido Domingo.

FONOGRAFÍA: *El gato montés*, Grammophon 435 776-2; *La Gran Vía*, RTVE-Música 65150; *La revoltosa*, RTVE-Música 65150; *La zapaterita*, BMG España-RCA ND 74203 (9D).

BIBLIOGRAFÍA: E. García Carretero: *Historia de la teatro de la Zarzuela de Madrid*, Madrid, Fundación de la Zarzuela Española, 2003.

EMILIO GARCÍA CARRETERO

Muñoz Aceña, Patricio. España, 17-III-1894; 25-XI-1940. Compositor. Es autor de varias obras líricas, algunas de las cuales se conservan en el archivo de la SGAE en Madrid. Su período de mayor actividad fue la segunda década del siglo XX.

OBRAS (Todas en *E:Msa*): *A la puerta de Maxim*, Sai, l, E. Cepillo / J, Marino; *Así da gusto*, Zarz, 2 act, l, S. Fanco / E. Guiro, est, XII-1925; *El conflicto de El Dorado o Ya está todo arreglado*, l, E. Arroyo / F. Lozano / C. de Larra, est, 7-XII-1926, Te. Eldorado; *Frivolidades*, Rv, 1 act, col. R. Izquierdo, l, J. Soriano / E. Riera; *Goal*, Rv, 1 act, col. M. Bertrán Reina, l, M. bertrán Reina / J. Guerrero; *La voz*, skech, 1 act, l, J. Mariño / E. Cepillo, est, 31-XII-1931, Te. Romea.

Mª LUZ GONZÁLEZ PEÑA

Muñoz Galé, Julita. Madrid, siglo XX; Estados Unidos, ?. Tiple cómica. Comenzó su carrera artística desde la niñez, haciendo sus primeras presentaciones en 1920, como estrella infantil, notable tonadillera y cupletista, junto a sus hermanos Eduardo y Pilar, en espectáculos de variedades realizados en el teatro Campoamor de La Habana. Desde 1926 hasta 1930 formó parte del elenco de la Compañía de revistas de José Orozco, en calidad de figura principal, interpretando entre otras obras: *El sobre rojo, El fantasma del cabaret, La leyenda de las princesas, El dinamismo de Carlos Miguel, Las mujeres del Nilo, Melocotoncito 1926*, así como del repertorio español: *La gatita blanca, El barquillero* y *Las musas latinas*. En 1929 trabajó con la Compañía de Ernesto Lecuona, debutando en el teatro Regina con *La tierra de Venus* y *El batey*, del propio compositor. A finales de ese mismo año se incorporó a la Compañía de Jaime y Rodrigo Prats, representando junto a Miguel de Grandy –quien después sería su esposo– las zarzuelas *Así es la vida, La copla cubana* y *El hijo del General*, entre otros títulos. Durante la década de 1930 e integrada a la Compañía de la Solidaridad Musical de La Habana, dirigida por Manuel Peyró, incrementó su repertorio de teatro lírico español participando en las puestas en escena del teatro Martí con las interpretaciones de *Las corsarias* de Alonso, *Los claveles* de Serrano, *La verbena de la Paloma* de Bretón, *La corte de faraón* y *La carne flaca* de Lleó, y *El santo de la Isidra* de Torregrosa. Intervino, además, en el estreno de *La hija del sol* de Gonzalo Roig, y de las zarzuelas de Rodrigo Prats *María Belén Chacón* y *Amalia Batista*. En 1955 fue solicitada su actuación en la película cubana *Tres bárbaros en un jeep*, bajo la dirección de Manuel de la Pedrosa. Trabajó, igualmente, en las versiones de zarzuelas realizadas para los medios de radio y televisión, entre las que destacan sus actuaciones en los papeles de Dolores Santa Cruz en *Cecilia Valdés* y Mariana en *Amalia Batista*, realizadas en 1961 y dirigidas ambas por Gonzalo Roig. Poco tiempo después emigró a Estados Unidos, donde mantuvo su carrera artística activa a través de la Sociedad Pro Arte Gratelli de Miami. Sus últimas actuaciones públicas las realizó en julio de 1982, con las zarzuelas españolas *Gigantes y cabezudos* y *La verbena de la Paloma*, bajo la dirección de Alfredo Munar.

BIBLIOGRAFÍA: *LVB*.

CLARA DÍAZ PÉREZ

Muñoz López, Prudencio. Málaga, 1877; Madrid, 1925. Compositor y director de orquesta. Estudió en el Conservatorio de Málaga donde se inició como director. En esta función recorrió numerosos teatros de España y países de América como Argentina y Cuba. Esta dedicación le llevó a componer abundante obra para teatro, en un momento en que el género lírico estaba en crisis: los primeros años del

siglo XX. Conforme a la moda entonces imperante sus obras están definidas por pertenecer al espíritu del denominado género ínfimo. Cuenca recoge estas palabras del autor: "Los sentimientos, costumbres, aspiraciones y todas las cualidades que puedan definir la modalidad de un pueblo o raza, aparecen reflejadas de manera clara y distinta en los ritmos y formas exteriores de la música... De estos cantos que llevan el sello inconfundible de una

Prudencio Muñoz (Foto: Nuevo Mundo, 1925; Ar. ICCMU)

sicología... surge el nacionalismo de la música, factor tal vez el más poderoso que nos señala el adelanto y perfeccionamiento de las naciones... En España, donde la diversidad de cantos regionales es tan múltiple y polícroma, puede observarse, no obstante, que existe entre ellos un lazo de unión que sutilmente los encadena... Una saeta podrá ser distinta de una jota porque el elemento rítmico adoptó su forma peculiar; pero el elemento melódico guarda entre sí tan singular relación y sus sonidos se acordan de tal modo, que desposeyéndolos de aquellas limitaciones métricas aparecerán hermanados y confundidos".

OBRAS (Todas en *E:Msa*): *Los maletas*, Jug cóm-lír, 1 act, l, A. Torres Moles, est, 6-XI-1900, Te. Martín; *La buena moza*, Sai, 1 act, col. Foglietti Alberola, l, R. Lobo Regidor / L. Pascual, est, 30-V-1904, Te. Eslava; *La penca de Biznagas*, Sai, 1 act, col. L. Foglietti, l, A. Sáenz y Sáenz, 20-VI-1904, Te. Eslava; *El maestro Bicicleta*, Pas cóm-lír, 1 act, l, A. González Rendón, est, 14-IX-1904, Te. Noviciado; *La cuna de Jesús*, disparate cóm, 1 act, col. Riera Tur, l, I. Soler, est, 23-XII-1905, Te. Principal (Málaga); *Los tientos*, Ent cóm-lír, l, I. Soler / A. Custodio, est, 9-I-1906, Te. Principal (Málaga); *Fifí*, diálogo, 1 act, l, S. Romero, est, 11-I-1906, Te. Principal (Málaga); *Torrijos*, episodio melodramático, 1 act, col. E. Riera, l, J. González Llana / Martínez, est, 20-VIII-1906, Te. Gran Teatro; *¡Morir Habemos!*, ópera semifuso-trágica, fantasía, semicolérica, 1 act, l, J. Ángeles, est, 28-XII-1906, Te. Gran Vía (Barcelona); *El sevillanito*, esbozo de Sai, 1 act, l, E. Vargas, est, 9-X-1909, Te. Novedades; *Los Pintureros*, Zarz, 1 act, l, A. Varela Díaz, est, 9-IV-1910; *Justino el jardinero*, Zarz, 1 act, l, E. Múgica / J. Villaseñor, est, 30-VI-1910, Salón Madrid; *El secreto de Susana*, capricho cóm-lír, 1 act, l, R. Rocabert, est, 20-VII-1910, Salón Madrid; *La canción de Chantecler*, bagatela cóm-lír, l, L. de Miranda, est, 29-VII-1910, Salón Madrid; *Tierra llana*, Zarz, 1 act, l, L. García Cotta / J. García León, est, 9-IX-1910, Te. Barbieri; *La pipa maravillosa*, Ent lír, 1 act, l, A. Varela Díaz, est, 25-XI-1910, Te. Latina; *La cartera de Marina*, Zarz, 2 act, l, F. Guevara, est, 19-XII-1912, Te. Gran Teatro; *La última hora*, disparate cóm-lír, 1 act, l, Silvio-Figarelo / Lara-Valverde, est, 17-XII-1913, Te. Martín; *Similitruqui*, Sai, 1 act, l, L. García

Cotta / J. García León, est, 2-IV-1914, Te. Álvarez Quintero; *La morronguito*, Jug cóm-lír, 1 act, l, A. del Castillo / P. Berthamey, est, 23-X-1915, Te. Álvarez Quintero; *Mefistófela*, Com-Opt, 3 act, l, J. Benavente, est, 29-IV-1918, Te. Reina Victoria; *El corneta de legionarios*, episodio fantástico, 1 act, col. J. Vela / E. Rosillo, l, Herrera Sotolongo / Vázquez Quirós, est, 31-VIII-1922, Te. Liceo de América; *Cinco horas en globo*, melodrama cóm-lír, 1 act, l, B. Pérez Soto; *La mano de la reacción*, l, Castro y Alarcón; *No hay derecho*, l, A. González Rendón; *Tres... cinco duros*, l, R. de Rada / A. Soler; *Nobleza de alma*, Zarz, 1 act, l, E. Moyrón / L. Mestres.

BIBLIOGRAFÍA: F. Cuenca: *Teatro andaluz contemporáneo. 2. Artistas líricos y dramáticos*, La Habana, Ed. Maza, 1940.

EMILIO CASARES RODICIO

Muñoz Lorente, Luis. †Madrid, 29-III-1961. Comediógrafo y periodista. Comenzó su labor periodística en el diario *La Nación*, pasando después a *Informaciones*, *La Tarde* y posteriormente a *Pueblo*. Su labor como dramaturgo abarca más de cincuenta títulos, escritos muy a menudo con Luis Tejedor o Federico Galindo si bien fue el primero su más asiduo colaborador.

Para el teatro lírico escribió *Sor Navarra*, en colaboración con Luis Tejedor y música de Federico Moreno Torroba, estrenada en 1936 en el teatro Victoria Eugenia de San Sebastián con gran éxito, revalidado en su siguiente colaboración con los mismos autores, *La ilustre moza*, estrenada esta vez en el teatro Tívoli de Barcelona en 1943. Otro éxito lo obtuvo con Jacinto Guerrero en *Lluvia de besos*, de nuevo en colaboración con Tejedor, estrenada en el teatro Coliseum de Madrid en 1943. Menor trascendencia tuvieron *Vales un Perú* con música de Isi Fabra y colaboración de Tejedor, estrenada en el teatro Circo de Zaragoza en 1946, *Carrusel*, en solitario y con música de Adolfo Araco, estrenada en 1948 en el teatro Fontalba de Madrid y *Las brasas*, de nuevo con Tejedor y música de Pablo Luna.

BIBLIOGRAFÍA: *BSGAE*, 82, IV, 1961.

Mª LUZ GONZÁLEZ PEÑA

Muñoz Pedrera, Pedro. Murcia, 28-XII-1865; Murcia, 11-III-1925. Compositor y libretista. Estudió en el conservatorio de Madrid con Tragó y Zabalza. Se estableció en Murcia en 1887, siendo nombrado profesor del Casino. Colaboró con diversos escritores de Murcia y Madrid en el campo del teatro lírico y en 1919, creado el Conservatorio de Murcia, desempeñó la cátedra de piano, ocupando el cargo de subdirector. Es autor de las siguientes zarzuelas conservadas en el archivo de la SGAE: *El jefe de la cuadrilla*, 1893; *El príncipe Angelín*, en dos actos con libreto de J. Arqués; *La garita del carril*, un acto, con libreto de J. Selgas, estrenada el 4 de diciembre de 1909 en el teatro Romea de Murcia; *Malasangre*, un acto, libreto de J. Arqués, estrenada en 1893; *Partida disuelta*, un acto, letra de J. Selgas, estrenada en 1908, en el teatro Romea de Murcia; *Rosa de nieve*, con libreto de P. Jara Carrillo.

EMILIO CASARES RODICIO

Muñoz Román, José. Calatayud, 1903; Madrid, 6-II-1968. Dramaturgo y empresario teatral. Cursó el bachillerato en Zaragoza y con dieciséis años se trasladó a Madrid donde ganó unas oposiciones a Correos y comenzó a escribir teatro. Su primer estreno con Alonso fue *La suerte negra*, 1928 y el éxito inauguró una larga colaboración para ambos. Larga fue asimismo su relación con Emilio González del Castillo, colaboración que sólo rompió con la muerte de éste. Los mayores triunfos de Alonso-Román tuvieron lugar en la década de los treinta. En 1930 estrenaron *Las guapas*, con Celia Gámez que ya colaboraba con Alonso desde 1927 en que estrenara *Las castigadoras*; en 1931 *La castañuela* y sobre todo *Las Leandras*; en 1933 *Las de Villadiego*, en 1934 *Las vampiresas* y *Las de los ojos en blanco* y en 1935 *Mujeres de fuego*. Tanto esta obra como *Las Leandras* sufrieron posteriormente la censura franquista y desaparecieron de los escenarios si bien *Las Leandras* reapareció en 1965 bajo el título *Mami, llévame al colegio*, una vez "adecentado" el libreto.

José Muñoz Román (Foto: Ar. SGAE)

En 1941 se convirtió en empresario del teatro Martín, escenario de la mayor parte de sus éxitos en estos años, y templo de la revista desde *Ladronas de amor*, estrenada ese mismo año que reapareció en 1946 bajo el título *Te espero el siglo que viene*. En 1942 estrenó otro de sus grandes éxitos con Alonso, *Doña Mariquita de mi corazón*, revalidado al año siguiente por *Luna de miel en El Cairo*. Comenzó entonces su colaboración con Jacinto Guerrero, el otro triunfador el momento en *Cinco minutos nada menos*, que permaneció más de tres años en cartel en el Martín con 1700 representaciones. Con Guerrero obtuvo otros triunfos cómo *A vivir del cuento* o *Yo soy casado, señorita*, ambas en 1953. Fallecidos sus colaboradores habituales, Guerrero y Alonso, Muñoz Román estrenó con Padilla *Ana María*, 1954, con Queta Claver. Ya con la revista en plena decadencia, aún consiguió algunos éxitos cómo *Una jovencita de 800 años*, 1958, *Un matraco en Nueva York*, 1959, que se mantuvo muchísimo tiempo en cartel contribuyendo a la gran popularidad del actor Alfonso del Real y *¡Qué cuadro el de Velázquez, esquina Goya!*, 1963, su último gran éxito. Pertenecía al Consejo de Administración de la SGAE y a su muerte presidía la Sección Teatral como Consejero Delegado de la misma. *Véase* CINCO MINUTOS NADA MENOS; DOÑA MARIQUITA DE MI CORAZÓN; LAS LEANDRAS; LUNA DE MIEL EN EL CAIRO.

BIBLIOGRAFÍA: *Memoria SGAE, 1965-72*; J. Barreiro: "José Muñoz Román", *Galería del olvido. Escritores aragoneses*, Zaragoza, Cremallo, 2001.

Mª LUZ GONZÁLEZ PEÑA

Muñoz Seca, Pedro. El Puerto de Santa María (Cádiz), 1881; Paracuellos del Jarama (Madrid), 28-XI-1936. Escritor. Desde muy joven mostró su afición por la poesía, el teatro y los toros. Es probablemente, con Carlos Arniches, el escritor español moderno que mejor ha sabido llevar el espíritu de Madrid al teatro. Estudió Derecho y Filosofía y Letras en Sevilla, se trasladó a Madrid, donde entró en el bufete de Antonio Maura y, posteriormente, en el de José Sánchez Guerra, que le facilitó su cargo en el Ministerio de Fomento como jefe de negociado. De pensamiento conservador, durante la II República escribió obras de intención secundariamente política, de carácter antirrepublicano; quizá por ello fue fusilado por milicianos republicanos a principios de la Guerra Civil en Paracuellos del Jarama.

Muñoz Seca se dio a conocer como autor cómico en un momento de gran actividad para la escena española, con autores como Benavente, los hermanos Álvarez Quintero o Carlos Arniches. Su nombre apareció unido al de un nuevo género teatral, la astracanada –teatro cómico con la única función de hacer reír a base de despropósitos en las situaciones, dislocaciones del idioma, radicalización, en definitiva, de todos los elementos procedentes del juguete cómico– y solo, o con sus colaboradores, llevó a escena más de trescientas obras cómicas. Pronto se convirtió en el accionista principal de la razón social Muñoz Seca y Cía, siendo el principal asociado Pedro Pérez Fernández, "los dos Pericos", como popularmente se les denominaba, seguido de Enrique García Álvarez, que también compuso la música de algunos libros como *Fúcar XXI*, 1914, o *La niña de las planchas*, con música de Francisco Alonso, 1915. También fueron colaboradores ocasionales Azorín, Tomás Borrás, Carlos Fernández Shaw, siempre con gran éxito de público, aunque la crítica no haya sido tan benevolente. Torrente Ballester ha hecho hincapié en el sentido de lo teatral y el nulo talento poético de Muñoz Seca. Tal vez por ello no logró ser considerado junto a los grandes dramaturgos. Sin embargo sí se aprecian destellos de genialidad en sus obras más famosas: *La venganza de don Mendo*, 1918 y *Los extremeños se tocan*, 1926; su talento para crear situaciones de interés, y su facilidad para hacer reír a través de sus juguetes, sainetes, revistas o zarzuelas, de entre los que destacan títulos como *El triunfo de Venus* de Ruperto Chapí, 1906; *Por peteneras* de Rafael Calleja, 1911, escrita en colaboración de Pérez Fernández, fue un gran éxito para sus autores y para el Apolo; del mismo año es el estreno *La canción húngara*, con las mismas características de la anterior,

escenas unidas con el mero pretexto de dar pie a la música de Pablo Luna, *Pepe Conde o El mentir de las estrellas* de Amadeo Vives, 1920, también de Vives y Pablo Luna, *El sinvergüenza en palacio*, 1921; *El Rajah de Cochín* de Ernesto Pérez Rosillo, 1928 y del mismo año *La orgía dorada* de Jacinto Guerrero y J. Benlloch. *Véase* TRIANERÍAS.

Pedro Muñoz Seca (Foto: Ar. SGAE)

BIBLIOGRAFÍA: *DMEH*; J. Rubio Jiménez: *El teatro en el siglo XIX*, Madrid, Playor, 1983; F. Ruiz Ramón: *Historia del teatro del siglo XIX*, Madrid, Cátedra, 1995.

OLIVA G. BALBOA

Mur, Ventura. España, *ca.* 1830; después de 1865. Soprano. Apenas se conocen sus comienzos en España, donde debió conocer al barítono Esteban Clapera, con quien se casó y formó una compañía que recorrió toda América con gran éxito. En 1855 triunfó en La Habana, participando en el estreno cubano de *Jugar con fuego*. Entre 1859 y 1863 recorrió diversas localidades chilenas, alcanzando gran éxito sobre todo en Valparaíso y Santiago. La prensa chilena, recogiendo el entusiasmo del público, le dedicó encendidos elogios, llegando a decir que "será en poco tiempo más, a no dudarlo, la primera actriz de los teatros de América del Sur". Mur incluyó en su repertorio la mayoría de los papeles protagonistas de la zarzuela grande como La baronesa del Olmo de *El postillón de la Rioja*, la Duquesa de *Jugar con fuego*, Serafín de *El grumete*, Doña Inés de *El duende*, la tierna María de *El valle de Andorra*, la colegiala Inés de *Mis dos mujeres*, Catalina de *Los diamantes de la corona*, la Marquesa de San Martín de *El dominó azul*, la protagonista de *Marina* o Adela de *Una vieja*. En algunos de estos títulos llegó a interpretar otros papeles. Tras su debut en Santiago de Chile en agosto de 1859, la revista *La Semana* señaló: "Notable como cantante por su voz simpática y extensa, es sobresaliente como actriz, ya caracterice la pasión dramática o el ridículo cómico". Su gracia y salero eran muy aplaudidos, especialmente tras interpretar una canción andaluza que a menudo ofrecía como propina. Hay escasas noticias tras su marcha de Chile. En 1868 actuaba en Montevideo y en diciembre de 1869 realizó cuatro funciones en Valparaíso, de paso hacia el Callao. *Véase* CLAPERA, ESTEBAN; SEGOVIA, VÍCTOR.

BIBLIOGRAFÍA: M. Abascal Brunet: *Apuntes para la historia del teatro en Chile. La zarzuela grande*, Santiago de Chile, Imp. Universitaria, 1940.

VÍCTOR SÁNCHEZ SÁNCHEZ

Muriel. Familia de pintores escenógrafos españoles formada por varias generaciones, todos llamados Luis, y descendientes del escenográfo Luis Muriel San Miguel.

1. Muriel Amador, Luis. Granada, 1836; Madrid, 1877. Escenógrafo, Hijo del también escenógrafo Luis Muriel San Miguel. Sus primeros estudios los realizó en la Academia de Bellas Artes de Granada, como discípulo de su padre y sobre todo de José Llop. Cuando sólo contaba dieciséis años llegó a Madrid contratado por el actor granadino José Calvo, que trabajaba en el teatro del Instituto, donde Muriel realizó sus primeros trabajos. Tra-

Luis Muriel Amador
(Foto: Colección
Castellano: E:Mn)

bajó durante veinte años en diversos teatros de Madrid, pero especialmente para el teatro del Circo donde se inició realmente la zarzuela romántica, en cuya evolución este escenógrafo tuvo un gran protagonismo. Es el autor de las primeras escenografías de obras tan importantes como *El juramento* o *El valle de Andorra.* Cuando se inauguró el teatro de la Zarzuela en 1856, Muriel hizo el telón de boca y varias escenografías para obras como *La conquista de Madrid, El planeta Venus, La paloma azul, El sargento Federico, Catalina* y la de *Los magyares, La Marsellesa* y *Las nueve de la noche.* La prensa y los medios artísticos celebraron particularmente el telón que Muriel hizo para la zarzuela *El hidalguillo de Ronda* que se representó en 1875, y en el que figuraba con gran realismo el patio de los reyes de El Escorial. También realizó numerosas obras para el teatro bufo, donde la escenografía era siempre importante; así para *La bella Elena, Los dioses del Olimpo, Los infiernos de Madrid, Genoveva de Brabante, Pepe Hillo, El potosí submarino* y también para obras de magia como *La redoma encantada* y *La pata de cabra.* En el teatro del Príncipe Alfonso pintó el techo y las decoraciones para *El grumete.* Muy poco antes de morir hizo toda la decoración y el telón de boca del Gran Teatro. Muriel fue fundamental en la evolución de la escenografía zarzuelística de la época isabelina, y fue un claro representante del eclecticismo que evolucionó luego hacia cánones realistas.

2. Muriel López, Luis. Madrid, 9-IX-1855; Madrid, 15-IV-1919. Escenógrafo. Es hijo del anterior,

estudió con Carlos de Haes, su padre y en los talleres de Ferri, Busato y Bonardi, lo que lo convirtió en un gran especialista con un gran dominio de la perspectiva y el dibujo. Realizó los primeros trabajos en el teatro de Gijón ayudando a su padre. Su aparición en Madrid como escenógrafo tuvo lugar en 1879 en el teatro Maravillas, en *La guerra Santa.* Colaboró con Amalio Fernández con decoraciones para *El rey que rabió* y también para *Gigantes y cabezudos.* En 1896 realizó *La rueda de la fortuna* de Fernández Caballero para la Zarzuela. Dominado por un estricto realismo, al final del siglo evolucionó hacia una pintura más decorativa. Trabajó para numerosas teatros de Madrid. Los últimos seis años de su vida estuvo como escenógrafo del teatro Apolo en el que figuró como pintor único y para el que realizó *El santo de la Isidra* de López Torregrosa, *El parque de Sevilla* de Vives, *Granada mía* de Ángel Barrios, *El millón de pesos* de Quislant, la famosa de *El asombro de Damasco* de Luna, *La patria de Cervantes* y *Serafín el pinturero* ambas de Foglietti, *La estrella de Olimpia* de Calleja, *Las castañuelas* de Giménez. También trabajó en el teatro Español donde estrenó *El velón de Lucena* de Alonso, en el Cómico con *La señorita del cinematógrafo* de Luna, en el Español con *Miss Australia* de Vives, en la Zarzuela con *El rey del mundo* de Luna. Al morir dejó algunos trabajos que concluyó su hijo Luis Muriel y Castellanos.

3. Muriel Castellanos, Luis. Madrid, 1887; ?. Escenógrafo. Fue discípulo de su padre, su obra escenográfica la hizo en colaboración aquel y para el teatro Apolo, terminando algunos encargos de su padre que dejó incompletos antes de morir.

BIBLIOGRAFÍA: *DMEH*; M. Ossorio y Bernard: *Galería biográfica de artistas españoles del siglo XIX*, Madrid, 1884; J. Muñoz Morillejo: *Escenografía española*, Madrid, 1923; A. Arias de Cossío: *Dos siglos de escenografía en Madrid*, Madrid, 1991.

EMILIO CASARES RODICIO

Murillo, Josefa. Málaga, 1840; ?. Tiple. Estudió con Antonio Rovira y debutó muy joven en los teatros de su ciudad natal. Las crónicas del momento hablan de una voz de no mucha extensión pero "dulce de timbre", con cualidades de actriz y buena figura; es decir, excelente para interpretar. En 1856 era primera tiple en el teatro de San Fernando de Sevilla en la compañía que dirigía Antonio Rovira. Se trasladó a Madrid a los diecisiete años y se presentó el 7 de junio de 1857 con *El Vizconde* en el teatro de la Zarzuela, que la contrató a partir de entonces. Estrenó entre otras obras *El relámpago* de Barbieri, 1857, *Amar sin conocer* de Barbieri y Gaztambide, en la que tuvo un gran éxito que la confirmó como una de las grandes voces de la zarzuela, y *Casado y soltero* de Gaztambide, ambas de 1858; *Un primo* de Antonio Rovira, *Azón Visconti* de Arrieta, donde fue ovacionada; *El capitán español* de Luis Cepeda, 1859; *La guerra de los sombreros* de Fernández Caballero, 1859; *Los conspiradores* de Javier Gaztambide, 1859; *Entre mi*

Josefa Murillo
(Foto: Colección Castellano; E: Mn)

mujer y el negro de Barbieri, 1859; *El diablo las carga* de Gaztambide, 1860; *Los circasianos* de Arrieta, 1860; *Nadie se muere hasta que Dios quiere* de Oudrid, dedicada precisamente a ella; *Anarquía conyugal* de Gaztambide, 1861; *El que siembra recoge* de Rogel, 1861; *La edad en la boca* y *Una historia en un mesón*, ambas de Gaztambide, 1861; *Un primo* de Antonio Rovira. Se retiró en plenitud de facultades cuando contrajo matrimonio. Esta cantante también fue pintora y presentó el cuadro *Pelar la pava*, a la exposición de 1860.

Era una cantante agraciada físicamente, de buenas cualidades para la acción, de voz hermosa y dulce, aunque no de gran fuerza y extensión. Según Cotarelo cantaba como nadie las malagueñas y las canciones andaluzas acompañándose ella misma con la guitarra. Así juzgaba *La Zarzuela* su interpretación en *Los magyares*: "La temporada teatral concluye en el coliseo de la Zarzuela de la manera más satisfactoria. Además del extraordinario éxito de *Los magyares*, ha tenido ocasión el público de conocer estas últimas noches a dos cantantes que podrán ser de gran utilidad. La señorita Murillo tiene dotes para hacerse aplaudir y con su permanencia en Madrid adquirirá lo que ahora se echa de menos en su canto y manera de representar y olvidará resabios adquiridos fuera de la corte...".

BIBLIOGRAFÍA: *HGZ*; *HZ*; F. Cuenca: *Teatro andaluz contemporáneo. 2. Artistas líricos y dramáticos*, La Habana, Maza, 1940; E. Casares Rodicio: *Francisco Asenjo Barbieri. 2. Escritos*, Madrid, ICCMU, 1994.

EMILIO CASARES RODICIO

Música clásica. Disparate cómico-lírico en un acto. Música de Ruperto Chapí. Libreto de José Estremera. Estrenado el 20 de septiembre de 1880 en el teatro de la Comedia de Madrid.

Personajes. Paca (Antonia García, tiple). Cucufate (Ramón Rossell, tenor cómico). Tadeo (Salvador Videgain, bajo).

Orquestación. Flautín, flauta, 2 oboes (en la partitura original 1, aunque posteriormente Chapí añadió un segundo), 2 clarinetes, fagot, 2 trompas, 2 cornetines en La, 3 trombones (posiblemente en la partitura original, sólo 1), timbales, percusión y cuerda.

Argumento. Tadeo, bajo cantante de capilla, tiene una hija, Paca, que tiene una gran afición por la música, pero, contrariamente al gusto de su padre, prefiere el género aflamencado. Tadeo se empeña en que su hija llegue a cantar música académica, sobre todo aquellos grandes maestros como Beethoven, Rossini o Mozart de lo que él siempre ha sido un gran admirador. El hombre se afana por que su hija aprenda a cantar pero la muchacha sólo logra desesperar a su padre cuando éste ve que su discípula no tiene condiciones de gran cantante como él querría que fuera. Sin que su progenitor lo sepa, Paca tiene relaciones con Cucufate, un muchacho que también es aficionado a la lírica y un tanto pícaro. El jovenzuelo procura verse con su novia cuando el padre de ésta no se encuentra en casa y aprovecha la situación para que Paca calme su apetito voraz. La pareja, aprovechando la idea de Cucufate, pone en práctica un plan para lograr que Tadeo consienta el matrimonio de los jóvenes. Así, un día, Cucufate se finge un compositor de gran nivel y se presenta en casa de Tadeo. De acuerdo previamente con la muchacha, finge que no se conocen y explica su situación en la casa diciendo que acude atraído por la voz de la que él considera va a ser una gran dama del canto. Al poco tiempo de encontrarse allí, y engañando a su potencial suegro con piropos, consigue convencerle de que haría un gran favor a su hija si accediera a concederle su mano. De esta

manera, él lograría hacer de la joven Paca una figura lírica, la diva que su padre espera y Tadeo, por su parte, accedería a la boda de su hija con Cucufate, situación con la que culmina la zarzuela.

Números musicales. Obertura. Nº 1. Lección de solfeo, "Eso no es así. Vamos a empezar". Nº 2. Cuplés, "Soy un pobre cesante de loterías". Nº 3. Dúo, "Yo soy la pitillera de más primores". Nº 4. Terceto, "Él es un joven músico que adora con furor, si señor". Nº 5. Zapateado, "Yo no quiero que me lleven a los toros de Sevilla". N.º 6. Sinfonía descriptiva y final, "Ya somos felices".

Comentario. *Música clásica* fue, en realidad, el primer gran éxito de Chapí en el mundo de la zarzuela. El músico venía de instalarse en Madrid después de sus años de pensionado en Roma y París y estaba necesitado de dinero y de que se le abrieran las puertas de los teatros para obtenerlo. La obra, muy sencilla de concepción como corresponde al género chico, tiene sus raíces en los entremeses y en la ópera bufa napolitana, con cuyos personajes no es difícil establecer paralelismos. El libro de Estremera fue muy celebrado por la eficacia de sus chistes y logró una notable popularidad siendo traducido, incluso, al alemán. Escrita para el teatro de la Comedia, que entonces estaba dirigido por Emilio Mario, fue calificada como disparate cómico lírico, un juguete breve y trivial que servía de entretenimiento y de soporte para algunos chistes. La crítica del momento era poco explícita pero dio algunas claves. Así, *El Conservador* lo califica de "graciosísimo juguete cómico-lírico" que sirvió para excitar "la hilaridad de los espectadores en grado superlativo y que fue interpretada como se acostumbra en el teatro de la Comedia".

La zarzuela se inicia con un preludio –en la partitura incluso figura como "obertura", posiblemente con un cierto sentido irónico–, donde haciendo caso al título de la obra, aparecen citados dos compositores clásicos, Beethoven y Mendelssohn, en un juego de cierta ironía. Utilizando el motivo que sirve a la frase del Nº 4, "Yo soy un joven músico", no lo desarrolla sino que lo presenta en semicadencia, lo repita igual y lo vuelve a citar para modular, mediante una simple imitación y culmina con el motivo utilizado para subrayar la frase "Beethoven, Mozart, o Haydn, Rossini, Mendelssohn y Berlioz". Tras un juego de cadencias, pasa a un *Andante* donde se cita el tema del segundo movimiento de la *Pastoral* de Beethoven. Enlaza con el tema "Yo soy chantre de capilla", entonado por trombones con el apoyo de la cuerda que presenta un contramotivo similar al del número, enlaza con el *Allegretto* del tango cantado por Paca. La transición culmina en el *Allegro molto* extraído de la *Bergamaske* procedente de la música incidental de *El sueño de una noche de verano* de Mendelssohn que enlaza con el *Allegro di molto* de la obertura de la misma obra del autor germano que, mediante una modulación gradual, irrumpe en el tema base del número final.

El primer número es un dúo entre Tadeo y Paca. Previamente –y existe un ejemplo en la partitura conservada en la Biblioteca Nacional– ésta ofrecía una lección del método de solfeo de Hilarión Eslava que se impartía en el Conservatorio de Madrid. Tadeo incide siempre sobre las mismas notas, a modo de recitativo o semideclamado. Esta forma de cantar es una característica muy común del género chico, especialmente en lo que se refiere al tratamiento de las voces de carácter. Con la entonación de la lección de música, parodia la incluida en el método Eslava, a dúo entre los protagonistas, desemboca en un vivo para volver al sujeto original. Hay que destacar que la vuelta a la lección viene realizada por Chapí bajo el ritmo de habanera en una muestra de habilidad cómica suplementaria que seguramente el público debió reconocer en su día. El segundo número incluye los inevitables cuplés del tenor cómico, realizados sobre un aire de corte francés. Hay que destacar la

utilización con efecto cómico de los cromatismos armónicos así como la gran libertad con la que el compositor utiliza el acorde de séptima disminuida y sus variantes. En el Nº 3 bajo un ritmo de seguidilla se da pie a un texto con sus correspondientes guiños picantes. Se corta con la aparición de Tadeo que entona una breve romanza, "Yo soy chantre...", que da paso a una habanera de Paca que enlaza directamente con la melodía de Tadeo. El Nº 4 es un terceto en Mi menor, inspirado en una *canzonetta* de Mendelssohn. El Nº 5 es un terceto también basado en un ritmo de zapateado en Re mayor en el que destaca la peculiar acentuación del compositor que rompe el acento prosódico. El último número, muy breve, se dirige al público en un gesto de complicidad por lo que culmina la partitura con el concurso de toda la orquesta y el respetable asistente. A pesar de las limitaciones del género, Chapí muestra que la lección aprendida en el extranjero no es baladí. Tanto en lo instrumental como en lo armónico, ningún compositor español podía presentar un tratamiento con esta libertad dentro de un género aparentemente menor, ni incluso Fernández Caballero que, para todos los efectos, tenía la actitud y mentalidad más modernas. Lo mismo se puede decir de la sencilla y llamativa orquestación que fue ampliada años más tarde con motivo de su reposición. La variedad de timbres, la habilidad en el tratamiento contrapuntístico muestran detalles muy novedosos para su época.

Fuentes manuscritas. La partitura, fechada el 29 de octubre de 1884, se conserva en la Biblioteca Nacional de Madrid (legado Chapí, vol. 44). Los materiales de orquesta se conservan en el archivo de la SGAE en Madrid (1432).

Ediciones de música. Canto y piano, Madrid, UME.

Ediciones del libreto. Madrid Administración Lírico-Dramática, 1880; 5ª Ed., Madrid, Imp. R. Velasco, 1901; Madrid, SAE, 1922.

FONOGRAFÍA: LP: Dir. Ataúlfo Argenta, Sols. Ana Mª Iriarte, José Mª Maiza, Gerardo Monreal, Orq. Sinfónica, Columbia SA, ZCL 1080 (Zacosa) 19 y Columbia C 30058 24 (23a).

BIBLIOGRAFÍA: MT; J. M. Esperanza y Sola: *Treinta años de crítica musical en España*, Madrid, Tipografía viuda e hijos de Tello, 1906; A. Salcedo: *Ruperto Chapí. Su vida y su obra*, Madrid, Aguilar, 1958; J. J. Águila: *Ruperto Chapí y su obra*, Diputación Provincial de Alicante, 1973; A. Sagardía: *Ruperto Chapí*, Madrid, Espasa-Calpe, 1979; V. Prats Esquembre: *R. Chapí, un hombre excepcional*; Villena, Apadis, 1984; L. G. Iberni: *Ruperto Chapí*, Madrid, ICCMU, 1995; —: *Ruperto Chapí: Memorias y escritos*, Madrid, ICCMU, 1995.

LUIS G. IBERNI

Nadal. Se conocen cinco intérpretes españoles con este apellido, llamados Ana, Ángela, Joaquín, Julio, Nicolás y Presentación. Es probable que existiese relación de parentesco entre ellos, aunque se desconoce el grado. No se ha podido identificar la intérprete que aparece en numerosos estrenos como "Srta. Nadal".

1. Ana. España, siglos XIX-XX. Tiple. Formaba parte de la compañía de Luna y Serrano que actuó en el teatro de la Zarzuela en la primavera de 1915 y cantó *La Dolores* de Tomás Bretón, dirigida por el propio compositor. Obtuvo un gran éxito en el estreno de *Becqueriana* de María Rodrigo. Participó en el estreno de *Amores de aldea* de Luna y Soutullo. Después formó parte de la compañía de zarzuela y opereta de Vicente Lleó que actuaba en el teatro Martín y el 23 de febrero de 1916 se pasaron al teatro de la Zarzuela. Anita Nadal estrenó en 1930 en la Zarzuela *Viva Alcorcón que es mi pueblo*, y es posible que se tratase de la misma Ana Nadal, convertida en característica. En 1931 estrenó *Paloma de embajadores o Cada cual con su igual* de Fernando Díaz Giles en el teatro Maravillas.

2. Ángela. España, siglos XIX-XX. Tiple. Estuvo contratada por la compañía del teatro Apolo en la temporada 1880-81, estrenando *Un sueño de gloria* de Taboada, *El sacristán de San Justo* de Caballero y Nieto y *La farsanta* de Caballero y Rubio. En 1891 estrenó *El marquesito* de Rubio y Catalá en el teatro Circo de Parish y la temporada siguiente, 1891-92 estuvo contratada por el teatro de la Zarzuela en el que cantó *Marina* y *La tempestad*. Hay una serie de estrenos de la primera década del siglo XX en los que no se sabe si fue Ana o Ángela la protagonista, aunque es más probable que se tratase de la primera. Así logró un gran éxito en *Don Quijote en Aragón* de Borobia y Trullas, teatro Circo de Zaragoza, 1905.

3. Joaquín. España, siglos XIX-XX. Tenor. En 1902 estrenó *San Juan de Luz* de Quinito Valverde y Tomás López Torregrosa en el teatro Eldorado. En 1909 en

el Ruzafa de Valencia *El matador* de Asensi y Aldás. En 1910 era primer tenor de la compañía de Patricio León y Maximiliano Thous que inauguró el teatro Serrano de Valencia. En 1915 estrenó en el teatro Nuevo de Barcelona *Temple baturro* de Monterde.

4. Julio. España, siglos XIX-XX. Actor y cantante. En 1886 en el teatro Principal de Alicante estrenó *En busca de mi mujer* de Such Sierra. En 1933 *La posada del caballito blanco* en el Circo de Price; en 1939 *Rosa la pantalonera* de Francisco Alonso y en 1941 *Ladronas de amor* de Alonso en el Martín. Por la cercanía en el tiempo podría ser el "Sr. Nadal" que estrenó en 1923 en el teatro Gran Vía *El príncipe Pío* de Gerónimo Giménez y si se trata del mismo Julio Nadal de *En busca de mi mujer,* es de suponer que alguno de los estrenos que aparecen como "Nadal" sin especificar nombre en los primeros años del siglo XX le corresponda a él.

5. Nicolás. España, siglos XIX-XX. Cantante. En los primeros años del siglo XX estaba contratado por el teatro de la Zarzuela en el que estrenó en 1902 *La manta zamorana* de Caballero, *La vara de alcalde* de Tomás Barrera, *Moros y cristianos* de Serrano y en 1904 *La tragedia de Pierrot* de Vives. Cronológicamente hay una serie de estrenos en los que no se puede saber si fue Nicolás o Joaquín el protagonista; así en 1899 un Nadal estrenaba en el teatro Cervantes de Málaga

Nicolás Nadal en Rejas y votos *de Peydró (Foto: E:Bit)*

Desechos de tienta de González Palomares, y en el teatro Principal de Madrid *La boda de Camacho o En el corralón del trueno* de Joaquín González; en 1902 en el teatro Martín, *Perico de Aranjuez* de Fuentes y Camarero; en 1908 *Mujeres y flores* de Enrique Riera en el Principal de Málaga; en 1912 *Juego de amor* de Calleja y en 1914 *El alma de Garibay* de Tomás Barrera en el teatro Magic-Park de Madrid.

6. Presentación. España, siglos XIX-XX. Tiple. En 1884 estaba contratada en el teatro Apolo, donde estrenó *El hermano Baltasar* de Fernández

Presentación Nadal
(*Foto:* Comedias y Come-
diantes, *1910; Ar. ICCMU)*

Caballero. Posteriormen-te aparecía como prime-ra tiple dramática en el nuevo teatro Serrano de Valencia.

BIBLIOGRAFÍA: *HZ; TA;* E. García Carretero: *Historia del teatro de la Zarzuela de Madrid,* Madrid, Fundación de la Zar-zuela Española, 2003.
Mª LUZ GONZÁLEZ PEÑA

Napoleón. Locura en un acto. Música de Jorge Anckermann. Libreto de Gustavo y Francisco Robreño. Estrenada el 19 de febrero de 1908 en el teatro Alhambra de La Habana.

Personajes y reparto. Don León (Gustavo Robreño). María Luisa (Lolita Berrio). Hortensia (Julita Muñoz). Eugenio (Julio Gallo). Josefina (Candita Quintana, tiple cómica). Gerónimo (Federico Piñero). Don Bernardo (A. Zapata). Bitoque (A. Garrido). Don Teodoro (Betancourt). María Valeska (Blanca Gil). Señora Grasini (Consuelo Novoa). Estefanía (Amalia Sorg). Leonor (Mariana Fort). El Chato, Perico, Moquillo, El Curro, Pisa Bonito, Pomarrosa, Llobregat, El Chévere de Candamio, El Sacristán, Dama 1ª, Dama 2ª, Un guardia, Mariscales, cortesanos y damas de honor.
Orquestación. Flauta, 2 clarinetes en Do, 2 cornetines en Fa, trombón, piano y cuerda.

Argumento. En el hogar de Don León, los cria-dos Gerónimo y Josefina comentan las locuras que están sucediendo, a consecuencia del problema psi-cológico del Señor. Eugenio, un muchacho que pre-tende desde hace algún tiempo a Hortensia, la hija de León, llega a la casa intentando entrar a conver-sar con la muchacha. Para ello utiliza algunas bro-mas con Josefina e indaga acerca del estado en que se encuentra Don León. Consigue todas las infor-maciones pertinentes: que el señor está chiflado, que ya le han devuelto la finca Independencia, y que sólo piensa en la guerra y en Napoleón. La criada le pro-pone que la mejor manera de pedir la mano de Hor-tensia es entrando a la casa con el pretexto de ocu-par la plaza de administrador de la finca, anuncio puesto en la prensa por la Señora María Luisa, espo-sa de Don León.

Aparecen la Señora y su hija que se sorprenden al ver a Eugenio. Éste se pone tan nervioso que no sabe lo que va a decir, hasta que Josefina le recuer-da lo de la finca. Pero cuando empieza a hablar le dice a la señora que viene a hacerle algunas propo-siciones. María Luisa, también perturbada, piensa que le está hablando de Hortensia. Se crea un gran mal entendido, hasta el punto de que la Señora lo echa de su casa. La criada y Eugenio le explican que él estaba hablando de la finca, que su intención era sólo ocupar la plaza de administrador. María Luisa entiende todo y le hace pasar al comedor para arre-glar un plan y ver si queda como administrador. Gerónimo ha llegado a cogerle lástima a su amo, habla consigo mismo del divino César, la Revolu-ción gloriosa que derriba una Monarquía en Fran-cia, el Consulado y el Imperio; pero decide seguir-le la conversación. Ha llegado a imaginarse que es Napoleón, pero sabiendo que su nombre es León

comenta que sólo le falta el Napo. Dice, además, que se impone un golpe de Estado y que lo ayuda-rá su hermano Luciano, que no es más que su pro-pio criado.

María Luisa le presenta a León el aspirante a administrador de la finca, pero éste se incomoda, pues no quiere saber nada de Independencia, y pien-sa que el muchacho es un inglés o un espía que ha venido a sorprender sus planes de guerra. Todos le explican que Eugenio quiere transformar la finca en el palacio Fontainebleau. En su enajenación, León nombra a Eugenio Mariscal del Imperio, y le brin-da todo su patrimonio, sus fincas y su dinero para realizar el proyecto, estando feliz porque se han comenzado a realizar sus sueños. Don Bernardo se entera por mediación de Vitoque que Eugenio los ha elegido para la decoración de la finca como los palacios del Imperio. Ambos deciden que con ellos también participarán en este negocio, que les dará mucho dinero, las mulatas Estefanía y Leonor. La finca ha comenzado a ser decorada al estilo que quiere León. Eugenio y Gerónimo son Mariscales del primer Imperio, hasta con su vestuario; están en espera de las personas que formarán la corte de Napoleón. Hasta Josefina ya viste con traje del Impe-rio. Llega Don León en el momento en que Geró-nimo está cantando inspiradamente. Josefina se esconde. El amo sorprendido del escándalo escu-cha la explicación que le da el Mariscal y le propo-ne que en un plazo de cinco minutos realice un himno guerrero. De no ser así lo hará fusilar. Tras cumplir el reto, el Mariscal es ascendido a rey de Nápoles. El señor le pide que le busque a Josefina, su gentil criolla, pues quiere tener un hijo con ella, aunque no sea de él para hacerlo rey de Roma. Gerónimo, que siempre la ha pretendido, trata de interponerse. León se lleva para un matorral a la criada y el rey de Roma le cuenta todo a María Luisa y a Hortensia, para desquitarse de lo que hizo el emperador con Josefina.

Todos los trabajadores de la finca –Don Bernardo, Vitoque, Eugenio y el chino Perico– han seguido también la farsa para mantener a Don León tranquilo, y hasta han comenzado a cambiarse sus nombres para llevar los de los mariscales del Imperio. También Bernardo ha traído a varios sinvergüenzas para que sean mariscales en la gran mentira: un chulo, un vendedor de buñuelos, uno que le decían Moquillo, entre otros integran las tropas. Todos gritan: "¡Viva el Emperador!". León les informa que el coloso del Norte ha faltado a su juramento de alianza a la nación, sin dar una explicación de su conducta, por lo que llevarán la guerra a su territorio y será una lucha gloriosa. Bernardo le presenta al cuerpo de Mariscales. Orgulloso de ellos el Emperador les ha puesto títulos de nobleza a cada uno y los ha llamado a la Victoria, que depende de ellos. También han traído a Grasini y María Valeriana, dos muchachas a las que les han cambiado el nombre por los de Señora Grasini y María de Valeska.

La finca ya es una reproducción de Fontainebleau. Eugenio se ha escapado con Hortensia a un pueblo cercano, pero se ha complicado porque lo vieron en una propiedad, perteneciente a un extranjero, donde al parecer había pasado la noche con la muchacha. Hortensia ha llegado a la casa con el Jefe de Sanidad, Don Teodoro, el cual le ha entregado su hija a María Luisa. Teodoro, como Delegado General de Sanidad se ve en la obligación de proceder enérgicamente contra las locuras de Don León. Nadie quiere que se lleven a León, y Teodoro pretende que se quiten los trajes, lo que tampoco han aceptado, por lo que él piensa que todos han enloquecido. Por sólo tener una orden de arresto para Don León no se los puede llevar, pero se quedan todos encerrados en la casa conviviendo sin extralimitarse. El Emperador ha dado en sí y decide irse tranquilo, a pesar de la negativa de todos hacia Mazorra, que para él no era más que Santa Elena. Todos quedan muy preocupados porque Eugenio, que es el que les pagaba, desapareció. Don León pensando que la algarabía es por su partida, les pide que no se amotinen, que él cumplirá su destierro y que le interpreten el himno creado para las grandes solemnidades.

Números musicales. Introducción. Orquesta. N° 1. Don León, Eugenio, Gerónimo, Hortensia, todos, "A visitar a Fontainebleau". N° 2. Todos, rumba-gavota-zapateo, "Nadie ha visto a mi prieta". N° 3. Gerónimo, todos, marcha, "El rico Marengo". N° 4. Coro, marcha, "Este sonido bélico". N° 5. Bolero-vals, "Por cuál de los dos te decides". N° 6. Gerónimo, Don León, coro, minuetto-tango español-danzón-rumba, "Dios guarde al poderoso y bravo emperador". N° 7. Final. Orquesta.

Comentario. Esta zarzuela escrita en los primeros años de la República se hizo eco, como la mayoría de las obras pertenecientes al género, de los hechos sociales y económicos más relevantes acaecidos en la isla por aquel entonces. Sucesos como la reelección de Tomás Estrada Palma, la llamada "Guerrita de agosto" y la nueva intervención norteamericana, que trajo consigo la elección de José Miguel Gómez "Tiburón", como presidente de la República, formaron parte del ambiente de la época. Fueron estos acontecimientos los que sirvieron de base para la realización del libreto por los hermanos Robreño, quienes tras personajes como Don León y Don Teodoro enmascararon a figuras sobresalientes de estos sucesos, como al propio José Miguel Gómez y Roosevelt. Don León, personaje protagonista, tras tener en su poder la finca Independencia se vuelve loco y realiza con ella lo que le parece, sin pensar ni escatimar en los daños que le puede ocasionar a los habitantes de la misma, hechos que no tienen ninguna diferencia con lo ocurrido en el país cuando llegó a la presidencia "Tiburón". Al final de la obra aparece Roosevelt, encarnado en el papel de Don Teodoro, personaje que se lleva a León hacia Mazorra para observarlo hasta febrero, fecha esta en la que cesó la dominación norteamericana.

Desde su primera puesta en la escena del teatro Alhambra esta zarzuela fue un éxito continuo en cartelera, hasta que Gustavo Robreño, quien interpretó siempre el papel de Don León con gran maestría, se retiró de la actividad escénica. En el año 1934, tras la fallida revolución del 33, la obra fue repuesta por la compañía Suárez y Rodríguez en el teatro Martí. Para ello se realizaron cambios al libreto original con el fin de enmarcarla en la época. El destacado actor Arnaldo Sevilla interpretó, esta vez, el papel de Napoleón. Esta nueva puesta trajo consigo la persecución de empresarios y autores, pues Fulgencio Batista –presidente por aquel entonces, y máximo exponente de la ambición personal, el oportunismo político y la traición– se vio identificado, desacreditado y ridiculizado con la obra.

El acompañamiento musical de la pieza, compuesto por una introducción, y siete números, está colmado de géneros musicales cubanos como la rumba, el danzón, el bolero y el zapateo, que aparecen independientes o intercalados unos con otros en un solo número musical. La presencia de cada uno de ellos está determinada por las necesidades dramatúrgicas de la zarzuela. La rumba –uno de los más utilizados– siempre está estructurada por la alternancia de solista y coro, por lo que adquiere un carácter más popular. En la mayoría de las ocasiones aparece antecedida de un danzón. Además de los géneros cubanos también se intercalan el tango español, el vals, la gavota y la marcha, incorporando en este último fragmentos de *Fausto*. Es frecuente también la utilización de ritmos como el cinquillo y la clave cubana, formando parte tanto de la melodía como del acompañamiento instrumental.

Casi todos los actores del teatro Alhambra interpretaban fragmentos musicales en las zarzuelas que se representaban, a pesar de que el canto no fuera su especialidad. Tal es el caso de esta obra en la cual la mayoría de los artistas que la estrenaron eran actores y actrices. Dentro del gran número de zarzuelas que escribió Jorge Anckermann, esta fue una de las que lo llevó a la cima de la fama, a pesar de no haber sido puesta en escena con posterioridad a 1934.

Fuentes manuscritas. La partitura y el libreto se conservan en el archivo del Museo Nacional de la Música de Cuba.

BIBLIOGRAFÍA: E. Robreño: *Teatro Alhambra. Antología*, La Habana, Letras Cubanas, 1979.

CAROLE FERNÁNDEZ MARTÍNEZ

Navales Serrano, Francisco. España, †1940. Compositor. En el archivo de la SGAE en Madrid se conservan dos obras líricas suyas, *Ahí va eso*, definida como "Casi revista en un acto", con libreto de Rafael Alaria y estrenada en el teatro Variedades, y *Leyenda del payaso*, con libro de Ricardo Bernal.

Mª LUZ GONZÁLEZ PEÑA

Navarrete y Fernández Landa, Ramón de. Madrid, 1818; Madrid, 25-IV-1897. Periodista y dramaturgo. Escribió en *La Gaceta*, *El Correo*, *El Día*, *La Época*, *El Semanario Pintoresco Español*, y tradujo y arregló numerosas comedias y dramas. En sus novelas cultivó el costumbrismo. En cuanto a su obra dramática, el ingenio de sus dramas y comedias las hizo muy populares. Escribió para el teatro lírico *El amor por los balcones*, 1853; *La corte de Mónaco*, con música de Baltasar Saldoni, 1857; *Juan sin pena*, 1859; *Cadenas de oro*, 1864, en colaboración con Larra y con música de Arrieta, y *Los amores del diablo* con música de Arche adaptada del original de Albert Grisar, 1871. *Véase* CADENAS DE ORO.

Ramón de Navarrete
(Grabado de Hortigosa;
E:Mn)

BIBLIOGRAFÍA: *DAT*.

Mª LUZ GONZÁLEZ PEÑA

Navarro (I). Familia de cantantes españoles formada por Ramón y sus hijos Ramón y Pilar.

1. Ramón. †Lérida, 1911. Barítono. En 1880 estrenó en el teatro Apolo *El sacristán de San Justo* de Caballero y Nieto. En diciembre de 1882 en el teatro de la Princesa de Valencia *El rosal de la belleza* de Mangiagalli. Formaba parte de la compañía de Apolo en la temporada 1882-83 y en las siguientes. En 1884 estrenó *El milagro de la Virgen* de Chapí y cantó también *El reloj de Lucerna* de Marqués. Fue muy famoso en la zarzuela grande y participó en el estreno de *El rey que rabió* en el teatro de la Zarzuela en 1891, interpretando dos papeles diferentes. Actuaba en 1907 en la compañía de Eduardo Bergés en el teatro Principal de Zaragoza, siendo muy aplaudido en obras como *Bohemios*, *Jugar con fuego*, *Marina*, *La mala sombra* y *El húsar de la guardia*.

2. Navarro y España, Ramón. †Argentina, 1911. Tenor cómico. En 1898 actuaba en la compañía que el empresario Domingo Goyenechea llevaba por el norte de España, al frente de la cual se hallaba Rafael Calleja y de la que eran primeras figuras Antonio González "Chavito" y Vicente Valero. Actuaron en León y Gijón, con gran éxito, llevando en su repertorio tanto las zarzuelas nuevas como las más famosas del periodo grande como *El rey que rabió*, *El padrino del Nene* y *El señor Joaquín*. En 1899 estrenó *Don Lucas del cigarral* de Vives en el teatro Parish de Madrid y en 1900 *La cortijera* de Chapí en el mismo teatro. Es de suponer que el Ramón Navarro que estrenó *Su Alteza Imperial* de Vives en el teatro Circo de Price en 1903 fuese éste y no su padre. Un Ramón Navarro estrenó en abril de 1911 en el teatro Circo de Zaragoza *Los divorciados*, opereta adaptada por Ricardo Sendra.

3. Navarro y España, Pilar. Santiago de Compostela, 1877; ?. Tiple cómica. Realizó sus estudios musicales en Madrid con el compositor Tomás Reig, y declamación con su padre. Su debut tuvo lugar en el teatro Cervantes de Sevilla con el papel de Roberto en *La tempestad* de Chapí en 1893. Desde entonces actuó en ciudades andaluzas como Córdoba, Cádiz y Málaga. En 1895 en el Eslava de Madrid estrenó la opereta *De conquista* de Ruisanz y al año siguiente *El cortejo de la Irene* de Chapí. Después debutó en Madrid en el teatro Circo de Parish, estrenando con éxito *Los hijos del batallón* y *Curro Vargas* de Chapí, *Don Lucas del cigarral* de Vives o *María del Carmen* de Granados, llevando posteriormente todas estas obras a Barcelona. Fue contratada por el teatro Apolo en la temporada 1899-1900, siendo muy aplaudida en *Pan y toros* de Barbieri. Participó en el estreno de *El motete* de Serrano. En el teatro Romca, era muy aplaudida en 1901. A sus dotes de cantante unía las de buena actriz.

BIBLIOGRAFÍA: *Dentro y fuera del teatro. Crónicas retrospectivas, historias, costumbres, Anécdotas y cuentos*, Carta-prólogo de Vital Aza, Madrid, Librería General de Victoriano Suárez, 1913.

Mª LUZ GONZÁLEZ PEÑA

Navarro (II). Se conocen varios cantantes con este apellido llamados Arturo, Carmen, Enrique, Ignacio, José, Luis, Marina, Matilde y Pedro P. Se desconoce su posible relación de parentesco. En la mayoría de los estrenos no es posible saber de quién se trata, ya que en los libretos sólo se especifica "Sr. Navarro" o "Srta. Navarro".

1. Arturo. España, siglos XIX-XX. Estrenó en 1910 *La princesa de los Balkanes*, en el teatro Novedades de Barcelona.

2. Carmen. España, siglo XX. Tiple. Estrenó *Los gavilanes* de Guerrero en el teatro de la Zarzuela, 1923; *Las cariñosas* de Alonso, Maravillas, 1928 y *La flor de la romería* de José Timoteo Franco en 1951, en el teatro del Duque de Rivas de Córdoba. Es de suponer que entre esos dos estrenos seguiría trabajando y puede que sea la señorita Navarro que aparece en los estrenos de *¡Abajo las coquetas!* de Guerrero, Eslava, 1928; *La bomba* de Alonso, Eslava, 1930 y *Sole la peletera* de Jacinto Guerrero, Ideal, 1932.

3. Enrique. España, siglos XIX-XX. Cantante y actor. Estrenó en 1896 *Charivari* de Gregorio Mateos en el teatro Romea. En la obra interpretaba el papel de tenor cómico. En 1900 estrenó en el teatro de la Zarzuela *El pregonero de Riosa* de Mario Caballero y Rafael Taboada. En los años veinte estaba contratado como actor en el Coliseo Imperial estrenando obras como *Tirios y troyanos*, *El director es un "hacha"* y *Mis tíos no están de acuerdo*.

4. Inocencio. España, siglo XX. Barítono. Grabó para La Voz de su Amo las romanzas de barítono de *La canción del olvido, El carro del sol, Marina* y *Maruxa*.

FONOGRAFÍA: *El carro del sol*, La Voz de su Amo AA 63; *La canción del olvido*, La Voz de su Amo AA 63; *Marina*, La Voz de su Amo DB 715 • La Voz de su Amo DA-DB 717; *Maruxa*, La Voz de su Amo AA 57.

5. José. España, siglos XIX-XX. Actor-cantante. Se sabe que estrenó dos obras en 1893, *Los glotones* de Manuel Chalons, y *Los cuentos del año* de Chalons y Álvarez, ésta en el Romea, con un éxito extraordinario. Quizá fuese el señor Navarro que ese mismo año estrenó en la Zarzuela *El ángel guardián* de Nieto y Brull y *Ensalada rusa* de Rubio y Estellés, Romea, 1896. Con toda seguridad estrenó en 1896 *La boda de los muñecos* de Brull en el Romea. Probablemente muchos de los estrenos en los que solamente aparece "Sr. Navarro" en la década final del siglo XIX le correspondan a él.

6. Luis. España, siglos XIX-XX. Cantante. Estrenó *El hermano Baltasar* de Caballero, Apolo, 1884; *¡Los dioses se van!* de Caballero, teatro Martín, 1886; *Inés de Castro o Reinar después de morir* de Calleja y Lleó, teatro Lírico de Madrid, 1903. No se sabe si alguno de los estrenos en los que figura sólo Sr. Navarro entre los últimos años del siglo XIX y la primera década del XX, puedan ser suyos.

7. Marina. España, siglos XIX-XX. Tiple. Estrenó *Dora, la viuda alegre* de Franz Lehár, Gran Teatro, 1909; *Santuzza* de Peris y Quislant, teatro Novedades, 1909. Hay una serie de títulos que por la época y los teatros probablemente estrenase esta Marina Navarro, pero también pudo estrenarlos Matilde: *Autor y mártir* de Vicente Peydró, Eslava, 1895; *Toñuela la golfa* de Ángel Rubio, Romea, 1900; *El movimiento continuo* de Valdovinos y Cereceda, teatro de Price, 1905; *El becerro de oro* de Álvarez del Castillo, Eslava, 1909; *Todo por España* de Manuel de L'Hotellerie, Variedades de Zaragoza, 1909 y la opereta de Chaves y Anglada, *La infanta*, Coliseo del Noviciado, 1909.

8. Matilde. España, siglos XIX-XX. Tiple. Estrenó en 1892 en el teatro Principal de México *Perfiles y contornos* de José Austri.

9. Pedro P. España, siglos XIX-XX. Actor. Estrenó *El bergantín Adelante* de Manuel Nieto, teatro Principal de Alicante, 1883; *En las ventas* de Tomás Gómez, Martín, 1887, y *Plan de estudios* de Reig, Maravillas de Madrid, 1888.

Mª LUZ GONZÁLEZ PEÑA

Navarro, Fernando. España, siglo XIX. Bajo. Muy relacionado con el nacimiento de la zarzuela romántica, estrenó *El duende* de Hernando, Variedades, 1849; *A última hora* de Gaztambide, Variedades, 1850; *Las señas del Archiduque* de Gaztambide, teatro de los Basilios, 1850; *Misterios de bastidores* de Oudrid; *La mensajera* de Gaztambide, Variedades, 1850; *Jugar con fuego* de Barbieri; *Salvador y Salvadora* de Oudrid y Arche, teatro del Príncipe, 1852; *Las dos venturas* de Oudrid y Arche, 1852; *La flor del valle* de Luis Arche, Príncipe, 1853, y *Tres madres para una hija* de Arche en el Lope de Vega, 1854.

BIBLIOGRAFÍA: *HZ.*

Mª LUZ GONZÁLEZ PEÑA

Navarro, Jesús. España, 1888; Madrid, 10-X-1958. Actor y director de escena. Pasó por diversas compañías dramáticas como las de Alfayate, Gascó-Granada y Rafaela Rodríguez y llegó a ser primer actor y director de escena fundamentalmente en el teatro de verso. En 1918 estrenó en el teatro Ruzafa de Valencia *El canto de las sirenas* de Miguel Asensi. Dirigió el teatro Apolo de Madrid durante siete años y en dicho teatro estrenó algunas obras líricas, así en 1923 *El rey nuevo* de Guerrero, del que estrenó otras dos obras, en 1924 *A la sombra*, y *Lo que va de ayer a hoy*. Estrenó además el gran éxito de Soutullo y Vert, *La leyenda del beso* en el teatro Apolo, así como *Rosa de fuego* de Pablo Luna. En ese mismo año protagonizó en Apolo el papel principal de *Don Quintín el amargao* de Guerrero, con el que obtuvo el mayor éxito de su vida artística. En 1926 estrenó en Apolo *Seguidilla gitana* de Ángel Barrios. Participó en el estreno de *El huésped del Sevillano* de Guerrero, interpretando a Cervantes, junto a Selica Pérez Carpio. En 1927 *El sobre verde* de Guerrero, primero en el teatro Novedades Barcelona y posteriormente en Apolo. Ese mismo año en el teatro Pavón de Madrid estrenó *Las alondras*. En diciembre de 1927 estrenó en el Apolo *La del Soto del Parral* en el papel de Tío Sabino. El año siguiente *La pícara molinera* de Luna y *La chula de Pontevedra* de Luna y Bru, y en la Fiesta del sainete de Apolo a beneficio de la prensa, participó en *La hora de la verdad* de Guerrero. En 1930 estrenó junto a Celia Gámez *La bomba* de Alonso en el teatro Eslava, y en el teatro Metropolitano *La cursilona* de Fuentes y Navarro. En 1932 formaba parte de la compañía de Vicente Patuel de la que era director escénico. En abril llevaron al teatro de la Zarzuela *Carita de emperaora* de Calleja, que se había estrenado en febrero en el teatro Fuencarral de Madrid, y *El debut de la Patro*. En la misma compañía y con el mismo cargo seguía en 1933 presentando la Zarzuela *La guitarra de Fígaro*, primer estreno en este teatro de Pablo Sorozábal; también participó en *La labradora* de Leopoldo Magenti.

Jesús Navarro
(Foto: Ar. SGAE)

BIBLIOGRAFÍA: *DAT; TA; BSGAE,* 54, XI-1958.

Mª LUZ GONZÁLEZ PEÑA

Navarro Borrás, Enrique. España, siglo XX. Autor dramático y compositor. Es autor de muchas canciones y algunas comedias como *La mala senda* o *Cambiar de Cheni*. En colaboración con José de Lucio escribió *Los pintureros* con música de Eduardo Fuentes.

Mª LUZ GONZÁLEZ PEÑA

Navarro García, Pablo. España, †13-XII-1947. Compositor y dramaturgo. Tiene registradas numerosas canciones en el archivo de la SGAE en Madrid, de las que es autor de letra o música y en ocasiones de ambas. En la SGAE se encuentra su obra *El sueño de Celia,* con libreto de C. Gómez Lázaro, estrenada en el teatro San Fernando de Sevilla en 1942, cuya Jota se hizo muy popular. Escribió el sainete *Bolas al minuto*. El preludio y el intermedio de este sainete también gozaron de alguna popularidad. Escribió varias zarzuelas infantiles como *El castillo del lobo, El circo pirata, El príncipe encantado, El tesoro del rey*

Carota o La isla de las mongolas, todas con Antonia Sánchez Jiménez. Es autor además de una *Pavana Pantomima*.

Mª LUZ GONZÁLEZ PEÑA

Navarro Gonzalvo, Eduardo. Valencia, 1846; Valencia, 1902. Dramaturgo. Se licenció en Filosofía y Letras y ejerció el periodismo. Autor de más de ciento cincuenta revistas políticas y comedias de carácter satírico e intencionalidad crítico-social. Su genio mordaz quedó reflejado en sus obras y sus estrenos se esperaban con curiosidad ante un público expectante por saber qué o quiénes serían el objetivo de sus parodias jocosas. Además de fantasías, juguetes, pasillos, sainetes, zarzuelas, y las ya citadas parodias y revistas, existen un gran número de obras, de difícil clasificación, que dan una idea de la intención de sus obras al subtitularlas como "cronicón", "chifladura", "caricatura", "monomanía", etc. Escribió dos parodias sobre *Tannhäuser* de Wagner, adaptándolas y convirtiéndolas en sátiras políticas de actualidad, *¡¡Tannhäuser cesante!!,* 1890, cuyo éxito enorme dio lugar al estreno en el mismo año de *Tannhäuser el estanquero,* ambas con música de Gerónimo

Eduardo Navarro Gonzalvo
(Foto: El Teatro, 1901; Ar. SGAE)

Giménez. Con el mismo Giménez volvería a colaborar en varias ocasiones junto a otros compositores como Manuel Fernández Caballero en *Los bandos de Villafrita,* 1884, con el que también obtuvieron el aplauso del público; Ángel Rubio, Manuel Nieto, Rafael Calleja y Luis Arnedo conforman una larga lista de colaboradores musicales de un autor de los más fecundos dentro del teatro lírico.

BIBLIOGRAFÍA: *CDE; CTLBN; EDL; TLE.*

OLIVA G. BALBOA

Navarro Labarga, Rafael. España, siglo XX. Compositor. En el archivo de la SGAE en Madrid se conserva su zarzuela en un acto *Mala faena,* con libreto de González Quijano en colaboración con el actor y cantante Emilio Mesejo, estrenada el 26 de junio de 1908 en el teatro Eslava de Madrid.

Mª LUZ GONZÁLEZ PEÑA

Navarro Marzal, Antón. Burjasot (Valencia), 1926; Madrid, 21-IV-1999. Barítono. Desde muy joven fue barítono titular de su propia compañía, que mereció el premio nacional la temporada 1949-50, como documentan los programas del teatro Madrid de la plaza del Carmen donde llevó a cabo varias campañas que le colocaron en envidiable posición entre los barítonos de su tiempo, siendo tan alabado su trabajo de cantante como sus excelentes maneras de actor, su galanura en el escenario y su interés por recuperar obras de repertorio y estrenar otras nuevas como *Mi canción eres tú*,

Antón Navarro
(Foto: Ar. Emilio G. Carretero)

con música de Martín Quirós, 1951, teatro Victoria de Barcelona. Los años 1954 y 1955 llevó a cabo en el teatro Fuencarral de Madrid excelentes temporadas con títulos como *Luisa Fernanda, La del Soto del Parral, La del manojo de rosas, El cantar del arriero, La rosa del azafrán* y el estreno de la zarzuela moderna en tres actos de Luis Estelrich y Juan Santandreu *Sucedió en Mallorca*. Por esos años ya compartía escenario y vida con la soprano Pilarín Álvarez. La fama de Antón Navarro era enorme a mediados del siglo, era el barítono de moda. Cuando su carrera fue decayendo, pasó a ser regidor de Televisión Española. Su última actuación fue en 1960 en el teatro Maravillas de Madrid, donde prestó colaboración especial en la compañía de la soprano Encarnación Ruiz.

FONOGRAFÍA: *La condesa de la aguja y el dedal*, Columbia RG 16151 RG 16152, CC 750 a CC 753 • Columbia R 14858 R 14859, C 8732 a C 8735.

EMILIO GARCÍA CARRETERO

Navarro Mediano, Calixto Clemente. Zaragoza, 23-XI-1847; Madrid, 3-II-1900. Dramaturgo. Su familia se trasladó a Madrid, donde comenzó desde muy joven a desarrollar su vocación teatral, primero como actor y fundador de una compañía teatral de aficionados —en la que participaban el que sería famoso actor José Rubio o el escenógrafo Luis Muriel–, y después como autor. Desarrolló una amplia labor como empresario teatral organizando compañías en teatros como el Eslava, Novedades y del Prado. Escribió más de quinientas obras de género chico, que sin llegar a tener gran trascendencia, algunas de ellas alcanzaron éxito en su momento. Su facilidad para escribir le llevó a estrenar en una ocasión tres obras en la misma noche, colaborando en ocasiones con otros autores como Eduardo Navarro o Salvador Mª Granés con quien obtuvo un gran éxito en la parodia de *El salto del pasiego* de Fernández Caballero, titulada *El salto del gallego*, 1878, con música de Manuel Nieto. Cultivó fundamentalmen-

te el género cómico y plasmó su buen humor en diálogos graciosos y situaciones jocosas en obras como *Salón Eslava*, 1879, con música de Joaquín Valverde, que se representó 80 noches consecutivas con gran éxito y fue además una de las primeras obras en incluir cuplés, lo que se haría después un recurso imprescindible. Con Tomás Bretón colaboró por primera vez en *Los dos caminos*, 1874, y continuó a lo largo de los años, unidos además por la amistad, en otras obras como *El inválido, Corona contra corona, Vista y sentencia* y *El grito en el cielo*. Manuel Fernández Caballero, Apolinar Brull, Ángel Rubio, Rafael Taboada son los compositores que más se repiten en su larga carrera teatral.

BIBLIOGRAFÍA: *CDE; CTLBN; EDL; TLE;* C. Navarro Mediano: "Yo", *Autobiografías de escritores festivos contemporáneos,* Valencia, F. Domènech, 1890; J. Barreiro: "Calixto Navarro", *Galería del olvido. Escritores aragoneses,* Zaragoza, Cremallo, 2001.

OLIVA G. BALBOA

Navarro Sanz, José Luis. España, †10-II-1960. Compositor. Escribió numerosas canciones y bailes, y se conserva además en el archivo de la SGAE en Madrid una obra lírica suya titulada *La princesa aldeana*, escrita en colaboración con Gascón Carrasco, con libreto de Catalán García y J. M. Álvarez Díaz, estrenada el 4 de abril de 1948 en el teatro Cómico de Madrid.

Mª LUZ GONZÁLEZ PEÑA

Navarro Tadeo. Familia de compositores españoles formada por los hermanos Enrique y Luis.

1. Enrique. España, †6-V-1965. Compositor. Tiene numerosímas canciones y bailes, de las que es autor de música y en ocasiones también de la letra. En el archivo de la SGAE de Madrid se conservan una serie de obras líricas suyas, estrenadas en la década de 1920.

OBRAS (Todas en *E:Msa*): *Al toro que es una mona*, apunte de Sai, 1 act, col. Muguerza Gil, l, V. León, est, 22-IX-1922, Te. Novedades; *El mentir de los quereres*, Zarz, col. Purí González, l, A. López García / F. Ventura; *El príncipe diamante*, l, E. Lucuix Márquez, est, I-1916, Sevilla; *Los tres pelos del diablo*, Zarz, l, E. Lucuix Márquez; *María Reyes; Seis niños... cuatro pesetas*, est, 1925, Te. del Duque (Sevilla); *Una tiple de revista*, col. Fuentes Oejo, l, L. Candelas; *La guitarra*, Sai, 1 act, col. E. Fuentes Oejo, l, L. Fernández de Sevilla / A. Cuadrado Carreño, est, 5-VII-1929, Te. Comedia.

2. Luis. España, siglo XX. Compositor. Su obra es más reducida que la de su hermano. Escribió una comedia, *Hotel Retiro o La doncella se divierte* y en el archivo de la SGAE en Madrid se conservan algunas obras líricas suyas.

OBRAS (Todas en *E:Msa*): *El triunfo de Quirico*, Apr lír, 1 act, l, D. Valero, est, Te. Principal (San Sebastián); *El triunfo del sindicato; La rana verde*, col. Ulierte Bernal, l, C. Saldaña / E. Paradas del Cerro, est, 24-IV-1943, Te. Español (Barcelona); *Maldita sea mi suegra*, l, J. Fernández Bayot.

Mª LUZ GONZÁLEZ PEÑA

Navarro Villoslada, Francisco. Viana (Navarra), 1818; Madrid, 1895. Dramaturgo. Estudió Filosofía y Teología en la Universidad de Santiago y Leyes en la de Madrid. Redactor de la *Gaceta* y colaborador de numerosos periódicos como *El Español*, *Semanario Pintoresco Español*, *El Correo Nacional*, *La España* o *La Ilustración Católica*, fundó *El Arpa del Creyente*, *El Padre Cobos* y, en 1860, *El Pensamiento Español*. Escribió novelas históricas, ensayos, poesía, además de un drama y algunas comedias. Su única aportación al género lírico es la zarzuela *La dama del rey*, 1856, con música de Emilio Arrieta, al que le unía una buena amistad.

*Francisco Navarro Villoslada
(Foto: Museo Municipal
de Madrid)*

BIBLIOGRAFÍA: *CDE.*

Mª LUZ GONZÁLEZ PEÑA

Navas, Juan de [Juan Gómez de Navas]. Calatayud (Zaragoza), 23-X-1647; Madrid, *ca.* 1709. Compositor y arpista. Pertenecía a una familia de tradición musical. Su padre también fue compositor y arpista, y al existir numerosas obras firmadas como "Navas" o "Juan Navas", es difícil discernir con seguridad la autoría de algunas de ellas. Empezó a trabajar en la corte en 1669, en sustitución de Juan Hidalgo, como arpista de la Real Capilla, cuya primera plaza ocupó desde 1688 hasta su muerte. Navas, como compositor de música escénica, fue continuador del estilo de Hidalgo, lo que favoreció su entrada en la corte, al estar considerado Hidalgo un músico excepcional.

Navas es autor tanto de música religiosa como profana, siendo ésta la que presenta mayor interés, incluyendo tonadas, solos, dúos y pasacalles de carácter popular. Como compositor teatral de la corte tiene una abundante producción escénica que supera las treinta obras, de las que se han conservado excelentes ejemplos. En los últimos años del siglo, con la entrada en la corte de Durón y el éxito cosechado por sus obras teatrales, se vio relegado en su puesto de principal compositor teatral. En lo que respecta a la zarzuela, en 1687 compuso *Venir el amor al mundo*, con texto de Fernández de León, de la que se conservan algunas canciones en la Biblioteca Nacional de Madrid, y que, debido a su éxito, fue repuesta en varias ocasiones: 1689, 1694,

1697 y 1698. La obra *Duelos de ingenio y fortuna*, con texto de Bances Candamo, se estrenó en 1687. Presenta un tema mitológico habitual en el género, y también se conocen algunas partes sueltas atribuidas al compositor. Al año siguiente, el 25 de agosto, estrenó la comedia con música *Amor es esclavitud*, con libreto de Vidal Salvador. Otra de sus zarzuelas es *Amor industria, zarzuela y poder*, con letra de Lorenzo de las Llamosas –escritor peruano con el que colaboró en varias ocasiones–, estrenada en 1692. La comedia *Destinos vencen finezas*, 1698-99, tiene el interés de ser la primera del género editada en la época por la imprenta de José de Torres en Madrid, en 1699, y un año antes se había publicado la edición suelta por el impresor real Francisco Sanz. Estrenada en 1698, el autor del texto es Llamosas. La comedia desarrolla un tema mitológico, basado en el conocido poema *La Eneida* de Virgilio; fue encargada para la celebración del cumpleaños de Carlos II en 1698, poco antes de su muerte. Utiliza recursos formales habituales en el género como las estrofas con estribillo, los tonos, coros y recitados. Entre los aspectos de mayor interés, J. J. Carreras destaca la novedad que supone la incorporación de los oboes, que son utilizados todavía como instrumentos de fanfarria. Considera asimismo que uno de los números más bellos e interesantes es un tono para voz, viola de amor y viola de arco obligadas y acompañamiento, que parece reproducir el contexto habitual de una sesión de música de cámara cortesana, y confirma el interés de la corte por estos instrumentos de cuerda. Aunque la edición de Torres contiene la comedia con música solamente, la edición suelta incluye la loa, el baile y los intermedios de la representación, además de detallar los intérpretes que la estrenaron. En el Carnaval de 1699 se estrenó *Júpiter y Yoo y Los cielos premian desdenes*, con libro de Marcos de Lanuza, y cuya música no se sabe con seguridad si pertenece a Navas o a Durón. La partitura anónima completa se conserva en el Biblioteca Nacional de Madrid. Junto a su competidor Durón, escribió la música del segundo acto de *Apolo y Dafne*, conservada en la misma Biblioteca. Su última zarzuela conocida es *Viento es la dicha de amor*, 1700, repuesta en 1714, con texto de Antonio de Zamora, de la que se atribuye a Navas una canción conservada en la Biblioteca Nacional de Madrid.

BIBLIOGRAFÍA: *DMEH*; L. K. Stein: *Songs of Mortals, Dialogues of the Gods. Music ant Theatre in Seventeenth-Century Spain*, Oxford, Clarendon Press, 1993; J. J. Carreras: "Conducir a Madrid estos moldes", *RMS*, 1-2, XVIII, 1995.

JUDITH ORTEGA

Navés Revenga, Angelita. Barcelona, 4-XII-1928. Soprano. Discípula de Carmen Bau Bonaplata con la que adquirió una elegante dicción y dominio

Angelita Navés
(Foto: Ar. Emilio G. Carretero)

técnico, que unidos a la frescura y limpieza de su voz, su facilidad para los adornos, su brillante registro agudo y su desenvoltura en escena la hicieron triunfar en la época del renacimiento que vivió la zarzuela tras la Guerra Civil española. Debutó con *Rigoletto* junto a Juan Gual, pero pronto abandonó la ópera por la zarzuela, contratada por Luis Calvo para el teatro Nueva Barcelona donde se hizo rápidamente famosa con *Marina* y *Don Gil de Alcalá*, entre otras obras. De este teatro pasó a la compañía de Tomás Ros con la que recorrió diversos teatros de toda la geografía española, incluidas las islas Canarias, acrecentando su popularidad. Estrenó *Katia* de Cotó en el teatro Borrás de Barcelona junto a Marcos Redondo. Con la compañía de Manuel Gas realizó otra gira que incluyó Marruecos. Regresó a Barcelona y estrenó *La galeota* de Codina en el teatro Calderón, 1951. Debutó en Madrid, también en el Calderón y emprendió una nueva gira con la compañía de Jorge Castells. Regresó al Calderón barcelonés en el que cantó *El pájaro azul*, *Luisa Fernanda*, *La dogaresa* y *La tempestad*. Fue contratada por Pablo Sorozábal por cinco temporadas en las que estrenó diversas obras del compositor vasco como *La ópera de Mogollón* y *Las de Caín*. Participó en la gira de despedida de Marcos Redondo por provincias cantando *La parranda*, *La del manojo de rosas*, *La del Soto del Parral* y la obra póstuma de Guerrero, *El canastillo de fresas*. Estrenaron además, en esta gira, *El gaitero de Gijón* de Jesús Romo en el teatro Campoamor de Oviedo en 1953. En 1962 se casó con el compositor catalán José María Damunt, retirándose de las tablas, aunque reapareció en 1967 con *La del manojo de rosas*, dentro de la compañía de su marido, en la que estuvo cantando hasta 1988. En 1975 estrenó *Sueños de gloria*, de su marido y en 1976 repuso *La corte de Faraón*. En esos años incorporó diversas operetas a su repertorio, como *La generala* de Vives. Se despidió del teatro en 1988 con *Los gavilanes*.

BIBLIOGRAFÍA: *OCCE*.

Mª LUZ GONZÁLEZ PEÑA

Naya, Enriqueta. Valencia, siglos XIX-XX. Tiple. Casada con el barítono Bueso, se dedicó siempre al género lírico, y unía a su voz, gracia, donaire y hermosura, por lo que el éxito acompañaba a sus actuaciones. En su repertorio figuraban las zarzuelas *Jugar con fuego*, *Las campanas de Carrión* y *El dominó azul*, y las operetas *La mascota* y *Los mosqueteros grises*. En 1893 estrenó en la Zarzuela *El ángel guardián* de Brull y Nieto, y en 1895 *El hijo del mar* de García Catalá en el Gran Teatro de Parish con gran éxito. En 1900 se hallaba en el teatro Tívoli de Barcelona. En 1907 formaba parte de la compañía de Eduardo Bergés y fue muy aplaudida en *La bruja* en el teatro Principal de Zaragoza, así como en el resto de obras que la compañía puso en escena: *Marina*, *Jugar con fuego*, *El húsar de la guardia*, *La mala sombra* o *Bohemios*. Véase BUESO, VICENTE.

BIBLIOGRAFÍA: *La Música Ilustrada*, 35, Barcelona, 1-VI-1900; *El Arte de El Teatro*, II, 42, 15-XII-1907.

Mª LUZ GONZÁLEZ PEÑA

Naya Ramos, Francisco [Panchito]. La Habana, 7-X-1909; Miami (Estados Unidos), 4-I-1974. Tenor. Realizó estudios de canto en el Centro Gallego de La Habana, y fue discípulo de Ángeles Ottein y Emilia Vergieri. A los 21 años realizó su debut interpretando *Marina* de Arrieta en el teatro Martí. En 1932 trabajó en la temporada lírica dirigida por Severo Muguerza en el teatro Nacional, abordando por primera vez en su repertorio el género operístico. Su primera incursión en la zarzuela cubana la realizó con *Cecilia Valdés* en 1932, donde asumió el papel protagonista junto a la soprano Caridad Suárez, estrenando, también con el papel principal, la zarzuela de Gonzalo Roig *El clarín*. Su repertorio de amplio perfil genérico dentro del arte lírico, le permitió destacarse en óperas clásicas, muchas de ellas representadas como parte del elenco de la Compañía de Ópera Nacional. Destacan sus actuaciones en zarzuelas y operetas, donde figuró junto a cantantes de la talla de Carmen Amaya, Rita Montaner, Maruja González, Rosita Fornés, Zoraida

Francisco Naya (Foto: Ar. ICCMU)

Marrero y Blanca Varela, interpretando lo mejor del repertorio cubano y español. Durante una gira realizada por todo México, cantó numerosas zarzuelas con la Compañía de Moreno Torroba junto a Pepita Embil, Plácido Domingo (padre), Tomás Álvarez y Marianela Barandalla. En la década de los años cincuenta grabó en Cuba, antes de emigrar hacia Estados Unidos, las zarzuelas *Luisa Fernanda* y *Cecilia Valdés*, así como la opereta *La viuda alegre*. Radicado definitivamente en Miami, colaboró con la Sociedad Pro Arte Grateli, participando en algunas producciones.

BIBLIOGRAFÍA: *LVB*; A. J. Molina: *150 Años de zarzuela en Puerto Rico y Cuba*, San Juan, Ramallo Bros. Printing, 1998.

CLARA DÍAZ PÉREZ

Nebra Blasco, José de. Calatayud (Zaragoza), bautizado 6-I-1702; Madrid, 11-VII-1768. Compositor, organista y profesor. Nebra es una de las figuras más sobresalientes de la música española del siglo XVIII. Desarrolló a lo largo de su vida una vastísima actividad musical y formó parte de las principales instituciones de la época. Como compositor, además de su dedicación a la música escénica con gran éxito, se empleó al servicio de la Casa Real, desempeñando puestos de gran trascendencia. Su producción escénica es muy considerable, ya que asciende a más de setenta obras de los más diversos géneros, sin embargo se han conservado muy pocas. José de Nebra es uno de los compositores fundamentales del género zarzuelístico en la primera mitad del siglo XVIII, situándose entre Durón y Literes y la reforma del género llevada a cabo por Rodríguez de Hita.

Nacido en el seno de una familia dedicada a la música –su padre era organista en su ciudad natal y posteriormente en la catedral de Cuenca–, recibió posiblemente sus primeros conocimientos de música en el entorno familiar. Después de su traslado a Madrid, obtuvo el puesto de organista en el monasterio de las Descalzas Reales, cuando tenía solamente quince años. En Madrid en la década de 1720 era músico de cámara del duque de Osuna, de quien recibió diversos encargos. En 1724 fue nombrado por Luis I organista de la Real Capilla. Al fallecer Luis I, Felipe V regresó para ocupar de nuevo el trono, y llevó consigo a los músicos que le habían acompañado. Nebra entonces debió ceder su puesto a Diego de Lana, el organista titular, quedando como supernumerario. Accedió a una plaza de titular y desde 1749 hasta su muerte fue el primer organista en la capilla. Paralelamente a su actividad en la corte, desde 1723 hasta 1751 desplegó una intensa actividad en el ámbito teatral. En 1751 fue nombrado vice maestro de la Capilla Real, cargo que llevaba adjunto el de vicerrector del real colegio de niños cantores. Desde entonces abandonó la música escénica y se dedicó exclusivamente a la corte, donde fue nombrado en 1761 maestro de clave del infante don Gabriel.

Su producción refleja ampliamente todas las facetas musicales que desarrolló. Una parte importante de su música religiosa se conserva en el archivo general del Palacio Real de Madrid, y también está presente en otros lugares de España y diversos países de Hispanoamérica, lo que confirma la enorme repercusión de su obra. Según M. S. Álvarez, se distinguen dos etapas diferenciadas en su creación teatral. La primera se extiende desde 1723 a 1730 y la segunda desde 1737 hasta 1751. Su primera obra escénica fue el auto sacramental *La vida es sueño* de Calderón de la Barca. Después puso música a otras obras de Calderón, en un género que tenía amplia demanda. Colaboró con los mejores autores contemporá-

neos, como José de Cañizares, Fernández de Bustamante, Armesto Quiroga y Antonio de Zamora, entre otros. Como fruto del reconocimiento conseguido por sus éxitos teatrales, se le encargó la composición del primer acto de *Amor aumenta el valor*, para la celebración de los acuerdos matrimoniales entre los príncipes españoles Fernando y María Ana Victoria con los portugueses María Bárbara de Braganza y el príncipe del Brasil. Los actos segundo y tercero se debieron a Felipe Falconi y Jaime Facco, respectivamente, ambos músicos al servicio real. Desde 1730 a 1737 se mantuvo alejado de la música teatral, y comenzó después el momento de mayor actividad en el teatro. En su primera etapa compuso obras para las compañías de Ignacio Cerquera, Manuel de San Miguel, Francisco Londoño y Antonio Vela, que representaban sus obras en los corrales públicos de Madrid, con un auditorio alejado del ambiente cortesano. El contexto musical en el que se movió Nebra estaba marcado por la fuerte presencia de músicos italianos establecidos en la corte, protegidos por Felipe V y su mujer, la parmesana Isabel de Farnesio, y posteriormente por Fernando VI y María Bárbara de Braganza. Los espectáculos teatrales de tipo cortesano vivieron esta primera mitad de siglo, hasta la llegada en 1759 de Carlos III, una época de verdadero esplendor. La competencia con los italianos era muy dificultosa, y esto obligó a los compositores hispanos a adaptarse al estilo de moda imperante en los escenarios. Los teatros públicos demandaban mucha variedad y cantidad de obras, tanto óperas, como comedias, zarzuelas y otros géneros como el sainete. Las comedias con música, las zarzuelas o los sainetes comparten muchos de sus elementos y se caracterizan por una flexibilidad en los géneros que permitía variedad en los temas y en la cantidad de música. Fruto del éxito de la ópera italiana es la práctica habitual de adaptación de estas obras al español, en la que participaron tanto destacados libretistas como compositores españoles, Nebra entre ellos.

Es uno de los autores españoles que mejor asimiló el estilo italiano y lo utilizó en sus obras, junto a los elementos tradicionales hispanos, como los ritmos populares de la seguidilla, la utilización de los dúos, solos y cuatros. La influencia italiana se aprecia especialmente en la utilización del aria da capo como vehículo de expresión solística y en las partes instrumentales que se ven notablemente enriquecidas. Las zarzuelas más sobresalientes fueron compuestas los primeros años de la década de 1740. *Viento es la dicha de amor*, 1743, con texto de Antonio de Zamora, obtuvo mucho éxito, por lo que se repuso en 1748 y 1752, en esa ocasión con la inclusión de cinco arias nuevas de Antonio Moroti que sustituyeron otras tantas del original. En 1744 se produjeron varios estrenos, como *No todo indicio es verdad y Alexandro en Asia, Vendado es amor, no ziego* y *Donde ay violencia no ay culpa*, con texto de Nicolás González Martínez, estrenada en el teatro del duque de Medinaceli y posteriormente, en 1749, representada en los teatros públicos. Al año siguiente se estrenó *Cautelas contra cautelas y El rapto de Ganímedes*, con letra de Cañizares, obra destinada a la inauguración del teatro del Príncipe, en la que el Ayuntamiento empleó los mejores medios para su puesta en escena. Del mismo año es *La colonia de Diana*, a la que siguió *Para obsequio a la deidad, nunca es culto la crueldad, y Iphigenia en Tracia*, otra de sus mejores zarzuelas. El autor del texto es de nuevo González Martínez, y se estrenó en enero de 1747 en el teatro de la Cruz y después en el palacio de Buen Retiro. En las zarzuelas, Nebra combina de manera magistral elementos italianos como las arias da capo, y recitativos, solos, cuatros y ritmos típicamente españoles como la seguidilla. La influencia italiana también se deja sentir en las oberturas instrumentales. Como rasgo de la tradición hispana, hay que señalar la presencia de un personaje cómico que contrasta con lo serio y que utilizaba, en su expresión musical, un canto de estilo silábico. Otro elemento sustancial de la zarzuela que se vio modificado a mediados del siglo XVIII fue el argumento. Como explica J. M. Leza, se abandonan los temas mitológicos y las leyendas pastorales, y se incorporan episodios de la historia grecorromana. También por influencia italiana, los asuntos amorosos entre hombres y dioses son reemplazados por los asuntos políticos o altas razones de estado. La generación de escritores con los que colaboró Nebra –Cañizares o González Martínez– es la que lideró este cambio. *Véase* PARA OBSEQUIO A LA DEIDAD, NUNCA ES CULTO LA CRUELDAD, Y IPHIGENIA EN TRACIA; VIENTO ES LA DICHA DE AMOR.

FONOGRAFÍA: *Viento es la dicha de amor*, Auvidis-Valois V4752.

BIBLIOGRAFÍA: *DMEH*; M. S. Álvarez: *José de Nebra Blasco. Vida y obra*, Zaragoza, Institución Fernando el Católico, 1993; R. Kleinertz: "Iphigenia en Tracia', una zarzuela desconocida de Josef de Nebra en la Biblioteca del Real Monasterio de San Lorenzo del Escorial", *AnM*, 48, 1993; J. M. Leza: "La zarzuela *Viento es la dicha de amor*. Producciones en los teatros líricos madrileños en el siglo XVIII", *Música y literatura en la Península Ibérica, 1600-1750*, Valladolid, 1997; –: "La zarzuela mestiza. Entre la tradición hispana y las convenciones italianas", *Scherzo*, XVII, 165, VI-2002, 124-6.

JUDITH ORTEGA

Necoechea, Julio Manuel. México, siglos XIX-XX. Libretista. Fue además de escritor, político. Es autor junto con Alberto Michel de dos obras de género chico: *La hilachera*, parodia de *La trapera*, estrenada en 1904 y *El santo de Doña Chole*, estrenada ese mismo año. Aunque la primera obra, por su carácter de parodia, tuvo algún éxito, la segunda fue duramente censurada. Según *El Popular* "la obra fue una solemne mamarrachada, colmada de indecencias soeces de esas que sólo se escuchan en las pulquerías.

Sus autores, Necoechea y Michel, escucharon más de una dura censura y la silba fue colosal. Durante las primeras escenas el público fue abandonando poco a poco el salón, pues la indecencia aquella no pasó".

RICARDO MIRANDA PÉREZ

Pedro Niceto Sobrado (Foto: Museo Municipal de Madrid)

Niceto [Nieto] Sobrado y Goyri, Pedro. Madrid, 1806; Barajas (Madrid), 1862. Actor y escritor. Aunque en varios diccionarios teatrales figura como Nieto Sobrado, en la SGAE en Madrid figura como Niceto Sobrado. Colaboró con Julián Romea. Varias de sus obras dramáticas alcanzaron éxito y para el teatro lírico escribió *¡Concha!* con música de Cristóbal Oudrid, estrenada en el teatro del Circo en 1857, y *El Zuavo*, también con Oudrid, estrenado en la Zarzuela en 1859.

BIBLIOGRAFÍA: *CDE; DAT; HZ*.

Mª LUZ GONZÁLEZ PEÑA

Nieto. Familia de cantantes españoles formada por las hermanas Ángeles, Ofelia y Ramona, Carlos, marido de Ramona, y la hija de ambos, Marimí.

1. Nieto Iglesias, Ángeles [Ángeles Ottein]. Santiago de Compostela, 24-VI-1895; Madrid, 12-III-1981. Soprano ligera y profesora. Usó un apellido artístico invirtiendo el suyo y duplicó la "t" para darle un aspecto más italiano y distinguirse de su hermana. Alumna de Lorenzo Simonetti desde 1912, debutó en el papel de *Maruxa* en sustitución de su hermana en 1914 en el teatro de la Zarzuela. En 1917, también en la Zarzuela, interpretó en un concierto a beneficio de la prensa el primer acto de *El asombro de Damasco* de Luna. Durante la Guerra Civil cantó en el teatro de la Zarzuela *Marina* de Arrieta, como integrante de la compañía de ópera que actuaba en el teatro. En el

Ofelia Nieto y Ángeles Ottein (Foto: Mundo Gráfico, 1912; Ar. ICCMU)

homenaje ofrecido a Mariano Benlliure, en 1942, cantó varias arias de ópera y zarzuela, siendo la estrella de la representación. Como cantante de ópera tuvo una espléndida trayectoria internacional, actuando en las principales ciudades europeas y de Hispanoamérica. Tras su retirada de los escenarios, creó una academia privada, para luego enseñar en el Real Conservatorio Superior de Música de Madrid y en el Conservatorio de Puerto Rico, formando a importantes cantantes del género.

FONOGRAFÍA: *El cantar del arriero*, Blue Moon BMCD 7513; *El maestro Campanone*, Odeón 121162, XXS 6584 XXS 6152; *El rey que rabió*, Blue Moon BMCD 7520; *Katiuska*, Blue Moon BMCD 7516 • Odeón 184227, SO 6921 SO 6929; *La canción del olvido*, Odeón 184484 a 184487, SO 6400 SO 6922, SO 6931 a SO 6933, SO 6938 a SO 6940 • Blue Moon BMCD 7514; *La loca juventud*, Odeón 203337 y 203339 (et. fucsia), SO 7263 SO 7258 SO 7262 SO 7260; *Luisa Fernanda*, Odeón 184496 a 184499, SO 7621 SO 7622, SO 7635 a SO 7639, SO 7671 • Blue Moon BMCD 7522.

2. Nieto Iglesias, Ofelia. Santiago de Compostela, 18-III-1900; Madrid, 11-V-1931. Soprano. Comenzó su formación musical en el seno familiar y continuó sus estudios en el Conservatorio de Madrid con Ignacio Tabuyo en 1912, que abandonó pronto, y después con Lorenzo Simonetti entre 1912 y 1914. Debutó en *Maruxa*, estrenada en el teatro de la Zarzuela en 1914. En 1922 participó en el beneficio del Sindicato de Actores, cantando el último acto de *La Dolores* de Bretón. Tras varios años de continuado éxito fuera del país, dedicada a la interpretación de ópera, reapareció en el teatro de la Zarzuela en una función extraordinaria junto a su hermana, interpretando *La meiga*. Entre las obras que estrenó en encuentran *El Avapiés* y *La tragedia del beso* de Conrado del Campo, *Yolanda* de V. Arregui, *El rayo de luna* de Anglada y Subirá, *La llama* de Usandizaga, *Bohemios* de Vives y *Amaya* de Guridi. Actuó en ciudades como Barcelona, Buenos Aires, Florencia, La Habana, Nueva York, Santiago de Chile y Valencia, debutando en la Scala de Milán invitada por Toscanini. Logró un gran reconocimiento, especialmente en Hispanoamérica, donde era muy admirada. Abandonó los escenarios en 1929 para contraer matrimonio. Aunque se dedicó fundamentalmente a la ópera, no dejó de incluir en su repertorio romanzas de zarzuela, dejando excelentes grabaciones.

Ofelia Nieto en Maruxa
(Foto: Ar. Emilio G. Carretero)

FONOGRAFÍA: *El asombro de Damasco*, Odeón 121049 (et. marrón), XXS 4973 XXS 4974; *Gigantes y cabezudos*, Odeón 121050 (et. marrón), XXS 4971 XXS 4981; *La calesera*, Odeón 153338 (et. rosa, roja y negra), SO 4043 SO 4047 • Odeón 77318, 77319 (et. roja), XXS 4041 XXS 4042 • Blue Moon BMCD 7539; *La llama*, 150003 (et. gamuza); *Los de Aragón*, Odeón 121050 (et. marrón), XXS 4971 XXS 4981; *Los flamencos*, Odeón 184116 (et. marrón), SO 4991 SO 4992; *Maruxa*, Blue Moon BMCD 7530.

2. Nieto, Ramona. España, siglo XX. Cantante. La temporada 1914-15 fue contratada por la compañía Luna-Serrano. Durante la Guerra Civil cantó en el teatro de la Zarzuela *Marina* de Arrieta, como integrante de la compañía de ópera que actuaba en el teatro, en la que también estaba su hermana Ángeles. Se casó con el barítono Carlos del Pozo.

Ramona Nieto y Miguel Futillas
(Foto: Cabrera en Nuevo Mundo, *1912; Ar. ICCMU)*

4. Pozo, Carlos del [Carlos Rodríguez del Pozo]. España, siglo XX. Barítono. Formó parte durante años del elenco del teatro Real. Tras retirarse fue locutor de Unión Radio durante la Segunda República española.

5. Pozo, Marimí del. Madrid, 29-I-1928. Soprano. Comenzó su formación musical con su tía Ángeles. Tras estudiar en el Conservatorio de Madrid, en el que obtuvo el premio Lucrecia Arana, debutó en el teatro de la Zarzuela en 1945 cantando ópera, y se dedicó a este género con mucho éxito en España y otros países, hasta su retirada en 1961 para dedicarse a la enseñanza en la Escuela Superior de Canto de Madrid.

FONOGRAFÍA: *Marina*, La Voz de su Amo DB 1155.

BIBLIOGRAFÍA: *CCE*; A. de Santiago: *Ofelia Nieto, unha galega no olimpo do el canto*, Consorcio de Santiago e Biblioteca Galega, 1994; E. García Carretero: *Historia del teatro de la Zarzuela de Madrid*, Madrid, Fundación de la Zarzuela Española, 2003.

LUIS G. IBERNI

Nieto, Ángel. España, siglos XIX-XX. Compositor. En el archivo de la SGAE en Madrid se conserva su sainete en un acto *Los cómicos de mi pueblo*, con libreto de Javier de Burgos, estrenada en el teatro Eslava el 30 de abril de 1884.

Mª LUZ GONZÁLEZ PEÑA

Nieto, Baldomero. España, siglos XIX-XX. Compositor. En el archivo de la SGAE en Madrid se conservan dos obras líricas suyas, *Plaza de la cebada o Bromas al por mayor*, con libreto de Calixto Navarro y el juguete cómico-lírico *¿Se puede?* con libreto de Salvador Granés y M. Arenas, estrenada en 1886 en el teatro Martín.

Mª LUZ GONZÁLEZ PEÑA

Nieto, Laura. Vélez-Rubio (Málaga), 16-IV-1907; Madrid, 15-IV-1989. Soprano. Se formó en el Conservatorio de Madrid y se presentó en 1920 en *La nochebuena del diablo* de Óscar Esplá. Después del éxito obtenido en varios conciertos se dedicó a la zarzuela iniciando su carrera en el teatro Eslava y pasando posteriormente a Barcelona, donde estrenó la opereta *Paganini* e interpretó *El barberillo de Lavapiés* y *Noche de verbena* de Vives. Posteriormente la contrató Guerrero

Laura Nieto (Foto: Legado J. G. Guerrero; Ar. SGAE)

llevándola de gira por Argentina y Uruguay donde interpretó *Campanela*, *El huésped del Sevillano* y *Doña Francisquita*. A su vuelta a España estrenó *Luisa Fernanda*, una de sus grandes creaciones. Al formarse la compañía del Teatro Lírico Nacional recorrió con ella los principales teatros de España. Después de la guerra volvió a la escena estrenando en 1944 *La canción del Ebro* de Guerrero.

FONOGRAFÍA: *Katiuska*, Gramófono DA 4215, OJ 576 OJ 577; *La orgía dorada*, Sonifolk 20134; *Luisa Fernanda*, La Voz de su Amo DA 4205 DA 4207 DA 4208 DA 4216 DA 4217, OJ 378 OJ 381, OJ 383 a OJ 395, OJ 390 a OJ 392 • Blue Moon BMCD 7504; *Miss Guindalera*, Sonifolk 20134; *Tres gotas nada más*, Sonifolk 20134.

Mª LUZ GONZÁLEZ PEÑA

Nieto Casabo, César. Barcelona, 31-X-1892; San José de Costa Rica, 1969. Compositor. En 1896 sus padres emigraron a Costa Rica, pero él regresó a España en 1903 para realizar sus estudios, volviendo a Costa Rica en 1911. En 1912 colaboró con Julio Osma y Emmanuel García en la fundación del Conservatorio de Música y Declamación, fue profesor de música en el Liceo de Costa Rica y director de la Banda de San José y Director General de Bandas. Ha compuesto la zarzuela *El caballero del guante gris*, así como música de salón y música escolar.

BIBLIOGRAFÍA: *DMEH*.

EMILIO CASARES RODICIO

Nieto Cobo, Ernesto. España, siglos XIX-XX. Compositor y autor dramático. En el archivo de la SGAE en Madrid se conserva *El gato en la ratonera*, con libreto de Salvador María Granés, estrenada en el teatro Romea en 1874. Tiene otras obras líricas como *La conquista del maestro* o *El que no la corre antes…*, *El crimen de hoy*, para la que escribió la música y el libreto. Con Luis Candela Gallego escribió el libreto de *Los celos de la Celes o Trabajo y economía son la mejor lotería*, 1923, a la que puso música Francisco Alonso y de *Los cuatro gatos* con música de Pablo Luna y Arturo Lapuerta. Escribió la comedia *Las acciones de Adán* en colaboración con Luis Candela Ardid, y la canción *La sultana*, en colaboración con Pablo Luna.

Mª LUZ GONZÁLEZ PEÑA

Nieto Matán, Manuel. Reus (Tarragona), 17-X-1844; Madrid, 6-VIII-1915. Compositor. De nombre Manuel y no Miguel como se señala en algunos diccionarios, hijo de músico militar, a los nueve años entró en la banda del regimiento de su padre, y a los quince, durante su destino en Andalucía, estrenó en Córdoba la zarzuela en tres actos *La toma de Tetuán*, lo que marcó su dedicación definitiva. Después de trabajar en Badajoz y Valladolid se estableció en Madrid en torno a 1871, año en el que estrenó en el teatro Circo. Dedicado al mundo teatral, fue maestro de coros del teatro Rossini, en el que inició su éxito, y del teatro Real, y también director de orquesta al menos desde 1874 en que dirigió *Dos leones*. En 1880 y 1881 dirigió la compañía del teatro de la Zarzuela, al que volvió, junto con Chueca como maestros directores y concertadores en la temporada 1889-90, que finalizó con una función de homenaje a Manuel Nieto y en la que se interpretaron fragmentos de óperas, zarzuelas y canciones. Intervino en la fundación de la Sociedad de Autores cuando en abril de 1890 se reunieron en el Círculo Literario casi todos los autores dramáticos de Madrid, bajo la presidencia de Sánchez Pastor. La importancia de los músicos con los que colaboró, Bretón, Fernández Caballero, Chapí, Giménez, Brull y Marqués, indica que era un compositor muy respetado.

Su vida y obra llenan la década final de la zarzuela romántica, es decir, la

Manuel Nieto (Foto: Ar. ICCMU)

de 1870, y los tres períodos de la historia del género chico, el inicial, el de 1880, el de plenitud, 1890, y finalmente, los primeros quince años del siglo XX, en los que se produjo la crisis. A lo largo de estos cuarenta años, Nieto estrenó más de ciento treinta obras, lo que lo hace uno de los autores más prolíficos de la historia de la zarzuela. Su carrera teatral se inició en la década de los setenta, en la que estrenó siete obras y comenzó sus colaboraciones con importantes músicos como Tomás Bretón, con quien estrenó en el teatro Romea la zarzuela en dos actos *Dos leones*, con libreto de Salvador María Granés. Se trataba de una obra que seguía los gustos del teatro bufo, entonces de moda, con predominio de números cómicos y efectos graciosos como las características onomatopeyas, e incluso una cita de un tema de *La traviata*. En marzo de 1875 se presentó en el teatro de la Zarzuela con una obra en colaboración con Fernández Caballero, *El año del diablo. Revista de 1874*, con libreto también de Salvador María Granés. Fue una obra de cierto éxito que sirvió para llamar la atención sobre el joven compositor.

Manuel Nieto (Foto: Franzen en El Arte de El Teatro, *1907; Ar. SGAE*)

El salto a la fama de Nieto se produjo en la década de los ochenta, durante la que estrenó al menos 53 obras, una cantidad que indica sus dotes y facilidad para la composición, y también el tipo de música, en algunos casos intrascendente, que a veces salía de su pluma. En mayo de 1881 estrenaba en el teatro Apolo una obra que firmaba conjuntamente con Fernández Caballero, *Mantos y capas*, basada en el célebre motín de Esquilache, y que fue el segundo éxito en colaboración con Caballero. En 1885 volvió a estrenar otra obra socialmente relevante, la revista política *Villa y palos*, 1885, en la que se caricaturizaban a los personajes políticos en auge como Cánovas, Romero Robledo, Sagasta y Villaverde. Nieto produjo en los ochenta dos de las obras más famosas de la década, *Certamen nacional* y *El gorro frigio*. *Certamen nacional*, de 1888, se considera un modelo de revista, con letra de Guillermo Perrín y Miguel Palacios, sus asiduos colaboradores literarios. Fue una de las revistas de mayor triunfo después de *La Gran Vía* , y se representó por toda España. La obra se impuso por el éxito de números sueltos como el famoso "tango del caracolillo", "No hay mejor café, que el de Puerto Rico". Del

mismo año es *El gorro frigio*, sainete en prosa, consistente en la presentación de un desfile de tipos que protagonizan escenas graciosas. De los ochenta son también dos de sus colaboraciones con Chapí que obtuvieron destacado éxito, *Juan Matías, el barbero o La corrida de beneficencia*, 1887, y *Misa de réquiem*, 1889, obra con una magnífica música, sobre todo el número de la misa, en el que se mezclaban temas religiosos con repiques de campanas, convirtiéndose en el gran éxito de la temporada. La década terminó con otro éxito para Nieto, aunque no tan grande, *Madrid-Club*, 1889, basada enteramente en el modelo de *La Gran Vía*. También la década de los noventa –época de la plenitud del género chico– fue enormemente activa, con treinta estrenos. En ella volvió a dejar obras de éxito, sin duda de las mejores páginas del género, como *La tragedia en el mesón o Los dos contrabandistas* con letra J. de Burgos, 1891, *¡El primero!* con texto de Perrín y Palacios, 1891, estrenadas en el teatro Eslava y la revista *Amores nacionales*, en colaboración con Miguel Marqués, que tuvo un sonado éxito. La presencia del compositor en este teatro culminó en 1892 cuando fue nombrado maestro concertador del Eslava. En este mismo año se estrenó en el citado teatro *Los secuestradores*, que reunía a tres maestros del género chico: Arniches y Celso Lucio como libretistas y a Nieto como compositor. Se trata de un "sainete pueblerino", en el que aparecen los típicos personajes: alcalde zoquete, maestro, barbero, boticario y un bandido. La crítica parangonó la música de Nieto como la mejor realizada por este autor. En 1893 tuvo un gran éxito en el teatro de la Zarzuela con la obra *El ángel de la guarda* en la que colaboró con Brull y con texto de Mariano Pina Domínguez. Se representó en la función de honor hasta el 26 de enero. En 1896 estrenaba en el teatro de la Zarzuela, en el momento en que este teatro se dedicó al género chico, una pieza en un acto titulada *El gaitero* con letra de Perrín y Palacios; la obra está llena de números felices que aún se interpretan como fantasías o números sueltos en diversas bandas. Con un hermoso preludio orquestal, en ella se mezclan temas y cánticos de origen leonés con estrofas de carácter militar y marcial, algo muy común en otras de este género. De este segundo período es otra obra que le dio fama, junto con *Certamen* *nacional* y que, como ésta se representó centenares de veces: *Cuadros disolventes*, obra cumbre del verano de 1896. Tuvo hasta cinco representaciones en un día, obteniendo mayor éxito entonces que *La Gran Vía*. Se trata de una obra comprometida socialmente, en la que ninguna realidad social o política se salva de ser materia de los cuplés, el número fuerte de la revista fueron los cuplés de Gedeón donde aparece el sentimiento antiyanki que se estaba viviendo en España. En 1899 Nieto volvió a tener éxito en el teatro de la Zarzuela, con una obra de nuevo con libro Perrín y Palacios, *La chiqueta bonica*, que se adentra en lo que en breve sería la potente corriente del regionalismo zarzuelístico, en este caso de costumbres valencianas.

Nieto siguió produciendo también en el último período del género chico, dejando en él más de treinta obras, incluso alguna de las más destacadas como *El barbero de Sevilla*, 1901, en colaboración con Giménez, uno de sus grandes éxitos, en los que se muestra conocedor del repertorio italiano –muy en breve estrenará *Farolilla*, parodia de la ópera *La favorita*, basada en fragmentos de la obra de Donizetti–. Por el contrario, otras veces compuso obras seguidoras de las peores características de un género que en muchos casos se veía forzado a llenar las exigencias de un público poco selecto desde el punto de vista artístico. Matilde Muñoz no duda en decir: "El nombre de don Manuel Nieto, músico españolísimo, es el de uno de los autores que más contribuyeron a la hegemonía del género chico; evoca

Cortesía de Unión Musical Ediciones SL

aquellos tiempos en que ciegos, menegildas, aristones y manubrios repetían en las dulces horas de la tarde madrileña las notas castizas de aquel chotis popularísimo de *Cuadros disolventes*: 'Con una falda de percal planchá'". Su importancia queda patente al observar que algunos de los mejores cantantes del momento como Lucrecia Arana y Luisa Campos estrenaron una buena cantidad de sus obras. Sin duda Nieto ha de ser considerado como un de los mejores compositores del género chico junto a Chueca, Chapí, Giménez y Bretón. *Véase* AMORES NACIONALES; EL BARBERO DE SEVILLA; CERTAMEN NACIONAL; CUADROS DISOLVENTES; EL GORRO FRIGIO.

OBRAS (Todas en E:Msa): *La sonámbula*, Zarz, 1 act, l, S. M. Granés, est, 1872; *C de L*, Zarz, 1 act, l, S. M. Granés, est, 10-IX-1871, Te. Circo; *Fuego en guerrillas*, Zarz, 1 act, l, C. Navarro / S. M. Granés, est, 12-II-1874, Te. Eslava; *Dos leones*, Zarz, 2 act, col. Bretón Hernández, l, S. M. Granés / C. Navarro, est, 30-XI-1874, Te. Romea; *El año del diablo. Revista de 1974*, Rv, 1 act, col. Fernández Caballero, l, S. M. Granés, 5-III-1875, Te.

Zarzuela; *Dos damas para un galán*, Zarz, 3 act, col. Llanos Berete, l, E. Zumel, est, 16-IV-1876, Te. Zarzuela; *El Marsellés*, Zarz, 1 act, l, S. M. Granés, est, 22-IV-1876, Te. Jovellanos; *Entre dos tipos*, Zarz, 1 act, l, E. Segovia Rocaberti, est, 1-IV-1879, Te. Apolo; *La tela de araña*, Jug, 2 act, l, J. Govantes / C. Navarro, est, 10-I-1880, Te. Zarzuela; *Con paz y ventura*, Jug cóm-lír, 1 act, l, C. Navarro / P. Górriz, est, 3-V-1880, Te. Apolo; *Monomanía musical*, Jug cóm, 1 act, l, G. Perrín, est, 25-IX-1880, Te. Príncipe Alfonso; *El Sacristán de San Justo*, Zarz, 3 act, col. Fernández Caballero, l, L. Blanc / C. Navarro, est, 24-XII-1880, Te. Apolo; *Un Minué*, Zarz, 1 act, l, R. Dalmau, 12-II-1881, Te. Apolo; *El estilo es el hombre*, Jug cóm, 1 act, l, J. Jackson Veyán, est, 1-IV-1882, Te. Eslava; *Retreta*, Jug cóm-lír, 1 act, l, P. Górriz, est, 21-VI-1882, Te. Buen Retiro; *Gato encerrado*, Jug cóm, 1 act, l, E. Jackson Cortés, est, 5-X-1882, Te. Eslava; *La música del porvenir*, disparate cóm-lír, 1 act, l, J. Jackson Veyán, est, 5-VII-1883, Te. Recoletos; *En el otro mundo*, Jug cóm-lír, 1 act, l, J. Jackson Cortés, est, 3-X-1883, Te. Eslava; *El gran turco*, Jug cóm-lír, 1 act, l, G. Perrín, est, 6-X-1883, Te. Martín; *Pobre gloria*, Jug, 1 act, l, E. Sierra, est, 20-X-1883, Te. Variedades; *Otelo y Desdémona*, Jug cóm, 1 act, l, C. Navarro, est, 5-XI-1883, Te. Martín; *La solterona*, Zarz, 1 act, l, J. Andrade, est, 12-XII-1883, Te. Martín; *Por asalto*, l, R. de Marsal, est, 1884; *La salsa y los caracoles*, Jug cóm, 1 act, l, C. Navarro, est, 1-

II-1884, Te. Variedades; *Ida y vuelta*, viaje cóm lír, 2 act, l, C. Navarro, est, 16-II-1884, Te. Martín; *La huéspeda*, Zarz, 1 act, l, C. Navarro, est, 21-IV-1884, Te. Eslava; *Villa... y palos*, Fant política, 1 act, l, G. Perrín / M. Palacios, est, 14-III-1885, Te. Apo-

Cortesía de Unión Musical Ediciones SL

lo; *Medium oyente*, despropósito, 1 act, l, J. Jackson Veyán, est, 22-IV-1885, Te. Variedades; *Don Benito de Pantoja*, Zarz, 1 act, l, C. Olona di Franco, est, 25-V-1885, Te. Apolo; *El rey reina*, Zarz, 3 act, l, M. E. Tormo, est, 1-VIII-1885, Te. Tívoli (Barcelona); *Quién fuera ella*, 1 act, l, G. Perrín / M. Palacios, est, 17-VIII-1885, Te. Recoletos; *Pintar como querer*, Jug cóm-lír, 1 act, l, R. Monasterio Pozo, est, 9-X-1885, Te. Eslava; *De músicos y locos*, Jug cóm-lír, 1 act, l, E. Jackson Cortés, est, 15-I-1886, Te. Eslava; *Circo nacional*, gimnástico político, 1 act, l, S. M. Granés / J. Jackson, est, 25-I-1886, Te. Eslava; *El arte del toreo*, Rv cóm taurina, 1 act, l, R. Monasterio / J. García Parra, est, 6-III-1886, Te. Eslava; *Cambio de clases*, Zarz cóm, 1 act, l, F. Olona, est, 10-IV-1886, Te. Variedades; *Chin chin*, disparate cóm, 1 act, l, G. Perrín / M. Palacios, est, 6-X-1886, Te. Martín; *Toros embolados*, Sai, 1 act, l, E. y J. Jackson, est, 8-X-1886, Te. Variedades; *Juegos icarios*, Zarz, 1 act, l, M. Pina Domínguez, est, 20-XI-1886, Te. Eslava; *Juanito Tenorio*, Jug, 1 act, l, S. M. Granés, est, 27-XI-1886, Te. Martín; *Madrid en el año dos mil*, panorama lír, 2 act, col. Rubio Laínez, l, G. Perrín / M. Palacios, est, 13-I-1887, Te. Variedades; *La fiesta de la Gran Vía*, 1 act, l, M. Pina Domínguez, est, 11-II-1887, Te. Eslava; *Juan Matías el Barbero o La corrida de la Beneficencia*, Zarz, 2 act, col. Chapí, l, R. de la Vega, est, 17-III-1887, Te. Apolo; *Las bodas de Jeromo*, Zarz cóm, 2 act, adap de Offenbach, l, M. Pina / J. García, est, 31-III-1887, Te. Eslava; *Te espero en Eslava tomando café*, pasillo cóm lír, 1 act, col. Rubio Laínez, l, Granés / Lustonó / Jackson, est, 21-IV-1887, Te. Eslava; *Bola 30*, pasillo cóm, 1 act, l, J. Jackson Veyán, est, 22-VI-1887, Te. Maravillas; *Los trasnochadores*, 1 act, l, F. Manzano, est, 7-XI-1887, Te. Eslava; *Los inútiles*, Rv, 1 act, l, G. Perrín / M. de Palacios, est, 22-XII-1887, Te. Eslava; *Madrid club*, 1 act, l, F. Yrayzoz, est, 23-I-1888, Te. Eslava; *Santiago y... a ellas*, Jug, 1 act, l, E. de Lustonó / S. M. Granés, est, 7-I-1888, Te. Novedades; *El gran pensamiento*, disparate cóm, 1 act, l, J. Ruiz, est, 26-I-1888, Te. Eslava; *La estrella del arte*, Zarz, 1 act, 2 cuadros, col. Rubio Laínez, l, J. Jackson Veyán, est, 10-II-1888, Te. Martín; *Los primos*, Jug cóm, 1 act, l, E. Jackson / J. Jackson Veyán, est, 1-III-1888, Te. Martín; *Muevles Husados*, l, G. Perrín / M. Palacios, est, 31-III-1888, Te. Eslava; *Los baturros*, Jug cóm, 1 act, l, J. Jackson Veyán, est, 28-IV-1888, Te. Martín; *Las provincias*, l, A. Ruesga / S. Lastra / Prieto, est, V-1888, Te. Martín; *Certamen nacional*, proyecto cóm, 1 act, l, G. Perrín / M. Palacios, est, 25-VI-1888, Te. Príncipe Alfonso; *Detalles para la historia*, farsa cóm lír, 1 act, l, J. Jackson Veyán, est, 29-IX-1888, Te. Príncipe Alfonso; *El gorro frigio*, Sai, 1 act, l, F. Limendoux / C. Lucio, est, 17-X-1888, Te. Eslava; *La señora del coronel*, Jug cóm, 1 act, l, S. Lastra / Nieto / A. Ruesga, est, 7-III-1889, Te. Zarzuela; *Liquidación general*, l, G. Perrín / M. Palacios, est, 11-III-1889, Te. Eslava; *Boulanger*, pasillo cóm, 1 act, l, F. Limendoux / C. Lucio, est, 6-IV-1889, Te. Eslava; *Los primaveras*, Rv, 1 act, l, G. Perrín / M. Palacios, est, 6-IV-1889, Te. Alhambra; *Máquinas Singer*, Jug cóm, 1 act, l, R. Monasterio / F. Yrayzoz, est, 21-VI-1889, Te. Felipe; *Consultor jurisperito*, 1 act, l, J. M. Nogués, est, 18-XI-1889, Te. Eslava; *Misa de requiem*, Sai, lír, 1 act, l, G. Perrín / M. Palacios, est, 16-XII-1889, Te. Apolo; *Simulacro*, l, C. Navarro, est, 29-VI-1890, Te. Príncipe Alfonso; *La virgen del agosto*, Zarz cóm, 1 act, l, E. Fernández Campano, est, 12-VIII-1890, Te. Maravillas; *Las alforjas*, Zarz cóm, 1 act, l, G. Perrín / M. Palacios, est, 23-VIII-1890, Te. Maravillas; *Calderón*, Jug, 1 act, l, C. Arniches / C. Lucio, est, 10-XI-1890, Te. Eslava; *Los Belenes*, Sai, 1 act, l, G. Perrín / M. Palacios, est, 23-XII-1890, Te. Eslava; *Los calabacines*, disparate lír, 1 act, l, L. de Larra (hijo) / M. Gullón, est, 27-I-1891, Te. Eslava; *Los dos millones*, 1 act, l, G. Perrín / M. Palacios, est, 8-VIII-1891, Te. Recoletos; *El primero*, Sai, lír, 1 act, l, G. Perrín / M. Palacios, est, 27-VI-1891, Te. Recoletos; *Amores nacionales*, apuntes para un viaje, 1 act, col. Marqués, l, G. Perrín / M. Palacios, est, 13-XI-1891, Te. Eslava; *La tragedia en el mesón o Los dos contrabandistas*, Sai lír, 1 act, l, J. de Burgos, est, 16-XII-1891, Te. Apolo; *El milagro del Santo*, Zarz, 1 act, l, C. Olona di Franco, est, 17-I-1892, Te. Apolo; *Los secuestradores*, Sai lír, 1 act, l, C. Arniches / C. Lucio, est, 3-II-1892, Te. Eslava; *¡Maridos a pesetas!*, pasillo lír bailable, l, C. Navarro, est, 28-IV-1892, Te. Eslava; *Salvador y Salvadora*, Pas, 1 act, l, E. Fernández Campano, est, 30-VI-1892, Te. Tívoli; *Merlín*, Jug, 1 act, l, E. Fernández Campano, est, 28-I-1893, Te. Apolo; *Las varas de la justicia*, Zarz, 1 act, l, G. Perrín / M. Palacios, est, 2-IV-1893, Te. Eslava; *El mixto de Andalucía*, l, J. Jackson Veyán, est, 19-IX-1893, Te. Apolo; *El ángel guardián*, Zarz,

3 act, col. Brull, l, M. Pina Domínguez, est, 30-XII-1893, Te. Zarzuela; *El muñeco*, Bu lír fantástica, 1 act, l, G. M. Piccido, est, 3-III-1894, Te. Eslava; *El sábado*, Sai lír, 1 act, l, G. Perrín / M. Palacios, est, 11-I-1894, Te. Eslava; *Arrope, Manchego*, Zarz cóm, 1 act, l, C. Navarro, est, 22-VI-1895, Te. Príncipe Alfonso; *La maja*, Zarz, 1 act, l, G. Perrín / M. Palacios, est, 30-X-1895, Te. Zarzuela; *El príncipe heredero*, 2 act, col. Brull / López Torregrosa, l, C. Arniches / C. Lucio, est, 9-I-1896, Te. Romea; *El gaitero*, Zarz, 1 act, l, G. Perrín / M. Palacios, est, 25-IV-1896, Te. Zarzuela; *Cuadros disolventes*, Apr cóm-lír fantástico, 1 act, l, G. Perrín / M. Palacios, est, 3-VII-1896, Te. Príncipe; *Manolita la prendera*, Zarz, 1 act, l, E. Gullón Terán / R. Curros, est, 5-V-1897, Te. Apolo; *Las españolas*, portafolio cóm lír, 1 act, l, G. Perrín / M. Palacios, est, 23-XI-1897, Te. de la Comedia; *La chiqueta bonica*, Zarz, 1 act, l, G. Perrín / M. Palacios, est, 19-V-1899, Te. Zarzuela; *El barbero de Sevilla*, Zarz, 1 act, col. Giménez, l, G. Perrín / M. Palacios, est, 5-II-1901, Te. Zarzuela; *La Tía Cirila*, Jug cóm, 1 act, l, J. Jackson Veyán, est, 6-II-1901, Te. Cómico; *Comediantes y toreros o La vicaría*, Sai, 1 act, l, C. Palencia, est, 8-III-1901, Te. Zarzuela; *Correo interior*, Apr cóm-lír, 1 act, col. Cereceda Giménez, l, G. Perrín / M. Palacios, est, 21-VI-1901, Te. Eldorado; *La Farolita*, Zarz, 1 act, l, S. M. Granés, est, 24-XII-1902, Te. Zarzuela; *El tesoro de la bruja*, Mel, 1 act, l, S. M. Granés / Polo / Quilis, est, 21-II-1906, Te. Eslava; *Los callejeros*, Sai, l, E. López / M. Pérez, est, 6-VI-1906, Te. Zarzuela; *La Mariflores*, Zarz cóm, 1 act, l, G. Perrín / M. Palacios, est, 1-V-1907, Te. Gran Teatro; *Toros en Aranjuez*, Zarz, 1 act, l, A. Caamaño / I. Soler, est, 24-X-1908, Te. Gran Teatro; *El castillo*, Zarz, 1 act, col. Giménez Ortells, l, M. Echegaray, est, 12-I-1909, Te. Zarzuela; *Anduriña*, 1 act, l, F. Jaques, est, 3-VI-1909, Te. Zarzuela; *Sor Angélica*, Com, 1 act, col. C. Ardid, l, L. Linares Becerra / J. Burgos, est, 3-IV-1911, Te. Martín; *Boda o muerte*, 1 act, l, C. Navarro; *Canutito*, 1 act, l, A. Povedano; *Cuantas veo; De encargo*, 1 act; *El capitán Chubascos*, 1 act, l, San Martín y Guerra; *El terror de los mares*, Zarz, 2 act, col. Llanos Berete; *El testamento del siglo*, col. M. Fernández Caballero, l, G. Perrín / M. Palacios; *Habanos y Filipinos*, col. Brull, l, E. Sánchez Seña / M. Arenas; *La barcarola; La clau del pit; La misa nueva; La tertulia de Mateo*, l, F. Yraizoz / R. Monasterio; *La tienta*, Zarz, 1 act, l, J. Jackson Veyán; *La toma de Tetuán*, Zarz, 3 act; *La veleta del pueblo*, l, C. de Olona; *La villa del oso*, col. Rubio Lainez, l, F. Pérez González / E. Navarro; *Las del 17*, col. J. Taboada; *Lotería de cartones*, l, C. Navarro; *María la del cerezo o Boda en el V?; Nos matamos*, l, E. Navarro Gonzalvo; *Por un minué; Sacristán y baturro; Toros en salsa*, l, A. Llanos / Alcaraz; *Toros y cañas*, l, C. Navarro; *Tragarse la píldora*, l, Jackson Veyán; *Una cana al aire o De pesca*.

FONOGRAFÍA: *Cuadros disolventes*, Odeón 204476, SO 6906 SO 7660.
BIBLIOGRAFÍA: *DMEH; OGCH; ;* M. Muñoz: *Historia de la zarzuela y del género chico*, Tesoro, 1946.

EMILIO CASARES RODICIO

Nieva, Juan José. España, siglo XIX. Dramaturgo. Autor de diversas comedias, dramas y propósitos, algunos en colaboración con C. Suricalday, estrenó en agosto 1852 en el teatro del Instituto con gran éxito *Claveyina la gitana*, zarzuela en un acto con música de Luis Arche.

BIBLIOGRAFÍA: *CDE; HZ.*

Mª LUZ GONZÁLEZ PEÑA

Niño judío, El. Zarzuela en dos actos. Música de Pablo Luna. Libreto de Enrique García Álvarez y Antonio Paso Cano. Estrenada el 5 de febrero de 1918 en el teatro Apolo de Madrid.

Personajes y reparto. Concha (Rosario Leonís, tiple). Jubea (Elisa Moreu, tiple cómica). Rebeca (Carmen Ramos). Mirsa (Carmen Ramos). Esclava 1ª (Carmen Domingo). Esclava 2ª (Meseguer). Esclava 3ª (Gutiérrez). Esclava 4ª (Asensio). Esclava 5ª (Stern). Esclava 6ª (Obón). Una danzarina (Amparo Guillot). Jenaro (Ramón Peña, cantante y actor). Samuel (Francisco Gallego, tenor cómico). Manacor (Francisco Meana, bajo). Barchilón (Matías Ferret, barítono). Jamar Jalea (Carlos Rufart). Samid (Vicente García Valero). Kazil (Carlos Román). Severo (Jenaro Guillot). Ataliar (Morales). Paco (Robustiano Ibarrola). Holcar (Beltrán). Manasés (Paisano). Mercader (Besga). Mangor (Besga). Un guardia (López). Mercaderes, judíos, judías, sacerdotisas, músicos y pueblo.
Orquestación. Flautín, flauta, oboe, 2 clarinetes, fagot, 2 trompas, 3 trompetas, 2 trombones, 2 cornetines, percusión, arpa y cuerda.

Argumento. *Acto I.* La acción se desarrolla en Madrid, Alepo (Siria) y la India, a comienzos del siglo XX. *Cuadro primero.* En un puesto de libros viejos en el paseo del Prado de Madrid, el encargado Samuel atiende al cliente Severo y luego recibe la visita de Concha, una bonita joven madrileña, hija del dueño de la librería, de la que está enamorado. La muchacha recuerda la dificultad de su relación, ya que Samuel es de ascendencia desconocida pero judío, una cualidad que para el padre de ella, Jenaro, es un impedimento para consentir el matrimonio. Samuel confía en que pronto será rico, lo que arreglará la situación. Llega Jenaro y envía a Samuel al lecho de muerte de su padre adoptivo, David Benchimol, repentinamente agravada su enfermedad. Seguidamente confía a Concha el secreto que ha descubierto: Samuel es, en realidad, el hijo de un judío riquísimo llamado Samuel Barchilón que vive en Alepo. David Benchimol había raptado al niño recién nacido para vengarse de su madre, Esther, que había preferido casarse con el rico Barchilón en lugar de con él. En su lecho de muerte, quiere que Samuel vuelva con sus verdaderos padres. Olvidando sus anteriores prejuicios, Jenaro anima a Concha para que se case inmediatamente con Samuel y decide traspasar la tienda de libros a su hermano Jeremías, consiguiendo así el dinero para realizar los tres el viaje hasta Alepo. Y como mejor regalo para su consuegro le llevará una guitarra.
Cuadro segundo. Una plaza pública de Alepo, durante un día de mercado. Samuel Barchilón se lamenta con el viejo pordiosero Manacor de la escasa suerte que ha tenido con las mujeres, pues su esposa Esther se ha fugado con un Rajá indio. Por ello ha maldecido a todas las mujeres y renegado del hijo que ha tenido con Esther. Entra Jenaro con su criado Ataliar y, como respuesta a la información solicitada, Manacor le habla de la avaricia de Barchilón, que supera a sus fabulosas riquezas. Jenaro, en compañía de Concha y Samuel, que han estado fumando un extraño

Cortesía de Unión Musical Ediciones SL.

tabaco que les ha mareado, se sitúan ante la casa de Barchilón a la espera de que aparezca el dueño. Cuando llega Barchilón, Jenaro le presenta ostentosamente a su hijo perdido, pero el anciano judío tiene una reacción agresiva: se echa al cuello de Samuel e intenta estrangularle. Se lo impiden los presentes y una vez que el agresor se marcha, maldiciendo a todo el mundo, los tres viajeros españoles se enteran por boca de Manacor que Samuel no es hijo de Barchilón sino del Rajá indio que huyó con su madre Esther. Jenaro, Concha y Samuel han de poner rumbo a la India en busca del auténtico padre del muchacho, el Rajá Jamar-Jalea.

Acto II. Cuadro primero. Tras un complicado viaje, Jenaro, Concha y Samuel llegan al palacio de Jamar-Jalea en donde se está celebrando el duodécimo aniversario de su llegada al trono, oportunidad que aprovecha Kazil, un viejo dignatario, para solicitarle una amnistía general. Samid, el ayuda de cámara, hace pasar a Samuel con sus acompañantes. Jenaro entrega a Jamar-Jalea una carta donde se certifica que es su hijo, pero el Rajá le trata de falsario y ordena su detención y la de sus dos acompañantes, debido al miedo que siente hacia su esposa Jubea, mujer sanguinaria y cruel, pero cuando ésta se marcha, abraza cariñosamente al hijo recuperado. Para celebrar el reencuentro, Concha canta una canción, acompañada por su padre a la guitarra. Cuando Jubea se entera de la situación, enfadada por la infidelidad del Rajá, decide vengarse, ordenando que los visitantes llegados de España sean ejecutados.
Cuadro segundo. Cuando Mirsa y las sacerdotisas del culto de Bowanhia realizan los rituales de la ejecución, se hace evidente otra realidad. Samuel tampoco es hijo del Rajá, pues cuando Esther dio a luz cambió a su hijo por el de una esclava, temerosa de que Barchilón lo matase al tratarse de un nacimiento ilegítimo. Jamar-Jalea entra en el templo, detiene la ejecución y llena de regalos a los ahora invitados oficiales, ofreciéndoles también los medios necesarios

para el regreso a España. Samuel, Concha y Jenaro vuelven pobres a Madrid, pero los enamorados han obtenido por fin lo que tanto deseaban, casarse.

Números musicales. Acto I: Preludio. Nº 1. Coro de mercaderes, "Ya el mercado va a comenzar". Nº 1B. Coro y canción de Manacor, "Que el Dios de Israel". Nº 2. Dúo de Concha y Samuel, "Ahora que estamos aquí". Nº 3. Coro de esclavas y trova, "Ahí llega Barchilón". Nº 4. Cuarteto de Manacor, Concha, Genaro y Samuel, "Rajáh mi papá". Nº 4Bis. Final, "Aquel que es mi amo, le pagará". Acto II: Nº 5. Escena, coro y danza india, "Que reine muchos años". Nº 6. Canción española, Concha, "De España vengo". Nº 7. Imitación de las hermanas Catafalco. Genaro y Samuel, "Arza y olé". Nº 8. Intermedio instrumental. Nº 9. Escena y cuplés de Genaro y Samuel, "Bowanhia, Bowanhia".

Comentario. El año 1918 fue muy productivo para Luna. Estrenó cuatro obras en el teatro Apolo: *El aduar, Trini, la Clavellina* y *Los calabreses* –que no quedaron en el repertorio–, y *El niño judío*, que permaneció como un clásico de la zarzuela del siglo XX. Esta obra, uno de los puntos culminantes de la creación de Luna y de los libretistas, Antonio Paso y Enrique García Álvarez, forma parte de la famosa trilogía oriental del compositor, junto con *Benamor* y *El asombro de Damasco*. Las tres están unidas por el espíritu hilarante de la moda de los temas orientales tan presente en la España de inicios del siglo XX, justamente en un momento en que lo oriental estaba teniendo magníficos frutos en la arquitectura, la decoración y ambientación de salas y salones de teatro madrileño, sobre todo los especializados en cuplé y varietés, donde lo exótico oriental y, en general, el revival arabista era una moda. Luna abandonó la empresa del teatro de la Zarzuela en 1916, y en ese mismo año estrenó en el Apolo la primera obra de la trilogía, *El asombro de Damasco*, que supuso un enorme éxito. Siguieron otros nueve estrenos hasta

que el 5 de febrero de 1918 el teatro Apolo, que no acababa aceptar la obra se rindió, ante Rosario Leonís –la cantante que más obras estrenó de Luna y que había tenido un enorme éxito en su papel de Zobeida en *El asombro de Damasco*–, cuando interpretó la denominada canción española, "De España vengo". El público, puesto en pie, obligó a repetir varias veces la romanza, convirtiéndola en el fragmento más carismático de Luna. Según Chispero, "Luna nunca alcanzó éxito mayor que el que

Rosario Leonís en El niño judío *(Foto: Nuevo Mundo, 1920; Ar. ICCMU)*

disfrutó aquel día y con esta página musical"; *ABC* escribió: "Donde quiera que se presente Rosario Leonís con la Canción de Luna, habrá que alfombrar su camino con claveles sevillanos y tender a sus pies, con gracia chispeante la airosa capa española". Lo cierto es que la obra mereció ese párrafo que los medios de comunicación dedicaban a escasas obras: "Todo el público madrileño desfila por el Apolo".

El análisis de *El niño judío*, que llegó pronto a las doscientas representaciones, ha de ser entendido desde las circunstancias de las que el propio Luna habla en un artículo publicado en *La Voz*: "De prisa, siempre de prisa, para dar paso a la obra siguiente. Esto obedece a dos causas principales: primera, a que el teatro como está actualmente industrializado, es una caja sin fondo que constantemente pide obras nuevas, con lo que todos salimos perdiendo, público y autores... y, segundo, ya el público se ha ido acostumbrando con el cine a que, sea cual sea la obra, de la índole que sea, le den cada ocho días una novedad en los espectáculos. De esta manera ha desaparecido para el autor lo que constituía la base de su vida, y que le permitía no tener necesidad de estrenar con esta loca asiduidad, que era su repertorio; repertorio que para nuestros abuelos y padres era honra y prez del espectáculo, pero en la vida actual, como en líneas generales todo da lo mismo, no interesa nada. De ahí la prisa, la maldita prisa que impone este estado de cosas, y que, aun sintiéndolo en lo más íntimo, en el momento actual, hay que confiar, para bien del público y nuestro, que la vida nos encauzará a todos".

El niño judío es un híbrido entre zarzuela grande, opereta exótica, género chico y el viaje fantástico de corte arrevistado con elementos de varietés, si bien está realizada con inteligencia y brillantez. Luna sigue el modelo de la zarzuela grande en la estructura, el empaque de varias romanzas, algún concertante, y en la compleja y rica orquestación, pero tiene en cuenta la opereta, a la que está dedicado en aquellos momentos, por el carácter de varios números orquestales, la presencia de la danza y el espectáculo y, sobre todo, la aproximación a la temática oriental y exótica de la opereta vienesa en la línea de Franz Lehár y Leo Fall, que es la que entonces se imponía en España. Pero hay elementos de revista, en los numerosos guiños a la visualidad y en ciertos momentos de música ligera, sobre todo, en la sucesión continua de episodios y, también, de las varietés, a través de ciertos "añadidos sobrantes" como el más famoso, la "Canción española", uno de esos cuplés necesarios en todo acto de varietés, o el archipopular "Soy un rayito de luna" o, finalmente, del género chico en el lenguaje chulesco de Jenaro y en la mazurka, "¡Ay, qué gusto más grande me da!". La obra tiene además, otros contextos. Se inscribe dentro del influjo de género vienés, después de los éxitos de *La corte de faraón*, *La generala* y *Los cadetes de la reina*, un género demandado por el público español de la década de 1910, que comenzaba a vivir un momento dulce, alejado de la contienda europea, próximo a los sensuales felices veinte donde se generalizaron los placeres de la moda, los perfumes, los viajes, los baños y la vida nocturna, en los que intentó participar una clase media cada vez más numerosa, que buscaba en el vals, las músicas vienesas y su ambiente, cierto cosmopolitismo mientras trataba de abandonar el atuendo casticista por medio de nuevos elementos acarreados por las modas europeas de entonces, que exigían, sobre todo, variedad y espectáculo, una de las esencias de la zarzuela durante toda su historia. El público comenzaba a cansarse de los teatros por horas y exigía de nuevo el gran formato, las piezas de entidad y, sobre todo, de espectáculo combinado con el espíritu de diversión. También valoraba lo cosmopolita, el viaje, justamente cuando se puso de moda el turismo y el viaje de placer.

Luna llevó a cabo este proyecto en compañía de dos conocidos escritores líricos con larga experiencia en el género chico. Antonio Paso se dejó influir en aquellos momentos por el

guaje próximo al astracán. Pero también volviendo a tantos viejos recursos del género chico como el lenguaje chulesco de Jenaro y lo grotesco de su uso en el contexto de la India, con los juegos de palabras, retruécanos, el equívoco, el chiste fácil, los apartes. El espectador es sorprendido por los continuos cambios de situación, que consigue no sólo mantener

Producción de Jesús Castejón / Ana Garay para El niño judío, *Teatro de la Zarzuela, 2001 (Foto: J. Alcántara; cortesía del Teatro de la Zarzuela)*

el dinamismo, sino un clímax ascendente que culmina en un final divertido. Hay que añadir que lo incoherente y arbitrario de este gracioso libreto lo permite todo, en una historia que comienza en un puesto de libros de la feria de septiembre, y acaba en una pagoda de la India, con unos cuplés ante el ara de la diosa del fuego, y habiendo pasado por Alepo donde el actor Ferret doma a unas esclavas, y unas odaliscas cantan una leyenda medieval. Por ello lo cómico-grotesco, la bufonada, el absurdo, lo inverosímil están unidos por un fuerte componente paródico.

El niño judío surge en una época de especial concentración de Luna, obsesionado con superar el éxito de la última opereta, *El asombro de Damasco*, lo que no era fácil, por lo que se retiró a El Escorial con el fin de terminarla, y el fruto fue una partitura de música fácil, lozana, colorística, sentimental, elegante, picaresca, y a veces, a ras de tierra, según la circunstancia dramática la demandara. La obra consta de nueve números musicales –dos dobles– y un preludio. Éste está realizado con el sistema de potpurri, basado en las ideas musicales de la famosa "Canción española" y por ello definido por su españolismo, con unas pinceladas orientales, para unir este tema con el siguiente. El preludio es seguido, lo que era poco usual en la época, por un cuadro hablado entre Samuel, Severo, Concha y Jenaro, los personajes principales, y otros que se irán añadiendo. Con el cuadro segundo situado en una

Escena de El Niño Judío *(Foto: Legado Luna; Ar. SGAE)*

ambiente de la opereta vienesa que aseguraba el triunfo, y había colaborado ya con Luna en *El asombro de Damasco*; Enrique García Álvarez, especialmente dotado para el humor disparatado, casi nunca escribía sólo, necesitaba una persona que ordenara su caudal de chistes, y este fue Paso. Una leve historia de amor entre los dos protagonistas Samuel y Concha es la que sustenta el argumento y da unidad a la obra, en torno a un viaje de búsqueda con escalas en lugares exóticos a la que se añaden una serie de episodios disparatados y graciosos. Lo cómico, esencial en la lírica española, se consigue a través de situaciones inverosímiles y la utilización de un len-

plaza de Alepo, comienza la parte musical de la obra, con una especie de fanfarria imperial muy típica de la música de opereta, con claro carácter de apertura de escenario, y que muy pronto usará el cine. En ella se describe con gran plasticidad el ambiente de una plaza llena de una abigarrada y variada multitud de personas y de mercaderes. La música presenta un plano muy diferente al del preludio, totalmente definido por su españolidad, mientras ésta, cantada por un gran coro general y un segundo de esclavas, que lo divide en una estructura binaria, tiene un claro perfil internacional y permite la entrada del ciego Manacor que interpreta un recitativo acompañado de coro que desemboca en la célebre "Canción de Manacor" introducida por el arpa, "¡Qué me importa ser judío!". Llega así un primer momento culminante de la obra, interpretado en su estreno por Francisco Meana; se trata de una romanza de claro perfil español, con una estructura binaria marcada por el paso entre La menor y mayor, tan típica de la música hispana desde el XVIII, en el momento en que canta "Noemí de mis amores", con un acompañamiento de orquesta y arpa, que evoca el espíritu del romance, y con varias acotaciones hispanas como los tresillos decorativos descendentes, cadencias andaluzas, etc. Este ambiente cambia de nuevo en el Nº 2 con el dúo entre Concha y Samuel, en el que Luna recurre a uno de los ritmos más típicos del género chico que es la mazurka, "Ahora que estamos aquí", muy efectiva a la hora de pasar de lo dramático a lo bufo-cómico, y con ello conseguir una de las esencias de la zarzuela como teatro lírico que es la variedad continua; una mazurka que se transforma en vals a la hora de cantar, "¡Ay qué gusto más grande me da!", que vuelve a la mazurka, a la boca cerrada y otros elementos de fuerte sensualidad como el hecho de fumar kiffi y musicar expresiones sensuales: "¡Ay, qué gusto más grande me da!, ¡Qué suave! ¡Qué aroma! Al fumar me entra un dulce sabor de aroma", y todo ese mundo del placer antes mencionado. El Nº 3 coro de esclavas y trova con Barchilón, es de nuevo de fuerte sensualidad oriental con los cromatismos típicos de lo que se llamó música turca, con orquestación brillante, pero también con la vuelta a elementos hispanos antiguos que evocan cantares del romancero interpretados por la esclava Rebeca. "Oye mi dueño y señor", de nuevo con el arpa como protagonista, o la boca cerrada con que acompañan los coros para finalizar. Justamente en Europa el neoclasicismo se estaba poniendo de moda. El ambiente bufo-cómico se incrementa en el cuarteto del Nº 4, un número poliseccional con una alegre y rica orquestación, que en algún momento recuerda al Barbieri de *Pan y toros*, donde la música acumula un complejo mundo de sensaciones distintas, de variaciones expresivas, con la entrada incluso del ritmo de jota, en el "Plin, plin, plin... Ay moreno de boca hechicera", cantado por Samuel donde el perfil hispano se impone de nuevo. El Nº 4 termina con un hablado sobre música dentro de las técnicas del melodrama, que desemboca en un breve interludio para introducir de nuevo la parte de la canción de Manacor del Nº 2, "Noemí de mis amores", con un nuevo texto, "Beber quiero ahora en ellos".

Luna plantea el inicio del segundo acto con una estrategia efectista, con un gran coro interior, un recitado sobre música, un tiempo de marcha y la famosa danza india, dentro del modelo de las marchas de Ketèlbey como *En un mercado persa*. La danza, de orquestación brillante, resulta insustituible en el espectáculo de la opereta, por la danza misma y por el requiebro a la visualidad del cuerpo femenino, otro ingrediente insustituible en el momento; y permite recobrar el ambiente oriental. Esta danza se sigue interpretando por todas las bandas de España e Hispanoamérica. Después de un largo hablado la obra desemboca en la "Canción española", que ya se ha anunciado en el preludio. Numerosas crónicas hacen alusión al extraordinario momento que supuso la interpretación de Leonís, que obtuvo un gran éxito haciendo enloquecer al público. Basada en un fuerte contenido textual y musical de fervor patrio; aún no hace mucho escribía Vicente Molina Foix: "Pero mi pobre corazón, que es traicionero, se puso a latir más de la cuenta en el solo de clarinete del preludio de *El niño judío*, una versión instrumental de la citada canción de *El niño judío*... Y yo me dije...: 'eso sí que es español'. No me dio vergüenza". Esta canción se convirtió en una romanza de fuerte raigambre popular. Siempre se ha dicho que durante su viaje a El Escorial, el traqueteo del tren le evocó a Luna el ritmo de la "Canción española", aunque otros hablan del ritmo del motor de un taxi de aquellos tiempos para explicar ese *obstinato*. Con una estructura típica de la canción española, ABA, haciendo A de estribillo, y B de sección central contrastante. Concebida en Mi mayor, el rítmico motivo inicial da paso a una estrofa, "¡Campana de la torre de Maravillas!", en tono menor, con ciertos elementos modales que le otorgan sabor antiguo y andalucista, aumentado por los melismas andaluces, zonas cadenciales hispanas, que contrasta fuertemente con la anterior, hasta que vuelve a recobrar el impulso inicial. Este fragmento está introducido, incluso se podría decir, forzando la propia línea argumental, en el estilo de las "arias di baule" de la ópera barroca italiana. En este tipo de fragmentos, Luna se muestra deudor de los autores de la generación anterior, especialmente de Chapí y Giménez, de quien es el más fiel continuador.

La obra recupera en el Nº 7 de nuevo un fuerte espíritu cómico y español con la canción "que cantaban en el Chantecler las Hermanas Catafalco" que hacen Jenaro y Samuel, la archifamosa, "Soy un rayito de luna". Se trata de un típico pasacalle, que fue también un número que, como en el caso de la canción anterior, tuvo una vida independiente, llena de éxito en versiones de banda. Luna imita claramente el espíritu y el estilo de la canción de cuplé y realiza una mofa de "las malas cupletistas". El número termina en una especie de danza macabra burlesca instrumental. Un nuevo intermedio instrumental, el Nº 8A, con el que se pretende describir el ambiente recogido en una pagoda india consagrada al culto de Bowanhia, diosa del odio y la venganza, crea un ambiente de recogimiento casi místico, con un fuerte carácter de parodia, con el que contrasta el cuplé final que cantan a continuación Samuel y Jenaro, y al que en ediciones de los libretos se añadían letras alternativas con contenidos de clara crítica social como se hizo también en los cuplets de *El asombro de Damasco*: "Se están poniendo las cosas / para comprar escopetas / Anteayer, por un repollo, / Me han pedido mil pesetas. / Haciendo ipum! por las calles, / la cuestión resolverán. / Haciendo ipum!, nada de eso, / que lo que hay que hacer es ipan!". La obra termina como comenzó, con un hablado.

Fuentes manuscritas. La partitura de orquesta, perteneciente al legado Luna, y los materiales de orquesta (4450) se conservan en el archivo de la SGAE en Madrid.

Ediciones de música. Canto y piano, Madrid, UME y SAE. Banda, UME. Sexteto, selección, UME.

Ediciones del libreto. Madrid, R. Velasco, 1918; Madrid, SAE, 1918; Madrid, Tipografía Fenix, 1924; *La novela teatral*, III, 79; Madrid, UME, 1967.

FONOGRAFÍA: RP: Victoria 5488 y 5494.

D78rpm: Sol. Toñy Rosado, Columbia R 18142, C 8878 C 8879 • Dir. Pascual Marquina, Sols. Rosario Leonís, Gallego, Carrión, Gramófono W 263677, W 264389 a W 264392 (et. verde), 20018 a 20023 • Dir. Ricardo Villa, Banda Municipal de Madrid, Odeón 121080 (et. marrón), XXS 5137 XXS 5147.

LP: Dir. Federico Moreno Torroba, Orq. Filarmónica de Madrid, Discophon (S) 4099 [ed. en casete (S) 7280 (S) 8038] • Dir. José Casas Augé, Orq. Sinfónico-Lírica, Discophon (S) 4101 (S) 4102 [ed. en casete (S) 8046] • Dir. Ataúlfo Argenta, Sols. Ana Mª Iriarte, Lina Huarte, Manuel Ausensi, Gerardo Monreal, Joaquín Portillo, Rafael Campos, Coro de Cantores de Madrid, Orq. Sinfónica, Columbia-Alhambra-BMG (33rpm-30cm) MCC 30045 [reed. en CD: Columbia-BMG España WD 71807 (9D) y Columbia-BMG-Ariola-Salvat 1027-2].

EMILIO CASARES RODICIO

Noguera Bahamonde, Ramón. Granada, 11-III-1851; Granada, VII-1901. Compositor. Estudió piano y solfeo con Miguel Segura y Barrientos y con Bernabé Ruiz Henares y completó su formación musical con el maestro de capilla de la catedral granadina, Antonio Martín Blanca, con quien estudió armonía y contrapunto. Paralelamente a su formación musical realizó la carrera de Derecho y se doctoró, en 1870, en Leyes y Filosofía por la Universidad de Granada. A lo largo de su vida fue registrador de la propiedad en las localidades de Archidona y Porcuma. Desempeñó una continua labor de crítica musical en el diario *El Defensor de Granada* y en las revistas *Alhambra*, también de Granada, y *La Ilustración Musical Hispano-Americana*. Su obra musical está muy ligada a la vida musical de su ciudad natal y abarca diferentes géneros: música para piano, zarzuelas, música sinfónica y música religiosa. De su obra lírica se conservan las zarzuelas *Brendan* en tres actos y *El novio prestado*, con libreto de R. del Castillo de la Cuesta.

Ramón Noguera Bahamonde (Grabado de J. Diéguez en IMHA, 1890; Ar. ICCMU)

BIBLIOGRAFÍA: *DMEH*.

EMILIO CASARES RODICIO

Nogueras, Manuel. España, siglo XIX. Dramaturgo. Autor de algunas comedias, dramas y juguetes, escribió también una zarzuela, *¡Me escamo!* en 1866. Un Manuel Nogueras y González, que probablemente sea este mismo, es autor del juguete cómico lírico *La hija del alcalde*, 1867 y de la zarzuela *¿Quién bautiza a este niño?*.

BIBLIOGRAFÍA: *CDE*.

Mª LUZ GONZÁLEZ PEÑA

Nogueras Oller, Rafael. Barcelona, 1880; Barcelona, 1949. Escritor. En su juventud mostró un ideario tendente al anarquismo. Posteriormente entró en contacto con el grupo modernista de "Els Quatre Gats" e inició algunas colaboraciones en las revistas *Joventut*, *Catalònia* y *Catalunya Artística*. En 1906 inició su colaboración con los espectáculos-audiciones Graner. Redactó el cuadro bíblico *Jesús és nat*, con música de Grant, estrenada en la sala Mercè en diciembre de 1906, la visión *La cova del mar*, con música de Narcisa Freixas, estrenada en junio de 1906, y *Rodamón*, una obra lírica también con música de la compositora Freixas, estrenada en el teatro Principal en noviembre de 1907.

FRANCESC CORTÈS i MIR

Nogués, Fernando. España, siglos XIX-XX. Compositor. En abril de 1916 estrenó en el teatro Apolo la opereta *Zhinta*, con libreto de Fiacro Yraizoz. Se trataba de su primer estreno y el público de Apolo –que no era precisamente fácil de contentar– acogió extraordinariamente la obra, haciendo que se repitiesen dos números de la misma y sacando a escena al joven músico antes de que concluyese la obra.

Fernando Nogués (Foto: Ar. ICCMU)

Emilia Iglesias, Consuelo Mayendía y Pablo Gorgé se lucieron en la interpretación y la opereta pasó a ocupar la primera y la quina sección de las noches de Apolo. La obra se conserva en el archivo de la SGAE en Madrid.

BIBLIOGRAFÍA: *TA*.

Mª LUZ GONZÁLEZ PEÑA

Nogués y Gastaldi, José María. Sevilla, 1838; Sevilla, 1919. Dramaturgo. Estudió Derecho y ejerció como abogado y notario. Colaboró en diversos medios de prensa como *Gente Vieja*. Ocupó el puesto de bibliotecario en la Biblioteca de Palacio y en la de El Escorial y fue jefe del gabinete de prensa del Gobierno de Madrid. Escribió numerosos juguetes y comedias, algunos en colaboración con Rafael María Liern. Para el teatro lírico escribió *El alcalde de Amurrio* con música de Caballer; el drama lírico *Genaro el gondolero* de Antonio Rovira, teatro del Circo, 1861, obra en la que la música salvó los disparates de un libreto que se extendía a lo largo de catorce años y abundaba en situaciones inverosímiles; las zarzuelas *Oro, astucia y amor*, *No es nada lo del ojo*, con música de Ignacio Agustín Campo, teatro del Circo, 1862, en la que nuevamente la música salvó el estreno. En junio de 1862 estrenó en el teatro de la Zarzuela *Los protectores de una actriz* con música de Campo, que fue silbada, sin que su siguiente estreno, *Armas iguales*, en el mismo teatro y con música de Luis Arche, tuviese mejor fortuna. En años posteriores estrenó *Un Tenorio moderno*, en colaboración con Broca y música de Ignacio Campo, Circo, 1864; *El consejo de los diez* de Gabriel Balart y Cristóbal Oudrid, 1876; *Blancos y azules* de Caballero y Oudrid, 1877; *Consultor jurisperito*, de Manuel Nieto, Eslava 1889; *La perla de Triana*, de Juan Montesinos, 1884; *La vigilante, El celoso, El collar de perlas*, zarzuela bufa escrita en colaboración con Revenga y música de Caballero, teatro Eldorado, Barcelona, 1891; *¿Con quién caso a mi mujer?* y *La novicia de Loreto* de Caballero.

BIBLIOGRAFÍA: *CDE; HZ*.

Mª LUZ GONZÁLEZ PEÑA

Noir. *Véase* SORIANO ROBERT, FRANCISCO.

Noriega, Carmen. España, siglos XIX-XX. Tiple. En 1908 estrenó en el teatro del Duque de Sevilla *La canción a la vida* de Calleja y Barrera. En 1910 formaba parte de la compañía de Emilio López del Toro en el citado teatro en el que estrenó en 1911 *Lucha*

de amores de Fuentes y López del Toro y en 1925 *El chaval de las flores* de Carretero y Vidriet.

Mª LUZ GONZÁLEZ PEÑA

Noriega, Eduardo. México, siglos XIX-XX. Dramaturgo. Sus obras fueron representadas regularmente durante la época porfiriana y algunos de sus monólogos y escenas, caracterizados por la célebre actriz Virginia Fábregas, le valieron un amplio reconocimiento. Además de traducir y adaptar operetas para los escenarios mexicanos, escribió el libreto para la zarzuela *El más antiguo Galván* con música de Gerónimo Giménez, estrenada en el Circo Teatro Orrín en 1891. En 1902, Noriega participó al lado de los principales autores mexicanos en la consolidación de la Sociedad Mexicana de Autores.

RICARDO MIRANDA PÉREZ

Noriega, Josefa. España, siglo XIX. Tiple. Estrenó diversas zarzuelas-parodia de Agustín Azcona en 1847 en el teatro de la Cruz: *La pradera del canal, El sacristán de San Lorenzo, La venganza de Alifonso* y *El suicidio de Rosa*. En esta última fue muy aplaudida Josefa Noriega, aunque el verdadero triunfador, en todas ellas, era Vicente Caltañazor. En 1846 participó en el estreno de *La alcaldesa de Zamarramala*, con texto de Hartzenbusch, que adornaban algunas canciones andaluzas. En 1847 estrenó la zarzuela *La pradera del canal* de Oudrid. Posteriormente se dedicó a la comedia y al drama pues no aparece en ningún estreno lírico posterior.

BIBLIOGRAFÍA: *HZ*.

Mª LUZ GONZÁLEZ PEÑA

Novi Inglada, Maximino. España, siglo XX. Compositor y letrista. Además de canciones para las que escribió música y letra, es autor de una obra lírica en tres actos, *Ketti*, con libro de S. Llangaría y F. Rodríguez, estrenada el 7 de junio de 1930 en el teatro Chueca.

Mª LUZ GONZÁLEZ PEÑA

Novi Martí. Familia de compositores españoles formada por los hermanos Enrique y Fernando.

1. Enrique. España, †15-XI-1944. Compositor. Tiene registradas en el archivo de la SGAE en Madrid numerosas canciones de las que es autor de la música y a veces de la letra. Además estrenó el 29 de mayo de 1941 en el teatro Victoria de Barcelona *Felicidad para dos*, en dos actos, en colaboración con Alberto Cotó y libreto de Alfonso Roure Brugalet.

2. Fernando. España, siglo XX. Compositor. Autor de numerosas canciones, estrenó el 28 de febrero de 1935 en Barcelona *Adela la mal casada*, escrita en colaboración con Alberto Cotó y libreto de Carmen Sabartés y Alfonso Roure. Escribió también la música para *El club de los melancólicos* con libro de Félix R. Berzosa y el sainete *San Antonio bendito* con libreto de Marcelino Portillo.

Mª LUZ GONZÁLEZ PEÑA

Novión, Alberto. Francia, 1881; Buenos Aires, 1937. Dramaturgo. Residió en Uruguay desde los cuatro hasta los quince años. Luego llegó con sus padres a Argentina, donde realizó sus estudios. Se nacionalizó argentino. Fue uno de los autores más notorios y prolíficos del teatro local. Bajo la influencia de su primo, el gran dramaturgo Florencio Iriarte, escribió su primera obra, *Doña Rosario*, pieza costumbrista de ambiente campero, estrenada en 1905 en el teatro Nacional por la compañía de Jerónimo Podestá, donde se consagró la gran artista argentina Orfilia Rico. Novión cultivó todos los géneros: sainete, drama, comedia, revista, pero en toda su producción se manifiesta un agudo sentido de observación, planteamiento del conflicto siempre adecuado al ambiente que recreaba con propiedad, y el diseño de tipos y personajes. Dentro de sus sainetes se destacan *A la vejez viruela*, 1915; *El rincón de los caranchos*, 1917 –que el autor subtitula *Escenas de la mala vida porteña*–; *Peluquería y cigarrería*, 1915, todos con música de Arturo De Basi. También destacó en la composición de personajes femeninos, como la gaucha Jacinta. Algunos de sus dramas más significativos fueron *La chusma*, y en especial *Don Chicho*, 1933, que por sus rasgos cómicos y dramáticos a un tiempo puede inscribirse en el grotesco criollo. Novión desempeñó asimismo una acción gremialista en la Sociedad de Autores de la Argentina.

MARTA LENA PAZ

Novo y Colsón, Pedro. Cádiz, 1846; Madrid, 1931. Dramaturgo. Ingresó en la Escuela Naval a los dieciséis años, centro del que más tarde fue profesor. Participó con la Armada en numerosas acciones bélicas en la guerra de Cuba y llegó a ser diputado en Cortes. Destacó como poeta e historiador, perteneciendo a la Real Academia Española y a la Academia de la Historia. Colaboró en la prensa de la época: *La Ilustración Española*, *La Gran Vía*, *El Heraldo*; dirigió *El Mundo Naval* y *El Diario de la Marina*. Además, como teórico del teatro publicó *Autores dramáticos contemporáneos* y *Joyas del teatro español del siglo XIX*. En su faceta de autor teatral fue fiel seguidor de las fórmulas de José Echegaray, y aunque fundamentalmente escribió dramas, tiene algunas zarzuelas como *Todo por ella*, con música de Chapí, Alhambra, 1890, *Los garrochistas*, con música de Salvador Viniegra, 1899, teatro Apolo y *Doña Juana la loca*, con música de Mario Guille.

BIBLIOGRAFÍA: *CDE; DAT; EDL.*

Mª LUZ GONZÁLEZ PEÑA

Novoa, Consuelo. Cuba, finales del siglo XIX; ?. Tiple y actriz. Inició su carrera a los dieciséis años actuando con la compañía de bufos de Gonzalo Hernández con quien realizó una gira por el interior de la isla. Formó parte del elenco que actuó durante los primeros años del teatro Alhambra y alcanzó renombre con su interpretación en la zarzuela *La mulata María* de Raimundo Valenzuela y Federico Villoch. A finales de la década de 1920 realizó presentaciones en México y California, regresando a La Habana donde participó en 1929 en la realización de la película cubana *Alma guajira*, dirigida por Mario Orts Ramos. Posteriormente formó parte de la Compañía de Suárez-Rodríguez. Durante los cinco años que duró aquella temporada, participó en gran parte de las representaciones de obras de Rodrigo Prats, Ernesto Lecuona y Gonzalo Roig, siendo destacadas sus interpretaciones en los personajes de Dolores Santa Cruz, en *Cecilia Valdés* de Gonzalo Roig –papel que desempeñó en calidad de exclusiva durante las primeras 147 puestas en escenas de esta obra–; Doña Mercé y Ña Bárbara en *El batey* y *El cafetal*, ambas de Lecuona; Elisa en *El Clarín* de Roig; Doña Mercedes en *Niña Rita o La Habana en 1830*, y Ña Salud en *María la O*, ambas de Lecuona; Matilde en *María Belén Chacón*, Goya en *Amalia Batista* y Catana en *Soledad*, todas de Prats. En 1937 actuó en el estreno de *Sor Inés* de Lecuona.

BIBLIOGRAFÍA: *LVB*; J. Bonich: "En la intimidad del camerino", *El Mundo*, La Habana, 10-VII-1932.

CLARA DÍAZ PÉREZ

Novoa, Teresa. España, siglo XX. Soprano. Comenzó sus estudios musicales en Galicia para terminarlos en Madrid en la cátedra de canto de Pedro Lavirgen con premios de honor. Amplió estudios con Montserrat Caballé, Jaime Aragall, Félix Lavilla, Ileana Cotrubas y Miguel Zanetti. Su amplio repertorio alcanza desde la música barroca a la contemporánea. Ha cantado *Me llaman la presumida* de Alonso, en el teatro de Madrid y *La Dolores* de Bretón. Ha participado con la Cadena COPE en el *Homenaje a la Zarzuela* que han llevado por toda España. En diciembre de 2000 estrenó *La bruja* en el teatro Arriaga de Bilbao, y en 2001 en el Campoamor de Oviedo.

Mª LUZ GONZÁLEZ PEÑA

Núñez, Tomasita. La Habana, ?; Miami, 1980. Mezzosoprano. Estudió en la Academia Italiana Farelli-Bovi, donde fue discípula de Tina Farelli. Perfeccionó sus estudios en Nueva York con Enrico Rossati. En uno de los conciertos de fin de curso que ofrecía la Academia Italiana, interpretó exitosamente la criolla *Bajo el claro de luna* de Ernesto Lecuona, lo que le abrió paso para debutar en 1925, en uno de los Conciertos Típicos Cubanos que organizaba y dirigía Lecuona en el teatro Nacional. Su voz pastosa, bien timbrada y de fácil emisión, la consagró en su primera presentación escénica. Junto al maestro y un grupo de destacados cantantes, se presentó en los denominados Conciertos de Música Cubana en los teatros Payret, Auditórium, Principal de la Comedia, Alkázar y Fausto. Su primera actuación teatral la realizó en la ópera *Madame Butterfly* de Puccini. Interpretó en el teatro Payret la opereta *Rosalima* de Lecuona. En diciembre de 1933 viajó con la Compañía Lírica de este compositor a Ciudad México, inaugurando la temporada del teatro Iris con *El cafetal* y los estrenos de *Niña Rita o La Habana en 1830*, *María la O* y *El maizal*, entre otras de Lecuona. Asimismo, en 1934, inter-

Tomasita Núñez (Foto: Ar. ICCMU)

vino en el estreno de la zarzuela *Julián el Gallo*, en el teatro Felipe Carrillo de Puerto de Veracruz. Después de una exitosa y extensa temporada en ese país, regresó a Cuba y participó en el pre-estreno de *Julián el Gallo* en Cuba y en el estreno de *Lola Cruz* de Lecuona, presentadas en el teatro Auditórium

en 1935. Posteriormente realizó una larga temporada lírica en el teatro Principal de la Comedia en la que actuó en *La viuda alegre* de Lehár, *Las golondrinas* de Usandizaga, *La parranda* de Alonso, *La corte de faraón* de Lleó, y *El dúo de la Africana* de Fernández Caballero, interpretando además *María la O*, *El batey*, *La tierra de Venus* y *La guaracha musulmana* de Lecuona, así como *La Virgen Morena* de Grenet. En 1937 participó en el estreno de la comedia lírica *Sor Inés* de Lecuona. Realizó presentaciones en Estados Unidos, grabó varios discos, actuó en varias emisoras de radio cubanas y ofreció recitales en salas y teatros de la capital y del interior. Más tarde viajó a Estados Unidos donde se radicó definitivamente.

BIBLIOGRAFÍA. J. N. Huerta: "Lo que nos dice la sugestiva Tomasita Núñez", *Todo Sección Teatros*, México, II-1934; J. de La Habana: "Figuras del Teatro Lírico Cubano", La Habana, Imp. Soto, 1935; A. J. Molina: *150 Años de zarzuela en Cuba y Puerto Rico*, Puerto Rico, Ramallo Bros. Printing, 1998.

JOSÉ PIÑEIRO DÍAZ

Núñez de Arce, Gaspar. Valladolid, 4-VIII-1834; Madrid, 9-VI-1903. Poeta, político y dramaturgo. Sus primeros años transcurrieron en Toledo pero pronto se trasladó a Madrid y comenzó a colaborar en *El Observador* y otros prestigiosos periódicos, en los que utilizaba en ocasiones el seudónimo de "El bachiller Honduras". Miembro de la Real Academia Española,

además de su labor periodística, ocupó diversos cargos públicos, militando en la Unión Liberal y llegó a ser Ministro de Ultramar en 1883. Fue el poeta más famoso de su época junto a Ramón de Campoamor. Su colaborador más habitual fue Antonio Hurtado con el que estrenó, con sólo quince años, el drama *Amor y orgullo*, al que siguieron numerosas obras de éxito. Para el teatro lírico escribió la zarzuela bufa *El parque de los ciervos*, 1870 y *Entre el alcalde y el rey* con música de Arrieta, 1875.

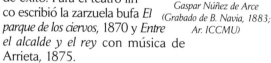

Gaspar Núñez de Arce (Grabado de B. Navia, 1883; Ar. ICCMU)

BIBLIOGRAFÍA: *CDE; DAT; HZ.*

Mª LUZ GONZÁLEZ PEÑA

Núñez Robres, Lázaro. Almansa (Albacete), 1-VI-1827; ?. Compositor y director de orquesta. Estudió Filosofía en Madrid, y primer año de Leyes en la Universidad de Valencia, pero su afición por la música le decidió a matricularse en el Conservatorio en 1846, estudiando composición con Carnicer, piano con Pérez Albéniz y canto con Saldoni. Desde el inicio se dedicó al teatro con los primeros estrenos de obras de éxito: *Un sobrino*, *Tal para cual* y *El alférez*. En el teatro del Circo se representaron con éxito las zarzuelas *Por un paraguas* y *El primer vuelo de un pollo*. Otra zarzuela importante fue *Los zulúes*, con bastante éxito. Al mismo tiempo se dedicaba a la música de salón componiendo sobre todo canciones que se hicieron famosas como el tango *La cimarroncita*. También fue famoso su cancionero *La música del pueblo*, en cuyo prólogo manifestaba la importancia y el valor de la música popular. Otra faceta importante de Robres fue su labor como director de orquesta de los teatros Circo y Español. Desde 1867 hasta, al menos, 1879, estuvo de maestro compositor y director de orquesta del teatro Español de Madrid.

Lázaro Núñez Robres (Foto: Grabado de A. Bros en IMHA, 1895; Ar. ICCMU)

En la temporada de 1873-74 ejercía de maestro y director de orquesta en el teatro Apolo. En la de 1874-75 volvió al teatro Español, componiendo en ese mismo año la zarzuela en un acto *Mi vecino don Juan*.

OBRAS: *Un sobrino*, Zarz, L. Pinedo, 2 act, 1857; *El alférez*, Zarz, 1858; *Tal para cual*, Zarz, L, A. García / Bécquer / García Luna, 1 act, 1860, *E:Msa*; *El alférez*, Zarz; *Por un paraguas*, Zarz; *El primer vuelo de un pollo*, Zarz, L. A. Carralón / B. Robert, 1861, *E:Msa*; *Los zulúes*, Zarz; *Don Carnaval y Doña Cuaresma*, Zarz, L. J. M. Gutiérrez de Alba, 1 act, *E:Msa*; *El sargento Lozano*, Zarz, L. Hurtado, 1 act, *E:Msa*.

BIBLIOGRAFÍA: *DMEH*.

EMILIO CASARES RODICIO

Núñez Rodríguez, Enrique. Las Villas (Cuba), 13-V-1923; La Habana, XII-2002. Escritor y periodista. A temprana edad comenzó a escribir en su pueblo natal de Quemados de Güines. Alentado por el libretista Agustín Rodríguez inició en 1949 su carrera teatral con el estreno de su sainete *Cubanos en Miami*, con música de Rodrigo Prats. En 1958 recibió mención de honor en el Concurso Luis de Soto por su comedia *Gracias, Doctor*, cuyo estreno en la Sala Talía en 1958 constituyó un notable éxito, hecho que se repitió años después al ser representado en el teatro Martí. Con el triunfo de la Revolución se creó, en el teatro antes mencionado, el grupo Jorge Anckermann, donde ocupó el cargo de director artístico. La temporada se inauguró en 1965 con su sainete lírico *El bravo* de Rodrigo Prats, con quien también colaboró en el sainete *Voy abajo* y los juguetes cómicos *El dengue* y *No tengo edad*, que gozaron de gran aceptación por parte del público. Entre sus obras estrenadas en el Martí se encuentran *¿Qué traigo aquí?*, juguete cómico con música de José Urfé y *Buen aniversario*, sainete con música de Adolfo Pichardo. Otros de sus grandes éxitos fueron *Territorio libre de hombres* y *Dios te salve, Comisario* de Enrique Jorrín. Esta última se mantuvo varios meses en cartelera con más de cien representaciones. Realizó, además, los libretos de la comedia musical *Nueva en esta casa*, con música de Lázaro Valdés; y la revista musical *Fiesta de julio*, que contó con la participación de los compositores Enrique Jorrín, Rodrigo Prats y Gonzalo Roig, entre otros; estan dos son las últimas obras que estrenó en el teatro Martí.

BIBLIOGRAFÍA: *Teatro Martí*, La Habana, Consejo Nacional de Cultura, 1965; *Diccionario de la literatura cubana*, La Habana, Letras Cubanas, 1984.

JOSÉ PIÑEIRO DÍAZ

Obiols i Palau, Ángel. Barcelona, 1888; Barcelona, 1973. Compositor y director. Comenzó su formación musical de forma autodidacta, y posteriormente estudió con Morera y Vicenç Maria de Gibert. Fue organista de la parroquia barcelonesa de Sarrià desde 1911. Organizó el Orfeó Sarrianenc en 1917. Ingresó en el seminario, y fue ordenado presbítero. Se dedicó al estudio y a la divulgación de la música y de las danzas populares. Compuso diversas sardanas, varias de las cuales alcanzaron popularidad, y algunas fueron premiadas. En la vertiente lírica, compuso rondallas, obras teatrales para niños y jóvenes: *Eloi, ferrer de Figueres*, con texto de J. Ros i Artigas, *El príncep que cerca la felicitat*, con texto de Ramón Saborit, y *Crist Jesús, el diví màrtir*. Su estilo tiende a la simplicidad y claridad, con frecuente recurso a la temática popular.

FRANCESC CORTÈS i MIR

Obradors, Fernando J. [Fernando Jaumandreu Obradors]. Barcelona, 1897; Barcelona, 9-X-1945. Compositor y director. Su abuelo, Joan Obradors, era un destacado músico de ascendencia cubana, hijo de emigrados catalanes. Su madre fue una importante pianista, y al mismo tiempo la persona que más influyó en su formación musical, de ahí que utilizara el apellido materno. Aparte de sus clases, se formó en la Escuela Municipal de Música de Barcelona, y probablemente amplió estudios en París. Dirigió diferentes formaciones orquestales, tanto en España, como en París, Milán y Buenos Aires, al frente en ocasiones de compañías líricas. Desde 1939 hasta 1941 dirigió la orquesta del teatro del Liceu en las temporadas de ballet, al tiempo que organizó la Orquesta Sinfónica de Barcelona. Dirigió también en las emisiones orquestales de Radio Barcelona. En 1944 le estrenaron como homenaje su obra *El poema de la jungla*, que había sido galardonada en 1938 con el premio Albéniz. Desde 1944 se estableció en Gran Canaria para reorganizar la orquesta, la Sociedad de Conciertos y el Conservatorio de Las Palmas. Allí desempeñó una importante actividad en la revitalización de la vida musical.

Fernando Obradors, 1944
(Foto: Ar. ICCMU)

Su producción lírica es notable, y destacó tanto en el nuevo tipo de zarzuela en tres actos como en la opereta. Una de las obras con las que alcanzó más éxito fue *La veneciana*, estrenada en 1924, al igual que la opereta *La maja de los lunares*, 1920. La opereta *Su majestad el dóllar* tuvo también una buena acogida. Participó además en música para revistas, así como partituras que pertenecen de lleno al género ínfimo, como *Mi baby* o *Pim-pam-pum*. Su esposa, Amparo Miguel Ángel, fue una destacada cantante y actriz de revistas que actuaba a menudo en el teatro Cómico del Paralelo barcelonés, antes de marcharse de gira por Sudamérica, en compañía de Jaime Planas.

Obradors fue uno de los compositores que alcanzaron una sólida posición en la Barcelona de los años veinte, junto con Martínez Valls.

OBRAS: *Emma*, col. P. Astort Rivas, l, G. Firpo Cuyás; *La campana rota*, Zarz, 2 act, l, J. Tellaeche, est, II-1929, Barcelona, *E:Msa*; *La cinta de Blanca Flor*, col. M. Ribas, l, A. Paso Díaz / J. Silvia Aramburu, est, II-1939, Barcelona; *La gran Dumont*, Rv, 2 act, l, C. Giralt Bullich; *La maja de los lunares*, Opt, 2 act, l, C. Giralt Bullich / L. Capdevila Villalonga, est, 11-XII-1920, Te. Price, *E:Msa*; *La novela de Albertina*, Zarz, 1 act, l, C. Giralt Bullich / L. Capdevila Villalonga; *La rosa del Canadá (El rancho azul)*, Rv, 3 act, l, F. Ramos de Castro, est, 21-XII-1935, Barcelona; *La veneciana*, Com lír, 3 act, l, E. López Marín / R. López Falcón, est, 13-XI-1924, Te.

Novedades (Barcelona); *Las peliculeras*, Pas, 1 act, col. P. Espert Morera, l, J. Fernández, est, XI-1931, Valencia, *E:Msa*; *Los mosqueteros del rey*, Zarz, 2 act, l, C. Giralt Bullich / L. Capdevila Villalonga, *E:Msa*; *Los verbeneros*, Sai, 2 act, col. G. Cases, l, F. Ramos de Castro / G. Ribas, est, IV-1933, Barcelona, *E:Msa*; *Love-me*, col. D. de A. Font / E. Clara, l, M. Sugrañes; *Mi baby*, Rv, 1 act, col. G. Cases, l, J. Montero Delgado / J. Amich Bert; *Pim-pam-pum*, Zarz, 1 act, col. I. Roselló, l, J. Amich Bert / A. Oliveros Millán; *Su majestad el dóllar*, Opt, 3 act, adap de Leffiel, l, C. Giralt / L. Capdevilla, est, 9-XII-1921, Te. Cervantes, *E:Msa*; *Tribulaciones de un chino en China*, Zarz, l, M. Carballeda / T. Bergamín / E. Rambal, est, 28-X-1933, Valencia, *E:Msa*; *Una noche de las mil*, 1 act, l, J. Angulo / A. Vallesca, *E:Msa*; *Yes, Sir*, Rv, l, M. Sugrañes Albert.

BIBLIOGRAFÍA: *DMEH*; L. Cabañas: *Biografía del Paralelo, 1894-1934*, Barcelona, Ed. Menphis, 1945.

FRANCESC CORTÈS i MIR

Obregón, Carlos. México, siglos XIX-XX. Tenor cómico. Fue una de las voces más constantes de los escenarios mexicanos del porfiriato. Al parecer realizó su debut en el teatro Principal en 1884 al lado de la soprano Soledad Amat. En 1890 formó parte de la importante compañía de Isidoro Pastor donde hizo pareja con otro célebre tenor cómico mexicano, Francisco Cires Sánchez. En esa temporada tuvo éxito en una zarzuela titulada *Los zangolotinos* y también con la pieza *La fiebre de los toros*. Asimismo cantó algunas operetas como *El Carnaval de Venecia* de Petrella y en importantes zarzuelas mexicanas como *El capitán Miguel* de Ituarte y Peza. La participación de Obregón en la compañía de Pastor coincide con la mejor época de aquella empresa, que entonces era la mejor de México. En 1891, Obregón se llevó las funciones de *Viva México* un juguete cómico donde hacía el papel de cargador "que con oportunos chistes y tremendas alusiones improvisaba un discurso que se hacía repetir entre risas y aplausos". Sin embargo, su versatilidad le llevó a cantar las más diversas obras, desde *La traviata* o *Marina* hasta zarzuelas "de alfalfa" como las bautizó Gutiérrez Nájera. Asimismo, Obregón pasó por todos los teatros mexicanos, desde el Principal hasta la carpa del Circo teatro Orrín. En 1894 Obregón llegó a la compañía Arcaraz.

Entre las zarzuelas más importantes en las que participó se cuentan *El rey que rabió*, *El año pasado por agua*, *El padre Benito*, 1898, *Cambios naturales*, 1899, y la exitosa *La cuarta plana*, 1899. Asimismo Obregón realizó algunos estrenos mexicanos de obras españolas como *Los buenos mozos*, 1900. Entusiasmado por su éxito como cantante de zarzuela, en 1901 ofreció un beneficio

Carlos Obregón (Foto: ICCMU)

en el Circo Orrín "con el fin de aumentar sus recursos para emprender un viaje a España, estudiar allí las costumbres madrileñas, y presentarse en alguno de sus teatros para ser juzgado por aquel público. Para dicha función formó su programa con *Los madgyares* y la zarzuelilla *Salón Eslava*, y en una y en otra logró ser aplaudido secundado por la tiple Luisa Gil del Real, Mendizábal y Recalde. Como el éxito fue bueno... aquel improvisado cuadro de artistas dio algunos días después la zarzuela de Barbieri *Jugar con fuego*". En efecto, Obregón viajó a España, pero no se tiene información respecto a sus actividades allí. En marzo de 1902 reapareció en la escena mexicana, "de regreso de sus viajes fuera del país; el recibimiento que se le hizo fue muy halagador para el modesto artista mexicano". Aunque Obregón siguió cantando en innumerables funciones, fue víctima del desigual gusto artístico del ámbito de la zarzuela. En 1902 en una carta publicada en *El Imparcial*, un "tandófilo" se queja de ciertas prácticas en el teatro Principal y pone de ejemplo a Obregón: "Por lo demás dimos la voz de alarma, no en nombre del arte y de la moral, que sería mucho pedir, sino tan sólo en el de la decencia; pues si es sencillamente grotesco y burdo, por más que provoque hilaridad, el que los hombres representen vestidos de mujer, en el caso especial de los actores del Principal, resulta indecente y asqueroso, para comprobarlo, no hay más que figurarse a Obregón, pongamos por caso, cantando los excepcionalmente puercos versos del *morrongo* con la mímica de la señora Álvarez". La discusión no era únicamente respecto a los cambios de atuendo, sino a la baja calidad de otros aspectos. El poeta Luis G. Urbina contribuyó a esa misma polémica, citando de nuevo al conocido Obregón: "Pero de todo ello no tiene la culpa la Empresa del Principal. No es por cierto la que lleva a su cargo el papel de educadora; ni el Gobierno ni nadie le ha conferido un puesto en el ramo de instrucción pública. El teatro Principal no es, ni se quiere que sea, una escuela de buenas costumbres. ¿La gente asiste con gusto? ¿se aplaude a Obregón en *La enseñanza libre*, cuando dice 'eso de la mare' y le ha 'comprado usté un mico'?... Pues he aquí una prueba de que la Empresa cumple: satisface al público que, como la ebria de la *Dolorosa*, grita siempre: más, más". Obregón continuó cantando como parte de la compañía Arcaraz al menos hasta 1909, donde aún aparece actuando en obras de Torregrosa y Chapí.

BIBLIOGRAFÍA: *RHTM*.

ROCÍO TERÁN / RICARDO MIRANDA

Obregón Pierrat, Tirso de. Molina de Aragón (Guadalajara), 28-I-1832; Molina de Aragón, 17-III-1889. Barítono, empresario y profesor. Fue el mejor barítono del género lírico español en la segunda mitad del siglo XIX, y contribuyó notablemente a

Tirso de Obregón
(Grabado de J. Vallejo; E:Mn)

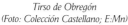

Tirso de Obregón
(Foto: Colección Castellano; E:Mn)

difundir el género en provincias. En 1852 ingresó en el Conservatorio de Madrid como alumno de Frontera de Valldemosa y José García Luna; ese mismo año estrenó en el teatro Principal de Zaragoza *Aragón, tierra bravía* de Salvador Rovira. En 1854 interpretó en Barcelona *El dominó azul* de Arrieta y actuó en diversas provincias: Santander, Zaragoza –en la compañía de José Valero–, y Valencia, donde interpretó *Marina*, cosechando un extraordinario éxito. Obregón fue contratado para el verano de 1857 por la compañía del Circo de Madrid, ciudad en la que se presentó el 23 de julio con la zarzuela *Moreto*, obra de lucimiento vocal en la que tuvo un extraordinario éxito; poco después decía un diario madrileño: "El señor Obregón no es sólo un cantante de zarzuela; canta la música italiana de un modo admirable; con gusto, con precisión, con sentimiento, desplegando todo el torrente de su hermosa voz". Ese mismo año estrenó en el teatro de la Zarzuela *El hijo del regimiento* de Oudrid y posteriormente fue contratado por Valencia. En 1858 estrenó *La cabaña* de Ovejero y *La sirena* de Antonio Rovira en el Circo; en septiembre fue contratado por la Compañía de la Zarzuela para el año 1858-59, donde estrenó *Beltrán el aventurero* de Oudrid, *La perla negra* de Mariano Vázquez, *Azón Visconti* de Arrieta y sobre todo *El juramento* de Gaztambide en el personaje de El Marqués de San Esteban, que le supuso un enorme éxito. Un crítico señalaba: "El señor Obregón es una esperanza para el teatro. Figura, modales, voz, expresión, elegancia, todo lo tiene, todo lo posee en grado superior". En 1859 estrenó *El robo de las Sabinas* de Barbieri en el personaje El Duque de Parma, *Enlace y desenlace* de Oudrid,

Entre mi mujer y el negro de Barbieri en el personaje de Don Manuel, *Los cazadores de África* de Miguel Galiana, y también *El trompeta de lanceros* de Urbano Fandò en el teatro Jardín Español. En la temporada 1859-60 fue contratado para la compañía de zarzuela de Valencia, pero volvió a la Zarzuela donde en 1860 presentó otras dos obras importantes: *Los circasianos* de Arrieta y *Memorias de un estudiante* de Oudrid, además de *Los piratas* de Luis Cepeda y *La hija del pueblo* de Gaztambide. En 1861 siguió en la Zarzuela donde estrenó *La red de flores* de Fernández Caballero, *El que siembra recoge* de José Rogel, *El amor constipado* de Mariano Vázquez, *La reina Topacio* de Fernández Caballero, *El loco de la guardilla* de Fernández Caballero; en 1862 *Las hijas de Eva* de Gaztambide, *El agente de matrimonios* de Arrieta y *Amor y travesura* de Vázquez; en 1863 *La conquista de Madrid* de Gaztambide, *La vuelta del corsario* de Arrieta y *El sueño del pescador* de Albelda.

A partir de 1863 logró convertirse en empresario del Circo con el apoyo de la reina Isabel II que le ofreció su protección, impresionada por sus condiciones vocales. En 1864 estrenó *Una revancha* de Campo en el Circo y *Cadenas de oro* de Arrieta. En 1867 fue nombrado maestro de la Escuela Nacional de Música de Madrid y director de la sección lírica del Conservatorio. En septiembre de ese año se integró en la nueva compañía lírica del Novedades. En 1875 regresó a su anterior condición de barítono en la compañía del teatro Apolo, donde continuó cosechando éxitos, como el obtenido en octubre con la representación de *El molinero de Subiza* y *Moreto* de Oudrid. A partir de octubre de 1876 Obregón reanudó su actividad empresarial en el teatro Apolo, donde hizo representar la ópera *Guzmán el Bueno* de Bretón. Fue caballero de la Orden de Carlos III y Comendador de número de la Real Orden Americana de Isabel la Católica.

Obregón fue una de las grandes voces de la zarzuela de todos los tiempos. La mayor parte de las obras que estrenó fueron concebidas para su voz. En el estreno de *Los circasianos* de Arrieta, 1860, mereció de un severo crítico este juicio, aparecido en *La Gaceta Musical*: "Su voz es de bajo cantante, de mediana calidad, con la extensión de su cuerda afinada, igual, robusta, fuerte y nerviosa. Su figura buena; con talento y corazón de artista. Emite bien la voz, aunque abusa del timbre claro en los agudos, cosa que no le perjudica porque su voz es parda por naturaleza. Pronuncia las palabras con claridad y está bien en escena. Frasea bien y matiza lo mejor que puede… Siendo bajo en realidad, se empeñó en cantar de barítono por brillar más en la zarzuela".

BIBLIOGRAFÍA: *HGZ; HZ.*

EMILIO CASARES RODICIO

Ocampo, Miguel. Argentina, 1864; Argentina, 1898. Autor teatral y periodista. Fue uno de los fundadores del sainete criollo. Su primera obra, *De paso por aquí*, con música de Abad Antón, fue estrenada por la compañía dirigida por los actores españoles Juárez-Lastra en el teatro Variedades. Presenta sucesos y tipos porteños característicos del Buenos Aires de fines del siglo XIX, como compadritos, "atorrantes" o vigilantes, que fueron interpretados respectivamente por actores españoles como Abelardo Lastra, Muñoz y Sinisterra. Además, se utilizaba ya un lenguaje orillero y lunfardista. Abundaban las alusiones políticas al gobierno del presidente Juárez Celman. Ocampo escribió también otras obras pertenecientes al género chico: *La otra revista, A las diez en punto, Leyenda popular, El gobernador de Córdoba* y *Lo que vale un apellido*.

MARTA LENA PAZ

Ochoa, Eugenio de. Lezo (Guipúzcoa), 1815; Madrid, 1872. Escritor y crítico teatral. En 1828 viajó a París, donde estudió en la Escuela Central de Artes y Oficios hasta su regreso a Madrid en 1834. Desempeñó una importante labor de crítico teatral en el diario *La España*, juzgando desde sus columnas los estrenos de las primeras zarzuelas de Oudrid, Hernando, Barbieri y Gaztambide. Llevó a la escena dos dramas, *Incertidumbre y amor* y *Un día del año 1823*, pero ninguno alcanzó mucho éxito y Ochoa hubo de dedicarse, principalmente, a la traducción de obras teatrales y novelas francesas, lo que motivó los amargos comentarios de su amigo Larra en el artículo "Horas de invierno". A mediados del siglo XIX en España volvió a la crítica literaria.

BIBLIOGRAFÍA: *DMEH; HZ.*

Mª ENCINA CORTIZO

Olaria. Familia de cantantes españoles formada por José y sus hijas Ana María y Amparo.

José Olaria (Foto: Ar. SGAE)

1. Olaria, José [José García Olaria]. Madrid, siglos XIX-XX. Barítono. De excelente voz, extensa y bien timbrada, en la temporada 1914-15 le contrató la compañía Luna-Serrano para el teatro de la Zarzuela, recién llegado de una gira americana. Debutó el 11 de septiembre de 1914 con *Payasos* de Leoncavallo, cantando en español, junto a Ángeles Ottein, que revalidaba el triunfo obtenido con *Marina*. Obtuvo un gran éxito con *Molinos de viento* de Pablo Luna, en la que hubo de repetir la serenata. Fue contratado de nuevo en la Zarzuela cuando la compañía pasó a ser dirigida por Manuel Fernández de la Puente en sustitución de Ramón Peña en enero de 1917. La nueva compañía pensaba comenzar su andadura reponiendo *Las golondrinas*, pero una indisposición de Olaria motivó la suspensión de esta obra.

2. Olaria, Ana María [Ana María García Romero]. Paterna (Valencia), 16-II-1933. Soprano. Aunque nació en Valencia —su madre, Ana Romero, era valenciana— se trasladó a Madrid siendo muy niña. Comenzó a cantar en los conciertos de fin de curso de su colegio y una vez vencida la resistencia inicial de su padre, fue él su único maestro. La voz de Ana María tenía un bello timbre y poseía una gran técnica que le permitía cantar como soprano lírica y lírico ligera, de modo que en su repertorio se incluían obras tan diversas como *Las golondrinas, Doña Francisquita, Lucia de Lammermoor* y *La traviata*. A su voz, su técnica y su musicalidad unía una perfecta dicción y una hermosa figura. Debutó en el teatro Real de Gibraltar acompañada por su padre, que abandonó por este motivo su retiro de veinte años. Ana María comenzó una gira por diversas provincias españolas alternando ópera y zarzuela. En la temporada 1952-53 formaba parte de la compañía del teatro de la Zarzuela. En 1953 cantó en el Liceo de Barcelona *La bohème*, al año siguiente *Lucia di Lammermoor* en el teatro Calderón de Madrid y *Rigoletto* en Bilbao y al año siguiente cantó en la Zarzuela *Doña Francisquita* junto a Alfredo Kraus, con un enorme éxito. Se unió a la compañía lírica Amadeo Vives que dirigía Tamayo y su fama aumentó no sólo en España sino en el extranjero.

Ana Mª Olaria (Foto: Ar. SGAE)

Fue becada por la Fundación Juan March, la Diputación de Madrid y el Ministerio de Asuntos Exteriores para ampliar estudios en Italia. Participó en la película *Música de ayer* y durante nueve meses tuvo un programa musical en Radio Madrid. En 1965, cuando se encontraba en el mejor momento de su carrera, abandonó la escena para contraer matrimonio.

FONOGRAFÍA: *Aquella canción antigua*, Columbia RG 16207 a RG 16212, CC 839 a CC 840 • Blue Moon BMCD 7517; *Doña Francisquita*, Zafiro-BMG EPFM-133 • Zafiro-Salvat 1022-1 • Zafiro SA, ZOR-163 82 • Zafiro SA, LM-3040 C (Serdisco) 76 y 78; *El barberillo de Lavapiés,* Alhambra-BMG España WD 71978 (9D) • Alhambra MCC 30030 • Columbia 1023-1 157; *La generala,* Zafiro-BMG EPFM-137 • Zafiro-Salvat 1052-2 • Zafiro SA, LM-3037 (C) 75 • Zafiro SA, ZOR-110 68; *Arias de zarzuela,* Zafiro ZOR-170; *Éxitos de zarzuela, Vol. II,* Zafiro-Montilla MS-523; *Fragmentos favoritos de zarzuela,* Zafiro-Montilla MS-520; *Romanzas de zarzuelas,* Alhambra MCC 30047; *Romanzas y dúos de zarzuela,* Columbia C 7516.

3. Lerma, Amparo de. España, siglo XX. Soprano. Debutó con éxito en el teatro de la Zarzuela en la temporada 1964-65 en *El asombro de Damasco* de Pablo Luna. En la temporada 1968-69 participó en *Tiovivo madrileño,* espectáculo montado con temas de género chico con guión de Ángel Fernández Montesinos y arreglos musicales de Manuel Parada.

BIBLIOGRAFÍA: *CCE;* E. García Carretero: *Historia del teatro de la Zarzuela de Madrid,* Madrid, Fundación de la Zarzuela Española, 2003.

Mª LUZ GONZÁLEZ PEÑA

Oliva Alicea, Susana [Susy Olivia]. Santiago de Cuba, 11-VIII-1948. Soprano. Comenzó sus estudios de canto en la escuela de Arte Dramático Florencio de la Colina Aranguren, con los profesores América Otero y Marcelino del Llano. Continuó en el Instituto Superior de Arte y en el Conservatorio Estatal de Bulgaria. Entre sus profesores destacan Irma González, Rodrigo Prats, Roberto Sánchez Ferrer, Loly Buján y Roberto Garriga. Inició su carrera como actriz dramática hacia la década de 1960. En 1967 ingresó en el coro del Teatro Lírico Nacional de Cuba, realizando su debut como solista en *Madame Butterfly.* Desde entonces se ha dedicado a cantar, además de ópera, zarzuelas y piezas líricas, como *Lola Cruz, El cafetal, Luisa Fernanda, Los claveles, La leyenda del beso,* y en su interpretación de los papales principales de *Cecilia Valdés, Amalia Batista y María la O.* Cuenta en su repertorio, además, con obras de Mauri, Grenet, Simons, Sánchez de Fuentes y Anckermann. Ha participado también en diversos programas de televisión y ha realizado algunas grabaciones como *Amalia Batista,* Egrem, 1979. Ha realizado presentaciones internacionales en Bulgaria, Checoslovaquia, Nicaragua y México, este último país donde también ha ejercido la docencia. Desde 1994 reside en España.

CAROLE FERNÁNDEZ MARTÍNEZ

Oliván Galilea, Cesáreo. España, 1913; 2001. Compositor. Es autor de muchas canciones y de dos obras líricas: *Las cosas de las mujeres,* con libreto de A. Álvarez Mario, estrenada el 16 de enero de 1951 en el teatro Liceo de Guadalajara y la opereta *El martes me embarco, ¿sabes?,* con libreto de Carlos Pérez Echevarría.

Mª LUZ GONZÁLEZ PEÑA

Oliver, Concha. España, siglos XIX-XX. Tiple. En 1901 estrenó en el teatro Moderno *La tremenda* de Quinito Valverde y Tomás Barrera y *Los monigotes del chico* de Calleja y Barrera. En la temporada 1904-05 formaba parte de la compañía del teatro Cómico y la prensa del momento la consideraba "una tiple de excelente escuela que merece ocupar un puesto en las compañías que en Madrid actúan". En 1907 estrenó en el teatro Martín de Madrid, *Soledá,* zarzuela dramática de Joaquín Gené. En 1908 estrenó en el teatro del Bosque *Amor baturro* de Tomás Bretón. En 1915 una "señorita Oliver", que podía ser Concha o Esther, estrenó en Price *El idilio de Pedrín* de Francisco Gimeno Sanchís.

BIBLIOGRAFÍA: E. García Carretero: *Historia del teatro de la Zarzuela de Madrid,* Madrid, Fundación de la Zarzuela Española, 2003.

Mª LUZ GONZÁLEZ PEÑA

Oliver, Esther. España, siglos XIX-XX. Tiple. En la temporada 1916-17 apareció en el teatro de la Zarzuela de la mano del empresario Serafín Pozueta. Estrenó *La alegre Diana* de Tomás Barrera, participó en la reposición de *Maruxa* de Vives y *Las golondrinas* de Usandizaga. En 1915 una "señorita Oliver", estrenó en Price *El idilio de Pedrín* de Francisco Gimeno Sanchís.

BIBLIOGRAFÍA: E. García Carretero: *Historia del teatro de la Zarzuela de Madrid,* Madrid, Fundación de la Zarzuela Española, 2003.

Mª LUZ GONZÁLEZ PEÑA

Oliver y Crespo, Federico. Chipiona (Cádiz), 22-X-1873; Madrid, 21-II-1957. Autor dramático. Su infancia transcurrió en Sevilla. Posteriormente se trasladó a Madrid donde en 1894 ingresó en la Escuela de Pintura, Escultura y Grabado de la capital. Su gran amistad con los hermanos Álvarez Quintero, a los que conocía desde Sevilla, le fue inclinando cada vez más hacia el mundo teatral hasta que en 1898 estrenó *La muralla* y el gran recibimiento de público y crítica le encaminó ya por esta senda abandonando escultura y pintura. La actriz Carmen Cobeña, que estrenó su primera obra, se convirtió en su esposa en 1900. Carmen Cobeña estrenó la mayor parte de sus obras pues en 1900 formaron com-

Federico Oliver
(Foto: Comedias y Comediantes, 1910; Ar. ICCMU)

pañía teatral con la que recorrieron Europa y América. En 1910 obtuvo un gran éxito con *La neña*, una obra de crítica social que planteaba el espinoso tema de la trata de blancas. En *Los semidioses* lanzó una diatriba antitaurina realizando un estudio de diversos ambientes populares mientras en *El crimen de todos* arremetió contra la bravuconería española. Otros grandes éxitos fueron *Los cómicos de la legua,* 1925; *El negro que tenía el alma blanca,* adaptación teatral de la obra de Alberto Insúa; *Los pistoleros,* 1931, y *Oro molido,* pasando de la comedia costumbrista al melodrama social con el mismo éxito.

Para el teatro lírico escribió los siguientes títulos: *Las hilanderas,* zarzuela en un acto con música de José Serrano, estrenada en 1929 en el teatro Fontalba y *El hermano Lobo,* con música de Manuel Penella, estrenada en 1933 en Barcelona. En 1914 fue nombrado director artístico del teatro Español. Fue presidente de la Sociedad de Autores entre 1930 y 1931, en el difícil período que llevó a la disolución de la misma, formando parte después del primer Consejo de Administración de la nueva Sociedad General de Autores de España y presidente de la Sección de Dramáticos de la misma. Ferviente republicano y amigo personal de Azaña, al finalizar la Guerra Civil estaba enfermo de diabetes y al cerrarse el Ateneo, se refugió en la tertulia de Chicote y en la Sociedad de Autores. Fue un hombre muy representativo de la literatura novecentista y muy respetado por la preocupación social y educadora de su obra. Su nieto, Jaime de Armiñán, es un reconocido director de cine. *Véase* LAS HILANDERAS.

BIBLIOGRAFÍA: *CDE; DAT;* I. Sánchez Estevan: *María Guerrero,* Barcelona, Iberia-Joaquín Gil Ed., 1946; F. Ruiz Ramón: *Historia del teatro español. Siglo XX,* Madrid, Alianza, 1971; M. Gómez García: *El teatro de autor en España (1901-2000),* Madrid, Asociación de Autores de Teatro, 1996; J. de Armiñán: *La dulce España,* Madrid, Tusquets, 2001.

Mª LUZ GONZÁLEZ PEÑA

Antonio Oliveres Mata, 1820 (Foto: Celebridades musicales; Ar. ICCMU)

Oliveres Mata, Antonio. Barcelona, 17-V-1820; ?. Tenor. Estudió con Pedro Oliveres, su hermano, organista en los Trinitarios Calzados, y comenzó a cantar de tiple en la iglesia. En 1846 comenzó a dedicarse al canto con Rachele. En 1849 decidió ingresar en el Conservatorio de París, pero ante la epidemia de cólera, se trasladó a Madrid, donde fue contratado en calidad de *altro*

primo e comprimario de la ópera italiana. En ese mismo año ganó por oposición la plaza de tenor en la Real Capilla. Continuó estudiando canto y declamación en el Conservatorio de Madrid con Valldemosa, Luna y Oliva Moroni hasta 1854, año en que recibió algunas lecciones de Reart. En 1859 fue contratado por la empresa del teatro de la Zarzuela en calidad de *primo assoluto.* El publicó le prodigó merecidos aplausos en obras como *El dominó azul* de Arrieta y *Moreto* de Oudrid.

BIBLIOGRAFÍA: *DMEH.*

Mª ENCINA CORTIZO

Oller, Carlos. España, siglo XX. Bajo y actor. En 1923 cantó en el teatro de la Zarzuela *El bufón del duque,* adaptación del *Rigoletto* de Verdi. En 1925 formaba parte de la Compañía del teatro Novedades de Madrid. En octubre de 1927 estrenó en el teatro La Latina de Madrid *La del Soto del Parral* de Soutullo y Vert. Participó en el estreno de *Los claveles* de José Serrano, que tuvo lugar en el teatro Fontalba de Madrid en 1929 y que protagonizaron Matilde Vázquez y Tino Folgar y en 1930, en el mismo

Carlos Oller (Foto: Nuevo Mundo, 1925; Ar. ICCMU)

teatro, estrenó *Los naranjales* de Francisco Balaguer. En plena Guerra Civil actuaba en el teatro Pavón de Madrid con *La del manojo de rosas,* junto a Salvador Videgain. En los años cuarenta formaba parte de la compañía de Olvido Rodríguez que actuaba en el teatro de la Comedia. En la temporada 1945-46 llevaron comedia al teatro de la Zarzuela. En 1951 estrenó en el teatro Albéniz de Madrid *El canastillo de fresas,* obra póstuma de Jacinto Guerrero. La temporada 1952-53 se hizo cargo de la dirección escénica del teatro de la Zarzuela, que volvía a representar género lírico bajo la dirección artística de José Luis Alonso y musical de Moreno Torroba. La temporada comenzó con *Jugar con fuego* y estrenaron después *Sierra Morena* de Moreno Torroba.

FONOGRAFÍA: *La verbena de la Paloma,* Columbia-Alhambra-BMG MCC 30000; *Marina,* La Voz de su Amo DA 867, BJ 606 BJ 617.

BIBLIOGRAFÍA: A. Collado: *El teatro bajo las bombas en la Guerra Civil. Tragicomedia de actores, figurantes, políticos, personajes y personajillos,* Madrid, Kaydeda, 1989.

Mª LUZ GONZÁLEZ PEÑA

Olmedo, Carmen. Perú, siglo XX. Vedette. Se afincó en España y formó una compañía de revistas americanas con la que debutó en la temporada 1946-47

en el teatro de la Zarzuela, con *¡Vales un Perú!* de Isi Fabra, que triunfó con su vistoso montaje y con la gracia de Carmen Olmedo, que lo mismo cantaba temas castizos que del folclore americano. Estrenaron después *¿Quién dijo miedo?*, adaptación de Fernando Moraleda del vodevil italiano *La orden de la jarretera* de Stefani y Corio. El título elegido en principio, *Cazando con liga*, hubo de cambiarse por la censura teatral, pero incluso con su nuevo título supuso un gran triunfo para Moraleda y sobre todo para Carmen Olmedo, que como empresaria presentó la obra con todo lujo y como artista volvió a cosechar un gran éxito.

Carmen Olmedo (Foto: Mendoza, Colección A. Sedó; E:Bit)

FONOGRAFÍA: *Fin de semana*, Sonifolk 20139; *La alegre trompetería*, Sonifolk 20139; *Las de Villadiego*, Sonifolk 20147; *¡Que me la traigan!*, Sonifolk 20147; *Todo el año es Carnaval*, Sonifolk 20139; *Tres días para quererte*, Sonifolk 20139 • Blue Moon BMCD 7519; *Una rubia peligrosa*, Sonifolk 20147; *¡Vales un Perú!*, Sonifolk 20147.

Mª LUZ GONZÁLEZ PEÑA

Olona y Gaeta. Familia de dramaturgos españoles formada por los hermanos José y Luis.

1. José. Málaga, 1821; Madrid, 1864. Dramaturgo. Hijo del promotor teatral José Olona, uno de los fundadores de la Sociedad que habría de crear el teatro de la Zarzuela. Como su hermano Luis, fue miembro de la carrera consular, sin dejar de cultivar la literatura y el teatro. Fue director de la *Revista Universitaria de la Administración*, publicó un libro misceláneo sobre recuerdos de Andalucía, tradujo obras francesas y algunas de sus obras son adaptaciones del francés –práctica habitual en la época–. Como dramaturgo fue muy hábil y alguna de sus obras, como *Tramoya*, con música de Barbieri, alcanzó notorio éxito. Colaboró con los mejores composi-

tores de la zarzuela grande: Soriano Fuertes, Oudrid, Gaztambide, Inzenga y el mencionado Barbieri. Entre sus títulos más famosos se encuentran *Tramoya* y *Escenas de Chamberí*, con música de Barbieri, 1850; *Don Ruperto Culebrín*, 1852, *Alumbra a este caballero*, 1855 y *Un viaje al vapor*, 1856, todas de Oudrid; *Los disfraces*, 1851, con música de Inzenga; *A última hora*, 1850, con música de Gaztambide y *El quince de mayo*, 1852, con música de Mariano Soriano Fuertes.

2. Luis. Málaga, 1823; Madrid, 13-VI-1863. Dramaturgo. Es uno de los cultivadores del género lírico más popular en España, por la cantidad de obras que estrenó y el éxito que obtuvieron. Fue uno de los restauradores de la zarzuela. En Málaga llevó una vida bohemia y trasladado a Madrid colaboró en la prensa madrileña y dirigió algunos teatros de segunda categoría. Como dramaturgo fue fecundísimo, teniendo en su haber comedias, sainetes y muchas zarzuelas a las que pusieron música los mejores maestros del momento. Colaboró en ocasiones con Mariano Pina, A. Hurtado y A. García Gutiérrez, entre otros. En 1849 con la primera parte de *El duende*, con música de Rafael Hernando, obtuvo un extraordinario éxito, que le acompañó en casi todos sus estrenos. *El duende* inauguró la zarzuela romántica o restaurada y en 1851 escribieron ambos autores la segunda parte de la obra. Ese mismo año escribió el libreto de *Por seguir a una mujer* con música de Hernando, Barbieri y Gaztambide. Gran parte de sus argumentos están tomados de obras francesas, mejorando en algunos casos el original y proporcionando a los compositores ocasiones de verdadero lucimiento. Títulos como *El postillón de la Rioja* o *El valle de Andorra* fueron éxitos extraordinarios, así como *Buenas noches señor don Simón*, *Catalina* y tantas otras. Su gracia e ingenio para el chiste y las situaciones líricas y dramáticas, que tanto gustaban en la época, le hicieron el principal abastecedor de obras de Gaztambide: *Casado y soltero, El hijo de familia, El juramento, El secreto de una reina, El valle de Andorra, Catalina, Los madgyares* y *La mensajera*; Barbieri: *Galanteos en Venecia, Gracias a Dios que está puesta la mesa, El sargento Federico, Un día de reinado, Entre mi mujer y el negro, Los dos ciegos* y *Mis dos mujeres*; Oudrid: *Buenas*

José y Luis Olona (Fotos: Colección Castellano; E:Mn)

noches señor don Simón, De este mundo al otro, Don Ruperto Culebrín, Pablito, Amor y misterio y *El postillón de La Rioja*; Inzenga: *El confitero de Madrid* y *El campamento* y otros compositores de su tiempo, como Bretón: *El capitán Mendoza*; Manuel Nieto: *Cambio de clases*; Arrieta: *Los circasianos*; Luis Arnedo: *El quince de mayo*; Martín Sánchez Allú: *Las bodas de Juanita*. Véase AMAR SIN CONOCER; BUENAS NOCHES SEÑOR DON SIMÓN; EL CAMPAMENTO; CATALINA; LOS CIRCASIANOS; LOS DOS CIEGOS; EL DUENDE; ENTRE MI MUJER Y EL NEGRO; GALANTEOS EN VENECIA; EL JURAMENTO; LOS MAGYARES; LA MENSAJERA; MIS DOS MUJERES; EL POSTILLÓN DE LA RIOJA; EL SARGENTO FEDERICO; TRAMOYA; EL VALLE DE ANDORRA.

BIBLIOGRAFÍA: *CDE; CTLBN; DAT; EDL.*

Mª LUZ GONZÁLEZ PEÑA

Onrubia, Emilio. Argentina, 1849; Argentina, 1907. Escritor, dramaturgo, periodista y empresario. Fue redactor de *El Amigo del Pueblo* y *La Patria Argentina*. Escribió novelas, pero su mayor mérito fue la construcción del teatro Onrubia, inaugurado el 15 de mayo de 1889 en la calle Victoria, actual Hipólito Irigoyen. En dicho teatro, Onrubia representó sus obras teatrales *La hija del obispo, Vieja doctrina* y *Los cofrades de Pilato*, pero la que tuvo mayor resonancia fue la revista *Lo que sobra y lo que falta*, cuyas punzantes críticas al gobierno de Miguel Juárez Celman ocasionaron un gran escándalo que terminó con Onrubia en la comisaría.

El teatro Onrubia estuvo relacionado con las primeras expresiones el género chico criollo. Allí se estrenó en 1890 *De paseo en Buenos Aires* de Justo López de Gomara. Se denominó sucesivamente teatro Victoria, teatro de Onrubia y por último Maravillas. Actuaron allí importantes artistas, como Mariano Galé y Sagi Barba, y prestigiosas compañías de zarzuela españolas.

MARTA LENA PAZ

Ontiveros, José [José López Ontiveros]. Granada, siglo XIX; Madrid, 25-VII-1919. Actor, cantante y dramaturgo. Fue músico de regimiento y al terminar el servicio militar comenzó a trabajar en los principales teatros dedicados al género chico: Apolo, Gran Teatro y teatro de la Zarzuela de Madrid, obteniendo grandes éxitos en obras como *El puñao de rosas, El mozo crúo* o *El arte de ser bonita*. En 1882 estrenó en el teatro Apolo *El marqués del pimentón* de Benito Monfort. En 1893 en el teatro del Príncipe Alfonso *La bayadera* de Cereceda, *Los voluntarios* de Giménez y *Antolín* de Quinito Valverde. En 1894 cantaba en el Eslava en el que estrenó *El sábado* de Manuel Nieto. En 1895 estaba contratado por el teatro Apolo estrenando *La sobrina del sacristán* de Giménez, *El cabo primero* de Caballero, *La petenera* y *Los inocentes* de Estellés; en 1896 *Los guerrilleros* y *Las bravías* de Chapí y *Las mujeres* de Giménez; en 1897 *Los autómatas* de Santiago Lope, *La roncalesa* de Joaquín Larregla, *La zarzuela nueva* de Torregrosa, *Aquí va a haber algo gordo o La casa de los escándalos* de Giménez, *Manolita la prendera* de Nieto y *El sí natural, La niña del estanquero* y *La revoltosa* de Chapí, y *Agua, azucarillos y aguardiente* de Chueca; en 1898 *Amor engendra desdichas o El guapo y el feo* y *verduleras honradas* de Giménez, *Las castañeras picadas* de Valverde y Torregrosa, *El reloj de cuco* de Bretón, *El santo de la Isidra* y *La fiesta de San Antón*, ambas de Torregrosa y *La chavala* de Chapí, todas en Apolo, y *Fotografías animadas o El arca de Noé* de Chueca en el Príncipe Alfonso. En 1899 fue muy alabada su interpretación de un sargento en *La luz verde* de Vives, siendo él, junto a Carreras y Mesejo, el intérprete más aplaudido; ese mismo año estrenó *La señá Frasquita, El fonógrafo ambulante* y *Los buenos mozos* de Chapí, *La familia de Sicur* de Giménez, *Los "arrastraos"* de Chueca y *Las buenas formas* de Rubio y Valverde; en 1900 *La república de Chamba* de Giménez, *A cuarto y a dos* de Calleja y Barrera, y *El gatito negro* de Chapí; en 1901 *El siglo XIX* y *Los locos* de Montesinos, *Jaque a la reina* de Eladio Montero (Tomás Barrera), *La buenaventura* y *El coco* de Vives, *Los niños llorones* de Barrera, Torregrosa y Valverde, y *Doloretes* de Vives y Quislant, que se convirtió en el gran éxito de la temporada al igual que *El género ínfimo* de Joaquín Valverde, estrenada el mismo año.

En estos primeros años del siglo XX fue uno de los puntales del teatro Apolo en el que obtuvo grandes éxitos, así en

José Ontiveros como Jorgito en Doloretes de Vives y Quislant (Foto: Amador en Nuevo Mundo, 1901; Ar. ICCMU)

1902 estrenó *El puñao de rosas* y *La venta de Don Quijote* de Chapí. Ese mismo año estrenó en Eldorado *San Juan de Luz* de Valverde y Torregrosa y en el Eslava *Los nenes* de Quinito Valverde, *El curita* de Vives, *La boda* de Calleja y García Álvarez, y *El fondo del baúl* de Quinito Valverde y Tomás Barrera. En 1903 estrenó en Apolo *El terrible Pérez* de Valverde y Torregosa y *El pelotón de los torpes* de Rubio y Serrano, con muy poco éxito. En 1904 en el Cómico *Flor de mayo* de Hermoso y Caballero, *La molinera de Campiel* de Pérez Soriano y al año siguiente *El arte de ser bonita* y *Las Granadinas* de Giménez y Vives. La mitad del año 1905 había permanecido en el teatro Eslava donde estrenó *El contrabando* de Serrano y Fernández Pacheco, *La mulata* de Quinito Valverde, Rafael Calleja y Vicente Lleó, *Music-hall* de Calleja y Lleó y *El cake-walk* de Calleja y Valverde. De nuevo en el Cómico estrenó en 1906 *La taza de té* de Lleó y *El aire* de Lleó y Mariani, que Paso y Abati habían estrenado sin música, con gran éxito, y que la transformaron en obra musical exclusivamente para beneficio de Ontiveros. Ese año se estrenó también para su beneficio el entremés de Rafael Calleja y Enrique García Álvarez *El ratón*, en el que Ontiveros realizó una magnífica interpretación como el hortera Filomeno que se "perece" por el género ínfimo. La temporada 1906-07 volvió al teatro Apolo con gran éxito al interpretar en el otoño de 1906 a Curro Meloja en *La mala sombra* de Serrano, obra en la que el telón hubo de levantarse 18 veces la noche del estreno, según cuenta Chispero. En diciembre estrenó *Los bárbaros del Norte* de Chapí y Valverde. En mayo de 1907 en el Cómico *¡Apaga y vámonos!* de Lleó. En 1909 en la Zarzuela *¡A, C y T...! ¡Que se va el tío!* de Luna y Barrera y *Los majos de plante* de Chapí, y en el Gran Teatro, *La perra chica* de Penella.

En 1910 emprendió una gira por América, de la que pensaba volver en quince días, con resultados tan lamentables que Ontiveros no tenía dinero para regresar a España. Las revistas españolas se hicieron eco de su triste situación y se organizó un beneficio en su honor en Buenos Aires, con la participación de los principales artistas del momento como Titta Rufo, José Mardones, María Guerrero y Fernando Díaz de Mendoza. De este modo pudo conseguir el dinero para volver a España y en 1911 estrenó en el teatro Gran Vía *El burlador de Plutón* de Valdovinos y al año siguiente *La cartera de Marina* de Prudencio Muñoz. En la temporada 1913-14 volvió de nuevo al Apolo en el que estrenó *¡Si yo fuera rey!* de José Serrano, *La alegría del amor* de Pablo Luna, *La copla del amor* de Viérgol, junto a Carmen Andrés y *La boda de la Farruca* de Alonso, que venía precedida del gran éxito de su estreno en Sevilla. En 1914 presentó además *El quinqué de Petronilo* de Quislant y Romero en el teatro Martín, en el que estrenó, dos años después, *El alegre Jeremías* de Alonso y *La guitarra del amor* de varios autores. Ese mismo año, 1916, estrenó en la Zarzuela *Las alegres chicas de Berlín* de Rafael Millán.

Hombre de teatro, su minucioso estudio de los personajes en manicomios, tabernas y hospitales, ayudaba a las geniales creaciones que hacía. Había estudiado teología y magisterio, era pues un hombre de formación, y escribió dos obras líricas: *El chato del Albaicín*, en colaboración con Raimundo Domínguez y música de Rafael Calleja, teatro Cómico, 1907 y *El pañuelo de encaje* en colaboración con F. Díaz Alonso y música de Cándido Orense. Puso una taberna, llamada "El Curro Meloja", como su famoso personaje de *La mala sombra*, frecuentada por sus amigos. A pesar de su éxito, murió arruinado.

BIBLIOGRAFÍA: *OCCE; TA*; Maese Pedro: "Información teatral: *La luz verde*", *La Vida Literaria*, 24,22-VI-1899; *El Arte de El Teatro*, 4, 15-V-1906; *Comedias y Comediantes*, II, 19, 15-VII-1910; F. Cuenca: *Teatro andaluz contemporáneo. 2. Artistas líricos y dramáticos*, La Habana, Maza, 1940; J. López Ruiz: *Historia del teatro Apolo y de La verbena de la Paloma*, Madrid, Avapiés, 1994.

Mª LUZ GONZÁLEZ PEÑA

Opereta. Término que comienza a utilizarse en el siglo XVIII, como diminutivo, para definir una ópera corta. A mediados del siglo XIX el término adquirió su sentido como "una pieza teatral alegre, de carácter sentimental, en estilo simple y popular, que contiene diálogos hablados y danza". Se atribuye al francés Florimond Rongier Hervé el inicio del género con la obra *Don Quichotte et Sancho Pança*, 1848. Hervé creó en 1854 su propio teatro, Les Folies-Concertantes, dedicado a un género de carácter cómico-satírico, con alusiones a la política del Segundo Imperio. El género opereta se fijó definitivamente con la llegada a París en 1855 de un empresario y joven músico procedente de Colonia, Jacques Offenbach, que construyó un pequeño teatro llamado Les Bouffes Parisiens y estrenó en 1858 la obra *Orphée aux Enfers*, que fijó definitiva e internacionalmente el género.

I. Llegada de la opereta a España: el siglo XIX. II. El siglo XX. III. Estructura morfológica de la opereta española. IV. Catálogo de operetas producidas en España.

I. LLEGADA DE LA OPERETA A ESPAÑA: EL SIGLO XIX. El término aparece por primera vez en España en el *Diccionario de música* de Fargas y Soler, publicado en Madrid en 1852, donde lo define en el sentido usado en el siglo XVIII: "Pequeña ópera de poca importancia con respeto al arte. Estas óperas que no suelen tener más que un acto se llaman también farsas". El *Diccionario* de Parada y Barreto no aporta una definición más precisa y hay que esperar al *Diccionario técnico de la música* de Pedrell para que se fije con más precisión y se defina la

opereta como una obra en la que "los actores cantan y recitan o declaman alternativamente". Desde el punto de vista histórico, la primera vez que se ha documentado el término fue en 1807, en el *Apéndice al reglamento de teatros aprobado el 6 de marzo*. En su artículo VIII señalaba: "Los compositores de música tendrán obligación de componer anualmente una ópera en dos actos, dos *operetas* y doce tonadillas". Este decreto era una consecuencia de la Real Orden de 1799 por la que se prohibía cantar en los teatros españoles en idioma que no fuese castellano y tuvo como consecuencia inmediata la traducción de óperas cómicas francesas, que incluían diálogos hablados, que en España se conocieron con el nombre de operetas. Sin duda la dimensión en un acto, y el hecho de tener diálogos hablados es lo que determina el uso del término opereta, que por ello no tenía aún el sentido posterior. Dentro de estas circunstancias se entiende el uso continuado que Manuel García hacía del término para definir casi todas sus primeras obras desde *El preso* de 1800, hasta *Los ripios del maestro Adán*, 1807, pasando por otras como *El seductor arrepentido* y *El reloj de madera*. Es curioso señalar que los censores no se ponían de acuerdo al calificar estas obras de García ya que unos las denominaban "óperas", otros "comedias con música", e incluso de "zarzuelas".

El segundo capítulo de la opereta en España tiene que ver con la llegada de las obras de Offenbach, en 1864, cuando el 28 de marzo se estrenó un arreglo de *Los dioses del Olimpo* y después de Pascua se presentó en la Zarzuela con gran éxito *Orfeo en los infiernos*. En realidad el gran descubrimiento del género se produjo a través del teatro de los bufos de Arderius, que era simplemente una hispanización del mundo de Offenbach realizado por este inteligente actor y empresario sevillano. En 1869, de nuevo en el teatro de la Zarzuela, se representó con enorme éxito *Barba Azul*, y en el verano *La bella Elena*, y una adaptación de *La vie Parisienne*, con el título de *La canción de Fortunio*. Quizás el momento culminante de esta situación se produjo en 1870 cuando el 27 de septiembre, Offenbach, que se encontraba pasando unos días en España, asistió en la Zarzuela a la representación de su *Barba Azul* y cuando el 12 de octubre se ofreció una nueva oportunidad a *Los brigantes*, modificado el libreto, que dirigió personalmente Offenbach al que se recibió con entusiastas aplausos. En la prensa se mostraron opiniones claras acerca de estas obras; así en *La España Musical* de 1869 se señala: "Los barceloneses se han empeñado en dejar feos a estos hombres serios, especie de diablos predicadores que fingen escandalizarse al ver las piernas de las bailarinas. Nuestros paisanos prefieren solazarse un rato con la música de Offenbach que cuanto más se oye más gusta, a escuchar versos filosófico-sentimentales que empalagan la segunda vez que se recitan". Esta vivencia del modelo de Offenbach llevó a que en octubre de 1871, la prensa diese la noticia del pleito entre Offenbach y Arderius por la propiedad de la obra *Le chateau a Toto*, ganado por el francés. Offenbach era un duro competidor del español y en estas mismas fechas puso en Madrid *Huyendo de París* y *La mujer en casa y el marido en la puerta*.

La opereta desembarcó además con otros autores como Charles Lecocq y su obra *Las cien doncellas*, dada en 1872. Lecocq era el autor más representado junto con Offenbach por aquellos años, e influyó en autores como el catalán José Coll i Britapaja, y ya en los ochenta se añadieron obras como *Juanita* de Franz von Suppé, *El estudiantillo* de Carl Millöcker, *El corazón y la mano* de Charles Lecocq y *Bal masqué* de J. Strauss, siempre traducidas al castellano. Llama la atención que toda esta presencia de Offenbach no tuviese mayores repercusiones en la implantación del género, en la intensa creación teatral de las décadas de 1870, 1880, e incluso 1890, con miles de obras estrenadas, en las que la presencia del término opereta después del título de la obra es totalmente excepcional. Apenas se estrenaron obras, entre ellas *Satanás en la abadía* de Rafael Taboada, 1888, *El voto del caballero* de Luis Arnedo, 1890, *El diablo en el molino* de R. Taboada, 1891, *Pasante de notario* de A. Brull, 1892, y tres de Joaquín Valverde: *Retolondrón*, 1892, *El botón de muestra*, 1895, y *Los novicios*, 1898, en Barcelona. Un lugar especial merece Chapí con dos obras, *El rey que rabió* —tenida siempre por opereta pero que él no titula como tal— y *La czarina* de 1892, que sí se cita como opereta en muchas fuentes. En el primer caso se atribuyó a los autores del libreto, Vital Aza y Ramos Carrión, un plagio de la opereta *Un roi en vacances*, negado por ellos. Sí es cierto que toda la crítica, incluido Peña y Goñi, habló de la influencia de la opereta a lo Offenbach; y no sólo por la temática. Luis G. Iberni habla de "una opereta de corte vienés, siguiendo los modelos de Suppé y Strauss. Todas las características al uso de la opereta que hacía furor en la capital austriaca son perceptibles en la obra de Chapí. Desde la ilusión de danzas típicas —polkas, valses o minués—, hasta el efecto colorista foráneo que aquí, en nuestro caso, viene determinado por la escena de las embajadas, tienen una procedencia vienesa". Más claro desde luego es el caso de *La czarina*: el preludio orquestal que introduce en la música cadencias "bohemias"; la presencia continua del vals, el Nº 2, un coro denominado "de la seducción" que vuelve a los sones vieneses; las relaciones con *El murciélago* de Strauss; el Nº 6, un dúo cómico entre Isabel y Pedro, con clarísimas influencias de la opereta vienesa; todo ello lleva al espíritu más puro de la opereta que entonces se conocía en Europa. Se entiende así que Chispero señale que "era la primera y sin duda la opereta más cargada de méritos de cuantas en este género produjeron los músicos españoles".

II. EL SIGLO XX. La larga y compleja historia de la opereta en España se produjo en el siglo XX. Una lectura del catálogo de los archivos de la SGAE, arroja una cifra de más de 153 obras líricas españolas que se califican como operetas. En la década de 1900, se estrenaron 29; en la de 1910, 63; en 1920, 18; 9 en los años treinta y 17 entre los años cuarenta y cincuenta.

Son varias las circunstancias que propiciaron el éxito del género. La eclosión de la opereta en España se produjo realmente a partir de 1905 y tiene como década de mayor producción la de 1910. Como se señala en *Historia gráfica de la zarzuela. Músicas para ver*: "Es un modelo importado de Europa y símbolo del cosmopolitismo de la época. La opereta de Offenbach ya había sido la inspiradora de Arderius, pero ahora se convierte en una de las vías de recuperación económica de los empresarios y un auténtico revulsivo, dado que presentaba la novedad de no partir de temas hispanos cuando el resto del teatro incidía en ellos, sino internacionales, exóticos; todo con una gran riqueza de escenografía, vestuario, bailarinas, etc". Existen, finalmente, otros dos motivos para explicar la imposición de la opereta: por una parte su éxito fue una tabla de salvación para los empresarios, dada la magnífica respuesta del público y con ello una de las vías de recuperación económica, y en segundo lugar, fue un género que se convirtió, en una época en que los valores de la visualidad eran fundamentales y estaban en perpetuo crecimiento, quizá por influencia añadida del cine y de las variedades, en el género por excelencia para la visualidad a través de una gran riqueza de escenografía, vestuario y bailarinas. *La viuda alegre* de Franz Lehár es el modelo y los estrenos de Paul Lincke, Edmond Audran o Leo Fall produjeron un fuerte revulsivo.

El primer signo del cambio es la presencia continua de operetas extranjeras en todas las grandes ciudades españolas, Madrid, Barcelona, Valencia, Sevilla, Zaragoza o Murcia. En la primera década del siglo se estrenaron operetas de Paul Lincke, Edmond Audran, Franz von Suppé, Robert Planquette, Edmond Eysler, Franz Lehár, Leo Fall, el más interpretado, y estos estrenos se incrementaron en la década de 1910 con obras de ellos mismos y otros nuevos como Oscar Strauss, Johann Strauss, Jean Gilbert, Arthur Sullivan, Henrich Reinhardt, Imre Kálmán, Lionel Monckton, Emilio Lehmberg, Robert Wintenberg, Karl Weinberger y Leo Bard. La demanda implicó una actividad que trajo consigo la traducción y adaptación española de todas estas obras, realizadas desde la editorial y la copistería de la Sociedad de Autores Españoles,

José Juan Cadenas, en el centro de la imagen, autor de El Conde de Luxemburgo, *rodeado de los intérpretes de la obra (Foto: Calvache en* Comedias y Comediantes, *1910; Ar. ICCMU)*

antecedente de la SGAE, y por traductores y adaptadores, a veces no muy conscientes, que cambiaban y transformaban las obras sin muchos miramientos. Entre todos aquellos estrenos tuvieron especial fama obras como *La muñeca* de Audran en diciembre de 1903, el éxito mayor del año; en 1905 *Lysistrata* de Paul Lincke, que se convirtió en uno de los primeros síntomas del cambio hacia la opereta; fue una obra que hizo aparecer los revendedores con un éxito fulminante que la hizo popularísima y sobre todo fue un camino al que se acogieron de inmediato varios compositores españoles ávidos de éxitos de público. Siguieron *Las manzanas de oro* y *Miss Helyett* de Edmond Audran en 1905, *La taza de té* –estrenada por Lleó, también de Paul Lincke–, en 1906, *La princesa del dólar*, 1909, *La niña de las muñecas*, 1911, *La mujer divorciada*, 1911, todas de Leo Fall, *El Conde de Luxemburgo*, 1910, y *La viuda alegre* de Lehár, y *La casta Susana* de Gilbert, 1911. No es por ello excesivo hablar de una auténtica invasión de la opereta, sobre todo en 1910, y muchos prestigiosos críticos lo vieron así. El 30 de agosto de 1907 Vives y Lleó firmaron como empresarios de los teatros Zarzuela, Cómico y Eslava, convirtiéndose en los grandes impulsores del género, primero desde la creación pero también con obras de otros autores; así en junio de 1908 visitó el teatro de la Zarzuela la compañía de opereta italiana de Cesare Gravina y otras compañías de este país llegaron por entonces a España representando *La geisha*, *La mascota* y *Bocaccio*, entre otras. La crítica cita este hecho como uno de los motivos de la imposición del género. Casi ningún teatro se libró de hacer alguna temporada de opereta.

Estas circunstancias permiten el despegue de la opereta en la primera década del siglo. Casi todos los autores líricos de las décadas de 1910 y 1920 se vieron obligados a probar fortura en el género. Además de los citados Lleó y Vives, hay que añadir a Calleja, Gerónimo Giménez, Quinito Valverde, Manuel Chalons, Manuel Quislant, López Montenegro y, sobre todo, Pablo Luna. Se estrenaron *El príncipe ruso* y *La favorita del rey*, ambas de Vives, *El golpe de estado* y *El diablo verde* de Vives y Giménez, estrenada con todo lujo, sobre todo en los decorados realizados por Luis Muriel, *Los mosqueteros* y *La república del amor* ambas de Lleó, y *La manzana de oro* y *Orden del rey* de Calleja, todas en el intervalo de poco más de un año. El estreno de otras cuatro operetas: *La cabeza popular*,

El sueño de la princesa y *La muñeca ideal*, todas de Calleja, y *La corte de los casados* de Lleó, conduce al 18 de julio de 1908 en que se presentaba la obra de Pablo Luna *Musetta*. Con ello iniciaba su producción de operetas el autor de más éxito en el género. Durante 1909 se incrementó el número de títulos españoles y extranjeros –todos estrenados en el Gran Teatro– con *Vera-Violetta* de Eysler, *La princesa del dóllar* de Fall, *Los condes de Carrión* de Planquette y *La viuda alegre* de Lehár estrenada en el Price en 1909, con traducción de José Juan Cadenas.

La respuesta de los teatros ante la opereta fue inmediata buscando la recuperación económica de los empresarios. Los teatros Zarzuela, Price, Cómico, Eslava, Apolo, Moderno, Gran Teatro y Martín, son lugares en los que se presentaban operetas en estos años. El Eslava, sobre todo a partir de 1907, se constituye en centro básico, impulsado por Lleó, hasta que aparece el crítico y libretista de operetas José Juan Cadenas, quien en 1910 en colaboración con Lleó tradujo *El Conde de Luxemburgo* de Franz Lehár, estrenada en el Eslava el 19 de setiembre con enorme éxito. Este teatro sufrió una gran reforma en 1911 que le convirtió en el lugar favorito por un tiempo. Cadenas merece un lugar especial. Crítico de la revista *El Teatro* y de *ABC*, traductor de muchas de las operetas extranjeras que se estrenaron en España y autor de varias originales, construyó su propio teatro, el Reina Victoria, que se erigió como el gran templo de la opereta y la revista desde su inauguración el 10 de junio de 1916, con el vodevil, *El capricho de las damas* de Luis Foglietti con libreto suyo.

Junto con Luna, fue Vicente Lleó el autor de mayor éxito. El compositor y empresario convirtió al teatro Eslava en la sede de la opereta madrileña, estrenando obras extranjeras como *La mujer divorciada*, *Eva*, *La princesa del dólar*, *El Conde de Luxemburgo* y, sobre todo, fue el autor de la opereta más celebrada en los inicios del siglo, *La corte de faraón*, basada en la opereta francesa *Madame Putifar*, estrenada el 21 de enero de 1910, precisamente en el Eslava, obra que, sin duda, intervino en la eclosión del género desde el momento en que se convirtió en un auténtico acontecimiento social. Con *La corte de faraón* se inició en 1910, la década prodigiosa de la opereta con una cifra

Vicente Lleó en la inauguración del teatro Eslava, sede de la opereta (Foto: Irañeta en Comedias y Comediantes, *1910; Ar. ICCMU)*

enorme de estrenos de obras españolas, además de la presencia continua de operetas extranjeras. Ya en este año ante el estreno de *La niña mimada* de Penella, la revista *Comedias y Comediantes* en su Nº 7 apostillaba: "La empresa del Circo ha tenido el buen acuerdo de poner en escena una opereta española, y ha demostrado con ello que podemos pasarnos sin las extranjeras a poco que maestros y libretistas lo quieran", y en el Nº 13 ante el estreno de *La alegre doña Juanita* de Suppé, señalaba: "Nada menos que cuatro teatros, y de los más grandes en importancia y en cabida cultivan a todo trapo la opereta… Princesa, en la Comedia, en el Gran Teatro y en el Eslava… No es que protestemos del crecimiento, del resurgimiento del género, antes al contrario, lo que deseamos es que de una vez se imponga y entonces nuestros músicos que, no lo dudéis, valen mucho, harán música. Dejarán a un lado los apestosos garrotines y oiremos música… Pues que, ¿No vale más Amadeo Vives que Leo Fall? ¿y Calleja, y Lleó, y Pepe Serrano y Gerónimo Gimenez, no valen más que todos los músicos austríacos juntos?". Lo cierto es que el éxito de *El Conde de Luxemburgo* y su acaparación de todos los teatros españoles llegó a preocupar hasta a la SAE. Una conocida viñeta de Tovar incidía en lo mismo; titulada "El teatro español", mostraba una valla con carteles contemplada por un cantante y un extranjero: "Y para ver una obra española castiza ¿a dónde hay que ir?", –pregunta uno–. "Pues, como no vaya Vd. a Viena", –contesta el otro–. En 1913 otra compañía de opereta italiana desembarcó en el teatro de la Zarzuela representando, entre otras obras, *Eva* y *Amor gitano* de Lehár. La nueva temporada de este teatro se inició en septiembre de 1913 con otro festival de opereta en el que se ofrecieron *La señorita capricho*, *La generala*, *Molinos de viento*, *El señor Joaquín* y *La tragedia de Pierrot*, e incluso *Pan de Viena* de Rafael Calleja, una caricatura de la opereta, lo que habla de la fiebre que producía el género. En 1915 la opereta seguía ganando público y teatros como el de la Zarzuela incrementaban su presencia; en mayo de 1915 debutaron tres artistas especialistas del género: Dionisia Lahera, Ramón Peña y Julio Lorente, que se presentaron con *La mujer divorciada* y poco después con *Las vírgenes paganas*, con la que se presentaba el joven músico alicantino Juan Vert. El año terminó de nuevo con la compañía de operetas italiana Caramba que presento títulos como *La viuda alegre, La princesa del dólar, El Conde de Luxemburgo, Eva, Malbruk, Capricho antiguo, La bella Risette, La figlia de Madama Angot.* Sin duda esto hizo que Lleó dejase el teatro Martín para alquilar el de la Zarzuela donde estableció una compañía de zarzuela y opereta. Entonces tuvo lugar el estreno de *Las alegres chicas de Berlín* de Rafael Millán, otro éxito. La fiebre de opereta de esta década culminó con la llegada a Madrid en 1920 de la compañía de operetas de un mito del género, la mexicana Esperanza Iris que se presentó el 24 de febrero con *La viuda alegre*, a la que siguieron *La Duquesa del Tabarín, El Conde de Luxemburgo, La geisha, La princesa del dólar* o *Sybill*, y estrenó la opereta de Eysler, *La princesa de los Balcanes*.

La moda de la opereta fue seguida por muchos autores que dejaron obras importantes. A los ya citados, se unieron Teodoro San José, Manuel Penella, José Cabas, Saco del Valle, Ricardo Sendra, José Padilla, López Torregrosa, M. Santoja, E. Úbeda, Cayo Vela, Sanz Vila, Taboada Steger, Miguel Asensi, Eduardo Granados y José Masllovet. Estos músicos fueron acompañados por una serie de libretistas más numerosos aún: C. Fernández Shaw, F. Limendoux, A. López Monís, J. Sánchez, D. Jiménez Prieto, L. Boada, M. Castro, G. Perrín, A. Melantuche, S. M. Granés, Polo, Rodríguez Alenza, F. Barraycoa Huelves, F. Pérez Capo, L. Pascual Frutos, G. Jove, E. González del Castillo, E. López-Marín, F. Yrayzoz, J. de Burgos, J. López Silva, M. Mihura, M. Moncayo, A. Soler, E. Mugica, M. Merino, R. González del Toro, M. de Palacios, J. Jackson Veyán, F. Romero, J. Tellaeche, J. Silva Aramburu, Arniches, Paso o Muñoz Seca.

La década de 1920 fue la de la decadencia del género, que se incrementó en los años sucesivos. Quizás el público se saturó de tanta opereta. En esta década sólo se han podido catalogar diceiocho obras que llevaban esta denominación. A Pablo Luna y Amadeo Vives se unen otros autores más jóvenes como Guerrero, José Forns, Ernesto Pérez Rosillo y Juan Gilbert Camins. En la década de los treinta, poco propicia para la lírica por el estallido de la contienda civil, se dieron diez estrenos. Es de destacar la entrada en el género de Francisco Alonso que se convirtió en el autor más destacado, desde entonces, como productor de operetas. La historia de la opereta en España se terminó en la década de 1940, en una dura posguerra que, no obstante, permitió justamente cierto renacimiento de la opereta y de la revista; sin duda eran dos géneros propicios para olvidar los duros momentos que vivía la nación. Francisco Alonso, Pablo Sorozábal, Daniel Montorio, Jacinto Guerrero, José Parada y Fernando Moraleda fueron algunos de los protagonistas de esta pequeña resurrección, con dieciocho estrenos.

III. ESTRUCTURA MORFOLÓGICA DE LA OPERETA ESPAÑOLA. No es fácil concretar cuáles son los elementos que definen la opereta española y, sobre todo, lo que la distingue de su homónima europea. La dificultad se debe, en parte, a que la opereta se hizo realidad en España en un momento especialmente complejo de la lírica: los primeros años del siglo XX. En 1901 tuvo lugar el estreno de una obra de Valverde y Barrera titulada *El género ínfimo*, que supuso todo un símbolo porque su título fue usado frecuentemente para designar una especie de subgénero con el que se pretendía definir una serie de subproductos teatrales de escaso valor. Era una manifestación epigonal del género chico, y también el aviso del deterioro de los sistemas anteriores y de la llegada de una serie de fórmulas de teatro lírico, definibles por nuevos ingredientes como lo visual y la exhibición del cuerpo femenino, y por la llegada de estratos musicales extraños a España. Surgieron una serie de variantes líricas que acompañaron al género ínfimo: varietés, el primer music-hall, la revista de espectáculo y la opereta, que no eran sino contaminaciones del género chico, más que fórmulas estrictamente nuevas. Como se dice en *Historia gráfica de la zarzuela. Músicas para ver*: "El panorama que surge es complejo: una imbricación entre realidades viejas, y nuevas, musicales y no musicales, que en último término otorgan esa complejidad al género. Es decir, modelos en los que a toda la rica tradición lírica española se añaden nuevos elementos acarreados por las modas europeas de entonces". Es necesario añadir otro perfil, y es que la nueva situación estaba fomentada "por una sociedad que busca ante todo fórmulas llamativas, modas nuevas, que aparecen y desaparecen por una demanda que las quema, las hace evolucionar o mezclarse. Es evidente que esa aceleración responde a lo que sucede en la Europa de las tres primeras décadas del

Cortesía de Unión Musical Ediciones SL

siglo, inestable y compleja artísticamente, pero también a esa cultura de masas que hemos citado antes que demanda de manera natural el uso de viejos moldes, que conoce por tradición, pero también de nuevas fórmulas y, sobre todo, exige variedad y espectáculo, pero en último término responde también a una de las esencias de la zarzuela en toda su historia y es su prodigiosa capacidad para absorber, digerir y asimilar los materiales musicales más variados, fuesen españoles, hispanos o europeos"; es decir, la zarzuela tiene una capacidad enorme de hibridación que va a producir justamente que la opereta española sea muy específica como resultado de esa capacidad para permeabilizarse pero también para mantener una cuota propia".

La opereta nace en España en este contexto. Desde el punto de vista formal, los Paul Lincke, Edmond Audran, Leo Fall y Lehár, produjeron un fuerte revulsivo y, por ello, esencialmente la opereta centroeuropea y la francesa son el modelo en España. La opereta era un símbolo del cosmopolitismo de la época y por ello es prioritaria la adopción de músicas y maneras de fuera, sobre todo, las que corresponden a la cultura de masas en que realmente se convierte el cultivo de la opereta. Uno de sus valores era la novedad de no partir de temas hispanos cuando el resto del teatro incidía en ellos y otra responder a un momento social y económico cada vez más positivo desde el momento en que España se mantiene al margen de la Primera Guerra Mundial, y camina hacia los felices años veinte con un gusto claro por la fastuosidad y los espectáculos alegres, vistosos, adecuados a lucir hermosas mujeres, portadores de música elegante, y decorados primorosos. José Alsina, en el artículo "El encanto de la opereta", señalaba: "Apresurémonos, por lo pronto, a reconocer que esta forma de la opereta responde con oportunidad al momento, entrelazando con la marcha de sus alegrías, pródigas y coloreadas, la sensación levemente dolorosa; la de un amor que sufre entre esperanzas, que llora dulcemente entre asombros de sonrisas y que gusta de una tortura antes de arribar gloriosamente a paladear la dicha que le ofrecen las cumbres pasionales". Esto aportaba a la opereta la respuesta a una nueva sensibilidad colectiva que Salaün ve como" rural-exótico-bucólica, ñoña y frívola, e instaura una nueva relación entre teatro y un público pequeño-burgués y popular". La temática que introduce la opereta en España los eternos temas de príncipes rusos, húngaros y austríacos, jóvenes y guapos, cazando corzas e hiriendo levemente a hermosas pastoras; favoritas y viudas, salones lujosos y cortes fantásticas, incluso de faraones; personajes femeninos con nombres poco hispanos: Mimí,

Musetta, Benamor, Nitetis, Louise, Gilda, Berta, Amara, Olga, Gretel, Lily, Manón, Amelie, Tatiana, Ágata, Dora, Carlota, Berthe, Diana, Friné, y, sobre todo, la temática femenina y rosa que ronda en la mayoría de las obras.

Estos personajes eran colocados en lugares extraños, exóticos, e irreales; es decir, se rechaza el filón costumbrista y se buscan universos exóticos, antirrealistas y muy convencionales. Junto a ello se demandaban versos fluidos, frases ingeniosas y una gran vistosidad y aparato escénico, junto a una música inspirada. En una crítica de Alejando Miquis se añadían otros motivos hablando del triunfo apoteósico de la opereta en la década de 1910: "Entre los melodramas tremebundos, tragedias venidas a menos, en que el coturno ha sido sustituido por la alpargata, y Edipo y Yocasta por el Señor Juan el tabernero, y la señora Pepa vendedora de gallinejas, y las operetas alegres, regocijadas y un poco, y aún un mucho, ligeritas de cascos, he preferido siempre las segundas, que, por lo menos, cantan, encomian y estimulan la vida con todas sus consecuencias, por atrevidas que puedan aparecer a espíritus pacatos" (*Nuevo Mundo*, 843, 3-III-1910). Este era el espectáculo que quería el público de entonces y por ello escritores tan consagrados como Perrín, Palacios, Arniches, Paso o Muñoz Seca, tuvieron que hacer guiños al género.

Formalmente la opereta no parece tener una estructura específica. Puede tener uno, dos o tres y hasta cuatro actos, es decir, se usan todas las formas de la vieja zarzuela desde que ésta se dividió, en la década de 1850, en zarzuela grande y chica, si bien la inmensa mayoría es de un acto. La sociedad de aquellos años no toleraba fácilmente obras de tres actos tal como refiere sistemáticamente la crítica, busca más bien un producto rápido. El análisis de las estructuras musicales permiten definir la opereta como un producto híbrido en el que el autor hace convivir elementos muy variados: opereta propiamente dicha, género chico, el viaje fantástico de corte arrevistado, elementos de varietés y de género ínfimo; de hecho varias operetas llevan un subtítulo que marca el perfil: fantástica, cómica, bíblica, histórica, española, bufa, bufo-trágica, dramática, romántica.

La danza y el baile, si bien no pesan como en la opereta austríaca, tienen un lugar específico. La danza se utiliza de dos maneras diferentes, como tal danza, momento para la visualidad, y como sostenedora de la estructura de muchos números musicales; en el primer caso son frecuentes las danzas de tipo oriental, magníficas por ejemplo en las obras de Luna, y siempre con la intención de dar color al paisaje del libreto, como en el consabido vals del Nº 4 de *La veda del amor* de Vives. Los números instrumentales sí asumen frecuentemente un perfil centroeuropeo o exótico; son números que acompañan a escenas de fanfarria para abrir escenarios, tal como muy pronto usará el cine, presentar personajes regios, describir con gran plasticidad el ambiente de una plaza llena, numerosas marchas para cortejos, y marchas militares, retretas y retaplanes; el tiempo de marcha es muy usado por ejemplo en *Benamor* y en *Los cadetes de la reina*, ambas de Luna; finalmente la música instrumental se puede usar para terminar la opereta. La presencia de coros es igualmente importante; los coros son siempre "pintorescos", tanto musical como plásticamente: coros de genízaros, odaliscas, gitanos, cadetes, con una doble función, crear ambiente y generar espectáculo, visualidad y cierto carácter de lujo; es aquí donde los trajes y demás elementos visuales asumen protagonismo. Escenógrafos como Muriel hicieron las delicias del público madrileño de comienzos de siglo.

Es en los momentos para el canto lírico de más impacto, como son las romanzas, donde en general se impone lo hispano. La opereta española permanece fiel a su historia y en ella actúan de manera variable esos cuatro estratos que generaron el melos del género chico: la danza, la música urbana, la música histórica y la de perfil oriental; hay que añadir la presencia de ciertos cultismos, es decir, de melodías de perfil internacional que eran un guiño al "público culto", como pueden ser las referencias a Verdi y Wagner en *La corte de faraón*. Lo que define los grandes momentos, por ejemplo, de *La generala* o de *Benamor* procede de alguno de estos perfiles; así "País del sol" o "Por una mujer", esta última, con estructura de jota y decoraciones hispanas de tresillos. Dentro de estos estratos la danza adquiere un interés especial; en primer lugar el vals, símbolo de la propia opereta, pero también un inmenso número de danzas, como polka, o más recientes, como el cake-walk, que usa Penella en el Nº 1 de *La niña mimada*, el tango, y otras muchas.

Lo híbrido se manifiesta aún más intrínsecamente en los propios materiales musicales. Los números esenciales de la *Canción húngara* de Luna son: un garrotín chino, un vals francés, un cuplé, una jota aragonesa, una canción húngara y unas samaritanas; es decir, la melodía hace un guiño al exotismo de moda en aquellos momentos. Un lugar especial en el género lo ocupa el cuplé, momento en que suele perder el exotismo y convencionalismo y baja el mundo concreto y realista del género chico. La opereta acoge variados momentos cómicos donde la presencia del espíritu del género chico es efectiva tanto en los citados cuplés como, sobre todo, en los números concertantes. Otros elementos fundamentales son la gran riqueza de escenografía, vestuario y bailarinas, en una

época en que los valores de la visualidad eran fundamentales. *La viuda alegre* de Lehár estrenada en febrero de 1909 en el teatro Price es el modelo y los continuos estrenos citados de obras europeas son los ejemplos que todo compositor observa tanto más cuando varios de los músicos que componen en España, eran además directores y empresarios; este es el caso de Lleó, Vives, Luna o Calleja. En la citada crítica de Alejando Miquis se señalaba a este respecto: "La opereta tiene además otras ventajas y supremacías: una de ellas, –¿para qué citar más?–, consiste en que también alegra y regocija la vista. Es evidente que unas cuantas mujeres, artísticamente vestidas o artísticamente desnudas, que para todo se necesita arte, bañadas en luz y colores, son infinitamente más gratas a quien mira que los tugurios, sótanos, sotabancos y demás sitios de recreo a que suelen llevarnos los dramaturgos menudos al uso, y esa superioridad bien vale una temporadita de opereta". Es cierto que

Tiples de la compañía que inauguró el teatro Eslava (Foto: Calvache en Comedias y Comediantes, *1910; Ar. ICCMU)*

en este aspecto la opereta se excedió, a juzgar por muchas crónicas, y los aspectos del género ínfimo pesaron demasiado. Miquis señalaba al respecto: "Ahora, bien claro está que, aun sobrándoles este artículo de primera necesidad en las operetas y en las obras bufas, no saben hacer este género de obras: hacen en efecto, zarzuelas infinitamente más descocadas que todas las operetas juntas, pero no aciertan a hacerlas sutiles, aéreas, ligeras que puedan decirlo todo con mueca grácil sin llegar a ofender, ni aciertan a hacerlas satíricas, con aticismo que envuelva en una burla todo un tratado de moral y estética… como nuestros autores, y aun más que ellos, nuestros actores no aciertan a ser ligeros, no saben deslizarse sin apoyar demasiado en las superficies escabrosas, y esta les hace caer casi siempre que por el camino de la opereta, y aún de la opereta bufa, que es el más escabroso de todos se lanzan" (*Nuevo Mundo*, 857, 9-VI-1910).

La opereta contó con una serie de actrices y cantantes famosas por su belleza y, en muchos casos también, por su voz y sus condiciones para el teatro. A Lucrecia Arana, Concha Baeza y Rosario Pino de la época de Chapí, siguieron en el siglo XX, Carlota Psano, Juanita Manso, Julia Fons, Carmen Andrés, Ana y Maruja Lopetegui, Consuelo Mayendía, Luisa Vela, Rafaela Haro, Julia Mesa, Carlota Sanford, Antonia Arrieta, María Marco, Luisa Puchol, Dionisia Lahera, Marina Gurina, Rosita Cadenas, Selica Pérez Carpio, Luisa Membrives, Tana Lluró, Esperanza Iris, Eugenia Zúffoli. Músicos refugiados reintrodujeron el gusto por los bailables, el jazz y la opereta vienesa.

Esta realidad continuó vigente durante muchos años. Los espectáculos vieneses de Franz Johan y Arthur Kaps, que contaban con el compositor Joaquín Gasca, llenaron durante años los teatros del Paralelo barcelonés en los años cuarenta. A Madrid llegaron también músicos alemanes personificados en la compañía del Scala de Berlín, pero entonces era ya la revista la que se convirtió en un auténtico fenómeno sociológico y el slogan "música, mujeres, luz y alegría" ejemplifica lo que el público buscaba en ese tipo de espectáculos.

IV. OPERETAS PRODUCIDAS EN ESPAÑA. Siglo XIX: *El tributo de las cien doncellas*, 3 act, M, F. Asenjo Barbieri, l. R. García Santisteban, est, 7-XI-1872, Te. Zarzuela; *Satanás en la abadía*, 1 act, M, R. Taboada, M. Cuartero, est, 14-VI-1888, Te. Maravillas; *El voto del caballero*, 1 act, M, L. Arnedo, l, S M. Granés est, 22-IV-1890, Te. Eslava; *El diablo en el molino*, 1 act, M, R. Taboada, l, M. Cuartero / Vigarva, est, 22-IV-1891, Te. Recoletos; *Pasante de notario*, 1 act, M, A. Brull, l, C. Navarro / M. Labra, est, 18-III-1892, Te. Eslava; *Retolondrón*, 1 act, M, J. Valverde (hijo), l, M. Pina Domínguez, est, 18-VI-1892, Te. Tívoli; *El botón de muestra*, 1 act, M, J. Valverde (hijo), l, E. Fernández Campano, est, 7-VII-1892, Te. Tívoli; *La Czarina*, 1 act, M, R. Chapí, l, J. Estremera, est, 8-X-1892, Te. Apolo; *The Magic Opal*, 2 act, M, I. Albéniz, l, A. Law, est, 19-I-1893, Lyric Theater (Londres); *De conquista*, 1 act, M, V. Zurrón / Ruisanz, l, M. y R. Lobo Regidor, est, 23-XII-1895, Te. Eslava; *Los novicios*, M, J. Valverde (hijo), l, C. Navarro, est, 20-X-1898, Te. Nuevo Retiro (Barcelona).

1900 a 1909: *La aligot*, 1 act, M, E. Morera, l, J. Capdevila, est, II-1901, Te. Tívoli (Barcelona); *Las grandes cortesanas*, 1 act, M, J. Valverde (hijo), l, C. Fernández Shaw, est, 26-VII-1902, Te. Eldorado; *El guardapiés del diablo*, 1 act, M, J. Pacheco, l, L. Cocat, est, 28-III-1903, Te. Price; *El heredero del trono*, 1 act, M, R. Calleja, l, F. Limendoux, est, 1-V-1903, Te. Nuevo (Barcelona); *Los capirotes*, 1 act, M, Lleó / Calleja, l, A. López Monís / J. Sánchez, est, 29-IV-1904, Te. Cómico; *Las de Andalucía*, M, M. Chalons, l, D. Jiménez Prieto, est, 24-V-1904, Te. Cómico; *El príncipe ruso*, 1 act, M, A. Vives, l, L. Boada/M. Castro, est, 18-V-1905, Te. Moderno; *La favorita del rey*, 1 act, M, A. Vives, l, G. Perrín, est, 27-VII-1905, Te. Apolo; *El golpe de estado*, 1 act, M, G. Giménez / A. Vives, l, Melantuche / S.

Oria, est, 13-V-1906, Te. Eslava; *Los mosqueteros*, 1 act, M, V. Lleó, l, A. Paso, est, 6-IX-1906, Te. Zarzuela; *La manzana de oro*, 1 act, M, R. Calleja, l, G. Briones, est, 22-VI-1906, Te. Price; *Orden del Rey*, 1 act, M, R. Calleja, l, S. M. Granés / E. Polo, est, 5-X-1906, Gran Teatro; *El diablo verde*, 1 act, M, G. Giménez / A. Vives, l, G. Perrín, est, 11-XI-1906, Te. Zarzuela; *El hijo de Budha*, 1 act, M, J. Valverde (hijo), l, G. Briones, est, 24-XI-1906, Te. Price; *La cabeza popular*, 1 act, M, R. Calleja, l, G. Perrín / Palacios, est, 18-XII-1907, Te. Apolo; *El sueño de la princesa*, 1 act, M, R. Calleja, l, Rodríguez Alenza / F. Barraycoa, est, 28-XII-1907, Te. Príncipe (Santander); *La corte de los casados*, M, V. Lleó, l, F. Pérez Capo, est, 8-II-1908, Te. Eslava; *La muñeca ideal*, M, R. Calleja, l, E. G. Gereda, est, 18-IV-1908, Te. Apolo; *Musetta*, 1 act, M, P. Luna, l, L. Pascual Frutos, est, 13-VII-1908, Te. Zarzuela; *La república del amor*, 1 act, M, V. Lleó, l, A. Paso, est, 26-IX-1908, Te. Eslava; *El príncipe sin miedo*, 2 act, M, E. Úbeda / V. Lleó / Foglietti, l, G. Jover / E. González, est, 24-XII-1908, Te. Martín; *Suspiros de fraile*, 1 act, M, M. Quislant / Carbonell, l, A. Fernández Lepina / A. Plañiol, est, 6-III-1909, Te. Martín; *La canción del vagabundo*, 1 act, M, A. Gasco / Fábregat Boise, l, S. y V. Soler, est, 20-III-1909, Te. Princesa (Valencia); *El jardín de los amores*, 1 act, M, R. López-Montenegro, l, E. López-Marín, est, 18-IX-1909, Gran Teatro; *La infanta*, 1 act, M, Chaves Mínguez, l, J. Quilis Pastor, est, 26-X-1909, Te. Coliseo del Noviciado; *¡Ábreme la puerta!*, M, A. Vives, l, F. Yrayzoz, est, 30-X-1909, Te. Eslava; *La reina de los mercados*, 1 act, M, P. Luna, l, G. Perrín y Vico, est, 3-XII-1909, Gran Teatro; *Dora la viuda alegre*, 1 act, M, M. Peris, l, F. Pérez Capo, est, 22-VII-1909, Gran Teatro.

1910 a 1919: *La corte de faraón*, 1 act, M, V. Lleó, l, G. Perrín, est, 21-I-1910, Te. Eslava; *La niña mimada*, 3 act, M, M. Penella, l, A. González-Rendón, est, 22-I-1910, Te. Price; *Maese Elí*, M, A. Saco del Valle, l, J. de Burgos, est, 3-II-1910, Te. Martín; *La corza blanca*, 1 act, M, A. Saco del Valle / Crespo Burcet, l, J. Jackson Veyán, est, 9-IV-1910, Gran Teatro; *La costa azul*, 1 act, M, R. López-Montenegro, l, M. Mihura, est, 20-V-1910, Gran Teatro; *La reina Mimí*, 3 act, M, A. Vives, l, G. Perrín y Vico, est, 9-VII-1910, Te. Apolo; *Las romanas caprichosas*, 1 act, M, M. Penella, l, J. López Silva, est, 18-XI-1910, Gran Teatro; *Molinos de viento*, 1 act, M, P. Luna, l, L. Pascual Frutos, 2-XII-1910, Te. Cervantes (Sevilla); *La reina de las tintas*, 1 act, M, Penella, l, M. Mihura / R. González, est, 7-XII-1910, Gran Teatro; *El coche del diablo*, 1 act, M, G. Giménez, l, G. Perrín y Vico, est, 28-XII-1910, Te. Apolo; *La canción española*, 1 act, M, Barrera / Vives, l, M. Mihura / R. González del Toro, est, 24-II-1911, Gran Teatro; *El pueblo del peleón*, 1 act, M, J. Padilla, l, M. Mihura, est, 1911, Te. Martín; *La princesa rubia*, 1 act, M, J. Cabas Quiles, l, A. López Monís, est, 15-IV-1911, Gran Vía; *Los divorciados*, 3 act, M, R. Sendra, l, P. Parellada, est, 28-IV-1911, Te. Circo (Zaragoza); *La niña de los besos*, 1 act, M, M. Penella, l, M. Mihura / R. González, est, 23-V-1911, Gran Teatro; *El viaje de la vida*, 1 act, M, M. Penella, l, M. Moncayo, est, 29-VII-1911, Gran Teatro; *La canción húngara*, 1 act, M, P. Luna, l, P. Muñoz Seca, est, 23-IX-1911, Te. Cervantes (Sevilla); *Amor y libertad*, 1 act, M, M. Quislant / Ruiz de Arana, l, M. Moncayo / L. de Olivera, est, 29-IX-1911, Te. Price; *El príncipe soñador*, 1 act, M, M. Santonja, l, J. Royo de León, est, 7-XII-1911, Te. Martín; *El verbo amar*, 1 act, M, T. López Torregrosa, l, A. Paso, est, 23-XII-1911, Te. Circo de Parish; *Las hermanas frescales*, 1 act, M, T. Barrera, l, R. López-Montenegro, est, 13-II-1912, Te. Noviciado; *Canto de primavera*, 2 act, M, Luna, l, L. Pascual Frutos, est, 25-IV-1912, Te. Arriaga (Bilbao); *La generala*, 2 act, M, A. Vives, l, G. Perrín y Vico, est, 14-VI-1912, Gran Teatro; *Los lugareños*, M, E. Ubeda, l, Linares Becerra, est, 25-X-1912, Te. Cervantes (Sevilla); *La veda del amor*, 1 act, M, A. Vives, l, Perrín, est, 5-XII-1912, Gran Teatro; *El príncipe Pío*, 1 act, M, G. Giménez, l, G. Perrín / M. de Palacios, est, 19-III-1913, Te. Gran Vía; *Los dragones del rey*, 1 act, M, Cayo Vela / Bru Albiñana, l, E. Polo / J. de Burgos, est, 22-III-1913, Te. Novedades; *Espuma de champagne*, M, Sanz Vila, l, J. Fola, est, 4-X-1913, Te. Soriano (Barcelona); *El galope de amor*, 1 act, M, M. Penella, l, Ferraz Revenga, est, 29-I-1914, Gran Teatro; *Sueño de Pierrot*, M, T. Barrera, l, L. Pascual Frutos, est, 8-II-1914, Te. Ruzafa (Valencia); *El ayudante del Duque*, M, J. Bretón, l, F. Gillis, est, 17-II-1914, Te. Eslava; *La muñeca del amor*, 3 act, M, M. Penella, l, F. Sassone, est, III-1914, Gran Teatro; *Miss Australia*, 1 act, M, A. Vives, l. G. Perrín y Vico, est, 11-IV-1914, Gran Teatro; *El rey del mundo*, M, P. Luna, l, J. M. Martín de Eugenio, est, 11-IV-1914, Te. Zarzuela; *Las sagradas bayaderas*, 1 act, M, M. Quislant / Vela Marqueta, l, A. Fernández de Lepina / A. Plañiol, est, 11-IV-1914, Te. Martín; *Travesuras de amor*, 1 act, M, Teodoro San José, l, M. Muzas / A. Retana Ramírez, est, 15-IV-1914, Te. Cómico; *El sabio Vernier*, M, Taboada Steger, l, N. Pin, est, 3-VI-1914, Te. Novedades; *La pájara pinta*, 1 act, M, R. Jiménez, l, A. Soler / E. Múgica, est, 18-IX-1914, Te. Novedades; *El príncipe bohemio*, 1 act, M, R. Millán, l, M. Merino / M. González de Lara, est, 30-IX-1914, Te. Zarzuela; *Una mujer indecisa*, 1 act, M, R. Millán, l, M. Merino, est, 8-I-1915, Te. Zarzuela; *Alicia*, 1 act, M, M. García Llopis, l, Julio Jove / J. Cánovas, est, 1-II-1915, Te. Apolo; *La última opereta*, 1 act, M, G. Giménez, 1 act, l, A. Fernández Lepina / R. González del Toro, est, 24-II-1915, Te. Apolo; *La noche vieja*, 1 act, M, C. Roig, l, M. Mihura / R. González del Toro, est, 16-III-1915, Te. Apolo; *El barrio latino*, 3 act, M, M. Asensi, l, Linares Becerra / J. de Burgos, est, 6-IV-1915, Te. Apolo; *Las alegres chicas de Berlín*, 3 act, M, V. Millán, l, M. Merino / C. R. Avecilla, est, 22-III-1916, Te. Zarzuela; *El preceptor de su Alteza*, 1 act, M, R. Millán, l, L. García Conde / Paso Díaz, est, 17-VI-1916, Te. Apolo; *Jack*, M, P. Luna, l, E. G. del Castillo, est, 16-IX-1916, Te. Zarzuela; *La alegre Diana*, 3 act, M, T. Barrera, l, R. González del Toro, est, 13-X-1916, Te. Zarzuela; *El rajá de Bengala*, M, R. Calleja, l, M. de Palacios, est, 1-II-1917, Te. Apolo; *Judith, la viuda hebrea*, M, J. Padilla, l, G. Jover, est, 21-IX-1917, Te. Victoria (Barcelona); *La paciencia de Job*, 1 act, M, R. Millán, l, J. Pardo, est, 5-X-1917, Te. Martín; *Luzbel*, M, J. Padilla, l, J. Aguado / M. Nieto, est, 7-XI-1917, Te. Tívoli (Barcelona); *Bufón y hostelero*, 2 act, M, E. Granados García, l, A. Albert Torrellas, est, 7-XII-1917, Te. Victoria (Barcelona); *El príncipe soñado*, 1 act, M, R. de Julián, l, G. Rubiales, est, 29-V-1918, Te. Martín; *Frivolina*, 3 act, M, M. Penella, l, M. Moncayo, est, 4-IX-1918, Te. Eslava; *Los calabreses*, 2 act, M, P. Luna, l, J. Jackson Veyán, est, 19-X-1918, Te. Apolo; *La danzarina de Cracovia*, 3 act, M, O. Nebdal, l, E. Gónzalez del Castillo, est, 11-X-1918, Te. Reina Victoria; *La mecanógrafa*, 2 act, M, P. Luna, l, M. Fernández de la Puente, est, 7-V-1919, Te. Odeón; *El capricho de una reina*, 2 act, M, R. Soutullo / J. Vert, l, A. Paso, (hijo), est, 17-V-1919, Te. Apolo; *El elefante blanco*, 3 act, M, R. Millán, l, M. González de Labra, est, 11-VI-1919, Te. del Centro; *Amores y millones*, 3 act, M, J. Masllovet, l, F. Masllovet / J. E. Morant, est, 20-X-1919, Te. Victoria (Barcelona).

1920 a 1929: *Una aventura en París*, 3 act, M, P. Luna Carné, l, R. López Montenegro, est, 21-II-1920, Te. del Centro; *La bella Friné*, M, B. Terés, l, A. Fernández de los Reyes, est, 26-III-1920, Te. Avenida; *El duquesito o La corte de Versalles*, 3 act, M, A. Vives, l, L. Pascual Frutos, est, 16-IV-1920, Te. Reina Victoria; *La amazona del antifaz*, M, P. Ribalta, est, 5-III-1921, Te. Apolo; *Los claveles rojos*, M, Cusina, l, J. J. Cadenas, est, 8-VI-1921, Te. Reina Victoria; *El amor de Friné*, 3 act, M, J. Forns, l, A. Paso (hijo), est, 13-III-1922, Te. Arriaga (Bilbao); *La rubia del Far-West*, M, E. Rosillo, l, F. Romero, est, 28-III-1922, Te. Apolo; *La reina de las praderas*, M, J. Guerrero, l, E. Arroyo, est, 17-XI-1922, Te. Nuevo (Barcelona); *Roma se divierte*, 3 act, M, J. Gilbert Camins, l, J. Cadenas / González del Castillo, est, 17-XII-1922, Te. Reina Victoria; *El tío Paco*, M, Gilbert, l, A. Torres del Álamo, est, 4-III-1923, Te. Cómico; *La reina Topacio*, 1 act, M, J. Forns, l, A. Paso Gil, est, 17-III-1923, Te. Zarzuela; *Benamor*, 3 act, M, P. Luna, l, A. Paso Cano / R. González del Toro, est, 12-V-1923, Te. Zarzuela; *Mamá Felicidad*, 3 act, M, E. Acevedo, l, Fernández de la Puente, est, 30-V-1923, Te. Apolo; *El príncipe Azul*, 1 act, M, S. Muguerza, l, J. Torres / R. Robledo, est, 14-XII-1923, Te. Ruzafa

(Valencia); *El bello Don Diego*, 3 act, M, R. Millán, l, J. Tellaeche, est, 1923; *Princesita blanca*, 1 act, M, M. Sancha / F. Calés, l, L. Constante Moya, est, 23-IV-1925, Te. Novedades; *El romano caprichoso*, 1 act, M, R. Calleja, l, F. de Torres, est, 21-III-1927, Te. Martín.

1930 a 1960: *El pájaro rojo*, 2 act, M, J. Parera, l, E. Gabás Ginés, est, 22-II-1931, Te. Maravillas; *La loca juventud*, M, J. Guerrero, l, Ramos Martín, est, 1-VII-1931, Te. Chueca; *Los jardines del pecado*, 2 act, M, F. Alonso, l, A. Paso, est, 18-II-1933, Te. Maravillas; *Mary*, M, F. Alonso, l, C. Jaquotot, est, 11-V-1933, Te. Tívoli (Barcelona); *El baile del Savoy*, 3 act, M, P. Luna / Abraham, l, J. J. Cadenas / A. Paso Cano, est, 29-I-1934, Te. Reina Victoria; *Luna de mayo*, M, E. Rosillo, l, F. Romero, est, 21-IX-1934, Te. Zarzuela; *El mesón del pato rojo* (antes *El mesón del pato verde*), 3 act, M, J. Romo, l, E. Muñoz del Portillo, est, 1938, Te. Pardiñas; *Te llamo y no vienes*, 2 act, M, M. Moras / Ruiz de Azagra, l, A. Paso, est, 16-V-1939, Te. Reina Victoria; *La gata encantada*, 3 act, M, P. Luna, l, J. Tellaeche / J. Silva Aramburu, est, 20-X-1939, Te. Fontalba.

1940 o 1960: *Bodas a la americana*, 2 act, M, J. Parera, l, M. Orellana, est, 23-III-1940, Te. Tívoli (Barcelona); *Repoker*, 2 act, M, L. Ferri / Padilla, l, R. Fernández Shaw, est, 12-X-1940, Te. Zarzuela; *La flor del Loto* (antes *Los jardines del pecado*), 2 act, M, F. Alonso, l, A. Paso, est, 8-II-1941, Te. Martín; *Doña Mariquita de mi corazón*, 2 act, M, F. Alonso, l, J. Muñoz Román, est, 15-I-1942, Te. Martín; *Black el payaso*, 3 act, M, P. Sorozábal, l, F. Serrano Anguita, est, 21-IV-1942, Coliseum (Barcelona); *La princesa Blancanieves*, 3 act, M, J. M. Torrens, l, C. Alonso / A. Estefani, est, 2-VI-1942, Te. Principal (Barcelona); *Luna de miel en El Cairo*, 2 act, M, F. Alonso, l, J. Muñoz Román, est, 6-II-1943, Te. Martín; *Llévame donde tu quieras*, 2 act, M, F. Alonso, l, A. Paso, est, 25-XII-1943, Te. Nuevo (Barcelona); *Cinco minutos nada menos*, 2 act, M, J. Guerrero, l, J. Muñoz Román, est, 21-I-1944, Te. Martín; *Aquella noche azul*, 3 act, M, F. Alonso, l, J. Dicenta, est, 26-I-1945, Te. Albéniz; *Mambrú se va a la guerra*, 3 act, M, J. Dotras, l, F. Romero / G. Fernández Shaw, est, 9-V-1945, Te. Principal (Barcelona); *Una mujer de miedo*, 2 act, M, E. Muñoz Muñoa / Ulierte Bernal, l, A. Paso Díaz / B. López, est, 29-VI-1946, Te. Albéniz (Barcelona); *Tutu*, 2 act, M, F. Moraleda, l, F. Lozano / L. Escobar, est, 28-V-1947, Te. Zarzuela; *La hechicera en palacio*, 2 act, M, J. Padilla, l, F. Ramos de Castro / A. Rigel, est, 23-XI-1950, Te. Alcázar; *La isla de las guasonas*, 2 act, M, L. Enciso, l, A. Paso Díaz / A. González Álvarez, est, 23-XII-1950, Gran Teatro; *Río Magdalena*, 2 act, M, J. Parada, l, A. Paso / R. Pérez Carpio, est, 21-IV-1957, Te. Albéniz; *Las alegres chicas de Portofino*, 2 act, M, E. Escobar / Ferrés Musolas, l, I. Ferrés / F. Prada, est, 25-X-1960, Te. La Latina.

BIBLIOGRAFÍA: A. Fargas y Soler: *Diccionario de la música*, Barcelona, Verdaguer, 1853; J. Parada y Barreto: *Diccionario técnico, histórico y biográfico de la música*, Madrid, Ed. B. Eslava, 1868; F. Pedrell: *Diccionario técnico de la música*, Madrid, Víctor Berdós, 1894; A. Miquis: "El reinado de la opereta", *Nuevo Mundo*, 843, 3-III-1910; —: "El problema de la opereta", *Nuevo Mundo*, 857, 9-VI-1910; J. Alsina: "El encanto de la opereta", *Comedias y Comediantes*, 31, V-1911; S. Salaün: "La zarzuela, híbrida y castiza", *Cuadernos de Música Iberoamericana*, 2-3, 1697; E. Casares Rodicio: *Historia gráfica de la zarzuela. Músicas para ver*, Madrid, ICCMU, 1999.

EMILIO CASARES RODICIO

Ordóñez, Amalia. España, siglos XIX-XX. Tiple. Participó en diversos estrenos como *El cintillo prodigioso* de Ángel Ruiz, teatro Martín, 1893; *Alma en pena*, Ángel Rubio, Martín, 1893, y *Toñuela "la golfa"*, Ángel Rubio, Romea, 1900. También intervino en esos años en la interpretación de algunas comedias.

Mª LUZ GONZÁLEZ PEÑA

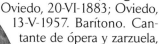

Ordóñez Fernández, Augusto.
Oviedo, 20-VI-1883; Oviedo, 13-V-1957. Barítono. Cantante de ópera y zarzuela, dotado de una extensa voz que iba desde el Do grave hasta el La sobreagudo, lo que le permitía hacer un repertorio variado, desde Donizetti a Puccini. Estudió inicialmente violín, hasta que a los 19 años se presentó en el teatro Real de Madrid en el papel de Telramundo de *Lohengrin*. Trasladado a Milán para perfeccionar su técnica, actuó en varios teatros italianos. Entre 1914 y 1929 trabajó en ese país y en América acompañando a María Barrientos, Scarpia, Palet, Tito Schipa, Enrico Caruso y otros destacados cantantes. En la década de 1930 se estableció en España y se dedicó desde entonces fundamentalmente a la zarzuela, interpretando *Los gavilanes*, *La dogaresa*, *La del Soto del Parral* y *La alsaciana*. Terminó su actividad en Asturias dedicado a la docencia en la Escuela de Música de Gijón y en el Conservatorio de Oviedo.

Augusto Ordóñez (Foto: Ar. ICCMU)

BIBLIOGRAFÍA: *CCE; HGZ*.

EMILIO CASARES RODICIO

Orejón. Familia de cantantes españoles formada por Juan y su hijo Emilio y la esposa de éste.

1. Orejón, Juan. España, 1846; Argentina, 1908. Tenor cómico y empresario. Llegó a tener compañía propia pues muchos de los materiales de zarzuela conservados en el archivo de la SGAE en Madrid, como *Tramoya* de Barbieri, llevan el sello de su compañía. En 1864 estrenó en la Zarzuela *La campana de la ermita* de Aimé Maillart y *El cuerpo del delito* de Isidoro García de Rosetti; en 1865 *El jardinero de Albelda* y en 1866 en el teatro de los Bufos *El motín de las estrellas*, *El joven Telémaco* de Rogel –obra con la que se inician los Bufos– y *Soy mi hijo*, del mismo autor; en 1867 en el Circo *Los órganos de Móstoles* y *Francifredo, dux de Venecia* de Rogel y *Bazar de novias* de Oudrid; en 1868 *¡A la humanidad doliente!* de Arrieta; en 1870 *El rey Midas* de Rogel y *La vida madrileña* de Offenbach, teatro del Circo; en 1871 *Tocar el violón* de Cereceda y *El caballero feudal* de Offenbach; en 1872 *El potosí submarino* de Arrieta, *Esperanza* de Cereceda y *La bola negra* de Aceves, *Sueños de oro* de Barbieri, con decoraciones y maquinaria de Ferri y Busato, y *El tributo de las cien doncellas*, también de Barbieri; en 1875 *Cuento de hadas* de Rogel; en 1876 *El siglo que viene* de Caballero; en 1877 *Los sobrinos*

del capitán Grant de Caballero y *La panadera del campillo* de Offenbach; en 1879 *Robinson* de Barbieri, teatro Circo, con gran éxito; en 1880 *La calandria* de Chapí; en 1882 *El alcaide de Toledo* de Marqués, y en 1884 *Medidas sanitarias* de Chueca y Valverde en Eslava y en los Bufos, situados en el teatro Variedades, y *Bazar de novias* de Oudrid.

Tuvo una gran importancia en el teatro de los bufos como reconocía el *Madrid Cómico* (13-VII-1884): "¿Quién no conoce a Don Juan? / Fue de los bufos sostén / Trabaja con mucho afán, Tiene gracia, canta bien / Y ¡vamos! ¡es un barbián! /". En 1885 estrenó *La diva* de Nieto y en 1886 *El conjuro* de Arrieta. Ese mismo año llegó a Argentina contratado como director de la compañía de zarzuela que organizó en España Avelino Aguirre para actuar en el teatro Nacional Florida. Desempeñó un papel importante en la evolución del espectáculo local, no sólo como actor sino también como empresario. Promocionó el teatro español en Argentina, pues formó compañías que alcanzaron gran relevancia a fines del siglo XIX y comienzos del XX. Su hijo Emilio formó parte de su compañía.

2. Orejón, Emilio. España, 1871; España, 1905. Tenor cómico. Su labor se desarrolló en la última década del siglo XIX y la primera del XX. Comenzó a trabajar muy joven en la compañía de su padre con el que llegó a Argentina en 1888. Desde ese año realizó numerosas temporadas en zarzuelas y sainetes como actor cómico. No sólo protagonizó zarzuela española sino sainete criollo hasta el punto que el reconocido crítico Mariano Bosch lo identifica como actor hispano-argentino. Interpretó varias obras de Nemesio Trejo, como *Libertad de sufragio* y *Los devotos*, con música de Rodríguez Márques, escrita especialmente para él, con gran éxito. También interpretó *Las aves negras*, del mismo autor. En 1896 estaba contratado por el teatro de la Zarzuela y estrenó *El padrino de El Nene* de Caballero y *Botín de guerra* de Bretón; al año siguiente *El fantasma de la esquina* de Ángel Rubio, *La boda de Luis Alonso o La noche del encierro* de Giménez, *La viejecita* de Caballero, *Un tío*

Emilio Orejón (Foto: El Teatro, 1903; Ar. SGAE)

modelo de Saco del Valle, *El ángel caído* de Brull, *La piel del diablo* de Chapí, *El país de la cucaña* de Romea y *La niña de Villagorda* de Torregrosa; en 1898 *La magia negra* de Caballero y Q. Valverde, *La buena sombra* de Brull y *El seminarista* de Nieto; en 1899 *Los borrachos* de Giménez, *La chiqueta bonica* de Nieto, *¿Cytrato?... ¡¡De ver será!!*, *El testamento del siglo* y *El traje de luces* de Caballero; en 1900 *La cariñosa* de Bretón, con mucho éxito, y *El sábado de Gloria* de Brull; en 1902 en el teatro Moderno *Libros usados* de Revilla y Ruiz de Arana y en la Zarzuela *La mazorca roja* de Serrano, *La muerte de Agripina* de Valverde y Torregrosa, y *Piquito de oro* de Borrás y Guervós; en 1903 estrenó en el teatro Apolo *La reina mora* de Serrano y en el teatro de la Zarzuela *El Dios grande* de Caballero, en la que la crítica alabó su creación de un tipo rayano en lo grotesco que se adaptaba a la perfección a las facultades y aptitudes del actor; poco después obtuvo otro éxito con el borracho de *La Macarena*. De nuevo en Apolo estrenó *El terrible Pérez* en mayo 1903 y a finales de ese mes su compañía debutó en el teatro de la Alhambra de Granada. En 1904 volvió al Apolo, sustituyendo a Emilio Carreras que acababa de abandonar la catedral del género chico. El mayor éxito de su carrera fue el personaje de Don Nuez de *La reina mora* de Serrano, hasta el punto de que cuando Orejón se disgustó con la empresa del Apolo y abandonó el teatro, no se encontró a otro actor cómico capaz de hacer el personaje como querían los hermanos Quintero y la obra quedó relegada. Desapareció del teatro Apolo en la temporada 1904-05.

3. Vázquez de Orejón. España, siglo XX. Cantante. No se conoce el nombre de esta actriz y cantante que por los años en que trabajó debía ser la esposa de Emilio Orejón. Participó en diversos estrenos en el teatro Novedades como *El rey de la serranía* de Juan Goytisolo Gay, *Mala semilla* de Antonio Porras Somoza, *Alma negra* de Federico Chaves, *El cortijo de la gloria* y *Las mil y dos noches* de José Porras, *Amor ciego* de Penella, teatro Novedades, 1907, y *El lobato* de Vela y San Felipe, 1908.

BIBLIOGRAFÍA: *Madrid Cómico*, IV, 73, Madrid, 13-VII-1884; M. Bosch: *Historia de los orígenes del teatro nacional argentino*, Buenos Aires, Solar-Hachette, 1969.

Mª LUZ GONZÁLEZ PEÑA / MARTA LENA PAZ

Orejón Garrido, Felipe. Cartagena, ?; Madrid, 30-XII-1937. Compositor y pianista. No tuvo formación académica. La canción popular, especialmente el cuplé y el teatro lírico fueron sus dos principales dedicaciones. Sus creaciones fueron interpretadas por Raquel Meller, La Goya, Pastora Imperio, Carmen Flores y otras grandes cupletistas de los primeros años del siglo XX. Escribió su obra lírica en las primeras décadas del siglo XX, momento de crisis y cambio en el teatro. Su primera obra, *Zapirón*, se estrenó en

el Salón Victoria de Madrid. Se trasladó a la capital y vivió la mayor parte de su vida en esta ciudad.

OBRAS: *¡A que no!*, monólogo, 1 act, l, F. Castañón, est, 14-IV-1899, Te. Actualidades; *Así se escribe la historia*, Pas,1 act, l, A. Soler, E:Msa; *Cura en dos días*, Sai, 1 act, l, A. Asenjo / A. Torres del Álamo; *¿Eh?*, Rv, col. M. Santonja, l, F. Castañón, est, 1899; *El cuplé de moda o La ventrílocua*, Pas, 1 act, l, M. Garrido, est, 15-IV-1911, E:Msa; *El eterno femenino*, 1 act, l, J. Pérez; *El maestro garrotín*, Jug, 1 act, l, M. Garrido, est, 13-I-1911, Te. Royal Kursaal, E:Msa; *El novillero*, Pas, 1 act, l, R. Valero; *El nuevo género*, disparate, 1 act, col. M. Santonja Cantó, l, F. Castañón de Sarritu, est, 10-XI-1900, Te. Martín, E:Msa; *El primer meneo*, monólogo, 1 act, l, M. A. Garrido, est, 6-VI-1910, Te. Royal Kursaal; *El sastre del campillo*, Com, 1 act, col. C. Vela Marqueta, l, M. Garrido, est, 16-IV-1915, Te. Novedades, E:Msa; *El sobrino de su tío*, Jug, 1 act, l, E. Gómez Gereda / A. Soler Juncá, E:Msa; *El truco de Wenceslao*, Sai, 1 act, l, Jardiel Poncela, est, 25-XII-1925, Te. Romea; *El último juguete*, extravagancia, 1 act, col. C. Vela Marqueta, l, M. A. Garrido, est, 9-II-1914, Te. Novedades, E:Msa; *Finas hierbas*, Zarz, 1 act, col. Grases, l, J. Luengo / P. Cifuentes; *Garabatusa*, Zarz, 1 act, l, A. Quintero / J. López, est, 29-XI-1924, Te. La Latina E:Msa; *Gonzalito*, Zarz, 1 act, l, R. Galván, est. 28-VI-1901, Te. Romea; *Igualdad*, 1 act, l, F. Castañón; *Irene la volandera*, Zarz, 2 act, col. F. Balaguer, l, A. Quintero, est, 2-XII-1925, Te. Pavón, E:Msa; *La brocha del señor Matías*, Zarz, 1 act, l, J. Luengo; *La cabeza del marqués*, Jug, 1 act, l, R. del Valle Inclán, est, 31-III-1911, Te. Madrileño; *La cuesta de enero*, 1 act, col. M. Ribas, l, E. Ortiz / L. Gabaldón; *La fregona*, monólogo, 1 act, l, M. A. Garrido; *La fuente de Orfeo*, disparate, 1 act, l, M. A. Garrido, est, 25-II-1911, Te. Royal Kursaal; *La gallina ciega*, Zarz, 1 act, l, J. Gómez Renovales, est, 2-X-1924, Te. Maravillas; *La maja desnuda*, 1 act, l. Gómez Renovales, est, XII-1924; *La maja goyesca*, 1 act, l, Gómez Renovales; *La perezosa*, 1 act, l, J. Luengo; *La primera verbena*, monólogo, 1 act, l, R. Maroto; *La ventrílocua*, Pas, 1 act, l, M. A. Garrido, est, 15-IV-1911, Te. Royal Kursaal; *¡¡Ladrones!!*, monólogo, 1 act, l, A. Varela / N. Rodríguez, est, 30-XI-1898, Te. Barbieri; *Las lágrimas de Venus*, Zarz, 1 act, col. F. Grases, l, V. Ballester / S. Tamayo; *Las manos*, 1 act, l, F. Castañón; *Los colegiales*, 1 act, l, P. Gómez; *Madrid Express*, Zarz, 1 act, l, L. Montesinos / A. Torres del Álamo; *Marte, Venus y Cupido*, 1 act, l, A. Odriozola; *Miau*, monólogo, 1 act, l, N. Rodríguez/A. Varela; *Monumento nacional*, 1 act, E:Msa; *Pobre Julián*, l, J. Rubio Navajas; *¿Se lo doy?*, monólogo, 1 act, l, R. Maroto, est, 13-VI-1901, Te. Romea; *Su majestad la mujer*, Rv, 1 act, col. M. Romero, l, F. Flores / M. Susillo, est, 29-III-1919, Music Hall, E:Msa; *Un sueño*, monólogo, 1 act, l, M. A. Garrido; *Y como me pica*, Ent, 1 act, l, J. Martín Díaz / M. A. Garrido, E:Msa; *¡Y me decías que me amabas!*, diálogo, 1 act, l, M. A. Garrido, est, 30-V-1910, Te. Royal Kursaal; *¿Yo ir al baile?*, monólogo, 1 act, l, F. Castañón; *Zapirón*, Jug, 1 act, l, M. A. Garrido / V. de la Vega, est, 5-VI-1909, Te. Salón Victoria, E:Msa.

BIBLIOGRAFÍA: DMEH; E. Endériz: "Música popular", *El cine*, I, 3, Madrid, 1915.

EMILIO CASARES RODICIO

Orense Talavera, Cándido. Granada, siglo XIX. Compositor. Discípulo de Ramón Noguera, fue organista de la Real Capilla de los Reyes Católicos de Granada, y profesor de piano en la Sociedad Económica de Granada. Dejó obras sinfónicas y escribió una zarzuela titulada *El pañuelo de encaje* con libreto de J. López Ontiveros y F. Díaz Alonso.

BIBLIOGRAFÍA: DMEH.

EMILIO CASARES RODICIO

Oró Escolà, Carlos. †Barcelona?, 26-X-1909. Compositor y viola. Ejerció como profesor de viola en orquestas barcelonesas. Compuso principalmente obras líricas, si bien se conocen algunas instrumentales, caso de *La pubilleta*, interpretada en los conciertos Catalonia en 1905, y obras de estética de salón publicadas por Boileau, una *Melodía* para piano y violín. En la vertiente zarzuelística Oró destacó por las parodias. Una de las que consiguió cierta celebridad fue *Los gelos de la Coloma*, 1894, parodia de la zarzuela *La verbena de la Paloma*. Este tipo de obras dependían del oportunismo del éxito. La acción se desarrollaba en el barrio popular de Hostafrancs, y aparte de las manipulaciones argumentales, Oró citaba fragmentos de la obras de Bretón e introducía música de moda de su tiempo. Otra de las parodias, *Il castello di Malastruga* se basaba en la gatada de Serafí Soler *El castell dels tres dragons*; en este caso, la obra de Pitarra ya era una parodia de un drama. Oró exageró aún más el chiste fácil y ridiculizó los códigos habituales del teatro operístico italiano. En el caso de *Dida seca*, la parodia se realizaba sobre otra de las obras maestras de Pitarra, su drama *La dida*. Carlos Oró mostraba un buen conocimiento de los lugares comunes de las parodias, su instinto y oportunismo dramático, sin dudar en introducir citas musicales rozando el trazo grueso para exagerar la hilaridad.

OBRAS: *Amor pasado por hielo*, Sai, 1 act, l, A. Vergara / E. Fernández; *Callejón sin salida*, 1 act, l, M. Figuerola; *Como el gallo de Morón*, disparate, 1 act, l, A. Guasch / F. Dalmases, est, 14-VIII-1895, Te. Circo Español (Barcelona); *El abuelo de Pepito*, Zarz, 1 act, l, J. Arques; *El café de Barcelona*; *El mesón encantado*, 1 act, l, M. Figuerola; *El milagro de San Luis*, Zarz, l, F. Cuevas; *El tío León*, boceto, 1 act, l, B. Pinedo / G. Jover, est, 16-V-1908, Te. Tívoli (Barcelona); *Els gelos de la Coloma o Baralla de dos guapas per un jove comprimit*, Zarz, 1 act, l, A. Guasch i Tombas, est, 15-XII-1894, Te. Tívoli; *Ferro fred*, Dr, 2 act, l, R. Vidales, est, 27-II-1907, Barcelona; *Il castello di Malastruga*, l, L. Escaler, est, 1906, Te. Principal (Barcelona); *La bella Pepita*, l, B. Pinedo; *La Dida Seca*, Zarz, 1 act, l, E. Aulés, est, I-1908, Te. Principal (Barcelona); *La Rufa*, 1 act, l, A. Alvalde; *La última regata*, 1 act; *Lo jau petit*, Zarz, l, A. Guasch / M. Escrich; *Los trapos de la colada*, Rv, col. Bayarri, l, A. Alcalde, est, 23-XII-1902, Te. Gran Vía (Barcelona); *Pobre España*, Zarz, 1 act, col. M. Santonja, l, R. Bolumar; *¡Qué inocencia!*, Zarz, 1 act, l, E. Aulés, est, X-1909, Te. Tívoli (Barceona); *Travesuras de Pepito*; *Vilacalmosa*, farsa, 2 act, l, A. Artis, est, III-1910, Te. Gran Vía (Barcelona).

FRANCESC CORTÈS i MIR

Oropesa Clausín, Rafael. Madrid, 24-X-1892; Ciudad de México, 11-X-1944. Compositor. Fue director de la Banda Madrid, fundada en 1936 en el Quinto Regimiento por el Sindicato de Músicos. Llegó a México en 1939 en el barco *Sinaia*, en el que amenizaba a los pasajeros, refugiados españoles, con los conciertos de su Banda que dirigió hasta su muerte. Grabó en México más de cien discos de música española y es autor de varios pasodobles entre los que destacan *Mujer mexicana*, *Chiclanera* y *Morena*. En el archivo de la SGAE en Madrid se conserva su zarzuela en dos actos *El nido de la paloma*, escrita en colaboración con Adolfo Wagener Nogüés y con libreto de Pedro Llabrés y A. Olavarría.

Mª LUZ GONZÁLEZ PEÑA

Orozco, Guillermo. Huelva, siglo XX. Tenor. Debutó en el Gran Teatro de Córdoba en 1994. Estudió técnica vocal e interpretación con Pedro Lavirgen. Tamayo le contrató para su *Antología de la Zarzuela* en el teatro Nuevo Apolo y en 1995 participó en la X Semana Lírica Cordobesa en el Gran Teatro de Córdoba interpretando a Ricardo en *La del manojo de rosas*. En el teatro de Madrid participó en *Me llaman la presumida*. Ha obtenido premios en diversos concursos como el Ciudad de Logroño que ganó en 1994, el Francisco Alonso, el Jacinto e Inocencio Guerrero, el José Carreras y el Julián Gayarre. En 1996 participó en el Festival Lírico de Canarias interpretando a Rafael en *La Dolorosa* de Serrano.

Mª LUZ GONZÁLEZ PEÑA

Orozco, José. México, siglo XX. Cantante y compositor. En 1908 estrenó *La jugarreta*, "pieza cómica que se desarrolla en una fonda del puerto de Veracruz entre tipos mexicanos bien y decorosamente presentados" y cuyos autores fueron llamados a escena. Un año más tarde, Orozco puso música al libreto de Alejandro Michel *HH*. Estrenada el 14 de agosto de 1909, un periódico de la capital resumió: "Nuestros informes eran que *HH*, zarzuela mexicana, constituiría un éxito franco; pero la realidad nos desengañó y desengañó al público, porque la mencionada zarzuela no gustó". Orozco, cantante de menor categoría, realizó algunas presentaciones en escenarios mexicanos como los teatros Briseño y María Guerrero.

ROCÍO TERÁN DÍEZ-LANDA

Orozco, Salvador. España, siglos XIX-XX. Actor y director. Su actividad se desarrolló entre la última década del siglo XIX y la primera del siglo XX. Así en 1891 estrenó en el teatro Alhambra *Los boqueronés* de Quinito Valverde y Joaquín Viaña, obra que obtuvo un gran éxito, y *Los tortolitos* de Miguel Marqués; en 1892 en el Eslava *La boda* de Calleja y García Álvarez; en 1893 *La bella Chiquita o Los padres sin familia* de Alberto Cotó; en 1908 estrenó en el Gran Teatro del Bosque de Barcelona *Amor baturro* de Tomás Bretón. Obtuvo un gran éxito al llevar con su compañía *La gatita blanca* de Giménez y Vives, a San Sebastián.

Mª LUZ GONZÁLEZ PEÑA

Orquesta. Era habitual en los teatros españoles tanto dedicados al género lírico como al declamado, la presencia de orquestas, que solían iniciar las funciones teatrales con una obertura o sinfonía y participaban en la dramatización diegética de las obras escénicas. En el siglo XIX, al iniciarse el proceso que condujo a la restauración de la zarzuela romántica, los compositores se valieron de los recursos que esas orquestas pueden ofrecerles. La primera obra asimilable a una zarzuela en el siglo XIX es el melodrama lírico *Los enredos de un curioso* de 1832. Con música de Piermarini, P. Albéniz, Carnicer y Saldoni, la orquesta empleada era la habitual en la ópera del primer romanticismo europeo, con maderas a dos –2 flautas, 2 oboes, 2 clarinetes, 2 fagotes–, 2 trompas, 2 clarines, trombón y cuerda, añadiendo la guitarra para acompañar los aires característicos. La orquesta sustenta las líneas vocales, apoyando en algunos números a los solistas con los instrumentos melódicos –flautas, clarinetes, oboes y violines primeros–. En 1832 se estrenó en el teatro de la Cruz la ópera española en un acto *El rapto* de Genovés; la obra, de carácter italianizante, incluye octavín, flauta, oboes, clarinetes, trompas, clarines, fagotes, trombones, timbales y cuerda, respondiendo al modelo lírico italiano coetáneo, destinando la madera y cuerda aguda para la exposición melódica. Tras el estreno de otras obras líricas en castellano, en 1843 se presentó en el teatro del Príncipe la tonadilla española *Jeroma la castañera*, primer éxito lírico de Soriano Fuertes; la versión más antigua requiere una orquesta formada por flautín, flauta, oboe, 2 clarinetes, 2 fagotes, 2 trompas, cornetín, trombón, figle, percusión y cuerda; también se utiliza la guitarra en números de carácter español. En el teatro de la Cruz se presentaron entre 1846 y 1847 tres zarzuelas-parodia de Agustín Azcona: *La venganza de Alifonso*, 1846, *El sacristán de San Lorenzo*, 1847 y *El suicidio de Rosa*, 1847; al tomar fragmentos musicales completos de las obras líricas a las que parodiaban, la plantilla orquestal era la misma que la empleada por los compositores italianos. Azcona estrenó también en el teatro de la Cruz *La pradera del Canal*, 1847, con música de Iradier, Oudrid y Cepeda. El teatro del Príncipe presentó en 1847 la zarzuela *La venta del puerto o Juanillo el contrabandista* de Mariano Fernández y Cristóbal Oudrid, de la que se conservan tres fuentes con diferencias en la orquestación que responden a realidades interpretativas diferentes: una de las fuentes requiere clarinetes, fagot, trompa, clarines, figle, timbales y cuerda; la segunda añade flauta y trombones, normalizando así su plantilla, y la tercera, conservada en Cuba, presenta flautín, flauta, clarinetes, fagot, trompas, clari-

nes, figle, timbales y cuerda, añadiendo en el Nº 5 oboe, y en el Nº 6 dos oboes y "bugle".

El madrileño teatro del Instituto se convirtió en 1847 en sede lírica en la que se representaban obras del género andaluz. Destaca la zarzuela andaluza de Soriano Fuertes *¡Es la Chachi!*, 1847, que ya había sido estrenada en 1845 en cuya orquestación incluye flauta, oboe, clarinetes, fagotes, trompas, cornetines, trombones, timbales y cuerda, presentando así la plantilla orquestal una ampliación desde la obra anterior de Soriano Fuertes estrenada en 1843; de este género andaluz se interpretó también *La sal de Jesús*, de los mismos autores, estrenada en 1847, con una orquesta que requiere madera a dos, trompas, cornetines, trombones, timbales y cuerda. En la Nochebuena de 1848 se estrenó una obra en el teatro del Príncipe y otra en el Instituto; la del Príncipe fue *Los pícaros castigados o La fiesta en el cortijo* de Ovejero, cuya orquesta emplea flautín, 2 flautas, 2 oboes,

Orquesta del teatro Apolo (Foto: Ar. E. Casares)

2 clarinetes, 2 fagotes, 2 trompas, clarín, 2 cornetines, 2 trombones, tuba y figle, timbales, cuerda y castañuelas; la del Instituto, *El ensayo de una ópera* de Oudrid, con flautín, flauta, dos clarinetes, dos trompas, dos cornetines, trombón, figle, timbales, bombo y cuerda, siendo posible que de los materiales descritos pertenecientes al teatro Tacón conservados en el Museo Nacional de la Música de Cuba, se haya perdido la parte correspondiente a los fagotes. Se aprecia, pues, que la orquesta requerida para la representación de estas obras era similar a la necesaria para el repertorio lírico italiano o para la ópera cómica francesa.

En 1849 la actividad teatral se centró en el teatro del Instituto, especialmente con las obras de Hernando, compositor recién llegado de París, que estrenó en 1849 *Palo de ciego*. En la fuente del teatro Tacón de La Habana presenta una orquesta integrada por flautín, flauta, 2 clarinetes, 2 trompas, 2 cornetines, 2 trombones, figle, bombo y cuerda, mientras que en otra versión conservada en el archivo de la SGAE en Madrid presenta flauta, 2 oboes, 2 clarinetes, 2 fagotes, trompa, 2 cornetines, trombones, timbales y cuerda. En 1849 se estrenó la primera zarzuela restaurada en dos actos, *Colegialas y soldados* de Hernando, que obtuvo un éxito importante y se convirtió en referente para el desarrollo del género lírico español; la obra cuenta con flautín, flauta, clarinete, trompa, cornetín, 2 trombones, timbales, tamboril, bombo y cuerda. Siguió *El duende* de Hernando, 1849, con una orquestación que incluye flauta, 2 oboes, 2 clarinetes, 2 fagotes, 2 trompas, 2 trompetas, 2 trombones, figle, timbales y cuerda.

La reforma de teatros de 1849 hizo que el antiguo teatro del Príncipe pasase a denominarse teatro Español. Gaztambide transformó la orquesta del teatro, quitando y poniendo elementos, obligando a los ejecutantes a interpretar exactamente su papel, y estrenó allí, en la Nochebuena de 1849, su ópera cómica en dos actos *La mensajera*, primera zarzuela restaurada en la que era precisa la participación de cantantes profesionales y no de actores con conocimientos de canto. La obra emplea flautín, flauta, 2 oboes, 2 clarinetes, 2 fagotes, 2 trompas, 2 cornetines, 3 trombones, figle, timbales, arpa, cuerda y clarín dentro. Tras el éxito de *La mensajera* nació el segundo intento para crear una asociación que defendiera los intereses de los autores líricos españoles. Hernando consiguió que su empresa de Variedades contratase mejores elementos musicales –cantantes especializados, mayor orquesta– para permitir el auge de la naciente zarzuela, reuniendo en el mismo teatro, junto a él mismo, a Gaztambide y Barbieri, y contratando a Salas y otros cantantes. En Variedades se estrenó la primera zarzuela de Barbieri, *Gloria y peluca*, 1850, cuya orquestación presenta flautín, flauta, 2 oboes, 2 clarinetes, 2 fagotes, 4 trompas, 2 cornetines, 2 trombones, figle, timbales y cuerda; para Emilio Casares, la obra muestra ya el modelo de orquesta habitual en las obras del compositor, aunque más adelante redujo las trompas a 2. Ante el estado ruinoso de Variedades, la empresa se trasladó al teatro de los Basilios, donde se estrenó *A última hora* de Gaztambide, 1850, con flautín (y flauta 2), flauta, resto de madera a dos, 2 trompas, 2 cornetines, 3 trombones, figle, timbales, cuerda, y además campana, guitarras y bandurrias; esta orquestación básica, a la que se añaden en ocasiones como la presente otros instrumentos o agrupaciones instrumentales, al servicio de la acción, es también la habitual en la zarzuela de las décadas de 1850 y 1860. En la temporada 1850-51 la compañía volvió al Variedades, pero pronto contrataron el teatro del Circo, que contaba con unos cuarenta músicos: madera a dos –la segunda flauta tocaba también el flautín–, 2 trompas, 2 cornetines, 3 trombones, figle, timbales, cuerda, y con la posibilidad de contratar otro percusionista para el "ruido" –triángulo, tambor, campana,

bombo, etc.– cuando la obra lo requiriese, así como otros músicos para determinadas obras. Basta ver la plantilla de obras significativas del momento como *El campamento* de Inzenga o *Al amanecer* de Gaztambide. En el Circo Gaztambide fue nombrado director de la orquesta, que contaba con madera a dos –la segunda flauta tocaba también el flautín–, 2 trompas, 2 cornetines, 2 trombones, figle, timbales y cuerda, esto es, unos cuarenta miembros, más un segundo percusionista y, en caso necesario, otros refuerzos. Esta plantilla orquestal, sin duda meditada por Barbieri y Gaztambide, y heredera de la plantilla de las orquestas de años anteriores, se convirtió en modelo de orquesta para toda la zarzuela del XIX.

El estreno de *Jugar con fuego* de Barbieri, el 6 de octubre de 1851, marcó una nueva dirección en la concepción formal del género, pues la obra pasó a tener tres actos; esta obra incluye, además de la orquesta habitual, triángulo y pandereta. En 1856, los empresarios-autores del Circo, convencidos de la posibilidad de construir un teatro con el dinero que pagaban por el arrendamiento del Circo, decidieron llevar a cabo la construcción y apertura del nuevo teatro de la Zarzuela. Se conoce exactamente, a través de los datos aportados por Barbieri, la plantilla de la orquesta del nuevo teatro, que constaba de flautín, flauta, 2 oboes, 2 clarinetes, 2 fagotes, 2 trompas, 2 cornetines a pistones, 3 trombones (o 2 trombones y figle), timbales, triángulo, concertino y 6 violines primeros, concertino y 6 violines segundos, 4 violas, 2 violonchelos y 4 contrabajos, esto es, un total de 41 instrumentistas; así pues, la orquesta era similar en su composición a la del teatro Circo. Este modelo de orquesta, con la adición en su caso de los instrumentos necesarios, se mantuvo en el teatro de la Zarzuela prácticamente sin cambios durante todo el periodo de creación zarzuelística en los siglos XIX y XX. Para constatarlo, basta ver obras emblemáticas de autores posteriores estrenadas en el teatro de la Zarzuela. Así, por ejemplo, el drama lírico *El anillo de hierro* de Marqués, estrenado en 1878, tiene en su plantilla orquestal flautín, flauta, 2 oboes, 2 clarinetes, 2 fagotes, 2 trompas, 2 cornetines, 3 trombones, timbales, bombo, caja, lira, arpa y cuerda.

Como anota Emilio Casares a propósito de las obras de Barbieri, a este esquema básico se añaden numerosos y variados instrumentos, muchas veces para tipificar el color hispano: "Su uso es muy variado: castañuelas, panderetas, cencerros, tamboril, campanilla, campana, esquilón, cascabeles, látigo, platillos. Un modelo puede ser el incremento de percusión de *Galanteos en Venecia* con campana, panderetas, castañuelas y tambor, o el más rico de *Robinson*, lira, triángulo, cencerros tiples, cencerros tenores, pandereta, tambor, tam-tam, bombo y platillos. También usa Barbieri otros instrumentos singulares con el mismo fin colorístico o descriptivo: órgano en *Mis dos mujeres* y en *Los comediantes de antaño*; tamboril en *Amar sin conocer*, guitarra en *La picaresca* y *Pan y toros*; casta-ñuelas en *Galanteos en Venecia, Por conquista, Sueños de oro, Artistas para La Habana, Los carboneros*, oboe pastoral en *Amar sin conocer*; arpa en *El secreto de una dama, Pan y toros, La hechicera, Al rábano por las hojas, Los comediantes de antaño*, monedas en *Sueños de oro*; pandereta en *Jugar con fuego, Galanteos en Venecia, Por conquista*; clarines en *Galanteos en Venecia*; campana en *Tramoya* y *Gato por liebre*, látigo en *Aventuras de un cantante*; lira en *El proceso del cancán, La vuelta al mundo*; sixtrum en *El proceso del cancán*". También se añaden grupos dentro o fuera del escenario, destacando la banda y la rondalla.

La orquesta asume las funciones tradicionales en el teatro lírico del XIX: acompañante, bien *obligato* o doblando las voces; pasajes a solo instrumental, especialmente de flauta y clarinete; uso del metal restringido a los *tutti* y grandes concertantes. Algunos instrumentos son empleados para incrementar la capacidad de expresión en diversas situaciones dramáticas, para transmitir ciertos pensamientos o incluso para definir personajes. Así, en el caso de Barbieri, el órgano sirve para ambientar momentos religiosos, así la Salve de *Mis dos mujeres*; el oboe para definir los personajes árabes en *El tributo de las cien doncellas*; el trombón y la guitarra para describir a los dos protagonistas de *Los dos ciegos*; el arpa como sostenedora de momentos que reflejan una música pegada a la tradición histórica, así en *Pan y toros*, en "Este santo escapulario" o en el Nº 4 de *El secreto de una dama*; otras veces la orquesta emplea diversos toques por ejemplo de clarín para reforzar el discurso dramático del texto.

Cuando se crearon otras compañías de zarzuela en la década de 1860, el modelo seguido para la orquesta fue el del teatro de la Zarzuela. Así la orquesta constituida por la compañía que arrendaba el teatro del Circo en las temporadas 1860-61 y 1861-62, con intención de competir con el teatro de la Zarzuela, constaba de 40 profesores. La compañía de zarzuela que se creó en Barcelona para explotar la zarzuela en el teatro Principal en las temporadas 1860-61 y 1861-62 creó una orquesta también de 40 profesores. Las obras nuevas que nacieron para este teatro seguían el mismo modelo de orquestación; es el caso de *Amor y arte* de Balart, estrenada en el teatro Principal de Barcelona en 1862, cuya plantilla orquestal consta de flautín, flauta, 2 oboes, 2 clarinetes, 2 fagotes, 2 trompas, 2 cornetines, 3 trombones, timbales, cuerda y guitarras. También de las nuevas producciones de Arrieta para el teatro Circo de Madrid, como *Cadenas de oro*, estrenada en 1864, cuya plantilla consta de madera a dos, 2 trompas, 2 trompetas, 2 trombones, figle, percusión y cuerda.

En el género bufo cultivado por Arderius se emplea una orquesta de proporciones similares a las del teatro de la Zarzuela; así *El joven Telémaco*, primera obra bufa, incluye en su plantilla, flautín (o flauta 2), flauta, resto de madera a dos, 2 trompas, 2 cornetines, 2 trombones, figle, timbales y cuerda; la misma es utilizada en obras como *Bazar de novias*, 1867 de Oudrid, *El conjuro*, 1866 o *El potosí submarino*, 1870, de Arrieta, y en otras obras del género. Emilio Casares destaca la riqueza de orquestación del teatro bufo, tratada con belleza y colorido: lira, triángulo, cencerros, pandereta, tam-tam, bombo y otros instrumentos de uso frecuente en las músicas hispanas. "Sin duda —afirma Casares— la buena situación económica que rodeó a lo bufo hizo que Arderius no ahorrase en medios orquestales".

Orquesta del teatro de la Zarzuela (Foto: Cámara; Ar. ICCMU)

Otro espacio diferente para la creación e interpretación lírica lo constituyen los teatros de verano, que se construían y desmontaban cada temporada estival, y a los cuales se destinaba una parte importante de la producción del género chico, con obras pensadas para el consumo inmediato. Las orquestas de estos teatros podían contar con una plantilla similar a la de los teatros de invierno, aunque era frecuente que el número de instrumentistas fuese menor, dependiendo en ocasiones su composición de los intérpretes disponibles en ese momento. Así, en el teatro de Verano, ubicado en el Circo de Paul, en 1868 se estrenó *Café teatro y restaurant cantante* de Oudrid, 1868, con una plantilla similar a la de las orquestas de los teatros de invierno: madera a dos, 2 trompas, 2 cornetines, 3 trombones, timbales y cuerda; se supone que el número de instrumentistas de cuerda sería más reducido que el habitual. En el Jardín del Buen Retiro se estrenó en 1877 *¡A los toros!* de Chueca y Valverde, con una orquesta similar a la habitual, a la que se suman bombo, triángulo y una banda. Un ejemplo representativo de una plantilla orquestal diferente a la habitual es la que figura en la primera versión de la revista *La Gran Vía* de Chueca y Valverde, estrenada en el teatro Felipe en 1886, que requiere flautín, flauta, 2 clarinetes, 2 trompas, 2 cornetines, trombón, bombardino, tambor, bombo y platillos y cuerda; esto es, una orquesta en la que faltan los oboes, los fagotes, en la que sólo hay un trombón y además hay un bombardino, reflejando así la adecuación de la obra a los medios de que disponía la orquesta del teatro; la obra logró un éxito inmenso, y la compañía pasó al teatro de Apolo, donde la orquesta era similar a la habitual, por lo que debía adaptar su música a la nueva plantilla, y así, los números nuevos de música están elaborados para flautín, flauta, oboe, 2 clarinetes, fagot, 2 trompas, 2 cornetines, 3 trombones, timbales, caja, bombo y platillos y cuerda.

El teatro Apolo, "catedral del género chico", cultivó no sólo ese género, sino en algunas temporadas también el género grande; la temporada 1876-77 puso en escena algunas obras del periodo anterior, como *El juramento*. La temporada 1880-81 la orquesta del teatro, dirigida por Mariano Vázquez, contaba con 42 profesores, miembros de la Sociedad de Conciertos de Madrid; la distribución de los mismos seguía el modelo del teatro de la Zarzuela. A partir de 1886, fue el teatro fue arrendado por Ducazcal, que aprovechó el éxito de *La Gran Vía* y estrenó nuevas obras de Chueca y otros autores, muchas de ellas en un acto; la plantilla orquestal habitual en esas obras muestra una disminución en el número de instrumentistas de viento madera, siendo habitual que incluyera flautín, flauta, oboe, 2 clarinetes, fagot, manteniéndose 2 trompas, 2 cornetines, 3 trombones, timbales y cuerda; se puede suponer que la disminución en la madera (se suprimen 1 oboe y 1 fagot) corre pareja a una disminución en la cuerda. Un artículo en la revista *El Mundo Artístico Musical* recoge la plantilla de la orquesta del teatro Apolo en la temporada 1900-01, compuesta por 31 profesores: 2 flautas, oboe, 2 clarinetes, fagot, 2 trompas, 2 cornetines, 3 trombones, timbal, caja, bombo, concertino, 5 violines I, 4 violines II, 2 violas, 1 violonchelo y 2 contrabajos. Posiblemente ésta sería la composición de la orquesta del teatro Apolo desde 1886 hasta su cierre, pues a esa plantilla –con la adición de algunos instrumentos, en su caso– se ajustan los grandes éxitos estrenados en dicho teatro, como *El año pasado por agua*, *El monaguillo*, *La verbena de la Paloma*, *Agua, azucarillos y aguardiente*, *La revoltosa* o *La alsaciana*, entre otras. El artículo antes citado, firmado por "Uno de Apolo", recoge las quejas de los músicos de la orquesta, que tenían que trabajar más en el género chico que en el grande, con ensayos continuos durante la temporada, al tratarse de obras efímeras, de consumo inmediato.

Otros teatros madrileños cultivaron de forma más o menos habitual el género lírico. Entre ellos destaca el teatro de la Alhambra, donde en 1880 se estre-

nó *La canción de la Lola o Celos engendran desdichas* de Chueca y Valverde, modelo de sainete lírico; su plantilla incluye flauta, 2 clarinetes, fagot, 2 trompas, 2 cornetines, trombón, bombardino, timbales, campana, cuerda, piano dentro y banda dentro. Más cerca de la orquesta del teatro de la Zarzuela debía estar la orquesta del Teatro-Circo de Price, donde en 1888 se estrenó *La campana milagrosa* de Marqués, con una plantilla orquestal que incluye madera a 2, metal a 2, 3 trombones, timbales, bombo y platillos, arpa y cuerda. Por su parte, el teatro Eslava debía contar con una orquesta similar a la de Apolo, pues la orquestación habitual de las obras estrenadas en Eslava durante el periodo 1880-1901 es la ya comentada a propósito de Apolo: flautín, flauta, oboe, 2 clarinetes, fagot, 2 trompas, 2 cornetines, 3 trombones, timbales, caja / bombo y cuerda, con añadidos en su caso; ello hace pensar que el número de profesores sería próximo a los 31 antes citados en el caso de Apolo.

Hacia 1900 la crisis económica consecuente a la pérdida de las Colonias provocó en el caso del teatro lírico una situación empeorada por la difusión del cinematógrafo, espectáculo mucho más barato que el lírico, pues sólo requería un operario, frente a los cincuenta necesarios, como media, en las representaciones líricas. Ello dio lugar al cierre de muchas salas destinadas anteriormente al teatro musical, que se convirtieron en salones de proyección del nuevo cine, y provocó una necesidad de recortar gastos en otras para poder competir con el nuevo espectáculo que atraía el interés del público. Así, la mayor parte de teatros de segunda categoría que mantenían una orquesta la redujeron a su mínima expresión. Ello llevó a que algunas obras de repertorio tuvieran que ser adaptadas o reorquestadas para permitir su interpretación. Además, esas mismas obras de repertorio debían ser también adaptadas para su representación en el teatro Apolo, convirtiendo las partes de madera a la plantilla en la que hay 1 oboe y 1 fagot en lugar de los dos para los que había sido escrita la obra. Es el caso de lo que ocurre con *El barberillo de Lavapiés*, que fue adaptada en ese periodo a la nueva plantilla orquestal de los teatros, con lo que perdió su especificidad tímbrica en muchos pasajes, especialmente en los relacionados con la presencia en escena de los guardias walonas, caracterizados musicalmente por los fagotes y el metal.

Por otra parte, algunos compositores escribían sus obras para una plantilla orquestal "ideal", sabiendo que en el momento de la representación bastantes de los músicos iban a estar ausentes del foso; por ello recurrían, de un lado, a indicar en sus partituras pasajes a otros instrumentos en defecto de alguno en concreto y, de otro, a la duplicación de líneas vocales en diversos instrumentos de forma exagerada; ello origina el problema de la interpretación de este repertorio con orquestas completas, en las que si se respeta esa orquestación "excesiva" se corre el riesgo de hacer enmudecer las líneas melódicas de los solistas vocales. Por ello, las ediciones críticas de obras compuestas en el siglo XX deben considerar la posibilidad de omitir las duplicaciones redundantes.

El repertorio lírico del siglo XX compuesto para los teatros importantes –Apolo, fundamentalmente– recurre en general a una orquesta de 31 instrumentistas, con 1 oboe, 1 fagot, el resto de la madera a dos, metal a dos, 3 trombones, timbales o percusión y cuerda. Es el caso de *Alma de Dios* de José Serrano, *La alegría del batallón* también de Serrano, *El amigo Melquiades o Por la boca muere el pez* de José Serrano y Valverde San Juan, *La canción del olvido* de Serrano, *La alsaciana* de Jacinto Guerrero, *La bejarana* de Emilio Serrano y Francisco Alonso, *Los claveles* de José Serrano o *El canastillo de fresas*, obra póstuma de Guerrero, entre otros cientos de títulos significativos. Al convertirse en referentes, las producciones estrenadas en Apolo hasta el cierre de este teatro, el resto de los teatros líricos siguió la disposición orquestal de Apolo para poder interpretar con mayor comodidad los éxitos presentados en el teatro madrileño.

BIBLIOGRAFÍA. Uno de Apolo: "Machaca, chico, machaca…", *El Mundo Artístico Musical*, 13, 10-IX-1900, 2-3; E. Casares Rodicio: *Francisco Asenjo Barbieri. 1. El hombre y el creador. 2. Escritos*, Madrid, ICCMU, 1994; M. E. Cortizo: "Orígenes de la zarzuela romántica", *Actualidad y futuro de la Zarzuela*, Madrid, Fundación Caja Madrid-Alpuerto, 1993; —: *Emilio Arrieta. De la ópera a la zarzuela*, Madrid, ICCMU, 1998; R. Sobrino: "La crisis del género lírico español en la primera década del siglo XX: una revisión de las fuentes hemerográficas", *Cuadernos de Música Iberoamericana*, 2-3, 1996-97.

RAMÓN SOBRINO

Orquestina. Término con el que se denominan las reducciones para pequeño grupo instrumental. En la SGAE se conservan varios cientos de estas partituras de zarzuela. Por su parte, la Unión Musical Española, editorial que adquirió casi la totalidad de los fondos editoriales españoles del siglo XIX, publicó numerosísimas reducciones para orquestina de las zarzuelas de más éxito, o de algunos de sus números más famosos.

EMILIO CASARES RODICIO

Orriols Lletget, Álvaro de. Barcelona, 1-I-1894; Bayona (Francia), 18-XI-1976. Poeta, dramaturgo y compositor. Nació en una familia muy relacionada con el Derecho, pues su padre era notario y su abuelo había sido abogado y diputado. Al morir su padre, siendo él adolescente, se trasladó con su madre y hermanas a Madrid y siguió estudios de Bellas Artes, sin abandonar la música, ya que componía y tocaba el violín y el piano. Muy atraído por la poesía,

Álvaro Orriols (Foto: Ar. SGAE)

en octubre de 1921 Ortega y Castillón Editores de Barcelona editó su libro *Nervio*. Con 25 años comenzó su carrera en el teatro, estrenando en 1919 *La daga*, adaptación lírica de su traducción *Lo ferrer de Tall* de Pitarra. En 1930 estrenó el drama fantástico en verso *Athael*, en 1934 la tragedia *Cadenas* y por esas fechas el drama *¡Cómicos!*. Muy afecto a la República escribió también teatro de marcado carácter político como *Rosas de sangre*, homenaje a la recién nacida República, esta obra llegó a ser centenaria en Madrid y cinco compañías la llevaron de gira en la misma semana del estreno. En otoño de 1931 estrenó *Los enemigos de la República*, segunda parte de la anterior. En mayo de 1936 estrenó en el teatro Europa de Madrid el drama social *Máquinas*, dirigiendo la obra el propio autor y 1937 estrenó *¡España en pie!* reportaje escénico sobre la Guerra Civil que se hizo centenario en la cartelera del Apolo barcelonés y del teatro Pavón de Madrid; la obra se representó también en Francia durante la Guerra Civil como propaganda para la causa republicana. En el invierno de 1938 estrenó en el teatro Español de Barcelona *Retaguardia*, nuevo reportaje sobre la Guerra Civil española y último estreno del autor en España. Finalizada la contienda, se exilió con su familia y fijó su residencia en Bayona en 1939, y allí tradujo al catalán las obras de García Lorca y *Cyrano de Bergerac* de Rostand.

Escribió varios títulos para el teatro lírico. En 1923 estrenó en el teatro Victoria de Barcelona *La daga*, con música de Enrique Morera. En 1925 en el Novedades de Madrid presentó *El mastín de la Pedrosa*, con música de Francisco Capo. En septiembre del mismo año en el teatro del Cisne —posteriormente teatro Chueca— *Costa Brava*, de nuevo con música de Francisco Capo. En 1925 estrenó *La pescadora de Ubiarco*, escrita en colaboración con Enrique Reoyo y con música de José María Tena. La obra obtuvo un gran éxito y en los carteles figuraba: "Aunque seas hombre parco, / no has de dejar de ir a ver / *La pescadora de Ubiarco* / Cantada por Peñalver". De nuevo con música de José María Tena estrenó dos años después, en otoño de 1927 en el Maravillas de Madrid, *El Caudillo del Urbión*, contada por Federico Cabasés. Finalmente, 1934 estrenó en el teatro Fuencarral de Madrid *La moza esquiva*, zarzuela en tres actos de la que es autor de música y letra, escrita en colaboración con el compositor Enrique Sanz Vila. Esta obra se conserva en el archivo de la SGAE en Madrid.

BIBLIOGRAFÍA: A. Collado: *El teatro bajo las bombas en la Guerra Civil. Tragicomedia de actores, figurantes, políticos, personajes y personajillos*, Madrid, Kaydeda, 1989.

Mª LUZ GONZÁLEZ PEÑA

Ortas. Familia de músicos españoles formada por Casimiro y su hijo del mismo nombre.

1. Ortas Navarro, Casimiro. Sevilla, siglos XIX-XX. Actor y director de escena. Entre 1880 y 1900 fue uno de los artistas que más éxitos cosechó en España. Dirigió numerosas compañías de zarzuela y en ellas comenzó a formarse y a trabajar su hijo. Estrenó numerosas comedias y juguetes y en el género lírico estrenó *El país de la castaña* de Rubio y Espino, 1886; *Las dos madejas* de Estellés y *Viento en popa* de Giménez, 1889; *El mocito del barrio* de Julián Romea y *El collar de perlas* de Auber y *Trafalgar* de Giménez, 1891; *Los guardias de Corps* y *Boda, tragedia y guateque o El difunto de Chuchita* de Marqués, 1894; *Amores de un veneciano* de Julio Pérez, 1895; *La piel del diablo* de Chapí, 1897; *La buena sociedad* de Font y López del Toro; *El verbo amar* de Alonso, 1911. A partir del momento en que comenzó a trabajar su hijo, es difícil saber quién es el intérprete de algunas obras. En el teatro Apolo actuó junto a su hijo en obras como *La Venus de piedra*, 1914, y *La patria de Cervantes*, 1916.

2. Ortas Rodríguez, Casimiro. Brozas (Cáceres), 1880; Barcelona, 10-III-1947. Actor y cantante. Comenzó a actuar de la mano de su padre. Participó en la temporada de zarzuela del teatro de la Comedia, coincidiendo con Matilde Pretel, Riquelme y Bonifacio Pinedo, y allí estrenó en 1897 *La piel del diablo* de Chapí. Sus primeros triunfos los obtuvo en Sevilla, como tenor cómico del género chico y en esa ciudad, en el teatro Cervantes, estrenó *El Fonocromofotograp* de Eduardo Fuentes. En 1910 estrenó, en el Gran Teatro de Madrid, *La costa azul* de Ramón López Montenegro, con la que debutó en la Zarzuela en 1913 y que repuso sucesivas veces en Apolo, ya que parece que era una de sus obras favoritas y le daba ocasiones sobradas de lucirse. En 1911 en el mismo Gran Teatro estrenó *El carro del sol* de Serrano y *La niña de los besos* de Penella en el teatro de la Zarzuela. Sin duda, el teatro de Ortas fue el Apolo, del que fue actor y director, al regresar de su gira americana. Debutó en 1914 con *El último chulo* de Lleó y el éxito obtenido fue tan grande que desde el día del estreno la obra se representó en la primera y cuarta sección. Poco después participó en la reposición de *San Juan de Luz* y estrenó *La corte de Risalia* de Luna, *La sombra del molino* de Vicente Arregui y *El amigo Melquíades o Por la boca muere el pez* de

Casimiro Ortas en La niña de los besos *(Foto:* Comedias y Comediantes, *1911; Ar. ICCMU)*

Serrano y Valverde, obra en la que volvió a triunfar ruidosamente. La temporada siguiente estrenó *España nueva* de Lleó, *La Venus de piedra* de García Álvarez en la que trabajó con su padre. Comenzó 1915 con el estreno de *El entierro de la sardina* de Calleja que llegó a ponerse hasta tres veces al día debido al éxito obtenido. Poco después estrenó *Las señoras del silencio* de Barrera, de nuevo con gran éxito y *La pandereta* de Giménez y Lleó en la que Ortas interpretó de modo genial su personaje, lo mismo que en *El chico de las Peñuelas o No hay mal como el de la envidia* de Millán, que se llegó a ofrecer en tres sesiones cada noche, primera, tercera y quinta. En otoño de 1915 estrenó *Las castañuelas* de Giménez y reprisó *La Venus de piedra*, en la que junto a Moncayo hacía las delicias del público. En octubre estrenó *El nido del principal* de Bru y Vela, en la que hizo un protagonista lleno de gracia junto a Consuelo Mayendía, y poco después estrenó *Diana la cazadora o Pena de muerte al amor* de María Rodrigo, que no fue bien acogida por el público pese a la presencia de Ortas, al igual que *La estrella del Olimpia* de Calleja estrenada en Nochebuena sin mucho éxito. En 1916 estrenó *La ley del embudo* de Vives, aplaudida a pesar de que el libreto era de Sinesio Delgado, cuyas obras habitualmente eran recibidas con pateos. Mayor éxito tuvo *La patria de Cervantes* de Foglietti en la que eran muy aplaudidos unos cuplés que cantaban Ortas y Moncayo. En esta obra de nuevo actuaban juntos padre e hijo. En la Fiesta del Sainete del 23 de mayo estrenó *Serafín el pinturero* de Foglietti, que triunfó sobre todo por el libro de Arniches, lleno de chistes a los que Ortas supo sacar partido de modo que cuando años después se trasladó a la Comedia representó allí el sainete sin música. La temporada 1916-17 seguían los dos Ortas contratados por Apolo y Casimiro Ortas hijo vivió uno de sus mayores éxitos —al igual que el teatro— con el estreno de *El asombro de Damasco* de Luna, en la que su aparición vestido de turco y con turbante, en el personaje del Ben-Ibhem, provocó las carcajadas del público desde el comienzo de la obra. Gran éxito tuvo también en *El señor Pandolfo* de Vives y en *Mantequilla de Soria* de Roig, estrenada ya en 1917. Peor acogida mereció *La casa de enfrente* de Luna estrenada para la Fiesta del

Sainete, aunque Luna mejoró su suerte con *El presidente Mínguez*, que protagonizó Ortas, al que la empresa de Apolo en su beneficio le obsequió con un billete de 1.000 pesetas, cantidad muy considerable para la época, lo que confirma la popularidad del actor y lo que suponía para el teatro Apolo. Ese mismo año estrenó *El marido de la Engracia* de Barrera y Taboada.

En otoño de 1917 Ortas abandonó la catedral del género chico para hacer una gira por América Latina, en la que obtuvo grandes triunfos, al igual que en Portugal. De regreso a España, en mayo de 1918 fue contratado de nuevo por el teatro Apolo para sustituir a Ramón Peña, que curiosamente le había reemplazado en las representaciones de *El asombro de Damasco* realizadas en ausencia de Ortas. Sin embargo el actor sólo actuó en la Fiesta del Sainete con uno escrito expresamente para él por Enrique García Álvarez, *El juglar*. Ortas desapareció de Apolo hasta el 19 de abril de 1919 en que se presentó de nuevo con *Serafín el pinturero*, para estrenar después *La flor del barrio* de Calleja, *¡Granada mía!* de Angel Barrios y *El anillo de los Faraones* de Acevedo, en la que protagonizaba un intermedio cómico junto a Paco Gallego "Galleguito". En 1920 obtuvo un gran éxito en *Pepe Conde o El mentir de las estrellas* de Vives, dando a su papel la hondura tragicómica que requería. En otoño, comenzando la temporada 1920-21, estrenó *La del dos de mayo* de Barrera. Ya en 1921 estrenó *La hora del reparto* de Guerrero quien, tras haber sido violinista del teatro, estrenaba en él su primera obra, muy bien acogida por el público, al contrario que *El Otelo del barrio* con el que se cerró la temporada y que también protagonizó Ortas. En noviembre de 1921 estrenó *La diablesa* de Francisco Alonso, en la que la música gustó mucho y salvó la obra, así como la actuación de los intérpretes, Ortas entre ellos. Sólo la presencia de Casimiro Ortas salvó el estreno de *El número 15* de Guerrero en 1922. La temporada en el Apolo iba mal y tras celebrarse el beneficio de Ortas se cerró el teatro para abrirse poco después con una compañía de operetas en la que ya no figuraba el caricato, que debido a la crisis del género chico se decantó por la comedia, para la que tenía grandes dotes naturales, ya que poseía gracia a raudales. Una grave dolencia lo alejó de las tablas hasta que repuesto pasó a incorporarse a la compañía de Paco Melgares de la que formó parte casi hasta su fallecimiento.

FONOGRAFÍA: *El asombro de Damasco*, A 138224 A 138225 (et. policolor con figura), SO 1238 SO 1239; *El sobre verde*, Sonifolk 20125; *¡Gol!*, Sonifolk 20125; *La media de cristal*, Sonifolk 20125; *Serafín el pinturero*, 100.627 (et. azul).

BIBLIOGRAFÍA: *DAT*; F. Cuenca: *Teatro andaluz contemporáneo. 2. Artistas líricos y dramáticos*, La Habana, Maza, 1940; A. Fernández-Cid: *El maestro Jacinto Guerrero y su estela*, Madrid, Fundación Jacinto e Inocencio Guerrero, 1994; J. López Ruiz: *Historia del teatro Apolo y de La verbena de la Paloma*, Madrid, Avapiés, 1994.

Mª LUZ GONZÁLEZ PEÑA

Ortega, Carlos M. México, siglo XX. Libretista. Autor de diversas zarzuelas sicalípticas y de algunas obras de mayores pretensiones, Ortega trabajó al lado de músicos como Manuel Castro Padilla, Diógenes Ferrand y otros menos conocidos. Sin duda su especialidad fue el "bajo mundo" de la zarzuela mexicana. En 1901, por ejemplo, se estrenó su pieza *El dios Apolo*. Una reseña consignada por Olavarría da cuenta del ambiente y méritos de la obra: "Dos obras mexicanas se estrenaron antenoche en este teatro, y si la primera puede tener algo censurable, en cuanto a sus chistes y escenas subidas de color, la segunda no tiene disculpa, pues llega a una *desvergüenza* que no se conocía aún en el teatro. *El dios Apolo*, es la obra a que nos referimos, y sus autores, Diógenes Ferrand y Carlos Ortega, hicieron del libreto un *vertedero de taberna*, al que hay que agregar la indumentaria poco edificante de una de las actrices y la sicalipsis que encierra uno de los cuadros. El público, los artistas y hasta los músicos salieron *avergonzados* y creemos que los autores también. La empresa ofreció ayer no volverla a poner en escena, teniendo en cuenta el respeto que le merece el público". Desde luego, ni el teatro ni sus autores hicieron caso, pues la taquilla y sus entradas contradecían otra recomendación hecha en la prensa: "Nos extrañan estas producciones en Ortega y Ferrán; ambos son autores conocidos, que no carecen de talento, y que sacrificando un poco la cantidad a la calidad pueden hacer zarzuelas dignas de cualquier teatro". Sin duda, Ortega y sus músicos tenían talento, pero encontraron en la producción de zarzuelas sicalípticas para el teatro María Guerrero, una veta que parecía inagotable. Como bien apuntó Olavarría, "el teatro María Guerrero continuó siendo el *teatro oficial* de los autores del *género chico* producido por cierto grupo de escritores mexicanos, algunos de ellos no desprovistos de ingenio que desventuradamente mal empleaban en cuadros escénicos de la más supina ordinariez y burda sicalipsis".

Entre sus estrenos de enero a abril de 1911 estuvieron los de los siguientes títulos: *Frivolidades*, de Diógenes Ferrand y Carlos Ortega; *México festivo* de que dijo el agente de la empresa en la sección destinada a ellas por *El Imparcial*: "Es obra del fecundo y *sicalíptico* joven Carlos Ortega, y una chispeante revista llena de ingeniosa sicalipsis con algunos bailables y *couplets* del inspirado compositor José Torres Quintero… *El baño de Venus*, de Ferrand y Ortega; *El demonio tentador; Valiente viaje*, de Ortega y Fernández". En efecto, escritores como Ortega nutrieron de libretos a la demanda continua de obras sicalípticas, cuyos méritos son imposibles de aquilatar, pues lo efímero de sus éxitos parece haber acompañado a las obras mismas, casi todas perdidas. Otros libretos de Ortega escritos para el teatro María Guerrero fueron *La lotería del amor, Sistema Furritz*

–parodia de *El método Gorritz*– música de Fernández Benedicto; *Insurrección obligatoria, México eléctrico* y *Aventuras galantes* en colaboración con Manuel Mañón y con música de Manuel Castro Padilla.

BIBLIOGRAFÍA: *RHTM.*

ROCÍO TERÁN / RICARDO MIRANDA

Ortega, Carmen [Carmen Calabuig Ortega]. Barcelona, siglos XIX-XX. Soprano. Poseía una voz timbrada y sonora. Estrenó en 1899 en el teatro Tívoli de Barcelona *Curro Vargas* de Chapí, interpretando magistralmente el lamento de Soledad. En abril de 1914 era tiple de la compañía de opereta y zarzuela de Pablo Luna y Arturo Serrano que actuaba en el teatro de la Zarzuela. Estrenó poco después *Las golondrinas* de Usandizaga y el matrimonio Martínez Sierra. La ópera constituyó uno de los mayores éxitos de la primavera de 1914, superado sin embargo por la ópera de Vives, *Maruxa,* estrenada el 28 de mayo y en la que Carmen Ortega interpretó a Eulalia. La temporada 1914-15 fue contratada de nuevo por la compañía Luna-Serrano. Era ya muy conocida y apreciada en Barcelona por sus dotes y condiciones para el arte lírico que la hacían salir airosa de todas las zarzuelas que interpretaba.

BIBLIOGRAFÍA: *MIHA,* II, 14, 25-VII-1899.

Mª LUZ GONZÁLEZ PEÑA

Ortiz, Victoriano. España, siglos XIX-XX. Tenor. Descubierto por Enrique Chicote en una de sus giras por provincias, ingresó en la compañía Prado-Chicote y con ellos estrenó en 1899 en el teatro Romea *La Mari-Juana* de Quinito Valverde. Su trabajo transcurrió habitualmente en el teatro Cómico, cuando se convirtió en sede de la compañía de Loreto Prado y Enrique Chicote. Cuando participó en 1906 en el estreno de la opereta *Orden del Rey,* la crítica le auguró un buen porvenir por sus facultades canoras. Participó en numerosos estrenos en estos años, tanto líricos como cómicos: en 1907 *Los falsos dioses* de Torregrosa; en 1911 *Gente menuda* de Joaquín Valverde; en 1913 *El bueno de Guzmán* y *Baldomero Pachón* de Alonso; en 1916 *Miss Cañamón* de Pedro Badía; y en 1922 estrenó *La última aventura de Raffles.*

BIBLIOGRAFÍA: *El Arte de El Teatro,* Madrid, V-1906.

Mª LUZ GONZÁLEZ PEÑA

Ortiz Calurano, Francisco. Almendralejo (Badajoz), 30-IX-1938. Tenor. Pronto se trasladó a vivir a Madrid, donde comenzó su formación con Francisco Navarro, estudió después en Valencia con Francisco Andrés Romero y posteriormente en Italia, donde residió varios años, con Sara Corti en Milán. En 1968 debutó en Praga cantando *Aida* de Verdi con un éxito tal que Moreno Torroba lo solicitó para cantar *Doña Francisquita* en el teatro de la Zarzuela, del que era director. Tras este primer contacto con

el género, fue contratado por el empresario Dionisio Riol con cuya compañía realizó una gira por tierras hispanoamericanas de año y medio de duración en la que cantó una cincuentena de títulos de lo más destacado del repertorio. A su vuelta fue contratado por José Tamayo para la recién formada Compañía Lírica Nacional con la que permaneció tres años cantando obras como *El barberillo de Lavapiés, Carnaval en Venecia* y *Doña Francisquita.* Su carrera internacional comenzó en la ópera de Niza cantando *Norma* junto a Montserrat Caballé, siendo desde entonces habitual su presencia en teatros de ciudades interpretando las mejores óperas del repertorio. En Madrid ha participado en varias de las temporadas de ópera llevadas a cabo en el escenario de la Zarzuela. Francisco Ortiz es considerado uno de los grandes tenores españoles del siglo XX. Ha realizado numerosas grabaciones discográficas para la RAI y la RTF. En cuanto a la zarzuela son excelentes sus grabaciones para Columbia de *Bohemios, La del Soto del Parral, La leyenda del beso, El pájaro azul* y *La villana.* Se retiró de los escenarios en 1994, cantando *Un ballo in maschera* en Barcelona, y desde entonces se dedica a la enseñanza.

FONOGRAFÍA: *Bohemios,* Columbia-BMG España WD 71434 (9D) • Columbia SA, MCE 850 74 • Columbia SA, OZS 1001 (Alhambra) 88; *El pájaro azul,* Columbia-BMG SCE 959 • Columbia SA, ZCL 1067 178; *La del Soto del Parral,* Alhambra-Columbia MCE 852 • Alhambra-Columbia-BMG España WD 71582 (9D); *La leyenda del beso,* BMG España WD 71463 (9D) • Columbia SCE 962; *La villana,* Columbia-BMG SCE 960-1 • Columbia SA, ZCL 1061 y 1062 (Zacosa).

BIBLIOGRAFÍA: *OCCE;* E. García Carretero: *Historia del teatro de la Zarzuela de Madrid,* Madrid, Fundación de la Zarzuela Española, 2003.

EMILIO GARCÍA CARRETERO

Ortiz de Pinedo, Manuel. Aracena (Huelva), 1830; Madrid, 1901. Poeta, dramaturgo y crítico. Estudió Leyes en la Universidad Central de Madrid. Fue redactor de diversos periódicos, como *El Tribuno, El Eco de Alhama, Gente Vieja* y *La Discusión,* y participó activamente en la vida política española, ocupando diversos cargos: fue senador, diputado a Cortes y director del Patrimonio de la Corona durante la "Gloriosa", la revolución de 1868. Escribió poesía satírica, pues tenía una vena muy mordaz y sus obras teatrales, tanto dramas como comedias, de corte naturalista, son muy numerosas,

Manuel Ortiz de Pinedo (Foto: Museo Municipal de Madrid)

siendo su mayor éxito *Los pobres de Madrid*, 1857. Para el teatro lírico escribió *Un sobrino* de Lázaro Núñes Robres, 1857.

BIBLIOGRAFÍA: *CDA; DAT.*

Mª LUZ GONZÁLEZ PEÑA

Ortiz de Zárate [Señorita Ortiz de Zárate]. España, siglos XIX-XX. Tiple. En 1906 estrenó en el Price *Aires Nacionales* de Caballero y Calleja; en 1910 *La divorciada* de Leo Fall en el teatro Gran Vía; en 1912 *Eva, la hija de la fábrica*, adaptación de la obra de Franz Lehár, en el teatro Novedades. Participó en el estreno de la obra de Moreno Torroba *La boda del señor Bringas o Si te casas la pringas*, en el teatro Calderón en mayo de 1936, protagonizada por Felisa Herrero y Pedro Terol.

Mª LUZ GONZÁLEZ PEÑA

Matilde Ortoneda
(Foto: Colección Castellano; E:Mn)

Ortoneda Torrens, Matilde. Madrid, 21-VI-1837; ?. Soprano. Había hecho la carrera musical en el Conservatorio durante seis años, como discípula de Saldoni y por menor tiempo de Ángel Inzenga. Fue contratada por el teatro del Circo en 1861, y se presentó por primera vez en 1862 en *El dominó azul*, cantando el papel de Leonor. En 1864 fue contratada en el teatro de la Zarzuela. A partir de 1867 se estableció en Barcelona durante tres años, dando numerosos conciertos en diversos teatros y sociedades, y en 1870 viajó a La Habana. Era una tiple de voz clara, ágil y robusta. Especialmente virtuosa en los trinos, de forma que Saldoni señala que no tuvo alumno que los hiciese mejor, por su facultad para, por una parte alargarlos, y por otra, hacer pianos y fuertes durante su ejecución.

BIBLIOGRAFÍA: *HGZ; HZ;* E. Casares: *Francisco Asenjo Barbieri. 2. Escritos*, Madrid, ICCMU, 1994.

EMILIO CASARES RODICIO

Osés, Joaquín. Málaga, ?; Málaga, 1900. Compositor. Según Tomás Rodríguez Sánchez, aunque se dedicó a la industria fotográfica, actividad por la que era muy conocido en Andalucía, se dedicó también a la literatura desde muy joven y llegó a componer una zarzuela, *El charrán*, estrenada en 1892.

BIBLIOGRAFÍA: *CDE.*

Mª LUZ GONZÁLEZ PEÑA

O'Siel, Dora. La Habana, 13-IV-1901; La Habana, 2-II-1997. Soprano. Cursó sus primeros estudios musicales en la Escuela Municipal de Música de La Habana en la que recibió clases de canto de Emilio Agramonte y posteriormente de Piedad de Armas. Obtuvo la Medalla de Oro otorgada por el Ayuntamiento de La Habana. Debutó como aficionada en un teatro de Santiago de las Vegas con la zarzuela *Chateau Margaux* de Fernández Caballero, donde recibió un caluroso triunfo. Dotada de un bello timbre, en 1922 fue invitada para actuar en la radio, debutando en la emisora Radiotelefónica PWX de la Cuban Telephone Company, donde mantuvo durante varios meses un programa acompañada por las pianistas Zoe Carbonell y Estrella Herrera. A partir de entonces actuó en sociedades y en teatros, así como en los famosos conciertos Típicos de Música Cubana organizados por Ernesto Lecuona en el teatro Payret, y luego en otros importantes teatros de la capital y del interior de la isla. Asimismo, formó parte del elenco de la compañía de sainetes y revistas organizado por Ernesto Lecuona y Eliseo Grenet para la empresa Martín Leiseca-Estrada, con motivo de la inauguración del teatro Regina, y donde hizo su primera presentación en 1927 con el sainete *Niña Rita o La Habana en 1830* y la revista *La tierra de Venus*, recibiendo reconocimiento de la crítica especializada. Después de actuar en el sainete cómico lírico *La carrera del amor* de Lecuona y Grenet, ofreció numerosos recitales por la radio y en los teatros capitalinos y del interior. En 1931, a solicitud del director y concertador Manuel Peiro, actuó en *El huésped del Sevillano* de Guerrero. Aunque se había retirado, durante cierto tiempo reapareció como integrante del Coro Nacional Cubano, formando parte posteriormente del coro de la Filarmónica de La Habana bajo la dirección de Paul Czonka.

BIBLIOGRAFÍA: J. Bonich: "En la intimidad del camerino", *El Mundo*, La Habana, X-1927; Don Galaor: "Dora O'Siel", *Bohemia*, La Habana, X-1930.

JOSÉ PIÑEIRO DÍAZ

Osorno, Francisco Javier. México, siglos XIX-XX. Escritor. Dedicó buena parte de sus esfuerzos literarios a la adaptación de zarzuelas así como a la edición, traducción y arreglo de operetas para ser representadas en escenarios mexicanos. En 1887 su versión de *El estudiante polaco* se convirtió en un éxito notable, lo mismo que su traducción de *Die Fledermaus, El murciélago* de Strauss. Ese mismo año confrontó a la empresa de los Hermanos Arcaraz respecto a la posesión de los derechos de obras de autores extranjeros, sobre algunas de las cuales él decía poseer representación. A decir de Olavarría, Osorno quiso oponerse "a la rapacidad de las Empresas, e iniciar algo en provecho, no de los autores extranjeros únicamente, sino de los mexicanos". En este sentido, Osorno ayudó a sentar las bases de lo que sería la Sociedad de Autores Mexicanos, que surgió años más tarde.

BIBLIOGRAFÍA: *RHTM*.

RICARDO MIRANDA PÉREZ

Osorno, Mariano. México, siglo XIX. Cantante, actor y compositor. Es autor de diversas piezas de salón y de algunas "zarzuelas", "la chistosísima zarzuela pastoril composición de don Mariano Osorno, quien la dividió en tres actos y le dio por título, *Los hijos de Bato y Bras o Travesuras del Diablo*" según la reseña del estreno en 1856, obra que por su factura temprana reviste cierta importancia histórica. A decir de la misma reseña, la obra "se halla adornada con las piezas de canto siguientes: 1ª Gran introducción de la ópera *Elixir de amor*; 2ª Aria bufa de *Don Magnífico* en *La Cenicienta*; 3ª Aria graciosa de *Bras*; 4ª Coplas de *Trípili*; 5ª Gran final del *Barbero de Sevilla*; 6ª Dúo de los *raquíticos*; 7ª Coro de los *mudos*; 8ª Cantinela graciosa del *Diablo*; 9ª Aria de *La loca por amor*; 10ª Coro final por toda la Compañía". Según se ve, se trata de *pasticcios* denominados zarzuelas pero con una mezcla de música tomada de diversas obras líricas. Según Olavarría, hacia 1859 "en Nuevo México estaban en auge para cierto público, las *operetas pastoriles* de Osorno, en las que Bato, Gila, Felizardo, y varios y diversos espíritus y personajes, cantaban coplas y romances con música de *Belisario, Sonámbula, Roberto, Moisés, Safo, Semíramis* y otras cien óperas que a sí mismas se desconocían en tan curioso descenso". La presencia de Osorno al mediar el siglo XIX en diversos teatros y compañías mexicanos, denota su versatilidad a la vez que el surgimiento del medio lírico que años más tarde acogió la zarzuela con entusiasmo. Así, en 1854 se encontraba como cantante bajo de la Compañía de Oriente y de Don Pedro Carvajal, como actor de "una pobrísima Compañía que reestrenó el teatro de Nuevo México en 1858", y también en la lista de los "Artistas para el verso y la zarzuela" de la Compañía dramática del Liceo Mexicano en 1867.

BIBLIOGRAFÍA: *RHTM*.

ROCÍO TERÁN / RICARDO MIRANDA

Ottein, Ángeles. *Véase* NIETO.

Oudrid, Cristóbal [Domingo Romualdo Ricardo]. Badajoz, 7-II-1825; Madrid, 13-III-1877. Compositor. Es uno de los grandes compositores líricos que colaboró en la restauración de la zarzuela en el siglo XIX, convirtiendo esta manifestación teatral en el espectáculo nacional de masas urbanas, protagonista del mundo dramático español durante el siglo XIX.

I. Biografía y primeras zarzuelas. II. Temporadas al frente de la orquesta y de la compañía del teatro del Circo.

I. BIOGRAFÍA Y PRIMERAS ZARZUELAS. Su abuelo era un emigrado flamenco que, por perte-

necer al ejército de Napoleón, había luchado en la batalla de Waterloo. Su padre, músico militar de origen flamenco, fue su único maestro de música, y siendo muy joven, comenzó a tocar todos los instrumentos de la banda que su padre dirigía y a estudiar con mayor dedicación el piano. Llegó a Madrid en 1844, donde entabló relación con Baltasar Saldoni, y comenzó a dar algunos conciertos de piano y a recibir algunas clases. A la vez, compuso piezas para disfrute de los salones. Los años 1845-46 ocuparon a Oudrid, según comenta Peña y Goñi, en la composición de canciones, fantasías y otra música para piano.

Comenzó su carrera como compositor para el teatro con una zarzuela andaluza, *La venta del puerto o Juanillo el contrabandista*, escrita sobre un texto de Mariano Fernández, afamado actor cómico de la época, que se estrenó en 1846 en el teatro del Príncipe. La obra es en verso y llena de andalucismos, que hacen hablar a Cotarelo de "dialecto andaluz". Caracterizada por Cotarelo como "bastante movida aunque sin gran novedad, y bien nutrida de música", debió resultar monótona por esa reiterada obsesión por el popular metro ternario (3/8 y 3/4), que no se abandona en ninguno de los números. Depende claramente de las pequeñas obras casticistas anteriores de Soriano Fuertes –*Jeroma la castañera* y ¡*Es la Chachi!*–, y mantiene el característico trío de personajes de las zarzuelas de los primeros años del siglo XIX: Curra, la ventera, Juanillo, el contrabandista, su enamorado, y Canina, un estudiante enamorado de la protagonista. Además el argumento se aderezo incluyendo a un personaje cómico, un sargento, que también está enamorado de Curra, y que persigue las huellas del contrabandista con escaso éxito. La orquesta consta de dos violines, flauta, clarinetes, cornetín, trombones, figle y bajo. La trama argumental se desarrolla de nuevo utilizando un triángulo de personajes –Curra, Juanillo y el estudiante–, tal y como se observa en obras anteriores como *Jeroma, la castañera*, y por ello, los únicos concertantes que puede llevar a cabo son dúos y tercetos. En esta obra aparece nuevamente una forma escénica en la que abundan los dúos y coros alternando con las romanzas de los distintos personajes. La obra consta de música específicamente compuesta para ella, y no es un pastiche, que era la otra posibilidad que se define también como zarzuela andaluza durante esos años iniciales del siglo XIX. Sin embargo, a pesar de estos logros y de continuar con una forma ya establecida dentro del género, Peña y Goñi años más tarde y con otra perspectiva histórica, dedica duras palabras a su autor: "El canto popular formaba la base fundamental, el principal ambiente, el atractivo más poderoso, la savia, el nervio, la poesía de la zarzuela. Pero Oudrid no llegó a comprender la diferencia considerable que existe entre un aire popular propiamente dicho y el canto popular como distintivo de nacionalidad musical. Y es que para dramatizar el canto popular, para plegar su naturaleza, su carácter virtual y genuino a las necesidades de la acción dramática, para elevarlo, en una palabra, al ritmo, al calor melódico, a la vida de la música, Oudrid necesitaba un conocimiento del tecnicismo del arte que despreció voluntariamente, o un sentimiento, una emoción artística a la que su naturaleza se mostró siempre refractaria, o un ingenio y facilidad extraordinarios que nunca logró alcanzar".

La siguiente zarzuela de Oudrid fue estrenada en el teatro de la Cruz en 1847: *La pradera del canal*, zarzuela en un acto de Agustín Azcona, puesta en música además de por Oudrid, por Cepeda y Sebastián Iradier. La zarzuela *El turrón de Nochebuena* estrenada en el Variedades durante esa misma temporada, con libreto de Juan de Alba, carecía sin embargo de coherencia entre los números musicales y la acción dramática. En esta tercera producción lírica, los números musicales son de marcado carácter popular, actuando el libro como pretexto que justifica la aparición de una gama interminable de personajes que se someten al juego musical del autor: cada uno habla con su propia jerga y canta su propia música, apareciendo toda una galería de personajes españoles: los manolos madrileños, los andaluces, gallegos, asturianos e incluso el francés, personaje que suele aparecer caricaturizado, desde la zarzuela de Soriano Fuertes, *Jeroma la castañera*. Parece que Oudrid empezaba a darse a conocer en los ambientes teatrales madrileños; siguiendo la tradición de incluir una zarzuela en las funciones de Nochebuena, el 24 de diciembre de 1848, se representó en el teatro del Príncipe, donde su autor literario actuaba, según indica Cotarelo, lo que lleva a suponer que de nuevo se trataba de Mariano Fernández, *Los pícaros castigados o La fiesta en el cortijo*, con música en parte nueva, parcialmente arreglada por Cristóbal Oudrid, que empezaba a destacar como compositor de este tipo de obras; la obra gustó al público, como afirman Cotarelo y Barbieri.

También en Nochebuena se estrenó *El ensayo de una ópera*, zarzuela en un acto, original de Juan del Peral, con una pequeña colaboración musical de Rafael Hernando, recién llegado de París. Peral había hecho una especie de imitación y arreglo del libreto de una ópera italiana ya antigua, titulada *La prova d'una opera seria*. La coherencia y adecuación entre la música y el argumento teatral seguían siendo las

Cristóbal Oudrid (Foto: Colección Castellano; E:Mn)

piedras angulares a favor de las que había que luchar para elaborar un género lírico digno. La obra, a pesar del escaso nivel dramático adquirido, contó con veinte representaciones seguidas.

En 1849 compuso un sainete de Francisco de Paula y Montemar que se escenificó en el teatro del Instituto, bajo el título de *Misterios de bastidores*, otra zarzuela en un acto, que mantenía el estilo de las anteriores. En la obra aparece la sátira social, que será una característica continua del género a partir de este momento, y la censura tendrá que dictar sentencia contra algunas de las obras dramáticas. El 5 de julio, con el deseo de ver representada alguna obra suya, presentó en el teatro del Instituto *La paga de Navidad*, obra en un acto con libreto de Francisco de Paula y Montemar. Consta de seis números musicales. La forma dramática parece haber ignorado el cambio a dos actos que se produjo con los estrenos de Hernando; es una zarzuela de costumbres madrileñas, que vuelve al uso de formas populares para reclamar el éxito del público. Tras el éxito de *La mensajera* de Gaztambide de 1850, nació la tentativa de crear una asociación que defendiera los intereses de los autores líricos españoles y Hernando consiguió, no sólo reunir en el teatro de Variedades a Oudrid, Gaztambide, Barbieri y él mismo, sino contratar a buenos cantantes, como Salas y González, aumentar el coro con algunas voces regulares y añadir nuevos ejecutantes en la orquesta; según Cotarelo, este paso es decisivo, pues "estaba entonces regularmente establecido el cultivo de la música nacional, entendiéndose por tal la zarzuela". Oudrid participó desde el comienzo con este grupo de autores que decidieron sacar adelante el género lírico y consiguieron construir un teatro propio, el teatro de la Zarzuela en 1856 para el desarrollo del mismo.

Las representaciones de la temporada 1850-51 en el teatro de Variedades comenzaron el 12 de septiembre y la primera obra fue de Oudrid, que se unía así al grupo de compositores del Variedades; se trata de *Pero Grullo*, una zarzuela en dos actos con libro de Antonio Lozano y José María de Larrea. La música era bella, pero Oudrid había adaptado para la obra temas anteriores, como su ya exitosa *Rondalla aragonesa*. La obra sólo se cantó dos días y no se imprimieron ni el libro ni la música. Para superar este inicial fracaso, todos los músicos de la compañía decidieron componer una obra que atrajese al público, solicitado también a partir del 23 de noviembre de este año por el nuevo teatro Real, y para ello, escribieron una obra en la que pudiera mostrar todas sus facultades la bailarina Petra Cámara, entonces el "embeleso de todos los aficionados al genuino baile español". Recibió la definición de capricho cómico-lírico-bailable, y se titula *Escenas en Chamberí*. Su libro está escrito por José Olona, y la música cuenta con la participación de todos los autores reunidos en el Variedades. Oudrid escribió dos números: Nº 1. Seguidillas (cantadas por el coro), y Nº 3. Caña coreada dentro de bastidores. Como la obra se repitió varias veces, "la música se hizo popular en breve tiempo". El 14 de enero de 1851 se puso en escena la segunda parte de *Misterios de bastidores*, con los mismos autores que la primera; "esta obra gustó, mas no tanto como la referida primera parte del mismo nombre", a pesar de que según Cotarelo, "la música de Oudrid no desmerece de la anterior". Su estructura es simple y parece no contemplar los avances formales de Hernando. Su trama desarrolla una sátira contra la masiva presencia de música y músicos italianos en Madrid. En mayo de 1851 se presentó a beneficio de Alverá la zarzuela en un acto *Todos son raptos*, con libro de Luis Mariano de Larra, puesta en música por Oudrid. Esta zarzuela gustó mucho, según Barbieri, que añade que "se disponía para representarse en la misma noche un entremés con música de Pablo Iradier, titulado *Entre dos luces*, pero era tan malo que no se atrevió la empresa a darle al público después de ensayado". La zarzuela de Oudrid se puso en cartel varios días hasta terminar el año cómico y cerrarse el teatro el 29 de junio, aunque se tuvieron que ofrecer dos funciones extraordinarias. Las partes de la obra son las siguientes: Nº 1. Coros de hombres y mujeres; Nº 2. Canción andaluza de Soleá; Nº 3. Aria de Antonio (Salas); Nº 4. Coro con memorialista; Nº 5. Dúo de Antonio y Fuentes, y muñeira; Nº 6. Aria de Luis (González); Nº 7. Canción de Antonio. La mitad de la obra estaba escrita en andaluz cerrado, para que se luciesen Salas y Josefa Rizo, que contaron con el reconocimiento del público cada noche que la obra se puso en escena.

Gaztambide, convencido de la necesidad de la reunión de los autores que cultivaban el género lírico nacional, consultó con Salas y Barbieri la idea de alquilar el teatro del Circo, y entre ellos decidieron, a propuesta de Barbieri, formar una sociedad compuesta no sólo de ellos tres, sino de los artistas que pudieran participar en el desarrollo del género: los compositores Hernando, Oudrid e Inzenga (hijo), que ya habían escrito zarzuela con éxito, y el autor dramático Luis Olona. Durante esa temporada en el teatro del Circo, el 17 de diciembre se estrenó *El castillo encantado*, zarzuela en tres actos, cuyo libro era de Emilio Bravo y la música de Oudrid e Inzenga. En *El Heraldo* se publicó la siguiente crítica de la obra: "El estreno de una zarzuela ha llegado a ser un acontecimiento. La víspera de la función se han

despachado en contaduría la mitad de los billetes... ¿Por qué se agolpa de ese modo el público a las puertas del Circo, cuando se anuncia una zarzuela nueva?... La música tuvo de todo. Un bellísimo coro de introducción, un buen terceto, una balada con tema, una bonita canción y unas lindísimas seguidillas, puestas en boca del asistente francés, fueron las piezas más salientes y aplaudidas". Cotarelo comenta que el libreto fue silbado, pero que la zarzuela se puso tres o cuatro veces más. Oudrid participó también por entonces en otra obra en colaboración titulada *Por seguir a una mujer*, con libreto de Olona, en cuatro actos y música de los cinco compositores que formaban la empresa. Compuso el Nº 5 "Adiós Málaga" y del Nº 8, el coro "Ala, ala...". La obra tuvo un éxito extraordinario y produjo dinero en abundancia. El siguiente estreno fue *Mateo y Matea*, con texto de Rafael Máiquez. El viernes 16 de abril de 1852 se estrenó en el Circo a beneficio de Caltañazor *Buenas noches señor don Simón*, zarzuela en un acto, arreglada para el teatro español por Luis Olona. El asunto provenía del vaudeville francés *Bon soir, monsieur Pantalon*, para el que Oudrid compuso cinco números musicales llenos de originalidad y adecuados a la letra que se canta y a la situación de los personajes.

El 13 de mayo de 1851 se estrenó en el Circo a beneficio de la Bardán *De este mundo al otro*, zarzuela en dos actos, con letra de Olona, y que algunos críticos la trataron de "disparatón de Nochebuena", pero Barbieri afirmaba que "la zarzuela hizo mucha gracia y fue aplaudida". La temporada siguiente, 1851-52, fue en la que Arrieta se incorporó a la sociedad del teatro del Circo y Oudrid estrenó tres obras sin trascendencia: la zarzuelita en un acto titulada *El violón del diablo*, con letra de García que pasó sin éxito; *Don Ruperto Culebrín*, zarzuela en dos actos, de carácter jocoso como ya comenzaba a ser costumbre en estas representaciones de Navidad, y *El alcalde de Tronchón*. Este periodo terminó el 6 de marzo de 1854 con el estreno de una zarzuela en tres actos sobre un libreto de Agustín Azcona: *Moreto*, uno de los grandes éxitos del autor.

II. TEMPORADAS AL FRENTE DE LA ORQUESTA Y DE LA COMPAÑÍA DEL CIRCO. Al final de la temporada 1852-53 la empresa exigía una renovación. Barbieri relata así los hechos: "Antes de pasar adelante conviene decir que nuestra sociedad de los 7 individuos sufrió una trascendental modificación. Reunidos todos en Junta acordamos que cada uno impusiera en la Caja de la Sociedad 20.000 reales de vellón para responder a los gastos de la Empresa que ya no sería a partido sino a sueldo fijo de todos los actores. Esto que aunque parezca justo, no dejaba por eso de trascender a intriga para expulsar a los socios menos productores, intriga o no, que nacía de Salas y Gaztambide, dio por resultado que salieran de la Sociedad Oudrid, Inzenga y Hernando, los dos primeros porque dijeron no tener los mil duros, y el tercero porque no se le quisieron admitir 10.000 reales en clase de medio accionista. El resultado de esto fue que, en lo sucesivo la Sociedad contara sólo de Olona, Gaztambide, Salas y yo... El resultado de esta modificación social fue que Oudrid más adelante se pusiera al frente de otro teatro de zarzuela ya que, como era natural, los socios salientes engrosaban las filas de los descontentos". Sin embargo, durante cierto tiempo, Oudrid siguió colaborando con obras nuevas a engrandecer la marcha lírica de la compañía del Circo.

Hasta el 24 de diciembre, en que se decidieron a presentar otro estreno, la temporada 1853-54 transcurría con obras conocidas. El domingo 24 de diciembre se estrenó *La cola del diablo*. La obra fue bien recibida y se dieron de ella un buen número de representaciones. Olona era el autor de la letra, y ya la había estrenado como comedia en el teatro de la Cruz. Contaba con seis números de música escritos por Cristóbal Oudrid y Martín Sánchez Allú, incluyendo, además, una bonita canción francesa que se cantaba en París en el vaudeville titulado *Les filles de marbre*. La obra no tenía unidad y estaba dentro del tipo de juguetes líricos que se componían para las funciones de tarde de los días de Nochebuena. El mismo domingo 24 de diciembre de 1854 se estrenó *Pablito*, segunda parte de *Buenas noches señor don Simón*, que también había sido escrita por Olona y puesta en música Oudrid. En opinión de Barbieri, "no tuvo más resultado que pasar sin frío ni calor". Sólo tiene tres números musicales. El 1 de mayo se estrenó una nueva zarzuela en tres actos a beneficio de Caltañazor, titulada *Amor y misterio* que, aunque agradó, dio pocos resultados a la empresa del Circo. Se trataba de un arreglo hecho por Olona de la ópera cómica francesa de Auber *La Giralda*, que había tenido mucho éxito en París. Un artículo de *La Época* refería: "El señor Oudrid no ha tenido en esta obra el mismo acierto que en otras anteriores. Hay en el conjunto mucha desigualdad. Abunda la zarzuela en escenas dialogadas y ahí es donde precisamente más débil nos ha parecido el compositor, pues carece su música de aquella graciosa ligereza y estilo que son indis-

pensables en el diálogo musical. En los buenos tiempos de la ópera bufa en que tanto se repite el diálogo, los italianos han sido modelos de los compositores de todas las escuelas han cuidado de estudiar. Pero en el mismo teatro del Circo tiene el señor Oudrid un autor a quien imitar: nos referimos a Barbieri, especialidad reconocida para las escenas dialogadas. Abuso del metal en ciertos pasajes que reclamaban precisamente sobriedad instrumental y hasta sordina en la cuerda es otra de las faltas que hemos notado en *Amor y misterio,* y también perjudica a la obra la demasiada repetición de ciertos ritmos que por lo manoseados merecen el nombre de vulgares... Sin embargo, el señor Oudrid ha logrado un éxito estimable, y la música vale con todo, más que el libro" (12-V-1855). La obra se mantuvo en escena cinco o seis días, reponiéndose algunas veces durante la temporada.

La temporada 1855-56 Oudrid seguía como director de orquesta del teatro del Circo, con un sueldo de 50 reales de vellón diarios. El 1 de diciembre se estrenó una zarzuela en un acto, *Alumbra a este caballero*, arreglada por Olona sobre el vaudeville *Le piano de Berthe*, que no tuvo demasiado éxito. El 20 de febrero de 1856 y a beneficio de Amalia Ramírez, se estrenó en el Circo *El conde de Castralla*, cuyo libretista era de López de Ayala. La intención de Ayala era la de ridiculizar al General Espartero y a sus ayacuchos, ya que Ayala era polaco, así que la obra se prohibió desde la tercera de sus representaciones. La música tenía fragmentos interesantes como la introducción, un coro de muchachos y una jota en el segundo acto que eran interesantes y fáciles de oír. En los tres días que la obra se interpretó, obtuvo la Ramírez su mayor éxito, ya que decidió cantar para terminar la canción andaluza de *La aventura de un cantante,* y el público llenó el escenario de flores. El 27 de junio se llevó a cabo como beneficio de Carolina Di Franco el último estreno de la temporada: *El postillón de la Rioja*. Cotarelo comenta que "todos los números son buenos, pero fueron especialmente aplaudidos y repetidos el bolero del acto primero, cantado por Carolina Di Franco, el precioso dúo del segundo "negritos son sus ojos"; pero sobre todo, la jota estudiantina que en poco tiempo se hizo popular en toda España.

La temporada 1856-57 estuvo marcada por la inauguración del nuevo teatro de la Zar-

Cristóbal Oudrid (Foto: Museo Municipal de Madrid)

zuela, que se convirtió desde entonces en la sede el nuevo género. Barbieri comenta cómo al inicio de la temporada surgieron desavenencias con Oudrid y así, éste se apartó definitivamente de la Sociedad Lírico Española, constituida ya solamente por Gaztambide, Barbieri y Salas: "Sabiendo nosotros que este sujeto [Oudrid] tenía todas sus ilusiones en estar al frente de una orquesta, y no queriendo, al separarle de este puesto para que servía no muy bien, chocar directamente con él, le propusimos que se le daría un sueldo (que él decía necesitar) y que sería en concepto de compositor y en la inteligencia de descontarse del producto de sus obras, y si éste no era bastante a cubrir el sueldo que se le señalara, quedaría sin embargo todo el sueldo en su favor. Semejante proposición, que era muy aceptable, no fue aceptada por Oudrid, porque por lo visto lo que más quería era llevar la batuta, y antes al contrario, la dio del ofendido, murmuró largamente contra nosotros y se retiró de nuestra compañía con todos los síntomas de hostilidad contra nuestra empresa y en particular contra Gaztambide que era el que había de ocupar su puesto: esta hostilidad se hizo aparente más adelante poniéndose Oudrid en el verano siguiente y en el teatro del Circo a la cabeza de otra Compañía de zarzuela".

Durante la temporada 1857-58 Oudrid, que el verano anterior ya había formado una compañía de zarzuela, dando algunas funciones con bastante éxito, quiso en este hacer lo mismo sin esperar a que la Zarzuela cerrase sus puertas, decisión que llevaron muy mal los empresarios de este teatro que no querían competencia ninguna, ni aún indirecta, como lo habían demostrado el año anterior, negándole a Oudrid su repertorio; añade Cotarelo, "arrendó el Circo, contrató la compañía, contando para ello con algunas de las mejores partes el teatro de la Zarzuela como Elisa Villó, Manuel Sanz y Tirso Obregón, y el 16 de junio inauguró este nuevo teatro de zarzuela con la vieja comedia *La pata de cabra*, a la que Oudrid puso una música muy alegre y española, que agradó a los espectadores; pero como la obra era muy conocida, duró poco en los carteles". La compañía del Circo aguantó la competencia del teatro de la Zarzuela durante toda la temporada, recibiendo, incluso en la función a beneficio de Tirso de Obregón, la visita de la reina Isabel, que premió a este cantante con su protección. La temporada siguiente, 1858-59, Salas, debido a disconformidades con Gaztambide y Barbieri, se convirtió en único director del teatro de la Zarzuela y, según Cotarelo, "como lo que más temía era la competencia, y el maestro Oudrid era el más peligroso rival, no dudó en procurar atraérselo nombrándole 'autor' del teatro y más tarde director de orquesta". La temporada comenzó con la zarzuela *Beltrán el aventurero*, con texto de Camprodón y Serra y música, casi improvisada, de Oudrid. Dice Cotarelo que "la música fue

reconocida como buena, aunque poco original... El final del segundo acto es de gran efecto, y recuerda algo el final de *Moreto*". La siguiente obra de Oudrid que se estrenó en la temporada fue *El joven Virginio*, zarzuela en un acto de Mariano Pina, en la que la tiple, Zamacois, se disfrazaba de diversos personajes a través de la obra; esta zarzuela se puso en escena el 30 de noviembre de 1858. El 14 de abril de 1859 se estrenó *Un disparate*, con libreto de Ricardo de la Vega, que se salvó por la manera con que Arderius y Cubero parodiaban a dos actores de la compañía italiana de Adelaida Ristori. Otro buen éxito alcanzó la zarzuela en un acto *El último mono*, estrenada el 30 de mayo. El asunto estaba tomado de un proverbio de Alfonso Karr y fue muy bien versificado por Narciso Serra para comedia; lo leyó Camprodón y le compró a Serra la propiedad pero conservándole el nombre de autor. "La obra gustó mucho, así la letra como la música, y en especial un tango que cantaba Galván y se hacía repetir todas las noches" (Cotarelo).

Ya en la temporada siguiente, el 27 de septiembre de 1859, se estrenó en el teatro de la Zarzuela la obra en dos actos, *Enlace y desenlace*, con letra de Mariano Pina. El original, muy alterado, es de Scribe, y había sido ya traducido por Olona con el título de *Uno en dos*; luego por Scarlatti con el de *Las tropas del Archiduque*, y más tarde en otra zarzuela titulada *Casado y soltero*; a esta versión de Pina le puso Oudrid una hermosa música, que fue la que, según Cotarelo, le dio el éxito. El siguiente estreno de Oudrid fue la zarzuela *Un viaje aerostático*, con letra de Javier de Ramírez, para la que había escrito "música de consumo" no sólo Oudrid, sino también Gaztambide; esta obra fue un fracaso. Cotarelo opina que "la música era regular, pero el libro muy malo. Tras este desastre, y para celebrar el fin de la guerra de África, se puso en escena el 8 de febrero, *Tetuán por España*, pieza improvisada por Mariano Pina, a la que pusieron música Luis Martín, Javier Gaztambide, Mariano Vázquez, y Oudrid. El 5 de mayo de 1860 se estrenó *Memorias de un estudiante*, cuya letra correspondía a José Picón y que hizo su propio comentario: "La música de Oudrid es, como toda la suya, afluente, melodiosa, alegre y siempre grata al oído. Fueron repetidos la jota del acto segundo, que pronto se hizo famosa y popular, y el lindísimo coro de colegialas del tercero". La primera zarzuela de Oudrid que se estrenó la temporada siguiente fue el "pasillo filosófico-fúnebre" de Narciso Serra, *Nadie se muere hasta que Dios quiere*; de ella dice Cotarelo, que la música era "ligera y poca, pero buena". Durante esa misma temporada se reorganizó el Circo gracias al apoyo de Segundo Colmenares, dueño del teatro; los cantantes eran algunos de los que habían quedado fuera de la Zarzuela, y contaban con Antonio Reparaz como maestro compositor, y con el apoyo de Arrieta, Caballero, Oudrid y otros. Ésta era la primera competencia seria que se le ofrecía al teatro de la Zarzuela, poniendo en grave aprieto a Salas y Gaztambide. El 13 de noviembre se estrenó en el Circo una zarzuela en un acto de Frontaura titulada *Doña Mariquita*, con música ligera, que gustó al público, pero pasó sin mayor trascendencia.

Oudrid colaboraba también con el teatro de la Zarzuela, donde en 1861 estrenó el "chasco de carnaval" *Las piernas azules*, pieza de Ventura de la Vega, que no se silbó por tratarse de una obra carnavalesca. Ya al final de la temporada en la Zarzuela estrenó dos obras en un acto: *El caballo blanco* de Carlos Frontaura, en la que también había trabajado Caballero, que se puso en escena el 12 de junio, y *Llegar y besar el santo*, que para los mismos autores había escrito Eduardo Inza, y que se puso en escena el 15 de junio. La primera obra de Oudrid que se estrenó al inicio de la temporada 1861-62 fue *Un concierto casero*, obra de José Picón. Cotarelo comenta que "el asunto era una sátira contra los que quieren salirse de su esfera sin las condiciones necesarias para ello; a veces parece un sainete de Ramón de la Cruz. Cristóbal Oudrid le puso una música ligera y adecuada al asunto, en cinco números; entre ellos una parodia del 'Miserere' de *El trovador*, en que Caltañazor y la Lesén hicieron reír a los espectadores largo rato". El día de Nochebuena del mismo año, los empresarios del teatro de la Zarzuela tenían dispuesto el estreno de una zarzuela jocosa de Luis Rivera, puesta en música por Oudrid y Vázquez titulada *Un viaje alrededor de mi suegro*, que fue muy aplaudida, porque el libro era divertido y la música buena. De las piezas musicales más aplaudidas fueron un brindis del primer acto, compuesto por Oudrid, y un coro del tercero que correspondía a Mariano Vázquez.

La temporada siguiente comenzó con el estreno en el mismo teatro, el 13 de noviembre de 1862, de la zarzuela en tres actos de Ricardo de la Vega: *El galán incógnito*. La música compuesta en catorce días, gustó algo más que el libro por la animación que sabía dar Oudrid a lo que componía y fueron aplaudidos algunos números. Mejor fortuna tuvo su siguiente estreno llevado a cabo el 7 de marzo de 1863: *Matilde y Malek-Adhel*, en tres actos, con libreto de Frontaura, en la que también había trabajado Gaztambide. La obra no era sino una ampliación de la antigua opereta *La travesura*, muy representada en el teatro de los Caños del Peral a principios del siglo XIX. La música, según Cotarelo, era excelente, también agradó, repitiéndose el coro de introducción, un dúo de bajos del segundo acto y el sexteto final de la obra El 7 de abril estrenó Oudrid *Por amor al prójimo*, un arreglo de Juan Belza; la obra se salvó por un lindo tango americano que, con otras tres piezas de música, le había puesto el compositor. El año

cómico concluyó con el estreno el 17 de junio de *La voluntad de la niña*, zarzuela en un acto con letra de Emilio Álvarez y música de Oudrid y Miguel Carreras, cerrando sus puertas el teatro el 28 del mismo mes.

A partir de este momento las energías de Oudrid se concentran en obras cortas, en un solo acto, de relleno de temporada; desde 1867 escribió para los Bufos *Bazar de novias*, *Café-teatro y restaurant cantante*, *La gata de Mari-Ramos*, entre otras, y en 1870 escribió para el teatro de la Zarzuela su última zarzuela célebre: *El molinero de Subiza*. Desde entonces hasta 1876 inclusive, año anterior al de su muerte, escribió varias otras: en 1871 *Justos por pecadores*, en colaboración con Marqués; en 1872 un juguete, *Miró y compañía o Una fiesta en Alcorcón*; en 1874 una zarzuela de grandes pretensiones, *Ildara, ¡El demonio de los bufos!*, *El testamento azul* con Barbieri y Aceves, *El señor de Cascarrabias*; en 1875 *Compuesto y sin novia*, y finalmente, en 1876, *La paz*, *Los pajes del rey* y *Blancos y azules*, esta última con Caballero y Casares. Peña y Goñi, tras relacionar toda su producción exclamaba "¡¡Ochenta y ocho zarzuelas (y faltan algunas) en el espacio de treinta años de actividad artística, sin contar los bailes españoles, las canciones sueltas, melodías y otras composiciones; y en medio de las ocupaciones constantes de director de coros primero y de orquesta después,

Cristóbal Oudrid (Xilografía de B. Rico en La Ilustración de Madrid, 1871; Ar. ICCMU)

que desempeñó en el teatro Real y en el teatro de la Zarzuela!!. ¿Qué ha quedado de todo ese caudal considerable de obras? ¿Qué ha quedado de ese despilfarro de laboriosidad, de ese desbordamiento de producción? La jota de *El sitio de Zaragoza*, la jota de *El postillón de la Rioja*, la jota de *El molinero de Subiza*, el tango de *El último mono*, y algún delicioso sainete musical como *Don Simón*, ¿Ha quedado algo más? No lo recuerdo".

Los comentarios de Peña y Goñi hacia las cualidades técnicas de Oudrid, son siempre duros; alababa su intuición, criticando su falta de conocimientos técnicos. "Oudrid –dice– necesitaba un conocimiento del tecnicismo del arte que despreció voluntariamente, o un sentimiento, una emoción artística a que su naturaleza se mostró siempre refractaria, o un ingenio y facilidad extraordinarios que nunca logró alcanzar... Pero en cambio, ¡con qué brillantez, con qué sensualidad, con qué alegre desenvoltura supo el malogrado maestro dar vida exuberante a la verdadera canción española, al canto popular en toda su propia sencillez genuina, en toda su encantadora facilidad! Y es que Oudrid tuvo el talento de huir de todo aquello que pudiera envolver, para el artista nacido tal, un problema cualquiera de los que no es dado resolver sino al compositor. Podría quizá tener pretensiones distintas, podría creerse dotado de cualidades de mayor alcance y aspirar a pasar por un maestro en toda la extensión de la palabra, pero sus numerosas partituras han quedado como elocuente testimonio de lo contrario. Pobre de armonía y de instrumentación, su estilo se manifiesta ampuloso y amanerado cuando pretende, como en los últimos años de su actividad artística, simular adelantos mentidos, entrar en sendas desconocidas y fingir profesiones de fe que son viviente antagonismo de su naturaleza y de sus conocimientos... Nada de ciencia, nada de cálculo; los acordes de tónica y dominante y una instrumentación primitiva bastan para sostener aquellas melodías primitivas también, llenas de naturalidad y de encanto, cuya forma esbelta y graciosa, sin retoques ni perfiles ociosos, se disuelve con delicioso abandono en el ambiente puro del sentimiento popular". A pesar de estas duras palabras de Peña y Goñi, ante el análisis detenido de su obra, puede afirmarse que Oudrid es uno de los pilares de la construcción del género lírico español en el siglo XIX. *Véase* BAZAR DE NOVIAS; BUENAS NOCHES SEÑOR DON SIMÓN; EL ENSAYO DE UNA ÓPERA; MEMORIAS DE UN ESTUDIANTE; EL MOLINERO DE SUBIZA; MORETO; EL POSTILLÓN DE LA RIOJA; EL ÚLTIMO MONO; LA VENTA DEL PUERTO O JUANILLO EL CONTRABANDISTA.

OBRAS (Todas en E:Msa): *La venta del puerto o Juanillo el contrabandista*, Zarz, 1 act, l, M. Fernández, est, 16-I-1846, Te. Príncipe; *La pradera del canal*, Zarz, 1 act, col. Cepeda / Iradier, l, A. Azcona, est, 11-IV-1847, Te. de la Cruz; *El ensayo de una ópera*, Zarz, 1 act, col. R. Hernando, l, J. del Peral, est, 24-XII-1847, Te. Variedades; *El turrón de Nochebuena*, Zarz, 1 act, l, J. de Alba, est, 24-XII-1847, Te. Variedades; *Misterios de bastidores*, Zarz, 1 act, l, Montemar, est, 15-III-1849, Te. Instituto; *La paga de Navidad*, Zarz, 1 act, l, Montemar, est, 5-VII-1849, Te. Instituto; *El alma en pena*, Zarz, 1 act, l, Montemar, est, 2-VIII-1849, Te. Circo de Paul; *Misterios de bastidores* (2ª parte), Zarz, 1 act, l, Montemar, est, I-1850, Te. del Circo; *Pero-Grullo*, Zarz, 2 act, l, Larrea / Lozano, est, 14-XI-1850, Te. Variedades; *Escenas en Chamberí*, Zarz, 1 act, col. Hernando / Gaztambide / Barbieri, l, J. Olona, est, 19-XI-1850, Te. Variedades; *Un embuste y una boda*, Zarz, 1 act, l, Larra, est, 1851, Te. del Circo; *Todos son raptos*, Zarz, 1 act, l, Larra, est, 28-V-1851, Te. del Circo; *El castillo encantado*, Zarz, 3 act, col. Inzenga, l, E. Bravo, est, 18-XII-1851, Te. del Circo; *Por seguir a una mujer*, Zarz, 4 act, col. Hernando / Gaztambide / Barbieri / Inzenga, l, L. Olona, est, 24-XII-1851, Te. del Circo; *Mateo y Matea*, Zarz, 1 act, l, R. Máiquez, est, 12-II-1852, Te. del Circo; *Buenas noches señor don Simón*, Zarz, 1 act, l, L. Olona, est, 16-IV-1852, Te. del Circo; *De este mundo al otro*, Zarz, 2 act, l, L. Olona, est, 16-IV-1852, Te. del Circo; *El violón del diablo*, Zarz, 1 act, l, García, est, 25-XI-1852, Te. del Circo; *Don Ruperto Culebrín*, Zarz, 2 act, col. Barbieri / Gaztambide, l, Olona, est, 24-XII-1852, Te. del Circo; *Las dos venturas*, Zarz, 1 act, col. L. Arche, l, García, est, 24-XII-1852, Te. del Príncipe; *Salvador y Salvadora*, Zarz, 1 act, col. L. Arche, l, García, est, 24-XII-1852, Te. del Príncipe; *El alcalde de Tronchón*, Zarz, 1 act, l, C. Boldún, est, 28-V-1853, Te. del Circo; *Un hijo de familia*, Zarz, 3 act, col. Gaztambide / Arrieta, l, Olona, est, 24-XII-1853, Te. del Circo; *Un día de reinado*, Zarz, 3 act, col. Gaztambide / Barbieri / Inzenga, l, Olona, est, 11-II-1854, Te. del Circo; *Moreto*, Zarz, 3 act, l, A. Azcona, est, 20-V-1854, Te. del Circo; *La cola del diablo*, Zarz, 2 act, col. Allú / Barbieri, l, Olona, est, 24-XII-1854, Te. del Circo; *Pablito* (2ª parte de *Don Simón*), Zarz, 1 act, l, Olona, est, 24-XII-1854, Te. del Circo; *Amor y misterio*, Zarz, 1 act, l, Olona, est, 1-V-1855, Te. del Circo; *Estebanillo*, Zarz, 3 act, col. Gaztambide, l, V. de la Vega, est, 5-X-1855, Te. del Circo; *Alumbra a este caballero*, Zarz, 1 act, l, J. Olona, est, 1-XII-1855, Te. del Circo; *El conde de Castralla*, Zarz, 3 act, l, A. López de ayala, est, 20-II-1856, Te. del Circo; *El postillón de la Rioja*, Zarz, 2 act, l, L. Olona, est, 7-VI-1856, Te. del Circo; *La flor de la Serranía*, Zarz, 1 act, l, J. Gutiérrez de Alba, est, 2-VIII-1856, Te. de Verano; *Un viaje al vapor*, Zarz, 1 act, l, J. Olona, est, 24-XII-1856, Te. del Circo; *¡Concha!*, Zarz, 1 act, l, J. Olona, est, 15-VI-1857, Te. del Circo; *El hijo del regimiento*, Zarz, 1 act, l, V. Tamayo, est, 22-VIII-1857, Te. del Circo; *Don Sisenando*, Zarz, 1 act, l, Puerta Vizcaíno, est, 4-IV-1858, Te. del Circo; *La pata de cabra*, Zarz, 3 act, l, Grimaldi, est, 17-VI-1858, Te. Apolo; *Beltrán el aventurero*, Zarz, 3 act, l, Camprodón, est, 1-IX-1858, Te. de la Zarzuela; *El joven Virginio*, Zarz, 3 act, l, M. Pina, est, 30-XI-1858, Te. de la Zarzuela; *¡Un disparate!*, Zarz, 1 act, l, R. de Velasco, est, 14-V-1859, Te. de la Zarzuela; *El último mono*, Zarz, 1 act, l, N. Serra, est, 30-V-1859, Te. de la Zarzuela; *El Zuano*, Zarz, 1 act, l, P. N. Sobrado, est, 28-VI-1859, Te. de la Zarzuela; *Enlace y desenlace*, Zarz, 1 act, l, M. Pina, est, 27-IX-1859, Te. de la Zarzuela; *Es un genio*, Zarz, 1 act, 1859; *Un viaje aerostático*, Zarz, 1 act, col. J. Gaztambide, l, M. Pina, est, 14-XII-1859, Te. de la Zarzuela; *Tetuán por España*, Zarz, 1 act, col. Martín / Vázquez / Gaztambide / Gaztambide Zía, l, Pina, est, 8-II-1860, Te. de la Zarzuela; *Memorias de un estudiante*, Zarz, 3 act, l, J. Picón, est, 5-V-1860, Te. de la Zarzuela; *Nadie se muere hasta que Dios quiere*, Zarz, 1 act, l, N. Serra, est, 19-IX-1860, Te. de la Zarzuela; *Doña Mariquita*, Zarz, 1 act, l, C. Frontaura, est, 13-XI-1860, Te. de la Zarzuela; *A rey muerto*, Zarz, 1 act, l, L. Rivera, est, 17-XI-1860, Te. de la Zarzuela; *El gran bandido*, Zarz, 2 act, col. Fernández Caballero, l, Camprodón, est, 23-XII-1860, Te. de la Zarzuela; *Las piernas azules*, Zarz, 3 act, col. Vázquez, l, V. de la Vega, est, 9-II-1861, Te. de la Zarzuela; *El caballo blanco*, Zarz, 1 act, col. Fernández Caballero, l, C. Frontaura, est, 12-VI-1861, Te. de la Zarzuela; *Llegar y besar el Santo*, Zarz, 1 act, col. Fernández Caballero, l, E. Inza, est, 15-VI-1861, Te. de la Zarzuela; *Un concierto casero*, Zarz, 1 act, l, J. Picón, est, 3-XII-1861, Te. de la Zarzuela; *Un viaje alrededor de mi suegro*, Zarz, 3 act, l, Rivera, est, 24-XII-1861, Te. de la Zarzuela; *Roquelaure*, Zarz, 3 act, col. Caballero / Rogel, l, Rivera, est, 17-III-1862, Te. de la Zarzuela; *Por sorpresa*, Zarz, 2 act, col. Vázquez / Rogel, l, F. Ruiz del Cerro, est, 20-IV-1862, Te. de la Zarzuela; *Equilibrios de amor*, Zarz, 1 act, col. Caballero, l, Martínez Pedrosa, est, 20-IV-1862, Te. de la Zarzuela; *La isla de San Balandrán*, Zarz, 1 act, l, J. Picón, est, 12-VI-1862, Te. de la Zarzuela; *Juegos de azar*, Zarz, 2 act, col. Caballero, l, M. Pina, est, 30-X-1862, Te. de la Zarzuela; *El galán incógnito*, Zarz, 3 act, l, R. de la Vega, est, 1-XI-1862, Te. de la Zarzuela; *Matilde y Malek-Adel*, Zarz, 2 act, col. Gaztambide, l, C. Frontaura, est, 7-III-1863, Te. de la Zarzuela; *Walter o La huérfana de Bruselas*, Zarz, 3 act, col. J. Gaztambide, l, F. Ossorio, est, 5-IV-1863, Te. de la Zarzuela; *Por amor al prójimo*, Zarz, 1 act, l, J. Belza, est, 10-IV-1863, Te. de la

Zarzuela; *Influencias políticas*, Zarz, 1 act, l, M. Pina, est, 24-IV-1863, Te. de la Zarzuela; *Julio César*, Zarz, 1 act, l, Rivera, est, 5-VI-1863, Te. de la Zarzuela; *La voluntad de la niña*, Zarz, 1 act, col. Carreras, l, E. Álvarez, est, 17-VI-1863, Te. de la Zarzuela; *Un marido de lance*, Zarz, 1 act, l, R. Caltañazor, est, 6-VI-1864, Te. de la Zarzuela; *La paloma azul*, Zarz, 3 act, l, R. M. Liern, est, 25-II-1865, Te. de Novedades; *Los encantos de Briján*, Zarz, 3 act, l, Eguílaz, est, 1866; *La corte del rey Reúma*, Zarz, 1 act, l, Blasco, est, 22-XII-1876, Te. de la Zarzuela; *1866 y 1867*, Zarz, 2 act, col. Arche, l, Gutiérrez de Alba, est, 24-XII-1866, Te. del Circo; *La espada de Satanás*, Zarz, 4 act, l, Liern, est, 23-II-1867, Te. de Novedades; *Bazar de novias*, Zarz, 1 act, l, Pina, est, 9-IV-1867, Te. de Variedades; *El camisolín de Paco*, Zarz, 2 act, col. Vázquez, l, J. Catalina, est, 29-X-1867, Te. del Circo; *Un estudiante de Salamanca*, Zarz, 3 act, l, Rivera, est, 4-XII-1867, Te. de la Zarzuela; *Café-Teatro y restaurante cantante*, Zarz, 1 act, l, Álvarez, est, 11-VII-1868, Circo de Paul; *Don Isidro en San Isidro*, Zarz, 1 act, l, I. Hernández, est, 1868, Te. Apolo; *La reina de los aires*, Zarz, 1 act, l E. G. Santisteban, est, II-1869, Te. del Circo; *La gata de Mari-Ramos*, Zarz, 2 act, l, Pina, est, 27-I-1870, Te. de la Zarzuela; *El paciente Job*, Zarz, 1 act, l, R. de la Vega, est, 13-V-1870, Te. de la Zarzuela; *El molinero de Subiza*, Zarz, 3 act, l, Eguílaz, est, 21-XII-1870, Te. de la Zarzuela; *Justos por pecadores*, Zarz, col. Marqués, l, Larra, est, 25-X-1871, Te. de la Zarzuela; *Miró y compañía o Los cómicos de Alcorcón*, Zarz, 1 act, l, García Vivanco, est, 8-VIII-1872, Te. Barcelona; *Ildara*, Zarz, 3 act, l, Puente y Brañas, est, 5-I-1874, Te. de la Zarzuela; *El demonio de los bufos*, Zarz, 1 act, l, Puente y Brañas, est, 24-VI-1874, Te. de la Zarzuela; *El testamento azul*, Zarz, 3 act, col. Barbieri / Aveces, l, Amalfi (Liern) est, 20-VII-1874, Te. Jardines del Buen Retiro; *El señor de Cascarrabias*, Zarz, 1 act, l, Amalfi (Liern), est, 17-VIII-1874, Te. Jardines del Buen Retiro; *Compuesto y sin novia*, Zarz, 1 act, l, Pina Domínguez, est, 5-XII-1875, Te. de la Zarzuela; *La paz*, Zarz, 1 act, l, Puente y Brañas, est, 20-IV-1876, Te. de la Comedia; *Blancos y azules*, Zarz, 3 act, col. Caballero / Casares, Liern / Nogués, est, 14-X-1876, Te. Apolo; *Los pajes del rey*, Zarz, 2 act, l, Larra, est, 20-X-1876, Te. de la Zarzuela; *El consejo de los diez*, Zarz, 1 act, l, Nogués, est, 7-V-1884, Te. Apolo; *Dalila*, Zarz, 1 act; *Los polvos de la madre Celestina*, Zarz, 3 act, col. L. Cepeda / R. Carnicer, l, Hartzenbusch; *Yo y mi tía*, Zarz, 1 act.

FONOGRAFÍA: *El sitio de Zaragoza*, Discophon (S) 9090 • La Voz de su Amo AF 324, CJ 3205 CJ 3206 • Odeón 173127, XXS 5446 XXS 5447 • Regal DK 8006 (et. negra), K 2017 K 2018; *La bien amada*, La Voz de su Amo AE 1349 (et. verde), BS 1942 BS 1943 • Odeón 153269 (et. marrón), SO 3829 SO 3830.

BIBLIOGRAFÍA: *DMEH; HZ; OE; OGCH;* A. Peña y Goñi: *Impresiones musicales. Colección de artículos de crítica y literatura musical*, Madrid, Manuel Minuesa de Los Ríos, 1878; M. E. Cortizo Rodríguez: "Aproximación a la zarzuela romántica madrileña", *Actualidad y futuro de la zarzuela*, Madrid, Alpuerto, 1994.

RAMÓN SOBRINO

Ovejero Ramos, Ignacio. Madrid, 1-II-1828; Madrid, 11-II-1889. Organista, compositor, director y profesor. Estudió órgano y piano con Román Jimeno y composición con Ledesma. Su ópera *Hernando Cortés o La conquista de Messico* se representó en el teatro del Circo en 1848, cuando apenas tenía veinte años, siendo su protagonista la famosa Angiolina Bosio. A partir de aquel momento se convirtió en un personaje conocido en el Madrid filarmónico. Entre 1852 y 1853 fue organista primero supernumerario de la Real Colegiata

*Ignacio Ovejero
(Foto: Colección Castellano; E:Mn)*

de San Isidoro de Madrid y posteriormente de las Salesas y San Ginés. En 1858 fue nombrado catedrático supernumerario de órgano del Conservatorio de Madrid. Se dedicó sobre todo a la música religiosa con más de doscientas obras y también compuso la zarzuela en un acto titulada *La cabaña*, estrenada en el Circo en 1858, y el sainete *Las cantaoras*, en un acto, estrenado en el teatro Maravillas.

BIBLIOGRAFÍA: *DMEH.*

EMILIO CASARES RODICIO

Pacheco, Carlos Mauricio. Montevideo, 1-XII-1881; Buenos Aires, 8-XI-1924. Autor dramático. Nació en Uruguay cuando su padre se encontraba exiliado, pero su familia regresó a Buenos Aires, donde se estableció definitivamente. Desde muy corta edad se dedicó a las letras y estrenó su primera pieza, *Blancos y colorados*, a los dieciséis años. Trabajó como periodista en varios diarios de la capital e intentó ser actor, con poca fortuna. Ha sido considerado el fundador del sainete local, en especial por *Los disfrazados*, 1906, de Antonio Reynoso. Aunque escribió 78 obras de diferentes géneros, sobresalió en el sainete que resulta ser una prefiguración del futuro "grotesco criollo". La música tuvo un papel muy importante en la estructuración de sus piezas. Con Francisco Payá escribió, entre otras, *Música criolla*, 1906, *Don Costa y compañía*, 1907, *Las romerías*, 1909, *La fonda de la estación*, 1913, *Barracas*, 1918 y *La boca del riachuelo*, 1919. Antonio Reynoso compuso las partituras de *Don Quijote de la Pampa*, 1909, *Los reos*, 1907 y *El patio de Don Simón*, 1910. Otros compositores que colaboraron con él fueron Enrique Cheli, Vidal Cibrián y Emilio Acevedo, en los sainetes líricos *Compra y venta*, 1906, *La recova*, 1912, y *El caminito de la gloria*, 1914. También se acercó a la comedia musical en algunas piezas como *La patria grande*, 1910, con música de Payá –escrita en el centenario de la Revolución de Mayo–; *Las mariposas*, 1912; *La mazorca*, 1915, con música de José Carrilero, y *Fuerza española*, 1916, de Payá. El tango estuvo siempre presente desde su primera pieza, *Música criolla*, en la que un terceto de "compadres" y sus respectivas compañeras cantan y bailan un tango, lo mismo que en *Compra y venta* y *Los disfrazados*. Los ambientes afines a él también estuvieron presentes en sus obras. *Las mariposas*, que se reestrenó en 1922 con el título de *Luces de bengala*, transcurre en parte en el Armenonville.

La música de esta última pertenece a Enrique Delfino, cuyo tango *El mal trago* se entonaba en uno de sus cuadros; también se bailaba un shimmy. La acción de *El cabaré*, 1914, se desarrolla íntegramente en dicho ámbito; no observa la estructura del sainete lírico pero la música –sobre todo el tango– contribuye a crear la típica atmósfera. Lo mismo sucede en *Tangos, tongos y tungos*, 1918, pieza en un acto, donde el tango actúa como trasfondo emotivo del drama de los personajes. Pacheco escribió además una serie de sainetes que no se encuadran dentro del sainete lírico: *Remates y comisiones*, 1911; *El diablo en el conventillo*, 1915; *Las veladas de Misia Pancha*, 1918; *El otro mundo*, 1922; *La tierra del Fuego*, 1923 y *Ropa vieja*, 1923, su última obra. También escribió revista, como *Señor presidente*, 1922, en uno de cuyos cuadros se satiriza a todos los personajes típicos del llamado "teatro nacional". Escribió la letra del tango *Felicia* de Eduardo Saborido. Desplegó una intensa actividad gremial, pues intervino en la constitución definitiva de la Sociedad de Autores Dramáticos.

BIBLIOGRAFÍA: M. Lena Paz: *Bibliografía crítica de Carlos Mauricio Pacheco, aportes para un estudio*, Buenos Aires, Fondo Nacional de las Artes, 1963; B. R. Gallo: *Historia del sainete nacional*, Ed. Buenos Aires Leyendo, 1970.

MARTA LENA PAZ

Pacheco, Emilio. España, siglos XIX-XX. Actor. Perteneció a la compañía de Loreto Prado y Enrique Chicote, con la que estrenó en el teatro Martín en 1896, *La cena de Nochebuena o A la caza del gordo*, *Gedeón* y *Heraldo de Madrid*, todas de Calleja. En 1907 estrenó *El sueño de la princesa* de Calleja y Ballesteros en el teatro Lara, y en 1913 *El coronel Castañón* de Valdovinos y Quislant en el teatro Gran Vía de Madrid.

Mª LUZ GONZÁLEZ PEÑA

Pacheco, Luis. Écija (Sevilla), 1808; Madrid, 1875. Dramaturgo. Fue periodista y abogado y escribió dramas y tragedias históricos como *Alfredo*, 1835, *Los siete infantes de Lara*, 1836 y *Bernardo del Carpio*, 1848. Para el teatro lírico escribió al menos dos zarzuelas, *¡Lazos de la niñez!*, 1872, y *La niñera*, también de ese año, ésta con música de Javier Gaztambide, estrenada en el teatro del Recreo.

BIBLIOGRAFÍA: *DAT.*

Mª LUZ GONZÁLEZ PEÑA

Pacheco, Rosario. Cádiz, siglos XIX-XX. Tiple cómica. Se hizo famosa muy joven tanto en Madrid como en provincias. En 1904 estrenó en el teatro de la Zarzuela *La casita blanca* de Serrano y en 1913 en el teatro Avenida de Buenos Aires *Las chulas de Madrid* de Barrera. Manuel Penella la incorporó a su compañía y con ella trabajó en Buenos Aires hasta que en 1925 fue contratada para una gira por América Central y del Sur. Posteriormente actuó en Chile y otros países americanos en la compañía de Palmada. En Buenos Aires la contrató María Guerrero para cantar las saetas de *Malvaloca* de los hermanos Quintero. Fijó su residencia en Buenos Aires y siguió actuando en el teatro, al igual que un hijo suyo, también actor.

Mª LUZ GONZÁLEZ PEÑA

Padilla, María. México, siglo XIX. Cantante. Protagonista de los escenarios mexicanos de zarzuela durante el porfiriato, una de las primeras funciones suyas de las que se guarda memoria fue el estreno en 1891 de la zarzuela *De Puebla a México* de Vicente Galicia, donde se aplaudió su interpretación. Un verso aparecido entonces en *El Teatro* la retrató en términos elocuentes: "Su rostro de expresión tan apacible / su gracia y su modestia, / le sirven de *reclamo* en el difícil / camino de la escena. / Es muy joven aún, y con aplauso / siguiendo va las huellas / Que trazadas halló por sus hermanas, / por Concha y Magdalena. / Es lástima que en México no priven / el drama y la comedia, / y que sólo despierte su entusiasmo / la broma zarzuelesca; / porque allí donde el arte se descubre / con toda su grandeza / obtendría tal vez para su frente / artística diadema". Este poema quizá resultó profético y María Padilla fue, ante todo, figura de "la broma zarzuelesca" y de sus principales compañías mexicanas como las de Isidoro Pastor y Hermanos Arcaraz. Entre los estrenos más relevantes en los que cantó se cuentan *La Gran Vía*, 1891, *El Jettatore*, 1892, *Marta*, 1893 –ópera en la que se dijo que "no pudo con el papel"–, *Lola*, 1893, *La Gran Duquesa*, 1893, *El siglo diez y nueve*, 1894, *La czarina*, 1894, *Chateau Margaux*, 1894, y, particularmente, *Keofar*, zarzuela del mexicano Felipe Villanueva.

BIBLIOGRAFÍA: *RHTM.*

ROCÍO TERÁN / RICARDO MIRANDA

Padilla Sánchez, José. Almería, 23-V-1889; Madrid, 25-X-1960. Compositor y director de orquesta. La importancia de Padilla en la música popular en las primeras décadas del siglo XX fue tal que, en 1989, con motivo de la celebración del centenario de su nacimiento, la UNESCO declaró su música como un bien de interés internacional por haber venido "a integrarse en la propia trama y urdimbre de la cultura popular universal". Con excepción de la biografía escrita por su sobrina, no existe apenas bibliografía sobre su obra musical, cuya principal importancia reside en una producción cancionística entre la que se cuentan títulos del impacto de *La violetera*, *El relicario*, *Valencia* o *Ça c'est Paris*.

Se formó musicalmente en su entorno familiar. En 1904, tras tocar el piano durante algún tiempo en el Casino de Almería, se estableció en Madrid donde cursó estudios en el Conservatorio y fundó una tuna con sus compañeros de estudios. En 1906 estrenó en el teatro Barbieri su primera zarzuela: *Mala hembra*, pieza en un acto con libreto de Ventura de la Vega. Tras atravesar una grave enfermedad, se colocó como director de orquesta en el teatro Barbieri, donde estrenó varias obras entre 1908 y 1909. Del teatro Barbieri pasó al Martín y en 1911 estrenó en el Apolo *Pajaritos y flores*, un "boceto de sainete" con libreto de Miguel Mihura y González del Toro que, según Chispero, "el público aplaudió de buena gana, aunque sin demasiado entusiasmo". Al año siguiente, por mediación de Amadeo Vives, el empresario catalán Juan Marsans contrató a Padilla como director de la orquesta que iba a estrenar la opereta inglesa *Los cuáqueros* en el teatro Novedades. En ese teatro estrenó, el 13 de diciembre de 1913, su pieza en un acto *La plebe* con libreto de Fernández Palomero y poco después emprendió su primer viaje a Buenos Aires como director de la compañía de Úrsula López, estableciéndose, al final de su contrato, como director de orquesta del teatro de la Comedia. En esta época escribió *El taíta del arrabal*, un tango que se hizo muy célebre, y algunas piezas líricas como *Adiós a Granada*, *La galleguita* y *El suspiro del moro* que, estrenado el 31 de diciembre de 1914, con un libreto de Serrano Clavero inspirado en una novela de Emilio Castelar, alcanzó un notable éxito protagonizado por Lola Membrives y Juan Reforzo. De nuevo en Barcelona, donde escribió la conocida sardana *Es la moreneta*, en 1915 compuso dos de las canciones que más fama le dieron: *La violetera* y *El relicario*. En diciembre de ese año, estrenó en el teatro Barbieri de Madrid el boceto lírico en un acto con libro de Miguel Mihura *El mantón rojo*, que gustó más en Madrid que cuando se dio a conocer en el teatro Tívoli de Barcelona y, reflejo de su vivo interés por el espectáculo taurino, puso música al entremés *Gallito y Belmonte* con libreto de Aurelio González Rendón. También en el Barbieri estrenó *El divino juguete* con un texto de Quiles Pastor, uno de cuyos números –una farruca coreada para soprano– alcanzó cierta notoriedad. En 1916 regresó a Buenos Aires y, muy pronto, estrenó *La corte del amor* en el mismo teatro de la Comedia y con los mismos protagonistas del éxito de *El suspiro del moro*: Membrives y Reforzo. En *La corte del amor* se encontraba la canción *Princesita* que cautivó al gran tenor italiano Tito Schipa con quien intimó Padilla en un nuevo viaje transatlántico a Buenos Aires realizado en 1917. Desde entonces, *Princesita* formó parte del repertorio de Schipa y de muchos otros tenores. Durante la tercera estancia de Padilla en Buenos Aires, actuó como director de los teatros Avenida y San Martín, ambos de la empresa formada por Emilio Losada y Fernando Rey. Esta empresa llevó de España a Buenos Aires a la compañía de Narciso Fernández Menta que venía con su hijo Narcisín, un niño de siete años de edad y prodigiosas dotes para el canto y la interpretación para quien Padilla escribió algunas obras que fueron grandes éxitos del momento, como *El príncipe Cañamón*, *El pibe del Corralón* y *El botones de Maipú*. Conoció entonces a la soprano Gabriela Bezanzoni que pasaba por el teatro Colón en una de sus giras y, para que ella la estrenase en México escribió la ópera *La gitana*. Desde Buenos Aires, Padilla viajó a París donde *La violetera* y *El relicario* estaban causando sensación en la voz de Raquel Meller. En París firmó un contrato millonario con la editorial Salabert y ésta realizó en 1925, con criterios comerciales muy avanzados para la época, el lanzamiento mundial de una nueva obra de Padilla: *Valencia*, de cuyo disco, grabado por Mistinguet, se vendieron casi 500.000 copias en las primeras semanas de su comercialización. El éxito monumental de esta pieza, que originalmente fue el coro con el que empezaba la zarzuela en dos actos de costumbres valencianas *La bien amada*, contrasta con el discreto paso de esa obra por los escenarios españoles donde apenas alcanzó las cuarenta representaciones. En París compuso también la comedia musical *Chipée* que obtuvo un gran éxito en su estreno en el teatro de L'Avenue y la revista *Ça c'est Paris* estrenada por Mistinguett en el Moulin Rouge y con cuya principal canción se reproduce el fenómeno de *Valencia*. Padilla se convirtió así en un músico que trascendía absolutamente las fronteras de España y, en 1931, gracias al incidente desagradable de la película *Luces de la ciudad*, donde Charles Chaplin se apropió, tan ingenua como perversamente, la

José Padilla (Foto: Comedias y Comediantes, *1911; Ar. SGAE)*

autoría de *La violetera*, su música alcanzó todos los rincones de Occidente. En este mismo sentido, contribuyó Greta Garbo con su canto de *Ça c'est Paris* de la *Ninotchka* de Lubitch. Fue el cenit de la fama de Padilla.

En 1933, después de unos años en los que apenas estuvo en España, Padilla se estableció en el Madrid republicano rodeado del halo de triunfador que le había granjeado sus creaciones y sus viajes. Desde el 19 de abril de 1929 en que estrenó la zarzuela en tres actos *El sol de Sevilla* en el teatro de la Zarzuela, no se había realizado ningún estreno de obras de Padilla en los teatros de Madrid, de modo que su presentación con la humorada en tres actos *Con el pelo suelto* con libreto de José Silva Aramburu, en el mismo teatro de la Zarzuela, donde había formado empresa Paco Torres, estuvo rodeado de la máxima expectación. El estreno se produjo el 29 de noviembre y la obra gustó, aunque el público madrileño dejó patente que su entusiasmo iba sólo con la música, porque el libro dejaba mucho que desear. En Barcelona, sin embargo, el libreto de Silva Aramburu gustó y la obra produjo pingües beneficios a los autores, al igual que *Las inviolables* que estrenó poco después en el teatro Principal barcelonés y, en 1935, se tradujo al portugués y se estrenó en Lisboa. Entretanto, el 9 de noviembre de 1934, la compañía de Marcos Redondo estrenó en el teatro Nuevo de Barcelona *La bella burlada*, nueva zarzuela en tres actos con libreto de José Andrés de Prada. A este respecto, Marcos Redondo anotó en sus memorias lo siguiente: "El 14 de septiembre empecé la temporada en el teatro Nuevo de Barcelona, procurando olvidar lo horrores que a diario se sucedían en las calles de esta hermosa ciudad. Estrené *El cantante enmascarado*, del maestro Díaz Giles, al que siguió *La bella burlada* de Padilla. Aunque también estrené *El sol del Perú*, de los maestros Benlloch y Soriano, y *Fray Jerónimo*, de Martínez Valls, puede decirse que los seis meses de actuación se hicieron a base de las dos obras citadas en primer lugar". El crítico del diario *La Noche* escribió a raíz del estreno de *La bella burlada* unas notas que ilustran aspectos interesantes de la personalidad de Padilla así como dan buena medida del prestigio que gozaba: "La partitura de Padilla: ese es otro cantar. Desde el primer número, un pasodoble, marca Padilla, que es inconfundible, al gran dúo, número cumbre de su autor, pasando por toda la gama de romanzas, arietas, tercetinos, duettos y bailables, es una obra lograda. Padilla ha hecho lo que esperábamos que hiciera y que es aún promesa de lo que hará. ¡Vaya partitura, maestro! ¡Con lágrimas de emoción escuchábamos anoche tu música ¡Con entusiasmo la aplaudimos y con profunda admiración te veíamos triunfar! Y, sobre todo, con veneración mirábamos a aquel maestro que después de componer aquellos graciosos cuplets que tocaba al piano con los codos, de pronto desapareció de la circulación y hubo de darnos la sorpresa de encontrarle en su humilde pisito de la calle de los Ángeles, enfrascado, hundido materialmente en el estudio de Rimsky Korsakov, Stravinski y los más célebres músicos rusos. Luego, sus viajes, París le consagra, *El relicario*, *La violetera*, *Valencia*… Y gana dinero, mucho dinero, y se lo gasta. Y gana gloria, y se la guarda. Dinero podrá gastar el que gana, el que quiera, pero su gloria, no hará otra cosa que aumentarla, por mucho que la derroche, cuando se quede sin

José Padilla (Foto: Legado M. Alonso; Ar. SGAE)

los réditos que hoy le produce, siempre le quedará el capital de su inspiración y talento". Los principales estrenos de 1935 fueron *La canción del desierto*, sobre libreto de José Silva Aramburu, protagonizada por el cantante Pablo Hertogs en el teatro Nuevo, y la leyenda lírica en tres actos *La dama del sol* de José Andrés de Prada, estrenada por Felisa Herrero, Francisco Godayol y Jaime Miret en el teatro Victoria. Con ocasión de este último estreno, Padilla tuvo que hacerse cargo de la empresa, lo que –no por primera vez en su carrera– le llevó a la ruina y propició un nuevo viaje a París. Por primera vez, París no solucionó los graves problemas económicos de Padilla y, por si fuera poco, en vez de establecerse en la capital francesa, retornó a Madrid donde le sorprendió la Guerra Civil y, a pesar de intentarlo, no consiguió ya pasar los Pirineos. Al fin de la guerra, se trasladó a Barcelona donde estrenó *La Giralda*, zarzuela en dos actos sobre libreto de los hermanos Álvarez Quintero. Joaquín Álvarez Quintero reconoció: "El maestro Padilla ha adornado la sencilla fábula con una briosa partitura, llena de fuego y de luz y de garbo". Se sucedieron, a partir de entonces, una serie de estrenos, pero tras una nueva estancia en París, al concluir la Segunda Guerra Mundial, la obra que alcanzó más resonancia fue *La hechicera en palacio*, opereta en dos actos de Ramos de Castro y Rigel, estrenada por Celia Gámez como protagonista en el teatro Alcázar de Madrid el 22 de noviembre de 1950. Manuel Sánchez Camargo, en su crítica, escribió: "Al maestro Padilla es justo reconocerle el mejor éxito, ya que su presencia era sufi-

ciente para asegurarlo, aunque para firmar su buena manera de hacer haya encontrado en un número portugués todo lo que esperaba el público de sus melodías y su inspiración". Y Emilio Romero, en su columna del diario *Pueblo*, dejó constancia de una circunstancia muy interesante del ambiente musical madrileño relacionada con el estreno de *La hechicera en palacio:* "Es, ciertamente, acontecimiento de la vida madrileña esta obra, pero orientado de la manera más singular. Se ha establecido un duelo Padilla-Guerrero. Como obedeciendo a una consigna, todos salen diciendo que la música de Padilla es mejor que la de Guerrero. Que es más fina, más melódica y que tiene menos tatachín. Padilla tiene cierto aire de diputado laborista. Guerrero se acerca más al tipo americano. Lo que parece claro es que estamos emplazados para tomar partido: o Padilla o Guerrero". A pesar de esta atmósfera de competencia, Padilla y Guerrero mantuvieron una amistad cordial y es conocido el gesto de Padilla de renunciar al homenaje que le tributaron con motivo de habérsele concedido la Cruz de Isabel la Católica en 1951, alegando el reciente fallecimiento de Jacinto Guerrero. Padilla siguió en activo hasta su fallecimiento, pero, a pesar de su aplicación continua al género lírico y de sus sucesivos éxitos, no consiguió que ninguna de sus zarzuelas prendiera en el repertorio, lo que contrasta extraordinariamente con la perdurabilidad de varias de sus canciones, algunas de ellas –como *Princesita* o *Valencia*– procedentes de zarzuelas y otras –como *La violetera*– utilizadas, a la inversa, como parte de piezas líricas.

OBRAS (Todas en E:Msa): *Mala hembra*, Zarz, 1 act, l, V. de la Vega, est, 24-II-1906, Te. Barbieri (Madrid); *Las palomas blancas*, Zarz, 1 act, l, J. Huste, est, 31-X-1907, Te. Apolo (Almería); *El centurión*, Zarz, 1 act, l, M. Mihura / Navarro / Cumbreras, est, 5-X-1908, Te. Lux-Edén (Madrid); *La titiritera*, Zarz, 1 act, l, Hermanos García Revenga / E. Zaballos, est, 12-X-1908, Te. Lux-Edén; *Los tres reyes*, Zarz, 1 act, l, L. Ferreiro, est, 5-I-1909, Te. La Latina; *Copla gitana*, Zarz, 1 act, l, J. Tavares, est, 8-I-1909, Te. Barbieri; *Juan Miguel*, Zarz, 1 act, l, V. de la Vega, est, 1-X-1909, Te. Barbieri; *La presidiaria*, Zarz, 1 act, l, V. de la Vega, est, 19-XI-1909, Te. Barbieri; *El decir de la gente*, Zarz, 1 act, l, M. Mihura / R. González de Toro, est, 23-XI-1909, Te. Martín; *Los viejos verdes*, Zarz, 1 act, l, M. G. de Lara / J. Valverde, est, 14-XII-1909, Te. Barbieri; *Las pícaras faldas*, Zarz, 1 act, l, M. Mihura / R. González de Toro, est, 1909; *Pajaritos y flores*, Zarz, 1 act, l, M. Mihura / R. González de Toro, est, 28-IX-1910, Te. Apolo; *Almas distintas*, Zarz, 1 act, l, V. de la Vega, est, 1911, Te. Barbieri; *El pueblo peleón*, Zarz, 1 act, M. Mihura / R. González de Toro, est, 1911, Te. Martín; *El príncipe celoso*, Zarz, 1 act, l, Soler Múgica, est, 8-XI-1912; *La plebe*, Zarz, 1

Cortesía de Unión Musical Ediciones SL

act, I, Fernández Palomero, est, 13-XII-1913, Te. Novedades (Barcelona); *El suspiro del moro*, Zarz, I, Serrano Clavero, est, 24-XII-1914, Te. Comedia (Buenos Aires); *Adiós a Granada*, Zarz, I, Serrano Clavero, est, 1914-15, Buenos Aires; *El altar*, Zarz, I, Fernández Mato, est, 1914-15, Buenos Aires; *La galleguita*, Zarz, I, Fernández Mato, est, 1914-15 (Buenos Aires); *El mantón rojo*, Zarz, 1 act, I, M. Mihura, est, 18-XII-1915, Te. Barbieri; *La corte del amor*, Zarz, 1 act, I, M. Fernández Palomero, est, 24-VI-1916, Te. Comedia (Buenos Aires); *Marcial Hotel*, Zarz, 1 act, I, M. Mihura / R. González de Toro, est, 4-X-1916, Te. Martín; *Miguelín*, Zarz, 1 act, I, Oliveros / Castellví, est, 20-X-1916, Te. Tívoli y Nuevo (Barcelona); *El secreto de la paz*, Zarz, 1 act, I, J. R. Franquet, est, 30-III-1918, Te. Cómico (Barcelona); *Sol de Sevilla*, Zarz, 3 act, J. A. de la Prada, est, 18-III-1924, Te. Tívoli (Barcelona); *La bien amada*, Zarz, 3 act, I, J. A. de la Prada, est, 1924 (Barcelona); *Pepete*, I, R. Dieudonné / C. A. Carpentier, est, 1925, Te. Avenue (París); *Chipée*, 3 act, I, A. Willemetz / A. Madis, est, 1926, Te. Avenue (París); *La révue d'Espagne*, I, L. Boyer / J. Charles, est, 1926, Te. Champs Elysées (París); *Charivari*, I, col. Martínez Valls, I, J. Viñas / J. M. Solana, est, 1927, Barcelona; *La copa de champán*, est, ca. 1920, Buenos Aires; *La europea*, I, Viérgol, est, 1915, Buenos Aires; *La gitana*, est, ca. 1920, Te. de la Ópera (México); *Sol de Sevilla*, Zarz, 3 act, I, J. Andrés de la Prada, est, ca. 1920, Te. Tívoli (Barcelona); *Con el pelo suelto*, 3 act, I, J. Silva Aramburu, est, 29-XI-1933, Te. Zarzuela; *Il giardino di Venere*, est, 1933, Te. Alfieri (Turín); *Las inviolables*, 3 act, I, J. Silva Aramburu, est, 19-VII-1934, Te. Principal Palace (Barcelona); *El duende*, 1 act, I, J. Silva Aramburu, est, 28-XII-1934, Te. Cómico (Barcelona); *Mucho cuidado con Lola*, 3 act, I, T. Borrás, est, 11-III-1935, Te. Comedia (Barcelona); *Los maridos de Lydia*, 3 act, I, J. S. Aramburu, est, 28-VI-1935, Te. Comedia (Barcelona); *La canción del desierto*, Zarz, 3 act, I, J. S. Aramburu, est, 8-XI-1935, Te. Nuevo (Barcelona); *La dama del sol*, Zarz, 3 act, I, J. A. de la Prada, est, 23-XII-1935, Te. Victoria (Barcelona); *La Giralda*, Zarz, 3 act, I, S. y J. Álvarez Quintero, est, 22-IX-1939, Te. Victoria (Barcelona); *Lo que fue de la Dolores*, Zarz, 3 act, I, J. M. Acevedo, est, 2-XII-1939, Te. Victoria (Barcelona); *La Faraona*, est, ca. 1930, Italia; *Roma*, obra teatral, I, E. Wallace, est, ca. 1930, Te. Majestic (Londres); *Cuidado con las señoras*, 3 act, I, Polo / Loygorri, est, 12-VII-1940 (Barcelona); *Repóker de corazones*, 3 act, I, R. Fernández Shaw, est, 13-X-1940, Te. Zarzuela; *La violetera*, 3 act, I, J. A. de la Prada, est, 17-II-1941, Te. Cómico (Barcelona); *Miente...y verás*, 3 act, est, 17-XI-1941 (Barcelona); *Multicolor*, I, J. A. de la Prada, est, 24-III-1942, Te. Olimpia (Barcelona); *Multivioletas*, 3 act, est, 23-II-1943 (Barcelona); *Nené*, I, J. A. de la Prada / R. González de Toro, est, 12-III-1943, Te. Principal Palace (Barcelona); *¡Oh, Tiro liro!*, 3 act, I, J. Silva Aramburu, est, 7-V-1943, Te. Principal Palace (Barcelona); *Melodías para ti*, I, J. A. de la Prada, est, 19-I-1945, Te. Romea (Barcelona); *Fantasía 1946*, I, Druisberg, est, 10-I-1946 (Barcelona); *Scala 1946*, I, Druisberg, est, 7-IV-1946, Te. Calderón (Barcelona); *Symphonie Portugaise*, I, M. Cab/R. Vincy,

est, 27-X-1949, Te. Gaité Lyrique (París); *La hechicera en palacio*, 2 act, I, Rigel / A. Ramos de Castro, est, 23-XI-1950, Te. Alcázar; *Peligro de Marte*, 2 act, I, A. de la Iglesia / Rigel, est, 13-IX-1952, Te. Lope de Vega; *Ana María*, 2 act, I, J. Muñoz Román, est 21-I-1954, Te. Martín; *A lo loco, a lo loco*, 2 act, I, Navarro / F. Prada, est, 23-III-1954, Te. Alcázar; *La chacha Rodríguez y su padre*, 2 act, I, J. Muñoz Román, est, 19-X-1956, Te. Martín; *Romance au Portugal*, I, R. Vincy, est, 11-IX-1958, Te. Gaité Lyrique (París).

FONOGRAFÍA: *Ana María*, Columbia R 18566 R 18567 R 18571 R 18582, C 10031 a C 10094, C 10045 C 10046 C 10057 C 10058; *Charivari*, Blue Moon BMCD 7552; *El diablo verde*, Blue Moon BMCD 7552; *El relicario*, Discophon (S) 4103 (S) 8040 • La Voz de su Amo DA 349; *El tango de la cocaína*, Blue Moon BMCD 7552; *Flores, flores*, La Voz de su Amo AE 1340; *La bien amada*, 102.053, 102.054 (et. celeste), KI 843-1 • EGT 663 • La Voz de su Amo AE 1340 AE 1942 AE 1943, 2-263476 2-263477 • Odeón 101221 (et. blanca, naranja y negra), Be 4403 Be 4404; *La hechicera en palacio*, Columbia R 18001 a R 18003, C 8987 a C 8992; *La violetera*, Discophon (S) 4104 (S) 8043; *Por qué, por qué*, La Voz de su Amo AA 699, OLA 6249 OLA 5972; *Princesita*, La Voz de su Amo DA 834 DB 1024 (et. roja), A 26107 A 26108 • Pathé P 5001, CPT 8528 CPT 8529; *Valencia*, Discophon (S) 2141 (S) 9046.

BIBLIOGRAFÍA: *DMEH*; M. A. Coria: "Notas sobre José Padilla", *Cuadernos de Música*, I, 1990, 37-40; E. Montero: "En torno al maestro Padilla", *Cuadernos de Música*, I, 1990, 41-53; —: *José Padilla*, Madrid, Fundación Banco Exterior, 1990.

JAVIER SUÁREZ-PAJARES

Padua, Antonio. Seudónimo. *Véase* ALTADILL, ANTONIO.

Pahissa i Jo, Jaume. Barcelona, 7-X-1880; Buenos Aires, 27-X-1969. Compositor, musicógrafo y pedagogo. Su formación musical estuvo muy marcada por la figura de Enric Morera, con quien continuó los estudios que había iniciado con F. Laporta. Su padre fue un conocido pintor paisajista. Pahissa no participó en la composición de zarzuelas, sino que siguiendo la corriente modernista, iniciada por Morera, buscó en sus primeras composiciones nuevas formas líricas que combinaban el canto con el recitado, dentro de una estética renovadora y distanciada del lenguaje zarzuelístico que dominaba en esos momentos en la mayoría de teatros barceloneses. Participó en 1906 en los Espectáculos-Audiciones Graner con la obra *La presó de Lleida*. La obra se encontraba en la línea de las canciones populares dramatizadas, aunque la profundidad en el tratamiento musical y dramático, obra que fue glosada por Adrià Gual, sorprendió de forma positiva al público de la época. *La presó*

*Jaume Pahissa
(Foto: Biblioteca
de Cataluña)*

de Lleida dio a conocer su nombre, e impuso a Pahissa como un compositor al que tener en cuenta. El planteamiento partía de un cuadro escénico al que Pahissa adaptó unas ilustraciones musicales, si bien el resultado situó la obra entre este género y una obra lírica. Eugeni d'Ors le proclamó como "artista noucentista", una opinión controvertida ya que musicalmente la estética de esa obra era aún plenamente tardorromántica. Posteriormente estrenó en 1910 *Canigó*. Esta obra ha sido a menudo calificada como ópera, y sin embargo son unas ilustraciones escénicas, con una voluntad decidida de trascender el modelo a la búsqueda nuevamente de este género intermedio entre opereta e ilustraciones. Sobre una adaptación dramática realizada por Josep Carner basada en el poema original de Jacint Verdaguer, Pahissa volvió a conseguir una obra bien delineada, lejana de la estética zarzuelística dominante en la época, y próxima a la corriente abierta por Morera en la búsqueda de un modelo catalán singular.

BIBLIOGRAFÍA: *DMEH*; X. Aviñoa: *Jaume Pahissa, un estudi biogràfic i crític*, Barcelona, Biblioteca de Catalunya, 1996.

FRANCESC CORTÈS i MIR

Paisano, Carlota. España, siglos XIX-XX. Tiple cómica. Se dedicó al género chico siguiendo el estilo de Loreto Prado en la dicción; cantaba con afinación y sabía bailar con gracia. En 1910 era tiple en el teatro Príncipe Alfonso; en 1914 estrenó en el Magic-Park de Madrid, *El alma de Garibay* de Barrera; en 1915 en Novedades *El siglo de oro* de Bru y Vela, *La*

Carlota Paisano (Foto: Ar. SGAE)

famosa de Millán, y en 1916, *Música, luz y alegría* de Alonso, en el mismo teatro. La temporada 1916-17 fue contratada por el teatro Apolo en el que triunfó en su presentación con *La tempranica* de Giménez, estrenando después *El botón de nácar* de Luna, *El marido de la Engracia* de Taboada y Barrera y *El señor Pandolfo* de Vives, esta última en la Zarzuela en la función a beneficio de la Asociación de la Prensa, función en la que cantó también *La verbena de la Paloma*. Entre 1918 y 1919 protagonizó en el teatro Martín diferentes estrenos de revistas como *Perico de Aranjuez* de Fuentes y Camarero, *Las corsarias* de Francisco Alonso y *La compañía de Jesús o Un bolo en Villapitos* de Eduardo Fuentes y Augusto Vela. En 1923 estrenó en el teatro Martín *La luz de Bengala* de Guerrero.

BIBLIOGRAFÍA: *TA*; E. García Carretero: *Historia del teatro de la Zarzuela de Madrid*, Madrid, Fundación de la Zarzuela Española, 2003.

Mª LUZ GONZÁLEZ PEÑA

Pájaro Azul, El. Zarzuela en dos actos. Música de Rafael Millán. Libreto de Antonio López Monís. Estrenada el 5 de marzo de 1921 en el teatro Tívoli de Barcelona.

Personajes y reparto. Lucinda (Luisa Vela, soprano). Pilar (Amparo Saus, mezzosoprano). Ercilia (Matilde Tornamira). Un pastorcillo (Amparo Albiach, soprano). Esteban (Emilio Sagi-Barba, barítono). Juan Alonso (Arturo de Castro, tenor). Alves Ferreira (Enrique Beut, barítono). Antón (Ricardo Fuentes, tenor).

Orquestación. Flautín, flauta, oboe, 2 clarinetes, fagot, 2 trompas, 2 trompetas, 3 trombones, tuba, percusión, arpa y cuerda. 2 Guitarras, 2 laúdes, 2 bandurrias, banda de 4 trompetas, 3 trombones y caja.

Argumento. La acción se sitúa en 1580, después del reinado del último descendiente de la casa portuguesa de Aviz, el cardenal Enrique. El trono lo disputaban Felipe II de Castilla y Antonio, prior de Ocrato.

Acto I. En el interior de un mesón cerca del Tajo unos estudiantes y conspiradores describen la situación política. Antón, novio de Pilar, doncella del duque de Osuna, presume de sonsacarle secretos políticos. Después de pasar unos soldados, aparece Alves Ferreira, dueño del mesón y personaje nacionalista, opuesto a la unión con Castilla. Parte hacia una importante reunión de las Cortes portuguesas donde se decidía la unión de los reinos. Lucinda, su hija, quiere ver al cantor conocido como "Pájaro Azul", Esteban, que sólo canta cuando nadie le escucha, al estar en libertad, de ahí su nombre. Lucinda

y Esteban quedan solos, y ella le interroga sobre el amor; cuando están a punto de declararse, aparece Antón, que cree que los soldados han detenido a Alves; Esteban se va para comprobarlo. Llega Pilar; en realidad ella resulta ser la espía, y hace confesar al simple de Antón que los portugueses encabezados por Alves pretenden levantar una revuelta popular. Entra el capitán Juan Alonso, un donjuán que al ver a Lucinda queda prendado de su belleza. Esteban regresa, Antón estaba equivocado y Alves aún está libre. Se oyen vítores a lo lejos: la multitud aclama a Alves que votó en las Cortes contra la unión; se prepara un alzamiento. Juan Alonso, que va bebido, besa por la fuerza a Lucinda. El acto acaba con un ardiente coro patriótico.

Acto II. El primer cuadro se desarrolla en un bosque de castaños, junto a las ruinas de un castillo. Se oye cantar a un pastor durante la caída de la tarde. Antón, armado con arcabuz, monta guardia; se encuentra a Lucinda que busca a Esteban. De improviso aparece Juan Alonso que vuelve a ofrecer su amor a Lucinda; ahora la quiere poner a salvo de la guerra, y le promete sus riquezas. Él se ha compinchado con la vieja Ercilia. Cae la noche, y aparece embozado Alves, que acaba de preparar una insurrección en Santarem. Rodeado por una multitud, llega Esteban, quien se ha podido escapar de los castellanos. Quedan solos Lucinda y Esteban que por fin se declaran su pasión. El segundo cuadro se traslada a Lisboa, en la calle de la Magdalena. Antón ha descubierto que Pilar le ha traicionado y busca cómo vengarse. Al salir, aparece Pilar con un grupo de chicas, una excusa para propiciar un número musical costumbrista. El cuadro tercero se sitúa en la casa de Alves. Esteban, Alves y Lucinda son apresados por Juan Alonso después de la batalla de Alcántara. El capitán castellano los deja en libertad, aún ama a Lucinda. Esteban, sin embargo, promete continuar su lucha por la libertad.

Cortesía de Unión Musical Ediciones SL

Números musicales. Acto I: Nº 1. Introducción orquestal, coro y Antón, "Ohé, ohé, la, la, la". Nº 2. Antón, guardias, estudiantes y corneta, "A nuestra ronda hay que abrir". Nº 3. Esteban, "La, la, la, tra, la, la, la". Nº 4. Lucinda y Esteban, "¿Sabes tú qué es amar?". Nº 5. Pilar y Antón, "Ay, qué guapo estás Antón". Nº 6. Juan Alonso, "Yo soy un hidalgo español". Nº 7. Final 1º. Lucinda, Juan Alonso, Esteban, Alves Ferreira y coro, "Yo fui el que la besó". Acto II: Nº 8. Introducción orquestal, Pastor, Lucinda, "Ya de oraciones el toque sonó". Nº 9. Lucinda y Juan Alonso, "Desierto está el bosque". Nº 10. Lucinda, Esteban, Alves Ferreira y coro de hombres, "Al fin de verle llega el día". Nº 11. Lucinda, Esteban y pastorcillo, "La luz de la luna nos manda su resplandor". Nº 12. Lucinda y ocho tiples, "Dos leguas a la redonda los mozos no aman ya". Nº 13. Cuadro final. Lucinda, Esteban, Alves Ferreira, Juan Antonio, "Vencido en la brecha mi patria ya se entregó".

Comentario. Millán y López Monís dedicaron esta obra a Luisa Vela, recordando la suerte que consiguieron al dedicar *La dogaresa* a Emilio Sagi-Barba. Acertaron con su intención, puesto que *El Pájaro Azul* sería, junto con *La dogaresa*, el título de mayor pervivencia de Millán en el repertorio. Por un lado destaca su originalidad en la concepción musical de los distintos números, aún cayendo en algunos lugares tópicos de las operetas de su tiempo; por otro contiene un buen número de piezas de valor, con un interesante y sugestivo perfil melódico. Algunos fragmentos de la obra alcanzaron una rápida popularidad, caso del Nº 3, el "Fado" de Esteban, que incluso fue adaptado como rollo de pianola. Después de una brillante obertura instrumental, hace su aparición el coro de pescadores, con un perfil que recuerda incluso reminiscencias wagnerianas. El número coral de los guardias, de carácter alegre y desenfadado, es una buena muestra de cómo Millán supo recoger los tópicos argumentales e incluso musicales, sin caer en la vulgaridad. El "Fado" de Esteban, "Nao se vencer" cantado en portugués, es uno de los momentos más interesantes y de lucimiento del barítono (Ej. 1). Cuando la obra se estrenó, el número tuvo que

Ej. 1

ser repetido. Los momentos solísticos de toda la obra son poliseccionales. Millán conseguía interés armónico al oponer la sección central, en tonalidad menor, a las extremas contrastadas en modo mayor, o viceversa. La tensión armónica converge con frecuencia sobre las dominantes, y a partir de progresiones y bajos descendentes, creaba ambientes cargados de emoción. La intervención de Alfonso en "Yo soy hidalgo español", es otro de los momentos a destacar, por los golpes de efecto, y la situación de los puntos culminantes en el registro agudo de la voz. El extenso final primero combina y contrasta las intervenciones corales, con los solistas y los pasajes concertantes. La sección central es más lírica, en oposición al inicio enardecido del coro. La intervención de Lucinda se acompaña con un importante cambio en la tensión armónica e instrumental, para dar paso a un grupo de bandurrias, laúdes y guitarras que preceden otro de los momentos culminantes de Esteban, uno de los más afortunados de la obra por el buen ritmo dramático conseguido. Este primer final desemboca en unos coros patrióticos triunfalistas. No hay duda de que este número es uno de los mejores finales de acto de las zarzuelas que se aproximaron al modelo de la opereta.

El acto segundo se abre con la cita del tema del "Pájaro Azul" (Ej. 2), que se había expuesto en el

Allegretto gracioso

Ej. 2

Nº 4. El tema de calado lírico se contrapone a la atmósfera popularizante de la canción pastoril, con el sonido de cencerros lejanos. El encuentro entre Lucinda y Juan pasa de un principio convencional hasta un interés muy alto, que le aproxima a la estética verista. El dúo entre Esteban y Lucinda en el segundo acto fue, ya desde el estreno, otro de los numeros mejor acogidos. Estructurado en varios momentos, desde la interesante serenata de Esteban con acompañamiento de arpa, hasta el momento climático del dúo, muy emotivo; en él, nuevamente se contrapone un elemento ajeno a la acción, en este caso el canto lejano de un pastor, que contrasta con el perfil de importantes saltos interválicos de Lucinda y Esteban. A este momento intenso le sigue un pasacalle acompañado de bandurrias y panderetas. El número final reexpone material temático que se ha oído antes, y conduce, después de una marcha militar, al punto central de Esteban, "Vencido en la brecha", pasaje en el cual se realizaron importantes cortes en la partitura. La sección final vuelve a reexponer material temático del principio del número para conducir a un brillante coro final, "El amor se ausenta llorando su dolor".

Fuentes manuscritas. La partitura se conserva en el archivo de la SGAE en Barcelona. Los materiales de orquesta se encuentran en el archivo de la SGAE en Madrid (4719).
Ediciones de música. Canto y piano, UME, 1921.
Ediciones del libreto. Barcelona, Publicacions Ràfols, 1921; Madrid, SAE, 1921; Barcelona, Biblioteca Teatral, 7.

FONOGRAFÍA: D78rpm: Sol. Marcos Redondo, Odeón 121187, XXS 4656 XXS 4658 • Dir. Rafael Millán, Sols. Arellano, Conti, Albiach, Gramófono AC 65 (et. fucsia), 2-62257, 64455, 4507, 4499.
LP: Dir. Benito Lauret, Sols. Montserrat Caballé, Carmen Decamp, Vicente Sardinero, Francisco Ortiz, Antonio Borras, José Manzaneda, Francisco Paulet, Iluminado Muñoz, Gervasio Ventura, Fernando González, José Torruella, Juan Pons, Juan Bautista Rocher, Francisco Quiles, Orq. Sinfónica, Columbia SA, ZCL 1067 178 y Columbia-BMG SCE 959.

FRANCESC CORTÈS i MIR

Palacio, Manuel del. Lérida, 24-XII-1832; Madrid, 5-VI-1906. Poeta y dramaturgo. Se trasladó a Madrid en 1846 y luego a Granada. Entró en el servicio diplomático y ejerció diversos cargos públicos. Sus ideas liberales le llevaron a ser deportado a Puerto Rico durante un tiempo. Utilizó los seudónimos "Gusarapa" y "Paco-Lla" en sus colaboraciones para los periódicos *El Imparcial*, *Blanco y Negro*, *Gil Blas*, *La España Moderna*, etc. Como poeta perteneciente al posromanticismo, sus sonetos humorísticos, frente a los de tono serio, fueron los más considerados. Con Luis Rivera escribió las semblanzas crítico-humorísticas *Cabezas y calabazas*. Escribió los libros de *Contra viento y marea*, 1860, con música de Luis Martín; en colaboración de Emilio Álvarez, estrenó el apropósito *Antes del baile, en el baile y después del baile*, 1864, con música de Joaquín Gaztambide, que apenas tuvo repercusión. Fue

Manuel del Palacio
(Foto: Museo Municipal de Madrid)

uno de los primeros autores en escribir para el género bufo –recién importado del Théatre des Bouffes Parisiens– con *El motín de las estrellas*, 1866, escrito en colaboración de E. Saco y F. Moreno. La música de José Rogel acompañaba un argumento de intención cómico-burlesca, se estrenó en el teatro de los Bufos Madrileños de Arderius. También hizo alguna adaptación de obras extranjeras, entre ellas *Marta* de Flotow, con tanto acierto, que quedó fijada como zarzuela española; *La vuelta de columella* de Fioravanti o *Don Bucéfalo* de Cagnoni.

BIBLIOGRAFÍA: *DMEH*; D. L. Shaw: *Historia de la literatura española. 5. El siglo XIX*, Barcelona, Ariel, 1986.

OLIVA G. BALBOA

Palacio Valdés, Eduardo. Oviedo, siglo XIX; Madrid, 1970. Periodista y escritor. Fue secretario de la Asociación de Prensa. Se trasladó con su familia a Madrid. Comenzó a estudiar arquitectura y posteriormente derecho, pero se decidió por el periodismo y en 1902 comenzó su colaboración en *La Región* de Guadalajara, posteriormente trabajó en el *Diario de Avisos* de Segovia, *La Opinión* de Asturias y *El Diario de Ávila*, entre otros, hasta que en 1909 regresó a Madrid e ingresó como redactor en *La Época*; poco después pasó a *ABC* y posteriormente fue nombrado secretario de la Asociación de Prensa. Al mismo tiempo comenzó a escribir para el teatro en colaboración con José María Aracil, estrenando *Las hijas del tío Sam*, con música de Severo

Muguerza y Cayo Vela, así como la zarzuela en un acto *Noche de ronda*, de nuevo con Aracil y Muguerza, estrenada en 1921 en el teatro de La Latina, y *La mezquita*, con Aracil y música de Eugenio Úbeda.

BIBLIOGRAFÍA: E. González Fiol: "Figuras de actualidad. Eduardo Palacio Valdés", *Nuevo Mundo*, 1570, 22-II-1924.

Mª LUZ GONZÁLEZ PEÑA

Palacios, Rosa. México, siglo XIX. Soprano. Figura importante de la escena mexicana, se le dio el sobrenombre de "La Calandria de Anáhuac". Al parecer, estudió en el Conservatorio de México y realizó su debut en un concierto organizado por la Sociedad Filarmónica en 1874. En años siguientes su nombre aparece en funciones similares, donde cantó diversas piezas, entre ellas un fragmento de *La Africana* que a decir de la prensa "suspiró maravillosamente". Formada como cantante de ópera, los primeros años de su carrera le llevaron a asumir ese género en diversas funciones, siendo invitada a menudo por compañías italianas que visitaban México.

En 1887 incursionó en la zarzuela como primera tiple de óperas traducidas y género serio de la compañía de Isidoro Pastor. En aquella ocasión cantó *El pompón* de Lecoq. Según Olavarría, "realmente no era común en la zarzuela española oír cantar como cantaba la artista mexicana, discípula de maestros italianos y con estudios para la gran ópera; además vistió con muy buen gusto". A esta función siguieron otras como el estreno en 1887 de *Sustos y gustos* en el que Rosa Palacios y José Vigil y Robles, "cantaron de un modo irreprochable la música de Ituarte". Ese mismo año y con la compañía de zarzuela, tuvo un exitoso beneficio con *El barbero de Sevilla*. Además de sus incursiones en el repertorio de género grande, Palacios solía cantar arias de ópera en los intermedios de las zarzuelas, siempre cosechando aplausos. En 1889 cantó en el estreno de *Certamen nacional* donde se reconoció su desempeño en el papel de La baraja. En 1890 Palacios parece haber cambiado a la empresa de los Hermanos Guerra con la que debutó en el teatro Principal. Ese mismo año cantó *Rigoletto*, y a partir de entonces su presencia desaparece de los teatros mexicanos.

BIBLIOGRAFÍA: *RHTM*.

ROCÍO TERÁN / RICARDO MIRANDA

Palacios Brugueras, Miguel de. Gijón (Asturias), 1863; Covadonga (Asturias), 3-X-1920. Dramaturgo. Estudió la carrera de medicina. Escribió la mayoría de sus obras en colaboración con Guillermo Perrín y Vico y fueron conocidos como "los hermanos siameses del género chico", si bien el peso del dúo recaía en Miguel, quien demostraba su gran conocimiento de los recursos dramáticos. El reconocimiento de ambos tuvo lugar con el estreno de la revista *Villa y palos* de Manuel Nieto en 1885, al que siguieron los de *Certamen nacio-*

nal, 1888 y *Cuadros disolventes*, ambas de Manuel Nieto, 1896; *Pepe Gallardo*, 1898, con gran éxito, gracias a la música de Ruperto Chapí, con el que colaboraron en varias ocasiones, y a la mezcla de lo madrileño con lo andaluz del libreto; *Enseñanza libre*, 1901, y *La torre del Oro*, 1902, ambas con música de Gerónimo Giménez, con quien repitieron en varios estrenos; y sobre todo el gran éxito, incluso en la actualidad, de la opereta en dos actos *La corte de faraón* de Vicente Lleó, 1910.

Miguel de Palacios (Foto: Comedias y Comediantes, 1912; Ar. ICCMU)

Los compositores más importantes acudieron al ingenio de ambos en más de 140 títulos, repartidos entre apropósitos, juguetes, sainetes, y sobre todo opereta, revista y zarzuela. Ambos sabían mantener el equilibrio y el interés de sus libros, con una mezcla sabia de elementos dramáticos y cómicos, aunque el sentido del humor sea la constante de sus obras, además de saber dosificar el interés de sus argumentos. Miguel de Palacios, junto con Guillermo Perrín figura entre los autores de mayor importancia, tanto desde el punto de vista cualitativo como cuantitativo, en la historia del género lírico español.

En solitario escribió algunas obras, entre las que destaca la opereta cómica *El rajá de Bengala* de Rafael Calleja, estrenada en 1917 en el teatro Apolo de Madrid. *Véase* ABC; AMORES NACIONALES; BOHEMIOS; CERTAMEN NACIONAL; CINEMATÓGRAFO NACIONAL; LA CORTE DE FARAÓN; CUADROS DISOLVENTES; EL DIAMANTE ROSA; ENSEÑANZA LIBRE; LA GENERALA; EL HÚSAR DE LA GUARDIA; EL JUICIO ORAL; PEPE GALLARDO; LA TORRE DEL ORO; LA VEDA DEL AMOR; PERRÍN Y VICO, GUILLERMO.

BIBLIOGRAFÍA: *DMEH*; L. G. Iberni: *Ruperto Chapí*, Madrid, ICCMU, 1995; V. Sánchez Sánchez: *Tomás Bretón, un músico de la Restauración*, Madrid, ICCMU, 2002.

OLIVA G. BALBOA

Palacios Espejo, Antonio. Granada, 18-VII-1890; La Habana, 2-III-1972. Tenor cómico. Descendiente de una familia de actores, era hijo de la actriz Juana Espejo. Al actuar la madre en una compañía de zarzuelas en Caracas, y luego en Puerto Rico, debutó a los seis años junto a ella en la revista *Cuadros disolventes*, interviniendo después en varias zarzuelas. Debutó en sustitución de un actor enfermo en 1908 en el teatro Romea de Madrid, con la comedia *Cada oveja*. Su actuación gustó y le valió un contrato con la empresa. En 1912 viajó a Cuba, y debutó en 1913 en el teatro Payret de La Habana con el drama de

Antonio Palacios Espejo
(Foto: E:Bit)

Bernstein *El tribuno.* Luego se presentó en el teatro Municipal de San Juan de Puerto Rico, donde tuvo bastante éxito. En 1914 debutó como cantante lírico con las zarzuelas *El cabo primero* de Fernández Caballero y *La revoltosa* de Chapí, siendo su debut desafortunado. No fue hasta que se presentó como galán cómico en el sainete *Las cacatúas* de Antonio Casero, cuando logró su primer éxito. A partir de entonces desempeñó una intensa actividad artística en el teatro lírico donde logró triunfos y conquistó siempre el favor del público. A su regreso a Cuba intervino en los estrenos de la ópera *Las golondrinas* de Usandizaga, 1915, y de la opereta *Después de un beso* de Sánchez de Fuentes, Martí, 1916. Luego formó su propia compañía, que más tarde se disolvió. Posteriormente actuó en Venezuela, Puerto Rico y Santo Domingo. A su regreso a La Habana en 1921 se presentó en el teatro Martí donde estrenó el sainete *La del 2 de mayo* de Barrera, las zarzuelas *La cartujana* de Vela y Bru, *Del Sacro Monte* de Vela y Montero, *Amores de aldea* de Luna y Soutullo, y *El relámpago* de Barbieri, entre otras. Luego pasó al teatro Actualidades y un año después estrenó la revista *Diabluras y fantasía* y la opereta *Jaque al Rey,* ambas de Lecuona. De nuevo en España debutó en el teatro Apolo de Madrid, en la revista *Arco iris* de Aulí y Benlloch, con un notable éxito de cien representaciones. Seleccionado por Amadeo Vives estrenó su comedia lírica *Doña Francisquita,* 1923, en Apolo, donde obtuvo un resonante éxito en el personaje de Cardona. Durante su estancia en España, entre 1925 y 1936 también estrenó *La calesera* de Alonso, *El caserío* de Guridi, *Los flamencos* y *La villana* de Vives, *La parranda* de Alonso, *La pícara molinera* de Luna, *Luisa Fernanda* de Moreno Torroba –obra que estrenó en Cuba en 1942–, *El talismán* de Vives, *Jazz Band* de Penella y *Tana Federova* y *La tabernera del puerto* de Sorozábal. Casado con la actriz María "Kiki" Márquez, se radicó en 1940 en La Habana, donde actuó con su esposa como primera figura del género lírico, como tenor cómico, actor, escritor y director de programas radiofónicos y televisivos. De su extenso repertorio destacan títulos como *La verbena de la*

Paloma, Las Leandras, Los gavilanes, La alegría de la huerta, Don Gil de Alcalá; La Viejecita, Mujeres y *La viuda alegre.* También se dedicó al cine en Cuba y en México. En 1958 escribió su autobiografía que tituló *Tres actos.* Su última aparición fue en 1972, donde interpretó las coplas de *La verbena de la Paloma* de Bretón.

FONOGRAFÍA: *Alhambra,* Blue Moon BMCD 7549; *Don Gil de Alcalá,* Odeón 183576, 183577, 183579 y 183582 (et. azul), SO 7911 a SO 7914, SO 7920 SO 7921 SO 7927 SO 7928 • Odeón 184403 a 184405, SO 7911 SO 7912 SO 7920 SO 7921 SO 7927 SO 7928 • Odeón A 77.094 (et. azul), XXS 2114 XXS 2115 • Aria; *El cantante enmascarado,* Blue Moon BMCD 7549; *El caserío,* La Voz de su Amo AE 1720 AE 1721 (et. verde), BS 2477 BS 2468 BS 2478 BS 2484 • Odeón 102237 (et. celeste), SO 4056 SO 4058; *El mal de amores,* Blue Moon BMCD 7543; *El renegado,* Blue Moon BMCD 7549; *El romeral,* Blue Moon BMCD 7549; *Golondrina de Madrid,* Blue Moon BMCD 7543; *Jazz Band,* Blue Moon BMCD 7503; *La calesera,* La Voz de su Amo AE 1455 (et. verde), BS 2163-I BS 2174-I • N 5628 N 5630 (et. roja), 87891, 87892, 87885, 87887; *La del manojo de rosas,* Odeón 184365 a 184367, SO 8776 a SO 8781; *La mala sombra,* Blue Moon BMCD 7543; *La moza que yo quería,* Blue Moon BMCD 7549; *La parranda,* Odeón 203081 (et. fucsia), SO 4686 SO 4688; *La pícara molinera,* Odeón 203122 (et. fucsia), SO 5086 SO 5088; *La villana,* Odeón 182133 y 182141 (et. celeste), SO 4432 SO 4433 SO 4424 SO 4424; *Los claveles,* La Voz de su Amo GY 381 a GY 384, ON 578 a ON 580, ON 587 a ON 590, ON 598; *Los gavilanes,* La Voz de su Amo DA 4227 a DA 4230, OJ 854 a OJ 856, OJ 858 a OJ 862; *El divo,* Blue Moon BMCD 7549.

BIBLIOGRAFÍA: *OCCE;* A. Palacios Espejo: *Tres actos,* La Habana, Ed. Lex, 1958.

JOSÉ PIÑEIRO DÍAZ

Palanca y Roca, Francisco. Alcira (Alicante), 1834; Valencia, 1897. Dramaturgo. Aunque fue analfabeto mucho tiempo, versificaba desde joven con gran facilidad. Fue actor en diversas compañías y posteriormente se convirtió en autor de éxito. Además de juguetes y dramas escribió zarzuelas como *Un casament en Picaña,* con música de García Catalá, estrenada en el teatro Princesa de Valencia, y la segunda parte de ésta, titulada *Suspir y llágrimes,* 1860. *Véase* UN CASAMENT EN PICAÑA.

Mª LUZ GONZÁLEZ PEÑA

Palau y León, Rafael. Puerto Príncipe, Camagüey (Cuba), 2-IX-1864; La Habana, 10-X-1906. Compositor, pianista y director de orquesta. Fue iniciado en la música por su padre, el compositor y director de banda barcelonés Felipe Palau y March. En 1869 emigró con su familia a La Habana, comenzando su carrera artística cinco años más tarde como tiple del coro de la catedral, dirigido por el que fuera su profesor de órgano Juan Luna; tuvo además como maestros a José Manuel "Lico" Jiménez, Carlos Anckermann, Ignacio Cervantes y Tomás de la Rosa. A los 19 años fue nombrado violín concertino de la orquesta de la compañía de ópera que presentó en La Habana al tenor Andrés Antón, y en 1883 dirigió una función de *La traviata* por indisposición del director. Desde entonces se dedicó a la dirección de orquesta. Formó parte como maestro director de varias empresas teatrales, entre las que destaca la Compañía de Bufos Cubanos, donde estrenó más de sesenta obras hasta 1900, algunas de su autoría.

Palau fue uno de los encargados, junto a Manuel Mauri y José Marín Varona, de componer las obras que se representaban en el teatro Alhambra. Una de sus últimas actuaciones la realizó en Santiago de Cuba, dirigiendo una compañía de zarzuelas. Escribió obras religiosas, zarzuelas y también canciones. Su música para el teatro se enmarca dentro del género bufo, con un fuerte contenido costumbrista y político. Algunas de las fuentes consultadas confirman la desaparición de todas sus obras en una inundación, a excepción de las canciones *La palma* y *Así te quiero yo*. En el Museo Nacional de la Música se conservan algunas partes de sus obras *Los cheverones*, *Il tenore*, *La noche de San Juan*, *El chévere Ganzúa*, *Las fregolinas* y *Los príncipes del Congo*.

OBRAS: *Los infantes urbanos*, Rv, 1 act, l, Hernández y Pérez, est, 15-I-1897; *Frégoli*, Jug, l, V. Pardo, est, 27-I-1897; *El Dorado*, Rv, 1 act, l, J. R. Barreiro, est, 2- IV-1897; *Hortensia*, Zarz, l, B. Sánchez Maldonado, est, 6-VII-1897; *Ku ku*, Zarz, l, J. R. Barreiro, est, 20-IX-1897; *La baronesa de la cáscara*, Zarz, l, V. Pardo, est, 1-X-1897; *Los enamorados bobos*, Zarz, l, V. Pardo, est, 1-X-1897; *Las esgrimistas*, Zarz cóm, 1 act, l, R. Banquells, est, 22-X-1897; *Del infierno a la gloria*, Zarz, 1 act, l, Piloto, est, 29-X-1897; *Il tenore*, Zarz, 2 act, l, R. Banquells, est, 15-XI-1897, *CU:HMNM*; *El bergantín Atrás*, viaje lír Bu, l, Méndez, est, 3-XII-1897; *El brujo*, Zarz, est, 1897; *Los cheverones*, 1897, Sai lír bufo, 1 act, l, J. R. Barreiro, *CU:HMNM*; *En la punta!*, Rv, 1 act, l, I. Puga / C. de Salas, est, 17-VI-1898; *En la loma del ángel o La fiesta de San Rafael*, Sai, 1 act, l, J. R. Barreiro, est, 24-X-1898; *A Guanabacoa la bella*, Sai lír Bu bailable callejero, 1 act, l, C. M. Saladrigas, est, 28-X-1898, Te. Alhambra; *Esposa, virgen y casada*, Mel, 1 act, l, J. Tamayo, est, 29-XI-1898, Te. Alhambra; *Los boxeadores*, l, F. Villoch, est, 2-I-1899, Te. Alhambra; *Vida nueva*, Rv, 1 act, l, F. Villoch, est, 19-I-1899; *La evacuación de Bayamo*, Zarz patriótica, 1 act, l, R. Delmonte, est, 25-I-1899; *Viva Cuba*, Rv, l, O. Díaz, est, 15-II-1899; *El gusto de Ibarra*, Zarz, 2 act, l, Méndez, est, 24-II-1899; *El santo de la mulata*, Sai callejero, l, F. Villoch, est, 1-III-1899, Te. Alhambra; *Cuba libre y Cuba esclava*, Zarz, 1 act, l, Piloto, est, 6-III-1899, Te. Cuba; *La guerra civil*, Zarz, l, J. F. Delanes, est, 25-III-1899; *La manta de Biarato*, Sai, l, O. Díaz, est, 4-IV-1899, Te. Alhambra; *A casarse o a morir*, Zarz, l, O. Díaz, est, 7-IV-1899; *Política doméstica*, Zarz patriótica, 1 act, l, J. F. Delanes, est, 7-IV-1899; *Farruco y Pachin*, Zarz, 1 act, l, O. Díaz, est, 12-IV-1899; *La siembra del tabaco*, Zarz, 1 act, l, O. Díaz, est, 17-IV-1899; *De Guanabacoa a La Habana*, Sai, l, C. M. Saladrigas, est, 18-IV-1899, Te. Alhambra; *La fiesta de San Lázaro*, Zarz, l, J. R. Barreiro, est, 5-V-1899, Te. Alhambra; *El 17 de mayo o La hecatombe de los bomberos*, Zarz, l, J. R. Barreiro, est, 17-V-1899; *El cierre de puertas*, Zarz, l, A. del Pozo y Morales, est, 20-V-1899, Te. Cuba; *Fausto y Mefistófeles*, Zarz Bu, l, J. R. Barreiro, est, 23-V-1899; *El sultán de Marruecos*, l, J. R. Barreiro, est, 25-VIII-1899; *La vieja*, l, C. M. Saladrigas, est, 7-XI-1899, Te. Alhambra; *Flores y perlas*, Rv, l, F. del Todo, est, 19-XII-1899, Te. Alhambra; *Padres e hijos o Españoles y cubanos*, l, F. Villoch, est, 26-XII-1899, Te. Alhambra; *Blanco y negro*, Zarz, l, R. Delmonte, est, 29-XII-1899; *El baúl elástico*, Zarz, 2 act, l, Robreño, est, 1899; *El mundo al revés*, Zarz, l, J. R. Barreiro, est, 1899; *Las mulatas*, Zarz, l, J. Rodríguez, est, 1899;

C.B.D.O.P.B.A, Jug lír, 1 act, col. Robles, l, L. Medina, est, 2-IV-1902; *La danza del vientre*, Sai cóm Bu lír, 1 act, est, 15-IV-1902, Te. Lara; *Arriba los cubanos!*, Zarz, 1 act, l, O. Díaz, est, 18-IV-1902; *La casa de Pepilla*, Zarz, 1 act, l, C. M. Saladrigas, est, 22-IV-1902; *Ajiaco criollo y pote caldoso*, revoltillo cóm Bu lír bailable, 1 act, l, F. Rojana, est, 3-V-1902; *Del Malecón a Atarés*, Sai, l, C. M. Saladrigas, est, 10-VI-1902, Te. Alhambra; *María Belén o La fiesta del matadero*, Sai, 1 act, l, F. Villoch, est, 25-VI-1902, Te. Alhambra; *Boda, concierto y baile*, Zarz, 1 act, l, J. R. Barreiro, est, 25-VII-1902; *Se me fue... mi mujer*, Zarz, 1 act, l, L. Guerrero, est, 28-VII-1902, Te. Alhambra; *Lo que pasa en la Indo-China*, Zarz cóm Bu, 1 act, l, F. Villoch, est, 22-VIII-1902; *La gran hembra*, Zarz, 1 act, l, F. Villoch, est, 30-IX-1902, Te. Alambra; *La cuestión del mono*, Zarz, 1 act, l, A. del Pozo, est, 21-X-1902, Te. Alhambra; *Los mataperros*, Zarz, 2 act, l, B. Sánchez Maldonado, est, 28-X-1902; *Artilleros y colegiales*, Zarz Bu, l, L. del Monte, est, 21-XI-1902, Te. Alhambra; *La brujería*, Sai, 1 act, l, F. Villoch, est, 9-XII-1902, Te. Alhambra; *Enseñanza del porvenir*, Rv, 1 act, l, F. Villoch / G. Robreño / F. Robreño, est, 5-II-1903, Te. Alhambra; *El castillo encontrado*, Zarz Bu, 1 act, l, F. Villoch, est, 31-III-1903, Te. Alhambra; *Don Cornelio el cazador*, Zarz, l, A. Martínez, est, 29-V-1903, Te. Alhambra; *A Saint Louis!*, Zarz, 1 act, l, O. Díaz, est, 17-XI- 1903, Te. Alhambra; *La noche de San Juan*, Sai lír, 1 act, l, J. R. Barreiro, est, 1903, *CU:HMNM*; *Los apuros de Mamelo*, Jug lír, l, J. Nuza, est, 1903; *Los tabaqueros*, Zarz, l, J. R. Barreiro, est, 1903; *Plaga de sobrinos*, Zarz Bu, 1 act, l, Piloto, est, 1903; *Los bandidos de la Güira*, viaje cóm lír, 1 act, l, D. de Mario, est, 22-VI-1905, Te. Alhambra; *El dictador*, Sai Bu lír, 1 act, l, G. Moreno, est, 22-III-1929, Te. Actualidades; *El chévere Ganzúa*, *CU:HMNM*; *Jeroglífico social o ¡Cosas de mi tierra...!*, Rv, l, Martín; *La Baracuta*, Zarz, 2 act, l, R. Delmonte; *Las fregolinas*, Jug lír 1 act, *CU:HMNM*; *Los efectos de un duelo*, Zarz, 1 act, l, V. Pardo; *Los príncipes del Congo*, Opt, 1 act, *CU:HMNM*.

BIBLIOGRAFÍA: *Teatro Bufo. Siete obras*, U. Central de Las Villas, 1961; E. Robreño: *Historia del teatro popular cubano*, La Habana, Oficina del Historiador de la Ciudad, 1961; —: *Teatro Alhambra. Antología*, La Habana, Letras Cubanas, 1979; J. Ruiz Elcoro: "El surgimiento y desarrollo de la zarzuela. Estructura morfológica y análisis", *Cuadernos de Música Iberoamericana*, 2-3, Madrid, SGAE, 1996-97.

CAROLE FERNÁNDEZ MARTÍNEZ

Palencia Álvarez, Ceferino. Fuente de Pedro Naharro (Cuenca), 26-VIII-1859; Madrid, 22-VII-1928. Empresario, director teatral y dramaturgo. Se casó con la famosa actriz María Álvarez Tubau. Su primera obra teatral, *El cura de San Antonio*, 1879, se estrenó en el teatro de la Comedia, que dirigía Emilio Mario y sirvió para librar de quintas a su autor. Tenía su tertulia en el saloncillo del teatro de la Princesa. Fue traductor y arreglista de numerosas obras extranjeras y estrenó además muchas obras originales. Para el teatro lírico su aportación es más reducida: estrenó con Gerónimo Giménez *Pícara primavera*; con Manuel Nieto *Comediantes y toreros o La vicaría*, Zarzuela,

Ceferino Palencia
(Foto: Nuevo Mundo, 1924; Ar. SGAE)

1901; con Pablo Luna *La joven Turquía*, Pavón, 1925, y en colaboración con Luis Fernández Ardavín escribió para Francisco Alonso *La deseada*, Eslava, 1927.

BIBLIOGRAFÍA: *DAT*; F. C. L.: "Ceferino Palencia", *Boletín de la Sociedad El Teatro*, 1, 1, Madrid, I-1904.

Mª LUZ GONZÁLEZ PEÑA

Palmada, José. Barcelona, 1868; Argentina, 1950. Cantante y empresario. Comenzó su actividad escénica en su ciudad natal, cantando en *La tempestad* de Ruperto Chapí. Estrenó en el teatro Eldorado de Barcelona en 1892 *El prior y el priorato* de Alberto Cotó. Llegó a Argentina en 1896. Formó parte de la compañía de Emilio Orejón. Poco tiempo después se convirtió en empresario y se dedicó al género chico español. En los teatros Mayo y Comedia puso en escena saínetes de autores españoles, como *La alegría de la huerta*, *El santo de la Isidra*, *La verbena de la Paloma*, *La revoltosa*, *La marcha de Cádiz* y *Alma de Dios*. Palmada interpretó los primeros saínetes criollos de autores como Nemesio Trejo, Ezequiel Soria, Manuel Argerich, Enrique García Velloso y Carlos Mauricio Pacheco y trabajó con actrices y actores como Ángeles Montilla, las hermanas Millanes, Elisa Pocoví y los actores Mariano Galé, Enrique Gil, Rogelio Juárez y Emilio Orejón. En 1897 un señor Palmada estrenó algunas obras como *Lion D'Or* de Calleja y *Los adelantos del siglo* de Ángel Rubio en el teatro Romea y en 1899 en el teatro del Duque de Sevilla, un señor Palmada intervino en el estreno de *El peregrino* de Vicente Gómez.

MARTA LENA PAZ

Palmer, Carmen. España, siglos XIX-XX. Tiple. Unida al teatro Apolo, en él estrenó las obras más importantes de los años noventa: *Tanhauser cesante*, 1890; *La verbena de la Paloma* y *Al santo, al santo*, 1894; *Carabanchel de arriba* de Gaspar Espinosa en el teatro Maravillas, 1895; *Agua, azucarillos y aguardiente*, *La niña del estanquero*, *La revoltosa* y *Escuela musical*, 1897; *Los arrastraos* , *El santo de la Isidra*, *Las castañeras picadas*, *La fiesta de San Antón* y *Pepe Gallardo*, 1898; *La roncalesa*, 1899.

Mª LUZ GONZÁLEZ PEÑA

Palmer, Juan. España, siglos XIX-XX. Barítono. No se sabe si era valenciano pero allí comenzó a cantar. Estrenó *Porta Coeli* de Peydró en el teatro Ruzafa de Valencia, 1908. Más tarde se trasladó a Madrid donde llegó su consagración con *Las princesitas del dóllar* de Leo Fall, estrenada en el teatro Eslava en 1912. Además de su buena voz, era un gran actor, que poseía elegancia y distinción.

Mª LUZ GONZÁLEZ PEÑA

Palomar García, Guillermo. Alcira (Valencia), 7-XII-1920; Alicante, 13-VIII-2000. Barítono. Estudió con Francisco Andrés Romero y a los dieciocho años empezó a cantar de la mano de Pablo Sorozábal del que estrenó *La eterna canción* y *Entre Sevilla y Triana*. Artista polifacético, ya que además de cantante era excelente actor y rapsoda, fue contratado a los diecinueve años por Dionisio Cano para el espectáculo folclórico español *Cabalgata*. En La Habana, el éxito que obtuvo fue tal que, al concluir su compromiso, decidió quedarse en Cuba donde una cadena de televisión le ofreció un ventajoso contrato para hacer un programa llamado *Coplas, Guitarras y Castañuelas* del que fue guionista, director e intérprete, y por el que pasaron los mejores artistas autóctonos y extranjeros, con preferencia los españoles. En 1959 se trasladó a México, donde nada más llegar, fue contratado por Televisa en la que durante varios años llevó a cabo un programa similar al mencionado antes.

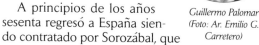

Guillermo Palomar (Foto: Ar. Emilio G. Carretero)

A principios de los años sesenta regresó a España siendo contratado por Sorozábal, que le enroló en la compañía de César Mendoza de Lasalle en la que preferentemente se llevaban a escena las obras del compositor. Fue en esta compañía donde Raquel Alarcón, su esposa, comenzó su andadura de tiple cómica, cuerda en la que fue una de las mejores de las décadas de los años sesenta y setenta. Palomar, con voz de barítono, perfecta dicción e insuperable galanura trabajó incesantemente durante esos años recorriendo toda la península, primero con la compañía José de Luna y después con la Isaac Albéniz. Sus creaciones en zarzuela grande fueron magníficas en *La rosa del azafrán*, *La leyenda del beso*, *El caserío*, *Luisa Fernanda* o *La del Soto del Parral*, y en obras de género chico como *La revoltosa*, *El santo de la Isidra*, *La verbena de la Paloma* o *¡Agua, azucarillos y aguardiente!*, en las que creaba tipos que rozaban la genialidad. En los años ochenta se retiró a Alicante y allí se dedicó a la enseñanza.

FONOGRAFÍA: *La eterna canción*, Columbia R 14289, R 14319 a R 14321 (et. fucsia), C 6526, C 6531, C 6532, C 6536 a C 6539.

EMILIO GARCÍA CARRETERO

Palomares del Pino, Francisco. Sevilla, siglo XIX; Sevilla, 2-X-1941. Dramaturgo y periodista. Ejerció numerosas profesiones, como torero, marino, músico, empresario, autor cómico y aviador. Su actividad como libretista no fue muy extensa, aunque él mismo compuso la música de muchas de sus obras, y otras

Francisco Palomares del Pino (Foto: Nuevo Mundo, 1910; Ar. ICCMU)

con música de Emilio López del Toro, que desarrolló casi todo su trabajo en Sevilla, donde ambos estrenaron en 1909 *Los miura*. La obra obtuvo tanto éxito que después pasó por diversos teatros españoles. Con López del Toro estrenó ese mismo año en el teatro del Duque de Sevilla *Sangre andaluza, La viuda inconsolable* y al año siguiente *Sangre española*, *El barrio de la viña* y *El doctor Fausto*; en 1911 en *Sevilla nomadeado (No-Do)*; en 1922 *El castillo de Fausto*. Con Francisco Alonso colaboró en *La tierra de María Zantízima*, estrenada en 1914; con Emilio Acevedo en *El congreso de Sevilla o Aquí paz y después gloria* y con Molina en *El tentaero*, 1916.

BIBLIOGRAFÍA: *CDE; CTLBN; DAT; EDL; TLE.*

Mª LUZ GONZÁLEZ PEÑA

Palomero Dechado, Antonio. Madrid, 1869; Málaga, 12-V-1914. Dramaturgo. Algunas de sus obras las escribió en colaboración con otros autores. Para el teatro su obra más famosa es *El amigo Teddy*, estrenada en el teatro de la Princesa en 1912. Para el teatro lírico escribió *La trompa de caza*, en colaboración con Enrique García Álvarez y con música de Ricardo Benavent, Eslava, 1892; *Madrid-Colón*, en colaboración con Enrique López Marín y Eduardo Montesinos y música de Gregorio Mateos, Alhambra, 1892, y *La boda de la Tomasa* de Rafael Calleja.

BIBLIOGRAFÍA: *DAT.*

Mª LUZ GONZÁLEZ PEÑA

Palomino, Antonio. España, siglo XVIII. Compositor. Es autor de varias obras de música escénica, entre las que destaca la zarzuela *La mesonerilla*, con texto de Ramón de la Cruz, estrenada en 1769 en el teatro del Príncipe, y conservada en la Biblioteca Histórica Municipal de Madrid. La acción se sitúa en un mesón de La Mancha, y según Cotarelo es "una zarzuela de mucha gracia y atractivo por la originalidad del tema, la frescura y gracia de la poesía llena de alusiones picantes y con no pocas airosas seguidillas". Antes, la compañía de Cerqueira estrenó en enero de 1735 en el teatro del Príncipe *El eterno temporal y criador criatura*, con libreto de Diego Tello de Meneses. Antonio Palomino era el músico de la compañía y recibió por la música 360 reales. También escribió varias tonadillas, como *El cuento del señorito* o *El intrépido pensativo*.

BIBLIOGRAFÍA: *DMEH.*

JUDITH ORTEGA

Palomino, José. Madrid, 1753; Las Palmas de Gran Canaria, 9-IV-1810. Compositor y violinista. Hijo de Mariano Palomino –también violinista– y Antonia de la Quintana, y de abuelos "comediantes". Fue discípulo de Rodríguez de Hita, y comenzó su carrera de violinista en Madrid, donde obtuvo la última plaza de la real capilla en 1770, aunque ya se había presentado a una vacante en 1768. Permaneció en la capilla real hasta 1774, cuando se marchó sin permiso de la corte, abandonando a su madre y a su reciente esposa. Su traslado a Lisboa se debió según él mismo a que allí se encontraban su padre enfermo y un hermano de corta edad, aunque se sabe que fue llamado por el violinista encargado de las fiestas reales en la corte portuguesa, para servir a los reyes, y se integró como violinista en la orquesta de la real cámara, que participaba en los espectáculos teatrales cortesanos.

Además de su actividad como instrumentista, Palomino es autor de numerosas obras escénicas. Durante el período madrileño compuso varias tonadillas, género de éxito en la época, entre las que destaca *El canapé*, publicada en edición de José Subirá para canto y piano (UME, 1970). Sus obras más importantes las escribió en Portugal, y entre ellas interesa muy especialmente *Il ritorno di Astrea in terra*, encargada para la celebración del doble matrimonio entre la infanta española Carlota Joaquina y el infante Juan de Portugal, y la infanta portuguesa María Victoria y Gabriel Antonio, infante español, y que fue estrenada en 1785. Palomino compuso más obras para la corte durante su estancia en Portugal, y su catálogo escénico incluye además varios intermezzos y entremeses, conservados en archivos lusos.

BIBLIOGRAFÍA: *DBE*; J. Subirá: *La tonadilla escénica*, Madrid, Tipografía de Archivos, 1928-30; L. Siemens Hernández: "El compositor José Palomino y su reforma de la capilla de música de la catedral de Las Palmas", *RMS*, III, 1980, 293-303; M. C. Brito: *Opera in Portugal in the Eighteenth Century*, Cambridge University Press, 1989; J. Ortega: "La real capilla de Carlos III: los músicos instrumentistas y la provisión de sus plazas", *RMS*, XXIII, 2, 2000.

JUDITH ORTEGA

Palop Hernández, Manuel. España, siglo XX. Dramaturgo. Su primer triunfo fue *¡Juan Manué!* escrita en colaboración con Manuel Sienes Martirena y música de Máximo Llorente estrenada en el teatro Barbieri en 1918 con éxito grandioso, que se vio ampliamente superado por *Gitanerías*, sainete con notas sentimentales, obra de ambiente cordobés, que obtuvo un gran triunfo. La música era de Luis Espinosa y tuvo una gran interpretación de María Lacalle y Vicente Aparici, en su estreno, en 1923 en el teatro Novedades.

BIBLIOGRAFÍA: *DAT.*

Mª LUZ GONZÁLEZ PEÑA

Palou, María. Sevilla, 1891; Madrid, 1957. Tiple cómica y actriz. Fue una de las cantantes de zarzuela más importantes de comienzos de siglo. En 1904 actuaba en el teatro Cómico de Madrid. Se dedicó también a las variedades y luego pasó a formar parte de la compañía del teatro Lara como actriz de verso. En la primera década del siglo XX sus estrenos fueron continuos; en el teatro Cómico estrenó *El arte de ser bonita* y *Las granadinas* de Giménez y Vives en 1905. Apareció en la compañía de Apolo en la temporada 1905-06, debutando con *El amor en solfa* de Chapí y Serrano. La Palou se presentó en el cuadro "Amor chulesco" interpretando a un zagal marinero, que le proporcionó el primero de sus éxitos en el Apolo, éxito que revalidó con *El iluso Cañizares* de Calleja y Valverde, en la que bailaba un cake-walk con Vicente Carrión, que fue un gran éxito. Poco después estrenó *El moscón* de Valverde y Torregrosa, *Sangre moza* de Quinito Valverde y sobre todo *La bella Lucerito*, con libro de los Quintero, 1906, en la que obtuvo un gran éxito interpretando a una artista de variedades, *La gente seria* de Serrano, de la que se hizo muy famoso "El tango del cine" y *Cinematógrafo nacional*. Estrenó también en el Apolo: *Aquí hase farta un hombre* de Chapí, 1909, *El amo de la calle* de Calleja, 1910, *Mari-Nieves* de Saco del Valle, *Barbarroja* de José Serrano, y *Juegos Malabares* de Vives; *Por peteneras* de Calleja y *La suerte de Isabelita* de Giménez y Calleja, en 1911. Muy importante en su carrera fue *El trust de los tenorios*, obra en la que su fama como tiple cómica llegó a su cúspide. En junio de 1912 decidió abandonar el género lírico y pasarse al teatro de verso como actriz del teatro de la Comedia estrenando la mayoría de las obras de su marido, el escritor Felipe Sassone. Mereció varias portadas de revistas tan prestigiosas como *Nuevo Mundo*.

*María Palou
(Foto: Nuevo Mundo,
1912; Ar. ICCMU)*

BIBLIOGRAFÍA: *DAT; TA; Nuevo Mundo*, 964, 27-VI-1912; *Nuevo Mundo*, 1629, 10-IV-1925.

Mª LUZ GONZÁLEZ PEÑA

Pan y toros. Zarzuela en tres actos. Música de Francisco Asenjo Barbieri. Libreto de José Picón. Estrenada el 22 de diciembre de 1864 en el teatro de la Zarzuela de Madrid.

Personajes y reparto. Doña Pepita (Teresa Istúriz, soprano). La Princesa de Luzán (Manuela Checa, mezzosoprano). La Tirana (Dolores Fernández, soprano). La Duquesa (María Bardán, soprano). La ciega (Carolina Luján, soprano). El capitán Peñaranda (Modesto Landa, barítono). Goya (Ramón Cubero, barítono). El abate Ciruela (Vicente Caltañazor, tenor). El corregidor Quiñones (Francisco Arderius, barítono). Jovellanos (Francisco Calvet). Pepe-Hillo (Francisco Salas, bajo). Pedro Romero (José Rochel, tenor cómico). José Costillares (Fernando Prieto). Santero (Julián Cubero, tenor cómico). Un hermano del pecado mortal (José García, bajo). Vendedores, manolos, manolas, alguaciles, guardias valonas, cofrades, bailarinas y coro.

Orquestación. Flautín, flauta, 2 oboes, 2 clarinetes, 2 fagotes, 2 trompetas, 2 trompas, 3 trombones, piporro obligato, timbales, triángulo, pandero, campana, arpa y cuerda. Rondalla: 8 guitarras y 8 bandurrias. Orquesta dentro: flautín, oboe, 2 trompetas en Fa, 2 violines y contrabajo.

Argumento. *Acto I.* La acción transcurre en Madrid en 1792. A orillas del Manzanares una familia de ciegos comenta las noticias del día. Aparece un Santero vendiendo reliquias. Entra el Corregidor y recibe noticias del falso ciego sobre los movimientos que ha habido en la casa del pintor Goya. Sale de la casa una dama de la corte, Doña Pepita, que comenta con el Corregidor los nuevos acontecimientos políticos en torno al Conde de Aranda, Campomanes, el ascenso de Godoy y la firma de la paz con Francia, y del fusilamiento de un soldado que se tragó, para no ser descubierto, unos documentos políticamente comprometidos. Entra el General anunciando la derrota y el repliegue del ejército español. El Corregidor ordena que se ofrezcan festejos taurinos para evitar revueltas, de los que se encargará alguno de los tres toreros más populares: Pepe-Hillo, Romero o Costillares. La Duquesa cuenta a Doña Pepita que la Princesa de Luzán fue premiada por el Rey nombrándola coronel del regimiento que ella misma había formado y cómo curó las heridas del alférez –ahora capitán– Peñaranda, abandonando su estadía en un convento. El Abate Ciruela acepta votar por Romero, el torero candidato de Doña Pepita, a cambio de que ésta presente en la corte a su protegida, la Tirana. En la ceremonia de elección los toreros exponen sus méritos. El Abate, encargado por el Corregidor del sorteo, hace trampa en favor de Romero. Aparece el Capitán Peñaranda y cuenta la desastrosa campaña militar y el asombro que siente al regresar a Madrid y ver cómo la gente vive al margen de estos tristes sucesos. Doña Pepita haciéndose pasar por la mujer que le curó sus heridas, le insta a que le entregue unos documentos secretos que trae para el Rey, pero el joven militar se niega. Cuando el Capitán entra en casa de Goya, Doña Pepita avisa a sus cómplices, la Duquesa, el Corregidor, el Abate y el General, de la existencia de los documentos. El Corregidor ordena que detengan al Capitán, pero aparece de improviso la Princesa y lo pone bajo su custodia. En este momento avanza una procesión que viene con la intención de pedir al Rey el perdón del soldado, condenado a muerte. La Princesa, entre los vítores de la muchedumbre, se dirige hacia palacio a pedir el indulto para el reo, llevando, además, los documentos que le confió el Capitán Peñaranda.

Acto II. De noche, en una calle madrileña. Desde el balcón de un palacio, donde se desarrolla un baile, el Abate canta; Romero y Costillares responden con otra canción más popular. El Ciego intenta convencer al Santero para que, a cambio de dinero, mate al militar que él le va a indicar, pero la llegada del pregonero del Pecado Mortal le asusta. Doña Pepita confía al Corregidor sus preocupaciones: la Princesa consiguió el indulto real, e informó al Monarca de la situación militar. El Corregidor la tranquiliza; ha convencido al Rey de la falsedad de esos documentos entregados por la Princesa, y confía que se firme la paz con Francia, lo que le permitirá mantener la situación política. Llegan la Princesa, Goya, el Capitán y el Abate que ahora está de su parte. La Princesa, se ha convencido de la inoperancia del Rey, que se preocupa de la caza y sólo escucha la opinión de Godoy, por lo que deciden recurrir a Jovellanos. El Abate comunica la noticia de que Pepe-Hillo ha sido herido en la plaza y se quiere hacer responsable de esto a la Princesa y a Jovellanos, por su deseo de acabar con la tauromaquia. La Princesa se convence de que es necesaria la lucha. Cuando despide al Capitán le ruega que tenga cuidado de su vida y le confirma que fue ella quien le sanó sus heridas en Bayona. Al quedarse solo el Capitán, el Santero intenta apuñalarle, pero al ver al del Pecado Mortal se asusta. Ante esta situación el Ciego apuñala al Santero. Al oír el grito mortal, el Corregidor cree que han matado al Capitán, según sus deseos.

Portada cortesía de Unión Musical Ediciones SL
Portada: Legado Barbieri; E:Mn. Dos escenas de la producción de Joan Lluis Bozzo de Pan y toros
para el Teatro de la Zarzuela (Foto: J. Alcántara / Cortesía del Teatro de la Zarzuela)

Acto III. En el palacio se comenta que la Princesa va a tomar los hábitos, noticia que confirma la Tirana, añadiendo que nada se sabe del Capitán ni de Jovellanos, a quien se cree camino de Rusia donde ha sido nombrado embajador. Cuando salen los dos, llegan Goya y Jovellanos. Este convence a la Princesa de que retrase la profesión de sus votos, pero se oculta en su tocador a causa de la aparición de Doña Pepita. La recién llegada pide perdón a la Princesa y le anuncia que se ha firmado el armisticio entre Francia y España y que Godoy ha sido nombrado Príncipe de la Paz. El Corregidor y el General quieren apresurar el ingreso de la Princesa en el convento y acuden con el Abate disfrazado de prior, para convencerla. El capote ensangrentado del Capitán que le presenta el Corregidor, está a punto de hacer cambiar los planes de la Princesa. Pero al escuchar, fuera de la casa, una canción en la voz del Capitán comprende que está vivo y decide enfrentarse con el Corregidor, Doña Pepita y el General. El Capitán defiende a su amada. Doña Pepita acusa a la Princesa de tener un amante escondido en su tocador. Se produce un instante de confusión, en el que el Abate y unos Manolos empuñan las armas, al tiempo que Pepe-Hillo acusa al Corregidor de haberle entregado al toro responsable de sus heridas. En esto hace su aparición Goya con *La Gaceta Extraordinaria* donde aparece el nombramiento de Jovellanos como ministro. Todos celebran el fin de la situación conflictiva, confiando en que el país sabrá defender su honor ante la amenaza francesa.

Números musicales. Acto I: Nº 1. Introducción. Escena del ciego y ciega, chico, santero y vendedores, "Hoy fusilan a un soldado". Nº 2. Marcha de la manolería, "Al son de las guitarras". Nº 3. Canción del Abate Ciruela, Capitán y Goya, "Como lleva en el bolsillo". Nº 4. Dúo de Doña Pepita y el Capitán Peñaranda, "¡Mi protectora! ¡Mi ángel es!". Nº 5. Escena de la procesión. Coro de niños, "¡Salve! ¡Oh! Reina de los ángeles". Nº 6. Coro, "Al son de las guitarras". Acto II: Nº 7. Preludio, Abate, Perulillo, ciego y santero, "La grave contradanza". Nº 8. Cuarteto de la casa de los duendes, Princesa, Abate, Capitán y Goya, "Aunque Vd. Princesa noble". Nº 9. Romanza, Princesa y Capitán, "Este santo escapulario". Nº 10. Doña Pepita, Princesa, Tirana, Abate, Capitán, Goya, Corregidor, coro de damas, caballeros y manolos, plegaria y gavota, concertante final, "¡Oh, Reina de los ángeles". Acto III: Nº 11. Introducción, Abate y coro del llanto, "¡Señor Abate!". Nº 12. Dúo. Doña Pepita y Princesa, "Quién cogida es in fraganti". Nº 13. General, Doña Pepita, Princesa, Abate, Corregidor y coro, "Padres reverendos". Nº 14. Pepita, Abate, Corregidor, General, coro "¡Atónitos nos deja!". Nº 15. Final. Orquesta.

Comentario. *Pan y toros* constituye una de las cumbres de la producción de Barbieri y del género zarzuelístico español. Compuesta sobre un texto de José Picón, contiene las mejores cualidades de la música del autor. Barbieri dedicó a su composición un tiempo largo, dado que la inició el 18 de enero de 1864 y la terminó el 14 de noviembre del mismo año. El tema histórico tratado por Picón es de sumo interés: el encumbramiento de Godoy defendido por los afrancesados y por Doña Pepita y el Corregidor, y la lucha de los patriotas que conlleva el destierro de Jovellanos y la prisión de Floridablanca. Godoy y sus partidarios, Pepita Tudó, la Duquesa, el Corregidor Quiñones, el General, serían el símbolo del oscurantismo, de los reaccionarios, es decir, la imagen del mal, que luchan por mantenerse en el poder, mientras Jovellanos, Goya, la Princesa de Luján, Floridablanca, el Capitán Peñaranda, el Abate Ciruela, manolos y manolas, toreros y pueblo, ejemplificarían el bien, con su deseo de que el Rey esté informado de lo que ocurre en España. El tema se centra pues en una conspiración liberal contra un gobierno corrupto capitaneado por el favorito Manuel Godoy y cronológicamente se centra en los últimos años del siglo XVIII. Es cierto que esta base histórica existió, y de hecho ya a finales del siglo XVIII apareció un panfleto clandestino, con título homónimo, falsamente atribuido a Jovellanos: *Pan y toros. Oración apológica que en defensa del estado floreciente de España en el reinado de Carlos IV dijo en la plaza de toros de Madrid, Gaspar Melchor de Jovellanos*, que se sabe fue del ilustrado León del Arroyal, que alcanzó gran difusión en España y que Picón tuvo en cuenta. En él se pedía al pueblo español una revolución con el fin de poner coto a los abusos del absolutismo y la privanza, pero también a los grandes problemas nacionales: fanatismo religioso, censura, barbarie de las fiestas, picaresca, opresión. Hasta tal punto *Pan y toros* estaba comprometida con la historia y tenía una carga política, que tres años después de su estreno, en 1867, Isabel II prohibió la obra, incluso que las bandas pudiesen tocar el célebre pasacalle de la manolería. Pero como señala el historiador Carlos Seco Serrano, "la anécdota teatral nada tiene que ver con la realidad histórica; se atiene a un convencionalismo tópico".

En efecto, Godoy, el todopoderoso ministro de Carlos IV, estuvo en la misma línea de los grandes ilustrados de la época, no fue responsable del destierro de Aranda, ni de la desgracia de Jovellanos, e incluso cuando reorganizó su gobierno después de la Paz de Basilea de 1795, incorporó a Jovellanos. También está distorsionada la figura de Pepita Tudó, la gaditana amante de Godoy, —finalmente esposa, y Condesa de Castillo fiel, al enviudar el político—, dado que nunca se metió en política. Al margen de esta visión ahistórica de algunos personajes, se cita a otros muchos de la ilustración española: Campomanes, Floridablanca, Aranda, Saavedra, Goya, La Tirana y los tres toreros y otros aparecen con nombres supuestos. Andrés Ruiz Tarazona señala que el Capitán Peñaranda puede ser Luis Lacy; la Princesa de Luzán, Gabriela Palafox

Portocarrero, marquesa de Lazán, y el Abate Ciruela José Marchena Ruiz de Cueto, el volteriano Abate Marchena.

El rasgo que define al libreto es el nacionalismo. Hay un héroe salvador que es Jovellanos; el Rey engañado por la camarilla –Pepita Tudó, Godoy, y la aristocracia–, que va a ser salvado por el pueblo llano, que son los manolos, toreros –Pepe-Hillo, Romero y Costillares–, el Abate vividor pero de buen corazón, Goya, la princesa de Luzán y la aristocracia sana. Es decir, la obra encara "las dos Españas". Es importante señalar que Barbieri sigue con ello –y también en *El barberillo de Lavapiés*– una tradición que comienza con las zarzuelas de los años treinta y cuarenta del siglo XIX: la clasificación de los personajes desde una óptica maniquea, en buenos y malos, lo que obliga al espectador a tomar partido a favor de alguno de ellos, y los sitúa frente a otros, pero también la defensa de valores tradicionales como nacionalismo patriotismo, sacrificios capaces de enfervorizar a las bajas clases urbanas.

La zarzuela consta de quince números musicales, casi todos de estructura poliseccional, y se inicia con una introducción instrumental en la que el autor presenta los dos ambientes sostenedores de la obra: el dramático con la cita de *La Marsellesa*, cargada de fuerte simbolismo, casi beethoveniano, y el cómico, representado por la música de carácter popular hispano. La música responde así con dos temas antagónicos a un texto que contiene escenas sombrías y cómicas, mezcla muy española, y lo hace con una fuerza difícil de superar, combinando y contraponiendo dos estratos musicales claros: el europeo o neutro, que responde a una clara decisión de usar los elementos del lenguaje internacional, y el hispano que es muy variado –el religioso en diversos recitados y la Salve, el histórico culto en la contradanza y la gavota, el popular histórico en la seguidilla, el popular folclórico en la canción de Perulillo–, estratos que con sus músicas definen de alguna manera a los personajes con una fuerte caracterización musical, llegando en algunos casos a una aguda caricatura. El pueblo ingenuo canta en seguidillas y canciones populares; para la camarilla reserva la contradanza, la gavota y otras músicas de perfil aristocrático. Obsérvese el cambio entre la manera de cantar de los toreros y la manolería en el N° 2 y la música que acompaña a la entrada en el N° 2B de Pepita, la Duquesa y el Abate, la ceremonial, "Que Dios le guarde a usía". Estos dos estratos vertebran también de manera diferenciada la estructuración global de la obra: en el primer acto predomina el hispano, mientras en el 2° y 3°, y a medida que se impone lo dramático, el europeo. Se inicia la obra presentando los primeros protagonistas: los ciegos, el niño, un chico, los vendedores –a los que hace cantar con "voz destemplada"–, el lúgubre y misterioso

santero –con "voz gangosa"–, que se presenta con un motivo (Ej. 1) con el que reaparecerá en el segundo acto, con la técnica de la transformación temáti-

Ej. 1

ca, y el pueblo que canta unas seguidillas zapateadas, "Aunque soy de la Mancha", N° 1C, una mezcla muy hispana de lo bufo y lo trágico (Ej. 2). Es una introducción cargada de ambiente casi esperpéntico, valleinclanesco, con unos personajes que recitan

Ej. 2

siguiendo las viejas tradiciones de los pregoneros y la salmodia. Barbieri usa palabra hablada con el sistema del melodrama y este combinado de técnicas es una de las genialidades que vertebran la obra. Es difícil encontrar páginas de mayor poder descriptivo y colorístico. A partir de aquí siguen el resto de los números con músicas enraizadas en el más puro espíritu musical hispano y contrapuestas a otras de claro carácter europeo. Después de la presentación de los personajes negativos, el Corregidor, Doña Pepita, el General y la Duquesa, así como el Abate y La Tirana, todos en el primer hablado, el más largo de la obra, el N° 2 presenta a la manolería: tres toreros, Pepe-Hillo, Costillares, Romero y Goya, con "Al son de las guitarras", de nuevo con música popular, cuya fuerza se incrementa con ese elemento tipificador que es la rondalla. Todos ellos producen el primer concertante, estrategia básica en esta obra en la que Barbieri sigue la gran tradición del XVIII para finalizar actos o conseguir momentos de especial fuerza, y que –y esta es la originalidad– el músico resuelve mezclando los dos citados estratos, Abate y Corregidor serán aquí los portadores de la música europea. En el Nº 2C aparece de nuevo el Barbieri conocedor de la historia musical. Usa las técnicas del melodrama, del viejo melólogo experimentado por Tomás de Iriarte. El Nº 3 insiste en el ambiente hispano a través de el "Aire de bolero" con el que canta el Abate con sus característicos tresillos melódicos descendentes y ritmo ternario, hasta que en el Nº 4 el Capitán y Pepita introducen ya un lenguaje operístico europeo y con un claro perfil virtuosístico. Barbieri conduce el final del acto con una escena de masas que llenan los Nᵒˢ 5 y 6, separados por un hablado, en la estructura de la gran ópera francesa. De nuevo recurre a música española histórica a través de la "¡Salve! ¡Oh, Reina de los ángeles!", un guiño debido a los intereses por la música histórica del autor. Barbieri construye una variante de la conocida salve gregoriana que cantan los niños acompañados de un "piporro obligato" –otro instrumento hispano– y a la que se unirán varios personajes en otro magnífico concertante para terminar con la vuelta al tema del inicio, "Al son de las guitarras".

Barbieri inicia el segundo acto, el de mayor fuerza dramática, de nuevo con un preludio instrumental de carácter lúgubre que vuelve a presentar los dos ambientes, el europeo de fuerte carácter dramático, incrementado por cromatismos, acordes disonantes de séptima en tiempos fuertes, tono menor, y el ritmo hispano que se inicia con la mayorización de la música y un típico ritmo ternario de 3/8 para presentar el tema de Perulillo que va a sonar en breve y que desemboca en el "Aire de contradanza" del Nº 7A. Este acto se distingue del primero por el predominio de música de claro perfil operístico, y refleja el conocimiento que Barbieri tenía de la lírica italiana, así como de los primeros iniciadores del romanticismo francés que caminan entre la *opéra comique* y la *grand opera*, pero evidenciaba también al músico que sigue pensado que la salida a la lírica española es la zarzuela grande. *Pan y toros,* a partir de este acto, mira a Europa y ello incide de manera clara en su concepción: incremento del virtuosismo canoro e instrumental, complejidad de los concertantes, etc. La contradanza del Nº 7 es continuada por las intervenciones de Costillares y Romero con la canción popular conocida como "el Perulillo", Nº 7B; –Picón pide en el libreto "canción popular de la época" y Barbieri responde con esta genial melodía que se desconoce si procede de algún cancionero o fue inventada por él– que da paso a los personajes siniestros, Nº 7C: el Ciego, el Santero, y ese personaje lúgubre que es "El del Pecado Mortal", que aparece ahora e incrementa fuertemente el aspecto dramático. El Santero se presenta de nuevo identificado por su motivo tenebroso –apareció en el Nº 1B–, pero transformado, ahora presentado en sextas con un pedal sincopado que introduce cierta inestabilidad (Ej. 3). Con el Nº 8 se pasa a un ambiente operístico. Goya,

Ej. 3

el Abate, la Princesa, y el Capitán llenan un complejo número poliseccional, que pivota entre momentos de calma –acompañado por una decoración descendente del violonchelo que logra establecer el clima de misterio e intriga– y agitación especialmente efectiva en la *stretta* final. A partir de aquí se inicia otro de los momentos cruciales, Nᵒˢ 9 y 10, otro de los logros más geniales de la extensa creación el compositor. El Nº 9 está constituido por la denominada "Romanza del escapulario", dúo entre la Princesa y el Capitán, donde se consigue, con el acompañamiento del arpa –no se debe olvidar cuanto de mirada a la tradición hay en ello– un momento álgido que va a tener su contrapartida en el Nº 10A con la plegaria y gavota. En este complejo número con el que termina el segundo acto, Barbieri conjunta una orquesta dentro del escenario que interpreta la gavota, la orquesta de fuera, y la vuelta del Ciego, el Santero y El del Pecado Mortal. La plegaria se une en su repetición con una sensual gavota y contrapone dos metros rítmicos distintos el de gavota 2/4 y el del canto religioso 4/4, en un guiño a la escena del *Don Juan* de Mozart, todo ello lleno de símbolos. Dentro del palacio está Doña Pepita, seguidora de Godoy, bailando la gavota, y fuera, contemplando la escena, los cinco patriotas rezan a la Virgen pidiendo ayuda para su empresa el "Oh Reina de los ángeles". El *andante* religioso con que los conspiradores invocan el auxilio de la Virgen, mezclado con la sensual y mundana gavota, el poder descriptivo de la orquesta en todo el acto, tratando de preludiar los acontecimientos, de describir los momentos deja genialmente contrapuesto el mundo inmoral y frívolo de los seguidores de Godoy con la piedad de los patriotas. Este largo concertante continúa en el Nº 10B en el que el Corregidor y los guardias entran a arrestar a los patriotas. Lo inicia con un acorde de 7ª disminuida que sigue a un disparo y recuerda a un Beethoven que Barbieri estaba descubriendo en aquellos años, y lo conduce hasta una melancólica melodía de la Princesa. Comienza entonces un *crescendo* dramático con la respuesta del Corregidor al canto de la Princesa, incrementado por la llegada de Doña Pepita, que canta una melodía claramente hispana con las características decoraciones en trinos descendentes y gran virtuosismo; aumenta la complejidad del concertante con el paso a La mayor y la presencia de Goya, el Corregidor y los manolos, llegando a un complejo y efectivo concertante. La obra alcanza su clímax, pero el acto no termina así. Barbieri juega con el espectador; extiende la escena con la presencia agorera del Ciego, el Santero y El del Pecado Mortal, que vuelven con su tema de nuevo variado y entrecortado. Sólo el fiel Capitán Peñaranda queda en escena con un salvoconducto del Rey y por ello no ha sido arrestado; pero aparece el Santero con intención de matarlo y es muerto por el Ciego que lo confunde con el Capitán –la muerte en escena es algo totalmente extraño a la zarzuela–; el Corregidor despacha la escena con "¡No es nada! Un soldado muerto. Puede el baile continuar". La música del santero ha vuelto a aparecer de nuevo transformada, pero con toda su carga trágica. El acto termina con un fuerte dramatismo, muy lejos del espíritu cómico de la zarzuela y alcanza un momento cumbre de tensión dramática en toda la zarzuela del siglo XIX.

El tercer acto incrementa su perfil virtuosístico y operístico. En el Nº 11 Barbieri ofrece una genial página bufa en la mejor tradición europea: el coro del lamento de las damas en torno al Abate. Desde aquí *Pan y toros* camina en un lenguaje virtuosístico que comienza con el dúo Nº 12 "Quien cogida es in fraganti", que se dejó de cantar ya en el siglo XIX quizá por su dificultad y ha sido recuperado recientemente en la edición crítica (ICCMU, 2001). Se trata de un difícil dúo entre las dos protagonistas femeninas, Pepita y la Princesa, en la mejor tradición del belcantismo de comienzos del XIX, con un uso extremo de la tesitura aguda (Pepita llega en repetidas ocasiones al Do$_4$), dividido en una primera parte de diálogo entre ambas y una segunda que es una *stretta* final; todo el dúo está cargado de fioriture, que lo convierten en un momento singular en una obra donde predominan las escenas de masas o el encuentro de varios personajes, pero, sobre todo, sirve al drama: la contraposición radical entre las dos ideologías que simbolizan ambas mujeres, el bien y el mal. La obra termina con dos complejos números finales, 13 y 14, que conforman el último gran concertante y que ya Peña y Goñi consideró como otro de sus grandes logros, en la mejor tradición del teatro del XIX. El Nº 13 recuerda con su breve introducción instrumental al espíritu del inicio de los actos anteriores, es decir, de la ópera seria, incrementado por el coro de monjes que en realidad son sublevados, con su música procesional. La acción se precipita al desenlace y a ello sirven los dos números musicales. El Nº 14 se inicia con unos acordes dramáticos, seguidos del canto de los "malos", en cortado estilo bufo, acompañado del coro –la coralidad domina de nuevo–, la reaparición de uno de los momentos más bellos de la obra, la canción "Este santo escapulario", cantado por el Capitán que creían muerto, de nuevo acompañado por el arpa, y entrecortado por la voz de la enamorada Princesa, la vuelta al tema del dúo

que encaró a ambas mujeres cantado por Doña Pepita, la entrada de todos los protagonistas y el coro final para concluir la obra en el espíritu del triunfo de los liberales. La situación final concluye con un hablado, como era común en muchas zarzuelas y un cierre con un postludio instrumental, Nº 15, que celebra la aparición del gran político deseado, Don Gaspar de Jovellanos.

Pan y toros es sin duda uno de los mejores arquetipos de la nacionalización del teatro lírico. En 1864 Barbieri era un compositor maduro con setenta obras en su catálogo, y estaba preparado para dar una respuesta a su concepción de lo que era un teatro lírico propio, sobre el que tanto había teorizado y que para él estaba en la tradición de la ópera cómica francesa. *Pan y toros* es una zarzuela, pero también una gran ópera cómica en el sentido más europeo, aunque da cabida a las técnicas operísticas italianas, justamente la fuente en la que había bebido de joven. Pertenece plenamente al primer romanticismo, pero sin romper con el mundo clásico. La melodía por ejemplo se ajusta a los arquetipos de periodicidad clásica, con frases de 8 y 6 compases. Sobre ellas añade embellecimientos hispanos con floreos superiores descendentes, la ambigüedad modal (tercera mayor-menor), frecuentes ritmos de perfil hispano, etc. La orquestación es la misma de toda la zarzuela grande y tal como él la concibió para la plantilla del teatro de la Zarzuela. Otras realidades definen esta obra: el peso de lo coral y de las escenas de masas; Barbieri era un experimentado director de coros y ello incide no sólo en él sino en toda la zarzuela del XIX.

En *Pan y toros* se realizan varias aportaciones nuevas. Barbieri no sólo dibuja personas aisladas, sino colectividades, un auténtico cuadro histórico al que el canto popular ya no sirve como mero acompañante realista, sensual, destinado a divertir al público, sino que crece, se ensancha, adquiere poder dramático, capacidad de expresión, de tal forma que este elemento es capaz de dominar la tentación de su mero uso juguetón dentro de un gran cuadro en el que Picón ha sabido mezclar ese mundo tan amado por Barbieri que son las manolas, toreros, santeros, bandurrias y guitarras, con el patriotismo de una época histórica crítica, como refuerzo dramático. Este esfuerzo de Barbieri se completa con una orquestación, unos interludios que no son meros acompañantes de la melodía sino que participan en el drama, crean los diversos climas, tanto en las introducciones de los tres actos como cuando sostienen las partes habladas. El autor consigue una obra magistral a través de técnicas muy curiosas; permutaciones, motivos temáticos, desarrollos y sobre todo un tipo de música que, como se ha señalado, sirve para describir a cada personaje, el

Santero, los manolos, la Princesa, Pepita, el Corregidor, y el pueblo al que pinta como un poco inconsciente ante la situación política y al que se engaña con el *Pan y toros* que no es sino el *pan et circenses* españolizado, ello explica los problemas posteriores con la censura. Un lugar especial para la comprensión de su obra merece una reflexión sobre el texto. Barbieri ha dejado numerosos escritos sobre la relación música-texto. Parte de un inmenso respeto al texto, a la acentuación de las palabras, a las letras, a las vocales y consonantes que suenan en cada momento, lo que conduce a un teatro lírico siempre pegado a la palabra y, sobre todo, ligado a una historia musical que inicia esta peculiaridad con los romances y villancicos del siglo XV.

Pan y toros fue escrita por el periodista y dramaturgo José Picón García. Pertenece a los iniciadores de la zarzuela romántica o restaurada, y su nombre ha quedado en la historia del teatro lírico justamente por ser el autor de *Pan y toros*. La obra pertenece a la tipología de zarzuela histórica, o más bien seudohistórica, que llega a la zarzuela de mediados del siglo XIX por dos vías: como heredera del drama histórico romántico, y por influencia de los libretistas de la *opéra comique* francesa, que es el modelo musical al que se acogen los músicos españoles. Este modelo de zarzuela está definido por situar la acción en épocas de la historia española que van hasta el siglo XVIII, y menos frecuentemente en la historia europea. Justamente por ello se emplea el sistema formal de zarzuela grande que permitía desarrollar las complejas historias que se narran en ellas. No se sabe con certeza cuándo comenzó Picón a escribir esta obra. Hoy se sabe que ya en el mes de febrero de 1864 Liern señalaba a Barbieri en una carta: "Estoy ocupadísimo, pero así y todo preciso ver el estreno de la zarzuela de Vd. y Picón", y Barbieri la comenzó a escribir el 18 de enero de 1864; por ello lógicamente Picón tuvo que escribir el libreto, total o parcialmente a lo largo de 1863. Son muchos los valores de la obra de Picón: escrita en verso, como era normal en esta época, consigue reflejar las ideologías que se enfrentaban en la España de finales del XVIII, y mostrar con realismo las dos fuerzas ideológicas que contienden en la obra. Dramáticamente se sirve del viejo modelo tripartito que se impuso en los libretos de zarzuela desde la década de los treinta del siglo XIX: Presentación que responde al primer acto donde se muestran los personajes; nudo, parte central en la que aparece el clímax dramático representado por concertantes que responde al segundo acto, vital en la zarzuela grande; y el desenlace que se resuelve en el tercero. Picón se atiene a esta estructura que ya aparece de manera clara en *Jugar con fuego* de 1851. Dentro de esta estructura son el nacionalismo y el costumbrismo las dos fuerzas operativas que sostienen y estructuran la estrategia de *Pan y toros* y que Picón ofrece al numen de Barbieri que busca con ahínco la nacionalización de la lírica y que precisamente había resumido la esencia de un buen libreto en esas dos palabras: "costumbrista y español". El nacionalismo opera como base de la obra, y el costumbrismo es el que trae al escenario casticismos, localismos, elementos populares y pintorescos, y por supuesto, tantos lugares conocidos y queridos por los espectadores que inspiran la musa hispana de Barbieri, su especulación sonora.

Pan y toros fue una de las obras de más éxito de todo el repertorio zarzuelístico y, por supuesto, de José Picón. Llenó los escenarios desde su estreno, tal como ya reconocía el autor ante la prohibición de la obra en 1867 en una poesía en que reclamaba justicia a la reina Isabel II: "En él están los tesoros / que cuento para vivir / y es condenarme a morir / prohibírseme *Pan y toros* / ... Justicia, señora, os pido: / Levantad la prohibición / Y dadme indemnización / De los daños que he sufrido". Picón consiguió, al fin, sus propósitos y fue resarcido económicamente. Pero los desvelos de aquella tarea y cierta predisposición natural, hicieron que perdiera la razón y fue recluido en el manicomio de Valladolid, donde murió.

Fuentes manuscritas. Una partitura se conserva en la Biblioteca del Real Conservatorio Superior de Música de Madrid (S/861). Otra partitura (TL-143) y los materiales de orquesta (2260) se conservan en el archivo de la SGAE en Madrid. Una parte de apuntar se conserva en la Biblioteca Histórica Municipal de Madrid (I-40).

Ediciones de la música. Orquesta, ed. crítica E. Casares Rodicio, X. de Paz, Madrid, ICCMU, 2001. Canto y piano, Carrafa y Sanz; ed. A. López Almagro, RMA; ed., F. García Vilamala, AR, Cd y UME. Banda, orquestina y sexteto, selección, UME.

Ediciones del libreto. Madrid, Centro Artístico General de la Administración, 1864; 2ª ed., 1965; 6ª ed., Madrid, Imp. José Rodríguez, 1889; Valladolid, Celestino González, 1909.

FONOGRAFÍA: RP: Victoria 2705 y 5772.

D78rpm: Sol. La Argentinita, La Voz de su Amo DA 4235 (et. azul), OJ 874 OJ 876 • Dir. Ricardo Villa, Banda Municipal de Madrid, La Voz de su Amo AA 45 y Odeón 121074, XXS 5117 XXS 5118 • Orq. Ibérica, La Voz de su Amo AF 242, CJ 1490 CJ 1491 • Dir. Emilio Vega, Banda del Real Cuerpo de Guardias Alabarderos de Madrid, AG 7068 (et. azul), WKX 52 WKX 56.

LP: Dir. Indalecio Cisneros, Sols. Ana Mª Iriarte, Conchita Domínguez, Manuel Ausensi, Carlos Munguía, Rafael Campos, Carlos S. Luque, Enrique Malvido, Joaquín Portillo, Gregorio Gil, Coro de Cantores de Madrid, Orq. Sinfónica, Columbia-Alhambra-BMG (33rpm-30cm), MCC 30040 y CS 40040 [reed. en CD: Alhambra-BMG España WD 74390 (9D) y Columbia-BMG-Ariola-Salvat 1029-2].

BIBLIOGRAFÍA: A. S. Salcedo: *Francisco Asenjo Barbieri. Su vida y sus obras*, Madrid, Biblioteca de Músicos Españoles, sf; A. Elorza: *Pan y toros y otros papeles sediciosos de fines del siglo XVIII*, Madrid, Ed. Ayuso, 1971; E. Casares Rodicio: *Francisco Asenjo Barbieri. 1. El hombre y el artista. 2. Escritos*, ICCMU, 1994; C. Seco Serrano: "El contraste entre el tópico y la realidad", *Pan y toros*, Madrid, Teatro de la Zarzuela, 2001.

EMILIO CASARES RODICIO

Clara Panach (Foto: Martí; E:Bit)

Panach Ramos, Clara. Alboraya (Valencia), 1898; ?. Tiple ligera. Estudió con Lamberto Alonso y comenzó a cantar en la Sociedad Musical de Alboraya, lo que le valió el apodo de "El Ruiseñor de Alboraya". En su pueblo se dio a conocer con *Las zapatillas* de Chueca. F. Hernández Girbal dice de Clara Panach que "tenía una voz asombrosa y unas facultades prodigiosas". Debutó profesionalmente en 1914 en el teatro Ruzafa con *En Sevilla está el amor*, versión abreviada de la ópera de Rossini *El barbero de Sevilla*. El éxito obtenido hizo que la comparasen con María Barrientos y que numerosos teatros y compañías se interesasen por ella que cantó en los principales teatros españoles y con las figuras del momento como Marcos Redondo o Pablo Gorgé, hasta que fue contratada por el teatro Apolo de Madrid, donde estrenó en 1916 *El patio de los naranjos* de Luna en el que obtuvo un gran éxito su dúo con Carlos Rufart, y *La cenicienta*, adaptación de Gerónimo Giménez de *La cenerentola* de Rossini. En 1923 estrenó *El bufón del duque*, adaptación de *Rigoletto*, en el teatro Maravillas de Madrid. Estrenó en la Zarzuela en 1930 *El ruiseñor en la huerta* de Leopoldo Magentí. Clara Panach permaneció en los escenarios hasta los años inmediatos a la Guerra Civil.

BIBLIOGRAFÍA: *CCE*; E. García Carretero: *Historia del teatro de la Zarzuela de Madrid*, Madrid, Fundación de la Zarzuela Española, 2003.

EMILIO GARCÍA CARRETERO

Panaderos. Danza, cante y baile de origen andaluz, popular en Cádiz en el siglo XIX, según José Otero, quien señala una relación entre el antiguo baile de panaderos y el zapateado, y comenta cómo "primero se varió con el nombre de *Bailar por juguetillos* y más tarde por *Alegría*, que es lo que se baila hoy; pero ya no se parece en nada". Según este autor, en las fiestas de cruces de mayo era indispensable bailar, junto al fandango y el bolero, los panaderos. No se sabe si el nombre del baile puede guardar relación con José González "el Panadero", bailarín principal de la compañía de Madrid entre 1790 y 1808, y casi contemporáneo de Sebastián Cerezo, a quien se debe la transformación de las seguidillas en el nuevo baile del bolero hacia 1780. En todo caso, parece que elementos coreográficos propios de los panaderos pasaron a formar parte del repertorio de la escuela bolera.

Ausente de la zarzuela grande, los panaderos se incorporaron al género chico en el último cuarto del siglo XIX. Una de las primeras obras que los incluye es *¡Eh, a la plaza!*, 1880, de Rubio, cuyo Nº 2 responde a este título; también Chueca y Valverde los incluyen en el Nº 6 de *Caramelo*, 1884, en el Nº 6bis de *Cádiz*, 1886; Fernández Caballero en el Nº 5 de *Chateau Margaux*, 1887, y él mismo junto con Mangiagalli en el Nº 8 de *¡A ti suspiramos!*, 1889. También se emplean los panaderos en el Nº 5B de *Agua, azucarillos y aguardiente*, 1897, el Nº 4 de *El arca de Noé*, 1890, y el Nº 1 de *La corría de toros*, 1902, de Chueca; el Nº 4 de *La tonta de Capirote*, 1896, de Valverde Sanjuán y Estellés; *La banda de trompetas*, 1896, de López Torregrosa; *El galleguito*, 1906, de López Torregrosa y Crespo; el Nº 4A de *España en París*, 1900, de Montesinos; el Nº 5A de *Flor de mayo*, 1904, de Hermoso y Fernández de la Puente; el Nº 2 de *M'hacéis de reír, D. Gonzalo*, 1904, de Calleja y Lleó; el Nº 2 de *Frou-frou*, 1905, de Calleja; el Nº 6A de *El arte de ser bonita*, 1905, y el Nº 7A de *La machaquito*, 1906, de Giménez y Vives; o el Nº 1 de *El 40 H P*, 1909, de Córdoba. Quizás el ejemplo más conocido de todos sea el Nº 5B de *Agua azucarillos y aguardiente*, pasaje en que Pepa y Manuela discuten en presencia de un coro de gente que viene del teatro, cantando Manuela el pasaje cuyo texto comienza: "Tú sin duda te has creído que yo soy una cualquiera".

Es característico de este tiempo de panaderos el 3/4, el tempo moderado y el cambio de armonía o la repetición del bajo armónico en la tercera parte del compás, así como el inicio sobre una figuración acéfala con seis semicorcheas, mostrando el ritmo y la estructura armónica un claro parentesco con el bolero. En la sección central del Nº 4 de *El arca de Noé*, "Vals del caballero de industria", el personaje, que se hacía pasar por un caballero y cantaba un vals, confiesa que es en realidad el chulo "Paquito el madrileño", y en ese momento canta los panaderos, estableciéndose así una relación entre lo madrileño y esta música, convertida en elemento de folclore urbano distintivo de lo castizo. Debe recordarse la obra para orquesta *Panaderos, baile español* de Bretón, estrenada el 5 de junio de 1888, en una etapa en la que Bretón dedicaba sus esfuerzos a componer una música de acentos nacionales.

BIBLIOGRAFÍA: *HZ*; J. Otero: *Tratado de bailes de sociedad, regionales españoles, especialmente andaluces, con su historia y modo de ejecutarlos*, Sevilla, 1912.

RAMÓN SOBRINO

Panadés, Conchita. Manila, 31-I-1908; Barcelona, 3-X-1981. Soprano. Hija de una familia dedicada al teatro, nació durante una gira de sus padres por Filipinas. Después, en Barcelona, estudió canto y debutó en el teatro Tívoli. Su presentación en Madrid fue en la temporada 1930-31, en el teatro de la Zarzuela,

Conchita Panadés (Foto: Ar. SGAE)

con el que estuvo vinculada durante mucho tiempo. Fue muy celebrada como intérprete de *La generala*. También fue aclamada en 1931 en *La del Soto del Parral*. En 1934 fue *Marina* junto a Fleta en el Olimpia de Barcelona. Estrenó *Katiuska* de Sorozábal en el teatro Rialto de Madrid, 1932, compartiendo protagonismo con Marcos Redondo, y *La tabernera del puerto* en el Tívoli de Barcelona, ambas de Sorozábal. En 1936 cantó *Paloma Moreno* de Moreno Torroba en el teatro Calderón. Previamente participó en las temporadas del Liceo de Barcelona durante la Guerra Civil con obras como *El giravolt de maig* de Toldrá. En 1941 estrenó *La zapaterita* de Alonso, 1941, junto a Antonio Medio y *La Caramba* de Moreno Torroba y en 1942 estrenó la comedia musical *¿Qué sabes tú?* de Ernesto Pérez Rosillo en el teatro Principal de San Sebastián. Estrenó también *Curro Gallardo* de Manuel Penella. Cantando *Katiuska* conoció al barítono Sansi con el que se casó. Abandonó los escenarios en 1970.

Realizó varias giras por Iberoamérica, en las que asumió títulos como *Luisa Fernanda*, *Los gavilanes*, *La rosa del azafrán* o *La del Soto del Parral*. Su voz de tiple lírica, tenía una notable dulzura y también se ha destacado su morbidez, con cierta afectación en la declamación del texto. Su labor discográfica quedó plasmada en sus versiones de *La zapaterita* de Alonso y *La Caramba* de Moreno Torroba, que ella estrenó.

Existen versiones también de *La canción del olvido*, *La parranda*, *La rosa del azafrán* y *Luisa Fernanda*, dirigida por su autor.

FONOGRAFÍA: *Alhambra*, Blue Moon BMCD 7549 • Odeón 184711, SO 10562 SO 10563; *Blanco y Negro*, Sonifolk 20141; *El ama*, Blue Moon BMCD 7512; *El cantante enmascarado*, Blue Moon BMCD 7549; *El divo*, Blue Moon BMCD 7549; *El renegado*, Blue Moon BMCD 7549; *El romeral*, Blue Moon BMCD 7549; *Gigantes y cabezudos*, EMI 7243 5 74155 2 1; *Gran Revista*, Sonifolk 20141; *La canción del olvido*, Regal SEBL 7015 • EMI-Regal LCX 7007 115; *La caramba*, Blue Moon BMCD 7526; *La del soto del parral*, EMI 7243 5 74228 2 6 • EMI 7243 5 74228 2 6 (637.02623) • Regal 33 LCX 108; *La moza que yo quería*, Blue Moon BMCD 7549; *La parranda*, Regal C 10223, CK 3812; *La revoltosa*, Regal C 10217 a C 10222, CK 3795 a CK 3806 • Regal-Gramófono-Odeón XKX 311 13; *La rosa del azafrán*, Regal SEBL 7004 • EMI 7243 5 74155 2 1 • Regal XKX 25/26, LCX 7000; *Las tocas*, Sonifolk 20141; *Luisa Fernanda*, Regal LCX 7001; *Manuelita Rosas*, Blue Moon BMCD 7512; *Molinos de viento*, Odeón 184500 a 184504, SO 6713 a 6715, SO 6718 a SO 6724 • Blue Moon BMCD 7523; *¡Qué sabes tú!*, Sonifolk 20141.

BIBLIOGRAFÍA: *CCE*; J. Martín de Sagarmínaga. *Diccionario de cantantes líricos españoles*, Madrid, Fundación Caja Madrid-Acento Ed., 1997.

LUIS G. IBERNI

Panduros. *Véase* CHORIZOS Y POLACOS.

Paniagua, Juana. España, siglos XIX-XX. Tiple. Participó en numerosos estrenos en los años finales del siglo XIX y primeros del XX, entre los que destacan *Vía libre* de Chapí, teatro Apolo, 1893; *Mundo, demonio y carne o Un viaje diparatado* de Caballero y Quinito Valverde, teatro Cómico, 1902; *La camarona* y *La morenita* de Gerónimo Giménez, teatro Moderno, 1903; *Congreso feminista* de Quinito Valverde, *La borracha* de Chueca, Moderno, 1904; *La cuna* de Chapí, Moderno, 1905. Al salir del Apolo pasó a formar parte de la compañía Prado-Chicote con los que actuó en los teatros Cómico y Moderno.

Mª LUZ GONZÁLEZ PEÑA

Panorama nacional. Boceto cómico lírico en un acto. Música de Apolinar Brull y Ayerra. Libreto de Carlos Arniches y Celso Lucio. Estrenada el 8 de noviembre de 1889 en el teatro Alambra de Madrid.

Personajes y reparto. Director del Panorama (Rosendo Dalmau, tenor). Reporter 1° (José Arregui). Reporter 2° (José Zaldívar). Guarda 1° (Emilio Carreras, actor). Calilla 1° (Enrique Gil). Fernando (Juan Montijano). Leonor (Cecilio). Un cojo (Emilio Carreras). Una cursi (Amalia Deloso). Preciosa 1ª (Sofía Romero). Preciosa 2ª (Felisa Torres). Lechuguino 1° (Díaz). Lechuguino 2° (Enrique Gil). Señorita 1ª (Parra). Señorita 2ª (Pérez). Gomoso 1° (M. Lasantas). Gomoso 2° (Rosario Acosta). Una Manola (Joaquina Pino). Un chispero (Alfonso). Una chula (Parra). Un chulo (Emilio Carreras).

Orquestación. Flautín, flauta, oboe, 2 clarinetes, fagot, 2 trompetas, 2 trompas, 3 trombones, percusión y cuerda.

Argumento. Aparecen dos reporteros encargados de hacer un reportaje sobre el panorama político nacional, uno representa a los conservadores y trabaja para un periódico que se denomina *El pasado*, el otro representa a los progresistas o modernos, y trabaja para un periódico denominado *El presente*. El director de *El Panorama* les recibe (cuadro segundo) y les hace pasar a un aposento, donde hay

un escenario con dos partes, la derecha que representa el presente, y la izquierda que representa el pasado. En la parte de la derecha aparecen los Golillas guiados por un jefe y en la izquierda los guardias de orden público guiados por un cabo. A los primeros se les aprecia una gran actividad, a los segundos mucha parsimonia; parece que ambos grupos andan detrás de un ladrón. En la escena segunda, aparecen el Golilla primero y el Guardia primero que sostienen una conversación sobre su trabajo; el guardia antiguo es un cínico, el nuevo, es decir, el Golilla, es mucho más esforzado. El guardia aprovecha para criticar el sistema judicial lleno de defectos. En la escena tercera parecen los dos reporteros y el director comentando la escena anterior. Éste les dice que van a ver a continuación las diferencias entre dos enamorados. Aparecen dos amantes bien vestidos a punto de huir juntos y diciéndose galanteos. Aparece un cojo con mal aspecto y una mujer con un atillo de ropas en la mano, vestidos de forma estrafalaria. Están planeando irse juntos pero simulando un rapto. A continuación salen dos señoritas con traje de preciosas ridículas y dos lechuguinos gomosos que sostienen una conversación muy cursi sobre un baile al que van a acudir en la noche. El director y los dos reporteros de nuevo comentan y discuten sobre lo que han visto y sobre si es mejor la juventud moderna, o la antigua. Sale la maja seguida de un chispero sosteniendo una conversación con mucha gracia en la que él la piropea; también un chulo y una chula. Él la chulea pidiéndole dinero, amenazándola sino se lo da y pegándola. También aparecen chisperos y manolas en parejas que van a los toros con gran regocijo.

En la siguiente escena aparecen el director y reporteros. El director dice que el pueblo es el mismo siempre y el que menos cambia. Deciden observar a algún ejemplo de la clase alta. Quedan en escena los reporteros a un lado y aparece un conde con su paje. El conde realiza afirmaciones patrióticas, de valor y servicio a la patria. También aparecen el condesito y el maleta que van a una becerrada; el condesito, muy pagado de sí mismo, hablando de una conquista femenina que se propone hacer. El director y los reporteros comentan. En la siguiente escena, dos embozados con traje de época, sostienen una disputa y se atacan quedando uno de ellos herido. A continuación el gomoso, dos testigos y un médico, después el otro gomoso y dos testigos. Ambos gomosos van a sostener un duelo pero expresan su temor. Gana el gomoso segundo pero, por casualidad, porque ambos son igual de cobardes. En la escena séptima, el director y reporteros. El reportero primero expresa su opinión de que todo ha degenerado. El director les dice que les tenía reservada la sorpresa de los militares. Aparece un desfile con militares de antes y de ahora. Direc-

Cortesía de Unión Musical Ediciones SL

tor y reporteros comentan el desfile. La gitana y un coro con trajes de la época anterior. Ésta canta una copla coreada por todos. Director y reporteros comentan que el modo de pedir dinero en la época anterior era el que utilizó la gitana. Dichos un caballero y un pordiosero pidiendo dinero al estilo moderno y comentando que pide porque no quiere trabajar. Aparecen unos cómicos de antaño con su carreta. El comediante y la comedianta antiguos. Comediante moderno en coche seguido de un lacayito. El comediante desconoce los autores clásicos.

Números musicales. Preludio. Nº 1. Mazurka de golillas y guardias, "Se ha marchado, no parece". Nº 2. Minué y polka, "Desde las gradas de San Felipe". Nº 3. Pasacalle de Chisperos y Chulos, "Somos la flor y la nata del barrio de Maravillas". Nº 4. Desfile militar. Marcha. Nº 5. Leyenda de la Gitana, aria, "Aquí está la gitana". Nº 6. Canción y potpurri, "Mucho silencio que vais a oír".

Comentario. Brull brilló con luz propia a partir del estreno de *Panorama nacional*, una revista con letra de Carlos Arniches y Celso Lucio. La obra que llevaba el subtítulo de "boceto cómico-lírico", fue uno de los primeros grandes éxitos del libretista Arniches. *Panorama nacional* es una revista basada en un tema muy manido, la comparación de tipos de la actualidad con otros de antaño comentados desde la perspectiva de reporteros de un periódico tradicionalista y otro progresista. Se comparaba el antiguo y nuevo ejército, el amor, la aristocracia, los mendigos, los cómicos; en cinco cuadros se aportaban estas visiones contradictorias, terminándose en la obligada apoteosis. Por ello, como es normal en la revista, no existe ninguna trama sino un desfile de personajes, en este caso conexionados por una disputa entre lo viejo y lo nuevo, en la que se aprovecha para criticar varias situaciones; la justicia española, por ejemplo, queda muy mal parada en el diálogo entre Golilla y Guardia 1º: "Entonces tampoco sabrás lo que es el juicio oral. –¿Y qué es esto?–… Es una cosa en la que van la mar de gentes, mujeres, señoras y clase baja, de todu: preguntas las de la ley, y si no contestas conforme con lo que allí quieren, pus van y celebran un cascareo.–¿Y qué es esto?– Pus que sales de allí sin plumas y cascareando; y ahí tienes tú lo que es el juicio oral –¿Y por qué se llama así?– Pus mira… juicio… no sé por que lo llaman, pues allí he visto poco juicio".

Como era normal en muchas revistas, la música se convertía en una serie de danzas que se inician con el preludio que incluía un vals, seguido de un coro, en realidad una mazurka, posteriormente un minué, una polka, un pasacalle, y una marcha, y se cerraba con una, "Leyenda gitana y una apoteosis final". Es decir, la música cumplía en la revista lo que era usual en este género lírico: acompañar y entretener pero con una enorme gracia y originalidad y a través de una serie de danzas que convierten la obra en una auténtica suite a cuyo éxito contribuyó uno de los escenógrafos más importantes del XIX, Busato, y el gran actor Emilio Carreras, que interpretó seis papeles diferentes, lo que le valió ser contratado al año siguiente por la catedral del género chico, el teatro Apolo.

Fuentes manuscritas. La partitura de canto y piano y los materiales de orquesta (308) se conservan en el archivo de la SGAE en Madrid.

Ediciones de música. Canto y piano, Madrid, PM.

Ediciones del libreto. Madrid, Administración Lírico Dramática, 1889; 2ª ed. Madrid, R. Velasco, 1889.

EMILIO CASARES RODICIO

Pantoja, Juan Nepomuceno. Chillán (Chile), 1837; Santiago de Chile, 9-VII-1896. Tenor cómico y actor. Desde muy joven se dedicó al teatro, iniciándose en las compañías itinerantes de O'Loghlin y Risso. Con veinte años figura como tenor cómico en la primera compañía de zarzuela grande que actuó en Chile durante la temporada 1857-58, bajo la dirección del barítono José Cortés. Al año siguiente figura en el elenco del conjunto que encabezaban los célebres Ventura Mur y Esteban Clapera, que realizaron una exitosa temporada en Valparaíso y Santiago. En estas compañías conoció a Martina Sotomayor, tiple de origen chileno, con quien poco después contrajo matrimonio, teniendo varias hijas que también se dedicaron al teatro. Durante la Guerra del Pacífico dio en Iquique y otras localidades chilenas algunos beneficios en favor de los soldados heridos. Con el auge de las tandas participó en algunas compañías de funciones por horas, como la que inauguró el teatro Politeama de Santiago, considerado la catedral del género chico en Chile, donde figuraba como director junto a la tiple Julia Cifuentes, el barítono Rafael Arcos y los cómicos Serrano y Reig; en el programa inaugural de abril de 1889 figuraban *Chateaux Margaux* y *La Gran Vía*. En 1890 y 1891 figura en el elenco de la compañía de las hermanas Aranaz –Concepción y Mercedes– que alcanzaron un gran éxito en Santiago y Valparaíso en los años 1890 y 1891. En 1894 se retiró de la escena y falleció de un ataque al corazón. Juan Pantoja también escribió el texto de algunas zarzuelas como *El minero Copiapino*, con música de Enrique Manfredini, *Las tres Pascualas*, el drama *La toma de Calama* y las comedias *El condenado* y *El salto del soldado*. Era también músico y compuso la romanza *La jardinera*.

BIBLIOGRAFÍA: M. Abascal Brunet: *Apuntes para la historia del teatro en Chile. La zarzuela grande*, Santiago de Chile, Imp. Universitaria, 1940; M. Abascal Brunet, E. Pereira Salas: *Pepe Vila. La zarzuela chica en Chile*, Santiago de Chile, Imp. Universitaria, 1952.

VÍCTOR SÁNCHEZ SÁNCHEZ

Paoli. Familia de cantantes puertorriqueños formada por los hermanos Amalia y Antonio.

1. Amalia. Ponce (Puerto Rico), 31-I-1861; San Juan de Puerto Rico, 1942. Soprano. Inició su carrera artística bajo la protección de la reina en el teatro Real de Madrid. Cantó ópera y zarzuela en Puerto Rico. En 1880 hizo su debut en el teatro La Perla de Ponce con *Marina* de Emilio Arrieta y la zarzuela *Sangre mora* –una especie de versión de *La reina mora*, recién estrenada en España, de José Serrano–, en el teatro Municipal de San Juan en 1907. En los años treinta pertenecía a un grupo denominado Club Artístico que representaba zarzuelas en la capital, con Blanca Castejón y Fernando Cortés entre otros.

Antonio y Amalia Paoli (Fotos: Ar. ICCMU)

2. Antonio. Ponce (Puerto Rico), 13-IV-1872; San Juan de Puerto Rico, 24-VIII-1946. Tenor. A los doce años se trasladó a España y en 1897, por intervención de su hermana Amalia, ganó una subvención de la corte para proseguir sus estudios en la Academia de Canto de la Scala de Milán. Dos años después debutó en el teatro de la Ópera de París. Recorrió Europa y parte de América cantando ópera y zarzuela, tanto en España, como en Cuba. En 1901 cantaba en veladas de zarzuela privadas de la aristocracia de San Juan. En 1922 se retiró y abrió con su hermana Amalia una academia de canto en San Juan de Puerto Rico, aunque circunstancialmente siguió cantando con alguna compañía de zarzuela.

BIBLIOGRAFÍA: A. Molina: *150 Años de Zarzuela en Puerto Rico y Cuba*, San Juan, Ramallo Bros. Printing, 1998; J. A Romeu: "Una visita a los artistas Amalia y Antonio Paoli", *Puerto Rico Ilustrado*, XIII, 1050, 1930.

OLIVA G. BALBOA

Para obsequio a la deydad, nunca es culto la crueldad, y Iphigenia en Tracia. Zarzuela nueva en dos jornadas. Música de José de Nebra. Libreto de Nicolás González Martínez. Estrenada el 15 de enero de 1747 en el teatro de la Cruz de Madrid.

Personajes y reparto. Ifigenia, sacerdotisa de Diana (María Antonia Castro, soprano). Dircea, princesa de Tracia (Antonia de Fuentes, soprano). Polidoro, príncipe de Ponto (Ana Guerrero, soprano). Orestes, príncipe de Micenas (Catalina Hispani, soprano). Electra, esposa de Pílades (Petronila Xibaxa, actriz). Pílades, rey de Phocis (José Martínez, actor). Toante, rey de Tracia (Juan Manuel Ángel, actor). Arsidas, capitán Trace (Lucas del Viso). Cofieta, confidente de Electra (Rosa María Rodríguez, graciosa). Mochila, criado de Pílades (Gertrudis Verdugo, graciosa).

Orquestación. 2 Trompas, 2 oboes, 2 flautas, 2 violines, viola y bajo continuo.

Argumento. Orestes, después de vengar la muerte de su padre es perseguido por las Erinias. Para librarse de la persecución le dice Apolo de Delfos que debe devolver a Atenas la imagen de la diosa Diana que está en Táuride, cuya principal sacerdotisa del templo es Ifigenia. En época del rey Toante, la ley imponía el sacrificio del extranjero que no conociendo esta ley pisara el bosque donde se encontraba el templo de la diosa.

Jornada I. Polidoro, príncipe de Ponto, ha ido a Tracia con la intención de contraer matrimonio con la princesa Dircea, hermana de Toante, rey de Tracia. Electra, hermana de Orestes, e Ifigenia y Cofieta, que se encuentran allí desde que su barco naufragara cerca de esta región, están disfrazadas de pastoras. Polidoro se enamora de Ifigenia, sacerdotisa, que lo rechaza. Dircea, que lo oye todo, acusa al enamorado de traicionarle, mientras Polidoro se lamenta de su soledad. Orestes, príncipe de Micenas, y Pílades, rey de Phocis, llegan a Tracia. Realizan este viaje con la intención de robar la estatua de la diosa Diana y devolverla a Micenas. Se anuncia el suplicio a que debe someterse a Orestes para cumplir con la ley del país, según la cual hay que sacrificar al extranjero que llega al templo de la diosa. Dircea se enamora de Orestes al verlo y suplica a Ifigenia que se niegue a ejecutar el sacrificio. Quedan a solas Ifigenia y Orestes, hermanos que llevan separados desde la niñez y no se reconocen, y se declaran su amor mutuo. Ifigenia promete a Orestes dejarle con vida. Se va Ifigenia y llega Dircea que al ver a Orestes vivo cree que Ifigenia ha accedido a sus súplicas. Dircea le declara su amor y le dice que está vivo gracias a su intercesión ante Ifigenia. Ifigenia y Polidoro, que han escuchado a Dircea, deciden vengarse de ella, e Ifigenia muestra su intención de llevar a cabo el sacrificio.

Jornada II. Ifigenia y Orestes discuten pero terminan finalmente reconciliándose. Toante exige que se lleve a cabo la ejecución. Orestes, que oculta su identidad bajo un nombre falso, es descubierto en el momento que Pílades, el rey de Phocis, pronuncia su nombre verdadero antes de ejecutar el sacrificio y la razón que le ha llevado a Tracia. Ifigenia, al reconocer a su hermano le libera, pero el rey se niega y ordena dar muerte a los dos hermanos. Orestes se lamenta e Ifigenia suplica al rey que revoque la decisión. En ese momento llega el ejército griego, que ha sido llamado por Pílades y evita la ejecución. Toante ha sido vencido, y se retira. Orestes e Ifigenia ya pueden regresar a Micenas portando la imagen de Diana, donde se le rendirá culto de una forma menos cruel.

Números musicales. Jornada I: Bailete pastorela, cuatro, "Pues de esta selva". Recitado. Dircea, "Este, riscos incultos". Aria. Dircea, "Gozaba el pecho". Recitado, Polidoro, "¡Oh, cielos!". Aria. Polidoro, "Vacilante pensamiento". Canción (a modo de villancico), "¡Ay, joven infelice". Dueto burlesco. Mochila y Cofeta, "¿Tú, tirana?". Recitado. Ifigenia, "Pero dioses, ¿qué veo?". Aria. Ifigenia, "La vida, la vida". Seguidilla, "Ya se fue". Recitado. Orestes, "En fin". Aria a cuatro. Polidoro, Dircea, Orestes, Ifigenia, "Muera, muera". Jornada II: Cuatro, "Ya que en honor del numen". Seguidilla, Cofieta y Mochila, "Qué han de ser los maridos". Recitado. Ifigenia y Orestes, "Yo soy, tirana". Aria. Ifigenia y Orestes, "Ah!, ingrato". Recitado. Cofieta, "Hay, hay ciertas doncellitas". Aria. Cofieta, "Descolorida". Recitado. Ifigenia, "Suspéndete, tirano". Aria. Ifigenia, "Piedad, Señor". Cuatro, "La tirana ley severa".

Comentario. Según se dice en la edición del libreto, uno de cuyos ejemplares impreso se conserva en la Biblioteca Nacional de Madrid, esta obra está dedicada por el libretista Nicolás González Martínez a la duquesa de Arcos, Maqueda y Nájera. El dramaturgo González Martínez, fue un habitual colaborador de Nebra y juntos trabajaron en obras como *No todo indicio es verdad*, y *Alexandro en Asia*, 1774; *Donde hay violencia no hay culpa*, del mismo año, o *Vendado es amor, no ziego*.

González Martínez, era el encargado de arreglar comedias, y escribir obras nuevas para la compañía de José de Parra, una de las de más actividad de esta época, con la que había logrado ya un importante reconocimiento. El libreto de *Para obsequio a la Deidad* presenta un tema mitológico de la antigüedad clásica, *Ifigenia en Táuride* de Eurípides, utilizando aquí el nombre de Tracia en lugar de Táuride. La acción dramática se desarrolla en dos planos: el asunto político entre Polidoro, Orestes y Pílades –desarrollado en la parte hablada–, y los conflictos amorosos entre Ifigenia, Orestes, Pílades y Dircea –desarrollados en la parte musical–, con el contrapunto cómico que supone la pareja de graciosos Cofieta y Mochila, que comentan la acción de forma jocosa, a pesar de la seriedad de lo que está sucediendo. Esta presencia de elementos cómicos es propia de la tradición de la zarzuela hispana.

La obra, como era habitual en el género, está dividida en dos jornadas, con ocho números de música en la primera y siete en la segunda, que se completarían con el fin de fiesta habitual en este tipo de representaciones. Todos los personajes que intervienen en la parte musical están encarnados por mujeres, como era habitual en la escena española. La música se inicia con una obertura instrumental en tres movimientos a la manera napolitana. Los actos se estructuran en torno a los recitativos y arias –cuatro en la primera jornada y tres en la segunda–. Otras formas musicales que integran la obra proceden de la tradición española, y son los cuatro, las seguidillas, el dueto burlesco, la pastorela bailete y la canción a modo de villancico. Las arias tienen forma da capo, típica de la ópera italiana, excepto dos de ellas. Estas arias cuentan con una forma más elaborada, en la que cada una de las secciones presenta dos partes contrastantes, de manera que esta forma se hace más compleja. Todas las arias están precedidas por un recitativo –todos ellos secos, excepto uno acompañado–, que enlazan los versos declamados y la expresión de afectos del aria, con una melodía más elaborada siguiendo el estilo de la ópera seria italiana. Las arias de los personajes cómicos, como la de Cofieta "Descolorida, desmadejada", por el contrario, tienen un estilo silábico de notas breves que se repiten.

Las formas de tradición española tienen una música de carácter popular, menos elaborada, donde domina el estilo silábico y el acompañamiento instrumental es más sencillo. Los cuatro son homofónicos, y se cantan en momentos significativos de la acción, y sirven de final. Las seguidillas, que se incluyen en las dos jornadas, eran una forma que gustaba mucho al público, que recibía favorablemente estas músicas populares con las que se sentía identificado. El dueto burlesco sirve como contrapunto en una escena dramática, ejemplo de la combinación constante de los elementos serios y cómicos en la zarzuela española. La canción, a modo de villancico, se canta también en un momento muy emotivo, cuando Orestes es llevado camino del lugar donde se producirá su ejecución. Esta forma musical tradicional combina coplas a solo y estribillo a cuatro.

La instrumentación se utiliza también de manera diferenciada en la música, y los instrumentos de viento sirven para dar brillantez a momentos importantes y para contextualizar; así aparecen en la obertura, en la escena de la pastorela, en los cuatro o en una escena militar. Las flautas acompañan a las arias de la protagonista de la trama amorosa, Ifigenia.

Según R. Kleinertz, esta zarzuela de Nebra se puede considerar un ejemplo ideal de la nueva zarzuela clasicista de la década de los cuarenta del siglo XVIII, en la que se combinan elementos españoles e italianos, pero a diferencia de la década anterior se producen cambios en la dramaturgia y los argumentos. Antes, las formas italianas se integraban en el contexto dramatúrgico español, mientras que, en esta zarzuela, los elementos hispanos se integran en un argumento y una dramaturgia no españoles. Así se demuestra que la influencia de la ópera italiana en la música para la escena española no fue lineal, sino que se produjo de forma dialéctica, combinando de diversas maneras los elementos foráneos, y consiguiendo diferentes resultados mediante la unión de tradiciones escénicas diversas. Una de las novedades más interesantes que presenta esta zarzuela, por ejemplo, es la utilización de elementos españoles en las partes serias del drama, no reservados exclusivamente para las cómicas.

El estreno de *Para obsequio a la deydad* estuvo a cargo de la compañía de José Parra, una de las más importantes del momento. La representación fue hecha en una fecha inusual, parece que se había preparado para estrenarla con anterioridad, pero debido al luto oficial impuesto por el fallecimiento de Felipe V, que duró hasta el 22 de diciembre de 1746, no pudo representarse. Las pérdidas que esta interrupción de los espectáculos escénicos supusieron para las compañías, obligaron a los teatros a colocar en cartel obras que reportaran grandes beneficios para superar los meses sin actividad. La obra se repuso dos años después, el 30 de abril de 1749, con nuevos números musicales compuestos por Nebra.

Fuentes manuscritas. La partitura se conserva en la Biblioteca del Real Monasterio de San Lorenzo de el Escorial (70-3). Una copia incompleta del segundo acto se conserva en el archivo del Santuario de Aránzazu en Guipúzcoa. El libreto se conserva en la Biblioteca Histórica Municipal de Madrid.

Ediciones de música. Ed. crítica, M. S. Álvarez, Zaragoza, Institución Fernando el Católico, 1997.

Ediciones del libreto. Madrid, 1747.

BIBLIOGRAFÍA: *HZ*; R. Kleinertz: "*Iphigenia en Tracia*: una zarzuela desconocida de José de Nebra en la Biblioteca del Real Monasterio de San Lorenzo del Escorial", *AnM*, 48, 1993; –: "La zarzuela del siglo XVIII entre ópera y comedia. Dos aspectos de un género musical (1730-1750)", *Teatro y música en España (siglo XVIII)*, ed. R. Kleinertz, Kassel, Reichenberger, 1996; J. M. Leza: "La zarzuela mestiza", *Scherzo*, dossier, XVII, 165, VI-2002.

JUDITH ORTEGA

Parada, Elena. Valencia, siglos XIX-XX. Tiple. Se dedicó al teatro al quedar viuda, debutando en 1903 en el teatro Tívoli de Barcelona como primera tiple en la compañía de Pérez Cabrero, inaugurando poco después el teatro de Alcoy junto a Lorenzo Simonetti y Juan Gil Rey. Se dedicó a la zarzuela grande, uniendo a su bonita voz un hermoso rostro y buena figura. Actuó en el teatro Principal de San Sebastián con gran éxito y allí la contrató Guillermo Cereceda para su compañía con la que actuó en Madrid en el teatro de Price. Poco después pasó

Elena Parada en El dúo de la Africana *de Manuel F. Caballero (Foto:* El Arte de El Teatro, *1908; Ar. SGAE)*

a la compañía Gorgé con la que actuó en el teatro Calderón de Valladolid y el Pizarro de Valencia. Su extenso repertorio incluía obras como *El pobre Valbuena, El dúo de la Africana, Ruido de campanas, El arte de ser bonita, Bohemios, El palacio de cristal,* así como los grandes títulos del siglo XIX: *Jugar con fuego, La tempestad, El anillo de hierro, Los diamantes de la Corona* y *El rey que rabió,* entre otras. Cuando se inició el declive del género grande, aceptó la proposición de Pedro Ruiz de Arana que la contrató para su compañía de género chico con la que actuó en Valladolid. En 1904 ingresó en la compañía de Ricardo Ruiz y Cosme Bauzá, actuando en Gijón, Valladolid, Burgos, Santander, Logroño y Zaragoza. En marzo de 1905 inició una gira por América, contratada por el teatro Albisu y triunfó en Cuba tanto con el género chico como con la zarzuela grande. A su regreso a España fue contratada por el teatro Eslava debutando el 16 de enero de 1908.

BIBLIOGRAFÍA: El Bachiller Bambalina: "Figuras del teatro. Elena Parada", *El Arte de El Teatro,* III, 46, 15-II-1908.

Mª LUZ GONZÁLEZ PEÑA

Manuel Parada (Foto: Ar. SGAE)

Parada de la Puente, Manuel. San Felices de los Gallegos (Salamanca), 1911; Madrid, 1973. Compositor. Inició los estudios musicales en Salamanca, pasando luego al Real Conservatorio de Madrid como alumno de Conrado del Campo. A partir de los años cincuenta se dedicó a la música de cine y teatral en la que obtuvo varios galardones. Su obra pertenece al último período de la historia de la lírica española, como autor de más de medio centenar de obras teatrales, funda-

mentalmente revistas y comedias musicales. Entre ellas resaltan *Contigo siempre* y *El caballero de Barajas,* que mereció también el Premio Nacional. Es de destacar también, dentro de su producción teatral, las ilustraciones musicales para las obras *A todo color, Colorín colorado, La cuarta de A. Polo, Las hijas de Helena, El corderito verde, Río Magdalena* y *La canción del mar.*

Fue vicepresidente de la SGAE, autor de la música de la antigua sintonía del NO-DO, compuso música para más de doscientas cincuenta películas y fue director musical del teatro Español durante cerca de trece años.

OBRAS (Todas en *E:Msa*): *Fausto 43,* 3 act, l, J. Vicente Puente, est, 21-II-1944, Te. Español; *El flautista mágico,* 3 act, col. Vélez Camarero, l, C. Luca de Tena, est, 24-I-1945, Te. Español; *A todo color,* Rv, 2 act, l, G. y R. Fernández Shaw, est, 22-IV-1950, Te. Lope de Vega; *Colorín colorao... este cuento se ha acabao,* Fant, l, G. y R. Fernández Shaw, est, 30-XII-1950; *La cuarta de A. Polo,* 2 act, l, C. Llopis, est, 31-V-1951, Te. Lope de Vega; *Las hijas de Helena,* 2 act, l, J. Fernández Díez, est, 12-IV-1952, Te. Price; *Las cuatro mujeres y un día,* 2 act, l, L. Navarro / J. L. Sampedro, est, 5-XI-1952, Te. Fuencarral; *Espabíleme usted al chico o El país de los tontos,* 2 act, col. Guerrero Torres, l, J. Jiménez / E. Paradas del Cerro, est, 23-XII-1952, Te. Ruzafa (Valencia); *El corderito verde,* 2 act, l, A. de la Iglesia / Csipka, est, 4-IV-1953, Te. Lope de Vega; *Aquí te espero,* 2 act, l, L. Fernández / F. Galindo, est, 30-X-1953, Te. La Latina; *El caballero de Barajas,* Com musical, 3 act, l, J. López Rubio, est, 23-IX-1955, Te. Alcázar; *Río Magdalena,* Opt, 2 act, l, A. Paso / R. Pérez Carpio, est, 21-IV-1957, Te. Albéniz; *Elena te quiero,* l, Varzary / Ruiz de Iriarte, est, 11-III-1960, Te. Cómico; *La canción del mar,* Zarz, 2 act, l, A. Quintero, est, 11-II-1966, Te. Zarzuela; *Cantando en primavera,* col. Moraleda, l, J. M. Arozamena; *Ki-Ki-Ri-Ki-,* l, M. Jiménez / C. Paradas / F. de Torres; *La cena del rey Baltasar,* col. Rodríguez Moreno, l, F. Roca; *María Estuardo,* l, F. Schuller; *Pleito matrimonial,* l, C. de la Barca / F. Llunch Garín.

FONOGRAFÍA: *Colorín, colorao,* Columbia R 18004 a R 18006, C 8981 C 8986.

BIBLIOGRAFÍA: *DMEH;* A. Fernández-Cid: *Cien años de teatro musical en España (1875-1975),* Madrid, Real Musical, 1975.

EMILIO CASARES RODICIO

Paradas del Cerro, Enrique. Madrid, 15-VI-1884; Madrid, 25-IV-1944. Libretista. Comenzó a escribir poesía desde niño, influenciado por su admiración hacia José Jackson Veyán, primo de su padre. Su abuelo paterno, Salvador Paradas, fue editor del *Diario de Jerez,* órgano del Partido Progresista. Jackson Veyán le apadrinó en su carrera teatral y colaboró con él en su debut, *Los zapatos de charol,* 1904, con tan sólo veinte años. La obra, con música de Juan Crespo e interpretada por Enrique Chicote y Loreto Prado, tuvo un gran éxito. La colaboración se repitió en *El galleguito,* también con música de Juan Crespo, 1906. Su colaborador fundamental fue su amigo de la infancia Joaquín Jiménez, constituyendo una de las parejas de libretistas más fecundas del siglo XX, conocidos en el teatro Novedades, donde tuvieron lugar la mayoría de sus estrenos, como "Los chicos".

Enrique Paradas del Cerro
(Foto: El Teatro, 1904; Ar. SGAE)

Sus colaboradores musicales más habituales fueron Cayo Vela y Enrique Bru, con los que hicieron las siguientes obras, entre las más sobresalientes: *El Golfo de Guinea*, 1912, *Con permiso de Romanones*, 1913, *Matías López*, 1913, *¡Arriba la liga!*, 1914, *La suerte perra*, 1914, *El Siglo de Oro*, 1915, *Los dos fenómenos*, 1916, *El viaje del amor*, 1916, *El corto de genio*, 1917, *La Cartujana*, 1918, *Chiribitas*, 1919, *La madrina*, 1919. Los mayores éxitos los debe a su colaboración con Francisco Alonso y Jacinto Guerrero. Con el primero destaca *Las corsarias*, teatro Martín, 1919, y reestrenada en 1934. Con Guerrero colaboró en *El sobre verde*, 1927, *Los faroles*, 1928, *El país de los tontos*, 1930, *Pelé y Melé*, 1932, *Todo a 65*, 1946 y *La Blanca Doble*, 1947, estrenada tras su muerte al igual que *Los países bajos*, *Tres gotas nada más* y *Espabíleme Ud. Al chico*, todas escritas en colaboración con Joaquín Jiménez. Con música de Montorio y Moreno Torroba hizo *Paká y Payá*. Otra revista de éxito fue *La pipa de oro* con música de Ernesto Pérez Rosillo estrenada en 1932. Además de las revistas, Paradas y Jiménez son autores de *La chula de Pontevedra*, sainete en dos actos con música de Pablo Luna y Enrique Bru, que supone una vuelta al sainete regionalista, estrenado en 1928 en el teatro Apolo por Selica Pérez Carpio y Blanquita Suárez, con gran éxito. *Véase* LAS CORSARIAS; LA BLANCA DOBLE.

BIBLIOGRAFÍA: *DAT; DUE.*

Mª LUZ GONZÁLEZ PEÑA

Pardo, Francisco. España, siglo XIX. Actor. Emilio Cotarelo y Mori le atribuye, junto a José María Dardalla, el haber contribuido a popularizar a los gitanos y personajes andaluces en escena, a consecuencia de lo cual empezaron a proliferar las zarzuelas andaluzas sobre todo en el teatro del Instituto, que pareció especializarse en esos temas y en esos tipos, precisamente con la compañía de José María Dardalla. Allí estrenó Pardo *El alma en pena* de Oudrid y *La batalla de Bailén* de Fernando Gardín e Hipólito Gondois.

BIBLIOGRAFÍA: *HZ.*

Mª LUZ GONZÁLEZ PEÑA

Pardo, Guillermo. España, siglo XIX. Actor y cantante. Estrenó diversas obras a finales del siglo XIX

como *Quimeras de un sueño* de Francisco Vilamala, teatro El Recreo de Madrid, 1874; *Entre bastidores* de Miguel Carreras, Zarzuela, 1874; *Estar en vilo* de Arnedo, Liceo Capellanes, 1882; *Las niñas al natural* de Rubio, Maravillas, 1890; *Otro monaguillo* de Espinosa, Romea, 1892; *La viejecita*, Zarzuela, 1897, y *Libros usados* de M. Revilla y E. Ruiz de Arana, Moderno, 1902.

Mª LUZ GONZÁLEZ PEÑA

Pardo, Mercedes. †Estella (Navarra), 16-XI-1943. Actriz. Desde 1905 y durante diez años interpretó papeles de ingenua en el teatro Lara. Poseía un gran instinto artístico. Estrenó numerosas obras de Benavente: *Los intereses creados*, 1907, *La losa de los sueños*, 1911 y *La ciudad alegre y confiada*, 1916. En 1910 estrenó en Lara el sainete *Los holgazanes* de Rafael

Mercedes Pardo (Foto: Comedias y Comediantes, 1910; Ar. ICCMU)

Calleja; sobre su actuación la crítica afirmaba que se había descubierto una nueva tiple cómica. En 1912 estrenó en Lara *Las decididas* de Moreno Torroba y Moreno Ballesteros y en 1913 *Las mocitas del barrio* de Chueca. En 1917 pasó al Infanta Isabel durante una sola temporada, en la que contrajo matrimonio con Manuel Berriatúa y se retiró de la escena.

BIBLIOGRAFÍA: *Comedias y Comediantes*, 27, I-1911; *Comedias y Comediantes*, 28, II-1911.

Mª LUZ GONZÁLEZ PEÑA

Pardo, Tino [Constantino Pardo]. España, siglo XX. Tenor cómico y actor. En su época de tenor se anunciaba en los carteles como Constantino Pardo, y como tal estrenó en 1927, en el teatro de La Latina, *La del Soto del Parral* de Soutullo y Vert, junto a Emilio Sagi-Barba y Paquita Morante, obra que siguió cantando en 1928, en el teatro Fuencarral con la Compañía Lírica Española de Eugenio Casals. En 1938 era tenor en el teatro Ideal de Madrid y entre 1940 y 1945 formaba parte de la Compañía Titular del teatro Calderón de Madrid con la que estrenó la obra póstuma de José Serrano, *Golondrina de Madrid*. Como tenor cómico, anunciándose como Tino Pardo, estrenó en 1951 en el Calderón de Madrid *La marquesa chulapa o Pan y quesillo* de Quiroga y en 1952 *Bekralbayda* de Ricardo Vidal. En 1953 formaba parte de la compañía Ases Líricos y, en 1955, de la del barítono Antón Navarro, pasando a primer actor y director escénico de la compañía folclórica de Marifé de Triana y Niño de Orihuela con la que recorrió casi todo el país.

Pardo fue un artista muy completo que pasó de tenor a tenor cómico y después a primer actor y director de escena. Desempeñó esa doble labor muchas ocasiones en la compañía de José de Luna que en la década de los años sesenta llevó a cabo varias temporadas veraniegas en el teatro de la Zarzuela; en ellas demostró sus cualidades de actor y aún las de cantante, como en *La verbena de la Paloma* en la que su Don Hilarión corría pareja en comicidad con la de Miguel Ligero al que superaba a la hora de cantar. También era excelente su interpretación del Tarugo de *El puñao de rosas*, Don Manuel en *La viejecita*, Cándido en *La revoltosa*, Don Florito en *Luisa Fernanda* y muchos otros personajes de los que hacía creaciones inolvidables. En los años setenta se retiró.

FONOGRAFÍA: *El puñao de rosas*, Zafiro-BMG EPFM-256 • Zafiro SA, ZOR-130 28 (27a); *La corte de faraón*, Montilla FM-38 • Zafiro 30103012 172; *La gatita blanca*, Zafiro-BMG EPFM-256; *La revoltosa*, EMI 10 C 038-020.179 • La Voz de su Amo (Gramófono-Odeón) 2XKA-U 250 10.

BIBLIOGRAFÍA: E. García Carretero: *Historia del teatro de la Zarzuela de Madrid*, Madrid, Fundación de la Zarzuela Española, 2003.

EMILIO GARCÍA CARRETERO

Paredes Corbalán, Antonio. Lorca (Murcia), ?; ?, 14-III-1940. Compositor. Realizó sus estudios musicales bajo la dirección de Bartolomé Pérez Casas. Perteneció a la Orquesta Filarmónica desde su fundación, llegando a ser primer atril de los segundos violines. Su catálogo, no muy amplio, incluye himnos, bailes y canciones. Escribió diversas obras como *La colegiala*, en colaboración con Francisco Cotarelo y Miguel Pola, que son autores también del libreto junto a Martín Berruezo. Además se conservan en el archivo de la SGAE en Madrid varias obras estrenadas en Madrid y Sevilla.

OBRAS (Todas *E:Msa*) *El anillo del Sultán*, Zarz, 2 act, col. Luna Carné, l, L. Blanco / J. Lloret, est, 6-II-1925, Te. Apolo; *El rey de los específicos*, col. Luna Carné; *Er cabesota*, Sai, 1 act, col. F. Lozano, l, D. Berriatúa / J. Aguado, est, 29-XII-1911, Te. Martín; *La nueva favorita*; *La rival*, 1 act, col. Morenilla, l, H. S. Viteri / E. Grimau, est, 23-IV-1013, Te. Novedades.

BIBLIOGRAFÍA: *TA*.

EMILIO CASARES RODICIO

Parellada Moles, Pablo [Melitón González]. Valls (Tarragona), 13-VI-1855; Zaragoza, 15-X-1944. Comediógrafo. Su familia se trasladó a Zaragoza cuando él contaba seis años. Aunque hizo la carrera de ingeniero militar y fue profesor de la Academia Militar del Ejército, su dedicación fundamental fue la literatura, especializándose en la sátira en periódicos y revistas como *El Gato Negro*, *Madrid Cómico*, *La Avispa*, *Blanco y Negro*, *Gedeón*, *La Correspondencia de España*, *ABC*, *Barcelona Cómica*, popularizando en todas su seudónimo "Melitón González". También colaboró con revistas satíricas hispanoamericanas como *Caras y caretas* y *El Hogar* de Buenos Aires e incluso en *Pictorical Review* de Nueva York, aunque su popularidad la obtuvo fundamentalmente por sus colaboraciones en *ABC* y *Blanco y Negro*. Además de escritor, fue un excelente dibujante.

Cultivó también la novela, pero sobre todo se dedicó al teatro por horas o género chico, con juguetes, sainetes, comedias y operetas. Se especializó en la parodia, siendo su *Tenorio Modernista*, estrenado en el teatro Lara en 1906, su obra más famosa. Dotado de una gran vis cómica, inventiva e ingenio, satirizó sin groserías o convencionalismos tanto la vida política como la literatura modernista. Aunque escribió generalmente en solitario, no dejó de hacer alguna obra en colaboración, como era habitual en el género chico, y así escribió con Alberto Casañal *Recepción académica*, *Cambio de tren*, *El gay saber* y *La justicia de Almudévar*; y con Gonzalo Cantó adaptó *El celoso extremeño* de Cervantes. Para el género lírico colaboró con Ruperto Chapí en *Academia militar*, Apolo, 1901, que a pesar de la gracia de algunas escenas, fue rechazado por el público; en octubre del mismo año estrenó *La güelta'e Quirico* de Julián Vivas, teatro de la Princesa de Madrid; con Tomás Bretón estrenó *La Tomadora*, Apolo, 1906, y ese mismo año estrenó en Eslava *El maño*, zarzuela en un acto en colaboración con Gonzalo Cantó y música de Tomás Barrera; de nuevo en colaboración con Cantó y Barrera estrenó *El celoso extremeño*, Apolo, 1908; con Ricardo Sendra estrenó la opereta en tres actos *Los divorciados*, Circo de Zaragoza, 1911; con Tomás Barrera *Tenorio musical*, Apolo, 1912; de nuevo colaboró con Barrera en *Il cavaliere di Narunkestunkesberg*, Apolo, 1914, y al año siguiente estrenó *El ramico*, en colaboración con R. Roy y música de Federico Sastre de Castro, en el teatro Barbieri. También colaboró con Emilio Acevedo en *El rey Cornalino o Las vírgenes del bosque*.

BIBLIOGRAFÍA: *CDE*; *DAT*; *DUE*; *TA*; F. Ballester Castelló: *Pablo Parellada (Melitón González). Notas biográficas*, Valls, Imp. E. Castells, 1947; J. Serrano Alonso: "La parodia del modernismo: *El Tenorio modernista*, de Pablo Parellada (1906)", *Anales de la Literatura Española Contemporánea*, vol. 2, Colorado at Boulder, 1996; M. A. Gómez Ábalo: "La sátira antimodernista de Pablo Parellada", *Literatura Modernista y Tiempo del 98*, U. Santiago de Compostela, 2000; J. Barreiro: "Pablo Parellada (Melitón González)", *Galería del olvido. Escritores aragoneses*, Zaragoza, Cremallo de Ed., 2001.

Mª LUZ GONZÁLEZ PEÑA

Parera, Valentín. España, siglo XX. Barítono. En mayo de 1914 se incorporó a la compañía de Luna y Serrano en el teatro de la Zarzuela debutando con la opereta de Pablo Luna *Molinos de viento*, para estrenar posteriormente *La flor del agua* de Conrado del Campo y *Maruxa*, que se repuso brevemente en esa temporada, pues los autores la retiraron a los tres días por diferencias con los empresarios de la Zarzuela. Estrenó también *Margot* de Joaquín Turina, que no llegó a interesar al público, aunque Parera fue destacado por la crítica. El siguiente estreno, la opereta *El príncipe bohemio* de Rafael Millán, dirigida por el autor, supuso un grandísimo triunfo tanto para el compositor como para los intérpretes. En 1915 estrenó *Amores de aldea* de Luna y Soutullo y *Las vírgenes paganas*, primera obra de Juan Vert, que no obtuvo mucho éxito. Poco después estrenó *Sybill* de Jacobi.

Mª LUZ GONZÁLEZ PEÑA

Parera Campabadal, José. El Vendrell (Tarragona), 1880; ?, 10-X-1948. Barítono y compositor. comenzó su carrera en Barcelona actuando en el Paralelo, donde estrenó algunas de sus primeras obras. En la temporada 1916-17 llegó al teatro de la Zarzuela con la compañía de Enrique Medina y estrenó *Jack*, opereta de Victor Jacobi adaptada por Pablo Luna, y *La alegre Diana* de Tomás Barrera. Cantó después *Marina* junto a Amparo Romo, emprendiendo la compañía un giro hacia la zarzuela clásica, sin olvidar la opereta, pues estrenaron después *La mujer moderna* de Sullivan. En 1917 estrenó *El tesoro* de Amadeo Vives, esperada con expectación debido a las numerosas veces que se había anunciado y que Vives había retirado por desacuerdos con la empresa. El éxito fue casi comparable al de *Maruxa*, aunque hoy haya caído en el olvido. Parera interpretaba el personaje de Peruxo, pero a finales de abril abandonó la empresa del teatro de la Zarzuela, que por contrato estaba obligada a poner en escena una obra de la que era autor, *El vals de los pájaros*. Al negarse el teatro a hacerlo, el autor y cantante se despidió. En 1923 sustituyó en la compañía de Esperanza Iris a Enrique Ramos al formar éste compañía para América y obtuvo en *Benamor* tanto éxito como Ramos, compartiéndolo con Emilio Sagi, que se reincorporó el 10 de junio. No se sabe si fue este o Valentín Parera el que estrenó *Katiuska* de Sorozábal en el teatro Victoria de Barcelona, en la compañía de Marcos Redondo.

Compuso numerosas canciones y obras escénicas. Algunas de ellas escritas en catalán por él mismo Estrenó sus obras también en Madrid y colaboró con otros compositores como Rafael Millán o Montserrat Ayarbe.

OBRAS (Todas en E:Msa): *El beso de la Gitana*, Zarz, 3 act, col. Reñé Castellá, I, L. Súñer / A. Paso Díaz, est, 10-IV-1918, Te. Español; *El cantinero del tercio*, 1 act, I, M. Fernández Bayot, est, 1-XI-1924, Te. Novedades; *A.C.Y.T.*, Zarz, 2 act, I, R. Peña, est, 30-III-1933, Te. Fuencarral; *Pulmonía doble*, I, R. Peña Ruiz / R. López Montenegro, est, 17-IX-1933, Barcelona; *Los Gabrieles*, 2 act, I, R. Peña / R. López Montenegro, est, 11-X-1933, Barcelona; *El be blanc*, est, 14-IV-1934, Barcelona; *Bodas a la americana*, Opt, 2 act, I, M. Orellana, est, 23-III-1940, Te. Tívoli (Barcelona); *Mi bien querida*, Zarz, 3 act, I, J. M. Alcañiz Redondo, est, 22-XII-1942, Te. Carlet (Valencia); *Semana fallera*, I, J. M. Alcañiz Redondo, est, 11-

VIII-1948, Te. Fontalba; *Antoñita la del guardia*, I, M. Fernández Bayot, est, Barcelona; *Barcelona a la vista*, 2 act, col. Millán, I, F. R. Oliva; *Buen humor*, I, J. Fernández Hernando; *La fiesta mayor de Gracia*; *Las memorias del diablo*, I, J. Parera Campabadal; *Picarols (cascabeles)*, I, L. Moles Felip; *Roi Roi*, I, J. R. Sanz / C. Viain, est, Barcelona.

Mª LUZ GONZÁLEZ PEÑA

Parés, María Rosa. Barcelona, 1-XI-1922. Tiple. Su familia era aficionada a la zarzuela y ella inició sus estudios con Sabater, director de la ópera del Liceo. Antes de los veinte años estrenó en Valencia, junto a Pedro Terol, *Maravilla* de Moreno Torroba, y a partir de este momento se convirtió en primera tiple de diversas compañías con las que recorrió toda España. En su repertorio llevaba más de cuarenta títulos, y entre sus favoritos se contaban *Bohemios*, *Doña Francisquita*, *Katiuska*, *Cançó d'amor i de guerra*, *La tabernera del puerto* y *El cantar del arriero*. Formó parte de diversas compañías como la de Ricardo Mayral, 1942-43; Federico Moreno-Torroba, 1943-44, estrenando *Polonesa* junto a Pedro Terol y Matilde Vázquez; Luis Calvo, 1944-45, con la que realizó una gira por diversas capitales españolas; en la temporada 1945-46 cantó junto al barítono Francisco Bosch y en la de 1947-48 con Pablo Vidal junto al que estrenó en Valencia *La ventera de Medina* de Fernando Díaz-Giles. En la temporada 1948-49 estrenó en Zaragoza *La niña del polisón* de Moreno-Torroba y tras su gira estrenó en el teatro de la Zarzuela *La dogaresa* en 1949, junto a Juan Gual y Lorenzo Sánchez Cano, con los que emprendió a continuación una gira por el Levante español. Entre 1953 y 1957 actuó junto a Emilio Vendrell hijo y Alberto Aguilá, y entre 1957 y 1960 con Manuel Ausensi, con antológicas interpretaciones de *Las golondrinas*. Se retiró en 1962 en Gerona y trasladó su residencia a Barcelona.

Mª Rosa Parés
(Foto: Ar. ICCMU)

BIBLIOGRAFÍA: *OCCE*; E. García Carretero: *Historia del teatro de la Zarzuela de Madrid*, Madrid, Fundación de la Zarzuela Española, 2003.

Mª LUZ GONZÁLEZ PEÑA

París, Concha. España, siglos XIX-XX. Tiple. Estrenó numerosas obras a finales del siglo XIX y durante la primera década del XX, tanto en teatros de Madrid como en provincias. En 1881 estrenó *El rosal de la belleza* de Carlos Mangiagalli, teatro de la Zarzuela; en 1889 en el teatro Cervantes de Sevilla *Las* *dos madejas de* Rafael Estellés; en 1893 estrenó con gran éxito en el teatro Romea *Los cuentos del año* de Chalons y Álvarez; en 1902, en Eslava, *La corría de toros* de Chueca; en 1909, en Noviciado, *El bachiller Medina* de Mario Bretón y en 1910, en el teatro Cervantes de Sevilla, *Molinos de viento* de Pablo Luna, con gran éxito. Hay algunas obras más que estrenó una señora o señorita París, sin especificar nombre, que seguramente era ella, aunque por las fechas coincide con Luisa Ruiz-París que, en ocasiones, aparece en los libretos como señorita París: *El mocito del barrio* de Julián Romea, 1891; *Del infierno a Madrid* de Luis López Mariani, 1893; *Los monigotes del chico* de Calleja y Barrera, 1901, y *El deber ante el amor* de Luis Conrotte, 1909.

Mª LUZ GONZÁLEZ PEÑA

París, Luisa. *Véase* RUIZ-PARÍS, LUISA.

Parodia. La zarzuela-parodia es una composición satírico-humorística que, empleando como pretexto la partitura, el texto o algún otro elemento de una obra precedente que hubiera alcanzado éxito –bien sea drama, ópera, opereta, zarzuela o sainete lírico–, caricaturiza los rasgos propios del original y los elementos propicios a la burla. La parodia, género desde antiguo cultivado por los dramaturgos, resurgió con cierta relevancia a mediados del siglo XIX, gracias a Agustín Azcona, en los años sesenta, vinculada a los Bufos Arderius y, sobre todo, en el periodo finisecular, como fórmula de enriquecimiento temático del género chico, fundamentalmente de la mano de Salvador María Granés.

1. Las parodias de Azcona. Las primeras zarzuelas-parodia del siglo XIX se estrenaron con éxito entre 1846 y 1848 en el teatro de la Cruz de Madrid. En estas obras, Agustín Azcona insertaba música de conocidas óperas de Donizetti y Bellini en libretos sainetescos, en castellano, generando un producto escénico espurio y surreal, que se aprovechaba del éxito que desde 1842 conseguían compañías de cantantes españoles que interpretaban en el teatro del Instituto ópera italiana traducida al castellano, introduciendo, a veces, canciones nacionales, germen de la futura parodia.

Tres son las zarzuelas-parodia de Azcona: *La venganza de Alifonso* y *El sacristán de San Lorenzo*, que parodian respectivamente *Lucrezia Borgia* y *Lucia di Lamermoor*, estrenadas con gran éxito durante el año cómico 1846-47, con la participación de Vicente Caltañazor como tenor jocoso y *El suicidio de Rosa*, que escribió animado por la excelente acogida de las anteriore, y con la que nuevamente consiguió un destacado éxito, proporcionando al final de temporada una exorbitante ganancia para la empresa del teatro. Las tres eligen como espacio teatral los barrios bajos de Madrid, *Lavapiés* –nombre que adopta por contracción con el artículo del Avapiés original–, Rastro, Inclusa y Embajadores, los preferidos de la manolería, y así, aunque parten de algún elemento argumental del original, el resultado es una creación nueva que sólo comparte con la ópera que parodia algunos fragmentos de música. *La venganza de Alifonso* parodia el episodio del envenenamiento inicial del primer acto, Escena 2ª de la ópera de Donizetti: Alifonso, tabernero de Barquillo, casado con Rita, desea vengarse de Paco, anterior amante de su esposa; se apodera de éste, encerrándole en la cueva de su taberna, de donde le saca para envenenarle, obligando a Rita a hacerle beber un jarro de vino que contiene matarratas; aunque ella parece querer salvarle, mandándole tomar un contraveneno, Paco muere víctima del tóxico. El final incluye un reflejo del festín final de la ópera, aunque con diferente tratamiento. Azcona emplea sólo tres fragmentos musicales de Donizetti, el coro del segundo acto "Non fur moto" –ahora "No te muevas"–; gran parte del acto tercero, cantado por Rita, Alifonso y Paco; y la canción de Orsini en el festín del último acto "Il segreto per esser felici", uno de los fragmentos más conocidos de la obra, interpretada en la parodia por Paco –"Para estar siempre alegre y contento"–.

El sacristán de San Lorenzo fue estrenada en el mismo teatro en 1847. Requiere sólo cinco actores-cantantes y un coro mixto para los pasajes corales. La historia mantiene todos los elementos de la novela inicial de Walter Scott, *The bride of Lamermoor*, aunque los personajes y sus espacios de acción han sufrido un proceso de traslación espacial y social. Las escenas de la ópera se mantienen en su totalidad, reduciendo sus dimensiones y eliminándose la famosa escena de la locura. Los fragmentos musicales seleccionados son los más conocidos de la ópera, siendo indicados en la última página del libreto. El escritor compone versos nuevos, en castellano, manteniendo la métrica de los originales por cuestiones obvias, e incluso imitando fonéticamente la sonoridad de los versos italianos de Cammarano. La obra alcanzó un extraordinario éxito. Azcona concluye su incursión en el género paródico con *El suicidio de Rosa*, estrenada en 1847 en el teatro de la Cruz a beneficio de Josefa Noriega. La obra emplea música de *La straniera* de Bellini, incluyendo también la cavatina "Nel furor della tempesta" de *Il pirata* del mismo autor, y un coro de *Belisario* de Donizetti. Azcona hace desaparecer de la obra cualquier matiz heroico o dramático, y concluye con un final feliz. El lenguaje revela dos mundos: el de la manolería de Colasa y el de los españoles de "nuevo cuño", como Rosa o Ángel, que hablan un castellano cursi, plagado de barbarismos, bajo la pretensión de intelectualidad. La obra consiguió un nuevo éxito.

Estas iniciales zarzuelas-parodia, aunque destinadas por su propia naturaleza a una vida fugaz, coinciden en su aparición con un periodo de la historia de España marcado por un ataque a los valores del pasado, por la apertura política, el desarrollo de la prensa burguesa de oposición, y una evolución de las mentalidades; fenómenos que no son desconocidos para Azcona, que aprovecha la pertenencia de su público a la facción más abierta de la burguesía liberal. Este público acepta así, sin contravenir ninguna norma social, las farsas de Azcona que se ponen en escena fundamentalmente en tiempos festivos —Navidad y Carnaval—, tiempos en los que se permite transgredir el orden jerárquico establecido. Azcona consigue atraer al teatro de la Cruz a un público pequeño burgués, aficionado a la música, que no puede pagar los excesivos precios del teatro del Circo, sede de la ópera italiana hasta que en 1850 se inauguró el teatro Real.

2. Las parodias finiseculares del teatro por horas. Desde los años sesenta, el género bufo realimentó el ámbito paródico con su espíritu satírico y burlón; así, ya en 1867 Arrieta estrenó *Sol y sombra*, parodia de la zarzuela *Luz y sombra* de Serra y Fernández Caballero, estrenada el mes anterior con gran éxito; *Los enemigos domésticos*, sainete de J. Picón en el que el compositor utiliza el tema musical de la escena V del segundo acto de *Lucrezia Borgia* —"Il segreto per esser felici"—, ópera que se estaba interpretando en ese momento en el teatro Real; o *Los novios de Teruel*, "drama lírico burlesco en dos cuadros" de E. Blasco, parodia delirante del drama de Hartzenbusch, *Los amantes de Teruel*, 1837.

Pero es el último tercio del siglo, años de desarrollo del teatro por horas, el periodo de mayor cultivo de la zarzuela parodia. En la parodia lírica, el autor emplea trozos familiares al público, que atañen tanto al texto como a la música, "fragmentos conocidos de consagradas obras dramáticas —según Huertas—, de óperas y de zarzuelas célebres o de reciente estreno, cantables popularizados, coros, arias, romanzas, monólogos, etc, ya pertenecientes a la natural fruición del gran público". Además, en opinión de Espín, en la mayor parte de estas obras se produce la integración de la revista política y la parodia, como revela *Tanhauser, el estanquero*, 1890, donde "a la parodia de la célebre ópera de Wagner, unía Gonzalvo la actualidad de los sucesos políticos de aquel año, tan movido, de la España de la Regencia, término de la larga etapa fusionista, quinquenio en el que Sagasta había implantado lo más resonante de su programa liberal con la aprobación de las Cortes del Sufragio Universal y la ley del Jurado". Las obras parodiadas eran fácilmente adivinables por lo similar de los títulos entre la caricatura y el original, y la mayor parte se estrenaron en los teatros madrileños de la Zarzuela, Apolo y Variedades, a escasa distancia temporal de sus originales. Entre los principales autores del género destacan S. María Gra-

nés —de sus 106 obras, 18 son parodias—, P. Parellada (Melitón González), E. Navarro Gonzalvo, E. López Marín, E. García Álvarez, A. Paso o F. Pérez y González; en cuanto a los compositores, destacan L. Arnedo, R. Estellés o A. Rubio.

La parodia se lleva a cabo sobre obras de diverso género, así aparecen numerosas parodias de dramas, ópera italiana o francesa, ópera española, zarzuela grande o chica y sainete lírico, compartiendo todas ellas los elementos propios del género que ya destacaba en 1850 Franquelo, parodista de Larra: "Extrémese el ridículo, cárguese la exageración, hágase un remedo grotesco" (cit. en Huertas). El sainete lírico es parodiado en *La romería del halcón o El alquimista y las villanas y desdenes mal fingidos*, 1894, parodia de *La verbena de la Paloma*, con texto de López Marín, Gabaldón y Artagnan, puesta en música por L. Arnedo y T. San José, llevada a cabo el mismo año del original. Otra obra del género chico que fue caricaturizada es *El puñao de rosas*, 1902, de Ruperto Chapí, con *El cuñao de Rosa*, 1903, de Candela y Merino, con música de Torregrosa. En cuanto al género zarzuelístico, por ejemplo *El carbonero de Subiza*, 1871, parodia histórico-burlesca en un acto, de Granés y Ramos Carrión, con música de Aceves y Rubio, de *El molinero de Subiza*, 1870, del repertorio de los Bufos Arderius; *El marsellés*, 1876, parodia de Granés y Navarro, con música de M. Nieto, de *La Marsellesa*, zarzuela histórica del mismo año, de Ramos Carrión y M. Fernández Caballero; *El salto del gallego*, 1878, parodia también de Granés y Navarro, con música de Nieto, de *El salto del pasiego*, zarzuela estrenada en el mismo año, de L. de Eguílaz y M. Fernández Caballero; *El anillo de plomo*, 1878, parodia de L. Vázquez e I. Dupuy, de *El anillo de hierro* de Marqués, obra estrenada ese mismo año en el teatro de la Zarzuela; *La iluminada*, 1888, zarzuela bufa en un acto de Merino, con música de Arnedo, que remedaba en clave de humor *La bruja* de Chapí, a quien la obra fue dedicada; *Los africanistas*, 1894, parodia de G. Merino y E. López Marín, con música de M. Hermoso, de *El dúo de La africana*, convertida también en un homenaje a Fernández Caballero; *Mujer y ruina o Margarita, stoi-que-ardo*, 1895, parodia de F. Pérez y González, con música de Á. Rubio, de la aplaudidísima zarzuela *Mujer y reina* de Chapí, estrenada en el teatro Romea; o *El balido del zulú*, 1900, parodia de Granés y López Marín, con música de Arnedo, sobre *La balada de la luz* de Vives, melodrama lírico en un acto, estrenado el mismo año en el teatro de la Zarzuela.

El drama lírico nacional fue objeto de burla en títulos como *Curriyo el esquilaor*, 1884, parodia de *San Franco de Sena*, 1883, de Arrieta, en la que G. Merino desarrolló una lectura deformante del original, con música de L. Arnedo; o *Guasín*, 1892, parodia de Granés, con música de Rubio, de *Garín*, estrenada con éxito en el teatro Eslava, con una loa final de admiración a Bretón: "¡Gloria al autor de *Garín*! ¡Gloria al insigne Bretón!". La obra empleaba retazos musicales de la ópera de Bretón, junto a cantables de zarzuelas conocidas como *Marina* y *El año pasado por agua*, y algunos fragmentos originales del propio Rubio. Al igual que sucedía en las parodias de Azcona, los personajes épicos del original se convertían en figuras grotescas, que vivían de forma caricaturesca las situaciones principales de la obra, provocando un tono tragi-cómico cercano al de la astracanada. *Dolores… de cabeza o El colegial atrevido*, 1895, sátira de *La Dolores*, 1895, en la que Arnedo colabora ya con Granés, presenta un nuevo ejemplo; al estreno acudió en Apolo el propio Bretón, teniendo que soportar con humor las delirantes traslaciones paródicas, que situaban el drama aragonés en "Carabanchel de En medio". Chapí también sufrió el escarnio paródico en *Churro Bragas*, 1899 parodia de *Curro Vargas*, 1898, con texto de E. García Álvarez y A. Paso, y música de R. Estellés, donde, situados ahora no en Las Alpujarras sino en Carabanchel, se mantienen los elementos principales de drama original, rebajados hasta extremos delirantes, como el asesinato de Churro a Churripandi, metiendo su cabeza en una palangana hasta que ella afirma haber muerto; o *¡A cuarto y a dos!…*, 1900, parodia en un acto de *La cara de Dios*, 1899, de C. Lucio y G. Merino, con música de Calleja y Barrera, estrenada en el teatro Apolo; como en otras ocasiones, está dedicada a los parodiados, Arniches y Chapí.

La ópera y la opereta también fueron objeto de burla en títulos como *Tanhauser el estanquero* y, su segunda parte, *¡¡Tanhauser cesante!!*, 1890 –quasi parodias en un acto de E. Navaro Gonzalvo con música de G. Giménez, en las que la crítica política otorga sentido a la propia parodia–; *Carmela*, 1891 –parodia lírica en un acto, de Granés y Reig, de *Carmen*, estrenada en el teatro Principal de Barcelona, en la que, como es característico, la acción se traslada a Madrid, al merendero de Lilas Patrás, y la plaza de toros de Vallecas–; *El africano*, 1892 –parodia de *La africana* de Navarro Gonzalvo y De la Guardia, con música de Vidal y Llimona–; *Miss´Erere*, 1893 –parodia de la opereta *Miss Helyett* de Boucheron y Audran, en la que, sobre un texto de Merino se introducían fragmentos de la obra parodiada, así como de otras zarzuelas conocidas, todo ello mezclado con chistes subidos de tono y escenas cómicas–; *Cris-Fané o El tío de la castaña*, 1893 –parodia de J. Zaldívar, con música de F. Gassola, también sobre *Miss Helyett*, estrenada en el teatro de la Princesa–; *Roberto el diablo*, 1895 –zarzuela cómica en un acto de G. Perrín y M. de Palacios, con música de A. Rubio y R. Estellés, cuya acción transcurre en un cigarral de Toledo–. Y las parodias de Arnedo, *¡Simón es un lila!*, 1897, parodia de *Sansón y Dalila* sobre un texto de López

Marín; *La golfemia*, 1900, parodia de *La bohème* de Granés, que otorga a sus autores el paso a la posteridad; *La Fosca*, 1904, parodia de *Tosca*, o *Lorencín o el camarero del cine*, 1910, parodia de *Lohengrin o El caballero del cisne*, de nuevo escrita en colaboración con Granés, en la que sitúa la acción en "Escalzaperros en la época actual".

En este periodo se estrenaron también parodias líricas sobre obras dramáticas, como *La Lola*, 1894, de A. Guasch Tombos y F. Dalmases Gil, con música de R. Giménez, parodia catalana de *La Dolores* y homenaje a Feliu y Codina, autor del drama original. Otros dos ejemplos son *La del capotín o Con las manos en la masa*, 1894, humorada de G. Merino, con "recuerdos musicales" de Arnedo, y *La de vámonos*, 1894, parodia de F. Pérez y González, con música de Joaquín Valverde (hijo), parodias ambas de *La de San Quintín*, 1894, obra teatral de Pérez Galdós que constituyó un clamoroso éxito –hasta el extremo de que el público invadió el escenario y sacó a Galdós a hombros del teatro–. La primera gozó de mayor fortuna ya que podía ser interpretada por compañías teatrales suprimiéndose el primer número de música y tarareando los demás fragmentos musicales de la obra. *¿Cytrato? ¡de ver será!*, 1899, zarzuela cómica en un acto, presenta una parodia de la obra de Rostand, *Cyrano de Bergerac* de G. Merino y C. Lucio, con música de Fernández Caballero y Valverde (hijo). Y, por último, se citan las tres parodias sobre *Don Juan Tenorio*, comentadas por Huertas en su artículo sobre la parodia: *Tenorio feminista*, 1907, de A. Paso Cano, C. Servet y Fortuny e I. Valdivia Sisay, con música de V. Lleó; *Tenorio musical*, 1912, de P. Parellada, con música de T. Barrera; y *La señorita Tenorio*, 1919, de A. Paso (hijo) y J. Silva Aramburu, música de E. Fuentes. *Véase* CHURRO BRAGAS; LA GOLFEMIA; ZARZUELA CATALANA.

BIBLIOGRAFÍA: *HZ*; *OGCH*; M. Zurita; *Historia del género chico*, Madrid, Prensa Popular, 1920; S. Crespo Matellán: *La parodia dramática en la literatura española*, U. Salamanca, 1979; E. Casares Rodicio: *Francisco Asenjo Barbieri. 2. Escritos*, Madrid, ICCMU, 1994; P. Espín Templado: *El teatro por horas en Madrid (1870-1910)*, Madrid, Instituto de Estudios Madrileños-Fundación e Inocencio Guerrero, 1995; E. Huertas Vázquez: "La zarzuela paródica y sus incursiones políticas", *Cuadernos de Música Iberoamericana*, 2-3, 1996-97, 165-203.

Mª ENCINA CORTIZO

Parra [García Parral], Carmen. España, siglos XIX-XX. Tiple. Participó en diversos estrenos entre los años noventa del siglo XIX y la primera década del XX: *El bazar H* de Caballero, *La villa de Madrid* de Tomás Gómez y *Perico el de los palotes* de Taboada, 1887; *Prueba… fotográfica* de Rubio y Espino y *Los trasnochadores* de Nieto, Eslava, 1887; *Apuntes del natural* de Ángel Rubio y *Las manías* de Caballero, *Muevles husados* de Nieto, *Casa editorial* de Taboada, 1888; *Timos conyugales* de Arnedo, *Despacho parro-*

quial de Llanos y Calamita, 1888; *Boulanger* y *Liquidación general* de Nieto y *A Roma por todo* de Caballero, 1889; *El primer premio* de Moreu, 1889; *El cabo Baqueta* de Brull y Mangiagalli, *¡Las doce y media y sereno!* de Chapí, de la que Chispero dice que hizo una posadera deliciosa, *Tila* de Marqués, que fue un fracaso, 1890; *El cuerno* de Federico Gassola, 1890; *Las cuatro estaciones* de F. Caballero, y *¡Los dos millones!* y *El primero* de Nieto, Recoletos, 1891; *Amores nacionales* de Nieto y Marqués, *El mirlo blanco* de Quinito Valverde y *El martes de Carnaval* de Taboada, 1891; *El castañar* de Marqués, 1892; *La epidemia reinante* de José Osuna y Rafael Cabas, 1893; *Los caracoles* de Brull y San José, Martín, 1893; *Las piezas de convicción* de Teodoro San José y Andrés Vidal y Llimona; *Sacristán, recluta y mártir* de Ramón de Julián, *El coche número 13* y *La casa de la tiple* de Calleja, 1895; *La feria de Villaplácida* de Calleja y Moreno Ballesteros, 1896; *El tío Pepe* de Gregorio Mateos, 1897; *Marujilla* de Fuentes y Liñán, 1903; *Lucha de amores* de Fuentes y López del Toro, 1911 y *El chaval de las flores* de Carretero y Vidriet, 1925.

BIBLIOGRAFÍA: *TA*.

Mª LUZ GONZÁLEZ PEÑA

Parra, Eloy. España, siglo XX. Cantante y actor. Estrenó en los años veinte y treinta algunas de las zarzuelas más famosas del siglo XX: *Urbana y cortés* de Alonso y *La mujer de nieve* de Pérez Rosillo y Moreno Torroba, Cómico, 1923; *¡Es mucha Cirila!* de Pérez Rosillo, Eslava, 1929; *La picarona* de Alonso, Eslava, 1930; *El cantar del arriero* de Díaz Giles, Calderón, 1931; *La castañuela* de Alonso y Acevedo y *La moza vieja* de Luna, Calderón, 1931; *Luisa Fernanda* de Moreno Torroba y *Pitos y palmas* de Alonso, Calderón, 1932.

Mª LUZ GONZÁLEZ PEÑA

Parra, Enrique. España, siglos XIX-XX. Tenor cómico. En septiembre de 1910 formaba parte de la compañía del teatro del Duque de Sevilla que dirigía Emilio López del Toro, poniendo en escena *La corte de faraón, Juegos malabares, El país de las hadas, El poeta de la vida, La reina Mimí, El alma del querer, Lorenzín o El camarero del cine*, es decir, las operetas y parodias más de moda en ese año. En los años treinta estrenó algunas zarzuelas del siglo XX como *La fama del tartanero* de Guerrero, teatro Lope de Vega de Valladolid, 1931 y *Las Leandras* de Alonso, Pavón, 1931.

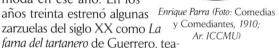

Enrique Parra (Foto: Comedias y Comediantes, *1910; Ar. ICCMU)*

Mª LUZ GONZÁLEZ PEÑA

Parranda, La. Zarzuela en tres actos. Música de Francisco Alonso. Libreto de Luis Fernández Ardavín. Estrenada el 26 de abril de 1928 en el teatro Calderón de Madrid.

Personajes y reparto. Aurora (Paquita Morante, soprano). Carmela (Trini Avelli, tiple cómica). Tía Sabelotodo (Enriqueta Gil, característica). Alfarera 1ª (Carmen Gil, actriz con parte cantada). Alfarera 2ª (Consuelo Morante, actriz con parte de cantado). Comadre 1ª (Angustias Fernández, corista). Comadre 2ª (Adelina Martínez, corista). Comadre 3ª (Paquita Martino, corista). Huertana 1ª (Carmen Caballero). Huertana 2ª (Pepita Rivas). Huertana 3ª (Lolita Alcoba). Huertana 4ª (Pepita Boti). Huertana 5ª (Laura Coronado). Huertana 6ª (Juanita Rodríguez). Huertana 7ª (Conchita Bañares). Huertana 8ª (Anita Moya). Huertana 9ª (Lola Torregrosa). Huertana 10ª (Lola Gisbert). Huertana 11ª (Gloria Soto). Huertana 12ª (Paquita Álvarez). Miguel (Marcos Redondo, barítono). Retrasao (Antonio Palacios, tenor cómico). Don Cuco (Eduardo Marcén, actor con parte de cantado). Padre Vicente (Rafael María de Labra, actor con parte de cantado). Señor Manuel (Joaquín Torró, actor con parte cantada). Juez Municipal (Vicente Romero, actor). Señor Facorro (Santiago Llorca, actor). El tartanero (Antonio Ubach, actor con parte cantada). Botijero 1º y Murguista 1º (Francisco Amengual). Botijero 2º y Murguista 2º (Joaquín Vega). Botijero 3º y Murguista 3º (Ángel Abad). Botijero 4º (Francisco Ventura). Botijero 5º (Jaime Ubach). Botijero 6º (Santiago Llorca). Mozo 1º (Cecilio Martínez, corista). Mozo 2º (Francisco Higuera, corista). Mozo 3º (José Ropero, corista). Murguista 4º (Luis Jiménez). Murguista 5º (Germán Corao). Auroro (César Munaín). Pareja de baile (Hermanos Palacios). Huertanas, huertanos, guardas rurales, monaguillos, coro general y comparsería.

Orquestación. Flautín, flauta, oboe, 2 clarinetes, fagot, 2 trompas, 2 trompetas, 3 trombones, timbal, percusión, arpa, rondalla y cuerda.

Argumento. *Acto I.* Aurora es una hermosa obrera de una alfarería murciana propiedad del Señor Manuel, un cacique otoñal que pretende hacerla su amante ofreciéndole ser ama de llaves de su casa. Miguel, joven formal y trabajador encargado de la alfarería, lleva tiempo enamorado de Aurora pero no se atreve a declararse. Aurora vive sola, no tiene familia y, en el pueblo, nadie conoce su pasado que, se supone, tiene algo que ver con su alejamiento de cualquier pretendiente. Nadie salvo Don Cuco, un viejo usurero a quien Manuel quiere comprar sin éxito el secreto de Aurora.

Con la llegada de la primavera, se celebra una fiesta popular en la que los mozos rondan y adornan con ramos las ventanas de las mozas. Miguel anticipa el pago del jornal a las obreras dando lugar a una alegre algarabía en el alfar, pero él se dispone a quedarse cuidando el fuego del horno. Unos botijeros aparecen para llevarse a las alfareras y el Retrasao pretende cómicamente a la graciosa Carmela. Aprovechando un momento a solas, Miguel confiesa su amor a Aurora, pero ella, emocionada, le dice que no puede quererle. Entonces, el padre Vicente, un cura párroco cariñoso y honesto, entretiene a Miguel con un asunto banal, lo que Don Cuco aprovecha para hablar a solas con Aurora y ofrecerle sus servicios en el caso de que algún hombre la pretenda. Manuel, al que ya había despachado poco antes, regresa para importunar a Aurora y Miguel sale en ayuda de la moza por lo que Manuel les despide a los dos de su fábrica.

Un tanto arrepentido por haber echado de la alfarería a Aurora y Miguel, Manuel contrata los servicios de Don Cuco para evitar que ambos abandonen el pueblo. En realidad, es Aurora quien tenía pensado escapar del pueblo para dejar atrás la hostilidad de Manuel y los amores, que ella piensa imposibles, con Miguel. Don Cuco vuelve ahora a entrevistarse con Aurora y la disuade de su idea de escapar, dejando entrever algo del problema que tiene ella y ofreciéndole la búsqueda de una solución. Ilusionada entonces se deja rondar por Miguel y el acto concluye con el apoteósico canto a Murcia.

Actos II y III. Miguel ha tenido suerte y poco a poco ha ido comprando una finca que, con su trabajo constante y la administración de Aurora, ha sido muy productiva. Él vive todavía en el pueblo para evitar habladurías, mientras Aurora vive en la finca con Carmela y el Retrasao que se han casado y ahora trabajan con ellos. Se están realizando los preparativos de la boda de Aurora y Miguel y las comadres todavía se muestran intrigadas por el tiempo que ha tardado en organizarse esta boda. Al parecer, Don Cuco que se presenta acompañando a un opulento padrino, ha solucionado los problemas que Aurora pudiera tener para casarse. Aparece entonces Manuel que, por negocios de su fábrica, había estado cerca de un mes en Cartagena y no estaba al tanto de la boda entre Aurora y Miguel. En su viaje, Manuel se había enterado del secreto de Aurora y se dispone a impedir su boda. Descubre también que Don Cuco está totalmente de parte de los novios y se revela entonces que la razón del apoyo del viejo usurero a favor de los novios y en contra del cacique responde a una vieja deuda que tenían pendiente.

A pesar de que el padre Vicente y Don Cuco parecía que tenían todos los cabos bien atados, Manuel se presenta con la autoridad competente que, nada más

Cortesía de Unión Musical Ediciones SL

concluirse la boda, detiene a Aurora que, sólo entonces, revela por completo su historia: la casaron de niña en una boda de conveniencia y sin su consentimiento, y el mismo día de la boda, durante el banquete y sin haber consumado el matrimonio, el marido asesinó de una puñalada a un mozo que sólo la había mirado. Por ello, le condenaron a cadena perpetua y ella se quedó ni soltera, ni viuda, ni efectivamente casada. El cura y Don Cuco saben de buena fe que el matrimonio inicial era nulo de pleno derecho, pero las justicias municipales, sobornadas por Manuel, prenden y procesan a Aurora. El acto segundo concluye con la detención de Aurora y el acto tercero es un cuadro único muy breve en el que se cantan los típicos auroros murcianos y se resuelve la historia con la reaparición de la protagonista que ha resultado absuelta, no sólo porque su primer matrimonio fuera nulo, sino porque su primer marido había fallecido ya en la cárcel.

Números musicales. Acto I: Nº 1. Aurora, Carmela, Miguel, 8 Alfareras y coro interno, "Festejando la flor primera". Nº 2. Carmela, Retrasao, 6 Mozas alfareras y 6 Mozos botijeros, "Aquí estamos los tres botijeros". Nº 3. Dúo de Aurora y Miguel, "¡Miguel!, yo no te creía". Nº 3bis. Final del cuadro 1º. Carmela, Aurora, Padre Vicente, Miguelón, Manuel y coro interno, "Festejando la flor primera". Nº 4. Nocturno y copla. Una voz dentro, "Pensamiento que vuelas". Nº 5. Terceto cómico. Carmela, Retrasao y Don Cuco, "Mira, qué arracadas". Nº 6a. Miguel, Mozo (tenor), Mozas, coro y rondalla, "Las estrellas del cielo". Nº 6b. Canto a Murcia. Miguel, Mozos y rondalla, "En la huerta del Segura". Nº 6c. Final del cuadro 2º. Miguel y Mozos, "Huerta risueña". Acto II: Preludio. Nº 7. Aurora, Mozas y Comadres, "Aquí sale la novia". Nº 7b. Copla del Retrasao, "En la huerta de Murcia". Nº 8. La ronda de las solteras. Carmela y 12 mozas (segundas tiples), "Un regalo a la novia". Nº 9. Escena y coplas del Retrasao. Aurora, Miguel, Tía Sabelotodo, Carmela, Padrino, Retrasao, Padre Vicente, Tartanero (tenor), 6 monaguillos (niños), Mozas, Comadres y coro, "Boda de rumbo es esta boda". Nº 10. Canción del platero. Miguel, "Óyeme, mujer". Nº 11. Las Parrandas (baile). Aurora, Carmela, Miguel, Retrasao, Tía Sabelotodo, El Padrino, Comadres, Mozos y coro, "Ponerse en fila". Nº 12. Final 2º. Orquesta. Acto III: (Preludio: Nº 8). Nº 13. Coro de los Auroros. Auroro y coro, "Los auroros de la Cofradía". Nº 14. Escena última. Conjunto. Aurora, Carmela, Miguel, Retrasao, Padre Vicente, Mozas (segundas tiples), coro y rondalla, "Todos dicen que tienes".

Comentario. Tras el éxito charro de *La bejarana* de 1924, y con el mismo libretista, Luis Fernández Ardavín, especializado en libretos de corte regionalista, Alonso desarrolló el tema murcianó en *La parranda*. El objeto principal de *La bejarana* y *La parranda* es, en esencia, el mismo: la exaltación de una región, de sus costumbres y sus gentes, pero, si *La bejarana* tenía el acierto de apelar, por encima de los sentimientos regionalistas, a un sentimiento más nacional gracias a su "Pasodoble de los quintos", *La parranda* está más concentrada en la huerta murciana. En este contexto tiene lugar, más que una acción dramática, una serie de cuadros que propician la muestra de coloristas costumbres festivas: primero el cuadro de la alfarería, luego el de la ronda, después el de la boda y, para terminar, el de los auroros. No hay enredo ninguno, todo se construye a partir de un nudo extraordinariamente prolongado que no es más que un problema jurídico –civil y eclesiástico– sobre la validez o nulidad de un matrimonio. En consecuencia, los personajes apenas se desarrollan, salvo Don Cuco, un celestino *sui generis* gracias al cual se canaliza el desarrollo de la obra. La versificación, que no alcanza para nada la opulencia romántica que irá tan bien en el argumento de *Manuelita Rosas*, es más natural, más prosaica, pero la fama de versificador de Fernández Ardavín se deja ver en la abundancia de estrofas declamadas tanto por Miguel como por Don Cuco y el padre Vicente.

Creadas las ocasiones para la música, Alonso hizo una partitura abundante y muy adecuada al lucimiento de los recursos vocales de Marcos Redondo que había sido una figura esencial en el éxito de *La calesera* en 1925. Así, después del complejo número inicial en el que se suceden por acumulación toda una serie de temas en los que aparecen sucesivamente las tres principales voces de la obra, la tiple cómica –Carmela–, la soprano –Aurora– y el barítono –Miguel–, concertando con el coro, el Nº 2 es un número cómico protagonizado por Carmela y el Retrasao con tiempo de pasodoble. Sigue el dúo entre la soprano y el barítono, convencional pero efectivo, en el que Miguel se declara a Aurora, Nº 3, y, por lo tanto, tiene lugar una de las pocas evoluciones dramáticas de la obra. El Nº 4 es un nocturno en el que una voz interna, con acompañamiento de guitarras canta una copla de seguidillas murcianas, "Pensamiento que vuelas", que son el aire que preside de forma omnipresente la partitura de Alonso. Sigue un terceto cómico, bien planificado, entre Carmela, el Retrasao y Don Cuco, Nª 5, y el acto concluye con un número complejo protagonizado por Miguel que comienza con las seguidillas coreadas "Las estrellas del cielo", Nº 6a, con acompañamiento de rondalla y sigue con el Canto a Murcia, una marcha que se convirtió en el número clave de la obra: "En la huerta del Segura", Nº 6b. El segundo acto, después de un coro, da lugar a la romanza de soprano en dos secciones, la primera en tiempo de bolero, "Hoy asisten al logro de mis ensueños" y la segunda, más lírica y coreada, "Campanitas de

la ermita". A continuación, la "Ronda de las solteras", Nº 8, con la tiple cómica y una docena de vicetiples evolucionando en el escenario, es un número más propio de revista que de zarzuela pero obedece a la costumbre ya bien implantada de lucir con cualquier pretexto a las vicetiples de cualquier compañía lírica que se preciara. El Nº 9 es el mejor fragmento de música dramática que se conoce de Alonso y, en particular, la entrada del Retrasao con los monaguillos, es lo mejor de la escena. Sigue una romanza de barítono, la Canción del Platero (Nº 10), que está tan al margen del argumento que hubiera cabido, como en *La parranda*, en cualquier otra zarzuela. Concluida la boda, viene el baile de las parrandas (Nº 11), en el que, como en el número inicial, participan, con el coro, las principales partes cantantes líricas y cómicas. El Nº 12 es un fragmento de música incidental que funciona como cierre del segundo acto para señalar el cambio de humor festivo de las parrandas al humor oscuro que resulta del apresamiento de Aurora, y la zarzuela concluye con dos números musicales: el Coro de los auroros, Nº 13, y el final protagonizado por Miguel y en el que humores contrastantes se intercalan con más parrandas coreadas con acompañamiento de rondalla y algún tema relevante de los actos anteriores como el dúo del Nº 3 o el "Canto a Murcia" con el que concluye la zarzuela.

La riqueza musical de *La parranda* contrasta muy vivamente con la parquedad argumental del libreto y con los limitados recursos vocales con los que cuenta, que se reducen, básicamente, a la pareja lírica de soprano y barítono y a la pareja de tiple y tenor cómicos. La característica, que sería la Tía Sabelotodo, apenas tiene papel ni hablado ni cantado; hay un tenor lírico en el Nº 6a y en el Nº 13, pero no tiene papel dentro del argumento figurando sólo como "tenor" en el primer caso y como Auroro 1º en el segundo, y la parte de los vejetes se reparte entre Don Cuco como principal, el Señor Manuel como un ambiguo antagonista y el beatífico Padre Vicente. Todo ello da muestra de la extraordinaria economía de medios vocales de una zarzuela en la que el mayor dispendio debía hacerse en la puesta en escena para lucimiento de las mejores galas murcianas.

En su estreno madrileño la obra cosechó un gran éxito que, no obstante, se redobló cuando se estrenó en el teatro Romea de Murcia el 23 de febrero de 1929. Los autores, que no las tenían todas consigo, disculparon la asistencia a este estreno, pero sus temores se demostraron completamente infundados porque el éxito en Murcia no tuvo precedentes y la crítica sólo hizo unas leves observaciones a la representación del habla murciana por parte del libretista. Un mes después, ya con la presencia de Alonso y Fernández Ardavín, se volvió a escenificar en el teatro Romea de Murcia *La parranda* y Marcos Redondo, en sus memorias, recordó así esa ocasión: "La sala ofrecía un aspecto realmente impresionante aquella noche del 23 de marzo. Magníficas mantas huertanas llenas de colorido engalanaban los palcos y plateas, entre los que colgaban guirnaldas de flores artísticamente confeccionadas. La embocadura y el proscenio aparecían adornados con ramas de naranjo, motivos clásicos de la tierra y los grandes platos y fuentes huertanos. La concha estaba cubierta con el escudo de la ciudad, todo él delicadamente hecho de pétalos de flores. Aquí y allá, en palcos y en butacas, sobresalía la espléndida belleza de la mujer murciana, con el indumento típico de la huerta y la cara un arrebol. Nadie podría describir la impresión que causó no sólo entre el público, sino entre los mismos actores, el luminoso canto a Murcia. Tal era el delirio, que ninguna de las tres veces que lo interpreté pude darme el gusto de terminar sus estrofas. Tan pronto como hubo finalizado el acto, el escenario se vio materialmente invadido por el público, que nos aclamaba entre vítores". Esta identificación del público murciano con *La parranda*, de la que dudaron sus propios autores, es la mejor muestra de su efectividad.

Fuentes manuscritas. Los materiales de orquesta se conservan en el archivo de la SGAE en Madrid (5331).

Ediciones de música. Orquesta, ed. crítica M. Moreno Buendía, Madrid, ICCMU, 1996. Canto y piano, Madrid, UME, 1928. Sexteto, selección, Madrid, UME. Banda, selección, Madrid, UME.

Ediciones del libreto. Madrid, La farsa, II, 36, 1928.

FONOGRAFÍA: D78rpm: Dir. F. Delta, Sols. Lolita Rovira, Conchita Panadés, Marcos Redondo, Bartolomé Bardají, Orq. Sinfónica Española, Regal M 15214 M 15215, CKX 3807 a CKX 3810, Regal LK 4016 (et. azul), K 2129 K 2130, Regal C 10223 CK 3812 y Odeón 121016, XXS 4687 XXS 4691 [reed. en LP: Regal SEBL 7016, Regal LCX 7004 118 y Regal LREG 8018 120, y en CD: EMI 7243 5 74213 2 4 (637.02649)] • Sol. Federico Caballé, La Voz de su Amo AE 2192 • Sols. Trini Avelli, A. Palacios, Orq. Hispánica, La Voz de su Amo AE 2173 y Odeón 203081 (et. fucsia), SO 4686 SO 4688.

LP: Dir. Nicasio Tejada, Sols. Pilar Lorengar, Manuel Ausensi, Julita Bermejo, Gerardo Monreal, Coro de Cantores de Madrid, Orq. Sinfónica, Columbia SA, ZCL 1018 136, Columbia SA, SCLL 14066 137, Columbia-Salvat 1008-1 y Columbia-BMG MCC 30055 SCLL 14066 [reed. en CD: Columbia-BMG España WD 71467 (9D)].

BIBLIOGRAFÍA: M. Redondo: *Un hombre que se va…*, Barcelona, Planeta, 1973.

JAVIER SUÁREZ-PAJARES

Parravicini, Florencio. Argentina, 1876; Argentina, 1941. Actor, director y autor teatral. Nació en una familia de gran furtuna, que él se encargó de dilapidar, pues llevó una novelesca juventud plena de episodios inusitados. Del mismo modo, ingresó en el teatro de manera casual. Actuaba en un barracón de varietés de la calle Rivadavia, donde lucía su habilidad de tirador; allí actuaba un conjunto teatral, y una noche Parravicini debió reemplazar a uno de los actores. Si bien Parravicini se destacó en comedias, especialmente en las obras de Enrique García Velloso, como *Fruta picada* y *El tango en París*, en sus comienzos intervino en el sainete lírico local, que ya comenzaba a definir sus rasgos fundamentales. José Podestá lo contrató para integrar la compañía que dirigía en el teatro Apolo de Buenos Aires. Acrecentó aún más su popularidad con el estreno de *Panete*, 1906, sainete de Ulises Favaro. Resulta significativa su participación en *Los disfrazados* de Carlos Mauricio Pacheco con música de Antonio Reynoso, sainete arquetípico del género en el teatro local. Encarnaba a un pintoresco italiano, el "cocoliche Pelagatti", pero sus improvisaciones y exageraciones interpretativas motivaron la ira del autor; esa modalidad de actuación la mantuvo durante toda su vida artística. En 1907 formó su propia compañía, cuyo variado repertorio incluyó varios sainetes de autores de gran relevancia, como *Las romerías*, 1909 y *De hombre a hombre* de C. M. Pacheco, 1910, ambas con música de F. Payá, *La ribera*, *El patio de Don Simón*, 1912, con música de Antonio Reynoso. También llevó a escena los sainetes líricos *Garras* y *Don Cyrano*, ambas de Eugenio Gerardo López, 1915, y *El cabo Gallardo* de Alberto Vacarezza, 1915. Escribió también los libretos de las zarzuelas *Las ranas*, con música de Antonio Reynoso, *Gorrión y Palito*, *El lobo de mar* y *Music Hall*, con música de Payá. Fue autor de la pieza cómica *Melgarejo*, de gran éxito y filmó numerosas películas.

BIBLIOGRAFÍA: C. Tiempo: *Florencio Parravicini*, Buenos Aires, Centro Editor de América Latina, 1971.

MARTA LENA PAZ

Pasacalle. *Véase* PASODOBLE.

Pascual Frutos, Luis. Murcia, 1870; Madrid, 25-XII-1939. Dramaturgo. Fue más conocido en el mundo literario por el apellido Frutos. Alcanzó gran fama como poeta, y como dramaturgo estrenó tanto en Madrid como en provincias obras escritas con buen gusto y conocimiento de los recursos escénicos, lo que le llevó a conseguir el éxito. Escribió en solitario y en colaboración con otros autores como Enrique Arroyo, Antonio López Monís o Manuel Fernández de la Puente.

Luis Pascual Frutos
(Foto: El Teatro, 1904; Ar. SGAE)

Comenzó a escribir para el género lírico a finales del siglo XIX, así estrenó *Los currinches* de Miguel Santonja y *Portfolio madrileño* de Joaquín Valverde, 1897; *Varietés* con Cleto Zabala, 1899. Cosechó algunos fracasos estrepitosos como *La mujer del prójimo*, Apolo, 1907 y su consagración llegó de la mano de Pablo Luna, uno de los compositores con los que más trabajó, siendo algunos de los títulos realizados en colaboración tan destacados como *Musetta*, 1908, *Molinos de viento*, 1910, *Las hijas de Lemnos*, 1911 y *Canto de primavera*, 1912. Si *Musetta* ya había sido un éxito, ambos autores se consagraron con *Molinos de viento*. Colaboró además con la mayoría de los músicos del momento; con Tomás Barrera en *Sueños de Pierrot*, 1914; con Vives en *La caprichosa*, 1902, *Sangre torera*, 1906 y *El duquesito o La corte de Versalles*, 1920, y su mayor éxito juntos, *Maruxa*, 1914; otro importante triunfo fue *El guitarrico*, 1900, con el compositor Agustín Pérez Soriano, con quien colaboró además en *El ramadán*, en la que Foglietti participó en la música; con este compositor había hecho anteriormente *La buena moza*, 1904. Trabajó con Conrado del Campo en *El carillón o El demonio ha entrado en Flandes*. Realizó diversas adaptaciones de operetas y óperas famosas como *El barbero de Sevilla* convertido en *Fígaro*, que se estrenó en Sevilla en 1923 con música adaptada por Alvira y Fuentes, y *La viuda mucho más alegre*, parodia de *La viuda alegre* de Lehár. *Véase* EL GUITARRICO; MOLINOS DE VIENTO.

BIBLIOGRAFÍA: *CDE*; *DAT*; *TA*; A. Collado: *El teatro bajo las bombas en la Guerra Civil. Tragicomedia de actores, figurantes, políticos, personajes y personajillos*, Madrid, Kaydeda Ed., 1989.

Mª LUZ GONZÁLEZ PEÑA

Paso. Familia de dramaturgos españoles formada por los hermanos Manuel y Antonio Paso Cano; los hijos de Antonio, Antonio y Enrique Paso Díaz, Alfonso Paso Gil, hijo de Antonio Paso Díaz, y Manuel Paso Andrés, hijo de Manuel Paso Cano y de la actriz Carmen Andrés.

1. Paso Cano, Manuel. Granada, 1864; Madrid, 1901. Dramaturgo y poeta. Se licenció en Filosofía y Letras. Trabajó como redactor de *El Defensor de Granada* y en Madrid en *El Resumen, El Heraldo de Madrid* y *La Correspondencia de España*. Su poesía posee un tono delicado y sentimental, representando la transición entre el romanticismo decadente y el modernismo de Rubén Darío. Su carácter y modo de vida le definían como un bohemio de espíritu inquieto, ingenuo a veces, pero también un escéptico, crítico con la sociedad. Tal vez fue su talento y facilidad para plasmar sentimientos, lo que llevó a Joaquín Dicenta a solicitar su colaboración para escribir dos zarzuelas de gran importancia para el teatro lírico, *Curro Vargas*, estrenada en el teatro Price en 1898, por la que fueron acusados de plagio por su similitud con *El niño de la bola* de Alarcón, y el drama *La cortijera*, 1900, ambas con música de Ruperto Chapí. *Véase* LA CORTIJERA; CURRO VARGAS.

2. Paso Cano, Antonio. Granada, 9-IX-1870; Madrid, 11-VII-1958. Dramaturgo y periodista. Estudió la carrera de Derecho. En 1890 se trasladó a Madrid, donde ejerció como redactor de *El Resumen* y *La Correspondencia Militar*. Su vocación teatral, además de como autor, quedó reflejada asimismo en su labor como director de escena. Para el teatro lírico colaboró habitualmente con autores como Antonio Domínguez en el enorme éxito de uno de sus primeros estrenos, *El bateo* de Federico Chueca, 1901, en la que ya se apreciaba su capacidad para el teatro, pero también sus fallos de principiante; con Joaquín Abati en la trilogía oriental de Pablo Luna iniciada con *El asombro de Damasco*, 1916, seguida de *El niño judío*, 1918, con Enrique García Álvarez, y con Ricardo González del Toro la opereta *Benamor*, 1923; además de Carlos Arniches, Pedro Muñoz Seca, Celso Lucio, y sus hijos, Antonio y Enrique. Sus obras entretenían y hacían reír al público, y algunas de ellas alcanzaron las doscientas representaciones, incluso llegó a tener en cartel distintas obras en cuatro teatros de Madrid al mismo tiempo. Abarcó una gran variedad de géneros, desde el sainete a la opereta y de la zarzuela a la revista, a la que se dedicó en las décadas de 1940 y 1950 para compositores del género como Jacinto Guerrero en *Las tentaciones*, 1932, y *Allo Hollywood*, 1936; Francisco Alonso en *Los jardines del pecado*, 1941; Montorio en *Róbame esta noche*, 1947, y de nuevo Montorio y Algueró en *Devuélveme mi señora*, 1952, por citar algunos de los títulos de mayor éxito. *Véase* LA ALEGRÍA DE LA HUERTA; EL ASOMBRO DE DAMASCO; EL BATEO; BENAMOR; CHURRO BRAGAS; LA LEYENDA DEL BESO; EL NIÑO JUDÍO.

3. Paso Díaz, Antonio. Madrid, 8-IX-1895; Madrid, 3-XII-1966. Dramaturgo. Comenzó a escribir desde muy joven tratando todo tipo de géneros, pero sobre todo sainete, revista y vodevil. Casi siempre escribió en colaboración con otros autores, además de su hermano Enrique y su tío Manuel. Los músicos que pusieron música a sus libros van desde los maestros del género chico a los compositores más importantes de revista de la primera década del siglo XX, así como los últimos cultivadores de zarzuela: Eduardo Fuentes y Mariano Camarero en *Perico de Aranjuez*, escrita en colaboración de Francisco Lozano y estrenada en el teatro Martín en 1918; Enrique Escudé Cofiner y Daniel Montorio en *Un aprendiz de marido*, escrita en colaboración de Manuel Paso; con M. Merino escribió una opereta para Ernesto Lecuona, *Rosalima, ca.* 1924; la humorada *Las mujeres de*

Lacuesta de Jacinto Guerrero, y en colaboración de Francisco G. Loygorri, teatro Martín, 1926; con Francisco de Torres escribió la opereta *¡Ris-Ras!* de Pablo Luna y Manuel Penella, estrenada en el teatro Martín en 1928; en solitario estrenó *Las noches de Montecarlo* de Francisco Alonso y Daniel Montorio, teatro Martín, 1935; de nuevo con G. Loygorri escribió la revista *Las de armas tomar* de Francisco Alonso, con gran éxito y *Me gustan todas*, de nuevo con Alonso y Montorio en la parte musical y escrita en colaboración con su padre, 1951. Con su hermano Enrique trabajó en *El rey del gallinero* de Augusto Algueró y Tony Leblanc, 1956. Uno de sus últimos estrenos fue *Pobrecitas millonarias* de Montorio y García Bernalt, estrenada en el teatro de La Latina en 1961.

4. Paso Díaz, Enrique. †30-VIII-1960. Dramaturgo. Hijo de Antonio Paso Cano y hermano de Antonio Paso Díaz. Escribió numerosas obras en colaboración con su hermano Antonio como *El espejo de las doncellas* de Manuel Penella, 1927, o *¡Mi padre, tu padre, su padre!* de José Ruiz de Azagra. Algunas obras las escribió en solitario como *Pilonga y Piruli* con música de Gómez Muñoa, y en colaboración de otros autores como Francisco de Torres, con el que escribió *La Melitona* de Jacinto Guerrero, 1929; con José Silva Aramburu colaboró en las humoradas *Las niñas de Peligros* y *Las gallinas* de Jacinto Guerrero, y *¡Toma del frasco!* de Pablo Luna, 1932; con Salvador Valverde colaboró en el libro de *Las ansiosas* de Pablo Luna y Ruiz de Azagra, 1935; con su hermano de nuevo escribió la zarzuela *Escalera de color* de José Ruiz de Azagra, 1947.

5. Paso Andrés, Manuel. Madrid, 1909; Madrid, 1987. Dramaturgo. Fue también director y empresario teatral. Escribió para la escena sobre todo comedias musicales con música de Francisco Alonso, muchas de ellas en colaboración de Antonio Paso Díaz: la fantasía *Róbame esta noche* de Francisco Alonso y Daniel Montorio, estrenada en el teatro Albéniz en 1947; la comedia *Eres un sol* de Daniel Montorio, teatro Ruzafa de Valencia, 1949; *Devuélvanme mi señora* de Daniel Montorio y Augusto Algueró, teatro Albéniz, 1952. Con sus primos Antonio y Enrique colaboró en *¡Coja uste la onda!*, definida por sus autores como "estampas radiofónicas de sainete", con música de José Ruiz de Azagra y Tony Leblanc, teatro Fuencarral, 1957. En solitario escribió, entre otras, *Mujeres de papel* de Daniel Montorio, 1954.

6. Paso Gil, Alfonso. Madrid, 12-IX-1926; Madrid, 10-VII-1978. Dramaturgo. Estudió Psiquiatría y Filosofía y Letras. Se dedicó al periodismo, cine y teatro, como autor, guionista y empresario. Estuvo casado con Evangelina, hija de Jardiel Poncela. Su producción teatral cuenta con más de 120 títulos de éxito, lo que le convirtió en un verdadero fenómeno sociológico al dominar durante muchos años la cartelera madrileña, en la que tenía, a la vez, varias obras, muchas de ellas centenarias en los teatros. Una de sus obras, *Enseñar a un sinvergüenza* no ha dejado de representarse desde su estreno en 1967. Alfonso Paso fue el símbolo del teatro comercial en España, pero también el representante de una generación producto de la calidad sembrada por sus antecesores, que se han preocupado siempre por los problemas sociales de la actualidad: la individualidad, los valores éticos, la fidelidad, la moralidad, tratados de manera singular y con un sentido del humor a veces crítico y mezclado con toques surrealistas.

Escribió numerosas comedias musicales y algunas revistas como *Diga Usted 33*, con música de Augusto Algueró y Daniel Montorio, estrenada en el teatro de la Zarzuela en 1955; el vodevil *Los sinvergüenzas tienen… eso* de Fernando García Morcillo; *El conejo de la suerte* de Fernando Moraleda, *Ay, Angelina* de Joaquín Gasca y Augusto Algueró y la opereta *Río Magdalena* de Manuel Parada, escrita en colaboración de Roberto Pérez Carpio y estrenada en el teatro Albéniz en 1957.

BIBLIOGRAFÍA: *CTLBN*; *DMEH*; *EDL*; *TLE*.

OLIVA G. BALBOA

Antonio Paso Cano
(Foto: El Teatro, 1904; Ar. SGAE)

Manuel Paso Cano
(Foto: El Teatro, 1905; Ar. SGAE)

Antonio Paso Díaz
(Foto: Nuevo Mundo, 1923; Ar. ICCMU)

Paso, María. España, siglo XX. Tiple y actriz. Estrenó *La pícara molinera* de Luna, Apolo, 1929; *La virgen de bronce* de Soutullo y Vert, Apolo de Valencia, 1929; *La cursilona* de Fuentes y Navarro, teatro Metropolitano, 1930 y *Katiuska* de Sorozábal, Rialto de Madrid, 1932.

Mª LUZ GONZÁLEZ PEÑA

Pasodoble [pasacalle]. Baile español de carácter marcial, escrito en compás de 2/4, con tempo más movido que la marcha, pero no precipitado. Tradicionalmente se considera destinado a ser interpretado por bandas militares para que los ejércitos marchen al paso, fijándose su velocidad en torno a 120 o 140 pasos por minuto, correspondiéndose con el ritmo de la marcha militar "acelerada" o de "paso ligero" –el paso redoblado reglamentario de la infantería se fija en 2 pies de longitud y 110 pasos por minuto, y el paso regular o marcha lenta es de 66 por minuto, según Lacal–.

El *Diccionario* de Fargas y Soler, 1852, indica que el paso-doble es una "especie de marcha de un movimiento más rápido que la *marcha* propiamente dicha, el cual se toca en las músicas militares para hacer marchar a la tropa a paso redoblado. Los *pasos-dobles* siempre se escriben en compás de 2/4 o 6/8, y constan regularmente de tres o cuatro partes". José Melcior, en 1859, describe el pasodoble como "una tocata a cuyo compás marcha la tropa. El compás del pasodoble es por lo regular de 2/4 o de 6/8 y su velocidad ha de ser tal que se hagan 120 pasos por minuto, que

Cortesía de Unión Musical Ediciones SL

es lo que marca la ordenanza militar". Parada y Barreto, en 1867, lo definía como "marcha de un movimiento animado y vivo, en medida de 2/4 o 6/8. Estas especies de marchas se usan mucho en las bandas militares". Según el *Diccionario técnico de la música* de Pedrell, paso doble o ligero es el "paso reglamentario de la infantería, fijado en 160 pasos por minuto. Título de la *marcha acelerada* que tocan las charangas o bandas para que las tropas marchen al indicado paso". En la voz "Marcha", indica Pedrell: "Diferénciase la *Marcha* del *Paso doble* o *Marcha redoblada*, en que el movimiento de éste es en compás de 2/4 o de 6/8, animado y tan vivo, en algunos casos, como en las charangas de cazadores de nuestro ejército, que andan 120 pasos por minuto y aun más". Lacal, comenta que el pasacalle era una composición destinada más especialmente a las músicas militares, en compás de tres tiempos, no muy vivos; y que la Marcha es una "pieza musical para marcar el movimiento de una tropa, de una procesión, etc. Se usa en todo género de música, hasta en el religioso, pero generalmente es ejecutada por bandas militares o charangas. En ella pueden combinarse toques especiales de cornetas, tambores, etc.".

A lo largo del siglo XIX ha variado la grafía del sustantivo que designa la composición, escrita inicialmente como "paso-doble", después como "paso doble" y, por último, "pasodoble". Aparece posiblemente al servicio de la música militar, para la marcha de la tropa a 120 pasos por minuto. En su libro *El pasodoble español*, Sanz de Pedre distingue cuatro variedades de pasodoble: *regional* –en el que se intenta adaptar cantos o ritmos regionales al ritmo del pasodoble, incluyendo en esta categoría el pasodoble flamenco–, *taurino* –destinado a interpretarse en las plazas de toros, con giros melódicos a cargo de las trompetas, habitualmente recargados de adornos que imitan melodías tradicionales andalucistas–, *militar* –cuya función impone tonalidades mayores, y permite la intervención de cornetas y tambores combinadas con la banda de música, siendo en general el trío menos vigoroso y sin cornetas–, y de *concierto* –desarrollado a partir del éxito del pasodoble *La torre*

Cortesía de Unión Musical Ediciones SL

del Oro de López Juarranz, escrito en 1878–. Según la descripción del *Diccionario de la música Labor*, "el pasodoble, generalmente, consta de una frase introductoria que, tanto melódica como armónicamente, gira casi siempre en torno al acorde de dominante, o más científicamente, consiste en variaciones sobre la entonación melódica del segundo tetracordo descendente del modo menor, que constituye uno de los tipismos musicales más destacados de la música popular española. Sigue un periodo o primera parte en el tono principal. La segunda parte, llamada también *Trío*, acostumbra estar en el tono de subdominante en los pasodobles en modo mayor, y en su tono homónimo o relativo mayor, los escritos en modo menor".

En la década de 1850, el ritmo del pasodoble se introduce en la zarzuela, y si bien los títulos de los números diferencian los términos pasodoble, pasacalle y marcha, que tienen tempo y estructura formal similar, su denominación se debe esencialmente a la vinculación o no a la actividad militar. Así, por ejemplo, el Nº 2, "Marcha de la Manolería" de *Pan y toros*, compuesta por Barbieri en 1864, tiene un ritmo de pasodoble, pero aparece indicado como marcha. En *De Getafe al Paraíso o La familia del tío Maroma*, zarzuela de Barbieri, 1883, el Nº 3 es un pasacalle a cargo del coro, mientras que el Nº 6 es el pasodoble de la tropa, sin que existan diferencias musicales claras entre ambos números a pesar de sus diferentes títulos. El pasodoble, el pasacalle y la marcha se hacen habituales en obras de Chueca, como *La Gran Vía* (en su segunda versión de 1887) –con el Nº 13, Pasodoble de los sargentos–, *Cádiz*, 1887, –cuya conocida *Marcha* llegó a ser interpretada como himno nacional–, *Agua, azucarillos y aguardiente*, 1897, –Nº 5D, pasacalle–, *El chaleco blanco*, 1890, –cuyo Nº 6C es un pasodoble, y el inicio tiene esa sonoridad, aunque no aparece la indicación, estando presente en escena una banda de cornetas y apareciendo una referencia a toques marciales–, *El bateo*, 1901. También la mayoría de los compositores líricos españoles de fines del XIX y del siglo XX recurrieron al pasodoble en sus obras. Además de Valverde (padre), Cereceda, Torregrosa, Serrano, Santonja, Foglieti, Estellés, Roig, Penella, Larregla, Cayo Vela o Bru, se debe destacar a Manuel Fernández Caballero: *El cabo primero, La diligencia, La Marsellesa, Las nueve de la noche, Los sobrinos del Capitán Grant*; Ruperto Chapí: *La czarina, El rey que rabió, El tambor de granaderos, La cara de Dios, El barquillero, Curro Vargas, El sombrero de plumas*; Miguel Marqués: *Florinda, La salamanquina, El cornetilla*; Manuel Nieto: *Toros y cañas, El gaitero*; Gerónimo Giménez: *Los viajes de Gulliver*; Cleto Zabala: *El niño de Jerez, Viva el rumbo*; Rafael Calleja: *El reloj de arena, El señorito*; Joaquín Valverde San Juan: *El fondo del baúl, El paraíso de los niños, Los invasores*; Amadeo Vives: *La rabalera, La Generala, Tria-*

nerías, Pepe Conde, Doña Francisquita; Pablo Luna: *Molinos de viento, El asombro de Damasco, Benamor*; Eduardo Granados: *El caballero sin nombre*; Francisco Alonso: *Las corsarias, La diablesa, La calesera, Las aviadoras, Me acuesto a las ocho, Las de Villadiego, La zapaterita, Ideal Festín, La mejor del puerto, Las castigadoras*; Federico Moreno Torroba: *Azabache, La chulapona, Maravilla, María Manuela*; Jacinto Guerrero: *La alsaciana, La sombra del Pilar, La rosa del azafrán, La Cibeles, La blanca doble, Tiene razón don Sebastián*; Pablo Sorozábal: *Katiuska, La del manojo de rosas, Cuidado con la pintura, Don Manolito*; Ernesto Rosillo o Manuel López-Quiroga, entre otros. También en la ópera española se utiliza el pasodoble en *La Dolores* de Tomás Bretón y *El gato montés* de Manuel Penella. En *Certamen nacional* de Perrín y Palacios y Manuel Nieto, el Nº 8, Final, es un Pasa-calle y desfile general, que sirve de apoteosis de la revista.

BIBLIOGRAFÍA: *DMEH*, A. Fargas y Soler: *Diccionario de música…*, Barcelona, 1852; C. J. Melcior: *Diccionario enciclopédico de la música*, Lérida, 1859; J. Parada y Barreto: *Diccionario técnico, histórico y biográfico de la música*, Madrid, B. Eslava, 1868; F. Pedrell: *Diccionario técnico de la música*, Barcelona, Víctor Berdós, 1894; L. Lacal: *Diccionario de la música*, Madrid, Establecimiento Tipográfico San Francisco de Sales, 1900; J. Pena, H. Anglés: *Diccionario de la música Labor*, Barcelona, Labor, 1954; M. Sanz de Pedre: *El pasodoble español*, Madrid, Imp. de José Luis Cosano, 1961.

RAMÓN SOBRINO

Pastor. Familia de cantantes españoles formada Rafael, su hija Asunción, y Ricardo, del que no se sabe con exactitud la relación familiar.

1. Pastor Soler, Rafael. Alicante, *ca.* 1860; Madrid, 11-III-1931. Tenor. Contando con una voz de mucha extensión, inició su carrera artística formando parte de compañías de aficionados, hasta que se presentó el 15 de julio de 1882 en el teatro Circo de Alicante con *Los diamantes de la corona*, formando parte de una importante compañía lírica con la que permaneció varios meses. Se presentó en Madrid al año siguiente, cantando en el teatro Apolo *El anillo de hierro*. Después de estar vinculado a este teatro más de un año fue a Argentina y durante varias temporadas cantó en este país y después en Cuba y México, dedicándose preferentemente al repertorio de la zarzuela grande española. Tras su regreso a España, el teatro Circo, donde se inició como profesional, le dedicó un homenaje en 1892 y posteriormente formó parte del elenco del teatro Calderón de la Barca. Desde 1895 desempeñó las funciones de director de escena en la Compañía de Pablo Gorgé, obteniendo éxitos por toda la región valenciana.

2. Pastor, Asunción. Alicante, *ca.* 1890; Alicante, ?. Cantante. Recibió las primeras lecciones de su padre. Tenía una voz de soprano de considerable extensión, que le permitía acceder a los más

Rafael Pastor
(Foto: Ar. Emilio G. Carretero)

Ricardo Pastor (Foto: Borke y Férriz; E:Bit)

Asunción Pastor
(Foto: Ar. SGAE)

difíciles papeles de la zarzuela. En 1907 estrenó *El carro de la muerte* de Barrera y *Ninón* de Chapí en el teatro de la Zarzuela. Participó en 1909, en el homenaje que se tributó a Chapí, fallecido poco antes, en el teatro Principal de Alicante. En 1912 debutó en Madrid con éxito y en noviembre del mismo año formaba parte de la compañía de zarzuela de Enrique Beut y obtuvo un gran éxito como protagonista de *La cacería* estrenada en Zafra. Parece que ese mismo año se fue a Sudamérica, de donde regresó en 1920 para figurar en diversas compañías. Se movió siempre en la órbita del género lírico español. Después de retirarse, bastante joven, a su ciudad natal, todavía actuó en funciones aisladas.

3. Pastor, Ricardo. Alicante, ?. Tenor. Pertenecía a esta familia alicantina, aunque no se conoce la relación con los anteriores. Después de recorrer España interpretando zarzuela, en 1887 se encontraba en México como tenor y director de una compañía en la que cantaba Adelaida Montañés que actuaba en el Gran Teatro. En esta nación siguió con enorme actividad durante toda la década de los noventa haciendo incluso ópera. Allí se representaron las grandes obras del repertorio de la zarzuela grande y género chico. En *La Habana Artística* editada en 1891 se hacía este comentario a su voz: "Dotado de una voz bastante extensa, y poderosa, si bien su timbre es algo metálico; no obstante sacaría gran partido de ella sino quisiera sacrificarlo todo al aplauso, para lo cual en vez de cantar grita, hace esfuerzos inútiles y sobre todo regala al público cada noche unos calderones eternos".

Todavía en 1908 se encontraba en México, pero ese mismo año actuó en la compañía del Price junto con Luisa Vela y Emilio Sagi Barba. En 1919 se encontraba de nuevo en América, en la ciudad de La Habana donde interpretó en el teatro Payret el *Himno a la patrona de Cuba* en ocasión del IV Centenario de la fundación de la ciudad. En 1925 residía en Alicante.

BIBLIOGRAFÍA: *HGZ*; S. Ramírez: *La Habana Artística. Apuntes históricos*, Habana, Imp. de la Capitanía General, 1891.

EMILIO CASARES RODICIO

Pastor, Carmen. España, siglos XIX-XX. Tiple cómica. En 1857 actuaba en la compañía de Juan Molina que recorría el norte de España, realizando presentaciones en localidades de Galicia y Asturias. Estrenó *Escuela modelo* de Joaquín Jiménez, Príncipe Alfonso de Madrid, 1888 y *El prior y el priorato* de Alberto Cotó, teatro Eldorado de Barcelona, 1892.

BIBLIOGRAFÍA: *HZ*.

Mª LUZ GONZÁLEZ PEÑA

Pastor, Encarnación. España, siglo XIX. Tiple. Estrenó algunas obras en la década de 1880, como *La palomita* de Isidoro Hernández, Recreos matritenses, 1880; *Flamencomaía* de Ángel Rubio, Jardines del Buen Retiro de Madrid, 1883 y *La mantilla blanca* de Rubio y Espino, Jardines del Buen Retiro, 1883.

Mª LUZ GONZÁLEZ PEÑA

Pastor, Esperanza. España, siglos XIX-XX. Tiple. Debutó en el teatro Apolo en la temporada 1896-97, siendo muy bien acogida por el público asiduo del teatro. Participó en el estreno del gran éxito de Chueca *Agua, azucarillos y aguardiente*. La temporada siguiente abandonó la compañía. En 1907 actuó en el teatro Principal de México donde fue muy aplaudida en *Los vetenaros*.

BIBLIOGRAFÍA: *TA; El Arte de El Teatro*, II, 40, 15-XI-1907.

Mª LUZ GONZÁLEZ PEÑA

Pastor, Felicidad. *Véase* MONTAÑÉS.

Pastor, Francisca. España, siglo XIX. Tiple y actriz. Formaba parte de la compañía de José María Dardalla que actuaba en el teatro del Instituto en Madrid. Estrenó en 1847 en el teatro del Circo, donde actuaba aquel año la compañía, *Ánimas del purgatorio* de Fernando Gardín. En 1849 ya en el teatro de la Comedia, *El alma en pena* de Oudrid y *La batalla de Bailén* de Fernando Gardín e Hipólito Gondois.

BIBLIOGRAFÍA: *HZ*.

Mª LUZ GONZÁLEZ PEÑA

Pastor, Isidoro. *Véase* MONTAÑÉS.

Pastor, Josefina. España, siglos XIX-XX. Actriz. Participó en algunos estrenos entre la década de 1890 y la de 1920, como *¡Al santo, al santo!* de Quinito Valverde, Apolo, 1894; *La deseada* de Julio Gómez y Francisco Alonso, Eslava, 1927, y *El mejor tesoro* de Emilio Ramírez, teatro Cervantes de Sevilla, 1928. Puede ser alguna de las "Srta. Pastor" que se indican en algunas representaciones a comienzos del siglo XX.

Mª LUZ GONZÁLEZ PEÑA

Pastor, Laura. España, siglos XIX-XX. Tiple. En la década de 1890 formaba parte de la compañía del teatro Romea donde estrenó en 1894 *Golpe secreto* de Quinito Valverde; en 1895 *Los notarios* de Miguel Martínez y *Sólo de ocarina* de Miguel Santonja; en 1896 *La sucursal del infierno* de Santonja y *Loreto-Frégoli* de Álvarez y Chalons, protagonizado por Loreto Prado y *La boda de los muñecos* de Brull; en 1899 *El milagro de San Roque* de López del Toro en el Maravillas y en 1904 *Flor de mayo* de Caballero y Hermoso en el Cómico. Posiblemente, la señorita Pastor que estrenó en Maravillas en 1895 *Carabanchel de arriba* de Gaspar Espinosa, fuera ella.

Mª LUZ GONZÁLEZ PEÑA

Pastor, Manuel. España, siglos XIX-XX. Actor. Participó en algunos estrenos como *El Arlequín* de Teodoro San Cristóbal y Luis Barta, teatro del Noviciado, 1909; *El leñador* de López Debesa, teatro Barbieri, 1912, y *Juan de Dios* de Miguel Asensi, teatro Ruzafa de Valencia, 1919.

Mª LUZ GONZÁLEZ PEÑA

Pastor Ramos. Familia de cantantes españolas formada por las hermanas Lucía y Juana.

1. Lucía. Burgos, 1868; Madrid, 4-VI-1960. Tiple. Comenzó a cantar en el teatro Variedades con las hermanas Alba, José y Emilio Mesejo y Luisa Campos, figuras básicas del género chico. En 1883 participó en el estreno de *Flamencomanía* de Ángel Rubio en los Jardines del Buen Retiro de Madrid, junto a su hermana Juana. En 1885 actuaba en la compañía de su hermana que hacía una gira por provincias. En noviembre de 1886 estrenó en Eslava *Muerto el perro…* de Isidoro Hernández y en verano la compañía se trasladó al teatro Felipe donde estrenó el gran éxito de Federico Chueca y Joaquín Valverde *La Gran Vía* y la sátira de Manuel Fernández Caballero *El oro de la reacción*. El semanario *Madrid Cómico* la menciona en su sección "Chismes y Cuentos" del nº 177 (10-VII-1886): "En Felipe hay que ver *La Gran Vía* / que va cada día / saliendo mejor. / ¡Con qué gracia y con qué picardía / la canta Lucía, / Lucía Pastor!". El mismo semanario le dedi-

Lucía Pastor
(Foto: Ar. familiar)

có su portada, además de estos versos: "Es una actriz deliciosa / distinguida y apreciada, / por salada y por graciosa, / por graciosa y por salada" (7-XI-1886).

En la temporada 1887-88, el teatro Variedades, la cuna del teatro por secciones, se dedicó al género chico al ver el éxito que se había obtenido en Apolo la temporada anterior. Lucía Pastor cantó allí *Tocador de señoras* de Viaña, *Juez y parte* de Ángel Rubio, 1885, *La Gran Vía, Certamen Nacional*, 1888, alternando con Leonor de Diego, y otras obras. En enero de 1887 estrenó en Eslava *El figón de las desdichas* de Chapí, *La fiesta de la Gran Vía* de Manuel Nieto, y en el teatro Felipe *Efectos de la Gran Vía* de Isidoro Hernández, secuelas ambas de su gran éxito *La Gran Vía* estrenada el año anterior. Llegó a ser tan famosa que incluso se escribió un apropósito cómico con su nombre, *Lucía Pastor*, con texto de Calixto Navarro y música de Isidoro Hernández, estrenado en el teatro Variedades de Madrid el 28 de septiembre de 1887. En 1888 estrenó en el teatro Prícnipe Alfonso *¡Tío… yo no he sido!* de Ángel Rubio y en el Martín *Los baturros* de Manuel Nieto y *Dos canarios de café* de Rubio. En 1889 estrenó en el teatro Príncipe Alfonso *Habanos y filipinos* de Apolinar Brull y Manuel Nieto y *Don Jaime el Conquistador* de Fernández Caballero. En diciembre de 1890 estrenó en Apolo *Misa de réquiem* de Manuel Nieto y en 1891 *El director* de Quinito Valverde.

Se casó a los 22 años con el dramaturgo Emilio Sánchez Pastor y abandonó entonces el escenario. En 1894 su marido le dedicó el libreto de *El tambor de granaderos* de Chapí, con el que obtuvo un gran éxito en el Eslava.

2. Juana. España, siglos XIX-XX. Tiple. Estrenó *Flamencomanía* de Ángel Rubio en 1883 en los Jardines del Buen Retiro de Madrid, junto a su hermana Lucía, al igual que *La mantilla blanca* de Rubio y Espino. Ese mismo año, en *Madrid Cómico* (24, 5-VIII-1883), aparecía su caricatura en portada acompañada de estos versos de Sinesio Delgado: "Muy hermosa, muy barbiana, / nadie en el mundo la gana / cantando *couplets* ligeros. / ¡Hay que verla, caballeros, / y morirse por la Juana!". En 1884 estrenó en Eslava *La huéspeda* de Nieto. Era en aquellos años, más famosa que su hermana Lucía e incluso tenía compañía propia en la que actuaban, además de su hermana, Servando Cerbón y los Mesejo. Figuraba en la compañía del teatro Apolo en la temporada 1889-90, donde triunfaba con *Certamen nacional* y *Ellas y nosotros*.

BIBLIOGRAFÍA: *DAT; TA*.

Mª LUZ GONZÁLEZ PEÑA

Pastorfido, Miguel. †Madrid, 8-I-1877. Dramaturgo. Hizo carrera militar y llegó a alcanzar el grado de comandante con el que se retiró. Fue muy amigo de Narciso Serra, con el que colaboró en muchas obras y que también fue oficial del Ejército. Aunque se ha llegado a decir que este no era sino el seudónimo de Pelayo del Castillo, en la SGAE ambos figuran como personas distintas. Pastorfido escribió generalmente en colaboración con Granés, Moreno Godino, Puente y Brañas, y otros muchos. Escribió numerosos dramas y comedias y varios libretos de zarzuela, además de adaptaciones y arreglos de óperas francesas como *Zampa*; también colaboró activamente con el teatro de los Bufos Arderius en obras como *La campanilla del boticario* de R. Campos y Fernández Caballero, 1862; *La isla de las monas*, con música de Oudrid, 1867; *Mefistófeles*, zarzuela bufa con música de Cereceda, 1869; *Un casamiento republicano* con música de José Rogel y colaboración literaria de Granés y Bardán, 1869, y *Un viaje de mil demonios*, de nuevo con Rogel y colaboración de García Santisteban y Puente y Brañas; *Barba Azul*, ópera bufa en colaboración con Granés, 1870; *Los guardias del rey de Roma* con música de Mariano Vázquez, 1870; *D. Galo Pin se queda en casa*, *El mundo va a arder*, *Huyendo de París*, *La bella Helena* y *La favorita* con música de Offenbah.

Entre sus zarzuelas destacan *De Versalles a Madrid* de Enrique Broca y R. Campos; *Don Pascual* de Guillermo Cereceda; *Las campanas de la ermita* con música de Chueca; *Susana* de Francisco Ricci; *La loca por amor o Los prisioneros de Edimburgo*, 1859; *Entre mi mujer y el primo*, 1862; *¡Si yo fuera rey!*, con música de Inzenga, *Harry el diablo* con música de Reparaz, que fue un fracaso, y *Un rival del otro mundo*, ambas de 1862; *Los guardias del rey de Siam* de Gabriel Balart, 1865; *Al son de los puritanos*, 1866; *El matrimonio interrumpido*, 1873; *Después del diluvio* de Scarlatti; *Los contrabandistas*, 1876, y *Retrato y original* de Luis Cepeda. En el momento de su muerte era director del teatro Apolo. *Véase* ¡SI YO FUERA REY!.

BIBLIOGRAFÍA: *CDE; DAT; DUE; EDL; HZ; TA*.

Mª LUZ GONZÁLEZ PEÑA

Patria chica, La. Zarzuela en un acto. Música de Ruperto Chapí. Libreto de Serafín y Joaquín Álvarez Quintero. Estrenada el 15 de octubre de 1907 en el teatro de la Zarzuela de Madrid.

Personajes y reparto. Pastora (Joaquina Pino, tiple). María Pilar (Pilar Pérez). Señá Manuela (Irene Alba). Conchita (Paz Calzado). José Luis (Juan Gil Rey). Mariano (Francisco Meana). Míster Blay (Carlos Rufart). Españita (Antonio González). Carranque (Felipe Aguiló). Gregorio (Ricardo Güell). Ansúrez (Rafael Díaz). Medina (Carlos Tojedo).

Orquestación. Flautín, flauta, 2 oboes, 2 clarinetes, fagot, 2 trompas, 2 cornetines en La, 3 trombones, timbales, percusión y cuerda.

Argumento. La acción tiene lugar en París, en el estudio de José Luis, un pintor español que aspira a obtener dinero y fama. Una mañana que se encuentra dando los últimos toques a un retrato de una mujer, que le había encargado Mister Blay, un millonario inglés, recibe la visita de Españita, un español casado con una francesa, que también vive en París. Llega otro artista, Carranque, personaje amargado y vago que le comenta a José Luis que unos españoles preguntan por él, lo que le genera una gran alegría. Éstos no son sino Pastora, una antigua modelo andaluza, María Pilar y Mariano, estos últimos de origen aragonés. Todos vienen a pedir ayuda a José Luis, ya que se han quedado sin recursos en París debido a que la compañía folclórica fue estafada por un empresario desaprensivo que no cumplió el contrato prometido y les abandonó en París con sólo unos pobres trajes regionales. Aunque José Luis quiere hacer algo por ellos, de momento no es posible, si bien les promete que en cuanto cobre el dinero correspondiente al cuadro que está realizando, les ayudará a volver a su tierra. Curiosamente, Pastora reconoce en la mujer del cuadro a Merceditas la Caramela, lo que alegra mucho al pintor, ya que le asegura el éxito de su obra. José Luis sale a buscar al millonario para mostrarle su trabajo. Mientras, Mariano, que está enamorado de Pastora, se siente confuso ante los sentimientos de ésta ya que siempre están riñendo y compitiendo ante los valores de sus respectivas tierras. Llega José Luis que precede a Mister Blay. Éste se siente prendado de Pastora y no puede contener una exclamación de asombro al encontrarse con ella. Incluso, cuando ve el cuadro, lo primero que dice es que no le gusta, decepcionando a todos. Mariano percibe inmediatamente que Mister Blay se ha encaprichado de Pastora. Cuando se queda solo con ella le declara su amor y se ofrece a costear los viajes de sus compañeros a España siempre que ella se quede con él. Felices en una primera instancia, se niegan a abandonarla por lo que Mister Blay decide irse con ellos a España, asumiendo el coste global del viaje.

Números musicales. Preludio. Nº 1. Monólogo de José Luis, "Mujer de vulgar historia". Nº 2. Canción de Españita, "Yo soy español". Nº 3. Dúo de las coplas, "En Aragón hi nacido". Nº 4A. Soleares, "Un dolorsito que tengo no lo curan melesinas". Nº 4B. Tanto del Besibitibito, "Las estreyitas que hay en er cielo". Nº 4C. Baile, "Las pamplinas". Nº 4D. "Oiga usté lo que le dijo una baturra". Nº 4E. Canción, "Te quiero y me quieres". Nº 5. Copla final, "Aquel que hable mal de España".

Cortesía de Unión Musical Ediciones SL

Comentario. *La patria chica* es una de las zarzuelas más vitales del último periodo creativo de Chapí. Cuenta con un libreto de circunstancias, débil, pero pensado para la España del momento y afronta con cierta eficacia el problema de los emigrantes. Posee números de una gran brillantez, tanto los cómicos –el papel de Españita tiene una buena adaptación, tanto musical como literaria– como los dramáticos. Entre éstos destaca la romanza de José Luis, un número de cierto fuste, pensado para la voz importante de Carlos Rufart, y sin duda es uno de los más compactos escritos por Chapí a principios de siglo. Curiosamente no aparece en el libreto, aunque sí en la partitura y, desde el punto de vista dramático, parece un tanto ajeno al transcurrir de la acción por lo que no sería de extrañar que fuera un agregado de última hora. En líneas generales, parece un intento, en una obra aparentemente menor, por conseguir una estrecha relación música-texto.

El preludio es uno de los más ambiciosos en este terreno. El comienzo, con un trémolo de la cuerda, habitualmente utilizado por Chapí, extraído del Nº 5, "Aquel que hable mal de España", presenta un aire de fanfarria por la forma de utilizar los metales y los timbales que enlaza con el *Allegretto vivace* de ritmo trepidante, determinado por una célula rítmica en dos partes. El juego más espectacular se produce cuando, en un hábil diseño polirrítmico, junta

dos de los temas más importantes del preludio. La romanza de José Luis parte de una introducción orquestal modal sobre un tema de carácter popular. Se estructura por secciones muy breves, siguiendo el modo verista. La forma en que Chapí introduce el zortzico es similar a la que Puccini plantea en algunas de sus óperas. Uno de los momentos más interesantes de la partitura es la canción de Españita donde hay que apreciar que se está lejos del cuplé para tenor cómico al uso. Desde el principio, la orquesta se muestra como complemento indispensable, cubriendo las limitaciones del solista. El fondo armónico es notablemente superior a lo que suele ser acostumbrado. La comicidad de Chapí es manifiesta así como su hábil orquestación.

El Nº 3 es un dúo para barítono y tiple, una improvisada disputa que se hizo popular en su día por las coplas procedentes de Aragón y Andalucía. En el primer caso, defendido por la jota, en el segundo por unas soleares. Chapí lo plantea muy seccionado, con intervenciones separadas para culminar en un concertante de ambos. El Nº 4 está estructurado en cinco partes. La primera son unas soleares para tenor cómico. La imitación de la guitarra se hace con el habitual recurso de los *pizzicati* de la cuerda, poniendo la nota de color los instrumentos de viento madera, buscando la inevitable comicidad. Lo mismo que la segunda parte, el "Tango del Besibitibito", donde el autor rinde homenaje al tango gaditano, aunque pasado por la Cuba de la que tanto se abusó en esta época. El tercero es un baile, "Las Pamplinas", muy popular en su día, donde la influencia francesa parece notoria. La cuarta parte es una canción de corte popular, más declamada que cantada, con una instrumentación basada en los recursos acostumbrados. El quinto número es una tarantella para tiple, muy conocida en España. El final es una breve copla, utilizada por Chapí en la fanfarria del comienzo, cantada por el barítono y coreada por el resto.

La crítica fue bastante entusiasta. José de Laserna afirmaba que "nuestras presentes discordias nacionales, el quebrantamiento moral de los lazos de historia y de raza que nos unen, el ultrarregionalismo disolvente pedían una obra como ésta, tónica y reconfortante, noblemente española que volviese, en la medida de su importancia, por los fueros de nuestra tradición, y que afirmara la cohesión de

Escena de La patria chica *(Foto:* Nuevo Mundo, *1907; Ar. ICCMU)*

nuestros espíritus en lo que es y debe ser esencial e intangible". Añade también que "en dos grandes escenas está contenida toda la obra. Es una aquella en que Aragón y Andalucía, por boca de un tozudo baturro y una gentil chavala, disputan y regañan en defensa de la superioridad de sus campanarios. Es otra la última, en la que se resume el pensamiento fundamental con una gradación patética tan sobria, tan mesurada, tan sencilla en los medios y de tanto alcance que conmueve y subyuga todos los ánimos. La explosión del entusiasmo apenas pudo reprimirse hasta el final, en que, como ya antes lo habían sido, se volvió a aclamar a los Quintero". Sobre la interpretación se destacaron "Rufart, y eso que el papel es de cuidado. Luego, Meana, González, Güell. De ellas, Joaquina Pino, y con Meana en el gran dúo, que tuvieron que repetir; Pilar Pérez, muy bien, como Irene Alba. Paz Calzado caricaturizó con gracejo el baile flamenco, que repitió también" (*El Imparcial*, Madrid, 16-X-1907).

De la popularidad de la composición da testimonio lo habitual de su inclusión en el repertorio para banda. Según aparece en el volumen 74 del Legado Chapí de la Biblioteca Nacional de Madrid, existe una *Fantasía sobre motivos de dicha zarzuela* firmada por P. Marquina "Alias R. Chapí" de fines de 1908 o muy principios de 1909. Se desconoce a qué se refiere con lo de alias, pero es probable que el mismo Chapí utilizara un seudónimo para realizar trabajos de segunda categoría o fuera obra de Pascual Marquina, autor de una generación más joven.

Fuentes manuscritas. La partitura se conserva en la Biblioteca Nacional de Madrid (Legado Chapí, vol. 15). Los materiales de orquesta se conservan en el archivo de la SGAE en Madrid (2795).

Ediciones de música. Canto y piano, Madrid, FF, 1907.

Ediciones del libreto. Madrid, SAE, 1907; Valladolid, Celestino González, 1907; Madrid, Tip. Universal, 1908; Biblioteca Teatral, Madrid, Ed. Saso, IV, 77.

FONOGRAFÍA: LP: Dir. Ataúlfo Argenta, Sols. Ana Mª Iriarte, Dolores Cava, Carlos Munguía, Manuel Ausensi, Miguel Ligero, Joaquín Portillo, Orq. Sinfónica, Columbia SA, ZCL 1080 (Zacosa) 20 (19a), Columbia SA, C 30058 23 y Alhambra MC 25029.

BIBLIOGRAFÍA: *MT*; J. M. Esperanza y Sola: *Treinta años de crítica musical en España*, Madrid, Tip. viuda e hijos de Tello, 1906; A. Salcedo: *Ruperto Chapí. Su vida y su obra*, Madrid, Aguilar, 1958; J. J. Águila: *Ruperto Chapí y su obra*, Diputación Provincial de Alicante, 1973; A. Sagardía: *Ruperto Chapí*, Madrid, Espasa Calpe, 1979; V. Prats Esquembre: *R. Chapí, un hombre excepcional*, Villena, Apadis, 1984; L. G. Iberni: *Ruperto Chapí*, Madrid, ICCMU, 1995; —: *Ruperto Chapí. Memorias y escritos*, Madrid, ICCMU, 1995.

LUIS G. IBERNI

Pau Pi. Seudónimo. *Véase* CARCASSONA I GARRETA, BARTOMEU.

Payá, Francisco. Guipuzcoa, 1879; Buenos Aires, IX-1929. Compositor. De una sólida formación profesional, llegó a Buenos Aires en 1895. Integró como instrumentista el Orfeón Español del cual llegó a ser director. Adaptado de inmediato al ámbito teatral, fue uno de los músicos hispanos que contribuyeron a consolidar las expresiones de la zarzuela, el sainete y la revista, con cerca de ochenta piezas. Colaboró musicalmente en las obras más significativas con los autores más importantes del género chico. Entre ellas destacan *Los inquilinos* de Nemesio Trejo, 1907, basada en un hecho real, la huelga de los habitantes de los inquilinatos que se negaron a abonar el aumento de sus alquileres. En la pieza se entonó "El tango del Intendente", compuesto por Payá, cuya letra aludía a la situación que se afrontaba, y logró gran popularidad. Produjo también los números musicales de las piezas más logradas de los principales saineteros, como Pacheco y su *Fuerza española*, 1916, *La boca del Riachuelo*, 1919, y *Así terminó la fiesta*, 1920. A estas se puede agregar *El conventillo* de Florencio Sánchez y *La verbena criolla* de Alberto Vacarezza.

Las partituras de Payá se caracterizaron por su fuerza descriptiva para recrear ambientes típicos y cosmopolitas, como los salmos que entona el salvacionista, el Tipperary a cargo de unos marineros ingleses, o canciones típicas que cantan los genoveses. Lo mismo sucede también en *Así terminó la fiesta* de Pacheco y López Silva, cuya acción se desarrolla alternativamente en España y Argentina, y se intercalan músicas respectivas.

BIBLIOGRAFÍA: *Antología musical argentina. Sección Sainete argentino*, Buenos Aires, Comisión Nacional de Cultura-Instituto Nacional de Estudios de Teatro, 1945.

MARTA LENA PAZ

Pedrell i Sabaté, Felip. Tortosa (Tarragona), 19-II-1841; Barcelona, 20-VIII-1922. Compositor, musicólogo y crítico. Es uno de los nombres más sobresalientes en el panorama de la música española tanto en el campo de la musicología, como en el de la creación lírica, y representante destacado del nacionalismo musical. Su papel en el cultivo de la zarzuela es menor y marginal, limitado principalmente a sus años de juventud. Sus primeros contactos con la lírica fueron en Barcelona, en representaciones operísticas en el Liceo y en el teatro Principal. Sin embargo, hay que recordar que el zarzuelista tortosino E. Camó era estrictamente contemporáneo de Pedrell, así como J. Gotós que también compuso zarzuelas, al tiempo que debería suponerse una actividad musical en su Tortosa natal, con importante presencia de la zarzuela, que no fue ajena al compositor. En 1873, después de haber muerto su esposa, se trasladó a Barcelona, donde trabajó como segundo director de la compañía de zarzuela del teatro Circo, en la que se encontraba Nicolau Manent. Aquí desarrolló su casi exclusiva experiencia zarzuelística, con la composición y adaptación de operetas francesas: *Les aventures de Cocardy*, una opereta bufa original de Gelée de Bertal, una refundición de la opereta de Lacôme *La Dot mal placée*, *Ells i elles*, 1873 –zarzuela catalana original de J. Riera i Bertran–, *La fantasma groga*, 1873, *La Guardiola*, 1873, *La veritat i la mentida*, 1873, *Lluch-Llach*, 1873 –arreglo de otra opereta bufa de Gelée de Bertal realizada por A. Ferrer y Codina– y *Lo rei tranquil*, 1873, esta última un arreglo de la obra francesa *Ragabas*, realizada por J. Riera i Bertran. De todas estas obras las que consiguieron mayor trascendencia fueron *La fantasma groga*, una caricatura romántico-caballeresca realizada por J. Coll i Britapaja a partir de un segundo arreglo de la opereta francesa *La Dot mal placée* de Lacôme, y *La Guardiola*, con texto de Vidal y Valenciano. *La fantasma groga* se seguía representando con éxito en 1876, y en ella Pedrell realizó seis números nuevos.

Gracias a las instancias de Obiols y J. Casamitjana recibió una ayuda económica para realizar un viaje de estudios a Francia y a Italia. Entonces abandonó la composición de zarzuelas. Paulatinamente fue alejándose del género hasta mantener una posición abiertamente contraria a considerar la zarzuela como el género representativo de la ópera nacional, tal y como se manifiesta en diversos artículos que redactó o en el mismo epistolario que mantuvo con F. A. Barbieri. Esa prevención la trasladó a sus discípulos, caso de Falla o de Granados, por ejemplo. En la década de los años ochenta, Pedrell inició una

Felip Pedrell
(Foto: Biblioteca de Cataluña)

aproximación a la zarzuela, iniciando unos proyectos que acabaron truncados y que no consiguieron más trascendencia que su valor documental. Tal es el caso de la ópera cómica *Eda*, 1887-88, o de *Little Carmen*, 1888, *Mara*, 1889, la zarzuela *Los secuestradores*, un arreglo de la zarzuela *Huyendo del Microbio*, o *El nuevo Colón*, o *el submarino Peral*, con libreto de Fernando Guerra. Realmente, su trayectoria compositiva se dirigió siempre hacia la ópera, con *Los Pirineus*, 1891, *La Celestina*, 1902 o *El comte Arnau*, 1904. Cuando recibió el encargo de los espectáculos Graner para componer obras líricas no operísticas, Pedrell propuso unas obras que están a medio camino entre ilustración escénica –caso de *La matinada*, 1905, con libreto de Adrià Gual y escenografía de M. Junyent– y el poema escénico *Visions de Randa*, con texto de Magí Morera, en la que reelaboró materiales que pertenecían a un proyecto operístico frustrado, la ópera *Ramon Llull*. Esta última obra no llegó a representarse. El alcance de estas obras no tiene ningún punto de contacto ni con el modelo que había propuesto Morera, y aún menos con la zarzuela del momento, sino que se asemeja a una intrusión de la estética operística, muy teñida de simbolismo, dentro de las formas más breves de la zarzuela.

BIBLIOGRAFÍA: *DMEH*; F. Cortès i Mir: "Ópera española: las obras de Felipe Pedrell", *Cuadernos de Música Iberoamericana*, I, 1996.

FRANCESC CORTÈS I MIR

Pellegrini, Nicolino. Viggiano (Italia), 1873; Asunción, 1933. Violinista, violonchelista y director. En 1886 viajó a la India y dos años después al Brasil fijando residencia en Porto Alegre. Llegó al Paraguay en 1893. Su labor en aquel país constituyó uno de los más valiosos aportes para la creación y consolidación de instituciones musicales, así como en la formación de músicos. Actuaba como director de orquesta y otras veces como violinista o violonchelista. Es autor de la zarzuela *Tierra Guaraní* con texto de Fermín Domínguez, que tuvo gran éxito en esta nación.

BIBLIOGRAFÍA: *DMEH*.

VÍCTOR SÁNCHEZ SÁNCHEZ

Pellicer, Francisco. España, siglo XIX. Compositor. En el archivo de la SGAE en Barcelona se conservan varias obras suyas, alguna de las cuales alcanzó un éxito considerable, caso de *Alí-Oli o Qui ho havia de di*, *Entre armats i congregants o La processó va per dins* y *Una poma per la sed*, todas ellas con texto de Julià Carcassó. Estas fueron estrenadas en la temporada de 1894-95 en el teatro Novetats.

FRANCESC CORTÈS i MIR

Pellicer López, Julio. Córdoba, 1872? Dramaturgo. Fue maestro y periodista, profesión en la que

Julio Pellicer (Foto: Franzen en El Arte de El Teatro, *1907; Ar. SGAE)*

dirigió *El Ramo* y *El Sistema*. Trabajó en la Administración del Estado como oficial administrativo del Ministerio de la Gobernación. Escribió algunas comedias en colaboración con José López Silva –al igual que la mayoría de sus obras líricas– como *Zarzamora*, 1905, *Mariposas blancas*, 1906 y *El gallo de la pasión*, 1907. En cuanto al teatro lírico, casi todas sus obras pertenecen al género chico a excepción de *El aduar*, con música de Pablo Luna, estrenada en 1919 en el teatro Apolo, estructurada en dos actos. El resto son zarzuelas chicas o sainetes, en un acto, escritas algunas en colaboración. Así *La coleta del maestro*, en colaboración con Luis de Larra y Rafael Blanco con música de Guillermo Cereceda, teatro Moderno de Madrid, 1903; *Sangre moza*, en colaboración con López Silva y música de Quinito Valverde, Apolo, 1907 y con los mismos colaboradores –musicales y literarios– y en el mismo año, pero en el teatro de la Zarzuela, se estrenó *El gallo de la Pasión*; *Ninfas y sátiros*, en colaboración con López Silva y música de Vicente Lleó, Eslava, 1909; *El arroyo*, sainete escrito en colaboración con López Silva, con música de Quinito Valverde y Luis Foglietti, teatro Avenida de Buenos Aires, 1912, y *El patio de los naranjos*, zarzuela con música de Pablo Luna, teatro Apolo, 1916.

BIBLIOGRAFÍA: *CDE; DAT; El Arte de El Teatro*, II, 40, 15-XI-1907.

Mª LUZ GONZÁLEZ PEÑA

Pello, José. España, siglo XX. Actor. Participó en el estreno de la obra de Moreno Torroba *La boda del señor Bringas o Si te casas la pringas*, en el teatro Calderón en mayo de 1936, protagonizada por Felisa Herrero y Pedro Terol y en 1938 en *Los amos del barrio* de Manuel Quiroga.

Mª LUZ GONZÁLEZ PEÑA

Penagos Valero, Isabel. Santander, 1935. Soprano lírica. Hija del famoso dibujante Rafael Penagos, abandonó la carrera de Farmacia por la de canto aconsejada por su tío, que consiguió que la escuchasen Ana María Iriarte y Lola Rodríguez de Aragón, por cuyo consejo de matriculó en el Conservatorio realizando la carrera de canto con resultados brillantísimos y coincidiendo con otra gran cantante Teresa Berganza con la que igualó en puntuación para el premio

Lucrecia Arana lo que motivó que se crease para Isabel Penagos el premio María Barrientos. Debutó en 1935 en el Ateneo de Madrid con *La Pasión según San Mateo* de Bach. A partir de este momento recorrió los diversos festivales de música en España, recibiendo premios y adquiriendo fama y prestigio. Recorrió Europa y América interpretando ópera, lied y ofreciendo recitales. Inauguró el teatro Real de Madrid cuando empezó a funcionar como sala de conciertos con la *Novena sinfonía* de Beethoven. Su repertorio operístico es muy amplio, pues abarca desde Mozart a Puccini, pasando por Pergolessi, Verdi, Rossini y Donizetti. Estrenó *Bomarzo* de Ginastera y diversas obras de compositores españoles como Joaquín Rodrigo, Fernando Remacha, Oscar Esplá o Eduardo Toldrá. Finalizó su carrera en 1987 y ocupó una cátedra en la Escuela Superior de Canto. Entre sus discípulos se encuentra la soprano Ana María Sánchez. Aunque no ha cantado zarzuela, tiene una amplia discografía.

Isabel Penagos (Foto: Gyenes; Ar. SGAE)

FONOGRAFÍA: *Agua, azucarillos y aguardiente*, Zafiro-Salvat 1006-1 • Zafiro 30103004 175 • Zafiro SA, ZOR-219 48 LM-3004 (C) • Zafiro SA, ZN6-6 S (Novola) 47; *Don Gil de Alcalá*, Montilla FM-66; *Katiuska*, Zafiro-BMG ZN6-8 • Zafiro-Salvat 1037-2 • Zafiro ZOR-22-152 LM-3016 (C); *La del manojo de rosas*, Zafiro-Salvat 1018-1 • Zafiro 30103024 142 LM 3024 (C) • Zafiro-Novola ZN 6-9 • Zafiro ZOR-221 150; *La revoltosa*, Zafiro 30103042 (Serdisco) 5 • Zafiro SA, ZOR-216 12 • Zafiro SA, LM-3042 (Serdisco) 4 • Zafiro-Salvat 1002-1 • Zafiro SA, 30103026 52 • Zafiro SA, ZN 6-5 S (Novola) 58 • Zafiro SA, ZOR-218 56; *La tabernera del puerto*, Zafiro-Salvat 1030-2 • Zafiro LM-3009-C • Zafiro 30103009, 30103014 y 30112102 (Serdisco) 143, 144 y 149 • Zafiro-Salvat 1031-2 • Zafiro LM-3.014-C • Zafiro ZOR-160 153; *Luisa Fernanda*, Montilla FM-67 • Zafiro 30103041 (Serdisco) 200 • Zafiro LM-3041 (C) 208 • Zafiro ZOR-102 201; *Romanzas de zarzuela: Isabel Penagos*, Zafiro ZOR-205.

BIBLIOGRAFÍA: *CCE; DMEH*.

LUIS G. IBERNI

Penella Moreno, Manuel. Valencia, 31-VII-1880; Cuernavaca (México), 24-I-1939. Compositor, director y empresario. Inició sus estudios musicales con su padre, Manuel Penella Raga, director y creador de la primera Escuela Municipal de Música para Niños de Valencia. Recibió así una sólida formación musical, que completó con los estudios de contrapunto, fuga y composición junto a Salvador Giner, una de las figuras de más prestigio del emergente regionalismo levantino, y los de violín con Andrés

Goñi, aunque se vio obligado a abandonar la práctica instrumental al sufrir un accidente en la mano izquierda. Con catorce años ocupó la plaza de organista en la iglesia de San Nicolás (Valencia) y poco después compuso su primera zarzuela titulada *La fiesta del pueblo*, que estrenó en el teatro Ruzafa en 1896. Se embarcó para América en 1897 como director orquestal de una compañía de zarzuela, iniciando un contacto con el nuevo continente que jalonó su carrera con continuas idas y venidas por el Atlántico. Continuó su viaje formando parte de un trío de cámara y ganándose la vida como podía, desde repartidor de periódicos, camarero, sastre, repostero, artista circense, torero o pintor, aunque su actividad principal fue el teatro musical. En Ecuador obtuvo la plaza de director de la Banda del Regimiento de Artillería, para la que compuso algunas piezas.

En 1907 regresó a España, participando activamente en los teatros madrileños de género chico, por entonces en plena decadencia artística y económica. Estrenó en el Novedades *Amor ciego* y en el Apolo *El día de Reyes* y *El padre cura*, ambas con libreto de Manuel Moncayo, que fueron bien recibidas por el público. Se trata de obras ligeras que cuentan con unos pocos y vistosos números musicales, como sucede en la astracanada *El arrojado*, estrenada en el modesto local Ideal Polistillo, cuyo texto había adaptado Moncayo de un sainete valenciano de Cortés, y para el que Penella compuso tres números: un dúo de bolillos, unos tientos y pravianas y un tango del sombrero. Los cuplés, valses, tangos y pasodobles son habituales en estas piezas como en *Entre chumberas*, estrenada en Zaragoza, o *La niña de los besos* con libreto de Miguel Mihura. Con un enfoque más extenso compuso alguna opereta, género de moda a raíz del éxito de *La viuda alegre*, como *La niña mimada*, con libreto de Aurelio González-Rendón, estrenada en el teatro Price en 1910, en tres actos y veinte números musicales, que incluyen desde bailes de moda –el cake-walk de los negros o el tango de la guasa viva– y canciones sentimentales a ritmo de vals hasta números españoles –varias canciones españolas, una saeta, un pasacalle o un baile andaluz–; esta misma obra se pudo ver en el teatro Balbo de Turín en 1914. En la disparatada línea de la opereta española se encuentra también la humorada en un acto *La reina*

de las tintas, con libreto de Mihura y Ricardo González, autores que también le dieron el texto de la exposición cómica *Gracia y justicia*, la zarzuela *Sal de espuma* o el sainete *Los pocos años*. Otras obras representativas de esta orientación lúdica y sicalíptica del teatro en que participaba Penella en estos años son la humorada *El género alegre* con libreto de Arniches, la chirigota *Huelga de señoras* o la opereta bufa *Las romanas caprichosas* de López Silva.

En 1912 retornó a América, esta vez al frente de su propia compañía, de la que además de director musical era empresario. En Buenos Aires obtuvo su primer gran éxito, con libreto una vez más de Moncayo, con la revista lírico-fantástica en un acto *Las musas latinas*, que le convirtió en un personaje popular y admirado en la capital argentina. El 10 abril de 1913 dicha revista se presentó con similar éxito en el teatro Apolo de Madrid, donde gustó más la música que el libro, pidiéndose la repetición de la mayoría de los números, como un coro, una canción y unos cuplés, que contó con la participación de la Isaura, la Lahera, la Membrives y los señores Alarcón, Vallejo y Sotillo; en la cartelera del Apolo se anunció durante muchos días *Las musas latinas* en dos funciones. De nuevo en Argentina en 1914 conoció al escritor limeño Felipe Sassone, que se convirtió en su amigo y colaborador. En el barco de regreso a España trabajaron juntos en la opereta en tres actos *La muñeca del amor*, que se estrenó en el Gran Teatro de Madrid, viajando después con sus familias por Andalucía, visitando la Semana Santa sevillana y el ambiente morisco de Córdoba y Granada. Juntos comenzaron a proyectar la ópera española *El gato montés*, que iniciaron en sus tertulias vespertinas en el madrileño café El Gato Negro. El repentino fallecimiento de la mujer de Sassone obligó a Penella a concluir el libreto. *El gato montés* fue el gran éxito desde su estreno en el teatro Principal de Valencia en 1916, no sólo por la popularidad de su famoso pasodoble sino también por la calidad musical de su extensa y acertada partitura, en la que Penella refleja sus dotes dramáticas y musicales. El éxito fue refrendado en el Gran Teatro de Madrid, 1917, teatro Cómico de Barcelona, 1917, teatro Arbeu de México, 1920, o en el Park Theatre de Nueva York, 1920, donde permaneció diez semanas consecutivas, con un reparto en la que participaba la joven Conchita Piquer.

Manuel Penella, 1925
(Foto: Morse, Colección Andrada; Ar. SGAE)

Desde 1920 debido a sus continuos viajes entre España y América disminuyó su producción, aunque a finales de la década estrenó en Madrid algunas piezas ligeras como la humorada *Ris-Ras*, con libreto de Antonio Paso, el juguete *Entrar por uvas o feliz año nuevo*, o el disparatado sainete *El huevo de Colón*. Su gran éxito, ya tardío, fue la ópera cómica en tres actos *Don Gil de Alcalá*, con libreto del propio compositor ambientado en la América colonial a finales del XVIII. Estrenada en el teatro Novedades de Barcelona, se convirtió en una pieza clave del repertorio de las compañías de zarzuela, a pesar de su clara vocación operística, destacando su sonoridad dieciochesca con la utilización sólo de una orquesta de cuerda y arpas. Menor fortuna tuvo el estreno en 1935 del drama lírico *La malquerida*, adaptación de la famosa obra de Jacinto Benavente. Tras el estallido de la Guerra Civil marchó de nuevo a América, estrenando en 1937 con gran éxito *Don Gil de Alcalá* en el teatro Monumental de Buenos Aires, con Luis Sagi Vela como protagonista; al año siguiente repitió el éxito en México. Falleció en Cuernavaca donde dirigía la parte musical de la versión cinematográfica de *Don Gil de Alcalá*, titulada *El capitán aventurero*.

Su gran amigo Felipe Sassone le definió con acierto como "un levantino negro como un moro, agudo y saladísimo, artista y español hasta la médula de los huesos, que sabía a maravilla su oficio. Gran director de orquesta y muy diestro en toda clase de menesteres teatrales, tenía una gran cultura musical y una sensibilidad finísima, y admiraba y entendía a Debussy, y cultivaba, modesto y magistral en sus composiciones originales, la buena música de zarzuela con aquel gusto, tan de su región –armonías de Ruperto Chapí y melodías de Pepe Serrano–, que olían y sabían a naranjos y a mar". No obstante, más allá de sus raíces levantinas, la prolífica obra de Manuel Penella muestra su ambición y buen hacer teatral dentro del ámbito hispanoamericano de la zarzuela de su época, que supo asimilar en sus frecuentes viajes. *Véase* EL GATO MONTÉS.

OBRAS (Todas en E:Msa): *La fiesta del pueblo*, est, 1896, Te. Ruzafa (Valencia); *Tentación*, l, M. Portolés, est, 1906; *Amor ciego*, Zarz, 1 act, l, J. Pastor/M. Penella Moreno, est, 13-VIII-1907, Te. Novedades; *El día de reyes*, Apr, 1 act, l, M. Moncayo Cubas, est, 28-XII-1907, Te. Apolo; *El arrojado*, astracanada, 1 act, l, M. Moncayo/Cortés, est, 5-VII-1908, Te. Ideal Polístillo; *El padre cura*, Zarz, 1 act, l, M. Moncayo, est, 9-IV-1908, Te. Apolo; *La perra chica*, sátira política, 1 act, l, J. Pastor Rubira, est, 27-VI-1908, Gran Teatro; *Corpus Christi*, Dr lír, 1 act, l, J. Pastor

Manuel Penella
(Foto: Ar. SGAE)

Rubira, est, 9-II-1909, Te. Martín; *La noche de las flores*, idilio dramático, 1 act, l, J. Pastor Rubira, est, 16-IX-1909, Te. Martín; *Entre chumberas*, Zarz, 1 act, l, A. Casañal / T. Aznar / J. Lorente, est, 5-X-1909, Te. Pignatelli (Zaragoza) *Las gafas negras*, Sai, 1 act, l, M. Moncayo/J. Díaz-Plaza, est, 18-VI-1909, Te. Apolo; *Sal de espuma*, Zarz, 1 act, col. Castilla, L, M. Mihura/R. González, est, 4-IX-1909, Te. Novedades; *La niña mimada*, Opt, 3 act, l, A. González-Rendón, est, 1910, Price; *Gracia y justicia*, exposición cóm, 1 act, l, M. Mihura/R. González, est, 28-II-1910, Te. Martín; *La reina de las tintas*, Hum, cóm, 1 act, l. M. Mihura/R. González, est, 7-XII-1910, Te. Gran Teatro; *Las romanas caprichosas*, Opt Bu, 1 act, l, J. López Silva/R. Asensio Mas, est, 18-XI-1910, Gran Teatro; *Huelga de señoras*, chirigota, 1 act, l, J. J. Lorente/T. Aznar, est, 3-I-1911, Te. Latina; *La niña de los besos*, Opt, 1 act, l, M. Mihura/R. González, est, 23-V-1911, Gran Teatro; *El ciego del barrio*, Sai, 1 act, col. San Felipe / Barrera, l, J. Romeo / J. Visconti, est, 20-VI-1911, Gran Teatro; *El viaje de la vida*, 1 act, l, M. Moncayo, est, 29-VII-1911, Gran Teatro; *El género alegre*, Hum, 1 act, col. García Álvarez, l, Carlos Arniches / R. Asensio, est, 7-IX-1911, Gran Teatro; *Los pocos años*, Sai, 1 act, l, M. Mihura / R. González, est, 10-IV-1912, Te. Martín; *Las musas latinas*, Rv lír-fantástica, 1 act, l, M. Moncayo, est, Buenos Aires, 1912; *El galope de amor*, Opt, 1 act, l, Ferraz Revenga, est, 29-I-1914, Gran Teatro; *La España de pandereta*, españolada, 1 act, l, M. Moncayo Cubas, est, 1914; *La isla de los placeres*, astracanada, 1 act, l, M. Moncayo, est, 24-IV-1914, Gran Teatro; *La muñeca del amor*, Opt, 3 act, l, F. Sassone, est, III-1914, Gran Teatro; *El gato montés*, l, M. Penella Moreno, est, 1916, Te. Principal (Valencia); *El amor en el teatro*, l, M. Penella Moreno, est, 14-VI-1917, Gran Teatro; *El amor de amores*, Rv, 1 act, l, M. Penella Moreno, est, 14-VI-1917, Gran Teatro (Madrid); *La cara del ministro*, historieta cóm-lír, 1 act, col. Estela Lluch, l, E. Polo / J. Romero, est, 4-VII-1917, Gran Teatro; *La última españolada*, 1 act, l, M. Penella Moreno, est, 7-VI-1917, Gran Teatro; *Frivolina*, 3 act, l, M. Moncayo / M. Penella Moreno, est, 1918; *El teniente Florisel*, Vo, 3 act, l, M. Moncayo / M. Penella Moreno, est, 20-X-1918, Te. Eslava; *El espejo de las doncellas*, Pas, 1 act, col. F. de Torres, l, A. Paso (hijo) / E. Paso, est, 15-XII-1920, Te. Martín; *Ris-Ras*, Hum cóm-lír, 1 act, col. Luna, l, F. de Torres / A. Paso Díaz, est 4-XII-1928, Te. Martín; *Entrar por uvas o Feliz año nuevo*, Jug, 1 act, l, F. de Torres / M. Penella Moreno, est, 13-I-1929, Te. Martín; *La historieta de Margot*, La pandilla, l, Bertrán Reyna / L. Bellido Falcón, est, XI-1930, Te. Maravillas; *Los pirandones*, l, S. Franco Padilla, est, II-1930; *Me casó el mar*, l, S. Franco Padilla, est, 1930; *El 1403*, Sai, 2 act, l, M. Moncayo, est, XI-1931; *El huevo de Colón*, Sai, 2 act, l, A. Paso Díaz / M. Penella Moreno, est, 27-X-1931, Te. Cervantes; *Don Gil de Alcalá*, Op, 3 act, l, M. Penella Moreno, est, 27-X-1932, Te. Novedades (Barcelona); *El hermano lobo*, l, F. Oliver, est, 22-XI-1933, Barcelona; *La malquerida*, Dr lír, 3 act, l, J. Benavente Martínez, cst, 12-IV-1935, Barcelona; *Agarrate Catalina*, col. Luna Carné, l, F. Torres / A. Paso, est, Te. Martín; *Amanecer*, 3 act, l, M. Penella Moreno; *Aquí hacen falta tres hombres*, 1 act, l, F. Padilla; *Bohemia dorada*, 3 act, l, F. García; *Coiffeur pour dames, Don Amancio el generoso o el 1403*, 3 act, l, M.

Moncayo; *Curro Gallardo*, Zarz, 3 act, l, M. Penella Moreno; *El barbero de Sevilla*, 3 act; *El paraíso perdido*, 1 act, l, M. Moncayo Cubas; *Jazz Band; Ku Kux Klan* , l, Bellido / M. Carballeda; *La cebolla de oro*, 1 act, l, J. Pastor; *La cruz de piedra*, 1 act, l, J. Pastor Rubira; *La danza de Salomé*, 1 act, l, M. Mihura / R. González del Toro; *La novela de ahora*, aventura cóm lír, 1 act, l, M. Moncayo, est, Te. Apolo; *La última carcelera*, Zarz, 2 act, l, A. y J. Ramos Martín; *Las pistoleras*, l, M. Penella Moreno, est, Barcelona; *Lo más teatral; Los hijos del sol; Los vencedores*, col. Fuentes, L, M. Rovira Serra; *Mare Nostrum*, Dr; *Tana Fedorovna*, Zarz, 3 act, l, M. Penella Moreno; *Viva la república.*

FONOGRAFÍA: *El gato montés*, Grammophon 435 776-2 • Gramófono W 260335 (et. verde), s19924u, s19923u • La Voz de su Amo AE 2504 • Odeón 203656, SO 6231 SO 6190 • Victoria 5589; *Jazz Band*, Blue Moon BMCD 7503; *La tierra de la alegría*, Odeón 100612 y 100613 (et. azul), SO 1439 SO 1551.

BIBLIOGRAFÍA: *DMEH; TA*; V. Ruiz Albéniz: *¡Aquel Madrid! (1900-1914)*, Madrid, Artes Gráficas Municipales, 1944; M. Muñoz: *Historia de la zarzuela y el género chico*, Madrid, Tesoro, 1946; C. Fernández Luna: *La zarzuela*, Madrid, Publicaciones Españolas, 1954; R. Dumesnil: *Historia del teatro lírico*, Barcelona, Vergara, 1957; F. Sassone Suárez: *La rueda de la fortuna*, Madrid, Aguilar, 1958; A. Fernández-Cid: *La música española en el siglo XX*, Madrid, Fundación Juan March, 1973; A. Sagardía: *Don Gil de Alcalá*, Barcelona, Teatro Liceo, 1975; J. M. Gómez Labad: *El Madrid de la zarzuela*, Madrid, Tres, 1983; E. Franco: "Manuel Penella, entre España y América", *Cuadernos de Música*, 3, Madrid, SGAE, 1988; S. Salaún: *El cuplé (1900-1936)*, Madrid, Espasa-Calpe, 1990; E. López-Chavarri Andújar: *Compositores valencianos del siglo XX*, Valencia, Conselleria de Cultura, 1992; J. Romero: *El gato montés*, Sevilla, Cátedra-Expo 92, 1992.

VÍCTOR SÁNCHEZ SÁNCHEZ

Peña y Goñi, Antonio. San Sebastián, 2-XI-1846; Madrid, 13-XI-1896. Historiador, crítico y compositor. Estudió en su ciudad natal con el organista Santesteban. A los doce años se trasladó a San Juan de Luz en Francia, donde adquirió un perfecto dominio del francés. Años más tarde se instaló en Madrid, continuando sus estudios musicales en el Conservatorio que abandonó para entrar a trabajar en el Ministerio de Fomento. Con poco más de veinte años empezaron sus colaboraciones en *El Imparcial* que causaron gran impacto ya que, en palabras de Carmena y Millán, se salían de "la esfera de una mera reseña". Junto a Manuel de la Revilla fundó la revista musical *La Crítica*, aparecida en 1874 aunque de escasa fortuna. Posteriormente colaboró con medios como *La Ilustración Española, El Globo, Revista Contemporánea, La Crónica de la Música, El Tiempo, Revista Europea, La Europa, El Liberal, Madrid Cómico* y *Blanco y Negro*. Fue corresponsal en España de la revista francesa *Le Ménes-*

Antonio Peña y Goñi (Foto: Ar. SGAE)

trel y escribió numerosos opúsculos. Su mayor aportación escrita es el libro *La ópera española y la música dramática en España en el siglo XIX*. En 1879 fue nombrado por el Gobierno para desempeñar la docencia en la entonces denominada Escuela Nacional de Música como responsable de Historia y crítica del arte de la música, labor que realizó durante poco tiempo. Fue elegido miembro de la Academia de Bellas Artes de San Fernando, sustituyendo a Saldoni, el 24 de marzo de 1890, donde presentó un importante discurso: "Creación y desarrollo de la zarzuela española". En los cuatro años que estuvo, llevó a cabo numerosas iniciativas, desde la solicitud de constitución en el Conservatorio de una cátedra de Ópera Cómica Española hasta la realización de sendos homenajes a Arrieta y Barbieri por sus fallecimientos. Fue importante defensor de los toros y con el seudónimo "El Tío Gilena" convirtió las corridas en espectáculos de amenidad, plasmando su trabajo en la revista *La Lidia*. Su actividad creativa se vio inspirada por su tierra natal. Entre otras composiciones hay que destacar los zortzicos *Pepita, Los pelotaris, ¡¡¡Viva Hernani!!!* o *¡Guipúzcoa mía!* También hay que señalar sus rapsodias *Recuerdo a Villinch, Basconia* y *En la tumba de Santesteban*; el pasodoble taurino *San Sebastián* y, sobre todo, su *Fantasía sobre motivos de la zarzuela Pan y toros* de Barbieri para piano, que alcanzó una notable popularidad, ayudando a la divulgación de la composición.

Sin embargo, su mayor trascendencia se debe a su labor como teórico de la música española, uno de los más importantes de la historia contemporánea. Su apuesta por la zarzuela como género lírico nacional fue continua; de hecho, se preguntaba: "¿No sería más lógico, más racional, y sobre todo más patriótico, volver la vista a esa única institución nacional que tenemos en España? ¿No valdría más pedir protección para ese hijo legítimo nuestro, en vez de pordiosearla para el extranjero?". Peña fue el máximo teórico y el mejor panegirista que tuvo este género durante la Restauración Española. Así se explayaba cuando afirmaba que "la zarzuela, la mal llamada zarzuela, la ópera cómica española, es una gran gloria nacional, y será probablemente la conquista artístico musical más importante del presente siglo". Para Peña el modelo de autor nacional, capaz de asumir el liderazgo, se encarnaría en la figura de Chapí a quien señala como "el representante indiscutible de nuestro único género nacional; el músico del pueblo, de la burguesía y de la aristocracia; el artista que tiene todas las cuerdas en su lira admirable, que posee la nota regocijada, la nota tierna, lo que hace reír y lo que hace sentir; y todo ello en un cuadro adecuado, justo, con una noción de la media tinta, con un instinto de la proporción que le hacen encerrar su inspiración en una medida donde nada falta ni sobra" (*La Época*, Madrid, 21-IV-1991). Sus numerosos escritos y críticas suponen uno de los hitos en la historia de la crítica musical española y, especialmente, en lo relacionado con el género lírico.

BIBLIOGRAFÍA: *OE*; E. Casares Rodicio: "La crítica musical en el siglo XIX español. Panorama general", *La música española en el siglo XIX*, U. Oviedo, 1995; L. G. Iberni: "Cien años de Antonio Peña y Goñi", *Cuadernos de Música Iberoamericana*, 4, Madrid, SGAE, 1997.

LUIS G. IBERNI

Peña Ruiz. Familia de actores y cantantes españoles formada por los hermanos Josefa, Rafaela y Ramón.

1. Josefa. Puerta del Mar (Málaga), siglos XIX-XX. Tiple. Como sus hermanos Ramón y Rafaela se dedicó al teatro actuando en el Apolo de Valencia en 1907, en Málaga en 1908 y posteriormente en la compañía de su hermano Ramón como característica.

2. Rafaela. Málaga, 5-II-1875; ?, 1907. Tiple. Debutó en el teatro Cervantes de Málaga, bajo la protección del actor Pedro Delgado. Tomás Cabas Galván la contrató para el teatro de la Isla de San Fernando y posteriormente recorrió los de Jerez, Sevilla, Córdoba, Écija, Cádiz, Granada, Almería, Murcia, Cartagena, Valencia, Alicante, Zamora, Teruel, Salamanca y Barcelona. Sus mejores actuaciones las tuvo en *El dúo de la Africana*, *El tambor de granaderos*, *El padrino del nene*, *El cabo primero* y *Las zapatillas*.

3. Ramón. Málaga, 1880; Madrid, 1-III-1965. Actor, director de escena y escritor. Se dedicó desde joven al teatro y comenzó desempeñando pequeños papeles en *La Gran Vía* y *Oro, plata, cobre y nada*. Abandonó su ciudad natal y llegó a Barcelona donde se colocó en un pequeño teatro de barrio ejerciendo de corista, director y primer actor y traspunte. Llegó a Madrid y su paisano Lino Ruiloa le contrató para actuar en Burgos con su compañía, donde logró cierta fama al sustituir a los primeros actores que cayeron enfermos. De regreso a Madrid y disuelta la compañía aceptó un contrato para una compañía lírica que iba a Valencia y en ella permaneció siete años, consolidando su posición y su fama. Actuó des-

Ramón Peña en Las princesitas del dólar *(Foto: Comedias y Comediantes, 1910; Ar. ICCMU)*

pués en Canarias y Zaragoza y allí fue contratado para el teatro Eslava de Madrid al abandonarlo el actor Vera. En 1909 actuó de nuevo en el Apolo de Valencia y en 1910 en el Cervantes de Málaga con la compañía de los hermanos Velasco. En 1911 volvió al Eslava madrileño, ya como director. En 1912 se lo disputaban el Eslava y el Apolo, pero el actor siguió en Eslava donde estrenó *Petit-Café*, comedia en tres actos de Tristán Bernard, adaptada por José Juan Cadenas, que obtuvo un gran éxito y supuso la definitiva consagración de Ramón Peña que pudo demostrar sus posibilidades interpretativas, dada la complejidad de esta comedia. Poco después estrenó la opereta *Los húsares del Kaiser*, junto a Maruja Lopetegui. Estrenó en 1915 en la Zarzuela *Las vírgenes paganas* primera obra del alicantino Juan Vert, que no obtuvo mucho éxito. Sí lo obtuvo la reposición de *Ni rey ni Roque*, que Ramón Peña protagonizó con Dionisia Lahera. Un gran éxito consiguió en el estreno de *Sybill*.

En lo que se refiere al teatro lírico español, obtuvo un gran triunfo en la opereta *El capricho de las damas* de Luis Foglietti, 1915, teatro Eslava. En 1916 estrenó *La alegre Diana* de Tomás Barrera, compartiendo el éxito con Rafaela Haro. Un gran triunfo para ambos fue *La Generala* de Vives en la que Ramón Peña se encargó además de la dirección escénica. Dirigió y protagonizó *La mujer moderna* de Sullivan, con gran éxito. Sin embargo, en enero de 1917, por desacuerdos con la empresa, abandonó la compañía, que había mermado su autoridad como director de escena y pretendía que los actores ensayasen sin cobrar.

En la temporada 1917-18 fue contratado por el teatro Apolo donde encarnó a Ali-Mon en *El asombro de Damasco*, obteniendo un gran éxito en el papel que había estrenado Casimiro Ortas. Estrenó esa misma temporada *Los postineros* de Luna y Foglietti, que no obtuvo un gran éxito, si bien su labor junto a Rosario Leonís fue muy aplaudida. De "colosal" califica Chispero su trabajo en *Alhi-Melen* de Rafael Calleja. En 1918 estrenó *Todo el mundo en contra mía* de Vives y sólo su interpretación y la del resto de la compañía salvó la obra de un rotundo fracaso. Pero su gran triunfo y el del teatro Apolo fue *El niño judío* de Pablo Luna, 1918. En los años veinte obtuvo una gran fama como actor del género lírico y de comedia, creando unos personajes llenos de gracia y al mismo tiempo de gran profundidad interpretativa. Participó fundamentalmente en operetas, fantasías y revistas. En 1923 estrenó en colaboración con Fausto Hernández Casajuana la aventura manchega *El ingenioso hidalgo*, que también protagonizó, y en el teatro de la Zarzuela estrenó *Los gavilanes* de Guerrero. En 1925 realizó una exitosa campaña en el teatro Pavón. En 1926 emprendió con su compañía, cuyo director artístico era el caricaturista Sirio, una tournée por Andalucía. Hizo una gira por América y obtuvo un gran éxito en el teatro Martí de La Habana. Estrenó *Katiuska* de Sorozábal en el teatro Rialto de Madrid en 1932.

Escribió numerosas obras cómicas en colaboración con Ramón López-Montenegro, algunas de gran éxito como *Los Gabrieles*, que en 1923 alcanzaba ya su tercera edición o *Pulmonía doble*, que iba por la segunda. También escribió para el teatro musical, a veces con López-Montenegro, como la opereta de Luna *Una aventura en París*, estrenada en el teatro del Centro, protagonizada por él mismo y Luisa Puchol; otras con Antonio López Monís, como la fantasía *La venganza de Arlequín*, con música de Joaquín Valverde, las revistas *Blanco y Negro*, estrenada en el Odeón, 1920, y *Nuevo Mundo*, estrenada en el teatro Cómico en el mismo año, ambas con música de Rafael Millán y, en ocasiones solo, como la zarzuela *La ciudad eterna* a la que puso música Eduardo Granados. En esta ocasión Ramón Peña fue no sólo el autor del libreto, sino el protagonista de la obra y el director de escena, y en las tres facetas fue aplaudido y reconocido por la crítica.

FONOGRAFÍA: *Cándido Tenorio*, Sonifolk 20126; *El collar de Afrodita*, Sonifolk 20126; *Las niñas de peligros*, Sonifolk 20126; *Los verderones*, Odeón 203165 (et. morada), SO 5454 SO 5458 • Sonifolk 20126; *Ris-ras*, Odeón 203107 (et. fucsia), SO 5050 SO 5048.

BIBLIOGRAFÍA: *DAT*; *DUE*; J. Montero Alonso: "Ramón Peña y el teatro popular", *Nuevo Mundo*, XXXII, 1636, 29-V-1925.

M.ª LUZ GONZÁLEZ PEÑA

Peñalver, Cayetano. España, siglo XX. Tenor. En 1908 estrenó la revista *Las ruinas de Talía* de Quislant. En 1923 en el teatro Maravillas de Madrid cantó *Jugar con fuego*, con la compañía lírica de Eugenio Casals que procedía de Barcelona donde había realizado una exitosa campaña. En la temporada madrileña cantó también títulos como *Marina*, *La monte-*

ría, *Las mariscalas*, *El santo de la Isidra* o *Maruxa*. En 1924 protagonizó el estreno zaragozano de *Los gavilanes*, que Guerrero había dado a conocer en la Zarzuela de Madrid a finales de 1923, y que el tenor madrileño estrenó en muchas capitales de provincias. En 1925 *La pescadora de Ubiarco* de Álvaro Orriols en el teatro del Cisne. José María Tena y Enrique Reoyo, autores del libro se lo habían dedicado al tenor y la obra alcanzó mucha resonancia en la

Cayetano Peñalver
(Foto: E:Bit)

prensa. Al ser, en 1926, por primera vez en su historia el teatro de la Zarzuela, Teatro Lírico Nacional, cantó en obras de repertorio como *La tempestad*, *Marina*, *Maruxa* o *Jugar con fuego* y estrenó *El caserío* de Jesús Guridi, que le sitúa entre los mejores tenores de su época. En 1929 formó compañía con la mezzo María Badía y el barítono Luis Almodóvar, presentándose en el teatro Fuencarral de Madrid el 29 de septiembre con un repertorio compuesto por títulos como *El rey que rabió*, *Jugar con fuego*, *Doña Francisquita*, *Los sobrinos del capitán Grant* o *El huésped del Sevillano*.

En 1930 actuaba en el teatro Calderón de Madrid con una compañía dirigida por Luis París y Federico Moreno Torroba, en la que cantó el papel de Félix en *Jugar con fuego* y otros títulos del repertorio que alternaban en la función de tarde mientras en la de noche ocupaba el escenario *La rosa del azafrán* de Guerrero. Ese mismo año formó de nuevo compañía, en esta ocasión en solitario con María Badía, con la que se presentó en el teatro Metropolitano en veraniega campaña cantando, entre otras obras, *Doña Francisquita* y *¡Qué tiene la jota, madre!* de José María Tena. Se desconoce su actividad a partir de entonces.

FONOGRAFÍA: *El caserío*, La Voz de su Amo AE 1720 AE 1721 (et. verde), BS 2477 BS 2468 BS 2478 BS 2484 • Odeón 102237 (et celeste), SO 4056 SO 4058; *La bruja*, 101076 (et. negra y naranja), SO 3069; *La generala*, 101076 (et. negra y naranja), SO 3069.

BIBLIOGRAFÍA: E. García Carretero: *Historia del teatro de la Zarzuela de Madrid*, Madrid, Fundación de la zarzuela Española, 2003.

EMILIO GARCÍA CARRETERO

Pepe Gallardo. Zarzuela cómica en un acto. Música de Ruperto Chapí. Libreto de Guillermo Perrín y Miguel de Palacios. Estrenada el 7 de julio de 1898 en el teatro Apolo de Madrid.

Personajes y reparto. Remedios (Isabel Brú, tiple). Concha (Joaquina Pino, tiple). Manuela (F. Rodríguez). Fermina (Pilar Vidal). Mariquita (Ana Rodríguez). Vecina 1ª (Elisa Moreu). Vecina 2ª (Carmen Palmer). Vecina 3ª (Isabel Carceller). Vecina 4ª (Srta. L. Perales). Pepe Gallardo (Emilio Mesejo). Tito (Emilio Carreras). El señor Modesto (José Mesejo). Camilo (Vicente Carrión). Juan (Eliseo Sanjuán). Coro general.

Orquestación. Flautín, flauta, 2 oboes, 2 clarinetes, fagot, 2 trompas, 2 cornetines en La, 3 trombones, timbales, percusión y cuerda.

Argumento. *Primer cuadro.* Tiene lugar en un pueblo de Andalucía. Al levantarse el telón aparecen Tito, tocando la guitarra, mientras Pepe está hablando con Remedios, sentada en la reja. Durmiendo, en medio, está la Tía Mariquita. Canta Tito que "no hay quereres en el mundo" a lo que las vecinas chismorrean sobre los sufrimientos de Tito por una mujer. Mientras, Pepe increpa a Remedios, huérfana de madre, por el deseo de ésta de marcharse del pueblo e ir a Madrid, a instancias de su padre que vive allí. Él muestra su dolor con insistencia. Sin embargo, ella no desiste y le pide que no la olvide, a lo que él responde que nunca lo va a hacer. Pepe Gallardo tiene miedo de que alguien,

Cortesía de Unión Musical Ediciones SL

en Madrid, la tiente y ella no pueda resistirse. Remedios, indignada, reafirma sus sentimientos hacia él. Cuando llega Tito, parece sorprendido por las emociones de Pepe, teniendo en cuenta su pasado de conquistador. Tito, por su parte, se ve como un perdedor, una persona de la que las mujeres huyen por su fealdad, que el propio Gallardo testimonia. Llegan Remedios y su tía Mariquita le pregunta por Pepe y afirma que ella nunca se ha opuesto a la relación, pero que su cuñado, Modesto, el padre de Remedios, sí y piensa que yendo a Madrid, todo se acabará. Llega Modesto que acaba de regresar de la capital. Como ha vuelto a enviudar de la madrastra de Remedios, ya se puede llevar a ésta a Madrid. Sorprendentemente, trae una carta de Madrid para Pepe Gallardo, a quien no relaciona directamente con su hija. Es de Concha, una viuda que mantuvo relaciones con el galán. Ello genera la consiguiente confusión y el enfado de Modesto, que así se entera quién es el pretendido novio de su hija. En el sobre, hay dinero de Concha y una larga misiva. Con él, Pepe decide marcharse a Madrid en persecución de Remedios.

Segundo cuadro. Tiene lugar en una plazoleta de un barrio popular de Madrid. Aparece Modesto, vestido de portero de finca. A su lado, Juan, un criado, que le comenta a Modesto que la situación política está muy mal y que es imprescindible armar la gorda ya. También aparece Tito, vestido de oficial de barbero,

que ha venido con Pepe Gallardo. Camilo llega con la necesidad de encontrar a cincuenta mujeres como comparsas para una zarzuela. Llega Concha, mujer de gran temple y carácter, y Tito muestra su entusiasmo por ella, que ya protesta de la actitud de Pepe que, por mucho que diga el galán, sabe perfectamente que no ha venido por ella sino por Remedios. Llega Fermina, que mantiene un contencioso con Concha. Se inicia una disputa. Llegan varias personas. Al final, Remedios muestra su dolor porque piensa que Pepe Gallardo le es infiel con Concha. Tanto ésta como Remedios, Fermina y Manuela muestran su debilidad por el joven y atractivo galán que tiene la habilidad de volver locas a casadas y solteras. De repente llega Pepe Gallardo y se van las mujeres. Los hombres muestran una abierta agresividad contra él, ya que lo consideran competencia para ellos. Pepe tiene ya trabajo y confirma su deseo de casarse con Manuela, con vistas a generar un conflicto entre los vecinos que disputan entre ellos. Se van todos y queda con Tito que le cuenta que tiene también a las mujeres en contra. Cuando van a salir, se tropiezan con Concha. Ante la agresividad de ésta, Pepe opta por marcharse a la barbería. La mujer se queda con Tito. La primera se desahoga con Tito que bebe los vientos por ella. Cuando sale Pepe los ve muy melosos ya que Concha, que se ha dado cuenta de su reacción, quiere intentar darle celos. Pepe le sigue el juego de forma descarada y Tito se aprovecha, con el aplauso del galán. Sin embargo, aparece Remedios que ha visto parte de la bronca y expresa su dolor. Pepe se acerca, porque la quiere. Ella se encrespa y le abronca. Pepe señala su amor por ella y descubre sus cartas para poder casarse con ella y así superar los impedimentos de su padre. Remedios, confundida por la actitud de Manuela, vuelve a renegar de Pepe y afirma que es un granuja y un falso. Sin embargo, se descubre todo cuando Pepe refleja sus verdaderos sentimientos en público, con el disgusto de Manuela, Fermina y Concha, la cual decide ennoviarse con Tito, antes de quedarse sola.

Números musicales. Preludio. Nº 1. Escena andaluza, "No hay quereres en el mundo". Nº 2. Escena de la fuente, "¿Quién da la vez? La Soledad". Nº 2Bis. Vals de las comparsas, "Dices que tu padre hoy nos necesita". Nº 3. Cuarteto, "Y de aquí no me mueve ni en un semestre". Nº 4. Terceto, "Una moza que tiene estas hechuras". Nº 5. Dúo de Remedios y Pepe, "¡Qué pena tan grande! ¡Qué pesar tan hondo!". Final.

Comentario. Tras el estreno de *Los hijos del batallón*, la siguiente composición de relieve de Chapí fue esta obra de género chico. Hay que pensar que durante este tiempo estuvo especialmente ocupado con las representaciones de *La revoltosa*, unos meses antes, que llevó con éxito por toda España, así como con *Los hijos del batallón*. Apoyado en un espléndido libreto de Perrín y Palacios, posiblemente uno de los más hábiles de la conocida pareja literaria, acierta en la ocasión, a punto de terminar la temporada de Apolo. La fiebre por el madrileñismo no desaparecía, sino que se consolidaba, especialmente tras el estreno de *El santo de la Isidra* de Arniches y Torregrosa y, en menor medida, de *El mantón de Manila* de Chueca e Irayzoz. Hay que decir que Perrín y Palacios eran más especialistas en juguetes cómicos, o revistas, que en sainetes. Sin embargo, a pesar de la complejidad del libreto, lleno de personajes, lograron un espléndido resultado. En realidad Perrín y Palacios presentan un trasunto de *La revoltosa*. Aquí es el hombre el personaje que genera el conflicto, tanto en el ámbito masculino, que se mueve entre la ofensa y la envidia, como en el femenino, lleno de celos. Con *Pepe Gallardo* hay un elemento importante, que también se puede apreciar en la siguiente creación de importancia en Chapí, *La chavala*: la mezcla del elemento madrileñista con el de corte andaluz. Para los saineteros había elementos de afinidad en ambos aspectos localistas, especialmente con un fondo sentimental y doliente que encubre la frivolidad, el buen humor y la desenvoltura de la superficie. Es posible que, tal y como suele suceder en estas situaciones, el momento de auge lleve consigo cierta evolución y ya una decadencia. La chulería madrileña a secas empezaba a fatigar al público y los autores incluyeron otro ingrediente que ayudó a la consecución de los éxitos.

Estrenar a principios de julio es una muestra del poder del teatro Apolo para introducirse en el verano todavía con cierta vitalidad. Es posible que Perrín y Palacios, vistos los modelos, se adaptaran directamente a la corriente saineteril. El dualismo regional divide la obra en dos. Su primer cuadro está ambientado en la calle de un pueblo andaluz, potenciando esa imagen de postal, con sus fachadas llenas de macetas con las típicas rejas bajas, que tan ligadas se hallan al mundo del teatro costumbrista. En ese ámbito se encuentra *Pepe Gallardo*, a quien se disputan las mujeres del lugar, unas con un amor platónico, como Remedios o simples deseos de casorio, como Manuela. Las otras, con favores en especie y aun metálico,

como Concha. Hasta alguna casada y madura, como Fermina, con sus inevitables coqueteos. Perrín y Palacios parecen haber realizado un diseño casi simétrico en relación a *La revoltosa*. Allí el elemento desencadenante es una mujer coqueta. Aquí es un joven apuesto. Las consecuencias de corte sociológico resultan, de entrada, evidentes. Sin embargo, los paralelismos son claros. *Pepe Gallardo* es un andaluz, pagado de su físico y que saca sin duda rendimiento de él, con una idea muy particular de su dignidad personal. Aunque prefiere a Remedios, saca lo que puede de las demás. Pepe tiene su antagonista en Tito, el cual se comprende que, por su apodo, es despreciado por su fealdad y que a pesar de enamorarse de todas las mujeres no consigue jamás que ninguna le haga caso. Hay que decir que es el amigo y compinche de Pepe, lo que fomenta la desigualdad. El desencadenante aparente de la acción es el padre de Remedios, colocado en una portería de Madrid, que al llevarse a la chica, cree apartarla de su noviazgo. Pepe obtiene dinero de Concha y con él se va a la Villa y Corte tras Remedios junto a Tito. En esto se estable la diferencia de planteamiento de Perrín y Palacios. Allí donde Shaw y Silva no se movían de un patio de vecindad, ellos provocan un cambio de ubicación que, de hecho, podía no haber sido necesario y que, sin embargo, potencia la eficacia del tratamiento dramático. Además, con el cambio se limitaba la comparación con los dominadores de la jerga madrileña. No se puede olvidar que Palacios era asturiano y Perrín, andaluz. El cuadro segundo tiene lugar en un barrio popular de Madrid. Allí está la casa donde trabaja de portero el padre de Remedios. El punto de referencia ya no es un patio sino una fuente que congrega a las jóvenes. Evidentemente, también acude a Madrid Concha que pensó que el viaje de Pepe era por ella, y al saber su error, intenta darle celos con Tito. Pero hay un elemento peculiar. En *La revoltosa* los tres hombres que aspiran al amor de Mari Pepa colaboraban entre sí, de modo cauto. Concha, Fermina y Manuela se enfrentan directamente. Gallardo juega con todas, coqueteando, haciéndoles promesas varias. Concluye de una manera un tanto imprevista, debido a la velocidad de resolución que exige el sainete. Pepe se decide a casarse con Remedios, con quien siempre ha mostrado un estrecho vínculo, y ella por su parte, parece resignada a sus infidelidades.

La obra se inicia con un preludio estructurado en tres partes que plasman, de una manera casi literal, materiales procedentes del dúo entre Pepe y Remedios, culminación dramático-lírica de la obra. El Nº 1, es una escena coral en la línea que, un año antes, había presentado al comienzo de *La revoltosa*, donde los personajes principales se funden con las aportaciones corales en un tratamiento musical y dramático de similar eficacia.

Sin embargo, está presente el Chapí dominador del ritmo cuando ofrece su amplia paleta, con continuos cambios entre compases binarios y ternarios, así como figuraciones irregulares que buscan, necesariamente, traer al oído sonoridades andaluzas, subrayadas por las correspondientes cadencias y los inevitables giros. El tratamiento es muy rico e interesante y pese al poco valor que concede a las voces protagonistas, el conjunto se ve muy realzado. El Nº 2, subdividido en dos partes, llamado escena de la fuente, es en su primera parte un schottisch, donde el ritmo base sirve para construir la escena que se funde con un vals, protagonizado por el coro con alguna intervención solista, aunque siempre tratada de un modo secundario. El Nº 3 es un cuarteto de Concha, Fermina, Manuela y Remedios. Aquí Chapí realiza una obra maestra al manipular un texto muy hábil a través de cuatro lecturas diferentes. Cada una de las protagonistas muestra su auténtica sensibilidad hacia Pepe Gallardo, que viene revelada en realidad más por la música que por el texto. Es una demostración más de la plenitud a la que había llegado en este tipo de menesteres Chapí, dominador de todos los recursos lírico-dramáticos del género chico. El Nº 4 es un terceto entre Concha, Tito y Pepe. De nuevo el tratamiento dramático es protagonista. Las voces, de categoría secundaria, se ponen al servicio del texto que aparece como unificador de la música, escrita de forma muy vital para mostrar las peculiaridades del triángulo formado por Pepe, Concha y Tito. Culmina con el Nº 5, un dúo entre Remedios y Pepe donde resulta casi inevitable establecer un vínculo con el correspondiente entre Mari Pepa y Felipe de *La revoltosa*. Sin embargo, Chapí acentúa el carácter flamenquista mientras que el tratamiento orquestal es, igualmente, brillante, incluso más que en la obra precedente. A pesar de que, en muchos aspectos, esta obra tiene algo de *déjà vue* Chapí sale más que airoso en la presentación de los personajes y en la caracterización de éstos. De hecho, resulta más que sorprendente que *Pepe Gallardo* no haya vuelto a los escenarios porque tanto en el capítulo musical como en el dramático es de lo mejor de esta época.

La crítica, camino de sus lugares de veraneo, permaneció en gran parte ajena a dicho estreno. Arimón destaca y critica el libro al que considera que "no corre parejo con la parte musical" y achaca a la excesiva extensión y a la poca profundización de los personajes, la primera falta de entusiasmo del público. La música continuaba en la línea practicada por el activo Chapí. Esta partitura fue objeto de polémica hasta el punto de afirmarse que los motivos esenciales estaban copiados del *Mefistofele* de Boito, muy popularizada estos años en el teatro Real. Como era llover sobre mojado, ya que igualmente se habían establecido ciertas semejanzas con *La bohème* y *Curro Vargas*, un sector del público, a decir de Chispero, se lo creyó. Según el comentarista, "como el

ilustre compositor levantino llevaba ya demasiados éxitos seguidos, y esto no lo ha tolerado nunca el público, y menos la crítica de Madrid, la partitura inspiradísima fue objeto de grandes discusiones".

Fuentes manuscritas. La partitura se conserva en la Biblioteca Nacional de Madrid (legado Chapí, vol. 65). Los materiales de orquesta se conservan en el archivo de la SGAE en Madrid (1458).

Ediciones de música. Canto y piano, Madrid, PM, 1898.

Ediciones del libreto. Madrid, Florencio Fiscowich, 1898; 2ª ed., Madrid, Administración Lírico-Dramática, 1898; 3ª ed., Madrid, R. Velasco, 1898; 4ª ed., Madrid, Administración Lírico-Dramática, 1907.

FONOGRAFÍA: D78rpm: Dir. Pascual Marquina, Sols. Carmen Domingo, Meana, Gramophone V 54203 (et. verde), 493y.

BIBLIOGRAFÍA: *MT*; L. G. Iberni: *Ruperto Chapí*, Madrid, ICCMU, 1995; —: *Ruperto Chapí: Memorias y escritos*, Madrid, ICCMU, 1995.

LUIS G. IBERNI

Peral y Richart, Juan del. París, 5-XII-1888; ?. Periodista, crítico y dramaturgo. Dirigió *El Entreacto*, 1839-40, y después *Revista de Teatros*, 1841, colaborando además con *Semanario Pintoresco*. Escribió bajo el seudónimo de "José Rodrigo". Fue traductor y dramaturgo y uno de los autores más importantes del teatro español de la primera mitad del siglo XIX. Escribió unas 25 obras de todos los géneros, pero fundamentalmente obras cómicas, para las que tenía un gran talento. Cuando el Conde de San Luis organizó oficialmente los teatros de España, Juan del Peral fue nombrado Secretario de la Junta Directiva del teatro Español en 1849. Escribió dos obras con música de Rafael Hernando: *El ensayo de una ópera*, 1848, y *Palo de ciego*, 1849, ambas en el teatro del Instituto al igual que *Las sacerdotisas del Sol*, con música de Oudrid y Hernando, 1848. Tuvo diversos cargos políticos y estuvo en París como delegado por el Gobierno. En el momento de su muerte era jefe de la Delegación de Hacienda en la Legación española en París. *Véase* EL ENSAYO DE UNA ÓPERA.

BIBLIOGRAFÍA: *DAT; HZ*.

Mª LUZ GONZÁLEZ PEÑA

Perales, Clotilde. España, siglos XIX-XX. Tiple. Fue una de las referencias del teatro Apolo en la última década del siglo XIX y la primera del XX, junto a Joaquina Pino e Isabel Brú, sin embargo, cuando el teatro la contrató, en la temporada 1896-97, era casi una desconocida, aunque rápidamente se ganó el cariño del público de Apolo, gracias a su simpatía y belleza. A pesar de todo esto en el estreno de *Los guerrilleros*, fue muy mal acogida por el público del teatro. Mejor suerte tuvo *Las bravías* de Chapí, que triunfó absolutamente y Clotilde Perales fue muy aplaudida en su número con Emilio Mesejo. *El Imparcial* llegó a destacar a Clotilde Perales por encima de Isabel Brú, que había sido la protagonista. Celebró su beneficio con *Las bravías, Gustos que merecen palos, De Madrid a París* y *El arca de Noé*. En 1897 cerró la temporada Apolo con *Agua, azucarillos y aguardiente*, en la que interpretó a Manuela, una de las aguadoras. La temporada 1897-98 seguía actuando en Apolo donde interpretó magníficamente a la Señá Rita en *La verbena de la Paloma*; también fue muy aplaudida en *El mantón de Manila* de Chueca, *Las castañeras picadas* de Quinito Valverde y Torregrosa y *Pepe Gallardo* de Chapí. En la temporada 1898-99 Clotilde ya igualaba en fama a Joaquina Pino e Isabel Brú y las tres encabezaban la compañía del Apolo. Esa temporada estrenó *La fiesta de San Antón* de Torregrosa en la que su dúo con Isabel Brú fue muy aplaudido, *Los tres millones* de Quinito Valverde, *Amor engendra desdichas, el guapo y el feo o Verduleras honradas* de Giménez, que la encumbró aún más debido al gran éxito obtenido, y *Churro Bragas* de Estellés. En verano actuó en el teatro Eldorado de Madrid. No regresó al teatro Apolo hasta 1910, después del un paréntesis en que se desconoce dónde actuó. En la temporada 1910-11 estrenó *El trust de los tenorios* de Serrano y *El coche del diablo* de Giménez, 1910; *¡El 20 pelao!* de Escobar, *La suerte de Isabelita* de Giménez y *El chico del cafetín* de Calleja,

Clotilde Perales
(Foto: Loner;
Ar. ICCMU)

1911. En los años veinte seguía actuando, y así estrenó *La luz de Bengala* de Guerrero en el teatro Martín, y *Gitanerías* de Luis Espinosa de los Monteros, en el Novedades, ambas en 1923.

BIBLIOGRAFÍA: *TA*.

Mª LUZ GONZÁLEZ PEÑA

Perales, Pilar. España, siglos XIX-XX. Tiple. En 1910 fue contratada por el teatro Apolo, coincidiendo con Clotilde Perales, con la que se desconoce si existía parentesco. En 1912 era tiple del Gran Teatro en el que se hacían operetas, así estrenó *La hora del té*. Formó parte de la compañía de Manuel Fernández de la Puente que actuó en la temporada 1913-14 en el teatro de la Zarzuela cantando *Eva* de Franz Lehár. Contratada de nuevo la temporada 1914-15, esta vez por la compañía de Pablo Luna, como segunda tiple, participó en el estreno de *Las golondrinas* de Usandizaga, que constituyó uno de los mayores éxitos de la primavera de 1914. La temporada 1915-16 pasó al teatro Apolo donde estrenó *La cómica* de Eysler, adaptada por Eugenio Úbeda, *El nido del principal* de Vela y Bru, *La ley del embudo* de Vives y *El patio de los naranjos* de Luna.

En 1920 estrenó en el teatro Novedades *Del Sacro-Monte* de Cayo Vela, 1921, *La cruz del matrimonio* de Quislant y Monterde y en 1922 *La casa de los abuelos* de Úbeda. Seguía actuando en los años cuarenta, posiblemente como característica y así estrenó en 1943 en el teatro Martín *Luna de miel en El Cairo* de Francisco Alonso.

BIBLIOGRAFÍA: *TA*; E. García Carretero: *Historia del teatro de la Zarzuela de Madrid*, Madrid, Fundación de la Zarzuela Española, 2003.

Pilar Perales y Enrique Parra
(Foto: Ar. ICCMU)

Mª LUZ GONZÁLEZ PEÑA

Pereda y Sánchez de Porrúa, José María. Polanco (Cantabria), 6-II-1833; Santander 1-III-1906. Escritor. Es uno de los mejores novelistas del siglo XIX. El teatro lírico fue uno de sus primeros retos literarios, lo que le llevó a entablar una cordial amistad con gente del teatro, sobre todo con el actor Julián Romea. Escribió tres libros de zarzuela con un estilo en la línea de Bretón de los Herreros: realismo con toques moralistas. Su primer estreno tuvo lugar en la noche de Navidad de 1861, en el teatro Principal de Santander, con *Palos en seco*, cuadro de costumbres cómico-lírico con música de Eduardo Martín Peña. La partitura no ha sido localizada y el libreto solamente indica dos números musicales: el primero es un dúo concertante entre Bruno y Teresa, y en el segundo acompañan a los protagonistas el coro de convidados. La segunda obra de Pereda para el

José María Pereda
(Foto: Museo Municipal de Madrid)

teatro lírico fue *Mundo, amor y vanidad*, teatro Principal de Santander, 1863. La música corrió a cargo del íntimo amigo de Pereda, Máximo Díaz de Quijano, con quien volvió a colaborar en *Terrones y pergaminos*, estrenada en diciembre de 1866. El valor de esta obra residía en la influencia que ejerció en posteriores libretistas al introducir en ella personajes populares, escenas coloristas y pintorescas de ambiente montañés; la trama, la caracterización de los personajes o la descripción del mundo rural de Pereda aparecieron, con mayor o menor fortuna, en los libretos de Eusebio Sierra y José Díaz de Quijano. Sin embargo la influencia de Pereda en las zarzuelas montañesas no fue tanto consecuencia del libreto *Terrones y pergaminos*, que tuvo escaso éxito y difusión, sino de sus novelas; así *Blasones y talegas* de Eusebio Sierra, era una adaptación de la novela homónima de José María de Pereda, que con música de Ruperto Chapí, se estrenó en marzo de 1901 en el teatro Apolo, sin obtener el éxito esperado. La crítica fue unánime al señalar la inadecuación de la adaptación de la obra al género lírico. Así pues, las incursiones de Pereda en el teatro no tuvieron demasiada fortuna; él mismo reconoció su fracaso en una carta enviada en 1898 a Saco del Valle que le había solicitado un libreto para una zarzuela: "A mí no me llamó Dios hacia el camino del teatro como castigo de mis grandes ambiciones de triunfar siquiera una vez en él".

BIBLIOGRAFÍA: J. C. Arce Bueno: *La música en Cantabria*, Santander, Fundación Marcelino Botín, 1994; L. G. Iberni: *Ruperto Chapí*, Madrid, ICCMU, 1995.

OLIVA G. BALBOA

Flora Pereira
(Foto: Vandel; E:Bit)

Pereira, Flora. España, siglo XX. Tiple cómica. Fue intérprete de género chico y zarzuela grande, graciosa, con buena voz y atractivo físico. Se pasó a las variedades intentando hacer un género similar al de Amalia de Isaura, pero volvió al arte lírico y participó en diversos estrenos en el teatro de la Zarzuela como *La meiga* de Guridi y *Martierra* Guerrero, 1928; *Coplas de ronda* de Alonso y *Al dorarse las espigas* de Francisco Balaguer, con gran éxito, 1929; *El ruiseñor en la huerta* de Leopoldo Magenti 1930. Al abandonar la Compañía Lírica Nacional el teatro de la Zarzuela, Flora Pereira fue contratada por Felisa Herrero, con cuya compañía volvió al citado teatro la temporada siguiente. En 1931 estrenó en el teatro Calderón de Madrid *El cantar del arriero* de Díaz Giles.

FONOGRAFÍA: *Azabache*, Blue Moon BMCD 7544; *El caserío*, La Voz de su Amo AE 1720 AE 1721 (et. verde), BS 2477 BS 2468 BS 2478 BS 2484 • La Voz de su Amo AE 1720; *La marchenera*, Regal RS 744 (et. negra), K 1019 K 1002 • La Voz de su Amo AE 2170; *Maria la tempranica*, Blue Moon BMCD 7544; *Martierra*, La Voz de su Amo AC 138 y AE 2365; *Xuanon*, Blue Moon BMCD 7544.

BIBLIOGRAFÍA: *Nuevo Mundo*, 1814, 26-X-1928; E. García Carretero: *Historia del teatro de la Zarzuela de Madrid*, Madrid, Fundación de la Zarzuela Española, Madrid, 2003.

Mª LUZ GONZÁLEZ PEÑA

Perera Cruz, José. Madrid, 22-XII-1920. Director de coros. Miembro de una familia de músicos, con diez años comenzó sus estudios musicales en el Real Conservatorio de Madrid con Miguel Santoja. En 1950 creó el coro Cantores de Madrid, donde cantaron artistas de la importancia de Teresa Berganza o Pedro Lavirgen. En 1956 fue elegido por José Tamayo para dirigir el Coro Titular del reinaugurado teatro de la Zarzuela con el montaje de *Doña Francisquita* que hizo célebre los nombres de Alfredo Kraus, Ana María Olaria, Inés Rivadeneira, José Tamayo, Odón Alonso y el suyo propio, ya que su labor fue decisiva en la entidad y reconocida con el Premio Nacional de Teatro conseguido en 1960 o la placa al mejor maestro de coros otorgada por el Ministro de Información y Turismo en 1966. Permaneció en el teatro de la Zarzuela hasta 1988, desarrollando una labor extraordinaria tanto en la ópera, opereta, ballet, comedias musicales o zarzuela. Entre 1945 y 1979 realizó colaboraciones musicales en un total de 235 películas.

BIBLIOGRAFÍA: E. García Carretero: *Historia del teatro de la Zarzuela de Madrid*, Madrid, Fundación de la Zarzuela Española, 2003.

EMILIO GARCÍA CARRETERO

Pérez. Familia de escritores españoles formada por Felipe, y su hijo del mismo nombre.

1. Pérez y González, Felipe. Sevilla, 1854; Madrid, 16-III-1910. Poeta, dramaturgo y periodista. Se dedicó al periodismo desde los catorce años en los periódicos sevillanos *La Mariposa* y *El tío Clarín*. Colaboró asiduamente con otros diarios de Sevilla como *Los Debates*, *El Progreso*, *El Alabardero*, *El Baluarte*, *El Universal*, *El Parlamento*, *El Constitucional* y *El Porvenir*, en el que escribió bajo el seudónimo de "Urbano Cortés". Con tan sólo quince años escribió su primera obra dramática. Estudió Derecho en Sevilla aunque sólo ejerció para defenderse a sí mismo en 1885 en un pleito provocado por un artículo publicado en el *Madrid Político*. Se trasladó en 1884 a Madrid. En la capital era ya conocido por algunos estrenos en los teatros de Lara y la Comedia. Fecundo dramaturgo de gran vis cómica, fue también culto erudito. Todos sus escritos rebosan gracia natural, excelente observación, realismo y amenidad. Popularizó el seudónimo de "Tello Téllez" para firmar sus "Efemérides". Ese mismo seudónimo lo usó en la revista que creó, llamada *La Gran Vía*, como su obra más famosa. Abandonó su cargo de redactor en *El Motín* y *El Progreso* para dedicarse por entero al teatro y no volvió a la prensa hasta 1892 en *La Correspondencia de España*, y posteriormente en *El Liberal*.

Felipe Pérez y González y Felipe Pérez Capo (Fotos: Comedias y Comediantes, *1910;* El Arte de El Teatro, *1904; Ar. ICCMU/SGAE)*

En 1886 estrenó la famosísima revista *La Gran Vía,* con música de Chueca y Valverde, que le dio riqueza y popularidad. El *Madrid Cómico* en su número 183 publicaba su caricatura en portada, manejando la jaula de los Ratas de *La Gran Vía* y estos versos: "Caballero de gracia le llaman / Y efectivamente / Lo es así. / Pues sabido es que ya le conoce / De haberle aplaudido / Todo Madrid". Aunque es ésta la obra por la que se le conoce, tuvo otras colaboraciones con el género lírico como *El Marquesito* y *La Restauración,* ambas con música de Juan García Catalá y Ángel Rubio; *Pasar la raya* de Julián Romea, Eslava, 1886; *Champagne, manzanilla y peleón* de Luis Mariani, Apolo, 1887; otra humorada cómico lírica con música de Joaquín Valverde, *La de vámonos,* estrenada en 1894 en Apolo; *Carrasquilla,* con música de Emilio López del Toro estrenada en la Zarzuela en 1900 y las que escribió para Ángel Rubio, el compositor con el que más veces colaboró: *Oro, plata, cobre y... nada,* Martín, 1888; *Tío... yo no he sido,* juguete cómico-lírico, Príncipe, 1888; *Mujer y ruina o Mariquita stoy- que-ardo,* memodrama de magia, Romea, 1895. *Véase* LA GRAN VÍA.

2. Pérez Capo, Felipe. Sevilla, 1878; ?, 1970. Escritor. Su talento para crear tipos, situaciones y argumentos, pronto le hizo triunfar en la escena. Pero no fue el teatro solamente el campo de su actividad literaria ya que su obra poética es abundante, así como sus novelas. En la escena encontró cauce propicio para su talento y fue asiduo cultivador del teatro lírico, con una larga relación de obras, de todo tipo: sainetes, comedias, operetas, entremeses, farsas, humoradas y por supuesto zarzuela. Fue también uno de los comediógrafos más fecundos en su tiempo. Intervino como uno de los fundadores de la naciente Sociedad de Autores Dramáticos de España. Adaptó para la escena española las más famosas operetas vienesas de Lehár, Strauss y Fall como *Dora, la viuda alegre,* 1909; *Juanita la divorciada,* 1911; *Mary, la princesa del dólar,* 1909; *El misterio de un vals,* 1910; *Renato, conde Luxemburgo* y *Sergio, el soldadito de chocolate.*

Colaboró con los compositores de más éxito en el momento, siendo muy abundante su colaboración con Manuel Quislant: *La octava maravilla, El lazarillo* y *Las ruinas de Talia,* 1908; *La compañera, Santuzza* y *¡El gran hombre de Strasberg!,* 1909; *Pobresitos frailes que se quedan dentro,* 1910; *El coronel Castañon* y *Madrid-Niza,* 1913; *La villa triste y escacharrada,* 1916, y algunas otras como *El Carnaval de Venecia, María Jesús, El teniente Torreblanca, Los mineros;* con Vicente Lleó estrenó: *¡Y no es noche de dormir!,* 1897 y *La corte de los casados,* 1908; con Luis Foglietti *El organista de Móstoles,* 1904 y *La venta del burro,* 1908; con José Serrano *Don Miguel de Mañara,* 1902; con Pascual Marquina *Madrid a oscuras* y *Señoras garantizadas,* 1918; escribió obras para Cayo Vela, Manuel Chalons, Manuel Hermoso, Enrique Bru, Joaquín Valverde, Celestino Roig, Mariano Gómez Camarero, José Padilla y Manuel Chalons. Una de sus obras más famosas fue *Aires nacionales* con música de Manuel Fernández Caballero, 1906 y su mayor éxito *El mozo crúo* con Rafael Calleja, 1903. Con este compositor colaboró en *Los cangrejos,* una especie de segunda parte de la anterior, 1904, *Frou-Frou,* 1905 y *La Arabia feliz,* 1907. *Véase* EL MOZO CRÚO.

BIBLIOGRAFÍA: *DAT*; "Chismografía teatral. D. Felipe Pérez y González", *Comedias y Comediantes,* II, 11, 15-III-1910; "Felipe Pérez", *Comedias y Comediantes,* II, 12, 1-IV-1910; J. Cascales y Muñoz: "Felipe Pérez y González", *Nuevo Mundo,* 847, Madrid, 31-III-1910.

Mª LUZ GONZÁLEZ PEÑA

Pérez, Constantino. Cuba, inicios del siglo XX; ?. Tenor. Discípulo de Juan Elósegui. Debutó en 1929 en el teatro Campoamor como Roque en la zarzuela *Marina,* junto a Maruja González. Durante la década de los treinta, y ya como tenor, se integró al elenco de la Compañía de Severo Muguerza, con la que realizó la temporada lírica del teatro Nacional. En 1933 y haciendo dúo con la exitosa soprano Luisa María Morales, desempeñó el papel protagonista de la ópera *Madame Butterfly,* teatro Nacional. En 1934 se incorporó a la Compañía de Ernesto Lecuona con la que realizó viaje a México en donde, desde el escenario del teatro Iris, interpretó con éxito importante las obras *El cafetal, Julián el gallo, María la O, Rosa la China,* y *Niña Rita o La Habana en 1830.* A su regreso a Cuba, y contratado entonces por la Compañía de Suárez-Rodríguez, actuó en el teatro

Martí, realizando los papeles principales de *El Clarín*, *La hija del sol* y *Cecilia Valdés* de Gonzalo Roig; así como obras de Lecuona y Rodrigo Prats. Su amplia incursión en el teatro y la radio, dentro de la zarzuela y la ópera durante las décadas de 1930 y 1940, lo convirtieron, junto a Miguel de Grandy, en uno de los más conocidos tenores de su época en el ámbito nacional.

BIBLIOGRAFÍA: *LVB*; A. J. Molina: *150 Años de zarzuela en Puerto Rico y Cuba*, Puerto Rico, Ramallo Bros, Printing, 1998.

CLARA DÍAZ PÉREZ

Dolores Pérez
(Foto: Ar. ICCMU)

Pérez, Dolores [Lily Berchman]. Madrid, 1930; Madrid, 1982. Soprano. Su padre, Juan Pérez Berchman, era maestro repetidor y su madre Purificación Cayuela, cantante, por lo que su primera formación la recibió de ellos. Estudió con Carmen Seco en la Escuela de Arte Dramático, perfeccionando sus estudios en Italia, dónde cantó ópera en Milán y Nápoles. Utilizando el segundo apellido de su padre, adoptó el nombre artístico de Lily Berchman y así realizó diversas grabaciones, si bien hubo de abandonarlo, al existir una cantante alemana homónima, adoptando en adelante su nombre verdadero. En la temporada 1946-47 apareció en el teatro de la Zarzuela con la compañía de Conrado Blanco. Aunque cantó fundamentalmente ópera –también ópera española como *Goyescas*, Liceo, 1956-57, y *Amaya*, Zarzuela, 1965– en sus últimos años empezó a interpretar papeles de mezzosoprano siendo una de las más famosas Beltranas de *Doña Francisquita*. A su gran voz unía una perfecta dicción y unas estupendas dotes de actriz, lo que hacía muy llamativas sus interpretaciones. Entre sus grabaciones se cuentan *La del Soto del Parral*, *El barberillo de Lavapiés*, *El caserío*, *El asombro de Damasco*, *La canción del olvido*, *Los gavilanes*, *Gigantes y cabezudos*, *La viejecita*, *El rey que rabió*, *La alegría de la huerta*, *El puñao de rosas*, *El canastillo de fresas*, *Alma de Dios*, *Gigantes y cabezudos* y *Doña Francisquita* en dos ocasiones, junto a Alfredo Kraus.

FONOGRAFÍA: *Alma de Dios*, Zafiro-BMG EPFM-136 • Zafiro ZOR-130 185 (184a); *Cecilia Valdés*, Montilla CDFM 118; *Don Gil de Alcalá*, Montilla FM-66 • Zafiro LM-3010-C • Zafiro 30103010 189 • Zafiro ZOR-131 191; *Doña Francisquita*, Columbia SA, OZ 12 y 13 (Alhambra) 84 y 85 • Carillón • Zafiro-BMG FPFM 133 y 258 • Zafiro-Salvat 1022-1 • Zafiro SA, ZOR-163 82 • Zafiro SA, LM-3040-C (Serdisco) 76 y 78; *El asombro de Damasco*, Zafiro-BMG FM-50 • Zafiro-Salvat 1048-2; *El barberillo de Lavapiés*, EMI 7243 5 74163 2 0 (637.00346) • Zafiro-BMG EPFM-21 • Zafiro 30103005 160 • Zafiro ZOR-122 156 LM 3005 C; *El cafetal*, Zafiro-BMG FM-77 • Zafiro-Salvat 1061-2; *El caserío*, La Voz de su Amo VUL 213 y 214, 131 y 132 • La Voz de su Amo J-064-20.107 133 • EMI 7243 5 74156 2 0 (637.00411) • EMI 7 67451 2 (637.64938); *El huésped del Sevillano*, EMI 7243 5 74214 2 3 (637.06277) • EMI 7 67450 2 (637.64920); *El rey que rabió*, Zafiro ZOR-116 18 • Zafiro 30103006-Serdisco 14; *La alegría de la huerta*, Montilla FM-35 • Zafiro-BMG EPFM-257 • Zafiro-BMG FM-125 • Zafiro ZOR-164 187 (186a) LM 3007 C; *La del soto del parral*, Montilla FM-68 • Zafiro-BMG EPFM-132 • Zafiro ZOR-118 180; *La duquesa del Bal Tabarín*, Zafiro-BMG FM-120; *La leyenda del beso*, Zafiro-BMG EPFM-134 • Zafiro 30103008 159 • Zafiro ZOR-128 158; *La tempestad*, Alfa Delta AD-ZK-009/94; *La tempranica*, Zafiro-BMG EPFM-26 • Zafiro LM-3015 (C) • Montilla FM-49 • Zafiro ZOR-125 168 • Zafiro-Salvat 1051-2 • Zafiro 30103015 (C)-Serdisco 177; *La verbena de la Paloma*, Columbia-Salvat 1001-1 • Columbia SA, MCE 868 (Alhambra) • Zafiro-BMG EPFM-259 • Zafiro-BMG FM-168 • Zafiro ZOR-172 50; *La viejecita*, Zafiro LM-3028 (C) 188; *Los de Aragón*, Zafiro ZOR-164 186-LM 3007 C • Carrillón-Diapason CAL 31; *Luisa Fernanda*, Montilla FM-67 • Zafiro 30103041 (Serdisco) 200 • Zafiro LM-3041 (C) 208 • Zafiro ZOR-102 201 • Zafiro-BMG EPFM 128 y 262; *María de la O*, Zafiro-BMG FM-73 • Zafiro-Salvat 1033-2; *Maruxa*, La Voz de su Amo 2XKA-U 264-265 y 267 (EMI) 71 y 72 • EMI 7243 5 74212 2 5 (637.02664) • EMI 7 67452 2 (637.64946); *Rosa La China*, Montilla CDMF-75 • Zafiro (Serdisco) LM-3032-(C) • Zafiro-Salvat 1064-2; *Arias de zarzuela*, Zafiro ZOR-170; *Dúos de zarzuela*, Zafiro SA, ZOR-111 y MS-506; *Éxitos de zarzuela*, Zafiro ZOR-168; *Fragmentos favoritos de zarzuela*, Zafiro-Montilla MS-520; *Grandes dúos de zarzuela*, La Voz de su Amo-EMI J-064-20.109; *Romanzas de zarzuela*, La Voz de su Amo-EMI J-064-20.108.

BIBLIOGRAFÍA: E. García Carretero: *Historia del teatro de la Zarzuela de Madrid*, Madrid, Fundación de la Zarzuela Española, 2003.

Mª LUZ GONZÁLEZ PEÑA

Pérez, Pilar. España, siglos XIX-XX. Tiple. Perteneció al Orfeón de Zaragoza, ciudad en la que se dio a conocer como tiple de potente voz. En 1904 debutó en la compañía del teatro de la Zarzuela donde estrenó *La casita blanca*, *La vara de alcalde* y *La tragedia de Pierrot*, todas en 1904, *La noche de reyes* de Serrano, 1906, y *Ninón*, 1907. Fue muy alabada su interpretación de *La patria chica* de Chapí y los Quintero en el teatro de la Zarzuela en 1907, junto a Joaquina Pino. En 1908 fue contratada por el teatro Apolo y fue muy bien

Pilar Pérez y Rosita Montesinos en La tragedia de Pierrot *(Foto: Campúa en* El Teatro; *1904)*

acogida por el público. Estrenó *La dama roja*, y aunque ni el libro ni la música gustaron, la tiple obtuvo un gran triunfo como actriz y como cantante. En la temporada de 1911-12 en Apolo estrenó *Las hijas de Lemmos* de Luna, 1911, *La cocina* de Calleja, 1912, y poco después abandonó el género chico para dedicarse a la alta comedia, presentándose en el Infanta Isabel como primera actriz de la compañía Plana-Llano.

BIBLIOGRAFÍA: *El Arte de El Teatro*, II, 40, 15-XI-1907.

Mª LUZ GONZÁLEZ PEÑA

Pérez, Salvador. México, siglos XIX-XX. Compositor. Debutó con la representación de *Las bendiciones de San Antonio*, obra que alcanzó un mediano éxito en 1901. "Las primeras escenas no parecieron mal" dijo un cronista, "la música resultó agradable y fueron aplaudidos dos números, una romanza cantada por la Alonso y un vals; los autores fueron llamados a la escena entre dianas y palmadas, pero a partir de ese punto el entusiasmo fue en descenso". Para *El Imparcial*, "líricamente la pieza agradó; literariamente, no mucho. Sin embargo, tiene dos o tres escenas *d'après nature*, no mal hechas. Como su nombre lo indica, el autor quiso pintar escenas populares y logró en algunos detalles y en una que otra frase, encontrar la nota real y el efecto teatral. Obra de principiante, adolece de perdonables incorrecciones... En los puntos principales es una imitación de *La revoltosa* y de *La cara de Dios*. Es el esbozo de un dramita romántico: una joven obrera, que es amada de un artesano y cortejada de un petimetre". A esta zarzuela siguió *El furibundo López* estrenada en 1902 y otras cuya música no tuvo mayor encomio entre la prensa o público. Las zarzuelas de Pérez, sin embargo, encontraron mejor acogida en teatros menos prestigiosos como el María Guerrero donde su *Furibundo López* fue repuesto con mayor éxito. Sin embargo, Pérez volvió a intentar obras más ambiciosas. *La honradez del fango*, letra de Miguel Inclán estrenada en mayo de 1903 fue "una bonita pieza, seria, con buenos toques cómicos y con interesantes detalles" según Olavarría. A esta pieza siguió el 26 de diciembre el estreno de *El Pípila*, con libreto de Alberto Michel. La obra, inspirada en un episodio de la guerra de Independencia, gustó ampliamente "por sus toques patrióticos y por la presentación de personajes de la época de la Guerra de Independencia". Quizá fue la mejor obra de Salvador Pérez, sin duda gracias en buena medida al talento del libretista y al carácter histórico de la pieza. Otras zarzuelas posteriores no tendrían el mismo éxito. *El beso*, zarzuela donde "el asunto lo formaron las desventuras de un pobre soldado que mató a un capitán porque le roba el amor de su mujer, y sin piedad es fusilado" tuvo un éxito discreto. Mejor acogida tuvo *Angelina*, cuyos autores Julio Uranga y Salvador Pérez, "varias

veces fueron llamados a la escena". Otras obras de Pérez, sin embargo, fueron duramente criticadas. De *El jurado de las Posadas*, por ejemplo, se dijo: "¡Qué letra y qué música! Baste decir que es de las obras que no tienen segunda representación!". En 1904 Pérez parece haber intentado por última vez la composición de nuevas obras. *Agencia de matrimonios* prometía un cierto éxito, pero la crítica fue drástica: "*Agencia de matrimonios* se llama la pieza estrenada anoche en ese teatro. Una exhibición de caricaturas grotescas en lo general; un agente de matrimonios imposible; un dependiente poeta tristemente apayasado por Galeno; todos tipos inverosímiles. Una apoteosis de Pastorela. La obra salió *reventada* y de seguro mañana se *cerrará* la tal *Agencia*". *Godínez o Un empleado en brocheta*, texto de José Ignacio González, tuvo mejor suerte, pero *México al desnudo* también de 1904 tuvo un mal estreno y parece haber señalado el fin de la producción de Pérez.

OBRAS: *Las bendiciones de San Antonio*, Zarz, 1 act, l, C. Valle Gagern, est, 4-XII-1901, Te. Arbeu; *El furibundo López*, Zarz, 1 act, l, J. M. Gallego, est, 17-V-1902, Te. Riva Palacio; *El repórter*, Zarz, 1 act, l, M. Sánchez Santos, est, 5-XII-1902, Te. Riva Palacio; *La oficialita*, Zarz, 1 act, l, M. Sánchez Santos, est, 6-XII-1902, Te. Riva Palacio; *La honradez del fango*, Zarz, 1 act, l, M. Inclán, est, 9-V-1903, Te. Riva Palacio; *El Pípila*, Zarz, 1 act, l, A. Michel, est, 26-XII-1903, Te. Riva Palacio; *El beso*, Zarz, 1 act, l, J. R. Uranga, est, 17-X-1903, Te. Guillermo Prieto; *Angelina*, Zarz, 1 act, l, J. R. Uranga, est, 7-XI-1903, Te. María Guerrero; *El jurado de las Posadas*, Zarz, 1 act, l, M. Inclán, 1903, Te. María Guerrero; *Godínez o Un empleado en Brocheta*, Zarz, 1 act, l, J. I. González, est, 27-VIII-1904, Te. Principal; *Agencia de matrimonios*, Zarz, 1 act, l, J. Díaz Conti, est, 27-X-1904, Te. Renacimiento; *Los viejos verdes*, Zarz, 1 act, l, A. Romero Campa, est, X-1904, Te. Apolo; *México al desnudo*, Zarz, 1 act, l, G. Mellado, est, XI-1904, Te. Apolo.

BIBLIOGRAFÍA: *RHTM*.

ROCÍO TERÁN / RICARDO MIRANDA

Pérez Aguirre, Juli. †Barcelona, 1916. Violinista y compositor. Desempeñó su actividad concertística en Barcelona durante el último tercio del siglo XIX, al tiempo que también se dedicó a la enseñanza. Fue profesor de Joan Massià. En su catálogo de obras hay canciones, repertorio de salón y zarzuelas, como *Amores de un veneciano*, con texto de Caballé i Clos, y *Las erradas del papà*, ésta con texto de Conrat Colomer, quizá su obra de más éxito. Es una obra costumbrista en un acto estrenada en 1896, de argumento divertido e intrascendente. La obra logró diversas representaciones, y se mantuvo durante un tiempo en el repertorio catalán.

FRANCESC CORTÈS i MIR

Pérez Carpio, Selica. Jarafuel (Valencia), 12-IX-1900; Madrid, 23-V-1984. Tiple. Miembro de una familia dedicada a la música, y educada en este arte en el entorno familiar, se inició en el canto en el municipio de Elda en 1914 con *Maruxa*. En torno a 1917 fue contratada por Lleó para el teatro Ruzafa

Selica Pérez Carpio
(Foto: Ar. SGAE)

donde conoció el amplio repertorio del teatro lírico español. Su presentación en Madrid se produjo en el teatro de la Zarzuela, en 1924, con la obra de Padilla, *Sol de Sevilla* en el papel de Sol, y en compañía de cantantes tan importantes como Cora Raga, Enriqueta Serrano y Ramona Galindo. En este teatro estrenó en 1924 *Danza de apaches* y *La maga de Oriente* de Serrano, ambas con enorme éxito. Estrenó en 1925, en el teatro Alcázar, *El collar de Afrodita* de Guerrero. Hasta su cierre en 1929, el teatro Apolo se convirtió en el escenario favorito de sus éxitos, y ella en una de las reinas de este mítico lugar. En él se presentó y estrenó *Curro el de Lora* de Alonso, 1925, *El huésped del Sevillano* de Guerrero, 1926, *Los flamencos* de Vives, 1928, *La pícara molinera* de Luna, 1928, y *Los flamencos* de Vives, 1928. Con el cierre del Apolo, en cuya última sesión participó como La Señá Rita, pasó a estrenar en otros muchos teatros obras como *La fama del tartanero* de Guerrero en el Lope de Vega de Valladolid, 1931. Su nuevo centro de actuación fue el teatro Calderón donde estrenó *La moza vieja* de Luna, 1931, *La picarona* y *Pitos y palmas* de Alonso, 1932, y varias obras importantes de Moreno Torroba como *Luisa Fernanda* en el papel protagonista, 1932, *La chulapona*, 1934, y *Monte Carmelo*, 1939. En esos años también estrenó *El cantar del arriero* de Díaz Giles en el Reina Victoria de Barcelona, 1930. En 1935 reapareció en el teatro de la Zarzuela con *Los claveles* de Serrano y *La revoltosa* de Chapí, obras que continuó cantando en los años siguientes, así como *Luisa Fernanda*. En 1934 había participado en el rodaje de *La verbena de la Paloma* de Benito Perojo. Terminada la Guerra Civil reinició su actividad estrenando en 1941 en el teatro Montalva *Maravilla* de Moreno Torroba. En 1942 formó una compañía de comedias con la que recorrió España. En 1945 volvió a la Zarzuela con una *Luisa Fernanda* en la que se presentó el famoso barítono asturiano Antonio Medio que obtuvo un éxito formidable junto a ella, pero desde entonces también interpretó papeles de característica. Siguieron *Las golondrinas* acompañada de Antonio Medio y Conchita Bañuls, y posteriormente trabajó con la compañía de José Tamayo. Todavía en 1956 estrenó en la Zarzuela la obra de Moreno Torroba *María Manuela* y en ese mismo año acompañó a Alfredo Karus en su presentación en *Doña Francisquita*.

Conocedora de un amplio repertorio, tenía una voz potente y extensa que le permitía llegar al Si_4. Dotada de magníficas cualidades de actriz, fue una de las grandes tiples de los años treinta y siempre estrenó los principales personajes. Para su voz concibieron varios de los mejores músicos de la etapa final de la zarzuela algunas de sus obras, especialmente Moreno Torroba.

FONOGRAFÍA: *Agua, azucarillos y aguardiente*, Columbia-BMG España WD 71433 (9D); *Azabache*, Blue Moon BMCD 7544; *Bohemios*, Blue Moon BMCD 7551; *Cándido Tenorio*, Sonifolk 20126; *¡Como están las mujeres!*, Regal DK 8616 (et. azul), K 2934 K 2935-2; *Doña Francisquita*, Regal LKX 5007 a LKX 5014 (et. azul), KX 236 a KX 251; *El barbero de Sevilla*, Alhambra-BMG España WD 74552 (9D) • Columbia-Alhambra-BMG España C 32022 CS 42022; *El collar de Afrodita*, Sonifolk 20126; *El país de los tontos*, Sonifolk 20136; *El pobre Valbuena*, Alhambra MC 25028 • Columbia SA, C 7500 43 (42a); *El puñao de rosas*, Columbia A 1666 (et. roja), WK 1354 WK 1355; *El último romántico*, Blue Moon BMCD 7547; *Enseñanza libre*, Regal DK 8503 (et. azul), K2644 K2647; *Katiuska*, Hispavox 7 67330 2 (637.33842) • Hispavox HH 1035; *La alsaciana*, Blue Moon BMCD 7540; *La calle 43*, Sonifolk 20128; *La chulapona*, Columbia MCE 802 207; *La del Soto del Parral*, La Voz de su Amo AC 132; *La Dolores*, Blue Moon BMCD 7550; *La fama del tartanero*, Regal LK 4054 (et. azul), K 2838 K 2840 • Blue Moon BMCD 7514; *La fiesta de San Antón*, Regal LK 4030 (et. azul), K 2642 K 2643; *La gatita blanca*, Columbia A 1137 (et. azul), WK 1998 WK 1969; *La Gran Vía*, Columbia A 1137 (et. azul), WK 1998,WK 1969; *La leyenda del beso*, Blue Moon BMCD 7547; *La loca juventud*, Sonifolk 20128; *La marcha de honor*, Blue Moon BMCD 7547; *La orgía dorada*, Sonifolk 20134; *La pícara molinera*, Odeón 121041 (et. marrón), XXS 4949 XXS 4948 • Blue Moon BMCD 7535; *La revoltosa*, Alhambra-BMG España WD 71438 (9D) • Columbia-Salvat 1004-1 • Columbia SA, ZCL 1007 (Zacosa) 7 • Columbia SA, MCE 867 (Alhambra) 11; *La rosa de Madrid*, Blue Moon BMCD 7550; *La rosa del azafrán*, Blue Moon BMCD 7540; *La verbena de la Paloma*, Blue Moon BMCD 7550 • Columbia-BMG España WD 71435 (9D) • Columbia R 14030 a R 14032, WK 2671 a WK 2674, WK 2689 WK 2693 • Columbia-Salvat 1001-1 • Columbia SA, MCE 868 (Alhambra) • Columbia SA, MCE 866 8469; *Las alondras*, Sonifolk 20136; *Las inyecciones*, Sonifolk 20136; *Las niñas de peligros*, Sonifolk 20126; *Los faroles*, Sonifolk 20128; *Los flamencos*, Blue Moon BMCD 7551 • La Voz de su Amo AE 2402 a 2404 (et. verde), BJ 1589 BJ 1590 BJ 1603 BJ 1604 BJ 1625 BJ 1628; *Los verderones*, Sonifolk 20126; *Luisa Fernanda*, R 14023 a 14028 (et. roja), WK 2915 a WK 2921, WK 2982 a WK 2986 • Regal LK 4063 LK 4065 LK 4066 (et. azul), K 2915 K 2916 K 2920 K 2921 K 2982 K 2984; *María la tempranica*, Blue Moon BMCD 7544; *Miss Guindalera*, Sonifolk 20134; *Pelé y Melé*, Sonifolk 20128; *Su majestad la mujer*, Sonifolk 20136; *Tres gotas nada más*, Sonifolk 20134; *Xuanon*, Blue Moon BMCD 7544.

BIBLIOGRAFÍA: *CCE*; *HGZ*; J. Martín de Sagarmínaga: *Diccionario de cantantes españoles*, Madrid, Fundación Caja Madrid-Acento Ed., 1997.

EMILIO CASARES RODICIO

Pérez de Isaura, Carmen. *Véase* ISAURA.

Pérez Escrich, Enrique. Valencia, 6-X-1829; Madrid, 24-IV-1897. Novelista y dramaturgo. Se hizo famoso como novelista por entregas. Apareció en

Enrique Pérez Escrich
(Foto: Iconografía Hispana; E:Mn)

escena en un momento, mediados del XIX, en el que libretistas y compositores acusaban cierto cansancio; Pérez Escrich, junto con Carlos Frontaura entre otros, y los compositores Fernández Caballero, Velasco, Rogel, trajeron aires nuevos a la escena. Lo mejor de su producción literaria son algunos dramas y zarzuelas. *Las garras del diablo*, su primera obra, con música de José Rogel, obtuvo gran éxito en el estreno en el teatro Tirso de Molina, 1856; *Gil Blas*, con música de José Manzocchi, Zarzuela, 1860, no obtuvo demasiado éxito a pesar de la expectación por tratarse de una adaptación de una novela, y faltarle situaciones musicales; *Recuerdos de Gloria*, 1860, era una pieza insignificante, tanto por el texto como por la música; *El que siembra recoge*, 1861, zarzuela de tono sentimental con muy buena acogida, ambas con música de José Rogel y estrenadas en el teatro de la Zarzuela. En colaboración de Luis Mariano de Larra escribió la zarzuela *La guerra santa* de Emilio Arrieta, basada en un cuento de Julio Verne, con toques de humor y con interesantes caracterizaciones dramático- musicales, fue estrenada en el teatro de la Zarzuela, en 1870, con gran éxito. *Véase* LA GUERRA SANTA.

BIBLIOGRAFÍA: *DMEH; HZ.*

OLIVA G. BALBOA

Pérez Fernández, Pedro. Sevilla, 4-XI-1885; Madrid, 15-I-1956. Escritor y periodista. Aunque estudió la carrera de perito mercantil, comenzó a colaborar en la prensa sevillana desde los catorce años. Así aparecía su firma en *El Heraldo*, *La Iberia* o *El Liberal*. También con la prensa de Madrid, especialmente la dedicada al teatro, comenzó tempranamente sus relaciones; en 1906 era redactor de *Nuevo Mundo* y colaboró con *Blanco y Negro*, *La Esfera*, y otras publicaciones. Escribió más de doscientas obras líricas, muchas de ellas centenarias en la cartelera de los principales teatros españoles. Cómo era habitual, Pérez Fernández no escribió solo sino en colaboración y su colaborador más habitual fue el autor de *La venganza de Don Mendo*, Pedro Muñoz Seca, siendo conocidos en el mundillo teatral como "los dos Pericos", que obtuvieron resonados triunfos, tanto en sus obras con música como sin ella. Según Sainz de Robles el nombre de Muñoz Seca ensombreció injustamente el de Pérez Fernández, que demostró su gracia e ingenio en sus obras en solitario. Sainz de Robles atribuye a Pérez Fernández lo que de contención y buen gusto aparece en las astracanadas que firmaron juntos los dos Pericos. En solitario escribió el sainete *El alma del querer*, con música de Tomás Barrera y Amadeo Vives, que se estrenó en el Gran Teatro en 1910.

De izquierda a derecha, Pedro Pérez, el maestro Guerrero y el director de cine Samuelson (Foto: Cámara en Nuevo Mundo, *1930; Ar. ICCMU)*

En su larga colaboración con Muñoz Seca, escribió sainetes, zarzuelas grandes, revistas, operetas, y colaboró con los mejores compositores del momento. En Sevilla estrenaron en 1911 *La canción húngara* de Pablo Luna, y de Luna y Vives, *Sinvergüenza en palacio*, 1921. Con Vives mantuvieron una larga colaboración desde *Trianerías*, 1910, *El parque de Sevilla*, 1921, pasando por su título más famoso juntos, *Pepe Conde o El mentir de las estrellas*, 1920. Importante también fue su colaboración con Jacinto Guerrero: *La hora del reparto*, 1921; *El número 15*, 1922; *El rey nuevo*, 1923 y por encima de todas *La orgía dorada*, 1928, cuya marcha "Soldadito español" es internacionalmente conocida. Otros compositores con los que colaboraron fueron Font de Anta, para el que escribieron *La Tiziana* en 1919; Rafael Calleja, *La mujer romántica*, 1911 o Barrera y Taboada, *El marido de la Engracia*, 1917. *Véase* TRIANERÍAS; MUÑOZ SECA, PEDRO.

BIBLIOGRAFÍA: *CDE; DUE; EDL.*

Mª LUZ GONZÁLEZ PEÑA

Pérez Galdós, Benito. Las Palmas de Gran Canaria, 10-V-1843; Madrid, 4-I-1920. Novelista y dramaturgo. Tras realizar los primeros estudios en su ciudad natal, se trasladó a Madrid en 1863 para estudiar Derecho. Fue el restaurador de la novela realista española con los *Episodios Nacionales*, 1873. El teatro fue su primera vocación, aunque

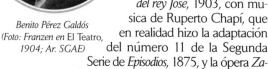

Benito Pérez Galdós
(Foto: Franzen en El Teatro,
1904; Ar. SGAE)

sus primeros intentos fueron un fracaso, ya que su primer su drama, *La expulsión de los moriscos*, no llegó a representarse. Se acercó al mundo lírico y en su juventud escribió una zarzuela, *Clavellina*, en un acto, que recoge el ambiente y folclore de Gran Canaria. Se desconoce si algún compositor llegó a poner música a esta obra, como ocurrió con algunos de sus *Episodios Nacionales: El equipaje del rey José*, 1903, con música de Ruperto Chapí, que en realidad hizo la adaptación del número 11 de la Segunda Serie de *Episodios*, 1875, y la ópera *Zaragoza*, 1908, con música de Arturo Lapuerta, adaptación del número 6 de la Primera Serie, 1874, y que se escribió en el centenario de la invasión francesa.

BIBLIOGRAFÍA: *CDE; DAT; DUE; EDL.*

OLIVA G. BALBOA

Pérez Gutiérrez, María Esther. San Antonio de los Baños (Cuba), 20-V-1953. Soprano. Con dieciséis años formó parte del Grupo Lírico Blanca Becerra, interpretando destacados personajes en *Los gavilanes, Cecilia Valdés* y *La viuda alegre*, entre otras. En 1979 integró el elenco del Grupo Lírico de Concierto Jorge Anckermann. Con posterioridad debutó en la Ópera Nacional de Cuba, interpretando el personaje de Isabel Ilincheta en *Cecilia Valdés*. Participó en el I Festival de Ópera de Cámara, realizado en 1988 y un año después en el II Festival Internacional de Arte Lírico de la Habana, así como en su tercera edición, en 1991. En su repertorio sobresalen sus interpretaciones protagonistas en *Lucia di Lammermoor, Ana Betancourt* y *Cecilia Valdés*, así como su participación en *El barbero de Sevilla* y *El cafetal*, entre otras.

CAROLE FERNÁNDEZ MARTÍNEZ

Pérez Íñigo, Paloma. Madrid, 12-XI-1952. Soprano. Estudió en la Escuela Superior de Canto con su tía, Lola Rodríguez de Aragón, y con Marimí del Pozo, y ha obtenido varios premios internacionales. Desde el principio de su carrera alterna diferentes géneros musicales tanto los teatrales, como ópera y

Paloma Pérez Íñigo
(Foto: Ar. Emilio G. Carretero)

zarzuela, junto al oratorio y el concierto. En el teatro de la Zarzuela debutó la temporada 1974-75, desde entonces su colaboración con este teatro ha sido constante, tanto en las producciones de la Compañía Lírica Nacional como en las temporadas oficiales de ópera, participando en títulos como *La villana, Don Gil de Alcalá, La chulapona, El caserío, Fuenteovejuna* o *El año pasado por agua*, algunos de los cuales ha representado también en escenarios internacionales. Desde hace algunos años compagina el canto con la cátedra como profesora de esa disciplina en el Conservatorio de Pamplona. Cantó en la reinauguración del teatro Real, cuyo programa lo componían *El sombrero de tres picos* y *La vida breve* de Falla.

EMILIO GARCÍA CARRETERO

Pérez López, José. ?, 1877; Valencia, III-1961. Dramaturgo. Colaboró con Paso, Arniches, García Álvarez, y escribió algunas obras como *Mujercita mía, El baile del oso* y *La hermana Piedad*. Se trasladó a Valencia en los años treinta y a su fallecimiento era comisario general de policía. Escribió para el teatro lírico *La ruada*, Martín, 1909 y *La hermana Piedad*, Martín, 1910, ambas con música de Pedro Badía; *El ideal festín* con música de Alonso y García Álvarez, Novedades, 1914; *El sultán de la Persia*, con música de Alonso y Martín Quirós, teatro Barbieri, 1914; *Los sabios doctores*, con música de Alonso, Novedades, 1918; *La cruz del matrimonio* con música de Bautista Monterde, Novedades, 1921; con Enrique Bru y Cayo Vela colaboró en *El rata primero*, Novedades, 1913 y *El reino de los frescos*; con Luis Foglietti en *Los mil francos*, Martín, 1912; con José Fonrat en *Vida bohemia*; con Eduardo Fuentes en *La judía caprichosa*, 1921 y con Quislant en *La romería del odio*, Novedades, 1920.

BIBLIOGRAFÍA: *BSGAE*, 82, IV-1961.

Mª LUZ GONZÁLEZ PEÑA

Pérez Rosillo, Ernesto [Ernesto Rosillo]. Alicante, 13-XI-1893; Madrid, 5-XII-1968. Compositor y director. Era más conocido por su segundo apellido. Recibió las primeras lecciones de piano de su madre y posteriormente fue tiple en la capilla de San Nicolás durante siete años. Con sólo doce años dirigió en Alicante una compañía de zarzuela con Ernestina Fons, Estanislao Carrasco, Luis Antón, Tonico Oliver, Manolito Hernández y otros. Tocó asiduamente en cafés y salones de cine, como el Novedades Sport, donde conoció a Luis Torregrosa que se ofreció a enseñarle armonía gratuitamente. Su carácter emprendedor le llevó a Madrid en 1912, ayudado por Luis Foglietti que le colocó como copista en la Sociedad de Autores. En el Conservatorio de Madrid amplió sus conocimientos de armonía con Pérez Casas, piano con Alberdi, violonchelo con Villa, estudiando además composición con Conrado del Campo. Desde 1914 formó parte de la orquesta del Palace Hotel, donde le conoció Arthur Rubinstein, quien apreció su paso-doble *De verbena*. En 1917 fue editado el fox-trot *The Palace*, creado para la orquesta Hispano Húngara, anunciado como último éxito del Palace.

Sus inicios en la zarzuela se realizaron de la mano de los famosos Federico Romero y Guillermo Fernández Shaw, que le ofrecieron el libreto en un acto de *La serranilla*, estrenada en 1919 en el teatro Cómico de Barcelona y más tarde en el Reina Victoria de Madrid, y en 1921 el de *Las delicias de Capua* para el teatro Cervantes. En 1922 presentó con mediano éxito en el teatro Ruzafa de Valencia la zarzuela costumbrista *La granjera de Arlés*, cuya partitura incluye una pastorela, un duetto y una marcha francesa. Al año siguiente obtuvo mejor fortuna con dos zarzuelas que insisten ya en el componente lúdico y sicalíptico, como *La mujer de nieve* junto a Moreno Torroba con libreto de Muñoz Seca, o el vaudeville en tres actos *Las alegres amazonas*. Esta línea continuó con otros muchos títulos en un acto que estrenó por toda España, entre los que destaca *La vaquerita*, bien recibido en el Apolo de Madrid en 1924 debido a la presencia de la hermosa Mari Lucini. En los años veinte alcanzaron gran éxito los charlestón y fox-trot de Rosillo, como los que se incluyen en la humorada *Lo que cuestan las mujeres*, 1926, o la fantasía humorística *Todo el año es Carnaval o Momo es un carcamal*, 1927, con la que debutó Miguel Ligero en el teatro Novedades. Tampoco faltan en sus partituras pasodobles y schottish madrileños, danzas de moda que alcanzaron una amplia difusión a través de las adaptaciones para quintetos, bandas y orquestinas.

Durante los años treinta continuó con su prolífica producción, con obras ligeras de carácter arrevistado y contenido claramente sicalíptico. Las partituras incluyen bailables que se pusieron de moda, como el famoso charlestón de la farsa sainetesca *¡¡Al pueblo!! ¡¡Al pueblo!!*. Otro buen ejemplo se encuentra en *Las pavas*, 1931, escrita junto a su amigo Foglietti para el teatro Eslava, cuya partitura incluía java, schottish, pasodoble, blues y one-step. En una línea más picante están *La pipa de oro*, 1932, que incluye números como el pasodoble de las guardabarreras, el schottish del higo y la marcha de las pistoleras. En la mayoría de estas obras colaboró con autores como José María Mollá, Balaguer o Daniel Montorio. Un caso algo diferente es la opereta *Luna de mayo*, a partir de un disparatado libreto de Romero y G. Fernández-Shaw, escrita para el teatro de la Zarzuela en 1934, aunque se mantiene la línea ligera con números como una mazurka, un fox-trot o un tango argentino.

Ernesto Pérez Rosillo, 1921
(Foto: Walken; Colección Andrada; Ar. SGAE)

Tras la Guerra Civil se convirtió en uno de los autores más populares, componiendo vistosos números musicales para piezas teatrales, cuyo triunfo continuado le hizo aparecer a los ojos del gran público y la crítica como uno de los compositores más representativos en el género de la revista y la opereta del momento. Destaca en estos años su colaboración con Daniel Montorio en *Vampiresas 1940*, *Una noche contigo*, 1943, *Una mujer imposible*, 1944 e *Historia de dos mujeres o Dos mujeres de historia*, 1947. Alterna las revistas y sainetes picantes, como *El año pasado sin agua*, 1948, o *Los babilonios*, 1949, dos títulos con claras referencias a zarzuelas famosas. En otras obras se muestra más próximo a la tradición de zarzuela grande como la comedia en dos actos *¡Qué sabes tú...!*, estrenada en San Sebastián por Luis Sagi Vela, cuya partitura incluye varias romanzas y dúos, además de los inevitables fox-trot. Sin embargo, siempre se le identificó como un compositor de música ligera, alcanzando algunos números bastante fortuna, como el paso-doble *Soy caballero español* o el bolero *¿Vendrás?*, ambos de la comedia *Una noche fuera de casa*, 1952, o el famoso pasodoble *Soy torero sevillano* de la revista *Goleada*, 1953. En sus últimos años intentó proyectos más ambiciosos, revisando la zarzuela en dos actos *El burlador de Toledo*, compuesta por Conrado del Campo en 1933, para su estreno en el teatro de la Zarzuela en 1965, que obtuvo el primer premio de la SGAE. Poco después estrenó en Alicante la zarzuela *Sol de Levante*, sentido homenaje a su tierra natal. Sus últimas obras fueron la revista lírica *Por la calle de Alcalá* y la colaboración en la ópera *Fray Martín*, con libreto de Jaime G. Herranz y Guillermo Fernández Shaw, junto al padre Enrique Massó, profesor de armonía del Conservatorio de Madrid.

OBRAS: *La serranilla*, Zarz, 1 act, l, F. Romero / G. Fernández Shaw, est, 1919, Te. Cómico (Barcelona), E:Msa; *Las delicias de Capua*, Zarz cóm, 1 act, l, F. Romero / G. Fernández-Shaw, est, 11-I-1921, Te. Cervantes, E:Msa; *La rubia del Far-West*, Opt, 1 act, l, F. Romero / L. Germán, est, 28-III-1922, Te. Apolo, E:Msa; *La granjera de Arlés*, Zarz, 2 act, l, R. Sepúlveda / J. Manzano, est, 23-XI-1922, Te. Ruzafa (Valencia), E:Msa; *Hoy*, l, J. Ramos Martín, est, 23-XII-1922, Te. Price; *Las alegres amazonas*, 3 act, l, A. López Monís, est, 11-X-1923, Te. Cómico; *La mujer de nieve*, Zarz Bu, 3 act, col. F. Moreno Torroba, l, P. Muñoz Seca / P. Pérez Fernández, est, 8-XII-1923, Te. Cómico, E:Msa; *La maga de Oriente*, Zarz, 1 act, col. J. Serrano Simeón, l, S. Delgado, est, 18-VI-1924, Te. Zarzuela, E:Msa; *La vaquerita*, Zarz, 1 act, l, L. Fernández de Sevilla / A. Carreño, est, 27-X-1924, Te. Apolo, E:Msa; *La sangre azul*, 1 act, l, F. Romero / L. Orbok, est, XI-1924, Barcelona, E:Msa; *Pirandelo en casa*, l, R. Solís / M. López, est, VI-1926, E:Msa; *Lo que cuestan las mujeres*, 1 act, l, J. Vela / J. López, est, 22-XI-1926, Te. Romea (Madrid), E:Msa; *Todo el año es*

Carnaval o Momo es un carcamal, Fant humorística, 1 act, l, J. Vela / R. M. Moreno, est, 23-III-1927, Te. Novedades, *E:Msa* ; *Los cuernos del diablo*, Pas Bu lír bailable, 1 act, l, J. Dicenta / A. Paso, est, 19-IV-1927, Te. Martín, *E:Msa*; *La aventurera*, Zarz, 2 act, l, J. Tellaeche / L. Linares, est, 27-IX-1927, Te. La Latina, *E:Msa*; *Ali-gui*, pasillo cóm-lír, l, P. Muñoz Seca / P. Pérez, est, 22-III-1928, Te. Romea, *E:Msa*; *El viajante en cueros*, 2 act, col. R. Calleja, l, A. Paso / J. Estremera, est, 13-IV-1928, Te. Romea, *E:Msa*; *País de la revista*, l, Vela Galino / J. López Campúa, est, 6-VI-1928, Te. Chueca, *E:Msa*; *Yo quiero ser guapo*, 1 act, l, J. Vela / R. M. Moreno, est, 7-XI-1928, Te. Maravillas, *E:Msa*; *Colibrí*, historieta cóm-lír, 2 act, l, J. Vela / J. López Campúa, est, 19-IV-1929, Te. Romea, *E:Msa*; *Las campanas de la gloria*, Zarz, 3 act, l, A. Paso / A. Estremera, est, 19-VI-1929, Te. Chueca, *E:Msa*; *¡Es mucha Cirila!*, 2 act, l, J. Vela / R. M. Moreno, est, 22-XI-1929, Te. Eslava, *E:Msa*; *La niña de La Mancha*, historieta cóm-vodevilesca, 3 act, l, J. Vela / J. López Campúa, est, 27-II-1931, Te. Romea, *E:Msa*; *Las pavas*, historieta cóm-vodevilesca, col. L. Foglietti Alberola, l, J. Vela / G. Martínez Sierra, est, 21-V-1931, Te. Eslava, *E:Msa*; *Las mimosas*, 2 act, l, E. González del Castillo / J. Muñoz Román, est, 19-XII-1931, Te. Maravillas, *E:Msa*; *La pipa de oro*, col. Mollá, l, E. Paradas / J. Jiménez, est, 5-V-1932, Te. Romea, *E:Msa*; *Las del Beri*, 2 act, col. Balaguer, l, F. Ramos de Castro, est, 28-V-1932, Te. Eslava, *E:Msa*; *Las faldas*, 2 act, l, E. Gon-

Cortesía de Unión Musical Ediciones SL

zález del Castillo / J. Muñoz Román, est, 30-XI-1932, Te. Eslava; *¡¡Al pueblo!! ¡¡Al pueblo!!.*, Fant, 3 act, l, E. Paradas / J. Jiménez, est, 21-XII-1933, Te. Romea (Madrid), *E:Msa*; *Luna de mayo*, l, F. Romero / G. Fernández Shaw, est, 21-IX-1934, Te. Zarzuela; *Paquita la del portillo o En el querer nadie manda*, Sai lír, 2 act, l, C. Arniches / A. Estremera, est, 16-XI-1934, Te. Ideal; *Las vampiresas*, 2 act, l, E. González del Castillo / J. Muñoz Román, est, 10-I-1935, Bilbao, *E:Msa*; *Bésame que te conviene*, 2 act, col. D. Montorio Fajó, l, C. Arniches / A. Estremera, est, 11-IV-1936, Te. Martín, *E:Msa*; *Vampiresas 1940 (después Una noche contigo)*, 2 act, col. D. Montorio Fajó, l, E. González del Castillo / J. Muñoz Román, est, 18-X-1940, Te. Alcalá (Madrid), *E:Msa* ; *El sol de la serranía*, Zarz, 2 act, l, A. Torres del Álamo, est, V-1941, Te. Apolo (Valencia), *E:Msa*; *La señorita Jass Band*, l, J. L. Maries Alonso, est, 1942, *E:Msa*; *Una noche contigo* (antes *Vampiresas 1940*), col. D. Montorio, l, E. González Castillo / J. Muñoz Román, est, 23-VII-1943, Te. Fuencarral, *E:Msa*; *¡Qué sabes tú...!* (antes *Mi luna de miel*), 2 act, l, J. Ramos Martín, est, 10-IX-1943, Te. Principal (San Sebastián), *E:Msa*; *Una mujer*

Cortesía de Unión Musical Ediciones SL

imposible (antes *Engáñame por lo que más quieras*), farsa, 3 act, col. D. Montorio Fajó, l, A. y M. Paso, est, 2-III-1944, Te. Serrano (Valencia), *E:Msa*; *Una noche en Constantinopla*, l, F. García Loygorri / C. Jaquotot, est, 8-IV-1944, Te. Calderón, *E:Msa*; *Llévame en tu coche*, 2 act, l, J. Ramos Martín / M. Ramos Durán, est, 8-IX-1944, Te. Principal (San Sebastián), *E:Msa*; *La encontré en la serranía* (antes *El tempranillo*), 3 act, l, A. Torres del Álamo / E. Rambal, est, 6-VII-1945, Te. Fontalba (Madrid), *E:Msa*; *Historia de dos mujeres o Dos mujeres de historia*, 2 act, col. D. Montorio Fajó, l, E. González del Castillo / J. Muñoz Román, est, 5-IV-1947, Te. Martín (Madrid), *E:Msa*; *El año pasado sin agua*, 2 act, l, J. López de Lerena / P. Llabrés, est, 22-XII-1948, Te. La Latina, *E:Msa*; *Los babilonios*, 2 act, l, J. Fernández Díez, est, 16-IV-1949, Te. La Latina; *El gran turismo*, 2 act, l, J. Fernández Díez, est, 26-V-1950, Te. Fontalba, *E:Msa*; *Las ambiciosas*, 2 act, l, A. Torrado Estrada, est, 20-XII-1952, Te. Borrás (Barcelona), *E:Msa*; *Goleada*, 2 act, l, P. Llabrés / R. Clemente, est, 18-VI-1953, Te. Alcázar, *E:Msa*; *Dólares*, col. F. Moraleda, l, F. Ramos de Castro / O. Carciela, est, 11-II-1954, Te. Lope de Vega (Madrid), *E:Msa*; *¡Ay qué trío!*

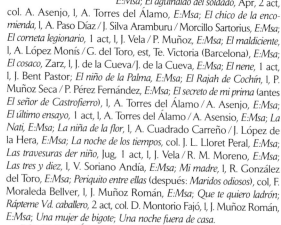

2 act, l, V. Soriano / A. Torres del Álamo, est, 26-IV-1955, Te. Lope de Vega (Valladolid); *Sirenas de Apolo* (antes *¡Ay, qué trío*) l, A. Torres del Álamo / Soriano Andía, est, 1-IV-1956, Te. Apolo (Barcelona), *E:Msa*; *Los diabólicos o Maridos odiosos o Periquito entre ellas*, 2 act, col. F. Moraleda Bellver, l, J. Muñoz Román, est, 18-X-1957, Te. Principal (Alicante), *E:Msa*; *El burlador de Toledo*, Zarz, 2 act, col. C. del Campo, l, T. Borrás / E. Ferraz, est, 4-II-1965, Te. Zarzuela, *E:Msa*; *Sol de Levante*, Zarz, 2 act, l, G. y C. Fernández Shaw, est, 12-III-1965, Te. Principal (Alicante), *E:Msa*; *Adelante señores, pasen ustedes*, 1 act, col. Roig Pallarés, l, P. Muñoz Seca / P. Pérez, *E:Msa*; *Calor del tópico*, *E:Msa*; *Cirilo que estás en vilo*, 2 act, col. Martínez Faixá, Mollá, l, M. Jiménez / E. Jiménez Paradas, *E:Msa*; *De los cuarenta p'arriba*, 1 act, l, J. M. Martín Domingo; *Dos pares de gemelos o La bella durmiente del taxi*, 2 act, l, Prada / Llabrés / Yáñez, *E:Msa*; *El aguinaldo del soldado*, Apr, 2 act, col. A. Asenjo, l, A. Torres del Álamo, *E:Msa*; *El chico de la encomienda*, l, A. Paso Díaz / J. Silva Aramburu / Morcillo Sartorius, *E:Msa*; *El corneta legionario*, 1 act, l, J. Vela / P. Muñoz, *E:Msa*; *El maldiciente*, l, A. López Monís / G. del Toro, est, Te. Victoria (Barcelona), *E:Msa*; *El cosaco*, Zarz, l, J. de la Cueva/ J. de la Cueva, *E:Msa*; *El nene*, 1 act, l, J. Bent Pastor; *El niño de la Palma*, *E:Msa*; *El Rajah de Cochín*, l, P. Muñoz Seca / P. Pérez Fernández, *E:Msa*; *El secreto de mi prima* (antes *El señor de Castrofierro*), l, A. Torres del Álamo / A. Asenjo, *E:Msa*; *El último ensayo*, 1 act, l, A. Torres del Álamo / A. Asensio, *E:Msa*; *La Nati*, *E:Msa*; *La niña de la flor*, l, A. Cuadrado Carreño / J. López de la Hera, *E:Msa*; *La noche de los tiempos*, col. J. L. Lloret Peral, *E:Msa*; *Las travesuras der niño*, Jug, 1 act, l, J. Vela / R. M. Moreno, *E:Msa*; *Las tres y diez*, l, V. Soriano Andía, *E:Msa*; *Mi madre*, l, R. González del Toro, *E:Msa*; *Periquito entre ellas* (después: *Maridos odiosos*), col, F. Moraleda Bellver, l, J. Muñoz Román, *E:Msa*; *Que te quiero ladrón*; *Rápteme Vd. caballero*, 2 act, col. D. Montorio Fajó, l, J. Muñoz Román, *E:Msa*; *Una mujer de bigote*; *Una noche fuera de casa*.

FONOGRAFÍA: *Las tocas*, Sonifolk 20141; *Los babilonios*, Columbia R 14753, C 8587 C 8588 • Columbia R 14792 R 14793, C 8469 a C 8472 • Sonifolk 20140; *¡Qué sabes tú!*, Sonifolk 20141.

BIBLIOGRAFÍA: *DMEH*.

VÍCTOR SÁNCHEZ SÁNCHEZ

Pérez Soriano, Agustín.
Valtierra (Navarra), 28-VIII-1846; Madrid, 27-II-1907. Compositor. Inició los estudios con su padre, organista y guitarrista alumno de Aguado, para continuarlos en Pamplona. Como otros muchos compositores de zarzuela navarros, se trasladó a Madrid, donde estudió con Zabalza en el Conservatorio. Debido a una enfermedad volvió a su pueblo natal, y se instaló posteriormente en Zaragoza. Desarrolló en esta ciudad una amplia labor, organizando conciertos, creando conjuntos musicales, como la Sociedad de Cuartetos y fundó la Escuela de Música. Aunque dejó varias piezas para piano y canciones, su producción más destacada estuvo dedicada a la zarzuela con una serie de obras en las que se aprecia la influencia del folclore aragonés al que dedicó diversos estudios. De entre sus zarzuelas, representadas con éxito en los teatros españoles, sin duda su obra más famosa fue *El guitarrico*. *Véase* EL GUITARRICO.

Agustín Pérez Soriano (Foto: IMHA, 1892; Ar. ICCMU)

OBRAS (Todas en *E:Msa*): *Pepito Melaza*, apuro cóm, 1 act, col. L. Foglietti Alberola, I, F. Urrecha, est, 12-II-1891, Te. Lara; *Atila*, Jug cóm-lír, 1 act, I, B. Ferrer, est, 13-V-1895, Te. Princesa; *El bohemio*, boceto cóm-lír, 1 act, I, B. Pinedo/J. Zaldivar, est, 10-V-1897, Te. Eldorado (Barcelona); *Al compás de la jota*, episodio histórico, 1 act, I, C. Navarro, est, 11-VII-1897. Te. Circo (Zaragoza); *El guitarrico*, Zarz, 1 act, I, M. Fernández de la Puente/L. Pascual Frutos, est, 12-X-1900. Te. Zarzuela; *La godínica*, boceto cóm, 1 act, I, S. M. Granés/F. Bello, est, 12-X-1901, Te. Eslava; *Gorón*, Zarz cóm, 1 act, col. L. Foglietti Alberola, I, Montesinos/A. Torres del Álamo, est, 9-III-1903, Te. Martín; *La molinera de Campiel*, Zarz, 1 act, col. L. Foglietti Alberola, I, E. Blasco, est, 12-II-1904, Te. Cómico; *El placer de los dioses*, Zarz, 1 act, I, S. Delgado, est, VI-1904, Te. Zarzuela; *El rosario de coral*, Zarz, 1 act, col. L. Foglietti Alberola, I, Arpe/B. Pinedo, est, 30-XII-1904, Te. Novedades; *La Miguela*, I, A. Pérez Soriano/M. B. Salcedo, est, 8-III-1906, Te. Apolo; *El Ramadán*, Fant morisca, 1 act, col. L. Foglietti Alberola, 1 act, I, Lobo Regidor /L. Pascual Frutos, est, 24-XII-1906, Te. Cómico; *El reducto de Pilar*, Zarz, 1 act, I, A. Soler/D. Ferrand, est, 7-V-1908, Te. Latina; *La gran Cruz*, I, B. Ferrer; *Las tumbonas*, I, F. Serrat; *Ley de herencia*, I, E. Rueda/M. Pérez Soriano; *Postales madrileñas o Las fiestas de mayo*, I, A. Caamaño/I. Soler; *Una visita al señor*, Sai de costumbres aragonesas, I, A. Pérez Soriano.

FONOGRAFÍA: *El guitarrico*, Odeón 184810, e 18044 e 18045 • La Voz de su Amo AC 30, AE 2660, DA 349, DB 919.
BIBLIOGRAFÍA: *DMEH*.

EMILIO CASARES RODICIO

Pérez Suárez, Marta. La Habana, 2-VIII-1927. Mezzosoprano. A los siete años debutó cantando pasodobles y canciones españolas en emisoras de radio. Entre 1939 y 1943 realizó estudios musicales con Marila Granowski en La Habana. En 1942 ingresó en los Coros de la Orquesta Filarmónica de La Habana, siendo acreditada de inmediato como solista de oratorios y conciertos sinfónicos bajo la orientación de los prestigiosos directores Eric Kleiber, Herbert Von Karajan y Massimo Freccia. En 1944 se incorporó nuevamente al trabajo en la radio, alternando con la vida teatral y las giras internacionales, iniciadas en 1946 por Estados Unidos junto a Ernesto Lecuona, con quien compartió presentaciones en Washington, Filadelfia, Chicago y Nueva York. Durante ese mismo año realizó, además, una exitosa temporada con la Compañía española Cabalgata, en el teatro Martí, incrementando su repertorio con zarzuelas de ese país. En 1950 formó parte del elenco que grabó en Cuba *Cecilia Valdés* de Gonzalo Roig y posteriormente *Luisa Fernanda* de Federico Moreno Torroba. En 1954 con motivo del éxito obtenido tras la difusión por Europa del disco *Cecilia Valdés*, al ser escuchada en la Scala, le fue solicitada una audición, en la cual participó Von Karajan. Aprobada en esta audición fue enviada a Italia para realizar una nueva presentación ante los directores Guringhely y Antonino Vottto, que le ofrecieron de inmediato una beca por tres años, nombrándola suplente de Giulietta Simionato. De este modo, inició una intensa carrera artística internacional desde mediados de la década de los cincuenta.

En 1960 emigró definitivamente hacia Estados Unidos. Durante su representación de *Cecilia Valdés* con la Compañía del Metropolitan, en el Lewison Stadium, reunió un público de más de 18.000 espectadores que aclamaron su arte. Establecida en Miami desde 1966, junto con Pily de la Rosa, Demetrio Menéndez y Miguel de Grandy (hijo), fundó Producciones Gratelli, compañía creada para incrementar la difusión de la cultura latinoamericana, y que luego cambió su nombre por el de Pro-Arte Gratelli, ofreciendo funciones mensuales y zarzuelas, de manera sistemática e ininterrumpida, por más de treinta años. A lo largo de su extensa carrera artística, incluyó en su repertorio todos los géneros del teatro lírico, realizando los papeles protagonistas de quince óperas y veinte zarzuelas, entre las que destacan *Cecilia Valdés*, *María la O*, *Rosa la China* y *Amalia Batista*. Por su excelente voz e interpretación ha sido merecedora de numerosos premios y ha grabado discos, participando en diversos espectáculos de importancia mundial.

CLARA DÍAZ PÉREZ

Pérez Zúñiga, Juan. Madrid, 18-X-1860; Madrid, 5-X-1938. Escritor y compositor. Se licenció en Derecho. Estudió violín con su tío Juan Lanuza y sus primeros trabajos alternaron las clases de música con la interpretación. El dramaturgo Vital Aza le animó a escribir teatro lírico, estrenando su primera obra en

Juan Pérez Zúñiga
(Foto: El Teatro, 1913; Ar. SGAE)

1871, bajo el nombre del propio Vital Aza. También lo presentó en la redacción del semanario *Madrid Cómico*, iniciando así una labor periodística que se extendió a otros periódicos españoles y americanos como redactor de *Blanco y Negro, ABC, El Liberal, Prensa Gráfica* y *El Heraldo de Madrid,* y como director de *El Domingo*.

Fue poeta, articulista, autor de libros de viajes, dramaturgo y compositor de numerosos pasodobles. Poseía aptitudes para la parodia y la comicidad de sus versos le proporcionaron fama unas veces, y la enemistad otras, de aquellos a los que satirizaba. Dentro del género lírico escribió los juguetes *El señor Castaño* de Justo Blasco, teatro Maravillas, 1887; *Los tíos*, 1889, y *Las goteras*, 1890, ambas con música de José Díaz de Quijano y estrenadas en el teatro Apolo; la fantasía *La lucha por la existencia*, 1891, teatro Eslava, y la zarzuela *La india brava*, 1894, Príncipe Alfonso de Madrid, con música de Joaquín Valverde hijo; con Gerónimo Giménez estrenó el juguete *La mallorquina*, Zarzuela, 1900. En sus últimos años siguió colaborando en los periódicos *El Buen Humor, Muchas Gracias* y *La Libertad*.

BIBLIOGRAFÍA: *CTLBN; DMEH.*

OLIVA G. BALBOA

Perezagua, Luis. España, siglo XX. Actor y cantante. Formado en la Escuela Superior de Arte Dramático de Madrid, debutó en teatro en 1978 con *La detonación* de Buero Vallejo bajo la dirección de Tamayo. Ha alternado el teatro clásico con musicales y comedias. También ha hecho zarzuela con la compañía Isaac Albéniz con la que realizó dos temporadas y con la de Evelio Esteve con la que realizó una gira por Hispanoamérica. En el teatro de la Zarzuela participó en 1988 en *La chulapona* y en el Festival Lírico de Asturias cantó en *La montería* en 1996.

Mª LUZ GONZÁLEZ PEÑA

Pérez-Cabrero i Ferrater, Francisco. Barcelona, 1854; Barcelona, 1914. Director y compositor. Realizó sus estudios musicales con C. Candi y con B. Sabater. Comenzó a estudiar Derecho pero abandonó esta carrera para dedicarse a la dirección y la composición. Pérez-Cabrero fue uno de los directores de zarzuela más activos de su tiempo, residiendo en distintas ciudades como director de compañías líricas. En 1900 dirigió el estreno de *Euda d'Uriach*. Algunas fuentes lo señalan como profesor de canto, y citan a María Barrientos como discípula suya. Tenía una hija, Mercé, cantante y actriz de zarzuela, activa junto con su padre en el teatro Romea y que murió en 1909. Además de ilustraciones musicales compuso zarzuelas catalanas, de tipo cómico, que alcanzaron un éxito notable en su tiempo, caso de *Dos carboners* o de *El pobre Maneja*, así como también las zarzuelas castellanas *Los mosquiteros grises*. Al morir, la prensa de la época recogía la anécdota de que podría haber sufrido un ataque de catalepsia.

FRANCESC CORTÈS i MIR

Perillán Buxó, Eloy. Valladolid, 1848; La Habana, 1889. Dramaturgo y periodista. Estudió Derecho y Medicina, y se estableció en Madrid en 1866. Entre sus numerosas aportaciones al teatro, especialmente comedias y zarzuelas de cierta calidad, destacan algunos títulos en solitario como *La huérfana*, estrenada en el teatro del Recreo de Madrid, 1872, y *Apolo y Apeles*, Circo de Madrid, 1873, ambas con música de Francisco García Vilamala. En colaboración con Miguel Pastorfido hizo una adaptación de una comedia francesa en la zarzuela en dos actos *El bautizo de mi hijo* de Tomás Bretón, Zarzuela, 1875; con José Jackson Veyán escribió *Los matadores* de Ángel Rubio, Variedades, 1884.

BIBLIOGRAFÍA: *CTLBN;* V. Sánchez Sánchez: *Tomás Bretón. Un músico de la Restauración,* Madrid, ICCMU, 2002.

OLIVA GARCÍA BALBOA

Peris, Aurorita. España, siglo XX. Tiple cómica. En 1903 estrenó en el teatro Cervantes de Sevilla *El fonocromofotograf* de Eduardo Fuentes con gran éxito. En 1912 estrenó en Apolo *El cuento del dragón* de Giménez, sin mucho éxito, y *Las mujeres de Don Juan* de Calleja, de nuevo con éxito. En 1927 la revista *Nuevo Mundo* la presentaba como una de las más famosas tiples cómicas del momento y en 1930 actuaba en el teatro Romea.

BIBLIOGRAFÍA: *TA; Nuevo Mundo,* 1770, 23-XII-1927 y 1893, 2-V-1930.

Mª LUZ GONZÁLEZ PEÑA

Peris, Elías. España, siglos XIX-XX. Bajo. En diciembre de 1907 actuaba en los Campos Elíseos de Bilbao donde era muy aplaudido en *Marina* y *Bohemios*. Formaba parte de la compañía que actuaba en el teatro de la Zarzuela cuando se incendió en 1909 y a él volvió en 1913. En la función de inauguración cantó *El rey que rabió* de Chapí, junto a Luisa Rodríguez y Asunción Aguilar.

BIBLIOGRAFÍA: E. García Carretero: *Historia del teatro de la Zarzuela de Madrid,* Madrid, Fundación de la Zarzuela Española, 2003.

Mª LUZ GONZÁLEZ PEÑA

Perlá, Dolores. España, siglo XIX. Tiple. Tuvo una dilatada actividad, desde los años sesenta hasta la década de 1880. Actuó sobre todo en el teatro Variedades, pero también en los Jardines del Buen Retiro, Circo, Apolo y Zarzuela. En 1862 estrenó en Variedades *La abuela* de Chueca y Valverde. Diez años más tarde estrenó en el teatro de verano de los Jardines del Buen Retiro *El barón de la castaña* de Arche, *Americanos de pega* y *El príncipe Lila* de Aceves y Rubio, y al año siguiente *El proceso del can-can* de Barbieri. En 1874 estrenó en el teatro de la Zarzuela *¡El demonio de los bufos!* de Oudrid, en los Jardines del Buen Retiro *La comedianta Rufina* de Monfort, y en el del Circo *Arriba y abajo* de Reparaz. En 1876 estrenó en Apolo *¡Por la tremenda!* de Ángel Rubio; estrenó *El salto del pasiego* de Caballero en la Zarzuela, 1878; *Sonó la flauta* de Rafael Taboada en el Salón Eslava, 1879; *¡Hoy, sale hoy…!* de Chueca y Barbieri, 1880; *Espinas de una rosa* de Brull en Recoletos, 1882; *De Getafe al paraíso o La familia del tío Maroma* de Barbieri, en Variedades, 1883; *Tragarse la píldora* de Nieto, y *El proceso del sainete* de Tomás Reig; en 1884 *La salsa y los caracoles* de Nieto, *Vivitos y coleando* de Chueca y Valverde, *La madeja se enreda* de Reig y *Trabajo perdido* de Caballero; en 1885 en Apolo, *Melones y calabazas* de Tomás Reig y en 1887 en el teatro de verano del Jardín del Buen Retiro, *Don Pompeyo en carnaval* de Arche.

BIBLIOGRAFÍA: *TA*; E. García Carretero: *Historia del teatro de la Zarzuela de Madrid*, Madrid, Fundación de la Zarzuela Española, 2003.

Mª LUZ GONZÁLEZ PEÑA

Peromingo, José. España, 193?; ?, 198?. Bajo. Comenzó su carrera artística en 1951 en la Compañía de Antón Navarro, donde permaneció cinco años haciendo el extenso repertorio que caracterizó a la formación del barítono valenciano. También en ese periodo cantó óperas como *Rigoletto* o *La bohème*. Después actuó en las principales Compañías Líricas, como las de Marcos Redondo, Pablo Sorozábal, Mendoza Lassalle, Ases Líricos, Francisco Bosch, José de Luna, Amadeo Vives de José Tamayo, Isaac Albéniz de Juan José Seoane, Lírica Nacional y Lírica Española de Antonio Amengual, con la que permaneció los últimos años de su carrera. Estuvo casado con la soprano y actriz de carácter Asunción Gil.

FONOGRAFÍA: *Alma de Dios*, Alhambra-BMG España WD 71587 (9D) • Columbia SA, MCE 851 39 (38a); *El puñao de rosas*, Columbia-BMG España WD 74391 (9D) • Columbia SA, SCE 956 36 (35a); *La Gran Vía*, Alhambra-BMG España WD 71587 (9D); *La leyenda del beso*, Zafiro ZOR-128 158; *La reina mora*, Columbia-BMG España WD 74391 (9D) • Columbia SA, SCE 956 35; *Me llaman la presumida*, Columbia SA, ZCL 1089 (Zacosa) 135 • Columbia SA, SCE 958 138.

BIBLIOGRAFÍA: E. García Carretero: *Historia del teatro de la Zarzuela de Madrid*, Madrid, Fundación de la Zarzuela Española, 2003.

EMILIO GARCÍA CARRETERO

Perrín Vico, Guillermo. Málaga, 1857; Madrid, 1923. Dramaturgo. Estudió la carrera de Derecho, que nunca ejerció. Era sobrino del eminente actor Antonio Vico. Escribió casi siempre en colaboración con Miguel de Palacios, por lo que fueron conocidos como "los hermanos siameses del género chico". Ambos merecen ser considerados entre los autores más importantes del género lírico, tanto por la calidad como por la cantidad de obras, en forma de juguetes, operetas, revistas y sobre todo zarzuelas, que escribieron para los compositores de más éxito entre los últimos veinte años del siglo XIX y la primera década del XX. Si bien en Miguel de Palacios recaía la estructura de los libros y la inspiración, Guillermo Perrín reflejaba su sentido del humor y la soltura en el manejo de los diálogos.

Entre los títulos más destacados en la extensa carrera teatral de ambos figuran los éxitos de *El barbero de Sevilla* de Nieto y Giménez, 1901; *El húsar de la guardia* y *Bohemios*, ambas de Amadeo Vives y estrenadas en 1904 en el teatro de la Zarzuela, con un gran éxito para los tres autores. Colaboraron con Tomás Bretón en dos ocasiones con desigual fortuna, *El clavel rojo* de 1904 y *La guitarra del amor* de 1916, un proyecto en el que participaron nueve creadores de diferentes generaciones y estilos

Guillermo Perrín (Foto: El Teatro, 1900; Ar. SGAE)

para componer la música de un libreto fantasioso y disparatado, cuya acción se desarrolla en el País del Pentagrama. Además de Tomás Bretón, trabajaron Giménez, Barrera, Bru, Vives, Luna, Villa, Soutullo y Anglada. En solitario escribió el juguete *Monomanía musical* de Manuel Nieto, 1880; los juguetes *El faldón de la levita* de Isidoro Hernández y *El gran turco* de Manuel Nieto, ambas de 1883; las zarzuelas *Los empecinados* de Apolinar Brull, 1890, y *La cuna* de Ruperto Chapí, 1904. *Véase* ABC; AMORES NACIONALES; EL BARBERO DE SEVILLA; BOHEMIOS; CERTAMEN NACIONAL; CINEMATÓGRAFO NACIONAL; EL CORNETILLA; LA CORTE DE FARAÓN; CUADROS DISOLVENTES; EL DIAMANTE ROSA; ENSEÑANZA LIBRE; LA GENERALA; EL HÚSAR DE LA GUARDIA; PEPE GALLARDO; LA TORRE DEL ORO; PALACIOS BRUGUERA, MIGUEL.

BIBLIOGRAFÍA: *CTLBN*; *DMEH*; L. G. Iberni: *Ruperto Chapí*, Madrid, ICCMU, 1995; V. Sánchez Sánchez: *Tomás Bretón. Un músico de la Restauración*, Madrid, ICCMU, 2002.

OLIVA G. BALBOA

Peydró Díez, Vicente. Valencia, 8-IV-1861; Valencia, 6-I-1937. Compositor. Su padre poseía una imprenta donde se reunían escritores y artistas destacados de la época. Sus primeras lecciones musicales las recibió de Manuel Penella Raga, aunque también sintió inclinación por la pintura. Se dedicó con preferencia a la música, sobre todo al estudio del piano, teniendo como maestro de este instrumento a Roberto Segura. La muerte de su padre interrumpió sus estudios pianísticos y le obligó a tocar en el Café de España. Continuó su carrera musical y estudió composición con Salvador Giner. Participó en el movimiento literario Reneixença de les lletres valencianes, que dirigió Teodoro Llorente y colaboró en la fundación de la sociedad Lo Rat Penat, 1879. Ahí se hizo conocer también como poeta. Pronto se incorporó al teatro como maestro de coros, accediendo después, animado por Valls, a la dirección musical. Simultáneamente comenzó a componer sus primeras zarzuelas. Después de los éxitos locales, pasó a Madrid incorporándose a la compañía lírica de Bretón con la que recorrió las principales ciudades españolas, estrenando obras del mismo Bretón, Caballero, Chapí y Giménez. Posteriormente volvió a Valencia y fue nombrado director permanente del teatro de la Princesa, donde, en el empeño de la creación de un teatro lírico valenciano, trabajó junto a Valls y el escenógrafo Ricardo Alós. Entre 1905 y 1915 asumió la dirección del teatro Ruzafa. Al año siguiente volvió al teatro de la Princesa y la temporada de 1917 fue la última dedicada a la actividad teatral. A partir de entonces se dedicó a la escritura y a la pintura.

Vicente Peydró
(Foto: La Música Ilustrada,
1900; Ar. ICCMU)

Compuso zarzuelas con letra y música propias y otras en colaboración con escritores como Eduardo Escalante, hijo, Gonzalo Cantó, Maximiliano Thous, y músicos como el maestro Asensi. Aunque compuso más de ochenta zarzuelas –títulos como *Carceleras*, dos veces llevada al cine, *Les barraques*– y revistas –*Desde Valencia al cel*–, es preciso destacar su obra de estudios pianísticos y sus canciones, algunas de ellas con texto del ya mencionado Teodoro Llorente. Buena parte de las composiciones de este autor puede hallarse en la Biblioteca de Compositores Valencianos de Valencia.

OBRAS: *A mal tiempo, buena cara*, Rv; *Agradar es el propósito*, Jug cóm-lír, 1883, E:VAsa; *Al despuntar la aurora*, Zarz; *Amor y patria*, Zarz; *Autor y mártir*, Jug cóm-lír, 1895; *Besos y abrazos*, Zarz; *Carceleras*, Zarz, 1901; *Celos de artista*, Zarz; *Coses de la terreta o El barracón de la feria*, Zarz; *Cuento viejo*, Zarz; *De Puzol a Valencia*, Zarz, 1884; *Derechos dobles*, Zarz; *Educandos y dragones*, Zarz, 1916; *El amo del mar*, col. Asensi Martín, Zarz, 1917; *El archiduque*, Zarz; *El gallet de Fabareta*, Zarz; *El gran petardo*, Jug cóm-lír, 1892; *El mosquetero*, Zarz; *El presidiari*, Zarz; *El Roder*, Zarz, 1905; *En Pepete*, Jug cóm-lír; *España al final del siglo*, Zarz; *España en Cuba*, Zarz, 1896; *Flamencos y peteneras*, Zarz; *La ciudad del porvenir o Desde Valencia al cel*; *Sansón y compañía*, Jug cóm-lír; *La cuadrilla de merengue*, Zarz; *La fiesta de la campana*, Zarz, 1906, E:VAsa; *La gent de tró*, Sai lír, 1898; *La traca*, Zarz; *Lepe y Talala*, Zarz; *Les barraques*, Zarz, 1899, E:VAsa; *Los faroles*, Zarz; *Mascarada nacional*, Zarz; *Me he lucido*, Zarz; *Milord Quico*, Jug cóm-lír, 1887, E:VAsa; *Noblea de cor*, Zarz; *Pepeta*, Zarz; *Porta-Coeli*, Zarz, 1908, E:VAsa; *Portfolio de Valencia*, Zarz, 1898; *Presente, pasado y porvenir*, Zarz; *Quintos y renganchaors*, Zarz, 1888; *Rejas y votos*, 2ª parte de *Carceleras*, Zarz, 1907; *Santa Rita*, Zarz; *Todos al baile*, Zarz; *Viache a la Exposició o De Valencia a París*, Zarz; *Vuelta a empezar*, Zarz.

FONOGRAFÍA: *Las carceleras*, Gramófono 63768, 64323 (et. negra), 822 y 772.

BIBLIOGRAFÍA: *DMEH*; E. López-Chavarri Andújar: *Compositores valencianos del siglo XX*, Valencia, Generalitat Valenciana, 1992.

RAFAEL DÍAZ GÓMEZ

Peyró [Peiró], José. Aragón, *ca.* 1670; ?, 1720. Compositor y músico de teatro. De sus composiciones destacan las obras profanas, varias de las cuales se encuentran en el *Manuscrito de la Novena*, descubierto por Subirá, que contiene algunas comedias y autos sacramentales de las primeras décadas del siglo XVIII. Peryó se dedicó fundamentalmente a la música escénica, tanto como integrante de diversas compañías, como compositor. Es autor de autos sacramentales y otras obras con texto de Calderón, lo que en principio llevó a considerarlo contemporáneo del escritor, aunque su época de actividad abarca los años finales del siglo XVII y primeros del XVIII.

Inició su carrera como segundo músico de teatro, posiblemente como arpista o guitarrista, de la compañía de Joseph Andrés, en 1701. Desarrolló su actividad como miembro de diversas compañías en Mallorca, Granada y Valencia. L. K. Stein ha identificado a este músico como integrante de diversas compañías en Madrid entre los años 1714 y 1720. Una de sus obras más destacadas es la zarzuela *El jardín de Falerina*, con texto de Pedro Calderón de la Barca, de la se conserva una canción de una versión de principios del siglo XVIII –la original es de 1649–. Su música se encuadra en el estilo de finales del siglo XVII, aunque a principios del siglo XVIII asumió algunos elementos de la ópera italiana más del gusto de la corte de Felipe V.

BIBLIOGRAFÍA: *DMEH*; *HZ*; F. Pedrell: *Teatro lírico español anterior al siglo XIX*, 5 vols., La Coruña, 1897-98; L. K. Stein: "El *Manuscrito Novena*, sus textos, su contexto histórico-musical y el músico Joseph Peyró", *RMS*, III, 1-2, 1980, 197-234; —: *Songs of Mortals, Dialogues of the Gods: Music and Theatre in Seventeeth-Century Spain*, Oxford Clarendon Press, 1993; —: "Las convenciones del teatro musical y la herencia de Juan Hidalgo", *Bances Candamo y el teatro musical de su tiempo (1662-1704)*, ed. J. A. Gómez, U. Oviedo, 1995.

JUDITH ORTEGA

Peza, Juan de Dios. México, 29-VI-1852; México, 16-III-1910. Escritor. Destacado poeta, reconocido como uno de los autores que con mejor exactitud reflejaron en su obra el sentir y la estética de la sociedad mexicana del siglo XIX, realizó asimismo algunos importantes libretos para el repertorio mexicano de zarzuela. Tras estudiar en la Escuela Nacional de Agronomía, Peza fue maestro fundador de la Escuela Nacional Preparatoria en 1868. Estudió literatura con Ignacio Ramírez "El Nigromante" y en 1872 publicó su primer libro de versos que le valió innumerables elogios de las mejores plumas mexicanas de entonces. Asimismo, tuvo la guía de Ignacio Manuel Altamirano y de otras importantes plumas mexicanas de aquella época. La mayor parte de su juventud la pasó en innumerables mesas de redacción de periódicos y revistas, donde dio a conocer su prosa elegante y su fina sensibilidad poética. En particular, sobresale su trabajo en dos importantes publicaciones, la revista literaria *El Renacimiento* y el periódico *El Siglo XIX*. Protegido por Vicente Rivapalacio, fue designado en 1867 secretario de la Legación mexicana en Madrid. Ahí dio a conocer su libro *La lira mexicana*, importante reunión de autores mexicanos, que gracias a esta publicación dieron a conocer su obra en el viejo continente y que le valió a Peza un amplio reconocimiento en España. A su regreso a México, Peza ejerció diversas funciones como las de Diputado federal (en dos ocasiones), Director de la Beneficencia Pública y maestro de oratoria en el Conservatorio. Además fue un impulsor definitivo de la Sociedad de Autores Líricos, Dramáticos, Escritores y Artistas, 1902, de la que fue presidente.

Juan de Dios Peza (Foto: Ar. ICCMU)

La contribución de Peza es muy importante. Autor dramático de los libretos de *Un paseo por Santa Anita*, 1886, y *El capitán Miguel*, puede considerársele como el fundador literario de la zarzuela mexicana. Su tino en haber llevado a la escena de zarzuela los tipos y costumbres mexicanas, fue sin duda el detonador de una larga producción de zarzuelas de ambientación y personajes locales. Según resume Olavarría, "con ansia esperaba el público el apropósito *Un paseo en Santa Anita*, que se sabía ser de Juan de Dios Peza, el mágico productor de musicales versos, gratos al oído y al corazón; a los buenos versos que todo el mundo esperaba, había unido Luis Arcaraz, modesto y feliz compositor, una música nacional, completamente mexicana, que precisamente entusiasmaría... El *apropósito* de Juan de Dios Peza, no pretendía más que entretener al público con un ligero cuadro de costumbres nacionales, y consiguió su objeto completísimamente, pues la concurrencia aplaudió el cuadro, los versos y la música, y entre entusiastas *bravos* hizo salir varias veces a la escena al poeta y al músico". Por otra parte, con *El capitán Miguel*, Peza llevó a la zarzuela un episodio histórico de México, lo que amplía y refrenda su contribución definitiva al género en tierras mexicanas.

BIBLIOGRAFÍA: *RHTM.*

RICARDO MIRANDA PÉREZ

Pícara molinera, La. Zarzuela en tres actos. Música de Pablo Luna. Libreto de Ángel Torres del Álamo y Antonio Asenjo Pérez. Estrenada el 28 de octubre de 1928 en el teatro Circo de Zaragoza.

Personajes y reparto. La Carmona (Selica Pérez Carpio, mezzosoprano). La Pondala (Victoria Racionero, soprano). Pepa (Trini Avelli, tiple). Felipona (Carmen Andrés, contralto). Casimira (María Paso). Florina (Rivas). Moza 1ª (Coronado, tiple). Moza 2ª (López, tiple). El Pintu (Marcos Redondo, barítono). Juan de Colás (Pepe Romeu, tenor). Don Román (Eduardo Marcén, bajo). Cachano (José Navarro, tenor cómico). Riverín (Antonio Palacios, tenor cómico). Pericón (Cervera, barítono). El Pelos (Amengual). Borracho 1º (Llorca, barítono). Borracho 2º (Cervera, barítono). Borracho 3º (barítono). Rufo (Vega). Blasín (Ventura). Manolo (Cervera). Francisco (Corao). Felguerosu (Monteagudo). Mozo 1º (José Navarro). Mozo 2º (F. Redondo).
Orquestación. Flautín, flauta, oboe, 2 clarinetes, fagot, 2 trompas, 2 trompetas, 3 trombones, percusión, arpa, cuerda y gaita.

Argumento. Acto I. En una aldea asturiana se oyen a lo lejos los cortejos de los mozos y las mozas. A la puerta de un chigre, cuatro hombres juegan a la brisca y comentan cómo la hermosa Carmona juega con los sentimientos de dos hombres, Juan de Colás y el Pintu, hombre violento y de mala fama. Llega el Pintu acompañado de su amigo Felguerosu. Se percibe en la reacción de los jugadores de brisca el temor ante el Pintu excusándose todos para irse y alejarse así de ellos. El Pintu manifiesta sus intenciones sobre la Carmona a quien quiere conseguir por las buenas o por las malas. Se oye a lo lejos la música de una gaita y Pepa sale al encuentro del gaitero Riverín, cantando un dúo en el que comparan el amor y la gaita. Aparecen en escena el Cachano y Juan de Colás, que conversan amigablemente con Riverín y Pepa; la Pondala les ofrece una sidra y se une a la charla. Todos ellos elogian a Don Román, el médico, que ayuda a quien lo necesita sin cobrar. Llega Don Román que bromea sobre si es mejor el vino o el agua para beber. Todos comentan que la Carmona solivianta a los mozos para que riñan por ella e intentan disuadir a Juan de su amor por esa mujer señalándole las virtudes de la Pondala. Todo termina en una fiesta, en la que unos borrachos exaltan la sidra, mientras entran en el chigre. Juan se queda a solas con la Pondala, confesando su dolor por el desamor de la Carmona, aunque ella pide que la olvide. La Carmona pasa cantando, descotada y provocativa, sin reparar en Juan que la mira embelesado. Juan le pregunta directamente a cuál de los dos prefiere pero la Carmona se ríe y no contesta. Coquetea con otros mozos que la rondan, hasta que aparece el Pintu y todos salen huyendo. A solas ambos se confiesan con pasión su amor a pesar de las reticencias iniciales. En la despedida son sorprendidos por Pepa y la Pondala, aunque la Carmona niega que el Pintu sea su novio. Van saliendo todos del chigre y decana improvisar unos cantos dedicados a sus amadas. El Pintu y Juan se enfrentan por la Carmona y se retan para pelearse en el campo. Juan sale para esperarle y el Pintu permanece en el chigre. Riverín temiendo alguna desgracia le sigue a cierta distancia para protegerle. Se oyen dos disparos ante la sorpresa de todos; el Pintu sonríe con malicia.

Acto II. Cuadro primero. En el interior del chigre, La Pondala, Pepa y La Felipona comentan el incidente, en el que Riverín disparó para defender a Juan hiriendo al Felgorosu. Juan, que ha sido herido, canta con tristeza su situación, ya que continúa enamorado de La Carmona sin ser correspondido. Entra ésta para preocuparse por su estado de salud, reavivando las esperanzas de Juan con palabras ambiguas aunque termina burlándose de él según su costumbre. En otra escena, las dos hermanas, La Pondala y Pepa, cierran el chigre y echan de allí a algunos mozos. Llaman por la puerta de la cuadra y resulta ser Riverín que se ha escapado de la enfermería de la cárcel donde estaba gracias a la influencia de Don Román. Llegan Don Román y Cachano que toman unos vinos mientras hablan de sus hazañas toreras de juventud. Se dan cuenta de los nervios de las dos mujeres y finalmente se enteran de que Riverín se

Cortesía de Unión Musical Ediciones SL

ha escapado de la cárcel para ver a su mujer. Don Román se enfada por las consecuencias que esto pudiera traerle y se compromete a llevarle de vuelta a la cárcel de madrugada antes de que nadie le vea en la aldea.

Cuadro segundo. Han pasado cuatro meses desde el incidente pero Don Román y Cachano consideran que Juan sigue corriendo peligro ya que sospechan que el instigador fue el Pintu. La Carmona sigue jugando con los dos. Cachano se va en busca de Juan y en ese momento Pepa aprovecha para hablar con Don Román ya que no se encuentra bien. Don Román confirma que está embarazada y se ofrece como padrino si fuera necesario. Entra el Pintu en el chigre con la arrogancia acostumbrada pero ni la Pondala ni Cachano le reciben con gusto. Mencionan entre ironías veladas quién pudo ser el que hirió a Juan. El Pintu quiere anunciar, valentón, su boda con la Carmona al cabo de una semana. Se reúnen los mozos y mozas del pueblo con Juan y cantan al son de una gaita. En medio de la fiesta aparece un mozo anunciando que han matado al Pintu con una hoz, Juan niega su culpabilidad y Cachano señala que fue la Providencia.

Acto III. Meses después, Felipona y otras mozas comentan el nacimiento del hijo de Pepa, concebido mientras su marido Riverín estaba en la cárcel ya que nadie conoce su fuga de aquella noche. Intentan sacarle parecidos a la criatura con Don Román o con Cachano. Pasa por allí Don Román que les recrimina su actitud y sus habladurías sin fundamento. Riverín, que ha vuelto a la aldea indultado del resto de su pena, se mofa de las murmuraciones. Mientras toma unas sidras con Cachano y Don Román, contesta a todos con su habitual desenfado. En la aldea aún se siguen preguntando quién pudo ser el asesino de el Pintu. La Carmona expresa con soberbia a Felipona su intención de casarse con Juan, mientras se vanagloria de traer locos a los hombres. Pero tras la muerte del Pintu, los hombres de la aldea huyen de ella y la desprecian, Juan incluido. Gracias a las intrigas de Don Román y Riverín convencen a Juan y la Pondala para que se declaren su amor y concierten su boda. Según se anuncia el compromiso, se cruza la Carmona dice que se va para siempre de la aldea, alejándose vencida.

Números musicales. Acto I: Nº 1. Coro general, "El mozo que yo más quiero ha de ser trabajador". Nº 2. Dúo, Pepa y Riverín, "¡Pepona!, ¡Riverín!". Nº 3. Juan, Don Román, Cachano, Riverín, y tres borrachos, "Tra la la ¡Sidra! ¡Sidra! Yo bébome otra jarra". Nº 4. Pondala y Juan, "Yo rapaza y tu neño cuando te conocí". [Sin numerar, a capella] Coplas de Carmona. Nº 5. Carmona y Pintu, "Yo te quiero con locura". Nº 6. Carmona, Pondala, Pepa, Juan, Riverín, Cachano, Pintu y coro, "En la espita se baila y se canta non dejes de beber". Acto II: Preludio. Nº 7. Juan, "Mi locura non tié cura". Nº 8. Carmona y Juan, "Lo veo bien claro Xuanín, tú me engañas". Nº 9. Intermedio. Nº 10. Pepa y muchachas, "Amor mío vienes tarde". Nº 11. Pintu y Pericón, "Nada me asusta ni espanta, a nada tuve temor". Nº 12. Pondala, Pepa, Carmona, Juan, Riverín, coro, "Del afuego venimos tos retozando". Acto III: Nº 13. Felipona y mozas, "La Pepa tiene un chiquillo y ese chiquillo ¿de quién será?". Nº 14. Pepa, Riverín y mozas, "¿Quieres decirnos, si es que puedes, cómo tuviste un rapacín". [En la edición de canto y piano hay un número añadido: Ronda, el Pintu y coro de hombres, "Van los mozos con la ronda para festejar a la moza más garrida que hay en el lugar"; se indica como "Salida de Pintu (escena segunda)", pero no corresponde con ningún episodio del libreto].

Comentario. *La pícara molinera* es una buena muestra de zarzuela regionalista que explota, desde los tópicos costumbristas, la caracterización del habla y la música asturianas. Frente a otras regiones norteñas como Galicia o Cantabria, lo asturiano apenas había sido explotado anteriormente dentro de la zarzuela, si se excluyen algunos coloristas números populares de la zarzuela grande *Covadonga* de Bretón, 1901, o el modesto sainete en un acto *El gaitero de la aldea* de Teodoro Valdovinos, 1917. Con posterioridad a *La pícara molinera*, dos títulos iban a desarrollar la zarzuela costumbrista asturiana: *Xuanón* de Moreno Torroba, 1933, y *El gaitero de Gijón* de Jesús Romo, 1953.

El libreto de *La pícara molinera* se basaba en la novela asturiana *La Carmona* de Alfonso Camín, poeta gijonés que alternó su carrera entre España y América, a donde emigró con quince años. Aunque está considerado como poeta modernista y uno de los iniciadores de la denominada poesía afroantillana, siempre mantuvo un interés por la temática asturianista. En los años veinte Camín se encontraba en Madrid como corresponsal del *Diario de la Marina* de La Habana. La novela *La Carmona* unía la ambientación rural y costumbrista con una dura historia de amor y celos en la que corre la sangre y la violencia en torno a una mujer de carácter. La protagonista recogía la tradición de las liberales molineras, reforzada con una fama de mujer fatal, por cuyo amor lucha una juventud aldeana, fuerte y violenta, cegada por las pasiones. El resultado final estaba así en la línea del denominado drama rural, tan utilizado por la estética verista desde la ópera italiana *Cavalleria rusticana* hasta las versiones operísticas de los dramas de Feliu y Codina, *La Dolores* y *María del Carmen*.

Los libretistas fueron Ángel Torres del Álamo y Antonio Asenjo, escritores que llevaban colaborando desde su juventud cuando coincidieron en la revista *Comedias y Comediantes*. En el teatro habían destacado sobre todo escribiendo sainetes madrileñistas, ya desde su primera colaboración con música de Calleja en *El chico del cafetín*. De esta manera en *La pícara molinera* los dos libretistas se propusieron trasladar el esquema costumbrista madrileño a una región que apenas conocían, utilizando una novela de Alfonso Camín, publicada en 1926. Para las cuestiones idiomáticas y jergales contaron con el asesoramiento de dos ilustres escritores asturianos, Eduardo Palacio Valdés y Benigno Arango, a quienes en la dedicatoria del libreto se les califica como "asturianos de primera clase". Al parecer en la redacción del libreto intervinieron más personas, ya que en una de las ediciones se menciona a dos mujeres como coautoras del texto: Pilar Monterde Marcos y Eulalia Fernández Galván.

Pablo Luna, a pesar de haber alcanzado grandes triunfos con sus operetas a la española, probó con fortuna la zarzuela regionalista, de moda en los años veinte. Unos meses antes había alcanzado un resonante triunfo con *La chula de Pontevedra*, curioso sainete que mezclaba lo gallego y lo madrileño a través del personaje protagonista. Lo asturiano de *La pícara molinera* está tomado de los cancioneros y antologías de la época y utilizado con la brillantez habitual del compositor. Los coros ocupan un lugar fundamental, como el de la escena inicial –con su sabor popular mantenido por el ostinato rítmico del tamboril–, la escena de la espicha al final del primer acto y el baile general –un pericote y un chiringüelo– del final del segundo acto, que también se utiliza para cerrar la obra. Otros rasgos de la música popular asturiana recorren toda la partitura: desde las tonalidades de Sol (menor y mayor), algunos giros melódicos en la Pondala, la copla popular con que se presenta la Carmona o la tonada que canta Juan. Sorprende la asimilación de lo asturiano realizada por un maestro de origen aragonés, muestra de su ductilidad para caracterizar otras regiones, seguramente muy bien asesorado por amigos. Como en otras obras, Luna recurre a una visión unitaria del folclore nacional, conseguida con un colorista uso armónico, apoyado en giros rebajados, cambios de menor a mayor y giros frigios.

Sin embargo, *La pícara molinera* excede el marco de lo costumbrista para ofrecer un drama rural violento en la línea de la ópera verista. Así, resulta de gran interés el desarrollo musical de los cuatro personajes principales, un elenco que contó con las mejores voces de zarzuela de su época: Selica Pérez Carpio, Marcos Redondo, Pepe Romeu y Victoria Racionero. Sólo en el primer acto aparecen casi seguidos dos grandes dúos –Nos 4 y 5–, llenos de intensidad y exigencias vocales sobre las hermosas y líricas melodías que acostumbra a ofrecer Luna. Igualmente en el segundo acto hay una de las más bellas romanzas para tenor del repertorio zarzuelístico, Nº 7, extrañamente poco difundida, cuyo cantable comienza con "Paxarín tú que vuelas". Además destaca el dúo entre Carmona y Juan, Nº 8, lleno de sonoridades populares, y el espléndido solo del Pintu, Nº 11, que ofrece la brillantez del registro agudo en que se lucía el gran Marcos Redondo. El equilibrio de este intenso lirismo se encuentra en las escenas cómicas, como el gracioso coro de borracho, Nº 3, y los momentos articulados sobre la pareja Pepa y Riverín, sobre todo en el acto tercero. Como en otras partituras de Luna, tampoco falta un vistoso intermedio, Nº 9, buena muestra del excelente y efectista tratamiento de la orquesta, articulado sobre melodías impactantes que pasan del delicado pianísimo a los grandes tuttis. En definitiva, es una de las grandes partituras de Luna, en la que desarrolla su amplia gama de recursos musicales, desde lo popular y cómico hasta lo dramático y lírico.

La zarzuela fue estrenada al comienzo de la temporada de 1928 en Zaragoza por la compañía de Luis Calvo, que contaba con las principales voces del momento, destacando las dos figuras Selica Pérez Carpio y Marcos Redondo, además del tenor Pepe Romeu, los cómicos Trini Avelli y Antonio Palacios y el actor Eduardo Marcén. Dirigió Luna, que al subir al atril recibió la lógica ovación de sus paisanos aragoneses, siendo aplaudidos y repetidos muchos números musicales. Al parecer tras el estreno, Luna expresó a un periodista su confianza en el resultado de la nueva zarzuela: "Lo habrá notado usted, es música asturiana. Creo haber logrado mi propósito de interpretar las simpáticas melodías de aquella tierra norteña". Pocos días después la misma compañía se instaló en el teatro Apolo de Madrid, ofreciendo *La pícara molinera* el 29 de diciembre de 1928. Fue recibida con entusiasmo como una de las mejores partituras de Luna. Sin embargo, la complejidad vocal de la zarzuela, que obligaba a suspender la función ante cualquier indisposición que hubiese en la compañía, hizo que poco a poco se fuese alejando del repertorio. No obstante, la temporada continuó en el Apolo hasta junio con otros estrenos menos afortunados, siendo éste el último éxito del viejo teatro conocido como la catedral del género chico, ya que el local –comprado por una entidad bancaria– se cerró para siempre esa temporada para su derribo definitivo. Todo un símbolo de los nuevos derroteros de crisis hacia los que se encaminaba la zarzuela, lo que dificultó la consolidación en el repertorio de obras de calidad como *La pícara molinera*.

Fuentes manuscritas. La partitura (legado Luna) y los materiales de orquesta (5351) se conservan en el archivo de la SGAE en Madrid.

Ediciones de música. Canto y piano, Madrid, SAE, 1928.

Ediciones del libreto. Madrid, SAE, 1929.

FONOGRAFÍA: D78rpm: Dir. Maestro Puri, Sols. Marcos Redondo, Selica Pérez Carpio, Pepe Romeu, Coros del Teatro Apolo, Regal RS 5525, KX 110 KX 116 y Odeón 121041 (et. marrón), XXS 4949 XXS 4948 [reed. en CD: Blue Moon BMCD 7535] • Sols. Emilio Vendrell, Matilde Martí, Odeón 121188, XXS 5324 XXS 5323 • Dir. Ataúlfo Argenta, Orq. de Cámara de Madrid, Columbia RG 16214, CCB 5040 CC 851 • Sols. Tino Folgar, Emilio Sagi-Barba, La Voz de su Amo AC 137 • Sols. Matías Ferret, Carmen Andrés, Orq. del Teatro Apolo, Regal RS 5018 (et. morada), K 1118 K 1129 • Dir. Modesto Romero, Sols. Antonio Palacios, Trini Avelli, Odeón 203122 (et. fucsia), SO 5086 SO 5088.

LP: Dir. Indalecio Cisneros, Sols. Teresa Berganza, Pilar Lorengar, Ginés Torrano, Manuel Ausensi, Julita Bermejo, Gerardo Monreal, A. Díaz Martos, Coro de Cantores de Madrid, Orq. Sinfónica, Columbia-Alhambra-BMG (33rpm-30cm) MCC 30036.

BIBLIOGRAFÍA: TA; A. Sagardía: *Luna*, Madrid, Espasa-Calpe, 1978.

VÍCTOR SÁNCHEZ SÁNCHEZ

Pico, Armando. La Habana, 17-VII-1933. Tenor. Inició estudios de canto con Ana Talmacianu. En 1953 debutó en la zarzuela con *La del Soto del Parral* de Soutullo y Vert. Ernesto Lecuona, conocedor de su calidad vocal, lo presentó en uno de sus conciertos dominicales en 1955 en el teatro Nacional, donde estrenó su canción *Ya nada puedo hacer*. Posteriormente interpretó bajo la dirección de Lecuona su zarzuela *El cafetal*. En 1957 estrenó en Cuba *Goyescas* de Granados, y un año después, como artista invitado de la compañía española de zarzuelas y operetas Aguilá-Martelo interpretó *Cecilia Valdés* de Roig, *La alegría de la huerta* de Chueca, *Los gavilanes* de Guerrero y *La viuda alegre* de Lehár. Después, con la inauguración de las primeras temporadas de zarzuelas y óperas programadas por el Gobierno Revolucionario, actuó en el teatro Payret interpretando *La verbena de la Paloma* de Bretón; y luego, en el teatro Auditórium, *La traviata* de Verdi. Como cantante lírico alternó su labor en la ópera y en la zarzuela. Dentro de su repertorio se encuentran las zarzuelas españolas *Marina* de Arrieta; *Luisa Fernanda* y *Azabache* de Moreno Torroba; *La leyenda del beso* de Soutullo y Vert; *La Dolorosa* y *Los claveles* de Serrano y *Las musas latinas* de Penella; y las zarzuelas cubanas *María la O* de Lecuona; *Amalia Batista* y *Soledad* de Prats; *La hija del sol* de Roig y *La casita criolla* de Anckermann; las operetas: *La princesa de las*

Armando Pico y Ana Julia García Ramos (ICCMU)

Czardas de Kalman; *El conde de Luxemburgo* y *Eva* de Lehár; *La duquesa del Bal Tabarín* de Lombardo; *La casta Susana* de Gilbert y *Molinos de viento* de Luna. Ha fijado su residencia en Estados Unidos.

JOSÉ PIÑEIRO DÍAZ

Pico, Pedro. Argentina, 1882; Argentina, 1945. Dramaturgo. Las piezas que le valieron una real significación fueron dramas y comedias como *Caray, lo que sabe esta chica*; *Yo quiero que tú me engañes* y *Agua en las manos*. En sus comienzos escribía sainetes, como *La polca del espiante*, 1901, estrenada en el teatro Apolo. Habiendo leído el cuento *Una de tantas* en la *Revista P.B.T.*, en 1905 invitó al entonces joven y promisorio autor Carlos Mauricio Pacheco a teatralizarlo. Elaboraron el sainete lírico *Música criolla* juntos, con música de Francisco Payá. Después ambos autores elaboraron su continuación, el sainete lírico *Don Costa y Cía.* Pico fue también autor de *A medianoche*, 1917, y *A falta de pan*, 1918, ambas con música de Francisco Payá.

MARTA LENA PAZ

Picón García, José. Madrid, 1829; Valladolid, 1873. Periodista y dramaturgo. Estudió arquitectura y fue designado profesor de la escuela de dicha especialidad. También fue periodista y dejó su profesión para dedicarse a la literatura dramática. Escribió algunos dramas y comedias, pero su nombre ha quedado en la historia del teatro lírico por ser el autor de *Pan y toros*, puesta en música

*José Picón
(Foto: colección
Castellano; E:Mn)*

por F. A. Barbieri, cuya prohibición le causó graves disgustos. Además de *Pan y toros* escribió *La guerra de los sombreros* para Fernández Caballero, 1859; *Memorias de un estudiante* con Oudrid, que fue un gran éxito, 1860; *Anarquía conyugal* para Gaztambide y *Entre la espada y la pared* para Mariano Vázquez, 1861; *La isla de San Balandrán* para Oudrid, 1862; *La doble vista* para Ignacio A. del Campo, 1863; *Un concierto casero* con música de Oudrid y *El médico de las damas* para Mariano Vázquez, 1864; *Gibraltar en 1890*, de nuevo con Barbieri, 1866; *Los enemigos domésticos* para Arrieta, 1867; *El hábito no hace al monje* para José Rogel, 1870; *Los holgazanes* para Barbieri, 1871 y *Un viaje a Conchinchina* para Arrieta, 1875. *Véase* ANARQUÍA CONYUGAL; MEMORIAS DE UN ESTUDIANTE; PAN Y TOROS.

BIBLIOGRAFÍA: *CDE; DAT; HZ.*

Mª LUZ GONZÁLEZ PEÑA

Pin i Soler, Josep. Tarragona, 1842; Barcelona, 1927. Novelista, traductor, publicista y dramaturgo. Hijo de una familia de ideología liberal, su participación en la revolución estudiantil de 1865 le obligó a exilarse, viajando a Ginebra, Bruselas, París y Marsella. Allí redactó artículos y tradujo novelas al español. Se interesó tardíamente por el teatro. Se relacionó con el movimiento felibre occitano, publicando artículos en la *Revue des Langues Romanes* de Montpelier. Estéticamente, las obras de ese período pertenecían al realismo, alejándose del mundo medievalizante y arcaico del movimiento de la Renaixença catalana. En 1890, el interés del empresario Salvador Mir le indujo a escribir sus primeras obras teatrales: *Sogra i nora*, 1890, *La viudeta*, 1891, *La tia Tecleta*, 1892 o el drama *La sirena*, 1892. El éxito de estas obras fue muy desigual. Trabó amistad con Emili Vilanova. El éxito de este último se debe al empuje definitivo que le dio Pin i Soler, al adaptar el sainete *Les bodes d'en Cirilo*, 1891, obra que representó el primer éxito de Vilanova. En 1905 redactó la leyenda *El miracle del Tallat* a la que puso música E. Morera. Esta obra consiguió mantenerse durante varios años en los carteles barceloneses, y representó uno de sus mejores logros. Al no conseguir imponer sus títulos, se apartó de la creación literaria y realizó trabajos de erudición y bibliofilía.

FRANCESC CORTÈS i MIR

Pina. Familia de libretistas españoles formada por Mariano y su hijo del mismo nombre.

1. Pina Bohigas, Mariano. Madrid, 1820; Madrid, 1883. Dramaturgo y comediógrafo. Tiene una larga relación de obras, con y sin música. Ejerció como periodista y estudió la carrera de Derecho hasta doctorarse en Leyes, pero su vocación esencial fue el teatro. Por los mentideros de Madrid circulaba una coplilla tan malintencionada como jocosa, sobre cuál de los dos Pina era peor, llegando el coplero a la conclusión de que era el padre "por ser el autor del hijo". Ambos autores, pero sobre todo el padre, plagiaban sin escrúpulo obras francesas, algo muy habitual en el momento, y se las daban a los compositores más importantes, llegando a superar las "copias" a las obras originales. Mariano Pina Bohigas es uno de los creadores de la zarzuela moderna, con el estreno de

*Mariano Pina Bohigas
(Foto: Colección Castellano;
E:Mn)*

Colegialas y soldados, 1849, obra en la que colaboró con Francisco Lumbreras autor y actor, encargado de confeccionar los cantables para Rafael Hernando. Esta obra, señala el renacimiento del género lírico español. Muchas otras obras de Pina Bohigas conocieron notables éxitos, puesto que el público no reparaba en exceso si la comedia o zarzuela eran verdaderamente originales del autor o tomadas de obras extranjeras. Colaboró con los compositores más importantes de la restauración de la zarzuela como Barbieri: *El Manzanares*, 1852; *El niño y Compromisos del no ver*, 1859; *El hombre es débil*, 1871; *Los estudiantes de antaño*, 1874; *La confitera*, 1876; *Los carboneros*, 1877; *¡Anda valiente!*, 1880 y *La filoxera*, 1888. Oudrid: *El joven Virginio*, 1858; *Enlace y desenlace*, 1859; *Tetuán por España*, 1860; *Influencias políticas*, 1863; *Bazar de novias*, 1867, y *La gata de Mari-Ramos*, 1870. Gaztambide: *Al amanecer*, 1851; Inzenga: *La roca negra*, 1857, *Un trono y un desengaño*, 1862, *¡Si yo fuera rey!*, 1862 y *A casarse tocan*, 1877; Luis Vicente Arche: *¡Diez mil duros!*, 1852; Mariano Vázquez: *El veterano*, 1860, *Matar o morir*, 1863 y *El sordo*, 1869; Arrieta: *La sota de espadas*, 1871; también para José Rogel escribió algunos libretos: *Los peregrinos*, 1862, y *Francifredo, Dux de Venecia*, 1867. Algunos compositores de la segunda generación de zarzuelistas colaboraron también con Pina, así Bretón: *El campanero de Begoña*, 1878 y sobre todo Fernández Caballero: *Aventuras de un joven honesto*, 1862, *Las Georgianas*, 1869 y *La farsanta*, 1881. *Véase* COLEGIALAS Y SOLDADOS; EL HOMBRE ES DÉBIL; ¡SI YO FUERA REY!.

2. Pina Domínguez, Mariano. Granada, 1840; Madrid, 11-XI-1895. Novelista, poeta y dramaturgo. Fecundo autor, incluso más que su padre, heredó de este la costumbre de tomar prestado del francés los temas de muchas de sus obras. En su teatro aparece un ingenio que en su tiempo podía considerarse "atrevido". No obstante estrenó obras más serias como *Mujer y reina* o *El milagro de la Virgen*, ambas con música de Chapí. Su teatro lírico destaca por su facilidad y éxito frente al público, pero sin excesos en lo literario. Además de sus zarzuelas y operetas estrenó también muchas comedias y dramas. Si bien escribió algunas obras originales, trabajó más como

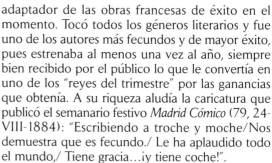

Mariano Pina Domínguez
(Foto: Colección Castellano;
E:Mn)

adaptador de las obras francesas de éxito en el momento. Tocó todos los géneros literarios y fue uno de los autores más fecundos y de mayor éxito, pues estrenaba al menos una vez al año, siempre bien recibido por el público lo que le convertía en uno de los "reyes del trimestre" por las ganancias que obtenía. A su riqueza aludía la caricatura que publicó el semanario festivo *Madrid Cómico* (79, 24-VIII-1884): "Escribiendo a troche y moche/Nos demuestra que es fecundo./ Le ha aplaudido todo el mundo,/ Tiene gracia…¡y tiene coche!".

Tradujo numerosas operetas de Lecocq, Auber, Vasseur, Offenbach, Strauss, entre otros autores, y también escribió para numerosos compositores españoles como los colaboradores de su padre, entre los que se encontraban Barbieri: *El diablo cojuelo y Los fusileros*, 1878; Oudrid: *El caballo blanco*, 1861 y *Compuesto y sin novia*, 1875; José Rogel: *Los Madriles*, 1877, *Lola*, 1878; Arche: *Se dan casos*, 1873, y sobre todo los de la generación siguiente como Chapí, en las dos zarzuelas ya citadas y además en *Las dos huérfanas*, 1880, y *Exposición universal*, 1888; Chueca: *Agua y cuernos*, 1884 y *El cofre misterioso*, 1892; Fernández Caballero: *El lucero del alba*, 1879, *El asesino de Arganda*, 1880, *Para casa de los padres*, 1884, *Aguas azotadas*, 1888; Ángel Rubio: *¡A sangre y fuego!*, *¡Aquí, León!* y *¡Ya somos tres*, 1880, *Armas al hombro*, 1881, *Tiple en puerta*, 1887; Rafael Aceves: *Sensitiva*, 1870; Manuel Nieto: *Juegos Icarios*, 1886, *La diva*, 1885, *Coro de señoras*, 1886, *La fiesta de La Gran Vía*, 1887, *El ángel guardián*, 1893; Joaquín Valverde: *Retolondrón*, 1892, *Esto, lo otro y lo de más allá…*; Vidal y Llimona: *La mujer de papá*, 1882 y *El húsar*, 1893; Vicente Lleó: *Sherlock Holmes*, 1908. Su catálogo de obras es mucho más largo siendo con Ángel Rubio y con Manuel Nieto su colaboración más numerosa. Hay otros compositores como Barbero, Sedó, Hermoso o Yáñez con los que colaboró en alguna ocasión y sin duda fueron *Mujer y reina* y *El milagro de la Virgen* sus mejores obras. *Véase* BAZAR DE NOVIAS; EL MILAGRO DE LA VIRGEN; MUJER Y REINA.

BIBLIOGRAFÍA: *CDE; CTLBN; DUE; EDL; TLE.*

Mª LUZ GONZÁLEZ PEÑA

Pina Gómez, Rosa Cecilia. La Habana, 22-XI-1955. Soprano. Inició su carrera artística a los dieciséis años cantando *La verbena de la Paloma*. Con posterioridad cursó estudios de canto en el Instituto Superior de Arte con Mariana de Gonitch, Lucy Provedo y Hugo Barreiro. En 1982 debutó como cantante profesional en la Sala García Lorca del Gran Teatro de La Habana, interpretando Niña Flor en *El cafetal*. Seguidamente participó en *Molinos de viento* y *Lola Cruz*, entre otras. Desde 1985 integró la Comedia Lírica Gonzalo Roig con la que debutó con *Siempre la zarzuela*. Su repertorio como intérprete es muy variado y lo integran óperas como *El barbero de Sevilla, La bôheme, Rigoletto* y *La traviata,* operetas y zarzuelas como *María la O, Marina, Luisa Fernanda, El Clarín, Cecilia Valdés* y *Doña Francisquita.* Entre los premios que ha recibido se encuentra el segundo lugar en la primera edición del Concurso de canto E. González Mantici.

BIBLIOGRAFÍA: A. Avella: "Músicos de hoy: Cuatro voces en un nuevo festival", *Clave,* 16, La Habana, 1-III-1990.

CAROLE FERNÁNDEZ MARTÍNEZ

Ignacio Pinazo en Bohemios
(Foto: Comedias y Comediantes, 1910; Ar. ICCMU)

Pinazo, Ignacio. España, siglo XX. Tenor. Abandonó la escultura por el canto y debutó en el Gran Teatro con gran éxito pues a su buena figura unía una voz extensa y bien timbrada, así como una buena escuela de canto, una estupenda e irreprochable dicción y un buen vestir de los personajes en escena. Estrenó en el Gran Teatro en 1909 la opereta *El jardín de los amores* de Enrique Bru y al año siguiente en el Price *La niña mimada* de Penella. Cantó opereta, *La princesa del dólar* y zarzuela, *La alegría de la huerta* o *Bohemios,* superando en esta a todos los intérpretes que había tenido la obra de Vives hasta el momento.

BIBLIOGRAFÍA: El Bachiller Bambalina: "Artistas jóvenes. El tenor Pinazo", *Comedias y Comediantes,* II, 7, 1-II-1910.

Mª LUZ GONZÁLEZ PEÑA

Pineda, Manuel. San Fernando (Cádiz), 14-VIII-1909. Tenor. Estudió Magisterio pero una pensión de su Ayuntamiento le permitió perfeccionar sus estudios de canto en Madrid, en 1932, con Carmen Domingo y Celestino Sarobe y posteriormente con Dorini de Disso, que se convertiría en su esposa. Su debut se produjo en 1935 con *Luisa Fernanda* en la compañía de Luis Sagi-Vela, trabajando posteriormente como primer tenor en las compañías de Eugenio Casals, Luis Calvo, Pedro Barreto, Pablo Sorozábal y Federico Moreno-Torroba, estrenando *La del manojo de rosas* con la que recorrió Levante y Andalucía. En Valencia obtuvo un gran triunfo con *La Dolorosa* de Serrano. La Guerra Civil provocó su traslado a México y allí actuó en los principales teatros de la capital y del resto del país, para trabajar posteriormente con la emisora de radio W.X.E.W. de México. *Véase* DISO, DORINI DE.

BIBLIOGRAFÍA: F. Cuenca: *Teatro andaluz contemporáneo. 2. Artistas líricos y dramáticos,* La Habana, Maza, 1940.

Mª LUZ GONZÁLEZ PEÑA

Pinedo, Bonifacio. España, siglo XIX; Barcelona, XII-1908. Barítono y director de escena. Comenzó a cantar en 1883 en el teatro Recoletos de Madrid, dedicado al género chico, estrenando obras como *El mono Ton-Kong* de Reig, *Meterse en honduras* de Rubio y Espino y *Un loco hace ciento* de Mangiagalli. En la temporada de 1883-84 pasó a la catedral del género, el Apolo, al que regresó en 1888, con la compañía del maestro Cereceda, cantando en *Cádiz* y consagrándose como actor desde ese momento. Entre 1888 y 1892 con la compañía de Cereceda cantó en Price, donde estrenó *Los sacamuelas* de Cereceda, participando en giras por toda España, tanto cantando zarzuela grande, ya que estaba dotado de magnífica voz, gran afinación y buen gusto, como opereta francesa y alemana. Entre sus estrenos figuran *La espada de honor* de Cereceda o *Folies Bergeres* de Rubio. En 1894 obtuvo un gran éxito en Eslava con *El tambor de granaderos* y *El moro Muza* de Chapí y estrenó además *El santo milagroso* de Marqués, *La flor de la montaña* de Saco del Valle, *El sábado* de Manuel Nieto, *Las flores de mayo o Puede el baile continuar* de Cleto Zavala, y al año siguiente *El cura del regimiento,* de nuevo de Chapí. En 1896 puso en escena e interpretó, con extraordinario éxito, en el teatro Príncipe Alfonso, *Cuadros disolventes* de Manuel Nieto. Perrín y Palacios, autores del libreto, le daban gracias públicamente en la edición del mismo por el acierto de su dirección artística; estrenó también *El saboyano* de Chalons y Caballero y *La chula* de Teodoro San José. En 1897 estrenó en El dorado de Barcelona *El bohemio* de Pérez Soriano. Fue un asiduo del teatro Eldorado de Madrid, del que fue director y en el que estrenó en 1902 *San Juan de Luz* de Torregrosa y Valverde. Fue director del teatro de la Comedia y actor en Lara.

Regresó de nuevo al Apolo en 1902-03, por exigencias de Arniches que quería al excelente actor para protagonizar *El puñao de rosas* de Ruperto Chapí. El Tarugo de *El puñao de rosas* se convirtió en el mayor éxito de Pinedo y alcanzó tanta fama entre los asistentes a Apolo que cuando la obra se repuso, temporadas más tarde, sin él, no

Bonifacio Pinedo en La tragedia de Pierrot *(Foto: El Teatro, 1904; Ar. SGAE)*

convenció al público del teatro. También obtuvo un gran éxito como Don Quijote de *La venta de Don Quijote* de nuevo del músico villenense. Tanto él como Joaquina Pino rechazaron la obra de Caballero, *La gorriona* y poco después, en marzo de 1903 Pinedo enfermó de gravedad y hubo de abandonar el Apolo, si bien volvió poco después, obteniendo un gran éxito en el dúo de los paraguas de *El año pasado por agua*, interpretado junto a Joaquina Pino.

Posteriormente formó su propia compañía, actuando en el teatro de la Zarzuela en la temporada 1904-05, en la que estrenó *La tragedia de Pierrot* de Chapí, y con la que recorrió posteriormente toda España siendo un auténtico divo del género chico. También fue autor de varias obras teatrales. En 1908 se organizó en el teatro Apolo una función a beneficio del actor y cantante, que se encontraba gravemente enfermo en un hospital de Barcelona, carente de recursos.

BIBLIOGRAFÍA: *TA*; Córcholis: "Memorias íntimas del teatro. Bonifacio Pinedo", *Nuevo Mundo*, 500, 6-VIII-1903; *El Teatro*, 51, XII-1904.

Mª LUZ GONZÁLEZ PEÑA

Pinedo, Victoria. España, siglo XX. Tiple cómica. Se presentaba al público con gran derroche de vestuario y joyas, y triunfó en los años veinte. En 1920 estrenó en el teatro Odeón de Madrid *Blanco y Negro* de Rafael Millán. En 1921 estrenó *El Gran Premio* opereta de Manuel Faixá dedicada a ella. En 1922 estrenó con éxito en el teatro Nuevo de Barcelona *La reina de las praderas*, con música de Guerrero. Esta obra se trasladó en verano a los Jardines del Buen Retiro de Madrid, pero no obtuvo éxito. Formó su propia compañía, llamada Pinedo-Balleste, y que contaba entre sus intérpretes con importantes nombres como Emilio Sagi y Luisa Vela. En 1923 debutó esta compañía en el teatro de la Zarzuela con *La duquesa del Bal Tabarín* pero sus esperanzas estaban puestas en *La montería* de Jacinto Guerrero, que estrenaron en 1923 con un éxito delirante, como había ocurrido en Zaragoza en noviembre de 1922 al estrenarla la compañía de Federico Caballé con Amparo Saus en el papel de Ana. Victoria Pinedo obtuvo un triunfo personal con el "¡Hay que ver!". El éxito de la obra era tan grande que en Carnaval, teniendo la empresa del teatro de la Zarzuela comprometido el local para los bailes, la compañía de Victoria Pinedo se

Victoria Pinedo en La montería
(Foto: Walken; Ar. SGAE)

pasó al teatro de la Princesa, sin ninguna tradición musical, a pesar de lo cual el éxito de *La montería* continuó con llenos absolutos, volviendo a la Zarzuela el 19 de febrero. Victoria hubo de dejar el escenario por enfermedad durante unos días, reapareciendo el 21 de marzo, para despedirse con su compañía el 25, con *La montería* y *La reina Topacio*. El éxito que la Pinedo alcanzó con *La montería* llevó a Guerrero a cedérsela en exclusiva para Cataluña aunque posteriormente consiguió que también la compañía de Federico Caballé pudiera representar la obra en Barcelona y una noche incluso, Amparo Saus y Victoria Pinedo cantaron juntas el "Hay que ver".

BIBLIOGRAFÍA: *ME*; E. García Carretero: *Historia del teatro de la Zarzuela de Madrid*, Madrid, Fundación de la Zarzuela Española, 2003.

Mª LUZ GONZÁLEZ PEÑA

Pinillos. Familia de bailarinas y cantantes españolas formada por las hermanas Laura y Victoria.

1. Laura. Madrid, 1900; ?, 1970. Tiple y bailarina. Poseía estupendas dotes para la interpretación: figura imponente, innata distinción, picaresca belleza, preciosa voz, sabía bailar primorosamente y era, además, gran comedianta. Debutó en los espectáculos de revista cosmopolita de Cadenas en el Reina Victoria de Madrid y posteriormente pasó al Romea de Campúa, siendo vedette en sus revistas frívolas. Actuaba sola o a dúo con su hermana Victoria. Prota-

Las hermanas Pinillos (Foto: Ar. ICCMU)

gonizó revistas y zarzuelas y fue primera actriz de la compañía de Martínez Soria. Fue la vedette más completa de su tiempo, y sólo pudo ser desbancada por Celia Gámez. En 1916 estrenó en la Zarzuela la opereta de Tomás Barrera *La alegre Diana*; en 1917 en el Reina Victoria *La duquesa del Bal Tabarín* de Leo Bard en adaptación de Lleó; en 1923 en el Reina Victoria, *La bayadera* de Kalman en 1928 y *Los alegres maridos de Maxim's* de Rafael Calleja. En julio de 1934 estrenó en el Cómico de Barcelona y meses después en el Romea de Madrid *Las vampiresas* de Ernesto Pérez Rosillo. En agosto de 1937 su compañía, de la que era primer actor Rafael Arcos, estrenó *El cuarto de gallina* de Luis Candela y Manuel Arquelladas en el teatro Ascaso. La obra recibió unas críticas malas, pero poco después la compañía se trasladó al teatro Eslava con la misma obra. Al año siguiente, en febrero de 1938 estrenó en Eslava *Hijas de mi vida* con música de José Sama de Torre, que fue prohibida a las 48 horas de su estreno. En mayo del mismo año seguía con su compañía en Eslava donde pusieron en escena *Usted es mi hombre* de Rafael Millán.

FONOGRAFÍA: *Las de Villadiego*, Sonifolk 20147; *¡Que me la traigan!*, Sonifolk 20147; *Una rubia peligrosa*, Sonifolk 20147; *¡Vales un Perú!*, Sonifolk 20147.

2. Victoria. España, siglos XIX-XX. Tiple y bailarina. Victoria era igual de hermosa, con buena figura y la misma distinción señorial que su hermana. Interpretaba magistralmente danzas clásicas, españolas, y tangos porteños. En ocasiones formó pareja con su hermana con la que ejecutaba números de fantasía próximos a la revista. Nunca alcanzó la categoría artística de Laura y se retiró para casarse con el periodista Ibrahim Marcervelli.

BIBLIOGRAFÍA: *ME*; A. Collado: *El teatro bajo las bombas en la Guerra Civil. Tragicomedia de actores, figurantes, políticos, personajes y personajillos*, Madrid, Kaydeda Ed., 1989.

Mª LUZ GONZÁLEZ PEÑA

Pino, Joaquina. Granada, siglo XIX; Madrid, 194?. Actriz y cantante. Comenzó como tiple de género chico y zarzuela, debutando en el teatro Español en la compañía de Ducazcal con la que pasó posteriormente al teatro Felipe, donde estrenó *La Gran Vía* de Chueca. En 1888 estrenó en el teatro Recoletos *El cosechero de Arganda* de Ángel Rubio, *Timos conyugales* de Arnedo, *Epílogo* de Teodoro San José y en Eslava *Apuntes del natural* de Rubio, *Quid pro quo* de García Catalá, *Las manías* de Caballero y *Pan negro* de Reig. Al año siguiente estrenó en el teatro Príncipe Alfonso *Habanos y filipinos* de Nieto y Brull y en Eslava *Un pagaré a la orden* de Reig. En 1892 debutó en el teatro Apolo con *El plato del día* y *Un pretexto*. Su éxito fue tal que el público proclamó a la actriz y cantante "columna esencial" del teatro Apolo del que sería la favorita durante más de 25 años. Curiosamente ya había aparecido en este teatro cinco temporadas antes, junto a Loreto Prado. La temporada siguiente, 1892, estrenó *La czarina* de Chapí y Estremera, a pesar de los recelos de éste y animada por Sinesio Delgado. En 1893 estrenó el gran éxito de Caballero *El dúo de la Africana*, que permaneció en cartel hasta la temporada 1897-98, con 211 representaciones consecutivas. El éxito y la fama de Joaquina Pino eran tales que para aliviar su exceso de trabajo la empresa de Apolo hubo de contratar a otra tiple, Fernanda Rusquella, que la sustituyó, con éxito, al enfermar la Pino debido a su exceso de actividad. Estrenó *San Antonio de la Florida* de Albéniz, y aunque su interpretación fue muy aplaudida, la obra no tuvo ningún éxito. Más suerte tuvo *Dolores… de cabeza o El colegial atrevido*, parodia de Arnedo y Granés sobre *La Dolores* de Bretón. Y sobre todo *El cabo primero* de Caballero, en el que la actriz hubo de repetir tres veces la célebre romanza "Yo quiero a un hombre". La obra se representó en Apolo tres temporadas consecutivas y en la temporada del estreno se hacía dos veces cada noche. Con algún intermedio en el teatro Español como actriz de verso, volvió al Felipe y al Apolo en el que permaneció 18 temporadas, impuesta por los hermanos Álvarez Quintero, de los que estrenó *El género ínfimo*, 1900, y posteriormente interpretó los principales éxitos del género chico: *Doloretes*, *Agua, azucarillos y aguardiente*, *El dúo de la africana*, *La reina mora* y *El cabo primero*, entre otras. Vives escribió para ella el dúo entre Carducha y Preciosilla en la opereta *La Buenaventura*. En 1903, Córcholis describía sus dotes en *Nuevo Mundo* con estas palabras: "Joaquina Pino es una mosca blanca de la zarzuela… Canta bastante bien y declama perfectamente. De haber persistido en sus primeras aspiraciones, indudablemente habría llegado a ser una actriz notabilísima. Su dicción es limpia, clara y sonora, dando a los conceptos la necesaria y justa interpretación, siempre en armonía con el carácter que representa y dentro de la situación. Su modo de accionar es sobrio, natural y en consonancia con la palabra y con el gesto. En suma, una actriz de zarzuela que estaría perfectamente en una compañía de verso…."

Joaquina Pino en Plus ultra (Foto: Calvet en El Teatro, *1901)*

En 1907 estaba en el teatro de la Zarzuela donde estrenó *La patria chica*, gran éxito de Chapí y los hermanos Quintero. A lo largo de su carrera estrenó más de cien obras como *Muevles husados* de Nieto, 1888; *Boulanger* de Nieto, 1889; *Entrar en la casa* de Quinito Valverde, 1891; *La raposa* de Chapí, *La revista* de Caballero, *Madrid, puerto de mar* de Ángel Rubio, *El novio de su señora* de Joaquín Valverde, 1892; *El dúo de la Africana* de Caballero, *Las mariposas* de Marqués y *Las dos Margaritas* de Estellés, 1893; *La hija del barba* de Julián Romea, *San Antonio de la Florida* de Albéniz, y *El doctor Paletilla* de Quinito Valverde, 1894; *Al fin se casa la Nieves o Vámonos a la venta del Grajo* de Bretón y *El cabo primero* de Caballero, 1895; *Las mujeres*, 1896; *El sí natural* de Chapí, 1897; *Las castañeras picadas* de Torregrosa, *La coartada* de Antonio Santamaría, 1898; *Amor engendra*

Joaquina Pino en La czarina
(Foto: Calvet; Ar. Familia Delgado)

desdichas o *El guapo y el feo y verduleras honradas* y *La familia de Sicur* de Giménez, *La luz verde* de Vives, *La señá Frasquita* de Chapí, 1899; *La república de Chamba* de Giménez, 1900; *La buenaventura* de Vives y *Quo vadis?* de Chapí, *El siglo XIX* de Montesinos, *El coco* de Vives, *Jaque a la reina* de Eladio Montero, 1901; *La torre del Oro* de Giménez, 1902; *El mal de amores* de Serrano, 1905; *Los bárbaros del Norte* de Chapí, 1906; *La patria chica* de Chapí, 1907; *El patinillo* de Giménez y *El método Gorritz* de Lleó, 1909.

En 1910 dejó el Apolo y se pasó al drama y a la comedia, en la decadencia del género chico, actuando en el teatro Lara durante cuatro temporadas. En la temporada 1915-16 formaba parte de la compañía de Carmen Cobeña en el Español, donde estrenó obras como *Cabrita que tira al monte*, y ya como característica pasó al Infanta Isabel, estrenando *El mundo es un pañuelo*, *Así se escribe la historia* o *Los marchosos*.

Una semblanza que se publicó en sus años de triunfo, es el mejor testimonio de lo que esta intérprete supuso para la escena: "Con una trenza rodeando sus sienes y una túnica de púrpura, Joaquina del Pino evocaría a los clásicos tipos de las matronas romanas, como las que han perpetuado los mármoles. Con una larga cola de terciopelo negro, sería el tipo representativo, recio y severo, de las damas linajudas de la nobleza castellana. Con un mantón de flores haría revivir a esa mujer de rompe y rasga, hija del pueblo español cuya tradición se va perdiendo. Su cuello erguido, su cabeza airosa y hasta la movible gracia picaresca de sus facciones tienen un sello de distinción peculiar. Es la figura que atrae y reconcentra en sí todas las miradas, la que parece llenar ella sola el escenario al hacer en él su entrada, entrada que siempre, por sencilla e inadvertida que quiera ser, resulta llamativa y aparatosa, conseguida sólo por el señorío de su figura. En una palabra, Joaquina del Pino es la mujer del dominio sereno, solemne y altivo, cualidades que, unidas a su arte y a su belleza, la han colocado en plano relevante dentro del teatro español contemporáneo".

BIBLIOGRAFÍA: *MT*; *TA*; Córcholis. "Memorias íntimas del teatro. Joaquina Pino", *Nuevo Mundo*, 496, 8-VII-1903; *El Arte de El Teatro*, II, 40, 15-XI-1907.

Mª LUZ GONZÁLEZ PEÑA

Piñeiro, Pilar. Málaga, siglos XIX-XX. Tiple. Fue primera tiple en diversas compañías con las que recorrió los teatros nacionales, así en 1861 actuaba en Santander, donde cantaron *El dominó azul*. Cotarelo dice de la Piñeiro que poseía una voz bastante fuerte con un excelente timbre y que cantaba con expresión. En la temporada 1862-63 se incorporó a la compañía del teatro de la Zarzuela y debutó con Modesto Landa en *El nuevo Fígaro* de Ricci.

BIBLIOGRAFÍA: F. Cuenca: *Teatro andaluz contemporáneo. 2. Artistas líricos y dramáticos*, La Habana, Maza, 1940.

Mª LUZ GONZÁLEZ PEÑA

Piñero, Federico. Santa Clara (Cuba), ?; Miami (Estados Unidos), ?. Actor cómico y barítono. Se inició desde muy joven en la vida teatral y comenzó su carrera en la Compañía de Roberto Gutiérrez "Bolito", pasando luego a las de Rafael Arango, Taboada y Alfonso Rogelini, con las que realizó giras por el interior del país interpretando papeles de galán y cantante. Tras realizar presentaciones en Tampa y México, en 1925 asumió con carácter definitivo el personaje prototipo del "gallego", haciendo dúo de trabajo, primero con el también destacado actor cómico Leopoldo Fernández, quien desempeñaba el papel de "negrito", y luego con Alberto Garrido. En 1930 debutó con la compañía de Enrique Arredondo en el teatro La Caridad de Santa Clara, primera presentación de un periplo que continuó por las ciudades de Placetas, Sancti Spíritus, Camagüey, Santiago de Cuba, Bayamo, Palma Soriano y Manzanillo. Interpretando la obra *Así es la vida*, hizo su primera actuación en La Habana en 1931 junto a la Compañía Suárez Rodríguez, en el teatro Martí, donde se mantuvo durante toda la temporada, interpretando con gran éxito los personajes de Robustiano –*Soledad*–, Luis Jutía – *Juan Mortuorio y Luis Jutía*–, Don Melitón –*Cecilia Valdés*–, Casimiro –*El Mayoral*–, Paciente Fungueiro –*Rosa la China*–, Cuadrado –*La hija del sol*–, el Defensor –*El Clarín*– y Don Vicente – *María Belén Chacón*–, entre otros.

A fines de la década de 1930, creó en sociedad con Alberto Garrido una compañía propia, la que durante algo más de una década ofreció largas temporadas en el teatro Martí, todos los años. En el papel de Sopeira, junto a Garrido como Chicharito, dio enorme fama y popularidad a un espacio, primero en radio y luego en televisión, que permaneció en el aire por más de veinte años. Durante las décadas de 1940 y 1950, incursionó como actor en numerosas películas. En 1957 le fue conferido por el Gobierno de Cuba el grado de Caballero de la Orden Nacional de Mérito Carlos Manuel de Céspedes. En 1961 emigró a Estados Unidos, donde se vinculó a la Sociedad Pro-Arte Gratelli, realizando sus últimas presentaciones en los años setenta, en el Dade County Auditorium.

BIBLIOGRAFÍA: *LVB*; J. Bonich: "En la intimidad del camerino", *El Mundo*, La Habana, 17-VI-1932; E. Arredondo: *La vida de un comediante*, La Habana, Letras Cubanas, 1981.

CLARA DÍAZ PÉREZ

Pitarra, Serafí. *Véase* SOLER, FREDERIC.

Pittaluga González del Campillo, Gustavo. Madrid, 8-II-1906; Madrid, 8-X-1975. Compositor, director y crítico. Destacado miembro de la Generación del 27, redactó y presentó el manifiesto musical del Grupo en la Residencia de Estudiantes. Compositor de corta obra en su mayoría instrumental, en 1931 al proclamarse la República escribió *El Loro*, en un acto con letra de M. Abril, edición para piano, UME, 1932. La denomina zarzuela antigua y fue requerida por la dirección del Teatro Lírico Nacional, que acababa de crearse con el fin de restaurar el teatro lírico español, para ser el primer estreno. Cuando la obra estaba montada y precisamente en la noche del ensayo general, el Teatro Lírico Nacional se cerró bruscamente. La emisora Unión Radio de Madrid adquirió entonces la obra que se estrenó a comienzos de 1933 en su estudio. También reorquestó la obra de Chueca, *Agua, azucarillos y aguardiente*, París, 1934.

Gustavo Pittaluga, 1935 (Foto: Ar. E. Casares)

BIBLIOGRAFÍA: *DMEH*.

EMILIO CASARES RODICIO

Pla, Manuel. Torquemada (Palencia), *ca.* 1730; Madrid, 13-IX-1766. Oboísta y compositor. Perteneciente a una familia de músicos, sus hermanos Juan Bautista y José desarrollaron una importante carrera en Europa como reconocidos intérpretes y compositores. Manuel, sin embargo, parece que no salió de España, y es posible que la publicación de sus obras se debiera a la mediación de alguno de sus hermanos. Debido a que muchas obras están firmadas solamente como "Pla", su atribución presenta dificultades.

Manuel Pla fue oboe de la capilla de las Descalzas Reales y las Reales Guardias Españolas. Escribió tanto música religiosa como profana, instrumental y vocal. Para la escena compuso tonadillas, autos sacramentales, cantatas, comedias y zarzuelas. Junto a Francesco Montali escribió la música de la serenata *Endimión y Diana*, 1752, que se estrenó en los Jardines del Buen Retiro de Madrid. Su zarzuela más destacada es *Quien complace a la deidad acierta a sacrificar*, 1757, con libreto de Ramón de la Cruz, que después de su estreno en una casa particular pasó a representarse en los teatros públicos, poniéndose el 26 de octubre de 1757 en el teatro del Príncipe por la compañía de José Parra. La música combina elementos de la ópera italiana como las arias, con otros de la tradición hispana, como el cuatro o la canción. La instrumentación de la obra la componen cuatro violines, dos oboes, dos trompas, tres bajos, violón, viola y timbal. Del mismo año es la comedia *Juez, arzobispo y doctor*, estrenada el 25 de diciembre. También compuso la cantata *El nacimiento de Júpiter* para la casa del marqués de la Estepa, 1752.

BIBLIOGRAFÍA: *DMEH; HZ*; J. Dolcet: "L'Obra dels germans Pla. Bases per a una catalogació", *AnM*, 1987, 131-88.

JUDITH ORTEGA

Planas, María Teresa. Mataró (Barcelona), 15-X-1908; ?. Soprano. Recibió una selecta educación, lo que unido a su gran talento, la hicieron poseedora de una amplia cultura. Recibió enseñanzas de José Sabater y Antonio Capdevila en el Conservatorio. Se presentó siendo casi una niña, y con una gran acogida, en el Liceo con *Fausto*, pero se decidió por la zarzuela al pasarse a la compañía de Marcos Redondo como primera tiple. Con él interpretó *La dogaresa, El dictador, Las golondrinas, La canción del olvido, La calesera, La parranda, La del Soto del Parral*, y otras obras. En 1935 partió con la compañía de Moreno Torroba hacia Argentina donde interpretó muchas obras de este autor, como *Xuanón, Luisa Fernanda, Azabache* y *La chulapona* y los

Mª Teresa Planas (Foto: E:Bit)

títulos clásicos del género: *El caserío, Doña Francisquita, El barberillo de Lavapiés, La verbena de la Paloma* y *La revoltosa*. A su regreso a España interpretó en el Liceo *La bruja* y en 1969 abandonó su carrera teatral.

FONOGRAFÍA: *La chulapona*, La Voz de su Amo DA 4252, OKA 312 OKA 313; *La del manojo de rosas*, Odeón 184365 a 184367, SO 8776 a SO 8781 • Blue Moon BMCD 7514; *Romanza húngara*, Odeón 184369 y 184370, SO 8839 a SO 8842 • Blue Moon BMCD 7517.
BIBLIOGRAFÍA: *OCCE*.

Mª LUZ GONZÁLEZ PEÑA

Planas i Font, Josep. Vilanova i la Geltrú (Barcelona), 1877; Vilanova i la Geltrú, 1928. Fue discípulo del compositor Urgellés, con el cual colaboró más tarde. Después continuó sus estudios en el Conservatorio del Liceu de Barcelona. Desde 1896, un año antes de la muerte de Urgellés, Planas ocupó la maestría de capilla de la Inmaculada Concepción, en Vilanova i la Geltrú, así como en otras instituciones pedagógicas. Compuso zarzuelas, la mayor parte de las cuales se estrenaron en su localidad natal. Entre ellas se encuentran *La Siseta*, *El Boronet* y *El consejo de Amor*.

FRANCESC CORTÈS i MIR

Planeta Venus, El. Zarzuela fantástica en tres actos "para chuparse los dedos de susto". Música de Emilio Arrieta. Libreto de Ventura de la Vega. Estrenada el 27 de febrero de 1858 en el teatro de la Zarzuela de Madrid.

Personajes y reparto. Kador, príncipe imperial (Juan Salces, tenor). Tzing-Zing, mandarín (Francisco Salas, barítono). Tchin-Kao, rico labrador (Francisco Calvet, bajo). Yako, labrador (Vicente Caltañazor, tenor cómico). Estela, princesa del Gran Mogol (Josefa Mora, tiple). Pekí, joven labradora (Elisa Zamacois, tiple). Tao-lin, mujer del mandarín (María Soriano, característica). Marfisa, habitante de Venus (Dolores Fernández, actriz). Coro de pueblo de ambos sexos, de magnates, soldados y mujeres habitantes del planeta Venus.

Orquestación. Flautín, flauta, 2 oboes, 2 clarinetes, 2 fagotes, 2 trompas, 2 trompetas, 2 trombones, tuba, percusión y cuerda.

Argumento. La zarzuela se desarrolla en China, excepto algunas escenas del acto 3º, situadas en Venus. *Acto I.* El mandarín Tzing-Zing, a quien no bastan sus cuatro mujeres, está a punto de celebrar matrimonio con la labradora Pekí, a quien ha comprado entregando a Tchin-Cao, su padre, una crecida dote; ella le desprecia, ya que ama a Yanko, mozo de labranza de su padre. Desesperado Yanko al ver que la comitiva nupcial sale de la Pagoda, y habiendo perdido toda esperanza de poseer a su amada, monta un mágico caballo de bronce que apareció cierta mañana en una roca vecina, y se pierde en el cielo. Al pueblo llega el príncipe Kador quien, por intercesión de su prima Tao-Lin –cuarta esposa de Tzing-Zing–, ha nombrado su preceptor al mandarín, cargo que le obliga a no separarse de Kador. Éste ama a una joven a la que sólo ha visto en sueños, pero los magos de la corte le han vaticinado que debe vivir en una estrella; cuando el príncipe conoce la verdad de labios de Pekí, desea correr la misma suerte que Yanko y decide ayudar a la joven a no casarse con el mandarín. Yanko regresa mágicamente, a lomos del caballo de bronce, pero no puede contar su aventura o morirá. Cuando suenan los sones de la marcha nupcial, Kador ordena a Tzing-Zing partir a lomos del caballo mágico, alejándose ambos para recorrer el espacio sobre las ancas del caballo de bronce.

Acto II. El mandarín regresa del mágico viaje, pero no sucede lo mismo con Kador. Una vez más, se niega a explicar la naturaleza del viaje, pero la fatiga le rinde y, en sueños, revela parte de su secreto que Pekí escucha con avidez, mientras el pobre mandarín queda petrificado, convertido en estatua de madera. Yanko, divertido por la mala suerte de su rival Tzing-Zing, se mofa de su situación y, para explicar la causa de tan extraña transformación, refiere lo que supone éste ya habrá contado, convirtiéndose también en estatua. Desesperada Pekí se aprovecha de la indiscreción de Tzing-Zing y, vestida de hombre, se monta también a lomos del mágico caballo.

Acto III. En el planeta Venus el príncipe Kador ha encontrado a la bella Estela, la hija del gran Mogol, y la misma que el príncipe adoraba sin conocerla; ella había soñado también, por simpatía, con el heredero del Celeste Imperio. La joven sufre un encantamiento y únicamente el que sepa conquistar cierto mágico brazalete desbaratará el conjuro y podrá unirse a Estela. La empresa no es fácil porque es preciso permanecer cierto número de horas en Venus sin dejarse seducir por sus beldades. Estela, Marfisa y las demás bellezas que habitan aquel planeta, son otras tantas almas tentadoras entre cuyos atractivos es difícil resistir. Ese fue el motivo de que primero Yanko y luego el mandarín Tzing-Zing regresasen tan pronto a la tierra. El príncipe Kador tiene más resistencia, porque desea hacerse dueño del brazalete y casarse con Estela, pero también sucumbe sin dar tiempo a que transcurra el tiempo fijado. Únicamente Pekí no corre el mismo peligro y puede impunemente burlarse de todas las acechanzas femeninas, puestas en juego para que se rinda. Dueña de la situación, vuelve triunfante a la tierra trayendo consigo a Estela y el brazalete, prodigioso talismán que sirve para que Yanko, el príncipe Kador, que también fue lenguaraz, y hasta el Mandarín Tzing-Zing recobren sus sentidos y sean felices. Sólo Tzing-Zing pierde la posesión de Pekí, y vuelve a caer bajo el dominio de su cuarta mujer, la terrible Tao-Lin, su pesadilla.

Números musicales. Acto I: Nº 1. Coro de chinos y chinas. Pekí, su padre, Yako y Tzing-Zing, "Las campanillas de la pagoda". Nº 2. Terceto de Tao-Lin, Tchin-Kao y Tzing-Zing, "¿Qué pasos escucho?". Nº 3. Coro y aria de Kador, "Rindamos homenaje". Nº 4. Romanza de Kador, "La noche vertía". Nº 5. Escena musical de Tao-Lin, Kador y Tzing-Zing, "Ven, caro esposo". Nº 6. Dúo de Pekí y Kador, "Un mancebo enamorado". Nº 7. Final cantado, "El numen de amores". Acto II: Nº 8. Dúo de Tao-Lin y Tzing-Zing, "¡Qué jornada deliciosa!". Nº 9. Dúo de Pekín y Tzing-Zing, "¡Oh disfraz venturoso!".

Nº 10. Diálogo musical, tres escenas y coro, "Despacito..., con silencio". Acto III: Nº 11. Coro y romanza de Estela, "A la celeste diosa". Nº 12. Coro, Marfisa y Pekí, "Si repites en la tierra". Nº 13. Dúo de Estela y Kador, "Si tú el amor sintieras". Nº 14. Coro de ninfas, "Cuál volandera mariposa". Nº 15. Marfisa y coro, "Rostro de cielo". Nº 16. Dúo de Estela y Pekí, "¿Quién sois vos, buen forastero?". Nº 17. Coro y escena final, "Tú que fuiste en la tierra".

Comentario. La zarzuela –anunciada en 1856 como un posible título para la inauguración del teatro de la Zarzuela– está inspirada en la obra de E. Scribe *Le cheval de bronze*, que en su origen es uno de los cuentos de *Las mil y una noches*, según la traducción de Galland. *Le cheval de bronze*, puesta en música por Auber, se había estrenado en el teatro de la Ópera Cómica de París. Ventura de la Vega es uno de los autores que más cultivó el arte de la traducción-adaptación al castellano de la comedia francesa –del que era un verdadero experto–, llevando a cabo más de ochenta versiones y adaptaciones de Scribe y Delavigne. *El planeta Venus*, parodia de las obras de encantamiento, es un claro precedente de los libretos de temática mágico-burlesca y fantástica propios de los Bufos Arderius algunos años más tarde, por lo que el propio Cotarelo la relaciona con el teatro bufo parisino de Offenbach. Debe ser valorada como un presagio del rumbo que adoptó el género lírico a partir de 1866, ya que como opina Ramón Barce "aunque no se aparta excesivamente del estilo operístico franco-italiano, algunas alusiones 'chinescas' (entre las cuales está el empleo sistemático del tamtam, que pasará a la revista como elemento importante de la percusión) pueden considerarse un adelanto del carácter exótico del futuro género".

Arrieta escribió una música excesivamente clasicista para un libreto burlesco, una auténtica farsa teatral, pero a pesar del carácter opuesto de ambos elementos, la obra sorprendió a un público algo apático aquella temporada y obtuvo cierto éxito. En opinión de Cotarelo, de toda la partitura destacan "la marcha guerrera y aria de Kador a su entrada en escena; el primer dúo de Tao-Lin y su marido en el segundo; el final de este acto, gracioso y original y a pesar de su extensión nada cansado; el coro de arpas con que entra el tercero y la hermosa y dulce romanza de Estela que le sigue; y el delicioso dúo de Estela y Pekí, impregnado de leve voluptuosidad. El dúo de Estela y Kador se hizo repetir".

La recepción hemerográfica coincide con la opinión de Cotarelo, afirmando Lozano desde *La España Artística* (1-III-1858) que "ha llamado la atención por la novedad del espectáculo, el aparato escénico y el lujo y propiedad en los trajes". El 8 de marzo E. Velaz de Medrano le dedicaba un extenso artículo en *La España Artística* valorando positivamente la ejecución, y en cuanto a la música de Arrieta, "ha ganado en importancia conforme se ha ido oyendo. Los coros, característicos la mayor parte, particularmente el de introducción y acompañamiento nupcial de Tzing-Zing; la marcha militar cuando la llegada del príncipe imperial, todo lo que canta éste último en el primer acto; el dúo en el acto segundo (entre Tzing-Zing y Taolín); la introducción y romanza de Estela, en el tercero y último; todas estas piezas de música son otros tantos trozos que merecen citarse con particular aprecio".

El 11 de noviembre de 1882 se puso en escena, también en el teatro de la Zarzuela, la refundición de *El planeta Venus*, arreglada por el hijo de su traductor original, Ricardo de la Vega. Según se anunciaba en la prensa, en esta función, en la que "participarán sesenta señoritas de la clase de solfeo y canto de la Escuela Nacional de Música; cuarenta niños y un numeroso acompañamiento" (*El Arte*, 6-X-1882) se estrenarán diez decoraciones de Busato y Bonardi, y un vestuario de más de cuatrocientos trajes. La zarzuela, que mantiene intacta la peripecia argumental de la primera versión, se fragmenta en once cuadros escénicos, uno en el primer acto, tres en el segundo y siete en el tercero: "1º El príncipe Kador; 2º El regreso del mandarín; 3º En la pagoda; 4º El caballo de bronce; 5º Crepúsculo y aparición del planeta (orquesta sola); 6º Antro del planeta (Orquesta sola); 7º La mansión de Estela; 8º La ninfa Hora; 9º Los ídolos chinos; 10º El brazalete mágico; y 11º El triunfo de Kador" (*Chorizos y Polacos*, 12-XI-1882). Interpretada con gracia, fue aplaudida por su texto surrealista y "su preciosa música" (*El Arte*, 13-XI-1882), proporcionando muchas entradas al teatro de Jovellanos. Sin embargo, voces críticas como la de Esperanza y Sola desde *La Ilustración Española y Americana* (30-XI-1882) o el crítico de *La Correspondencia Musical* (15-XI-1882) valoran negativamente la obra, reclamando nuevos estrenos en el coliseo de Jovellanos y recomendando a Arrieta que no se presente en el palco escénico, ya que si en la primera noche, "gracias al respeto y hasta cariño con que se mira la persona de tan ilustre profesor, salió bien librado, de repetirse el caso, pudiera escuchar lo que nunca es grato oír" (*Chorizos y Polacos*, 12-XI-1882).

Fuentes manuscritas. La partitura para canto y piano incompleta (Nºˢ 1, 2 y 5 del acto 1º y 6 del acto 2º) se conserva en el Archivo General de Navarra.

Ediciones de música. Piano, Nºˢ 1, 3, 11 y 12bis, Madrid, PM, 1858; Fantasía para piano de D. Zabalza, Madrid, Faustino Echevarría, *ca.* 1883. Canto y piano, Nº 15, Madrid, CM, 1861; Nºˢ 4, 15 y 17 bis, SMA y LL, 1864; Nº 9, Madrid, SMA, 1865.

Ediciones del libreto. Madrid, Imp. de José González, 1858.

BIBLIOGRAFÍA: *HZ*; R. Barce: "La revista. Aproximación a una definición formal", *Cuadernos de Música Iberoamericana*, 2-3, Madrid, 1996-97; M. E. Cortizo: *Emilio Arrieta. De la ópera a la zarzuela*, Madrid, ICCMU, 1998.

Mª ENCINA CORTIZO

Plato del día, El. Extravagancia lírica en un acto. Música de Pedro Miguel Marqués. Libreto de Andrés Ruesga, Salvador Lastra y Enrique Prieto. Estrenada el 20 de abril de 1889 en el teatro de la Alhambra de Madrid.

Personajes y reparto. La Extravagancia (Luisa Campos, soprano). La Juana (Luisa Campos). Pepa (Luisa Campos). La Librada (Lucrecia Arana, tiple). El Thé verde (Lucrecia Arana). El Thé perla (Srta. Moreno, tiple). El Thé negro (A. Campos, tiple). Mujer 2ª (Srta. Rubio). El Autor (Vicente García Valero). Amigo 1º (José Navarrete, actor cantante). Un borracho (José Navarrete). Maestro 1º (José Navarrete). El Nene (José Navarrete). Maestro 2º (Jaime Ripoll, barítono). Caballero 2º (Jaime Ripoll). Un sereno (Sr. Constanti). Maestro 3º (Sr. Constanti). Don Cándido (Sr. Constanti). Espectador 1º (Sr. Lirón). Don León (Sr. Lirón). Caballero 1º (Melchor Ramiro). Le metre d'hotel (Melchor Ramiro). Espectador 5º (Robustiano Ibarrola). Pollo 1º (Sr. Ibarrola). Maestro 4º (Sr. Ibarrola). Un revendedor (Sr. Sánchez). Maestro 5º (Sr. Sánchez). Guardia 1º (Sr. Sánchez). Pollo 2º (Sr. Gil). Ernesto (Sr. Gil). Espectador 3º (Sr. Prieto). Espectador 2º (Sr. Marinas). Espectador 4º (Sr. Picó). Hombre 1º (Sr. Picó). Un lacayo (Sr. Belver). Mujer 1ª (Srta. Manzano). Hombre 2º (Sr. Rodríguez). Coro de brujas, chinos y chinas.
Orquestación. Flautín, flauta, oboe, 2 clarinetes, fagot, 2 trompas, 2 cornetines, 3 trombones, percusión y cuerda.

Argumento. La acción tiene lugar en la época del estreno. Un Autor teatral, que estrena su primera obra, es silbado y pateado por el público; a las doce de la noche se abre la puerta del teatro y salen un grupo de brujas y la Extravagancia, que le promete el éxito si sigue sus consejos. A un golpe de orquesta se produce una transformación general, quedando vestidas con lujosos trajes fantásticos la Extravagancia y las brujas –ahora damas– y la escena convertida en el palacio de la Extravagancia. El "Metre d'Hotel", de frac, ofrece al Autor una cena que sirve de pretexto para la presentación de platos y escenas de la revista, apareciendo la Sopa de fideos, cantada por cinco maestros de escuela; los rábanos, cantados por la Juana, la Librada y el Nene; el besugo y el atún, interpretados por Don Cándido y Don León; los pollitos a la italiana, representados por el Pollo 1º y el Pollo 2º; la aceituna sevillana, cantada por Pepa la ribeteadora; las chuletas, representadas por un borracho, una mujer y dos guardias; y el thé, cantado por tres tipos de tes y un coro de chinos. En la última escena la Extravagancia pregunta al autor si está dispuesto a trabajar en una obra de éxito y éste contesta que sí, y que la llamará *El plato del día*, viéndose al final un teatro que indica "Tres mil representaciones seguidas".

Números musicales. Nº 1. Preludio. Nº 2. Coro de brujas, Autor y Extravagancia, "Aquí nos tienes a tus órdenes". Nº 3. Quinteto de los fideos. Maestros de escuela, "Aquí tienen ustedes cinco ejemplares". Nº 4. Terceto de los rábanos. La Juana, la Librada y el Nene, "Eres una sinvergüenza, sí señor". Nº 5. Canción de la aceituna. Pepa, con Autor, "Yo soy Pepa la ribeteadora". Nº 6. Coro de chinos con el Thé perla, el Thé verde y el Thé negro, "Del Celeste imperio somos lo mejor". Nº 7. Final, "Seré dichoso, feliz seré".

Comentario. "Plato del día" era el título del balance diario de la actividad que publicaba en *El Liberal* el periodista Mariano de Cavia. En ese "Plato del día", que según Deleito estaba "lleno siempre de sal, pimienta y otros condimentos gratísimos al paladar de los lectores", había "de todo un poco". Por ello Ruesga, Lastra y Prieto idearon dar ese título a una revista de actualidad semejante a otras –como *Luces y sombras, Cosas del día* o *Vivitos y coleando*–; la obra fue estrenada el Sábado de Gloria. Indica *La España* *Artística* (23-IV-1889): "Las frases ingeniosas y las alusiones de sátira fina y punzante se suceden unas a otras causando la delicia del espectador. No hay chistes *gordos*, ni exhibiciones del desnudo, ni personajes políticos… Por esto decimos que *Plato del día* es una revista que puede servir de modelo en el género". Aparecen en la obra las habituales referencias a temas de actualidad, en sucesión deshilvanada de tipos y escenas, siendo citadas varias obras teatrales del periodo, como *La Gran Vía, Los inútiles, Certamen nacional, Oro, plata, cobre y… nada, El gorro frigio* o *Madrid-Club*; también hay referencias al teatro Real y a la ópera de Meyerbeer, al nuevo café Suizo y al café del Imparcial, así como a Pérez Galdós y a políticos del momento. Como indican Ixart y Deleito, no podía faltar el número chulesco, con arreglo al falso patrón convencional del chulo "castizo" de Madrid. Dice Deleito: "Los autores habían sacado ya al mismo chulo pinturero y disparatador, ajustadísimo de ropa, de 'gorra-chimenea' y forzoso bailarín de zapateados, en sus antiguas revistas de Variedades. El tipo hizo escuela, y se consagró y triplicó con los tres Ratas de *La Gran Vía* y las tres cigarreras de *De Madrid a París*, o aumentó hasta hacerse grupo, como en *Certamen nacional*. En *El plato del día* se mostró una nueva trinidad chulesca: la del hombre con dos mujeres, que le mantienen entre las dos, que las dos son zurradas por él y se pirran ambas por 'sus pedazos', rabiando de celos mutuos. El terceto lo forman la Juana, la Librada y el Nene, los tres con la indumentaria estereotipada de tales personajes, pero desarrapada y astrosa. Aparecen en escena ya en plena bronca, e insultándose las dos chulas con el más 'escogido' léxico. La obra consta de siete números musicales. Se inicia con un preludio orquestal de estructura poliseccional, que alterna diferentes fragmentos, y termina con un pasaje relacionado con el final del Nº 6. El Nº 2 consta de dos grandes secciones; se inicia con las brujas que cantan con voz gangosa; Marqués recurre a elementos propios del lenguaje teatral, como los seisillos de corchea para dibujar una escala cromática descendente al servicio de la descripción de la situación; cuando interviene Extravagancia el ritmo se hace más lento; ésta canta un pasaje en que es doblada sólo por el oboe, como medio de destacar el significado del texto; la música cambia a un tempo "Poco más movido" para la frase de Autor "Pues que así". La segunda sección del número se corresponde con la mutación escénica; Extravagancia canta un pasaje a modo de recitativo, para enlazar después con un "Tiempo de Vals", con el que concluye el número. El Nº 3, quinteto de los fideos, cantado por cinco maestros de escuela, es biseccional, iniciándose después de la introducción con los maestros, que cantan un motivo construido en su inicio sólo con las notas Re y Sol; la segunda sección, recuerda un tiempo de polka, y presenta una estructura ABAB'-coda, concluyendo con una fermata "muy cómica", según indica la partitura, sobre la repetición de las palabras "se coloca a la cabeza". El Nº 4, terceto de los rábanos, a cargo del Nene y las dos chulas que lo mantienen, la Juana y la Librada, logró gran éxito. El Nº 5, canción de la aceituna, cantada por Pepa, se traslada al ambiente andaluz que corresponde a la protagonista del número. En el Nº 6 Marqués recurre para caracterizar musicalmente el ambiente exótico que evoca la *Marcha turca de las ruinas de Atenas* de Beethoven, enlazando también con la sonoridad de la polka; la segunda sección presenta a su vez una estructura bipartita, repitiéndose la misma música con dos textos. La obra concluye con un final escrito en ritmo parecido a la polonesa. Se aprecia, pues, el predominio de las danzas de salón en la obra, convirtiendo así esta revista en una suite de danzas, como suele ser frecuente en el sainete lírico.

La obra, dedicada a Mariano de Cavia, logró gran éxito, siendo repetidos todos los números musicales. Para *La España Artística* (23-IV-1889), "la partitura de *Plato del día* es de las que en media hora hacen la reputación de un compositor, pero cuando este compositor se llama Miguel Marqués y disfruta ya de fama tan justa como envidiable, entonces los éxitos no hacen más que abrillantar sus pasados triunfos y aumentar un hermoso florón a su corona artística". Destacaron las interpretaciones de Luisa Campos, Lucrecia Arana, y los señores Navarrete, García Valero, Ripoll, Ibarrola y Constanti. También lograron éxito las dos decoraciones pintadas por Busato, Bonardi y Amalio Fernández. El éxito de la obra hizo que pasara a representarse en el teatro Apolo, y allí se actualizó su argumento con la incorporación de nuevas escenas y hasta cinco números musicales, conservados en el archivo de la SGAE en Madrid. El primero es un "Tiempo de Pasacalle" con bandurria y guitarras, cantado por Aceituna 1ª y coro de aceitunas (señoras), que se inicia imitando el coro el sonido de las bandurrias, y cantando el texto "Aquí vienen las barbianas aceitunas sevillanas"; posiblemente compuesto para la tiple Felisa Lázaro, que debutó en Apolo el 8 de junio de 1889, la cual en una función de gala en honor de la colonia portuguesa cantó la romanza de *Bocaccio* y estrenó dos números escritos expresamente para ella en *El plato del día*, según anota Chispero. El siguiente número es cantado por Un inglés, y presenta una estructura poliseccional, que se inicia con una introducción, canta a continuación el inglés "Ser inglés de muchas libras" sigue una transición que conduce al *Allegro vivo*, en el que baila el inglés. Otro número musical es cantado por Martina, Juana, Cruz, Tío Largo, Cayetano, un Sargento de Civiles y un coro de tiples; se trata del número de la limonada, "Para hacer una buena limoná". Los otros dos números son orquestales; uno de ellos recuerda el tipo de jota de los Ratas de *La Gran Vía*, y el otro, a modo de marcha fúnebre. El 21 de junio de 1889 tuvo lugar en Apolo el beneficio de los autores de la obra, que cumplía en esa ocasión su representación Nº 86. La obra alcanzó un éxito enorme, superando las mil representaciones, representándose en provincias, y permaneció en la cartelera del Apolo al menos hasta 1899.

Fuentes manuscritas. La partitura (TL-841) y los materiales de orquesta (1526) se conservan en el archivo de la SGAE en Madrid.

Ediciones de música. Canto y piano, Madrid, BZ.

Ediciones del libreto. Madrid, Administración Lírico-Dramática, 1889; 2ª ed., Madrid, Imp. de José Rodríguez, 1890.

BIBLIOGRAFÍA: *DMEH*; *OGCH*; *TA*; J. Yxart: *El arte escénico en España*, Barcelona, Imp. La Vanguardia, 1894-96 (reed. facs. Barcelona, Alta Fulla, 1987).

RAMÓN SOBRINO

Plaza, Juan Bautista. Caracas, 19-VII-1898; Caracas, 1-I-1965. Compositor, pedagogo e investigador. Importante compositor venezolano, autor de una extensa obra, en la que existen dos zarzuelas: *Zapatero a tus zapatos*, 1916?, y *La liberal*, ambas con libreto de A. Redescal Uzcátegui, 1919.

BIBLIOGRAFÍA: *DMEH*.

VÍCTOR SÁNCHEZ SÁNCHEZ

Pobre Valbuena, El. Sainete costumbrista madrileño en un acto. Música de Tomás López Torregrosa y Quinito Valverde. Libreto Carlos Arniches y Enrique García Álvarez. Estrenado el 1 de junio de 1904 en el teatro Apolo de Madrid.

Personajes y reparto. Paca (Joaquina Pino, tiple). Ludgarda (Pilar Vidal, característica). Una pobre (Julia Mesa, tiple). Otra pobre (Teresa Calvó, tiple). Presenta (Teresa Calvó). Angelita (Antonia Espinosa). Adelina (Elisa Moreu, tiple cómica). Consuelo (Adelina Amorós, tiple). Chica 1ª (Isabel Carceller). Chica 2ª (Fernández). Bibiana (Torres). Concha (L. Martínez). Una concurrente (Hidalgo). Valbuena (Emilio Carreras). Salustiano (José Mesejo). Pepe el Tranquilo (Miguel Mihura Álvarez). El del tío vivo (Vicente Carrión). Ubaldo (Melchor Ramiro). Pobre 2º (Soriano). El de la tómbola (Soriano). Un guardia (Sánchez). Un concurrente (Rodríguez).

Orquestación. Flautín, flauta, oboe, 2 clarinetes, fagot, 2 trompetas, 2 trompas, 3 trombones, percusión y cuerda.

Argumento. *Escena primera.* Se inicia la acción en una barbería de Madrid donde están preparando una fiesta que consistirá en un concurso de peinados. De la preparación se encarga Valbuena, joven muy habilidoso pero que sufre unos extraños ataques que le dejan paralizado durante unos momentos. Mientras están comentando los ataques del joven se oyen voces en el exterior; salen y se encuentran a Valbuena tirado en el suelo, sin sentido, y a un guardia –que es gallego– explicando que ha sido a causa de un vendedor que le quería cobrar un residuo. Salustiano, marido de Paca le pide a Valbuena que vigile la llegada de una misiva que le envía una vecina sobre la posibilidad de tener

Cortesía de Unión Musical Ediciones SL

un lío con ella. Poco después llega Pepe el Tranquilo, el novio de la vecina, que ha tenido noticia del posible lío amenazando con que se prepare el implicado. Mientras está hablando Valbuena ve llegar la carta que también es vista por Pepa y se da una situación de la que Salustiano y Valbuena deciden salir haciéndose los mareados. En el cuadro segundo Salustiano y Valbuena vuelven en sí después de haber permanecido más de cinco horas traspuestos para librarse de la paliza, pero Pepe el Tranquilo les sigue buscando; se van a la fiesta a la que también llega Pepe al que María, mujer de Valbuena ha dicho donde estaban, ignorante de la situación. Sigue el juego de apariciones y desapariciones. Paca está contenta porque ha ganado el concurso de peinados cuando llega Pepe buscando a los dos huídos que están subidos a la cucaña y les somete a un duro castigo por su mal proceder.

Números musicales. Nº 1. Introducción y escena, "La del pañuelito blanco". Nº 2. Polka japonesa, "Mucha atención que es la polka japonesa". Nº 2bis. Orquesta. Nº 3. Habanera del Pompom, "Cuidado y que no haya ni una sola interrupción". Nº 4a. Escena de la Kermese, "¿Quién quiere claveles". Nº 4b. Pasacalle, "Si hay quien se figura".

Comentario. *El pobre Valbuena* se estrenó en una función a beneficio de Emilio Carreras. Este sainete es considerado por Chispero como parte de la tetralogía de los "frescos", que se completaba con *El terrible Pérez, El iluso Cañizares* y *El pollo Tejada,* y su gran éxito fue debido en gran parte a la genial interpretación de Carreras, que se identificó de tal manera con el personaje, que todos los actores posteriores tuvieron ciertas reticencias a la hora de abordar su interpretación. La obra tuvo una excelente acogida desde el primer número, la canción de las peinadores y clientes del salón, y continuó con la salida a escena de Carreras cantando el cuplé de la japonesa en el que se presentaban una serie de tipos llenos de gracia saineteril. El éxito continuó con la habanera del Pom-pom, uno de los fragmentos de la zarzuela que más ha permanecido en la memoria del público.

El pobre Valbuena es por ello una conjunción de las genialidades de un actor para el que se concibieron una serie de números musicales muy populares, sin que exista conexión o unión dramática entre ellos. En realidad, a pesar de ser un sainete, tiene la estructura típica de una revista musical. Por otra parte, es un claro modelo de obra con predominio del hecho teatral sobre el lírico. La música, que desborda genialidad en algunos de sus números, no juega un papel importante sino más bien secundario.

Fuentes manuscritas. Los materiales de orquesta se conservan en el archivo de la SGAE en Madrid (2432).

Ediciones de música. Canto y piano, Madrid, SAE; "Polka japonesa", Madrid, IA.

Ediciones del libreto. Madrid, SAE, 1904; 2ª ed. Valladolid, Celestino González, 1917; La Novela Teatral, II, 17; 7ª ed., Madrid, La Correspondencia Militar, 1921.

FONOGRAFÍA: D78rpm: Sol. Manuel Ramos, Regal DK 8306 (et. azul), K 2541 K 2545.

LP: Dir. Nicasio Tejada, Sols. Ana Mª Iriarte, Selica Pérez Carpio, Miguel Ligero, Antonio Vidal, Coro de Cantores de Madrid, Orq. Sinfónica, Columbia SA, C 7500 43 (42a), Columbia SA, ZCL 1085 (Zacosa) 46 (45a) y Alhambra MC 25028.

BIBLIOGRAFÍA: *OGCH.*

EMILIO CASARES RODICIO

Podestá, Antonio Domingo. Montevideo, 4-VIII-1868; Buenos Aires, 17-XI-1945. Compositor y actor. Desde muy niño actuó en el picadero del circo junto con su familia. Debido a su gran destreza en las artes circenses, fue contratado por el famoso circo norteamericano Barnum para una gira por Estados Unidos. También trabajó en España, en el circo Alegría, en 1890, y recorrió Alemania durante dos años. Hacia 1897 abandonó el circo para dedicarse por completo a la actividad teatral; intervino en el estreno de *La piedra del escándalo* de Martín Coronado, interpretado por la compañía Podestá Hermanos. Como compositor se inició con la pieza *Fausto criollo* de 1894, y luego escribió *Moreira en ópera,* zarzuela en la que parodiaba la ópera de Arturo Berutti *Pampa,* inspirada en Juan Moreira. Compuso las partituras de varios sainetes líricos, como *Fumadas* y *Abajo la careta*, ambas de Enrique Buttaro, *La polca del espiante* de Pedro Pico y *La beata* de Ezequiel Soria, entre otros. Pero sobre todo se le recuerda por su *Pericón por María*, incluido en su obra *Por María*, que ha perdurado como una muestra antológica del género.

OBRAS: *Fausto criollo*, 1894; *Calandria*, Com, 3 act, l, M. Leguizamón (Lázaro Montiel), 1896; *Abajo la careta*, l, E. Buttaro, 1901; *Por María*, boceto lír criollo, l, A. Podestá, 1901; *La beata*, Zarz, l, E. Soria, 1902; *Cardos y flores*, Sai, l, A. Fontanella, 1915; *En un Pingo Pangaré*, l, A. S. Logazio, 1917; *Fumadas*, Sai, l, E. Buttaro; *Juan Soldao*; *La inocencia le valga*; *La polca del espiante*, l, P. Rico; *Los ojos del ciego*; *Martín Fierro*; *Moreira en ópera*, Zarz.

MARTA LENA PAZ

Polacos. *Véase* CHORIZOS Y POLACOS.

Polka. Danza, canción y baile de origen bohemio escrita en 2/4 y en movimiento vivo. No se debe confundir con la polka-mazurka, danza moderna de origen alemán, en compás de 3/4 y en movimiento moderado. La polka se popularizó hacia 1830-40 en toda Europa, siendo introducida en España desde París, y pasando de los teatros en los que el baile era interpretado por bailarines profesionales, a los salones y a los bailes populares. Son abundantes las polkas publicadas para piano, voz y piano y todo tipo de agrupaciones instrumentales desde mediados del siglo XIX en España, al igual que en Europa, a veces formando parte de colecciones de bailes de salón. En las sociedades de baile, la polka se bailaba y se coreaba, coexistiendo ambas formas. De ahí que su paso al género lírico sea algo natural, integrándose desde el primer momento en el repertorio lírico español restaurado, a veces con la indicación "Polka" en el título del número, otras con "Aire de polka" en la indicación de *tempo*, y otras sin ningún tipo de indicación. Estructuralmente, la polka presenta una forma poliseccional, que recurre habitualmente a una sección inicial, repetida más adelante, y a un trío central, generalmente en una tonalidad plagalizante –con frecuencia la del IV grado–, apareciendo con frecuencia una coda final; en otras ocasiones la pieza presenta una introducción y una estructura biseccional que se repite, o bien consta de un número mayor de secciones, adoptando a veces la forma en arco A-B-C-B'-A'.

En la etapa inicial de la zarzuela decimonónica era frecuente que se recurriese al tiempo de polka, sin que apareciese la mención a esta danza, y que ese ritmo se asociara en el mismo número musical a otros ritmos de bailes de moda; ello ocurre, por ejemplo, en la segunda parte del Nº 3, Rataplán cantado por Julián y coro de soldados, de *Colegialas y soldados*, 1849, de Hernando; en la segunda sección del Nº 12, dúo cómico de D. Gil y D. Cleto, de *La mensajera* de Gaztam-

bide, 1849, número en el que aparecen varios bailes de salón populares en el momento además de la polka, como el vals y el schottisch; en el Nº 2 de *El estreno de una artista* de Gaztambide, 1852, donde se yuxtaponen además de la polka un vals y, tras un recitado, una marcha y una nueva polka, configurando así una suite de ritmos de danzas de moda en el momento; en el Nº 3 de *Moreto* de Oudrid, 1854, donde además del ritmo de polka se escucha el de polonesa; en el Nº 8, terceto de Marta, Georgey y Fray José, de *Los magyares* de Gaztambide, 1857; en el Nº 6, escena y cavatina de *El juramento* de Gaztambide, 1858, donde la Baronesa canta una polka con un pasaje central en el que se incluye el ritmo de tirana, cuando la Baronesa imita la voz y las maneras del Marqués, lo cual permite contraponer el contexto frívolo de la Baronesa, representado por la polka, con el del Marqués; en el Nº 12 de *Memorias de un estudiante* de Oudrid, 1860, donde se yuxtaponen cuatro secciones la última de las cuales presenta un ritmo de polka; en el preludio, Nº 1 y Nº 5 de *Anarquía conyugal* de Gaztambide, 1861, obra construida a modo de suite de danzas de salón; o en el Nº 1, coro de viejas, de *Matilde y Malek-Adel* de Oudrid y Gaztambide, 1863, entre otros muchos ejemplos. En otras obras sí aparece la palabra polka, como sucede en el Nº 6, polka burlesca, bailada por Don Carlos y Doña Sabina de *El duende* de Hernando, 1849; o en el Nº 5, Polka con copla de bajo, de Hernando, de *Escenas en Chamberí*, 1850, aunque es menos frecuente. Se comprueba también que algunas de estas polkas, como la de *El duende*, eran bailadas en escena, aunque lo habitual es que el ritmo se integre en el número musical al margen de la danza. En *La cola del diablo* de Oudrid, Sánchez Allú y Barbieri,

Cortesía de Unión Musical Ediciones SL

1854, dentro del Nº 1 las costureras cantan "a bailar la polka", y a continuación se oye la música de una polka, que es bailada por las costureras. En el Nº 3 de *A rey muerto...* de Oudrid, 1860, Rita y Ponce actúan como si se encontrasen en el baile del *Dionisio* (*sic*, por Elíseo) Madrileño, cantando y bailando a ritmos de habanera y de polka, dos de las danzas más frecuentes en el momento en los bailes de salones y locales.

La aparición en 1866 de los Bufos de Arderius provocó que el nuevo género, siguiendo el modelo parisino, adaptase su música al modelo de suite de danzas que después será propio del sainete lírico, manteniendo su presencia la polka; así, *El joven Telémaco* de Rogel, 1866, primera obra compuesta para los bufos, incluye, entre otros números una marcha en el coro del Nº 1, una polka y el vals de Calipso en el Nº 2, el famoso vals de las suripantas en el Nº 3, la conocida habanera de Telémaco; o, por ejemplo, *Bazar de novias* de Oudrid, 1867, incorpora en su Nº 3 la polka de Darliska.

Las zarzuelas que se escribieron en el Sexenio Revolucionario y en la Restauración seguían incorporando, en general, ritmos de polka dentro de alguno de sus números, pero sin definirlos como tal; por ejemplo, en *La guerra santa* de Arrieta, 1879, en la que aparece un aire de polka tocado por la banda en el número inicial de la obra, y un ritmo de polka que funciona como decorado sonoro del banquete que cierra el cuadro inicial. En general, como señala Ramón Barce a propósito del sainete, predominan en la estructura formal del género los números basados en estructuras propias de la zarzuela –esto es, de la ópera–, como romanzas, dúos, tercetos, cuartetos o coros, sin aparecer más que de cuando en cuando referencias a elementos folclóricos, como la jota –que pasa a ser considerada como lo español heroico en general–.

Sin embargo, en las nuevas formas de producción del teatro por horas, especialmente en el sainete lírico, predomina la música basada en música de bailes populares coetáneos, apareciendo normalmente en el título de cada número la mención al baile que se utiliza; es la estructura musical que Ramón Barce ha definido como suite de danzas, en la que los bailes de salón se llevan la mejor parte, seguidos del folclore. Así, en *La canción de la Lola o Celos engendran desdichas* de Chueca y Valverde, 1880, paradigma del sainete lírico, en el Nº 6, tiempo de polka, se oye una murga en la calle que toca una polka para festejar la boda, en ese momento empiezan a salir los vecinos y bailan en el corredor unos con otros; según Barce, esta obra crea "una imagen que fijará en parte el futuro del sainete lírico en cuanto al empleo masivo de música preexistente tradicional y urbana". La obra *Los sietemesinos polka* de Carlos Mangiagalli, 1881, incorpora en su título el nombre de la danza. Otras obras de Chueca en las cuales aparece la polka,

bien citada en el título del número o bien como ritmo incluido en la obra, son: *Fiesta nacional*, 1882, con su Nº 2, Coplas–polka de los revisteros, en las que se personifican las cuatro revistas taurinas más importantes del momento; *La Gran Vía*, con su Nº 1, Introducción y polka de las Calles, de escasa dificultad de ejecución al haber sido compuesta para actrices más o menos agraciadas, con la introducción y coda del Nº 8, mazurka de los Marineritos –que sólo es mazurka en su parte central–, y con el Nº 9A, polka de la Gomosa y el Sietemesino; debe recordarse que en esta obra, el Elíseo Madrileño afirma en su texto: "Se baila la habanera, polka y vals", confirmando cómo la polka sigue siendo uno de los bailes de moda en el momento; *De Madrid a París*, 1889, con su Nº 4, polka de la Trompetilla; *La caza del oso o El tendero de comestibles*, 1891; *Agua, azucarillos y aguardiente*, 1897, cuyo Nº 5A, mazurka, se inicia con un *Allegro* que es una polka, aunque no aparezca indicada como tal; *Los arrastraos*, 1899, en cuyo Nº 2 se escucha un ritmo de polka, y en cuyo cuadro tercero se escucha una polka tocada por el organillo del merendero –esto es, como ilustración sonora de una música popularizada en extremo–; *El bateo*, cuyo Nº 4 es la polka del Fotógrafo con coro; también aparecen polkas en *Cádiz*, *El chaleco blanco*, *El estudiante*, *En la tierra como en el cielo*, *Fotografías animadas o El arca de Noé*, y *Medidas sanitarias*. Otros autores del momento emplearon la polka en sus obras líricas: *El maldito dinero* y *La chica del maestro* de Chapí; *Aventuras de un joven honesto*, *El padrino del Nene*, *El señor Joaquín*, *La magia negra*, *La una y la otra* y *Las dos princesas* de Fernández Caballero; *Cinematógrafo nacional*, *El mundo comedia es o El baile de Luis Alonso*, *La familia de Sicur*, *Las mujeres* –donde un organillo toca una polka en el jardín de un restaurante de la Bombilla, junto al Manzanares, y todos bailan– o *Los pícaros celos* de Giménez; *Periquito*, *Siempre p'atrás* o *Tiple en puerta* de Rubio; *Congreso feminista*, *El fondo del baúl*, *El pobre diablo*, *El pobre Valbuena*, *El iluso Cañizares*, *El señor Pérez*, *Entrar en la casa*, *Gente menuda*, *La batalla de Tetuán*, *La marcha de Cádiz*, *La Mari-Juana*, *Los cocineros*, *Los tres gorriones* y *San Juan de Luz* de Valverde Sanjuán, entre otros muchos ejemplos. Estos autores emplean también el ritmo de polka en otros números en los que no aparece citada la danza; así, por ejemplo, el Nº 3, terceto de Rita, Lola y Don Severo, de *¡Cómo está la sociedad!* de Rubio y Espino, se inicia con un ritmo de polka, al que sigue un vals y un can-can; y el Nº 4, canción del Señorito, es de nuevo una polka. Miguel Marqués no da el título de polka a ninguno de sus números líricos; en *Plato del día*, 1889, el Nº 3, quinteto de los fideos, recuerda en su segunda sección un ritmo de polka, al igual que el inicio del Nº 4, cuya segunda sección indica: "Tempo de polka (no muy deprisa)"; *El diamante rosa*, 1890, inicia su Nº 6 con un ritmo de polka, e incluye este ritmo en el Nº 10, junto a un vals; en *Amores nacionales*, 1891, el ritmo de polka es utilizado en el Nº 3, desfile de la Moda, y en el Nº 4, terceto de Eva, Adán y Pepe, en ambos casos con reminiscencias musicales parisinas; en *El cañón*, 1891, aparece una polka bailada en el acto segundo; *El cornetilla* recurre a un ritmo de polka en un pasaje de su Nº 1, "Vals–Jota", y en otro del Nº 3, Dúo-Mazurka de Joaquina y Pepillo.

En "El folklore urbano y la música de los sainetes líricos", Ramón Barce comenta el caso de *El pobre Valbuena*, 1904, de Valverde y Torregrosa, donde el protagonista –Valbuena– escribe una polka y un tango, y en dos momentos de la obra los canta y los baila. "La música, en ambos casos, parece en realidad alejarse un poco de los modelos fijos y orientarse hacia un estilo bufo e híbrido que está ya más cerca del cuplé estrictamente cantado (para escuchar) que de las genuinas músicas de baile. En la primera de las piezas, titulada *Polka japonesa*, se desarrolla una acción que, cantada y bailada, podría ser como una pequeña historia independiente, evasiva y exótica –y, semánticamente, casi surrealista– Sin duda, aquí la intención coreográfica se separa intencionadamente de la polka habitual para buscar una acción mimada".

En el repertorio lírico del siglo XX, se constata una menor importancia de la polka a la hora de designar números musicales; apenas aparece en algunas obras de Lleó –¡*Apaga y vámonos!*–, Vives –*La caprichosa, La Rabalera*–, o Alonso –*El bueno de Guzmán, La Venus de piedra*–. Un caso a reseñar es el de la opereta cómica ¡*Cinco minutos nada menos!* de Guerrero, 1944, cuyo Nº 6A es el tiempo de Polka de la damisela y el petimetre, donde el texto dice: "Enséñeme a danzar el aire polonés", en un contexto arcaizante.

BIBLIOGRAFÍA: F. Pedrell: *Diccionario técnico de la música*, Barcelona, Víctor Berdós, 1894; R. Barce: "El folklore urbano y la música de los sainetes líricos del último cuarto del siglo XIX: la explicitación escénica de los bailes", *RMS*, XVI, 6, 1993; —: "El sainete lírico", *La música española en el siglo XIX*, eds. E. Casares Rodicio y C. Alonso González, U. Oviedo, 1995.

RAMÓN SOBRINO

Pompas Yllobre Amparo. *Véase* MADRIGAL, AMPARO.

Pons, Juan. Ciudadela (Menorca), 1945. Barítono. Comenzó a cantar en el coro de la Capilla Davídica de Mahón donde intervino en las funciones líricas. Cuando Diego Monjo lo escuchó en una actuación en Barcelona, quedó impresionado y lo recomendó al Liceo, donde entró como corista. Realizó estudios de música en el Conservatorio del Liceo y en 1971 debutó en *La Gioconda*. A instancias de Montserrat Caballé abandonó los papeles de bajo y asumió los de barítono. Recibió algunas clases de Bergonzi y

Giaiotti. Debutó como barítono en 1978 en el Liceo con *La traviata*. En 1979 debutó en Madrid en *Payasos* junto a Plácido Domingo. En este tiempo se convirtió en uno de los barítonos más demandados del mundo y figura fundamental de los elencos del Metropolitan de Nueva York. Su vínculo con la zarzuela y la ópera española es muy escaso. Se recuerda su *Marina* en Oviedo junto a Alfredo Kraus en 1987 o *El gato montés* de Penella.

FONOGRAFÍA: *El barberillo de Lavapiés*, Audivis Valois V 4731 • *El gato montés*, Grammophon 435 776-2; *El pájaro azul*, Columbia SA, ZCL 1067 178; *La Dolorosa*, Columbia-BMG España WD 71588 (9D) • Columbia-Salvat 1007-1 • Columbia SA, ZCL 1012 (Zacosa) 94 • Columbia SA, SCE 963 110; *Las hilanderas*, Alhambra-BMG España WD 74554 (9D) • Alhambra SCE 976 103 • Columbia SA, ZCL1079 (Zacosa) 96; *Luisa Fernanda*, Auvidis Valois V 4759.

BIBLIOGRAFÍA: J. Martín de Sagarmínaga: *Diccionario de cantantes líricos españoles*, Madrid, Fundación Caja de Madrid-Acento Ed., 1997.

LUIS G. IBERNI

Pont, Juan Bautista. España, siglos XIX-XX. Libretista. Su apellido, el hecho de que sus primeros estrenos fuesen en Valencia y que colaboró con autores valencianos como Elías Cerdá y Vicente Lleó, hacen suponer que sería valenciano. En 1901 estrenó *La Argelina* en colaboración con Antonio Sotillo y música de Cosme Bauzá en el teatro Ruzafa de Valencia; estrenó con Enrique Bru y Manuel Quislant *El Santón de la puntilla*, escrita en colaboración con Elías Cerdá; con Calleja estrenó *El tinglado de la farsa*, escrita en colaboración con Luis Becerra; con Santiago Lope, *La corte de Transmania*, en colaboración con Sotillo, estrenada en Ruzafa de Valencia, 1908; con Chapí *La dama roja* en el Apolo, 1908. En 1910 estrenó en el Novedades de Madrid la zarzuela *Luz en la fábrica* en colaboración con Antonio Sotillo y música de Eugenio Úbeda. La zarzuela produjo una protesta de los estudiantes de la Facultad de Medicina que hicieron retirar del libreto dos frases ofensivas para ellos, lo que dio a la obra más fama de la que hubiese obtenido por sí sola; en 1914 estrenó *Farsa real* con música de Francisco Gimeno y en 1915, en el teatro Martín, con música de Lleó *La parte del león*; en 1919 volvió a estrenar en Valencia, esta vez en el Apolo, *La hebrea,* con música de Enrique Estela. También colaboró con Antonio San Nicolás en *La copla de la Dolores*.

BIBLIOGRAFÍA: *TA; Nuevo Mundo*, 882, 1-X-1910.

Mª LUZ GONZÁLEZ PEÑA

Juan Bautista Pont (Foto: Nuevo Mundo, *1910; Ar. ICCMU)*

Ponty, Milagros [Milagros Pontiroli Collado]. Albacete, 9-V-1939. Tiple cómica y vedette. Realizó sus estudios artísticos como bailarina con Karem-Taff

Milagros Ponty
(Foto: Ar. Emilio G. Carretero)

y los de actriz de comedia con la compañía de Enrique Rambal. Figuró como bailarina y actriz en diversas compañías de comedias musicales como Celia Gámez o Zori, Santos y Codeso. Su primer contacto con la zarzuela tuvo lugar la temporada 1964-65 cuando sustituyó en el teatro de la Zarzuela a la tiple cómica Mary Carmen Andrés repentinamente enferma en plena representación de *El asombro de Damasco*, en la que su esposo, el actor Manuel Codeso, representaba uno de los principales papeles. Su interpretación fue tan buena, que la dirección de la Zarzuela no dudó en contratarla y esa misma temporada obtuvo un gran éxito con la reposición de *La calesera* de Alonso, en el inolvidable montaje de Ángel Fernández Montesinos.

El escenario del teatro de Jovellanos y los Festivales de España en esa y sucesivas temporadas fueron testigos del buen hacer de la artista albaceteña en títulos como *El burlador de Toledo*, *Los sobrinos del capitán Grant*, *La canción del mar*, *La del Soto del Parral* o *La rosa del azafrán*, obra esta última que volvió a representar en 1976 dirigida por Joaquín Deus. Alternando zarzuela, revista y comedia pasaron algunos años en los que Milagros, siempre junto a Manolo Codeso, no sólo actuó en escenarios españoles sino también norteamericanos, en ciudades como Miami o San Francisco en las que han representado tanto zarzuelas completas como diversas antologías de música española. Como actriz de carácter ha regresado en varias ocasiones al teatro de la Zarzuela participando en los montajes de *La Gran Vía*, dirigida por Adolfo Marsillach, y *El dúo de la Africana* que Juanjo Granda llevó a cabo sobre la idea original de José Luis Alonso.

BIBLIOGRAFÍA: E. García Carretero: *Historia del teatro de la Zarzuela de Madrid*, Madrid, Fundación de la Zarzuela Española, 2003.

EMILIO GARCÍA CARRETERO

Porcell i Guardia, Francisco. Ciudad de Mallorca, 1813; Ciudad de Mallorca, 1881. Compositor, director, cantante y violinista. Después de iniciar sus estudios en Tarragona, se instaló en Barcelona en 1827. Desde 1832 estudió con el maestro italiano Gola. Dos años después obtuvo el título de medicina. Se casó con la cantante Catalina Mas y juntos fueron contratados para cantar en Mallorca. Desde allí desarrolló una carrera como cantante y sobre todo como director concertador –después de perder la voz por una enfermedad–, en Valencia, Bilbao y en el teatro del Liceo de Barcelona, donde fue maestro director de los coros desde 1853. Después de la muerte de Clavé se hizo cargo de la dirección de los conciertos de la sociedad Euterpe. Compuso óperas, además de zarzuelas como *No más zarzuelas*, 1854, y *Las devanadoras*, 1881.

FRANCESC CORTÈS i MIR

Porras Somoza, Antonio. España, siglo XX. Compositor. Es autor de numerosas zarzuelas estrenadas en los primeros años del siglo XX. La mayor parte de su producción se encuadra dentro del género chico imperante en la época, y colaboró con autores como Anglada y Barrera, en la música, y con libretistas tan destacados como V. de la Vega o Linares Becerra.

OBRAS (Todas en *E: Msa*): *La sal de la tierra*, Zarz cóm, 1 act, l, M. Labra / J. Vilar, est, 24-IV-1907, Te. Gran Teatro; *Mala semilla*, Zarz, 1 act, l, V. de la Vega / M. López Cumbreras, est, 6-IX-1907, Te. Novedades; *El cortijo de la gloria*, Zarz, 1 act, l, M. de Labra / J. Moyrón, est, 19-IX-1907, Te. Novedades; *Las mil y dos noches*, Hum, 1 act, l, M. Escalante / M. Rey, est, 10-X-1907, Te, Novedades; *El calor del nido*, Sai, 1 act, l, L. Linares Becerra, est, 1-VII-1908, Te. Coliseo del Noviciado; *Álbum postal*, 1 act, col. Camacho, l, Morata / Larrodes, est, 9-XI-1909, Te. Proyecciones; *A Roma se va por todo*, quisicosa política, 1 act, l, J. Quilis Pastor, est, 17-VIII-1910, Te. Latina; *La cruz del torrente*, Zarz, 1 act, col. Barrera Saavedra, l, C. Servet, est, 16-X-1909, Te. Salón Nacional; *Noche de nieve*, Zarz, 1 act, col. Anglada Ochoa, l, C. Sevet Fortuny, est, 26-III-1910, Te. Coliseo del Noviciado.

Mª LUZ GONZÁLEZ PEÑA

Portal. Familia de cantantes españoles formada por Enrique y su hijo del mismo nombre.

1. Portal, Enrique. Madrid, 3-VII-1932. Tenor. Realizó sus estudios de canto en el Real Conservatorio Superior de Madrid. Debutó en el teatro de la Zarzuela con *El caserío* y realizó una gira por América Latina interpretando ópera, zarzuela y comedia. A su regreso a España fue reclamado por José Tamayo para intervenir en varias Antologías y en *Luisa Fernanda*, *La canción del olvido* y *La del Soto del Parral*. Desde entonces ha formado parte de las compañías de zarzuela más prestigiosas de España como las de José de Luna, Ases Líricos, Evelio Esteve, su colaboración con el teatro de la Zarzuela se ha plasmado en títulos como *Doña Francisquita*, *Don Gil de Alcalá*, *Chorizos y polacos*, *La revoltosa*, *La Patria chica*, *El bateo* y *La verbena de la Paloma*. Ha realizado creaciones geniales de El casto José en *La corte de Faraón* y de Lamparilla en *El barberillo de Lavapiés*. Grabó zarzuelas para TVE, y cantó en diversos festivales líricos de España como el de Canarias. Ha trabajado además como actor cómico y dramático.

FONOGRAFÍA: *Bohemios*, La Voz de su Amo 2XKA-U 258-259 73; *Doña Francisquita*, Carillón • Sony Classical S2K 66563; *El caserío*, La Voz de su Amo VUL 213 y 214, 131 y 132 • EMI 7 67451 2 (637.64938); *La revoltosa*, EMI 10 C 038-020.179 • La Voz de su Amo 2XKA-U 250 10; *Los de Aragón*, Carrillon-Diapason CAL 31; *Luisa Fernanda*, Alhambra SCE 936 205 • Columbia MCE 836 203 • Columbia ZCL 1001 202.

2. Ruiz del Portal, Enrique. Madrid, 11-IV-1968. Tenor cómico. Estudió Filosofía en la Universidad Complutense de Madrid. Se diplomó en canto por el Conservatorio de Madrid, ampliando estudios con Delmira Olivera. A partir de 1990 se convirtió en una presencia habitual en las diversas temporadas líricas españolas con la práctica totalidad de compañías líricas. Es tenor titular de la Compañía Lírica Española de Antonio Amengual desde 1995 y también ha cantado en la de Amadeo Vives junto a Pedro Lavirgen, José Carreras, Montserrat Caballé y Alfredo Kraus. En su repertorio se encuentran tanto óperas como zarzuelas, destacando entre estas últimas, *El rey que rabió*, *El barberillo de Lavapiés*, *Jugar con fuego*, *La corte de Faraón*, *La bruja*, *Los sobrinos del capitán Grant*, *La tabernera del puerto*, *Bohemios*, *Los gavilanes*, hasta alcanzar más de cincuenta títulos entre zarzuela, ópera, opereta y comedia musical. En el teatro de la Zarzuela ha cantado *La revoltosa*, *El dúo de la Africana*, *La del manojo de rosas*, *La chulapona* y *Los claveles*. Ha grabado diversas zarzuelas como *Doña Francisquita*, el papel de Cardona, para Sony, *Luisa Fernanda*, Aníbal, para Auvidis, *Antología de la Zarzuela* y *La del manojo de rosas* para RTVE.

Ha participado en el Festival de Teatro Lírico de Asturias desde su primera edición en 1994, celebrado en el teatro Campoamor de Oviedo, en que cantó *La del manojo de rosas*, repitiendo el mismo título al año siguiente; en 1996 *Doña Francisquita*; en 1997 *Bohemios* y *El rey que rabió*; en 1998 *El dúo de la Africana* y *El Caserío*; en 1999 *La revoltosa*; en la temporada 2000, *Katiuska*, y en la temporada 2001 obtuvo un gran éxito en el papel de Tomillo de *La bruja*.

Mª LUZ GONZÁLEZ PEÑA

Portela, Emilio. España, siglo XX. Cantante. Estrenó *La Caramba* de Moreno Torroba en la zarzuela, 1942, y *¡Qué sabes tú!* de Rosillo en el teatro Pincipal de San Sebastián al año siguiente.

Mª LUZ GONZÁLEZ PEÑA

Portela, Justo. España, siglo XX. Cantante. Estrenó *Los amos del barrio* de Manuel López Quiroga en el teatro Fuencarral de Madrid en 1938. Un "Portela", estrenó en 1917 en el teatro Martín de Madrid, *La mano que atosiga* de Rafael Millán, que pudiera ser Emilio o Justo.

Mª LUZ GONZÁLEZ PEÑA

Portella Audet, Consuelo [La Bella Chelito]. Placetas, Villa Clara (Cuba), 1886; Madrid, 20-XI-1959. Cupletista y tiple. Debutó como cupletista y bailarina en 1900 en el París-Salón, pasando después al Actualidades y al Romea, ya convertida en una estrella a pesar de su juventud. Aunque estuvo más relacionada con el mundo del cuplé y de la canción sicalíptica, en 1924 estrenó en el teatro Eldorado de Madrid *El banco de la paciencia* o *Cien años de abstinencia* de Rica y Graiño.

La Bella Chelito (Foto: Ar. SGAE)

BIBLIOGRAFÍA: *ME; TA.*

Mª LUZ GONZÁLEZ PEÑA

Portfolio [portafolio]. Subgénero de la zarzuela cuyo argumento consiste en una sucesión de diversos cuadros, con una continuidad dramática mínima, que dan vida a una colección de fotografías y vistas panorámicas. En el último tercio del siglo XIX empezaron a difundirse las colecciones de fotografías, agrupadas generalmente bajo criterios geográficos, con el nombre de "Portfolio". La adopción de este tipo de publicaciones como base argumental, se realizó en París, en el Folies-Bergère, a partir de los espectáculos arrevistados, el *Feuillet*. En realidad, más que una base se trata de una excusa para poder reunir unos números arrevistados tópicos. En España se usó la denominación anglosajona para este tipo de espectáculos que están más próximos a la revista. Los primeros "Portfolios" aparecieron a finales del XIX, con el *Portfolio madrileño*, 1897, una zarzuela en un acto con música de Joaquín Valverde Durán, y texto de E. Montesinos y L. Pascual Frutos, el *Portfolio de Castelló*, con música de Ángel Gascó y texto de M. Monfort, el *Portfolio de Valencia*, 1898, con música de V. Peydró y texto de M. Thous y V. Fe, o el *Portfolio malagueño* de J. Cabas. Estas primeras obras, algunas subtituladas como zarzuela y otras como "ensayo de revista" se centran en una descripción costumbrista de lugares típicos y fiestas populares tomadas en un momento culminante. Un caso ejemplar es el *Portfolio de Valencia*. La obra se divide en siete cuadros, con gran profusión de personajes, más de ochenta y uno; se abre ante una decoración que representa un gran libro, el Portfolio, en el cual con caracteres enormes se lee "Portfolio de Valencia". Unos personajes, denominados con el término a la moda anglosajona "sportman", se interesan por las ilustraciones del libro. El representante de la editorial les pasea por el mercado de Valencia, una calle popular durante las Fallas, un salón de lujo de un café donde ven un espectáculo de variedades con señoritas ligeras de ropa junto a toreros, seguidos de miembros del círculo "Lo Rat Penat", del "Círculo Artístico", de alegorías de los periódicos valencianos, pasacalles de bandas y orquestas, para acabar con la feria y una traca. Los abundantísimos números musicales no tienen grandes pretensiones, sino que sirven para ilustrar las escenas. Cuando aparecen los orfeones y bandas la música toca pasodobles, en el número del café se interpretan couplets, además de aparecer canciones populares de la huerta en los números costumbristas, y canciones de moda en la ciudad, además de alusiones políticas, siguiendo el origen de la revista como género.

En Barcelona alcanzaron bastante predicamento los espectáculos dedicados al lucimiento de los teatros del Paralelo. Así está el *Portfolio del Nuevo* con música de F. Montserrat Ayarbe y texto de J. Montero, el *Portfolio del teatro Nuevo*, 1917, una revista propia del vodevil con música de F. Caparrós y texto de J. Santpere, M. Prats y L. Giménez, o el *Portfolio de Eldorado*, 1900, revista con música de Cotó y libreto de J. Molas, o el *Portfolio del Victoria*, con música de I. Rosselló y texto de A. Oliveros y J. Amich. Algunos de estos títulos contenían un argumento propio de la revista de noticias, caso del *Portfolio de novedades, Miss República 1932*, o *El Portfolio nacional*, una revista con música de A. Cotó y texto de J. Molas. Paulatinamente las referencias eróticas y psicalípticas fueron aumentando en importancia, cuando no se convirtieron en el elemento central del portfolio. Tal es el caso de la revista *El Portfolio del amor*, 1920, con música de E. Lecuona, o del *Portfolio del Desnudo*, 1902, un ensayo con música de M. Ribas y libreto de A. Curro Vázquez y M. Bezares. El nombre de sus protagonistas –La Bella Lulú, Linda Celeste, Sugestiva Lilí, Portfolio del Desnudo, el Cantador, la Monísima Trini– se sitúan de lleno en el ambiente de las revistas del *Follies* parisiense. Las primeras obras suelen ser clasificadas como zarzuelas, o como ensa-

yo de revista, mientras que las obras escritas a partir de 1900 suelen ser agrupadas casi siempre como revistas.

FRANCESC CORTÈS i MIR

Portilla, Elda. Cuba, siglo XX. Actriz y cantante. Desde sus comienzos formó parte del teatro lírico Pinar del Río en Cuba, haciendo caracterizaciones en varias zarzuelas. Su especialidad fue el personaje de Dolores Santa Cruz en *Cecilia Valdés* de Gonzalo Roig, y la zarzuela *María la O* de Ernesto Lecuona.

BIBLIOGRAFÍA: A. Molina: *150 Años de zarzuela en Puerto Rico y Cuba*, San Juan, Ramallo Bros. Printing, 1998.

EMILIO CASARES RODICIO

Portillo Reparaz, Emilia. †Granada, X-1912. Tiple. De origen andaluz, desde muy joven se dedicó al teatro y actuó en el Eslava y otros teatros de Madrid y provincias. En 1910 estrenó en Novedades *¡El fin del mundo!* de San Felipe y Larruga. Se casó con el actor Fernando Caraballo y Antonio Paso la contrató para su compañía lírica que actuó en el teatro Cervantes de Granada. En esa ciudad fue asesinada por el dueño de la pensión en la que se alojaba la compañía.

BIBLIOGRAFÍA: F. Cuenca: *Teatro andaluz contemporáneo. 2. Artistas líricos y dramáticos*, La Habana, Maza, 1940.

Mª LUZ GONZÁLEZ PEÑA

Portuondo, Beatriz. †Madrid, 5-II-1862. Tiple. Alumna del Conservatorio de Madrid, fue contratada por el teatro de la Zarzuela de 1861 como tiple, habiéndose presentado por primera vez en la obra *Una historia en un mesón* en 1861. Estrenó otras obras como *Las damas de la camelia* de Miguel Galiana, 1961, pero falleció apenas comenzada su actividad.

EMILIO CASARES RODICIO

*Beatriz Portuondo
(Foto: Colección
Castellano; E:Mn)*

Postillón de la Rioja, El. Zarzuela original en dos actos. Música de Cristóbal Oudrid. Libreto de Luis de Olona. Estrenada el 7 de junio de 1856 en el teatro del Circo de Madrid.

Personajes y reparto. La Baronesa del Olmo (Carolina Di Franco, soprano). Bautista (Vicente Caltañazor, tenor cómico). Don Félix (Manuel Sanz, tenor). El Conde del Arco (Francisco Calvet, bajo). El Marqués de Alvarado, joven elegante y de maneras distinguidas (Ramón Cubero, barítono). Don Rufo (Manuel Franco, barítono). Juana (Dolores Fernández, tiple). Un Teniente (Pombo). El Posadero (José Rodríguez, barítono). Un lacayo (Manuel Moya). Un aldeano (Fernández). Un notario. Aldeanos, soldados, aldeanas, criados del parador.

Orquestación. Flauta, 2 oboes, 2 clarinetes, 2 fagotes, 2 trompas, 2 cornetines, 2 trombones, figle, timbales, triángulo y cuerda.

Argumento. La acción tiene lugar bajo el reinado de Felipe V. *Acto I.* La Baronesa del Olmo, joven y hermosa, va a casarse con el Marqués de Alvarado, a quien no conoce, y para verle antes de dar su consentimiento se disfraza de vieja y se hospeda en un parador cerca de Tudela por donde ha de pasar el Marqués. Sabe también que, con el mismo fin que su prometida, se presentará disfrazado de Postillón. Poco antes, la Baronesa, sin declarar su nombre, había sido muy obsequiada en un baile de máscaras por un oficial del ejército, el cual discutió con un jefe que quiso estorbar las atenciones del joven, batiéndose en duelo e hiriendo el oficial a su superior, por lo que tuvo que huir a causa de las normas contra los desafíos. En el camino se encuentran el fugitivo y el Marqués que, además de sordo, es muy extravagante y promueve una disputa en que el oficial, siempre temeroso, se pone el traje de postillón del Marqués. Llega al mesón en que está la Baronesa que se sorprende gratamente viendo tan joven y gallardo al que cree va a ser su marido y se enamora de él. Un descuido de la Baronesa al quitarse la peluca, lo cual ve desde el patio el falso postillón por un espejo, hace que Félix reconozca en ella a la joven del baile de Máscaras, de la cual estaba prendado; y sin descubrirse ni dar a entender lo averiguado, se finge enamorado de la supuesta vieja y le pide su mano. La Baronesa, que sólo veía anticiparse la boda unos días, accede; y ante un notario firman el acta de matrimonio la Baronesa con su propio nombre y el novio con el de "Gaspar, postillón de la Rioja". Aparece el verdadero Marqués, lo que sume a la Baronesa en la mayor desesperación, al verse casada con un simple postillón, aunque buen mozo; el Marqués manda prender al postillón y éste se da a la fuga.

Acto II. En la quinta del tío de la Baronesa, el célebre Conde de la batalla de Lérida, gobernador de Tudela. Tras varias peripecias, la Baronesa descubre que su esposo es el oficial que se había prendado de ella en el baile de máscaras, y al tener que huir Félix a causa del duelo anterior, el Conde facilita a los esposos la fuga a Francia.

> **Números musicales.** Acto I: Nº 1. Introducción. Juana, coro de mozas y de soldados, "¡Ah del parador!". Nº 2. Aria de la Baronesa y coro, "¡Qué escándalo, qué estrépito". Nº 3. Coro y caleseras de Félix, "Bien por los postillones de este contorno". Nº 4. Canción de la Baronesa, "Pajarito que vas por el aire". Nº 5. Bolero, terceto de la Baronesa, Félix y Bautista, "Aunque viejecita no lo dudo, no". Nº 6. Final 1º. La Baronesa, Félix, Bautista, el Marqués, Don Rufo y coro, "¡Cuál se ha quedado! Mirad… mirad…". Acto II: Nº 7. Introducción y escena de Bautista y coro, "¡Socorredles, que se matan!". Nº 8. Dúo de la Baronesa y Félix, "Negritos son sus ojos". Nº 9. Terceto de los sordos. El Conde, el Marqués y el Posadero, "¿Conocéis a ese Marqués?". Nº 10. Jota estudiantina. Nº 10bis. Final. La Baronesa, Félix y todos, "Lejos ya de nosotros, vano disfraz".

Comentario. El 7 de junio de 1856 se representó, en el beneficio de Carolina Di Franco, el último estreno de la temporada: *El postillón de la Rioja*. Hay una opera cómica en tres actos de Leuven y Brunswick, con música de Adam, titulada *Le Postillon de Lonjumeau*, estrenada en 1852 en el teatro Lírico de París, que es la obra adaptada por Olona para la escena

Cortesía de Unión Musical Ediciones SL

española. Anunciada primero como *El postillón de Logroño*, la obra de Olona pertenece, según *La Zarzuela* (16-VI-1856), "al número de obras teatrales que no se prestan a la crítica literaria. El autor no se ha propuesto más objeto que hacer reír al auditorio, y lo ha conseguido en grado superlativo. Un diálogo animado y entretenido, escenas variadas que se suceden con rapidez, chistes decorosos, incidentes inesperados, tipos divertidos, contrastes y sucesos que se amontonan; todo esto se encuentra en *El postillón de la Rioja*, que sería en su género una producción sobresaliente si el autor no hubiera precipitado el desenlace. En palabras de Juan Varela (*La Revista Peninsular*, 30-VI-1856), "esta zarzuela, como la mayor parte de las de Olona, no es, si se quiere, ni pretende ser muy recomendable como composición literaria; pero entretiene y divierte, y realiza el objeto que el autor se propuso al escribirla. Mil veces mejor y mil veces más útil, agradable y hasta glorioso es componer zarzuelas de éstas, que no dramas atiborrados de insípida y tonta filosofía y de lirismo amanerado. Don Luis Olona tiene talento y es una especialidad en su género".

Oudrid compuso diez números de música adecuada al género, sin excesivas pretensiones pero capaz de agradar y poner en relieve los aspectos cómicos o dramáticos del argumento. La música combina danzas de salón centroeuropeas entonces de moda en España, como la polka, con otros aires de sabor español, siendo frecuentes los números amplios, con yuxtaposición de secciones en diferentes ritmos. El número inicial comienza con una introducción orquestal y un primer pasaje del coro de soldados y mujeres, que remeda las marchas militares de subdivisión ternaria; al inicio de su intervención, los soldados, dentro del escenario, recitan un pasaje; la segunda sección continúa con una intervención de Juana que recuerda un ritmo de polka, con una línea melódica marcadamente ingenua; sigue el coro de soldados, con sabor español, apreciándose una relación melódica con la cachucha, una imitación de las formas atiranadas, así como la utilización de algunas interjecciones, como "¡olé!", típicas de la traducción en música de pasajes de tipo popular. El Nº 2 explota el elemento cómico de la caracterización de la Baronesa como una vieja, que canta imitando la voz de una persona de edad, recurriendo de nuevo a una estructura poliseccional, que se inicia con un recitado melódico de la Baronesa, en *Allegro moderato* y 2/4 contestado por el coro en un pasaje homofónico; sigue un pasaje en que la intervención de la Baronesa es comentada por el coro;

Lucrecia Arana en El postillón de la Rioja *(Foto: Ar. R. Sobrino)*

sigue un *Andantino* en 3/8 en el que la soprano imita la voz de vieja, siendo doblada por las trompas para intensificar el efecto de sonoridad peculiar; el coro imita la melodía de la vieja, sumándose la solista; tras un recitado a modo de transición, en la que la soprano debe desentonar la primera nota, se llega a la sección final, Moderato, en 2/4 y La bemol Mayor, en el que la Baronesa canta sobre el amor, comenzando en tono irónico, al que corresponde un ritmo de polka, pero al pensar en su vivencia personal, se olvida de que está disfrazada de vieja y abandona el ritmo irónico en favor de un mayor lirismo, obtenido con una modulación al homónimo menor, regresando inmediatamente al modo mayor y al ritmo de polka; este pasaje es el que muestra una mejor relación entre la música y el personaje, gracias también al "iay!" con el que suspira al fin del pasaje lírico, que es disimulado con otro "iay!", como si se hubiera golpeado, con el que vuelve a la voz de vieja; el número concluye con una coda en que la solista es acompañada por el coro en el cierre cadencial. El Nº 3 sirve para la presentación del postillón, eligiendo Oudrid, tras el coro inicial en el que se oye el ruido de la calesa que llega, una calesera, canción popular andaluza con copla de seguidilla sin estribillo que toma su nombre de las canciones cantadas por los conductores de calesas o carros, siendo por ello la más propia para ser cantada por un mozo que conducía caballos, es decir, por un postillón, consiguiendo así caracterizar el personaje. El Nº 4 es la canción "Pajarito que vas por el aire", especie de vals cantado con voz ridícula y de vieja y la solista tiene que llegar siete veces hasta el La b agudo. El Nº 5 es un terceto poliseccional en el que se inserta un bolero. El acto concluye con un amplio número poliseccional: un concertante que sigue el modelo italiano en el que intervienen los protagonistas, el coro y la orquesta.

El segundo acto se abre con una introducción orquestal, en la que destaca el parámetro dinámico, con un crescendo desde el pianísimo inicial hasta el fortísimo en el que interviene toda la orquesta, y un coro interno, en el que se describe cómo se estrella el coche; se repite de nuevo la introducción orquestal, para representar el tiempo en que es trasladado el herido; el coro va describiendo la mejoría de Bautista, hasta

que Bautista comienza a cantar de manera entrecortada, ironizando la situación el texto –"que me den un sopicaldo"– y la música entrecortada; el número concluye con una sección que potencia el efecto cómico de la acción cuando el pobre Bautista repite hasta seis veces el texto "que no", al negarse a ser metido en la cama. El Nº 8, dúo de la Baronesa y Félix, recurre de nuevo a la poliseccionalidad, justificada por la trama argumental. El Nº 9, terceto de los sordos, explota la comicidad de la situación y concluye con la jota estudiantina, iniciada con una introducción orquestal en la que no intervienen guitarras y bandurrias, como parecía que podía ocurrir, a la que sigue la jota como final, cantada por Félix y la Baronesa.

La obra logró un gran éxito, destacando *La Zarzuela* (9-VI-1856) el éxito completo de la obra, y de manera especial algunos de sus cantos nacionales de ritmo popular: "Un bolero para tres voces en el primer acto nos ha parecido inmejorable y gusta muchísimo al público que lo hace repetir, así como la jota final, que a pesar de haberse escrito tantas jotas tiene interés. Otras piezas de diferente estilo, como por ejemplo, el dúo del segundo acto, son también dignas de mencionarse. En suma, la música de la nueva zarzuela es melodiosa, alegre y de fácil comprensión para el auditorio, porque abunda en motivos ligeros que el oído acoge sin dificultad y se conservan en la memoria". En la interpretación destacaron Carolina Di-Franco, Caltañazor y Calvet, así como el tenor Sanz, de quien la crítica subrayó su habilidad al manejar la pandereta, como en sus tiempos de tuno, pues como indica Cotarelo, "el gusto que Sanz sentía por este instrumento, que le movía a sacarlo a plaza aunque no fuera de absoluta necesidad, y la incomparable habilidad con que lo manejaba, hicieron que se satisfaciese más que ser el primer tenor de zarzuela el que le llamasen el primer panderetista de la península e islas adyacentes".

La obra, de gran sencillez musical y al mismo tiempo de gran brillantez, muestra una sabia adecuación de la música a cada pasaje del texto. La aparente sencillez de la música es compensada con la utilización de melodías popularizantes, como el bolero o la jota final, combinados con elementos de folclore urbano, como los abundantes ritmos de polka o mazurka. *El postillón de la Rioja* logró un gran éxito, proporcionando buenos resultados a la empresa, y siendo representada en toda España e Hispanoamérica.

Fuentes manuscritas. Dos partituras (TL-1088) y los materiales de orquesta (1880) se conservan en el archivo de la SGAE en Madrid.

Ediciones de música. Canto y piano, adap C. Ambite, Madrid, J. Carrafa.

Ediciones del libreto. 2ª ed., Madrid, Imp. de Manuel Galiano, 1861.

BIBLIOGRAFÍA: *HZ; OE.*

RAMÓN SOBRINO

Potosí submarino, El [Viaje al fondo del mar]. Zarzuela cómico-fantástica de gran espectáculo en tres actos. Música de Emilio Arrieta. Libreto de Rafael García Santisteban. Estrenada el 29 de diciembre de 1870 en el teatro de los Bufos Arderius (Circo) de Madrid.

Personajes y reparto. Celia (Srta. González, tiple). Perlina (Carmen Álvarez, tiple). Coralina (Srta. J. Álvarez, tiple). Caracolina (Irene Correa, tiple). Cardona (Juan Orejón, tenor cómico). Misisipí (Gabriel S. Castilla, barítono). Príncipe Escamón (Ramón Rosell, tenor). Pale-Ale (Luis Ponzano, actor). Thon (Félix Fontfrede, actor).

Orquestación. 2 Flautas, 2 oboes, 2 clarinetes, 2 fagotes, 2 trompas, 2 trompetas, 2 trombones, tuba, percusión y cuerda.

Argumento. *Acto I.* El doctor Misisipí, timador profesional y fundador de "El potosí submarino" –falsa sociedad de crédito, "exploradora de los tesoros del mar", que le permitirá hacerse rico–, ha sido acogido en su domicilio por el cervecero inglés Pale-Ale; éste pretende que el "honesto" doctor se case con su hija Celia, pero ella ama en secreto a un grumete llamado Cardona, que la corresponde. Misisipí trata de convencer a los posibles accionistas de que ha averiguado las coordenadas exactas de un antiguo galeón naufragado, cargado de tesoros; si invierten en su sociedad conseguirán

Cortesía de Unión Musical Ediciones SL

recuperar de nuevo su dinero y hacerse ricos. Esa misma tarde tendrá lugar en casa del cervecero el *meeting* de los accionistas, que tras pelearse por comprar el mayor número de acciones, han decidido trasladarse al mar en un tren gratuito que pone el ferrocarril del norte, para ver en acción el invento "acuático-pulmonar" que va a permitir a Misisipí ser el primer hombre anfibio de la historia. Llega Cardona y su novia le cuenta las intenciones de su padre de casarla con Misisipí; el joven le promete seguir al pícaro para descubrirlo, haciéndole creer que es un náufrago del *Pirata*, nombre del falso galeón inventado por el pícaro. El acto concluye con una fiesta, regada por litros de cerveza, para celebrar el triunfo del proyecto.

Acto II. Siguiendo a Misisipí, Cardona ha llegado al fondo del mar. El grumete se cree muerto, mientras un coro de anfibias trata de convencerle de que está vivo, ofreciéndole todo tipo de "mimos". Aparece en escena el afeminado príncipe Escamón, que viene a recibir a Cardona y Misisipí, tras haber conocido su llegada gracias al cable trasatlántico. Llega a escena Perlina –pareja del príncipe–, con toda su corte de coralinas, caracolinas y anfibias; pronto se siente atraída por Cardona, pero éste le confiesa que ama a Celia y le será fiel. Misisipí reaparece en escena y se encuentra con Perlina y Coralina, que le obligan a elegir como novia a una de ellas en un gracioso número. El doctor decide echar a suertes la elección y cuando resulta Perlina la elegida, aparecen en escena los alabarderos de Escamón, decidi-

dos a apresar al villano, que se libra gracias a la intervención de Perlina. Tras las pertinentes disculpas, el doctor embauca también al príncipe ganando su confianza, para saber cómo es posible volver a tierra firme. Escamón, que aburrido de la vida "marítima", desea también partir, confiesa que el sistema más rápido consiste en esperar junto al cable telegráfico a que sea reparado por los grumetes de la marina, aprovechando el tirón de éstos para ascender; Escamón y Misisipí deciden en secreto partir esa misma tarde. Cardona regresa a escena para asistir al desfile de orfeones, apoteosis final del segundo acto, que celebra el aniversario del cable submarino. Misisipí se da cuenta de que el cable se mueve, enganchándose a él con Escamón, mientras recita frases de despedida al fondo del mar. Perlina, Coralina y el coro de anfibias –a quienes Misisipí ha vendido acciones de otra nueva *sociedad salinera*–, montan en cólera y juran subir a tierra para vengarse.

Acto III. La inauguración de la quinta de recreo del Conde de Gruyer –nuevo nombre de Misisipí– ha reunido gran cantidad de gente, entre los que se encuentran las velocipedistas Perlina, Coralina, Caracolina y Celia; aparece en escena Cardona quien, tras saludar a las cuatro socias, comenta la inmensa difusión social alcanzada por el velocípedo. El grumete cuenta a Celia y Perlina que la prensa ha publicado la convocatoria de junta de accionistas de "El potosí submarino" ese mismo día 16 de septiembre, por lo que espera la llegada de los inversores timados que, como ellos, desean vengarse de Misisipí. El sonido de una nueva marcha orquestal anuncia la llegada del Conde –Misisipí– y Escamón, que se ha convertido en su ayuda de cámara. Ambos aparecen vestidos a la usanza dieciochesca, de manera cursi y afectada, y celebran su suerte al poder vivir a cuenta de los pobres accionistas a los que el doctor ha timado. La llegada de Pale-Ale y Celia desconcierta al pícaro que se creía a salvo y, tratando de controlar la situación, les propone conocer su palacio. Escamón, que se ha quedado solo en escena, se arrepiente de haber seguido al pícaro Misisipí, pero cuando ha decidido regresar al mar encuentra a una velocipedista que resulta ser Perlina. Llegan los accionistas, cargados con garrotes, reclamando justicia; han decidido ahorcar al bribón y, tras leer un cartel que anuncia el "gran tren de recreo, el *Vengador*, billetes de ida y vuelta a Nueva York, donde vamos a ahorcar al director", suben todos al ferrocarril que aparece en escena, mientras suena la marcha final —repetición de la marcha del Nº 14–. La exclamación de Cardona "Cuándo se hará esto en España…", cierra la zarzuela.

Números musicales. Acto I: Nº 1. Introducción y coro, "Queremos ser accionistas". Raconto del doctor Misisipí, "Por el golfo de las yeguas"; y coro final, "La cuestión en este mundo". Nº 2. Canción de la velocicosedora, "Tengo un amante muy tierno". Nº 3. Arieta de Cardona, "Ya estoy en tierra". Nº 4. Dúo, "El trabajo me distrae". Nº 5. Coro de accionistas, "Están inquietos los ánimos". Nº 6. Final 1º, "Magnífico discurso". Acto II: Nº 7. Preludio y coro de anfibias, "Bajó la marea". Nº 8. Canción del cable, "Sé por el cable". Nº 9. Schotis de las ranas. Orquesta. Nº 10. Marcha triunfal. Cavatina de Perlina y coro, "¡Viva Perlina!". Nº 11. Tercetino, "Dos mujeres aquí". Nº 12. Final 2º, "El desfile de orfeones". Acto III: Nº 13. Introducción, coro y salida de los velocipedistas, "Hoy inaugura su Palacio". Nº 14. Marcha. Orquesta. Nº 15. Dúo de la pesca, "Soy un joven remilgado". Nº 16. Coro y escena de los accionistas, "Lleguemos despacio". Nº 17. Final. Orquesta.

Comentario. Arrieta concluyó con esta obra sus colaboraciones con los Bufos Arderius, en uno de los mejores títulos de su producción, que logró una nueva apoteosis popular en el Circo. La zarzuela no llegaba en el mejor momento: el 27 de diciembre el general Prim era tiroteado en la calle del Turco y tres días más tarde fallecía en Madrid; y el mismo día desembarcaba en Cartagena el rey Amadeo de Saboya, que era recibido con la mayor frialdad tras la muerte de uno de sus mayores valedores. Sin embargo, los dos estrenos de aquellos días, *El potosí* y *El molinero de Subiza*, consiguieron un éxito importante, quizá por suponer un entretenimiento divertido y nada comprometido a una ciudad crispada por los últimos acontecimientos políticos.

García Santisteban recupera en este título estructuralmente la fórmula de la zarzuela grande; sin embargo, la obra en absoluto puede ser definida como tal, sino como una mezcla de género bufo y revista de actualidades, en la que, con el pretexto de un argumento, se suceden cuadros y escenas, a veces inconexas, de interés para el espectador. Como elementos propios de la revista de actualidades, incluye la crítica política al rey Amadeo, a la Guerra Franco-Prusiana o al canciller Maetternich, la crítica al desastre de las sociedades crediticias y la pasión por los "inventos" coetáneos. En el segundo acto, Escamón explica a sus huéspedes el gobierno federal que han adoptado en el fondo del mar, episodio utilizado por Santisteban para llevar a cabo toda una caricatura del gobierno provisional que ejercía el poder en España desde la Revolución del 68: "De ministro de la Guerra, / que es ministro espadachín, / queda siempre el pez espada, / que pincha con la nariz. / Para ministro de Estado, / nadie mejor que el delfín, / que es pez muy ceremonioso / y habla el francés de París. / La merluza entra en Fomento, / que se cría sin sentir; / y en Marina la tortuga, / que es blindada de por sí. / En Gobernación es fuerza / hablar mucho y discutir; / por eso hay siempre un lenguado / en este centro civil…" Se salva de la caricatura el ministro de Ultramar, López de Ayala, por su vinculación personal con el compositor. En su canción del cable, Nº 8, Escamón, en una mazurka estrófica, lleva a cabo una critica al gobierno de Amadeo I. En la primera edición del libro y la partitura reducida editada por Casimiro Martín se incluyen cinco estrofas, mientras que en la segunda edición del libreto aparecen ya seis, de las cuales sólo las dos primeras figuraban en la edición inicial; este hecho incide en la relación de *El potosí* con las revistas de actualidades, ya que la obra critica acontecimientos políticos estrictamente contemporáneos por lo que la actualización de algunas estrofas se hace inevitable para mantener la vigencia.

La trama presenta una relación directa con el *crack* bursátil y de sociedades de crédito que se produjo en la España de la época; ya en su monólogo inicial, Misisipí recuerda sociedades de crédito como "el Pozo de Oro, la Vividora –el Maná–, la Nueva Sierra Morena o la Feliz Insular", semejantes a las que desaparecieron en España en la crisis del 1866. La negativa coyuntura económica que sufrió Europa desde ese año –con la quiebra en Londres de la Overend Guerney Co. entre otras grandes compañías– produjo en España la retirada masiva de capitales, quiebras o suspensiones de pagos en cadena de sociedades de crédito, bancos y empresas.

También comparte la fascinación por las máquinas o los avances técnicos contemporáneos propia de las revistas de actualidades, como el cable telegráfico submarino, el velocípedo –de moda gracias a las "velocipedistas inglesas" que hacían las delicias del público en los Campos Elíseos– o la velocicosedora –más tarde comercializada por Singer y también objeto de otro juguete cómico titulado *Máquinas Singer*, 1886–. El cable transatlántico es un cable telegráfico que se estableció en España en 1852, desarrollándose en los siguientes diez años más de siete mil kms de línea por la península y el primer cable submarino con Baleares. En el segundo acto, Cardona expone sus dudas a Escamón de que en el fondo del mar se oiga el cable, hecho que obliga al príncipe a revelar ciertas referencias a la política contemporánea europea, que conoce bien gracias a dicho invento –"Azul-prusia muy subido, / muy bajo el color francés, / fondos españoles, cero, / se vende al peso el papel"–, haciendo referencia a la situación política coetánea –ha de recordarse que el 18 de julio de 1870 había comenzado la Guerra Franco-prusiana y, tras la Batalla del Sedán, el 2 de septiembre se proclama la república en Francia–.

Las citas iniciales a Julio Verne manifiestan el interés de los hombres de la España de entonces por sus novelas de "ciencia-ficción" y establece una relación directa entre *El potosí* y *Los sobrinos del capitán Grant*. Las decoraciones de la zarzuela merecen ser destacadas por su modernidad, sobre todo la del fondo del mar del acto segundo –que requería varias mutaciones–, obra de Busato, y la aparición del ferrocarril al final del tercero, creada por Muriel.

Desde el punto de vista musical, en el primer acto destaca el coro inicial de accionistas, que reexpone el material de polonesa presentado inicialmente en la orquesta; un puente que parodia los recitados wagnerianos nos traslada al raconto de Misisipí, un solo a ritmo de barcarola que posteriormente se transforma en rigodón para interpretar un cómico estribillo. La repetición del coro de accionistas cierra el número. El número siguiente es la "Canción de la velocicosedora"; se trata de un número estrófico, cuya segunda parte a ritmo de polka relaciona la estructura tonal del número con el anterior raconto del doctor; la coda cadencial que se añade a la polka recurre, como es propio del género bufo, a las onomatopeyas que en este caso tratan de imitar el sonido de la máquina "velocicosedora". El siguiente solo de Cardona también emplea ritmo de barcarola y estructura bipartita. La llegada de Celia los reúne en un dúo, para el que Arrieta elige una estructura tripartita: una primera parte que expone de nuevo un fragmento de la "Canción de la velocicosedora"; el solo del grumete en Reb M, de filiación italiana; y, tras una transición con ritmo de polka, el dúo final de ambos trabajado a modo de barcarola (Lab M); la melodía de esta última sección subyuga por su simplicidad y belleza melódica. La llegada de los accionistas da lugar a un nuevo coro, Nº 5, que incluye una polka y una mazurka. Este fragmento, que debido a su popularidad fue incluido en el *Álbum de bailes* de *El potosí* que editó esa misma temporada C. Martín, presenta gran contraste entre la polka en Re menor, con pequeños diseños contrapuntísticos entre las tiples y las voces masculinas, y la mazurka Re mayor; al igual que ocurría en algunas secciones de los números anteriores, la mazurka incluye una ampliación cadencial, en la que el coro debe bailar, tarareando la melodía orquestal. El *tutti* final convoca a todos los personajes en un número seccional integrado por una triunfante sección coral a ritmo de marcha, el brindis a ritmo de polka –uno de los fragmentos con

más éxito de toda la obra–; y la repetición del tema de la mazurka de los accionistas.

El acto segundo comienza con un preludio y coro de anfibias, que presenta un vals lleno de descriptivas onomatopeyas y una mazurka dedicada a Cardona; el "schotisch de las ranas" cierra la escena. Una marcha triunfal en la orquesta da la bienvenida a Perlina, que se presenta mediante un solo de corte europeo. El diálogo entre Perlina, Coralina y Misisipí conduce a un terceto integrado por una mazurka dialogada seguida de un castizo bolero. El siguiente número –desfile de los orfeones– presenta también estructura seccional, integrada por la barcarola de las anfibias, la "Canción de la rana" –rigodón interpretado por el príncipe Escamón que retrata cómicamente la vida marital de estos anfibios–, y las seguidillas de Cardona. Figuraciones de corcheas caracterizan la subida de la marea, mientras las anfibias salen de escena simulando nadar. Aparece de nuevo una decoración fantástica del fondo del mar "y en el centro una gran concha que al abrirse deja ver a Perlina que repite el motivo de su canción de salida acompañada por el coro. Gran cuadro final iluminado por la luz eléctrica y bengalas de color verde"; en esta última decoración la referencia a Boticelli y su *Nacimiento de Venus* se hace obligada. La repetición del solo de Perlina para cerrar el acto, con la intervención del coro a modo de eco interno, es un acierto formal y confiere unidad al acto.

El tercer acto comienza con una introducción orquestal que reexpone el tema de Misisipí del Nº 1 y un vals relacionado con la *cabaletta* de Violeta en el cuadro segundo del primer acto de *La traviata* en el que después de un episodio orquestal comienza a cantar el coro de las velocipedistas, que interpretan un rigodón seguido de una polka, otro de los números que alcanzaron mayor popularidad. Los dos amantes interpretan un dúo de reconciliación Nº 15, que incluye tres secciones: una mazurka dialogada, una polka y una habanera final, otra de las danzas que gozaron de ediciones sucesivas debido a su gran popularidad. El acto concluye con número seccional integrado por una cómica mazurka en modo menor, donde los accionistas tratan de organizarse para distribuir de forma "ecuánime" los garrotes que propinarán al Conde de Gruyer; y una nueva sección en Fa mayor que da paso a la reexposición de la famosa mazurka de los accionistas del Nº 5 con la que concluye.

El potosí submarino se convirtió en uno de los grandes éxitos del repertorio bufo en parte gracias al buen libreto, lleno de episodios cómicos que, como recoge el cronista madrileño de *La España Musical*, "hacían reír al público constantemente durante la representación, teniendo la ventaja sobre todas las del género bufo que sus chistes no son de esos peculiares del género que hacen asomar el color del rubor a las mejillas del espectador y sobre todo que tiene argumento, cosa de que carecen todas las obras bufas" (5-I-1871).

El éxito alcanzado por la zarzuela consiguió que pronto fuera publicada en versión reducida para voz y piano por Martín, quien editó a comienzos de 1871 un *Álbum de bailes* de la obra y las adaptaciones para banda realizadas por Squadranui de algunos números, como relatan las cartas enviadas por el editor a Arrieta en enero y febrero de este año.

Fuentes manuscritas. La partitura para canto y piano incompleta (Nos 1, 2, 3, 4, 5, 6, 8, 9, 10, 11, 12, 15, 16 y 18) se conserva en el Archivo General de Navarra.

Ediciones de música. Canto y piano, Madrid, CM. Piano, Nº 9, 1870, Calc. de Lodre, Madrid; Nos. 1, 2, 3, 4, 5 bis, 6, 7, 8, 10, 10 bis, 12 bis, 12 ter, 12 cuater., 13, 14, 15, 16, Madrid, SMA, 1871; Nº 12, Madrid, SMA, 1872; *Tanda de rigodones* de I. Hernández, Madrid, SMA, 1871.

Ediciones del libreto. Madrid, Imp. de J. Rodríguez, 1870; 2ª ed., 1872.

BIBLIOGRAFÍA: J. Muñoz Morillejo: *Escenografía española*, Madrid, Imp. Blass, 1922; E. Huertas: "El teatro de los bufos madrileños", *Aula de Cultura. Ciclo de conferencias: El Madrid de Isabel II*, Madrid, Instituto de Estudios Madrileños, 1993; M. E. Cortizo: *Emilio Arrieta. De la ópera a la zarzuela*, Madrid, ICCMU, 1998.

Mª ENCINA CORTIZO

Pous. Familia de actores y dramaturgos cubanos formada por Arquímedes y su sobrino Carlos.

1. Pous, Arquímedes. Cienfuegos (Cuba), 18-V-1892; Mayagüez (Puerto Rico), 16-IV-1926. Actor, empresario y autor teatral. Desde niño mostró afición por el teatro improvisando teatros infantiles en su hogar. A los quince años debutó en el teatro Actualidades de su ciudad natal. Su primer papel como un negrito –personaje que lo hizo famoso– fue con el sainete *Chelitoterapia*. Luego recorrió la isla con otras compañías. Radicado en La Habana actuó en los teatros Molino Rojo y Chantecler. Contratado por la empresa del teatro Martí ocupó el cargo de director y actor de la compañía, cosechando triunfos por su versatilidad y magníficas condiciones histriónicas que aumentaron su popularidad. Luego se trasladó al teatro Politeama como empresario y director. Formó su propia compañía de zarzuelas, sainetes y revistas, y con ella se presentó en el interior y después en varios países latinoamericanos, en Estados Unidos, Canadá y España, donde recibió cálidos elogios del público y de la crítica. No sólo se destacó como actor y bailarín, fue también un relevante escritor escénico.

Su primera obra, la zarzuela *La viuda loca*, con música de Rogelio Rodríguez y estrenada en 1912, obtuvo un claro éxito. A partir de entonces escribió para la escena más de cien obras que estrenó en los principales teatros de la capital, en especial el Payret, y en el interior de la isla. Varios fueron los músicos que compusieron música para sus libretos, entre quienes destacan Moisés Simons, Jorge Anckermann, Horacio Monteagudo, Eliseo Grenet y Jaime Prats, siendo estos dos últimos con quienes más colaboró. De sus muchos éxitos pueden mencionarse los sainetes *Pobre Papá Montero* de Horacio Monteagudo, *Las mulatas de Bam-Bay* de Teódulo Sánchez y *La borracha del Circo* de Eliseo Grenet y Jaime Prats. En 1926 inició con su compañía una gira por el interior del país. Posteriormente marchó a Puerto Rico, y allí actuó en San Juan y en Arecibo.

2. Pous, Carlos. ?, 7-III-1914; La Habana, 3-XI-1982. Actor y autor teatral. Su afición a la escena nació viendo a su tío Arquímedes Pous. Con él aprendió a desenvolverse como comediante. Muy joven abandonó los estudios para integrarse en un grupo de aficionados, experiencia que le permitió unirse en 1931 con el actor José Sanabria y formar una pequeña compañía de bufo cubano que recorrió la República. Un año después debutó en el teatro Payret con la compañía Montaner-Mendoza. Contratado por un empresario realizó su primera gira internacional, actuando en Estados Unidos. Posteriormente recorrió toda América del Sur y más tarde viajó a España, donde trabajó durante varios años. Dotado de una gracia natural y gran versatilidad, lo mismo incursionaba en el canto que en el baile, y hacía acrobacia con los patines. Interesado en la escritura escénica, se inició en 1938 con la revista *Mamá eu quero*, colaborando en el libreto junto a Arnaldo Sevilla y con música de Rafael Betancourt, y cuyo estreno en el teatro Martí tuvo muy buena acogida. En binomio con el mismo compositor, realizó también las revistas *Llegó la prosperidad*, *Qué paso más chévere* y *El fantasma de la Guerra*. Su catálogo de obras es breve, y cultivó, en especial, las revistas humorísticas musicales. Muchas de sus obras las escribió en colaboración con su amigo José Sanabria, con el cual formó una nueva compañía, en 1948, presentándose con mucho éxito desde la escena del teatro Martí con *Acuarela musical*, *Brisas del trópico*, *Carnaval*, *Folklore hispano*, *Mazukamba*, *Postales musicales*, *El robo del banco*, *Revista de revistas* y *Se va el caimán*, todas con arreglos musicales de René Urbino. Dentro de su quehacer artístico trabajó en la radio, cine, televisión y cabaret, logrando triunfar en estos diversos medios. En 1950, junto a José Sanabria, ofreció una temporada en el teatro Campoamor con la participación de la cantante y actriz Rita Montaner. Durante más de cincuenta años interpretó el personaje de negrito que le granjeó éxito en su larga carrera artística como comediante y escritor. La compañía Pous-Sanabria inició una extensa temporada en el teatro Martí, en 1961, contando con un elenco de conocidos artistas del género vernáculo como Alicia Rico, Candita Quintana, Emilio Ruiz, Natalia Herrera, entre otros, y el acompañamiento musical de

Peñalver. Dado el éxito obtenido, la compañía se mantuvo en dicho teatro durante más de cuatro años.

BIBLIOGRAFÍA: E. Robreño. *Historia del teatro popular cubano*, La Habana, Oficina del Historiador de la Ciudad de La Habana, 1961; *Memorias de Pous y Sanabria*, La Habana, Teatro Martí, 1961-62; A. Ferrer de Couto: *Cien vidas humanas*, La Habana, Guerrero, 1962.

JOSÉ PIÑEIRO DÍAZ

Povedano. Familia de actores y escritores españoles formada por Ángel y su hijo Enrique.

1. Povedano y Vidal, Ángel.

Ángel Povedano (Foto: Ar. ICCMU)

Granada, 1822; Granada, 1886. Actor, tenor cómico y dramaturgo. En 1856 formaba parte de la compañía del teatro San Fernando de Sevilla, con la que cantó *El valle de Andorra*. La compañía se trasladó a Cádiz en la primavera de ese año para interpretar *El marqués de Caravaca*, *Mis dos mujeres* y *El tío Caniyitas*. Al año siguiente estuvo actuando en Valladolid en la compañía de Tomás Genovés, que regresó después a Sevilla. Entre 1859 y 1872, Povedano permaneció al frente de las mejores compañías del país, destacando en diversos aspectos: actor, compositor, director de orquesta, flautista, contralto de la Capilla Real y pintor. Fue el más conocido archivero musical de la capital de España que podía decidir el futuro de cualquier zarzuela sólo con su decisión de copiarla o dejar de hacerlo.

Escribió *Los pájaros del amor* de Reparaz, *Doña Casimira Canutito* de Manuel Nieto, *Modus vivendi matrimonial* de nuevo con Nieto, *Un loco más*; las operetas *Barba Azul* y *La canción de Fortunio*, arreglada a la escena española y la comedia *Mártires de la libertad*.

2. Povedano Arizmendi, Enrique.

Granada, 1880; ?, III-1965. Actor, director y dramaturgo. Su afición al teatro le viene de familia ya que era hijo de actores. Comenzó como galán en la compañía de Luisa Calderón pero al casarse con una tiple de zarzuela se pasó al género chico como actor cómico. Trabajó en el Gran Teatro de Madrid con la compañía de Larra representando más de cien títulos distintos. Ya en el género chico entre 1909 y 1910 alternó sus actuaciones entre los teatros de Fuencarral, Apolo y Price, destacándose en *El cabo primero* de Caballero, *La suerte de Isabelita* de Giménez y Calleja, *Doloretes* de Vives y Quislant y *La niña mimada* de

Enrique Povedano en Doloretes, El cabo primero *y* La niña mimada *(Fotos: Nieto en* Comedias y Comediantes, *1910; Ar. ICCMU)*

Penella. Como primer actor y director recorrió diversos teatros españoles y en 1927 dirigía una compañía de opereta que actuaba en el Poliorama de Barcelona.

Entre sus escritos se cuentan *Cómicos al desnudo. Colección de anécdotas de actrices, actores y autores, con sus rasgos de ingenio y de ignorancia. Prólogo de Joaquín Belda*, Madrid, 1930. Escribió poesía, comedias sin música y varias obras líricas, como *Los buenos hijos* y *Salón moderno* de Pablo Luna, esta última estrenada en el teatro Barbieri, 1909; *La flauta de Bartolo* de Fernando Carrascosa, Maravillas, 1939; *El hábito no hace al monje* y *La escuela de las Cocottes* de Roberto Giménez Ortells; *Las peponas* de Pablo Luna, Maravillas, 1934; *Amor y arte*, *El dulce meneo* y *El castigo de Juanón* de Julio Cristóbal Martín; *Amores de rey* de Ramón de Julián; *Chófer, a la revista* y *Chófer al Cisne* de Alejandro Sanz García; *Doña Casimira* con música de José Rogel y *El año del Bataclán* de Ricardo Yust y Ramón de Julián.

BIBLIOGRAFÍA: *HZ*; *MT*; *TA*; A. Collado: *El teatro bajo las bombas en la Guerra Civil. Tragicomedia de actores, figurantes, políticos, personajes y personajillos*, Madrid, Kaydeda Ed., 1989.

Mª LUZ GONZÁLEZ PEÑA

Poventud, Irem. Ponce (Puerto Rico), siglo XX. Soprano. Realizó sus estudios de canto en la Universidad Católica de Puerto Rico y en la Juilliard School de Nueva York, completándolas en España, Italia y Alemania. Debutó en el Lincoln Center de Nueva York. Ha cantado junto a figuras como Plácido Domingo. Destacó

Irem Poventud (Foto: Ar. ICCMU)

por sus participaciones en zarzuelas, tales como *El conde de Luxemburgo* o el papel protagonista en *Luisa Fernanda* de Moreno Torroba y dirigida por él mismo en el teatro Tapia de San Juan de Puerto Rico en 1978.

BIBLIOGRAFÍA: A. Molina: *150 Años de zarzuela en Puerto Rico y Cuba*, San Juan, Ramallo Bros. Printing, 1998.

EMILIO CASARES RODICIO

Blanca Pozas (Foto: Bixio y Cía R. Irigoy; Ar. SGAE)

Pozas, Blanca. España, siglo XX. Soprano. Desarrolló una larga carrera que se extiende hasta los años treinta. Participó en Sevilla en el estreno de uno de los mayores éxitos de Pablo Luna, la opereta *Molinos de viento*. A finales de los años veinte y hasta mediados de los treinta interpretó obras de Jacinto Guerrero, muy a menudo junto a Miguel Ligero, así estrenó *Los faroles*, teatro Martín, 1928. Al año siguiente *Los verderones*, Martín, junto a Ramón Peña y *Arriba y abajo*. En 1930 estrenó, también en el Martín, *El gallo* de Alonso y en 1932 *Las gallinas* de Guerrero. En 1933 intervino en el estreno de *La camisa de la Pompadour*, junto a Conchita Leonardo y Miguel Ligero en el teatro Maravillas.

FONOGRAFÍA: *Cándido Tenorio*, Sonifolk 20126; *El collar de Afrodita*, Sonifolk 20126; *La calle 43*, Sonifolk 20128; *La loca juventud*, Sonifolk 20128; *La Melitona*, Sonifolk 20127; *Las niñas de peligros*, Sonifolk 20126; *Las tentaciones*, Sonifolk 20127; *Los brillantes*, Sonifolk 20127; *Los caracoles*, Sonifolk 20127; *Los faroles*, La Voz de su Amo AE 2138 AE 2139 • Sonifolk 20128; *Los verderones*, Odeón 203165 (et. morada), SO 5454 SO 5458 • Sonifolk 20126; *Pelé y Melé*, Sonifolk 20128; *Ris-ras*, Odeón 203107 (et. fucsia), SO 5050 SO 5048.

Mª LUZ GONZÁLEZ PEÑA

Pozo, Carlos del. *Véase* NIETO.

Pozo, Marimí del. *Véase* NIETO.

Pozuelo, Amparo. Valencia, 1884, Madrid, 1973. Tiple cómica. Debutó en el Eslava de Madrid. En 1907 actuaba en el teatro Cómico de Barcelona y era muy aplaudida en *Del valle… al monte* de Lola Ramos, así como en *San Juan de Luz, La gatita blanca* y *Carceleras*. En 1908 se fue a México donde permaneció hasta 1910 en que regresó y fue contratada sucesivamente por el teatro Gran Vía y el Eslava,

aparecienco en la portada de *Nuevo Mundo*, 1910, y *Comedias y Comediantes*, 1911. En 1922 estrenó *Bazar español* de Teodoro San José y en 1912 las operetas *Los soldaditos de plomo, Los húsares del Kaiser* de Kalman, *Princesitas del dollar* de Leo Fall, en la que se alababa su gracia junto a Julia Fons, si bien la protagonista era Juanita Manso. Estrenó también *El cuarteto Pons* de Lleó en el Eslava y en 1918 intervino en *Las hijas de España* de Quislant y Badía.

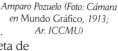

Amparo Pozuelo (Foto: Cámara en Mundo Gráfico, *1913; Ar. ICCMU)*

En 1923 participó en la opereta de Gilbert *El tío Paco*, en el Gran Teatro.

BIBLIOGRAFÍA: *El Arte de El Teatro*, II, 41, 1-XII-1907, 42, 15-XII-1907.

Mª LUZ GONZÁLEZ PEÑA

Prado, Loreto. Madrid, 1865; Madrid, 1943. Actriz y cantante. Debutó a los catorce años y formó una duradera pareja con el también actor, empresario y director Enrique Chicote, primero en el teatro Moderno, luego en el Eslava y posteriormente en el Cómico. Menuda y graciosa, cantaba sin voz, se hacía con los personajes y aunque siempre actuó en teatros modestos, todo tipo de público acudía al teatro sólo para verla. Fue, sin duda, la actriz que gozó de más popularidad y cariño en Madrid, y el teatro se llenaba por el solo reclamo de su nombre, sin que importasen gran cosa las obras o los papeles. Con Enrique Chicote comenzó a actuar en el café La Infantil, de la calle Carretas, con un público popular y modesto de soldados, estudiantes, criadas y empleadillos. En 1894 Loreto y Chicote mejoraron el local, convirtiéndolo en plataforma de sus triunfos en el género cómico y transformándolo en teatro Romea. Este modesto teatro, sin embargo, vio estrenarse en él obras de grandes autores sólo porque Loreto Prado las llevaba al escenario. Así Jackson Veyán escribió numerosas obras para la Prado y posteriormente le siguieron otros afamados autores. Fue actriz dramática y tiple cómica, considerada excepcional en ambas disciplinas. En los primeros años del siglo XX intervino en diversas zarzuelas, como *Ligerita de cascos* de Sinesio Delgado y Torregrosa estrenada en 1900 en el teatro Romea; *Los chicos de la escuela*, 1903, de Valverde y Torregrosa; *El corneta de la partida* de Quinito Valverde, 1903; *La* *polka de los pájaros,* en la que hizo de organillero y *La peseta está enferma,* ambas de Chapí en 1905. El gran éxito de Serrano, García Álvarez y Arniches, *Alma de Dios,* 1907, se escribió para ella y Chicote.

Loreto Prado fue toda una institución en su época y contó con la admiración no sólo del público, sino de los principales escritores de teatro del momento, llegando a decir Benavente que los libretistas, si quisieran ser justos, deberían pagarle a ella una parte de sus derechos de autor en cada obra que les estrenaba, ya que su sola presencia era garantía de éxito, salvando así muchas obras malas y convirtiendo las buenas en magníficas. Tiene en su haber más de medio centenar de estrenos: *Altos y bajos* de Emilio Montserrat, 1880; *Cádiz* de Chueca, 1886; *Plan de estudios* de Reig, 1888; *Crispulín, Los cuentos del año* y *Fantasía morisca,* de Álvarez y Chalons, *Los glotones* de Chalons, 1893; *La del capotín o Con las manos en la Masa,* Luis Arnedo y *La avaricia rompe el saco* de Teodoro San José, *Un punto filipino* de Caballero, *Los africanistas* de Caballero y Hermoso, 1894; *Mujer y ruina o Mariquita stoi-que-ardo* de Ángel Rubio y *El género chico* de Teodoro San José, 1895; *La tonta de capirote* de Quinito Valverde y Estellés, *Heraldo de Madrid* de Calleja, 1896; *La cena de Nochebuena o A caza del gordo* de Calleja, 1897; *La Mari-Juana* de Quinito Valverde, *Curro López* de Alfredo Álvarez de Toledo, *Los besugos* de Valverde y Saco del Valle, 1899; *La señora Capitana* de Barrera, *La osa mayor* de Chalons, *Tiempo revuelto* de Calleja y Barrera, 1900; *La tremenda* de Valverde y Barrera, *El juicio oral* de Ángel Rubio, 1901; *La tía Cirila* de Nieto, *El fortuna* de José Bellver, *Gazpacho andaluz* de Calleja y Lleó, 1902; *La cuna* de Chapí, 1904; *La guardabarrera* de Torregrosa, *El estuche de monerías* de Quinito Valverde, *Los guapos* de Giménez, *La Marujilla* de Saco del Valle y Marquina, *El príncipe ruso* de Vives, *Fea y con gracia* de Turina, 1905; *Los falsos dioses* de Torregrosa, 1907; *Gente menuda* de Quinito Valverde, 1911; *El bueno de Guzmán y Baldomero Pachón,* Alonso, 1913; *Miss Cañamón,* Pedro Badía, 1916, y *¡Es mucho Madrid!* de Juan Antonio Martínez, 1922. *Véase* CHICOTE, ENRIQUE.

BIBLIOGRAFÍA: *DAT; TA;* Córcholis: "Memorias íntimas del teatro. Enrique Chicote", *Nuevo Mundo,* 487, 6-V-1903; J. Francos Rodríguez: *El teatro en España 1908,* Madrid, Imp. Nuevo Mundo, 1909; E. Chicote: *La Loreto y este humilde servidor (Recuerdos de la vida de sos comediantes madrileños),* Madrid, Aguilar, 1944; —: *Cuando Fernando VII gastaba paletó... Recuerdos y anécdotas del año de la nanita,* Madrid, Instituto Editorial Reus, 1952; —: *Biografía de Loreto Prado,* Madrid, Instituto Editorial Reus, 1955; J. Deleito y Piñuela: *Estampas del Madrid teatral fin de siglo,* Madrid, Ed. Calleja, sf.

Mª LUZ GONZÁLEZ PEÑA

Prats. Familia de músicos cubanos formada por Jaime y su hijo Rodrigo.

1. Prats Estrada, Jaime. Sagua la Grande (Cuba), 29-III-1882; La Habana, 3-I-1946. Compositor y director de orquesta. Estableció su vínculo con el mundo teatral a su llegada a La Habana, en 1899, actuando como primer flautista en la compañía de ópera de Aszali, con la que viajó por varios países de América. En 1906, junto con José Mauri, dirigió la Compañía de Esperanza Iris en el teatro Payret, dedicándose a partir de entonces y por más de diez años al quehacer teatral, período en el que recorrió con diversas compañías la América Central y México. Durante algunos años colaboró con Jorge Anckermann en las temporadas del teatro Alhambra, habiendo dirigido durante ese mismo período compañías de zarzuelas españolas en el teatro Albisu. En los inicios de la década de 1920 ingresó en la recién creada empresa de Arquímedes Pous y Pepito Gomís, la que hiciera su debut en el teatro Cubano en 1923, con el sainete cómico-lírico *Del ambiente* y la revista *Locuras europeas,* ambas obras de su autoría y con libreto de Arquímedes Pous. Poco después y junto a esta misma agrupación, trabajó en el teatro Actualidades, donde estrenó sus conocidas piezas *El velorio de Papá Montero, El entierro de Papá Montero* y *La Resurrección de Papá Montero* —estas dos últimas en coautoría con Eliseo Grenet—, así como *Un marido original* y *Así es la vida,* entre otras. De gira por Estados Unidos, ofreció con su orquesta un exitoso concierto de música cubana en la Estación 492-Weaf de Nueva York, obteniendo posteriormente nuevos triunfos durante sus giras a países del Caribe y de América del Sur.

OBRAS: *Un viaje a la luna,* Zarz, col. T. Pereira, l, G. Anckermann est, 5-I-1912, Te. Molino Rojo; *La perla del golfo o Las fiestas de Cayo Hueso,* Zarz, l, J. Rubí, est, 9-II-1912, Te. Molino Rojo; *En pos de los placeres,* Zarz, l, G. Anckermann, est, 7-VI-1912, Te. Molino Rojo; *Las arrepentidas,* Sai, 1 act, l, M. Sorondo, est, 27-VI-1913,

Loreto Prado con Enrique Chicote
en Congreso feminista
(Foto: Gombau en El Teatro, *1901; Ar. SGAE)*

Te. Molino Rojo; *Soto aviador*, Hum, 1 act, l, M. Sorondo, est, 4-VII-1913, Te. Molino Rojo; *Cuba en los Estados Unidos*, Apr, 1 act, l, M. Sorondo, 25-VII-1913, Te. Molino Rojo; *La inmunidad*, Sai, 1 act, l, M., Sorondo, est, 9-VIII, 1913, Te. Molino Rojo; *La hoja de parra*, Rv, l, M. Más, est, 1-IX-1913, Te. Molino Rojo; *Se acabó la zona*, Apr, 1 act, l, M. Sorondo, est, 14-X-1913, Te. Molino Rojo; *Los brujas*, Sai lír, 1 act, l, M. Sorondo, est, 24-X-1913, Te. Molino Rojo; *El desconsuelo de Consuelo*, Sai lír, 1 act, l, M. Sorondo, est, 7-XI-1913, Te. Molino Rojo; *Mala hembra*, Zarz, 1 act, l, M. Sorondo, est, 14-XI-1913, Te. Molino Rojo; *Pepita rebelde*, Zarz, 1 act, l, M. Sorondo, est, 19-XI-1913, Te. Molino Rojo; *El triunfo de los dependientes o La jornada de las diez horas*, Zarz, 1 act, l, M. Sorondo, est, 5-XII-1913, Te. Molino Rojo; *La muerte del pulpo o El drogado y sus líos*, Zarz, 1 act, l, M. Sorondo, est, 1913; *Esterilización humana*, Zarz, 1 act, col. G. Roig, l, M. Sorondo, est, 2-I-1914, Te. Molino Rojo; *El año 13*, Sai, 1 act, l, M. Sorondo, est, 16-I-1914, Te. Molino Rojo; *Las mujeres que tiran o Las tiradoras de florete*, Sai, 1 act, l, M. Sorondo, est, 30-I-1914, Te. Molino Rojo; *Cuba en Panamá*, Zarz, 1 act, l, C. L. Ocampos, est, 20-II-1914, Te. Molino Rojo; *La niña perdida*, Zarz, 1 act, l, M. Sorondo, est, 3-III-1914, Te. Molino Rojo; *El rival de Toribio*, Zarz, 1 act, l, M. Sorondo, est, 1-V-1914, Te. Molino Rojo; *Evita*, parodia de la opereta *Eva*, col. S. Sampol, l, M. Sorondo, est, 8-V-1914; *Un gallego lechero*, Zarz, 1 act, l, P. Bello, est, 2-VI-1914, Te. Molino Rojo; *El timo de la guitarra*, Jug cóm, l, R. Fernández, est, 22-VI-1915, Te. Alhambra; *Vista Alegre*, Semi Rv, l, Mas / López, est, 2-VII-1915, Te. Alhambra; *El 20 de mayo*, l, M. Sorondo, est, 1915; *La viuda triste*, pasaje de Opt, est, 20-I-1919, Te. Payret; *Actualidades Park*, Rv, l, M. Sorondo, est, 25-VIII-1922, Te. Actualidades; *Un marido original*, Zarz, 1 act, l, M. Sorondo, est, 8-IX-1922, Te. Actualidades; *Corazones sin rumbo*, Zarz, 1 act, l, A. Bronca, est, 15-IX-1922, Te. Actualidades; *La comida de las panteras*, Zarz, 1 act, l, M. Sorondo, est, 22-IX-1922, Te. Actualidades; *Son de la loma*, Sai cóm lír, 1 act, l, A. Pous, est, 2-X-1923, Te. Cubano; *Oh, Mister Pous*, Rv cóm-lír bailable, 1 act, l, A. Pous, est, 17-XII-1923, Te. Cubano; *La comida de las canteras*, sátira política, l, M. Sorondo, est, 1923; *Es mucho stadium*, Rv, l, P. Bello, est, 20-II-1924, Te. Cubano; *Ku Kluss Cubana*, Zarz, 1 act, l, M. Sorondo, est, 29-II-1924, Te. Cubano; *Los funerales de Papá Montero*, Sai cóm lír, 1 act, col. R. Prats, l, A. Pous, est, 7-III-1924, Te. Cubano, CU:HMNM; *La compra del convento*, l, M. Sorondo, est, 11-IV-1924, Te. Cubano; *La resurrección de Papá Montero*, Zarz, col. E. Grenet, l, A. Pous, est, 19-IV-1924, Te. Cubano; *La borracha del circo*, Sai lír, 1 act, col. E. Grenet, l, A. Pous, est, 2-V-1924, Te. Cubano; *Los efectos del radio*, Rv, col. E. Grenet, l, A. Pous, est, 9-V-1924, Te. Cubano; *El viaje del Presidente*, Com lír, 1 act, col. E. Grenet, l, A. Pous, est, 16-V-1924, Te. Cubano; *Ante el dilema*, boceto lír-dramática, 1 act, col. E. Grenet, l, J. T. Delanes, est, 20-V-1924, Te. Cubano; *El proceso de Papá Montero*, Sai lír, col. E. Grenet, l, A. Pous, est, 30-V-1924, Te. Cubano; *Magazine de Fantasías*, Rv, col. E. Grenet, l, A. Pous, est, 20-VI-1924, Te. Cubano; *Cuídamela bien, mi hermano*, Hum, 1 act, l, M. Sorondo, est, 27-VIII-1924, Te. Cubano; *El 13*, Vo, 1 act, l, R. de Lauria, est, 24-IX-1924, Te. Cubano; *El planeta Marte*, Fant con prólogo, l, F. de Lys / F. Cuenca, est, 3-X-1924, Te. Cubano; *Las elecciones presidenciales*, Rv, 1 act, col. E. Grenet, est, 1-XI-1924, Te. Payret; *Habana-Barcelona-Habana*, Rv, 1 act, col. E. Grenet, l, A. Pous, est, 7-XI-1924, Te. Payret; *Ca-Ta-Plún*, Bu, 1 act, col. E. Lecuona / E. Grenet, l, A. Pous, est, 21-XI-1924, Te. Payret; *¡A caballo!*, Rv, 1 act, col. E. Grenet, l, A. Pous, est, 1924; *Del ambiente*, Sai Cóm-lír, 1 act, l, A. Pous, est, 1924; *El bar de Mr. Drile*, Rv, col. E. Grenet, l, A. Pous, est, 1924; *Buenas noches*, Rv, 1 act, l, G. Pardo, est, 9-I-1925, Te. Cubano; *La fiesta de la raza*, Rv, 1 act, col. E. Grenet, l, F. de Lys, est, 16-I-1925, Te. Cubano; *Padre y amante*, Zarz, l, A. Pous, Est, 22-VI-1925, Te. Payret; *Bataclán de solar*, Sai, A. Pous, est, 7-

VIII-1925, Te. Payret; *La petit revue*, Rv, l, A. Pous, est, 28-IX-1925, Te. Cubano; *La huelga de hambre*, Sai, l, A Pous / T. Hernández, est, 9-I-1926, Te. Molino Rojo; *Qué escándalos*, Sai, l, A. Pous, est, 13-II-1926, Te. Payret; *El viaje de Franco*, Fant cóm lír, l, A. Pous / F. Cuenca, est, 18-II-1926, Te. Payret; *El tesoro escondido*, l, M. Sorondo, est, 12-II-1927, Te. Molino Rojo; *En carne viva*, l, A.G. Riancho, est, 23-II-1927, Te. Molino Rojo; *Paula Romero en La Habana*, l, A.G. Riancho, est, 25-II-1927; *Los muñecos de carne*, l, P. Bello, est, 1-III-1927, Te. Molino Rojo; *Conflicto por un cuarto*, Sai, 1 act, l, Novo, est, 2-III-1927, Te. Molino Rojo; *Sin pies ni cabeza*, Rv, l, Virulilla, est, 11-III-1927, Te. Molino Rojo; *Macho y hembra*, Sai, 1 act, l, A. Bronca, est, 15-III-1927, Te. Molino Rojo; *El hombre de la media noche*, 1 act, l, R. R., est, 18-III-1927, Te. Molino Rojo; *La machona*, Semi-Rv, 1 act, l, Sables y Baxes, est, 25-III-1927, Te. Molino Rojo; *Se liquidan mujeres*, Rv, col. E. Grenet / E. Lecuona, l, A. López / E. Brillas / T. Hernández, est, 13-V-1927, Te. Actualidades; *Lo que vieron tus ojos*, Rv, 1 act, col. S. Sampol / N. Sucanche, l, A. López / E. Brillas / T. Hernández, est, 3-I-1928, Te. Actualidades; *Cantos de Cuba*, Rv, 1 act, col. R. Prats, l, M. Sorondo / G. S. Galarraga, est, 19-V-1928, Te. Payret; *El Jesús del gran poder*, Rv, col. R. Prats, l, M. Sorondo / G. S. Galarraga, est, 2-VI-1928, Te. Payret; *El jorobado del barrio*, Zarz, l, G. S. Galarraga, est, 7-IX-1928, Te. Actualidades; *El vuelo de Franco*, l, A. Pous / F. Cuenca, est, 1928; *La dulce Guillermina*, Vo, 1 act, l, J. Robreño, est, 6-IX-1929, Te. Actualidades; *Los niños cambiados*, Sai, l, J. S. Arcilla, est, 6-XI-1929; *En tierra de Marte*, Rv, col. R. Prats, l, J. T. Miranda, est, 1929, Te. Actualidades; *La muñeca*, Opt, 1 act, l, J. Robreño, est, 3-I-1930, Te. Actualidades; *Summer Dreams*, Zarz, col. R. Prats, l, M. Sorondo, est, 29-XI-1930, Te. Auditorium; *Así es la vida*, Sai Rv, 1 act, col. R. Prats, l, A. Rodríguez, est, 20-XII-1930, Te. Actualidades; *Locuras*, Rv, 1 act, col. R. Prats, l, M. T. de la Cruz Muñoz, est, 6-V-1932, Te. Martí; *Floresta primaveral*, Rv, 1 act, col. R. Prats, l, P. M. Morales de López, est, 14-VII-1932, Te. Auditorium; *La Habana que vuelve*, Sai lír, 1 act, col. R. Prats, l, A. Castells, 12-VIII-1932, Te. Martí; *El gran Almirante*, Sai cóm lír, l, A. Pous / A. Castells / F. Cuenca, est, 12-X-1932, Te. Payret; *La Bullanguera*, Sai, 1 act, l, A. Pous, est, 1932; *Napoleón o Un marido original*, Zarz, 1 act, l, M. Sorondo, est, 1932; *La novela de una mujer*, Com lír, 1 act, l, V. Reyes, est, V-1935, Te. Martí; *De todo un poco*, Rv-Com lír coreográfica, 1 act, col. E. Grenet, l, A. Pous; *El cuarto de hora*, Zarz cubana, 1 act, col. R. Prats, l, A. Bronca / M. Sánchez de León; *El fracaso de la pornografía o El príncipe del año*, Zarz, 1 act, l, M. Sorondo, Te. Molino Rojo; *Locuras europeas*; *Tres esquinas*.

2. Prats Llorens, Rodrigo. Sagua la Grande (Cuba), 7-II-1909; La Habana, 15-IX-1980. Compositor y director de orquesta. Considerado como uno de los más prolíficos compositores del siglo XX cubano y, junto con Gonzalo Roig y Ernesto Lecuona, uno de los principales cultivadores de la zarzuela de nuevo tipo, durante la etapa de oro de este género en Cuba.

Hijo del destacado compositor y director de orquesta Jaime Prats, y sobrino político del también importante compositor de zarzuelas Jorge Anckermann radicado en La Habana desde 1914, comenzó sus estudios musicales a los siete años, bajo la orientación de su padre y de su abuela materna, Elvira Meireles, considerada como una de las más representativas figuras del género bufo cubano. En 1921 comenzó a amenizar fiestas bailables con la orquesta de Felipe Valdés y a crear música para pequeñas obras de teatro. Dos

*Rodrigo Prats (Foto: O. Urfé /
Museo Nacional de la Música de Cuba)*

años más tarde, inició definitivamente su vida profesional vinculada al teatro, debutando como primer violín en la orquesta de la Compañía de Arquímedes Pous, dirigida por Jaime, con la obra *El canto de la sirena* en el teatro Abreu de Santa Clara. A los dieciséis años estrenó su primera pieza teatral, *La reina del cabaret*, y asumió por primera vez, y de manera circunstancial, la dirección de la orquesta del teatro Cubano, con la interpretación de la obra *Su majestad el verano*. Un año después, en 1926, consolidó su labor como director orquestal durante las giras internacionales realizadas a diferentes ciudades de Puerto Rico y Venezuela, manteniendo, posteriormente de su regreso a La Habana, una intensa actividad como maestro concertador de las compañías de José Gomís, Ramón Espígul y Hernández Prats. Asimismo, su desempeño como compositor durante estos años fue fructuoso, estrenando zarzuelas, sainetes, revistas y comedias líricas en los principales teatros de la capital. A partir de 1931, vinculado a la compañía de Agustín Rodríguez y Manuel Suárez, que realizó temporadas en el teatro Martí de La Habana durante más de cinco años, estrenó allí la mayor parte de su producción musical de la época, compartiendo junto a Gonzalo Roig el cargo de maestro director y concertador. Durante dicha etapa, produjo y estrenó lo más importante de su creación escénica, destacándose sus obras: *Soledad*, *La perla del Caribe*, *Guamá*, *La Habana que vuelve*, *María Belén Chacón* y *Amalia Batista*, esta última la más conocida. Tal sería su reconocimiento público como autor, que el 30 de abril de 1934, con 24 años de edad, le fue otorgada por el Sindicato Cubano de Autores, Editores y Compositores de Música, una distinción por su importante y extensa obra dedicada al teatro lírico.

Además de su notable desempeño en el mundo teatral, realizó una intensa labor en los medios de la radio y la televisión en Cuba, dirigiendo la mayoría de las orquestas que actuaron en las emisoras principales, entre las que destaca la Orquesta Sinfónica del Aire, de la cual fue su fundador en 1937 y mantuvo su dirección hasta 1940. Asimismo, fue director musical de la RHC Cadena Azul, director musical del Canal 4 de TV, fundador y director del grupo de teatro Jorge Anckermann en el teatro Martí, y director musical del teatro Lírico de La Habana. Precisamente, bajo esta condición, tuvo a su cargo la conducción de importantes obras del repertorio nacional e internacional de la música de escena. En 1965, tras la solicitud del Consejo Nacional de Cultura para que organizara una temporada de género vernáculo en el teatro Martí, laboró junto a los libretistas Enrique Núñez Rodríguez y Eduardo Robreño, y el Grupo Jorge Anckermann dando a la luz dos de sus últimas obras, de exitosa acogida: *El Bravo* y *Voy abajo*, ambas compuestas y estrenadas en 1965. Durante esta época, junto a su actividad de compositor, asumió las labores de asesor musical y director de orquesta de aquel teatro, realizando, además, en la década de los setenta, presentaciones en diferentes ciudades del país donde dirigió musicalmente las puestas en escena de las zarzuelas *El cafetal* y *María la O* de Ernesto Lecuona, así como obras del repertorio español. En 1979, un año antes de morir, presentó en el teatro García Lorca de La Habana, una nueva versión de su zarzuela cumbre: *Amalia Batista*, añadiéndole ocho piezas y nuevo trabajo de instrumentación. La misma fue grabada algunos meses después para la firma discográfica EGREM, bajo la dirección orquestal del propio compositor. Activo hasta los últimos momentos de su vida, tres días antes de morir compuso su danzón *Yo soy así*. *Véase* AMALIA BATISTA; MARÍA BELÉN CHACÓN.

OBRAS: *La reina del* cabaret, est, 1925, Te. Cubano; *Dulce Son y Charles Tono*, Sai Rv, 1 act, l, A. Bronca, est, 9-VI-1927, Te. Actualidades; *Cantos de Cuba*, Rv, 1 act, col. J. Prats, l, M. Sorondo / G. Sánchez Galarraga, est, 19-V-1928, Te. Payret; *El Jesús del gran poder*, Rv, col. J. Prats, l, M. Sorondo / G. Sánchez Galarraga, est, 2-VI-1928, Te. Payret; *¡Ay, Mamá Inés!*, 1928; *Correo aéreo*, 1928; *El demonio y la carne*, Com lír, l, P. Rodríguez, est, 2-VII-1929, Te. Alhambra; *El género cubano*, Sai, l, A. Bronca, est, 2-VIII-1929, Te. Alhambra; *Las aventuras de Colón*, 1929; *El faino*, Sai de costumbres, 1 act, l, A. Bronca, 1929, Te. Martí; *Barberos con títulos*, Sai, l, A. Rodríguez, est, 17-I-1930, Te. Alhambra; *Cuando una mujer quiere*, Zarz, l, T. Hernández, est, 7-II-1930, Te. Actualidades; *El bajá de la peseta*, Zarz, l, A. Rodríguez / A. Bronca, est, 22-VIII-1930, Te. Alhambra; *El hijo del General*, farsa cóm lír, 1 act, l, R. Fernández, 23-XII-1930, Te. Actualidades; *El primo de Rivera*, Zarz, l, R. Fernández, est, 18-II-1930, Te. Alhambra; *Así es la vida*, Sai Rv, 1 act, col. J. Prats, l, A. Rodríguez, 20-XII-1930, Te. Actualidades; *A mí no me metan en líos*, Zarz, 1 act, l, A. López / T. Hernández / E. Brillas, est, 1930; *El cuarto N° 13*, Jug cóm lír, 1 act, l, V. Reyes, est, 1930; *Cuadros vivientes*, Zarz, l, A. López, est, 3-I-1931, Te. Actualidades; *El guapo del barrio*, Sai melodramático, 1 act, l, J. Díaz, est, 26-V-1931, Te. Martí; *El cabaret de la paz*, Zarz, l, M. Más / A. López, est, 18-VIII-1931, Te. Martí; *Alma de mujer*, Com lír, 1 act, l, J. Sánchez Arcilla, est, 18-IX-1931, Te. Martí; *El hombre de la bulla*, Sai, 1 act, l, A. Bronca, est, 22-IX-1931, Te. Martí; *La canción del esclavo*, est, 1931; *La perla del Caribe*, est, X-1931, Te. Martí; *Borracho de amor*, Com lír, 1 act, l, P. Alfonso, est, 15-I-1932, Te. Martí; *El padre* *desconocido*, Jug cóm lír, 1 act, l, M. Más / A. López, est, 29-I-1932, Te. Martí; *A divorciarse!*, Com Sai, 1 act, l, S. A. Puente, est, 9-II-1932, Te. Martí; *Candelita*, Sai, 1 act, l, J. S. Arcilla, est, 18-III-1932, Te. Martí; *El candidato popular*, Sai, 1 act, l, R. Fernández, est, 28-IV-1932, Te. Martí; *Alma y carne*, Com lír, 1 act, l, V. Reyes, est, 13-V-1932, Te. Martí; *El novio de su mujer*, aventura novelesca, 1 act, l, J. Sánchez Arcilla, est, 3-VI-1932, Te. Martí; *La Habana que vuelve*, Sai lír, 1 act, col. J. Prats, l, A. Castells, 12-VIII-1932, Te. Martí; *Delirio de grandezas*, Sai lír, 1 act, l, A. Rodríguez, est, 27-IX-1932, Te. Martí; *El triunfo de Roosevelt*, Rv satírica, 1 act, l, C. Robreño, est, 15-XI-1932, Te. Martí; *Chismes de sociedad*, Com lír, l, C. Robreño, est, 2-XII-1932, Te. Martí; *Ballet internacional*, est, 9-XII-1932, Te. Martí; *El bobo de Abela*, Rv, 1 act, l, J. Díaz, est, 23-XII-1932, Te. Martí; *Soledad*, Sai, est, 1932, Te. Martí; *El pobre Alfredo*, Jug cóm lír, l, R. Fernández, est, 17-I-1933, Te. Martí; *El sweepstake cubano*, Rv hípica, l, C. Robreño, est, 3-II-1933, Te. Martí; *El pirata*, novela escénica, 1 act, l, A. Rodríguez / J. Sánchez Arcilla, est, 7-II-1933, Te. Martí; *El mayoral*, Zarz cubana, l, M. Mur, est, 23-II-1933, Te. Martí; *El niño que habla*, Apr, l, J. Díaz, est, 31-III-1933, Te. Campoamor; *Bolas*, Rv, l, C. Robreño, est, 12-V-1933, Te. Martí; *El nuevo hacendado*, Zarz cubana, 1 act, l, F. Meluzá Otero, est, 7-VII-1933, Te. Martí; *Abecedario*, Rv, l, C. Robreño, est, 11-VII-1933, Te. Martí; *Araña*, Rv, l, J. Díaz, est, 18-VII-1933, Te. Martí; *El gran desfile*, Zarz, 1 act, l, C. Robreño, est, 1-VIII-1933, Te. Martí; *A la voz de fuego se va a Covadonga*, Apr, l, C. Robreño, est, 4-VIII-1933, Te. Martí; *El ciclón*, Rv de actualidad ciclónica política, 1 act, l, C. Robreño, est, 8-IX-1933, Te. Martí; *El Hotel Nacional*, Rv, l, C. Robreño, est, 22-IX-1933, Te. Martí; *El año terrible*, Rv política, l, C. Robreño, est, XII-1933, Te. Martí; *El perfecto caballero*, Zarz, l, A. Rodríguez, est, 1933; *Quítate tú pa' ponerme yo*, est, 1933; *El ejército redentor*, Sai, 1 act, l, D. de Ramos, est, 5-I-1934, Te. Martí; *El reino de Apapilandia*, aventura-Com lír burlesca, l, R. Fernández, est, 19-I-1934, Te. Martí; *El diablo suelto*, Rv, l, J. Díaz, est, 20-II-1934, Te. Martí; *Carlos III*, Zarz, l, C. Robreño, est, 27-II-1934, Te. Martí; *El pequeño tirano*, Com lír, l, R. Sánchez Varona, est, 6-III-1934, Te. Martí; *El tribunal de sanciones*, Rv, l, C. Robreño, est, 16-III-1934, Te. Martí; *El Consejo de Estado*, Rv, l, C. Robreño, est, 3-IV-1934, Te. Martí; *Dos vidas*, Com lír, l, M. T. de la Cruz Muñoz, est, 13-IV-1934, Te. Martí; *¡Criollo verdad!*, Zarz, l, J. Sánchez Arcilla, est, 22-V-1934, Te. Martí; *El estupendo carnero*, parodia de *Le mouton magnifique*, l, C. Robreño, est, 29-V-1934, Te. Martí; *Don Fulgencio*, Rv, l, J. Díate / C. Robreño, est, 3-VII-1934, Te. Martí; *El amigo del hombre*, Jug cóm, l, P. Rodríguez, est, 10-VII-1934, Te. Martí; *El peligro amarillo*, l, C. Robreño, est, 24-VII-1934, Te. Martí; *María Belén Chacón*, Com lír, 1 act, l, J. Sánchez Arcilla, est, 31-VII-1934, Te. Martí; *El solitario de Cunagua*, Rv, l, C. Robreño, est, 7-VIII-1934, Te. Martí; *El premier*, Apr, l, C. Robreño, est, 18-IX-1934, Te. Martí; *Bolero*, Com lír, l, F. Meluzá Otero / A. Castells, est, 13-XI-1934, Te. Martí; *Aquel 4 de septiembre*, Rv, l, C. Robreño, est, 20-IX-1934, Te. Martí; *A la conclusión del año*, Rv, l, C. Robreño, est, 28-XII-1934, Te. Martí; *El pasado vuelve*, l, J. Díaz, est, 1934; *Político-mielitis*, 1934; *El frente único*, Rv, l, J. Díaz, est, 8-I-1935, Te. Martí; *El cuarto de hora*, Zarz cubana, 1 act, l, A. Bronca / M. Sánchez de León, est, 22-I-1935, Te. Martí; *El gran caimán*, Rv de actualidad, 1 act, l, C. Robreño, est, 26-III-1935, Te. Martí; *A las 9 en punto…¡y sereno!*, Rv, l, C. Robreño, est, III-1935, Te. Martí; *El proceso de Dolores*, Zarz dramática, 1 act, l, C. Robreño, est, 16-IV-1935, Te. Martí; *El tren aéreo*, Rv de actualidad, 1 act, l, C. Robreño, est, 4-VI-1935, Te. Martí; *El Teatro Municipal*, Apr, l, J. Díaz, est, 16-VII-1935, Te. Martí; *Contra la República del crimen*, Rv, l, C. Robreño, est, 30-VII-1935, Te. Martí; *El último tango*, farsa cóm lír, l, A. Bronca, est, 20-VIII-

1935, Te. Martí; *Calla corazón*, Com lír, 1 act, l, P. Rodríguez, est, 27-VIII-1935, Te. Martí; *El sweepstake nacional*, Rv, l, C. Robreño, est, 17-IX-1935, Te. Martí; *El apogeo del cinismo*, l, C. Robreño, est, 3-X-1935, Te. Martí; *Alas sobre el charco*, Rv de palpitante actualidad, 1 act, l, C. Robreño, est, 10-XII-1935, Te. Martí; *Clemente*, Com lír, 1 act, l, A. Bronca, est, 27-XII-1935, Te. Martí; *Cambio de factores*, farsa fantástica, l, P. Rodríguez, est, 24-III-1936, Te. Martí; *El jamón*, Rv, 1 act, l, A. Rodríguez, est, 7-IV-1936, Te. Martí; *El 88 corrido*, Rv, l, C. Robreño, est, 17-IV-1936, Te. Martí; *El Doctor Mata*, Jug cóm lír, 1 act, l, R. Sánchez Varona, est, 15-V-1936, Te. Martí; *El 88 fijo*, Rv, l, C. Robreño, est, 29-V-1936, Te. Martí; *El almuerzo de Pilar*, l, C. Robreño, est, 24-VII-1936, Te. Martí; *Amalia Batista*, Sai lír, 2 act, l, A. Rodríguez, est, 21-VIII-1936, Te. Martí; *El sargento Roberto*, Zarz, l, S. Torres, est, 3-IX-1936, Te. de la Ciudad Militar de Columbia; *Aquellos polvos…*, Zarz, l, P. Rodríguez, 22-IX-1936, Te. Martí; *A vivir del presupuesto*, l, R. Fernández, est, 29-IX-1936, Te. Martí; *El consultorio del amor*, Rv, l, J. Sánchez Arcilla, est, 2-X-1936, Te. Martí; *El teatro se va*, Rv de dolorosa actualidad, l, C. Robreño, est, 30-X-1936, Te. Martí; *Don Juan Mortuorio y Don Luis Jutía*, Rv, est, 1936, Te. Martí; *Control remoto*, Rv de actualidad, 1 act, l, J. Díaz, est, 3-XII-1937, Te. Principal de la Comedia; *Guamá*, Zarz, est, 1937; *El hombre de la guayabera*, Zarz Rv de palpitante actualidad, l, C. Robreño, est, 1937; *A la orden, Coronel*, est, 1938; *Aquí sobra uno*, est, 1938; *Así es mi vida*, est, 1938; *Caballeros, silencio*, est, 1938; *Caretas de 1938*, est, 1938; *Cuentos siboneyes*, est, 1938; *De La Habana me voy*, est, 1938; *Don Juan Bautista y Don Luis Loredo*, est, 1938; *El hijo de Oba-Talá*, est, 1938; *El hombre de Miami*, est, 1938; *El jefe de la Revolución*, est, 1938; *El negro corsario*, est, 1938; *El niño de Guatapeor*, est, 1938; *El paraguas del chambelán*, est, 1938; *El potro del martirio*, est, 1938; *El reajuste provisional*, est, 1938; *El torón*, est, 1938; *El trust del dolor*, est, 1938; *La bolita nacional*, est, 1938; *La defensa de las Américas*, est, 1941; *El guanajo de Liborio*, est, 1941; *Aluminio para los yanquis*, est, 1944; *Mambises*, est, 1944; *El gGeneral huyó al amanecer*, resumen teatral, 1 act, l, C. Robreño, est, 30-I-1959, Te. Martí; *¿Voy bien, Camilo?*, est, 1959, Te. Martí; *El Bravo*, Sai lír, l, E. Núñez Rodríguez, est, 2-VII-1965, Te. Martí; *Voy abajo*, Sai, est, 1965, Te. Martí; *El dengue*, l, E. Núñez Rodríguez, est, 1966, Te. Martí; *Tambores*, est, 1967, Te. Martí; *Gesta de sangres*, est, 1968; *Fiesta de julio en "Martí"*, est, 1970; *Camagüey en el año 2000*; *El voto de las mujeres*; *Gua, tu, tri, cojan puesto*; *La caída del César*; *La verbena de la tiñosa*; *Los sin trabajo*; *Soledad*; *Todo está igual*.

BIBLIOGRAFÍA: *DMEH*; *LVB*; J. García Porrúa: "Vigencia de Rodrigo Prats: Yo soy así. Entrevista imaginada", *Clave*, La Habana, IV/VI-1989; A. J. Molina: *150 años de zarzuela en Puerto Rico y Cuba*, San Juan, Ramallo Bros. Printing, 1998.

CLARA DÍAZ PÉREZ

Prats, Juan. España-México, siglo XIX. Tenor. Era de origen español y viajó a México con la compañía de Gaztambide y fijó su residencia allí, donde desarrolló una notable carrera como cantante de zarzuela. De su debut se apuntó que "agradó mucho Prats, que por ese tiempo gozaba de todo el esplendor de su robusta voz, valiéndole ello para que se le perdonase... su dura y defectuosa pronunciación del castellano".

En 1874 se asoció con su colega Manuel Carratalá y formó la Compañía de zarzuela Prats-Carratalá cuya primera función tuvo lugar en el teatro

Nacional en 1874, con las obras *Marina* y *Un pleito*. Sin embargo, en agosto de ese año "la Compañía hubo de dar fin a sus trabajos después de una campaña de poco lucimiento y menor producto material", ello a pesar de la producción de diversas zarzuelas, entre ellas *El potosí submarino*, zarzuela cuyo aparato escénico constituía todo un espectáculo. A pesar de este revés como empresario, Prats continuó cantando en diversas funciones de la escena mexicana al menos hasta 1891. En 1884 Prats tuvo un distinguido beneficio con *La conquista de Madrid* de Gaztambide y en 1891 obtuvo sonados éxitos como Jeremías en *El rey que rabió* de Chapí. Ese año, y en otra función de beneficio, dirigió al público mexicano un discurso que quedó grabado en la prensa: "Hoy que pagando un justo tributo a la naturaleza, camino al ocaso de mi carrera artística; hoy que quizá por la postrera vez tengo la honra de ofrecer mi función de gracia, quiero hacer constar que si el tiempo aminoró mis facultades como artista, no apagó el fuego de mis sentimientos, y que, por lo tanto, en lo más sagrado de mi alma guardo el más sincero cariño y agradecimiento para todos aquellos mexicanos y españoles que me honraron con su amistad y aprecio. Sírvales esta mi función de gracia como testimonio de mi aprecio y de la estimación que por ellos siente el viejo artista". A decir de Olavarría, fue una despedida apropiada, "la función estuvo bastante concurrida y Prats fue muy aplaudido en *El postillón de la Rioja*, que en sus verdes años había sido uno de los mejores papeles".

BIBLIOGRAFÍA: *RHTM*.

ROCÍO TERÁN / RICARDO MIRANDA

Matilde Pretel en La tempestad
(Foto: Compañy; Ar. SGAE)

Pretel, Matilde. Valencia, 1874; Madrid, 26-XI-1965. Tiple. Estudió en el Conservatorio de Valencia decidiéndose desde el inicio por la zarzuela y debutando en el teatro de la Zarzuela con el papel de Roberto de *La tempestad* de Chapí. En 1894 estrenó *El tambor de granaderos* de Chapí en el teatro Eslava, que supuso su consagración como gran diva de la zarzuela. Dotada de magnífica voz, buena presencia, cualidades teatrales y una magnífica pronunciación, para su voz concibió Chapí su siguiente obra, *Mujer y reina* que se estrenó en 1895 en el teatro de la Zarzuela. En 1896 estaba contratada en el teatro Príncipe Alfonso donde estrenó *El saboyano* de Fernández Caballero y *Cuadros disolventes* de Nieto. En 1897 formaba parte de la compañía del teatro de la Comedia, encabezando el cartel junto a Leocadia Alba, estrenando *La piel del diablo* de Chapí y *El guardia de Corps* de Bretón. En 1899 fue contratada por el Apolo donde estrenó entre otras *La buenaventura* de Vives y Güervós, *La familia de Sicur* de Giménez, *Los buenos mozos* de Chapí y *El estreno* de este mismo autor, concebida para su voz. Hizo famosa la "Canción gitana" de *El motete* de Serrano y también estrenó *El género ínfimo* junto a Isabel Brú y Joaquina Pino. Tuvo una compañía propia de zarzuela con Bonifacio Pinedo. Se retiró a los 43 años y fue una de las cantantes más importantes del período del género chico.

BIBLIOGRAFÍA: *DMEH; HGZ; TA.*

EMILIO CASARES RODICIO

Prieto, Enrique. España, siglo XX. Actor, autor dramático y empresario. Su nombre está unido a los de Lastra y Ruesga y la creación del teatro por horas. Escribió un gran número de obras del género chico y fue un gran impulsor de la revista, junto a sus colaboradores habituales, aunque también escribió solo o con otros autores como Granés, Caba, Barberá o Alba. La colaboración literaria con Lastra y Ruesga se complementa con la colaboración musical de Chueca y Valverde. Así este quinteto se adentró en el género de la revista: en 1882, con *Luces y sombras*, en 1883 *De la noche a la mañana*, obra con la que se inició la revista de espectáculo en el Variedades, se representó 96 veces seguidas y pasó a formar parte del repertorio. En 1884, otra revista política, *Vivitos y coleando*, se representó 145 veces sin interrupción. Aprovechando el éxito de ésta, en 1885 estrenaron *En la tierra como en el cielo*, sátira de actualidad política, que debió parte de su éxito al actor Juan José Luján. Terminada la colaboración con Chueca y Valverde, Prieto siguió, sin embargo, su fructífera colaboración literaria con Lastra y Ruesga en otras dos obras: *El testamento y la clave* de Ángel Rubio y Casimiro Espino, dentro del género de zarzuelas de viajes que se había puesto muy de moda, estrenada en 1886; y *El fantasma de los aires* de Chapí, estrenada en 1887, que propició el fin del teatro Variedades, que se incendió durante la representación de esa obra. *Véase* EL ARCA DE NOÉ.

BIBLIOGRAFÍA: *CDE; CTLBN; OGCH*; M. Muñoz: *Historia de la zarzuela y el género chico*, Madrid, Ed. Tesoro, 1946.

Mª LUZ GONZÁLEZ PEÑA

Príncipe bohemio, El. Opereta en un acto. Música de Rafael Millán. Libreto de Manuel Merino y Manuel G. de Lara. Estrenada el 30 de octubre de 1914 en el teatro de la Zarzuela de Madrid.

Personajes y reparto. Olga (María Marco, soprano). Edim (Rafaela Haro, mezzosoprano). Fátima (Rosario Leonís). Princesa Sofía (Sofía Romero, mezzo). La Ivannof (Ortega). Nika (Candela Raso). La Wiki (Leonor Suárez). Manon (Teresa Saavedra). Drina (Carmen Terán). Esther (Pilar Escuer). Lady (Pepita García). Mery (Lola Crespo). El príncipe Alí (Valentín Parera, barítono). Osman (Eduardo Marcén, tenor). Scotti (Francisco Meana, tenor). El almuhédano (Rafael López, tenor). Salacoff (Castañeda, tenor). El príncipe Jusuff (Morales, barítono).

Orquestación. Flautín, flauta, oboe, 2 clarinetes, 2 fagotes, 3 trompas, 2 cornetines, 3 trombones, tuba, timbales, caja, triángulo, plato, tamboril, chirimía, lira, bombo, platos, trompetas (dentro), arpa y cuerda.

Argumento. La acción tiene lugar en el imperio otomano, en época contemporánea, es decir, durante las guerras de los Balcanes, los últimos momentos del imperio, que en esos momentos ya estaba implicado en la primera guerra mundial. La duquesa rusa Olga debe casarse con el príncipe otomano Alí para sellar una alianza entre ambos imperios. Alí es un mujeriego, amante de la vida parisina y de la diversión con "cocottes". Olga empieza resignándose a un matrimonio sin amor –a pesar de que el diplomático Scotti está perdidamente enamorado de ella–, pero luego decide enamorar a Alí. Se servirá de Osmán, el asistente militar del príncipe, y de Edim, la amante de Osmán; ellos son el contrapunto bufo a la pareja noble. El día de la petición oficial de mano, Alí está ausente, con el pretexto de que su presencia se requiere en unas maniobras militares, cuando realmente está disfrutando de su último día como soltero. Olga, afrentada, se disfraza como vendedora de dalias en el mercado de Silistra, donde está el campamento de Alí, y donde éste hace sus calaveradas. Al ver Alí a Olga, él queda enamorado de ella, y trama un plan para poder casarse con la única por quien siente auténtico amor y anular su compromiso oficial, sin saber que la jardinera es la duquesa. En el último cuadro, en el castillo de Málgara, y después de una regañina entre Edim y Osmán, Alí descubre que la duquesa y la jardinera son la misma persona, y juntos acaban cantando su felicidad. El argumento recoge tópicos del género arrevistado como las vicetiples –las "cocottes"–, la pareja cómica, y las constantes alusiones a París como a la ciudad sensual por excelencia.

Números musicales. Preludio instrumental. Nº 1. Olga, Yussuf, invitados y coro, "Señora duquesa reciba mi parabién". Nº 1bis. Orquesta. Nº 2. Osmán y Edín, "Es la vida del soldado la mejor que puede haber". Nº 3. Olga, Scotti, Salacoff, tres diplomáticos, "Muerto mi ideal, qué va a ser de mí!". Nº 4. Príncipe Alí, Cocottes y oficiales, "Cette patan, boar le champan". Nº 4bis. Instrumental. Nº 5. Príncipe Alí, Cocottes y oficiales, "París! París de mis ensueños". Nº 6. Tenor, coro general, "Tralalá, tralalá". Nº 7. Rosas y coro general [número suprimido], "Rosas llevo". Nº 8. Olga y coro general, "Dalias vendo yo, dalias del jardín". Nº 9. Olga y príncipe Alí, "La flor te envidia encantadora". Nº 9bis. Instrumental. Nº 10. Orquesta. Nº 11. Osmán y Edin, "Eres infiel, Edín cruel". Nº 12. Olga, Príncipe Alí y coro general, "El ensueño de mi amor ya se ha llegado a realizar".

Comentario. *El príncipe bohemio* es un buen exponente de una obra que está a medio camino entre la opereta y el género arrevistado. Después de un preludio instrumental de marcado carácter lírico, con leves especulaciones con el contraste modal, y de referencias a un tema marcial que se reexpone más tarde, enlaza con el coro inicial, de corte muy convencional, con la apariencia de dejadez e intrascendencia que se desprende del libreto. Esta atmósfera apática se desvanece en el solo de Olga, "Princesa bella y gentil, temprana rosa de abril", de importantes saltos intervválicos, y ámbito en la tesitura de la voz muy amplio. Los números en que intervienen los personajes cómicos, Osmán y Edín, adquieren tintes bufos, bien a través de los ritmos de marcha, bien a través de unos perfiles melódicos arrevistados, o de una fuerte personalización rítmica, como en el pasaje de "Qué loco frenesí". La influencia del cuplé es muy evidente en el Nº 4, momento en el que aparecen las cocottes, y se refiere la imagen de París, cantando incluso en un francés macarrónico. Uno de los momentos más interesantes de la obra llega con la romanza de barítono del Nº 5, con un trabajo más cuidado en armonía y melodía, y un *Allegro con brio* destacable. El exotismo arcaizante aparece en diferentes momentos de la partitura, caso del canto del almuhecín "Dios del musulmán, yo creo en ti" –donde tocan una chirimía, más flautín y flauta–, o los melismas orientalizantes de Olga en el mercado, en el Nº 8. Casi siempre se hace uso de la

Cortesía de Unión Musical Ediciones SL

homofonía cuando no del unísono, del entorno modal –casi no hay cromatismos ni segundas aumentadas–, y se tiende a la simplicidad, realzándose el timbre con la chirimía. Otro de los momentos musicalmente interesantes es el dúo de Olga y Alí, "La flor te envidia encantadora", en el que son interesantes las intervenciones concertantes instrumentales que se combinan con la línea melódica del canto.

Fuentes manuscritas. La partitura se conserva en el archivo de la SGAE en Barcelona. Los materiales de orquesta se conservan en el archivo de la SGAE en Madrid (4157).

Ediciones de música. Canto y piano, Madrid, UME, 1915. Cuerda y piano, selección, Madrid, UME.

Ediciones del libreto. Madrid, R. Velasco, 1914; madrid, SAE, 1916.

FONOGRAFÍA: RP: Victoria 5214, 5215 y 5216.

FRANCESC CORTÈS i MIR

Proceso del Cancán, El. Revista fantástica de bailes en dos actos. Música de Francisco Asenjo Barbieri. Libreto de Amalfi (seudónimo de Rafael María Liern). Estrenada el 8 de julio de 1873 en el teatro de los Jardines del Buen Retiro de Madrid.

Personajes y reparto. La Seguidilla (Teresa Rivas, tiple). La Polka (Dolores Perlá). Terpsícore (Adela Leida). La Pavana (M. Moral). Ninfa 1ª (M. Fernández). Ninfa 2ª (N. N.). El Lancero (Luis Carceller). El Cancán (Ricardo Zamacois, actor). El Bolero (José Sala Julién). Rondalla (Ramón Benedí). Infantil (N. N.). Capellanes (N. N.). Bailarines, lanceros, aragoneses, toreros, napolitanos, cuadrilla de Cancán, habaneras, polka, mazurca, redowa…

Orquestación. Flautín, flauta, 2 oboes, 2 clarinetes, 2 fagotes, 2 cornetines, 2 trompas, 2 trombones, timbales, triángulo, bombo, castañuelas, tambor, lira, sistro, guitarra y cuerda.

Argumento. *Acto I.* Atrio del templo de Terpsícore. Terpsícore y sus ninfas están preparando los esponsales de varias danzas; Seguidilla se casa con Rondalla y Polka con Lancero. Terpsícore, diosa de la danza, advierte que no está dispuesta a tolerar privilegios pues para ella todas las danzas son igualmente importantes. La Pavana, danza de salón, se muestra preocupada por que la diosa admita que se casen danzas de salón y danzas populares, "se fusionan el baile de los salones y el del candil", y está horrorizada de tener que alternar con esa gentuza. Llegan la Seguidilla y el Bolero echando olés y felices con el acontecimiento en el que van a tomar parte, y Terpsícore da la bienvenida a los bailes españoles. A continuación aparece el Lancero, con traje de militar inglés que viene acompañado de su cuadrilla. Aparece la diosa Terpsícore que hace las presentaciones.

Cada uno de los contrayentes trae regalos y séquito: Rondalla va seguido de unos aragoneses que traen cestos de frutas, hay una cuadrilla de napolitanos, bailarines negros. El Bolero trae su cuadrilla: la Redowa y la Polka Mazurca. En este momento una ninfa le comunica a la diosa que un baile desconocido quiere entrar a la fuerza en el palacio y trae una tarjeta que le ha dado, se trata del baile "Monsieur Cancán". Dicho señor no se hace esperar y se presenta ante la diosa sin haber sido invitado gesticulando y creciendo a paso de cancán, la diosa le conmina a guardar respeto y compostura y a abandonar el lugar.

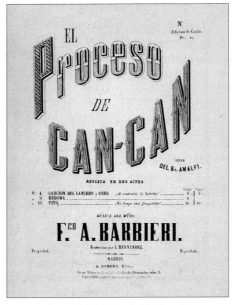

Cortesía de Unión Musical Ediciones SL

El Cancán se va pero decide robar a Seguidilla y a Polka. Se produce una discusión entre los bailes acerca del Cancán; a la Polka y a la Seguidilla les ha parecido gracioso y la Pavana está indignada. A la hora de formalizar la ceremonia aparece un escribano desconocido que dice que el autorizado está muy enfermo; este escribano nuevo no es otro que el señor Cancán disfrazado, que aprovecha para hacer firmar a Polka y Seguidilla sin que lo adviertan y resulten casadas con él. Al darse cuenta del engaño Seguidilla reacciona violentamente, pero a Polka le encanta la idea.

Acto II. Terpsícore preside un tribunal en el que se juzga la actuación de Cancán. Llega el Bolero que acusa al Cancán de haberse bañado desnudo; aparecen los implicados, Seguidilla quiere saber con cuál de las dos danzas se quedaría Cancán, pero éste le dice que con las dos; finalmente Cancán expone que se casará con la que le saque libre del proceso que se le sigue. Las dos danzas discuten por él. El Bolero actúa de fiscal del proceso, discuten sobre cuál de las dos danzas es más española. Bolero deduce que Seguidilla no va a encontrar marido después de todo el follón y les dice que él la casará con quién le cante con más gracia una seguidilla.

Finalmente aparece Terpsícore solemne y comienza el juicio. Seguidilla se encarga de la defensa de Cancán. La presidenta del tribunal hace un interrogatorio al acusado, después habla Bolero defendiendo los bailes españoles, y pidiendo que se expulse de España al Cancán. Habla a continuación la Seguidilla que es la abogada defensora y que pretende demostrar que algunas de las danzas españolas son tan inmorales o más que el Cancán, y finalmente pide a Cancán que baile para que puedan juzgar que cuando oye la música es presa de algún portento y no puede dejar de bailar. La asamblea le aclama pero la diosa no está de acuerdo y le quiere desterrar. Bolero decide que se casen y finalmente la diosa accede y todo termina felizmente con Cancán y Seguidilla a punto de casarse.

Números musicales. Acto I: Nº 1. Coro y Terpsícore, "Ya llegan los bailes". Nº 2. La Pavana, la Polka y Terpsícore, "Soy la novia del Lancero". Nº 3. Terpsícore, Seguidilla y Bolero, "Dios echó en un puchero". Nº 4. Canción del Lancero y coro, "Al contrario la batalla". Nº 5. Rondalla y coro, "De mi tierra bendecida". Nº 6. Cancán, "Yo estar el siñor Cancán". Nº 7. Seguidilla, "Yo tengo una fragatilla". Acto II: Nº 8. Coro, Terpsícore, "Servir a nuestra diosa". Nº 9, Redowa, Cancán y Bolero, "Ole. Yo comer la mostaza". Nº 10. Coro, "Hoy, Temis, la sagrada". Nº 11. Vito, Terpsícore y todos, "Yo tengo una fragatilla".

Comentario. El 10 de julio se estrenaba con gran éxito en el teatro de los Jardines del Buen Retiro en dos actos *El proceso del Cancán*, revista original de Rafael María Liern. La obra trata de un tema puesto de moda por los bufos, la danza del cancán y es, como se señala en el libreto, "una revista fantástica de bailes". Barbieri la realizó muy deprisa, aprovechando que Liern era el director del teatro de los Jardines del Buen Retiro. Se trata, en realidad, de una alegoría especialmente dominada por el espíritu de la danza, que tanto influyó en el futuro desarrollo del género chico y es esencialmente un ejemplo más de zarzuela próxima al estilo bufo impuesto por Arderius y al que sirvió Barbieri con obras tan interesantes como *Robinson*, *De tejas arriba*, *El pavo de Navidad* y *El tributo de las cien doncellas*. La obra que incluye varios números de danza, tanto española como europea, se puede considerar un homenaje a este género de música que tanto le ayudó a formar su concepto lírico hispano. En ninguna otra obra de Barbieri aparecen tantos y tan variados números de danzas.

El análisis desde esta perspectiva y siguiendo los once números musicales de que consta la obra, da la siguiente estructura: un preludio con la forma A B A' B', que es la sucesión de una marcha, A, y un "aire de vals", B. Le siguen una polka, una seguidilla y un bolero, un lancero, la quinta una rondalla que es una jota, la sexta coro de mujeres en 6/8, la séptima coro de hombres, en realidad una habanera, la octava una seguidilla, la novena un coro con aire de redowa, la décima en 6/8, la 11ª, una seguidilla, la 12ª un aire de galop, la 13ª, "aire de la Mancha", la 14ª, una seguidilla, la 15ª "aire de Marcha", la 16ª,aire de habanera", la 17ª sin definición dancística, y la 18ª "aire de jota".

El proceso del Cancán es por otra parte un testimonio del gran crecimiento que la danza está teniendo en la época de la Restauración donde los salones de baile se imponen en la vida madrileña. Es una respuesta más a la gran influencia francesa. Desde los viajes que Barbieri, Gaztambide, Hernando y los hombres de teatro como Olona realizan a París y que lleva a una decidida influencia de los modelos franceses, se va imponiendo una gradual invasión del baile. En Madrid surgieron los salones especializados como los Salones orientales o el de Capellanes. En torno a ellos se produjo incremento en la presencia de las danzas europeas de moda que tanta importancia iban a tener en el mundo del piano pero sobre todo en la llegada ya próxima del género chico.

Fuentes manuscritas. Una partitura se conserva en el archivo Areu (Alburquerque, Nuevo México). Los materiales de orquesta se conservan en el archivo de la SGAE en Madrid (2299). La partitura de canto y piano se conserva en la Biblioteca Nacional de Madrid.

Ediciones de música. Canto y piano, ed. I. Hernández, Madrid, AR.

Ediciones del libreto. Madrid, Imp. de G. Alhambra, 1874; 2ª ed., Madrid, Imp. I. Moraleda, 1877.

BIBLIOGRAFÍA: *OGCH.*

EMILIO CASARES RODICIO

Proenza Díaz la Roche, Náyade. Banes (Holguín), 8-XII-1942. Soprano. Se inició en la música integrando coros de aficionados. Recibió clases de canto de Raúl Camayd. Formó parte del teatro Lírico de Holguín Rodrigo Prats desde su fundación en 1962, cuyo concierto inaugural le sirvió para realizar su debut escénico, interpretando el personaje de Rosaura en la zarzuela *Los gavilanes*. Entre los años

Náyade Proenza como Ana y Raúl Camayd, como Danilo en La viuda alegre, *1972, teatro Infante de Holguín, cuba (Foto: Ar. ICCMU)*

1991 y 1994 realizó una importante labor como directora del teatro Lírico de su ciudad natal. Dentro de su repertorio destaca la interpretación del papel protagonista de *Amalia Batista*, bajo la dirección musical del propio Rodrigo Prats, en 1979 así como su participación en otras obras como *La Habana que vuelve* y *La viuda alegre*. Su labor como cantante ha sido admirada en toda la isla, y en otros países como Perú y Corea. También es importante señalar el trabajo que ha desempeñado desde el punto de vista pedagógico con la formación de nuevos valores del canto.

CAROLE FERNÁNDEZ MARTÍNEZ

Pros, Miguel. España, siglo XX. Cantante y actor. Participó en numerosos estrenos de zarzuela del siglo XX: *Promesa real* de Francisco Palos y José Ortiz de Zárate, teatro Nuevo de Barcelona, 1923; *La montería* de Guerrero, Circo de Zaragoza, 1923; *La granjera de Arlés* de Ernesto Pérez Rosillo, Zarzuela, 1924; *La rosa del azafrán* de Guerrero, Calderón de Madrid, 1930; *María, la tempranica* de Gerónimo Giménez y Federico Moreno Torroba, Calderón de Madrid; *La castañuela* de Alonso y Acevedo en el Calderón, 1931; *La fama del tartanero* de Guerrero, tetro Lope de Vega de Valladolid, 1931 y Calderón de Madrid, 1932; *Luisa Fernanda* de Moreno Torroba, Calderón de Madrid, 1932; *La chulapona* de Moreno Torroba, Calderón, 1934 y *La boda del señor Bringas o Si te casas la pringas* también de Moreno Torroba, Calderón, 1936, protagonizada por Felisa Herrero y Pedro Terol.

Mª LUZ GONZÁLEZ PEÑA

Puchol. Familia de cantantes españolas formada por las hermanas Luisa y María.

1. Luisa. España, siglos XIX-XX. Tiple. En 1914 estrenó en el teatro Martín *El soldado de cuota* de Foglietti y Marquina. Formaba parte de la compañía de zarzuela y opereta de Vicente Lleó que actuaba en el teatro Martín y en 1916 se pasó al teatro de la Zarzuela. Protagonizó con Lola Vela el estreno de la opereta de R. Millán, *Las alegres chicas de Berlín*, 1916, con gran éxito. Participó en *La guitarra del amor* de Bretón, Vives, Giménez. Luna, Villa, Barrera, Anglada, Brú y Soutullo, destinándose sus beneficios para el Montepío de la Asociación de maestros compositores. Cada uno de los músicos había escrito un número de la obra, que fue un gran triunfo para todos. Se casó con el famoso actor Mariano Ozores,

Las hermanas Puchol (Foto: Nuevo Mundo, 1923; Ar. ICCMU)

con el que compartió estrenos como *Blanco y Negro* de Millán, Odeón, 1920, y se apartó momentáneamente del teatro mientras esperaba a su primer hijo, y en julio de 1922 reapareció en el teatro Paraíso. En 1923 estrenó en el teatro Cómico junto a su hermana María y su marido Mariano Ozores la opereta de Gilbert *El tío Paco*. Posteriormente se convirtió en actriz de carácter y así actuaba en 1954 en el teatro de la Zarzuela, formando parte de la compañía de Ruth Molly que dirigía su esposo, con la que estrenó la revista de Algueró y Montorio, *Diga usted: 33.*

2. María. España, siglos XIX-XX. Tiple. No alcanzó tanta fama como su hermana. Estrenó en 1914 en el teatro Martín *El quinqué de Petronilo* de Quislant y Romero. Formó parte de la compañía de zarzuela y opereta de Vicente Lleó que actuaba en el teatro Martín y en 1916 se pasaron al teatro de la Zarzuela. En 1923 estrenó en el teatro Cómico la opereta de Gilbert *El tío Paco*.

BIBLIOGRAFÍA: E. García Carretero: *Historia del teatro de la Zarzuela de Madrid*, Madrid, Fundación de la Zarzuela Española, 2003.

Mª LUZ GONZÁLEZ PEÑA

Puchol, Carlos. Dolores (Alicante), 8-III-1907; ?, 29-IX-1999. Barítono. Se inició como aficionado en su pueblo y después se trasladó a Madrid donde realizó estudios con Ignacio Tabuyo y declamación con Nieves Suárez. Debutó en el teatro de la Zarzuela con *La guitarra de Fígaro* de Sorozábal con gran éxito, y a partir de ese momento interpretó la mayoría de los papeles de barítono de la zarzuela del siglo XX: *Luisa Fernanda, La del Soto del Parral, La del manojo de rosas, Molinos de viento, Los gavilanes, La parranda* y *La calesera*, entre otras. En su repertorio llevaba además *Marina*, cantando el papel de Roque.

BIBLIOGRAFÍA: *CCE*.

Mª LUZ GONZÁLEZ PEÑA

Puchol, Salomé. España, siglos XIX-XX. Tiple. Participó en diversos estrenos como *Pero ¡cómo está Madrid!* de Giménez, Tívoli, 1891; *El día del juicio* de Quinito Valverde, Eslava, 1892; *El cintillo prodigioso* de Ángel Ruiz, Martín, 1893; *Cruz laureada* de Ángel Rubio, Recoletos, 1894 y *Simbad el marino* de Apolinar Brull, Circo, 1896.

Mª LUZ GONZÁLEZ PEÑA

Puente, Luisa. Málaga, 1876; ?. Tiple. Su voz y su escuela de canto la hicieron famosa, así como su hermosa figura y sus dotes de actriz. Debutó en Málaga y posteriormente estrenó en Zaragoza *Las zapatillas* de Chueca con muchísimo éxito. Trabajó en los teatros del norte de España –Bilbao, Haro, Vitoria, Burgos y Pamplona– y sobre todo en los de Cataluña.

BIBLIOGRAFÍA: F. Cuenca: *Teatro andaluz contemporáneo. 2. Artistas líricos y dramáticos*, La Habana, Maza, 1940.

Mª LUZ GONZÁLEZ PEÑA

Puente, N. de la. Málaga, ?, siglos XIX-XX. Tiple. Actuó en casi todos los teatros madrileños y españoles con gran éxito. Al casarse con Manuel Fernández Caballero se retiró de la escena. Entre sus hijos figura el dramaturgo Manuel Fernández de la Puente. *Véase* FÉRNANDEZ.

BIBLIOGRAFÍA: F. Cuenca: *Teatro andaluz contemporáneo. 2. Artistas líricos y dramáticos*, La Habana, Maza, 1940.

Mª LUZ GONZÁLEZ PEÑA

*Ricardo Puente y Brañas
(Foto: E:Mn)*

Puente y Brañas, Ricardo. La Coruña, 1835; Madrid, 1880. Dramaturgo. Hermano del periodista y poeta José, conocido como "el Zorrilla gallego", Ricardo comenzó trabajando en el comercio, para ingresar después en la Administración del Estado donde llegó a alcanzar los puestos de Gobernador Civil de Alicante y León. Ejerció de periodista en diarios gallegos como *El Iris de Galicia* o *El Defensor de Galicia*; fundó *El Tarraconense* y en sus últimos años fue redactor de *El Cronista*. Escribió poemas en gallego y castellano. Como dramaturgo se dedicó especialmente al género bufo, en colaboración con Pastorfido, García Santisteban, Emilio Álvarez y otros, por lo que la mayoría de sus obras se estrenaron en el teatro Circo con los Bufos Arderius, adaptando la opereta de Offenbach *La bella Helena* en colaboración con Miguel Pastorfido; adaptó también *Adriana Angot* en 1877. Su colaboración con José Rogel, el iniciador de los bufos, fue amplia, y crearon obras como *Dos truchas en seco*, 1869, *El rey Midas*, 1870, *Canto de ángeles*, 1871, *El último figurín*, 1873 y *Cuento de hadas*, 1875. También colaboró con Barbieri en *El pavo de Navidad*, estrenada en el teatro Variedades, 1866 y *El rábano por las hojas*, estrenada el mismo año en el teatro de la Zarzuela. Con Guillermo Cereceda escribió el capricho cómico lírico *El general Bum-Bum* y la zarzuela *Pascual Bailón*, ambas en 1868, *Tocar el violón*, 1871 y *Pepe Hillo*, 1873 y con Manuel Fernández Caballero *El velo de encaje*, 1874, estrenada en el teatro de la Zarzuela. Su zarzuela *Rosa de Mar*, con música de nuevo de Cereceda, fue su obra póstuma, estrenada con gran éxito en el teatro Circo de Price, el 1 de febrero de 1882.

BIBLIOGRAFÍA: *CDE; DAT*.

Mª LUZ GONZÁLEZ PEÑA

Puerto Rico. La presencia de la zarzuela en esta nación se debe en primer lugar a las compañías de zarzuela españolas y cubanas que incluían este país en sus giras por el continente. Posteriormente, un grupo importante de compositores puertorriqueños se dedicaron a la creación de zarzuelas.

La primera zarzuela representada en el país fue *El dominó azul* de Arrieta, poco después de su estreno en España. Antes de esta obra, hay diversos testimonios de representaciones escénicas, así el 16 de enero de 1823 el periódico *El Eco* menciona las *Tonadillas* que en tres actos han cantado en el teatro de los Amigos del País en San Juan. En 1824 y 1825 hubo una temporada en el teatro de Amigos del País con una compañía de artistas traídos de Cuba bajo el auspicio de la Sociedad Dramático-Filarmónica, con un repertorio español y cubano, compuesto por un gran número de sainetes, así como de bailes, tonadillas y canciones, siendo destacada la presentación del actor andaluz Santiago Candamo, que divirtió a los sanjuaneros con sus sainetes, algunos de Ramón de la Cruz y otros de su propio ingenio inspirado en temas locales de Puerto Rico. En 1836 se construyó el teatro de Aguadilla en la calle San Carlos, inaugurado por la compañía española de Rosa Peluffo y Gregorio Duclós. En la década de 1850 nacieron o destacaron varios compositores, como Heraclio Ramos, Felipe Gutiérrez, Aurelio Dueño, Francisco Santaella, Manuel Gregorio Tavárez, Eduardo Cuevas, Braulio Dueño Colón, Federico Ramos Escalera, Cosme Tizol y Juan Morel Campos. En 1852 el suplemento del periódico *El Ponceño* informaba que las cuatro funciones de la Compañía de Ópera Italiana de los Vita fueron muy buenas.

Durante la segunda mitad del siglo XIX los teatros en Puerto Rico casi no se cerraban y el espectáculo predominante era la zarzuela, que desde que llegó, se convirtió en uno de los géneros preferidos del público puertorriqueño. El 25 de diciembre de 1856 debutó la compañía cubana Zarzuelistas y Concertistas con *El estreno de una artista*. Al igual que en otros lugares de Hispanoamérica, el interés por la zarzuela fue tan grande que llegó en algunos momentos a ser el género lírico teatral más representado, hasta el punto de tener funciones diarias durante varios meses. Obras de teatro, zarzuelas y recitales de ópera eran muy populares entre las damas y los caballeros en las reuniones de los clubes sociales. Ocasionalmente estos aficionados representaban sus obras en un teatro, pero lo más común fue que las obras por entonces creadas en Puerto Rico las representasen los visitantes profesionales de España o Italia. En 1875 actuó la compañía de la cubana Adela Robreño y por esos años se presentaron las comedias del autor oriundo de Aguadillas Ramón Méndez Quiñones, también autor de zarzuelas. La Compañía de Don Saturnino Blen llegó a la isla en 1861 y las crónicas mencionan el éxito de

Teatro La Perla, Ponce, Puerto Rico

sus numerosas zarzuelas. Su director Ricardo Conde, se estableció en la ciudad de Ponce donde fundó una academia de música y organizó una orquesta a la que llamó Santa Cecilia. En 1865 llegó a San Juan la compañía de zarzuela Villena que también recibió mucho apoyo del público, presentando las obras *Marina* de Arrieta, *El último mono* y *El relámpago*. En 1876 actuó la compañía de Rosario Hueto cuyo director era Mateo Tizol, compositor puertorriqueño que había vivido varios años en Cuba. Según los periódicos hubo una gran rivalidad en el público pues unos apoyaban a la Hueto y otros a Matilde Ortoneda. Según la revista *El Atril*, la rivalidad terminó al casarse la Hueto con Tizol, fijando su residencia en Ponce. En 1889 se presentó la compañía de Abella y Bernard, actuando de director musical, el puertorriqueño Juan Morel Campos. En 1891 llegó a Ponce la compañía del barítono Palou y según Pasarell recibió algunas críticas porque cantaba algunos couplets subidos de tono. En 1896 se presentó la empresa lírica de Lloret y Bernard que causó gran polémica por la representación de *Los mosquitos grises*, tachada de inmoral por su "tufillo de picante libertinaje a lo francés". Por esta época Morel Campos que era director musical, fue herido de muerte sobre el atril, la noche de la presentación en Ponce de *El reloj de Lucerna* de Miguel Marqués. En 1898 se presentó la compañía Cómico Lírica Alonso que aprovechándose de las circunstancias del conflicto con Estados Unidos presentó obras con títulos como *Maquinaciones en La Fortaleza*, *La invasión de Guánica* y *La salsa de Aniceta*.

Debido al cambio de soberanía y la prepotencia norteamericana hubo un tiempo en que no se representaron obras, ni visitaron el país compañías de zarzuelas; sin embargo, en 1904 una institución llamada Unión Artística presentó *Marina*, y en 1907 Amalia Paoli estrenó la zarzuela *Sangre mora*, con letra de José Pérez Losada y Luis Díaz Caneas. Se acababa de estrenar en España la zarzuela *La reina mora* y quizás por ello le pusieron ese título de *Sangre mora*. En San Juan se formó entonces una empresa Músico Teatral que para mantener viva la zarzuela contrataba cantantes que vinieran a Puerto Rico. Entre los patrocinadores se contaban Dimanan Monserrat, Antonio Pérez Pierret, Miguel Guerra, Luis Chevremont, Jacinto Texidor y otros. Así se mantuvo la tradición durante casi veinte años, sien-

do Esperanza Iris la figura que llenó la época, que vino con la compañía de Miguel Gutiérrez. En 1928 llegó la compañía de Julián Santa Cruz que representó *Los gavilanes* de Jacinto Guerrero, *La leyenda del beso* y *Doña Francisquita*. En 1931 se fundó la Sociedad Artística Puertorriqueña de Joaquín A. Burset y Oller que presentó *Los gavilanes*, *El rey que rabió*, *Marina* y *Maruxa*. Hacia 1930 en el Casino de Puerto Rico, en su palacete del viejo San Juan, surgió un grupo denominado Club Artístico que ensayó y presentó zarzuelas teniendo como figuras principales a Blanca Castejón, Amalia Paoli, Fernando Cortés y Emilio Belaval, entre otros. En la década de 1940 hay que resaltar el estreno en el teatro de la Universidad de Puerto Rico de la opereta *Borinquen*, con letra de Julio Marrero y música de Jesús Figueroa Iriarte. En 1947 la Compañía Lírico Española presentó varias zarzuelas en el entonces teatro de moda Riviera. La década de 1950 se inició con las actuaciones de la Compañía de Miguel de Grandy que contaba con Pepita Embil y Plácido Domingo. Durante varios años realizaron temporadas y Grandy sigue siendo una figura muy querida en Puerto Rico. A finales del siglo XX y principios del siglo XXI, puede decirse que la zarzuela en Puerto Rico es parte fundamental de su actividad lírico teatral.

Desde la década de 1960 ha existido un gran movimiento en torno a la zarzuela que denota las simpatías de que goza el género en todo el país, y en este sentido hay que resaltar la contribución de Ignacio Morales Nieva, compositor, profesor, crítico musical y promotor, que llegó a Puerto Rico en 1954. Ha llevado a cabo una importante actividad a favor del género, impulsando la creación de nuevas obras, orientando a diversas formaciones, así como recuperando obras no habituales del repertorio. Fundó el Grupo de Música de Cámara Padre Antonio Soler. Fue uno de los iniciadores de la Fundación Puertorriqueña de Zarzuelas y Operetas, junto a Elsa Rivera Salgado, Rosalía Gutiérrez, Bartolomé Bover, Raquel Ferrer de Concepción, Samuel R. Quiñones y su mujer, y Nelly Úbeda. Aunque siendo primera en el tiempo, la institución Pro Arte Lírico, todos los demás grupos han tenido

Programa del debut de Pepita Embil en el teatro Tapia, Puerto Rico en 1950

mayor continuación, con más o menos éxito. Otro personaje importante es Pedro Gómez, a quién se ha denominado "cruzado de la zarzuela".

Los compositores puertorriqueños necesitaban reafirmar su identidad frente a las corrientes de la misma España por el europeísmo. Frente a la desgracia se refugiaron en lo castizo y regional pero cuando cumplió con su función, hubo que buscar nuevos elementos para su creación.

Las más importantes instituciones dedicadas a la zarzuela son:

Pro Arte Lírico, institución fundada por Pedro Gómez en 1967, es la más antigua de las que se mantienen activas en Puerto Rico. Esta compañía monta por lo menos cinco producciones y varias docenas de funciones anuales de zarzuelas, operetas e incluso óperas. Utilizan el teatro del Ateneo o la Casa de España como su sede y los precios de las taquillas permiten a personas de escasos recursos presenciar teatro lírico sin que eso sea un sacrificio económico. A excepción de los artistas invitados, nadie cobra por sus actuaciones. Su fundador y director es el barítono Pedro Gómez.

Fundación Puertorriqueña de Zarzuela y Opereta. Se organizó en 1971. Surgió bajo el liderazgo de Elsa Rivera Salgado y de Rosalía Gutiérrez. Entre sus propósitos señalan el mantener vivo el gusto por el género de la zarzuela y la opereta, el que forma parte del patrimonio musical cultural de Puerto Rico, y sobre todo para mantener la memoria de los maestros puertorriqueños Gutiérrez, Morel Campos, Rafael Hernández, Arturo Somohano y otros. En esta fundación se ofrecen talleres de trabajo a los cantantes puertorriqueños.

Agrupación de Teatro Lírico Hispanoamericano de Puerto Rico. Es otra fundación organizada a finales de 1985 por el barítono Pedro Gómez. Inició labores en 1986 cuando se filmó el documental *Ciento treinta años de zarzuela en Puerto Rico*, con motivo de cumplirse el ciento treinta aniversario de la primera presentación de zarzuela en Puerto Rico que se distribuyó a escuelas, colegios, universidades, estudiantes y amantes de la zarzuela.

Fundación Lírico Teatral Elsa Rivera Salgado. Activa desde la década de 1980 ha desarrollado su trabajo como una nueva propuesta de su directora Elsa Rivera.

Grupo de la Academia del Perpetuo Socorro. El teatro lírico le debe mucho porque sembró desde los años 1950 entre sus jóvenes estudiantes el amor por ese género musical.

Glee Club del Colegio Universitario del Sagrado Corazón. Fundado en 1941, desarrolló varias producciones entre las cuales destacaron: *Katiuska, El rey que rabió, La viejecita, Don Manolito* y otras.

Compañía Puertorriqueña de Zarzuela. Fue fundada en el verano de 1963 por Javier Asencio, Frieda Stubbe, Rony Jarabo y Rafael Ramírez, que recibieron el apoyo de un grupo de amigos.

Conjunto de zarzuelas de la Casa de España de San Juan de Puerto Rico. Fue fundado en 1967 por el barítono Pedro Gómez que hizo presentaciones de zarzuelas en dicha Institución por espacio de cerca de quince años hasta 1982.

Agrupación Puertorriqueña de Teatro Lírico (APTEL), fundada en 1973, ha dado durante su existencia las ya acostumbradas giras por toda la isla.

OBRAS PUERTORRIQUEÑAS (Selección): *Agua mansa*, Jug cóm, M, l, J. Andino; *Aladino y la lámpara maravillosa y Malefort contraataca*, M, G. René, l, M. Casas; *Alma Borincana* M, l, A. Tamayo; *Alma criolla*, M, R. Hernández, l, F. Cervoni Brenes; *Alma y olas*, M. J. Sánchez Acosta, l, J. Simón de Arce; *Amor es triunfo*, M. J. Morel Campos; *Amor patrio*, Opt, M, J. Sánchez Acosta, l, L. Córdova Álvarez; *Amor que nace y amor que muere*, M, F. y L. Cuesta Castañón, l, R. Balseiro Dávila; *Cada loco con su tema*, M, C. Duchesne, l, R. Escalona; *¡Clemente!*, M, P. Maldonado, E. Fernández, l, P. Maldonado, est, 10-IV-1987, Centro de Bellas Artes (San Juan); *Cofresí*, Opt, M, R. Hernández, l, G. Palés Matos; *Colegialas*, M. R. Hernández, l, A. M. González; *Después de la prohibición*, M, M. Lacomba, l, J. Limón de Arce; *Día de Reyes*, M, R. Hernández/M. Tisal / A. Samoano / R. Muñiz, l, J. Nadal; *12 de mayo*, M, F. Calleja, l, A. Moreno Calderón; *Don Criterio*, M, l, J. Morel Campos; *Don Mamerto*, M, J. Morel Campos, l, S. Figueroa; *El amor de un pescador*, M, F. Gutiérrez Espinosa, l, C. M. Navarro Almanza; *El amor es ciego*, M, J. Andino / G. Aranzamendi, 1886; *El ataque*, M, l, H. Álvarez; *El curandero de Bayamón*, N. Figueroa, est. 1872; *El estado libre de Puerto Rico o El regreso de Barceló*, M, Pardiñas, est, 1920; *El maestro Ciruelo*, M, J. Jiménez, l, E. Rasilla; *El marqués de Talamanca*, M, E. Cuevas, l, C. Caggini; *El mensajero de plata*, M, R. Sierra, l, M. Casas; *El misterio del castillo*, M, A, Samohano, l, M, Méndez Ballester; *El niño Pancho*, M, M. Tizol, l, E. Rasilla; *El niño tontuelo*, M, J. Figueroa, l, L. Torregrosa; *El pozo de Pancha*, M, J. Figueroa, l, A. Blanco; *El quinto viaje de Colón*, M. T. Croato, l, A. Andersen; *El viaje de los congresistas*, M, J. Pérez, l, L. Díaz Caneja; *En Puerto Rico me quedo*, M, J. Andino, l, V. Garrido; *Figuras chinescas*, M, J. Andino, l, E. Carreras; *Fortunato*, M, F. Ramos, l, J. Bigay; *Hidrofobia y casamiento*, M, J. Andino, l, V. Garrido; *La corona de Arrufat*, M, R. Balseiro, l, N. Blanco; *La princesa del flamboyán*, M, l, J. Figueroa; *La soleá*, M. J. Andino, l, J. Pérez; *Los baños de Coamo*, M, B. Dueño, l, G. Aranzamendi; *Los dos huérfanos*, M, l, M. Fournier; *Los pretendientes*, M, l, E. Cuevas; *Los ruiseñores*, M, l, J. Figueroa, A. Blanco; *Los sobrinos del tío Tom*, M, l, L, Díaz Caneja, J. Pérez; *Macías*, M, l, F. Gutiérrez Espinoza; *Múdese usted*, M, J. Andino, l, E. Carreras; *Nela*, M, M. González, l, B. Pérez Galdós; *Nochebuena*, M, l, F. Ramos; *Noche de carnaval*, M, l, J. R. Gilot; *Ozema o la virgen indiana*, l, F. del Monte; *Palacios de cartón*, M, D. Jonathan, l, J. González; *Por el amor... ¡libre!*, M, E. Quiñónez, l, J. Sancho; *Por las calles de San Juan*, M, C. L. Pérez Porrata, l, M. Casas; *Quién bien quiere nunca olvida*, M, F. Toledo, l, J. Campos; *Sangre mora*, M, F. Cortés, l, J. Pérez, L. Díaz; *Se acabó el carbón*, M, l, P. Castañer; *Su excelencia el jefe*, M, M. Tizol, l, M. Pardo; *Tragedias domésticas*, M, J. Figueroa F. Janer; *Un viaje por América o Dicen que me divierto*, M, l, J. Morel Campos.

BIBLIOGRAFÍA: *DMEH*; A. Sáez: *El teatro en Puerto Rico*, San Juan, Ed. Universitaria, 1950; E. J. Pasarell: *Orígenes y desarrollo de la afición teatral en Puerto Rico*, San Juan, U. Puerto Rico, 1951; M. L. Muñoz: *La música en Puerto Rico, panorama histórico cultural*, Connecticut, Troutman Press, Sharon, 1966; F. Callejo: *Música y músicos en Puerto Rico*, San Juan, Ed. Borinquen, 1971; C. S. Arroyo: "La zarzuela en Puerto Rico", programa de la Fundación Puertorriqueña de Zarzuela y Opereta, San Juan, IV-1987; S. Girón: *Ponce, el teatro La Perla y la Campana de la Almudaina*, Santo Domingo, Ed. Corripio, 1992; VVAA: A. J. Molina: *150 Años de zarzuela en Puerto Rico y Cuba*, San Juan, Ramallo Bros. Printing, 1998.

BENJAMÍN YÉPEZ

Esperanza Puga
(Foto: Ar. SGAE)

Puga, Esperanza. Madrid, 6-VIII-1906; 3-XII-1960. Tiple. Debutó en 1932 con gran éxito en *Los gavilanes* de Guerrero, del que cantó además *El huésped del Sevillano, La montería, La rosa del azafrán, Martierra, La fama del tartanero* y *La alsaciana.* Desde su debut y hasta su retiro recorrió la mayor parte de los teatros de España interpretando más de sesenta títulos diferentes, desde obras de la vieja zarzuela como *Jugar con fuego, Marina* o *La tempestad,* pasando por el género chico, *La revoltosa, El barquillero, La verbena de la Paloma* o *El santo de la Isidra,* hasta las últimas obras del género: *Doña Francisquita, La calesera, Don Quintín el amargao, Alma de Dios, La alegría del batallón, Luisa Fernanda, La generala* y *La canción del olvido.* En la temporada 1939-40 cantó *Turandot* en la Zarzuela junto a Marcos Redondo.

BIBLIOGRAFÍA: *OCCE.*

Mª LUZ GONZÁLEZ PEÑA

Puig, Gladys. La Habana, 26-XI-1932. Soprano. Hija del destacado pianista, compositor y director de orquesta, Cheo Belén Puig. Se inició en el canto desde muy joven, en su etapa estudiantil. Más tarde ingresó en el Conservatorio Municipal de Música de La Habana donde estudió con Zoila Gálvez. Posteriormente realizó estudios de interpretación con Ramón Valenzuela, y de repertorio con Rafael Morales, Paul Czonka y David Rendón. Debutó en 1951 en un concierto dirigido por Zoila Gálvez en el Ayuntamiento de La Habana y en 1954 en la televisión. Ese año conoció a Ernesto Lecuona, con quien posteriormente trabajó. Su bien timbrada voz, musicalidad y técnica vocal, le permitió conquistar éxitos en su carrera como cantante lírica. Por tal motivo fue seleccionada para representar a Cuba en un importante evento que se celebró en la ciudad floridana de Tampa. Su debut en el género zarzuelístico lo inició interpretando *El cafetal* y *María la O*

Gladys Puig en Rosa la China
(Foto: Ar. ICCMU)

de Lecuona bajo la dirección del autor. Alternó su labor en la ópera con la zarzuela. Al triunfo de la Revolución, formó parte del elenco que presentó en el teatro Martí la zarzuela *Carolina* de Valdespí, actuando, además, en las revistas *El penúltimo cuplé* y *Productos nacionales* de Prats. Luego representó en el teatro Auditorium las zarzuelas *María la O* y *El batey,* bajo la dirección de su autor, Ernesto Lecuona. En 1962 fundó el Grupo de Teatro Lírico formando parte de su elenco como solista, desplegando una intensa y brillante labor en las principales obras que se presentaron en la Sala García Lorca del Gran Teatro de La Habana, como *Cecilia Valdés* de Roig, *María la O* de Lecuona, *Doña Francisquita* de Vives, *Luisa Fernanda* de Moreno Torroba, *La viuda alegre* y *El conde de Luxemburgo* de Lehár y *La princesa de las Czardas* de Kalman, entre otras. Entre 1963 y 1967 estudió en La Habana con Ana Talmacianu y Liliana Yablenska. Posteriormente realizó una gira por toda la isla interpretando *María la O* de Lecuona. En la década de los noventa se retiró como cantante lírica. Ocupa el cargo de directora general y artística del Grupo Experimental de zarzuelas españolas y cubanas, fundado en 1999, bajo el auspicio del Centro Cultural de España y del Teatro Lírico Nacional.

JOSÉ PIÑEIRO DÍAZ

Josefina Puigsech (Foto: Ar. ICCMU)

Puigsech, Josefina. Barcelona, 30-V-1920. Soprano. Estudió música y canto en el Conservatorio del Liceo y tras ganar un concurso de radio, obtuvo su primer contrato, dedicándose por vocación a la zarzuela y la opereta aunque sus cualidades le habrían permitido dedicarse a la ópera. Debutó con *La tabernera del puerto* junto a Estanis Tarin y Florencio Calpe. Durante dos temporadas actuó en el teatro Victoria de Barcelona, con las zarzuelas de moda en el momento y estrenos como *Las palomas* de Emilio Sagi Barba, que, además de componer la música, dirigió la orquesta. Poco después obtuvo un contrato para Cuba junto a Luis Sagi Vela y José Mª Aguilar y debutaron en el teatro Nacional de La Habana con *Luisa Fernanda,* seguida de *Los gavilanes, La parranda, La canción del olvido, El conde de Luxemburgo, La princesa del dólar* y *La viuda alegre.* Los triunfos cubanos se revalidaron en Santiago de Chile y Lima. En 1951 se integró en la compañía de Luis Sagi-Vela que se hallaba en Buenos Aires, presentándose en el teatro Avenida con *Don Gil de Alcalá.* Regresó a Barcelona cuatro años después, de nuevo al teatro Victoria, para interpretar comedias musicales y en 1955 pasó al teatro Apolo de Barcelona con la compañía de Juan Gual, emprendiendo, una vez finalizada la temporada española, una gira por Marruecos. De nuevo fue reclamada por América, contratándola el empresario Faustino García junto a Florencio Calpe, Alberto Aguilá y Antonio Martelo, en una gira que comenzó en Puerto Rico y abarcó Colombia, Argentina, Brasil, Bolivia y Paraguay, durante diez años y que incluyó actuaciones en teatros y en un nuevo medio, la televisión, que le proporcionó una gran popularidad. Puso fin a su carrera en Montevideo en 1962, regresando a Barcelona.

FONOGRAFÍA: *Las palomas*, La Voz de su Amo AA 288 AA 289, OKA 946 a OKA 949; *Los claveles*, Regal LCZ 7004 119 (118a) • Regal LREG 8018 121 (120a) • Regal M 15202 a M 15204, CKX 3734 a CKX 3739; *Romanzas de zarzuelas*, Regal SEDL 19083.
BIBLIOGRAFÍA: *OCCE*.

Mª LUZ GONZÁLEZ PEÑA

Pujadas i Muntó, Joan. †Barcelona, 8-XI-1873. Compositor. Intervino activamente en los inicios de la zarzuela en Barcelona. Estrenó en 1858 *Setze jutges*, una de las primeras zarzuelas catalanas, que durante el siglo XIX se mantuvo en las programaciones con intensidad, obra que destaca por la singularidad y por la variada tipología de sus números. El 1861 intervino en la sociedad que se reunió en el teatro Odeón de Barcelona para la implantación en Barcelona de la zarzuela, en cuya reunión participaron también Mateu Ferrer, Gabriel Balart, Luis de Olona, Nicolau Manent, Joan Balaguer y Joan Sariols, entre otros. Al mismo tiempo, su nombre aparece con frecuencia en los conciertos de la sociedad Euterpe, donde estrenó y dirigió varias obras, sinfonías y piezas bailables; su nombre es de los que aparecen más a menudo en las programaciones de la sociedad Euterpe; su zarzuela *Setze jutges* se representó en algunas ocasiones en el marco de los jardines de Euterpe. Dirigió también coplas y pequeñas agrupaciones orquestales. Alguna fuente recoge su nombre como Francisco, probablemente por error. *Véase* SETZE JUTGES.

FRANCESC CORTÈS i MIR

Pujol, Peligros. España, siglos XIX-XX. Tiple. Especializada en género chico, actuó en el Apolo y la Zarzuela y podía sustituir tanto a la tiple cantante como a la cómica, en caso de necesidad. Tenía poquita voz pero afinada, y recitaba discretamente. En enero de 1910 formaba parte de la compañía de Fernández Palomero que inauguró el teatro Balear de Palma de Mallorca. Participó en diversos estrenos como *Los majos de plante* de Chapí, Zarzuela, 1909; *El alma de Garibay* de Barrera, Magic-Park de Madrid, 1914; *Las musas latinas* de Penella, Apolo, 1913, y *El pretendiente* de Vives, Apolo, 1918.

BIBLIOGRAFÍA: *ME; TA*.

Mª LUZ GONZÁLEZ PEÑA

Pujols i Morgades, Francesc. Barcelona, 1882; Martorell, (Barcelona) 1962. Escritor. Realizó estudios de forma autodidacta, obteniendo una sólida formación filosófica. En 1903 recibió un premio en los Juegos Florales de Barcelona, con un *Idil.li*, obra influenciada por la estética de Joan Maragall. Al año siguiente publicó *Llibre que conté les poesies de Francesc Pujols*, prologado por el propio Maragall. Mantuvo relaciones con el grupo de la publicación

Peligros Pujol (Foto: MP en Comedias y Comediantes, *1910; Ar. ICCMU)*

Catalunya, y publicó bajo el pseudónimo Augusto de Altozanos la novela *El nuevo Pascual o La prostitución*, 1906. Fue crítico teatral en *Picarol, Revista Nova, La Publicidad, El Poble Català, Papitu*, así como secretario del Ateneu Barcelonés y miembro de la Junta de Museos. A partir de 1922 se interesó de manera especial en la creación de un teatro lírico catalán; escribió una tragedia en tres actos, *Medeia*, así como una versión representable de *Llibre de Job*, 1922, donde se apreciaba con facilidad la influencia de Frederic Soler. Fue en esta etapa cuando inició sus adaptaciones de textos antiguos para el teatro lírico del momento. Adaptó el texto de Víctor Balaguer *Don Juan de Serrallonga*, 1922, con música de Enrique Morera. Ese mismo año, y también como iniciativa del empresario Bergés, Pujols adaptó la "gatada" *El castell dels tres dragons* de F. Soler, a la cual puso música también E. Morera. Pujols era el propietario de los terrenos donde se construyó el teatro barcelonés El Nuevo. *Véase* DON JOAN DE SERRALLONGA.

FRANCESC CORTÈS i MIR

Pulido Rivas, Delfín. Santa Cruz de la Zarza (Toledo), 23-XII-1897; Madrid, 18-XI-1986. Tenor. Tras constatar su gran facilidad para el canto, estudió con José María Elvira. Perfeccionó sus estudios en Italia y recorrió varias ciudades italianas interpretando ópera. Comenzó su carrera en la ópera y participó en la última temporada del teatro Real en *Rigoletto*. Pasó pronto a otros ámbitos, como el teatro de la Zarzuela o el Apolo. Asumió el papel protagonista después del estreno de *El huésped del Sevillano*, que le consagró para el género. Estrenó *Los de Aragón* de Serrano,

Delfín Pulido (Foto: Ar. ICCMU)

1927, *La marchenera* de Moreno Torroba, 1928, junto a Felisa Herrero. Junto a ésta recorrió toda Iberoamérica. Entre sus éxitos se encuentran *Doña Francisquita, Los claveles* o *La casa de las tres muchachas*. Su discografía, sin ser demasiado extensa, incluye importantes aportaciones como *Molinos de viento* con Marcos Redondo, y diversos fragmentos de *El romeral, La marchenera, La leyenda del beso, La moza de la alquería, María la tempranica* o *Los de Aragón*.

FONOGRAFÍA: *Alhambra*, Blue Moon BMCD 7549; *Azabache*, Blue Moon BMCD 7544; *El cantante enmascarado*, Blue Moon BMCD 7549; *El divo*, Blue Moon BMCD 7549; *El renegado*, Blue Moon BMCD 7549; *El romeral*, Blue Moon BMCD 7549; *La moza que yo quería*, Blue Moon BMCD 7549; *La reina mora*, Blue Moon BMCD 7546; *Las hilanderas*, Blue Moon BMCD 7546; *Los de Aragón*, Regal 5541 RS 5509, PKX 3005 (et. morada), KX 150 KX 151 KX 76 KX 84 KX 224 KX 225 • Blue Moon BMCD 7546; *María la tempranica*, Blue Moon BMCD 7544; *Xuanón*, Blue Moon BMCD 7544.

BIBLIOGRAFÍA: J. Martín de Sagarmínaga: *Diccionario de cantantes líricos españoles*, Madrid, Fundación Caja Madrid- Acento Ed., 1997.

LUIS G. IBERNI

Punt de les dones, El. Cuadro de costumbres en dos actos. Música de Joan Sariols. Libreto de Serafí Soler "Pitarra". Estrenada en 1864.

Personajes. Corina (soprano). Tuyas (mezzosoprano). Pauet (tenor). Señor Quim (barítono)
Orquestación. Flautín, flauta, 2 clarinetes, 2 trompas, 2 cornetines, fiscorno, violines I y II y contrabajos.

Argumento. *Acto I.* La escena se ambienta en una zapatería. Se abre la obra con un coro de zapateros. Eusebi, habla con Titus, vendedor de lotería. Eusebi, que estaba enamorado de Corina, la hija del maestro Quim, sabe que ella no quiere casarse con el viejo Domingo Carranclà, viudo y rico. Cuando llega el dueño, Quim, todos cesan de criticarle. Quedan solos Quim con su esposa, Tuyas –una viuda de un carabinero, supersticiosa y avara– y Titus; el matrimonio discute: ella pretende hacer casar a su hija con el viejo, mientras que Quim no consiente, será "en lo único que ella no lleve los pantalones", asegura. Al oír la discusión aparece Corina que vive en un mundo de novelas sentimentales. Tuyas y Quim discuten acaloradamente, ella le ha sorprendido comprando lotería. Luego, el padre quiere que Corina aprenda a remendar zapatos. Los tres cantan sobre su vida desdichada, siempre con riñas y broncas. Quim no puede más, y acusa a su mujer de estar siempre fuera de casa en lugares no apropiados, ella retrae un anuncio en el periódico en busca de aprendiz, sin haberle pedido permiso a ella. Quim, irritado, se marcha. Quedan solas madre e hija. Tuyas insiste en querer casar a Corina con el vejestorio de Carranclà y cantan un dúo. Llega Galofré, un rico hacendado, con su hijo Pauet. Pauet estudiaba en la universidad y al enterarse su padre que pasa el día en juergas y la noche en saraos decide ponerlo a trabajar de aprendiz con el zapatero, Quim se marcha. Entra Don Domingo, harto de tener que hacer las visitas cuando Quim está fuera, les propone arreglar la boda con Corina el próximo domingo. Don Domingo le regala un anillo de compromiso, que Corina recibe con agradecimiento fingido. Tuyas se impresiona al saber que vale tres mil duros. Cuando se va Domingo, regresa Pauet que había ido a hacer una compra, y cantan un terceto, "Jo tinc un joven guapo", en el que Corina manifiesta que ama a otro al que su madre rechaza por ser supuestamente pobre, el amado resulta ser Pauet que se ha infiltrado en la casa con la estratagema de hacerse pasar por aprendiz y estudiante tunante. Entra Quim delirante: la lotería correspondió a un billete que había roto Tuyas, y así acaba el acto precipitadamente.

Acto II. Después de un coro inicial, quedan solos Corina y Eusebi. Ella ha encontrado una carta y unos claveles en su habitación, es una declaración de amor, sin firmar. Eusebi sospecha del nuevo aprendiz. Quim había tenido un ataque de nervios al ver que había perdido veinte mil duros, quería dejar a su esposa, pero entre el médico y un cura le tranquilizaron. Ahora, Tuyas le vuelve a proponer a Quim que permita la boda con Domingo asegurándole que éste le ayudará a cobrar el dinero de la lotería, una encerrona que convinieron para convencer a Quim. Él continua negándose. Tuyas obliga a su hija que diga que ama a Domingo, amenazándola con una paliza. Corina, presionada, consiente. Se quedan solos Pauet y Quim; el aprendiz confiesa a Quim la treta entre Tuyas y don Domingo, el zapatero decide vengarse del engaño y hace quitar a Pau las jaulas de pájaros tropicales y loros que les había regalado Domingo, y que colgaban en la pared. Entra Domingo para formalizar el compromiso, pero Quim, que ha descubierto el montaje le desprecia, y estalla una nueva riña entre el matrimonio. Domingo reta a Quim, y este va a buscar al alcalde. Entonces Tuyas amenaza a su hija con la boda; ella está desesperada, y queda sola con Pauet, que se descubre como el autor de la declaración de amor y descubre así mismo la mitad de la cara que ocultaba por fingirse tuerto: resulta ser Pau, el amado de Corina. Traman ambos como escaparse, mientras cantan y bailan una americana. Galofré y Quim sorprenden bailando a sus hijos, se ofenden, y están a punto de iniciar una pelea armados con un plumero y una horca ridícula. Pauet confiesa su amor, y al acabar la discusión parece que los dos padres convienen en permitir la boda, dejan en ridículo a Domingo, y acaba la obra con un número coral.

Números musicales. Nº 1. Introducción y coro de zapateros, "No deixem mai l'alegria". Nº 2. Terceto de Tuyas, Quim y Corina, "Ja t'he dit mil vegades que no vull més bitllets". Nº 3. Tuyas, Quim y Corina, "Si això dura tan, m'apura que no hi puc estar". Nº 4. Terceto de Corina, Pauet y Tuyas, "Jo tinc un jove guapo gravat al meu cor". Nº 5. Orquesta. Acto II. Nº 6. Coro de introducción, "Doneu-li al sabater una mossa ben guapeta". Nº 6bis. Quinteto de Quimet, Tuyas, Pauet, Corina y Eusebi, "Tot just m'alço avui del llit". Nº 7. Americana, Corina y Pauet, "A la sombra de verde acacia Manolito y Manola están". Nº 8. Final. Corina y coro, "Amb ell que és ric, jove i guapo".

Comentario. *El punt de les dones* es de los primeros cuadros de costumbres catalanas que adoptaron la forma de zarzuela, después del éxito de *L'esquella de la Torratxa*. La obra fue compuesta entre los meses de julio a diciembre de 1864, inmediatamente después de *L'esquella*. En la obra se recogen características estilísticas diversas: desde números que guardan un parentesco estrecho con la música incidental, a influencias de la opereta francesa y de la ópera italiana. El libreto ágil y directo de Pitarra recoge expresiones populares, junto con alusiones políticas contemporáneas, como el constante cambio de Ministerios de la España de la época. Se encuentran citas de zarzuelas, caso de *Los madgyares* de Gaztambide, o *La dama de las camelias* y su versión operística, personajes con quienes Corina se compara. El coro de zapateros reexpone el tema instrumental inicial, acompañándose rítmicamente con el son de martillos. Los dos primeros números de conjunto siguen los modelos poliseccionales de la ópera italiana, y en ocasiones la escritura vocal más elaborada es una simplificación del cantista. El resto de números, salvo la "Americana", guardan una relación estrecha con la estética de la opereta, tanto por el uso de recursos bufos en silabismos de tiempo vivo, como en el diseño de melodías cantables, simples y directas. La inclusión de la "Americana" marcará el patrón habitual en las obras del género en catalán, cantadas siempre en castellano, con unos tintes cómicos que conducen las declaraciones amorosas que contienen hacia el terreno de la comicidad y el doble sentido.

Fuentes manuscritas. La partitura se conserva en el archivo de la SGAE en Barcelona.

Ediciones del libreto. Barcelona, Imp. de Espasa y Salvat, 1875.

FRANCESC CORTÈS i MIR

Puñao de rosas, El. Zarzuela de costumbre andaluzas en un acto. Música de Ruperto Chapí. Libreto de Carlos Arniches y Ramón Asensio Mas. Estrenada el 30 de octubre de 1902 en el teatro Apolo de Madrid.

Personajes y reparto. Rosario (Isabel Brú). Carmen (María López Martínez). Una gitana (Carmen Calvó). El señor Juan (José Mesejo). Tarugo (Bonifacio Pinedo). José Antonio (José Luis Ontiveros). Pepe (Juan Reforzo). Frasquito (A. Pérez Juste). Cazador 1º (Vicente Carrión). Cazador 2º (Isidro Soler). Cazador 3º (Melchor Ramiro). Amigo 1º (E. de Francisco). Amigo 2º (Luis Ballester). Un arriero (Isidro Soler). Mozos, mozas y coro general.

Orquestación. Flautín, flauta, 2 oboes, 2 clarinetes, fagot, 2 trompas, 2 cornetines en La, 3 trombones, timbales, percusión y cuerda.

Argumento. La acción comienza en un rellano pintoresco de la sierra de Córdoba, donde aparece un grupo de mozas junto a una fuente. Rosario le muestra su mano a una gitana que le está leyendo la buenaventura, mientras que su prima Carmen atiende tanto a los comentarios de sus amigas como a las profecías de la gitana. Ésta predice a Rosario que dos hombres se van a enamorar de ella y tendrá un disgusto, si Dios no lo remedia. Aunque no se debe apurar, porque un aristócrata rico vendrá a salvarla. Las mozas ríen, diciéndole que Tarugo será marqués. El padre de Rosario, Juan, le dice a Carmen que se alegra de que se burlen de Rosario, ya que con sus burlas le arrancarán el cariño del hombre más bruto del cortijo. El señor Juan encuentra a Tarugo y a su hermano José Antonio juntos y les espeta que su hija es su orgullo y que no espere que con tirarle vaya a ser para ninguno de ellos. Amenaza a Tarugo con tirarle por el barranco como se acerque a ella. Triste, se encuentra con Rosario que le pide que le consiga un "puñao" de rosas para acicalarse ya que va a venir el señorito y quiere estar bella. En realidad, lo que está haciendo es ponerle a prueba porque sabe que en esa época es difícil encontrar rosas. Cuando Tarugo sale a cumplir el cometido, Rosario reflexiona sobre los sentimientos de éste, aunque ella de quien realmente está enamorada es de Pepe que, en realidad, quiere pasar el rato. Cuando regresa Tarugo con las rosas, ésta le pregunta de dónde las ha sacado, a lo que él responde que se las ha quitado a la Virgen. Cuando va a pedirle a ella una rosa llega Pepe, por lo que prefiere esconderse en la maleza. Allí consta cómo Pepe y Rosario se declaran su amor, pidiéndole el señorito que se vaya con él esa misma noche a Córdoba, a lo que ella responde que se lo tiene que pensar. Cuando desaparece, él se burla cínicamente diciendo que estará un mes en Córdoba, otro en Sevilla y después se la dejará a Tarugo. Juan descubre llorando a Rosario y piensa que es por Tarugo, por lo que lo echa del cortijo. El mozo jura que si ella no es para él, tampoco lo será para otro. Cuando llega la hora de la cita, aparece Pepe. Sin embargo, Tarugo, entre los árboles, le espera con una escopeta y le señala que si quiere de verdad a Rosario que se la pida a su padre. Como Pepe no acepta, forcejean. Asustado por el cariz que toman los acontecimientos, Pepe se va. Por su parte, Tarugo devuelve la moza a su padre que reconoce su valor. Y para quitarse la culpa, toma un ramo de rosas y lo devuelve a la Virgen.

Números musicales. N° 1. Introducción y coro, "Una gitana vieja me dijo un día". N° 2. Dúo de Rosario y Tarugo, "Que güen porvení me espera". N° 3. Dúo de Rosario y Pepe, "No te asustes tú alma mía". N° 4A. Coro, "Va la tarde cayendo". N° 4B. Terceto de los cazadores, "Con perro, escopeta, morral y canana". N° 5. Tango, "¡Venga jaleo! ¡Venga jarana!". N° 6. Escena y final, "¡Naide! ¡Toó está tranquilo!". Final.

Comentario. La temporada 1902-03 del teatro Apolo se abrió con Miguel Soler como director artístico que pudo reunir uno de elencos más importantes de los últimos años. Estaba reciente el fracaso de Carlos Arniches con *La divisa*, hasta el punto de que se barajó la posibilidad de abandonar definitivamente el género chico. Sin embargo, pese a los comentarios, acabó presentando a los empresarios Arregui y Aruej, en colaboración con Asensio Mas, un nuevo libreto, *El puñao de rosas*, que obtuvo un éxito inmediato. La influencia de August Strinberg en esta época es evidente. Cuando había señalado en su prólogo a *Julia* que "tenía escrita la obra en cinco actos y la quemé para sacar de sus cenizas uno único, elaborada pacientemente y cuya representación duraba sesenta y cinco minutos", parecía establecer el camino a la pieza señalada. Con la misma intención de comprimir la acción, Asensio Mas y Arniches presentan un libro basado en la lucha de dos hombres por el amor de una mujer aunque mostrado de otra manera. Así fue resaltado por la crítica cuando Saint Aubin afirmaba que "pertenece al género melodramático comprimido de *El santo de la Isidra, La fiesta de San Antón, Doloretes*, que tantos triunfos ha valido al señor Arniches; pero tiene esta zarzuela gran ventaja sobre las otras para la exacta observación de algunos tipos y por la realidad del

Cortesía de Unión Musical Ediciones SL

ambiente. Los dos gañanes del cortijo de la sierra de Córdoba están retratados de cuerpo entero y de alma. Son dos personajes del natural, personas estudiadas con arte y psicología superiores al melodrama" (*Heraldo de Madrid*, 31-X-1902).

La música fue admirada también por los medios que volvieron a celebrar con su entusiasmo habitual la labor de su compositor favorito. Arimón afirma que "es de lo más fino, delicado y propio que ha escrito el eminente maestro. Nada de sonoridades retumbantes, ni de efectos rebuscados, ni de notas tenidas (que es el seudónimo con que se disparan ahora los tan acreditados y aborrecibles calderones), ni de galimatías orquestales. Sencillez, elegancia, carácter, concisión" (*El Liberal*, Madrid, 31-X-1902). A esto añade Saint Aubin, "aprendan los que confían levantar al público constantemente por el estrépito de bombo,

Cortesía de Unión Musical Ediciones SL

platillos y caja, empleado siempre con igual vigor y fuerza, trátese de una orquesta de seis profesores o de la de Beethoven y la del Real, que aun dobladas, cual ocurre en muchos conciertos del Albert Hall, nunca pasan de tener un solo bombo".

Tradicionalmente se considera a *El puñao de rosas* como uno de los más redondos ejemplos de género chico de corte pintoresco, una vez que el sainete madrileño se encontraba en un proceso imparable de declive. Básicamente, son tres los personajes que tienen una identidad vocal: Rosario, tiple central, Tarugo y Pepe, estos últimos barítonos o tenores, ya que son voces indefinidas, centradas, que no tienen notables problemas de tesitura, aunque Tarugo suele hacerse por tenores cómicos. Orquestalmente la pieza no ofrece ninguna novedad; mantiene un solo oboe y un solo fagot.

Tras una breve introducción, sustentada sobre la idea expuesta algo más adelante por Socorro de "¡Ayá va por el mundo roando la pobre gitana que er destino de todos augura ¿Quién quié que le diga la buena ventura?", comienza con un coro de tiples, a las que se suman Socorro y Rosario, donde se comenta un augurio. Sobre un fondo de canción de corro, "Una gitana vieja", se plantea la situación resuelta por un fragmento donde se da la unión del elemento popular con el fondo orquestal, dentro de un estilo muy francés. La escena está bien resuelta y surgen a menudo los inevitables giros flamencos. Culmina con la desgarrada melodía que abre el preludio, cantada por Socorro, con el apoyo instrumental del oboe. Muy lírico es el dúo del Nº 2, entre Rosario y Tarugo. Sobre un típico fondo del trémolo de la cuerda, surge el *leit motiv* del "¡Ayá va!", entonado por la flauta. Esta idea parece convertirse en elemento *cuasi* fatal, que determina la acción de los personajes, sometidos a un poder superior. La escena se resuelve mediante la superposición de las diferentes secciones que culmina en un zapateado. El tratamiento armónico es del máximo interés. Chapí alcanza una hábil relación entre los recursos armónicos y la escena, que se percibe por su evolución. Así el *allegretto* es muy modulante. El recurso a los diferentes ritmos populares para acometer los estados psíquicos de los protagonistas, es uno de los elementos constitutivos de la dramaturgia de Chapí.

El siguiente número es un dúo de Rosario y Pepe que tiene cuatro grandes secciones siguiendo el modelo abab. Una primera que determina el cantable y el ritmo de jota que da paso a una segunda sección basada en el de bolero. La tercera es repetición de la primera y la cuarta de la segunda. El Nº 4 es un número coral, estructurado en dos partes. La primera, a cargo de la sección masculina y la segunda con la llegada de las mujeres. La primera es una especie de nocturno con una melodía popular a cargo del coro apoyado en un ritmo de habanera protagonizado por la orquesta. La introducción de las mujeres es de gran agilidad con primorosos detalles en la orquestación. Finaliza con una sentida canción de arriero. Sin solución de continuidad viene el terceto de los cazadores, donde el dominio rítmico de Chapí vuelve a hacerse manifiesto, así como su sentido cómico.

El Nº 5 es una escena coral, apoyada por el ritmo del tango gaditano, en el que se intercala una copla a cargo de Rosario, donde Chapí consigue uno de sus más felices apropiamientos de la melodía popular, con un sencillo acompañamiento del coro y la cuerda en pizzicato. Despúes es Carmencita la que canta el tango que servía de base melódico-rítmico a la pieza, con la que da fin. La escena final es de una gran brevedad, fruto de las características del sainete. Toda la experiencia en lo que se refiere al tratamiento popular experimentada con *Curro Vargas* y *La cortijera* la aplica Chapí al género chico, mucho más comprimido y que permite muy pocos desarrollos psicológicos. El resul-

tado es una pieza de notable calidad, donde el manejo de los medios es ambicioso pero donde lo más interesante es el magnífico ambiente logrado por Chapí.

Fuentes manuscritas. La partitura se conserva en la Biblioteca Nacional de Madrid (legado Chapí, vol. 16). Los materiales de orquesta se conservan en el archivo de la SGAE en Madrid (1456).

Ediciones de música. Canto y piano, Madrid, Cd, 1902; Madrid, SAE; Orquestina, UME, 1944; Banda, pasodoble, SAE/FA. Piano, pasodoble, UME, 1920.

Ediciones del libreto. Madrid, SAE, 1903; Madrid, SAE, 1923, 20ª ed., Madrid, UME, 1967.

FONOGRAFÍA: RP: Victoria 2573.

D78rpm: Dir. Ricardo Villa, Banda Municipal de Madrid, Odeón 121182, XXS 5197 XXS 5198 • Banda Guardias Alabarderos Madrid, La Voz de su Amo AF 26 • Sols. Selica Pérez Carpio, M. Villar, Columbia A 1666 (et. roja), WK 1354 WK 1355.

LP: Dir. Ataúlfo Argenta, Ana Mª Iriarte, Pilar Lorengar, Teresa Berganza, Manuel Ausensi, Arturo Díaz Martos, Juan Encabo, Gregorio Gil, Agustín L. Luque, Coro de Cantores de Madrid, Orq. de Cámara de Madrid, Columbia SA, C 30006 15 y Alhambra MCC 30006 [reed. en CD: Columbia-BMG-Ariola-Salvat 1044-2] • Dir. Enrique Navarro, Lily Berchman, Delia Rubens, Emilia Rincón, Tino Moro, Eladio Cuevas, Santiago Ramalle, Tino Pardo, Fernando Hernández, Coros de RNE, Orq. de Cámara de Madrid, Zafiro SA, ZOR-130 28 (27a) [ed. en EP: Zafiro-BMG EPFM-256] • Dir. Rafael de Frühbeck de Burgos, Sols. Carmen Sinovas, Pura Mª Martínez, Antonio Blancas, José Peromingo, Isabel Higueras, Aurelio Rodríguez, Coro de Cantores de Madrid, Orq. Filarmónica de España, Columbia SA, SCE 956 36 (35a) [Columbia-BMG España WD 74391 (9D)].

BIBLIOGRAFÍA: *MT*; J. M. Esperanza y Sola: *Treinta años de crítica musical en España*, Madrid, Tip viuda e hijos de Tello, 1906; A. Salcedo: *Ruperto Chapí. Su vida y su obra*, Madrid, Aguilar, 1958; J. J. Águila: *Ruperto Chapí y su obra*, Diputación Provincial de Alicante, 1973; A. Sagardía: *Ruperto Chapí*, Madrid, Espasa Calpe, 1979; V. Prats Esquembre: *R. Chapí, un hombre excepcional*, Villena, Apadis, 1984; L. G. Iberni: *Ruperto Chapí*, Madrid, ICCMU, 1995; —: *Ruperto Chapí. Memorias y escritos*, Madrid, ICCMU, 1995.

LUIS G. IBERNI

Pyl y Myl. España, siglo XX. Pareja formada por las hermanas Pilar y Milagros, procedentes de una familia adinerada y con una refinada educación. Se equiparon con un lujoso vestuario realizado por Pastrana y adecuado al repertorio que interpretaban el de los mejores autores de arte frívolo. Celia Gámez las contrató en 1932 para el estreno en el Pavón de *Las leandras*, en el número de las viudas, y actuaron también en otras revistas frívolas. De vuelta a las variedades, formaron un ballet con el que viajaron a Portugal en los años treinta y allí establecieron su residencia.

BIBLIOGRAFÍA: *ME*.

Mª LUZ GONZÁLEZ PEÑA

Las hermanas Pyl y Myl (Foto: Ar. SGAE)

Quijano, Miguel. España, siglos XIX-XX. Compositor. En el archivo de la SGAE en Madrid, se conservan dos obras de teatro lírico estrenadas ambas en el teatro Novedades: *Viaje improvisado*, con libreto de V. Serra, estrenada el 20 de octubre de 1916 y *La loca ambición*, novela escénica con libreto de Ernesto Haro y J. Aznar, estrenada en 1918.

Mª LUZ GONZÁLEZ PEÑA

Quijano, Resurrección. ?, 1890; Madrid, 1935. Tiple. Debutó a los quince años como primera tiple de zarzuela. En 1905 estrenó en el Cómico *La fuentecica* de Requeijo y Pons. Actuó con gran éxito en el teatro Eslava, dirigido por Vicente Lleó del que estrenó *Todos somos unos* y *La alegre trompetería*, 1907, *La carne flaca*, 1908, *La moral en peligro*, 1909, y *La regadera* de Lleó y Foglietti, 1908. La temporada 1908-09 Lleó se hizo cargo del teatro de la Zarzuela y allí actuó Resurrección, que intervino en *Enseñanza libre* de Giménez. En 1913 estrenó *Las musas latinas* de Penella en el Apolo y, en 1920, *La niña mimada* del mismo compositor en el Price. Cuando en los años veinte se pasó al cuplé, como hicieron tantas otras ti-ples de zarzuela, obtuvo aún mayor fama que la que había gozado en el género lírico. Cultivó diversos géneros, desde el castizo madrileño al regional. Entre sus cuples destacan *La duquesa torera*, *La española* y *Las cosas de Sabina*. Rica y famosa, tras una larga gira por América del Sur, sobre todo por Argentina, se retiró de los escenarios. Tuvo una hija que fue actriz de cine en los años veinte.

BIBLIOGRAFÍA: *TA*; E. García Carretero: *Historia del teatro de la Zarzuela de Madrid*, Madrid, Fundación de la Zarzuela Española, 2003.

Mª LUZ GONZÁLEZ PEÑA

Resurrección Quijano en ABC (Foto: Alfonso; Ar. ICCMU)

Quílez, Herminia. España, siglos XIX-XX. Tiple. En 1912 regresó a Madrid tras una gira por América y realizó una brillante campaña en el teatro Circo de Cartagena. Formaba parte de la compañía de Manuel Fernández de la Puente que actuaba en el teatro de la Zarzuela en la temporada 1913-14 y fue muy aplaudida en *El marido sonriente*, adaptación de la opereta de Eysler *Der Lachende Echmann*, estrenada en la Nochebuena de 1913.

Herminia Quílez (Foto: Ar. Emilio G. Carretero)

BIBLIOGRAFÍA: E. García Carretero: *Historia del teatro de la Zarzuela de Madrid*, Madrid, Fundación de la Zarzuela Española, 2003.

Mª LUZ GONZÁLEZ PEÑA

Quilis Prats, Julio. Onil (Alicante), 31-XII-1935. Compositor. Nacido en una familia de músicos dedicados mayoritariamente a la música religiosa, Julio se decantó por la música lírica. En el archivo de la SGAE en Madrid se conservan varias de sus obras: *Achúchame*, revista con letra de Jorge Hervás y Adrián Ortega; *Picantísimo*, revista con letra de J. L. Carbonell López, estrenada el 28 de noviembre de 1975 en el teatro Alkázar de Valencia; *Un cuerno, dos cuernos, tres cuernos*, letra de J. L. Carbonell López.

BIBLIOGRAFÍA: *DMEH.*

EMILIO CASARES RODICIO

Quintana, Candita. La Habana, 2-XI-1912; La Habana, 5-IX-1977. Tiple cómica. Comenzó a cantar a los quince años como aficionada. Su primera actuación la realizó en el teatro Cerro Garden donde interpretó la criolla bolero *Una rosa de Francia* de Rodrigo Prats, con quien se inició profesionalmente, y a quien estrenó la mayor parte de sus obras teatrales. En 1928 debutó en el teatro Payret con la compañía de Pepito Gomis en la revista *Los cantos de Cuba* de Jaime y Rodrigo Prats, donde obtuvo su primer triunfo como profesional. Un año después fue contratada por Lecuona para su compañía lírica que actuaba en el teatro Regina, estrenando allí su revista *Alma de raza* y las zarzuelas *El cafetal* y *El batey*. Al marchar la soprano Rita Montaner hacia Europa la sustituyó en el papel de José Rosario, el negrito calesero, en *Niña Rita o La Habana en 1830*, donde logró destacarse notablemente. Asimismo, intervino en el estreno de *La flor del sitio* de Lecuona en el teatro Auditorium. Poco después, durante el Festival de Canciones Cubanas que ofreció este compositor en el teatro Sauto de Matanzas, se presentó junto a las sopranos Concha Bañuls, Elisa Altamirano, Rosario García Orellana, el tenor Miguel de Grandy y el bailarín y cantante Julio Richards, entre otros, interpretando números de sainetes, revistas y zarzuelas a dúo con Julio Richards, con quien también bailó la "Danza de los Náñigos" de *María la O*, así como en conjunto cantó el "Son de Matamoros" de *Carnaval de Oriente*. Al trasladarse la compañía de Lecuona al teatro Payret, estrenó en 1930 *María la O, Fantasías nacionales, El maizal* y *El calesero*. Contratada por la compañía de Agustín Rodríguez y Manuel Suárez ingresó en 1931 en el teatro Martí, donde actuó durante toda la temporada. Estrenó las obras más importantes del género lírico, entre las que se pueden destacar *La perla del Caribe, Amalia Batista, Soledad* y *María Belén Chacón* de Prats; *Cecilia Valdés, La Habana de noche, La hija del sol* y *Perlas* de Roig; *Rosa la China* de Lecuona –con quien estrenó en 1942 *Cuando La Habana era inglesa* y *La cubanita*–, *La guajirita* y *Las sensaciones de Julia* de Anckermann; *La vida comienza mañana* y *Estampas habaneras* de Grenet, entre otras muchas. Actuó en la radio, cine y televisión donde se desempeñó como animadora de variedades, actriz cómica y dramática.

En el escenario internacional, hizo temporadas en Puerto Rico, Santo Domingo, Venezuela y Estados Unidos, trabajando, igualmente, para los más variados medios. En los primeros años después del triunfo de la Revolución, al crearse en 1965 el Grupo Teatral Jorge Anckermann, con sede en el teatro Martí, formó parte de su elenco donde estrenó las obras *El bravo* y *Voy abajo* de Prats; *La rampa* de Eddy Gaytan; *El remero respetuoso* de Adolfo Guzmán; *Que traigo aquí* de Urfé; *Pedro Manso, La persiana* y *Territorio libre de hombres* de Enrique Jorrín; *Recuerdos del Alhambra* de Jorge Anckermann; *Buenas noches, cometa* de Piloto y Vera; *Zafra* de Ruiz Castellanos y *Quiéreme* de Roig, entre otras. Después de haber laborado 49 años en el género lírico y vernáculo, interpretó *El premio flaco* de Héctor Quintero, donde abordó un perfil diferente: el dramático, y en el cual cosechó lauros por su actuación. Su última aparición en escena fue con la reposición del sainete *La borracha del circo* de Arquímedes Pous, que se presentó en 1977 en el teatro Martí, donde actuó durante 43 años.

BIBLIOGRAFÍA: M. del C. Mestas: "Candita Quintana. Yo he hecho reír a varias generaciones", *Romances*, La Habana, XII-1973; J. A. Pola: "Para su pueblo nunca agotó la risa", *Bohemia*, La Habana, IX-1977.

JOSÉ PIÑEIRO DÍAZ

Quintero Muñoz, Juan. Ceuta, 29-VI-1903; Madrid, 26-I-1980. Compositor. Formado en el Conservatorio de Madrid, estudió con Joaquín Larregla, Amadeo Vives y Julio Francés, recibiendo en 1924 el Premio Extraordinario de Piano. Trabajó inicialmente como violinista y pianista en compañías de zarzuela y teatro, estrenando en el teatro Eldorado la revista *Adán II*, 1927. Pronto dejó el teatro para dedicarse a la música para cine, su principal dedicación poniendo la banda sonora a obras tan famosas como *La hermana San Sulpicio*, 1934, o las películas de Juan de Orduña o R. Gil en los cuarenta, como *Alba de América, Juana la Loca* y *La violetera* entre otras muchas. Su música cinematográfica fue concebida en gran medida para el medio sonoro sinfónico y empleando, según las necesidades, aires tradicionales que acercasen la acción a los ambientes regionales españoles. En estos años también compuso la música de algunas revistas y piezas teatrales, que escribió por motivos coyunturales, fundamentalmente por amistad con músicos y libretistas, aprovechando su facilidad musical. Su obra teatral más ambiciosa tal vez sea la zarzuela en dos actos *La canción del amor mío*, con libreto de Jesús María Arozamena, estrenada en el teatro de la Zarzuela en 1953 y las revistas *Yola* y *Si Fausto fuera Faustina* que tuvieron gran éxito. *Véase* YOLA.

FONOGRAFÍA: *Alba de América*, Decca-Autor-PolyGram Ibérica SA, 460 574-2 HC; *Locura de Amor*, Decca-Autor-PolyGram Ibérica SA, 460 574-2 HC; *Mare Nostrum*, Decca-Autor-PolyGram Ibérica SA, 460 574-2 HC; *Pequeñeces*, Decca-Autor-PolyGram Ibérica SA, 460 574-2 HC.

OBRAS (Todas en *E:Msa*): *Adán II*, Rv, col. B. Muñoz, I, A. Custodio / C. Portella, est, 21-X-1927, Te. Eldorado; *Yola*, Rv, col. J. M. Irueste Germán, I, J. L. Sáenz de Heredia / F. Vázquez Ochando, est, 14-III-1941, Te. Eslava; *Si Fausto fuera Faustina*, Rv, 2 act, col. F. Moraleda. I, J. L. Sáenz de Heredia / F. Vázquez Ochando, est, 13-XI-1942, Te. Eslava; *Ayer estrené vergüenza*, Com, 2 act, I, F. Vázquez Ochando, est, 9-V-1946, Te. Apolo (Valencia); *Matrimonio a plazos*, Com, I, Navarro / J. M. Arozamena, est, 22-V-1946, Te. Zarzuela; *Amor partido por dos*, Com musical, 3 act, I, L. Tejedor Pérez / F. Vázquez Ochando, est, 29-XI-1950, Te. Albéniz; *La canción del amor mío*, Zarz, 2 act, col. F. López, I, A. Quintero / J. M. Arozamena, est, 24-I-1953, Te. Zarzuela.

BIBLIOGRAFÍA: *DMEH*.

VÍCTOR SÁNCHEZ SÁNCHEZ

Quintero Ramírez, Antonio. Jerez de la Frontera (Cádiz), 1895; Madrid, 1977. Dramaturgo. Escribió numerosas obras tanto solo como en colaboración, fundamentalmente espectáculos de copla andaluza como *El alma de la copla*, *La copla andaluza*, *Morena clara* y *Oro y marfil*. Con Rafael de León escribió espectáculos como *María Reyes*, *La copla nueva*, *La niña valiente*, *La maravilla errante*, *El patio de los luceros* y *No me quieras tanto*. En muchas ocasiones sus espectáculos fueron puestos en música por Juan Quintero y en otras por Quiroga, con el que componía, junto a Rafael de León, "la trinidad de la copla".

Además escribió la letra de otros espectáculos líricos como *Garabatusa* con música de Felipe Orejón Garrido; *Irene la volandera*, con música de Francisco Balaguer y Felipe Orejón Garrido, teatro Pavón, 1925; *Azabache*, sainete con música de Federico Moreno Torroba, Calderón, 1928; *La pantera del canalillo*, humorada cómico lírica con música de José María Martín Domingo, 1930; *Las pantorrillas*, en colaboración con Manuel Desco Sanz y con música de Soutullo y Vert, 1930; *Carita de emperaora*, con música de Rafael Calleja, teatro Fuencarral, 1932; *El espanto de Triana*, sainete con música de Cayo Vela, Zarzuela, 1933; *Maravilla*, zarzuela con música de Federico Moreno Torroba, teatro Fontalba, 1941; *La canción del amor mío* con música de Francisco López y Juan Quintero, 1953; *Pasodoble*, fantasía lírica en colaboración con Rafael de León y música de Manuel Quiroga, teatro de la Zarzuela, 1967; *Zambra 1945*, con el mismo compositor y de nuevo en colaboración con Rafael de León. Presidió el Montepío de Autores Españoles.

BIBLIOGRAFÍA: *DAT*.

Mª LUZ GONZÁLEZ PEÑA

Quiñones Cardona, Eleuterio. San Germán (Puerto Rico), 21-VIII-1854; ?. Compositor. Médico de profesión, estudió flauta y actuó como flautista en una orquesta de Nueva York. Fue autor de la zarzuela *Por el amor… libre*.

BIBLIOGRAFÍA: *DMEH*.

VÍCTOR SÁNCHEZ SÁNCHEZ

Quirós, Luis. Santa Cruz de Tenerife, 194?; Santa Cruz de Tenerife, 199?. Tenor. Afincado desde la adolescencia en Venezuela, en Caracas inició su carrera con distintas compañías de zarzuela, como Faustino García y Agustín Lisbona, que durante algunas décadas hicieron su andadura por tierras hispanoamericanas. En España se presentó en 1964 en el Arriaga de Bilbao de la mano de José de Luna cantando *Los gavilanes* en la que hacía una verdadera creación del papel de Gustavo, ya que tanto su físico como su voz eran idóneos para ese tipo de papeles. Su éxito fue inmediato y durante algunos años recorrió toda España en formaciones como la Isaac Albéniz de Juan José Seoane, Lírica Española de Antonio Amengual y Lírica Nacional.

BIBLIOGRAFÍA: E. García Carretero: *Historia del teatro de la Zarzuela de Madrid*, Madrid, Fundación de la Zarzuela Española, 2003.

EMILIO GARCÍA CARRETERO

Quirós, Luisa. España, siglos XIX-XX. Tiple. Actuó en los teatros Martín, Novedades y otros, sobre todo en revistas picarescas. Estrenó *El rata primero* de Bru y Vela, Novedades, 1913; *El primer fresco* de Quislant, Novevades, 1914; *El siglo de oro* de Bru y Vela, *Cine Fantomas* de Giménez, Novedades, 1915; *Don Juanito y su escudero* de Soutullo, Novedades, 1916; *La chicharra* de Bru y Vela, Novedades, 1917; *La cruz de los rosales* de López Debesa, *Perico de Aranjuez* de Fuentes y Camarero, Martín, 1918; *El rápido de Irún* de Alonso, *La compañía de Jesús o Un bolo en Villapitos* de Vela y Fuentes, Martín, 1919; *La del dos de mayo* de Barrera, Apolo, 1920; *Ramón del alma mía* y *La pelusa o El regalo de Reyes* de Guerrero, La Latina, 1920; *El Otelo del barrio* de Guerrero, Apolo, 1921; *Lo que cuestan las mujeres* de Rosillo, Romea, 1926; *Ali-Gui* de Rosillo, Romea, 1928; *Las mimosas* de Rosillo, Maravillas, 1931 y *¡Cómo están las mujeres!* de Pablo Luna, Maravillas, 1932. Su sobrina, Luisita, se hizo famosa en los music halls y coliseos de variedades.

Luisa Quirós (Foto: E:Bit)

Mª LUZ GONZÁLEZ PEÑA

Quirós, Vicente Martín. Barcelona, 12-XII-1893 o 1895; ?. Compositor. Inició sus estudios de piano en Linares, donde, huérfano, fue recogido por unos tíos. Posteriormente se trasladó a Madrid donde por dificultades pecuniarias decidió dedicarse a la música ingresando en el Conservatorio de Madrid donde estudió composición y armonía, y luego perfeccionó sus estudios con Burgés. Pianista de salones cafés y bailes, de su actividad surgieron numerosos cuplés famosos en aquella época como *Els focs artificials*, *Fox-trot de la sombrilla*, *La maja moderna*, *Sus pícaros ojos* y muchas más. En noviembre de 1922 estrenó su primera obra teatral, el sainete *Les caramelles*, y a partir de esta fecha colaboró en diversas revistas del Paralelo, en el teatro Cómico y en el Principal Palace, dentro de un estilo muy relacionado con la opereta, así *El sultán de la Persia* de gran éxito tanto en Barcelona como Madrid, *Caras bonitas*, Barcelona, 1936, a la que siguieron otras revistas y comedias como *No hay prenda como la vista*, 1942, *Mi canción eres tú*, gran éxito de 1952, y *La vuelta al mundo*.

BIBLIOGRAFÍA: *El llibre del cuplet català*, Barcelona, Salvador Bonavía, 1929; A. Retana: *Historia del arte frívolo*, Madrid, Tesoro, 1964; —: *Historia de la canción española*, Madrid, Tesoro, 1967.

VÍCTOR SÁNCHEZ SÁNCHEZ

Quislant Botella, Manuel. Santa Pola (Alicante), 23-VIII-1871; Madrid, 9-III-1949. Compositor. Miembro de la última generación nacionalista del siglo XIX previa a la del 98, estudió solfeo con su padre y muy joven se integró como requinto en la Banda Santa Cecilia de su pueblo, creada por su padre. Estudió violín con Alfredo Javaloyes y amplió los estudios de armonía con Pedro Fontanilla, como compañero de Ricardo Villa y Conrado del Campo, mereciendo el primer premio en 1893. Finalmente hizo contrapunto y fuga con Tomás Fernández Grajal, y composición con Emilio Serrano. Al finalizar sus estudios se integró en la vida musical de Madrid e hizo suplencias en teatros, hasta que consiguió la plaza de violín en la orquesta del teatro Eslava que dirigía Chapí, a quien conoció en 1894. Chapí descubrió las aptitudes de Quislant y le ofreció protección y apoyo, proponiéndolo como uno de los jóvenes maestros que junto con Barrera comenzaron a luchar contra Fiscowich, y poniéndole al frente de su propia copistería musical que más tarde, en 1899, se convertiría en la de la Sociedad de Autores Españoles. En esta batalla Quislant y Barrera usaron los seudónimos de "Montesinos" y "Montero". Quislant fue por ello uno de los fundadores de esta nueva sociedad, presidente del Montepío de Empleados, y jefe de la sección de copistería musical, tan activa aquellos años, cargo que desempeñó hasta su muerte.

Manuel Quislant
(Foto: Ar. ICCMU)

Autor de abundante obra para banda y de algunas obras orquestales, así como de obras para canto y orquesta, su dedicación fundamental fue el teatro lírico, y concretamente la zarzuela a la que se dedicó desde 1889 en que estrenó la revista *Santa Pola, ahir, hui i demà*, hasta el 1927 con la comedia *Los enemigos de la mujer*. A lo largo de aquellos años Quislant se convirtió en uno de los compositores más fecundos de toda la historia de la zarzuela con cerca de doscientas obras, muchas de ellas en colaboración. Quislant vivió la época dorada del género chico, década de los noventa y los primeros años del siglo XX, con una producción limitada en aquellos primeros años, que se fue incrementando a lo largo de la primera década del siglo XX y se hizo masiva en la década de los diez y de los veinte con un inmenso desarrollo que respondió a todos los géneros entonces de moda, desde el género ínfimo, el chico, la opereta, revista, las varietés e incluso la zarzuela grande. Sus obras se estrenaron en prácticamente todos los teatros del Madrid finisecular y de comienzos de siglo y varias provincias.

Alguna de sus obras marcaron el momento teatral español y no siempre por sus valores puramente musicales, tal es el caso de *Doloretes*, obra decisiva para la constitución de la Sociedad de Autores. El triunfo de *Doloretes*, en la que colaboró con Vives, junto con el de *El género ínfimo* de Tomás Barrera, contribuyó a la liberación de los autores, y con los derechos recaudados se hizo firme la base económica de la naciente sociedad; como narra Delgado en *Mi teatro*: "Del resultado de aquella representación dependía el porvenir de los autores dramáticos en España... Los materiales de orquesta de *Doloretes*, autografiados en un santiamén, inundaron las provincias... Empresas y compañías devolvían el archivo de Fiscowich y pedían el nuestro", que íntegramente lo formaba la obra de Chapí por la cesión que había hecho a la Sociedad de Autores Españoles, de la que sería presidente.

Otros éxitos fueron *María Jesús*, 1908, con libreto de Felipe Pérez Capo; *La señora Barba Azul*, 1909, en colaboración con Escobar, y *Eche usted señoras*, 1910, en colaboración con Badía, que consiguió más de cien representaciones en el Cómico de Madrid por la Compañía de Loreto y Chicote. También destacaron *Machaquito o El gato negro*, 1911; *Centinela... alerta*, opereta en colaboración con Saco del Valle; *La Venus moderna*, 1912, en colaboración con Barrera; *Amor y flores*, sainete de aquel mismo año; las zarzuelas *El querer de una gitana*, en colaboración con

Marquina, y *La alegría de España*, 1914; *El hijo del sol*, fantasía en tres actos basada en *Tribulaciones de un chino en China* de Julio Verne, en el Apolo, con varios números musicales de interés; *A pie y sin dinero*, 1917, en colaboración con Badía; también con Badía y en ese mismo año, el vodevil *El torbellino*, que estrenaron Loreto y Chicote, o el sainete *Modistillas y perdigones*, 1920, igualmente estrenado por estos actores.

Con esta actividad Quislant aparece como uno de los compositores más activos del siglo XX. Chispero, que sin duda siguió de cerca su actividad, comenta el estreno en el Apolo de su obra *Las pesetas del diablo*: "El laborioso músico colaborador silencioso y casi anónimo de todos los ases del género chico, cuyas partituras se le confiaban para ser orquestadas o drenadas de 'enormidades de armonía' que solían cometer los más afamados maestros". En efecto, es este uno de las grandes dificultades al valorar sus obras; sus colaboraciones son numerosas, y firmó obras con Vives, Saco del Valle, Barrera, T. López Torregrosa, J. Crespo, Valverde, P. Marquina, Foglietti, C. Vela, P. Badía, Ruiz de Arana, T. Valdovinos, Padilla, M. Peris, J. Fonrat, J. Cristóbal, E. Bru, San Felipe, Ruiz de Arana, C. Vela, E. Úbeda, López Montenegro, J. M. Carbonell y M. Castro, entre otros. Aunque ninguna de sus obras logró un éxito definitivo, cumplió una función de alguna manera sustancial en un momento en el que el público demandaba títulos nuevos con una voracidad difícil de comprender hoy. Una crítica de *La Correspondencia de España* en 1914, comentaba en torno al estreno de *La alegría de España*: "Si el maestro Quislant, autor muchas veces aplaudido y uno de los compositores que mejor armonizan e instrumentan, no hubiera ya demostrado en diferentes ocasiones que puede alternar en eso de hacer buena música con los mejores maestros españoles, la partitura que ha escrito para *La alegría de España* sería lo suficiente para que todo aquel que algo sepa de música colocara al maestro Quislant a la altura en que hoy están nuestros más aplaudidos músicos. Quizás en el difícil arte de instrumentar sea hoy el primero el maestro Quislant". *Véase* DOLORETES.

OBRAS (Todas en *E:Msa*; *E:SPq* = Fondo Manuel Quislant, Biblioteca Municipal de Santa Pola, Alicante): *Santa Pola, ahir, hui i demà*, Rv cóm-lír, 1 act, l, A. Erades Mas, est, 26-X-1889, Te. de la Villa (Te. Chapí, Santa Pola, Alicante), *E:SPq*; *España en París*, Zarz cóm, 1 act, col. T. López Torregrosa, l, E. Sánchez Pastor, est, 23-VI-1900, Te. Eldorado; *La luna de miel*, Hum cóm-lír, 1 act, l, J. Molas / E. García Álvarez / A. Paso, est, 7-VII-1900, Te. Eldorado (Cd, 1901 / Almagro y Cía.); *El tesoro del estómago*, caricatura, 1 act, l, E. López Fenoquio / J. Abati, est, 12-X-1900, Te. Eslava (Cd, 1901); *Mangas verdes*, Zarz cóm, 1 act, l, S. Delgado, est, 10-XI-1900, Te. Eslava; *Polvorilla*, Zarz, 1 act, col. A. Vives, l, F. Yrayozz/C. Fernández-Shaw, est, 31-XII-1900, Te. Eslava; *Los locos*, Zarz cóm, 1 act, l, E. Sánchez Pastor, est, 6-IV-1901, Te. Apolo; *El tío de Alcalá*, Jug cóm-lír, 1 act, l, C. Arniches, est, 15-IV-1901, Te. Romea; *Doloretes*, Bo lír dram, 1 act, col. A. Vives Roig, l, C. Arniches, est, 28-VI-1901, Te. Apolo, *E:SPq*; *La divette*, monólogo, 1 act, l, E. Rodríguez Arias / E.

Arroyo, est, 11-XI-1901, Te. Do Infante (Lisboa); *El número XIII*, Rv político religiosa, 1 act, col. J. Crespo, l, P. Cases, est, 13-VI-1902, Te. Parque (RMO); *La cubanita*, Zarz, 1 act, l, M. Fernández Palomero, 1902, *E:SPq*; *Los zapatos de charol*, Zarz, 1 act, col. J. Crespo, l, J. Jackson Veyán / E. Paradas, est, 31-X-1904, Te. Moderno; *La traca*, Zarz, 1 act, col. J. Crespo, l, F. Roig Bataller, est, 25-XI-1904, Te. Cómico; *La galera*, Zarz, 1 act, col. J. Valverde Sanjuán, l, L. de Larra, est, 13-XII-1904, Te. Campos Elíseos (Bilbao); *¡Viva la niña! o El descuaje de los inocentes*, Bu política, 1 act, col. P. Marquina Narro, l, M. Fernández Palomero, est, 28-XII-1904, Te. Cómico, *E:SPq*; *Pasacalle*, Sai lír, 1 act, J. Valverde Sanjuán, l, M. Ramos Carrión / A. Ramos Martín, est, 3-III-1905, Te. Apolo; *El príncipe ruso*, Opt, 1 act, col. A. Vives, l, L. Boada / M. de Castro, est, 18-V-1905, Te. Moderno; *El doctor maravilloso*, Zarz cóm, 1 act, col. L. Foglietti Alberola, l, J. Pérez López / J. Gamero, est, 8-VII-1905, Te. Apolo (Barcelona); *La mujer de cartón*, Hum cóm-lír, 1 act, col. T. Barrera Saavedra, l, A. Plañiol / A. Fernández Lepina / J. Villarreal, est, 3-VIII-1905, Te. Zarzuela, *E:SPq*; *El tío Charra*, Zarz, 1 act, col. J. Valverde Sanjuán, l, F. Pérez Capo / V. García Valero, est, 14-VIII-1905, Te. Pignatelli (Zaragoza), *E:SPq*; *La borrica*, Zarz, 1 act, col. T. López Torregrosa, l, L. Boada / M. Castro Tiedra, est, 28-XII-1905, Te. Eslava (VLL); *El vals de la sombra*, Jug cóm-lír, 1 act, col. J. Valverde Sanjuán, l, J. Dicenta, est, 8-III-1906, Te. Eslava; *Agencia matrimonial*, Zarz, 1 act, l, J. de Mena, 1907; *¡Al cine!*, caricatura madrileña, 1 act, col. R. López Montenegro, l, R. López Montenegro, est, 22-III-1907, Gran Teatro, *E:SPq*; *Las tres cosas de Jerez*, Zarz, 1 act, col. A. Vives Roig, l, C. Fernández-Shaw / P. Muñoz Seca, est, 30-IV-1907, Te. Eslava; *El solitario*, disparate, 1 act, col. T. López Torregrosa, l, L. de Larra / M. Fernández de la Puente, est, 13-VII-1907, Te. Gran Teatro; *Los falsos dioses*, sátira, 1 act, col. T. López Torregrosa, l, L. de Larra / M. Fernández de la Puente, est, 30-X-1907, Te. Cómico; *Las bandoleras*, Zarz, 1 act, col. T. López Torregrosa, l, L. de Larra / E. González Castillo / G. Jover, est, 6-VI-1908, Gran Teatro; *Madrid separatista*, Fant cóm-lír, 1 act, col. T. López Torregrosa, l, S. M. Granés / E. Polo, est, 24-VI-1908, Te. Eslava; *El diablo son los chiquillos*, diálogo cóm-lír, 1 act, col. R. López Montenegro, l, E. López Marín, est, 31-VII-1908, Te. Principal (Ávila), *E:SPq*; *La octava maravilla*, Ent lír, 2 act, l, F. Pérez Capo, est, 19-IX-1908, Te. Salón Victoria, *E:SPq*; *María Jesús*, Zarz dramática, 1 act, l, F. Pérez Capo, est, 16-X-1908, Te. Barbieri; *¡Jesús, que malas lenguas!*, Sai, 1 act, col. J. M. Carbonell Jiménez, l, F. Montagud y Díaz, est, 31-X-1908, Te. La Latina; *Las ruinas de Talía*, Rv cóm-lír, 1 act, l, F. Pérez Capo, est, 18-XI-1908, Coliseo de la Flor, *E:SPq*; *El tango infernal*, Rv cóm-lír, 1 act, col. R. Calleja, l, S. M. Granés / E. Polo, *E:SPq*, 1908; *El restaurante del cangrejo*, Zarz, 1 act, col. J. M. Carbonell, l, J. Pérez Ortiz / J. Salvador Bonet, est, 1909, Madrid, *E:SPq*; *La copla gitana*, Zarz, 1 act, col. J. Padilla Sánchez, l, J. Tavares Balados, est, 8-I-1909, Te. Barbieri, *E:SPq*; *La compañera*, Zarz, 1 act, l, F. Pérez Capo, est, 19-II-1909, Te. Barbieri, *E:SPq*; *Suspiros de fraile*, Opt Bu, 1 act, col. J. M. Carbonell, l, A. Fernández Lepina / A. Plañiol, est, 6-III-1909, Te. Martín, *E:SPq*; *El caballero bobo (El caballero lobo) o Las fieras del español*, fábula política, 1 act, col. T. López Torregrosa, l, L. de Larra, est, 16-IV-1909, Gran Teatro, *Los segadores*, Zarz , 1 act, l, G. Jover / E. González del Castillo, est, 14-V-1909, Te. Martín, *E:SPq*; *Santuzza*, Zarz, 1 act, col. M. Peris, l, F. Pérez Capo, est, 28-V-1909, Te. Novedades; *El bello Narciso*, Jug cóm-lír, 1 act, col. R. López Montenegro, l, E. González del Castillo / L. de Olive, est, 19-VI-1909, Te. Cómico, *E:SPq*; *A búfalo, a búfalo*, Capr, 1 act, col. J. Fonrat, l, J. Cordonié / F. Riera, est, 22-VI-1909, Te. Noviciado; *Ni frío ni calor*, Fant, 1 act, col. T. López Torregrosa, l, L. de Larra, est, 15-IX-1909, Te. Cómico; *Los hipócritas*, 1 act, col. J. Fonrat, l, F. Riera / M. Falcón, est, 22-IX-1909, Te. Victoria; *La señora Barba Azul*, Zarz, 1 act, col. A. Escobar, l, A. Fernández Lepina / A. Plañiol, est, 10-X-1909, Te. Martín, *E:SPq* (Cd, 1909/IA); *Los héroes del Rif*, episodio, 1 act, col. J. Cristóbal, l, E. Prieto / J. Villamil, est, 11-XI-1909,

Te. Novedades, *E:SPq*; *El suceso del día*, Sai, 1 act, col. R. López Montenegro, l, R. López Montenegro, est, 30-XI-1909, Te. Martín, *E:SPq*; *El gran hombre de Strasberg*, Zarz cóm, 2 act, col. E. Brú Albiñana, l, F. Pérez Capo, est, 21-XII-1909, Te. Gran Teatro, *E:SPq*; *El restaurant del cangrejo*, Zarz, 1 act, col J. M. Carbonell, l, J. Pérez Ortiz / J. Salvador Bonet, 1909, Madrid, *E:SPq*; *La hermana Piedad*, Com lír, 1 act, col. P. Badía Rivalta, l, E. González del Castillo / J. Pérez López, est, 10-I-1910, Te. Martín, *E:SPq*; *El Cristo de la luz*, Zarz, 1 act, col. J. Crespo, l, P. Cases, est, 9-V-1910, Te. Novedades; *¡Eche usted, señoras!*, Fant cóm lír, 1 act, col. P. Badía Rivalta, l, A. Fanosa / E. González del Castillo, est, 14-V-1910, Te. Cómico, *E:SPq*; *La Costa Azul*, Opt, 1 act, col. R. López Montenegro, l, M. Mihura / R. González del Toro, 20-V-1910, Gran Teatro, *Los esclavos*, Com lír dramática, 1 act, col. J. Fonrat, l, F. Riera / J. Prats Peralta, est, 10-VI-1910, Te. Novedades, *E:SPq*; *El Carnaval de Venecia*, Hum, 1 act, l, F. Pérez Capo, est, 6-VII-1910, Te. Benavente, *E:SPq*; *Pobrecitos frailes que se quedan dentro*, Com lír, 1 act, l, F. Pérez Capo, est, 14-VII-1910, Te. Benavente, *E:SPq*; *Microbios nacionales*, sátira cóm-lír, 1 act, col. J. Fonrat, l, E. Prieto / F. Riera, est, 15-IX-1910, Te. Novedades, *E:SPq*; *El fantasma*, Fant, 1 act, col. P. Badía, l. M. Mihura / R. González del Toro, est, 11-XI-1910, Te. Martín; *Benítez cobrador*, Hum lír, 1 act, col. P. Badía, l, E. González del Castillo / A. Heredero, est, 6-XII-1910, Te. Martín, *E:SPq*; *Lo irreparable*, 1 act, col. J. Crespo, l, L. Germán y Gastón, est, 9-XII-1910, Te. Barbieri, *E:SPq*; *El sexto*, quisicosa cóm-lír, 1 act, col. J. Fonrat, l, L. J. Gómez Renovales, est, 10-XII-1910, Te. Lo Rat Penat (Valencia), *E:SPq*; *El amigo Nicolás*, aventura cóm-lír, 2 act, col. P. Badía Rivalta, l, G. Jover / E. González del Castillo, est, 12-I-1911, Te. Martín, *E:SPq*; *La bella tripita*, Jug cóm-lír, 1 act, col. J. Crespo, l, F. Clemente Duarte / A. Palacios Martín, est, 10-III-1911, Te. Madrileño; *¡Al fin solos! o La noche del amor*, Jug cóm-lír, col. R. López Montenegro, l, E. López Marín / J. J. Cadenas, est, 5-V-1911, Te. Nuevo (Barcelona), *E:SPq*; *Tierra bravía*, 1 act, col. F. A. de San Felipe, l, M. Mihura / R. González del Toro, est, 14-VI-1911, Te. Novedades; *La morucha*, Capr, 1 act, col. F. A. de San Felipe, l, A. Sánchez Carrere, est, 26-VI-1911, Te. Novedades; *El santo de las niñas*, 1 act, col. R. López Montenegro, l, E. López Marín, est, 5-VII-1911, Te. Apolo, *E:SPq*; *El padre Augusto*, Com lír, 1 act, col. P. Badía, l, E. González del Castillo / R. Pla y Amorós, est, 6-IX-1911, Te. Martín, *E:SPq*; *Machaquito o El gato negro*, viaje cóm-lír, 1 act, l, F. Yrayzoz, est, 27-IX-1911, Te. Noviciado, *E:SPq*; *Amor y libertad*, Opt bu, 1 act, col. E. Ruiz de Olive, est, 29-IX-1911, Te. Price; *El monaguillo de las Descalzas*, Mel, 2 act, col. P. Badía, l, C. de Larra, est, 9-X-1911, Te. Cómico, *E:SPq*; *El aventurero*, Zarz dramática, 1 act, col. P. Badía, l, F. Riera, est, 10-I-1912, Te. Martín; *El zorro azul*, disparate cóm-lír, 1 act, col. M. Romero, l, A. Heredero, est, 24-I-1912, Te. Martín, *E:SPq*; *El gato rubio*, Zarz, 1 act, col. R. López Montenegro, l, E. López Marín, est, 26-I-1912, Te. Novedades; *Abierta toda la noche*, Sai lír, 1 act, col. P. Badía, l, G. Jover / E. Arroyo, est, 13-III-1912, Te. del Duque (Sevilla) ; *Amor y flores*, Si, 1, l, J. Gómez Renovales, est, 22-V-1912, Te. Novedades, *E:SPq*; *La viva de genio*, Zarz, 2 act, col. R. López Montenegro, l, M. Mihura / R. González del Toro, est, 4-VI-1912, Te. Cómico; *El hambre nacional*, Pas cóm lír, 1 act, col. C. Vela, l, E. Paradas / J. Jiménez, est, 18-VI-1912, Te. Novedades, *E:SPq*; *Centinela... alerta*, Opt, 1 act, col. A. Saco del Valle, l, R. González del Toro / M. Mihura, est, 3-VII-1912, Te. Apolo, *E:SPq*; *El machacante*, Mel lír, col. P. Badía, l, J. Moyrón / R. Hernández, est, 24-IX-1912, Te. Cómico, *E:SPq*; *Cosas de la calle*, Sai, 1 act, col. E. Úbeda Plasencia, l, J. Mesa Andrés / F. Ramos de Castro, est, 16-X-1912, Te. Novedades, *E:SPq*; *La Mary-Tornes*, película cóm-lír, 2 act, col. M. Ribas / P. Badía, l, A. Torres del Álamo / A. Asenjo Pérez / E. G. Gamero, est, 18-X-1912, Te. Cómico, *E:SPq*; *Los mineros*, 1 act, l, F. Pérez Capo, est, 7-XI-1912, Te. Martín, *E:SPq*; *La Venus moderna*, sueño disparatado, 1 act, col. T. Barrera, l, J. Romeo, est, 26-XI-1912, Te. Novedades, *E:SPq*; *Figuritas de antaño*, diálogo, 1 act, l, B. Velázquez Izquierdo, est,

14-XII-1912, Te. Novedades (Barcelona), *E:SPq*; *El coronel Castañón*, Zarz cóm, 2 act, col. T. Valdovinos Puyol, l, F. Pérez Capo, est, 25-I-1913, Te. Gran Vía, *E:SPq*; *Madrid-Niza*, 1 act, l, F. Pérez Capo, est, 21-VI-1913, Te. Eslava; *Ninguna lo tiene*, Ent cóm-lír, 1 act, l, J. Gómez Renovales / F. García Pacheco, est, 14-XI-1913, Te. Nuevo, *E:SPq*; *El príncipe loco*, Zarz, 1 act, col. A. Saco del Valle, l, M. Mihura / R. González del Toro / A. Carmona, est, 27-XI-1913, Te. Martín, *E:SPq*; *Bien servidas...*, Apr cóm-lír, 1 act, l, J. Gómez Renovales / F. García Pacheco, est, 2-XII-1913, Salón Madrid; *La alegría de España*, Zarz, l, J. Romeo, est, 24-III-1914, Te. Novedades, *E:SPq*; *El beso republicano*, 1 act, col. C. Vela Marqueta, l, J. de Burgos / E. Polo, est, 11-IV-1914, Te. Martín, *E:SPq*; *Las sagradas bayaderas*, Opt, 1 act, col. C. Vela Marqueta, l, A. Fernández Lepina/A. Plañiol, est, 11-IV-1914, Te. Martín, *E:SPq*; *El primer fresco*, Jug cóm, 1 act, l, J. Romeo / López del Rincón, est, 10-VI-1914, Te. Novedades; *Don Félix del Mamporro*, Rv cóm lír, 1 act, col. M. Castro Tiedra, l, A. Torres del Álamo / A. Asenjo, est, 11-VII-1914, Te. Magic-Park; *La Gioconda*, Bag cóm-lír, 1 act, col. P. Marquina, l, B. Suárez Zarza, est, 29-VIII-1915, Te. del Parque de los Recreos de El Paraíso; *En busca de los novios*, viaje cóm lír, 1 act, col. M Asensi, l, E. Cerdá, est, 14-X-1914, Te. Novedades; *El quinqué de Petronilo*, Hum sainetesca, 1 act, col. M. Romero, l, A. Sánchez Carrere / F. Mora, est, 24-XI-1914, Te. Martín, *E:SPq*; *El querer de una gitana*, Zarz cóm, 1 act, col. P. Marquina, l, M. Fernández Palomero, est, 25-XI-1914, Te. Novedades, *E:SPq*; *Fúcar XXI*, disparate cóm, 2 act, col. E. García Álvarez, l, E. García Álvarez / P. Muñoz Seca / P. Pérez Fernández, est, 21-XII-1914, Te. Cervantes, *E:SPq*; *A cinco céntimos*, Ent cóm-lír, 1 act, col. M. Romero; L. R. López Montenegro, 1914; *Bertoldo-Bertoldino y Cacaseno*, 1 act, col. P. Badía, l, A. Torres del Álamo / A. Asenjo, est, 1915, Te. Apolo, *E:SPq*; *De Miraflores y a prueba*, Zarz, 2 act, col. P. Badía, l, A. Caamaño / I. Soler, est, 25-II-1915, Te. Cómico, *E:SPq*; *La conquistadora*, Pas cóm-lír, 1 act, l, J. Romeo, est, 3-IV-1915, Te. Martín, *E:SPq*; *El hijo del sol*, Fant, 3 act, l, M. Garrido Centeno, est, 15-XII-1915, Te. Apolo; *Los farsantes*, 1 act, 1916, *E:SPq*; *El gallo de oro*, 1 act, col. P. Badía, l, López de Saa / F. Moya Rico, est, 24-III-1916, Te. Apolo, *E:SPq*; *La reina juguete*, Com lír, 1 act, col. L. del Castillo Camus / F. Cotarelo Romanos, l, L. Linares Becerra / J. de Burgos, est, 6-IV-1916, Te. Novedades; *El caprichito de su excelencia*, 1 act, col. P. Badía Rivalta, l, J. M. Martín de Eugenio, est, 9-V-1916, Te. Novedades, *E:SPq*; *El chato de Montilla*, 1 act, col. P. Badía Rivalta, l, E. Múgica Moreno / A. Soler, est, 27-V-1916, Te. Novedades, *E:SPq*; *Los ojos de mi morena*, Sai lír, 1 act, col. T. Barrera Saavedra, l, E. Polo / J. Romeo, est, 9-VI-1916, Te. Novedades, *E:SPq*; *Madrid a oscuras o La villa triste y escacharrada*, Rv, 1 act, col. P. Marquina, l, F. Pérez Capo, est, 27-VI-1916, Coliseo Imperial, *E:SPq*; *El millón de pesos*, viaje inverosímil, 2 act, col. P. Badía, l, C. de Larra / F. Lozano, est, 24-I-1917, Te. Cómico, *E:SPq*; *Ministerio de estrellas*, Rv fantástica, 1 act, col. P. Badía, l, E. González del Castillo / J. Pérez López, est, 11-V-1917, Te. Cómico, *E:SPq*; *Las morenas y las rubias*, Pas, 1 act, col. P. Badía, l, E. González del Castillo / J. de Burgos, est, 26-V-1917, Te. Cómico; *A pie y sin dinero (Los leones del Congreso)*, viaje fantástico, 1 act, col. P. Badía, l, E. González del Castillo / E. Arroyo, est, 19-X-1917, Te. Cómico, *E:SPq*; *El eterno sinvergüenza*, Sai, 1 act, col. G. Matute, l, E. Polo / J. Romeo, est, 29-X-1917, Te. Martín, *E:SPq*; *El Tenorio en el siglo XX*, Hum lír, 1 act, col. S. Martí, l, J. Huete y Ordóñez, est, 2-XI-1917, Te. Martín; *El torbellino*, Vo, 3 act, col. P. Badía, l, E. González del Castillo / D. Poveda, est, 27-XII-1917, Te. Cómico, *E:SPq*; *El viaje de los Pinzones*, 1 act, col. P. Badía, l, C. de Larra / F. Lozano / E. González del Castillo, est, 1-II-1918, Te. Cómico; *Las hijas de España*, Hum, 1 act, col. P. Badía, l, A. Fanosa / E. González del Castillo, est, 23-II-1918, Te. Cómico; *El cuarto verde*, Vo cóm-lír, 1 act, l, A. Paso Díaz / M. Morcillo, est, 19-IV-1918, Te. Martín, *E:SPq*; *Señoras garantizadas*, 2 act, col. P. Marquina, l, F. Pérez Capo, est, 10-V-1918, Te. Martín; *¡Mi Granada!*, Fant, 1 act, col. D. Victoria de Giner / P. Badía, l, E. González del Castillo, est, 31-V-

1918, Te. Cómico; *El ogro*, Com lír, 1 act, col. A. Estremera, l, A. Estremera / J. Sabau, est, 21-XI-1918, Te. Novedades, *E:SPq*; *El caso es pasar el rato*, 1 act, col. F. Gimeno Sanchís, l, J. Romeo / E. Polo, est, 2-IV-1919, Te. Novedades, *E:SPq*; *El rapto de las Sabinas*, 2 act, col. P. Badía, l, E. González del Castillo / G. Jover, est, 21-X-1919, Te. Cómico; *El hombre más barato de España*, 1 act, col. F. Gimeno Sanchís, l, E. Polo / J. Romeo, est, 19-XII-1919, Te. Novedades, *E:SPq*; *La romería del odio*, Dr lír, 1 act, l, R. Ramírez Ruisler / J. Pérez López, 9-I-1920, Te. Novedades, *E:SPq*; *El rey de la selva*, Ent, 1 act, col. A. Estremera, l, A. Estremera, est, 24-I-1920, Te. Cómico, *E:SPq*; *La última revista*, 1 act, col. T. Barrera, l, J. Romeo, est, 10-VIII-1920, Te. El Paraíso, *E:SPq*; *La novia de oro*, 3 act, col. P. Badía, l, M. Mihura / R. González del Toro, est, 3-XI-1920, Madrid, *E:SPq*; *Modistillas y perdigones*, Sai, 1 act, col. P. Badía, l, L. de Vargas, est, 21-XII-1920, Te. Cómico, *E:SPq*; *La liga de las naciones*, 1 act, col. P. Badía, l, M. Fernández Palomero / P. Córdoba, est, 23-II-1920, Te. Cómico; *Los héroes de la pantalla*, 1 act, col. P. Badía, l, E. Haro / J.

Aznar, est, 20-I-1921, Te. Cómico, *E:SPq*; *Las pesetas del diablo*, Zarz, l, E. Polo / J. Romeo, est, 25-V-1921, Te. Apolo, *E:SPq*; *Las tres cosas de Juanita*, historieta cóm-lír, 1 act, col. T. Barrera, l, E. Polo / J. Romeo, est, 8-VI-1921, Te. Novedades, *E:SPq*; *Voluntarios a Melilla*, Apr, 1 act, col. E. Bru, l, E. Cerdá / J. B. Pont, est, 4-XI-1921, Te. Novedades, *E:SPq*; *La cruz del matrimonio*, desatino cóm-lír, 1 act, col. B. Bautista Monterde, l, J. Pérez López / G. Hernández Mir, est, 19-XII-1921, Te. Novedades; *El manto de la Virgen*, Sai lír, 2 act, col. E. López del Toro, l, S. Valverde / M. Sánchez del Arco, est, 1922, Te. San Fernando (Sevilla), *¡Que te crees tú eso!*, 1 act, col. P. Badía, l, J. de Burgos / L. Linares Becerra, est, 12-I-1922, Te. Cómico, *E:SPq*; *¡Pero que no es eso!*, col. P. Badía, l, L. Linares Becerra / J. de Burgos, est, 11-II-1922, Te. Cómico; *El artículo cuarto*, Pas, 1 act, col. B. Bautista Monterde, l, D. Ferrand / A. Soler, est, 27-IV-1923, Te. Martín, *E:SPq*; *La de los claveles rojos*, 1 act, col. J. Ruiz de Azagra, l, A. Varela / M. Delgado, est, 4-V-1923, Te. Novedades; *Las chalás*, 1 act, col, B. Bautista Monterde, l, A. Soler / D. Ferrand, est, 3-IV-1925, Te. Centro; *A morir los caballeros*, 1 act, col. G. Cases, l, E. Polo, est, 9-XI-1925, Te. Martín; *Principal radio*, 1 act, col. B. Bautista Monterde, l, L. Grajales / A. García Gutiérrez, 1927, *E:SPq*; *Los enemigos de la mujer*, Com, 3 act, col. J. Guerrero, l, V. Blasco Ibáñez / E. Marquina / F. García Pacheco / L. Grajales, est, 12-V-1927, Te. Pavón; *A Buenos Aires*, 1 act, l, M. Mihura / R. González del Toro, *E:SPq*; *Abajo los consumos*, Zarz, 1 act, col. E. Ruiz de Arana, l, A. Domínguez / P. Cases, *E:SPq*; *Anar per llana*, 1 act, l, M. Millá Sagrera; *Buenos Aires*, 1 act, l, M. Mihura / R. González del Toro, *E:SPq*; *Campanillitas de plata*, Sai, 1 act, col. E. Ruiz de Arana, l, A. González Rendón / C.

Pérez Buri, est, Te. Comedia (Buenos Aires), *E:SPq*; *Carmen de Granada*, 2 act, col. B. Bautista Monterde, l, A. Calero Ortiz; *Daoiz y Velarde*, Ent en prosa, 1 act, col. P. Badía, l, D. Poveda Ramírez, est, Te. Cómico, *E:SPq*; *De Madrid a la gloria*, col. T. Barrera Saavedra, l, J. Romeo / M. de l'Hotellerie; *De Zaragoza a la corte o La venta de los amores*, 2 act, col. B. Bautista Monterde, l, F. Serrano Ramos; *El alma de león*, 1 act, col. E. Ruiz de Arana, l, A. Estremera / E. Montesinos, est, Te. Comedia (Buenos Aires); *El amigo de la amiga de mi amigo*, 1 act, col. F. Díaz-Giles Fernández; *El capricho de la abuelita*, 1 act, col. M. Asensi Martín, *E:SPq*; *El gordo*, 1 act, l, F. A. de San Felipe, l, J. Romeo, *E:SPq*; *El príncipe cuplet*, 1 act, *E:SPq*; *El santón de la puntilla*, 1 act, col. E. Bru, l, J. B. Pont / E. Cerdá; *El teniente Torreblanca*, 1 act, col. T. Valdovinos, l, F. Pérez Capo; *El tirano de Benicia*, 1 act, col. T. López Torregrosa, l, A. Martínez Viérgol; *Heredero forzoso o La perla de Andalucía*, 1 act, col. B. Bautista Monterde, l, A. Calero Ortiz; *Huelga de cocheros*, 1 act, col. J. Crespo, l, F. Roig Bataller / J. Epila; *La alta cámara*, 1 act, col. P. Badía Rivalta, l, M. Fernández Palomero, est, Te. Cómico, *E:SPq*; *La alternativa*, 1 act, l, R. Alcocer / M. Ródenas Sáez, *E:SPq*; *La Diana del amor*, 1 act, col. E. Ruiz de Arana, l, M. Moncayo / L. de Olive; *La felicidad de España*, 1 act, col. P. Badía, l, E. González del Castillo / A. Fanosa; *La gaviota azul*, 1 act, col. J. M. Uruñuela, l, J. Uruñuela; *La gracia de Dios*, 1 act, col. J. Valverde Sanjuán, l, A. Sainz Rodríguez / M. Velasco; *La judiada*, 1 act, col. J. Crespo, l, F. Roig Bataller; *La ley del candado*, 1 act, col. J. Crespo, l, J. Huete y Ordóñez; *La Marimorena*, 1 act, col. P. Badía Rivalta, l, E. González del Castillo; *La revista de las revistas*, 1 act; *La senda de la gloria*, 1 act, col. C. Salvador, l, J. Jackson Veyán, *E:SPq*; *Las divinas musas*, 1 act, col. B. Bautista Monterde, l, A. Soler / D. Ferrand, *E:SPq*; *Llueven hijos*, 2 act, col. J. Crespo, l, P. Cases; *Los aficionados*, 1 act, col. J. Valverde Sanjuán; *Los espadachines*, novela escénica, 2 act, col. P. Badía, l, E. González del Castillo, est, Te. Cómico, *E:SPq* (Cd); *Los húsares del amor*, 1 act, col. M. Asensi / M. Fernández Palomero; *Los pícaros años*, Zarz, 1 act, col. T. Barrera Saavedra, l, J. Romeo, *E:SPq*; *Mujeres*, 1 act, *E:SPq*; *Muñecas de arlequín*, 1 act, col. P. Badía, l, F. García Pacheco / J. Gómez Renovales; *San Sebastianerías*, 1 act, col. P. Badía, l, A. Caamaño, est, Te. Cómico, *E:SPq*; *Tomé Zapirón*, 1 act, col. P. Badía, l, J. de

Cortesía de Unión Musical Ediciones SL.

Burgos, est, Te. Cómico, *E:SPq*; *Vengan hijos*, 1 act, col. J. Crespo, l, P. Cases; *Venta de los amores*, Zarz, 2 act, col. B. Bautista Monterde, l, F. Serrano Ramos.

BIBLIOGRAFÍA: *DMEH*; *MT*; M. Quislant: "Nuestro teatro lírico. Carta a D. Antonio de la Villa", *La Libertad*, Madrid, VIII-1927; M. García Franco: "El apogeo de la zarzuela", *Historia de la música de la comunidad valenciana*, Valencia, G. Badenes Masó, 1992.

EMILIO CASARES RODICIO

Quo vadis?. Zarzuela de magia disparatada en un acto. Música de Ruperto Chapí. Libreto de Sinesio Delgado. Estrenada el 18 de diciembre de 1901 en el teatro Apolo de Madrid.

Personajes y reparto. La Maga (Carmen Fernández, tiple). Jimena (Joaquina Pino, tiple). Fátima (Isabel Brú, tiple). Jezabel (Amparo Taberner, tiple). Papia Popea (Elisa Moreu, tiple). Ninetis (Felisa Torres). La Princesa encantada (Pilar Vidal). Aniceto Monsalve (Emilio Carreras). Astolfo de Calahorra (Melchor Ramiro). Pentapolín (José Mesejo). Nerón (Emilio Mesejo). Pompilio Aulo (Anselmo Fernández). Cayo (Andrés Ruesga). El Emir de Córdoba (Isidro Soler). Un juez (Vicente Carrión). Tarfe (Antonio P. Soriano). Un escudero (Manuel Sánchez). Hadas benéficas, enanos, alguaciles, jueces, verdugos, caballeros, damas, gente de la Corte, familiares del Santo Oficio, frailes, herejes, cofrades, soldados de Felipe V, guerreros musulmanes, esclavos persas, númidas, galos y macedonios, esclavas egipcias, gladiadores, doncellas indicas, tribunos, cónsules, patricios, vestales, matronas romanas, guardia pretoriana, bestiarios y pueblo de Roma.

Orquestación. Flautín, flauta, 2 oboes, 2 clarinetes, fagot, 2 trompas, 2 cornetines en La, 3 trombones, timbales, percusión y cuerda.

Portada: Cortesía de Unión Musical Ediciones SL

Isabel Bru y Emilio Carreras en Quo Vadis
(Foto: Calvet y Compañy; Ar. Familia Delgado)

Argumento. *Cuadro primero.* Jardín de una plaza pública. Aparece Aniceto Monsalve, mal trajeado. Se lamenta de su triste situación, de que incluso acaban de intentar robarle y no han podido porque no llevaba nada consigo. Cuando está a punto de dormirse en un banco, aparece una Maga, rodeada de otras hadas, que cantan el cambio que va a experimentar. Cuando le despiertan, Aniceto piensa que es una pesadilla. La Maga le dice que él es una víctima de un mago enemigo que le persigue para que no pueda redimir a la princesa y colocarla en su trono. Le entregan un talismán, un panecillo, que no puede comer y él jura que luchará con el nigromante enemigo.

Cuadro segundo. Se transforma la plaza en un salón del palacio de la Maga. Todos celebran las cualidades del lugar. Cuando Aniceto se queda solo pide que le traigan unos pasteles, pero como no sabe manejar bien el poder del panecillo, genera una situación caótica, pierde el panecillo y el palacio se transforma en un subterráneo húmedo y lóbrego.

Cuadro tercero. Allí se tropieza con Astolfo, miembro de la Inquisición que, también encantado, es en realidad dueño del trono de la India y aunque nada puede directamente contra Aniceto, aspira a que éste muera. Cuando está a punto de comerse el panecillo por el hambre, aparecen varios alguaciles. El juez le acusa de brujería, pero Aniceto contesta bromeando y el juez le condena.

Cuadro cuarto. Procesión de la Inquisición. Cuando está al borde de ser incinerado, demanda la ayuda del panecillo y una catástrofe se genera en el momento, lo que le sirve para huir.

Cuadro quinto. Aparece una habitación modesta en la casa del Cid. Cuando entra se tropieza con Jimena, una hermosa mujer que es tentada sexualmente por Aniceto. De repente llega Astolfo, vestido del Cid, que demanda a Aniceto las razones que le han traído allí. Cuando éste le comenta que le persigue un mago llamado Astolfo, éste se levanta la celada y le descubre el rostro. En el momento en que va atacarle, llegan los ejércitos musulmanes, obligando al mago a armar a Aniceto.

Cuadro sexto. Salón de palacio de los emires de Córdoba. Aparece Fátima que reclama a las fuerzas del Emir venganza por la muerte de Aliatar. Un grupo trae prisionero a Monsalve y Fátima muestra sus deseos de hacerle el mayor daño. Sin embargo, extrae el panecillo, y Fátima, hipnotizada, cae a sus pies. De repente, parece Astolfo que hace que Aniceto sea tragado por la tierra.

Cuadro séptimo. Pentapolín, un poderoso sabio, es requerido por la Maga, para devolverle el poder al panecillo, perdido cuando Monsalve lo ha arrojado. Le cuenta que lo recuperará en el banquete que Nerón ofrecerá esta noche a Pompeyo Numa.

Cuadro octavo. Palacio de Nerón. Pompeyo señala que hay un personaje que se considera mejor músico que el César que no es otro que Aniceto Monsalve. Cantan los dos el himno a Júpiter. Como el Senado concede el premio a Nerón, éste confirma su intención de echar a Aniceto a los leones, aunque le permitirá comer todo lo que quiera. Reclama a Ninetis si hay algún panecillo. Ésta se lo trae y Aniceto piensa en la liberación cuando se hace presente la Maga y le pide que acepte la última prueba, que no es otra que conseguir meter el panecillo encantado en la boca de la fiera que va a acabar con él, que en realidad no es sino el nigromante disfrazado de tigre. Cuando éste aparece en pleno circo, en el último cuadro, muere inmediatamente y la princesa queda liberada, con lo que inmediatamente pide la mano de Aniceto que la ha salvado, con la consiguiente celebración por parte de todos.

Números musicales. Nº 1. La maga y el coro de hadas, "Ya los ojos entorna poquito". Nº 2. "Mágicos perfumes. Luz esplendorosa". Nº 3. Monsalve, un familiar y coro, "La procesión es larga y hay muchos condenados". Nº 4. Romance morisco, "Alalá lá. De púrpura el Oriente se va tiñendo". Nº 5. "Desde las cumbres del Líbano" Nº 6. Cuplets, "Prisionero en alta torre". Nº 6Bis. "Júpiter, Júpiter, cantad a Júpiter".

Comentario. A punto de terminar 1901 y junto a Sinesio Delgado, Chapí estrenó esta obra con fortuna. En realidad, sólo pretendía ser una nueva versión del celebrado *Galope de los siglos*, destinada a la función de Inocentes de ese año que tenía siempre un carácter lúdico. El estreno tuvo lugar, de hecho, el 28 de diciembre. La inocentada, hábilmente confeccionada por Sinesio Delgado, fue llamada "zarzuela de magia disparatada", en diez cuadros, alternando prosa y verso, en un peculiar híbrido típico del momento, que permitía jugar con el modelo de la revista antigua y el espectáculo de magia, conseguido tras mover diez veces la línea argumental para favorecer también las situaciones más absurdas para el compositor. Aquí el típico cesante sueña con un talismán que le convierta en un ser poderoso. El talismán, un peculiar panecillo francés, tiene el inconveniente que al separarse de las manos de su poseedor le remonta mágicamente a través del tiempo. Ello permite llevar al protagonista a la época de la Inquisición (un peculiar siglo XVI), la Edad Media, la Roma de Nerón o la Reconquista, convirtiendo el escenario de Apolo en un Auto de Fe, un cuadro de expulsión de los musulmanes, una extraña bacanal o la lucha de fieras en el circo romano.

La revista *El Teatro* señala que *Quo vadis?* es una prueba de que Sinesio Delgado "conoce los resortes teatrales y sabe manejárselos convenientemente. La fábula no puede ser más sencilla, los procedimientos empleados para desarrollarla tampoco y no obstante es una zarzuela entretenidísima, muy vistosa, rica en chistes y hasta instructiva si queremos extremar las cosas, ya que pinta con relativa fidelidad tipos y costumbres de épocas y países diversos" (Madrid, I-1902). La música de Chapí se adaptaba a la situación perfectamente. Así el coro de las brujas, con un sabor cómico que poco tiene que ver con el mismo coro en *La bruja*, la típica marcha militar para el cortejo, la sátira del auto de fe, el coro guerrero de los moros granadinos y, sobre todo, los inevitables cuplés que cantan Nerón y el cesante en la bacanal, estrictamente basados en el modelo visto en *El galope de los siglos* de los mismos autores. Siguiendo la estructura de los números, el primero es un coro no demasiado largo, donde intervenía Carmen Fernández junto a las demás hadas. Se proyecta en el Nº 2, muy cómico en su tratamiento, en el que aparece la figura determinante de Monsalve. El Nº 3 es un coro de amplias dimensiones, concebido para la procesión de penitentes. El fragmento muestra un tratamiento instrumental ambicioso, con inclusión de una marcha a cargo de la banda de trompetas y tambores, que se intercala con la orquesta y el conjunto. Da paso a una escena protagonizada por Monsalve que culmina en la liberación, subrayada por la orquesta que viene a representar las fuerzas de la naturaleza desbocadas. El Nº 4 es un eficaz romance morisco, protagonizado por Fátima –la experimentada Isabel Brú, ya con los medios vocales aparentemente muy menguados–, apoyada por el Emir –Isidro Soler– y el coro, donde Chapí acude a los habituales recursos tímbricos que aspiran a recuperar pretendidas sonoridades exóticas. El Nº 5 es protagonizado por Jezabel (Amparo Taberner) y el coro, sobre una bacanal, con fuerte contenido erótico. El Nº 6 está compuesto por los inevitables cuplés cómicos –cantados por Emilio Mesejo–, con un fuerte sentido irónico. De ellos existen múltiples variantes, tal y como era habitual en la época. Culmina la obra con este mismo fragmento repetido por el coro casi a modo de himno. Sobre la interpretación Chispero destacó que "fue maravillosa, insuperable; que Carreras hizo una de sus mejores creaciones, si no la mejor; que Anselmo Fernández y los dos Mesejo le acompañaron en el éxito con sin igual fortuna y que ellas, la Pino, la Taberner, la escultural Carmen Fernández y Felisa Torres, cuantas intervinieron, en fin, en el numerosísimo reparto, se superaron a sí mismas, dejando en la historia del teatro la huella indeleble del verdadero arte lírico español".

Fuentes manuscritas. La partitura se conserva en la Biblioteca Nacional de Madrid (legado Chapí, vol. 20). Los materiales de orquesta se conservan en el archivo de la SGAE en Madrid (1995).

Ediciones de música. Canto y piano, Madrid, Cd, 1902.

Ediciones del libreto. Madrid, SAE, 1902; 2ª ed., Imp. Hijos M. G. Hernández, Madrid, 1902.

BIBLIOGRAFÍA: *MT*; L. G. Iberni: *Ruperto Chapí*, Madrid, ICCMU, 1995; —: *Ruperto Chapí: memorias y escritos*, Madrid, ICCMU, 1995.

LUIS G. IBERNI

Rada Agadu, Serafín. España, siglo XX. Compositor. En el archivo de la SGAE en Madrid se conservan dos obras de teatro lírico a nombre de este autor: *Albejón pa los borregos*, revista en un acto con letra de M. Monje, estrenada el 9 de diciembre de 1922 en el teatro López de Ayala, y *¡Mi bandera!*, zarzuela en un acto con letra de E. Herrero y J. López de Hera.

Mª LUZ GONZÁLEZ PEÑA

Raga [Muñoz Raga], Cora. Villamarchante (Valencia), 9-I-1893; Barcelona, 3-XII-1980. Contralto. Dotada de grandes cualidades para el canto, estudió inicialmente en Valencia con Francisco Andrés, se perfeccionó en Milán con Torregnollo y se dedicó inicialmente a la ópera presentándose en Madrid con la parte de Amneris de *Aida* en 1922. Incorporada por Amadeo Vives al mundo de la zarzuela, tuvo el privilegio de estrenar en 1923 *Doña Francisquita*, convirtiéndose en la mejor Aurora la Beltrana de todos los tiempos junto con Matilde Vázquez. En 1924 estrenó en el teatro de la Zarzuela *La granjera de Arlés* de Rosillo, *Sol de Sevilla* de Padilla, *La maga de Oriente* de Serrano y Rosillo, en la que su interpretación fue muy aplaudida y hubo de repetir su romanza. Triunfó con *La Reina Mora* de

Cora Raga
(Foto: Ar. SGAE)

Serrano y la temporada siguiente seguía en la Zarzuela donde cantó *Los gavilanes* y estrenó *María Sol* de Guerrero, *La mesonera de Tordesillas* de Moreno Torroba y *Santa María del Mar* de Marquina y Cayo Vela. Su segundo gran éxito fue, en 1925, *La calesera* de Alonso. Desde entonces, convertida en primera figura de la zarzuela, recorrió España y América con un repertorio en el que entre sus obras favoritas se encontraban *La Dolorosa*, *La del Soto del Parral* y *La Dolores*. Tenía una voz robusta, apasionada y de gran fuerza dramática.

FONOGRAFÍA: *Doña Francisquita*, La Voz de su Amo AE 1007 AE 1008 AE 1010 (et. verde), 2-264008, 2-264009, 2-264011, 262340 • Odeón A 77.094 (et. azul), XXS 2114 XXS 2115 • Odeón 121021, XXS 4768 XXS 4769; *El dúo de La Africana*, Odeón 121184, XXS 5608 XXS 5609 • Blue Moon BMCD 7520; *El mal de amores*, Blue Moon BMCD 7543; *El rey que rabió*, La Voz de su Amo AF 439 a 446 (et. verde), 2N 117, 28, 118, 119, 120, 125, 29, 126, 91, 127, 128, 135, 44, 129, 120 y 112-716 a 112-731; *Golondrina de Madrid*, Blue Moon BMCD 7543; *La calesera*, Odeón 184102 (et. marrón), SO 4764 SO 4765; *La corte de faraón*, Odeón 183263 a 183264, 184875 a 184880 (et. roja y azul), SO 7145, SO 7158 a SO 7160, SO 7184 a SO 7186, SO 7192 SO 7193, SO 7269 a SO 7271 • Blue Moon BMCD 7503; *La Dolorosa*, Odeón 121145, XXS 6684 XXS 6683 • Blue Moon BMCD 7524; *La mala sombra*, Blue Moon BMCD 7543; *La revoltosa*, Odeón 184153, SO 5601 SO 5602; *La verbena de la Paloma*, Odeón 196505 (et. azul), SO 5328 SO 5294 • Odeón 203796 a 203803, SO 5282 a SO 5290, SO 5293 a SO 5298, SO 5328 • Blue Moon BMCD 7505; *La viejecita*, Odeón 184102 (et. marrón), SO 4764 SO 4765; *Los claveles*, Odeón 121096, XXS 5624 XXS 5628; *Los gavilanes*, Odeón 184488 a 184491, SO 6344 SO 6345 SO 6729, SO 7028 a SO 7031, SO 7042; *María Sol*, 153191 y 153192 (et. rosa y negra), SO 3778 SO 3779 • Blue Moon BMCD 7538; *Moros y cristianos*, Odeón 184505 a 184507, SO 7117 a SO 7122 • Blue Moon BMCD 7524.

BIBLIOGRAFÍA: *OCCE*; E. García Carretero: *Historia del teatro de la Zarzuela de Madrid*, Madrid, Fundación de la Zarzuela Española, 2003.

Mª LUZ GONZÁLEZ PEÑA

Ramallo Pantoja, Antonio. Badajoz, 4-IV-1941. Barítono y director de escena. Afincado en Madrid desde la adolescencia, se introdujo muy pronto en el teatro, alternando compañías de zarzuela con otras de comedia y revista, como las de José de Luna, Mary Carrillo o Tony Leblanc. Estudió en la Escuela Superior de Canto mientras trabajaba en la Compañía Lírica Nacional en la etapa en que era dirigida por José Tamayo,

Antonio Ramallo (Foto: Ar. Emilio G. Carretero)

que le permitió debutar en Barcelona con *La canción del olvido* de Serrano. Desde ese momento Ramallo pasó a ser uno de los barítonos titulares de la compañía interviniendo en montajes tanto de Tamayo como de otros directores que apreciaban de igual forma tanto su faceta de cantante como la de actor. *Gigantes y cabezudos, Doña Francisquita, El huésped del Sevillano, Los gavilanes, La rosa del azafrán, El caserío, La marcha de Cádiz, Luisa Fernanda, El niño judío, La Dolorosa, La alegría de la huerta, Jugar con fuego, La leyenda del beso, La montería* o estrenos como *Los vagabundos* y *Fuenteovejuna* –ambas con música de Moreno-Buendía– son algunos de los títulos que interpretó hasta que abandonó la Compañía Lírica Nacional para seguir a José Tamayo y ayudarle en las labores de dirección de la *Antología de la Zarzuela*, espectáculo con el que fue el barítono que cantó zarzuela en muy diversos lugares. Compagina sus labores interpretativas con la dirección escénica y en el verano de 2002 se representó en los Jardines de Sabatini su montaje de obras tan clásicas como *La Gran Vía* y *¡Agua, azucarillos y aguardiente!*

BIBLIOGRAFÍA: E. García Carretero: *Historia del teatro de la Zarzuela de Madrid*, Madrid, Fundación de la Zarzuela Española, 2003.

EMILIO GARCÍA CARRETERO

Ramírez, Lilliam. ?, siglo XX. Mezzosoprano. Estudió canto con Rina de Toledo y arte dramático con Edmundo Rivera Álvarez. Ha cantado numerosas zarzuelas en sus actuaciones en San Juan, entre las que destacan *Los claveles, El barberillo de Lavapiés, La Dolorosa* y *Luisa Fernanda*.

BIBLIOGRAFÍA: A. J. Molina: *150 Años de zarzuela en Puerto Rico y Cuba*, San Juan, Ramallo Bros. Printing, 1998.

EMILIO CASARES RODICIO

Ramírez, Mari Carmen. Granada, IX-1937. Soprano. Inició su carrera artística muy joven en la radio, durante dos años en un espectáculo encabezado por

la pareja de baile Pilar de Oro y Alfredo Gil. Posteriormente estudió con Miguel Barrosa y su línea de canto y sus excepcionales dotes de actriz la convirtieron en seguida en una las grandes figuras de la lírica española. En 1963 debutó en el teatro de la Zarzuela con la ópera *Maruxa* de Vives y a partir de ese momento su carrera fue una serie ininterrumpida de éxitos que culminaron con el premio Mejor Cantante del año por su labor en la zarzuela de Moreno Torroba *La chulapona* en 1967. Famosas han sido sus interpretaciones de obras como *La revoltosa, ¡Agua, azucarillos y aguardiente!, Los sobrinos del capitán Grant, La rosa del azafrán, La del Soto del Parral, El huésped del Sevillano, El joven piloto, Luisa Fernanda, Gigantes y cabezudos, Doña Francisquita, Maravilla, El barberillo de Lavapiés, Carnaval en Venecia, La boda de Luis Alonso* o *La canción del mar*; aunque puede decirse que sus grandes triunfos los consiguió con *Antología de la Zarzuela* de José Tamayo, con el que recorrió el mundo

Mary Carmen Ramírez (Foto: Ar. Emilio G. Carretero)

entero. Su última aparición zarzuelística en el teatro de la Zarzuela fue interpretando a Doña Francisca en el montaje de *Doña Francisquita* de Emilio Sagi, 1999. Está casada con el tenor Francisco Saura. *Véase* SAURA, FRANCISCO.

FONOGRAFÍA: *Doña Francisquita*, Columbia SA, OZS 1002 y 1003 (Alhambra) 89 y 90; *El barberillo de Lavapiés*, EMI 7243 5 74163 2 0 (637.00346); *El barbero de Sevilla*, Alhambra-BMG España WD 74552 (9D) • Columbia-Alhambra-BMG España C 32022, CS 42022; *La chulapona*, Columbia MCE 802 207; *La generala*, Columbia SA, OZS 1004 (Alhambra) 91 • Columbia SA, C32032 65; *La revoltosa*, EMI 10 C 038-020.179 • La Voz de su Amo 2XKA-U 250 (Gramófono-Odeón) 10; *La rosa del azafrán*, Zafiro-Salvat 1002-1 • Zafiro SA, 30103026 52 • Zafiro SA, ZN 6-5 S (Novola) 58 • Zafiro SA, ZOR-218 56; *Los sobrinos del capitán Grant*, Alhambra-BMG España WD 75123 (9D) • Columbia SA, C 30074 171 • Columbia SA, ZCL 1088; *Luisa Fernanda*, Alhambra SCE 936 205 • Columbia MCE 836 203 • Columbia ZCL 1001 202.

BIBLIOGRAFÍA: E. García Carretero: *Historia del teatro de la Zarzuela de Madrid*, Madrid, Fundación de la Zarzuela Española, 2003.

EMILIO GARCÍA CARRETERO

Ramírez Cumbreras, Ramón. España, siglo XIX. Dramaturgo. Su producción lírica se desarrolló durante la década de 1890 –época de plenitud del género chico– con obras como *Blanca de Saldaña*, drama en tres actos de Apolinar Brull, teatro Circo Price, 1887; el melodrama *La choza del diablo* de Fernández Caballero, Zarzuela, 1891; y por último, la zarzuela en un acto *Los glotones* de Manuel Chalons, 1893.

BIBLIOGRAFÍA: *CDE.*

OLIVA G. BALBOA

Ramírez Sánchez del Campo, Amalia. Baeza-Úbeda (Jaén), 23-V-1836; ?. Tiple. Nacida en un cortijo entre Baeza y Úbeda, hija del teniente coronel Rafael Ramírez, su primer profesor, fue niña prodigio y a los doce años ingresó en el Conservatorio de Madrid y estudió solfeo con Iradier y canto con Valldemosa y Saldoni, con quien terminó los estudios en 1853. Antes de salir del Conservatorio había obtenido una plaza de maestra repetidora de canto. Desde el inicio de su vida artística, a los dieciocho años, se dedicó a la zarzuela, haciendo su presentación en la obra de Arrieta *El dominó azul*, 1853. Inmediatamente después volvió a tener éxito y a consagrarse en el papel de Luisa de *El grumete*. Desde entonces estrenó una buena parte de las nuevas obras que iban surgiendo especialmente en el teatro del Circo y en el de la Zarzuela. En el primero estrenó *Galanteos en Venecia* de Barbieri, 1853; en 1854 *La cacería real* de Arrieta, *Catalina* de Gaztambide –en la que hizo el personaje principal–, *Cosas de Don Juan* de Rafael Hernando y *La cola del diablo* de Oudrid; en 1855 *Las bodas de Juanita* de Martín Sánchez Allú, *Mis dos mujeres* de Barbieri, *Guerra a muerte* de Arrieta, *Marina* de Arrieta –en el papel principal–, *El vizconde* y *El sargento Federico* de Barbieri; en 1856 *El conde de Castralia* de Oudrid, *Entre dos aguas* de Barbieri y Gaztambide y *La hija de la Providencia* de Arrieta. En 1856 cuando la compañía del teatro del Circo se trasladó al nuevo teatro de la Zarzuela, quizá por sus proyectos matrimoniales, pero también por su resentimiento con la empresa, la abandonó, lo que se consideró como una gran pérdida. En el mes de abril de 1857 abandonó Madrid y se fue a Granada donde permaneció durante cuatro meses interpretando sobre todo a Gaztambide que era el autor al que mejor se acomodaba su canto serio y elevado. En agosto de 1857 regresó a Madrid, al viejo teatro del

Amalia Ramírez en La colegiala
(Foto: Ar. ICCMU)

Circo, donde se reencontró con sus admiradores, y la primera obra que estrenó fue *El hijo del regimiento* de Oudrid. A partir de entonces recorrió varios teatros españoles, sobre todo andaluces, siempre de *prima donna*, y a finales de 1859 fue a Cuba, contratada por tres años, donde se la recibió como una auténtica *prima donna*, pero donde sólo permaneció tres meses por la muerte de su madre. En 1860 regresó a España y Aquiles di Franco consiguió que volviese al teatro del Circo estrenando *La colegiala* de Juan Molberg que el autor le dedicó y que le dio fama y permitió lucir lo que las crónicas señalaban como magnífico físico. Siguieron *El primer vuelo de un pollo* de Lázaro Núñez-Robres, *Llamada y tropa* de Arrieta y *El corneta* de Luis Cepeda. Se retiró en 1863 pero volvió a la escena en 1870, para dedicarse a la ópera presentándose en el teatro Carcano de Milán en el papel de Gilda de *Rigoletto* y en el de Violetta de *La traviata*. A su vuelta a Madrid actuó en el Real en *Rigoletto* y *Ernani*, aunque no con buena fortuna.

La Ramírez fue una de las mejores voces de la zarzuela del siglo XIX, y de hecho Saldoni que conocía las posibilidades de su voz, siempre la consideró así. Señala Cotarelo que se había "llevado todos los premios durante la carrera y de quien se contaban maravillas de voz, talento y hermosura y otras cualidades para la escena… Entre los que la conocían gozaba el sobrenombre de 'la perla del Conservatorio'". En 1854 había llegado ya a primera tiple del teatro del Circo y en 1855 cobraba 233

*Amalia Ramírez
(Foto: Colección
Castellano; E:Mn)*

reales diarios, mucho más que la siguiente en éxito, Adelaida Latorre con 166. Su voz era de enorme extensión, de gran volumen y cualidades dramáticas, pero dulce; tenía una extremada flexibilidad. Tenía además una cualidad fundamental para la zarzuela, unas grandes dotes teatrales para la declamación y el baile. Físicamente era hermosa, pequeña de estatura pero airosa. Fue muy aplaudida y admirada por el público y compitió con Adelaida Latorre –mejor en la declamación–, teniendo cada una múltiples seguidores.

BIBLIOGRAFÍA: *DBE; HGZ; HZ*; E. Casares Rodicio: *Francisco Asenjo Barbieri. 2. Escritos*, Madrid, ICCMU, 1994.

EMILIO CASARES RODICIO

Ramírez Valiente, Emilio. España, †26-X-1956. Compositor. Además de componer la música, en ocasiones también fue autor de las letras de las numerosas canciones que hizo. Es autor además de dos obras líricas conservadas en el archivo de la SGAE en Madrid: *La voz de la sangre*, sainete con libreto de C. Díaz Valero, estrenada en el teatro Novedades el 20 de enero de 1910 con gran éxito, y *El mejor tesoro*, zarzuela para niños con libreto de P. Pérez Fernández, estrenada en el teatro Cervantes de Sevilla el 16 de junio de 1928.

Mª LUZ GONZÁLEZ PEÑA

Ramírez-Ángel Sorrosal, Antonio. España, †1986. Compositor. Escribió numerosas canciones, jingles publicitarios y bandas sonoras. Además de las obras conservadas en el archivo de la SGAE de Madrid, tiene otras obras líricas siempre en colaboración con Roberto Pérez Carpio como *Corazón solitario* con libreto de Enrique Rambal, Jesús Vasallo y José María Arraiz; *La corte de los venenos*, drama con libreto de Enrique Rambal, M. A. Ródenas y Ricardo Blasco; *Las cuatro plumas*, con libreto de Jesús Vasallo; *Pánico en Londres*, drama con libreto de José Mª y Enrique Rambal; *Sueño de Navidad*, comedia lírica con libreto de Nicolás González Ruiz y *Fuenteovejuna* con libreto de Enrique Rambal.

OBRAS (Todas en *E:Msa*): *El destripador*, 3 act, col. Carpio, l, J. M. del Val Zamacona; *Las guerreras rojas*, l, J. Vasallo Ramos; *Los corsarios de Trapisonda*, 3 act, col. García Cote, l, N. González.

Mª LUZ GONZÁLEZ PEÑA

Ramiro, Melchor. España, siglos XIX-XX. Actor y cantante. Trabajó en diversos teatros con Lastra y Luján; estrenó en 1883 en los Jardines del Buen Retiro *La mantilla blanca* de Rubio y Espino; en 1886 en el Felipe *Máquinas Singer* de Nieto y *La Gran Vía* de Chueca y Valverde, en el papel de El paseante en Corte; en 1889 en el teatro Alhambra *Los primaveras* de Nieto; en 1890 en el Príncipe Alfonso *Los empecinados* de Brull; en 1891 en Eslava *El mirlo blanco* de Quinito Valverde; en 1892 en Recoletos *Adivina quién te dio* de Torregrosa. Su teatro fue el Apolo, donde estrenó infinidad de obras: *El cosechero de Arganda* de Ángel Rubio, 1888; *El dúo de la Africana* de Caballero y *Vía libre* de Chapí, 1893; *El guirigay* de San José y *La verbena de la Paloma* de Bretón, 1894; *Los inocentes* de Estellés y *Al fin se casa la Nieves o Vámonos a la venta del Grajo* de Bretón, 1895; *La niña del estanquero* de Chapí y *La viejecita* de Caballero, 1897; *Amor engendra desdichas* de Giménez y *La luz verde* de Vives, 1899; *La venta de Don Quijote* y *Quo vadis?* de Chapí, 1900; *El siglo XIX* de Montesinos y *Jaque a la reina* de Eladio Montero, 1901; *El gatito negro* y *El puñao de rosas* de Chapí, *La buena ventura* de Vives y Guervós, *La torre del oro* de Giménez y *La divisa* de Torregrosa, 1902; *El tirador de palomas* de

Chapí, 1903; *El abuelito* de Caballero, *La puñalada* y *El cisne de Lohengrin* de Chapí, 1904; *El mal de amores* de Serrano y *Pasacalle* de Quinito Valverde, 1905.

BIBLIOGRAFÍA: *TA*.

Mª LUZ GONZÁLEZ PEÑA

Ramos. Familia de libretistas españoles formada por Miguel y sus hijos Antonio y José.

1. Ramos Carrión, Miguel.
Zamora, 17-V-1848; Madrid, 8-VIII-1915. Libretista. Se trasladó a Madrid, donde realizó una brillante carrera de escritor festivo, escribiendo algunas obras en colaboración con otros escritores como Blasco, Lustonó y Campo Arana, aunque su más estrecha colaboración fue con Vital Aza. Utilizó los seudónimos "Boabdil el chico" y "Daniel". Protegido por Hartzenbusch, publicó artículos en *El Amigo del Pueblo*, *El Museo Nacional* y *El fisgón*. Fue colaborador de otros diarios como *Jeremías*, *El Moro Muza*, *La Libertad*, *Madrid Cómico*, *Blanco y Negro* y fundó el semanario satírico *Las Disciplinas*. Fue presidente de la Sección de Literatura del Ateneo de Madrid y organizó el Homenaje a Ramón de Campoamor en 1902. Ramos Carrión poseía como pocos la capacidad de creación teatral y sabía sacar una obra completa de un simple pensamiento, como muestra *El bigote rubio*, o trazar dramas completos como *La bruja*, 1887, o *La tempestad*, 1882. Chapí fue uno de sus más fecundos colaboradores, pues además de las citadas obras hay que añadir la ópera *Circe*, 1902, sobre un tema de Calderón y en colaboración con Vital Aza, *El rey que rabió*. Parece que conoció a Chapí en París, donde el compositor villenense se hallaba pensionado y el zamorano intentó atraérselo hacia el campo de la zarzuela, con mayores posibilidades para ganar dinero que la ópera. Con Chapí escribió además *La calandria* y *¡Adiós Madrid!*, 1880, *El hijo de la nieve*, 1881, *Los lobos marinos*, 1887, *La guajira*, 1901, *La joroba*, 1905, y *La balandra*.

*Miguel Ramos Carrión
(Foto: Gombau
en* El Teatro, *1904;
Ar. SGAE)*

Su primer triunfo lo obtuvo con *Un sarao y una soirée*, siendo un adolescente, ya que la obra, con música de Arrieta, se estrenó en 1866. El heredero del casticismo de Barbieri, Federico Chueca, compuso la música de algunos de sus grandes éxitos, como *Agua, azucarillos y aguardiente* y *El chaleco blanco*. Precisamente con motivo del inminente estreno de esta última obra, en junio de 1890, su amigo y colaborador José Jackson Veyán le dedicaba estos versos: "De elegancia es un primor, / como que el sastre no es manco. / ¡Vaya un corte superior!... / El tal chalequito blanco / es una prenda mayor. / ... / ¡Es un *chaleco* que dura / tres o cuatro temporadas / Chueca ha adornado tu obra / con su gracia original. / Cual Federico no hay tres: / Chueca en francas seguidillas / y en tangos y en jotas es / el Verdi de Lavapiés / y el Gounod de las Vistillas". Las previsiones de Jackson se cumplieron ya que la obra, concebida al igual que *Agua, azucarillos y aguardiente* como pasillo veraniego, se mantuvo en cartel mucho tiempo y aún al ponerse en escena, siguen llegando al público los tipos que tan bien retrató Ramos Carrión junto a la magnífica música de Chueca. También a Fernández Caballero proporcionó algunos libretos de éxito resonante como *La gallina ciega*, 1873, *La Marsellesa* y *El siglo que viene*, 1876, *Los sobrinos del capitán Grant*, 1877, y *Las dos princesas*, 1879. Otros destacados compositores que colaboraron con Ramos Carrión fueron Arrieta, para quien transformó en ópera la zarzuela *Marina*, y para el que escribió además la citada *Un sarao y una soirée*, 1866, *El figle enamorado*, 1867, y *De Madrid a Biarritz*, 1869; Barbieri en *El domador de fieras*, 1874 y *El diablo cojuelo*, 1878. Con el principal compositor de los Bufos, José Rogel, hizo *Un palomino atontado*, 1871, y *Los madriles*, 1877; con Ángel Rubio colaboró en *Periquito*, 1879; con Cereceda en *Esperanza*, 1872; con Quinito Valverde en *Esto, lo otro y lo de más allá*, 1879 y *Pasacalle*, 1905; con Miguel Marqués en *La hoja de parra*, 1873; con Rafael Aceves en *El carbonero de Subiza*, 1871; con Vives en *Pepe Botella*, 1908 y con Manuel Nieto en *Coro de señoras*, 1886.

La obra lírica de Ramos Carrión supo conjugar los elementos costumbristas con argumentos de un cierto valor y siempre con un depurado cuidado formal, que le ha hecho perdurar en el tiempo cuando tantos de sus coetáneos han caído en el olvido. Escribió prácticamente todos los géneros: óperas, zarzuelas, sainetes, apropósitos, juguetes, pasillos, pasatiempos y parodias. *Véase* AGUA AZUCARILLOS Y AGUARDIENTE; LA BRUJA; EL CHALECO BLANCO; LA GALLINA CIEGA; LA MARSELLESA; EL REY QUE RABIÓ; LOS SOBRINOS DEL CAPITÁN GRANT; LA TEMPESTAD; UN SARAO Y SOIRÉE.

2. Ramos Martín, Antonio. Madrid, 18-II-1885; Madrid, 14-XI-1970. Libretista. Se licenció en Filosofía y Letras y ocupó el cargo de secretario de la Sociedad de Autores así como de su Montepío; fue también Bibliotecario del Casino de Autores. En 1905 estrenó en Apolo su sainete *Pasacalle*, escrito en colaboración con su padre y que ambos dedicaron a Adela Martín, madre y esposa respectivamente. En los años veinte estaba considerado uno de los mejores saineteros madrileños del momento.

Como su padre, destacó en el teatro dando, si no muy abundantes, sí bastantes muestras de su buen hacer para el género lírico. Escribió en colaboración con su hermano José una obra dramática, *Los mozos bien*, 1929, muy bien acogida por la crítica. Compositores como Chapí, estrecho colaborador de su padre, Guerrero, Calleja, Barrera, Soutullo y, hasta el barítono Emilio Sagi Barba, pusieron música a sus obras. Con Chapí

José Ramos Martín
(Foto: Ar. SGAE)

escribió *Calabazas*, 1905 y *La joroba*, 1906, ésta en colaboración con su padre; con Calleja *El ama seca*, 1905, *Los niños de Tetuán*, 1908, *La cocina*, 1912 y *El entierro de la sardina*, 1915; con Barrera *El compañero cocido*, 1921; con Quinito Valverde *Pasacalle*, 1905; con Celestino Roig *Mantequilla de Soria*, 1917; con Benito Morató *Los leones*, 1935; con Soutullo *Así se pierden los hombres*, 1927; con Sagi Barba *Las palomas*, 1945; con Penella *La última carrera*, 1926, con Lleó *Anfitrión* y con Jacinto Guerrero, *A la sombra* y *Lo que va de ayer a hoy*, 1924, y *En noche de Carnaval*.

3. Ramos Martín, José. Madrid, 10-III-1892; Madrid, 16-X-1974. Libretista. Al igual que su padre, alternó el teatro con la prensa y fue colaborador durante años de *ABC*, *Blanco y Negro* y *El Liberal*. Fue director de la sección dramática de la Sociedad General de Autores de España.

A los diecinueve años estrenó su primera obra teatral, *El nido de la paloma*, y desde entonces no dejó de cultivar, con éxito, la escena, especialmente el teatro musical, para el que proporcionó multitud de libretos, en los que alcanzó una gran perfección. Cultivó diversos géneros, entre ellos el sainete corto y el apropósito. En sus comedias destaca la viva comicidad y una cierta penetración sarcástica. Al año siguiente de estrenar con su hermano Antonio *Los mozos bien*, estrenó la zarzuela *Campanela*, con música de Jacinto Guerrero, compositor de tantas de sus obras, con el que alcanzó sus más grandes triunfos en *La montería*, 1922, y *Los gavilanes* en 1923, pero con el que

Antonio Ramos Martín
(Foto: Ar. SGAE)

escribió muchas más, caso de *La loca juventud, Manolita "la peque", María Sol, Campanela, Colilla IV, La pelusa o El regalo de Reyes, ¡Vivan los novios!*. Colaboró con otros músicos como Giménez en *Esta noche es Nochebuena*, 1917, *Abejas y zánganos*, 1921, y *Tras Tristán*, 1918 o Moreno Torroba, *Xuanón*, 1933. También se dedicó a la revista, como por ejemplo en *Tú y yo somos dos* con Martínez Mollá, 1939, *Qué sabes tú (Luna de miel)*, 1943 y *Llévame en tu coche*, 1944, ambas con Pérez Rosillo. Escribió con el barítono José Luis Lloret *Nochecita de San Juan* en 1919 y con Sagi Barba *Me caso a las once* en 1946. Colaboró con otros muchos autores como Barrera –*La virgen Capitana*, 1923–, Lambert –*La alborada*, 1928–, Pablo Luna –*Las musas del Trianón*, 1926–, Estela –*Una y otra*, 1929–, y Penella, –*La última cercelera*, 1926–, entre otros. *Véase* LA ALSACIANA; LOS GAVILANES; LA MONTERÍA; XUANÓN.

BIBLIOGRAFÍA: *CDE; CTLBN; DAT; EDL; TLE*; M. Muñoz: *Historia de la zarzuela y el género chico*, Madrid, Ed. Tesoro, 1946; L. García Lorenzo: *Ramos Carrión y la zarzuela*, Diputación de Zamora, 1993.

Mª LUZ GONZÁLEZ PEÑA

Ramos, Carmen. España, siglos XIX-XX. Tiple. Llegó a la Zarzuela en febrero de 1917 y debutó con *La generala* de Vives, ganándose de inmediato la simpatía del público compartiendo protagonismo con Consuelo Hidalgo. Protagonizó después el estreno de *La mujer de Boliche* de Vives y obtuvo un gran éxito con *El tesoro*, también de Vives, que éste había retirado por desacuerdos con la empresa en numerosas ocasiones. El éxito fue casi comparable al de *Maruxa* aunque la obra haya caído en el olvido. Una señorita Ramos estrenó en 1924 *La niña de las perlas* de Bautista Monterde en el teatro Reina Victoria de Barcelona.

Mª LUZ GONZÁLEZ PEÑA

Ramos, Enrique. España, siglos XIX-XX. Barítono. Formaba parte de la compañía de zarzuela y opereta de Esperanza Iris con la que realizó una temporada triunfal en 1920 en el teatro de la Zarzuela. Según el crítico José Forns, "su voz es amplia, bien timbrada y potente; canta con maestría y buen gusto, poniendo acentos de pasión y energía, y a estas condiciones como cantante une la de ser un perfecto actor". Escogió para su beneficio en el teatro de la Zarzuela la opereta de Lehár *El príncipe de Bohemia*, compenetrándose, como siempre, con su personaje, lo que le valió el favor del público. Su éxito se multiplicó al poner en escena, la noche de su despedida, *La revoltosa* de Chapí, donde el barítono hizo un Felipe "con toda la pasión y madrileñismo preciso". Terminada la temporada madrileña, la compañía se trasladó a Barcelona para actuar en el Tívoli. En 1923 logró un gran éxito con *Benamor*. En junio del mismo año Enrique Ramos se despidió del público madrileño ya que formó compañía propia para irse a América. En 1929 estrenó en el teatro del Centro de Madrid *El caballero del guante rojo* de Pablo Luna.

EMILIO CASARES RODICIO

Ramos, Federico. Areceibo (Puerto Rico), 1857; ?. Compositor. Es autor de dos zarzuelas: *Fortunato* con letra de José Bigay, estrenada en 1901, y *Nochebuena*.

BIBLIOGRAFÍA: *DMEH*.

EMILIO CASARES RODICIO

Ramos, Hilda. Mayagüez (Puerto Rico), siglo XX. Soprano. Se formó en el Conservatorio de Música de Puerto Rico con María Esther Robles. Debutó en la Gala de la Zarzuela en 1989 con la Orquesta Sinfónica de Puerto Rico. Ha participado en varias producciones zarzuelísticas con Pro Arte Lírico y otras compañías.

BIBLIOGRAFÍA: A. J. Molina: *150 Años de zarzuela en Puerto Rico y Cuba*, San Juan, Ramallo Bros. Printing, 1998.

EMILIO CASARES RODICIO

Ramos, Lola [Dolores Ramos de la Vega]. Málaga, siglos XIX-XX. Escritora y tiple cómica. Debutó con cinco años en el teatro Principal de Barcelona en la Compañía Infantil de Juan Bosch en la que permaneció hasta los doce años. A los catorce ingresó en la de Pedro Delgado y a los dieciséis regresó definitivamente a la zarzuela. Reconocida ya en toda Andalucía, se trasladó a Madrid donde debutó en el Eslava en la compañía de José Riquelme, con *Caramelo* de Chueca, interpretando a un chicuelo Antoniyo. Seguidamente estrenó *Polvorilla, El capote de paseo, Mangas verdes* y *El fondo del baúl*, siempre con éxito. Al finalizar la temporada madrileña emprendió una gira por Valencia, Granada, Sevilla, Bilbao y otras ciudades; la empresa del teatro Eldorado de Barcelona la contrató para estrenar allí *Caramelo* y además una obra de su autoría, *La estocá de la tarde*, con música de Amadeo Vives, que fue el gran éxito de la temporada. En 1906 regresó a Barcelona trabajando en el Gran Vía, donde estrenó la zarzuela de Calleja *Del valle al monte*. Seguía en Barcelona en 1920 actuando en los teatros Cómico y Goya. En su faceta literaria, colaboró con diversos periódicos de la época y además era buena pianista, guitarrista y citarista. Como libretista tiene el apropósito cómico-lírico *¡¡Un cordobés!!* de Enrique Busto, estrenado en Córdoba, 1907; para el mismo compositor escribió *¡Cariñito ciego!, La estocá de la tarde* de Julián Vivas, *¡Del valle…. al monte!* de Calleja y *El niño de Brenes*, con música de Córdoba al igual que *La calderada*.

BIBLIOGRAFÍA: F. Cuenca: *Teatro andaluz contemporáneo. 2. Artistas líricos y dramáticos*, La Habana, Maza, 1940.

Mª LUZ GONZÁLEZ PEÑA

Ramos, Trinidad. Madrid, 1835?; Madrid, 3-I-1863. Soprano. Hija de un contador del teatro Real, se dedicó inicialmente al baile, y estudió declamación con Luna y música con Tomás Genovés. Actuó muy joven, en 1854, en *Nabucco* en el teatro Real. Como muchos cantantes de su época acudió a Milán en 1855 para recibir lecciones de Lamperti y se presentó como primera tiple en el teatro de Verona en 1856 en la ópera *L´Esmeralda*. Actuó como cantante de ópera en Londres en 1857, Nueva York y La Habana, desde donde regresó a España interpretando en el Real la Gilda de *Rigoletto* en 1859, con el tenor Mario de Candia. Actuó también en la temporada de ópera dada en el teatro de la Zarzuela en el mismo año con el tenor Tamberlick.

A partir de entonces se dedicó a la zarzuela siendo una de las voces más importantes del género en los teatros del Circo y de la Zarzuela, en donde estrenó numerosas obras. En 1849 fue Inés *El duende* de Hernando. A partir de entonces sus estrenos fueron abundantes, entre los que destacan: de Arrieta *La hija de la providencia* y *Llamada y tropa*; de Gaztambide *Una vieja*, 1860, *Nadie se muere hasta que Dios quiere*, 1860; de Oudrid *El caballo blanco*; de José Rogel *Los peregrinos*, 1861. En la temporada 1861-62, por disensiones con los empresarios Salas y Gaztambide e impulsada por Arrieta, abandonó el teatro de la Zarzuela para trabajar en la competencia, el teatro Circo, siendo el activo mayor del teatro en el que estrenó obras como *Un jaleo en Triana* de Isidoro García Rossetti, 1861, *Un marido por apuesta* de Luis Reparaz, *Genaro el gondolero* de Antonio Rovira y *Dos coronas* de Arrieta. Se retiró en 1862 con la obra *Harry el Diablo* de Antonio Reparaz.

Barbieri describe con las siguientes palabras la enfermedad de la Ramos: "La tiple Ramos era muy querida del público; pero esta señora en vez de aliviarse de sus dolencias se agravó en términos de no poder cantar ni poco ni mucho; marchó enseguida a Carabanchel, donde alquiló una casa, y allí murió, con gran sentimiento de todos los que la conocían". Se trataba de una tisis que se le detectó a comienzos del invierno. El periódico *La Época* al dar cuenta de su muerte la destacaba, an-

Trinidad Ramos en Llamada y tropa *de J. Gaztambide (Foto: colección Castellano; E:Mn)*

tes que por sus facultades, por su buen arte, gusto y musicalidad y por una afinación magnífica. En una carta de la madre de Barbieri a su hijo le narraba así la actuación de la tiple: "Anoche se estrenó *La hija del regimiento*… La señorita Ramos es muy simpática, cantó con gusto y afinación, vistió bien y tuvo la misma desenvoltura que si toda la vida hubiese estado en la zarzuela. Tiene poquita voz, pero como sabe manejarla, gustó mucho y fue muy aplaudida en todas la piezas sobre todo en el terceto del tercer acto y la escena del tambor que ambos hicieron repetir".

BIBLIOGRAFÍA: *DBE*; *HZ*; E. Casares Rodicio: *Francisco Asenjo Barbieri. 2. Escritos*, Madrid, ICCMU, 1994.

EMILIO CASARES RODICIO

Ramos Blanco, Félix. Málaga, 1863; ?. Tenor cómico. Discípulo del compositor Enrique Berro Bianco debutó en la Academia de éste con la zarzuela *Las ventas de Cárdenas*. Inició una gira por los más importantes teatros americanos y a su vuelta a Málaga, debutó en 1897 en el teatro Principal con *El dúo de la Africana*.

BIBLIOGRAFÍA: F. Cuenca: *Teatro andaluz contemporáneo. 2. Artistas líricos y dramáticos*, La Habana, Maza, 1940.

Mª LUZ GONZÁLEZ PEÑA

Ramos de Castro, Francisco. Madrid, 1890, Madrid, 4-XI-1963. Dramaturgo. Licenciado en Derecho, se dedicó al periodismo, colaborando en *El Parlamentario*, *El Mentidero* y *La nación*, y a la literatura. Es autor de numerosas obras teatrales de carácter cómico y paródico, desde sainetes y juguetes a zarzuelas y, sobre todo, revistas y comedias musicales. Su carrera teatral comenzó con el estreno en 1910 de la zarzuela *A ras de las olas* de Arturo Escobar, y se desarrolló duran-

Francisco Ramos de Castro (Foto: Ar. SGAE)

te más de cincuenta años de éxitos; su último estreno fue en 1959 con la comedia musical *La española misteriosa* de Daniel Montorio.

Era un gran conocedor de los resortes teatrales, y así, con argumentos sencillos y conocidos, supo modernizar la zarzuela, actualizando las situaciones de los personajes y sus argumentos. Poseía talento para conseguir el efecto cómico a través de diálogos ágiles, utilizando el retruécano, además de gran facilidad de inspiración para acomodarse a los números musicales. Compartió su firma con Anselmo Cuadrado Carreño en uno de sus mayores éxitos, que ha permanecido entre las mejores obras del repertorio, *La del manojo de rosas* de Pablo Sorozábal, 1933. En ella los autores supieron revitalizar el sainete madrileño con un título que cantaba al Madrid actual; Carreño se encargó del argumento y Ramos de Castro de versificar los cantables y darles la gracia necesaria. Con el mismo Carreño estrenó *Me llaman la presumida* de Francisco Alonso, 1935, y *La boda del señor Bringas o Si te casas la pringas*, 1936, refundida más tarde bajo el título de *El que tenga un amor que lo cuide*, 1940, ambas con música de Federico Moreno Torroba. Entre sus colaboradores figuran también Gerardo Ribas, en *¡Gol!* de Jacinto Guerrero, 1931; Manuel López Marín, Enrique Mayol o José Mesa. De entre los compositores que pusieron música a sus obras, además de los citados, destacan Pablo Luna en *Al cantar del gallo*, 1935; José Padilla en *La hechicera en palacio*, 1950; y Ernesto Pérez Rosillo en *Dólares*, 1954. *Véase* LA DEL MANOJO DEL ROSAS; ME LLAMAN LA PRESUMIDA.

BIBLIOGRAFÍA: *DAT*; F. C. Sainz de Robles: *Historia y antología de la poesía española*, Madrid, Aguilar, 1951; P. Sorozábal: *Mi vida y mi obra*, Madrid, Fundación Banco Exterior, 1986.

OLIVA G. BALBOA

Ramos Echapare, Miguel. España, †1976. Compositor. Tiene registradas en la SGAE numerosas canciones y bailes, algunas en francés y en inglés. Además, estrenó en 1936 en el teatro Fontalba de Madrid el sainete lírico en dos actos *La mejor del barrio*, compuesta en colaboración con Keppler-Lais y libreto de E. Lerma León.

Mª LUZ GONZÁLEZ PEÑA

Ramos Ortiz, Darío. México, siglos XIX-XX. Compositor. En 1899 estrenó la zarzuela *Las luces de los ángeles* con libreto de Armando Morales Puente y Arturo Beteta, y con música en colaboración con Miguel Lerdo de Tejada. La obra está basada en el patrón de *La verbena de la Paloma* y tuvo mucho éxito. Un segundo estreno de este autor fue en 1900 con *El otro Pérez*, también con Lerdo de Tejada y libreto de A. Morales Puente, obra que en cambio no tuvo éxito.

RICARDO MIRANDA PÉREZ

Real [Suárez del Real], Alfonso del. Alta mar (Inglaterra), 27-XII-1916; Palma de Mallorca, 16-I-2002. Actor y tenor cómico. Nació en aguas inglesas, a bordo del trasantlántico Alfonso XIII, mientras sus padres viajaban hacia La Habana, donde permaneció hasta los trece años y donde realizó sus primeros estudios. Su familia regresó a España, y ya en el colegio formó parte del cuadro de actores aunque no había tradición artística en su familia. A comienzos de la década de 1930 comenzó como meritorio en la compañía de Antonio Vico y Car-

Alfonso del Real
(Foto: Ar. Emilio G. Carretero)

men Carbonell. Pasó después a la compañía de Loreto Prado y en 1934 a la de Casimiro Ortas. El estallido de la guerra le sorprendió trabajando en el teatro Pavón, que se dedicaba a la revista; así participó en *La de los ojos en blanco* de Francisco Alonso, y *Que me la traigan* de Martínez Faixá y Martínez Molla. Alfonso del Real trabajó en todos los géneros teatrales, desde la comedia al drama, y de la zarzuela a la revista. Terminada la guerra fue contratado durante unos años por diferentes compañías de zarzuela como las de Pepita Rollán, Moreno Torroba o Luna.

En los años cincuenta se arruinó al intentar formar su propia compañía, por lo que abandonó el teatro para administrar los negocios de su amigo el actor Manolo Morán. Fue gracias a la televisión que recuperó su actividad, con la serie *Plinio*, que coprotagonizó junto a Antonio Casal. A ésta siguieron otras muchas series que afianzaron su popularidad entre el público. Su relación con la zarzuela fue larga y aún en 1983 participó en *La Gran Vía* que Adolfo Marsillach dirigió en el teatro de la Zarzuela. Su carrera teatral duró setenta años, en los que interpretó más de quinientas obras en diferentes medios.

Mª LUZ GONZÁLEZ PEÑA

Real, Mariluz [María de la Luz Real Fernández]. Madrid, 7-III-1942. Cantante. Nacida en el popular barrio de Vallecas, en poco tiempo logró situarse en la cabecera de las vedettes de la década de 1970, que fueron los años en que desarrolló su corta, pero fulgurante, carrera. A los dieciséis años inició su andadura artística en una compañía de variedades en la que cantaba canción española, con una voz muy por encima de lo requerido en el género revisteril. Tras participar en el teatro Calderón de Madrid en el espectáculo *Las megatonas*, fue contratada por José Muñoz Román como primerísima figura del teatro Martín, estrenando allí *El conde de Manzanares* y *¡Qué cuadro el de Velázquez, esquina a Goya!*, revistas con músi-

Mariluz Real
(Foto: Ar. Emilio G. Carretero)

ca de Daniel Montorio y Fernando Moraleda, respectivamente, en las que figuraban como "segundas vedettes" las prestigiosas Lina Morgan o Esperanza Roy. Abandonó su carrera tras contraer matrimonio con el futbolista Francisco Gento.

FONOGRAFÍA: *¡Qué cuadro el de Velázquez, esquina a Goya!*, Gardenia Discos, Col. La revista musical española, vol. 10.

EMILIO GARCÍA CARRETERO

Real Horrache, Francisco. España, †22-II-1947. Compositor. Tiene registradas en la SGAE algunas canciones y es además autor de las siguientes obras líricas conservadas en el archivo de la SGAE en Madrid: *Al país del sol*, zarzuela en un acto con letra de A. Barceló; *De Pastor a Rey*, en dos actos; *Frivolidad*, opereta en un acto con letra de J. L. Moll y Fernando Vall; *Gesto soberano*, en dos actos y *Mi tío el coronel*.

Mª LUZ GONZÁLEZ PEÑA

Reart de Copons, José María. Perpiñán, 1794, Madrid, 6-IV-1857. Profesor de canto. Era barón de Solamó, señor de Aiguaviva, cárlamo de Montiel, oficial de la antigua Real Guardia Walona y coronel retirado de infantería. Saldoni da una larga biografía de este melómano, que se dedicó a dar clases particulares de canto y cuya influencia en la formación de los cantantes españoles fue distinta a la de Saldoni, pero no menos intensa. El propio Saldoni señala: "Poseía extensos y profundos conocimientos en aquel arte divino, un gusto puro y delicado, una aptitud notable para la enseñanza. Desde que no tuvo soldados a quienes conducir al combate, buscó jóvenes de ambos sexos a quienes guiar a la gloria, y crecido es el número de los que le han debido abundantes e inmarcesibles laureles". Fue oficial en la guerra de la Independencia y se le ha atribuido la composición de la contradanza de la que se sacó el *Himno de Riego*, tal como cuenta Mesonero Romanos en sus *Memorias*.

Fue uno de los primeros maestros de canto que se preocupó específicamente de la zarzuela. Saldoni manifiesta la preocupación que este maestro tenía por el género y cómo lo valoraba en igualdad con la ópera: "Corriendo cada noche desde el teatro Real al de la Zarzuela, aplaudía allí la música de Bellini, y aquí la de Gaztambide; gritaba ¡bravo! a la Penco como a la Santamaría. Esto indicará que era ecléctico, y así es verdad; tenía sus simpatías y sus preferencias; se quejaba de que no se cantase, o se cantase poco, el repertorio de Rossini; de que se prodigara demasiado a Verdi; pero con tal de tener música, fuese de ópera italiana o de zarzuela, estaba contento y se frotaba las manos de alegría". Reart formó voces tan destacadas como las de Modesto Landa, Francisco Salas, José González Orejuela, Joaquín Becerra, u otras del campo exclu-

sivo de la ópera como las de Antonia Campos, Concepción Mariátegui, Pedro Unanúe, Manuel Carrión y Antonio Cordero. De él se conservan y aún se utilizan las lecciones incluidas en su *Método completo de solfeo*.

BIBLIOGRAFÍA: *DBE; HGZ; OE.*

EMILIO CASARES RODICIO

Rebollo Pata, Modesto. España, 10-III-1891; 22-X-1970. Compositor. Es autor de numerosas obras de teatro lírico, conservadas en el archivo de la SGAE en Madrid. Entre sus más asiduos colaboradores se encuentra el libretista José Santonja.

OBRAS (Todas en *E:Msa*): *La gloria del barrio*, Sai lír, 1 act, col. G. de Aquino, l, J. Álvarez Díaz / L. Martel, est, 3-IV-1915, Te. Chueca; *La dulzaina del charro*, Zarz castellana, 2 act, l, A. Torrado, est, 23-VI-1932, Te. Latina; *Vampiro*, l, Candela / Arjona, est, 29-V-1935, Ciudad Rodrigo; *Divina rebeldía*, episodio dieciochesco, l, F. de Aizpuru, est, 5-IV-1941, Te. Alcalá; *El lagarto volador*, farsa infantil, 2 act, l, J. M. Cabeza / L. Solano, est, 25-XII-1943, Te. Victoria; *Las andanzas de Michatillo*, 2 act, l, J. Santoja, est, 17-XII-1944, Te. Comedia; *Las figuritas del Belén*, poema bíblico, 1 act, l, J. Santoja, est, 21-XII-1952, Te. Lara; *Las botas de las siete leguas*, cuento infantil, l, J. Santoja, est, 22-XII-1952, Te. Alcázar; *El iluso Abul-Assan*, cuento oriental de magia, 3 act, l, J. Santoja, est, 7-XI-1954, Te. Alcázar; *Bajo el cielo de Belén*, 3 act, l, J. Santoja, est, 19-XII-1954, Te. Alcázar; *La linda caperucita*, l, J. Santoja, est, 6-I-1956, Te. Calderón; *Abajo el cine*, Hum, 1 act, l, L. Candela / S. Arjona; *Coplas y guitarras*, Rv, 2 act, l, V. Giranta / F. Horacio; *Desabróchese Vd.*, 1 act, l, A. Torrado Estrada; *La mariñana*, 3 act; *La nobleza de un querer*, col. Aquino; *Los apaches*, 2 act, col. Luna, l, L. Blanco / A. Lapena; *Rosa del mal*, Zarz, 2 act, l, L. Blanco / A. Lapena; *Sonsonete y Magritas o La maleta de papá*, l, Fernández de Castro / L. Solano González.

Mª LUZ GONZÁLEZ PEÑA

Rebull, Mariano. Cataluña, siglos XIX-XX. Tenor cómico. Estrenó *Patria y bandera* de Teodoro San José en el teatro Novedades, 1903. No se conocen otros estrenos hasta 1909, cuando presentó en Novedades *Los dos viejos* de San Felipe, *Santuzza* de Peris y Quislant, *La fundición* de Foglietti y *El primer amor* de Bru, y en el Gran Teatro de Madrid *Ahí queda eso o El belén de Don Antonio* de Candela y Goncerlián, *El bufete de Mínguez* de Eugenio Úbeda, *El jardín de los amores* de Ramón López-Montenegro, *El néctar de los dioses* de San José y San Felipe y *Mary, la princesa del dólar* de Leo Fall, adaptada por Bru y Peris. En 1910 estrenó en La Latina *La pipa maravillosa* de Prudencio Muñoz. Todos estos estrenos le habían hecho muy querido del público madrileño según indican los autores de *La babucha de Mahoma… o Café concert* con música de Juan Crespo que protagonizó en 1911 en el teatro La Latina de Madrid. En años posteriores estrenó *El alma de Garibay* de Barrera, teatro Magic-Park, 1914; *Ganarse la moza* de Julio Francés, Price, 1915; *La pescadora de Ubiarco*, teatro del Cisne, 1925; *La aventurera* de Rosillo, La Latina, 1927; *Ali-Gui* de Ernesto Rosillo, Romea, 1928; *Sole* *la peletera* de Guerrero, Ideal de Madrid, 1932, y *Las de Villadiego* de Alonso, Pavón, 1933.

Mª LUZ GONZÁLEZ PEÑA

Redondo, Fausto. España, siglos XIX-XX. Actor-cantante. Estrenó en 1890 *El cuerno* de Federico Gassola en el salón Variedades de Madrid; en 1896 en el Romea *Su majestad la tiple* de Apolinar Brull y *Charivari* de Gregorio Mateos, y en 1899 en el teatro de la Zarzuela *El belén del abuelito* de Chalons; en 1908 protagonizó en el Coliseo de la Flor de Madrid *Las ruinas de Talía* de Quislant.

Mª LUZ GONZÁLEZ PEÑA

Redondo del Castillo, Victoriano. España, siglos XIX-XX. Tenor. En 1910 era niño cantor en la catedral de Albarracín, teniendo como maestro a Vicente Perpiñán Górriz. Se dedicó con éxito a la interpretación de zarzuela y ópera. Estrenó *María la tempranica* de Giménez y Moreno Torroba y *La castañuela* de Alonso, 1931, ambas en el teatro Calderón.

BIBLIOGRAFÍA: *DMEH.*

Mª LUZ GONZÁLEZ PEÑA

Redondo Valencia, Marcos. Pozoblanco (Córdoba), 24-XI-1893; Barcelona, 17-VII-1976. Barítono. Estudió canto con Ignacio Tabuyo en el Conservatorio de Madrid, maestro que dejó su impronta en este alumno. Se inició en el canto como seise de la catedral de Ciudad Real, y en esta ciudad dio su primer concierto con romanzas de ópera y zarzuela. Debutó profesionalmente en Madrid en 1919 con *La traviata* en el Gran Teatro. El éxito de sus primeros conciertos le llevó a Milán para estudiar repertorio con Bettinelli y Franceschi. Realizó una corta y prometedora carrera en Italia, entre 1920 y 1922, y debutó en el Liceo de Barcelona en 1923, con *Manon Lescaut.* Recorrió Europa y América interpretando un extenso repertorio de ópera italiana.

En 1924 el empresario catalán José Gisbert le propuso pasarse a la zarzuela, propuesta que aceptó, abandonando la ópera, salvo un breve

Marcos Redondo (Foto: Ar. SGAE)

paréntesis durante 1941. En esa especie de "memorias" que es su obra, *Marcos Redondo. Un hombre que se va,* deja claro su convencimiento sobre el valor del género: "Siempre he dicho que la zarzuela es la consecuencia de una gran revolución popular, que pasó inadvertida, contra la música italiana". Debutó con gran éxito en el género con *El dictador* de Millán, en el teatro Novedades de Barcelona; tres años después su repertorio era ya de veinticinco zarzuelas. A partir de entonces estrenó numerosas obras, entre ellas, *La calesera,* 1925, y *La parranda,* 1928, de Alonso, *La Mari-Blanca* de Moreno Torroba, 1926, *El cantar del arriero* de Díaz Giles, teatro Victoria de Barcelona, 1930, *Katiuska* de Sorozábal, en el mismo teatro, 1931 y en el Rialto de Madrid en 1932. La *Marina* que cantó en el Liceo de Barcelona en plena guerra –febrero de 1938– junto a María Espinal, Hipólito Lázaro y Pablo Gorgé, fue memorable y se considera como el mejor cuarteto que ha interpretado nunca la obra de Arrieta. También estrenó *La tabernera del puerto* de Sorozábal, Tívoli de Barcelona, 1936. Tenía un repertorio de más de cien obras, con el que recorrió prácticamente todos los teatros de España, y algún año interpretó hasta 362 zarzuelas, entre ellas, *La rosa del azafrán, La canción del olvido, La del Soto del Parral, La alsaciana, Los cadetes de la reina, La pícara molinera* y *El cantar del arriero.* Se retiró en 1957 en Barcelona cantando *La dogaresa,* tras haber dejado numerosas grabaciones.

Fue uno de los barítonos más importantes del siglo XX en el ámbito de la zarzuela, sólo comparable con Emilio Sagi-Barba y, desde luego, uno de los más populares; su presencia llenaba cualquier teatro de España o América. Su voz era de barítono atenorado, "barítono tenoril", como se decía, muy propia para la zarzuela, ya desde el siglo XIX. Este registro le permitía cantar una gran cantidad de obras, con timbre puro y muy bello sobre todo en el registro centro, pero además tenía fraseo bello y gran expresividad, tanto en el recitativo como en el canto y una portentosa musicalidad.

FONOGRAFÍA: *Alhambra,* Blue Moon BMCD 7549; *Alma de Dios,* Odeón 121014, XXS 4651 XXS 4653 • Odeón 184810, e18044, e18045; *Azabache,* Blue Moon BMCD 7544; *Benamor,* Odeón 184834, SO 6360 SO 6376; *Bohemios,* Columbia SA, ZCL 1017 (Zacosa) 67 • Odeón 121097 a 121102, XXS 5603 XXS 5604, XXS 5612 a XXS 5615, XXS 5617 a XXS 5619, XXS 5622 XX 5637 • Regal LCX 7002 70 • Blue Moon BMCD 7507; *Don Gil de Alcalá,* Odeón 184306, SO 7923 SO 7922 • Blue Moon BMCD 7513; *El ama,* Regal LK 4090 (et. azul), K

Marcos Redondo, 1947 (Foto: E:Bit)

3277 K 3280 • Blue Moon BMCD 7540; *El asombro de Damasco*, Odeón 121049 (et. marrón), XXS 4973 XXS 4974; *El cantante enmascarado*, Blue Moon BMCD 7549; *El cantar del arriero*, Odeón 184195, SO 6698 SO 6699 • Blue Moon BMCD 7513; *El dictador*, Odeón 184834, SO 6360 SO 6376 • Regal LK 4016 (et. azul), K 2129 K 2130; *El divo*, Blue Moon BMCD 7549 • Odeón 184711, SO 10562 SO 10563; *El guitarrico*, Odeón 184810, e18044, e18045; *El huésped del Sevillano*, Odeón 153357 y 184478 (et. marrón), SO 4142 SO 4143 • Blue Moon BMCD 7538; *El maestro Campanone*, Odeón 121162, XXS 6584 XXS 6152; *El mal de amores*, Blue Moon BMCD 7543; *El pájaro azul*, Odeón 121187, XXS 4656 XXS 4658; *El renegado*, Blue Moon BMCD 7549; *El romeral*, Blue Moon BMCD 7549; *Gigantes y cabezudos*, EMI 7243 5 74155 2 1; *Golondrina de Madrid*, Blue Moon BMCD 7543; *Jazz Band*, Blue Moon BMCD 7503; *Katiuska*, Blue Moon BMCD 7516 • Columbia R 14016 a R 14020, WK 2481 a WK 2484, WK 2488 WK 2489 WK 2518 WK 2519 WK 2615 WK 2616 WK 2618 WK 2619 • Odeón 184205, SO 6780 SO 6779; *La alegría del batallón*, Odeón 184177 (et. marrón), SO 6346 SO 6375; *La alsaciana*, Odeón 121142, XXS 6413 XXS 6343 • Blue Moon BMCD 7540; *La bejarana*, Odeón 184087 y 184833 (et. marrón), SO 4652 SO 4655; *La calesera*, Odeón 153274 y 153273, SO 3833 SO 3835 • Odeón 77318 y 77319 (et. roja), XXS 4041 XXS 4042 • Odeón 184087 y 184833 (et. marrón), SO 4652 SO 4655 • Blue Moon BMCD 7539; *La canción del olvido*, Odeón 121014, XXS 4651 XXS 4653 • Odeón 184484 a 184487, SO 6400 SO 6922, SO 6931 a SO 6933, SO 6938 a SO 6940 • Blue Moon BMCD 7514; *La corte de faraón*, Odeón 184875 a 184880 (et. roja) SO 7145, SO 7158 a SO 7160, SO 7184 a SO 7186, SO 7192 SO 7193, SO 7269 a SO 7271 • Blue Moon BMCD 7503; *La del manojo de rosas*, Odeón 184365 a 184367, SO 8776 a SO 8781 • Blue Moon BMCD 7514; *La del Soto del Parral*, Odeón 121183, XXS 4680 XXS 5037; *La dogaresa*, Odeón 184177 (et. marrón), SO 6346 SO 6375 • Odeón 121142, XXS 6413 XXS 6343; *La Dolorosa*, Odeón 184243 y 184244, SO 7179 a SO 7182 • Regal LCX 7003 114; *La fama del tartanero*, Regal LK 4054 (et. azul), K 2838 K 2840 • Blue Moon BMCD 7514; *La Gran Vía*, Odeón 1 a 6 (et. roja), SO 6765 SO 6769 SO 6764 SO 6770 SO 6771 SO 6763 • Blue Moon BMCD 7513; *La labradora*, Regal LK 4095 (et. azul), K 3307 K 3308-2; *La mala sombra*, Blue Moon BMCD 7543; *La moza que yo quería*, Blue Moon BMCD 7549; *La parranda*, EMI 7243 5 74213 2 4 (637.02649) • Odeón 121016, XXS 4687 XXS 4691 • Regal LCX 7004 118 • Regal LK 4016 (et. azul), K 2129 K 2130 • Regal LREG 8018 120 • Regal M 15214 M 15215, CKX 3807 a CKX 3810; *La pícara molinera*, Odeón 121041 (et. marrón), XXS 4949 XXS 4948 • Blue Moon BMCD 7535; *La picarona*, Regal RS 5043 (et. azul), K 2056 K 2063 • Blue Moon BMCD 7539; *La Reina Mora*, Odeón184480, SO 6068 SO 6067; *La revoltosa*, Odeón 184153, SO 5601 SO 5602 • Regal C 10217 a C 10222, CK 3795 a CK 3806 • Regal XKX 311 (Gramófono-Odeón) 13; *La rosa del azafrán*, Regal LK 4006 PK 1506 (et. azul), K 2105 K 2120 K 2104 K 2112 • EMI 7243 5 74155 2 1 • EMI 7243 5 74155 2 1 (637.00338) • Odeón 184161 y 184163, SO 6105 SO 6106 SO 6132 SO 6134 • Regal XKX 25/26 LCX 7000 • Blue Moon BMCD 7527 y 7540; *La tabernera del puerto*, Odeón 184368, SO 8790 SO 8791 • Blue Moon BMCD 7518; *La tempestad*, Odeón 121181, XXS 4649 XXS 4650; *La verbena de la Paloma*, Odeón 185022 (et. roja), SO 6059 SO 6055; *Las golondrinas*, Odeón 121130 (et. marrón), XXS 5850 XXS 5854; *Las hijas del Zebedeo*, Odeón 185022 (et. roja) SO 6059 SO 6055; *Los cachorros*, Odeón 184577, SO 9752 SO 9753; *Los cadetes de la reina*, Odeón 184185, SO 6592 SO 6590; *Los claveles*, EMI 7243 5 74213 2 4 (637.02649); *Los de Aragón*, Odeón 121159, XXS 6347 XXS 6599; *Los gavilanes*, Odeón 184488 a 184194 (et. marrón), SO 6344 SO 6345 SO 6729, SO 7028 a SO 7031, SO 7042; *Luisa Fernanda*, R 14023 a 14028 (et. roja), WK 2915 a WK 2921, WK 2982 a WK 2986 • Columbia SA, C 7520 204 • Odeón 184496 a 184499, SO 7621 SO 7622, SO 7635 a SO 7639, SO 7671 • Regal LCX 7001 • Blue Moon BMCD 7522; *María la tempranica*, Blue Moon BMCD 7544; *María Sol*, Blue Moon BMCD 7538; *Marina*, Columbia-Alhambra-BMG CCLP 31000-1 • Columbia RG 16000 a RG16011, KX 157 a KX 180 • Regal RS 6504 a RS 6515, KX 157 a KX 180 • Blue Moon BMCD 7502; *Martierra*, Odeón 121041 (et. marrón), XXS 4949 XXS 4948; *Maruxa*, Odeón 121187, XXS 4656 XXS 4658; *Mi costilla es un hueso*, Sonifolk 20122; *Molinos de viento*, Odeón 184500 a 184504, SO 6713 a 6715, SO 6718 a SO 6724 • Regal 33 LCX 116 • Blue Moon BMCD 7523; *Romanza húngara*, Odeón 184369 y 184370, SO 8839 a SO 8842 • Blue Moon BMCD 7517; *¡Taxi... al cómico!*, Sonifolk 20122; *24 horas mintiendo*, Sonifolk 20122; *Volodia (El esquimal)*, Odeón 184647, SO 10265 SO 10266; *Xuanón*, Blue Moon BMCD 7544; *Antología de la zarzuela (1)*, Columbia-Salvat 1015-1; *Antología de la zarzuela (2)*, Columbia-Salvat 1020-1; *Antología de la zarzuela*, EMI 7 67580 2 (643.96128) • Odeón MOAL 118; *100 Años de zarzuela*, EMI 100 5 66589 2; *Grandes momentos de zarzuela*, EMI (962) 7243 5 57053 2 7; *La voz prodigiosa de Marcos Redondo*, Blue Moon BMCD 7400; *Marcos Redondo*, Odeón-EMI J-064-20.016 y 20.017; *Marcos Redondo: La edad de oro de la zarzuela*, Columbia C 7525 C 7526 • Columbia SA, ZCL 1098 y 1099 (Zacosa) 98 y 99; *Romanzas de zarzuelas*, Columbia CGE 60018; *Sociedad General de Autores*, SGAE 1.

BIBLIOGRAFÍA: *CCE*; *Marcos Redondo. Un hombre que se va*, Barcelona, Planeta, 1973.

EMILIO CASARES RODICIO

Redowa. Danza, canción y baile de origen eslavo escrito en compás de 3/4, como la polonesa, y en movimiento más lento que el vals. Es una forma intermedia entre el vals y la mazurka. La redowa se hizo popular en España hacia 1840, manteniéndose en la producción de salón durante todo el siglo XIX. Su uso en la zarzuela con esa denominación es escaso, apareciendo sobre todo en el repertorio en un acto de fines del siglo XIX e inicios del XX. Es de interés la presencia de la redowa en el sainete de Arniches, con música de José Serrano y Joaquín Valverde San Juan, *El amigo Melquíades o Por la boca muere el pez*, estrenado en 1914, cuyo Nº 2, debido a Valverde, es una redowa, que presenta como estructura una introducción y un esquema formal AbCAb; esta danza es bailada en escena cuando la acción narra la existencia de un concurso de baile que ha organizado Melquíades, en el que se baila precisamente una redowa; el texto cantado durante la introducción describe la forma de bailar: "Picadito y *afinao*, / ceñidito y bien *bailao*. / Al bailar, poner / muchísima atención, / *pa* que vea la reunión / que no es coba / el concurso de Redowa / que *manguela* ha *organizao*", y contestan todos: "Bien *hablao*". La letra de la sección A convierte el artículo determinado y las dos sílabas iniciales del nombre de la danza, "La redo…", en las notas musicales de su arranque. Tras ordenar Melquíades a la primera pareja que vaya "al redoveo", el texto dice: "La Re-Do-La-Re-Do- la redowa se baila sin coba, por la gente de Madrid, lo mismo en el Palace-Hotel que en un salón de Chamberí". Otra pareja debe bailar ridículamente, y después se cambia de manera de bailar, "a la *demimondaine*"; hay referencias sobre cómo este baile se ha bailado "en *la Bombi*" —esto es, en La Bombilla—, "y en el propio Palacio Real", revelando su difusión en diversos ambientes sociales.

BIBLIOGRAFÍA: F. Pedrell: *Diccionario técnico de la música*, Barcelona, Víctor Berdós, 1894.

RAMÓN SOBRINO

Reforzo, Juan. España, siglo XIX; Buenos Aires, 1961. Barítono. En 1895 estrenó en el teatro Romea *Solo de ocarina* de Miguel Santonja y *El baño de María* de Chalons; en 1896 *La lugareña* de Luis Arnedo, *Los diablos rojos* de Quinito Valverde, *El gran visir* de Álvarez y Chalons, *La sucursal del infierno* de Miguel Santonja y *El príncipe heredero* de Torregrosa, Nieto y Brull. En 1899 *Desechos de tienta* de González Palomares en el teatro Cervantes de Málaga. Pasó después al teatro Apolo donde estrenó en 1902 *El puñao de rosas* de Chapí; en 1904 *Los pícaros celos* de Giménez y *La puñalada* de Chapí, siendo muy alabada su interpretación de Joselillo, y en 1905 *El mal de amores* de Serrano, *El cisne de Lohengrin* y *El alma del pueblo* de Chapí y *La favorita del rey* de Vives. Conoció en Apolo a Lola Membrives, en aquellos momentos tiple principiante y después, una de las grandes actrices y al casarse abandonaron la compañía de Apolo al finalizar la temporada 1905-06. Cuando Lola Membrives abandonó el género lírico para pasarse a la comedia formando compañía propia, Reforzo abandonó su carrera para dedicarse a cuidar la de su esposa. Sin embargo, volvió posteriormente al Apolo para estrenar *El arroyo* de Valverde y Foglietti, *Los campesinos* de Roig, 1912, *La alegría del amor* de Luna, *Las musas latinas* de Penella, 1913, y *El pretendiente* de Vives, 1918. Véase MEMBRIVES, LOLA.

BIBLIOGRAFÍA: *TA*; *El Teatro*, 48, IX, 1904 y X, 1904; *BSGAE*, 84, Madrid, VI, 1961.

Mª LUZ GONZÁLEZ PEÑA

Reig Arpa, Tomás. Santander, †1891. Compositor. Compuso numerosas zarzuelas, la mayoría pertenecen al género chico, son en un acto y las compuso y estrenó en la década de los ochenta del siglo XIX, década de conformación del género. En algunas de ellas tuvo colaboradores como Rafael Taboada y A. Rubio.

OBRAS (Todas en *E:Msa*): *En el viaducto*, Zarz, 1 act, l, L. Cocat, est, 2-VIII-1881, Te. Recreos Matritenses; *Fuego y estopa*, Zarz, 1 act, l, D. Banquells, est, 15-II-1882, Te. Romea; *El ruiseñor*, Jug cóm, 1 act, l, R. Bolumar / M. Meléndez, est, 20-IV-1882,

Te. Variedades; *Odio de raza*, disparate cóm-lír, 1 act, l, M. Rodríguez Saavedra, est, 24-VII-1882, Te. Recoletos; *El arte de birlibirloque*, Jug cómico-lír, 1 act, l, R. Caballero y Martínez, est, 24-VII-1883, Te. Recoletos; *Sobre las tejas*, l, L. Cocat, est, 1882; *El mundo y sus arrabales*, l, J. Cuesta / M. Rodríguez Saavedra, est, 6-I-1883, Te. Martín; *El chiripero*, Jug cóm-lír, 1 act, l, L. Cocat, est, 2-VIII-1883, Te. Recoletos; *A un sí, un no*, Zarz, 1 act, l, J. Usua Herrera, est, 18-VIII-1883, Te. Recoletos; *Un lío en el ropero*, disparate cóm-lír, 1 act, l, E. Zumel / A. Cro, est, 4-IX-1883, Te. Recoletos; *El cercado ajeno*, Zarz, 1 act, l, E. Navarro Gonzalvo, est, 11-V-1884, Te. Variedades; *La madeja se enreda*, Jug cóm-lír, 1 act, l, S. Lastra, est, 27-X-1884, Te. Variedades; *Verónica y volapié*, Jug lír, 1 act, l, P. Escamilla / J. Beltrán, est, 26-III-1885, Te. Apolo; *Melones y calabazas*, l, E. Navarro Gonzalvo, est, 20-IV-1885, Te. Apolo; *Ganar el pleito*, Jug cóm, l, F. Flores García, est, 10-VI-1885, Te. Recoletos; *Nido de Amor*, Ent lír, 1 act, l, C. Navarro / N. M. Rivero, est, 8-V-1885, Te. Apolo; *Amantes americanos*, Jug, 1 act, l, E. Navarro / M. Arenas, est, 11-VIII-1885, Te. Recoletos; *Con mi nombre y apellido*, Jug cóm, 1 act, l, V. García Valero, est, 7-IX-1885, Te. Felipe; *Florentina*, Jug cóm-lír, 1 act, l, J. Redondo Menduiña, est, 17-XI-1885, Te. Variedades; *La Pilarica*, Zarz, 1 act, l, G. Perrín / M. de Palacios, est, 1885; *Miss Eva*, disparate cóm-lír, 1 act, l, G. Perrín / M. de Palacios, est, 12-I-1886, Te. Martín; *Madrid viejo y Madrid nuevo*, 2 act, col. A. Rubio Laínez, l, E. Navarro y Arenas, est, 1886; *A toda vela*, Zarz, 1 act, l, L. Cocat / H. Criado, est, 31-V-1887, Te. Maravillas; *La gente del bronce*, Sai lír, 1 act, l, F. Flores García, est, 8-VI-1887, Te. Maravillas; *Músico y juez*, Jug cóm, 1 act, l, J. Redondo Menduiña, est, 26-VII-1887, Te. Maravillas; *Se guisa de comer*, pasillo cóm 1 act, l, C. Navarro, est, 20-VIII-1887, Te. Maravillas; *Las tres gracias*, Zarz, 1 act, l, E. Navarro Gonzalvo, est, 10-XI-1887, Te. Martín; *La cruz de San Lucas*, 1 act, l, E. Navarro / C. Navarro, est, 1887; *Plan de estudios*, Jug, 1 act, l, C. Navarro, est, 2-VI-1888, Te. Maravillas; *En corral ajeno*, Jug cóm-lír, 1 act, l, J. Redondo Menduiña, est, 28-VI-1888, Te. Maravillas; *Nanon*, Zarz, 2 act, col, R. Taboada, l, F. Olona / S. Ferrer, est, 24-VII-1888, Te. Maravillas; *Procedente de empeño*, l, Sánchez Seña / Flores García, est, 1888; *La de Roma*, Jug cóm-lír, 1 act, l, G. Perrín / M. Palacios, est, 10-VIII-1889, Te. Felipe; *Pan negro*, Zarz, 1 act, l, C. Navarro, est, 19-XI-1888, Te. Eslava; *Si era la otra*, Zarz, 1 act, l, E. Zumel, est, 5-IX-1889, Te. Infantil; *Carmela*, parodia lír, 1 act, l, S. M. Granés, est, 24-I-1891, Te. Principal (Barcelona); *Los enemigos del cuerpo*, Jug cóm, 1 act, l, S. M. Granés / E. Montesinos, est, 24-II-1891, Te. Eldorado (Barcelona); *A oposición*, Zarz, 1 act, l, F. Santamaría; *De Fuenlabrada... y a prueba*, 1 act, l, J. R. Menduiña; *El criminal perseguido*, 2 act; *Florinda la de Toledo*, Zarz, 2 act, l, J. Silva Aramburu / Manuel L.; *La comida de boda*, 1 act, l, J. Mota González; *La herencia de un cubano*; *La Lolilla ha parecido*, l, E. Sánchez Seña; *La noche de la boda*, Opt, 1 act, l, J. Barbera / Prieto; *La nueva industria*, l, L. Boada Gómez; *Las niñas de Écija*, Zarz, 1 act, l, E. Sánchez Pastor; *Las toreras*, l, M. Cuartero; *Oídos a componer*, pasillo cóm, 1 act, l, L. Cocat; *Quién es el loco o Olla de grillos*, 2 act, col. Taboada Mantilla, l, C. Navarro; *Raimundo de Coria*, l, Flores García; *Soy viuda*, Zarz; *Ton cong*, Zarz, 1 act; *Un pagaré a la orden*, l, J. Usúa; *Una muñeca*, l, M. Arenas del Cid; *Viajeros al tren*.

Mª LUZ GONZÁLEZ PEÑA

Reig Rabacci, Luis. España, siglos XIX-XX. Compositor. Es autor de numerosas zarzuelas conservadas en el archivo de la SGAE en Madrid. Activo en los últimos años del siglo XIX y principios del XX, la mayoría de sus obras pertenecen al género chico.

OBRAS (Todas en *E:Msa*): *Teatro de Recoletos*, Apr, 1 act, est, 1882; *Magia blanca*, pasillo cóm. col. Sigler, 1, C. Navarro / J. de Burgos, est, 23-VI-1886, Te. Recoletos; *Caralampio*, Jug cóm-lír, 1 act, 1, G. Perrín/M. Palacios, est, 8-I-1887, Te. Martín; *La velada de Benito*, boceto cóm, 1 act, 1, L. Cocat / E. Criado, est, 6-X-1887, Te. Martín; *A la chita callando*, Jug, cóm-lír, 1 act, 1, J. de las Cuevas, est, 9-IX-1887, Te. Maravillas; *Libertad de cultos*, Ent, 1 act, 1, J. M. Gutiérrez de Alba, est, 5-XI-1887, Te. Martín; *Como tres en un zapato*, 1 act, 1, L. Cocat, est, 5-V-1888, Te. Eslava; *El parador de la tía Mónica*, 1, J. de las Cuevas, est, 18-I-1890, Te. Zarzuela; *Cuba*, episodio lír, 1 act, 1, J. López Gómez, est, 11-XII-1893, Te. Parish; *La levita nueva*, 1, D. Jiménez Prieto / G. Hernández, est, 13-VII-1896, Te. Maravillas; *El furriel de la 3ª*, 1 act, 1, E. Fernández Campano, est, 21-X-1896, Te. Eslava; *El incógnito*, Jug cóm, 1 act, 1, R. Aparicio / V. Aguilar, est, 20-III-1901, Te. Ruzafa; *La golfa*, Sai, 1 act, col. Badía Rivalta, 1, A. Munilla / L. Ferreiro, est, 12-VIII-1908, Te. Madrileño; *El heraldo nacional o La mariposa*; *El hombre mosca*, 1, A. Munilla / F. P. Ribas; *El maestro de armas o La enfermita*, Zarz cóm, 1 act, col. Arnedo Muñoz, 1, S. M. Granés / A. B. Alfaro; *Virgen y mártir*; *La gorra de Gómez*, 1, L. Cocat; *La primera de a bordo*, 1, J. Mullo Martín; *Las calles de Madrid*, 3 act; *Los que emigran*, col. García Catalá; *Olla de grillos o Quien es el loco*, 2 act, col. R. Taboada Steger, 1, C. Navarro; *Un domingo en Vallecas*, 1, J. M. Eguilaz.
Mª LUZ GONZÁLEZ PEÑA

Reina Mora, La. Sainete lírico en un acto. Música de José Serrano. Libreto de Serafín y Joaquín Álvarez Quintero. Estrenado el 11 de diciembre de 1903 en el teatro Apolo de Madrid.

Personajes y reparto. Coral (Joaquina del Pino, mezzosoprano). Mercedes (Luz García Senra, soprano). El niño de los pájaros (Julia Mesa, soprano). Laura (Avelina Amorós, soprano). Don Nuez (Emilio Orejón, tenor). Esteban (Juan Reforzo, barítono). Doña Juana la Loca (Pilar Vidal). Isabelita (Braulia Gálvez). Cotufa (Bonifacio Pinedo). Miguel Ángel (José Mesejo). Un empleado de la cárcel (Miguel Mihura). Un sereno (Rufino Suárez). Un guitarrista (Manuel Sánchez).

Orquestación. Flautín, flauta, oboe, 2 clarinetes, fagot, 2 trompas, 2 trompetas, 3 trombones, percusión, cuerda y guitarras.

Argumento. *Cuadro primero.* En una casa de un barrio antiguo de Sevilla vive desde hace dos meses, medio oculta, Coral. Por sus grandes ojos negros, Miguel Ángel, un restaurador de imágenes religiosas que ha logrado verla, le ha puesto el mote de Reina Mora. La joven suele ser visitada por Cotufa, un hombre de físico poco agraciado. Mercedes es una costurera un punto celosa, porque la misteriosa mujer acapara toda la atención del vecindario, especialmente la de Don Nuez, un conquistador con más boca que méritos, que promete añadir a su lista a la Reina Mora. Un niño que pasa pregonando la venta de pájaros es utilizado para que Coral se asome a la ventana, pero brevemente, porque Don Nuez la espanta. A continuación, Cotufa requiebra a Mercedes con éxito esperanzador. Por fin a solas, Cotufa y Coral, hablan de alguien que está en la cárcel a falta de tres días para conseguir la libertad. Cotufa se despide fingiendo gran enfado con la que todos creen su novia y se va lanzando piropos a las costureras y desprecio a Don Nuez.

Cuadro segundo. Ha pasado un día y en la sala de visitas de la cárcel se dan cita Coral y su verdadero novio, Esteban. A él lo han encerrado por defender a Coral de un sujeto que la ofendía, y ella decidió apartarse de todos mientras él cumpliera la condena.

Cuadro tercero. Han transcurrido otros dos días. Cotufa ha llegado a un pacto con Don Nuez por el

Cortesía de Unión Musical Ediciones SL

cual le deja libre el camino hasta la Reina Mora a cambio de que éste abandone sus pretensiones sobre Mercedes. Sin embargo, Don Nuez y Miguel Ángel ven estupefactos cómo es Esteban el que entra en casa de Coral. Aparece Cotufa, el cual, fingiendo suma indignación, reta a duelo a Esteban. Marchan ambos a la muralla a matarse, mientras Don Nuez y Miguel Ángel tiemblan de miedo. Pasado un rato vuelve Cotufa anunciando a Don Nuez que ya tiene el camino libre. Éste va en busca de unos músicos para rondar a Coral. En ese momento, la Reina Mora y Esteban abandonan la casa y Cotufa le dice a Mercedes que él es en realidad hermano de Coral. La costurera le da pruebas de su amor. Finalmente llega Don Nuez e inicia su inútil ronda a ¡un loro!, pues la Reina Mora ya ha dejado el barrio.

Números musicales. Nº 1. Escena y canción de Coral, "Compañero del alma". Nº 2. Canción del pajarero, "Pajaritos vendo yo". Nº 3. Cuadro 2º y dúo de Coral y Esteban, "A la reja de la cárcel ven". Nº 4. Escena y serenata final, "Mora de la morería".

Comentario. *La Reina Mora* es, sin duda, una de las composiciones más importantes de Serrano. En ella, en vez de ofrecer números sin ninguna conexión entre sí –práctica común en el género chico–, el compositor extiende lazos de unidad que abarcan toda la obra. Para ello se sirve de motivos que, bien en las voces, bien en la orquesta, aparecen cíclicamente, así como de una utilización abundante pero no monótona de características de tipo andaluz. En este último sentido, el del ambiente andaluz, *La Reina Mora* se relaciona con la otra gran obra que el compositor había concebido hasta la fecha: *La mazorca roja*.

El primer número musical tiene una estructura general ABA. Está precedido por una breve introducción instrumental con dos temas de diferente signo que manifiestan la dualidad, seria y cómica, de esta obra. En realidad son los dos motivos centrales del dúo entre Coral y Esteban que tendrá lugar en el cuadro segundo. El Nº 2, "Canción del pajarero", cuenta con la misma estructura ABA. Comienza con el pregón con el que el niño –papel que normalmente habrá de realizar una soprano– vende su mercancía de aves. Está confeccionado a base de motivos breves que avanzan a través de progresiones y repeticiones que van creando una tensión melódica resuelta tras el único motivo no repetido. Sobre el acompañamiento de la orquesta, que juega con uno de los motivos del pregón, Don Nuez y Miguel Ángel le piden al niño, hablando, que cante otra copla para ver si se asoma a la ventana Coral. Lo hace el pregonero en estilo andaluz, tras lo cual llega un nuevo pasaje hablado con acompañamiento orquestal –el tema que cantó Coral en su primera aparición, puesto que es ella quien ahora por fin se ha acercado a su ventana–. Finaliza el número cuando el niño vuelve a entonar su pregón de los pájaros. El Nº 3 se corresponde enteramente con el segundo cuadro del sainete. Tras una introducción instrumental, lo inicia Esteban con un quejido. Sus cuatro primeros versos expresan el deseo de que Coral llegue a la cárcel para verle; llevan la indicación temporal de *Largo* y el acompañamiento de un envolvente diseño rítmico-melódico en la orquesta, el cual va a recorrer de forma cíclica el tejido de todo el número. Después, otro preso (tenor) canta en tiempo de seguidillas y con determinación humorística y acto seguido lo hace un nuevo preso (barítono), más grave no sólo en su tesitura vocal sino en el contenido de sus versos y en la música que los

Escena de La Reina Mora *(Foto: Campúa en* El Teatro, *1903; Ar. SGAE)*

expresa. Regresa entonces el anterior con el mismo tono gracioso. Hay que indicar que ninguno de los encarcelados canta en el escenario: los tres lo hacen entre bastidores, siendo Esteban el más próximo a la escena. Sobre los motivos hasta ahora expuestos hablan Coral y uno de los guardias. Por fin tiene lugar el encuentro entre los amantes y, por lo tanto, el dúo. Es extenso y con una estructura compleja: A (abab') B (a) C (abca'abc) D (a) A (a) E (ab) C (abc). Las secciones más importantes son la A ("¡Ay, gitana! Pasó la pena tirana") y la C ("Copita de plata quisiera tener"), constituyendo las otras una transición entre ellas. Es este un dúo muy afortunado, que contiene melodías muy bellas, constantemente equilibradas, que se mueven preferentemente por grados conjuntos, con abundantes tresillos y pequeños melismas y en un casi constante compás ternario. Prosigue el número con la despedida hablada de los amantes sobre el acompañamiento orquestal. Una última intervención antecede a un cierre orquestal que recoge los motivos culminantes del dúo. El número final sirve para cerrar el sainete. Los motivos del dúo permanecen en la orquesta, mientras las dos parejas de la obra –Coral y Esteban, Mercedes y Cotufa– se despiden. A continuación aparece Don Nuez, que, acompañado por unas guitarras en ritmo de seguidillas, canta "desentonadamente, de pura emoción" una serenata a la ya ausente Coral.

El estreno de la obra tuvo que sortear las dificultades que se derivaban de la fuerte polémica en torno a la todavía no bien asimilada Sociedad de Autores Españoles, en cuyo nacimiento mucho tuvo que ver Sinesio Delgado –de ahí la dedicatoria de la obra: "a Sinesio Delgado, a quien los autores españoles debemos eterna gratitud" –. Vidal Corella señala que días antes a la primera representación aparecieron pasquines próximos al teatro con la siguiente leyenda: "Madrileños. Mañana se estrena en Apolo el sainete *La Reina Mora*, de los hermanos Quintero, caciques máximos de la Sociedad de Autores. ¡Cumplid con vuestro deber!". El "deber" consistía en reventar el estreno, pero ni siquiera los "profesionales" dedicados a ello pudieron mitigar el éxito de una obra bien construida, que incluso Saint-Saëns, buen conocedor de la zarzuela, alabó cuando en compañía de Bretón asistió en Madrid a una de sus representaciones.

La crítica recibió muy bien el sainete, en un momento en el que empezaba a hablarse de forma habitual de la decadencia del género chico, al menos en su forma clásica, y de las amenazas que para él suponían los melodramas comprimidos y los géneros frívolos. En este sentido se manifiesta Caramanchel, quien no escatima elogios, a pesar de manifestarse "personalmente enemistado" con los libretistas: "Con

Escena de La Reina Mora *(Foto: Campúa en* El Teatro, *1903; Ar. SGAE)*

su nuevo sainete *La Reina Mora*, los hermanos Alvarez Quintero obtuvieron anoche uno de sus triunfos más resonantes y merecidos, correspondiéndole también buena parte del aplauso público al maestro don José Serrano, que ha escrito una partitura brillantísima, a ratos verdaderamente inspirada… No sé si la obra se hará mucho. Juzgo que lo merece. Y si el género chico fuera *eso*, Apolo y la Zarzuela no tendrían en el público intelectual tantos y tan declarados enemigos. *La Reina Mora* es un buen ejemplo de que no se necesita, al escribir para Apolo, apelar a melodramas ridículos ni a exhibición de mujeres ligeritas de ropa, como también demostró la interpretación que, sin llegar a hacer maravillas, las obras salen bien interpretadas en conjunto cuando son debidamente ensayadas".

Era frecuente en los sainetes la mera exposición de tipos, sin una acción que vertebrara el acontecer dramático. El cronista del *Heraldo de Madrid* vincula a Serrano con Chapí, una comparación bastante recurrente entonces. Además, es la primera vez que aparece en la prensa una referencia a la proverbial pereza del maestro de Sueca, asunto sobre el que el compositor iba a recibir no pocas puyas a lo largo de su vida. Pero no sólo con Chapí –el Chapí de *El puñao de rosas*, por ejemplo–, se pueden encontrar lazos. García Matos halla una identidad entre ciertos motivos de *La Reina Mora* y de *La vida breve* de Falla, explicados, o bien por un conocimiento exhaustivo por parte de Falla del sainete puesto en música por Serrano, o bien por inspirarse ambos en la misma tradición folclórica.

Las contundentes palabras de Chispero son significativas de la importancia de este sainete, novena obra del catalogo lírico-dramático de Serrano y segunda fruto de la colaboración entre el músico y los hermanos Quintero: "Fue el de *La Reina Mora* uno de los éxitos más rotundos en la vida del

teatro Apolo. Dicho queda. Recordad la fecha, porque no sólo para el teatro, sino para sus autores, intérpretes y sobre todo para el género chico nacional, *La Reina Mora* es ni más ni menos que la culminación de todo un arte, de un arte excelso que cuando por alguien pretenda ser menoscabado le bastará para rechazar ataques y ofensas con recordar que hubo un 11 de diciembre de 1903 en que se estrenó un sainete lírico que se llamaba *La Reina Mora*, tan grande, tan ahíto de arte y belleza en todo, que pase lo que pase, quedará para la posteridad como muestra de un género teatral que se llamó 'chico' y era de proporciones ciclópeas en casos como los de *La Reina Mora, La verbena* o *La revoltosa*".

Fuentes manuscritas. Los materiales de orquesta se conservan en el archivo de la SGAE en Madrid (2376).

Ediciones de música. *Colección completa de las obras musicales de José Serrano*, Madrid, Mott, 1912. Orquestina, selección, adap J. Ibarra, Madrid, UME. Banda, selección, Madrid, UME.

Ediciones del libreto. Madrid, R. Velasco, 1903; *Argumento y explicación de "La Reina Mora"*, Madrid, Imp. Valero Díaz, 1903; Madrid, Biblioteca Teatral, 5, 82, *ca.* 1946; Madrid, UME, 1967.

FONOGRAFÍA: RP: Victoria 1296.

D78rpm: Sols. Antoñita Moreno, José Aguilar, Columbia R 18667, C 10229 C 10230 • Sols. Carmen Domingo, Ernesto Hervás, X 68907 X 68908 (et. marrón), XS 1890 XS 1893 • Dir. Pascual Marquina, Banda del Regimiento de Ingenieros de Madrid, Columbia A 1570 (et. azul), WK 1626 WK 1627 • Dir. Maestro Romero, Sols. Conchita Supervía, Marcos Redondo, Odeón 184480, SO 6068 SO 6067.

LP: Dir. Rafael Frühbeck de Burgos, Sols. Carmen Sinovas, Pura Mª Martínez, Antonio Blancas, Isabel Higueras, Mª Clara Martínez, José Peromingo, Tomás Garralón, Orq. Filarmónica de España, Columbia SA, SCE 956 35 [reed. en CD: Columbia-BMG España WD 74391 (9D)] • Dir. Ataúlfo Argenta, Ana Mª Iriarte, Pilar Lorengar, Teresa Berganza, Marichu Urreta, Manuel Ausensi, Perecito, Ramón Alonso, Manuel Ortega, Orq. de Cámara de Madrid, Columbia SA, ZCL 1057 (Zacosa) 105, Columbia SA, C 30005 108 y Alhambra MCC 30005 [reed. en CD: Columbia-BMG-Ariola-Salvat 1042-21 • Dir. Rafael Ferrer, Sols. María Espinalt, Lolita Torrento, P. Martín, A. Serra, Oscar Pol, José Simorra, C. Renom, J. Permayer, F. Cachudiña, Orq. Sinfónica Española, Regal LCX 7006 117 (116a) [reed. en CD: EMI 5 72908 2 (637.36324) y EMI (941) 7243 5743412 6].

CD: Sols. Josefina Chafer, Delfín Pulido, Mateo Guitart, Dorini de Diso, Mary Isaura, Emilio Sagi-Barba, Blue Moon BMCD 7546.

BIBLIOGRAFÍA: M. García Matos: "El folklore en *La vida breve* de Manuel de Falla", *AnM*, 1970; V. Vidal Corella: *El maestro Serrano y los felices tiempos de la zarzuela*, Valencia, 1972; R. Díaz y V. Galbis: *La producción zarzuelística de José Serrano*, Adjuntament de Sueca, 1999.

RAFAEL DÍAZ GÓMEZ

Relámpago, El. Zarzuela en tres actos. Música de Francisco Asenjo Barbieri. Libreto de Francisco Camprodón. Estrenada el 15 de octubre de 1857 en el teatro de la Zarzuela de Madrid.

Personajes y reparto. Clara (Josefa Mora, tiple). Enriqueta (Josefa Murillo, tiple). León, teniente de marina (Eugenio Fernández, tenor cómico). Jorge (Vicente Caltañazor, tenor cómico).

Orquestación. Flautín, flauta, 2 oboes, 2 clarinetes, 2 fagotes, 2 cornetines, 2 trompas, 3 trombones, timbales, triángulo y cuerda.

Argumento. *Acto I.* Se abre la escena con dos muchachas, Clara y Enriqueta paseando por el jardín y el coro de negros cantando. Ambas comentan entre sí que su tío, médico afamado y rico hombre que las tiene tuteladas, desea casarlas pronto. La mayor, Clara, se ha quedado viuda muy joven. Aparece Jorge, joven gallego, sobrino también del mismo tío al que éste ha mandado llamar para que despose a una de las sobrinas; ambas se empeñan en convencerle de que se case con la otra; él, que es un poco bobalicón, cree que ambas le desean como marido y se siente halagado. Las dos muchachas se retiran. Clara prepara su partida porque no es partidaria del campo. Aparece un nuevo caballero, León; es oficial de la marina y están atracados en la isla, ocasión que él ha aprovechado para saltar a tierra donde paseando se ha encontrado con la hermosa plantación. Jorge le acoge con simpatía y le invita a tomar algo con él. Ambos se enzarzan en una conversación sobre el amor en la que el oficial confiesa que sus únicos amores han sido su madre y el mar. Cuando León se va comienza a presagiarse una tempestad, Jorge se queda dormido y es despertado por un violento trueno, mira hacia la playa y ve a su prima Enriqueta y a los negros de la plantación tratando de socorrer al marino que está tendido en el suelo. Cuando éste vuelve en sí se da cuenta de que ha sido cegado por un rayo y no puede ver, es conducido a la casa donde Enriqueta se encarga de sus cuidados.

Acto II. El oficial de marina permanece en la plantación recibiendo los amorosos cuidados de Enriqueta a la que solamente distingue por su voz, y de su tío que se ha encargado de su curación y espera que pronto pueda recuperar la vista. Llega Clara de la ciudad a visitarles, Enriqueta la sale a recibir y le cuenta cómo se siente su corazón desde que está allí el oficial de marina y su hermana advierte que se ha enamorado de él. Jorge le confiesa a su vez a Clara que en su ausencia se ha enamorado de Enriqueta. También la ponen al corriente de que esa misma noche el tío tiene previsto quitarle la venda al ciego al que ha realizado una operación y cree

Cortesía de Unión Musical Ediciones SL

que podrá ver. El tío también ha advertido los sentimientos de Enriqueta y le da largas al primo que quiere desposarse con ella. Al llegar la noche, cuando el oficial se quita la venda y ve de nuevo, se encuentra de frente con la bella cara de Clara y cree que ella es la que le ha estado cuidando.

Acto III. Enriqueta se siente herida con la confusión y decide desaparecer de la finca no sin antes haber dejado una carta en la que dice que no regresará hasta que Clara y el oficial se hayan casado. Se ha tramado un ardid para que Enriqueta regrese: decirle que se han casado aunque no sea cierto. El tío está al tanto de todo, ella regresa y Jorge la informa de que Clara y el marino no son felices. Finalmente se deshace el enredo y ambos se confiesan su amor; Enriqueta se entera de que el matrimonio había sido fingido y Jorge que no sabía nada se ve desairado en sus expectativas de casarse con Enriqueta, pero Clara le hace saber que a ella no le disgusta la idea del matrimonio.

Números musicales. Acto I: Nº 1. Coro de negros, "Vino hermanita". Nº 2. Dúo de Enriqueta y Clara, "En torno mío". Nº 3. Terceto de Enriqueta, Clara y Jorge, "Antes de tres semanas". Nº 4. Romanza de León, "Cuando mi alada corbeta". Nº 5. Coro de negros, Enriqueta, León y Jorge, "Hoy ya cesa de trabajá". Acto II: Nº 6. Coro y Clara, "Bienvenida señorita". Nº 7. Enriqueta, Clara, León y Jorge, "Quietas aquí". Nº 8. Enriqueta y León, "Mira qué enamorado". Nº 9. Enriqueta, Clara, León, Jorge y coro, "Ya la sombra se dilata". Acto III: Nº 10. Jorge y coro, "No pareció". Nº 11. León, "Volverla a ver un día". Nº 12. Enriqueta, Clara, León, Jorge y coro, "¡Ay, que gusto, qué plasé!".

Comentario. La zarzuela grande *El relámpago* se basa en un libreto del amigo de Barbieri Francisco Camprodón, que éste había tomado de una ópera cómica francesa de Planard y Saint George, pero hispanizado, dado que Camprodón la sitúa en Cuba y no en Boston. Ya había sido traducido por Ventura de la Vega con el título de *Fuego del cielo*. La obra está fundamentada en sólo cuatro personajes, lo que es una formulación de zarzuela chica, y un coro de negros que fue uno de los motivos de su éxito, todos repetidos, y el último, el tango "¡Ay, que gusto, qué plasé!", inmortalizado por el pueblo. Tiene otros momentos felices, especialmente las romanzas "Si a consultar la fresca margarita" y "Volverla a ver". Se trata de una obra de gran inspiración en la que Barbieri hace uso de una gran riqueza melódica con referencias a la música hispana que se iba imponiendo en el mundo de la zarzuela, y sobre todo se mantiene en el espíritu de sencillez de la zarzuela chica.

Barbieri se refería así a esta obra: "Noches antes, al salir del ensayo de esta obra yo quise oponerme a su representación por ver lo mal que hacía su papel el llamado tenor Eugenio Fernández, pero tanto me rogaron mis compañeros y en particular Gaztambide que al fin accedí a la representación aunque no por eso perdí el temor de que Fernández me destrozara la obra, como así sucedió. La zarzuela, sin embargo, gustó mucho, pero Fernández fue silbado, supóngase cómo estaría mi ánimo viéndome en la precisión de dirigir la orquesta al mismo tiempo que Fernández era recibido con la burla del público. Esta obra, sin embargo de su primer mal paso, gustó mucho y quedó en repertorio con frecuencia en Madrid, y habiéndose ejecutado con gran éxito en los teatros de provincias. La escribí en el espacio de 22 días, estando en La Granja pasando el verano alojado en una casa con Salas y su familia, que me tuvieron gratuitamente a mesa y mantel. Es de las obras mías que más me gustan. En la temporada 1859-60 sustituí la cavatina del tenor en *El relámpago* por otra nueva escrita para que la cantara Blasco".

Fuentes manuscritas. Dos partituras (TL-122) y los materiales de orquesta (2264) se conservan en el archivo de la SGAE en Madrid. Otra partitura se conserva en la Biblioteca Nacional de Madrid.

Ediciones de música. Canto y piano, adap J. Rogel, CM, Lodre, F. Echeverría y AR.

Ediciones del libreto. Madrid, José Rodríguez, 1857; 2ª ed., 1865; 3ª ed., Madrid, Florencio Fiscowich, 1897.

BIBLIOGRAFÍA: *HZ*; E. Casares Rodicio: *Francisco Asenjo Barbieri. 2. Escritos*, Madrid, ICCMU, 1994.

EMILIO CASARES RODICIO

Reloj de Lucerna, El. Drama lírico en tres actos. Música de Pedro Miguel Marqués. Libreto de Marcos Zapata. Estrenada el 1 de marzo de 1884 en el teatro Apolo de Madrid.

Personajes y reparto. Matilde, viuda de Gésner (Elisa Zamacois, soprano). Fernando, hijo de Matilde (Almerinda Soler Di Franco, soprano). Celia, prima de Fernando (Gabriela Roca, soprano). Réding, veterano suizo (Sr. Ferrer, barítono). Gualterio, avóyer de Lucerna (Miguel Soler, bajo). Gastón, constructor de relojes (Ramón de la Guerra, tenor cómico). Patricios, soldados, pajes y gente del pueblo. Coro general.

Orquestación. Flautín, flauta, 2 oboes, 2 clarinetes, 2 fagotes, 2 trompas, 2 cornetines, 2 trombones, tuba, timbales, caja, bombo, platillos, arpa y cuerda. Banda: flautín, 2 clarinetes, saxofón alto, 2 trombones, bombardino, 2 cornetines y requinto.

Argumento. La acción tiene lugar en Suiza a mediados del siglo XVII. *Acto I.* En su castillo en el cantón de Lucerna, Matilde, noble dama viuda de un hombre ilustre y poderoso, vive con su hijo Fernando, quien está enamorado de su prima Celia, joven huérfana que vive con ellos. Les acompaña Réding, un antiguo amigo, representante de la asamblea, que, al igual que Fernando, quiere librar a su patria de la tiranía de Gualterio, el avóyer –gobernador– de Lucerna, responsable de la muerte del padre de Fernando, y que busca el amor de Matilde, la cual le había rechazado para casarse con su esposo. El joven Gastón, amigo de Réding, que es el relojero del palacio del déspota, ha tenido que cambiar el himno del cantón que sonaba en el reloj de Lucerna por otro dedicado a Gualterio, y siente temor ante la posibilidad de que el reloj se pare, pues ello podría suponer su muerte. Fernando ha escrito una proclama en la que pide a su pueblo que luche contra el tirano para conseguir su libertad. Gualterio ordena detener a Fernando.

Acto II. Matilde y Celia no tienen noticias sobre Fernando. Réding organiza un plan para destituir al tirano y liberar a Fernando, con la ayuda de Gastón, que pondrá una luz en la torre de Lucerna si el joven es condenado a muerte, y hará sonar el himno viejo si consigue que el capitán de la guardia, su primo, facilite la entrada por una puerta de la fortaleza a los rebeldes. Fernando es condenado a muerte por un consejo que obedece los mandatos del avóyer. La luz se enciende en la torre, y los rebeldes se dirigen a Lucerna.

Acto III. Gualterio ordena que Fernando sea ejecutado al escucharse la última campanada de las cinco en punto de la madrugada. Réding, que se presenta en el palacio del avóyer, no consigue convencer a Gualterio para que perdone a Fernando, y tampoco Matilde, que se ofrece a sacrificar su dignidad al tirano, pero éste le exige que se case con él, responsable de la muerte de su marido; Gualterio permite que Matilde vea a su hijo pocos minutos antes de la hora fijada para la ejecución. Cuando se acercan las cinco de la madrugada, Fernando es conducido al patíbulo; se escucha el ruido del pueblo que se rebela contra el tirano; tras la cuarta campanada del reloj, se oye el antiguo himno de la ciudad; el tirano, convencido de su derrota, resuelve asesinar a Gastón, por haber hecho que no sonara su himno, pero el relojero se defiende y clava su puñal a Gualterio, que muere a los pies de Matilde, en presencia de Réding y de Fernando, que ha sido salvado en el último minuto.

Números musicales. Acto I: Obertura. Nº 1A. Introducción, coro, "El astro del día nos baña de luz". Nº 1B. Escena y racconto de Réding, con el coro, "Ya nos tiene en su presencia". Nº 2. Racconto de Gastón, con Réding, "Ya sabéis que al dar la hora". Nº 3. Romanza de Fernando, "¿A qué discurrir?". Nº 4. Dúo de Celia y Fernando, "¡Fernando! –¡Celia mía!". Nº 5A. Terceto de Matilde, Celia y Fernando, "¿Qué es esto, Dios clemente?". Nº 5B. Salida del avóyer. Orquesta. Nº 6. Final del acto I. Quinteto. Matilde, Celia, Fernando, Réding y Gualterio, "Yo trabajo sin calma". Acto II: Nº 7. Introducción y monólogo de Matilde, "¡Horas de angustia y de aflicción!". Nº 8. Dúo de Matilde y Réding, con coro, "Volemos al combate, alcemos ya las manos". Nº 9. Coro de consejeros, Gualterio y coro de hombres, "Patricios de Lucerna, Gobierno del Cantón". Nº 10. Coro de pajes, Gastón y tiples, "¡Aquí está Gastón". Nº 11. Final 2º. Nº 11A. Gran escena y plegaria. Matilde, Celia, Réding y coro de hombres, "Con ánimo fuerte, con ímpetu audaz". Nº 11B. Himno. Matilde, Celia, Réding y coro de hombres, "¡Oh, Virgen Santa! ¿Qué ven mis ojos?". Acto III: Nº 12. Preludio. Nº 13. Dúo de Matilde y Fernando, "¡Oh, madre, madre mía!". Nº 14A. Pieza del reloj. Nº 14B. Final 3º. Orquesta.

Cortesía de Unión Musical Ediciones SL

Comentario. La obra, inicialmente anunciada como *El velo blanco* y después como *El reloj de Ginebra*, comenzó a ensayarse en enero de 1884, aunque se esperó para su estreno hasta la conclusión de los beneficios de la compañía. El éxito logrado fue enorme, haciéndose la prensa eco del mismo. *La Correspondencia Musical* afirma: "Zapata se ha sobrepujado a sí mismo y ha escrito un libro bellísimo, lleno de inspiración, admirablemente pensado, interesante en todas sus escenas y de un gusto sumamente patético y conmovedor… Marqués, por su parte, ha sabido elevarse a la altura de su ilustre compañero, ha comprendido perfectamente toda la poesía que el libro encierra, y ha sabido sublimarla por medio de la música… La partitura de *El reloj de Lucerna* es la más dramática, la más bella, la más original de cuantas han surgido de la pluma del mencionado maestro. Todo se halla allí en su verdadero lugar, todo responde a un plan perfectamente meditado, todo se halla en consonancia con lo que las situaciones requieren; todo, en fin, acusa una obra maestra, una obra genial, llena de inspiración, esmaltada de sorprendentes efectos y enriquecida por una instrumentación de primer orden… Debemos hacer especial mención de la obertura, grandiosa pieza concebida con arte singular y en la que fulguran a cada paso hermosísimos motivos que se cruzan, se entrelazan y se combinan admirablemente produciendo gratísima y extraordinaria impresión. Tan notable fragmento fue repetido en medio de una atronadora salva de aplausos. En el primer acto debemos citar el parlante del barítono con acompañamiento de coros, pieza de subido valor artístico y originalísima en su estructura; el dúo de tiples, lleno de frescura y espontaneidad; el terceto para las mismas voces, repetido siempre, muy bien imaginado y desarrollado con singular acierto; y por fin, un quinteto final, que se halla indudablemente a la misma altura de los fragmentos anteriormente citados. En el segundo acto llama la atención el monólogo musical de la tiple, que puede ser considerado como una verdadera obra maestra, no sólo por la belleza del motivo que encierra, sino por la riqueza de su brillantísima instrumentación, el dúo de tiple y barítono, el coro de consejeros, solemne y reposado, el de pajes, bellísimo, alegre y bullicioso como la situación exige, la plegaria, pieza soberbia que rebosa de majestad y de unción religiosa, y el concertante, en el que por decirlo así, ha echado el resto el autor escribiendo un pasaje sublime que bien puede considerarse como de lo más notable que en su género se ha escrito entre nosotros. Como era consiguiente, este final produjo sensación extraordinaria; y fue aplaudido con verdadero frenesí. En el tercer acto admiran el delicioso preludio con que se abre el cuadro, y que es también un trabajo de primer orden, digno en un todo de la fama que como sinfonista ha adquirido el maestro Marqués, y un dúo de tiples, de muy buen efecto y en extremo inspirado…". La misma revista recogió críticas publicadas en la prensa madrileña sobre la obra.

Para Peña y Goñi, en *El Liberal*, la música de *El reloj de Lucerna* es "la más robusta, si vale el adjetivo, la más trabajada, la más completa y mejor de cuanto ha escrito Marqués para el teatro. Hay generalmente en ella una inteligencia notable de la medida en que deben aplicarse a la ópera cómica española los procedimientos modernos, y hay además una cuidadosa concisión en el desarrollo de las piezas más dramáticas, y una maestría en el manejo de las voces, que denotan en el maestro Marqués adelantos dignos del mayor encomio… La música del drama lírico de Zapata… revela, sin embargo, en el maestro un gran esmero, lo mismo en la forma melódica que en los adornos, hoy importantísimos, de la armonía y la instrumentación. No hay sino fijarse en el *racconto* del tenor cómico, en el terceto de tiples y en la plegaria-introducción del acto segundo, para convencerse de que Marqués busca la verdad dramática y la encuentra sin más que apelar a sus propios recursos, ensanchando su estilo y mostrándose, dentro de la estética moderna, que va barriendo (¡ya era hora!) el absurdo convencionalismo de forma, que la ópera cómica ha ostentado como distintivo genérico".

Según Estelrich, Marqués creía que esta obra era superior a *El anillo de hierro*, pero la necesidad de tres tiples ha hecho siempre su ejecución difícil. La obra consiguió ochenta representaciones consecutivas, siendo publicados varios de sus números en *La Correspondencia Musical*. Tras 22 representaciones, Elisa Zamacois fue sustituida temporalmente en el papel de Matilde por Dolores Franco de Salas, que consiguió también gran éxito con su actuación. La obra fue interpretada en provincias, comenzando por Valencia –con la presencia de sus autores–, y después en Sevilla, Toledo y Cartagena, regresando de nuevo al teatro Apolo a principios de la temporada siguiente, 1884-85, para permanecer en el repertorio hasta comienzos del siglo XX, pasando a ocupar el segundo puesto, tras *El anillo de hierro*, entre las obras grandes más interpretadas de su autor.

Fuentes manuscritas. Los materiales de orquesta se conservan en el archivo de la SGAE en Madrid (2276).

Ediciones de música. Canto y piano, Madrid, BZ.

Ediciones del libreto. Madrid, R. Velasco, 1884.

BIBLIOGRAFÍA: *DMEH*.

RAMÓN SOBRINO

Remartínez, Luis. Madrid, 7-VI-1949. Director de orquesta. Estudió con Enrique García Asensio y trabajó con Sergiu Celebidache, Günter Becker y Gerardo Gombau. Amplió su formación en Siena con Franco Ferrara y en Austria con Hans Swarowsky. En 1971 fue nombrado director de la Orquesta de las Juventudes Musicales de Madrid. En 1976 creó la Camerata de Madrid. Ha dirigido en los Festivales de Utrecht, Lozére, El Escorial, Granada, Madrid, Murcia, Alicante, y en varios países como Francia, Bélgica, Portugal, Holanda, Polonia, México, Checoslovaquia y Colombia. Ha sido director titular de las orquestas Ciudad de Valladolid y Sinfónica de Baleares, y director asociado de la Orquesta Ciutat de Palma así como miembro fundador de la Compañía Ópera Cómica de Madrid, que se dedica fundamentalmente a la zarzuela y con los que ha dirigido un amplio repertorio por toda España e Hispanoamérica. Es director aso-

Luis Remartínez
(Foto: Ar. personal)

ciado de la Orquesta Clásica de Madrid y del Ensemble Instrumental de Madrid. En el teatro de la Zarzuela ha dirigido, entre otras obras, *El rey que rabió*, *El chaleco blanco*, *La Gran Vía*, *El barberillo de Lavapiés* y en la temporada 1999-2000 *Jugar con fuego*, compartiendo la dirección con Miguel Roa. Asiduo del Festival Lírico de Oviedo, en la temporada 1999-2000 dirigió *El asombro de Damasco* de Pablo Luna y en la temporada 2002-03 *La del manojo de rosas* de Sorozábal. Dirigió en La Solana en 2003 la recuperación de dos obras de Tomás Barrera, *Emigrantes* y *La señora Capitana*. Ha realizado numerosas giras por Hispanoamérica difundiendo la zarzuela.

Mª LUZ GONZÁLEZ PEÑA

Remolá Pubill, María. Barcelona, 7-XII-1930. Soprano. En 1952 se trasladó a Cuba. Estudió canto con Francisco Dominicis y después con Liliana Yalenska. Asimismo se presentó en importantes salas de teatro y conciertos del extranjero. En 1961 integró el Grupo Lírico Gonzalo Roig, donde trabajó como primera solista y ese mismo año interpretó *Doña Francisquita* en el teatro Payret de La Habana. Ha sido calificada por la crítica especializada como una de las voces más excepcionales de la lírica cubana. Su voz es de amplio registro, demostrado en la emisión de sonidos sobreagudos excepcionales en la tesitura de una soprano. Poseedora de una técnica depurada, perfecta afinación y expresividad. En 1984 regresó España.

María Remolá (Foto: Ar. ICCMU)

BIBLIOGRAFÍA: *DMEH*; A. J. Molina: *150 Años de zarzuela en Puerto Rico y Cuba*, San Juan, Ramallo Bros. Printing, 1998.

Mª LUZ GONZÁLEZ PEÑA

Reñé Castella, Enrique. España, †22-VII-1924. Compositor. Es autor de numerosas canciones, bailes y cuplés, editados por la UME, e incluso de una fantasía para banda sobre motivos asturianos. Se dedicó principalmente al género lírico del que se conservan numerosas obras. Su actividad se desarrolló en las dos primeras décadas del siglo XX.

OBRAS: *Patria*, Ent, l, E. Failde, est, 12-XII-1909, Te. Benavente; *Alma italiana*, 1 act, l, A. Olivera, est, 28-III-1910, Te. Madrileño; *Las nubes pardas*, 1 act, l, A. Fernández Cuevas / M. Caba, est, 26-IV-1910, Te. Benavente; *Vámonos pronto a Judea*, 1 act, l, J. Álvarez Díaz / L. Martel, est, 16-VIII-1910, Te. Salón Madrid; *Juan sin nombre*, episodio lír, 5 act, l, E. González del Castillo, est, 27-IX-1910, Te. Martín, *E:Msa*; *¿Con camisa o sin camisa? o ¡Anda la Diosa!*, Ent, l, P. Cruz / M. Fontanellas, est, 25-XI-1910, Te. Madrileño; *El fin de Sodoma*, Ent, l, A. Olivera, est, 9-XII-1910, Te. Madrileño; *Se desarrollan señoras*, Ent, l, A. Olivera, est, 16-XII-1910, Te.

Madrileño; *El 607*, Ent, l, A. Olivera, est, 30-XII-1910, Te. Madrileño; *Gozos solemnes*, Ent, l, A. Olivera, est, 30-XII-1910, Te. Madrileño; *La funda maravillosa*, Ent, l, A. Olivera, est, 4-I-1911, Te. Madrileño; *El 69 bis*, Ent, l, A. Olivera, est, 27-I-1911, Te. Madrileño; *El forzudo Poyales*, Ent, l, A. Olivera, est, 8-VI-1911, Te. Madrileño; *La verdad desnuda*, Ent, l, A. Olivera, est, 8-VI-1911, Te. Madrileño; *Chupen ustedes*, Ent, l, A. Olivera, est, 10-VI-1911, Te. Madrileño; *El demonio ... tentador*, 1 act, l, A. Olivera, est, 13-VII-1911, Te. Madrileño; *La perfecta casada*, Ent, l, F. de Rada, est, 31-VII-1911, Te. Salón Madrileño; *Perfecto caballero*, 1 act, l, A. Fernández Cuevas / M. Caba, est, 31-VIII-1912, Te. Latina; *Su majestad*, 1 act, l, J. Pardo, est, 18-VI-1913, Te. Novedades, *E:Msa*; *La gata melindrosa*, col. Castilla, l, A. Tona, est, 22-I-1914, Te. Salón Madrileño; *Miau*, 1 act, l, Teglen / Lozano, est, 26-I-1914, Te. Salón Madrid; *El beso de la Gitana*, Zarz, 3 act, col. Parera Campabadal, l, L. Suñer / A. Paso Díaz, est, 10-IV-1918, Te. Español, *E:Msa*; *Artistas ínfimos*, Zarz, 1 act, l, V. García Paesa, *E:Msa*; *Chantecler nacional*, 1 act, col. Parera, l, A. Munilla, *E:Msa*; *Inspiración femenil*, l, Lorenzo / Lucas, *E:Msa*; *Los infelices*, l, M. Moncayo / J. Díaz, *E:Msa*.

Mª LUZ GONZÁLEZ PEÑA

Reoyo y Herrera, Enrique. †San Lorenzo de El Escorial (Madrid), 1-I-1938. Dramaturgo. Su producción para el teatro lírico, a diferencia de otros autores, no fue cuantiosa, pero sí importante. Se dedicó esencialmente a la zarzuela grande y lo hizo siempre en colaboración de otros autores, tal vez más experimentados en el género, así firmó con Enrique Calonge el sainete *Don Juanito y su escudero* de Reveriano Soutullo, 1916; con Antonio Paso hijo y José Silva Aramburu el libro de *La leyenda del beso* de Reveriano Soutullo y Juan Vert, 1924, de gran éxito; con Álvaro Orriols la zarzuela *La pescadora de Ubiarco* de José María Tena, 1925; y en colaboración con Juan Ignacio Luca de Tena, tuvo un éxito arrollador con la zarzuela *El huésped del Sevillano* de Jacinto Guerrero, 1926. *Véase* EL HUÉSPED DEL SEVILLANO; LA LEYENDA DEL BESO.

De izquierda a dercha de la imagen, Enrique Reoyo, el maestro Guerrero y J. I. Luca de Tena en Toledo, 1926 (Foto: Ar. ICCMU)

BIBLIOGRAFÍA: *DAT*; *DMEH*; J. Carabias: *El maestro Guerrero fue así*, Madrid, 1952.

OLIVA G. BALBOA

Reparaz, Antonio. Cádiz, 3-IX-1831; Reus (Tarragona), 14-IV-1886. Director y compositor. Hijo de un músico mayor de regimiento, a los dieciséis años dirigió por primera vez una orquesta en un teatro de Santander. Pensionado por la Diputación de Navarra, se trasladó a Italia para perfeccionar estudios y, a su regreso, fue contratado en París para dirigir la orquesta del teatro Real de San Juan en Oporto, estrenando allí su primera ópera titulada *Gonzalo de Córdoba*. El éxito fue grande, con doce representaciones seguidas y muy buenas críticas que se recogieron también en la prensa española. Habiendo anunciado la empresa *Las Vísperas Sicilianas* para aquella temporada, se dio preferencia a otra ópera de Reparaz, *Bianca de Borbón*, lo que demuestra la acreditación de este compositor. Escribió otra ópera para el mismo teatro, titulada *Pedro el Cruel*. En 1859 escribió para el mismo teatro la ópera *Maleck-Adelm*. Ambas partituras se perdieron debido al incendio del teatro San Juan de Oporto. Su primera zarzuela se estrenó en 1856.

Según Cotarelo y Mori, en 1857 fue nombrado maestro compositor de una compañía de zarzuela que trabajaba en Zaragoza, estrenando la obra *El castillo feudal*, a beneficio de Elías Anadón, con buenas críticas. A partir de entonces, el maestro gaditano se dedicó al género lírico. Su siguiente estreno, aquel mismo año de 1857, fue *A cual más feo*, una obra en tres actos, con libreto de Juan de la Puerta Vizcaíno, que no era sino una adaptación de la traducción de *El hombre más feo de Francia*, realizada por Ventura de la Vega. Al parecer, el libreto perjudicó seriamente a la música. En 1860, el maestro formó parte de una compañía "a partido", integrada por artistas y cantantes que habían quedado fuera de la compañía formada en el teatro de la Zarzuela y que contó con el apoyo del empresario del Circo, Segundo Colmenares. Junto a Reparaz, había otros autores de prestigio, como Arrieta, Oudrid y Caballero. Esta fue una primera competencia seria al teatro de la Zarzuela y, según Cotarelo, puso en serios aprietos a Salas y Gaztambide. En 1860 estrenó en el Circo la zarzuela *La Cruz del Valle* –con libreto de G. A. Bécquer, firmado con el seudónimo de Adolfo García– y *El paraíso en Madrid* (gacetilla lírica en tres actos con libreto de Luis Rivera) con gran éxito. De aquel año es también *El magnetismo ¡animal!*, estrenada en el Circo en noviembre, en un acto, con libreto de Luis Cortés y Suaña, obra bien recibida. En 1861 se estrenaron en el Circo las zarzuelas de Reparaz *Ardides y cuchilladas* y *Jacinto*, con éxito. En sus zarzuelas destacaba la excelente orquestación y sus coros. A partir de 1861 Antonio Reparaz recorrió Europa dirigiendo ópera. De 1866 es la zarzuela en un acto *La Gitanilla*, con libreto de García Cuevas, que tuvo muy buena acogida. En 1867 partió para Puerto Rico, para dirigir la orquesta del teatro Principal, regresando hacia 1872, de ese año es la zarzuela *El pajecillo*, con libreto de Emilio Mozo de Rosales, que se estrenó en el Eslava. También de 1872 es el juguete en dos actos titulado *Las estatuas del Retiro*, estrenado en el teatro de los Bufos, con libreto de Ricardo de la Vega. En 1874 fue llamado de nuevo a Oporto, para dirigir la ópera italiana, escribiendo entonces *La rene-gada*, 1874, ópera en cuatro actos que obtuvo mucho éxito, teniendo aceptación incluso en Italia (*El Arte*, 30, 1874). De nuevo en España, estrenó en el teatro del Circo varias zarzuelas. *La renegada* se estrenó en Valencia, ciudad donde escribió otra ópera, *El favori-to*, cuyo asunto está tomado de la vida de Rodrigo Cal-derón. La primera audición de *El favorito* se realizó en la residencia del barítono Kaschman, y a ella asistie-ron varios cantantes del teatro Real, varios periodistas y amigos personales de Kaschman. En *La Crónica de la Música* se anunció que esta ópera iba a estrenarse en los teatros de la Scala de Milán y San Juan de Opor-to (*Crónica de la Música*, 112, 1880). En 1875 fue con-tratado como maestro director de orquesta del teatro de Sevilla, donde desplegó una intensa actividad como gestor. Posteriormente, fue contratado por el teatro Regio de Turín, en 1884, pero vio malograda la con-trata por haberse declarado el cólera y tuvo que regre-sar a España, falleciendo poco después.

OBRAS: *El castillo feudal*, Zarz, l, Menéndez, est, 25-VI-1857, Zaragoza; *A cual más feo*, Zarz, 3 act, l, J. de la Puerta Vizcaíno, est, 13-XI-1857, *E:Msa*; *La estatua encantada o El desertor*, Zarz de grande espectáculo, 3 act, l, A. Campoamor, est, 19-I-1859, Te. Variedades (Zaragoza); *La venta encantada*, Zarz, 3 act, l, A. Gar-cía, est, 1859; *El magnetismo… ¡animal!*, filfa, 1 act, l, L. Cortés y Suaña, est, 17-XI-1860, Te. Circo, *E:Msa*; *La cruz del valle*, Zarz, 3 act, l, A. García, est, 22-X-1860, Te. Circo, *E:Msa*; *El paraíso en Madrid*, gacetilla lír, 3 act, l, L. Rivera, est, 21-XII-1860, Te. Circo, *E:Msa*; *La gitanilla*, Zarz, 1 act, l, F. García Cuevas, est, 27-IX-1861, Te. Zarzuela, *E:Msa*; *Un quinto y un sustituto*, Zarz, 2 act, l, L. Ber-zosa, est, 24-XII-1861, Te. Circo (Madrid); *Harry el diablo*, Zarz, 2 act, l, N. Serra / M. Pastorfido, est, 21-II-11862, Te. Circo (Madrid); *Un hongo*, Zarz, 1 act, l, I. Virto, est, 8-VI-1862, Te. Circo (Madrid); *La niña de nieve*, Zarz, 3 act, l, F. García Cuevas, est, 3-XII-1862, Te. Circo; *Un trono y un desengaño*, Zarz, 3 act, l, M. Pina, est, 19-XII-1862, Te. Circo, *E:Msa*; *Las bodas de Camacho*, 1 act, l, F. Gar-cía Cuevas, est, 9-X-1866, Te. Circo; *El pajecillo*, episodio históri-co, 1 act, l, E. Mozo de Rosales, est, 28-VI-1872, Te. Eslava, *E:Msa*; *El puñal y la careta*, Zarz, 1 act, l, R. Lope Netano, est, 26-VIII-1872, Te. Circo de Madrid; *Una noche en el Retiro*, Zarz, 2 act, l, R. de la Vega, est, 17-XI-1872, Te. Circo de Paul; *Los pájaros del amor*, Zarz, 1 act, l, C. Navarro / A. Povedano, est, 22-XI-1872, Te. Recreo, *E:Msa*; *Los maitines*, Zarz, 3 act, l, C. Navarro, est, 1882, Te. Zarzuela; *Ardides y cuchilladas*, Zarz, 3 act, l, J. Belza, est, 23-II-1891, Te. Zarzuela, *E:Msa*; *Traidor, inconfeso y bufo*, profecía cóm-lír, 1 act, l, "varios abonados al Te. Zarzuela", est, 23-X-1872, Te. Paul (Bufos Madrileños), *E:Msa*; *La sombra del niño*, Zarz, 1 act, l, R. Puente y Brañas, *E:Msa*; *El novillero*, Zarz, 1 act, *E:Msa*; *La casa del abuelo*, Zarz, 1 act, *E:Msa*.

BIBLIOGRAFÍA: *HZ*; E. Casares: *Francisco Asenjo Barbieri. 2. Escritos*, Madrid, ICCMU, 1994; F. Cuenca: *Galería de músicos anda-luces contemporáneos*, La Habana, Cultura, 1927.

EMILIO CASARES RODICIO

Reparaz Chamorro, Federico. Linares (Jaén), 16-XI-1889; Linares, 19-II-1924. Compositor, autor dra-mático y periodista. Escribió la música de algunas zar-zuelas, labor que compaginó con la escritura de libretos originales o traducidos para obras líricas y

dramáticas. Perteneció al cuer-po de Telégrafos, habiendo sido oficial de la Secretaría del Senado. Apenas se tie-nen noticias de su ca-rrera; en la temporada lírica 1880-81 era ma-estro concertador y di-rector de orquesta del teatro Apolo, compar-tiendo el cargo con Mariano Vázquez. En marzo de 1883 llegó a Oviedo como maestro director y concertador de una compañía lírica que ofreció espectáculos zarzuelís-ticos en Pascua, con títulos como

Federico Reparaz
(Foto: Ar. SGAE)

La tempestad, Boccacio o *Los sobrinos del capitán Grant* (*La Propaganda Musical*, 29-III-1883). Y el 4 de noviembre de 1893 era director y concertador de la compañía lírica del teatro de San Fernando en Cádiz.

Conocedor de varios idiomas, hombre culto y ducho en el arte escénico, sus adaptaciones de obras extranjeras al teatro español fueron acogidas con éxito ya que tuvo gran habilidad para amoldarlas al gusto del público. Destacan, en el terreno literario, dos obras líricas: el juguete lírico en dos actos *La faraona*, escri-to en colaboración con R. López Montenegro, que, puesto en música por Cayo Vela y Enrique Bru, se estrenó en el teatro de Novedades de Madrid en 1913; y el vodevil en tres actos *Teodoro y compañía*, escrito en colaboración con José Juan Cadenas que, puesto en música por Jacinto Guerrero, se estrenó en 1923 en el teatro Reina Victoria de Madrid. Además de estos dos títulos líricos, Díaz Escobar y Lasso de la Vega afir-man que es autor de las siguientes obras teatrales: *Los hijos artificiales, La doncella de mi mujer, Tortosa y Soler, El enemigo de las mujeres, La llamarada, Lluvia de hijos, El eterno Don Juan, Los maridos alegres, Reservado de seño-ras, La princesa de los Balkanes* y *El paraíso cerrado*, sien-do la mayoría de estos títulos adaptaciones de obras extranjeras para la escena española.

OBRAS: *Jacinto*, Zarz, 1 act, l, L. Berzosa, est, 25-V-1861, Te. Circo, *E:Msa*; *La gitanilla*, Zarz, 1 act, l, F. García Cuevas, est, 27-IX-1861, Te. Zarzuela; *Empleo desconocido*, Fotografía, 1 act, l, E. Montesinos / R. Estellés, est, 10-XI-1874, Te. Romea, *E:Msa*; *Las alegres comadres*, Jug. 1 act, l, E. Arango, est, 19-I-1895, Te. Princi-pal (Santander), *E:Msa*; *La casa del abuelo*, Zarz, 1 act, l, J. Jackson Veyán, est, 15-VI-1895, Te. Príncipe Alfonso; *El novillero*, Zarz, 1 act, l, J. Fajardo, est, 7-IX-1898, Te. Maravillas; *Guerra franca*, Opt, 3 act, adap de Seinar, l, M. Linares Rivas, est, 1909, Te. Price; *Jugar con dos barajas*, Zarz, 1 act , l, F. Bisbal / J. Faraldo; *Madrid de noche*, Zarz, 1 act, l, M. Vallejo.

BIBLIOGRAFÍA: *DMEH*; F. Cuenca: *Galería de músicos anda-luces contemporáneos*, La Habana, Cultura, 1927.

Mª ENCINA CORTIZO

República griega, La. Comedia en un acto. Música de Jorge Anckermann. Libreto de Federico Villoch. Estrenada en 1917 en el teatro Alhambra de La Habana.

Personajes y reparto. Agaton (Regino López). Praxágoras (Eloísa Trías). Camilo (J. del Campo, tenor). Negrón (Sergio Acebal). Afrodita (Luz Gil, tiple). Teoris (Blanca Vázquez). Climareta (Blanca Sánchez). Safo (Amalia Sorg). Priapo (P. Bas). Adonis (Mariano Fernández). Narciso (Carlos Sarzo). Leocutea (Corteza). Aristófanes (Gustavo Robreño). Talia (Eloísa Trías). Euterpe (Luz Gil, tiple). Terpsícore (Amalia Sorg). Urania (Blanca Vázquez). Melpómene (Enedina). Caliope (Corteza). Clio (Roseta). Polimnia (Carmen). Brato (Blanca Sánchez). Apolo (Canelita). Empresario 1º (Carlos Sarzo). Empresario 2º (Armando Gutiérrez). Cirene (A. Corralito). Lais (Enedina). Demos (Carlos Sarzo). Diógenes (Anckermann). Trasibulo (Blanca Vázquez). La esfinge (Eloisa Trias). Jóvenes griegos (Sobola, R Gutiérrez, Carbonero, Armando Gutiérrez, Plaza, Félix). Togado 1º (Blanca Vázquez). Togado 2º (Luz Gil, tiple). Militar 1º (Castillo). Militar 2º (P. Bas). Militar 3º (R. Gutiérrez). Griego afeminado (Félix). Bacante 1ª (Luz Gil). Bacante 2ª (Blanca Vázquez). Bacante 3ª (Amalia Sorg). Baco (Castillo).

Orquestación. Flauta, flautín, clarinete, cornetines, trombón, trompas, bajo, figle, mandolinas, oboe, platillos, timbales y cuerda.

Argumento. *Cuadro primero.* En una casa estilo griego viven Agatón y Paxágoras, junto a su hijo Camilo. La madre siempre se ha mostrado severa y honesta, mientras el padre desea para su país todo el bien. Su hijo se marcha para Atenas a hacerse un hombre de provecho. Agatón se siente satisfecho de que sea así, pues el joven debe ser como los dioses: sabio, precavido y valiente. Sin embargo, Paxágoras se encuentra muy preocupada por los comentarios que ha escuchado en los cuales se especula sobre la veracidad de que Atenas sea una ciudad modelo, brilla la justicia y se veneran a sus glorias. Camilo va acompañado de Negron, su esclavo personal, quien sabe que los dioses ya no existen y que la ciudad no es ya la que imagina Agatón.

Cuadro segundo. Afrodita es la dueña de una casa dedicada al amor, y con ella siempre están sus criadas, especialmente Clinareta y Teoris. En el recinto también vive Priapo, su sirviente. Todos están muy aburridos y desconsolados porque no hay clientes, y sobre todo Priapo, pues como es el único hombre se siente en la obligación de suplir todas las necesidades de las muchachas. Afrodita espera ansiosa a Adonis, quien la visita con frecuencia, pero antes de su llegada aparece Safo, una amiga que viene a contarle sus disgustos con Faón, quien aún no se decide por ella. Safo ha decidido olvidarse de los hombres, los cuales dice sólo sirven para deformar a las mujeres y ha decidido tener relaciones con una de sus amigas: Afrodita, la cual acepta la idea. Teoris y Clinareta, que han divisado tras la cortina, también deciden probar. De igual modo llegan el tan esperado Adonis y su amigo Narciso, quienes a pesar de las justificaciones que le ha dado Priapo para no ver a Afrodita, logran divisar lo ocurrido. Camilo y Negrón también han arribado a aquella vivienda y Adonis y Narciso se quieren aprovechar de ellos, fin que no logran gracias a la aparición a tiempo de Agatón y Praxágoras, quienes resuelven la desagradable situación. Finalmente, todos echan de la casa a Safo, y terminan al llegar la noche, Camilo con Afrodita, Negrón con Leocutea, y todos los hombres con mujeres, con excepción de Priapo que queda solo.

Cuadro tercero. Al salir Camilo y Negrón muy satisfechos de las muchachas, se encuentran con Aristófanes, compositor de comedias, que les comenta que para instruirse en Atenas lo primero que deben hacer es ver una representación teatral, invitación que aceptan. En la conversación con Aristófanes se han enterado de que los personajes recurrentes en las obras que ellos acostumbran a ver como el negrito, el bobo, el chulo y otros, también están presentes en el teatro griego con otros nombres.

Cuadro cuarto. Camilo, Negrón y Aristófanes disfrutan la representación de las siete musas. Dos empresarios de Atenas acompañados de Cirene y Lais han llegado al teatro para conversar con el padre de la comedia sobre una denuncia que les hicieron y las desiguales condenas que les impusieron a pesar de poseer semejantes negocios. Tras escuchar estas afirmaciones a Aristófanes se le ocurre realizar una obra sublime que alcanzará gloria eterna: *Las avispas*, donde reflejará públicamente la vergüenza de los jueces que se burlan de la justicia de Atenas. Cirene y Lais han aceptado quedarse para ser reinas de la fiesta que se efectuará al culminar la representación de una escena de *Los caballeros*. Cuando todos están borrachos, llegan Agatón y Praxágoras que logran terminar con ese otro vicio.

Cuadro quinto. Aparece el cínico Diógenes proclamando sus ideas. Llega Trasíbulo, joven simpático que explica que es la hora de liberar a Grecia de los treinta tiranos que hacen de la República su feudo y de todos sus esclavos, a lo que le responden con aplausos y vitoreos. Agatón está contento porque ha mandado a Camilo a la lucha, pero Praxágoras llora. Se han quedado Diógenes y Agaton discutiendo los sentimientos patrióticos de cada uno. Camilo y Negrón terminan la lucha llenos de heridas y adoloridos, pero todavía se han quedado los militares y los jurídicos disputándose la victoria. Agaton decide no darles ningún puesto a Camilo y a Negrón porque de tanto que han aprendido van a ser unos sinvergüenzas. Arriban al lugar los jueces y los militares discutiendo todavía pero todo se logra entender cuando la esfinge les habla de que no consentirá en sus islas gobiernos violentos, no tolerará gritos, ni revueltas, y apoyará a los que trabajan con toda su fuerza. Con posterioridad Agatón también comenta la importancia que tienen tanto los militares como los jueces, pero manda sólo el que puede y sabe y el que va al poder sin ambiciones. Todo culmina con música y baile.

Números musicales. N° 1. Polka. Camilo, Agatón, Negrón, "Mamá-papá", N° 2. Mazurca. Camilo, Negrón, Agatón y Praxágoras, "A la gran Atenas". N° 3. Vals. Afrodita, Clinareta, Teoris, todas, "Encantadora Afrodita". N° 3. Orquesta y marcha, "Bella Afrodita". N° 4. Vals lento. Coro de señoras, "¿Qué estará haciendo al señorita?". N° 5. Rumba. Camilo, Afrodita, todos, "Venus triunfante". N° 6. Gavota-vals-gavota. Las musas, Euterpe, "Vítor al gran Aristófanes", N° 7. Vals-danzón. Aristófanes, Camilo, Bacantes, todos, "¡Aquí estamos!". N° 7. Rumba. Coro, "Epaminondas", N° 8. Polka. Coro general, Diógenes, "Al mercado van de Atenas". Final, todos, "Así bailaban".

Comentario. Esta comedia escrita por Federico Villoch en 1917 le hizo gran honor al género: es una burla que aparece en ocasiones solapada, pero otras al desnudo. Fue una de las obras políticas que se representaron en el teatro Alhambra con resultados económicos muy efectivos. Su estreno se realizó coincidiendo con la reelección de Mario García Menocal, presidente que tampoco supo detener el auge de la prostitución, los vicios y los juegos. Villoch y Anckermann encontraron con esta situación el ambiente ideal para que el público acogiera y entendiera con mayor claridad y rapidez las alusiones políticas presentes en la obra. Tras la fachada de la República griega se plasman todos los problemas que afectaban a la sociedad cubana del momento. En pocos momentos se habla de Cuba, entre estos se destacan las preguntas que Camilo y Negrón le realizan a Aristófanes para saber si las representaciones teatrales de Grecia son iguales que las del Alhambra.

En el acompañamiento musical priman géneros poco usuales en el entorno cubano como la polka, la gavota, la marcha, el vals y la mazurka, combinados en instantes con otros bien desarrollados en la isla como el danzón y la rumba. Estas características se hacen más evidentes por la presencia del ritmo ternario en la mayoría de los números musicales. *La república griega*, con marcado sabor bufo, se mantuvo por mucho tiempo en cartel y uno de los cuadros más "picantes" de la obra es "En casa de Afrodita". Otra de las características importantes es la reproducción de escenas completas de obras teatrales como *Los caballeros* y *Las avispas*, ambas originales de Aristófanes, aprovechadas por Villoch para satirizar genialmente muchas de las inmoralidades de entonces.

Fuentes manuscritas. La partitura y el libreto se conservan en el archivo del Museo Nacional de la Música de Cuba.

BIBLIOGRAFÍA: E. Robreño: *Teatro Alhambra. Antología*, La Habana, Letras Cubanas, 1979.

CAROLE FERNÁNDEZ MARTÍNEZ

Requejo, José María. España, siglos XIX-XX Compositor. En el archivo de la SGAE en Madrid se conservan las siguientes obras de teatro lírico a nombre de este autor: *Aires de la huerta*; *La fuentecica*, zarzuela en un acto en colaboración con Pons, libreto de E. Carrió y L. Ibáñez, estrenada el 2 de marzo de 1905 en el teatro Cómico de Madrid, y *Varita de nardo*, sainete en un acto, letra de M. Vela Andrade, estrenada el 9 de febrero de 1914 en el teatro del Duque de Sevilla.

Mª LUZ GONZÁLEZ PEÑA

Respaldiza Herce, Vicente. España, siglo XX. Compositor. Tiene registradas en la SGAE numerosas canciones y en el archivo de dicha entidad en Madrid se conserva una obra lírica suya en un acto, *De un país de abanico*, compuesta en colaboración con M. Santander Márquez y libreto de A. Butler, estrenada el 5 de julio de 1940 en el teatro Principal de Soria.

Mª LUZ GONZÁLEZ PEÑA

Retana y Ramírez de Arellano, Álvaro. Alta mar (frente a las costas de Ceylan), 26-VIII-1890; Madrid, 11-II-1970. Escritor, dibujante, compositor, escenógrafo y coleccionista. Nacido en el seno de una ilustre familia, llegó a Madrid con seis meses. Su afición a la lectura surgió desde su infancia y se nutrió de la gran biblioteca de su padre, Wenceslao Emilio, al tiempo que empezó a frecuentar los salones dedicados al género ínfimo, del que se convertiría en investigador y creador. Conocer a Consuelo Vello "La Fornarina" despertó en él su vocación de biógrafo de las estrellas del género. Con trece años comenzó a escribir en el periódico escolar *Iris* con ilustraciones de su amigo, el figurinista José Zamora. A los dieciocho años colaboró con el seudónimo de César Maroto en *El Diario* de Huesca y en 1911 comenzó a publicar artículos bajo el seudónimo Claudine Regnier. Escribió canciones para Aurora Mañanós Jaufret La Goya, que preparaba su debut en el Trianon Palace, lo que dio un giro al mundo de las variedades al dignificarlas. En el registro de la SGAE figuran más de mil títulos de los que es autor.

Conocido en el mundo de las varietés, Álvaro se convirtió en un asiduo; comenzó a publicar novelas erótico-galantes –se denominaba a sí mismo "el novelista más guapo del mundo"–. Empezó su labor de figurinista –en el Museo del Teatro de Almagro se conservan muchos de sus diseños–, escenógrafo, y escritor de libretos. Incluso compuso la música de algunas revistas y llegó a probar suerte como actor de cine y teatro. Sin embargo, cultivó también otras actividades menos frívolas, como sus trabajos de investigación sobre Filipinas. Fue nombrado académico de la Historia en 1924 y ocupó cargos políticos como diputado, gobernador de Huesca y Teruel e incluso inspector general de policía en Barcelona. Este "barniz" de respetabilidad no impidió que fuese detenido y procesado en 1921 por escándalo y atentados a la moral; de nuevo en 1926 terminó en la cárcel tras publicarse su novela *El tonto* y dos años después por *Un nieto de Don Juan*. A raíz de su libertad, abjuró de su dedicación y tomó el seudónimo

Álvaro Retana (Foto: Ar. SGAE)

de Carlos Fortuny, con el que también alcanzó una alta popularidad como autor y articulista durante los años finales de la Dictadura y la República. Durante la Guerra Civil permaneció en Madrid y estrenó en 1937 la zarzuela *Los pícaros celos*, con música de Emilio Lehmberg en el teatro Fuencarral. Se ofreció a los rectores de la Junta de Espectáculos y Consejo de Música y Teatro como censor y regulador del género de variedades, presentando también un ambicioso proyecto operístico de cámara.

Con el estallido de la contienda civil, fue declarado "desafecto a la República" y depurado del Tribunal de Cuentas. Terminada la guerra fue nuevamente juzgado, esta vez por los vencedores de la contienda, e incluso fue condenado a muerte en juicio sumarísimo el 17 de mayo de 1939, pero abogaron por él numerosas personalidades, entre ellas el Papa, pidiendo a Franco su indulto, siéndole conmutada la pena por treinta años de prisión, si bien fue puesto en libertad condicional en 1944, vuelto a encarcelar en 1945 y definitivamente liberado en 1948, sin dejar nunca de escribir; en 1957 fue readmitido en el Tribunal de Cuentas.

Debido al estreno de la película *El último cuplé*, protagonizada por Sara Montiel, el cuplé tuvo un nuevo auge y Retana volvió a trabajar como letrista, agente artístico y comentarista de discos. En estos años publicó dos obras fundamentales para el estudio de la canción española y de las variedades: *Historia del arte frívolo* e *Historia de la canción española*. Dejó también material inédito, numerosas fotografías y datos biográficos de cantantes, bailarinas y actrices, en un manuscrito que tituló *La mujer en el teatro*, y que fue el origen de la publicación *Mujeres de*

la escena en 1996. Se casó con la cantante Luisa de Lerma, con la que tuvo su único hijo, Alfonso. Aunque su dedicación fundamental fue el cuplé y el arte frívolo, también compuso algunas revistas y escribió los libretos de otras como: *Travesuras de amor*, opereta en un acto que escribió en colaboración con M. Muzas y a la que puso música Teodoro San José, Cómico, 1914; *Curro Moreno*, poema gitano con música de Emilio Lehmberg, Fuencarral, 1937, y *Los anteojos de Mahoma*, con música de José Lucio Mediavilla y Ricardo Yust. Tanto estas obras como aquellas de las que fue compositor, se conservan en el archivo de la SGAE en Madrid. Una vida tan azarosa como la de Retana no podía terminar pacíficamente y así, falleció asesinado.

ESCRITOS: *Historia del arte frívolo*, Madrid, Tesoro, 1964; *Historia de la canción española*, Madrid, Tesoro, 1967; *La mujer en el teatro*, Ms. E:Msa.

OBRAS (Todas en E:Msa): *Dady-Doll*, col. L. Barta Galé; *El capricho del diablo*, 1 act, col. F. Sanna Migoni, l, D. de las Heras; *Las conquistadoras*, 1 act, col. C. de España; *Princesas de amor*; *El paraíso de los solteros*, 1 act, col. L. Barta.

BIBLIOGRAFÍA: *ME*; S. Ibero: "Álvaro Retana", *Celebridades de varietés*, 30, Barcelona, Ed. Biblioteca Films, 26-XI-1926; J. Alfonso: *Siluetas literarias*, Valencia, Prometeo, 1967; P. Pérez Sanz, C. Bru Ripoll: "Álvaro Retana. El sumo pontífice de las variedades", *Revista de sexología*, 40 y 41, Madrid, 1989; A. Sánchez Álvarez-Insúa: *Bibliografía e historia de las colecciones literarias en España (1907-1957)*, Madrid, Libris, 1996.

Mª LUZ GONZÁLEZ PEÑA

Revenga, Matilde. Valencia, 4-XI-1902; ?. Soprano. Dedicada fundamentalmente a la ópera, también interpretó zarzuela. Triunfó en el Real y en los principales coliseos de Europa. Debutó con dieciocho años en el papel de Elsa en *Lohengrin*. Se perfeccionó en Italia y volvió al teatro Real de Madrid en 1923 cantando con Miguel Fleta y estrenado el 6 de marzo *Jardín de oriente* de Turina. Su nombre está asociado a la última función de ópera del teatro Real de Madrid, celebrada el 5 de abril de 1925 con la interpre-

*Matilde Revenga
(Foto:Colección
París; E:Bit)*

tación de *La bohème*. Interpretó *Maruxa* y sobre todo en colaboración con su buen amigo Fleta, *La Dolorosa*, *Los claveles* y *El dúo de la oficana*. Dejó interesantes versiones discográficas de algunas obras. Su carrera terminó con la Guerra Civil.

FONOGRAFÍA: *Marina*, La Voz de su Amo, DB 1170 DB 1171.
BIBLIOGRAFÍA: *HGZ*.

EMILIO CASARES RODICIO

Reverter, José. España, siglos XIX-XX. Cantante. Es probable que fuese valenciano, pues en 1908 estrenó en el teatro Ruzafa de Valencia diversas obras, como *Porta-Coeli*, zarzuela fantástica de Vicente Peydró, *Fiestas y amores* de Manuel Izquierdo y *Alboradas* de Salvador Giner, y en el verano de 1910 formaba parte de la compañía de Maximiliano Thous que inauguró el teatro Serrano de Valencia en el verano de 1910.

BIBLIOGRAFÍA: *Comedias y Comediantes*, II, 18, 1-VII-1910.
Mª LUZ GONZÁLEZ PEÑA

Revilla. Se conocen cuatro cantantes con este apellido, activas durante los mismos años. Sus actuaciones tuvieron lugar principalmente en el teatro Eslava. Se desconoce si tenían alguna relación de parentesco, y en algunos casos en los que solamente se indica el apellido, no se sabe quién fue la intérprete como ocurre en: *La alegre trompetería* de Lleó, Eslava, 1907, *La presidiaria* de Padilla, teatro Barbieri, 1911 o *Granada mía* de Ángel Barrios, Apolo, 1919.

1. Carmen. España, siglos XIX-XX. Tiple cómica. En 1906 estrenó en el teatro de la Zarzuela *Los Campos Elíseos* de Nieto y Alvira; en 1907 figuraba entre las tiples del teatro Eslava; en 1908 trabajaba en tres teatros diferentes: Eslava, donde estrenó *La corte de los casados* de Lleó y Foglietti; teatro Barbieri con *El lazarillo* y *María Jesús* de Quislant, y el Gran Teatro con *El néctar de los dioses* de San José y San Felipe. Al año siguiente estrenó *El jardín de los amores* de López Montenegro. En 1912 de nuevo actuaba en el Eslava.

2. Clotilde. España, siglos XIX-XX. Tiple. En 1905 una

C. Revilla que pudo ser ésta o Carmen, estrenó en el teatro de la Zarzuela *Los huertanos* de Caballero y Hermoso. Carmen estrenó en el Gran Teatro en 1909, *Ahí queda eso o El belén de don Antonio* de Candela y Goncerlián, y en 1910, en Eslava, *Los esclavos* de Fonrat y Quislant.

3. Enriqueta. España, siglos XIX-XX. Tiple. Comenzó cantando en el teatro Eslava hacia 1905, para pasar al teatro de la Zarzuela donde estrenó *Los huertanos* de Caballero y Hermoso en mayo de ese mismo año y en 1906 *La cacharrera* de Caballero y Hermoso; en 1908 *La remendona* de Foglietti y *Mayo florido* de Lleó en Eslava, del que formaba parte en 1910, y en 1912 se pasó a las variedades con bastante éxito, ya que cultivaba el género sicalíptico desde sus tiempos en el Eslava. En 1923 estrenó en el Cómico *Urbana y cortés* de Barrera y Alonso, y *La mujer de nieve* de Rosillo y Moreno Torroba.

4. Rosario. España, siglos XIX-XX. Tiple. Estrenó *Ahí queda eso o El belén de don Antonio* de Candela y Goncerlián, *Mary, princesa del dóllar* de Leo Fall, en el Gran Teatro, 1909 y *Los esclavos* de Quislant y Fonrat, Novedades, 1910. En los años treinta era actriz de verso en la compañía de Aurora Redondo y Valeriano León.

BIBLIOGRAFÍA: *HGZ; ME; TA*.

Mª LUZ GONZÁLEZ PEÑA

Carmen Revilla (Foto: Alfonso en Nuevo Mundo, 1912; Ar. ICCMU)

Clotilde Revilla (Foto: Comedias y Comediantes, 1910; Ar. ICCMU)

Revoltosa, La. Sainete lírico en un acto. Música de Ruperto Chapí. Libreto de José López Silva y Carlos Fernández Shaw. Estrenado el 25 de noviembre de 1897 en el teatro Apolo de Madrid.

Personajes y reparto. Mari Pepa (Isabel Brú, tiple). Soledad (Luisa Campos, característica). Gorgonia (Pilar Vidal). Encarna (Matilde Zapater). Chupitos (Srta. Zavala). Una vecina (Palmer). Chula 1ª (Isabel Carceller). Chula 2ª (Carmen Fernández). El señor Candelas (José Mesejo, actor). Felipe (Emilio Mesejo). Cándido (Emilio Carreras). Tiberio (Eliseo Sanjuán). Atenedoro (José Ontiveros). Un vecino (Luis Manzano). Un niño (Sr. Cornett). Coro general.

Orquestación. Flautín, flauta, oboe, 2 clarinetes, fagot, 2 trompas, 2 cornetines en La, 3 trombones, timbales, percusión y cuerda.

Argumento. Patio de una casa de vecinos típica de Madrid. Diversos personajes se hallan en el patio, el sastre, señor Cándido; su mujer, Gorgonia, de gran carácter; Soledad, novia de Atenedoro; Encarna, joven esposa de Tiberio. Los hombres están hechizados por la protagonista, la joven Mari Pepea. También lo está Felipe, joven y atractivo mozo. En una mesa juegan al tute, Cándido, Felipe y Tiberio. Atenedoro, en mangas de camisa, afina las cuerdas de una guitarra. Encarna y Soledad, cuelgan unos faroles para engalanar la casa por la verbena. Gorgonia, por su parte, peina a su hijo. Aparece el señor Candelas reclamando un poco de tranquilidad ante el bullicio y lanza una serie de indirectas sobre el juego y las miradas que le lanzan a Mari Pepa, con la consiguiente reacción de Tiberio que es parada por el resto de los concurrentes. Cuando se va, los jugadores reanudan la partida que se verá interrumpida con la aparición de Mari Pepa. Cuando les saluda, los asistentes le contestan con una sucesión de piropos, que provocan los celos de Felipe. En realidad, Mari Pepa juega con todos aunque por quien realmente se siente atraída es por Felipe. El escándalo que se suscita hace que baje el encargado, el señor Candelas, a quien las mujeres le reclaman que ponga orden. Una vez que se han ido todos, Mari Pepa vuelve y se da de bruces con Candelas. Aunque el encargado empieza exhibiendo toda su autoridad, acaba bajando sus arrestos ante el atractivo de la joven. Gorgonia se lo echa en cara y está a punto de llegar a mayores cuando aparece Felipe que demuestra una indiferencia hacia Mari Pepa que no es real. Cuando ambos jóvenes se van, Gorgonia pone en marcha un plan con el que espera dar una lección a sus cónyuges a los que considera unos sinvergüenzas.

Llega la noche, con los faroles luciendo en el patio. Aparecen Soledad, como cantaora, Gorgonia, Encarna, Chupitos, el señor Candelas, Cándido, Tiberio y Atenedoro, junto a otros vecinos. Con ayuda del

Cortesía de Unión Musical Ediciones SL

travieso Chupitos, Gorgonia pone en marcha su plan. A cada uno de los galanes, es decir sus respectivos cónyuges, el niño les comunica un pretendido mensaje de Mari Pepa, donde indica que esperará en su cuarto a cada uno de ellos, lo que ignoran los restantes, a las diez en punto de la noche. Todos marchan a la verbena, salvo los cuatro donjuanes, incluyendo al señor Candelas. Ante la indignación de las conspiradoras, todos encuentran pretextos para no ir a la fiesta, a la espera de que llegue la cita. El patio permanece tranquilo, cuando aparece Felipe dando una vuelta. En su monólogo revelará que el recuerdo y la presencia de Mari Pepa le preocupan demasiado para que pueda en verdad disfrutar un solo instante de la verdadera paz. Providencialmente se produce el encuentro con ella. Aunque ambos concluyen enfadados, sus sentimientos aparecen claros. Cuando suenan las diez, las mujeres retornan sigilosas de la verbena para ocupar las posiciones estratégicas en la oscuridad del patio, dispuestas como están a no perder detalle. Poco a poco, asoman los galanes ansiosos de encontrar a la mujer de sus sueños. La indignación de Felipe, enterado de lo que está pasando, es enorme, aunque Gorgonia le aclara que la joven no tiene nada que ver con todo, ya que fue sólo una trampa para escarmentar a sus maridos. Cuando se descubre la trama, Candelas intenta erigirse referente moral, sin embargo Gorgonia pone orden y los pretendientes se sienten avergonzados. Por su parte, los enamorados caen en brazos uno del otro. Felipe se promete que cambiará mañana de casa y Mari Pepa le tranquiliza, felices de haberse encontrado.

Números musicales. Preludio. Nº 1. Escena y seguidillas, "Al pie de tu ventana vengo a cantarte". Nº 2. Cuarteto y mutación, "¡Qué! ¡Olé! ¡Requeteolé!". Nº 3. Intermedio y conjunto, "Eso le pasa a las hembras". Nº 3Bis. Guajiras, "Cuando clava mi moreno". Nº 4. Dúo de Felipe y Mari Pepa, "¿Por qué de mis ojos los tuyos retiras?". Nº 5. Escenas, "No hay nadie. ¡Adentro!".

Comentario. Tras el fracaso generalizado que vivieron los estrenos posteriores a *Las bravías*, el teatro Apolo solicitó a los autores de esta obra una nueva pieza que revitalizara los éxitos de su última colaboración. Participando López Silva resulta casi inevitable que tuviera un ámbito similar. Éste era un autodidacta que había tenido por cátedra y observatorio el mostrador de una tienda de telas de un barrio bajo matritense, donde pasó parte de su juventud. A pesar de su paso a la literatura, conservó siempre la costumbre de deambular por callejas y tascas, frecuentando los mismos tipos que después pasarían a sus escritos en el *Heraldo de Madrid* o tomarían cuerpo en los personajes de sus sainetes.

El ámbito de *La revoltosa* es el patio de vecindad de un barrio bajo madrileño y se convierte casi en protagonista de la acción en sí misma, tanto como los diversos personajes que moran en él. Una bella mujer, Mari Pepa, muy coqueta, tiene revueltos a los varones habitantes de la vecindad. Encandila a todos ellos, cada uno de los cuales se considera elegido por ella, y encrespa a las mujeres que creen atrapados a su cónyuges en sus garras. Produce indignación y celos en un admirador formal, Felipe, que la supone perdida o próxima a ello. Sin embargo, ella sólo quiere sentirse admirada, riendo las diversas situaciones y haciendo sufrir al que la quiere, en parte para poner a prueba su cariño. No es mucho más el asunto de la obra, aunque se desarrolla gracias a las simpáticas aportaciones de López Silva, siempre dominador de los registros populares. La mano maestra de López Silva, unida a la de Fernández Shaw, fue inmediatamente acogida por la crítica que celebró el libreto con unanimidad. Claro ejemplo viene en el comentario de Luis Gabaldón en *Blanco y Negro* (Madrid, 4-XII-1897), que señalaba que "mucha gente se extraña de que López Silva, el poeta de la gente del bronce, desgarrado, con giros del arroyo, que tan bien observa y vive en sus tipos el ambiente chulo, pueda unir su labor a la delicadísima y tierna de Fernández Shaw, que es un poeta de salón, en el buen sentido de la palabra, sin advertir que de ese mismo contraste nace el justo medio, la tonalidad de la colaboración; pasa en esto como en los matrimonios: casi siempre dan mejor resultado aquellos en que los temperamentos de los consortes son enteramente distintos". También merece ser tenido en cuenta el análisis del comentarista anónimo de *La Ilustración Española y Americana* (Madrid, 30-XI-1897), que afirma que "más que una zarzuela chica, como se ha dado en llamar a las obras en un acto, es una verdadera opereta cómica de un corte y sabor genuinamente popular y español. El libro es un perfecto sainete, en el que los tipos representados por

los personajes son humanos, quizá demasiado en algunas ocasiones, reales, vividos; en una palabra, personajes de carne y hueso que todos reconocemos desde el primer instante" o como apostilla Arimón en *El Liberal*, al afirmar que "la pintura de los chulos y de los menestrales que figuran en el sainete acusa una mano tan firme y segura como la de D. Ramón de la Cruz y de Ricardo de la Vega en este género de composiciones. Ante tales méritos, ¿qué importa que la acción sea insignificante y ocupe, si se quiere, un lugar secundario? El sainete

Los autores de La revoltosa *(Foto: Ar. ICCMU)*

vive de la verdad y nade podrá negar que la verdad brilla en *La revoltosa* desde el comienzo hasta el fin de la representación" (Madrid, 26-XI-1897).

En el ámbito musical, *La revoltosa* es, posiblemente, la partitura más conocida de Chapí y una de las escasas composiciones que nunca han salido del repertorio zarzuelístico. Consta de preludio, cinco números y final. Los dos elementos más llamativos de esta obra son, por un lado, su ambición orquestal que ya se percibe desde el preludio, uno de los más amplios de Chapí y por la participación del foso permanentemente en toda la composición, concebido como elemento conductor. Por otro lado, la ausencia de formas habituales pues salvo el atípico dúo entre Mari Pepa y Felipe, más dramático que lírico, todo el resto está compuesto por escenas variadas en las que el conjunto, con el coro, tiene un protagonismo mayor. El preludio está hecho siguiendo el modelo habitual de otros ejemplos del autor, como en *El tambor de Granaderos*. La primera idea, entonada por el metal, viene determinada por la primera escena y está saca-

Escena de La revoltosa *la noche del estreno en el Teatro Apolo*
(*Foto:* Nuevo Mundo, *1925; Ar. ICCMU*)

da estrictamente de la frase "Si no hubiera mujeres tan infundiosas". Este motivo es contestado por
otro, en corcheas, y en torno a ambos se desarrolla esta primera sección. A partir de entonces se procede en el *Algo más despacio*, a una sección breve
que aprovecha en el grave el motivo en corcheas,
contestado por la cuerda y el viento madera en
negras y blancas con puntillo con una idea más cromática. Engarzado con ella, viene el *Andantino* que,
sobre un trémolo de los violines, impone el motivo
sacado de la frase "Mari Pepa de mi vida" del dúo,
entonado por oboe, clarinetes y viola en Do menor.
Toda esta sección enlaza con otra idea, "Palmito
pa camelar", sacada de la pieza que entona Mari
Pepa. Tras una transición retoma material del dúo,
a partir de la idea de "La de los claveles dobles".
Tras unos compases modulantes orquestados con
el trémolo de la cuerda y el apoyo del viento *in crescendo*, culmina con el tema principal y toda la sección de coda, en donde Chapí destaca en fortísimo,
la idea "Mari Pepa de mi vida", a cargo de todos los
graves de la orquesta, terminando con las consiguientes cadencias. El preludio viene a ser una
demostración de la capacidad de Chapí para sacar
rendimiento de una orquesta relativamente pequeña. Sin embargo, la amplitud sinfónica de la composición es notable y en ella se demuestra la habilidad del maestro en la unión de los temas. En
ningún momento Chapí parece interesado en ocultar las junturas de las partes, pero la unión espontánea de las ideas traídas de la parte cantada parece más fruto de la habilidad para improvisar que de
una planificación minuciosamente concebida. A
pesar de ello, el preludio posee las características
habituales en la orquestación de Chapí: brillantez,
equilibrio y limpieza en la audición de los temas,
nunca ocultos por ideas secundarias, sino poten-
ciados por la organización instrumental.

El Nº 1 comienza con un melodrama. Sobre fondo de la cuerda –graves en arco, aguda en
pizzicatto, incluyendo una guitarra–, varios personajes hablan,
aunque la rítmica de su diálogo viene explícita en la partitura. Es un posible preludio de
lo que formas expresivas como
el *sprechtgesang* schoenbergia-
no planteará posteriormente.
Sin solución de continuidad da
paso a unas seguidillas, en la
mejor tradición de la zarzuela,
en las que van interviniendo los
distintos personajes que, con la
excepción de Felipe (barítono
central) y Mari Pepa (tiple
media), son voces más bien cómicas. También el
coro tiene aquí gran protagonismo, especialmente
el tema conocido desde el preludio. Se cierra con
una coda del coro y la orquesta en un tiempo más
vivo. El Nº 2 es un cuarteto cómico, con intervención de Mari Pepa y tres de sus rondadores. Estructurada musicalmente en las secciones arriba expuestas, es la más simple de todas las que aparecen en
la composición. Le sigue una escena, precedida de
un intermedio orquestal. Es curioso cómo Chapí,
esquivando las disponibilidades vocales con las que
cuenta –es una de las obras menos cantadas, donde
no hay ni romanzas, ni cuartetos tradicionales, sino
solamente escenas– dota de mayor importancia a
la orquesta. El intermedio orquestado con brillantez está presentado en dos partes. La primera a cargo
del *tutti* de la orquesta, más rítmica, la segunda acompañada por la cuerda grave, está entonada por flauta, oboe, clarinetes, violines primeros y trompa,
mucho más melódica y con un giro típicamente hispano. Con variaciones sobre este motivo se desarrolla, destacando los efectos rítmicos en los que
Chapí era un maestro, hasta enlazar con el *Allegretto*.
Este está en compás de peteneras, al tratarse de una
guajira de influencia cubana. Hay que destacar la
utilización de los giros españoles y la presencia del
coro, convertido en un protagonista más. El número culmina con un *Allegro moderato* de carácter cómico, que enlaza con las guajiras. El éxito de estos
ritmos está probado. Pío Baroja escribió que "se cantaban mucho por entonces las guajiras que las traían, seguramente, los soldados. En algunas canciones de teatro se imitaban estas músicas de aire
tropical, y la Lucía Pastor cantaba uno que tenía
gran éxito". Lo más llamativo es la identidad conseguida por el compositor con el texto, lo que
demuestra que el trabajo de colaboración fue fructífero.

El Nº 4 es el dúo de Felipe y Mari Pepa. Esta es una zarzuela peculiar en lo que se refiere a la identificación tímbrica de los cantantes. Si normalmente en casi todas las muestras de género chico el compositor se ve obligado a determinar relativamente el timbre, en este caso al tratarse de escrituras muy centradas, las voces pueden ser interpretadas por cualquier registro. Felipe es habitualmente un barítono, pero más por tradición que idoneidad –lo han cantado tenores como Kraus o Domingo–. Mari Pepa está concebida a medida de Isabel Brú, una tiple central que puede ser abordada por sopranos o mezzos. Si desde el punto de vista vocal el dúo puede parecer poco relevante, en lo que se refiere al conjunto es una magnífica lección de los nuevos caminos que después de Wagner se llevaron al campo de la música dramática. No es que la obra sea esencialmente wagneriana, aunque detalles armónicos e instrumentales apunten a la figura del autor de *Tristán*; sin embargo la apertura que dio hacia la identificación entre texto y música es apreciable en toda la obra y, especialmente, en este dúo, sobre todo en la primera parte. Con gran sencillez de medios, Chapí logra una atmósfera de erotismo contenido.

El Nº 5 es una escena cómica, una lección en el caso de la zarzuela. Chapí retoma el ejemplo rossiniano de la misma manera que hizo Verdi en su época. Una rítmica vertiginosa que incluso parece desbordar a los personajes, eso sí adaptada a las posibilidades armónicas e instrumentales de fines del XX. Hasta la inclusión de algunos momentos líricos obedecen a la ley del contraste dramático que favorece precisamente la comicidad de la escena. El final es un añadido orquestal tomando el tema original del comienzo, tal y como era corriente en las zarzuelas, añadiendo las cadencias de rigor. Los medios se hicieron eco de la presencia de Saint-Saëns y Mancinelli en el estreno. Según *La Iberia*, "Saint-Saëns dijo que Bizet no se desdeñaría de poner su firma en la partitura que ha escrito Chapí. Seguramente que al lado del hermoso dúo de *Carmen*, no desmerecerá en nada el gran dúo de Mari Pepa y Felipe". Enrique Sepúlveda afirma que "Mancinelli aplaudía la noche del estreno como un claquista dislocado. Saint-Saëns elogiaba con verdadero entusiasmo a Chapí, que lograba así una espontánea alianza franco-italiana" (*Nuevo Mundo*, Madrid, 15-XII-1897).

Fuentes manuscritas. La partitura se conserva en la Biblioteca Nacional de Madrid (legado Chapí). Los materiales de orquesta se conservan en el archivo de la SGAE en Madrid (1991).

Ediciones de música. Canto y piano, Madrid, PM, Cd, 1898. Acordeón y piano, Preludio, UME, 1959. Orquestina, selección, UME, 1945. Banda, selección, UME.

Ediciones del libreto. Madrid, Hidalgo y Arregui y Aruej, 1897; Valladolid, Celestino González, 1901; Madrid, Regino Velasco, A 1904; Madrid, SAE, 1924; Madrid, La Novela Teatral, X, 549, 1925; Madrid, Arba, 1940?; Barcelona, Ed. Cisne, 1942; Madrid, Taurus, 1962; Madrid, UME, 1967 y 1983; Madrid, Teatro de la Zarzuela 1987.

FONOGRAFÍA: RP: Victoria 5625.

D78rpm: Dir. Emilio Vega, Banda del Real Cuerpo de Alabarderos de Madrid, Odeón 173014 (et. celeste), XXS 4509 XXS 4510 • Dir. Antonio Capdevila, Sol. Conchita Supervía, Odeón 184235 (et. marrón), SO 6609 SO 6679 • Dir. Enrique Fernández Arbós, Orq. Sinfónica de Madrid, Columbia AG 8054 (et. azul), KX 143-2 KX 81 • Dir. José Torregrosa, Orq. Wagneriana de Alicante, Columbia AG 7013 (et. morada), KX 314 KX 315 • Dir. Ricardo Villa, Banda Municipal de Madrid, Odeón 121088, XXS 5186 XXS 5191 • Sols. Cora Raga, Marcos Redondo, Odeón 184153, SO 5601 SO 5602 • Dir. Rafael Ferrer, Orq. Sinfónica de Conciertos de Barcelona, La Voz de su Amo DB 4282, 2KA 1603 2KA 1604 • Dir. Rafael Ferrer, Sols. Rosario Gómez, Conchita Panadés, Teresa Sánchez, Lolita Rovira, Josefina Escriba, Marcos Redondo, Oscar Pol, Enrique Esteban, J. de la Vega, Bartolomé Bardají, Orq. Sinfónica Española, Regal C 10217 a C 10222, CK 3795 a CK 3806 [reed. en LP: Regal XKX 311 (Gramófono-Odeón) 13 y Regal SEDL 105, SEBL 7005] • Dir. Ataúlfo Argenta, Orq. de Cámara de Madrid, Columbia RG 16189, CC 787 CC 786 • Dir. Maestro Ayllón, Banda Municipal de Valencia, La Voz de su Amo AB 537.

LP: Dir. Odón Alonso, Sols. Isabel Penagos, Vicente Sardinero, María Orán, Lola Quijano, Nieves Aguirre, Ramón Alonso, Gregorio Gil, Víctor Blanco, Antonio Lagar, Orq. Teatro Apolo, Zafiro SA, LM-3042 (Serdisco), 4-5 y Zafiro SA, ZOR-216 12 • Dir. Ataúlfo Argenta, Sols. Ana Mª Iriarte, Inés Rivadeneira, Selica Pérez Carpio, Manuel Ausensi, Miguel Ligero, Rafael López Somoza, Perecito, Coro de Cantores de Madrid, Orq. Sinfónica, Columbia SA, ZCL 1007 (Zacosa) 7, Columbia SA, MCE 867 (Alhambra) 11, Columbia-Salvat 1004-1 y Alhambra MCC 30001 [reed. en CD: Alhambra-BMG España WD 71438 (9D)] • Dir. Federico Moreno Torroba, Sols. Luis Frutos, Rosa Sarmiento, Matilde Garcés, Luis Sagi-Vela, Ana Mª Amengual, Tino Pardo, Guadalupe Vazquez, Enrique del Portal, Isabel Rivas, Mª Carmen Ramírez, Ramón Alonso, Coro de Cantores de Madrid, Orq. Lírica Española, La Voz de su Amo 2XKA-U 250 (Gramófono-Odeón) 10 y EMI 10 C 038-020.179 • Dir. Enrique Estela, Orq. de Cámara de Madrid, Zafiro SA, ZOR-167 30 (29a) y Zafiro-BMG FM-176 • Dir. Enrique García Asensio, Sols. Inés Rivadeneira, Luisa de Córdoba, Alfredo Kraus, Ángeles Chamorro, Coro y Orq. Falla, MCAL 20 y Zacosa ZCL 1007 • Dir. Federico Moreno Torroba, Sols. C. Rubio, I. Rivadeneira, S. Castelló, T. Pardo, P. Vidal, Coro Lírico de Madrid, Agrupación Sinfónica La Zarzuela, Philips N 00594 L.

CD: Dir. Pablo Sorozábal, Sols. Teresa Tourné, Renato Cesari, Coro de Cantores de Madrid, Orq. de Conciertos de Madrid, Hispavox 7 67328 2 (637.33826) y EMI 7243 5 74162 2 1 (637.00312) • Dir. Miguel Roa, Sols. Miguel Sola, Eneida Gª Garijo, Marta Moreno, Plácido Domingo, Mª Jesús Prieto, Francisco Matilla, Soledad Gavilán, Anabel Aldálur, Mª José Suarez, Ricardo Muñiz, María Rodríguez, Luis Alvarez, Coro de la Comunidad de Madrid, Orq. de la Comunidad de Madrid, Rtve-Música 65150.

BIBLIOGRAFÍA: *MT*; J. M. Esperanza y Sola: *Treinta años de crítica musical en España*, Madrid, Tip. viuda e hijos de Tello, 1906; L. G. Iberni: *Ruperto Chapí*, Madrid, ICCMU, 1995; —: *Ruperto Chapí: Memorias y escritos*, Madrid, ICCMU, 1995.

LUIS G. IBERNI

Rey, Adolfo del. España, siglo XIX. Compositor. Autor de varias obras líricas, en el archivo de la SGAE en Madrid se conservan dos de ellas: *El hambre hace toreros* con libreto de A. de Llamas, estrenada en Sevilla en 1888, y *Valiente sobrino* con libreto de J. Cardin. Es autor además de *Hermosilla y cara ancha*, zarzuela en un acto con libreto de José López Gallea, y *Norma y Polion*, tragedia bufa en un acto adaptada de Rossini, con libreto de Luis Escudero, estrenada en 1871 en Sevilla.

Mª LUZ GONZÁLEZ PEÑA

Rey, Conchita. España, siglo XX. Tiple. Segunda vedette de la compañía de José Campúa en el teatro Romea. Actuaba en revistas ligeras y se casó con el compositor sevillano Emilio de la Torre, que dirigía la orquesta del Romea, aunque cuando él se fue a Nueva York ella permaneció en España. En octubre de 1928 participó en el estreno de *Las llo-*ronas en el teatro Romea junto a Celia Gámez y al año siguiente en el de *El antojo* de Pablo Luna. En 1930 seguía en Romea y estrenó *Colibrí*. En 1937, en plena Guerra Civil, actuaba en el teatro Maravillas de Madrid con su compañía de revista que ponía en escena el gran éxito de Francisco Alonso, *Las Leandras*. Estrenó en 1931 *La niña de La Mancha* de Rosillo en el Romea.

BIBLIOGRAFÍA: E. García Carretero: *Historia del teatro de la Zarzuela de Madrid*, Madrid, Fundación de la Zarzuela Española, 2003.

EMILIO GARCÍA CARRETERO

Conchita Rey
(Foto: Ar. SGAE)

Rey que rabió, El. Zarzuela cómica en tres actos. Música de Ruperto Chapí. Libreto de Miguel Ramos Carrión y Vital Aza. Estrenada el 20 de abril de 1891 en el teatro de la Zarzuela de Madrid.

Personajes y reparto. El rey (Almerinda Soler Di Franco). Rosa (Encarnación Fabra, tiple). María (Sra. Galán). El general (Daniel Banquells). Jeremías (Eduardo Bergés). El almirante (Ramón Navarro). El intendente (Sr. Garro). El gobernador (Sr. Suárez). Un capitán (Sr. Jimeno). Un oficial, Juan (Ramón Navarro). Paje 1º (Srta. Bueno). Paje 2º (Srta. López). Paje 3º (Srta. Flores). Paje 4º (Srta. Vega). Paje 5 º (Srta. Gutiérrez). Aldeano 1º (Ramón Navarro). Aldeano 2º (Sr. García). Lorenzo ((Sr. Prieto). Soldado 1º (Sr. García). Soldado 2º (Sr. Rilo). Soldado 3º (Sr. Vela). Soldado 4º (Sr. Martínez). Coreta (Sra. Vega). Centinela, Un cortesano (Sr. Benavides). Damas, caballeros, aldeanos, soldados, reclutas, segadores, pajes, doctores, embajadores, guardias de Palacio.

Orquestación. Flautín, flauta, 2 oboes, 2 clarinetes, 2 fagotes, 2 trompas, 2 cornetines en Mi, 3 trombones, tuba, timbales, percusión y cuerda. Banda militar.

Argumento. El rey acaba de llegar a su corte después de un largo viaje. Es recibido por ella con entusiasmo. Sin embargo, una vez reanudada su vida en el palacio, tiene la sensación de que todos sus súbditos son felices y que él es el único que se aburre, por lo que decide hacer un nuevo viaje, aunque en esta ocasión será de incógnito. Los consejeros se asustan –ya que le han estado engañando en sus viajes, falseando la realidad de la vida de sus súbditos– e intentan oponerse, pero el rey les amenaza con destituirlos, ante lo que no les queda más remedio que ceder. Cuando quedan solos, el gobernador propone a sus compañeros que todo puede arreglarse saliendo por delante del rey, también de incógnito, para resolver los problemas cuando se presenten. Vestidos el rey y el gobernador de pastores, salen por la puerta secreta. El segundo cuadro presenta la plaza de un pue-

Cortesía de Unión Musical SL

blo donde está ubicado el Ayuntamiento. El pueblo, amotinado, pide la rebaja de los impuestos y culpan al Gobierno de todo lo que sucede. Sale el alcalde y todos deciden solicitar al Gobierno la solución del problema. Se van todos menos Jeremías, que se lamenta porque tiene que ir a servir al rey cuando está enamorado de su prima Rosa, ambos sobrinos del alcalde. Al tiempo aparecen en la plaza, con gran cansancio, el rey y el gobernador, que deciden cenar en el mesón. Jeremías les atiende, cuando regresa Rosa con el cántaro de la fuente. El rey se siente seducido por ella a lo que responde ella al tomarlo por un pastor, con los consiguientes celos de Jeremías. Salen los vecinos y el alcalde, que cree haber resuelto el problema, ordena celebrar un baile, asumiendo todos los gastos. Comienza la música, y el rey saca a bailar a Rosa, con la consiguiente desesperación de Jeremías.

Cuando mayor es la animación se presenta un oficial con sus soldados, dispuesto a llevarse a los soldados de reemplazo. Jeremías se tiene que ir pero señala al rey, indicando que éste también es mozo. El rey, divertido, confiesa que todavía no ha servido a la patria, así que el oficial lo engancha. El rey se despide de Rosa mientras el gobernador logra unírsele, alegando en su defensa que puede servir como ranchero. Lleva el rey tres días en el cuartel, cuando aparece Rosa, con el pretexto de ir a ver a su primo, aunque en realidad quiere ver al rey. Éste, que salía en aquel momento, se encuentra con ella. El rey le propone que huyan los dos. Aunque ella duda, al fin se marchan. Inmediatamente corre la noticia de la fuga, con el enfado de Jeremías. También se entera el gobernador, con el consiguiente susto. Mientras, el rey y Rosa permanecen ocultos en una casa de labranza, donde llega siguiéndoles Jeremías. Aparecen los soldados, justo cuando Jeremías se ve empujado por un perro. Cuando los soldados se enteran de que el rey está allí, confunden a Jeremías con el monarca y lo llevan a palacio. Al final, el rey se presenta, entrando por la puerta secreta de palacio. Aclara el malentendido y en contra del deseo de los consejeros, decide casarse con Rosa, con la que aspira a vivir feliz el resto de sus días.

Números musicales. Acto I: Preludio. Nº 1A. Coro y pasodoble, "Al monarca esperaremos". Nº 1B. Coplas del Rey, "Bien venido sea nuestro soberano". Nº 1C. Minueto. Nº 1D. Final. Nº 2. Cuarteto polka de la dimisión, "¡La dimisión!". Nº 3. Idilio pastoril, "Soy un pastor sencillo". Nº 4. Cuarteto de la risa, "¿Quién es?". Nº 5. Coro, "Señor Alcalde". Nº 6. Cuarteto, "El chorro de la fuente". Nº 7A. Baile con coro, "Ahí llega ya la música". Nº 7B. Escena y final 1º. Acto II: Nº 8. Diana. Nº 9A. Arieta, "Mi tío se figura". Nº 9. Duettino, "Mientras con los reclutas". Nº 10A. Coro de segadores, "Alegres segadores". Nº 10B. Mazurca de las segadoras, "Por entre las mieses". Nº 11. Nocturno. Nº 12. Raconto, "¡Por Dios! ¡Por la Virgen!". Nº 13. Quinteto, "Buenas noches". Nº 14. Final 2º. Acto III: Nº 15. Coro de Pajes, "¡Compañeros venid!". Nº 16. Coro de doctores, "¡Juzgando por los síntomas". Nº 17. Romanza de tiple, "Intranquilo estoy". Nº 18. Terceto, "Mi amor, mi bien, mi dueño". Nº 19A. Escena de las embajadas, "Dios ilumine al soberano". Nº 19B. Final, "¡Viva el Rey!".

Comentario. El estreno de *El rey que rabió* estuvo salpicado por la polémica. El semanario *Madrid Cómico* había acusado a Vital Aza y Ramos Carrión de haber plagiado el tema de *Un roi en vacances*. Requerido el análisis de Juan Martínez Villegas, éste confirmó que tenía muy pocos puntos en común. Tras esta referencia, Carrión y Aza acusaron al semanario afirmando "¡Miente usted!" en una encendida carta pública aparecida en *La Época*. Los libretistas de Chapí, lo mismo que el propio compositor, fueron acusados de plagio, lo cual debió ser bastante habitual en una época en la que los derechos de

Dibujo autógrafo de Chapí (Foto: Ar. SGAE)

autor estaban relativamente protegidos. *El rey que rabió* se consagró como el estreno más importante del año. El tenor Eduardo Bergés se había establecido como empresario del teatro de la Zarzuela en un momento crítico para el género grande. De hecho, en el coliseo de la calle Jovellanos alternaban funciones dramáticas sin música con representaciones por horas. El proceso de creación lo transmitió Joaquín Arimón en *El Liberal* cuando señalaba que "anunciada durante muchos años de anticipación como obra casi terminada, al fin ha llegado a constituirse una empresa, con el exclusivo propósito de ponerla en escena, calmando así la impaciencia del público por conocerla. El Sr. Bergés ha pasado, por decirlo así, toda la temporada con las obras del repertorio corriente, logrando a la postre y tras no pocos sacrificios, salirse con la suya, representando *El rey que rabió* como tabla de salvación para la empresa que dirige" (Madrid, 21-IV-1891). Bergés, en decadencia vocal, había reunido un reparto de importancia en el que destacaban Almerinda Soler di Franco y Encarnación Fabra.

El vínculo con la opereta francesa fue notado desde el principio. Peña y Goñi señalaba de esta pieza que "es un término medio entre *La tempestad* y *La bruja* y las zarzuelitas de Chapí. Y lo es porque el libreto de Carrión y Aza es un puente entre la zarzuela y la opereta bufa, algo parecido – salvo el descoco de la forma – a lo que Meilhac y Halévy hacían para Offenbach". En cualquier caso, el libreto fue admirado por los comentaristas, en una época además que políticamente podía incitar a muchas críticas. Así Arimón señalaba que "hubiera sido tal vez imposible diez o doce años atrás" y asegura que es "una comedia grotesca y algo apayasada, si se quiere, pero muy divertida, y tratada con todo el arte que cabe dentro del género especial al que pertenece. Envuelve un sentido satírico de primer orden, viéndose de un modo harto claro que sus autores no la han escrito a humo de pajas y sí con una intención digna de toda alabanza". Para el montaje se hicieron siete decoraciones nuevas, las de los actos primero y segundo a cargo de Luis Muriel y las del tercero realizadas por Amalio Fernández. El vestuario, compuesto por trescientos trajes, según los figurines de Luis Taberner, fue confeccionado por Carmen Pérez, Gambardela y Villa.

El rey que rabió está a medio camino de las operetas francesas y las vienesas, aunque estas últimas no dejan de ser hijas de las anteriores. Todas las características al uso de la opereta que hacía furor en la capital austriaca son perceptibles en la obra de Chapí. Desde la inclusión de danzas típicas –polkas, valses o minués– hasta el efecto colorista foráneo que aquí, en el caso español, viene determinado por la escena de las embajadas, tiene un estrecho vínculo con la opereta tanto vienesa como francesa. Cuenta con un preludio y diecinueve números, algunos de ellos subdivididos y, en general, bastante breves. Vocalmente destacan cuatro personajes principales: el Rey, Rosa, su primo y el general, que pertenecen a los tipos vocales característicos de tiple segunda, tiple primera, tenor cómico y bajo cantante. Los roles de jovenzuelos, como era costumbre, solían ser encarnados por tiples graves, procurando el compositor destacar su zona central, mientras que en el caso de las mujeres casi siempre se buscan tiples que se puedan mover mejor en el registro agudo. La carencia de tenores líricos dedicados a la zarzuela obligaba a los compositores a este tipo de argucias, salvando artísticamente lo que en la escena pudiera resultar inverosímil. El primo Jeremías fue escrito pensando en Bergés. Él, que había sido uno de los mejores tenores líricos de la zarzuela moderna, en el comienzo del deterioro de sus facultades, optó por un papel cómico. El coro tiene una importante presencia lo mismo que la orquesta. Esta tiene un orgánico tradicional –con 2 oboes y 2 fagotes– aunque con una plantilla de cuerda seguramente menor que en *La bruja*. El preludio muy sencillo, una marcha militar en un estilo que tanto gustaba a Chapí. El compositor huye de todo carácter hispanizante, tanto en giros como en armonías, como aviso de lo que posteriormente hará en el resto de la opereta. Destacar que está lleno de matices dinámicos y expresivos, lo que habla de la precisión de su autor.

El N° 1 es un coro sencillo en el que se alternan las partes masculinas con las femeninas. En medio intercala un breve pasodoble que culmina con el coro general de recepción al rey, al unísono. Éste entona unas coplas sencillas, donde la idea melódica se impone sin apenas variación. El N°1C es un minué clásico, con su correspondiente trío y coda final. El N° 2 es un cuarteto de voces masculinas cómicas, que adopta la forma de una polka. Las diferentes secciones se adaptan al texto que se muestra como conductor de la melodía. Armónicamen-

te el fragmento es sencillo, con esporádicas modulaciones a las tonalidades vecinas. El N° 3 es una romanza de tiple muy sencilla que tiene mayor inspiración popular, donde Chapí busca detalles que potencien esta línea, caso de la imitación del bordón de la gaita con la pedal en la tónica y la obediencia a un ritmo ostinato. La adaptación a la forma romance del texto simplifica notablemente la música. El N°4, denominado popularmente "Cuarteto de la risa", es un número cómico donde la instrumentación tiene mayor peso, actuando como un personaje más. Destacar la polka rápida, sobre la que Chapí diseña la segunda sección del cuarteto y donde la influencia vienesa es manifiesta. El N° 5 es un coro con bajo que no tiene mayor novedad que la fundamentalmente dramática. El N° 6 supone la presentación de Rosa y el consiguiente cuarteto, hecho dentro de la estructura típica de la ópera bufa italiana, con pequeños detalles de la orquestación que colorean la pieza. El N° 7A es un baile de carácter norteño que culmina en la N° 7B, escena final, con la correspondiente marcha militar. Hay que destacar el carácter marcadamente wagneriano y su proceder cromático.

El segundo acto comienza con una diana, N° 8, a modo de intermedio. Basada en el ritmo impuesto por la trompeta, destaca por su brillante orquestación. Su armonía no ofrece ningún elemento distintivo. El N° 9A es una arieta tripartita con una especie de preámbulo, una sección central desarrollada, con opción a ser repetida, y una coda. El N° 9B es un duettino para dos tiples, organizado en varias partes. Todo el clasicismo del que hace gala la partitura se manifiesta en esta pieza. El N° 10A es un coro de corte popular, en el que alternan las partes a cappella y en las que la orquesta acompaña al coro. Una intervención de Rosa da paso a una mazurka cantada por ésta, acompañada por el coro. Chapí imita el modelo franco-vienés, dando una importancia mayor a los instrumentos de viento. Tras un nocturno orquestal sencillo a modo de intermedio para la cuerda donde sorprenden las exigencias de matiz, sigue un número cómico de Jeremías, cuyos antecedentes estarían en las arias de Monostatos de *La flauta mágica* y que, tal como lo confecciona su autor, viene a ser una tarantella. El N° 13 es un quinteto cómico de eficacia, precedido de una sección orquestal y cuyo desarrollo sigue el modelo mozartiano. Da paso al N° 14, el final del acto, más espectacular a pesar de su brevedad.

El tercer acto se inicia con un coro de pajes, posiblemente la pieza más identificable con la zarzuela española y que, sin duda, pudiera tener un vínculo con el género chico. El N° 16 es el célebre "Coro de doctores", un número de indudable gracia que ha mantenido su popularidad. La combinación del coro de hombres, que canta casi siempre en unísono, con la orquesta que subraya los comentarios de los doctores, especialmente a cargo del viento madera, producen un efecto cómico. El ritmo orquestal viene determinado por la combinación de tresillo de corcheas con corchea y silencio de tal, mientras que las intervenciones de los doctores, siempre cortantes, se consiguen mediante la célula rítmica corchea, silencio de semicorchea, semicorchea. El efecto del coro es siempre rítmico, pues la armonía de Chapí es, en esta pieza, muy sencilla. El Nº 17 es la romanza del Rey. En la primera parte el autor, gracias a la combinación instrumental, parece dar un color germano a la orquesta que se manifiesta claramente en el vals lento que sirve de forma instrumental a la romanza. El Nº 18 es un terceto donde retoma Chapí la sección central de la arieta del Nº 9A, culminando con la polka rápida vista anteriormente en el Nº 4. El Nº 19 está dividido en dos partes. La primera, la escena de las embajadas, es el típico final de opereta con coro cortesano. Después de la marcha, interviene el coro, para dar paso a una escena muy colorista, en la que después de una danza de origen escocés, una especie de giga, interviene el coro de tiples. Después una danza italiana, un saltarello y por último, una rusa, a cargo del coro de hombres. Culmina la obra en el Nº 19B, en un coro a imitación del Nº 1.

Los comentaristas celebraron la música especialmente. Así Peña y Goñi en su columna de *La Época*, afirmaba que "tiene agilidad, destreza, ingenio, viveza, ductilidad, elegancia, grados medios de la fuerza activa". La obra "de un Offenbach español, y conste que ante el creador del género bufo hay que quitarse el sombrero, *El rey que rabió*, de Chapí, es una preciosa ilustración musical del libreto de Vital Aza y Ramos Carrión. El chiste de Chapí es culto, limpio, distinguido, artístico, para decirlo de una vez. Su arte, no me cansaré de repetirlo, lleva el sello de un compositor de raza" (Madrid, 21-IV-1891). Por su parte, Arimón, comenta que "la música se adapta perfectamente a las condiciones del poema y toda ella es hermosa e inspirada. Todos los números gustaron de una manera extraordinaria, especialmente el cuarteto de la dimisión, la escena de la risa, el aria de la aldeana, el coro de segadores y el preludio del segundo acto, que fueron repetidos tras las correspondientes tempestades de aplausos. Brillan estas piezas por la novedad y riqueza de su fáciles melodías y por las filigranas de su rica y vigorosa instrumentación" (Madrid, 21-IV-1891).

La interpretación de la obra fue también objeto de indudable entusiasmo. Chapí era el director de la orquesta. Bofill, en artículo posterior, afirmaría que "dediqué toda mi atención al maestro Chapí, que dirigía la orquesta y era objeto de todas las miradas. Voy a revelar a mis lectores la lucha sorda que han tenido que sostener los músicos de la Zarzue-

la con sus instrumentos. Hay en el primer acto de *El rey* una composición que puede llamarse el cuarteto de las carcajadas. Siguiendo las inspiraciones de Carrión y Aza, ha infundido Chapí a su música una hilaridad destacada. Los violines se ríen hasta desternillarse o quebrar sus cuerdas; las flautas lanzan al aire chillidos alegres y regocijados; los trombones hacen ija, ja, ja! con voz sonora, y en aquella algarabía general notaron los profesores de la orquesta no había manera de atajar el alborozo de sus instrumentos" (*La Época*, Madrid, 2-VI-1891). También los intérpretes fueron acogidos con entusiasmo. Almerinda Soler Di Franco "oyó aplausos en varias ocasiones".

Fuentes manuscritas. La partitura se conserva en la Biblioteca Nacional de Madrid (legado Chapí, vol. 90). Los materiales de orquesta se conservan en el archivo de la SGAE en Madrid (2244).

Ediciones de música. Orquesta, ed. crítica Tomás Marco, Madrid, ICCMU, 1996. Canto y piano, Madrid, Cd, 1891; Madrid, PM; Madrid, UME, 1957. Piano, adap A. García del Valle, Madrid, PM; Madrid, Cd. Orquestina, selección, UME, 1944. Banda, Pasodoble, adap F. Martínez, Madrid, SAE.

Ediciones del libreto. Madrid, Administración Lírico Dramática, 1891; 2ª ed., 1891; 3ª, 4ª, 5ª y 6ª ed., 1892; 7ª ed., 1894; Valladolid, Celestino González, 1904; Madrid, La Novela Teatral, IV, 118, 1919; 10ª ed., Madrid, Gráfica Renacimiento, 1926; 10ª ed., SAE, 1926.

FONOGRAFÍA: RP: Victoria 5593.

D78rpm: Sols. Asensio, Manolo Fernández, Cora Raga, La Voz de su Amo AF 439 a 446 (et. verde), 2N 117-120, 28, 125-129, 29, 91, 135, 44 y 112-716 a 112-731.

LP: Dir. Ataúlfo Argenta, Sols. Pilar Lorengar, Toñy Rosado, Manuel Ausensi, Carlos Munguía, Coro de Cantores de Madrid, Orq. Sinfónica, Columbia-Alhambra (33rpm-30cm) MCC 30026 [reed. en CD: BMG España WD 71806 (9D)] • Dir. Federico Moreno Torroba, Sols. Josefina Cubeiro, Rosa Sarmiento, Luis Sagi-Vela, Octavio Álvarez, Manuel González, Jesús Aguirre, Ramón Alonso, Ángel Beytia, Luis Gabilondo, Adelardo Curros, Coro de Cantores de Madrid, Orq. Lírica Española, EMI-Odeón-La Voz de su Amo 10 C 038-020733 [reed. en CD: EMI 7 67455 2 (637.64979) y EMI 7243 5 74229 2 5 (637.02631)] • Dir. Daniel Montorio, Enrique Navarro, Sols. Lily Berchman, Mimi Aznar, Santiago Ramalle, Aníbal Vela, Eladio Cuevas, Coros de RNE, Orq. de Cámara de Madrid, Zafiro 30103006-Serdisco 14 y Zafiro SA, ZOR-116 18 [ed. en EP: Zafiro-BMG EPFM-28].

CD: Sols. Sara Fenor, Ángeles Ottein, Blue Moon BMCD 7520 • Sols. Mary Isaura, Amparo Albiach, Blue Moon BMCD 7525.

BIBLIOGRAFÍA: V. Prats Esquembre: *R. Chapí, un hombre excepcional*, Villena, Apadis, 1984; L. G. Iberni: *Ruperto Chapí*, Madrid, ICCMU, 1995; —: *Ruperto Chapí: Memorias y escritos*, Madrid, ICCMU, 1995.

LUIS G. IBERNI

Reyes, Víctor. La Habana, 1905; La Habana, ?. Libretista. Se inició en el medio teatral como actor aficionado en un cuadro de comedias dirigido por Antonio Sierra. Altamente motivado por la puesta en escena de la zarzuela *La isla de las cotorras* de Federico Villoch y Jorge Anckermann, comenzó su labor como libretista, debutando con todo éxito en el teatro Alhambra en 1928, con la comedia lírica bailable *Mala hembra*, del mismo compositor. Convertido en un autor de gran reconocimiento, sus obras fueron presentadas en los teatros Martí, Principal de la Comedia, Payret y Nacional, entre otros escenarios importantes de la capital. Asimismo, la cinematografía cubana contó con su colaboración en diversos tipos de responsabilidades, incluyendo la de guionista.

BIBLIOGRAFÍA: E. Robreño: *Historia del teatro popular cubano*, La Habana, Oficina del Historiador de la Ciudad de la Habana, 1961; V. Reyes: *Recuerdos del teatro Alambra*, La Habana, 1967.

JOSÉ PIÑEIRO DÍAZ

Reyes Castizo, Consuelo. *Véase* CASTIZO, REYES.

María Rey-Joly (Foto: Cortesía del Teatro de la Zarzuela)

Rey-Joly, María. Madrid, 2-VIII-1975. Soprano. Estudió violín y piano en el Real Conservatorio de Música de Madrid, pasando después a la Escuela Superior de Canto donde fue alumna de Carmen Rodríguez Aragón, Javier Parés y Miguel Zanetti. Asistió a diversos cursos internacionales con Gundula Janowitz, Plácido Domingo, Helena Lazarska y Raina Kabaivanska. Obtuvo la beca Jóvenes Artistas en Suiza y ha ganado diversos premios de canto como el Francisco Alonso y el del Otoño Lírico Jerezano del teatro Villamarta de Jerez. Ha cantado fundamentalmente ópera, interpretando títulos como *Dido y Eneas, Las bodas de Fígaro, La vida breve, La flauta mágica* o *Carmen*. Debutó en el teatro Real en diciembre de 1999 en el reestreno de la ópera de Chapí *Margarita la Tornera*, interpretando el papel de la Virgen. Su debut en el campo de la zarzuela se produjo en otro reestreno, *El juramento* de Gaztambide, en febrero del 2000 en el teatro de la Zarzuela, escenario donde en junio de 2003 cantó *La rosa del azafrán*.

Mª LUZ GONZÁLEZ PEÑA

Reynoso, Antonio. España, 1869; Argentina, 1912. Músico y compositor. Su padre, distinguido músico, llegó a Argentina en 1895 y luego hizo venir a sus hijos Luis y Antonio, que destacaron en la profesión paterna. Antonio, violinista, había terminado cursos de armonía y composición en el Real Conservatorio de Madrid con Ariza. En Buenos Aires a los diecinueve años fue primer violín en el teatro de la Ópera, y luego director de compañías españolas de sainete lírico y zarzuela. Fue uno de los colaboradores más significativos de los autores locales que comenzaban

a escribir las primeras y más significativas manifestaciones del naciente sainete criollo, como *Libertad de sufragio*, 1894, y *Los políticos,* 1897, ambas de Nemesio Trejo; de Ezequiel Soria, *Justicia criolla*, 1897, y *El deber*, 1898; *El chiripá rojo*, 1900, de Enrique García Velloso. Reynoso fue un sutil observador del ambiente popular porteño y supo captar en sus partituras la problemática que los dramaturgos planteaban, como en el sainete arquetípico del género local *Los disfrazados*, 1906 y *Don Quijano de la Pampa*, ambas de Carlos Mauricio Pacheco. En ellas las distintas especies–tango, milonga y folclore– expresan musicalmente las diferentes alternativas del conflicto tradición-progreso. La estructura de las piezas se ajusta a la del sainete hispánico: abundan los tercetos y sextetos de compadres, al estilo del número de los tres Ratas de *La Gran Vía*. Escribió la música de *A vuelo de pájaro*, 1897, y de *Bohemia criolla*, 1898, ambas de Enrique de María; *La esquila* de Nemesio Trejo; *Triste destino* de Antonio Argerich; *Garras*, 1908, de Eugenio Gerardo López y *Gachos y Galeras*, zarzuela de Ulises Favaro y Enrique de María. También escribió revistas como *Argentino Revista*, 1908, con libreto de Florencio Parravicini.

BIBLIOGRAFÍA: *Antología Musical Argentina. Sección Sainete argentino*, Buenos Aires, Instituto Nacional de Estudios de Teatro, 1945.

MARTA LENA PAZ

Riancho, Aurelio G. La Habana, 188?; ?. Autor teatral. En 1927 y por solicitud de Ernesto Lecuona escribió, en colaboración con el libretista Antonio Castells, la destacada zarzuela *Niña Rita o La Habana en 1830*, realizando, además, bajo esta misma coautoría, las obras *Cuadros nacionales* y *Fantasía de colores*, ambas de los compositores Ernesto Lecuona y Eliseo Grenet. Su mayor producción, vinculada precisamente a este último autor, se desarrolló durante la segunda mitad de la década de 1920, obteniendo gran éxito con muchas obras, entre las que se señala *La virgen morena*, estrenada con gran aceptación en 1928, y que se convirtió en la zarzuela cubana de más amplia difusión en el extranjero. El 12 de septiembre de 1927 le fue dedicado un homenaje en el teatro Actualidades de La Habana, con la presentación de *La golondrina*, con música de Eliseo Grenet.

BIBLIOGRAFÍA: *LVB*.

CLARA DÍAZ PÉREZ

Ribas Duval, Manuel. España, siglos XIX-XX. Compositor. Es autor de numerosas canciones y comedias, de los que en ocasiones escribió también la letra. En 1902 estrenó en el París-Salón con gran éxito *Portfolio del desnudo*. En el archivo de la SGAE en Madrid se conserva su entremés cómico lírico *La cachunda*, escrito en colaboración con Arturo Lapuerta Morente y con libreto de Pío Roca. La obra se estrenó en 1905 en el teatro Romea de Madrid, donde había estrenado en el mes de abril *Elemental y superior*, con libreto de Sainz Rodríguez y Pascual Frutos. Pero además en la SGAE tiene registradas otras obras de las cuales varias fueron compuesta en colaboración con Ruiz de Arana.

OBRAS: *¡Cómo cambian los tiempos!*, Rv, 1 act, col. G. Arderius, l, F. Castañón, est, 3-VIII-1903, Te. Molino Rojo; *¡Gracias a dios! ¡Al fin solos!*; *¡Gracias a Dios!*, 1 act, col. Ruiz de Arana, l, A. Domínguez; *¡Ojo con la moral!*, 1 act, l, P. Álamos / H. Murillo; *¡Qué mala suerte!*, col. F. Alonso; *Álbum galante*, Zarz, 1 act, l, E. Tecglen / J. González Pastor; *Baños de placer*, 1 act, l, I. Muñoz / C. de Haro; *Caras y caretas*, col. L. Cussini, l, R. Salva, est, 1900, Circo Balear (Palma de Mallorca); *Cartas cantan*, 1 act, col. J. Aroca, l, J. Santa Cruz; *Chamberí por Fuencarral*, Zarz, 1 act, col. P. Badía, l, E. San Martín / M. Martín Rodrigo; *Charito; Dale con el 606*, 1 act, col. A. Porras, l, J. Maldonado / A. Matilla; *De brazo caídos*, col. A. Estremera; *De sol a sol*, 1 act, col. A. Estremera, l, A. Estremera / L. Navarro Serrano, est, 21-II-1918, Te. Novedades; *Desde el fondo de la mina; Dos madres*, 1 act, col. E. Alonso, l, J. Casalta; *El cinturón diabólico*, 1 act, l, J. De Madrazo; *El chico de Lavapiés*, 1 act, l, A. Candela / N. Puga; *El eterno masculino*, 2 act, l, L. Pascual Frutos; *El gato negro*, 1 act, l, L. Pascual Frutos; *El gran demócrata*, Zarz, 1 act, col. E. Ruiz de Arana, l, A. Estremera, est, 22-I-1914, Te. Cómico; *El hombre pañuelo*, disparate cóm, 1 act, col. Ruiz de Arana, l, A. Estremera / L. Candela, est, 6-XI-1908, Te. Cómico; *El padre Cirilo*, disparate, 1 act, col. E. Mayol / A. Estremera / J. Candela, l, L. Candela / A. Estremera, est, 28-XI-1911, Te. Price; *El tango de la Salvadera*, 1 act, l, A. Asenjo / A. Torres del Álamo; *El triunfo de la belleza*, 1 act, l, F. Góngora / R. Abellán; *Elemental y superior*, Apr, 1 act, col. E. Gómez Arderius, l, A. Sainz / L. Pascual Frutos, est, 10-IV-1905, Te. Romea; *En el fondo de la mina*, Mel, 1 act, l, J. Quilis Pastor, est, 6-II-1909, Coliseo de la Flor; *Entre bastidores*, 1 act, col. P. Alonso, l, H. Murillo; *Ese hijo de Pura*, 1 act, l, J. Maldonado / A. Matilla; *Fuga de cuadros*, col. Z. López, l, J. González Pastor; *Historia de amor*, 1 act, col. E. Giménez Arderius, l, R. Abellán; *Jolgorio artístico*, 1 act, col. Giménez Arderius, l, E. Pérez Alarcón; *La Bella Charito*, Jug, 1 act, col. L. Ruiz Arteaga, l, A. R. Ferrándiz / L. Carrillo, est, 17-II-1909; *La cachunda*, Ent, 1 act, col. A. Lapuerta, l, F. Yrayzoz, est, 26-VII-1905, Te. Romea; *La casa de Leoncito*, 1 act, col. J. Aroca, l, L. Pascual Frutos; *La cinta de blanca flor*, Zarz, 1 act, col. F. J. Obradors, l, Silva Aramburu / A. Paso Díaz, est, X-1923, Barcelona; *La cuesta de enero*, 1 act, col. F. Orejón, l, E. Ortiz / L. Gabaldón; *La discípula*, 1 act, l, L. Pascual Frutos; *La elección de favorita*, l, E. Tecglen; *La falda pantalón*, Ent, 1 act, col. A. Bretón, l, J. Aznar / E. Haro; *La fuga de la sultana*, 1 act, l, L. Candela; *La hermosa Friné*, 1 act, l, Q. Bueno; *La neurastenia del diablo*, 1 act, col. J. M. Carbonell, l, F. Góngora / C. Afán de Rivera, *La musa del centenario*, 1 act, l, M. L. Ortega; *La pepita de oro*, Zarz, 1 act, col. F. Lavilla, l, L. Candela / A. Estremera, est, 8-VII-1910, Te. Novedades; *La pieza de Atenedoro*, Zarz, 1 act, l, A. Asenjo/A. Torres del Álamo, est, 30-VII-1910, Salón Madrid; *La pieza de moda*, 1 act, col. A. Lapuerta, l, P. Roca; *La pobre ciega*, 1 act, l, J. Bermúdez / T. Echevarría; *La reina alegre*, Hum, 1 act, col. A. Estremera, l, A. Estremera, est, 14-III-1917, Te. Novedades; *La reina del tango*, Ent, 1 act, col. Ruiz de Arana, l, A. Estremera / A. Candela, est, 20-II-1909, Coliseo de la flor; *La tentación*, Zarz, 1 act, col. Conrotte, l, G. García / L. Valls; *La tripicallera*, 1 act, l, R. Valero; *La última farsa*, Jug, 1 act, l, F. Núñez / A. Vareal, est, 20-X-1902, Te. Romea; *La zambomba*, Ent, 1 act, l, F. Yrayzoz, est, 23-XII-1909. Royal Kursaal; *Las medias caladas*, Hum, 1 act, col. F. Alonso, l, J. Sabau / A. Estremera, est, 7-VII-1717, Te. Jardín de Buen Retiro; *Las perlas del Serrallo*, 1 act, col. A. Lapuerta, l, L. Pascual Frutos / L. Candela; *Las virtuosísimas*, 1 act, col. J. Aroca, l, L. Pascual Frutos; *Los brazos caídos*, Sai, 2 act, col. A. Estremera, l, A. Sánchez Carrere / A. Estremera, est, 11-II-1920, Te. Cómico; *Los burladores de Salerno*, 1 act, l, E. Yuste / E. Tubau; *Los enemigos del alma*, Zarz, 1 act, col. E. Gómez Arderius, l, F. Góngora / R. Abellán; *Mala suerte*, 1 act, col. Alonso, l, A. Palacios; *No hay prenda como la vista*, Jug, 1 act, col. Ruiz de Arana, l, L. de Olive / E. González del Castillo, est, 1910; *Noche de vela*, 1 act, l, L. Pascual Frutos; *Postales animales*, l, E. Tecglen; *Potfolio del desnudo*, ensayo, 1 act, l, M. Bezares / A. Curros, est, 10-VI-1902, París-Salón; *Regalito de Pascua*, Ent, 1 act, l, C. Portella, est, 29-XII-1916, Chantecler; *Región de las nubes*, 1 act, col. J. Aroca, l, A. Layren; *Sal y pimienta*, 1 act, col. Giménez Arderius, l, E. Ortiz de la Torre; *Solos, al fin*, Ent, 1 act, col. Ruiz de Arana, l, A. Domínguez, est, 7-XII-1912, Te. La Latina; *Tocar a fuego*, 1 act, l, L. Portella; *Toque de diana*, Zarz, 1 act, l, H. Murillo / P. Alonso; *Un artista de cartel*, 1 act, l, L. Gabaldón; *Una aventura*, 1 act, col. M. Cotarelo, l, J. Álvarez; *Vía-Franca*, 1 act, l, V. de la Vega.

BIBLIOGRAFÍA: *DMEH; TLE*.

Mª LUZ GONZÁLEZ PEÑA

Ribas Gabriel, José. España, †31-VIII-1934. Compositor. Componen su repertorio numerosas canciones, bailes y alguna banda sonora y obra sinfónica. También escribió para el teatro lírico y además de las obras que se conservan en el archivo de la SGAE tiene registradas otras como *Café nacional* y *Pel teu amor*.

OBRAS: *Abajo los solteros*, Fant, 1 act, col. A. Estremera, l, F. García Pacheco / J. Gómez Renovales, est, 21-V-1915, Te. Novedades; *El galla de Ripoll*, l, E. Lluelles, est, Barcelona; *Estudiantina*, Zarz, 2 act, l, J. M. Castellví / M. Poal; *Gallardo y calavera*, l, S. Franco Padilla; *El ocaso de la gloria*, Zarz, l, J. Parera, est, 26-III-1932, Te. Reina Victoria (Barcelona); *Pel teu amor*, Sai, 2 act, l, M. Poal, est, 21-XII-1922, Te. Tívoli (Barcelona); *El sueño azul de Ivonette*, Opt, 1 act, l, R. F. Fernández; *La tuna de Alcalá*, Zarz, 3 act, col. M. Redondo, l, F. Lluch/L. F. Tejedor, est, 6-XII-1926, Te. Isabel la Católica (Granada).

BIBLIOGRAFÍA: *DMEH; TLE*.

Mª LUZ GONZÁLEZ PEÑA

Ribera Miró. Familia de músicos españoles formada por los hermanos José y Cosme.

1. Josep. La Plana (Tarragona), 1839; Barcelona, 4-I-1921. Compositor. Sus padres se trasladaron a L'Albi (Lérida), y allí comenzó a estudiar música a los cuatro años con Luis Boixet. Fue alumno de Magí Puntí, organista de la seo de Lérida. En 1853 se trasladó a Barcelona, estudiando en la capilla de música de la catedral con José Marraco y Mateo Ferrer, siendo admitido como tiple. En 1860 fue organista de San Juan de Vilassar (Barcelona), y en 1864 del convento de las religiosas de Valldoncelles (Barcelona). Meses más tarde fue ayudante de Anselmo Barba en Santa Ana (Barcelona), actuando también como maestro de capilla. Fue miembro de la primera Comisión Diocesana de Música Sagrada; contrabajista en las orquestas de los teatros Principal y Liceo de Barcelona; miembro fundador de la Sociedad Barcelonesa de Cuartetos, 1864, y de la Sociedad

Barcelonesa de Conciertos, 1898; en 1880 fue nombrado director de los conciertos populares de la Sociedad Euterpe, fundada por Clavé. Compuso obras sinfónicas, para coro, y numerosas obras religiosas.

De su producción lírica destacan sus quince zarzuelas con texto en catalán o bilingüe catalán-castellano, escritas en su mayor parte en los años 1871-73 para ser representadas por la compañía de zarzuela catalana que actuaba en los teatros del Circo y Tívoli de Barcelona. Sus obras basculan desde las parodias tópicas del género bufo, a obras que como el caso de *Primer jo...* alcanzaron un éxito considerable; esta última fue representada hasta muy entrado el siglo XX, con distintas versiones de instrumentación. Otras obras, como *De teulades en amunt,* se sitúan en la línea de la parodia que Coll i Britapaja había abierto con *Robinson petit.*

*Josep Ribera
(Foto: Celebridades
Musicales...,
1886; Ar. ICCMU)*

OBRAS: *María Antonieta,* 1 act, l, G. Blanco, est, 18-IX-1871, Te. Español; *De dotze a una,* pasatje lirich bilingüe, 1 act, l, A. Brasés, est, 15-XI-1871, Te. Circo (Barcelona); *De Barcelona al Parnàs,* Zarz Rv cóm-lír-dramática-satírica-fantástica, 2 act, l, E. Vidal Valenciano, est, 22-VI-1872, Te. Jardín del Tívoli (Barcelona); *De teulades en amunt,* escenas de terrat, 1 act, l, C. Roure (Pau Bunyegas), est, 28-VIII-1872, Te. Tívoli (Barcelona); *Dos milions,* Zarz, 1 act, l, I. Llauradó (E. Vidal Valenciano) (est), 1872; *Casualitats,* Zarz, 2 act, est, II-1873, Te. Circo (Barcelona); *Las campanetes,* joguina, 1 act, l, C. Colomer/E,. Vidal Valenciano, est, 13-II-1873, Te. Circo (Barcelona); *Primer jo...,* Zarz, 1 act, l, C. Colomer / N. Campmany, est, 24-III-1873, Te. Circo (Barcelona); *Un pobre diable,* Zarz Bu, 1 act, l, E. Vidal Valenciano / R. Burgell, est, 10-VII-1873, Te. Tívoli (Barcelona); *Comedia al viu,* 1 act; *De dalt a baix,* 1 act; *La Marquesita,* 2 act; *La monya de rissos,* 1 act; *Lo retrato de Ernesto,* 2 act; *Per retrocés,* 1 act.

2. Cosme. La Plana (Tarragona), 17-X-1842; L´Albi (Lérida), 8-II-1923. Violinista, director y compositor. Fue bautizado en Alcover. Sus padres se trasladaron a L'Albi (Lérida), y allí comenzó a estudiar música a los dos años con Luis Boixet, mostrando disposición para el violín. A finales de 1856 se trasladó a Barcelona, donde vivía su hermano José, de quien recibió lecciones de piano al tiempo que estudiaba violín con José Marraco (hijo). Fue tiple en la catedral de Barcelona, estudiando armonía con Mateo Ferrer. Fue también discípulo de violín de Gabriel Balart, actuando en 1861 como violinista en algunos conciertos. En 1862 fue profesor de violín en el teatro del Circo, y escribió algunas obras para esa orquesta, que lograron notable éxito, así como

algunas piezas religiosas. La temporada 1866-67 fue director de una compañía de ópera en el teatro de Figueras; la temporada siguiente dirigió el teatro de Lérida, pero en febrero de 1868 contrajo una grave enfermedad que le impidió durante varios años ejercer la dirección teatral, y retornó a Barcelona. Actuó entonces como violinista en la orquesta del teatro Principal hasta 1873, en que fue nombrado director de la orquesta, permaneciendo en el cargo hasta 1876. En estos tres años, compuso gran número de obras orquestales. Fue socio fundador y profesor de armonio de la Sociedad Barcelonesa de Cuartetos. En mayo de 1876 pasó a dirigir la orquesta del gran teatro del Liceo, por enfermedad de Dalmau. Fue director de la orquesta del teatro Principal de Valencia, hasta 1880. Dirigió los conciertos populares de Euterpe, sociedad de la que fue socio honorario, y los de la Sociedad Barcelonesa de Conciertos, de la que fue maestro honorario. En 1880 componía la ópera en tres actos *Esther.* Fue socio de mérito de la Sociedad de Conciertos de Tarragona, socio honorario de la Lírico-Dramática Julián Romea y benefactor de la Società Italiana di Beneficenza en Barcelona. Parti-

*Cosme Ribera Miró
(Foto: E:Bit)*

cipó en varios jurados musicales. En 1885 fue nombrado profesor del Conservatorio del Liceo Filarmónico Barcelonés, de armonía, reducción de partituras de orquesta, acompañamiento y dirección de conjunto. Renunció en julio de 1886 a la plaza de profesor del Conservatorio para trasladarse a L'Albi, donde residía su familia. Allí fue nombrado organista de la parroquia, y en 1922 fue proclamado hijo predilecto de la villa. También fue director de la banda municipal de Lérida desde 1890 a 1900, aunque algunas fuentes sostienen que dimitió al cabo de un año; ejerció como organista en la parroquia de San Andrés de Lérida hasta 1909. Los años que estuvo vinculado con Lérida marcaron de una forma decisiva la vida musical de la ciudad; entre otras actividades, creó un septeto activo entre 1895 y 1901

De las más de doscientas setenta composiciones de Ribera, además de sus obras religiosas, destacan dieciocho zarzuelas, varias de ellas compuestas, al igual que las de su hermano, para ser interpretadas por la compañía de zarzuela catalana que actuó entre 1871 y 1874 en los teatros del Circo y Tívoli de Barcelona. Su zarzuela *L'Esparver*, con letra de José Feliu, fue estrenada en el teatro del Circo de Barcelona en febrero de 1883, con notable éxito. Según el crítico Nogueroles, en *La Propaganda Musical* (22-II-1883), "la música es en general muy inspirada y muy bien trabajada la instrumentación. En el primer acto hay algunos coros notables por la frescura de sus motivos; la escena pastoril y sobre todo el andante del concertante del segundo, a cuya terminación fue llamado a la escena el compositor D. Cosme Ribera, son también piezas muy recomendables". La misma crítica afirma que las piezas de música de la obra están "basadas casi siempre en aires populares, entre los cuales los hay bien hallados y de corte cómico. Descuella un final, en el segundo acto, cuyo andante, particularmente, está bien desarrollado y es de buen efecto dramático". Uno de sus mayores éxitos fue la zarzuela en dos actos *La Manescala*, obra que dedicaron los autores a Josep Ribera. Esta obra no pertenece al género bufo, sino que toma elementos costumbristas junto a referencias más contemporáneas. En ella Ribera acertó en la composición de una partitura fluida, con números efectistas, y momentos afortunados; a ello contribuyó un libreto que se aparta de lo que era tópico en este tipo de composiciones.

OBRAS: *L'Esparver*, Zarz, 3 act, l, Feliu Codina, est, II-1883, Te. Circo (Barcelona); *La Manescala*, Zarz, 2 act, l, E. Vidal Valenciano / R. Burgell, est, 22-VII-1874, Te. Tívoli, E:Bsa; *La nena del Vendrell*, Jug cóm-lír, 1 act, l, E. Roig Barreros, est, 3-II-1873, Te. Circo; *Lo Metje dels Gegants*, Zarz, 1 act, l, N. Campma / Pahissa, est, 17-VIII-1874, Te. Tívoli (Barcelona); *Pobre xicot*, 1 act; *Los dos seminaristas*, 1 act; *Lo ball de la modista*, 1 act.

BIBLIOGRAFÍA: *DBE*; *DMEH*.

1. FRANCESC CORTÉS i MIR
2. RAMÓN SOBRINO

Ribera Ott, Sigfredo. España, †1980. Compositor. Tiene registradas en SGAE canciones, bailes, jingles publicitarios y alguna banda sonora. Es autor de varias obras líricas, como las comedias *Amor a las bayonetas* o *Vamos a empezar*.

OBRAS: *Alinka*, col. F. Contreras, l, J. Pérez Madrigal, est, 25-VI-1960, Te. Fuencarral; *Amor a la bayoneta*, col. J. M. Irueste, l, F. Vázquez / J. L. Sáenz de Heredia; *El marido de Socorro*, 2 act, col, G. Irueste, l, Garrido/Zaragoza, est, VI-1939, Te. Muñoz Seca; *Las tripas del teatro*, col, G. Irueste, l, Arozamena / Puente García; *Vamos a empezar*, col. J. M. Irueste, l, J. L. Sáenz de Heredia / F. Vázquez, est, II-1932.

BIBLIOGRAFÍA: *TLE*.

Mª LUZ GONZÁLEZ PEÑA

Rica Tellaeche, Juan. España, 1883; ?, 16-XI-1947. Compositor. Autor de canciones, bailes y cuplés, de los que en ocasiones escribió también la letra, su aportación al teatro lírico se reduce a tres obras: *El banco de la paciencia o Cien años de abstinencia*, humorada en un acto escrita en colaboración con Ricardo

Fandiño Sabater y libreto de José López de Lerena y Luis Bellido, estrenada el 23 de diciembre de 1924 en el teatro Eldorado de Madrid, conservada en el archivo de la SGAE en Madrid, y *Kiriki*, revista en un cuadro con libreto de Enrique García Álvarez y G. Hernández Mir, conservada también en la SGAE.

Mª LUZ GONZÁLEZ PEÑA

Richardson, Carmen Belén. Puerto Rico, siglo XX. Con catorce años la oyó recitar el Premio Nobel de Literatura Juan Ramón Jiménez y la llevó a estudiar Dramaturgia a la Universidad de Puerto Rico. Entró con éxito en la televisión donde ha trabajado en todos los canales de Puerto Rico así como en el teatro. Se ha destacado dentro de la zarzuela en las caracterizaciones de *Cecilia Valdés* de Roig y *El cafetal* de Lecuona, entre otras.

BIBLIOGRAFÍA: A. J. Molina: *150 Años de zarzuela en Puerto Rico y Cuba*, San Juan, Ramallo Bros. Printing, 1998.

EMILIO CASARES RODICIO

Rico, Alicia. Pinar del Río (Cuba), 7-X-1902; La Habana, ?. Tiple cómica y actriz. Desde su infancia se vinculó con la vida teatral, trabajando desde los ocho años de edad en la Compañía de Alberto Garrido. A los dieciséis años fue contratada por Agustín Rodríguez para formar parte del elenco del teatro Alhambra, permaneciendo en el mismo durante tres años en los cuales sustituyó en algunas ocasiones a la destacada tiple cómica Blanquita Becerra. Entre los años 1927 y 1928 cantó cuplés e hizo duetos en los espectáculos de variedades realizados en el teatro Actualidades, y poco después, integrándose a las Compañías de Ramón Espígul y de Roberto Gutiérrez, realizó giras nacionales e internacionales por México, Puerto Rico, Tampa y Nueva York, donde regresó cuatro años más tarde contratada por Fernando Luis y Chemoley Baños, reconocidos empresarios especializados en espectáculos latinos en aquel país. Habiendo incursionado nuevamente con la Compañía de Suárez-Rodríguez en la temporada del Martí iniciada en 1932, participó en los estrenos de *Leonela*, *El clarín*, *El pirata*, *La Habana de noche* y *La muerte buena*, entre otras, obteniendo aceptable acogida. Asimismo, en 1944 intervino en el estreno de la obra de Lecuona y Meluzá Otero, *La plaza de la catedral*, representada con éxito en el teatro Nacional. Incursionó, además, en la radio, cine y la televisión nacional, alcanzando, por su encanto y gracia criolla, una inmensa popularidad.

BIBLIOGRAFÍA: *LVB*; J. Bonich: "En la intimidad del camerino", *El Mundo*, 1-IX-1932; G. Barral: "Alicia Rico", *Ellas y ellos al micrófrono*, La Habana, Imp. Ninón, 1943.

CLARA DÍAZ PÉREZ

Riera Tur, Enrique. Málaga, 1860; ?. Compositor, director y pianista. Su dedicación fundamental fue el teatro lírico y estrenó en su localidad natal la mayoría de sus obras. No se puede afirmar que este Enrique Riera sea el mismo que aparece en el *Diccionario* de Saldoni del que afirma que en 1879 la Banda de música de ingenieros tocó en Barcelona su mazurka *Ángela*. El Enrique Riera malagueño colaboró a menudo con su paisano Prudencio Muñoz y fue bibliotecario archivero del Conservatorio de Málaga desde 1901.

OBRAS: *Cuatro vientos*, l, E. Ruiz Valle; *El Serrano del Sultán*, l, Ponce y Urbano; *La cuna de Jesús*, disparate cóm, 1 act, col. P. Muñoz, l, I. Soler, est, 23-XII-1905, Te. Principal (Málaga), *E:Msa*; *Mañanita de mayo*, Sai lír, 1 act, l, B. Marín / M. Carballeda, est, 2-IX-1908, Te. Vital Aza (Málaga), *E:Msa*; *Mujeres y flores*, l, J. Fernández Villar, est, 24-III-1908, Te. Principal (Málaga), *E:Msa*; *Torrijos*, col. P. Muñoz, l, Olmedilla y González Llana; *Sansón o La gran batuda*, l, C. Allen-Perkins.

BIBLIOGRAFÍA: *DBE*; *DMEH*; F. Cuenca: *Galería de músicos andaluces contemporáneos*, La Habana, Cultura, 1927.

Mª LUZ GONZÁLEZ PEÑA

Rinchán, Alejandro. España, siglo XIX. Dramaturgo. Es uno de los autores menores de zarzuela y escribió sus obras casi siempre para el compositor Juan Molberg. En el archivo de la SGAE en Madrid se conservan cuatro de sus zarzuelas. Si bien no obtuvo demasiado éxito con ninguna de ellas, *La colegiala*, estrenada en el teatro de la Zarzuela en 1857, fue muy aplaudida, y se editó en Madrid en 1861; le siguieron, por orden de estreno, *La modista*, teatro de la Zarzuela, 1858; el apropósito *La pupila*, con música del actor Joaquín Miró y Antonio Reparaz, que se estrenó sin éxito en el teatro Circo en 1860, al igual que la zarzuela *La artista*, 1861, que permaneció sólo dos noches en el cartel del teatro Circo.

BIBLIOGRAFÍA: *CDE*; *CTLBN*; *HZ*.

OLIVA G. BALBOA

Rincón Lazcano, Antonio. España, †10-I-1962. Compositor y autor. Tiene registradas en la SGAE numerosas canciones y en colaboración con Vicente Romero escribió una revista en un acto que se conserva en el archivo de la SGAE en Madrid: *El número dos*, con libreto de M. Morcillo y Antonio Paso Díaz. Tenía un hermano dramaturgo, José Rincón Lazcano, fallecido en 1964 con el que escribió la comedia *La alcaldesa de Hontanares*; con Eduardo Montesinos escribió *La alegría que llega*.

Mª LUZ GONZÁLEZ PEÑA

Río, Antonio del. La Habana, 1-II-1946; La Habana, XII-1993. Tenor. Licenciado en Canto en el Instituto Superior de Arte, estudió música con Ramón Calzadilla, Zoila Potts, Hugo Barreiro, Mariana de Gonitch, Jorge Conexa y José E. Fernández. Debutó en el Gran Teatro de La Habana como invitado, en el espectáculo *Siempre la zarzuela* representado en 1980. En años posteriores, hasta 1984, interpretó en calidad de invitado diferentes papeles de las óperas *Don Pasquale*, *El barbero de Sevilla* y *La traviata*. A partir de 1985 integró el elenco de la Ópera de Cuba, como tenor solista. Dentro de su repertorio se encuentran gran variedad de óperas y zarzuelas, como *La verbena de la Paloma*, *Los gavilanes*, *Luisa Fernanda*, *La leyenda del beso*, *Doña Francisquita*, *Los claveles*, *El mesón de los estudiantes*, *Marina*, *La del Soto del Parral*, *El cafetal*, *Amalia Batista* y *Cecilia Valdés*, entre otras.

CAROLE FERNÁNDEZ MARTÍNEZ

Ripoll, Jaime. España, siglos XIX-XX. Barítono. En 1889 ya actuaba en el teatro Apolo como primer barítono. En Apolo seguía la temporada siguiente, cantando *El grumete* de Arrieta con gran éxito de público, a pesar de tener poca voz. Debutó en la temporada 1892-93 en el teatro del Circo en Madrid; posteriormente pasó al Príncipe Alfonso y por fin al Apolo donde cantó *El grumete* y *La virgen del mar*. Siguieron *La alegría de la huerta* en Eslava y en Maravillas y volvió de nuevo a Apolo como actor de carácter entre 1897 y 1901. En 1901 actuaba de nuevo en Eslava, donde interpretó *El capote de paseo* de Chueca. En 1902 entró en la compañía de Loreto Prado y Enrique Chicote en la que permaneció hasta 1915 estrenando en el Cómico obras tan famosas como *Alma de Dios*, *Las estrellas*, *La gentuza*, *Los viajes de Gulliver* y *La sobrina del cura*. En 1904 estrenó *La borracha* de Chueca en el teatro Moderno y en el mismo teatro en 1905 *¡¡La peseta enferma!!* de Chapí y *La velada de San Juan* de Alvira. En 1906 intervino en el estreno de *El golpe de Estado* de Vives y Giménez y en 1907 en *La ola verde*, crítica a la sicalipsis tan de moda, de Calleja y Valverde, estrenada por la compañía Prado-Chicote en Eslava.

Mª LUZ GONZÁLEZ PEÑA

Ripoll Tormo, José. España, †1976. Compositor y autor. Autor de la letra de diversas canciones, en la SGAE se conserva su zarzuela *Julia María* con libreto de R. Fuster Miralles, estrenada en el teatro Capital de Barcheta en 1948.

Mª LUZ GONZÁLEZ PEÑA

Ripollés Armengol, María Dolores. Madrid, 22-VI-1930. Soprano. Hizo sus estudios musicales en el Real Conservatorio de Madrid obteniendo el premio fin de carrera. Tras ofrecer diversas actuaciones con el Cuarteto de Madrigalistas, marchó a Italia donde permaneció tres años estudiando con Elvira de Hidalgo. A principios de los años sesenta regresó a España y debutó con la compañía César Mendoza de Lasalle en San Sebastián cantando una de las obras que más marcó su carrera, *La bruja* de Chapí. Con esta compañía cantó un repertorio de zarzuela grande como *El caserío*, *Luisa Fernanda* o *Los gavilanes*, y las óperas *La bohème*, *Madama Butterfly* y *Maruxa*, que estrenó en París.

*Mª Dolores Ripollés
(Foto: Ar. Emilio
G. Carretero)*

Viajó a Buenos Aires protagonizando en el teatro Colón un ciclo de música española así como las zarzuelas *Luisa Fernanda* y *La chulapona* –regidas por su autor, Moreno Torroba–, a la sazón director de la Compañía Titular del teatro de la Zarzuela con la que permaneció varias temporadas siendo dirigida escénicamente por José Tamayo o Ángel Fernández Montesinos. Este último la dirigió también con la compañía Isaac Albéniz del productor Juan José Seoane con la que actuó en los Festivales de España y con la que se retiró de los escenarios al casarse en 1972. En 1977 le fue concedida plaza de profesora de canto en el Real Conservatorio de Madrid, tras algunos años pasó a ejercer la docencia en la Escuela Superior de Canto, en la que ha permanecido hasta su jubilación.

FONOGRAFÍA: *Agua, azucarillos y aguardiente,* Philips N 00995 R; *La Gran Vía,* Philips N 00995 R; *La verbena de la Paloma,* Philips N 00996 R; *Los gavilanes,* EMI 7243 5 74154 2 2 (637.00379) • Hispavox 7 67429 2 (637.77088); *Luisa Fernanda,* Philips N 00596 L; *Maravilla,* Philips N 00596 L.

BIBLIOGRAFÍA: E. García Carretero: *Historia del teatro de la Zarzuela de Madrid,* Madrid, Fundación de la Zarzuela Española, 2003.

EMILIO GARCÍA CARRETERO

Riquelme. Familia de actores españoles formada por Antonio y su hijo José.

1. Antonio. Granada, 1845; Madrid, 1888. Actor. Comenzó a trabajar como cajista de imprenta y empezó desde niño a actuar en el teatro, abandonando su profesión de cajista para dedicarse por entero a la escena, donde descollaba por su derbordante vis cómica y su capacidad para "morcillear". La primera compañía importante en la que trabajó fue la de Vallés y Luján, pasando después a la de Antonio Vico en el teatro Español, y por fin al teatro Lara, donde consiguió sus grandes éxitos. Trabajando en el café de Lozoya con Luján le propuso asociarse con Vallés, que en esos momentos trabajaba en un teatrito de la Flor Baja, el teatro del Recreo, para poner en práctica el teatro por horas, ofreciendo no funciones completas sino por horas, de modo que el espectador pudiese elegir la hora y la obra más de su agrado para asistir al teatro. La entrada costaba un real. Los tres actores se asociaron y obtuvieron un gran éxito, de modo que el teatro siempre estaba abarrotado, lo que les hizo trasladarse al de Variedades, que había sido hasta entonces sede del drama y la tragedia. La compañía de Vallés contaba con Concepción Rodríguez y los actores-autores Andrés Ruesga y Salvador Lastra. El primitivo repertorio de la Compañía del Variedades estaba formado por obras de diversos géneros en las que predominaba lo cómico, a las que se añadieron varias zarzuelas en un acto, poniendo las bases para el nacimiento del género chico. En 1885 estrenó en Eslava una obra lírica, *Juez y parte* de Ángel Rubio.

2. José. Madrid, 1865; Madrid, 22-XII-1905. Actor y cantante. Comenzó y abandonó diversas carreras, como Medicina, Derecho e incluso la militar, pues su padre no quería que se dedicase al teatro, aunque su vocación finalmente se impuso. Debutó en 1884 en el teatro Martín como tenor cómico

Antonio Riquelme

*José Riquelme
(Fotos:* Nuevo Mundo, *1905;
Ar. ICCMU)*

José Riquelme en El bateo

en *Toros en París*, contando en esos momentos con una excelente voz, gran dicción, fuerza expresiva y habilidad para recrear los más diversos tipos. Como tenor pasó al Eslava y posteriormente a Apolo y Zarzuela. En 1890 cantaba unos cuplés que había de repetir cada noche en *¡Las doce y media... y sereno!* de Chapí y obtuvo un gran éxito en *La alegría de la huerta* de Chueca, junto a Conchita Segura; a ambos dedicaron los autores la obra por su gran interpretación. En 1895 cantó con gran éxito en *El cabo primero*. En 1897 con García Valero y las tiples Leocadia Alba y Matilde Pretel, implantó en el teatro de la Comedia un paréntesis de género chico. En *Venus Salón* llegaba a crear hasta seis tipos diferentes; otros títulos en los que destacó fueron *El rey del valor*, *El bateo* y *Los timplaos*. Cuando perdió la voz siguió en el teatro como actor. Tiene en su haber numerosas creaciones del género chico como el Tabernero de *La verbena de la Paloma* en su estreno en Barcelona. Buen versificador intervino en 1895 en la polémica desatada contra el teatro por horas en diversos periódicos, entre ellos *El Diario del Teatro*. En 1900 formaba parte de la compañía del teatro Eslava donde estrenó *Las venecianas* de Abati y García Álvarez y en ese teatro seguía en 1904 en que formó y dirigió la compañía con cantantes como Amparo Taberner, Marina Gurina, Carmen Andrés, las hermanas Calvó o Antonio González. El teatro Apolo le contrató de nuevo en la temporada 1905-06, que fue la última de su vida. Estrenó con gran éxito *El amor en solfa*, y el mismo día en que el teatro Apolo vivió uno de sus mayores éxitos con *El iluso Cañizares*, 1905, falleció el actor, siendo enterrado en el cementerio de San Lorenzo y dejando a su viuda e hijos en una difícil situación económica, que el teatro trató de remediar con una función en su beneficio el 11 de enero de 1906, participando en ella prácticamente todos los actores de Madrid, ya que estuvieron presentes las compañías del Español, Zarzuela, Comedia, Lara, y por supuesto los de Apolo, que interpretaron la obra que debía haber estrenado Riquelme y que fue la última que ensayó.

BIBLIOGRAFÍA: *DAT*; *OGCH*; *TA*; "Muerte del actor D. José Riquelme", *Nuevo Mundo*, XII, 625, 28-XII-1905; F. Cuenca: *Teatro andaluz contemporáneo. 2. Artistas líricos y dramáticos*, La Habana, Maza, 1940; J. Deleito y Piñuela: *Estampas del Madrid teatral fin de siglo*, Madrid, Ed. Calleja, sf.

Mª LUZ GONZÁLEZ PEÑA

Rius, Joan Baptista. Cataluña, XIX; ?, 29-V-1923. Compositor y director. Saldoni le sitúa en 1869 como director de orquesta de una compañía en Tarragona, así como también se le documenta como director de una compañía de zarzuela en Reus. Alguna de sus zarzuelas llegó a tener buena aceptación, caso de *Dorrn!*, *Pilotàries* –una parodia de *Lo senyor Palaudàries*–, o *Les Qües*.

OBRAS: *El mejor abrazo*, Zarz, 1 act, l, G. Blanco, est, 5-VI-1873, Te. Prado Catalán (Barcelona), E:Mn; *Micos*, extravagancia, 1 act, l, E. Vidal Valenciano / J. Roca Roca, est, 10-VII-1873, Te. Tívoli (Barcelona); *La dama de las camelias*, Opt, 3 act, l, J. M. Bartrina / G. Blanco, adap de Verdi, 1873, E:Bsa; *Los set pecats capitals*, Zarz, 4 act, l, N. Campmany / A. Brases, est, 27-II-1875, Te. Novedades (Barcelona), E:Mn; *¡¡Dorint!!*, Jug, 1 act, l, N. Campmany, est, 5-V-1876, Te. Novedades (Barcelona), E:Bsa; *Las cuas*, Zarz, 2 act, l, N. Campmany / J. Molas Casas, est, 26-VIII-1876, Te. Tívoli (Barcelona), E:Bsa; *El fantasma de la aldea*, Zarz, 2 act, l, J. Castellanos, est, 26-III-1878, Te. Zarzuela, E:Mn; *Dorm!*, 2 act, l, N. Campmany, est, 5-V-1896, Te. Novedades (Barcelona); *Pilotarias*, disparate, 1 act, est, 1896; *Contrabandista*, Ent, l, L. Gosens; *El tunel de Mongat*, Zarz, 3 act, l, D. Font Murgades; *En pensaré o El conde don Goñigo*, Zarz, 1 act, l, J. Campos Marte; *Las guanteras*, Zarz, 1 act, l, J. Molas Casas; *Lo dit dit*, Zarz, 1 act; *Qui tot ho vol*, Com lír, 3 act, l, J. Balader Sanchís; *Tres per una*, Zarz, 1 act, l, J. M. Pous Archer, est, Barcelona; *¡Una... y prou!*, Zarz, 3 act, l, F. Clarasó / M. Pala, E:Mn.

BIBLIOGRAFÍA: *DMEH*.

FRANCESC CORTÈS i MIR

Rivadeneyra, Inés. Lugo, 2-XI-1932. Mezzosoprano. Alumna de Lola Rodríguez de Aragón a la que debe también su lanzamiento artístico en 1956 en el teatro de la Zarzuela, cuando se llevó a cabo su reapertura. Aurora la Beltrana en *Doña Francisquita* de Vives fue el papel interpretado por la cantante gallega en la inolvidable producción de José Tamayo con la que alcanzaron también la gloria Alfredo Kraus, Ana María Olaria y algunos otros cantantes. Inés fue catalogada desde entonces como una de las mejores mezzosopranos españolas y buena prueba de ello ha sido su carrera internacional en la que, escénicamente, predomina la ópera sobre la zarzuela, si bien de ésta ha realizado grabaciones de muchas de las obras del mejor repertorio. En 1957 se le concedió el Premio Nacional Lírico del Ministerio de Información y Turismo. Estrenó en 1965 en el teatro de la Zarzuela *El hijo fingido* de Rodrigo. Desde que abandonó los escenarios se dedica a la enseñanza.

Inés Rivadeneyra
(Foto: Ar. Emilio G. Carretero)

FONOGRAFÍA: *Agua, azucarillos y aguardiente*, Columbia-BMG España WD 71433 (9D) • Philips N 00995 R • Zafiro-Salvat 1006-1; *Alma de Dios*, Philips N 00595 L; *El amigo Melquíades*, Alhambra-BMG España WD 74393 (9D) • Columbia-Alhambra-BMG España MC 25027 • Columbia SA, C 7501 40; *El baile de Luis Alonso*, Alhambra MC 25019 • Columbia-Salvat 1011-1 • Alhambra-BMG España WD 71464 (9D) • Columbia SA, ZCL 1060 182 (181a); *El último romántico*, Columbia-Alhambra MCC 30034, SCLL 14042 • Columbia SA, ZCL 1034; *La boda de Luis Alonso*, Columbia-Salvat 1011-1 • Columbia-Alhambra MC 25018 • Columbia SA, ZCL 1060 181 • Alhambra-BMG España WD 71464 (9D); *La bruja*, Philips N 00593 L; *La caramba*, Philips N 00593 L; *La chula de Pontevedra*, Columbia-Alhambra-BMG MC 25017 • Columbia-BMG España WD 71590 (9D); *La Gran Vía*, Montilla FM-12 • Philips N 00995 R • Zafiro-BMG EPFM-124 • Zafiro-Salvat 1013-1 • Zafiro 30103036 174 • Zafiro SA, LM-3036-(C) 44 • Zafiro SA, ZOR-113 37; *La revoltosa*, Alhambra-BMG España WD 71438 (9D) • Alhambra MCC 30001 • Columbia-Salvat 1004-1 • Zacosa-Columbia SA, ZCL 1007 • Columbia SA, MCE 867 (Alhambra) 11 • MCAL 20 • Philips N 00594 L; *La verbena de la paloma*, Carillón • Columbia-BMG España WD 71435 (9D) • Columbia-Salvat 1001-1 • Columbia SA, MCE 868 (Alhambra) • Columbia-Alhambra-BMG MCC 30000 • Columbia SA, MCE 866 8469 • Philips N 00996 R; *Los de Aragón*, Columbia-Alhambra MC 25004 • Columbia-BMG España WD 71590 (9D); *Luisa Fernanda*, Philips N 00596 L; *Pepita Jiménez*, Columbia SA, ZCL 1096 y 1097 (Zacosa) 147 y 148; *Antología de la zarzuela (3)*, Columbia-BMG-Ariola-Salvat 1040-2; *Fragmentos favoritos de zarzuela*, Zafiro-Montilla MS-520.

BIBLIOGRAFÍA: E. García Carretero: *Historia del teatro de la Zarzuela de Madrid*, Madrid, Fundación de la Zarzuela Española, 2003.

EMILIO GARCÍA CARRETERO

Rivas, Teresa. Madrid, siglo XIX. Cantante. Es posible que se formara en el Conservatorio de Madrid. Se presentó en esa misma ciudad en agosto de 1854 contratada por Salas y en la obra de Oudrid, *Moreto*. En septiembre de 1854 aparece ya como la segunda tiple de la compañía del Circo, después de Amalia Ramírez, y poco después estrenó la obra de Hernando *Cosas de Don Juan*. Siguieron *La cola del diablo* de Oudrid, en la que mostró sus grandes cualidades para lo cómico, *Una aventura en Marruecos* de Lahoz, 1855, y *Guerra a muerte* de Arrieta, 1855. Perteneció a la primera compañía contratada para el teatro de la Zarzuela en 1856, y allí estrenó *Fra Diávolo* de Martín Sánchez-Allú y *El hijo del regimiento* de Oudrid, 1857. En 1860 se encontraba de nuevo en el teatro de la Zarzuela donde estrenó *Doña Mariquita* de Oudrid, *El gran bandido* de Oudrid y Caballero, y *Recuerdos de gloria* de Rogel; en 1861 *El amor constipado* de Mariano Vázquez, *Los peregrinos* de Rogel y *Una historia en un mesón* de Gaztambide. Durante la temporada 1861-62 continuaba en el teatro de la Zarzuela y estrenó *El tesoro escondido* de Barbieri, *El agente de matrimonios* de Arrieta, y *La isla de San Balandrán* de Oudrid. El año teatral 1862-63 llegó a primera tiple absoluta del teatro de la Zarzuela y estrenó *Las hijas de Eva* de Gaztambide, en la que tuvo gran éxito, *Los dos mellizos* de Caballero, *El secreto de una dama* de Barbieri, *Dos pichones del Turia* de Barbieri, *Matar o morir* de Vázquez; en 1864 *Batalla de amor* de Inzenga, Circo; en 1866 *El rábano por las hojas* de Barbieri; en 1867 *Un estudiante de Salamanca* de Oudrid, Zarzuela, y en 1869 *Mefistófeles* de Cereceda en el Circo.

Esta fuerte actividad continuó con su participación en el teatro bufo de Arderius donde estrenó obras como *Robinson* de Barbieri, 1870, *Pepe Hillo* de Cereceda, 1870, *Tocar el violón* de Cereceda, 1871, *El príncipe Lila* de Aceves, 1872, *Americanos de pega* de Aceves, 1872, *El proceso del Can-cán*, 1873, y *Chorizos y polacos*, ambas de Barbieri, 1876, y *El siglo que viene* de Caballero, 1876. Todavía en la década de los ochenta continuaba activa estrenando obras como *El puesto de las castañas* de Ángel Rubio, Martín, 1885; *El país del abanico* de Chapí, Martín, 1885; *¡Los dioses se van!* de Caballero, 1886; *La tertulia de Mateo* de Nieto; *La primera de abono* de Blázquez; *El bazar H.* de Caballero, y *La risa del conejo* de Tomás Gómez, estas últimas en Recoletos, 1887.

Teresa Rivas en La tempestad *(Foto: E:Bit)*

Según las crónicas del momento era muy tímida al inicio en escena. Así lo resalta una crónica de la época recogida por Cotarelo: "La Rivas, más que por el mérito artístico, se ha hecho notar hasta ahora por su figura agraciada y finos modales. Un encogimiento excesivo y mucha inexperiencia teatral paralizan sus facultades vocales hasta el punto de poder apenas desempeñar los papeles que se le confían. Sin embargo, tiene dotes para brillar". No obstante con el tiempo se convirtió en una de las más desenvueltas tiples del género de zarzuela cómica y opereta.

BIBLIOGRAFÍA: *DBE; HZ*, E. Casares Rodicio: *Francisco Asenjo Barbieri. 2. Escritos*, Madrid, ICCMU, 1994.

EMILIO CASARES RODICIO

Rivas Cacho, Lupe. México, 1894; México, 1975. Actriz, cantante y bailarina. Debutó en la revista *El bueno de Guzmán* a la que siguieron numerosos espectáculos en los que podía demostrar sus dotes de vedette. Desde 1917 el nacionalismo comenzó a invadir en México todos los ámbitos teatrales, tanto el teatro de tandas como la zarzuela o el género de variedades. Lupe encarnaba a la perfección a la mujer mexicana de clase baja, el equivalente femenino del pelao. Los

Lupe Rivas (Foto: Nuevo Mundo, *1925; Ar. ICCMU)*

habitantes de las barriadas eran no solamente los nuevos espectadores, sino los protagonistas de las obras de género chico. Estrenó en 1916 en el teatro Principal *Fúcar XXI* y en 1918 *Los sábados trágicos* en la que parodiaba los bailes de Tórtola Valencia. Regresó en 1928 tras una gira por Cuba y Sudamérica estrenado revistas mexicanas como *El México típico, Gauchos y charros, Cielo de México, Cosas de mi tierra, Empieza el bataclán* y alguna española como *El bueno de Guzmán.* Al finalizar la década de 1920 formó la Compañía Mexicana de Revistas de Lupe Rivas Cacho, con la que viajó por Cuba y otros países de Latinoamérica y estrenó en el teatro Principal de México dos obras, *El México típico* y *Gauchos y charros,* en los que la actriz entonaba multitud de canciones dando a cada una su particular acento. Una de las canciones que más éxito le dio fue *La marihuana.* Llegó a Madrid al frente de su Compañía de revistas en marzo de 1925 debutando con gran éxito de público y crítica en el teatro del Centro, estrenando *Las Chalás* de Quislant y Monterde. En el archivo de la SGAE en Madrid se conservan una serie de obras suyas: *A través de América, Así es Méjico, Bombones mexicanos, De México ha llegado un barco, Juventud borracha,* con libreto de L. Guillermo Blanco; *La tanguista, La tierra de Lupe* y *R.A.N.A.* Artista versátil, cultivaba la danza al igual que la canción y era una gran actriz. En la década de 1950 se dedicó al cine.

BIBLIOGRAFÍA: M. Mañón: *Historia del teatro Principal de México,* México, Ed. Cultura, 1932; A. María y Campos: *Memoria de teatro. Crónicas 1943-1945,* México, Compañía de Ediciones Populares, 1946; A. Dallal: *La danza en México, tercera parte. La danza escénica popular 1877-1930,* México, U. Nacional Autónoma de México, 1995.

Mª LUZ GONZÁLEZ PEÑA

Rivas Gómez, Luis. España, 1910; 1980. Compositor. Autor de numerosos pasodobles y canciones —la más conocida es *La hija de Don Juan Alba*—, interpretados y grabados entre los años treinta y cincuenta siglo XX por Miguel de Molina, Gracia de Triana, Antonio Machín, Juanito Valderrama y Lolita Sevilla, entre otros. Además de las obras que se conservan en el archivo de la SGAE, tiene registradas diversas comedias musicales en colaboración con José Gardey como *Abuelito o abuelita, Acuarelas sevillanas, Abdul, príncipe de la Arabia, Aventuras de Tabardillo, Aventuras de veneno, Aventuras en el desierto, ¡Ay qué niños! ¡Caraco-*

les!, Bandoleras del amor, El barbero de Cerilla, Los apuros de un yanki en Sevilla, Bolero español y *La canción de Bernardito* y, en solitario, *Buffalo Bill* y *Nicolini.*

Mª LUZ GONZÁLEZ PEÑA

Rivera, Lidia de. Cienfuegos (Cuba), 1906; Nueva York (Estados Unidos), *ca.* 1990. Soprano. Estudió música en el Conservatorio Vázquez de su ciudad natal. Posteriormente residió con su familia en La Habana. Viajó a París en cuyo Conservatorio fue alumna de Madame Notté, estudiando armonía, piano y otras disciplinas. Más tarde estudió canto con Blanche Marchessi y Ángel de Trabadelo. Interesada en perfeccionarse en la interpretación del lied y de la canción, estudió con Madame Durand-Fouquier. Durante su estancia en París actuó en varias salas de conciertos, donde estrenó obras de Manuel de Falla y Joaquín Turina. Interesada en incursionar en el género operístico, marchó en 1934 a Nueva York para recibir estudios superiores de canto y repertorio operístico con Madame Pagée. Contratada por Lecuona para su compañía de revistas, zarzuelas y operetas, se presentó en el teatro Auditorium donde interpretó *Lola Cruz* y *María la O* con notable éxito. Al trasladarse la compañía al teatro Martí interpretó las obras mencionadas y la opereta vienesa *La duquesa del Bal Tabarin* de Leo Fall, cosechando nuevos lauros en su carrera. Interesada en formar su propia compañía se nutrió de un elenco de conocidas figuras del arte lírico bajo la dirección orquestal de Manuel Peiro. Su compañía debutó el 5 de enero de 1940 en el teatro Principal de la Comedia con la opereta *El Conde Luxemburgo* de Lehár. Otras obras representadas por esta compañía y en donde intervino la cantante, fueron *La viuda alegre* de Lehár, con Jorge Negrete, y el estreno de la comedia musical *El crimen del set* de Rafael Barros. De 1945 a 1956 se dedicó a la docencia como inspectora auxiliar de música, y ofreciendo ciclos de clases especiales sobre técnica vocal aplicada a coros e interpretación del folklore nacional y panamericano. Durante esta etapa organizó y fundó coros. En la década de 1960 se radicó definitivamente en Estados Unidos.

BIBLIOGRAFÍA: E. Martín: *Panorama histórico de la música en Cuba,* La Habana, Cuaderno CEU-U. La Habana, 1971.

JOSÉ PIÑEIRO DÍAZ

Rivera, Luis. Valencia de Alcántara (Cáceres), 25-VIII-1826; Madrid, 30-VII-1872. Dramaturgo. Trabajó como actor en su juventud y ejerció de maestro de escuela en Madrid, antes de dedicarse a la literatura. Fue gran amigo de Eusebio Blasco, con quien fundó *Gil Blas,* del que fue propietario, director y colaborador, aunque también aparece como redactor de *La Discusión* y *El Obrero,* a través de los cuales expresó sus opiniones democráticas y republicanas, lo que le causó no pocos problemas. Junto con otro autor lírico, Manuel del Palacio, publicó *Cabezas y calabazas*, de tono crítico y humorístico. A pesar de ser un autor más bien mediocre, escribió alrededor de 24 zarzuelas de éxito para los compositores más importantes del género, como Francisco Asenjo Barbieri, Cristóbal Oudrid y José Inzenga. Uno de sus primeros estrenos fue *Los piratas* de Luis Cepeda, 1860, con un libro lleno de situaciones inverosímiles situadas en los lugares más dispares y exóticos, que gustó al público. Le siguió, en el mismo año, el estreno de una zarzuela con tintes políticos, *A rey muerto* de Cristóbal Oudrid. Adaptó con Carlos Frontaura y Carlos Olona Di-Franco, *La prova d'un opera seria* de G. Mazza, bajo el título de *Campanone*, 1860. Se trataba de una ópera bufa que supieron aclimatar a la perfección al ambiente español, por lo que agradó al público durante muchas noches de representación. En el mismo año, Luis Rivera se inventó una modalidad de zarzuela que llamó "gacetilla" y que supondría el precedente de un género que triunfó años más tarde, la revista. Con el título de *El paraíso en Madrid* de Antonio Reparaz, escribió un libro lleno de ingenio y diversión. En 1862 estrenó *El secreto de una dama* de Francisco A. Barbieri, ante un ambiente de gran expectación por parte del público, al que no defraudaron sus autores. Otros títulos son *Batalla de amor* de José Inzenga, 1864; *El estudiante de Salamanca* de Oudrid, 1867, y la adaptación de una ópera bufa francesa, *La vida parisiense* de J. Offenbach, 1869. *Véase* EL SECRETO DE UNA DAMA.

BIBLIOGRAFÍA: *CTLBN; HZ.*

OLIVA G. BALBOA

Rivera Baz [Bar], Manuel. España, siglo XX. Compositor. En los archivos de la SGAE en Madrid, se conservan *El doctor Argensola*, ópera en 3 actos, letra de Carlos Primelles y *La niña Lupe*, opereta en 3 actos con letra de E. Uthoff. Es autor además de *Alma tricolor*, *El reino de la alegría* y *El rey del cacao.*

Mª LUZ GONZÁLEZ PEÑA

Rivero Custodio, Nicolás María. Sevilla, 1850; Sevilla, 1906. Escritor. Estudió y ejerció la carrera de Medicina. Más tarde se dedicó a la carrera diplomática como cónsul en Manila y en Rabat. Colaboró con sus artículos y poemas en varios periódicos de la época y se dedicó al teatro en una doble vertiente, como empresario en asociación con Felipe Ducazcal y como autor de algunas obras líricas en colaboración con otros autores como Calixto Navarro en *Nido de amor* de Tomás Reig, 1885; o Andrés Ruesga en *Santo y seña* de Ángel Rubio y Luis Muñoz Arnedo, 1888.

BIBLIOGRAFÍA: *CDE.*

OLIVA G. BALBOA

Roa García, Miguel. Madrid, 7-IV-1944. Director de orquesta. Debutó en 1964 con *Rigoletto* en el teatro Eslava. Ha sido director titular de la Orquesta de

las Juventudes Musicales de Madrid y de la Orquesta Santa Cecilia de Pamplona, profesor de concertación de ópera y oratorio en la Escuela Superior de Canto y director de repertorio en el Coro Nacional de España. En 1978 se incorporó al teatro de la Zarzuela y desde 1985 es su director musical. Dirigió las primeras producciones del Ballet Lírico Nacional y ha intervenido en los principales festivales y temporadas de ópe-

Miguel Roa
(Foto: Ar. personal)

ra nacionales y extranjeros. Ha participado en los estrenos de *El pirata cautivo* de Esplá, *Selene* de Tomás Marco, *La mona de imitación* de Arteaga, la *Sinfonía nº 1* de Claudio Prieto, la *Sinfonía de la Alhambra* de Collet y *Panadería* de Évora.

Su actividad ha sido muy extensa, dado que ha dirigido incontables obras, entre las que destacan *La canción del olvido*, *La montería*, *La chulapona*, *El chaleco blanco*, *La Gran Vía*, *El barberillo de Lavapiés*, *Gigantes y cabezudos*, *La viejecita* y *Luisa Fernanda*. Dirigió en la temporada 1999-2000 la recuperación de *El juramento* de Gaztambide. En 2001 ha dirigido *La bruja* de Chapí, de la que ha realizado una edición crítica. Ha dirigido también muchas de estas obras en las giras que la Compañía titular de la Zarzuela realiza por diversos teatros españoles como el Calderón de Valladolid, el teatro de la Maestranza de Sevilla o el teatro Campoamor de Oviedo.

Miguel Roa es uno de los directores más importantes dentro del mundo zarzuelístico. Conocedor profundo de la historia del género lírico, sobre todo el género chico y la zarzuela del siglo XX, su actividad como director ha sido trascendental. No sólo por su labor de difusión de la zarzuela en Europa, América Latina y Estados Unidos, cuyo culmen ha sido el estreno de *Doña Francisquita* en la Ópera de Washington y Los Ángeles, y *Luisa Fernanda* en la Scala de Milán, protagonizada por Plácido Domingo, sino por el magisterio en la interpretación de un género que requiere un especial respeto al idioma específico de la zarzuela.

Su discografía comprende títulos como *El gato montés*, con Plácido Domingo, Teresa Berganza y Joan Pons, y *Doña Francisquita*, con Plácido Domingo, Ainhoa Arteta y Carlos Álvarez, así como grabaciones con las Orquestas de la Comunidad de Madrid y Sinfónica de Sevilla, que abarcan las obras más características del género lírico español. Su última aportación ha sido la grabación de *La revoltosa* y *La Gran Vía*, con Plácido Domingo, una grabación del Sello AUTOR en colaboración con RTVE, que ha obtenido el Premio de la Música 2002 al mejor disco de música clásica.

FONOGRAFÍA: *Agua, azucarillos y aguardiente*, Zafiro-Salvat 1006-1; *Concierto de zarzuela*, A-B Master Records; *Doña Francisquita*, Sony S2K 66563; *El hijo fingido*, EMI Classics; *La chulapona*, RTVE-Música; *La Gran Vía*, RTVE-Música, 65150; *La revoltosa*, RTVE-Música 65150; *La rosa del azafrán*, Zafiro-Salvat 1002-1; *Molinos de viento; Preludes and Choruses from Zarzuelas*, NAXOS 8 555957; *Zarzuela en vivo*, A-B Master Records.

Mª LUZ GONZÁLEZ PEÑA

Robert, Lola. España, siglo XX. Tiple. Debutó en Apolo en 1925 en *El anillo del Sultán* de Pablo Luna, que el público no acogió bien por encontrarla muy parecida a *El niño judío*, obra de tan grato recuerdo para el público asiduo del teatro, si bien Lola Robert fue muy aplaudida. Estrenó después *Encarna, la misterio* de Soutullo y Vert. La temporada siguiente siguió contratada por el Apolo, consiguiendo el aplauso unánime del público.

BIBLIOGRAFÍA: *TA*.

Mª LUZ GONZÁLEZ PEÑA

Robert, Roberto. Barcelona, 12-IX-1837; Madrid, 18-IV-1873. Dramaturgo. Se trasladó a Madrid para desarrollar su vocación literaria, y sus comienzos fueron como colaborador en diferentes periódicos: *La Europa, Gil Blas* y *La Discusión*, entre otros. En 1851 fundó *El Diario Madrileño*, publicación de corte progresista y revolucionario. Además de autor de novela costumbrista, poeta satírico y ensayista, escribió algunas obras de teatro lírico, de las cuales sólo se conocen datos exactos de una zarzuela escrita en colaboración con Antonio Carralón de Larrúa expresamente para Amalia Ramírez, titulada *El primer vuelo de un pollo*, estrenada en el teatro Circo en 1861, y que a pesar del escaso valor del libro, tuvo éxito por la música de Lázaro Núñez-Robres.

BIBLIOGRAFÍA: *CTLBN; HZ*.

OLIVA G. BALBOA

*Roberto Robert
(Dibujo y litografía de S. Llanta, Colección Castellano; E:Mn)*

Robinson. Zarzuela en tres actos. Música de Francisco Asenjo Barbieri. Libreto de Rafael García Santisteban. Estrenada el 18 de marzo de 1870 en el teatro del Circo de Madrid.

Personajes y reparto. Matatías (Gabriel Sánchez Castilla). Robinson (Francisco Arderius, actor). Leona (Srta. Fernández). Tiburón (Ramón Rosell, actor). La reina Ananás (Teresa Rivas, soprano). Guayaba (Raquer). El negro Domingo (Juan Orejón). Hambrón (Castillo). Colibrí (Sta. Romero). Miss Lelia (Sta. Vázquez). Miss Irene (Sta. Aliaga).

Orquestación. Flautín, flauta, oboes, 2 clarinetes, fagot, 2 cornetines, 2 trompas, 3 trombones, timbales, triángulo, bombo, platillos, tamtam, pandereta, tambor y cuerda. Conjunto en escena: lira, triángulo, cencerros tiples, cencerros tenores, pandereta, tambor, tamtam, bombo y platillos.

Argumento. *Acto I.* Casa de Robinson, en Liverpool. Robinson es un calavera acribillado a deudas, a quien una cohorte de prestamistas, acaudillados por Matatías, el usurero mayor, se dispone a embargar. Su mujer, Leona, vuelve al cabo de tres años de un extraño viaje de novios en el que su marido prefirió no participar. Ella está obsesionada con una sola idea, y es una mujer de armas tomar. Ante una perspectiva tan poco halagüeña, Robinson acepta la invitación de su amigo el capitán Tiburón y se embarca para California aprovechando la confusión de una noche de jarana. Pero su criado Casimiro, su esposa y su prestamista favorito, no están dispuestos a dejarle marchar solo, por diferentes motivos.

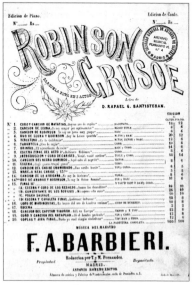

Cortesía de la Unión Musical Ediciones SL

Acto II. En una isla del Caribe Robinson se ha librado de un naufragio y vive a su aire rodeado de naturaleza y de un sirviente, Domingo, que se ha encontrado en la isla y que cambia sospechosamente de color. Pero Domingo y su loro no son los únicos habitantes de ese paraíso y Robinson va a sufrir en sus propias carnes el asedio de unas damas voraces. La reina Ananás y su lugarteniente Guayaba no piensan dejar escapar tan suculentos ejemplares y disponen una ceremonia oficiada por los severos sacerdotes del cabildo. Y después de la ceremonia vendrá el banquete. A la hora del baile se presentan unos viejos conocidos y su presencia no gusta nada a la ardiente reina Ananás, que monta en cólera y agarra su lanza.

Acto III. En otra isla del Caribe. Una marcial tripulación deseosa de cambiar de aires forma a las órdenes del intrépido capitán Tiburón, que quiere devolver a su amigo a la salsa urbana y lo busca por todas partes con su habitual diplomacia. Los súbditos de la reina Leona no tienen el mismo ardor guerrero que sus contrincantes femeninos, y cuando Ananás se presenta en el campo de batalla para recuperar su botín se vislumbra una guerra desigual, si no fuera por la alegre marinería, que provoca una cierta conmoción entre los presentes. Decididamente la economía mueve el mundo. Aquí y en el Caribe. Y es que hoy día ni de náufrago puede uno vivir en paz.

Números musicales. Acto I: Nº 1. Coro de acreedores y Matatías, "No hay más que el embargo". Nº 2. Leona, "Yo soy mujer". Nº 3. Robinson, "Yo soy un joven muy guapo". Nº 4. Leona y Robinson, "Robinson, Robinson". Nº 5. Tiburón, Leona y Matatías, "Es California, tierra ideal". Nº 6. Coro, "Viva la orgía". Nº 7. Robinson y coro, "No quiero champagne que quiero jerez". Nº 8. Coro, "Robinson a beber". Acto II: Nº 9. Guayaba y coro, "Venid, venid, caribes". Nº 10. Domingo, "Aquí estar negrito". Nº 11. El negro Domingo y coro, "Ah! Cogiguasu". Nº 12. Ananás y coro, "Una caribe, bonita". Nº 13. Coro, "Chutarara tachumga". Nº 14. Ananás y Robinson, "Yo soy la africana". Nº 15. Ananás y Guayaba, Leona, El Negro, Robinson, Hambrón y Matías y coro, "Silencio. Da principio". Nº 16. Preludio. Nº 17. Coro de marineritas, "Ya estamos en tierra". Interludio instrumental. Nº 18. Ananás y Guayaba y Tiburón, "Allí en Europa". Nº 19. Guayaba y coro de mujeres, "Marchemos unidos". Nº 20. Todos, "Parto ya cual simple ciudadano".

Comentario. *Robinson* se encuadra en el período central de la vida de Barbieri, que corresponde a los años que van desde 1856 a 1874. Su musa había pasado, desde *Pan y toros*, por una especie de aurea mediocritas de la que salió precisamente con algunos éxitos como el de *Robinson*. La obra pertenece al género de zarzuela grande y es concebida para los bufos de Arderius, y por ello con una mentalidad de pieza de gran espectáculo y comicidad, como era típico en el género bufo. En 1867 Arderius le comunicaba a Barbieri el éxito de su empresa, los magníficos beneficios conseguidos y por ello ponía a su disposición los grandes medios de que disponía su compañía. Por fin, en 1869, la invitación fue más directa: "Siendo una idea de esta empresa dar la mayor variedad posible a estos espectáculos con las mejores obras de repertorio bufo de autores españoles, tengo el honor de dirigirme a Vd. ofreciéndole mi teatro, por si se digna honrar a esta empresa cediéndole alguna producción debida a su reconocido talento...". En la siguiente carta de julio del 1870, ya le comunicaba el enorme éxito de la obra en Barcelona.

Es evidente que Barbieri respondió a las peticiones de Arderius y siguiendo su costumbre compuso la obra en poco tiempo, tan poco que el propio Arderius le aconsejó retocarla. Se terminó tres días antes del estreno, algo usual en las costumbres zarzuelísticas del XIX y el primer acto está firmado el 27 de febrero de 1870, por lo que es probable que la realizase en unos veinte días. Ello no impidió su enorme éxito reconocido en todas las crónicas del momento y el que la obra se hiciese de inmediato popular y se representase en Barcelona, Zaragoza, Sevilla, Murcia, Valencia y Málaga. Símbolo de esta acogida pueden ser las palabras con que *La España Musical* daba la noticia del estreno: "Acaba de darse una zarzuela... titulada *Robinson Crusoe*, la cual ha sido recibida con los mayores aplausos hasta el punto de tenerse que repetir algunas de sus piezas. El público quedó altamente satisfecho de esta composición, que por sí solo bastaría para enaltecer a su autor". Barbieri respondió afirmativamente a la propuesta del empresario, porque en último término había en su espíritu una proximidad natural a varios aspectos de cuanto significaba el fenómeno bufo, y se acomoda en *Robinson* a un género en el que se busca conscientemente divertir, producir hilaridad, sin otras funciones, y menos la de "castigat ridendo mores". El tema no es mítico pero sí de la literatura clásica y "vertido a lo bufo", por tanto caricaturizado, tratado con ironía. El mítico *Robinson Crusoe* de De Foe, es aquí un jugador lleno de deudas, dominado por una mujer, Leona, con auténtico carácter y maneras de "leona" de quien huye, yéndose a una isla de "naturaleza tropical, rica en vegetación" en la que proclama: "Esta isla con todos sus habitantes y colonias pertenece a su majestad isleña Robinson Crusoe, natural de Liverpool". Pero a la isla llegará Leona disfrazada de traje de reina india ante la consternación de Robinson. El libreto, ágil en los dos primeros actos y pesado en el tercero, está lleno de todo tipo de recursos propicios para servir a la mentalidad bufa; desde los abundantes juegos de palabras, "Hambi-manú / carni-guanú / Hay mi señor / Hay bananí / ay mi señor / hay cucuyé / Cogi, guasú / Tragay, guasú / mascai, guasú / aun, aun, aun", hasta situaciones tan paradójicas como que uno de los principales personajes de la obra el Capitán Tiburón tenga que hablar, según se señala en el libreto, en acento catalán o andaluz.

El tema literario del *Robinson Crusoe* es tratado en tres actos y veinte escenas, con todos los aditamentos de lo bufo: los personajes son antihéroes y en la obra no hay tanto un seguimiento de una línea dramática cuanto múltiples escenas pintorescas y divertidas. La aventura es un pretexto para el circo, y el texto contribuye a la situación, con múltiples palabras de valor meramente fónico, cacofónico, onomatopéyico y descriptivo. A este ambiente sirve Barbieri con una partitura llena de entretenimientos, danzas, bailables y chanzas. La música y la obra traslada al español de los setenta a un mundo lejano e irreal. Barbieri busca un lenguaje pintoresco, disparatado y apropiado a los protagonistas. Y hay muchos ejemplos de ello, cuando en la escena se presenta por primera vez Robinson lo hace con una polka, "Yo soy un joven muy guapo"; en la escena séptima se pide "aire de vito" para cantar "El aguardiente de caña", más adelante un zapateado "Al blanquito". El Nº 15 lleva el nombre de "Polka salvaje". La propia orquesta, bien trabajada, como siempre, por Barbieri, está tratada con una gran belleza colorística con instrumentos peculiares para narrar la escena; así al comienzo del tercer acto con una abundante presencia de la percusión: lira, triángulo, cencerros, pandereta, tantán, bombo, timbales, etc. Por fin los coros tienen una relevancia especial al servicio de un género que buscaba la presencia continua de masas en escena.

Más allá de estas peculiaridades, el entendimiento de *Robinson*, como el de gran parte de la lírica española del XIX, pero desde luego del género bufo, pasa por la comprensión de que no es tanto una obra lírica cuanto un espectáculo de entretenimiento, inverosímil, irreal e imaginativo. Su contenido, fórmulas y desenlaces son puro juego, su arma estilística la exageración.

Toda la prensa del momento coincidía en que el valor de la música era muy superior al del texto, en general criticado. Puesta en escena con gran lujo en vestuario y decorado, y con el propio Arderius haciendo el papel de Robinson, supuso un gran éxito económico viajando no sólo por las capitales de provincias, sino también prácticamente por todos los municipios que tenían un teatro y por varios países americanos.

Fuentes manuscritas. Tres partituras, una de ellas incompleta y otra firmada y con anotaciones del propio Barbieri, se conservan en el archivo SGAE en Madrid (TL-146). Otra partitura se conserva en la Biblioteca Nacional de Madrid. Los materiales de orquesta se conservan en el archivo de la SGAE en Madrid (1863).

Ediciones de música. Madrid, SMA, AR. Guitarra, Canción del capitán Tiburón, Coplas y Giga final, adap T. Damas, AR.

Ediciones del libreto. Madrid, José Rodríguez, 1870; 2ª ed., 1871; 3ª ed., 1872; 4ª ed., Alonso Gullón, 1873; 5ª ed., 1876; 6ª ed., Madrid, 1884.

BIBLIOGRAFÍA: *HZ*; E. Casares Rodicio: *Francisco Asenjo Barbieri. 1. El hombre y el creador*, Madrid, ICCMU, 1994.

EMILIO CASARES RODICIO

Robinson petit. Banquete [tiberi] de espectáculo cómico-lírico-bailable en dos actos. Música de "varios conocidos [y muy conocidos], y por conocer, vivos y muertos, católicos y judíos, forasteros y del país". Libreto de Josep Coll i Britapaja. Estrenado el 7 de diciembre de 1871 en el teatro Circo de Barcelona.

Personajes y reparto. Quimeta, reyna de la nariz (Cristina Curriols). Pona (Pepeta Matheu, soprano). Pepeta (Enriqueta Alemany). Francisqueta (María Quintana). Robinson (Eduardo Mollà, tenor). Garçon, gran sacerdote (Robert Torres). Manel, negro Domingo (Joaquim Roca). Matías (Jaume Salvadó). Acreedores (Tomás Sanfeliu, Ildefonso Ferrando). Carbonero (Jaume Salvadó).

Orquestación. Flautín, flauta, 2 oboes, clarinete, 2 fagotes, 2 trompas, 2 cornetines, 2 trombones, fliscorno, timbales, caja, bombo, platillos, triángulo y cuerda.

Argumento. *Acto I.* Barcelona, casa de Robinson. Un coro de acreedores quieren embargar las pertenencias de Robinson. Matías, a quien también debe dinero, les convence que será mejor prepararle una encerrona para su escarmiento. Pona, la mujer de Robinson –un figurón con modales abruptos–, atrae la atención de Matías; ella había conseguido casarse con Robinson a base de darle palizas. Garçon, un conductor de diligencias con acento francés, engaña a Robinson, haciéndole creer que en la isla de San Domingo del Sot, cerca de Vic, se ofrece una fortuna a quien consiga cazar a una rara bestia que diezma el ganado. Al tiempo, también engañan a Pona, prometiéndole que en la atrabiliaria isla la coronarán reina. Después de bailar una habanera y cantar un vito, entonan el "Brindis" de *La traviata*, mientras se van a Vic.

Acto II. Bosque de una masía en los alrededores de Vic. Los amigos y acreedores de Robinson se han disfrazado de indios, y construyen una choza, cerca de donde vive el negro Domingo –otro paralelismo con *Robinson Crusoe*– que es herbolario y atrapa sanguijuelas, en realidad su amigo Manel, también disfraza-

Cortesía de Unión Musical Ediciones SL

do. Pona ha sido nombrada reina, y Robinson cree que unas huellas son las marcas de una fiera antediluviana. Quimeta, disfrazada de reina, pretende casarse con Robinson, mientras bailan un bolero acompañándose con castañuelas. Los indios le hacen creer a Robinson que la reina le comerá, una vez se hayan casado. Él, que preferiría llevar una vida despreocupada de soltero, se ve nuevamente empujado a casarse, ahora en la ínsula inexistente. Antes de la boda, asisten a un desfile en su honor; le muestran un mono disecado, que hacen pasar por su retrato para evitar que la reina devore a Robinson. Pona, que ha estado presenciando la escena, no puede contener sus celos e irrumpe para impedir la boda. En la refriega llegan un par de individuos disfrazados de guardias civiles, acompañados de un carbonero, que acusa a Robinson de haberle disparado al confundirle con una fiera. Los guardias detienen a todo el mundo, acusándoles de ser unos estrafalarios insurrectos de la Comuna de París. Ante tal sarta de disparates se descubre la encerrona que ha de servir de escarmiento de Robinson y de Pona, y acaba la obra bailando y cantando una americana.

Cortesía de Unión Musical Ediciones SL

Números musicales. Acto I: Nº 1. Preludio y coro de acreedores, Matías, "Prou de retòriques, apa minyons". Nº 1bis. Coro. Nº 2. Salida de Robinson, "Sóc un jove de broma i de trueno". Nº 3. Robinson y Pona, "Ui!, *Questa donna convicete?*". Nº 4. Garçon, Matías y Pona, "En aquell país les dones ho són tot". Nº 5. Coro, vals, "La niña que a mí me quiere". Nº 6. Vito de Robinson y coro, "Doneu-me vins de la terra". Nº 7. Final 1º. Orquesta. Acto II: Nº 8. Francisqueta y coro, "Veniu, veniu, minyones". Nº 8bis. Orquesta. Nº 9. Americana de Manel y Robinson, "Sóc negre de rango ringo". Nº 10. Balada de Quimeta, "Una vegada era un rei". Nº 11. Marcha. Orquesta. Nº 12. Dúo de Quimeta y Robinson, "És molt guapet, Déu n'hidoret". Nº 13. Marcha, escena y concertante. Quimeta, Pepeta, Robinson, coro de solteras, coro de casadas, coro de viudas, cabo, Sorjas, coro de viejos, Garçon, coro de sacerdotes, "Fes la senyal i entri com cal tota la comitiva". Nº 14. Americana. Quimeta, Pepeta, Pona, Francisqueta y coro general, "Si els ha divertit l'embrolla".

Comentario. *Robinson petit* es una bufonada creada por Coll i Britapaja, inspirado de forma muy directa en el *Robinson* de Barbieri. En efecto, al cabo de un año del estreno madrileño, y después del éxito que el título de Barbieri consiguiera en Barcelona, Coll i Britapaja no dudó en pedir permiso para la adaptación. Según Palau y también según Rull, en la adaptación participó además J. Riera i Bertran. Los personajes, el Robinson endeudado y amante de la danza, su mujer –una "leona" de nombre y de carácter en la versión castellana como señala E. Casares– tienen su correspondencia en la versión catalana, al igual que un personaje, Garçon, que habla como afrancesado. Se redujo de tres a dos actos, cambió Liverpool por Barcelona, y la isla por un lugar rocambolesco cercano a Vic, la Cataluña interior, rural y patria de Verdaguer. Además de los tópicos bufos, las cacofonías, las onomatopeyas, las danzas y los bailables –la polka "Yo soy un joven muy guapo" procede directamente de Barbieri, así como el aire de Vito–, el texto contiene numerosas alusiones políticas y sociales del momento, así como citas de zarzuelas de éxito, como *L'apotecari d'Olot*. La ironía y la crítica política están presentes en la parodia de un discurso político, en las citas a un Madrid opuesto a Barcelona, en las citas a Víctor Balaguer, entonces ministro, a Ruiz Zorrilla, a la guerra de "los matiners", 1846-49, a la Comuna de París. Y además la parodia musical, cuando no cita textual. Al final del primer acto se cita *La traviata*, luego la balada de Quimeta resulta ser una parodia de la "balada del rey de Thule" del *Fausto* de Gounod. Aún así, Robinson Petit se convirtió en una pieza de gran éxito. Se editó un aleluya que resumía la acción y reproducía someramente las decoraciones y vestuarios; se publicaron algunos fragmentos, con una originalidad que no era habitual si se compara con el resto de las zarzuelas catalanas de esos años.

Fuentes manuscritas. Los materiales de orquesta se conservan en el archivo de la SGAE en Barcelona.

Ediciones de música. Canto y piano, Vito, Sortida, Vals, Juan Budó y VR, *ca.* 1900.

Ediciones del libreto. 1ª y 2ª ed., Barcelona, Imp. Salvador Moreno, 1871; 3ª ed., 1872.

FRANCESC CORTÈS i MIR

Robledo Cesáreo, Manuel. España, siglo XX. Compositor. En el archivo de la SGAE en Barcelona se conservan algunas obras líricas de este autor, que parece de origen valenciano, pues la mayor parte de los estrenos se produjeron en Valencia, e incluso alguna de ellas está escrita en valenciano.

OBRAS (Todas en *E:Bsa*): *Arrop i tallaetes*, 1 act, l, A. Sendín / M. Soto, est, 22-XI-1938, Valencia; *Fieramar*, 1 act, l, López del Valle / R. Alcañiz, est, 17-VII-1934, Te. Valencia; *La enamorada molinera*, 1 act, l, D. A. López; *Roasa de taller*.

Mª LUZ GONZÁLEZ PEÑA

Robles, Juan. España, siglos XIX-XX. Barítono. En 1889 estrenó con gran éxito en el teatro Español *Vida y milagros de San Isidro Labrador* de Cobeña, y en 1891 en Eslava, *¡Las dos menos cuarto!* de Brull. En la primera década del siglo XX trabajó en el Cómico donde estrenó *El dinero y el trabajo* de Vives y Saco del Valle, siendo muy alabado su dúo con Antonia Arrieta, *La reina del couplet* de Foglietti, *La gatita blanca* de Giménez y Vives y *El maestro Campanone* de Mazza. Se le alababa por su técnica de canto y hablado y se reconocían en él cualidades de las que solían estar faltos los artistas de zarzuela. En 1907 actuaba en el teatro Circo de Cartagena donde se volvió a resaltar que cantaba y declamaba de manera excelente.

Mª LUZ GONZÁLEZ PEÑA

Robles, María Esther [María D'Attili]. Fajardo (Puerto Rico), 6-I-1926; San Juan, 11-II-1993. Soprano y docente. Estudió en el Instituto Politécnico de Puerto Rico, San Germán, participando como solista en la Masa Coral dirigida por Bartolomé Bover. Posteriormente en la Escuela Juilliard en Nueva York, consolidando sus conocimientos de interpretación vocal con maestros particulares. Su debut en el escenario profesional neoyorquino fue en una producción de la zarzuela *La leyenda del beso* de Juan Vert, en el City Center en 1948. Tuvo una carrera internacional y estableció una activa academia de canto en Puerto Rico en los años cincuenta, y empezó a producir excelentes voces que han influido en la historia de la vida de la zarzuela en Puerto Rico.

Discípulos suyos son Justino Díaz, Pablo Elvira, Juan Soto, Evangelina Colón, Elaine Arandes, Margarita Castro Alberty y Marta Márquez, todos activos internacionalmente.

BIBLIOGRAFÍA: *DMEH.*

VÍCTOR SÁNCHEZ SÁNCHEZ

Robles, Susano. México, siglo XX. Compositor y clarinetista. Es autor de varias zarzuelas que se estrenaron en México, como *El fuereño,* 1900, revista con letra de Buxó; en este mismo año estrenó *C.B.D.O.P.B.T.,* con letra de Rafael Medina y con poco éxito. En 1904 *La pesadilla de Cantolla* con libreto de Rafael Medina.

BIBLIOGRAFÍA: *RHTM.*

VÍCTOR SÁNCHEZ SÁNCHEZ

Robreño. Familia de actores y autores cubanos de origen puertorriqueño, formada por los hermanos Francisco y Gustavo, y Carlos y Eduardo, hijos de Gustavo.

1. Robreño Fuente, Francisco. Puerto Rico, 1871; La Habana, 5-IV-1921. Autor y director teatral. Desde su niñez, en compañía de su familia viajó a Cuba donde residió desde entonces. Siendo descendiente de cinco generaciones de hombres de teatro, muy pronto se vinculó a este medio, laborando primeramente como apuntador y luego como autor y director del teatro Alhambra, donde estrenó las mejores obras de su catálogo, escritas en coautoría con su hermano Gustavo. La primera de éstas, la zarzuela *El censo o Percance de un enumerador,* se estrenó en 1899. La bien elaborada estructura argumental e hilaridad lograda en sus libretos le permitieron alcanzar gran éxito, no sólo en aquél sino en otros importantes teatros de La Habana como el Payret y el Nacional. *Véase* NAPOLEÓN.

2. Robreño Fuente, Gustavo. Pinar del Río (Cuba), 18-XII-1873; La Habana, 11-III-1957. Actor, autor y director teatral. A los doce años se integró a la compañía de Justo Soret. En 1890 comenzó a trabajar en el teatro Alhambra, donde adquirió renombre. Viajó a España, residiendo en este país durante seis años, escribiendo en los semanarios *Gil Blas* y *El Teatro.* A su regreso a Cuba en 1898 se reincorporó a la compañía de Regino López en el Alhambra. Un año después estrenó su primera obra, *Huyendo del bloqueo.* Desde entonces, sus libretos fueron grandes éxitos de taquilla. Como actor genérico, realizó caracterizaciones magistrales de personajes como Napoleón, Tita Ruffo, Freyre de Andrade y García Kohly, entre otros. Su gran ductilidad, vis cómica y perfección en la actuación, lo convirtieron en uno de los actores más completos de su época. Escribió en colaboración con su hermano Francisco un amplio catálogo de obras, de las cuales muchas alcanzaron

gran éxito. Una de ellas, *Tin Tan te comiste un pan o El velorio de Pachencho* de Manuel Mauri y estrenada en 1901, fue una de las zarzuelas que mayor número de veces se presentó en escena. Sus obras se estrenaron en los más importantes teatros de la capital. *Véase* NAPOLEÓN.

3. Robreño, Carlos. La Habana, 25-III-1903; Estados Unidos, 1972. Libretista. Se inició como libretista en 1926, estrenando en el teatro Alhambra su apropósito *Enseñanza modelo,* con música de Jorge Anckermann. Junto con este compositor desarrolló un amplio trabajo de colaboración, realizando numerosas revistas y sainetes, entre los que destacan *El año nuevo turista, La prórroga de poderes, Serpentinas y confettis, Las Olimpiadas, La serie mundial* y *Cuentos y más cuentos,* así como los sainetes *Mersé* y *La huelga de médicos,* que alcanzaron gran éxito y que lo afianzaron como un destacado escritor del género. Durante varios años permaneció en el Alhambra, laborando posteriormente con la compañía del teatro Martí, donde comenzó en 1931 con las puestas en escena de las revistas *Estampas habaneras* y *La reforma del calendario,* con música de Eliseo Grenet, y donde estrenó gran parte de sus obras, la mayoría de éstas dedicadas a la sátira política. Destacan entre otras *Murió el cochino, El triunfo de Roosevelt, Bolas, La conferencia de Montevideo, La caída del César, Los exploradores del 33, Oh, very well, Los maculados, Manda más y manda menos* y *Rojo, verde y amarillo;* las zarzuelas *El gran desfile* y *El proceso de Dolores;* los apropósitos *Los escrutinios* y *Los últimos días de Pompeya,* todas con música de Rodrigo Prats, con quien colaboró en más de ciento cincuenta obras, entre revistas, apropósitos, sainetes, entremeses y zarzuelas. Sus libretos también fueron puestos en música por otros compositores como Gilberto Valdés, con el entremés *El secuestro de Falla;* Paquito Agüero con la revista-sainete *Mangamos con las botas puestas;* Jehová Ruiz con la revista *Cuidado con los bombones;* Pedro Justiz (Peruchín) con los sainetes-revistas *Los amiguitos de Carlos, Ahí viene la bola, Don Juan pistola y Luis Metralla* y *La danza de los ladrones;* y con Rafael Betancourt en *Plaga de Pasquines.* En la radio tuvo una destacada participación como autor humorístico en las emisoras RHC Cadena Azul y C.M.Q., así como en la televisión. Después de haber estrenado sus obras en los más importantes teatros de la capital, conquistó en 1959 nuevos lauros en el teatro Martí con los estrenos de *El general huyó al amanecer, ¿Voy bien, Camilo?* y *Un premier con toda la barba,* todas estas de Rodrigo Prats. Su última obra estrenada fue la revista *Productos nacionales* con música adaptada por Rodrigo Prats. Más tarde residió en el extranjero, donde falleció.

4. Robreño, Eduardo. La Habana, 23-IX-1911; La Habana, 24-VI-2001. Autor teatral, periodista, profesor e historiador. Se inició en el teatro como cantante aficionado, participando posteriormente como locutor y animador en diferentes emisoras de radio. En 1959 debutó como autor teatral con la obra *El último mosquetero*, que obtuvo un premio en el Concurso Nacional José Antonio Ramos. Durante la década de los sesenta trabajó como periodista en importantes publicaciones periódicas del país, tales como las revistas *Bohemia* y *Verde Olivo*, así como los periódicos *Juventud Rebelde*, *Tribuna de la Habana* y *Trabajadores*. Obtuvo varios premios por sus obras teatrales *La palabra se hizo realidad* –relacionada con la alfabetización- y *La abuela Cacha*, de 1962 y 1963, respectivamente. Fue además director artístico del Grupo Jorge Anckermann del teatro Martí. Escribió su primer libro en 1961 *La historia del teatro popular cubano*, al que siguió *Cualquier tiempo pasado fue…*, 1978, *Antología del teatro Alhambra*, 1979, *Como me lo contaron te lo cuento*, 1985 y *Escrito en este papel…*, 1989. Aunque su catálogo de obras teatrales es breve, su gran éxito de público lo fue *Quiéreme mucho*, basada en la vida del libretista Agustín Rodríguez, con música de Gonzalo Roig, y que se mantuvo en cartelera durante un año a teatro lleno en el Martí. Al morir, dejó su última obra sin estrenar, *Siempre en mi corazón*, basada en la vida de Ernesto Lecuona.

BIBLIOGRAFÍA: A. Lázaro: "Gustavo Robreño, o del viejo al nuevo Payret", *Carteles*, La Habana, VIII-1951; G. Barral: "Gustavo Robreño es un criollo ejemplar", *Bohemia*, La Habana, 4-III-1957; E. Robreño: *Historia del teatro popular cubano*, La Habana, Oficina del Historiador, 1961; E. Robreño: *Como lo pienso lo digo*, La Habana, UNIÓN, 1985.

JOSÉ PIÑEIRO DÍAZ

Roca, Gabriela. Madrid, siglo XIX. Tiple. Estudió en el Conservatorio de Madrid donde fue alumna de Inzenga y comenzó su carrera como tiple cómica. Pasó luego a Málaga donde actuó durante toda una temporada con Elisa Zamacois y Tirso Obregón, entre otros. Volvió a Madrid para estrenar en el teatro de la Zarzuela *La tempestad* de Chapí, interpretando a Roberto, realizando una gran interpretación de dicho personaje. Siguió cantando en Madrid durante cinco años con algunas giras a Barcelona y Lisboa, siempre con éxito. En 1885 formaba parte de la compañía de Manuel Fernández Caballero que embarcó para Buenos Aires. Finalizada la gira, regresó a Madrid donde obtuvo un gran éxito con *El gran Mogol* y realizó a continua-

Gabriela Roca (Foto: La Música Ilustrada, *1900; Ar. E. Casares)*

ción una tourné por provincias, que interrumpió para volver a Buenos Aires donde se retiró con una gran fortuna. Sin embargo, la crisis que vivió Argentina la hizo volver al teatro en 1895 y cantó entonces *La Dolores* de Bretón y *Mujer y reina* de Chapí. En ambas fue muy aplaudida pero sobre todo en la obra de Bretón, que llegó a interpretarse en tres teatros distintos y Gabriela Roca llegó a las cien representaciones de dicha obra. En 1900 se encontraba en Barcelona donde triunfaba en el teatro Tívoli. En su repertorio figuraban *Jugar con fuego*, *El anillo de hierro*, *La guerra santa*, *La tempestad*, *El milagro de la Virgen*, *Marina*, *El juramento*, *El rey que rabió*, *Los diamantes de la Corona* y la ya citada *La Dolores*.

BIBLIOGRAFÍA: *La Música Ilustrada*, 32, Barcelona, 15-IV-1900.

Mª LUZ GONZÁLEZ PEÑA

Roca Roca, Josep. Tarrassa (Barcelona), 1848; Barcelona, 1924. Crítico, escritor y periodista. Como periodista, trabajó en *El Calendari Cátala*, *Lo Gai Saber*, *La Renaixença*, y en publicaciones dedicadas a la sátira política como *La campana de Gràcia* y *L'Esquella de la Torratxa* de las que fue director durante los años 1871-1901 y 1878-1908, respectivamente. Se vinculó al importante grupo de escritores del movimiento de la Reinaxença. Además de varias obras cómicas y dramáticas, escribió el libreto de varias zarzuelas, como *La criada*, *Joc de nois*, *Micos* y *Per retroces*.

BIBLIOGRAFÍA: *DMEH*.

FRANCESC CORTÈS i MIR

Rodrigo, Raquel [Raquel Rodríguez López]. La Habana, 11-III-1915. A los seis años vino con sus padres a España, instalándose en Madrid donde estudió declamación, canto y baile. Muy joven comenzó su andadura artística convirtiéndose en una de las estrellas cinematográficas de los años treinta, siendo una de las cantantes que más zarzuelas ha interpretado en la pantalla: *Doña Francisquita*, dirigida por Hans Behrendt, 1934; *El niño de las monjas* de José Buchs, 1935; *La verbena de la Paloma* de Benito Perojo, 1935; *La reina mora* de Eusebio Fernández Ardavín, 1936; *El rey que rabió* de José Buchs, 1939, así como una versión de la ópera de Rossini *El barbero de Sevilla*, dirigida en Berlín por

Raquel Rodrigo y Ramón Peña (Foto: Ar. Emilio G. Carretero)

Benito Perojo en 1938. Unas veinticinco películas avalan el trabajo de esta artista que compaginó los platós con los escenarios en los que interpretó todos los géneros, desde el drama a la comedia pasando por la revista –en la que hizo célebre títulos como *Doña Mariquita de mi corazón*, *El hombre que las enloquece* o *Buscando un millonario*–, o la zarzuela con estrenos como *Lolita Dolores* de Moreno Torroba, Calderón, 1946, o *El duende azul* de Moreno Torroba y Joaquín Rodrigo, Calderón, 1946, si bien dos de sus espectáculos más recordados son *Te espero en Eslava* y *Ven y ven al Eslava* –antológicos de la historia de este teatro madrileño– que Luis Escobar dirigió a finales de los años cincuenta. Grabaciones de discos e infinidad de programas de televisión completan en trabajo de Raquel Rodrigo que a finales de los años noventa reapareció en el cine con la ópera prima de Fernando León, *Familia*.

FONOGRAFÍA: *Doña Mariquita de mi corazón*, Blue Moon Serie Lírica, BMCD 7545.

EMILIO GARCÍA CARRETERO

Rosita Rodrigo (Foto: Ar. SGAE)

Rodrigo, Rosita. España, †196?. Soprano. Triunfó en Valencia como tiple de zarzuela, pero el suicidio de un admirador la llevó a Madrid y allí la contrató Manuel Sugrañes para el Cómico del Paralelo barcelonés. En la dictadura de Primo de Rivera fue la artista mimada de Barcelona junto a Miss Dolly, la reina del charlestón. En su madurez fue actriz de comedia. En 1924 la contrató el teatro Apolo para cantar *Doña Francisquita*. Interpretó también *La montería* y estrenó *Arco Iris* de Benlloch.

EMILIO GARCÍA CARRETERO

Rodrigo Bellido, María. Madrid, 20-III-1888; Puerto Rico, 1967. Compositora y pianista. Estudió con su padre, el navarro Pantaleón Rodrigo, y realizó estudios en el Conservatorio de Madrid: piano con Tragó, armonía con Arín y composición con Serrano. Posteriormente se trasladó a Múnich donde estudió orquestación con Beer Wallermm, y se adscribió a la escuela alemana de composición. Pertenece a la denominada Generación de los Maes-

María Rodrigo (Foto: Ar. fotográfico Círculo de Bellas Artes)

tros, y una buena parte de su obra se produjo a lo largo de los años previos a la Guerra Civil, partiendo después para América. El estilo de su obra pertenece fundamentalmente al nacionalismo español. Además de autora de abundante obra instrumental, muy pronto inició su presencia en el teatro musical con *Becqueriana*, 1915, a la que siguieron *Diana Cazadora* y otras.

OBRAS (Todas en *E:Msa*): *Diana cazadora o Pena de muerte al amor*, Zarz cóm, l, S. y J. Álvarez Quintero, est, 19-XI-1915, Te. Apolo; *La reina amazona*, l, R. Martínez / J. Téllez; *La romería del rocío*; *Las hazañas de un pícaro*, l, P. Muñoz Seca / P. Pérez Fernández, est, 16-IV-1920, Te. Apolo.

BIBLIOGRAFÍA: *DMEH*; *TA*.

EMILIO CASARES RODICIO

Rodrigo Vidre, Joaquín. Sagunto (Valencia), 22-XI-1901; Madrid, 6-VII-1999. Compositor. Ciego desde los tres años de edad, comenzó sus estudios musicales en Valencia. Tras conseguir una mención de honor en el Premio Nacional de Música de 1925 por su obra orquestal *Cinco piezas infantiles*, se matriculó en la École Normale de Musique de París donde amplió su formación como compositor con Paul Dukas entre 1927 y 1932. En 1933 se casó con la pianista sefardí Victoria Kamhi y, tras la quiebra de sus familias, vivieron apuros económicos que causaron, en 1934, su separación. Tras la reunión de nuevo con su esposa, lucharon por la consecución de la Beca Conde de Cartagena que, finalmente, gracias a la intercesión de Manuel de Falla, le fue concedida; regresaron a París en 1935. Compaginó entonces la composición con el estudio con Dukas y la asistencia a las clases de Maurice Emmanuel en el Conservatorio de París y de André Pirro en la Universidad de la Sorbona. Después de la Guerra Civil, que pasó asilado en un instituto para ciegos de Friburgo, la formación académica adquirida en París le permitió presentarse en España como "Compositor y Profesor de Historia de la Música" en los primeros Cursos de Verano de Santander celebrados en julio de 1939. A partir del estreno del *Concierto de Aranjuez* en 1940, establecido ya en Madrid, se convirtió en el músico más importante de España. Durante el tiempo de su madurez creativa, desarrolló una actividad frenética componiendo sin pausa a la vez que trabajaba como asesor musical de Radio Nacional donde se encargaba de editar una revista, profesor de Historia de la Música en la Universidad Complutense, directivo de la ONCE y crítico musical en los diarios *Pueblo* y *Marca*.

Fue en la década de 1940 cuando Joaquín Rodrigo realizó su primera incursión en el terreno de la lírica popular. En colaboración con Federico Moreno Torroba, uno de los principales compositores de zarzuela de aquellos años, estrenó la opereta *El duende azul* en el teatro Calderón de Madrid, el 22 de mayo de 1946, con una compañía que había formado Marcos Redondo. El título de esta opereta debió generar diferencias en las ya de por sí difíciles relaciones de Moreno Torroba con el otro gran zarzuelista del tiempo, Pablo Sorozábal, ya que "El duende azul" era el seudónimo de alguien –Sorozábal siempre lo atribuyó a la órbita de Moreno Torroba– que había publicado infundios contra él en las columnas de la falangista revista *Vértice*. El día antes del estreno, el diario *Arriba* publicaba una entrevista con Rodrigo en la que éste procuraba dejar claro cuál había sido su aproximación al género: "–¡Por Dios! Para mí ha sido un pasatiempo y una diversión. He pescado alegremente mis valses y mis rumbas en la calle, en el tranvía, en cualquier parte. Mas no crea que juzgo fácil y baladí el escribir buenos números de opereta. La conocida frase *nadie sabe lo que cuesta un minué* es aplicable a estos graciosos numeritos que por algo gustan y se adueñan del público. *El duende azul* viene a ser una floración retrasada de mis años juveniles de París y de Viena". Pero *El duende azul* no era la opereta fina de principios de siglo, sino el género arrevistado que se imponía en estos años con su máximo atractivo cifrado en el despliegue de viceTiples y en el ritmo pegadizo de los cantables de moda. Esta revista camuflada de zarzuela era el género que, con sus ocasiones para músicas diversas, artificialmente ligadas en un argumento de fantasía, mejor se podía prestar a colaboraciones por acumulación de números musicales, y eso fue lo que hicieron Rodrigo y Moreno Torroba a costa de cualquier trabajo en el nivel dramático de la obra. Antonio Fernández-Cid, que entonces se iniciaba en la crítica periodística en las columnas del diario *Arriba*, destacó el estreno en los siguientes términos: "Dos ilustres músicos españoles, Federico Moreno Torroba y Joaquín Rodrigo, firman la partitura de la opereta *El duende azul*. No creo que nadie pueda ofenderse si afirmo que en este maridaje se centró la indudable expectación que el estreno ha despertado en Madrid. En efecto, una vez más el público supo captar, resaltándolo, aquello digno de especialísimo interés. Porque, desde el punto de vista interpretativo y por lo que afecta al libreto, *El duende azul* no pasa de los límites de la estricta discreción exigibles mientras que la música aúpa considerablemente la nueva producción". Lo cierto es que esta empresa no tuvo apenas éxito y que todas las expectativas –las de los compositores, las del público y las de la crítica–, de algún modo, se vieron defraudadas. Aún así, de la misma manera que

Joaquín Rodrigo, Madrid, 1945 (Foto: Colección Andrada; Ar. SGAE)

decepcionó el resultado teatral, la música llamó positivamente la atención. Si la finura melódica de Moreno Torroba era bien conocida y estimada, no lo era tanto la inspiración de Rodrigo para la cancionística, un género que cultivó siempre con la mayor devoción y en el que la crítica señala el conjunto más sobresaliente de todo su catálogo. En este sentido, dos romanzas que compuso Rodrigo para *El duende azul*, –"La canción de mi vida" y "El mar me llama"– fueron bien recibidas por el público madrileño, siempre tan reacio a las intrusiones de los músicos sinfónicos en su espacio de diversión; pero, a fin de cuentas, la experiencia de Rodrigo en el género teatral dejó bastante que desear y, después de dos años de reflexión, una entrevista concedida al crítico del diario *Informaciones* (24-IV-1948) deja entrever cuál fue el sentir del compositor al respecto y revela unas buenas claves de su acercamiento a la lírica popular: "Lo poco que para el teatro he hecho era realmente mezquino. ¡Qué sé yo! ¡No siento lo frívolo! Pero… Ahora me ofrecen algo que puede ser interesante y me está haciendo dudar. Federico Romero y Guillermo Fernández Shaw han escrito una original obra de teatro que viene a ser una revisión –que no revista– de nuestro Madrid de ayer y de anteayer. Y quieren que yo le ponga música. ¿A ti qué te parece?". No hubo nada de esta posible colaboración y el siguiente proyecto lírico de Joaquín Rodrigo que sí llegó a término fue *El hijo fingido*, una comedia lírica con vuelos de ópera sobre un libreto de Jesús María de Arozamena basado libremente en una comedia de Lope de Vega con la que Rodrigo trata, de alguna manera, de producir en el agonizante género zarzuelístico de los años cincuenta el mismo efecto revulsivo de revitalización que en los años treinta produjo *Doña Francisquita* de Vives sobre el libreto, precisamente basado también en un argumento lopesco escrito por Romero y Fernández Shaw. La obra se compuso para un concurso de composición convocado en 1954. No resultó premiada y su estreno, tras una profunda revisión del libreto realizada por Victoria Kamhi, se produjo una década después de su composición original, el 5 de diciembre de 1964 en el teatro de la Zarzuela, constituyendo el último intento de Rodrigo en el terreno de la lírica popular y, probablemente, la última zarzuela grande de la historia de un género que había nacido en ese mismo teatro hacía ya más de un siglo.

En la etapa final de su carrera como compositor, que se prolongó hasta 1982, Rodrigo escribió música

gracias sobre todo al interés que ésta suscitaba en el mundo anglosajón, no volviendo a la creación de teatro lírico. *Véase* EL HIJO FINGIDO.

BIBLIOGRAFÍA: *DMEH*; V. Kamhi: *De la mano de Joaquín Rodrigo. La historia de nuestra vida*, Madrid, Ed. Joaquín Rodrigo, 1995; J. Suárez-Pajares: "Joaquín Rodrigo: del sinfonismo a la escena", *El hijo fingido*, programa, Madrid, Teatro de la Zarzuela, 2001; R. Sobrino Sánchez: "Hacia un neocasticismo lírico en la obra de Joaquín Rodrigo: *El hijo fingido*", *ibíd.*; D. Gavela García: "Variaciones para corral y zarzuela. Lope de Vega y *El hijo fingido*", *ibíd.*; J. Suárez-Pajares (ed.): *Centenario Joaquín Rodrigo. El hombre, el músico, el maestro*, Madrid, INAEM-Ministerio de Educación y Cultura, 2001.

JAVIER SUÁREZ-PAJARES

Rodríguez. Familia de cantantes españoles de origen cubano formada por Lino y sus hijas Olvido y Blanca.

1. Lino. Cuba, siglo XIX; España, siglo XX. Actor cómico, cantante y autor. No se conoce su actividad en Cuba, pero en la primera década del siglo XX ya se encontraba actuando en España. Debutó en diciembre de 1907 en el teatro del Duque de Sevilla con la compañía de Eugenio Casals con la que estrenó en 1909 *¡Los mihuras!* de M. Polié. En años posteriores desarrolló una gran actividad en la región levantina donde estrenó *Molinos de viento*, *El conde de Luxemburgo* o *La corte de faraón*. En 1913 estrenó en el Martín *¡Hay que picarlas!* de Matute y Quislant y en 1916 en el teatro Nuevo de Barcelona *De maniobras* de Pascual Parera. En 1917 estrenó con gran éxito en el teatro de la Zarzuela *El tesoro* de Amadeo Vives. El éxito fue casi comparable al de *Maruxa*, aunque la obra haya caído en el olvido. En octubre de 1917 estrenó en el Martín *El eterno sinvergüenza* de Quislant y Matute. En 1924 en el teatro Martín *Que viene la guardia* de Guerrero junto a Sara Fenor, Arturo Lledó y Luis Bori. La temporada 1924-25 fue contratado por el teatro Apolo en el que cantó *El niño judío* y estrenó *Calixta la prestamista o El niño de Buenavista* de Luna, *Don Quintín el amargao* de Guerrero y *Encarna la misterio* de Soutullo y Vert. Permaneció en Apolo las tres temporadas siguientes estrenando, entre otras obras, *La calesera* de Francisco Alonso, *El sobre verde* de Guerrero, *La vaquerita* de Rosillo, *La hora de la verdad* de Guerrero y Estela, *Seguidilla gitana* de Ángel Barrios, *Las alondras* de Guerrero y *La chula de Pontevedra* de Luna y Bru. Cuando el teatro Apolo se cerró definitivamente para ser derribado, pasó a dirigir la compañía del teatro Maravillas y mientras actuaban en Novedades, el teatro se incendió. La compañía volvió al Maravillas con zarzuela y revista, estrenando *La guita* de Alonso, pasando posteriormente al teatro Eslava donde estrenó *La bomba* de Alonso, y *¡Abajo las coquetas!* de Guerrero. Posteriormente se pasó a la comedia y así en la temporada 1930-31 volvió a la Zarzuela como

actor en la compañía García León-Perales. En 1931 estrenó *La fama del tartanero* de Guerrero en el teatro Calderón, *¡Campanas al vuelo!* de Alonso en el teatro Fuencarral, *Las mimosas* de Rosillo en el Maravillas. En 1931 se estrenó en el teatro Maravillas *El as de copas*, escrita en colaboración con Ricardo González del Toro y con música de los hermanos Fernando y Manuel Ruiz Arquelladas. Escribió también un comedia, *Los afanes de un barbero*.

FONOGRAFÍA: *¡Abajo las coquetas!*, Sonifolk 20133; *La blanca doble*, Sonifolk 20133; *Los bullangueros*, Sonifolk 20133.

2. Olvido. Sevilla, 7-III-1910; Madrid, 8-VIII-1996. Tiple cómica, vedette, actriz y pianista. Se trasladó a Barcelona muy niña y allí comenzó su educación artística. Poco después se trasladó a Madrid y debutó a los trece años, en el teatro Apolo como corista en la compañía de zarzuela de Mario Victoria, en la que un par de temporadas más tarde sustituyó en *El huésped del Sevillano* a la tiple cómica Rosario Leonís con éxito más que satisfactorio. Su espectacular físico la llevó prontamente a la opereta y la revista en la que consiguió uno de sus primeros éxitos al estrenar *Las mujeres de la cuesta* de Guerrero en el teatro Martín, 1926. En 1928 formaba

Olvido Rodríguez
(Foto: Ar. Emilio G. Carretero)

parte de la compañía titular del teatro Maravillas, dirigida por su padre, que se encontraba trabajando en el teatro Novedades cuando el 23 de septiembre, representando *La mejor del puerto* de Alonso, un incendio destruyó el teatro. La compañía regresó a su local titular donde hicieron un repertorio de zarzuelas y revistas entre las que destacaron las de Francisco Alonso *Las cariñosas* y *La Magdalena te guíe*. En 1929 seguía Olvido de la mano de su padre, en el teatro Eslava, interpretando diversos papeles de más o menos relevancia en *El ceñidor de Diana*, *Enseñanza libre*, *La alegre trompetería* o *La bomba* de Alonso, que protagonizó Celia Gámez, que había de ser importantísima en su carrera. Junto a la artista argentina estrenó la obra de Guerrero *Las tentaciones*, Pavón, 1932, la de Alonso *Las de Villadiego*, Pavón, 1933 y la de Pablo Luna *Los inseparables*, Maravillas, 1934. En este teatro estrenó en 1935 *Las ansiosas* de Luna y Azagra, y en el mismo año en el Coliseum *¡Hip!, ¡Hip!, ¡Hurra!* de Guerrero, del que estrenó al año siguiente y en el mismo teatro *¡Allo, Hollywood!* En 1939 la contrató Cifesa para rodar *Los cuatro Robinsones*, pero volvió al género lírico y así en 1940 era primera tiple cómica del Coliseum de Madrid en la compañía de Guerrero, del que estrenó *¡Ay, qué niña!*.

Desde los primeros años cuarenta alternó opereta y revista con la comedia debutando en 1941 en la compañía Salvador Soler-Mari y Milagros Leal, llegando a tener su propia compañía, con la que mediados los cuarenta trabajó en teatros como la Comedia o la Zarzuela. Regresó a la opereta con Celia Gámez para estrenar en el Alcázar *La estrella de Egipto* de Moraleda, 1947, y *La hechicera en palacio* de Padilla,1950; después estrenó en el Álvarez Quintero –antes Fontalba– *Los cuatro besos* de Alguero, regresando en 1954 a la comedia para estrenar junto a Fernando Fernán Gómez, la obra de Miguel Mihura *El caso del señor vestido de violeta*, que representaron por toda España durante más de un año. Nuevamente con Celia Gámez estrenó la opereta de Francis López *El águila de fuego*, Maravillas, 1956, y *La estrella trae cola*, Zarzuela, 1960, especie de antología de los mejores números de los grandes espectáculos de la Gámez para la que fue un éxito en el que tuvo parte importantísima Olvido Rodríguez que prácticamente se despidió del teatro con este espectáculo.

3. Blanca. España, siglo XX. Tiple cómica. No llegó a tener la importancia de su hermana pero participó en diversos estrenos, generalmente junto a ella o junto a su padre, con los que actuaba en *La mejor del puerto* de Alonso en el teatro Novedades cuando este se incendió en 1928. Estrenó *Las guapas* de Alonso, Eslava, 1930 y *La niña de La Mancha* de Rosillo, Romea, 1931.

BIBLIOGRAFÍA: *TA*; E. García Carretero: *Historia del teatro de la Zarzuela de Madrid*, Madrid, Fundación de la Zarzuela Española, 2003.

Mª LUZ GONZÁLEZ PEÑA / EMILIO GARCÍA CARRETERO

Rodríguez, Adelaida [Adela]. España, siglo XIX. Contralto. Fue contratada por el teatro del Circo en la temporada 1862-63, con el sueldo de 1800 reales, y se presentó en la obra de Arrieta *La tabernera de Londres*; ese mismo año estrenó *La niña de nieve* de A. Reparaz. En la década de 1970 apareció en el teatro Apolo estrenando obras como *Los contrabandistas* de Cereceda o *El salto del Pasiego* de Caballero. Formaba parte de la compañía que en 1880 actuó en los teatros de Lisboa y Oporto.

BIBLIOGRAFÍA: *HGZ*.

EMILIO CASARES RODICIO

Adelaida Rodríguez
(Foto: E:Mn)

Rodríguez, Agustín. Galicia, 27-VIII-1885; La Habana, 2-X-1957. Autor teatral. En 1901 fue a residir a Cuba, en compañía de un tío. La lectura de obras escénicas clásicas, así como sus frecuentes visitas a las funciones del teatro Alhambra, incentivaron su afición al teatro, y le ofrecieron un completo dominio del costumbrismo criollo. Su primera incursión en la vida teatral la hizo como apuntador, en la compañía de José López Ruiz, y en otras que recorrieron el interior del país. Su primera obra fue el juguete *Cuba se hunde*, escrita en 1908. Cinco años más tarde obtuvo su primer gran éxito con el sainete *Ramón el conquistador*. Durante diecinueve años llenó las carteleras del teatro Alhambra, junto a Federico Villoch y Gustavo Robreño, constituyendo la tríada de saineteros más aplaudidos y populares de Cuba. En 1932 formó su propia compañía en el teatro Martí, donde realizó su mayor aportación como libretista. Se destacó como director artístico y empresario. Fecundo escritor llegó a estrenar más de cuatrocientas obras, entre sainetes, comedias líricas, zarzuelas, entremeses, juguetes cómicos y revistas, con música de Luis Casas Romero, Isidro Laguna, Ernesto Lecuona, Santiago Sampol, Eliseo Grenet y Horacio Monteagudo, siendo Jorge Anckermann, Gonzalo Roig y Rodrigo Prats, los compositores con quienes más colaboró. Su última obra fue la revista *Ritmos de ayer*, escrita en 1953. *Véase* AMALIA BATISTA; CECILIA VALDÉS.

BIBLIOGRAFÍA: P. Meluzá: "Agustín Rodríguez: una vida dedicada al teatro", *Avance*, La Habana, 2-IX-1957; C. Robreño: "Falleció Agustín Rodríguez", *El Mundo*, La Habana, 3-X-1957.

JOSÉ PIÑEIRO DÍAZ

Rodríguez, Ana. España, siglo XIX. Tiple. Aparece como dama joven en la compañía del teatro de la Zarzuela en 1857, hasta 1860. En 1861 estrenó en dicho teatro la obra de Rogel, *Los peregrinos*. En 1867 apareció en el teatro Principal de Málaga en el estreno de *Por un capricho* de Tomás Gómez. Todavía en 1899 actuaba en el Apolo en la obra de Giménez *La familia de Sicur*.

BIBLIOGRAFÍA: *HGZ*; *HZ*.

EMILIO CASARES RODICIO

Rodríguez, Antonia. Málaga, siglos XIX-XX. Tiple cómica. Actuó fundamentalmente en Andalucía donde su gracia y belleza la hicieron muy popular. Estrenó en Málaga la zarzuela *Se aguó el viaje* de Postigo, Acejo y Julio Navalón y se retiró al contraer matrimonio con un industrial malagueño apellidado Suárez.

BIBLIOGRAFÍA: F. Cuenca: *Teatro andaluz contemporáneo. 2. Artistas líricos y dramáticos*, La Habana, Maza, 1940.

Mª LUZ GONZÁLEZ PEÑA

Rodríguez, Elena. España, siglos XIX-XX. Tiple. En 1888 estrenó en el teatro Eldorado de Barcelona *La panadera* de Alberto Cotó y en 1895 en Eslava *El señor corregidor* de Chapí. En la temporada 1896-97 debutó en el teatro Apolo, en *El tambor de Granaderos* de Chapí. En 1899 debutó en el teatro Principal de México con *La viejecita* y *Agua, azucarillos y aguardiente*, en las que gustó mucho, según Manuel Mañón, "por su simpatía y donaire". Poco después estrenó *La flor de Lis* de Chapí y las zarzuelas mexicanas *La mariposa* de Jordá y *Las instantáneas*, en la que popularizó el número de las mariposas junto a Luisa Obregón. *Instantáneas* alcanzó tal éxito que por primera vez en México una obra hubo de ponerse en funciones de tarde y noche. En 1907 fue contratada en el teatro Circo de Cartagena, sustituyendo a Clotilde Rovira en *Carceleras* y *La czarina*.

Elena Rodríguez (Foto: Broquier en Nuevo Mundo, 1905; Ar. ICCMU)

BIBLIOGRAFÍA: *TA*; *El Arte de El Teatro*, Madrid, 1-II-1907; M. Mañón: *Historia del teatro Principal de México*, México, Ed. Cultura, 1932.

Mª LUZ GONZÁLEZ PEÑA

Rodríguez, Etelvina. México, siglos XIX-XX. Tiple. Fue una asidua del teatro Principal de México donde estrenó en 1902 *Los timplaos* de Giménez, *La trapera* de Caballero, *El olivar* de Serrano; en 1903 *El globo terráqueo* de Carlos Curti, *El mozo crúo* de Calleja y Lleó; en 1904 estrenó *Los zapatos de charol* de Crespo, *La perla negra* de Torregrosa, *El trébol* de Valverde y Serrano, *La molinera de Campiel* y *Chin Chun Chan*; en 1905 *Para casa de los padres*, *Olé Sevilla*, *Las Instantáneas*, *La Dolores* de Bretón, en la que bailó la jota, *La guardia de honor* de Chapí, *El dinero y el trabajo* de Saco del Valle y *La Ciclón*; en 1906 *El amor en solfa* y *La gatita blanca*; en 1907 *Ruido de campanas*, *La rabalera* de Vives, *La hostería del laurel* de

Etelvina Rodríguez (Foto: Ar. ICCMU)

Lleó, *El gusto gordo* de Foglietti; en 1908 *El Género Grande*; en 1909 *Si las mujeres mandasen...* de Lleó y Foglietti, *La marcha de Cádiz*, *La maja desnuda*, *La moral en peligro*; en 1910 *El pájaro azul* de Jordá, *El poeta de la vida* de Calleja; en 1911 *Así son todas* de Vives, *La alegría del vivir* de Uranga, *Molinos de viento*; en 1912 *La casta Susana* de Gilbert; en 1915 cantó *El país de la metralla* y *La hija del guarda*.

Se casó con el autor mexicano Eduardo Bachiller "Bachicha", y tras su fallecimiento, reapareció en el Principal en 1922 como característica de la Compañía de revistas de Mario Vitoria y Luis Castro, interpretando *La buena sombra* y *El Otelo del barrio* de Guerrero; en 1924 *La fiesta de San Antón*, en la que fue muy ovacionada al igual que en *La reina del Carnaval*; en 1925 cantó *Los gavilanes* y *La leyenda del beso* y en 1929 *Molinos de viento*.

BIBLIOGRAFÍA: M. Mañón: *Historia del teatro Principal de México*, México, Ed. Cultura, 1932.

Mª LUZ GONZÁLEZ PEÑA

Rodríguez, José [Pepín]. La Habana, siglo XX. Libretista. Estableció binomio de trabajo con el destacado libretista Federico Villoch en los últimos años del teatro Alhambra, siendo todas sus obras con música de Jorge Anckermann. Como autor exclusivo, escribió 32 piezas, muchas con música de Rodrigo Prats y Gonzalo Roig, con las que alcanzó gran éxito. Entre éstas se pueden mencionar *Aquellos polvos*, *Bartolo tenía una falta*, *Calla, corazón*, *Cambio de factores*, *Camino de perdición*, *El amigo del hombre*, *El dominio y la carne*, *El millón catorce*, *Es un fuego* y *La Chaperón*, entre otras. Fue nombrado vocal de la primera directiva de la Sociedad Cubana de Autores Teatrales en 1934, y se convirtió en coempresario del teatro Alhambra poco antes del cierre definitivo de esta entidad en 1935.

BIBLIOGRAFÍA: *LVB*; A. J. Molina: *150 Años de Zarzuela en Puerto Rico y Cuba*, San Juan, Ramallo Bros. Printing, 1998.

CLARA DÍAZ PÉREZ

Rodríguez, Luisa. España, siglos XIX-XX. Tiple cómica. En diciembre de 1907 se la esperaba en La Habana para reforzar la compañía del Albisu, en el que debutó con gran éxito en *El húsar de la guardia* y *Sangre moza*, ya que a sus dotes de cantante unía las de actriz, por lo que enseguida conquistó al público. Igualmente fue muy aplaudida en *La hostería del Laurel*. Después se trasladó a México, donde en 1908 cantó en el teatro Principal *Chateau Margaux* y *Enseñanza libre* y en 1910 *Ábreme la puerta* y *La corte de Faraón*. En 1912, ya de regreso en España, formaba parte de la compañía del Gran Teatro de Madrid donde estrenó el 26 de abril *Canto de primavera* de Pablo Luna, en la que triunfó plenamente, pues como recogía la prensa, a su belleza unía el saber cantar y "saber decir" y el 14 de junio *La generala* de Vives.

Paco Alarcón contaba con ella para la temporada siguiente en que proyectaban poner en escena en el Gran Teatro *La veda del amor* de Vives. En 1913 debutó en la Zarzuela en una función para la prensa y las autoridades en la que Luisa Rodríguez cantó el segundo acto de *Las dos princesas* de Caballero junto a Mercedes Salas.

Luisa Rodríguez (Foto: Calvache en Mundo Gráfico, *1913; Ar. ICCMU)*

En la función de noche de ese mismo día, Luisa Rodríguez cantó *El rey que rabió* de Chapí. La temporada siguiente, 1913-14, seguía en el teatro y estrenó *Pan de Viena* de Rafael Calleja, *El amor bandolero* de Bravo y Torres y *El tren de lujo* de Pascual Marquina y Celestino Roig, en la que fue muy aplaudida junto a Rafael López y Casimiro Ortas. También fue muy aplaudida en *El marido sonriente* adaptación de Manuel Fernández de la Puente de la opereta de Eysler *Der Lachende Echmann*, estrenada en la Nochebuena de 1913.

BIBLIOGRAFÍA: M. Mañón: *Historia del teatro Principal de México*, México, Ed. Cultura, 1932; E. García Carretero: *Historia del Teatro de la Zarzuela de Madrid*, Madrid, Fundación de la Zarzuela Española, 2003.

Mª LUZ GONZÁLEZ PEÑA

Rodríguez, Manolo. ?, 31-III-1860; Madrid, 31-III-1903. Actor y cantante. Sus dotes de comicidad y su capacidad para hacer auténticas creaciones de cualquier personaje que interpretaba, le convirtieron en uno de los actores más admirados y queridos por el público en pleno auge del género chico. En 1890 en el teatro Felipe logró hacer triunfar una obra de Sinesio Delgado, *La baraja francesa,* con música de Joaquín Valverde, interpretando a un portero cuya canción alcanzó fama gracias a la magnífica creación realizada por el gran actor cómico. El mismo año en *¡Las doce y media... y sereno!* de Chapí, Manolo Rodríguez, José Riquelme y Emilio Carreras hicieron las delicias del público con sus habilidades cómicas consiguiendo Rodríguez el milagro, como decía alguna crónica de la época, de cantar sin voz. Con esta obra comenzó la famosa Cuarta de Apolo. En 1891 fue muy aplaudido en *La caza del oso* de Chueca y en 1893 obtuvo un gran triunfo en *El dúo de la Africana* con Joaquina Pino y Emilio Mesejo, creando un gracioso Querubini en el que su falta de voz era suplida por su vis cómica. Fue también el Don Hilarión de *La verbena de la Paloma* en su estreno en Apolo en 1894 dando a su

papel un aire de Don Juan trasnochado. Al año siguiente, siempre en Apolo, estrenó *El cabo primero* de Fernández Caballero, siendo muy aplaudido su papel de Parejo junto a Pepe Riquelme que encarnaba a Jumento. Ese año dirigía la compañía del teatro Apolo y el 6 de noviembre participó en el estreno de *Las zapatillas* de Chueca. Estrenó también *Las bravías* de Chapí y *El monaguillo* de Miguel Marqués, y en 1900 *El motete* de José Serrano, en la que sus dotes de gran actor cómico ayudaron al éxito de la representación. Su fama era tal que traspasó las fronteras de España. En una crónica titulada "Guaracha: Por Mariano Aramburu y Machado" publicada en la revista que dirigía Jacinto Benavente, *La Vida Literaria* (7, 16-II-1899), el cronista hablando del género chico en Cuba, se refiere a un actor cubano, José López "Pirolo" que es el Mariano Rodríguez de la Isla y como él hace auténticas creaciones de los tipos que le toca encarnar.

En 1901 había abandonado la compañía del teatro Apolo para unirse a la del Lara, donde se esperaba mucho de sus dotes de ingenio caricaturesco y gracia natural, si bien confiaban que fuese capaz de atenuar sus exageraciones, que, aún siendo bien recibidas en Apolo no parecían dignas del teatro de la Corredera Baja.

Manolo Rodríguez (Foto: Franzer en Nuevo Mundo, *1903; Ar. ICCMU)*

BIBLIOGRAFÍA: MT; TA; J. López Ruiz: *Historia del teatro Apolo y de La verbena de la Paloma,* Madrid, Avapiés, 1994.

Mª LUZ GONZÁLEZ PEÑA

Rodríguez, Manuel. España, siglo XIX. Compositor. En colaboración con el libretista José Velázquez y Sánchez estrenó en 1866 en Sevilla una serie de obras cortas en un cuadro, comenzando con *El último vals,* al que siguió *El café de Rosalía*. Ante el éxito obtenido por estas dos obras, los autores estrenaron en 1867 *Deuda sagrada* con la intención de que estos tres cuadros formasen una zarzuela titulada *Rosalía*. En mayo de 1867 estrenaron una zarzuela en dos actos, *El bergantín Rayo,* en el teatro del Circo. En el archivo de la SGAE en Madrid se conservan algunas de estas obras.

OBRAS (Todas en E:Msa): *El café de Rosalía,* pasillo, 1 act, l, J. V. Sánchez, est, 28-XII-1866, Te. Variedades (Sevilla); *Cría cuervos,* proverbio, 1 act, l, J. Velázquez y Sánchez, est, 1866, Sevilla; *Una noche de trueno,* paso cóm-lír, 1 act, l, J. Velázquez y Sánchez, est, 1866, Te. Variedades (Sevilla); *Deuda sagrada,* Paso cóm-lír, 1 act, l, J. Velázquez y Sánchez, est, 1867, Te. Variedades (Sevilla); *Un concurso de acreedores,* Paso cóm-lír, 1 act, L, J. Velázquez Sánchez, est, 1866, Te. Variedades (Sevilla).

Mª LUZ GONZÁLEZ PEÑA

Rodríguez, María. Valladolid, 26-V-1968. Soprano. A los diecinueve años se trasladó a Madrid donde estudió Arte Dramático y canto con Ángeles Chamorro. En 1992 debutó con la *Antología de la Zarzuela* de José Tamayo. Ha intervenido en distintas compañías de zarzuela como Lírica Nacional, titular del teatro Calderón de Madrid, Nieves Fernández de Sevilla y otras, interpretando títulos como *El barberillo de Lavapiés*, *La del Soto del Parral*, *La Dolorosa*, *La calesera*, *Me llaman la presumida*, *La rosa del azafrán*, *La canción del olvido*, *La revoltosa*, *El bateo* o *Cádiz* de Chueca, que tras años de olvido se rescató en el teatro de Madrid celebrando el 150 aniversario del nacimiento del compositor. Ha realizado una gira por Chile con la Ópera Cómica de Madrid y ha cantado diversas óperas como *La bohème* o *Los cuentos de Hoffmann*.

BIBLIOGRAFÍA: E. García Carretero: *Historia del teatro de la Zarzuela de Madrid*, Madrid, Fundación de la Zarzuela Española, 2003.

EMILIO GARCÍA CARRETERO

Rodríguez Alenza, Tomás. España, †25-V-1932. Dramaturgo. Autor menor del género lírico, casi toda su producción se desarrolla en la primera década del siglo XX, cultivando preferentemente los géneros de moda, parodia, revista y opereta. Escribió en colaboración de otros autores como Manuel Fernández de la Puente en su primer estreno en 1894, *Siluetas madrileñas* de Antonio Alonso y M. Chalons, con quienes repitió al año siguiente en *¡Ande el movimiento!*. En solitario escribió la ópera *Raúl y Elena*, 1900, y la parodia *¡Bruto!*, 1902, ambas con música de José Moreno Ballesteros, con quien contó de nuevo, junto a su hijo Federico Moreno Torroba, para componer la música de su mayor éxito con la fantasía en dos actos *Las decididas*, 1912.

BIBLIOGRAFÍA: *DMEH*.

OLIVA G. BALBOA

Rodríguez Arias, Eugenio. España, †1957. Dramaturgo. Escribió comedias en colaboración con Enrique Arroyo, Enrique Reñé, Pérez Cabrero, y algunas otras en solitario, como *El sueño de un colegial*. Autor de la letra de numerosas canciones, escribió también algunas obras líricas como la comedia musical *El babuchero del Zoco* con música de Vicente Estarelles, *Claveles dobles* y *El destino perro* con música de Leopoldo Giménez y Felipe Caparrós, *Concheta* con música de Carlos Saldaña, *De Sevilla a los corrales* con música de Manuel García Llopis, *La divette* con música de Quislant, *Mi ganadero* con música de Antonio Carcellé, *La reina del couplet* con música de Luis Foglietti, teatro Cómico, 1905; *La babucha de Mahoma* con música de Juan Crespo, La Latina, 1911; *El oficial de guardia* con música de Francisco Alonso, Circo de Price, 1915, y *Juan Bravo* con música de Casiano Casademont, Barcelona, 1940.

BIBLIOGRAFÍA: *DAT*.

Mª LUZ GONZÁLEZ PEÑA

Rodríguez Castellano, Antonio. España, †23-VI-1959. Compositor. Además de algunas canciones y pasodobles, escribió varias obras líricas, algunas de las cuales se conservan en el archivo de la SGAE en Madrid.

OBRAS (Todas en *E:Msa*): *Carmiña*, Zarz, 1 act, l, F. y V. Salellés, est, 20-IV-1935, Valencia; *Ecce homo*, Dr sacro lír, 3 act, l, V. Rodríguez Peris, est, 14-III-1935, Barcelona; *El premio de la victoria*, l, B. Mayor, est, 9-VIII-1935, Villajoyosa (Alicante); *La festa del poble*, 1 act, l, B. Mayor, est, 8-VIII-1935, Te. Villajoyosa (Alicante); *Si vas al rincón del roble*, l, J. Tolosa González, est, 27-VI-1942, Te. Apolo (Valencia).

Mª LUZ GONZÁLEZ PEÑA

Rodríguez de Aragón, Lola. Logroño, 29-IX-1915; Pamplona, 30-IV-1984. Cantante y pedagoga. Tras una sólida formación musical y vocal, orientada hacia el mundo del lied, trabajó con Elizabeth Schumann y desarrolló una intensa carrera, logrando grandes éxitos en sus interpretaciones de lied y canción española. En 1953, tras abandonar los escenarios, se dedicó a la enseñanza, realizando desde entonces una excelente labor en este campo, en el Conservatorio Superior de Música de Madrid y después, desde1970, en la Escuela Superior de Canto. Fundó el coro de esta Escuela, que posteriormente se convirtió en el Coro Nacional de España durante la etapa de Rafael Frühbeck de Burgos. Su verdadera contribución se desarrolló en el campo de la pedagogía, con la afirmación de la escuela de canto española, formando como verdadera maestra, un gran número de discípulos entre los que se deben citar nombres como Teresa Berganza, Toñy Rosado, Ana María Iriarte, Isabel Penagos, Teresa Tourné, Inés Rivadeneira, Alicia Nafé, María Orán, Josefina Arregui, Ana Higueras, Paloma Pérez-Íñigo, María Aragón o Julián Molina. En las temporadas 1958-59 y 1959-60 se convirtió en empresaria y directora del teatro de la Zarzuela y puso en escena *Marina* con Alfredo Kraus, *Luisa Fernanda* y *El rey que rabió*, entre otras. Estrenó además *Las de Caín* de Sorozábal.

BIBLIOGRAFÍA: *DMEH*; J. de Sagarmínaga: *Diccionario de cantantes líricos españoles*, Madrid, Fundación Caja Madrid-Acento Ed., 1997.

Mª ENCINA CORTIZO

Rodríguez de Cepeda, Luis. *Véase* CEPEDA, LUIS.

Rodríguez de Hita, Antonio. Valverde (Madrid), 1724 o 1725; Madrid, 21-II-1787. Compositor. Es uno de los más destacados músicos españoles de la segunda mitad del siglo XVIII. Desarrolló una intensa carrera en el ámbito de la música religiosa, en el campo teórico y fue esencial su labor en la renovación del género zarzuelístico de mediados del siglo XVIII. Se formó como niño de coro en la Colegial de Alcalá (Madrid). En Alcalá fue nombrado en 1738 segundo organista y en el mismo año segundo maestro de capilla. En 1744 fue nombrado maestro de capilla de la catedral de Palencia, donde permaneció hasta 1765, cuando se presentó a la vacante en el Monasterio de la Encarnación de Madrid, puesto en el que permaneció hasta su muerte. De su dedicación a la música religiosa, queda un abundantísimo catálogo con más de trescientas obras. Respecto a su señalada actividad en el pensamiento musical de su época, es autor de varios tratados, como *Diapasón instructivo*, 1757, y participó en varias polémicas de la época, la más conocida fue la que mantuvo con Roel del Río.

Ya establecido en la capital, se dedicó con muchísimo éxito a la música escénica, siendo considerado, junto con el escritor Ramón de la Cruz, protagonista de la transformación del género y culmen de su evolución en el siglo XVIII. Sus zarzuelas *Las labradoras de Murcia* y *Las segadoras de Vallecas* son consideradas esenciales para comprender estos cambios. *Briseida*, zarzuela de 1768, según explica Cotarelo, fue interpretada por algunos de los cantantes más reputados del momento, como La Mayorita y Teresa de Segura. Tras su estreno el 11 de julio de 1768, *Briseida* obtuvo un enorme éxito, por lo que se mantuvo en cartel diariamente, de forma ininterrumpida, hasta el 3 de agosto. Los beneficios que esta obra reportó a la compañía fueron cuantiosos, aunque la inversión realizada para su puesta en escena debió ser muy considerable, ya que además de lo pagado a los intérpretes, se representó con un rico vestuario y puesta en escena. Musicalmente está formada por recitativos y arias, un trío en el primer acto, y algún coro, y a juicio de Cotarelo la obra no es nada excepcional.

Tras el éxito de *Briseida*, que desarrolla un asunto mitológico, como hasta entonces era lo habitual, Ramón de la Cruz escribió una nueva zarzuela burlesca de carácter costumbrista a la que puso música Rodríguez de Hita, *Las segadoras de Vallecas*. Esta obra supone un cambio sustancial en el género, que se vincula desde entonces, de manera general, a la representación de lo popular. *Las segadoras* tiene una extensa partitura que incluye numerosos elementos de la música popular, con formas como las seguidillas y la inclusión de instrumentos folclóricos como la gaita que tocan los segadores. El lenguaje mediante el que se expresan los protagonistas, aldeanos y segadores, también reproduce la forma de hablar, tomando elementos incluso de la jerga empleada de un determinado lugar o región española, en este caso castiza madrileña. Siguiendo la tradición de la zarzuela, además de presentar un asunto amoroso, no faltan los elementos cómicos que contrastan con otros más serios. Esta obra obtuvo un éxito aún mayor que el de *Briseida*. Ante la gran repercusión obtenida, los autores continuaron por la misma senda en su siguiente obra titulada *Las labradoras de Murcia*, 1769. Esta nueva zar-

zuela burlesca presenta un tema rural, cuya acción se desarrolla en la huerta murciana, donde los protagonistas son los recogedores de morera. Las expresiones del lenguaje propio de los aldeanos son utilizadas por el autor para la creación del texto, y Rodríguez de Hita corresponde con la música, tomando del folclore algunos de los ritmos y bailes.

En 1772, De Hita retoma la composición de zarzuelas con *Scipión en Cartagena*, cuyo libreto se debe a A. Cordero, y que suponía de nuevo el tratamiento de un tema mitológico, alejado de la corriente costumbrista y popular de sus obras anteriores. Además de zarzuelas, el compositor cultivó otros géneros escénicos, como el sainete –*La república de las mujeres*– o la comedia –*El chasco del cortejo*–.

La opinión más extendida sobre las obras de Rodríguez de Hita, *Las labradoras de Murcia* y *Las segadoras de Vallecas*, es la de considerarlas ejemplos genuinos de un estilo característicamente español, al margen de las influencias italianas presentes en prácticamente toda la música española del siglo XVIII. Así, en esa misma línea de pensamiento, las zarzuelas costumbristas de Hita y Ramón de la Cruz, suponen un punto culminante de la creación del género zarzuelístico, que después comienza un período de decadencia hasta la restauración de la zarzuela ya en el siglo XIX. Sin embargo, A. Recasens considera que el análisis de las obras "revela que hay una manifiesta asimilación de los procedimientos de la opera italiana coetánea… De Hita efectúa una síntesis entre las convenciones propias de la zarzuela (número de actos, alternancia de música y diálogo, etc.) los modelos operísticos italianos (formas de arias, finales, parlandos, mezcla de personajes…) sin olvidar los elementos de su propio estilo, de inspiración preclásica (melodías simétricas, osadía armónica y tonal, contrastes…". Según esto, las zarzuelas de Rodríguez de Hita se inscriben en una línea de creación musical plural que convive con otras manifestaciones músico-teatrales coetáneas, como la ópera italiana, el sainete, la comedia, y sobre todo la tonadilla, género este último que gozó de un enorme éxito durante la segunda mitad del siglo XVIII, y que por ello acaparó muchas representaciones en los teatros. *Véase* LAS LABRADORAS DE MURCIA.

OBRAS: *Briseida*, Zarz heroica , 2 act, l, R. De la Cruz, 11-VII-1768, Te. del Príncipe; *Las segadoras de Vallecas*, Zarz burlesca, 2 act, l, R. de la Cruz, est, 3-IX-1768, Te. del Príncipe; *Las labradoras de Murcia*, Zarz burlesca, 2 act, l, R. de la Cruz, 16-IX-1769, Te. del Príncipe, E:Mm; *La república de las mujeres*, Sai, 1 act, l, R. de la Cruz, est, 1772, Te. del Príncipe, E:Mm; *Scipion en Cartagena*, l, A. Cordero, 15-VII-1772; *Las glorias del Carmelo*, Com, 1777; *El chasco del cortejo*, Sai, 1 act.

BIBLIOGRAFÍA: *DMEH*; *HZ*; A. Martín Moreno: *Historia de la música española. 4. Siglo XVIII*, Madrid, Alianza, 1983; A. Recasens: "Las zarzuelas de Rodríguez de Hita (1722-1787). Contribución al estudio de la zarzuela madrileña hacia 1760-1770", tesis doctoral, U. Lovaina, 2001.

JUDITH ORTEGA

Rodríguez López, Raquel. *Véase* RODRIGO, RAQUEL.

Rodríguez Máiquez, Francisco. España, 1860; Argentina, 1912. Compositor y director de orquesta. Radicado en Argentina definitivamente a finales del siglo XIX, se incorporó al teatro local. Fue director de orquesta de compañías de zarzuela y escribió partituras para las obras de los primeros y más significativos dramaturgos del sainete criollo como *Los devotos*, *El testamento ológrafo* y *La fiesta del Pilar*, todas de Nemesio Trejo, *Amor y claustro* de Ezequiel Soria y *Los dos tenientes* de José Rodríguez Spuch. También escribió la música de *El ratero y la huérfana* de Esteban Gil Gutiérrez y *El nuevo almanaque* de Maximino Fernández.

MARTA LENA PAZ

Rodríguez Pons, Francisco. España, †1970. Compositor. Probablemente era de origen valenciano, ya que sus estrenos tuvieron lugar en teatros de Valencia o de la región levantina, e incluso en algunos casos las obras están escritas en valenciano. Tiene registradas en la SGAE numerosas canciones, bailes, un *Himno a la Exposición de Valencia*, y obras instrumentales como fantasías, suites y sinfonías. Varias de sus obras líricas, estrenadas en las décadas de 1920 y 1930, se conservan en el archivo de la SGAE en Madrid.

OBRAS (Todas en *E:Msa*): *A la tehuareixa*, 1 act, l, A. Sendín, est, 3-XII-1926, Te. Regional (Valencia); *Amores de Ribera*, l, J. M. de la Torre; *Amorosida*, Zarz, l, A. Sendín/V. Palomar, est, 1927, Te. Regional (Valencia); *Así está la compañía*, l, J. M. de la Torre, est, 10-XI-1933, Valencia; *El primer net*, l, M. Soto Lluch, est, 2-I-1932, Te. Moulin Rouge (Valencia); *El So Rafael torna a Valensia*, l, E. Buil Navarro; *La camisa de Luisa*, 2 act, l, L. Fernández Fernández, est, 5-VIII-1933, Te. Alcoy; *La grupa*, l, J. M. Torre Covarrubias, est, 1924; *Raixos dels pobres*, l, R. Gayano Llunch; *Se rifa un beso*, l, L. Fernández, est, 5-VIII-1933; *Sin novedad en el frente*, col. J. Pons, l, L. Fernández Fernández.

Mª LUZ GONZÁLEZ PEÑA

Rodríguez Rubí, Tomás. Málaga, 1814; Málaga, 1890. Dramaturgo, escritor y pintor. Estuvo muy protegido por el conde de Montijo, al quedar huérfano a los trece años, pasando a ocuparse del archivo de la casa del conde. Se dedicó al periodismo en *Las Musas*, *El Clamor Público*, *Semanario Pintoresco* y *El Sur*, entre otras publicaciones. Escribió a veces bajo seudónimos como Trino Cifuentes, Jévora o Fray Tinieblas. Estrenó numerosos dramas, algunos de carácter histórico, además de comedias y sainetes. Fue académico de la Real Academia Española y dirigió el teatro Español. Desarrolló una importante labor en la política, llegando a ser diputado, gobernador, ministro de Ultramar y comisario de Hacienda en La Habana, con el último gobierno de Isabel II. Fue autor muy popular que compitió con los mejores dramaturgos de su tiempo como Bretón de los Herreros, López de Ayala, Tamayo y Baus o Ventura de la Vega, y si bien no alcanzó la notoriedad de estos, sí gozó de la estimación del público que admiraba su alejamiento del exceso de romanticismo y consiguió llevar a la escena el gracejo andaluz y la fina observación de tipos y costumbres. Supo dar al público lo que éste deseaba, y aunque hay autores que consideran su producción muy inferior a la de Bretón de los Herreros, apenas sufrió fracasos escénicos. Su aportación al

Tomás Rodríguez Rubí (Litografía de J.J. López; E:Mn)

género lírico no es muy extensa pero sí notable, ya que estrenó en la época en que se iniciaba la resurrección de la zarzuela, aportando su talento dramático y su buen hacer escénico que fue aprovechado por compositores de renombre como Basilio Basili o Francisco Asenjo Barbieri. Destacan en su producción *La perla del gentil*, loa con música de Iradier; *El contrabandista*, ópera de Basili, 1841; *El ventorrillo de Crespo* de Basili, 1841; *La hechicera* de Barbieri, 1852; *La hija de la providencia* de Arrieta, 1856; *¡Tribulaciones!* de Gaztambide, 1851 y *La Virgen del puerto* con Fernández Caballero. *Véase* TRIBULACIONES.

BIBLIOGRAFÍA: *CDE*; *DAT*; J. O. Picón: "Don Tomás Rodríguez Rubí", *Autores dramáticos contemporáneos y joyas del teatro español del siglo XIX*, 2 vols., Madrid, 1881; A. M. Burgos: "Vida y obra de Tomás Rodríguez Rubí", *Revista de Literatura*, XXIII, 1963, 65-102.

Mª LUZ GONZÁLEZ PEÑA

Rodríguez Spuch, José. Argentina, 1872; Argentina, 1933. Autor teatral. Junto con Manuel Argerich fue uno de los precursores del sainete lírico criollo. Escribió, entre otras piezas, *Ecos del censo*, 1895, con música de Leopoldo Corretjer –posteriormente autor de marchas militares muy populares– representada por la compañía dirigida por el español José Palmada. *Los dos tenientes*, 1895, con música de Rodríguez Máiquez, fue representada en 1895 por la compañía de Julio Ruiz. *El cura suplente*, 1901, la realizó en colaboración con Julio Segrera y fue estrenada por la compañía Pastor Garrido.

MARTA LENA PAZ

Rodríguez Vidriet, Manuel. Sevilla, 13-II-1890; Sevilla, ? Compositor. Trabajó en la orquesta del teatro del Duque de Sevilla como instrumentista, lo que le dio un amplio conocimiento del mundo de la zarzuela. La música escénica que compuso tiene un marcado carácter andalucista, y varias de sus obras están escritas en colaboración con Manuel y Rafael Carretero. Compuso marchas para la Semana Santa sevillana, entre las que destaca *Rocío*, en colaboración con Manuel Pérez Tejera.

OBRAS (Todas en *E:Msa*): *El harén de Mojatma*, cuento árabe, 1 act, col. R. Carretero, l, J. de Castro Becerra, est, 18-XII-1920, Te. Duque (Sevilla); *La cruz del querer del alma*, Sai, 1 act, col. R. Carretero, l, R. Vivas / H. Gutiérrez, est, 24-XI-1922, Te. Cervantes (Sevilla); *El chaval de las flores*, Sai, 1 act, col. R. Carretero, l, P. Moreno García, est, 15-X-1925, Te. Duque (Sevilla); *La reina de Andalucía*, col. R. Carretero, l, J. García Rufino, est, III-1926, Sevilla; *Rocío o La niña en la feria*, Sai, col. R. Carretero, l, A. Segura, est, 29-X-1926, Te. Duque (Sevilla); *Capuyito de rosa fina*, 1 act, col. R. Carretero, l, R. Álvarez García; *El alma de la legión*, col. R. Carretero; *El nacimiento de Jesús*, col. R. Carretero, l, A. García Padilla; *Gordo en el Duque*, Sai, 1 act, col. R. Carretero, l, P. Moreno; *La liga roja*, Fant, policíaca, 1 act, col. R. Carretero, l, A. Delgado Olmedo / A. García Padilla; *Los pieles rojas*, col. R. Carretero, l, C. Triana; *Trini la barrenera*, Zarz, 1 act, col. R. Carretero, l, A. Delgado Olmedo / A. Padilla.

BIBLIOGRAFÍA: *DMEH*; F. Cuenca: *Galería de músicos andaluces contemporáneos*, La Habana, Cultura, 1927.

Mª LUZ GONZÁLEZ PEÑA

Rogel. Familia de músicos españoles formada por José y su sobrino Gustavo.

1. Rogel Soriano, José. Orihuela (Alicante), 24-XII-1829; Cartagena, 26-I-1901. Compositor. A los nueve años ya componía valses y pasodobles. Estudió con el organista de la catedral de Orihuela Joaquín Cascales y con el maestro de capilla José Gil, y mientras estudiaba el bachillerato fue director de la banda de Orihuela. Se trasladó a Valencia para estudiar Derecho en la Universidad, obligado por su familia, aprovechando su estancia para estudiar armonía, contrapunto y fuga con el organista Pascual Pérez, quien le aconsejó aprender la ejecución de varios instrumentos de viento y cuerda. Tras su estancia en la capital levantina, y en posesión de los títulos de piano y composición, se trasladó a Madrid, donde se doctoró en Derecho y se dedicó a dar lecciones de canto y piano, publicando también varias piezas de baile, así como reducciones para canto y piano de óperas y zarzuelas. Pero sobre todo hizo amistad con Rosell, Moncayo, Arderius y el libretista Eusebio Blasco. Desde entonces se dedicó de manera exclusiva al teatro.

En 1854 estrenó su primera obra, *Loa a la libertad*, en el teatro de Lope de Vega. En 1856 puso música a la zarzuela *Las garras del diablo*, con libreto de Enrique Pérez Escrich. La obra

José Rogel (Foto: E:Bit)

obtuvo bastante éxito y la crítica elogió su música, sobre todo una canción y un duetino que se repetía todas las noches. En diciembre de 1856 estrenó en el teatro Variedades la zarzuela *Santiaguillo*, con letra de Ignacio Virto, también con éxito, y en 1860 en el teatro de la Zarzuela, *Recuerdos de gloria*, a la que siguió en el mismo teatro y en 1861, *El que siembra recoge*, con libreto de Enrique Pérez Escrich y *Los peregrinos* con libreto de Mariano Pina. Rogel siguió escribiendo obras hasta que el 22 de septiembre de 1866 Arderius organizó la primera representación de la Compañía de los Bufos Madrileños, que presentaba la obra de Rogel *El joven Telémaco*, siendo este el origen de uno de los grandes acontecimientos de la vida musical española del XIX, y el inicio del teatro de los Bufos Arderius.

Con aquella obra se dio a conocer al público madrileño provocando el delirio en el teatro de Variedades y sucesivamente en muchos teatros de España. *El joven Telémaco* tuvo 33 representaciones seguidas y 72 durante aquella temporada. En el segundo local que ocupó la compañía de Bufos de Arderius, el teatro del Circo, se estrenaron trece obras, de las cuales solamente una alcanzó enorme éxito: *Los infiernos de Madrid*, con libreto de Luis Mariano de Larra. Durante la temporada 1869-70 Rogel estrenó en el teatro de los Bufos *El rey Midas*, una obra importante, calificada como zarzuela "mitológica-burlesca", con libreto de Ricardo Puente. De 1871 fue *Canto de Ángeles* con libreto de Ricardo Puente. En 1873 estrenó en el teatro Jovellanos la obra titulada *La Creación*, con libreto de Larra y gran éxito de público. Otro estreno destacado fue el de la zarzuela fantástica *Cuento de hadas* en 1875 en el Circo del Príncipe Alfonso, en tres actos, con libreto de Ricardo Puente. En 1876 estrenó *Un viaje a la luna*, con libreto de Larra. La crítica llegó a decir: "La reputación del señor Rogel nunca ha descansado sobre sólidos cimientos y en la ocasión presente se ha hundido". En 1879 tuvo lugar en el teatro del Príncipe Alfonso la ejecución del "viaje inverosímil" en cuatro actos, titulado *La vuelta al mundo*, libreto de Larra y música de Barbieri en colaboración con Rogel, con gran éxito. En 1876 fue director de aquel mismo teatro del Príncipe Alfonso. En 1880 marchó a Portugal donde dio a conocer muchas de sus obras.

El número de obras de Rogel supera las ochenta. *El joven Telémaco* fue la más famosa de todas. Fue uno de los compositores que mejor se adaptó a la estética y tono de los bufos de Arderius. Fácil, fecundo y con gracia, trabajó mucho y alcanzó el éxito mientras duraron los bufos, pero cuando éstos empezaron a declinar, también lo hizo el compositor, "verdadero fenómeno reflejo de la institución de Arderius", en palabras de Peña y Goñi. En 1881 había desaparecido por completo del panorama de la música madrileña retirándose a vivir a Cartagena. Estaba casado con la tiple Isabel Valentín Bañuls. *Véase* EL JOVEN TELÉMACO; LA VUELTA AL MUNDO.

OBRAS (Todas en *E:Msa*): *Bayoneta Correo*, Zarz, 2 act; *Bruto*, Zarz, 1 act; *Canto de ángeles*, Zarz, 1 act, l, R. Puente Brañas, 1871; *Carnaval y Casta diva*, Zarz, 2 act; *Cinco semanas en globo*, Zarz, 2 act; *Colegiala y capitán*, Zarz; *Cuatro soldados y un cabo*, Zarz, 1 act; *Cuento de hadas*, Zarz, 3 act, l, R. Puente, 1875; *De zapatero a barón*, Zarz, 1 act; *Despierta y dormida*, Zarz, 1 act; *Don Canuto*, Zarz, 1 act; *Doña Casimira*, Zarz, 1 act; *Dos truchas en seco*, Zarz, 1 act, l, R. Puente Brañas; *El comandante León*, Zarz, 2 act, l, Pina; *El criado de mi suegro*, col. Caballero y Hernández, Zarz, 1 act; *El general Bum-Bum*, Zarz, 1 act; *El guapo Francisco Esteban*, Zarz, 4 act; *El hábito no hace al monje*, Zarz, 2 act, l, J. Picón García; *El joven Telémaco*, Zarz, 2 act, l, E. Blasco, 1866; *El lago de las serpientes*, col. Moderati, Zarz, 3 act, l, Pedrosa; *El manicomio modelo*, Zarz, 3 act; *El matrimonio*, Zarz, 1 act, l, R. Puente Brañas; *El motín de las estrellas*, Zarz, 1 act, l, M. del Palacio / E. Saco / F. Moreno; *El novio*, Zarz, 1 act; *El que siembra recoge*, Zarz, 1 act, l, E. Pérez Escrich, 1861; *El rey Midas*, Zarz, l, R. Puente Brañas, 3 act, 1867; *El suplicio de un hombre*, Zarz, 3 act, l, F. Bardán; *El último figurín*, Zarz, 1 act, l, R. Puente Brañas, 1874 ; *El último paraguas*, Zarz, 2 act; *Entre Ceuta y Marruecos*, Zarz, 1 act; *Ferrando el calderero*, Zarz, 3 act; *Francifredo, dux de Venecia*, Zarz, 2 act, l, M. Pina, 1891; *Francifredo*, Zarz, 2 act; *Impresiones de viaje*, Zarz, 1 act; *La casa roja*, Zarz, 1 act, l, J. Belza; *La corte del rey Reuma*, Zarz, 1 act; *La Creación*, Zarz, L, L. M. Larra / F. Bardán, 1873; *La epístola de San Pablo*, Zarz, 1 act, l, L. Rodríguez; *La isla de los portentos*, Zarz, 3 act, l, E. Zumel; *La locura en Cartagena*, Zarz, 2 act; *La paloma de brillantes*, Zarz, 1 act; *La vuelta al mundo*, Zarz, 3 act, col. Barbieri, l, L. M. de Larra, 1879; *Las amazonas del Tormes*, Zarz, 2 act, l, E. Álvarez; *Las cartas de Rosalía*, Zarz, 1 act, l, F. Bardán; *Las dos rosas*, col. Sánchez Allú, Zarz, 1 act; *Las garras del diablo*, Zarz, l, E. Pérez Escrich; *Las tres Marías*, Zarz, 1 act; *Lola*, Zarz, 2 act, l, M. Pina, 1873; *Los barrios bajos*, Zarz, 1 act; *Los estudiantes en Carnaval*, Zarz, 2 act; *Los infiernos de Madrid*, Zarz, 3 act, l, L. M. Larra, 1867; *Canto de Ángeles*, Zarz, l, R. Puente, 1871; *Los órganos de Móstoles*, Zarz, 3 act, l, M. de Larra; *Los peregrinos*, Zarz, 1 act, l, M. Pina; *Los regalos*, Zarz, 1 act, l, R. Velasco Aylla; *Me escamo*, Zarz, 1 act; *Pablo y Virginia*, Zarz, 2 act, L, E. Blasco; *Por sorpresa*, Zarz, 2 act, col. Vázquez; *Punto y aparte*, Zarz, 2 act, , l, L. M. Larra, 1865; *¿Quien es el loco?*, Zarz, 1 act, l, A. Llanos; *Recuerdos de gloria*, Zarz, 1 act, l, E. Pérez Escrich; *Revista de un muerto*, col. Barbieri, Zarz, 1 act; *Roquelaure*, col. Oudrid / Caballero, Zarz, 2 act, l, J. Belza; *Santiaguillo*, Zarz, 1 act, l, I. Virto, 1856; *Soy mi hijo*, Zarz, 1 act, l, A. Guerra / F. Arderius; *Soy yo*, Zarz, 1 act, l, F. de la Vega Pérez; *Tanto corre como vuela*, Zarz, 1 act; *Telémaco en la Albufera*, Zarz, 1 act; *Un casamiento republicano*, Zarz, 3 act, l, F. Bardán / Granés / Pastorfido; *Un cuadro, un melonar y dos bodas*, Zarz, 2 act, col. Inzenga / Cepeda; *Un hongo*, Zarz, 1 act; *Un muerto de buen humor*, Zarz, 1 act, l, A. Llanos Alcaraz; *Un palomino atontado*, Zarz, 3 act, l, M. Ramos Carrión; *Un viaje a la luna*, Zarz, l, M. de Larra, 3 act, 1876; *Un viaje de mil demonios*, Zarz, 3 act, l, Santisteban / Brañas / Pastorfido; *Una cana al aire*, Zarz, 1 act; *Una tía en Indias*, Zarz, 3 act.

2. Rogel Esbrí, Gustavo. Madrid, *ca.* 1860; La Habana, 27-X-1924. Profesor y cantante. Llegó a Cuba muy joven, y residió en Camagüey durante un tiempo, luego se trasladó a Santiago de Cuba, con el empleo de pagador de la Audiencia Provincial de Justicia y, paralelamente, se convirtió en promotor de actividades artísticas en instituciones públicas y salones, en los que actuaba como barítono. Compuso valses e himnos, un avemaría y la zarzuela *Acuarela criolla*.

BIBLIOGRAFÍA: *DBE; DMEH; HZ; OE.*

EMILIO CASARES RODICIO

Rogel Morón, Matías. Orihuela (Alicante), siglos XIX-XX. Compositor. Nacido en el seno de una amplia familia de Orihuela dedicada a la música, su dedicación casi exclusiva fue la zarzuela aunque también compuso numerosas canciones y algún pasodoble como *Manolete o De Madrid a Manila,* así como un canto a su tierra, *Viva Orihuela.*

OBRAS: *A la vejez... baileteo*, col. J. M. Javaloya, est, 6-VI-1901, Te. Principal (Alicante); *Amor triunfante*, 1 act, l, J. M. Cenen; *La casa de huéspedes*, col. Belmar, l, E. Albert, est, 29-III-1916; *La gata de oro*, Zarz, 2 act, col. A. Rubio, l, R. M. Liern, est, 18-IV-1891, Te. Gayarre (Barcelona); *Las robinsonianas*, l, S. Gomila, est, 28-XII-1916, Cine Sport; *Rosa*, col. J. Belmar, l, E. Albert Poveda.

BIBLIOGRAFÍA: *DMEH.*

Mª LUZ GONZÁLEZ PEÑA

Roig Lobo, Gonzalo. La Habana, 20-VII-1890; La Habana, 13-VI-1970. Compositor, director de orquesta y arreglista. Junto a Ernesto Lecuona y Rodrigo Prats, es una de las tres figuras más representativas y prolíficas de la lírica cubana.

I. Trayectoria teatral y obra. II. Caracterización de la obra.

I. TRAYECTORIA TEATRAL Y OBRA. En 1907 se vinculó al mundo teatral como compositor, escribiendo la revista *El baúl del diablo*, estrenada ese mismo año en el teatro Alhambra. Dos años más tarde debutó como violinista de las orquestas de los teatros Irijoa y Neptuno, y fue bajista en las orquestas de los teatros Molino Rojo y Politeama. Manteniendo su quehacer creativo con obras de pequeña factura que luego ampliaría, realizó su primera incursión como coautor junto a Moisés Simons, en la opereta en tres actos *Deuda de amor*, estrenada en 1913. Posteriormente repitió la experiencia con Jaime Prats en la zarzuela *Esterilización humana*, puesta por primera vez en escena en 1914, en el Molino Rojo. Tal fue la aceptación de su labor de compositor, que cuatro meses más tarde, y por recomendación de Jorge Anckermann los libretistas Roger de Lauria y César de la Guardia, le solicitaron su contribución para componer la revista *De París a La Habana*, constituyendo ésta su primera obra escénica con la que obtuvo resonante éxito durante su puesta en el teatro Heredia en La Habana. Le siguió rápidamente *Las musas americanas,* con libreto de Juan Firpo Cuyás, que incluye las páginas de una criolla que, posteriormente, renovada con un texto de Agustín Rodríguez, se convirtió en la conocida canción *Para ti*. Para entonces había escrito algunos valses, boleros, danzones, couplets y canciones, destacándose entre estas últimas la internacionalmente conocida *Quiéreme mucho*, estrenada por el tenor Mariano Meléndez y utilizada, además, como dúo de amor en su zarzuela *El Servicio Militar*. En 1915, asumiendo una nueva faceta dentro de la actividad musical, se desempeñó como director de orquesta en las temporadas de zarzuela ofrecidas en los teatros Payret y Arena Colón, con la compañía de María Severino, y bajo el apoyo y asesoramiento del concertador y director Luis Mayoqui.

Durante este período adquirió un vasto conocimiento sobre materia de orquestación y de repertorio operístico, que le sirvieron notablemente después, en su actividad como arreglista y director orquestal. En 1917 viajó a México, donde trabajó durante algunos meses con la compañía de María Guerrero. Asimismo, en 1920, en su función de director de orquesta, realizó nuevas giras internacionales por Puerto Rico y Venezuela, siendo testigos, tanto los escenarios de aquellos países como los nativos, de su tenaz labor. Durante la década de 1920, luego de realizar importantísimas labores como director de la Orquesta Sinfónica de La Habana y de la Banda Municipal de esta misma ciudad, así como la de profesor y arreglista, entre otras responsabilidades, a partir de agosto de 1931 y hasta 1935, ocupó la dirección de las temporadas de zarzuelas del teatro Martí, período de intenso trabajo que le nutrió de innumerables conocimientos y mayor oficio, proveyéndole, además, de sus más connotados triunfos como compositor. En efecto, durante este período escribió y estrenó gran parte de su producción más representativa de música escénica, donde destacaron muchas de sus obras, entre ellas: *La hija del sol*, *El clarín*, *La Habana de noche*, *El patio de los tulipanes*, *Cimarrón*, *Carmiña*, *Sueño azul* y, sobre todo, *Cecilia Valdés*, obra cumbre de la zarzuelística cubana, y por la que recibió la Medalla de Oro otorgada por el Ayuntamiento de La Habana. Fue en esta etapa, a través de la Compañía de este teatro, cuando Roig realizó un importante trabajo en función de una apertura para la difusión y desarrollo de una música popular nacional. Precisamente en su empresa de carácter popular, girando las

Gonzalo Roig (Foto: Odilio Urfé / Museo Nacional de la Música de Cuba)

obras dentro de un marco estrictamente criollo, crítico y costumbrista, las temporadas de zarzuelas del Martí fueron muy fructíferas, estrenándose allí no sólo las obras de este artista, sino las de otras grandes figuras de la música cubana como Rodrigo Prats y Ernesto Lecuona, con quien mantuvo una estrecha amistad, y una fructífera relación de trabajo, entregándole Lecuona a Roig muchas de sus composiciones escritas para piano, para que las instrumentara y orquestara. En marzo de 1938, por otra parte, dando muestras una vez más de sus condiciones de promotor y de iniciador, fundó la Ópera Nacional, de la que fue su director concertador. A fines de ese mismo año, incursionó por primera vez en el cine, escribiendo la música de la película *Sucedió en La Habana*.

Las décadas posteriores, que significaron la etapa de declive de la época de oro de la zarzuela cubana de nuevo tipo, resultaron de mayor actividad del músico en otras esferas de su vida profesional. Su reconocido magisterio como director de orquesta, su incursión permanente en la radio y la televisión, su importante labor con la Banda Municipal, además de su actividad creadora como compositor y arreglista en otros géneros, reflejaron primordialmente su quehacer profesional durante todos esos años, en que su catálogo se vio desprovisto de nuevos títulos de zarzuela. No obstante, durante dicho período, su obra cumbre, *Cecilia Valdés*, fue ampliamente difundida y con todo éxito demandada por los públicos europeos y de América. En 1969, pocos meses antes de morir, Eduardo Robreño y Rodrigo Prats le solicitaron que escribiera la música de una obra de teatro lírico que recogiera pasajes de su vida artística y la de Agustín Rodríguez. Semanas más tarde, bajo el título de *Quiéreme mucho* se ensayaba la nueva revista con libreto de Eduardo Robreño, estrenándose con gran éxito el 27 de junio de ese mismo año, en el teatro Martí, donde alcanzó las cien representaciones.

Los mejores intérpretes de su época, estrenaron y mantuvieron vigente en su repertorio muchas de las obras de Roig. Entre ellos destacan Esther Borja, Iris Burguet, Rosita Fornés, María Remolá, Alba Marina, Ana Menéndez, Alina Sánchez, Miguel de Grandy, Francisco Naya, Ramón Calzadilla y Armando Pico, entre otros. Asimismo, números tan antológicos como la *Salida de Cecilia* o *La dulce quimera*, permanecen en las voces de las nuevas generaciones de los líricos cubanos.

II. CARACTERIZACIÓN DE LA OBRA. Con un catálogo de más de trescientas obras correspondientes al género lírico, la producción de Gonzalo Roig se desarrolla con mayor plenitud en la primera mitad de la década de 1930. En su labor como compositor, se definió desde un inicio y para siempre, por una línea de creación nacional popular. En su música lírica el lenguaje tradicional postro-

Gonzalo Roig, en el centro de pie, rodeado de artistas cubanos (Foto: Ar. ICCMU)

mántico, se revitalizó y representó lo genuinamente criollo, universalizándolo. Con pleno dominio de todos los géneros de la música popular cubana –guaracha, habanera, contradanza, guajira, tango congo, rumba, criolla, danza y pregón–, trabajó los ritmos populares más cultivados de la época, utilizando, asimismo, los géneros de la música internacional, siempre en función de la dramaturgia de las obras. Su música escénica se caracterizó, fundamentalmente, por haber alcanzado una lograda y equilibrada síntesis de las formas sinfónicas y populares donde, de manera coherente, el autor supo articular formas y géneros tan disímiles como el motete religioso, el pregón, la romanza operística, el tango congo, el dúo y la contradanza, entre otros. Hay que señalar, por otra parte, la maestría técnica de este compositor, sumamente conocedor y oficioso en la labor de orquestación e instrumentación, aspecto que lo aventajó respecto a otros importantes compositores coetáneos, cultivadores también del género lírico. El triunfo sin precedentes obtenido con *Cecilia* Valdés, estrenada el 26 de marzo de 1932 en el teatro Martí, lo situó entre los primeros compositores de la zarzuela cubana de nuevo tipo nacida en los finales de la década de los años veinte, con el quehacer de los también importantes autores Ernesto Lecuona y Rodrigo Prats. Poco tiempo después, el estreno igualmente exitoso de *El clarín*, puso en evidencia, una vez más, el absoluto oficio del músico en cuanto al

trabajo de armonización e instrumentación, así como la acertada labor de estilización sobre el género de la guajira cubana. *La hija del sol*, por su parte, corroboró los éxitos anteriores, destacando la crítica: "Ritmos populares que forman nuestro folklore, vistiéndolos del más hermoso ropaje armónico y melódico hasta elevarlos a la categoría de importantísimos fragmentos musicales... esa técnica instrumental del maestro, que le permite obtener de la orquesta los más raros efectos… en toda la partitura impera el más rancio sabor cubano". (J. Bonich: *Ahora*, La Habana, 25-XI-1933).

No sólo altamente capaz en el terreno de la instrumentación, la armonía y la orquestación Roig, además, supo trabajar los temas melódicos y los ritmos, reflejando con magisterio el carácter de los personajes. Uno de sus más utilizados y logrados recursos, en este sentido, fue el empleo de los *leit motiven* abordados en el discurso de la obra con diferentes tratamientos dramatúrgicos, según la evolución psicológica de los personajes.

Sobre este compositor dijo Leo Brouwer: " Roig ha hecho aportes a la música cubana en la interpretación de los conceptos formales, básicos, celulares, pudiéramos decir. Él coge esas pequeñas formas, esas células, que tienen una base puramente popular, y las desarrolla hasta llevarlas a formas, centro de la música escénica… Con una base de intuir y hacer, en principio por mimetismo y después por técnica, él utiliza lo que está en el oído y en las costumbres de todos, y eso, en definitiva, reafirma la nacionalidad de una manera fundamental" (D. Cañizares: *Gonzalo Roig*, 1978, pág. 129). De su propia concepción ética como compositor, expresó alguna vez el propio Roig: "He cumplido un deber de cubano al hacer una música netamente nacional... Yo soy un mantenedor de las tradiciones cubanas, que deben ser sagradas, porque significan la fisonomía de un pueblo" (*Granma*, La Habana, 15-VI-1970). *Véase* CECILIA VALDÉS.

OBRAS: *El baúl del diablo*, I, M. y F. Ardois, est, 1907, Te. Alhambra; *Deuda de amor*, Opt, 3 act, col. M. Simons, I, F. Samper, est, 3-II-1913; *El baratillero*, Zarz, col. M. A. Delgado Cruz, est, 27-X-1913, Te. Molino Rojo; *Esterilización humana*, Zarz, col. J. Prats, I, M. Sorondo, est, 2-I-1914, Te. Molino Rojo; *De París a La Habana*, Rv, 1 act, col. L. Casas Romero, I, R. de Lauria / C. de la Guardia, est, 16-V-1914, Te. Heredia; *Las musas americanas*, Rv, 1 act, I, P. del Campo, est, 24-XI-1914, Te. Payret *CU:HMNM; El rompimiento*, I, P. del Campo, est, 5-I-1915, Te. Molino Rojo; *Manicomio político*, Rv, I, B. Sánchez Maldonado, est, 6-II-1915, Te. Payret; *Lord Lister*, Zarz, 1 act, col. M. Simons, I, F. Velasco, est, 19-VI-1915, Te. Martí; *La que no se vende*, Zarz, I, M. Sorondo, est, 25-VIII-1916, Te. Molino Rojo; *La paz mundial*, est, 29-VIII-1916, Te. Molino Rojo; *Las dos Pepitas*, Zarz, I, J.H.P., est, 6-IX-1916, Te. Molino Rojo; *Verdún la inexpugnable*, Sai lír, 1 act, I, R. de Lauria, est, 15-IX 1916, Te. Molino Rojo, *CU:HMNM; Cosas del país*, Rv, est, 18-IX-1916, Te. Molino Rojo; *Los Busca Bullas*, Sai lír, est, 21-IX-1916, Te. Molino Rojo, *CU:HMNM; Contrabando de guerra*, Zarz, col. M. Simons, I, H. de la Ventosa, est, 20-X-1916, Te. Molino Rojo; *El Tenorio tropical*, Apr, l, R. de Lauria, est, 27-X-1916, Te. Alhambra; *Lluvia de ascenso*, Zarz, l, R. de Lauria, est, 24-XI-1916, Te. Molino Rojo; *La lámpara maravillosa o La danza del opio*, Zarz, 1 act, l, R. de Lauria, est, 15-XII-1916, Te. Molino Rojo, *CU:HMNM*; *A La Habana me voy*, Zarz, l, J. A. Ramos, 1916, Te. Payret, *CU:HMNM*; *La cabeza de Villa*, 1916; *Las ventajas del fotingo*, Sai cóm lír, 1 act, l, R. Fernández, 1914, est, 5-I-1917, Te. Molino Rojo, *CU:HMNM*; *El número fatal*, Vo, 1 act, l, R. de Lauria, est, 19-I-1917, Te. Molino Rojo; *La eterna revista*, Rv, l, R. de Lauria, est, 26-I-1917, Te. Molino Rojo; *La dama del antifaz*, Zarz, l, M. de Luis, est., 29-I-1917, Te. Molino Rojo; *Sátiras de Sotona*, Hum, l, Más y López, est, 18-V-1917, Te. Alhambra; *La guajirita del Ymurí o La mulata*, Sai cóm lír, 1 act, l, A. Rodríguez, est, 27-VI-1917; *Amor vencedor*, Sai, 1 act, l, M. de Luis, est, 6-VII-1917, Te. Martí; *Lo que se ve en Villa Rosa*, Zarz, 1 act, l, A. Bronca, est, 6-VII-1917, Te. Molino Rojo; *Álbum de postales*, Sai, l, M. y F. Ardois, est, 1917; *Una esposa improvisada*, Jug cóm lír, l, A. Bronca, est, 1917; *El hijo del diablo*, 1917; *El problema de la frita*, l, A. Rodríguez, Te. Alhambra, 1917; *El Servicio Militar*, Sai de actualidad, est, 1917, Te. Alhambra, *CU:HMNM*; *El espía*, Sai, 1 act, l, Mas y López, est, 26-III-1918, Te. Alhambra; *El rey de la barra*, Zarz, est, 1919; *Los timbales*, Zarz, l, R. Fernández, est, 13-I-1920, Te. Alhambra; *¿Quién tiró la bomba?*, Apr cóm lír, l, A. Rodríguez, est, 6-VII-1920, Te. Payret; *La gripe*, entremés, l, A. Rodríguez, est, 15-XI-1922, Te. Alhambra; *Frivolina*, Com lír-dramática, 1 act, col. I. Lacour, l, J. Sánchez Arcilla, est, 9-III-1928, Te. Alhambra; *El impuesto a los solteros*, Rv, 1 act, l, A. Rodríguez / J. Sánchez Arcilla, est, 27-V-1930, Te. Payret; *Los madrugadores*, Sai lír, 1 act, l, A. Rodríguez, est, 7-VIII-1931, Te. Martí, *CU:HMNM*; *La mujer fatal*, Zarz, est, 10-VIII-1931, Te. Martí; *Las sensaciones de Julia*, Rv, 1 act, col. J. Anckermann, l, A. Rodríguez, est, 4-IX-1931, Te. Martí; *Cecilia Valdés*, Com lír, l, A. Rodríguez / J. Sánchez Arcilla, est, 26-III-1932, Te. Martí, *CU:HMNM*; El *voto femenino*, Rv, 1 act, l, A. Rodríguez / J. Sánchez Arcilla, 24-VI-1932, Te. Martí, *CU:HMNM*; *El jíbarito*, Apr, 1 act, l, J.A. Díaz, est, 15-VII-1932, Te. Martí; *Los médicos en huelga*, Zarz, 1 act, l, A. Rodríguez / J. Sánchez Arcilla, est, 23-VIII-1932, Te. Martí; *En el aire o Revista aérea*, Rv radio-teatral, 1 act, l, S. E. Villa, est, 4-X-1932, Te. Martí; *El Clarín*, Zarz, 1 act, l, A. Rodríguez / J. Sánchez Arcilla, est, 18-XI-1932, Te. Martí, *CU:HMNM*; *Molde de suegras*, Jug cóm lír, 1 act, l, C. Ocampo, est, 1932, *CU:HMNM*; *Tinta rápida*, l, J. Díaz, est, 1932, Te. Martí; *El último invento*, Jug cóm lír, 1 act, l, A. Bronca, est, 1932; *Julita y Julito*, Com lír, l, J. Díaz, est, 24-I-1933, Te. Martí; *El patio de los tulipanes*, Zarz de costumbres cubanas, l, F. Meluzá Otero, est, 18-IV-1933, Te. Martí, *CU:HMNM*; *La guayabera*, Sai lír, l, J. Díaz, est, 5-V-1933, Te. Martí; *Sevilla-Habana*, Rv, l, A. Rodríguez / J. Sánchez Arcilla, est, 16-VI-1933, *CU:HMNM*; *Sueño azul*, Opt, l, A. Rodríguez / J. Sánchez Arcilla, est, 27-VI-1933, *CU:HMNM*; *La hija del sol*, Rv cub, 2 act, l, A. Rodríguez / J. Sánchez Arcilla, est, 24-XI-1933, Te. Martí, *CU:HMNM*; *La moratoria*, Rv, l, A. Rodríguez / J. Sánchez Arcilla, est, 21-IV-1933, Te. Martí; *Volando hacia La Habana o El príncipe Carioca*, Com lír, l, F. Meluzá Otero / A. Castells, est, 15-V-1934, Te. Martí, *CU:HMNM*; *Carmiña*, Zarz de costumbres cubanas y gallegas, col. J. Guede, l, A. Rodríguez, est, 25-VII-1934, Te. Nacional, *CU:HMNM*; *La Chaperón*, Com lír con gotas de Rv, col. J. Guede, l, P. Rodríguez, est, 30-XI-1934, Te. Martí; *Perlas*, Rv de gran espectáculo, 1 act, l, A. Rodríguez / J. Sánchez Arcilla, est, 17-V-1935, Te. Martí; *El millón catorce*, Com Rv, l, P. Rodríguez, est, 11-VI-1935, Te. Martí; *Las viudas de Gardel*, Sai Rv, 1 act, l, A. Rodríguez, est, 19-VII-1935, Te. Martí; *CU: HMNM*; *La Habana de noche*, Sai moderno, 2 act, l, A. Rodríguez, est, 17-I-1936, Te. Martí, *CU:HMNM*; *Camino de perdición*, Sai lír, l, P. Rodríguez, est, 3-IV-1936, Te. Martí, *CU:HMNM*; *Homobono*, Com lír, l, J. Díaz, est, 12-VI-1936, Te. Martí; *El hijo de papá*, farsa cóm lír, l, R. Fernández, est,

3-VII-1936, Te. Martí; *Me voy pa´ España*, Sai Rv, l, A. Rodríguez, 7-VIII-1936, Te. Martí; *Moreno claro*, parodia, l, A.Castells / L. García Fox, est, 1-IX-1936, Te. Martí; *El cimarrón*, l, M. Salinas, est, 16-X-1936, Te. Martí, *CU:HMNM*; *La veguerita*, l, A. Rodríguez, 1937, *CU:HMNM*; *Azucena*, l, J. Cid Pérez, est, 12-IX-1943, Te. Nacional; *Quiéreme mucho*, Rv, l, E. Robreño, est, 27-VI-1969, Te. Martí; *Balance del año*; *La blanca negra*, Jug cóm racista; *La Condesa de Merlín*, *CU:HMNM*; *Los cubanos en París*, Zarz; *El futuro de la niña*; *La modistilla de Montmatre*, l, R. de Lauria, Te. Principal de la Comedia.

FONOGRAFÍA: *Cecilia Valdés*, Montilla CDFM 118.

BIBLIOGRAFÍA: *DMEH*; *LVB*; A. Ramírez: "Compositores cubanos de hoy. Gonzalo Roig", *Carteles*, La Habana, 26-VII-1942; D. Cañizares: *Gonzalo Roig*, La Habana, Letras Cubanas, 1978; C. Díaz: *Gonzalo Roig Lobo. Centenario de su nacimiento*, La Habana, Ministerio de Cultura, 1990; C. Díaz: *De Cuba, soy hijo. Correspondencia cruzada de Gonzalo Roig*, 1995; D. Cañizares: *Gonzalo Roig. Hombre y creador*, La Habana, Letras Cubanas, 1999.

CLARA DÍAZ PÉREZ

Roig Pallares, Celestino. Madrid?, 6-IV-1887; Madrid, 25-XII-1945. Compositor. Su amplia obra teatral pertenece a las décadas de 1920 y 1930, estrenando inicialmente en el teatro Apolo *Los campesinos*, una opereta de Leo Fall adaptada por él. Puso música a varias obras de Miguel Mihura y cultivó todos los géneros de aquellos años, incluida la opereta. En el archivo de la SGAE en Madrid se conservan varias de sus obras.

Celestino Roig
(Foto: Mundo Gráfico, 1914; Ar. ICCMU)

OBRAS: *Los campesinos*, Jug cóm-lír, 1 act, col. Fall, l, M. Mihura / R. González del Toro, est, 12-XI-1912, Te. Apolo; *El tren de lujo*, Zarz cóm, 1 act, col. Marquina, l, M. Mihura Álvarez, est, 20-XII-1913, Te. Zarzuela; *El lao izquierdo*, boceto de Sai, 1 act, col. Aroca Ortega, l, F. Gil Asensio, est, 1914; *La noche vieja*, Opt, 1 act, l, M. Mihura / R. González del Toro, est, 16-III-1915, Te. Apolo; *Serafín el pinturero o Contra el querer no hay razones*, Sai lír, 2 act, col. Foglietti Alberola, l, C. Arniches / J. Gómez, est, 13-V-1916, Te. Apolo; *Mantequilla de Soria*, Zarz cóm, 1 act, l, A. Ramos Martín, est, 15-II-1917, Te. Apolo; *Ya se casó la Isabel o ¡Qué amigos tienes Benito!*, Sai, 1 act, l, C. Rufart / M. López Avilés, est, 15-XI-1917, Te. Martín; *El rey del carbón*, Pas cóm-lír, 1 act, l, M. Morcillo Sartorius / T. Gutiérrez, est, 30-XI-1917, Te. Martín; *La fiesta de la alegría*, Rv, 1 act, l, A. Paso (hijo) / J. Silva Aramburu, est, 26-II-1918, Te. Martín; *Los misterios del amor*, l, F. Pérez Capo, est, 1918; *El cinco mil cinco*, Sai lír, 1 act, l, Perrín / Thomé, est, 21-V-1920, Te. Latina; *Frescales Park*, sueño veraniego, 1 act, l, A. Paso Díaz / J. Silva Aramburu, est, 12-V-1920, Te. Fuencarral; *Las chicas del "Águila" o Zapatero a tus zapatos*, Sai, 1 act, l, A. Paso Díaz / J. Silva Aramburu, est, 8-X-1920, Te. Cervantes; *La mancha de la mora*, Sai lír, 1 act, col. M. Blanco, A. Paso Díaz / J. Silva Aramburu, est, 16-V-1921, Te. Novedades; *Los dos lunares*, 1 act, l, G. Quintilla, est, 1921; *¡Ay!... ¿Qué *tendrá mi marido?*, Zarz picaresca, 1 act, l, M. Mihura / R. González del Toro, est, 10-II-1922, Te. La Latina; *El cerdo de Avilés*, ilustraciones, l, A. Paso, est, 20-XII-1922, Te. Cómico; *Narcisín o el Niño de Riotinto*, 1 act, l, J. Casado / A. Sánchez Carrere, est, 25-X-1923, Te. Eldorado; *Perdigón*, Zarz, 1 act, l, A. Paso Díaz / J. Silva Aramburu, est, 6-V-1924; *La contrabandista*, Zarz, 1 act, l, Silva Aramburu / J. L. Mayral, est, 24-VII-1925, Te. Pardiñas; *Por que fue Don Juan Tenorio*, 1 act, l, J. Silva Aramburu / J. Vela, est, X-1925; *Oh, la revista*, l, Silva Aramburu, est, 28-I-1928, Te. Romea; *Paca la Morena o el figón de curtidores*, l, J. Vela Galiano/Adame, est, 19-IX-1928, Te. Novedades; *Los castigadores*, 1 act, l, A. Hernández / Gómez de Agüero, est, X-1928, Te. Chueca; *A las tres*, ensayo tragicómico, 1 act, l, R. Peña, est, 8-VIII-1929, Te. Latina; *Los ponchos rojos*, col. Monreal Lacosta, l, J. Moyrón, est, XI-1933, (P. Nuevo); *Adelante señores, pasen ustedes*, Rv, 1 act, col. E. Pérez Rosillo, l, P. Muñoz Seca / P. Pérez; *Dar de comer al hambriento*, col. Padilla Sánchez, l, M. Mihura Álvarez; *El amor lo pintan niño*, Zarz, 1 act, l, M. Mihura Álvarez / R. González del Toro; *Elixir de amor*, l, S. Delgado; *La de las coquetas*, col. Marquina; *La enfermería*, Sai, 1 act, l, M. Portolés; *La escuela de las coquetas*. col. Marquina; *La espuma del champagne*, 1 act, l, M. Linares Rivas; *La señora de cabeza*, 1 act, l, González del Toro, est; *Las de Pichi*, col. Estela; *Las mujeres de bien*, Sai, 1 act, l, F. Gil Asensio / D. Criado; *Las niñas de mis ojos*, col. Marquina; *Las pícaras mujeres*, l, M. Mihura Álvarez; *Lo ve*; *Los que le dieron al príncipe*, col. Cases.

FONOGRAFÍA: *Serafín el pinturero*, 100627 (et. azul) 57.
BIBLIOGRAFÍA: *DMEH*.

EMILIO CASARES RODICIO

Roldán, Eduardo. España, siglos XIX-XX. Actor y cantante. Estrenó algunas obras entre finales del siglo XIX y comienzos del XX: *Circo nacional* de Nieto, Eslava, 1886; *La sultana de Marrruecos* de Joaquín Viaña, Eslava, 1890; *Las tres viejas* de Carbonell y Molina, La Latina, 1908; *Las hijas de Lemnos* de Pablo Luna y *¡El 20 pelao!* de Escobar y *Barbarroja* de Serrano, Apolo, 1911; *El tentaero* de Molina y Del Pozo, teatro del Duque de Sevilla, 1916; *La Bejarana* de Alonso y Serrano, Apolo, 1923; *La pescadora de Ubiarco* de Tena, teatro del Cisne, 1925.

Un niño Roldán que intervino en 1907 en el estreno en Apolo de *La gente seria* de José Serrano, que no se sabe si tendría parentesco con Eduardo Roldán. Probablemente fuese hijo suyo, ya que él actuaba por esos años en el Apolo.

BIBLIOGRAFÍA: *TA*.

Mª LUZ GONZÁLEZ PEÑA

Roldán, Salvador. Córdoba, siglo XX. Barítono. En 1907 estrenó con gran éxito en el teatro Circo del Gran Capitán de Córdoba el apropósito de Lola Ramos, con música de Enrique Buñó, *¡Un cordobés!*. La obra estaba dedicada a él, a quien se atribuye el gran éxito de la misma. Dedicado siempre a la zarzuela, actuó sobre todo en la América hispana; así se encontraba en La Habana en 1918 con la compañía de Casimiro Ortas cantando en el teatro Nacional. Contratado por la compañía de Quintero y Gui-

llén, realizó una larga gira americana con *La copla andaluza*, con la que actuó en el teatro Payret de La Habana en 1930. Alternó con Aníbal Vela en el papel de Don Floro de *Los amos del barrio* de Manuel López Quiroga, teatro Fuencarral de Madrid, 1938. En los años cuarenta estaba en España.

BIBLIOGRAFÍA: F. Cuenca: *Teatro andaluz contemporáneo. 2. Artistas líricos y dramáticos*, La Habana, Maza, 1940.

Mª LUZ GONZÁLEZ PEÑA

Rollán, Pepita. Madrid, 1920. Soprano. Sus primeras lecciones de canto las recibió de Rosario Cárceles, que la acompañó siempre. A los seis años era solista de un coro. Actuó en numerosas funciones benéficas y debutó con quince años en el teatro Calderón de Madrid con *Doña Francisquita*, siendo la soprano más joven que protagonizó este papel. En 1936 estrenó en el teatro Fontalba *La mejor del barrio* de Patricio Muñoz Aceña que escribía bajo el seudónimo "Keppler Lais". Durante la Guerra Civil formó parte de la compañía lírica del teatro Pardiñas, actuando en diversos festivales. En este teatro obtuvo un gran éxito en diciembre de 1937 con la *Romanza húngara* de Dotras Vila. Terminada la guerra estrenó *Monte Carmelo* de Moreno Torroba, con gran éxito, junto a Selica Pérez Carpio y Luis Sagi Vela. Estrenó además *La reina chula-*

Pepita Rollán
(Foto: Ar. Emilio G. Carretero)

pa de Dotras Vila y *Manuelita Rosas* de Francisco Alonso. Debutó en el teatro de la Zarzuela en 1943 con la compañía de Moreno Torroba que encabezaba María Espinalt en *La ilustre moza*, consiguiendo un gran triunfo, que revalidó con *Marina* poco después. Fue la primera mujer que tuvo compañía propia en el género lírico, de la que formaban parte José María Aguilar, Elio Guzmán y Aníbal Vela. Posteriormente creó la Compañía de Ópera Pepita Rollán con la que recorrió España. En 1943 la familia de José Serrano le pidió que estrenase la ópera póstuma del valenciano, *La venta de los gatos*. El estreno se realizó en el teatro Madrid junto a Cora Raga, Pablo Gorgé y Pablo Vidal. Actuó en Cuba y México, tanto con ópera como con zarzuela y también en Italia, Francia y Alemania. Se retiró en 1949, en pleno éxito y dejando pendientes contratos en diversas capitales europeas, aunque volvió a la Zarzuela en la temporada 1950-51 para participar en un homenaje a Federico Moreno Torroba.

FONOGRAFÍA: *Monte Carmelo*, R 6027 (et. roja), C 4633-4 C 4615.

BIBLIOGRAFÍA: *CCE*; E. García Carretero: *Historia del teatro de la Zarzuela de Madrid*, Madrid, Fundación de la Zarzuela Española, 2003.

Mª LUZ GONZÁLEZ PEÑA

Romanza. Pedrell afirma que son los pequeños poemas puestos en música, que presentan diferentes denominaciones según el gusto del poeta o compositor, tales como canción, melodía, barcarola, balada o serenata. En este sentido, se trata de un término de significación casi indeterminada y, en todo caso, definida en su origen por el carácter del texto que, en opinión de Pena y Anglés, corresponde a una canción romántica narrativa, es decir de temática alegre y caballeresca, opuesta a la balada, que tiene un contenido lúgubre. La *romance* francesa es la canción amorosa sentimental –uno de sus mejores ejemplos es *Plaisir d'amour* de Martini–, mientras que la *chanson* es más graciosa y aguda; idéntica diferenciación existe entre las formas denominadas en el género lírico español como romanza y las definidas como canción. El apogeo de la romanza en la música vocal e instrumental comenzó en la segunda mitad del siglo XVIII. En España, según C. Alonso, a medida que avanza el reinado isabelino, se encuentra similar problema terminológico al de otros países europeos, ya que los editores incluyen, dentro del macro-género de romanza, piezas con la denominación concreta de melodía, canción, nocturno, balada, barcarola, serenata, elegía y sinfomela; añade Alonso que "con excepción de esta última, en el resto no apreciamos diferencias sustanciales".

En resumen, la romanza lírica española es una pieza solista, sentimental, de corte elegante, que evita el excesivo virtuosismo vocal, y presenta un trabajo melódico de clara referencia belcantista italiana y una estructura formal diversa, pero claramente influida, en la primera mitad del siglo XIX, por las estructuras formales de la *romance* francesa coetánea. No es posible aventurar una forma estructural concreta de romanza, considerando que el propio modelo francés importado no presenta unidad en este terreno, apareciendo ejemplos con estructuras bipartitas del tipo ABAB, funcionando A como coplas con dos estrofas, en modo menor, y B como estribillo, que repite música y texto, en el tono homónimo mayor, o presentando A y B la misma tonalidad en un esquema más sencillo, pero no menos expresivo, donde se mantiene el papel de copla para la sección A y estribillo para B.

El término apareció en la zarzuela desde sus comienzos en el siglo XIX y se mantuvo hasta los últimos ejemplos del género en el siglo XX, definiendo una realidad musical variada que coincide en ciertos aspectos: número solista de uno de los protagonistas serios de la obra; empleo de un lenguaje europeísta, que evita las referencias hispánicas en ritmos, escalas, cadencias o, incluso, texto; situación en puntos dramáticamente estratégicos y, por influencia de *Jugar con fuego*, 1851, las dos romanzas posibles de la zarzuela grande, interpretadas por la pareja protagonista, se sitúan una al principio –igual que la romanza de Félix– y otra casi al final de la obra –igual que la romanza de la Duquesa de Medina–; ausencia del exceso virtuosista –exceptuando algunas *fermatas*, de discreta dificultad, de las zarzuelas grandes de mediados del siglo XIX–, mostrando la belleza del sonido vocal a través de hermosas melodías diatónicas y silábicas, de extenso ámbito y exigente fiato; y control de la orquestación, en todo momento al servicio del solista.

La primera romanza definida así por sus autores se encuentra en la comedia-zarzuela *El novio y el concierto* de Basili y Bretón de los Herreros, 1839, en su primer número definido como romanza de tiple, en italiano, cantada por Bárbara Lamadrid. *Los solitarios*, 1843, es el siguiente título lírico en castellano en el que hay dos romanzas, la de Mariana, Nº 2, y la de Lucía, Nº 3. Curiosamente la primera zarzuela decimonónica en dos actos, *Colegialas y soldados*, 1849, no emplea la definición de romanza para ninguno de sus solos, apareciendo, por el contrario, números definidos como velada, plegaria, arieta y canción. *La mensajera*, de ese mismo año, sí incluye en el Nº 6 la romanza de Inés. En la década de los cincuenta muchas son las zarzuelas que incluyen romanzas, como *Bertoldo y comparsa*, 1850, con la Romanza de Melo, Nº 4, y la de Matilde, Nº 12, *Jugar con fuego*, primer título en tres actos e hito y modelo del género, incluye una romanza para cada uno de los integrantes de la pareja protagonista, la romanza de Félix, Nº 3, "La vi por vez primera" –de estructura ABC, siendo B la interpolación de una sección en diálogo con el Marqués y el Duque– y la de la Duquesa de Medina, Nº 11, "Un tiempo fue" –ABCB+coda cadencial–; a diferencia de éstos, el Marqués de Caravaca interpreta un "aria" –en términos de Barbieri– en el Nº 12. *El campamento*, de ese mismo año, contiene también una romanza, Nº 5, la de la prisionera, interpretada entre bastidores, de estilo belcantista, de modo especial en el pasaje virtuosístico final.

Nuevas romanzas aparecen en *El grumete*, 1853, –Serafín, Nº 2, y Tomás, Nº 4–, *Catalina*, 1854, –Pedro, Nº 12, y Berta, Nº 15–, *La cacería real*, 1854 –Margarita, Nº 9, y rey Felipe IV, Nº 9–, *Moreto*, 1854 –Don César, Nº 7–, *Los comuneros*, 1855, –Elena, Nº 7–, *Amor y misterio*, 1855 –Don Álvaro, Nº 4–, *El conde de Castralla*, 1856 –Gil Vicente, Nº 5–, o *El juramento*, 1858. Esta última incluye tres romanzas de gran belleza para cada uno de los integrantes del triángulo protagonista: la de María –un *andante*, en Si b menor, de gran lirismo, en el que las dificultades vocales y los pasajes melismáticos, así como la *cadenza* que cierra el número están pensadas para el máximo lucimiento vocal de la soprano, en un lenguaje musical próximo al belliniano– la del Marqués, ambas dentro del Nº 3, y la de Don Carlos, pequeña aria *da capo* con una cadencia al final. En la década de los sesenta aparecen nuevos ejemplos de romanzas en títulos como *La cruz del valle*, 1860 –romanza de Federico del segundo acto–, *El planeta Venus* –Kador, Nº 4, y Estela, Nº 11–, *Anarquía conyugal*, 1861 –Elena, Nº 4–, *Amor y arte*, 1862 –Rosa, Nº 5–, *La conquista de Madrid*, 1863 –Ansúrez, Nº 2, y Zaida, Nº 12, ambas con forma ABA', y con fermatas virtuosísticas–, *Matilde y Malek-Adel*, 1863 –Elena, Nºs 3 y 12–, *Cadenas de oro*, 1864 –Fabio, Nº 2, y Leonor, Nº 12–. Sin embargo, se hace evidente que la forma, a partir de mediados de los sesenta, aparece de manera mucho más esporádica, sin duda por el nacimiento de una nueva articulación de los espectáculos –el teatro por horas–, donde las formas "antiguas", serias y extensas no tenían cabida.

Como se ha comentado, en el teatro por horas el término de romanza desaparece casi por completo –no se corresponde ni con el ámbito social de los personajes, ni con su lenguaje musical–, aunque se pueda encontrar algún ejemplo aislado, como la romanza de Trinidad, Nº 3 del sainete lírico de Marqués *Boda, tragedia y guateque* o *El difunto de Chuchita*, 1894. Sin embargo, se mantiene, sin duda por tradición, en algunos ejemplos extraños al género como en la zarzuela cómica de Chueca *La corría de toros*, 1902, donde la romanza de Carmela, Nº 6, está construida sobre esquemas vinculados al lenguaje musical andalucista. Ya nada se conserva de las anteriores formas bipartitas o tripartitas, ya que la música responde a la articulación del texto en cinco estrofas, siendo la primera cantada sobre un *Andante* a modo de recitado; la segunda en un *Allegretto* basado en un ostinato rítmico en el acompañamiento sobre la figuración corchea con puntillo-

semicorchea y cuatro corcheas en 3/4; un *Allegro vivo* orquestal en 3/8 sirve de transición hacia un *Moderato* sobre el que se canta la tercera estrofa, "¡Ay, qué sola que me quedo!", con referencias a la soleá; el *Moderato* se mantiene en la cuarta, cambiando el modo de menor a mayor; esta cuarta estrofa es la de mayor extensión, con ocho versos y la repetición de los dos últimos, sobre los cuales se retarda el *tempo*; la última de las estrofas, similar a la primera, sirve de cierre al número con el regreso a la música presentada al inicio del mismo.

El siglo XX presenta también una buena cantidad de ejemplos de romanzas, aunque el término se deba entender ya como sinónimo de número solista, habiendo perdido cualquier referencia a cuestiones estructurales o formales. Entre otros títulos, están *El carro del sol*, 1911 –Antonio, Nº 3–, *La ciudad eterna*, 1921 –Elena, Nº 10–, *La alsaciana*, 1922 –Margot, segunda parte del número inicial–, *Doña Francisquita*, 1923 –romanza de Fernando, Nº 8–, *Los gavilanes*, 1923 –Juan, Nº 8–, *La bejarana*, 1924 –José Luis, Nº 12–, *La calesera*, 1925 –Maravillas, Nº 2, y Rafael, Nºs 10 y 15–, *El huésped del sevillano*, 1926 –Raquel, Nºs 3 y 9, y romanza de Juan Luis, Nº 11–, *Las alondras*, 1927 –Octavio, Nº 10, con forma AB, en Mi menor A, y Mi mayor B–, *Las hilanderas*, 1927 –Don Leandro, Nº 2–, *El último romántico*, 1928 –Enrique, Nº 4–, *Los claveles*, 1929 –Rosa, Nº 4, biseccional, estando cada sección en Mi menor y Mi mayor–, *La rosa del azafrán*, 1930 –Sagrario, Nº 10–, *El cantar del arriero*, 1930 –Lorenzo, Nº 10–, *La fama del tartanero*, 1932 –Juan León, Nº 9, y Currillo, Nº 12–, *El ama*, 1933 –Esteban, Nº 5, de Rafaela, Nº 6, y de Clemente, Nº 11–, *La chulapona*, 1934 –Manuela, Nº 2B, y José María, Nº 8–, *La tabernera del puerto*, 1936 –Leandro, Nº 5–, *La canción del Ebro*, 1941 –Berta, Nº 4, de Marcelo, Nº 5, y de Don Juan Manuel, Nº 13–, o *El canastillo de fresas*, 1951 –Clara, Nº 8, y de Andrés, Nº 11–. Algunas de estas romanzas, bien sean para tenor, como "Por el humo se sabe dónde está el fuego" de *Doña Francisquita*, "¡No puede ser!" de *La tabernera del puerto*, "Bella enamorada" de *El último romántico*, o "Mujer de los ojos negros" de *El huésped del sevillano*; para barítono, como "¡No importa que al amor mío!" de *Los gavilanes*; o para soprano, como "No me duele que se vaya" de *La rosa del azafrán*, "Cuando el grave sonar de la campana" o "La pena me hace llorar" de *El huésped del Sevillano*, se mantienen en el repertorio de los cantantes del género y conservan gran popularidad.

BIBLIOGRAFÍA: F. Pedrell: *Diccionario técnico de la música*, Barcelona, I. Torres Oriol, 1894; J. Pena, I. Anglés: *Diccionario de la música Labor*, Barcelona, Ed. Labor, 1954; C. Alonso: *La canción lírica española en el siglo XIX*, Madrid, ICCMU, 1998.

Mª ENCINA CORTIZO

Romanza húngara. Poema lírico en tres actos. Música de Juan Dotras Vila. Libreto de Víctor Mora. Estrenada el 19 de febrero de 1937 en el teatro Novedades de Barcelona.

Personajes y reparto. Marielsa (María Teresa Planas, soprano lírica). Sandra, la Loba (Carolina Castillejo, soprano/contralto). Myrta (Flora Pereira, tiple cómica). Zanicka (Leonor Esteve, característica). Itsvan (Marcos Redondo, barítono). Yorick (Esteban Guijarro, tenor). Señor Ciprín (Antonio Palacios, actor cómico). Pelugri (Jesús Royo, tenor cómico). Señor Grullo (Mariano Beút, actor cómico). Samuel (Enrique Lorente, actor). Ramiscal (Manuel Murcia, actor joven). Jefe de la tribu (Enrique Domínguez, característico). Natán (Manuel Lopetegui, actor joven). Guarda de la llanura (José Ramos). Espigadora (Maruja Gómez).

Orquestación. Flautín, flauta, oboe, 2 clarinetes, fagot, 2 trompas, 2 trompetas, 3 trombones, timbales, caja, bombo, plato, pandereta, triángulo, arpa y cuerda.

Argumento. La acción se desarrolla en un pueblo húngaro de la pradera del Zon, a finales del siglo XIX. *Acto I.* En la posada del Buey Negro las mozas esperan la llegada de los potreros. Marielsa trabaja al servicio del posadero Samuel, un viejo judío. Ella está enamorada de Itsvan, joven potrero de la llanura a quien pronto nombrarán jefe de los potreros. Advierten a Marielsa que han visto a Itsvan preguntar por Sandra, apodada la Loba, mujer de la tribu de los gitanos. Ciprín, jefe de los guardas de la llanura y ataviado como un polaco, disimula ridículamente con Myrta, artista de la ópera de Budapest; está buscando ladrones de caballos. Llega a la posada Yorick, un rico hacendado que quiere casarse con Marielsa ofreciendo dinero a Samuel. Ella, que se cree engañada por Itsvan, consiente en casarse por despecho. Itsvan se va con los gitanos, atraído por Sandra.

Acto II. En un music-hall vienés que se ha establecido en el pueblo, Pelugri es seducido. Él es un personaje cómico al que el avaro de Samuel hace trabajar como un perro. Ciprín descubre que los ladrones son los gitanos. Yorick regala una corona de espigas a Marielsa, mientras las espigadoras bailan unas czardas. Llega Itsvan y, al sorprender a Marielsa con Yorick, se ofende aún más. Entra la vieja gitana Zanicka y ofrece a Marielsa una poción de una raíz de mandrágora para recuperar a Itsvan: el hombre que beba la poción será suyo para siempre. Ramiscal, antiguo amante de Sandra, ha delatado a la tribu; Ciprín ve próxima su captura, y se cree cómicamente cubierto de gloria por su gesta. Antes de partir la tribu de gitanos, Marielsa da el filtro a Itsvan, pero desespera al ver que aparentemente no da resultado. En un conjunto concertante, los gitanos se van, Sandra también se despide, después de haber llorado al saberse rechazada por Itsvan, y Yorick se alegra de que Itsvan se marche con los gitanos. De repente, Itsvan cae fulminado al suelo: el veterinario Grullo descubre que alguien le ha envenenado. Acusan a Sandra, pero Marielsa se confiesa culpable.

Acto III. Itsvan se recupera, aunque Marielsa teme ser procesada. La actriz Myrta propone a Pelugri huir juntos, y ganarse la vida en Budapest como actores, en una escena llena de disparates por parte de Pelugri. Los amigos potreros de Itsvan le van a ver, y se sorprenden por su rápida mejoría; él canta su deseo de no querer abandonar la llanura húngara en una bella romanza. Cuando el simple de Ciprín se propone apresar a los gitanos, los guardias le informan que hace dos horas que se han escapado. Ciprín, desesperado quiere detener a alguien, pues se juega su ascenso; detiene por equivocación a Pelugri y a Mirta. Luego quiere prender a Marielsa y acusarla de envenenamiento, pero Itsvan asegura que no ha bebido ningún vino: fue Sandra quien le quiso envenenar. Después de descubrir que el jefe de la tribu era el viejo Samuel, que también huyó, Marielsa e Itsvan se reconcilian. Yorick le da a ella treinta mil florines, para que sea feliz con el hombre a quien ama.

Números musicales. Acto I: Preludio. Nº 1. Canción de Alborada, Marielsa y mozas, "Ya nace el día". Nº 2. Canción del Potrero, Itsvan, mozas y potreros, "Bellos prados que dejé al pasar". Nº 3. Marielsa, Itsvan, "No esperes, no...". Nº 4. Cantos de Polonia, Myrta, Ciprín, Pelugri, Grullo y coro, "Nunca se vio, hay que admirar la rara pareja". Nº 5. La mujer y el dinero. Yorick, "En el amor siempre triunfó quien ha sabido ser buen comprador". Nº 6. Caravana Húngara. Marielsa, Sandra, Ramiscal, Jefe de la tribu, gitanas, bailadora y coro, "Loco marchó". Nº 7. Final acto I. Sandra, Itsvan, Marielsa, "Con tus frases enciendes mil estrellas de luz". Acto II: Nº 8. Introducción y pantomima cómica. Pelugri, estrellas vienesas, vaqueros, potreros, gitanos y mozas. Nº 8A. Coro de segadores, "Labriego luchador despierta sin tardar". Nº 9. Czardas. Yorick, espigadoras, segadores y baile, "Por ti feliz y alegre canto aquí". Nº 9A. Insinuación de amor. Marielsa, Yorick, "Piensa que con mi querer". Nº 10. Despedida de Itsvan. Itsvan, Marielsa, "Qué me importa ya mi vida". Nº 11. Lamento húngaro. Sandra, "Bien merezco su crueldad y rigor". Nº 12. Final del acto II. Marielsa, Yorick, Itsvan, segadores, espigadores, Sandra y coro, "La parada muy larga fue". Acto III: Nº 13. Ensayo cómico. Myrta, Pelugri, "Allá en Buda, Buda, Budapest". Nº 14. Itsvan y potreros, "Corazón que vives sin amor". Nº 15. Final. Yorick, Marielsa, Itsvan y potreros, "No dudes ya".

Comentario. *Romanza húngara* fue una de las obras más representadas de Dotras Vila y mantuvo su vigencia después de 1939 y, hasta la década de los cincuenta, se documentan varias reposiciones. La crítica la consideró como su mejor zarzuela. El argumento, de tipo sentimental, y libre de cualquier tipo de alusiones a las circunstancias bélicas y políticas del momento, explica que la zarzuela fuera representada sin ningún problema de censura a partir de 1939. Marcos Redondo y la soprano María Teresa Planas fueron los artífices del éxito el día del estreno, en buena medida por haber compuesto Dotras unos papeles muy a su medida. La música es sin duda una de las mejores partituras de su época, de gran calidad y acierto en el diseño de los temas, siempre muy emotivo, así como en la disposición de cuadros descriptivos; en estos últimos jamás se cae en la exageración. El lenguaje del libreto cae en ocasiones en una afectación amanerada, siendo ésta, quizá, la causa que pueda explicar que *Romanza húngara* no se haya mantenido entre los títulos de repertorio.

La obra se inicia con un preludio orquestal en el que la cuerda adopta aires de improvisación zíngara, con distancias melódicas de segundas aumentadas, y procesos armónicos del tipo mayor-menor. A continuación se expone el tema de la romanza de Sandra, uno de los momentos sobresalientes de la obra. La "Canción de Alborada" es la primera ocasión en la que Marielsa despliega una línea melódica simple, tendente a los agudos, y con un soporte armónico interesante; es de destacar el fragmento final, en el que Marielsa asciende al agudo acompañada por el coro de mozas. La "Canción del potrero" combina un ritmo marcado, binario, en imitación del trote de los caballos, con unas armonías en las que siempre se combina una sexta disonante; Istvan se presenta así, con un carácter altanero, secundado por el coro, hasta acabar con un agudo mantenido largo tiempo. El dúo siguiente entre Istvan y Marielsa se desarrolla a tiempo de "Vals a la tzigane". La abundancia de ritmos de tipología húngara, así como de otros ritmos de baile habituales de la música de music-hall de la época es una de las características de la obra. En este número, Dotras, desarrolló una melodía con una gran capacidad sentimental. Otra muestra de los ritmos del Este europeo es el tempo de polka usado en los "Cantos de Polonia", desarrollados sobre un ritmo de vals acentuado en el segundo tiempo, alternado sobre momentos cómicos al intervenir Myrta y Ciprín. También es un "vals a la tzigane" la intervención de Yorick en el Nº 5, que después se transforma en un tiempo de czarda. La llegada de la caravana húngara contrapone el apasionamiento de Marielsa con la canción de Sandra, "Los gitanos de Hungría siempre cantan su canción", después retomada por todo el coro, uno de los momentos culminantes de la obra. El final primero contiene un gran acierto en la descripción del estado de ánimo de los personajes, desde el sentimentalismo inicial entre Sandra e Istvan, a la exaltación de Marielsa, que expone un tema desarrollado con mucha habilidad, y que concluye con uno de los motivos más sentimentales de la obra. El segundo acto se inicia con una introducción que retoma temas de bailes anteriores, además de una pantomima cómica con un vals vienés y un divertido momento con música de music-hall, pretendidamente amanerada. Después de una intervención coral prosigue otro de los momentos pintorescos, las czardas del coro de espigadores, que retoman el material temático expuesto al inicio de la obra, con la evolución armónica tendente a los reposos en la dominante, y los pasos de mayor a menor desde las dominantes respectivas, propio del lenguaje húngaro, seguido de los momentos rápidos, imitando la alternancia del frisu-lasu. El dúo entre Marielsa y Yorick es uno de los momentos más destacados de la obra, con las melodías mantenidas y emotivas que diseñaba Dotras. A este número, de gran tensión e interés, le sigue uno de los momentos más celebrados de la zarzuela, la romanza de Itsvan, caracterizada por una melodía con saltos interválicos, y por combinarlos con procesos armónicos y rítmicos tipistas, a la húngara, giros sincopados propios de las czardas. Una tipología similar es la que presenta el "Lamento húngaro" de Sandra, un número también extenso y que va profundizando en la tensión armónica hasta concluir en la región aguda de Sandra. El acto acaba con Sandra entonando su tema, opuesto al tema melancólico de Itsvan. El acto segundo enlaza con el tercero, para lo cual se interpreta como intermedio el Nº 9 íntegro con orquesta sola. Se inicia el tercero con un número cómico entre Myrta y Pelugri, a tempo de mazurka. En el último acto sobresale la canción de Itsvan, momento final de lucimiento para Marcos Redondo, una melodía lenta, de amplio ámbito melódico y teñida con síncopas, saltos interválicos y procesos armónicos tendentes a las dominantes que mantienen el sabor húngaro.

Fuentes manuscritas. Los materiales de orquesta se conservan en el archivo de la SGAE en Barcelona.

Ediciones de música. Canto y piano, Barcelona, Boileau [*ca.*1937].

Ediciones del libreto. Barcelona, Ed. Alas, 1937.

FONOGRAFÍA: *Romanza húngara*, Odeón, 184370 [reed. en CD: Bleu Moon BMCD 7517].

FRANCESC CORTÈS i MIR

Romea Parra, Julián. Zaragoza, 18-VII-1848; Madrid, 13-XI-1903. Actor, cantante, escritor y compositor. Su padre, oficial del ejército, le encaminó hacia los estudios militares, pero abandonó la Academia Militar por sus aficiones literarias y sobre todo por el teatro. Sobrino del célebre actor Julián Romea Yanguas, comenzó su carrera protegido por la esposa de éste, la famosa actriz Matilde Díez, convirtiéndose, gracias a ella, y a su gran talento, en uno de los actores más aplaudidos de España e Hispanoamérica. Matilde Díez le ayudó a entrar en la compañía del teatro Español de Madrid en la temporada 1870-71, en la que debutó con *Luna llena* de Pelayo del Castillo. Cuando Matilde Díez abandonó el Español para pasarse al Circo, él la siguió, estrenando entre otras obras *El haz de leña* de Gaspar Núñez de Arce. Formó parte de la Compañía que inauguró en 1874 el teatro Apolo; volvió por dos temporadas al Español con las obras de Echegaray *La última noche* y *O locura o santidad*. Tras realizar campañas en provincias volvió a Madrid al teatro de la Comedia, entre 1877 y 1879. En 1880 estrenó en el teatro de la Alhambra con María Tubau, Balbina Valverde y Ramón Rossell, *La canción de la Lola* de Ricardo de la Vega. Formaba parte de la compañía que inauguró en la temporada 1881-82 el teatro Lara. El 7 de noviembre de 1885, la revista *Madrid Cómico* publicó su caricatura por Cilla, en la sección "Nuestros actores. Julián Romea", con estos versos: "Director de escena / de los más notables, / buen actor y sobrino muy digno / del otro, del grande".

Pese a la oposición de los empresarios, estrenó *La buena sombra* de los hermanos Álvarez Quintero, que supuso la salvación de la temporada en el teatro de la Zarzuela y en la temporada 1889-90 en el teatro Español, el sainete de Javier de Burgos *El baile de Luis Alonso o El mundo comedia es*, que le consagró como primer actor. El éxito de Romea fue tan grande, que el libretista quiso brindarle una sorpresa y cuando Romea se había pasado al género lírico, buscó la colaboración de Gerónimo Giménez y convirtió en lírico el exitoso sainete. Años más tarde Burgos y Giménez escribieron la continuación, o más bien el "antecedente", pues la acción de este segundo sainete ocurre antes que la anterior. Se titula *La boda de Luis Alonso o La noche del encierro* y el éxito fue tan clamoroso que se repitió íntegra la partitura. Se pasó al género lírico en Apolo, teatro del que de nuevo pasó al Lara para llegar como primer actor y director al teatro de la Zarzuela, estrenando obras de gran éxito como *El padrino de El Nene*, *La viejecita*, *La buena sombra*, *Gigantes y cabezudos* y su propia obra, *La Tempranica*, con música de Giménez. Del mismo compositor y de nuevo con letra de Javier de Burgos, estrenó en 1890 en el teatro Principal de Barcelona *Trafalgar*, en la que fue el actor principal, el director y responsable de la complicada puesta en escena, lo que reconoció el autor del sainete en la dedicatoria que imprime en la edición del libreto: "Mi querido Julián: Este ejemplar quedaría incompleto sin una pública prueba de gratitud a tu clara inteligencia y buen gusto artístico. Si como autor has creado tres tipos notables al estrenarse esta obra, como director has alcanzado un verdadero triunfo dirigiendo y presentando con habilidad y talento los cuadros complicados y difíciles de este Episodio histórico".

Como escritor consiguió grandes triunfos con obras como *El padrino de El Nene* y *Todo por el arte*, ambas de 1896, *El señor Joaquín*, 1898, con música de Manuel Fernández Caballero, de la que interpretó al protagonista en su estreno en el teatro de la Zarzuela, o *La Tempranica*, 1900. Escribió además otros libretos como *Un tenor de encargo*, *Pablo y Virginia*, *Entre dos yernos*, *De Cádiz al puerto*, *El teniente cura* o *El difunto Toupinel*. Como compositor tiene varias zarzuelas de éxito, como *Niña Pancha*, en la que, como en muchas otras, colaboró con Joaquín Valverde Durán, que instrumentaba las obras de Romea, al igual que lo había hecho con las de Chueca. Puso la música a *El último tranvía*, *Chocolate y mojicón*, *La baronesita*, *Simplicio*, *Pasar la raya*, *Rondó final*, *El tambor mayor*, *Las grandes potencias*, *Los domingueros*, *¡Olé, Sevilla!*, en la que fue autor del libro y la música al igual que en *La hija del barba*, *La segunda tiple*, *El mocito del barrio*, *El carnaval del amor* y *El país de la cucaña*. Fue además traductor y adaptador de diversas obras francesas a la escena española, como *Entre dos yernos*, *Un marido a picos pardos*, *Un amigo íntimo*, *El difunto Toupinel* y *Quisquillas*.

La obra de mayor éxito de Julián Romea como compositor fue *Niña Pancha*, estrenada en el teatro Lara en 1866. La obra, con sólo tres personajes, estaba interpretada por Julián Romea, Sofía Romero y Balbina Valverde. Musicalmente tiene tres números diversos, acomodados a los diferentes tipos que interpretó Sofía Romero como Niña Pancha: una habanera, un cuplé con ritmo de cancán y una canción chulesca madrileña con ritmo de pasacalle. La música de Romea tenía una lozanía y donaire que le impulsaron a escribir años más tarde *La hija del barba*, en la que letra y música son suyas. La obra se estrenó también en Lara en 1894 con Romea en el papel principal acompañado por Rosario Pino. Musicalmente inferior a *Niña Pancha*, no llegó a convertirse en obra de repertorio, si bien uno de sus números, un chotis castizo, que cantaba y bailaba la Pino, acompañada por Romea que imitaba las escalas y trinos de un clarinete, obtuvo gran éxito. En febrero de 1901 estrenó en la Zarzuela *El barbero de Sevilla*. Estrenó a lo largo de su vida casi cien obras. En la temporada 1901-02 volvió al teatro Lara. *Véase* LA TEMPRANICA.

Julián Romea (Foto: Lokner en La Ilustración Americana, 1898; Ar. ICCMU)

OBRAS (Todas en *E:Msa*): *Rondó Final,* Jug cóm-lír, 1 act, l, R. García Santisteban, est, 29-I-1883, Te. Comedia; *El último tranvía,* col. Valverde, l, A. de Palacio / R. Blasco, est, 4-XII-1884, Te. Lara; *La baronesita.* Jug cóm-lír, 1 act, col. Valverde Durán, l, E. Segovia, est, 5-V-1885, Te. Lara; *Niña Pancha,* Jug cóm, 1 act, col. Valverde Durán, l, C. Gil, est, 13-IV-1886, Te. Lara; *Pasar la raya,* Jug cóm-lír, 1 act, col. Valverde Durán, l, F. Pérez y González, est, 3-IV-1886, Te. Eslava; *El canario,* 1 act, col. J. Valverde Durán, l, C. Gil y Luengo, est, 29-XII-1886, Te. Lara; *Los Domingueros,* Sai lír, 1 act, col. Valverde, l, C. Gil, est, 5-I-1888, Te. Variedades; *Ole Sevilla,* boceto de Com, 1 act, col. A. Estellés, l, J. Romea Parra, est, 26-X-1889, Te. Eslava; *Las grandes potencias,* Jug cóm-lír, 1 act, col. Valverde Durán, l, J. de Burgos, est, 15-I-1890, Te. Zarzuela; *La segunda tiple,* pasillo, 3 act, col. J. Valverde Durán, l, C. Gil Luengo, est, 21-III-1890, Te. Apolo; *El mocito del barrio,* Jug cóm, 1 act, l, R. Revenga, est, 14-VIII-1891, Te. Eldorado; *La hija del barba,* Jug cóm, 2 act, l, J. Romea, est, 5-III-1893, Te. Lara (Sevilla); *El carnaval del amor,* extravagancia cóm-lír, l, J. Jackson Veyán, est, 2-III-1895, Te. Lara (Sevilla); *El país de la cucaña,* Rv satírica, col. Chalons Berenguer, l, M. Fernández de la Puente/T. Rodríguez, est, 21-V-1897, Te. Zarzuela; *Concierto de flauta,* 1 act; *La feria de Sevilla,* 2 act.

BIBLIOGRAFÍA: *DAT; TA;* Córcholis: "Memorias íntimas del teatro. Julián Romea", *Nuevo Mundo,* X, 515, 19-XI-1903; S. Pró Ruiz: *Teatralerías,* Cádiz, 1953; J. Deleito y Piñuela: *Estampas del Madrid teatral fin de siglo,* Madrid, Ed. Calleja, sf.

Mª LUZ GONZÁLEZ PEÑA

Clotilde Romero (Foto: Comedias y Comediantes, 1911; Ar. ICCMU)

Romero, Clotilde. España, siglos XIX-XX. Tiple. Aunque el primer estreno que se conoce fue *El príncipe Pío* de Giménez en el teatro Gran Vía, 1913, estuvo muy ligada al teatro Novedades en el que estrenó *La faraona* de Vela y Bru, 1913; *La pájara pinta* de Giménez Ortells; *Ideal festín* de Alonso y García Álvarez, 1914; *La primera de feria* de José Cabas, 1917; *Del Sacro Monte* de Vela y Monterde y *Las tres cosas de Juanita* de Quislant y Barrera, 1921. En 1928 estrenó en Apolo *El agua del Manzanares* de Barrera y en 1929 en la Zarzuela *El romeral* de Díaz Giles y Acevedo.

BIBLIOGRAFÍA: E. García Carretero: *Historia del teatro de la Zarzuela de Madrid,* Madrid, Fundación de la Zarzuela Española, 2003.

Mª LUZ GONZÁLEZ PEÑA

Romero, Sofía. España, siglos XIX-XX. Tiple cómica. Era una mujer llena de salero y picardía, que desempeñaba tanto papeles varoniles como de mujeres de fuerte carácter. Trabajaba ya en la época de los bufos y así estrenó en 1870 en el teatro Circo de Madrid *La vida madrileña* de Offenbach. En 1884 estrenó en el teatro Lara *El último tranvía* de Romea

y Valverde, en 1886 *Niña Pancha* de los mismos autores, y en 1887 *Playeras* de Chapí. En 1889 actuaba también en el Lara como actriz de verso junto a Balbina Valderde. En el verano de ese año estrenó en el teatro Príncipe Alfonso de Madrid *El cocodrilo* de Chapí. En septiembre de 1889 partió para Buenos Aires, contratada para cantar en los principales teatros de esa ciudad. En 1890 formaba parte de la compañía de Julián Romea que actuaba en Barcelona, donde estrenó en el teatro Principal *Trafalgar* de Giménez,

Sofía Romero (Foto: El Teatro, 1904; Ar. SGAE)

que interpretó después en el Apolo, donde obtuvo un gran éxito. Formaba parte de la compañía del teatro Apolo en la temporada 1889-90, triunfando con *La segunda tiple* de Romea y Valverde en la que se repitieron dos números; esa misma temporada estrenó *El cabo Baqueta* de Brull y Mangiagalli, *Tannhauser el estanquero* de Giménez y en el teatro Príncipe Alfonso *Los empecinados* de Brull. En 1892 estrenó en Barcelona *El gran petardo* de Peydró. En 1893 actuaba en el Eslava donde presentó *Triple alianza* de Caballero y en 1896 en el mismo teatro *¡Viva el rey!* de Chapí, *La marcha de Cádiz* de Quinito Valverde y Estellés y *El padre Benito* de Quinito Valverde. Formaba parte de la compañía que en el verano de 1896 pasó al Apolo al trasladarse al Felipe la compañía titular del teatro. En 1897 encabezaba el cartel del Eslava, dedicado con éxito al cultivo del género chico, junto a Felisa Lázaro, estrenando *Los cocineros* de Torregrosa y Valverde, *De doce a dos* de Calleja, *Los charlatanes* de Chapí, *Simón es un lila* de Arnedo, y en 1898 *El ratón y el gato* de Contreras en el teatro Eldorado. En 1899 estaba en el teatro Circo Español de Barcelona con *La viejecita* de Manuel Fernández Caballero, interpretando al protagonista, Carlos, con grandioso éxito. En 1900 estrenó en el Eslava *El fondo del baúl* de Barrera y Quinito Valverde. Entre 1900 y 1903 estuvo en México actuando en el teatro Principal, estrenando diversas obras como *Niña Pancha.* En 1904 seguía en Eslava contratada por José Riquelme, así como en 1905 cuando estrenó *Frou-Frou* y *Music-Hall* de Lleó y Calleja. En 1912 estrenó *La generala* de Vives en el Gran Teatro de Madrid y *Juego de amor* de Calleja; en 1913 estrenó *Las chulas de Madrid* de Barrera en el teatro Avenida de Buenos Aires. En 1914 estrenó en la Zarzuela *El tirano* de Calleja y Barrera, en 1915 *Una mujer indecisa* de

Rafael Millán, en 1916 en el teatro Nuevo de Barcelona *La encerrona* de Montserrat y Monterde y en 1922 *La rubia del Far-West* de Rosillo en Apolo, donde seguía actuando en 1926, cuando estrenó *Seguidilla gitana* de Ángel Barrios.

BIBLIOGRAFÍA: *TA*; *MIHA*, II, 5, 10-II-1899; M. Mañón: *Historia del teatro Principal de México*, México, Ed. Cultura, 1932.

M.ª LUZ GONZÁLEZ PEÑA

Romero Gálvez, Francisco. Córdoba, 12-II-1880; ?, 22-XII-1915. Compositor. Entre las obras que dejó escritas deben mencionarse la zarzuela *El Piconero* estrenada en 1907, con letra de Antonio Ramírez López, y *El rosal del sentimiento*, con libreto de Antonio Arévalo.

BIBLIOGRAFÍA: F. Cuenca: *Galería de músicos andaluces contemporáneos*, La Habana, Cultura, 1927.

M.ª LUZ GONZÁLEZ PEÑA

Romero Larrañaga, Gregorio. Madrid, 1815; Madrid, 1872. Escritor. Estudió la carrera de Leyes y ejerció la abogacía, aunque desde muy joven sintió la vocación literaria, dentro de la corriente del romanticismo. Colaboró en *El Semanario Pintoresco Español* y dirigió la revista *La Mariposa*. Siempre dentro de los presupuestos del romanticismo escribió novela histórica, leyendas, cuentos y poesía. Para la escena escribió varias obras dramáticas, alguna de ellas con música y escaso éxito, como la ópera de tema histórico *Padilla o El asedio de Medina* de Joaquín Espín y Guillén, y *Bertoldo y comparsa* de Rafael Hernando, Basilios, 1850, cuyo argumento y situaciones tenían muy poco interés como para ser recordados.

BIBLIOGRAFÍA: *CDE*; *HZ*.

OLIVA G. BALBOA

Romero Martínez. Familia de músicos españoles formada por los hermanos Modesto y Vicente. Publicaron conjuntamente varias *Colecciones de cantos y bailes populares españoles*. Instalaron en Madrid una academia de música en la que se formaron numerosas tiples y cupletistas, ya que ambos compusieron cuplés tan famosos como *Tadeo*, *Tú no eres eso*, *Don Andrés*, *La peliculera* y *Castellana*. Entre sus alumnas se contaban Marinela, Inés García, Adelita Audrán, Isabel de Flandes y Mariochi, entre otras.

1. Modesto. ?, 4-I-1883; Madrid, 10-VIII-1954. Compositor. Figura muy señalada de la música ligera, compuso una gran canti-

Modesto y Vicente Romero (Fotos: Ar. ICCMU)

dad de cuplés que alcanzaron fama, casándose con la cupletista Magda de Bries. En el archivo de la SGAE en Madrid se conservan gran número de sus obras teatrales, muchas de ellas compuestas en colaboración con su hermano Vicente. Sus libretistas más asiduos fueron Torres del Álamo y Asenjo, en obras cómicas, y generalmente en un acto, como juguetes, sainetes o comedias. Algunas de ellas se hicieron centenarias en los teatros y así *El centro de las mujeres*, 1910, se representó más de doscientas cincuenta noches en una sola temporada. Escribió también bajo el seudónimo "Samaniego".

OBRAS (Todas en *E:Msa*): *El centro de las mujeres*, establecimiento no decente, col. F. Liñán, l, A. Sánchez Carrere, est, 27-V-1910, Te. Noviciado; *La reina del molinete*, l, A. Sánchez Carrere, est, 16-IX-1910, Te. Barbieri; *Anciano, la lengua ten*, Ent, l, A. Sánchez Carrere, est, 31-X-1913, Te. Nuevo; *Hay que picarlas*, ensayo de Sai, 1 act, col. Matute, l, R. Aguado / A. Padín, est, 6-XII-1913, Te. Martín; *El quinqué de Petronio*, Hum, 1 act, col. Quislant Botella, l, A. Sánchez Carrere / F. Mora, est, 24-XI-1914, Te. Martín; *Los siete pecados capitales*, l, A. Estremera / C. García Iniesta, est, I-1926; *Dhale de Betulia*, Fant Bu, 2 act, l, M. Merino / F. Ramón de Castro, est, 28-XII-1927, Te. Pavón; *Alas de plata*, Com lír, 2 act, l, L. Fernández / A. Carreño, est, 23-IX-1942, Te. Lírico (Valencia); *Cuantas como esta... tan puras*, 1 act, l, A. Sánchez Carrere, est, Te. Barbieri; *El cabaret de los pájaros*, Pasa, 1 act, l, A. Torres del Álamo / A. Asenjo; *El órgano de las señoras*, col. V. Romero Martínez, l, A. Sánchez Carrere; *El paje del duque*, l, A. Padín / R. Aguado; *El zorro azul*, col. Quislant Botella, l, A. Heredero; *Inspección de suero*, 1 act, col. V. Romero Martínez; *Kyrie Eleison*, l, A. Heredero; *La canción del legionario*, l, E. Guillén; *La cómica de la legua*, col. V. Romero; *La inyección de suero*, col. V. Romero; *La peña de los 100*, l, Torres del Álamo / Asenjo Pérez; *Las hijas de su padre*, Pasa, 1 act l, E. Polo, est, Te. Salón Regio; *Pelotas de fraile*, col. V. Romero Martínez, l, J. Mariño / F. Lozano.

2. Vicente. ?, 11-II-1886; Madrid, 2-VII-1937. Compositor. Su catálogo teatral no es tan amplio como el de su hermano, con el que compuso numerosas obras en colaboración, conservadas en su mayor parte en el archivo de la SGAE en Madrid.

OBRAS (Todas en *E:Msa*): *Cometa*, 1 act. l, J. M. Juan García, est, 27-I-1927, Te. Regional (Valencia); *Mademoiselle revue*, col. S. Tapia, l, A. Cabeza Armada, est, 22-II-1933; *El número dos*, Rv, 1 act, col. Rincón Lazcano, l, M. Morcillo / A. Paso Díaz; *Alo mademoiselle*, 2 act, l, A. Cabeza; *El número uno*, Rv, 1 act, col. Rincón Lazcano, l, A. Paso / M. Morcillo; *El órgano de las señoras*, col. M. Romero Martínez, l, A. Sánchez Carrere; *En la corte del Sultán*, l, Miranda Amaro; *Inspección de suero*, 1 act, col. M. Romero Martínez; *La cómica de la legua*, col. M. Romero; *La inyección de suero*, col. M. Romero Martínez; *Las lunas de miel*, Fant, 1 act, l, E. González del Castillo; *Los luchadores*, col. Badía Rivalta, l, J. Mesa / F. Ramos de Castro, est, Te. Alkázar (Valencia); *Miau Miau*, col.

Gómez Muñoa, l, A. Paso Díaz; *Pelotas de fraile,* col. Romero Martínez, l, J. Mariño / F. Lozano; *Por una peseta,* col. Poveda Ramírez, l, J. de Burgos / E. González del Castillo; *Su majestad la mujer,* col. Orejón Garrido.

BIBLIOGRAFÍA: A. Sánchez Carrere: "Músicos españoles. Modesto y Vicente Romero", *Música Popular,* vol. XVIII.

Mª LUZ GONZÁLEZ PEÑA

Romero Saavedra, Antonio. España, siglo XIX. Dramaturgo. Escribió varias zarzuelas, de las que tan sólo se conocen las siguientes: *La vuelta de Escupe-Jumos,* 1849, y la segunda parte de ésta titulada *Las bodas de Jumitos* de Ramón Entrala, 1850, del mismo año son las zarzuelas *Trepa bancos o Andaluzas sobre todas,* y *Una lluvia de celos.*

BIBLIOGRAFÍA: *CDE; CTLBN.*

OLIVA G. BALBOA

Romero Saráchaga, Federico. Oviedo, 15-XI-1886; Madrid, 30-VI-1976. Escritor. Cuando tenía tres meses su familia se trasladó a Zaragoza, donde permaneció siete años y tomó su primer contacto con la zarzuela a través de las representaciones del teatro Principal. La familia se trasladó después a Bilbao y en 1897 a Madrid. Con catorce años escribió su primera obra, representada en el colegio. Desde ese momento dedicó los veranos a escribir juguetes cómicos hasta que su padre le indicó la conveniencia de conocer antes a todos los clásicos españoles, consejo que se plasmó en muchos de sus libretos como *Doña Francisquita.* Inició la carrera de ingeniero de minas y en la misma época, 1903, se reunía en tertulia con cinco amigos, que fundaron un semanario, *A.E.I.,* parodiando al *ABC.* Abandonó por motivos familiares la ingeniería y tras permanecer unos meses en La Solana (Ciudad Real) donde la familia se instaló definitivamente y donde él pasaría los veranos, volvió a Madrid comenzando a trabajar como ayudante de un notario y preparando las oposiciones al cuerpo de telégrafos. En 1907 ingresó en el cuerpo y colaboró en el proyecto de Telefonía Nacional de Francos Rodríguez. Ese mismo año escribió su primera zarzuela, *El árbol de Guernica,* que se estrenó en San Sebastián con música de Buenaventura Zapirain.

Fue colaborador habitual de las revistas *Nuevo Mundo* y *La Esfera,* donde publicó crónicas, cuentos y poesías. Su labor poética fue recogida en el libro *Espuma del silencio* en 1986. También fue colaborador de numerosos diarios como *ABC, La Vanguardia* y *Diario de Barcelona,* con artículos sobre temas muy diversos, no sólo teatro y derechos de autor, sino también historia y literatura. Escribió comedias, libros de temas madrileños como *Por la calle de Alcalá,* 1953, o *Mesonero Romanos, activista del madrileñismo,* cuyo éxito le llevó al Instituto de Estudios Madrileños y uno de sus objetos de estudio fue *La Celestina,* que consideraba la cumbre del teatro español.

En 1916 inició con *La canción del olvido* su colaboración con Guillermo Fernández Shaw, hijo del ilustre autor de *La vida breve* con el que Romero había entablado una gran amistad. La depresión nerviosa en que Carlos Fernández Shaw se hallaba sumido y su muerte dieron al traste con el proyecto de colaboración entre ambos escritores, proyecto que se concretó después con el hijo, Guillermo. Tras este primer éxito, estrenó poco después la balada noruega en tres cuadros titulada *La sonata de Grieg* de Serrano, 1918, compuesta sobre música de Edward Grieg. A esta siguió, siempre con la colaboración de Fernández Shaw, *Las buenas almas* de Jiménez Ortells, 1918. Con el compositor Ernesto Rosillo colaboró en *Las delicias de Capua* y *La serranilla,* 1921, y *La rubia del Far-West,* 1922. Pero el éxito mayor de Romero y Fernández Shaw llegó en 1923 con *Doña Francisquita* de Amadeo Vives, basada en la obra de Lope de Vega *La discreta enamorada,* si bien trasladando la acción al siglo XIX. A partir de entonces ambos comediógrafos llenaron su carrera de éxitos con música de numerosos y diversos compositores: *El dictador,* 1923 y *La Severa o La morería,* 1925, en Barcelona y 1928 en Madrid, de Rafael Millán; *La sombra del Pilar,* 1924, *Las alondras,* 1927 y *La rosa del azafrán,* 1930, de Jacinto Guerrero; *Blancaflor,* 1925, de Juan Antonio Martínez; *El caserío,* 1926 y *La meiga,* 1928, de Jesús Guridi; *La villana,* 1927, y *Los flamencos,* 1928, de Vives y *La moza vieja,* 1931, de Pablo Luna.

La rosa del azafrán fue otro de los hitos en la historia de la zarzuela, uniendo a dos manchegos como Jacinto Guerrero y Federico Romero. El éxito de la obra, estrenada en el teatro Calderón de Madrid en 1930 fue enorme. Muy importante fue también la colaboración emprendida con Federico Moreno Torroba, que se plasmó en *Luisa Fernanda,* 1932. Romero había concebido un tríptico madrileño del que *Doña Francisquita,* era el primer cuadro, *Luisa Fernanda* el segundo y *La chulapona* el tercero. Si Vives compuso la primera obra de esta trilogía a Moreno Torroba

Federico Romero y Guillermo Fernández Shaw
(Foto: El Arte de El Teatro, 1923; Ar. SGAE)

le cupo el honor de hacerlo con las dos restantes y si éxito tuvieron ambas, el de *Luisa Fernanda* sólo puede compararse al obtenido por *Doña Francisquita*, que ha permanecido en el repertorio habitual de todos los teatros del mundo dedicados a la zarzuela, y siempre con éxito asegurado.

En 1932, ante la crisis que atravesaba la Sociedad de Autores Españoles, Federico Romero propuso a la Junta Directiva su disolución, planteando la creación de una nueva entidad, la Sociedad General de Autores de España, que desde entonces ha tenido una vida fecunda y brillante en defensa de los derechos de sus socios. Los autores, mediante suscripción, auspiciaron un busto suyo del escultor José Planes y la SGAE le nombró Consejero de Honor, cargo que ostentó hasta su muerte.

Tras el paréntesis impuesto por su gran dedicación a la causa de los autores, Federico Romero volvió a estrenar: *La labradora* de Leopoldo Magenti, 1933; *La chulapona* de Moreno Torroba, 1934; *Luna de Mayo* de Rosillo, 1934; *No me olvides* de Pablo Sorozábal, 1935; *La Cibeles* de Guerrero, 1936, y sobre todo *La tabernera del puerto* de Pablo Sorozábal, 1936. Esta obra supuso otro grandioso éxito en su estreno en Barcelona en 1936. Tras el final de la guerra, Romero siguió colaborando con los compositores del momento: *Monte Carmelo*, 1939. de Moreno Torroba; *¡Cuidado con la pintura!*, 1939 y *La Rosario o La rambla de fin de siglo*, 1941, de Sorozábal; *Las calatravas*, 1940, en colaboración con José Tellaeche, de Pablo Luna; *Loza lozana*, 1943, de Guerrero; *Peñamariana*, 1944, de Guridi; *Aquella canción antigua*, 1952, de Dotras Vila y *El amor no tiene edad*, 1967, con música de Chueca adaptada por Daniel Montorio. En 1968 escribió el guión literario de *La canción del olvido* para TVE. Bajo el seudónimo "Remi Sollado" publicó en 1969 en Unión Musical Española la habanera *¡Ay, niña blanca!* de la que escribió letra y música. Poseía diversos galardones como la Medalla de Oro del Círculo de Bellas artes, concedida en 1969, miembro numerario del Instituto de Estudios Madrileños, 1962, e hijo adoptivo de La Solana, donde hay un monumento en honor a *La rosa del azafrán* y una calle que lleva su nombre. *Véase* Las alondras; Aquella canción antigua; Las calatravas; La canción del olvido; El caserío; La chulapona; Doña Francisquita; Los flamencos; Luisa Fernanda; La rosa del azafrán; La tabernera del puerto; La villana.

BIBLIOGRAFÍA: *CTLBN; DAT; TA*; J. M. Rincón: *Federico Romero*, Madrid, SGAE, 1926; T. Borrás: "Casa de los autores", separata del libro *Madrid gentil, Torres mil*, Madrid, 1958; F. C. Sainz de Robles: "La SGAE. Un cien", *BSGAE*, Madrid, SGAE, 1982; P. Sorozábal: *Mi vida y mi obra*, Madrid, Fundación Banco Exterior, 1986; M. Gómez García: *El teatro de autor en España (1901-2000)*, Madrid, Asociación de Autores de Teatro, 1996.

Mª LUZ GONZÁLEZ PEÑA

Romeu, Pepe [José Rizo Navarro]. Lorca (Murcia), 15-II-1901; Alicante, 8-IV-1986. Tenor y actor. Hijo de la actriz Rafaela Rizo Navarro, fue adoptado por el marido ésta, el actor Romeu que le dio su apellido. Relacionado desde niño con el mundo del teatro, estudió violín y piano. Comenzó a realizar papeles de galán en el teatro Eslava de Valencia, siendo muy joven, y alcanzó notoriedad al sustituir en el papel del Tenorio al primer actor. Realizó una temporada en el Infanta Isabel y volvió a Valencia actuando durante año y medio en el teatro Eslava donde le vio Jacinto Benavente, que le contrató para el teatro Español de Madrid en el que permaneció tres años haciendo teatro clásico. En dicho teatro estrenó en

Pepe Romeu en El último romántico *(Foto:* Comedias y Comediantes, 1924; *Ar. ICCMU)*

1919 una adaptación de *La cenicienta*, realizada por Benavente con música de Prudencio Muñoz López. Asumió el papel de primer galán de la Compañía Romántica Española bajo las órdenes de Francisco Villaespesa y con dicha compañía viajó a Caracas donde su interpretación de *Bolívar* le supuso la condecoración de la Orden del Libertador. En 1924 al frente de su compañía inauguró el teatro Cómico de Madrid con *La muerte del ruiseñor*, inspirada en la vida de Julián Gayarre. En 1925 estrenó en el teatro Tívoli de Barcelona *La severa* de Rafael Millán, con Selica Pérez Carpio. En 1926 se embarcó para Buenos Aires contratado por el teatro Odeón donde debutó con *La muerte del ruiseñor*. Fue presidente del Montepío de Actores de España y de la Peña Teatral Chicote. Cantó las grandes zarzuelas del siglo XX como *El último romántico* de Soutullo y Vert, con Selica Pérez Carpio, estrenada en 1928 en el teatro Apolo, *Luisa Fernanda* de Moreno Torroba o *La pícara molinera* de Pablo Luna, 1928, *Marcha de honor* de Soutullo y Vert, *Paloma de embajadores o Cada cual con su igual* de Díaz Giles, 1931. Durante la contienda civil no dejó de trabajar y así en 1937 en el teatro Pardiñas de Madrid integraba una compañía de zarzuela en la que figuraban además Matilde Vázquez, Pepita Rollán y Delfín Pulido, interpretando *Luisa Fernanda*.

FONOGRAFÍA: *Bohemios*, Blue Moon BMCD 7551; *El último romántico*, Blue Moon BMCD 7547; *La fiesta de San Antón*, Regal LK 4030 (et. azul), K 2642 K 2643; *La leyenda del beso*, Blue Moon BMCD 7547; *La marcha de honor*, Blue Moon BMCD 7547; *La pícara molinera*, Odeón 121041 (et. marrón), XXS 4949 XXS 4948 • Regal RS 5525, KX 110 KX 116; *La verbena de la Paloma*, Columbia R 14030 a R 14032, WK 2671 a WK 2674, WK 2689 WK 2693; *Los flamencos*, Blue Moon BMCD 7551 • Odeón 184116 (et. marrón), SO 4991 SO 4992.

BIBLIOGRAFÍA: *CCE; DAT; TA;* E. M. del Portillo: "Interviús teatrales. Hablando con Pepe Romeu", *Nuevo Mundo*, 1595, 15-VIII-1924; J. del Huerto: "Lo que dicen los autores. La sombra de Gayarre y el tenor nuevo", *Nuevo Mundo*, 1599, 12-IX-1924; A. Collado: *El teatro bajo las bombas en la Guerra Civil. Tragicomedia de actores, figurantes, políticos, personajes y personajillos*, Madrid, Kaydeda Ed., 1989.

Mª LUZ GONZÁLEZ PEÑA

Romo, Amparo. España, siglos XIX-XX. Tiple cómica. En 1904 estrenó en el teatro de los Campos Elíseos de Bilbao *El zortzico* de Miguel de Echazarra y *La galerna* de Quinito Valverde, y en el teatro Cervantes de Sevilla *La copla* de Joaquín Turina. En 1908 llegó al teatro Principal de México siendo ya considerada en el país como una tiple de primera clase y estrenó *La fiesta de San Antón* de Torregrosa, *Entre rosas* de Chapí, *Los ojos negros* de Calleja y *La muñeca* de Audran; en 1909 *Si las mujeres mandasen* de Lleó y Foglietti, *La marcha de Cádiz* de Valverde y Torregrosa, *La alegría del batallón* de Serrano *La viuda alegre* de Lehár y *El quinto pelao*. En 1910 estrenó *La corte de faraón* y *Mano de santo* y abandonó la compañía siendo sustituida por María Conesa "La gatita blanca". En 1912 la contrataron las hermanas Moriones para actuar de nuevo en el teatro Principal de México, donde cantó *El barbero de Sevilla* y *El príncipe casto*. En la temporada 1916-17 fue contratada por el teatro de la Zarzuela de Madrid, tras una intensa gira por provincias españolas en la que había obtenido un gran éxito. Debutó con *El barbero de Sevilla* de Nieto y Giménez, confirmando las buenas referencias que se tenían de ella. Su voz permitió a la compañía del teatro de la Zarzuela dar un giro hacia la zarzuela clásica y así cantó *Marina*, acompañada de José Parera y electrizando al público, según la prensa del momento, a esta obra siguieron *El rey que rabió* y *La tempestad* y el estreno de la ope-

Amparo Romo (Foto: Mundo Gráfico, *1912; Ar. ICCMU)*

reta de Sullivan *La mujer moderna*, con gran éxito, al igual que había ocurrido con esta obra en Barcelona donde se había representado con anterioridad. Cuando la empresa entró en crisis, en enero de 1917, Amparo Romo marchó a Valencia contratada por el teatro Apolo. Volvió al teatro Principal de México en 1920, siendo ya una gran figura en España, con compañía propia Romo-Viñas y debutó con *La Dolores* para cantar después *El gato montés* de Penella y *Las golondrinas* de Usandizaga. Regresó al teatro de la Zarzuela en la compañía Sagi-Vela en la temporada 1921-22, y hubo de sustituir a Luisa Vela en *Maruxa* de Vives, dejando patentes sus excelentes condiciones vocales, que revalidó en *Gigantes y cabezudos* de Caballero. En 1928 estrenó *La Manola del portillo* de Luna en el teatro Pavón de Madrid.

FONOGRAFÍA: *Bohemios*, Blue Moon BMCD 7551 • La Voz de su Amo AF 275 AF 276; *Los claveles*, La Voz de su Amo GY 381 a GY 384, ON 578 a ON 580, ON 587 a ON 590, ON 598 • Blue Moon BMCD 7510; *Los flamencos*, Blue Moon BMCD 7551.

BIBLIOGRAFÍA: M. Mañón: *Historia del teatro Principal de México*, México, Ed. Cultura, 1932; E. García Carretero: *Historia del teatro de la Zarzuela de Madrid*, Madrid, Fundación de la Zarzuela Española, 2003.

Mª LUZ GONZÁLEZ PEÑA

Romo Dorado, Luis. †Madrid, 21-VII-1945. Compositor. Formado en el Conservatorio de Madrid en torno a 1900, opositó a músico mayor del ejército y fue director de bandas militares del Regimiento de Artillería de Madrid y Saboya. Abandonó esta carrera para dedicarse con más libertad a la composición. Su fama procede de su amplia dedicación al cuplé, entre cuyos títulos se pueden destacar *El plumerito*, interpretado por la Bella Ninón, y *La fuente del amor*, por Raquel Meller. Su acercamiento a la

Luis Romo (Foto: Mundo Gráfico, 1914: *Ar. ICCMU)*

música teatral fue esporádica, manteniéndose en la línea sicalíptica de sus cuplés, como sucede con sus entremeses *El negocio se endereza*, 1910, o *En aras de la moral*, 1914, este último dedicado a la actriz cómica Antonia Cachavera con un libreto de Jackson Veyán en el que se incluye una nota que "autoriza a los artistas a suprimir lo que resulte demasiado atrevido". En una línea diferente, aunque llena también de picantes cuplés y elementos sicalípticos, se encuentra la zarzuela de ambientación riojana *El sol de la Rioja*, 1911, la humorada fantástica *El club de los melancólicos*, 1918, escrita en colaboración con Pedro Córdoba, y la opereta *El País azul*, 1921, que alcanzó un gran éxito en La Latina por su vals titulado *Fascinación*.

OBRAS: *El negocio se endereza*, Ent sicalíptico con deshabillé, 1 act, l, G. J. Rajal, est, 23-XI-1910, Te. Moulin-Rouge; *El sol de la Rioja*, Zarz,1 act, l, A. García Espinosa, est, 10-X-1911, Te. Noviciado; *En aras de la moral*, Ent cóm-lír, 1 act, l, J. Jackson Veyán, est, 16-I-1914, Salón Madrid; *El club de los melancólicos*, Hum cóm-lír fantástica, 1 act, col. P. Córdoba, l, G. J. Rajal/J. Pontes Baños, est, 13-VIII-1918, Te. El Paraíso; *El País azul*, Fant cóm, 1 act, l, E. F. Gutiérrez Roig, est, 25-V-1921 Te. La Latina.

BIBLIOGRAFÍA: *DMEH*; "Figuras de Varietés. El Maestro Romo", *Música popular*, XII.

VÍCTOR SÁNCHEZ SÁNCHEZ

Romo Raventós, Jesús. Haro (La Rioja), 10-X-1896; Madrid, 5-IX-1995. Compositor. Su primera infancia transcurrió en San Sebastián, pasando luego a Barcelona y por último a Madrid. Nieto de un maestro de capilla, de él recibió las primeras lecciones de música que continuó en Barcelona y posteriormente en San Sebastián y en el Conservatorio de Madrid. Estudió piano con Joaquín Larregla, armonía y composición con Conrado del Campo, obteniendo en ambas materias el primer premio. Fue pensionado con una beca para el extranjero pero el estallido de la Guerra Civil truncó el viaje.

Su primer estreno teatral fue la zarzuela en tres actos *La bien ganada*, con libro de Fernando Jackson y F. Sinués, estrenada en el teatro Novedades de Barcelona en 1934 por Pablo Hertogs y María Teresa Planas; le siguieron *El mesón del pato rojo*, opereta ballet en tres actos, teatro Pardiñas de Madrid, 1938. La obra obtuvo un gran éxito e hizo que se considerase a su autor como una firme promesa de la música. En 1943 estrenó en el teatro Coliseum de Barcelona la comedia musical *En el balcón de palacio*, con Pepita Embil, Antonio Medio, Ramón Peña y Gómez Bur y obtuvo un gran éxito de público y abrió muchas puertas a su autor. En 1945 estrenó *Los cachorros* sobre la obra de Benavente, cantada por Marcos Redondo, Gloria Alcaraz, Jerónimo Messeguer y Mariano Beut. En 1947 escribió su obra más famosa, *Un día de primavera*, con libro de Guillermo y Rafael Fernández Shaw, estrenada en el Calderón de Madrid en 1947, por Selica Pérez Carpio, Eladio Cuevas y Antonio Medio, que hizo muy famosa la romanza "Campanas de Madrid". El mismo año se había estrenado la opereta en dos

actos *Volodia (el esquimal)*, en el teatro Principal de Valencia. En 1950 estrenó el sainete madrileño *De Cascorro a Pasapoga*, en el teatro Fontalba de Madrid, con la compañía Ases Líricos. En 1953 estrenó *El gaitero de Gijón*, en el teatro Campoamor de Oviedo, zarzuela en tres actos de ambiente asturiano con libro de Guillermo y Rafael Fernández Shaw y basado en la obra de Ramón de Campoamor, en la que Marcos Redondo fue el protagonista.

Realizó una amplia gira musical por Japón y otros países con la compañía de canto y baile de Fernando Collado, constituyendo una embajada artística española. Es autor también de música para varias películas, destacando *Sierra maldita*, que obtuvo un premio en el Festival Cinematográfico de México. Al decaer la zarzuela se dedicó a la enseñanza. La mayoría de sus zarzuelas se conservan en el archivo de la SGAE en Madrid.

OBRAS: *La bien ganada*, 2 act, col. Jackson, l, J. Romo / L. Calvo / Fernández Martínez, est, 7-IX-1934, Te. Novedades (Barcelona); *El mesón del pato rojo* Opt ballet, 3 act, l, E. Muñoz del Portillo, est, 1938, Te. Pardiñas (Madrid), *E:Msa*; *En el balcón de palacio*, Zarz, 2 act, l, M. Alonso / A. Casas / J. Méndez, est, 29-VII-1943, Te. Coliseum (Barcelona), *E:Msa*; *Los cachorros*, Co lírica, 2 act, l, J. Benavente Martínez, adap, J. Ojeda y R. Duyós, est, Te. Madrid, 16-III-1945, *E:Msa*; *Volodia*, Opt, l, R. Duyós / A. Moreno, est, 18-VI-1947, Te. Principal (Valencia), *E:Msa*; *Campanas de Madrid o Un día de primavera*, Sai lír, 2 act, l, G. y R. Fernández Shaw, est, 19-IX-1947, Te. Calderón, *E:Msa*; *De Cascorro a Pasapoga*, Sai, 3 act, l, J. Dicenta / A. Paso Díaz, est, 23-VIII-1950, Te. Fontalba, *E:Msa*; *El gaitero de Gijón*, Zarz, 3 act, l, G. y R. Fernández Shaw, est, 4-III-1953, Te. Campoamor (Oviedo); *Tute de reyes*, 2 act, col. Algueró / Cofiner / Azagra, l, M. Paso Andrés, est, 23-III-1955, Te. Fuencarral, *E:Msa*; *Caritas y Carotas*, 2 act, col. Bernal, l, Llabrés / Clemente / Arroyo Lamarca, est, 18-VI-1957, Te. Alcázar, *E:Msa*; *Los reinos*, col. L. Moraleda Bellver, l, J. Llopis / L. Escobar, est, 1962, Te. Maravillas, *E:Msa*; *Una americana en Madrid o La mujer de Nylon*, l, P. Llabrés / Clemente, *E:Msa*; *Cuando salió el blanco y negro*, l, Duyos / F. Comas, *E:Msa*; *La calle de la Montera*, Com lír, 2 act, col. Alvarez García, l, E. Muñoz del Portillo, *E:Msa*; *Las nietas de Cascorro*, Sai, 1 act, l, P. Llabrés / Castilla, est, Te. Novedades (Barcelona), *E:Msa*.

FONOGRAFÍA: *El gaitero de Gijón*, Odeón DSOE 16031 • Odeón 185056 y 185057, SO 11277 SO 11280; *Los cachorros*, Odeón 184577, SO 9752 SO 9753; *Un día de primavera*, Columbia R 14608 a R 14610, C 7744 a C 7749; *Volodia (El esquimal)*, Odeón 184647, SO 10265 SO 10266.

BIBLIOGRAFÍA: *DMEH*.

Mª LUZ GONZÁLEZ PEÑA

Rosa del azafrán, La. Zarzuela en dos actos. Música de Jacinto Guerrero. Libreto de Federico Romero y Guillermo Fernández-Shaw. Estrenada el 14 de marzo de 1930 en el teatro Calderón de Madrid.

Personajes y reparto. Catalina, joven criada (María Téllez, soprano). Sagrario, dueña de la casa (Felisa Herrero, mezzosoprano). Juan Pedro, joven labriego (Emilio Sagi Barba, barítono). Moniquito (Eladio Cuevas, tenor cómico). Carracuca (Pepe Alba, tenor cómico). Don Generoso (Valentín González, bajo cómico). Carmelo (barítono). Custodia, casamentera (Ramona Galindo, soprano característica). Un pastor (tenor). Dominica (actriz). Lorenza (actriz). Miguel (actor). Julián (actor). Quilino (actor). Carmelo (actor). Francisco (actor). Mendigo (actor). Mozos, mozas, espigadoras y campesinos.

Orquestación. Flautín, flauta, oboe, 2 clarinetes, fagot, 2 trompas, 2 trompetas, 3 trombones, tuba, timbales, caja, bombo, platos, pandereta, triángulo, castañuelas, pandereta, tamtam, arpa y cuerda.

Argumento. La acción se sitúa en un pueblo de La Mancha –quizá Manzanares–, en un año impreciso de la década de 1860. *Acto I.* En la casa de unos acomodados labriegos, se celebra el santo del amo. Entre los mozos, criados y pastores que lo están festejando se encuentra Juan Pedro, joven formal que corteja a Catalina; ésta también sufre las "atenciones" del santero Moniquito, muchacho que ha llegado paseando una imagen de San Roque, y que pronto es rechazado por Catalina. También acude a la fiesta el anciano Don Generoso, antiguo dueño de la casa que perdió la razón cuando murió su hijo y ahora se pasea con su "ejército carlista", integrado por mozalbetes que medio juegan a soldados y medio se ríen del pobre viejo loco, para derrotar a Espartero. El ama Sagrario defiende al anciano demente de las crueles burlas. Catalina cuenta al ama que Juan Pedro –joven gañán forastero que ha llegado para trabajar en la venta y que dice no haber conocido a su padre– le ha pedido una cita; Sagrario aprueba la relación ya que tiene una buena opinión del joven –y se siente atraída por él– pero, al no considerar adecuado que los novios duerman bajo el mismo techo antes de sus esponsales, exige a Juan Pedro que no duerma más en la casa. Sagrario llama a Juan Pedro y le pregunta cómo explican los hombres el amor, pues ella no ha tenido nunca un amante, por su talante más bien orgulloso; en el diálogo el ama lanza una indirecta al joven que éste no entiende, pero Catalina sí, y comprendiendo los sentimientos del ama, decide rechazarle. Ya no haría falta que durmiera fuera de la finca, pero el ama insiste en que se vaya. En el segundo cuadro, Juan Pedro y el resto de mozos salen de noche a rondar a las mozas. En la casa están mondando la rosa del azafrán, labor en que cada moza trabaja con su amado. Sagrario, que, como de costumbre, trabaja sola, confiesa a Custodia su amor por Juan Pedro a la vez que le confirma que es hijo de la inclusa. Llega Juan Pedro y, cuando todos esperan que dirija una copla a Catalina, canta al ama Sagrario. Al oír la copla ésta cree que se trata de una burla y ordena suspender el trabajo.

Acto II. Han pasado diez meses; Juan Pedro, que ha partido de la finca, regresa para dar el pésame a Carracuca –cuya mujer ha fallecido de "histérico"–, y dispuesto a encontrar una novia para casarse. Catalina ha decidido, entre tanto, casarse con Moniquito aunque tengan que vivir de las escasas limosnas que entrega la gente a San Roque. Juan Pedro confiesa a Custodia que está enamorado del ama Sagrario y que sabe que es un amor imposible por la diferencia social; sólo aspira ya a casarse con una joven de su clase. Llega Sagrario, quien convencida de que el joven todavía ama a Catalina, le despide; Juan Pedro, aunque le declara su amor, comprende que es imposible. Cuando el mozo decide partir se encuentra de nuevo con Custodia que le propone como solución que se haga pasar por el hijo fallecido de Don Generoso pudiendo así casarse con el ama. En el siguiente cuadro, el

Escena de La rosa del azafrán *(Foto: Ar. SGAE)*

joven regresa convertido en el hijo de Don Generoso, que, emocionado al creer que vuelve a abrazar a su verdadero hijo, recupera la razón. En el cuadro final se celebra una nueva fiesta por la unión de Catalina y Carracuca, ante la desesperación de Moniquito. Juan Pedro decide contar a Sagrario la verdad que ella ya conoce; su orgullo ha cedido por amor, celebrando los dos la alegría de la felicidad en común.

Números musicales. Acto I: Preludio y Nº 1. Catalina, Juan Pedro y coro, "Aunque soy de La Mancha". Nº 2. Canción del sembrador, Juan Pedro y coro general, "Cuando siembro, voy cantando". Nº 3. Dúo de Sagrario y Juan Pedro, "Ama, lo que usted me pide". Nº 4. Un pastor, "Como soy, nena mía", y Juan Pedro y coro de hombres, "Hoy es sábado y no quiero". Nº 5. Pasacalle cómico de Moniquito y coro masculino, "Dos por dos son cuatro". Nº 6. Escena. Sagrario, Catalina y coro de mozos y mozas, "De mondar mucha rosa yo no me alabo". Nº 7. Final 1º. Sagrario, Catalina, Custodia, Juan Pedro, Carmelo, mozos y mozas, "Si quieres que te lo diga". Acto II: Nº 8. Dúo cómico de Moniquito y Catalina, "Pero ven acá". Nº 9. Carracuca, Moniquito, mozas y mozos, "–Conformidad. –¿Qué voy a hacer?". Nº 10. Romanza de Sagrario, "No me duele que se vaya". Nº 11. Canción de las espigadoras, Catalina y coro de mozas, coro de hombres, dentro, "Acudid, acudid, muchachas". Nº 12. Jota castellana. Juan Pedro, Sagrario y coro general, "Bisturí, Bisturí se quería casar". Nº 13. Dúo de Sagrario y Juan Pedro, "Tengo una angustia de muerte".

Comentario. Con este título Guerrero consiguió su último gran éxito en el mundo de la zarzuela grande. Desde el estreno de *El huésped del Sevillano*, 1929, el compositor acariciaba la idea de escribir una obra rural, ambientada en su patria chica, La Mancha. Tras comentar la idea con Federico Romero y Guillermo Fernández-Shaw, se trasladaron los tres a La Solana, conviviendo con las azafraneras, para conocer los cantos manchegos que le ayudaran a concebir musicalmente la obra –los dos literatos lo relatan antes del estreno de la obra, en el diario *ABC*–. El libreto, que se basa lejanamente en *El perro del hortelano* de Lope de Vega, se sitúa en la línea de la zarzuela regional, de ambiente rural, que proliferaba entonces, en la que el compositor introdujo bastante material popular.

La zarzuela, escrita en dos actos, se divide en seis cuadros, presentando las características de la zarzuela regional del siglo XX: pareja seria con amores imposibles, pareja cómica como contrapunto a la anterior, gran coro, música y danzas populares, cuidando Guerrero sobremanera tanto los números serios –dúos de Sagrario y Juan Pedro y romanzas de ambos– como los números cómicos o característicos, caso del coro de las espigadoras. El coro presenta en esta obra una presencia notable, acompañando a los solistas en todos los números, excepto en el dúo del Nº 3, el dúo cómico del Nº 8, la romanza de Sagrario del Nº 10 y el dúo final de los protagonistas del Nº 13. También la orquestación pretende ser cuidada y tiene medios superiores a lo habitual en la escena coetánea, aunque en ocasiones mantiene las excesivas duplicaciones del material melódico propias de los años de precariedad de efectivos orquestales.

Comienza la partitura con un preludio bullicioso, con panderetas y palmas del coro, elaborado sobre el tema de las seguidillas manchegas "Aunque soy de La Mancha", conocida copla empleada ya por Barbieri en *Pan y toros*, aunque con diferente motivo melódico. A este tema sigue una nueva copla de seguidilla entonada por Juan Pedro, "Aunque soy forastero", acompañada por la cuerda en *pizzicato* para remedar el sonido de la rondalla popular; el mozo expone un segundo motivo "No le digas a nadie que nos queremos", también a ritmo de seguidilla, que es repetido primero por Catalina, y posteriormente por el coro y ampliado por la orquesta en una brillante coda cadencial que recupera la sonoridad castiza del mejor Barbieri. El número contextualiza la fiesta popular que celebra la onomástica del amo, gracias a las coplas de seguidillas, bailadas en escena por varias parejas. El Nº 2 presenta vocalmente al protagonista masculino, convirtiéndose desde su estreno en uno de los fragmentos más conocidos e interpretados no sólo de la obra, sino de toda la producción lírica del siglo XX; se trata de un lírico solo, de tintes heroicos y estructura bipartita, con una primera sección en menor y una segunda en mayor; la intervención del coro ofrece la necesaria alternancia tímbrica, añade brillantez al número y otorga algún pequeño descanso al solista. Su orquestación revela las típicas duplicaciones melódicas propias de Guerrero –la misma introducción emplea para la exposición del motivo de seis compases violines, oboes, trompas, trompetas y trombones, y la melodía es duplicada casi en la totalidad del fragmento por la cuerda–. El empleo del toque percusivo del triángulo recupera la sonoridad rítmica propia de los cantos de trabajo, como este de siega. El primer dúo de los protagonistas Sagrario y Juan Pedro intercala pasajes casi en *parlato* en un esquema declamatorio habitual en el compositor y motivos líricos en torno a un motivo de raíces populares, "Manchega, flor y gala de la llanura", que entona primero el galán y concluye en diálogo de ambos. El número siguien-

te, que evoca la ronda de mozos, comienza con una copla de seguidilla expuesta por un pastor –tenor– que recupera un tema de seguidillas manchegas recogido ya en los primeros cancioneros –*Cantos españoles* de Eduardo Ocón, 1874, y *Flores de España* de Isidoro Hernández, 1883–; el sonido disonante de trompetas acompañadas de tambores y el solo del violín sirven de ruptura y enlace con el inicio de la copla de Juan Pedro, "Hoy es sábado y no quiero", a diferencia de la anterior, a ritmo de jota manchega. Concluido el número, es Moniquito el que entona una nueva melodía a modo de cómica ronda, a ritmo de pasacalle, no en vano el número se definió como el "Pasacalle de las escaleras". Se trata de un fragmento con una estructura ABCBA, donde B adopta una sonoridad más ligera, gracias a la percusión y los pequeños contramotivos que aparecen en los metales. También el texto, con la desaparición de los finales de cada palabra, subraya el carácter cómico.

La escena musical del Nº 6 presenta un claro carácter seccional, integrado por diversas coplas que se entonan para hacer más llevadero el trabajo de pelar la flor del azafrán; comienza el número con una copla de seguidilla interpretada por las mozas (A) a la que sigue otra más lírica de Sagrario –"La rosa del azafrán / es como la maravilla"– (B), en modo menor; tras una nueva copla cómica de Catalina (C), a ritmo de jota, el coro de mozos y mozas entona un tema, a ritmo de mazurka, "Aroma de tomillo" (D), que funciona como estribillo que enmarca la copla central de Sagrario, "La rosa del azafrán / es una flor arrogante" (E). La repetición de la mazurka (D) –con una brillante coda orquestal que recupera el ritmo inicial de seguidilla– cierra la escena y reabre, a modo de introducción orquestal, el siguiente número y final de este primer acto, otorgando coherencia interna a la escena. Tras dicha introducción, el coro femenino recupera la copla de la rosa del azafrán (E) que cantaba Sagrario en el Nº 6 y el coro masculino hace lo mismo con la copla de Catalina (C) de ese mismo Nº 6. La aparición de Juan Pedro entonando la copla de seguidilla "Aunque soy forastero" que había interpretado en el primer número de la obra, permite iniciar un intenso diálogo con el ama Sagrario sobre ese mismo tema musical, ahora con un acompañamiento orquestal más elaborado en el que el arpa desempeña un papel destacado. Tras el sonido en los trombones de un fragmento que evoca el tema de amor del dúo del Nº 3, comienza un nuevo diálogo de los protagonistas sobre el tema de mazurka (D) del número anterior. Juan Pedro entona después una nueva copla, "¡Qué culpa tiene el tomillo!" –que curiosamente presenta claras reminiscencias rítmicas de la danza prima asturiana–, en la que alude a la diferencia social que les separa; el ama, violentada por la situación, interrumpe la escena, dando por concluido el trabajo. Suena en la orquesta la mazurka (D) del Nº 6 y Juan Pedro, en un triste solo, recupera el motivo inicial de Sagrario en el número anterior (B) con una copla sobre la fragilidad del amor. La orquesta interpreta en un *tutti* solemne el tema de amor del dúo del Nº 3; la continuidad de dicho tema en el violín solo y posteriormente en el resto de la orquesta cierra el acto con rotundidad. Según figura en la partitura manuscrita del autor, a modo de preludio del segundo acto, se pueden tocar fragmentos del Nº 5; y como intermedio de ese mismo acto, se puede tocar, entre los Nos 9 y 10, el fragmento más conocido del Nº 9. A modo de Nº 11bis se puede interpretar también un fragmento de la "Canción de las espigadoras"; y como final, algún fragmento del Nº 12.

El primer número del segundo acto es el dúo cómico de Catalina y Moniquito, que presenta, tras la introducción, unas graciosas seguidillas dialogadas. El ambiente cambia de forma radical en el siguiente número, que pone en música el dolor de Carracuca ante la muerte de Gertrudis, su mujer; de estructura seccional, comienza con una introducción dramática con predominio de los instrumentos graves, a ritmo de marcha fúnebre, seguida de unas coplas en las que las mozas solteras elogian las características de las que pueden convertirse en futuras pretendientas del viudo, convirtiendo el dramático momento en uno de los más jocosos de la obra. La romanza de Sagrario del Nº 10 presenta las características propias de este tipo de números, escritos para situaciones de gran densidad dramática que permiten, además, el lucimiento del solista; en este ejemplo, Guerrero presenta un modelo bipartito, con una primera sección tensa vocal y dramáticamente, en modo menor, repetida dos veces aunque seguida, cada una de ellas, de una nueva sección en modo mayor, configurando una forma ABAC. El número siguiente es un número característico de dilación en el desenlace, como es frecuente en el modelo lírico de Guerrero, y uno de los más acertados de la partitura. Tras una introducción breve del coro femenino, se escuchan unas coplas con estribillo interpretadas por Catalina, estando las coplas en modo menor y el estribillo en mayor; el esquema se repite dos veces, concluyendo el coro con la nueva repetición del estribillo. El cuadro final, tercero de este segundo acto, presenta dos números musicales; el primero, Nº 12, celebra en ambiente de fiesta, bailando jotas manchegas, la boda de Carracuca y Catalina, y la felicidad de Sagrario y Juan Pedro. Tras la introducción, que expone uno de los temas de jota del número, se escucha la primera copla de jota cómica, entonada por Juan Pedro; el ama le sigue, cantando otra jota seria que elogia las mujeres de Manzanares, a la que responde el coro acompañado por el tamboril y las trompetas con sordina, en un intento de remedar la sonoridad popular; Juan Pedro le responde en una hermosa y lírica copla de jota –"Quisiera ser tu pañuelo"–, dedicada a su amada; la repetición por parte del coro del tema inicial de la copla de Juan Pedro superpuesto a la copla de la introducción orquestal, conduce a la coda cadencial final. La obra concluye con un sentido dúo también sec-

Emilio Sagi y Felisa Herrero en una escena de La rosa del azafrán
(Foto: Ar. Juan González Guerrero)

cional, en el que, excepto la copla inicial de Juan Pedro –"Tengo una angustia de muerte"–, de gran efecto dramático por su lírica melodía acompañada por los trémolos de los violines y los arpegios en el arpa, el resto de secciones reexponen material anterior. Así, la respuesta de Sagrario a la copla de su amado –"¿Qué tienes, amor mío?"– emplea un fragmento musical del dúo inicial, Nº 3; la sección siguiente del diálogo entre ambos –"Lo que tú quieres decirme"– repite el tema inicial de la romanza de Sagrario del Nº 10; y el fragmento final –"¡Manchega! Tu cariño me da la vida"– recupera la hermosa copla con que Juan Pedro cortejaba al ama en el dúo inicial entre ambos, Nº 3.

El estreno de la obra, interpretada por los mejores cantantes coetáneos del género, constituyó un rotundo éxito, alcanzando un importante número de representaciones –más de cien– y prácticamente todos los números musicales fueron aplaudidos y varios de ellos repetidos. La crítica fue unánimemente elogiosa, incluidos algunos importantes maestros como Joaquín Turina –que destaca la acertada labor de los libretistas por haber centrado al compositor en su tierra castellana, sin trascendentalismos y con situaciones musicales bien aprovechadas por él– o Julio Gómez, que desde las páginas de *El Liberal* (15-III-1930) desarrolla un extenso comentario de la obra en el que valora la labor de los libretistas, a pesar de que el asunto fuese bien conocido y afirma que, contra las opiniones coetáneas que hablan de decadencia de la zarzuela, gracias a talentos como el de Guerrero o Alonso el género sobrevive: "Si hubiera una docena de compositores que hicieran zarzuelas como saben hacerlas estos dos maestros, la zarzuela estaría en el periodo de su mayor esplendor". En opinión de Gómez, la partitura de *La rosa del azafrán* es la mejor de todas las de su autor, elogiando los números cómicos, afirmando que también en los números serios revela Guerrero un claro progreso, y los números de "carácter decorativo, coros y danzas populares, tienen muy notable vigor y brillante colorido"; tras elogiar el trabajo de los intérpretes, afirma que el éxito de la obra era lo que verdaderamente estaba haciendo falta en la temporada teatral. De "éxito unánime" habla también *El Heraldo de Madrid*, afirmando que uno de los aciertos del libro es "conseguir el sentimiento pueblerino sobre el escenario"; en cuanto a la partitura, Guerrero es definido como "el músico español de zarzuela que menos abusa de los temas populares, y cuando lo hace con esa fina intuición de su amplia visión del teatro, no les resta ninguna emoción melódica y los sirve trucados por su experiencia en el género". El crítico de *El Sol* afirma que la obra está "técnicamente bien hecha", ya que "en un momento en el que reina en el teatro popular la chocarrería y la liberalidad de peor procedencia, es muy de alabar la pulcritud seria y digna de este libreto"; en cuanto a la música, a pesar de considerar que no es original, destaca el empleo de música toledana, y, en contra de nuestra opinión, afirma el crítico que en el número cómico del Pasacalle de las escaleras, "la musa de Chueca es flagrante".

A los siete días de representarse en Madrid, la recepción barcelonesa vino a confirmar el éxito que había tenido la obra en su estreno absoluto, siendo posteriormente muchas otras ciudades españolas testigos de nuevos éxitos que explican su permanecia en el repertorio habitual del género.

Fuentes manuscritas. La partitura autógrafa (TL-641), y los materiales de orquesta (5482), se conservan en el archivo de la SGAE en Madrid.

Ediciones de música. Orquesta, Barcelona, Tritó, 2003.

Ediciones del libreto. Madrid, Imp. de Ciudad Lineal, 1930; Madrid, La Farsa, IV, 148, 1930; Madrid, Revista de Obras teatrales, XII, 166; Madrid, UME, 1970.

FONOGRAFÍA: D78rpm: Dir. Jacinto Guerrero, Sols. Marcos Redondo, Condesa de Sclafani, Odeón 184161 y 184163, SO 6105 SO 6106 SO 6132 SO 6134 [reed. en CD: Blue Moon BMCD 75271] • Orq. Demon's Jazz, La Voz de su Amo AE 3107, BJ 3334 BJ 3335 • Sols. Emilio Sagi-Barba, Luisa Vela, La Voz de su Amo AC 143 (et. burdeos), BJ 3111 BJ 3112 • Sols. Felisa Herrero, Marcos Redondo, Regal LK 4006 y PK 1506 (et. azul), K 2105 K 2120 K 2104 K 2112 • Dir. Maestro Font, Sols. María Téllez, Alares, El espejo de la Voz 89121 (et. azul), 89121 y La Voz de su Amo AE 3104 (et. verde), BJ 3252 BJ 3253 • Dir. Jacinto Guerrero, Sol. María Téllez, Odeón 203217 (et. fucsia), SO 6097 SO 6099 • Dir. Jacinto Guerrero, Sols. Alba, Eladio Cuevas, Regal DK 8073 (et. azul), K 2103 K 2111-3.

LP: Dir. José Casas Augé, Orq. Sinfónico-Lírica, Discophon (S) 4101 [ed. en casete (S) 8046] • Dir. Nicasio Tejada, Sols. Teresa Berganza, Manuel Ausensi, Julita Bermejo, Gerardo Monreal, Coro de Cantores de Madrid, Orq. Sinfónica, Columbia SA, ZCL 1003 (Zacosa) 3 y Columbia-Alhambra-BMG (33rpm-30cm) MCC 30050 [reed. en CD: Columbia 74321 330312 y Columbia-BMG España WD 71442 (9D)] • Dir. F. Delta, Sols. Marcos Redondo, Bartolomé Bardají, María Espinalt, Conchita Panadés, Coro Capilla Clásica Polifónica de Barcelona, Orq. Sinfónica Española, Regal SEBL 7018 SEBL 7004 y Regal XKX 25/26 LCX 7000 [reed. en CD: EMI 7243 5 74155 2 1 (637.00338) y EMI 7243 5 74155 2 1] • Dir. Odón Alonso, Sols. Isabel Penagos, Vicente Sardinero, María Orán, Víctor Blanco, Gregorio Gil, José Foronda, Carmen Ramírez, Coros y Orq. del Teatro Apolo, Zafiro SA, 30103026 52, Zafiro SA, ZOR-218 56, Zafiro SA, ZN 6-5 S (Novola) 58 y Zafiro-Salvat 1002-1.

CD: Sols. Marcos Redondo, Selica Pérez Carpio, Blue Moon BMCD 7540.

Mª ENCINA CORTIZO

Rosa la China. Sainete lírico en un acto. Música de Ernesto Lecuona. Libreto de Gustavo Sánchez Galárraga. Estrenado el 27 de mayo de 1932 en el teatro Martí de La Habana.

Personajes y reparto. Dulzura, marido de Rosa (Miguel de Grandy, personaje hablado). Rosa, mujer de Dulzura (Esther Borja, soprano). José, joven enamorado de Rosa (Pedrito Fernández, barítono). Greta, vecina encargada de limpiar el solar (tiple). Preciosillo, vecino encargado de limpiar (tenor). Servidores, vecinos, etc.

Orquestación. Flautín, flauta, oboe, clarinetes, fagot, trompas, trompetas, trombón, percusión, piano y cuerda.

Argumento. La acción se desarrolla en la Habana a comienzos del siglo XIX en rincones tan conocidos como el Parque Mateo, el Puente de la Lisa o la calle Vapor. Patio típico. Dulzura, marido de Rosa está leyendo el periódico delante de la puerta de su cuarto, mientras otras personas charlan de diversas cosas; entre otras un grupo de mujeres lo hace a propósito de la situación de Rosa, mujer de Dulzura que vive esclavizada por su marido. El encargado del solar barre el patio, la vieja beata está obsesionada por su pasión por el juego y la joven Greta aspira a ser estrella de cine. El encargado del solar hace callar a las viejas chismosas y entonces Rosa le pone al corriente de su situación

con respecto a su marido y a su amado José del que está muy enamorada. Cuando el encargado se marcha, Rosa y José se declaran su amor y José animado le declara a Dulzura sus intenciones. El marido se enfada y deciden retarse y batirse en duelo para dirimir la cuestión. En el lugar del reto Rosa se encuentra con las máscaras y los vecinos y se entera del duelo que va a tener lugar más tarde en el puente de la Lisa. Esa misma noche va al puente a esperar la llegada de los duelistas y se encuentra con su marido al que da muerte con una navaja después de haberle suplicado que desista de su intento. Llega su amado que se entera consternado de lo sucedido y ambos deciden mantener el secreto y regresar a su solar como si nada hubiera pasado. Finalmente en la fiesta del barrio entre risas y juergas llega la policía a detener a Rosa por el asesinato de su marido y ante el espanto general la llevan presa.

Números musicales. Nº 1. Preludio. Nº 2. Introducción, "…está mas vieja que el mismo Matusalén". Nº 3. Duetto cómico, "En Holiwood voy a triunfar". Nº 4. Dúo, "Tienes una hermosa cara". Nº 5. Dúo de Rosa y José, "¡José!, ¿qué me quieres?". Nº 6. Mujeres del solar, "Pocas mujeres". Nº 7. Intermedio. Nº 8. Romanza de Rosa, "Soñé la dicha de un amor tierno". Nº 9. Coro, Conga del puente. Nº 10. "Chinita Linda". Nº 11. Tango del guaraguá, "Un negrito le dijo a su negra". Nº 12. Final, "Rosa la China".

Comentario. *Rosa la China* es una de las tres grandes obras que el libretista Gustavo Sánchez Galárraga hizo para Lecuona, junto con *El cafetal*, 1929, y *María la O*, 1930, las tres portadoras de grandes conflictos dramáticos. Galárraga trata en muchas de sus creaciones temas de amor con desenlaces trágicos como en esta obra y en muchas otras de la historia cubana, muy alejadas de los prototipos españoles que difícilmente tratan en la zarzuela temas dramáticos y menos con la muerte de algún personaje; sin duda el verismo italiano hizo presencia en el género. Los temas trágicos tienen que ver con la imposibilidad del amor conyugal por las diferencias raciales y sociales, la esclavitud, el dinero, la discriminación de la mujer, etc.

Rosa la China, como las grandes obras de Lecuona, está formulada a través de unas técnicas peculiares. El autor parte de una poética en la que se conjugan diversos elementos de la tradición cubana, un estrato musical en el que entran las músicas africanas, criollas, y folclóricas, junto a uno segundo definido por la música de tradición occidental; músicas que están muy próximas a lo popular y otras al mundo operístico y zarzuelístico de alto vuelo, como por ejemplo el dúo de entre Rosa y José "¡José!, ¿qué me quieres?".

Inicia la obra una obertura dividida en dos partes que comienza con unas fanfarrias típicas del mundo de la opereta; en ella Lecuona recoge varios de los temas más importantes con el típico sistema de popurrí, y contraponiendo su carácter entre temas definidos por el ritmo y otros de profunda melodía lírica dominada por la impronta de la música americana de cine, la comedia y el musical, sobre todo por el uso de los violines. En el número siguiente, después de un diálogo en recitativo de Greta y Preciosillo, se produce el primer dúo de gran belleza y uno de los temas más interesantes de la obra, "Lo que no separe el sol", contestado por José, "Lo que no separe el mar". Se trata de un dúo de una gran fuerza melódica de los dos protagonistas. El melodismo es uno de los grandes valores de Lecuona, que enriquece toda su obra con una melodía distinta, cargada de tensión y de enorme riqueza, definida por su lirismo, por su enorme riqueza y fluidez y su carácter cantable, pero, sobre todo, por un ritmo provocador que siempre define la obra como elemento sustancial , y aquí aparece por primera vez de manera palpable. Es este el primero de los grandes dúos que fecundan a esta obra con un tema que se convertirá en idea recurrente, cargado de fuerza lírica pero también de drama, y aparecerá al menos en otras tres ocasiones. El Nº 3 de nuevo vuelve al diálogo cómico, un dueto entre "En Holiwood voy a triunfar" de claro perfil hispano y en ritmo parecido a un pasodoble, a otro dúo similar en el Nº 4, "Tienes una hermosa cara" en el que el ritmo y la percusión se apoderan de la obra y la peculiaridad de la zarzuela cubana sale a relucir. El penetrante tema lírico de Rosa del Nº 2 vuelve al inicio del Nº 5 hasta otro de los momentos centrales, de nuevo el encuentro entre Rosa y José, "¡José!, ¿qué me quieres?", y después de un recitativo el amor entre ambos, se lanza no en el lenguaje europeo sino de nuevo a través de una música de fuerte perfil cubano conseguida por medio de la percusión, "¡Ay! ¡Quién pudiera morirse!". Los momentos de diálogo se calman para entrar el coro, hasta ahora apenas presente en la obra. Como sucede en la zarzuela española el coro es siempre transmisor de músicas de clara definición cubana que preparan el ambiente para que culmine el drama. Un sustancial intermedio instrumental de carácter carnavalesco y fuerte riqueza rítmica, en el que se suceden varios de los temas ya aparecidos, a través de la técnica del contraste, lleva a la obra hasta la gran romanza de Rosa de fuerte carácter dramático, "Soñé la dicha de un amor tierno", Nº 8, donde el drama se presenta con una música de clara filiación cubana en una magnífica romanza bipartita. Los números siguientes siguen en el mismo ambiente a través de la presencia continua del coro y solistas que interpretan, primero la conga del puente de nuevo con el coro. Un golpe de gong inicia el Nº 10, "Chinita Linda" con coro y solista para llegar al Nº 11, Tango de guaracha, "Un negrito le dijo a su negra". Por cuarta vez el violín recuerda el tema de Rosa del Nº 2 y regresa al mundo de la tragedia; es el final con el "Rosa la china", en este caso acompañada del coro. Es la manera de cantar la desolación y el espanto general cuando Rosa la China es llevada a prisión.

Fuentes manuscritas. La partitura y el libreto se conservan en la Colección Pedrito Fernández de La Habana.

FONOGRAFÍA: LP: Dir. Félix Guerrero, Sols. Dolores Pérez, Luisa de Córdoba, Luis Sagi-Vela, Maño López, Coro y Orq. de Cámara de Madrid, Zafiro LM 3032 (C) [reed. en CD: Zafiro-Salvat 1064-2 y Montilla CDMF-75].

EMILIO CASARES RODICIO

Rosa la pantalonera. Sainete en dos actos. Música de Francisco Alonso. Libreto de José López de Lerena y Pedro Llabrés Rubio. Estrenada el 22 de septiembre de 1939 en el teatro Príncipe de San Sebastián.

Personajes y reparto. Rosita (Maruja Vallojera, soprano). Lola (Ángela Navalón, tiple cómica). Señora Salud (Ramona Galindo, característica). María de la O (Pilar Molina, soprano). Señora Juliana y Rifadora (Lydia América, actriz). Rocío (María L. Montero, actriz). Sole y Aprendiza 1ª (Pepita Moncayo, actriz). Juana (Amalia Camacho, actriz). Una vecina (Carmen Moreno, actriz). Otra vecina (Antoñita Martínez, actriz). Señor León (Luis Ballester, actor con parte de cantado). Rafael (Fernando Heras, tenor). Mateo (José Caballero, tenor cómico). Canuto (Julio Nadal, actor con parte de cantado). Señor Primi (Vicente Gómez Bur, actor). Paco (Manuel Ponzón, actor). Zenón (Dimas Alonso, actor). Godofredo (Niña Povedano). El Chacal (Francisco Costán, corista). El Bisonte (Ildefonso Cuadrado, corista). El Camello (Vicente Carrasco, corista). Panadero (Francisco Costa, actor). Melchor (José Vaquera, actor). Camarero (Obdulio García, actor). Jurado 1º (Alfonso Arcas, actor). Muchacho 1º (Cecilio Stern, actor). Aprendizas, vecinas y vecinos, gitanas y gitanos, acomodadores, espectadores, vendedores, verbeneras y verbeneros.

Orquestación. Flautín, flauta, oboe, 2 clarinetes, saxofón alto, fagot, 2 trompas, 2 trompetas, 3 trombones, timbal, percusión, arpa, piano y cuerda.

Argumento. *Acto I.* En una casa individual de un barrio popular de las afueras de Madrid, Rosita, una guapa pantalonera, canta con otras oficialas mientras se celebra una rifa y el señor Primi, músico en paro que tiene esa chulería cultiparlante tan propia de los tipos de sainete, toca un fox-trot con su saxofón. Rosita es huérfana y vive con sus tíos, León y Salud, dueños de la pantalonería, que la recogieron de niña junto a su hermano Paco, un granuja de tres al cuarto. Éste, por malas amistades, cayó en la delincuencia, y sus tíos le echaron de casa. Ahora León y Salud, que es una mujer de armas tomar, tienen planes de casar a Rosa con su hijo Mateo. Aunque

Ar. Familia Alonso

Salud les tiene a raya a los dos, León y Mateo son luchadores de lucha libre y, a consecuencia de una paliza, el pobre Mateo ha caído en una terrible depresión que sólo le hace pensar en la muerte. Por otra parte, a Mateo le hace más tilín Lola, una hija alocada del Señor Primi, que tiene un afán enfermizo por ser actriz de cine.

Tras una graciosa escena en la que Rosa vocea ficticiamente la compra que ha llevado a casa para que lo oigan los vecinos, aparece Paco con intención de poner en relaciones a Zenón –recio entrenador de Mateo– con su hermana Rosa, pero ésta está enamorada de Rafael, un señorito químico que trabaja en un laboratorio. Rosa, a pesar de todo, quiere a su hermano y se deja sablear por él con la esperanza de que algún día vuelva al buen camino. Cuando Paco se va medio a escondidas para que no le sorprendan sus tíos, se presenta Rafael que le ha visto salir y le reconoce porque, en una ocasión, fue víctima de sus estafas. Enterada de ello, Rosa no se atreve a confesar a Rafael que Paco es su hermano, lo que despierta los celos del galán. Lola se presenta

con su novio Canuto, un joven con una cabeza enorme que sufre estoicamente el exagerado despiste de la chiquilla que, en esta ocasión, pierde a su sobrinito olvidándolo en la cesta de un panadero ambulante. Salud ha puesto fuera de combate a un luchador que, días atrás, había pegado a León, lo que da lugar a que otros tres fieros luchadores –el Bisonte, el Camello y el Chacal– se presenten en su casa con intención de linchar a León hasta que aparece Salud y les pone a los tres en fuga. Luego, ambos proponen a su sobrina que se case con Mateo, pero ella, a pesar de la lealtad y agradecimiento a sus tíos, se niega por no estar enamorada de él y considerarle como un hermano. El panadero se presenta con el niño que se ha encontrado en su cesta reclamando cierta indemnización y Lola pone un punto final al acto con un paródico dramatismo cinematográfico.

Acto II. Lola y Mateo se citan en un barrio rico de Madrid para quitarse la vida bebiendo una botella de veneno en un cine. Entre tanto, Rafael sigue celoso y desencantado después de que León le dijera que su sobrina estaba comprometida con otro. Aunque León se refería a Mateo, Rafael pensó que se trataba de Paco lo que le lleva a distanciarse de Rosa. Nada más irse Rafael, aparece Primi lamentando su mala fortuna como saxofonista cuando, de repente, se presenta Lola pidiendo auxilio porque Mateo se ha bebido la botella entera de matarratas. Afortunadamente, el contenido de la botella no era veneno sino cazalla y el intento de suicidio se salda con una monumental cogorza. Los dos siguientes cuadros están protagonizados por unos caldereros gitanos a cuyo campamento León y Primi llevan Mateo para ver si adivinan su extraña dolencia.

Las cosas entre Rosa y Rafael siguen de mal en peor y ella llora. Paco reaparece para que Rosa le dé más dinero y ella tiene que vender el mantón que heredó de su madre para ver si, de una vez por todas, Paco se enmienda. Ante las promesas de Paco, Rosa se contenta y se va del brazo con él sin darse cuenta de que Rafael les estaba espiando. Después de una serie de equívocos, Canuto y Mateo terminan a bofetadas, y Rafael se encara con Rosa llamándola, despectivamente, pantalonera. Con la bronca anterior, Mateo se ha curado, toma las riendas del asunto y explica a sus padres que él tampoco tiene intención alguna de casase con Rosa. Son las fiestas del barrio y, en la verbena, hay un concurso de chotis al que la despistada Lola se ha apuntado con dos parejas distintas: Canuto y Mateo, y con ambos queda después en un descampado oscuro a la misma hora. Aparece en la verbena Rafael con Sole ataviada con el mantón que tuvo que vender Rosa. Mateo y León se enfrentan con él y, aprovechando la confusión, Paco roba el mantón pero le capturan. Rafael descubre entonces que Paco es el hermano de Rosa, que el robo lo había cometido para devolver el mantón a su hermana y que no sufriera viendo cómo lo lucía su rival. A la vista de esto, Rafael y Rosa se reconcilian, Sole se queda de non y Lola sigue desaforadamente despistada organizando desmanes.

Números musicales. Acto I: Nº 1. Rosita, Oficialas, Señor León, Señor Primi, Rifadora y Vecinas 1ª y 2ª, "Si quieres que yo te quiera". Nº 2. Rosita y Oficialas, "Tienen los pantalones un atractivo". Nº 3. Dúo de Rosita y Rafael, "Quiero que tú seas todo para mí". Nº 4. Señor León, Bisonte, Chacal y Camello, "Soy el bisonte". Nº 5. Rosa, "¡Ni siquiera lo puedo pensar!". Final 1º. Orquesta. Acto II: Preludio. Nº 6. Lola y Mateo, "¡Adiós, adiós, a la vida". Nº 7. Rafael, "Mantoncito de flecos". Nº 8. María de la O, El gitanillo, Mateo, Gitanas y Gitanos, "Deja ya de *trabajá*". Nº 9. Intermedio. Nº 10. Lola, Mateo, Canuto, verbeneras y verbeneros, "Es en chotis el Miss Mateo". Final. Todos.

Comentario. Los autores del libreto, en la autocrítica publicada la mañana anterior al estreno donostiarra de *Rosa la pantalonera*, señalaron: "Nuestra obra es un sainete madrileño actual. El fondo ha de ser el mismo que el de todos los sainetes. La forma es la que varía a compás del tiempo. Con capa o con gabardina, con pañuelo de crespón o con abrigo de pieles, el alma de Madrid es la misma. Y eso hemos querido hacer nosotros". *Rosa la pantalonera* vuelve así al sainete, pero al sainete clásico de género chico, en dos actos, sin las contaminaciones con el género operetesco que tanta fama había dado durante los años de la República a la pareja de libretistas integrada por Francisco Ramos de Castro y Anselmo Cuadrado Carreño con obras como *Lu del manojo de rosas*, *Me llaman la presumida* o *La boda del señor Bringas*. Esos sainetes grandes son incomparables con esta obra chica más directa, menos desarrolla-

da, muestra de un género de dramaturgia más autóctono en el que lo fundamental son los tipos y las situaciones antes que la acción. Y los tipos y las situaciones de *Rosa la pantalonera*, a pesar de lo prosaico del oficio elegido por los libretistas y de carecer de la punta agresiva de los viejos sainetes de López Silva, están bien creados y bien presentados, con gracia y con ingenio. Al margen de divos de la zarzuela como Marcos Redondo o Luis Sagi Vela, en la estructura dramática de este sainete, en el que no hay papel para barítono, sobresalen las mujeres: en primer lugar Rosa, la protagonista, soprano encarnada en el estreno por Maruja Vallojera, "la tiple del madrileñismo moderno", según observó algún crítico del estreno, y directora de la compañía que estrenó la obra; y en segundo lugar, Lola, la tiple cómica que tiene un gran papel en *Rosa la pantalonera* y que, interpretada por Ángela Navalón en el estreno, llegó a obtener más éxito que la propia Maruja Vallojera. Además, hay una escena protagonizada por María de la O que es una gitana con un importante papel de soprano. Entre los vejetes, es cierto que predominan Primi y León sobre la característica Salud, pero frente a aquéllos que son unos calzonazos fracasados e ilusos, el carácter fuerte es el de la mujer. Lo mismo ocurre en el triángulo cómico formado por Lola —alocada y muy ligera de cascos— con Mateo y Canuto y, en la parte lírica, el personaje de Rafael, tenor, está mucho menos desarrollado que el de la protagonista cuya integridad contrasta con el hampón de su hermano Paco, un personaje cuya marginalidad irredenta da a la obra el único toque de sordidez que cabría esperar en una pieza de posguerra. Obra, entonces, fundamentalmente de mujeres, *Rosa la pantalonera* presenta un buen plantel de tipos y situaciones graciosas con una trama que se reduce a los amores de Rosa y Rafael que sufren un ligero equívoco pero, al final, se arreglan con naturalidad y un giro argumental inesperado —el del mantón— que es un homenaje a *La verbena de la Paloma*. Tanto López de Lerena como Pedro Llabrés, aunque eran hombres ya maduros en 1939 y buenos conocedores del teatro, comenzaban su carrera como libretistas noveles y en este texto se puede percibir el cuidado propio del debut.

En una entrevista con un diario valenciano, previa a la primera representación de *Rosa la pantalonera* en el teatro Apolo de Valencia, Francisco Alonso declaró: "*Rosa la pantalonera* es un sainete madrileño de tipos modernos, cuyo libro me satisfizo y lo musiqué porque encontré en él un diálogo chispeante y gracioso, y cierta novedad en los tipos. La partitura la cuidé con el cariño que acostumbro, porque creo que el sainete, género tan español, que tantos éxitos ha dado a nuestro teatro, no debe morir nunca". Ciertamente se trata de una partitura cuidada que, como es propio de estos sainetes chicos, no tiene la abundancia musical del sainete en tres actos, pero contiene ejemplos de inspiración netamente alonsiana para los aires básicos del género: la habanera –presentación de Rosa en el N° 1 y su romanza del N° 5–, el pasacalle, N° 2, la mazurka, N° 4, y el chotis, N° 10. Además de contener la primera habanera de la obra, el N° 1 es una escena construida sobre el aire de foxtrot con sus ritmos quebrados que aparecen tanto en la introducción orquestal cuanto en el final como acompañamiento del canto de Rosa con las viceti-ples que también intervienen, ataviadas con pantalones, coreando el pasacalle del N° 2 cuyo estribillo, "Pantalonera de Chamberí", utilizó Alonso para cerrar la partitura. El N° 3 es el acostumbrado dúo de amor, seguido de la bronca cómica imprescindible en los buenos sainetes, N° 4. El siguiente número, la romanza de Rosa, es el clímax lírico de la composición y Alonso utiliza una orquestación del mismo para construir un interludio, N° 9, necesario para el cambio de decorados entre los cuadros tercero y cuarto del segundo acto. A continuación, el N° 6 fue el que llamó más la atención en el estreno por tratarse de una parodia cómica del "E lucevant le stelle" de la *Tosca* pucciniana en su primera parte: "¡Adiós, adiós, a la vida", y de la *Danse macabre* de Saint-Saëns en su segunda parte, "Suspiro por tus besos", con el característico uso del xilófono. El N° 7 es la romanza del tenor seguida, tras una mutación para la que se interpreta parte del N° 6 con orquesta sola, por un número exótico gitanesco que incluye el cante y baile festivo de bulerías, N° 8, así como una canción "Ay gitanita de Granada" en la que Alonso puede lucir su origen granadino. Después del interludio N° 9 y de un cuadro, el cuarto del segundo acto, que es completamente hablado, el último número musical es el chotis verbenero, N° 10, con el que concluye una partitura muy bien cuidada por Alonso.

Pocos días después del estreno, la obra se representó en el teatro Pavón de Madrid, con cuya ocasión el crítico teatral Miguel Ródenas publicó en *ABC* una buena crítica que concluía señalando que "el sainete tiene un bienintencionado decoro artístico". Más que eso, *Rosa la pantalonera* es una especie de búsqueda de la normalidad que se queda en la orilla histórica de la posguerra española como un islote de un género perteneciente a un tiempo pasado que fue mejor.

Fuentes manuscritas. Los materiales de orquesta se conservan en el archivo de la SGAE en Madrid.

Ediciones del libreto. Madrid, SGAE, 1939.

FONOGRAFÍA: D78rpm: Dir. Francisco Alonso, Sols. Alfredo Muelas, Matilde Vázquez, Orq. Sinfónica del Teatro Pavón de Madrid, R 6035 (et. roja), C 4636 C 4644 [reed. en CD: Blue Moon BMCD 7511].

JAVIER SUÁREZ-PAJARES

Rosa Pic d'Aldawala. Seudónimo. *Véase* CAR-CASSONA I GARRETA, BARTOMEU.

Rosado, Pepa. Madrid, 15-II-1931. Característica. Debutó como bailarina en el teatro de La Latina y pasó después al Maravillas como actriz. Su relación con la zarzuela se inició en la compañía Ases Líricos. Tras una larga permanencia en América, pasó a formar parte como característica de la compañía de zarzuela de Juanjo Seoane. Participó en *Bohemios* en La Corrala de Madrid bajo la dirección de Miguel Narros. En 1984 actuó en *Curro Vargas* en el teatro de la Zarzuela, donde participó también en *La revoltosa* y *El año pasado por agua. La revoltosa* y *La verbena de la Paloma* fueron las obras con las que en 1988 actuó en Buenos Aires junto a la compañía del Teatro Lírico Nacional de la Zarzuela. Esa misma temporada cantó en la Zarzuela *La chulapona* de Moreno Torroba y la temporada siguiente *Don Gil de Alcalá* de Penella, junto a su hijo Jesús Castejón. En 1994 participó en el I Festival Lírico de Asturias con *Agua, azucarillos y aguardiente* y *La verbena de la Paloma* y al año siguiente con *La Gran Vía* y *Gigantes y cabezudos.* En 1996 actuó en el Festival de Zarzuela de Canarias en *Los claveles, La Dolorosa* y *La tabernera del puerto. Véase* CASTEJÓN.

BIBLIOGRAFÍA: E. García Carretero: *Historia del teatro de la Zarzuela de Madrid,* Madrid, Fundación de la Zarzuela Española, 2003.

EMILIO GARCÍA CARRETERO

Rosado, Toñy [Antonia Rosado Casas]. Madrid, 8-V-1923; Madrid, 11-IV-1996. Soprano. Comenzó como mezzosoprano y se convirtió más tarde en soprano. Inició los estudios musicales en Madrid y continuó en San Sebastián, con María Teresa Hernández y Francisco Cotarelo, y en Inglaterra, durante la Guerra Civil. De vuelta a Madrid terminó la carrera de canto en el Conservatorio y como alumna particular de Lola Rodríguez Aragón. Perfeccionó sus estudios en Barcelona, Italia y París. Su debut se produjo en 1946 en el teatro Fontalba de Madrid con *Cavalleria Rusticana.* Fue una asidua del Liceo barcelonés dónde cantó diversas óperas, como *Carmen, Mignon, Manón* y *Maruxa.* Asimismo estrenó en ese teatro diversas óperas

Toñy Rosado (Foto: Gyenes; Ar. Emilio G. Carretero)

españolas como *El gato con botas* de Montsalvatge, 1948, *El mozo que casó con mujer brava* de Suriñach, 1948 y *La Lola se va a los puertos* de Ángel Barrios, 1955. Actuó bajo la dirección de reputados directores como Ataúlfo Argenta, Lorin Maazel, Hans von Benda, Eduardo Toldrá, Jesús Arámbarri o López-Cobos.

En 1957 participó en *Doña Francisquita* en el teatro de la Zarzuela, junto a Lina Huarte y Alfredo Kraus bajo la dirección de Odón Alonso. Interpretó varias zarzuelas, como *El cabo primero* o *El barquillero*, y grabó muchas otras, *La chavala* y *El niño judío* para Columbia bajo la dirección de García Leoz y un gran número de grabaciones bajo la dirección de Argenta. En 1972 fue nombrada profesora de canto de la Escuela Superior de Canto de Madrid.

FONOGRAFÍA: *Agua, azucarillos y aguardiente*, Columbia-Alhambra-BMG MC 25000, SCLL 14049 • Montilla CDFM-3025; *Alma de Dios*, Columbia-BMG C 30064; *Bohemios*, Columbia-BMG-Ariola-Salvat 1041-2; *El asombro de Damasco*, Columbia-Alhambra-BMG MCC 30031; *El barquillero*, Alhambra MC 25003 • Columbia SA, C 32047 25 • Columbia SA, ZCL 1037 (Zacosa) 21; *El cabo primero*, Alhambra-BMG España WD 71589 (9D) • Columbia-BMG CCL 32046 • Columbia-Salvat 1016-1 • Columbia-Alhambra MC 25014; *El niño judío*, Columbia R 18142, C 8878 C 8879; *El rey que rabió*, BMG España WD 71806 (9D) • Columbia-Alhambra MCC 30026; *El santo de la Isidra*, Alhambra-BMG España WD 74392 (9D) • Columbia-Alhambra MC 25015 • Columbia-BMG C 30083 • Columbia SA, ZCL 1087; *El tambor de granaderos*, Alhambra MC 25013 • Columbia-BMG España WD 71591 (9D) • Columbia-BMG-Ariola-Salvat 1047-2 • Columbia SA, ZCL 1063 (Zacosa) • Columbia SA, C 30077 33; *La alegría de la huerta*, Alhambra-BMG España WD 71589 (9D) • Columbia-BMG CCL 32046 • Columbia-Salvat 1016-1 • Columbia-Alhambra-BMG MC 25006; *La chavala*, Columbia RG 16157, CC 766 CC 767; *La chula de Pontevedra*, Columbia-Alhambra-BMG MC 25017 • Columbia-BMG España WD 71590 (9D); *La del Soto del Parral*, Columbia-BMG-Ariola-Salvat 1032-2 • Columbia SA, C 30025; *La fiesta de San Antón*, Alhambra-BMG España WD 74392 (9D) • Columbia-Alhambra MC 25012 • Columbia-BMG C 30083 • Columbia SA, ZCL 1087; *La Gran Vía*, Columbia-Alhambra-BMG MCC 25002 • Columbia-BMG C 30064; *La tempestad*, Columbia SA, C 30012/13 16 • Columbia-BMG-Ariola-Salvat 1062-2 y 1063-2 • Columbia SA, C 7507 9; *La verbena de la Paloma*, Columbia-Alhambra-BMG MCC 30000; *La viejecita*, Columbia-Alhambra-BMG MCC 30010; *Los de Aragón*, Columbia-Alhambra MC 25004 • Columbia-BMG C 30084 • Columbia-BMG España WD 71590 (9D); *Los gavilanes*, Columbia-Salvat 1019-1 • Columbia 74321 33032 2 • Columbia-Alhambra-BMG MCC 30002; *Maruxa*, Columbia-Alhambra-BMG MCC 30003-4, CCL 32076 • Columbia SA, OZ 14 y 15 (Alhambra) 86 y 87; *Antología de la zarzuela (2)*, Columbia-Salvat 1020-1.

BIBLIOGRAFÍA: J. Martín de Sagarmínaga: *Diccionario de cantantes líricos españoles*, Fundación Caja Madrid-Acento Ed., Madrid, 1997.

Mª LUZ GONZÁLEZ PEÑA

Rosales. Familia de cantantes españolas formada por las hermanas Manolita y Trinidad.

1. Manolita. Valencia, siglos XIX-XX. Tiple. Se hizo famosa en revistas de género chico. En 1906 estrenó junto a su hermana Trinidad *Aires nacionales* de Rafael Calleja en el teatro Price de Madrid. En

Manolita Rosales (Foto: Nieto en Comedias y Comediantes, 1910 (Ar. ICCMU)

1907 formaba parte, también junto a su hermana, de la compañía de Eugenio Casals que actuaba en el teatro del Duque de Sevilla donde obtuvieron un gran éxito en *¡Al agua, patos!* de Ángel Rubio. Actuó en el Gran Teatro, donde estrenó con Trinidad *El país de las hadas*, 1910, junto a Úrsula López y Rosario Soler, *El poeta de la vida* de Rafael Calleja y *El alma del querer* de Vives y Barrera.

Hacia 1915 abandonó la zarzuela por las variedades, estrenando *Colón 34* de Eduardo Montesinos y Antonio Rincón. En 1924 reapareció en el teatro Maravillas. En los años cuarenta se convirtió en actriz de comedia en la compañía de Rafael Rivelles.

2. Trinidad. Valencia, siglos XIX-XX. Tiple. En 1906 estrenó junto a su hermana *Aires nacionales* de Rafael Calleja en el teatro Price de Madrid y compartía con ella las actuaciones en las alegres revistas del Gran Teatro, entusiasmando al público masculino al bailar la machicha. Intervino en el estreno de *El país de las hadas* y *El poeta de la vida* en el Gran Teatro, 1910. En los años veinte, como tantas otras tiples, se pasó al cuplé con un repertorio muy comedido. Formaba parte de la compañía de Manuel Fernández de la Puente que actuaba en el teatro de la Zarzuela la temporada 1913-14.

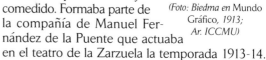

Trinidad Rosales (Foto: Biedma en Mundo Gráfico, 1913; Ar. ICCMU)

BIBLIOGRAFIA: *HGZ; ME;* E. García Carretero: *Historia del teatro de la Zarzuela de Madrid*, Madrid, Fundación de la Zarzuela Española, 2003.

Mª LUZ GONZÁLEZ PEÑA

Rosales, Antonio. Madrid, *ca.* 1740; Madrid, 1801. Compositor y director. Estuvo vinculado de manera muy intensa a la actividad teatral del Madrid de la segunda mitad del siglo XVIII, como compositor y director de compañías. Es uno de los más prolíficos autores de tonadillas –se conservan en la Biblioteca Histórica Municipal más de ciento cincuenta–, la primera de las cuales data de 1762. Su primer éxito como autor de zarzuela fue el 28 de noviembre de 1767, con la zarzuela burlesca en un acto *El tío y la tía*, con libreto de Ramón de la Cruz, que se representó en Madrid en el teatro de la Cruz. Es el precedente directo del nuevo tipo de zarzuela costumbrista, alejada de los asuntos mitológicos propios de la zarzuela desde el siglo XVII, que desarrollaron posteriormente Ramón de la Cruz y el compositor Antonio Rodríguez de Hita. El 1 de julio de 1776 su zarzuela en un acto *El licenciado Farfulla*, también con libreto de Ramón de la Cruz, se estrenó en el teatro del Príncipe por la compañía de Eusebio Ribera. Esta obra basó su éxito también en elementos populares, cuya música toma del folclore español danzas como la jácara, la folía, las seguidillas y coplas de caballo. Esta zarzuela cómica, fue cantada en España hasta 1813, año en que para su representación se realizaron nuevas ediciones del libreto, y se añadieron varios nuevos números cantados. Además de tonadillas y zarzuela, cultivó otros géneros teatrales como el sainete, la comedia musical y el entremés.

Rosales fue nombrado en 1769 músico secundario de la compañía madrileña de Manuel Martínez, y posteriormente fue director de la compañía de canto que actuó en el teatro del Príncipe de Madrid desde el domingo de Pascua de Resurrección, 12 de abril de 1789, hasta el martes de Carnaval, 16 de febrero de 1790, de cuya compañía era el maestro compositor Pablo Esteve. Participó activamente en la intensa polémica desatada por el dominio que ejercía la ópera italiana y sus intérpretes no españoles, que recibía numerosos apoyos. Escribió en el *Diario de Madrid* (207, 26-VII-1789) un elogio a los artistas italianos, destacando las virtudes de su interpretación, hace referencia en su artículo a cantantes como la Benini, la Galli, el señor Bedova, o Berteli y cita a algunos de los integrantes de la orquesta del teatro, como Manuel Salido, Ronci, García, Julianes y Garisuain, entre otros. Esta crítica fue contestada un mes después (*Diario de Madrid*, 233, 21-VIII-1789), refutando estas adulaciones hacia los intérpretes de ópera italiana, firmada por Marcelino Torrones.

Hacia 1787 sucedió a Rodríguez de Hita como maestro de capilla del Real Monasterio de la Encarnación de Madrid, dedicándose, a partir de entonces, principalmente a la música religiosa.

BIBLIOGRAFÍA: *DBE*; *HZ*; J. Subirá: *La tonadilla escénica*, Barcelona, 1930; R. Stevenson: Rosales, Antonio", *The New Grove's Dictionary of Music and Musicians*, Londres, MacMillan, 1980.

JUDITH ORTEGA

Rosales, Lina [Beatriz Melero Rosales]. Madrid, 27-XII-1927. Cantante y actriz. Comenzó como segunda figura de la compañía de Estrellita Castro en el Cal-

derón y allí la contrató Manuel Paso para actuar en el teatro Maravillas sustituyendo a Eulalia Zazo en *El hombre que las enamora*. De este teatro pasó al Albéniz convertida ya en primera figura, para estrenar *Róbame esta noche* de Alonso y Montorio, que permaneció dos años en cartel; a continuación estrenó *Los haigas* de Moraleda en el teatro Fuencarral en 1949. En 1951 estrenó en el Martín *¡Aquí Leganés!* de Fernando Gar-

Lina Rosales (Foto: Gyenes; Ar. Emilio G. Carretero)

cía Morcillo, cuyo éxito le permitió situarse como una de las vedettes más cotizadas del momento, lo que confirmó en 1958 al estrenar en el teatro Madrid *Cuando salió el Blanco y Negro* de Jesús Romo y otros, que fue la última actuación de Raquel Meller.

Desde sus comienzos actuó en el cine rodando más de veinte películas entre 1950 y 1970, como *Sierra maldita*, *La vida nueva de Pedrito Andía* o *Canción de cuna*. En 1959 se pasó a la comedia debutando en el teatro Martín con *Ejercicio para cinco dedos*, pasando después al María Guerrero con *La loca de la casa* de Galdós. En 1962 fue invitada por el Festival de Mar del Plata para ofrecer una serie de conciertos y recitales con temas de García Lorca y otras de Jesús Romo, con tal éxito que llevaron el espectáculo por la toda América hispana y medio mundo patrocinando la gira el Ministerio de Asuntos Exteriores. En 1964 formó compañía propia y poco después dejó la escena.

FONOGRAFÍA: *¡Aquí Leganés!*, Gardenia Discos, vol. 1. VE-CX-0260-2; *Doña Mariquita de mi corazón*, Sonifolk 20119; *¡Róbame esta noche!*, Blue Moon BMCD 7519 • R 14529 (et. roja), C 7564-2, C 7565-2 • Sonifolk 20119; *Tres días para quererte*.

EMILIO GARCÍA CARRETERO

Rosell, Lola. España, siglos XIX-XX. Tiple. En 1906 estrenó en el teatro de la Zarzuela *Los mosqueteros*. En 1917 cantó en el teatro Principal *La fiesta de San Antón*. Formaba parte de la compañía de Esperanza Iris que actuó en la Zarzuela en 1920, sobresaliendo en *El soldado de chocolate*, *La geisha* y *La princesa de los Balkanes*. En 1921 cantó *El dúo de la Africana* para su beneficio.

BIBLIOGRAFÍA: E. García Carretero: *Historia del Teatro de la Zarzuela de Madrid*, Madrid, Fundación de la Zarzuela Española, 2003.

EMILIO GARCÍA CARRETERO

Lola Rosell (Foto: Nuevo Mundo, 1920; Ar. ICCMU)

Cayetano Rosell (Foto: Museo Municipal de Madrid)

Rosell y López, Cayetano.

Aravaca (Madrid), 1817; Madrid, 1883. Dramaturgo. Licenciado en Filosofía y Letras y Derecho. Se dedicó a la literatura como poeta, ensayista, periodista, novelista, editor y autor de obras escénicas, con y sin música. Utilizó el seudónimo de "Torresca y Llano" para publicar sus artículos sobre historia y teatro en los periódicos *El Semanario Pintoresco Español, La Ilustración Española y Americana, El Laberinto,* y dirigió *La Crónica General de España o sea Historia ilustrada y descriptiva de sus provincias.* Poseía una gran cultura y sentido crítico. Tradujo numerosas obras francesas que adaptó con acierto y calidad a la escena española, algunas de ellas convertidas en zarzuelas, como *El burlador burlado* de Antonio José Cappa, que se estrenó con discreto éxito en el teatro de la Zarzuela en 1859.

BIBLIOGRAFÍA: *CDE.*

OLIVA G. BALBOA

Roselló Vilella, Isidro.

España, †23-III-1939. Compositor. Aunque tiene registradas en la SGAE algunas canciones, la mayor parte de su producción son obras líricas, generalmente de género chico, de dos y tres actos, casi siempre estrenadas en Barcelona. Algunas de sus obras están escritas en colaboración con Rafael Martínez Valls. Además de las conservadas en el archivo de la SGAE, tiene registradas otras obras líricas como *Los Arlequines de seda y oro,* comedia musical; *Bric a Brac,* zarzuela; *Buonaglia; El café de Novedades* y *La dama desconocida.*

OBRAS (Todas en *E:Msa*): *Nubecillas de verano,* col. Garrido García, l, J. Palomo Jiménez / C. García Morales, est, 3-VI-1934, Barcelona; *Fray Jerónimo,* 3 act, col. R. Martínez Valls, l, V. Mora, est, 16-II-1935, Te. Nuevo (Barcelona); *El enemigo,* 2 act, l, Campeny / F. A. Font, est, 1937, Te. Nuevo; *Charros y charras o El padre justo,* 2 act, l, Suárez Izquierdo; *Cleopatra y Julio César,* espectáculo histórico, 2 act, l, V. Pardo; *Debut de la Consuelillo,* 1 act, l, A. López; *El hijo de Manón,* est, Barcelona; *Estudiantes del amor,* l, F. de Asís Font; *Felipe el terremoto,* Jug cóm, 1 act, l, M. Pradas Martí; *Hermosa desconocida,* 2 act, l, G. Alfonso Mantúa; *La confesión de una maja,* l, J. M. Francés; *Las mujeres de todos,* l, J. Amich Bert; *Una mujer y un cantar,* col. R. Martínez Valls, l, G. Alonso Manaut; *Venus genitrix,* l, V. Pardo.

Mª LUZ GONZÁLEZ PEÑA

Rosell, Ramón.

Barcelona, 1840; Madrid, 1898. Actor. Comenzó a estudiar leyes pero abandonó estos estudios por los de comercio y con otros colegas de la misma profesión formó en Barcelona en el teatro Odeón una sociedad dramática distinguiéndose ya entonces por su comicidad y la perfección con que imitaba a los artistas consagrados. Arderius le conoció en el teatro privado del círculo de El Gavilán y viendo sus cualidades cómicas le contrató para sus Bufos, debutando en el teatro Circo de Madrid en la opereta *Genoveva de Brabante.* Posteriormente creó tipos inimitables del género en obras como *El potosí submarino, Robinson, La gran duquesa, La vuelta al mundo* y *Los sobrinos del capitán Grant.* Fue artista imprescindible en el género bufo y al desaparecer éste, siendo ya querido y admirado del público, se pasó al teatro de la Comedia, a las órdenes de Emilio Mario, donde sorprendió interpretando a los clásicos y convirtiéndose en un gran apoyo para Mario todo el tiempo que permaneció en su compañía. Posteriormente pasó al Lara estrenando las mejores obras de Ramos Carrión, Vital Aza o Echegaray. Para él se escribió la zarzuela *R. R.* y creó tipos que permanecen en el recuerdo como Don Indalecio de *Zaragüeta* de Ramos Carrión y Vital Aza. Triunfó en el género lírico en títulos como *Música clásica* de Chapí. Fue además autor y escribió la zarzuela *Arturo di Fuencarrale,* estrenada en 1870. El público le permitía todo tipo de libertades y aplaudía sobre todo su gracia y socarronería, aunque la prensa atacó sus alardes histriónicos, así como los de Arderius en la función de Inocentes celebrada en Apolo en 1877.

Ramón Rossell (Foto: Ar. ICCMU)

Formó parte de la compañía que sustituyó a la de de Enrique Chicote y Loreto Prado en el teatro Cómico, al final de su vida, realizando una gran creación en *El señor gobernador,* a pesar de lo cual permaneció poco tiempo en el Cómico. En 1880 cantó con gran éxito *Música clásica* de Chapí. En 1883 le contrató el empresario Rovira para sustituir las ausencias o enfermedades de Joaquín Manini. En 1885 formaba parte de la compañía de Emilio Mario en el teatro de la Princesa, donde coincidió con María Guerrero, prácticamente debutante y en esa compañía siguió hasta el cierre del teatro. En junio de 1887 ocupaba la portada del *Madrid Cómico,* con la correspondiente caricatura de Cilla y estos versos: "Nadie disputa a Rosell / su justa fama de actor, / pues de todos el mejor / no tiene más gracia que él". En 1890 celebró su beneficio en el teatro de la Come-

Ramón Rossell (Caricatura: Madrid Cómico, 1887; Ar. SGAE)

dia. En 1893 estaba al frente de una compañía de zarzuelas que actuaba con gran éxito en provincias, y de la que formaban parte Pedro Ruiz de Arana y Balbina Valverde. Esta compañía inauguró el teatro Cómico de Gijón, construido en esas fechas por el industrial Manuel S. Dindurra.

Su muerte fue muy sentida y su entierro, una manifestación popular de duelo, sobre todo a su paso por el teatro Español, como era tradición entre los cómicos.

BIBLIOGRAFÍA: *DAT; TA; Madrid Cómico*, V, 224, 4-VI-1887; L. Gabaldón: "*Ramón Rossell*", *Blanco y Negro*, 397, 10-XII-1898; J. Rubio: *Mis memorias*, Madrid, 1926; E. Chicote: *Cuando Fernando VII gastaba paletó...*, Madrid, Instituto Editorial Reus, 1952.

Mª LUZ GONZÁLEZ PEÑA

Rosillo, Ernesto. *Véase* PÉREZ ROSILLO, ERNESTO.

Rossy, Matilde. España, siglo XX. Tiple cómica. En la temporada 1921-22 formaba parte de la compañía Sagi-Vela, en el teatro de la Zarzuela, en el que estrenó *Glorias del pueblo* de Rafael Millán, con un gran éxito. También fue muy aplaudida en *Los calabreses* de Pablo Luna. En 1923 estrenó *Las Mariscalas* de Calleja y en el mismo año participó en el estreno de la opereta de José Forns, *La reina Topacio* y de *La montería* de Guerrero. Formaba parte de la compañía lírica de Eugenio Casals y en 1923 actuaban en el teatro Maravillas de Madrid.

Matilde Rossy (Foto: E:Bit)

FONOGRAFÍA: *La corte de Faraón*, Odeón 184875 a 184880, SO 7145, SO 7158 a SO 7160, SO 7184 a SO 7186, SO 7192 SO 7193, SO 7269 a SO 7271 • Blue Moon BMCD 7503; *La generala*, Odeón 184492 a 184495, SO 7100 a SO 7107 • Blue Moon BMCD 7523; *María Sol*, Blue Moon BMCD 7538.

BIBLIOGRAFÍA: E. García Carretero: *Historia del teatro de la Zarzuela de Madrid*, Madrid, Fundación de la Zarzuela Española, 2003.

EMILIO GARCÍA CARRETERO

Roure. Familia de dramaturgos españoles formada por Conrat y su hijo Alfonso.

1. Roure i Bofill, Conrat. Barcelona, 29-IX-1841; Barcelona, 1928. Escritor y periodista. Se licenció en Derecho en 1862, y ejerció como letrado al tiempo que se dedicaba a la literatura. Muy pronto se unió al movimiento literario impulsor del teatro catalán, juntamente con Frederic Soler, Eduard Vidal y Valenciano, y Feliu y Codina. Frecuentaba el Taller d'Escudellers, donde también coincidió con Coll i Britapaja y Valentí Almirall. Con Soler colaboró en *El cantador*, 1864, y con Vidal redactó *Antany i enguany*, 1865. *El cantador* es una parodia de *El trovador* de García Gutiérrez, una de las primeras obras que interpretó la compañía de La Gata; él era uno de los fundadores de la compañía. Su ideología política era federalista y liberal, similar a la de Frederic Soler. Desarrolló una intensa actividad periodística: dirigió *La campana de Gràcia, El Federalista* y *El Xanguet*. Escribió comedias y la zarzuela en dos actos, con la que alcanzó un éxito perdurable, *Verdalet, pare y fill, del Comerç de Barcelona*. Redactó los libretos de *Matrimonis a Montserrat*, con música de J. M. Comella, *Un rei de pega*, del mismo Comella y de la parodia *De teulades en amunt*, 1872, con música de J. Ribera. Fue uno de los autores que participó en la corriente del teatro lírico bufo en Barcelona, redactando *L'art de la bruixeria* con E. Vidal. Escribió unas memorias, *Recuerdos de mi larga vida*, 1925-27, en las que recoge su testimonio de los orígenes del teatro catalán en el siglo XIX. Sus libretos toman como punto de partida la corriente costumbrista, sin crear situaciones demasiado originales y con una estética que le aproximan al teatro de Vidal y Valenciano. Entre sus mejores obras dramáticas destacan *Una noia és per a un rei, Un pom de violes* y *La comèdia de Falset*. Cuando el Fomnet del teatre Català propuso el año 1914 la organización de una asamblea en el teatro Romea Pro teatro catalán, Conrad Roure presidió el acto.

2. Roure i Brugulat, Alfons. Barcelona, 1889; Barcelona, 15-X-1962. Escritor. Antes de escribir sus primeras obras dramáticas, se dedicó al periodismo y publicó una novela. Junto con el dibujante V. Castanys redactaban el periódico homorístico de deportes *Xut*. A partir de los años veinte su nombre empezó a ser considerado como uno de los autores teatrales de más éxito. El estilo de sus obras buscaba la frase lisonjera y el parecido fácil por parte del público, aunque ello le llevara al chiste fácil y al melodrama. En 1924 redactó el libreto de una revista, *El partit del diumenge*, junto con Castanys. El éxito insospechado de esta obra le animó para seguir el mismo camino que su padre. Sus logros principales los cosechó en el Paralelo Barcelonés. En el terreno lírico sobresale la pieza con la que consiguió más popularidad en su carrera, *La reina ha relliscat*, un vodevil con música de Josep Maria Torrens, obra en la que sobresalió Josep Santpere y después su hija, Mary Santpere; la partitura aún sigue interpretándose. Escribió también el libreto de *Roda el món... i torna al Born*, con música de Torrens. En 1934 estrenó en el teatro Español *El rei fa treballs forçats*, con música de Josep Suñé. Publicó un anecdotario, *La rebotiga de Pitarra*, 1946.

BIBLIOGRAFÍA: F. Curet: *Història del teatre cátala*, Barcelona, Aedos, 1967; E. Cassany: *El Costumisme en la prosa catalana del segle XIX*, Barcelona, Curial, 1992.

FRANCESC CORTÈS i MIR

Rovira, Antonio. España, siglo XIX. Compositor. Se dedicó desde muy joven al estudio de la música, que perfeccionó con Vilanova. Tras el éxito alcanzado por la ópera de Cuyás *La fattucchiera*, se animó a escribir su ópera en tres actos *Sermondo il Generoso*, que fue interpretada en 1839 en el teatro de Santa Cruz de Barcelona. En la ciudad Condal se dedicó a la enseñanza como maestro de canto. Hacia 1850 se estableció en Madrid. Actuó como maestro director en varias compañías de zarzuela, entre ellas la que actuó en el teatro de San Fernando de Sevilla la temporada 1855-56, y en el teatro de Málaga en 1857. Durante su estancia en Andalucía tuvo como alumna a la malagueña Josefa Murillo. Regresó a Madrid, y compuso varias zarzuelas que fueron estrenadas en los años 1858 a 1863, en los teatro del Circo y de la Zarzuela. La primera de ellas fue *La sirena*, zarzuela en tres actos basada en una traducción de una obra de Scribe, de la que la crítica destaca el dúo de barítono y tenor del primer acto, la introducción, el dúo y el final del segundo, y la romanza de tenor del tercero, indicando Julio Nombela en *La España Artística* (26-VII-1858) que estos fragmentos "más parecen pertenecer a una ópera bien acabada que al resto de la música de la zarzuela de que nos ocupamos. Novedad en los motivos, ingenio y gusto en la instrumentación; he aquí los caracteres que más distinguen la nueva partitura del señor Rovira. Hay momentos en que se creería uno transportado al regio coliseo, si la calidad de la orquesta... no anunciase desde luego su inferior calidad". Quizá las críticas que indicaban que la música era demasiado elevada para el género, hiciesen que en su siguiente producción, *Un primo*, estrenada en 1858 en el teatro de la Zarzuela, recurriese dos veces a las seguidillas, sin conseguir ninguno de los siete números musicales de la obra el agrado del público. Una silba memorable logró *Un procónsul*, estrenada en 1859 en la Zarzuela, y otra similar *A caza de mi mujer*, 1861 en el mismo coliseo. La compañía de zarzuela que actuaba en Zaragoza en la temporada 1859-60 estrenó dos obras de Rovira: *El anillo de la reina* y *El novio aragonés*. Por su parte, *El castillo maldito*, zarzuela en tres

actos estrenada en 1861 en el Circo, no tuvo éxito, pues el libreto no era adecuado, salvando la representación algunas piezas de música que agradaron al público; ni tampoco *El bachiller*, zarzuela de capa y espada adaptada por Alverá para su beneficio, 1861, en el Circo. En cambio, *Genaro el gondolero*, estrenada en el Circo el mismo año, fue un éxito completo, indicando el *Correo de Teatros* que "la música es variada y nueva, tanto en la parte cantable como en la instrumental", destacando la escena de la mitad del segundo acto. Con esta obra, Rovira encuentra una fórmula de éxito, que se repitió pocos meses más tarde en *Un rival del otro mundo*, 1862, de Pastorfido, "con música ligera y juguetona pero escrita con verdadero talento de autor competente", según Cotarelo, y de nuevo ese mismo año en *La pastora de la Alcarria* de Perrín. Sin embargo, en la temporada siguiente dos obras de Rovira estrenadas en el Circo no lograron éxito; se trata de *La abuela*, 1862, de Leandro Tomás Pastor, y *Entre mi mujer y el primo* de Miguel Pastorfido.

De nuevo en Barcelona, fue profesor de armonía y composición, junto a Balart y Biscarri. En 1867 se interpretó en el teatro Principal de Barcelona, en el beneficio de la cantante Toda, su zarzuela en tres actos *Genaro el gondolero*, estrenada seis años antes en Madrid. La obra supuso un éxito para el autor, "llamándole a la escena al final de acto, y dándole una prueba del mucho aprecio que al pueblo catalán merecen los verdaderos artistas... La mayor parte de las piezas revela un profundo conocimiento musical, buen gusto y el genio que ha de acompañar siempre al arte", según *La España Musical* (31-I-1867). En 1871 estrenó en el teatro Alhambra de Madrid, con destino a los Bufos Arderius, *Jorge el guerrillero*. Según indica Fargas y Soler, Rovira "produjo un buen número de piezas que, si bien son generalmente de estilo italiano, tienen buen desarrollo y variedad de formas, conteniendo motivos agradables, si no siempre característicos".

OBRAS: *La sirena*, Zarz, 3 act, l, arreglo L. de Montes, est, 21-VII-1858, Te. Circo; *Un primo*, Zarz, 1 act, l, C. Frontaura, est, 18-X-1858, Te. Zarzuela; *Un procónsul*, Zarz, 3 act, l, F. Corradi, est, 6-XII-1859, Te. Zarzuela; *El novio aragonés*, disparate-Zarz, 1 act, l, L. San José, est, 24-XII-1859, Te. Zaragoza; *El anillo de la reina*, l, L. Sanjuán, est, 1859, Zaragoza; *El castillo maldito*, Zarz, 3 act, l, J. M. Huici, est, 1-II-1861, Te. Circo; *El bachiller*, Zarz de capa y espada 2 act, l, A. Alverá Delgras, est, 19-IV-1861, Te. Circo; *A caza de mi mujer*, Zarz, 1 act, l, Carrasco de Molina, est, 22-VI-1861, Te. Zarzuela; *Genaro el gondolero*, Dr lír, 3 act, l, J. M. Nogués, est, 6-XII-1861, e.. Circo; *Un rival del otro mundo*, Zarz, 1 act, l, M. Pastorfido, est, II-1862, Te. Circo; *La pastora de la Alcarria*, Zarz, 1 act, l, arreglo G. Perrín, est, 1-III-1862, Te. Circo; *Entre mi mujer y el primo*, Zarz, 1 act, l, M. Pastorfido, est, X-1862, Te. Circo; *La abuela*, Zarz, 2 act, l, L. T. Pastor, est, X-1862, Te. Circo; *De la muerte a la vida*, Zarz, 2 act, l, R. Franquelo, 1863; *Jorge el guerrillero*, Zarz, 3 act, l, C. Navarro / A. Campoamor, est, 18-IX-1871, Te. Alhambra; *El marqués de Asúa*, Mel, 1 act, l, E. y N. Henrich Urraza.

BIBLIOGRAFÍA: HZ; OE.

RAMÓN SOBRINO

Clotilde Rovira (Foto: Gombau en El Teatro, 1904; Ar. ICCMU)

Rovira, Clotilde. España, siglos XIX-XX. Cantante y actriz. Cultivó el género chico. En 1884 era corista en Eslava, donde estrenó *La mano blanca* de Rubio y Espino; en 1890 en el teatro Apolo de Madrid *Los nuestros* de Ruperto Chapí; en 1895 en el teatro Gran Vía de Barcelona *Las once mil* de Lleó; en 1902 en el teatro Pignatelli de Zaragoza *El fortuna* de José Bellver. Estrenó en el teatro de la Zarzuela numerosas obras como *Bohemios* de Vives, y actuó posteriormente en los teatros Eslava y Apolo. En 1903 presentó en el teatro Lírico *El famoso Colirón* de Calleja y Lleó. En 1905, después de una brillante campaña en la Zarzuela y en provincias, se fue a La Habana, permaneciendo en el teatro Albisu seis meses. Pasó también a Montevideo donde estrenó *El amor que huye*. En 1907 fue sustituida en el teatro del Circo por Elena Rodríguez y en junio estrenó en el Apolo de Valencia *La primera de abono* de Miguel Asensi y en diciembre se encontraba en Santander en el teatro Principal, donde era muy aplaudida en *La patria chica* y estrenó *El sueño de la princesa* de Calleja y Ballesteros. Hermosa y con grandes cualidades como cantante y actriz, seguía actuando en los años veinte.

BIBLIOGRAFÍA: *HGZ; TA.*

Mª LUZ GONZÁLEZ PEÑA

Rovira Ferrer, Salvador. España, 11-V-1906; ?, 6-IV-1972. Compositor. Es autor de varias obras de teatro lírico, desarrollando su actividad a mediados del siglo XX.

OBRAS: *Leona de plata*, 3 act, l, A. Muñoz Hernández, est, 1-VII-1942, Te. Borrás (Barcelona); *La enlutada de blanco*, 3 act, l, A. Muñoz / J. Salvador Nivela, est, 8-VIII-1942, Te. Olimpia (Huesca); *La locura del fútbol*, l, M. Reula Garcés, est, 29-XII-1944, Te. Pérez Galdós (Las Palmas); *Aragón tierra bravía*, Zarz, 2 act, l, J. A. Cabero, est, 29-II-1952, Te. Principal (Zaragoza).

Mª LUZ GONZÁLEZ PEÑA

Rovira y Serra, Manuel. Barcelona, 1865; ?, siglo XX. Dramaturgo. Estudió Derecho en su ciudad natal y ejerció durante un tiempo hasta que se trasladó a Madrid, donde se dedicó finalmente a la literatura. Escribió poemas y obras teatrales alternando catalán y castellano. A pesar de ser un autor menor del género lírico y de no contar con una extensa producción, escribió algún título que merece ser rescatado de la primera década del siglo XX: las zarzuelas *El parador de las golondrinas* de Amadeo Vives, 1903; y *Lucrecia* de Martí Termes, 1907. Hizo algunas adaptaciones de obras extranjeras como la opereta austriaca *La princesa de los dollars* de Leo Fall, 1910.

BIBLIOGRAFÍA: *CDE.*

OLIVA G. BALBOA

Roy, Alejandro. Gijón, 30-VI-1971. Tenor. Realizó sus primeros estudios de canto y piano en su localidad natal y posteriormente completó su formación en Madrid, ciudad en la que debutó cantando en el teatro de la Zarzuela la ópera de Donizetti, *La fille du régimet*, para cantar seguidamente *El barberillo de Lavapiés* y *Jugar con fuego* de Barbieri y, cerrando la temporada 2001-02, con *Los gavilanes* de Jacinto Guerrero.

BIBLIOGRAFÍA: E. García Carretero: *Historia del teatro de la Zarzuela de Madrid*, Madrid, Fundación de la Zarzuela Española, 2003.

EMILIO GARCÍA CARRETERO

Roy [Fuentes Roy], Esperanza. Madrid, 22-XI-1938. Se inició de niña en el baile clásico y flamenco. Muy joven debutó como bailarina en la compañía folclórica de Rafael Farina y pronto se pasó a la revista y fue contratada por las mejores compañías del género. En los años sesenta ya era primera figura en teatros como la Latina, Martín o Eslava, donde protagonizó junto a Nati Mistral y Antonio Martelo una versión libre de *La corte de Faraón* que, con el título de *La bella de Texas*, dirigió Luis Escobar en 1966. Tras formar compañía propia y estrenar varios espectáculos, se dedicó después con éxito a la intepretación de comedias y su actividad cinematográfica abarca más de cincuenta películas. En 1999 regresó al Teatro de la Zarzuela –en el que había debutado como bailarina siendo una niña– con una colaboración en el montaje de la opereta *La corte de Faraón*, llevada a cabo por Alfredo Arias. Entre sus espectáculos más recordados destaca *Por la calle de Alcalá*, antología de la revista que Ángel Fernández Montesinos dirigió en el madrileño teatro Alcázar en los años ochenta.

Esperanza Roy (Foto: Ar. Emilio G. Carretero)

BIBLIOGRAFÍA: E. García Carretero: *Historia del Teatro de la Zarzuela de Madrid*, Madrid, Fundación de la Zarzuela Española, 2003.

EMILIO GARCÍA CARRETERO

Royo, Manuel. Santiago de Compostela, 1836; ?. Barítono. Se había matriculado en el Conservatorio de Madrid en 1855 en la clase solfeo de Hijosa y en la de canto de Saldoni con quien estudió hasta 1857. En este año fue contratado por el teatro de la Zarzuela como bajo y trabajó en la obra de Rossini *Bruschino*. Permaneció una nueva temporada en la que estrenó *La dama blanca* de Martín Sánchez Allú, 1858, con bastante éxito. Posteriormente dejó el canto y se hizo jesuita, llegando a ser un famoso predicador.

BIBLIOGRAFÍA: *HGZ*; F. Cuenca: *Teatro andaluz contemporáneo. 2. Artistas líricos y dramáticos*, La Habana, Maza, 1940.

EMILIO CASARES RODICIO

Ruano Micó, Féliz. Madrid, 1884, Saltillo (México), 1959. Compositor y director de orquesta. Fue alumno del conservatorio de Madrid, donde obtuvo el Gran Premio de Roma. Posteriormente se estableció en París para seguir sus estudios en el conservatorio. En 1907 comenzó una gira por Australia y toda América estableciéndose en México, donde se dedicó a la zarzuela y opereta. Posteriormente viajó a Texas, donde fundó el conservatorio. Compuso la música de algunas obras como *La revista 1915*, estrenada en 1916 y *En la Arcadia*, 1917.

BIBLIOGRAFÍA: *RHTM*.

EMILIO CASARES RODICIO

Rubens, Delia [Milagros García-Laigorry Arcusal. Madrid, 16-II-1924. Tiple cómica. Tomó el nombre de Delia por similitud con el de su admirada Celia Gámez. Artista intuitiva, estudió con varios profesores y fue descubierta por Jacinto Guerrero que la hizo debutar en teatro Albéniz con *El tambor de granaderos* de Chapí y estrenó en Barcelona obras de su descubridor como *La blanca doble* o *Los Países Bajos*. Después fue contratada por la compañía Ases Líricos con la que actuó en teatros como Calderón, Price o Fuencarral siendo este último el escenario que pisó en su despedida de la escena. Se dedicó a tiple cómica porque su gracejo y buena disposición como actriz le facilitaron el trabajo en esa cuerda, pero por sus cualidades canoras podía haber sido una excelente tiple lírica. Contrajo matrimonio con Ramón Alonso, y su hija, Milagros Alonso, es una destacada cantante. *Véase* ALONSO, RAMÓN (I).

FONOGRAFÍA: *El puñao de rosas*, Zafiro-BMG EPFM-256 • Zafiro SA, ZOR-130 28 (27a); *La dolorosa*, Montilla FM-14 • Zafiro-BMG EPFM-22 • Zafiro ZOR-176 109 / LM 3023 C; *La gatita blanca*, Zafiro-BMG EPFM-256; *Las leandras*, Montilla FM-32 • Zafiro-BMG EPFM-3 • Zafiro-Salvat 1021-1 • Zafiro ZOR-130 184; *Los claveles*, Zafiro-BMG EPFM-23 • Zafiro SA, ZOR 106 93; *Éxitos de zarzuela: vol I*, Zafiro ZOR-168.

BIBLIOGRAFÍA: E. García Carretero: *Historia del teatro de la Zarzuela de Madrid*, Madrid, Fundación de la Zarzuela Española, 2003.

EMILIO GARCÍA CARRETERO

Rubio, Juana. España, siglo XIX. Tiple. Estrenó *¡Tío… yo no he sido!* de Ángel Rubio, teatro Príncipe Alfonso, 1881; *La Gran Vía* de Chueca y Valverde, Felipe, 1886; *El joven Telémaco* de Rogel, Bufos, 1866; *Las plagas de Madrid* de Rubio y Espino, 1887; *Escuela modelo* de Joaquín Jiménez, Príncipe Alfonso, 1888; *La romería de Miera* de Pozas, Zarzuela, 1890; *El día del juicio* de Quinito Valverde, Eslava, 1892, y muchas otras obras. En varias obras se identifica a la intérprete solamente por "Srta. Rubio", por lo que es difícil saber qué cantante interpretó la obra, teniendo en cuenta además que en aquellos años había otras dos cantantes apellidadas Rubio, Adelina y Matilde.

Mª LUZ GONZÁLEZ PEÑA

Rubio Laínez. Familia de músicos españoles formada por los hermanos Ángel y José.

1. Rubio Laínez, Ángel. Madrid, 27-XI-1846; Vicálvaro (Madrid), 1906. Compositor. Fue uno de los más prolíficos autores de género chico, componiendo la música de casi trescientas zarzuelas destinadas a la mayoría de los teatros madrileños de las décadas 1880 y 1890. Aunque nunca consiguió rivalizar a la altura de Chapí o la gracia de Chueca, muchos de sus números fueron aplaudidos y difundidos popularmente, insertos generalmente en obras divertidas de escasas pretensiones y trascendencia. Cilla en su famosa colección de caricaturas que publicó en *Madrid Cómico* colocó los siguiente versos en la imagen de Rubio (3-X-1885): "De los más trabajadores / artistas de las Españas; / hace cosas superiores / y es otro de los autores / de *El puesto de las castañas*", en referencia a un sainete estrenado poco antes en el teatro Martín.

Tras estudiar en el Conservatorio de Madrid, comenzó a colaborar con las diferentes compañías de zarzuela. Su primer estreno fue la zarzuela grande *Los alcaldes de Monzón*, escrita en colaboración con Rafael Aceves, para el Circo de Paul en 1870. Sin embargo, mejor fortuna alcanzó con piezas cómicas en un acto como *La Correspondencia de España* que parodiaba a los redactores del famoso diario, estrenada un año después en el teatro de la Zarzuela. En la temporada siguiente tomó contacto con la compañía de los Bufos de Arderius, que se había trasladado al Circo de Paul buscando mantener el éxito de años anteriores, participando en la composición de *El carbonero de Subiza*, de nuevo junto a Aceves, parodia escrita por Granés de la famosa zarzuela de Oudrid. A finales de 1872 Rubio en el modesto local del Recreo, ponía música con escasa fortuna a los libretos de Antonio de Campoamor. Merece destacarse su presencia en la programación de verano del teatro de los Jardines del Buen Retiro, siempre con libretos Rafael María Liern. Allí estrenó títulos como la revista fantástica de teatros *¡El Teatro de 1876!*, 1871, el apropósito cómico-lírico-bailable en dos actos *El* *príncipe lila*, 1872, el juguete cómico-lírico *Americanos de pega*, 1872, todas en colaboración con Aceves. Uno de sus primeros éxitos en el Retiro fue la zarzuela *Frasquito Barbales*, 1877, dedicada al famoso diestro Frascuelo, para la que compuso tres vistosos números de ambiente taurino y andaluz. Se trataba de obras de circunstancias, sin mayores ambiciones, como el juguete *Cibeles y Neptuno*, el éxito en el Retiro en 1880, del que se señaló en *El Imparcial*: "Gracia chispeante, variedad y movimiento, música agradable y juguetona, todo lo reúne sin que le falte ningún atractivo para un espectáculo al aire libre... El público pide sólo pasar un par de horas agradablemente entretenido, y *Cibeles y Neptuno* cumple con creces este objeto, con gracias oportunas de buena ley". La influencia del repertorio bufo en este tipo de piezas ligeras era bastante evidente; de hecho el propio Rubio realizó junto al escritor Salvador María Granés varias adaptaciones de operetas de Offenbach como *La archiduquesa* o *La criolla*. En estos años conoció también al empresario y escritor Calixto Navarro, con quien trabajó en numerosas ocasiones, dejando títulos como el juguete *Percances domésticos*, Prado, 1876, la "guasa lírica" *Toros en París*, Recoletos, 1884, o el juguete *La brasileña*, Romea, 1895.

Pronto se le abrieron las puertas a teatros de mayor altura. En el teatro de la Zarzuela figura como director desde 1878-79, estrenando durante el beneficio del tenor cómico Miguel Tormo la zarzuela en dos actos *Historias y cuentos*, con libro de Mariano Pina Domínguez. Según *El Imparcial*, la obra "pertenece a ese género cómico que se confunde con el bufo", que "hizo reír sin cesar a los espectadores", mientras que la música se definió como "ligera, agradable, adecuada siempre al corte de la obra", que incluía unos couplets para el barítono Sala y una jota para tiple. En 1881 Rubio participaba en las reuniones convocadas por Arderius para crear una ópera nacional, en cuyos encuentros estuvieron los literatos Pina (padre e hijo), Larra, Ramos Carrión, Herranz, Álvarez, Jiménez Delgado y Navarro, mientras que de los compositores estuvieron Arrieta, Barbieri, Caballero, Marqués, Chapí, Casares y Rubio. Al final el proyecto se quedó en una simple temporada de zarzuela grande que pasó al teatro Apolo. De estos años proviene la mayoría de las escasas zarzuelas grandes de Rubio como las dos destinadas al Apolo, ambas con libreto de Mariano Pina Domínguez: *El corregidor de Almagro*, que sólo estuvo en cartel cinco días, y *La farsanta*, 1881, en colaboración con Fernández Caballero, mejor recibida aunque no llegara a incorporarse al repertorio. En una línea más de espectáculo se encuentran *Periquito*, 1879, con libro de Ramos Carrión y Vital Aza, y el cuento fantástico *Las mil y una noches*, 1882, escrita también junto a Caballero, ambas destinadas al Príncipe Alfonso. También compuso un drama lírico, *El grito de gue-*

rra, estrenado por el tenor Rosendo Dalmau en Alicante, 1883. Sin embargo, el éxito de Rubio provenía más de sus piezas cómicas. En este sentido resulta significativo el recibimiento en el teatro de la Zarzuela de *El pañuelo de yerbas*, sobre la que *El Imparcial* señaló que "para un teatro de segundo orden sería una fortuna tropezar con un libro como el de que nos ocupamos; para el de la Zarzuela puede hasta llegar a ser una desgracia". Otro de los éxitos de Rubio fue el juguete *La salsa de Aniceta*, 1879, ofrecida en una de las primeras temporadas líricas del teatro Apolo, que según Chispero fue "la primera obra de auténtico género chico estrenada en Apolo", en cuya animada partitura incluyó un vals, unos cuplés, un par de canciones y un terceto, que fueron interpretados por las tiples García y Cubas y los cómicos Rosell y Ramón Guerra.

Durante la década de 1880 se convirtió en uno de los más fecundos compositores del nuevo género chico. Un local emblemático para Rubio sería el teatro Eslava, donde fue el principal compositor durante más de veinte años. Ya cuando aún era el Salón Eslava en 1873 había compuesto la música para el proverbio cómico-lírico *No firmes lo que no leas...* Luego cuando recuperó la empresa Bonifacio Eslava, el editor, Rubio ofreció algunas de sus obras más interesantes como *Las mocedades de don Juan Tenorio*, 1877, o *La misa del gallo*, 1878. La consolidación del local, reformado y ampliado, se produjo con la revista *Eh..., a la plaza*, 1880, cuyo título hacía referencia al grito de los cocheros que llevaban a los toros. El libreto de Pina Domínguez y un joven Javier de Burgos ofrecía diversos cuadros de costumbres madrileñas en tono crítico: desde un desorganizado cuadro de artistas flamencos hasta la parodia del veraneo en una modesta casa de pensiones en San Sebastián, pasando por una miserable cuadrilla de toreros a la que se quiere unir un hambriento maestro de escuela o un cuadro sobre los líos de la nueva división decimal de la peseta; Rubio ilustró con acierto las situaciones ofreciendo en su partitura unos panaderos, una malagueña, un vito, unos cuplés de un jugador y una efectista lección de toreo. Constituyó el gran éxito del momento, reponiéndose en el Eslava hasta 1887, destacando por su gracia los principales actores como Ricardo Zamacois, José Mesejo, Julio Ruiz y las tiples Campini, Valverde y Juana Pastor.

El sainete y la revista se convirtieron en los géneros de mayor éxito para Rubio. De gran interés resulta el pasillo *¡Cómo está la sociedad!*, también con libreto de Javier de Burgos, estrenado en el Eslava en 1883. La acción se situaba en la prevención, por donde pasaban además de los guardias y vigilantes, chulos valentones y dos mujeres de vida alegre que alegraban al juez bailando un cancán "Son el vino y el amor fuentes de inmenso placer", que se puso de moda en el Madrid de entonces; el resto de la partitura muestra la capacidad de Rubio para caracterizar con música los diferentes tipos populares madrileños, incluyendo así una canción del valiente, un terceto-vals y unos cuplés del señorito. El elemento andaluz y los temas taurinos fueron la base de muchos de los éxitos de Rubio, que dominaba los diferentes géneros aflamencados. Una obra representativa es el juguete *Flamencomanía*, 1883, cuya partitura está integrada por un bolero, una malagueña, un tango y un vito. En una línea similar está *De Cádiz al Puerto*, 1883, donde "El Puerto" hace referencia a un colmado flamenco de Madrid, excusa para ofrecer varios números de baile y cante interpretados con soltura por las hermanas Lucía y Juana Pastor en el Eslava. El tema taurino domina el sainete *Política y tauromaquia*, 1883, con un hábil libreto de Javier de Burgos y un efectista coro de toreros, la guasa lírica *Toros en París*, 1884, el "programa político-taurino" *Los matadores*, 1884, el juguete *Fiesta torera*, 1884; también está presente en algunos cuadros como en la salida del picador de *Ellos y nosotros*, 1883, sainete ofrecido en el Retiro como continuación del exitoso *Eh... a la plaza*. El gran éxito de estos años, y de toda la carrera de Rubio, fue el pasillo *Al agua patos*, con un divertido libreto de Jackson Veyán que parodiaba el veraneo en San Sebastián visto desde las calurosas noches de verano del madrileño teatro Felipe en 1888. La animada música de Rubio, llena de polkas y valses, no está exenta de algún toque ligeramente sicalíptico que encandiló al público pasando al repertorio del Apolo y siendo frecuentada por otros teatros veraniegos. Este elemento picante está presente en otras obras de esta época como el juguete estrenado en el Variedades *Tiple en puerta*, 1887, cuya partitura incluye unos couplets de la Gata, un coro de mujeres, un pasodoble y una polka de las mariposas. El subgénero juguete fue el marco ligero en el que Rubio se sintió más cómodo y ofreció sus mejores logros. En el prolífico año 1888 estrenó hasta dieciocho piezas, la mayoría denominadas o relacionadas con el juguete. Un ejemplo característico es *Nina*, estrenado en el teatro Maravillas, cuya partitura incluye seis números musicales destinados a unos pocos personajes: unos couplets para cada uno de los dos protagonistas –Nina y Serapio–, un pasacalle, un terceto y un breve final, además del preludio a manera de popurrí. De estos años son sus colaboraciones con Felipe Pérez, que le proporcionaba una mayor capacidad de ofrecer tipos musicales, como en *Tío..., yo no he sido*, en cuya partitura hay una habanera, una canción militar, un tango del carbón y un vals; lo americano también está presente en *Los de Cuba* con una guaracha y un canto cubano.

Durante la década de 1890 Rubio siguió componiendo abundantemente, aunque nunca llegó a superar la etiqueta de secundario dentro de la escena madrileña, relegado por los éxitos de Chapí, Caballero, Chueca o Giménez. Gran parte de la culpa de este hecho está en su trabajo en teatros de los denominados de segunda fila, como el Novedades, Romea, Eldorado, Maravillas, Martín y sobre todo el Eslava; además de los veraniegos Recoletos, Buen Retiro y Alhambra. En la década grande del Apolo tan sólo consiguió estrenar tres zarzuelas, no pasando ninguna de las primeras funciones: *Manzanilla y Manzanares*, 1892, *Las buenas formas*, 1899, en colaboración con Valverde Sanjuan, y *El pelotón de los torpes*, 1903, junto a José Serrano. Igualmente en el teatro de la Zarzuela sus apariciones fueron esporádicas y de escasa fortuna como la zarzuela *La cueva del lobo*, 1896, o el juguete *El fantasma de la esquina*, 1897, dedicado al cómico Emilio Oregón. Sus éxitos quedaban relegados al Eslava, local con el que siguió colaborando con amplitud, como la parodia *Guasín*, 1892, en la que reelaboró la música de la ópera *Garín* de Bretón sobre un divertido libreto de Granés, en una extensa partitura de nueve números, que contó con la participación de la joven tiple Lucrecia Arana; el propio Bretón que asistió camuflado al estreno fue obligado a saludar. Otra obra de efecto en el Eslava fue *Los rancheros*, 1897, escrita en colaboración a Ramón Estellés, que incluía un efectivo pasodoble, un coro de soldados y una serenata burlesca. En los últimos años del siglo disminuyó su producción, aunque destacan sus partituras para la actriz Loreto Prado –y su compañero Enrique Chicote– como el monólogo *Guajira de Loreto Prado*, 1895, *La florera sevillana*, 1898, y sobre todo *El juicio oral*, 1901, su último gran éxito sobre un libreto de Perrín y Palacios en el que se juzgaba al género chico con un veredicto absolutorio; estrenada en el teatro Cómico luego pasó al teatro de la Zarzuela obteniendo el aplauso del público por su declaración en favor de lo español, como en los números titulados "El género chico" y "La música española" o en el madrileñismo del schottish final. Siguió componiendo hasta el final de sus días, siendo recordado como uno de los grandes creadores del género chico, aunque su obra –concebida de manera efímera e intrascendente– nunca se incorporó al repertorio zarzuelístico, pese a la gracia y acierto caracterizador de su música. *Véase* AL AGUA PATOS.

OBRAS: *La muerte de Barba-Azul*, pasaje lír-cóm, 1 act, l, Barbevert / Jaunebarbe (seudónimos), est, 18-IX-1869, Circo de Paul; *Los alcaldes de Monzón*, Zarz, 3 act, col. R. Aceves, l, C. Martínez, est, 13-V-1870, Te. Circo de Paul; *El legado de mi tío*, Zarz, 1 act, l, C. Martínez, est, 20-VII-1870, Te. Jardines del Buen Retiro; *La correspondencia de España*, colección de anuncios, 1 act, l, L. Santa Ana / F. Jaques, est, 16-V-1871, Te. Zarzuela, E:Msa; *¡El teatro en 1876!*, Rv fantástica, col. R. Aceves, l, R. M. Liern, est, 20-VII-1871, Te. Jardines del Buen Retiro; *El Carbonero de Subiza*, parodia, 1 act, col. R. Aceves, l, S. M. Granés / M. Ramos, est, 2-XI-1871, Te. Bufos Arderius, E:Msa; *El príncipe lila*, Apr cóm-lír, 2 act, col. R. Aceves, l, R. M. Liern, est, 16-VI-1872, Te. Jardines del Buen Retiro; *Americanos de pega*, Jug cóm-lír, 1 act, col. R. Aceves, l, R. M Liern, est, 16-VIII-1872, Te. Jardines del Buen Retiro; *La cabra tira al monte*, Zarz, 1 act, l, A. Campoamor, est, 19-IX-1872, Te. Recreo, *E:Msa*; *El entrometido*, Zarz, 2 act, col. M. Carreras, l, A. Campoamor / L. Tomás Pastor, est, 20-X-1872, Te. Recreo; *El rigor de las desdichas*, Zarz, 3 act, col. M. Carreras, A. Campoamor / L. Tomás Pastor, est, 16-XII-1872, Te. Recreo; *No firmes lo que no leas...*, proverbio cóm-lír, 1 act, l, E. Soriano Garcés, est, 1873, Te. Eslava; *Un criado literato*, Zarz, 1 act, l, C. Martínez, 1874; *Estrella la gitana*, Zarz, 1 act, l, M. Cano, est, 1874, Jardines del Buen Retiro; *El pan de la emigración*, Jug, 1 act, col. J. Aceves, l, L. Palomino de Guzmán, est, 1874 *E:Msa*; *Un lance de... honor*, Pasa cóm-lír, 1 act, l, M. Cano, est, 1875; *Huésped al fin*, Zarz, 1 act, l, E. Navarro Gonzalvo, est, 21-VIII-1875, Te. Prado *E:Msa*; *El San Antonio de Murillo*, cuadro histórico, 1 act, l, F. Macarro, est, 5-XI-1875, Te. Bretón, *E:Msa*; *Dos entre dos*, Jug cóm-lír, 1 act, l, C. Navarro, est, 24-XII-1875, Te. Romea, *E:Msa*; *Mis tres mujeres*, l, S. M. Granés, est, II-1876, Te. Romea *E:Msa*; *A seis reales con principio*, Zarz, 1 act, l, S. M. Granés, est, 18-VII-1876, Te. Salón del Prado, *E:Msa*; *Percances domésticos*, Jug cóm-lír, 1 act, l, C. Navarro / Z. Arveras, est, 20-VIII-1876, Te. Prado; *En Leganés*, Zarz, 1 act, l, C. Navarro / E. Prieto, est, 20-IX-1876, Te. Prado; *El dinero y la fortuna*, fábula cóm-lír, 1 act, l, C. Navarro / E. Navarro y Gonzalvo, 1877; *La archiduquesa*, Zarz, 3 act, adap de Offenbach, l, S. M. Granés, 1877; *La criolla*, Zarz, 3 act, adap de Offenbach, l, S. M. Granés, est, 1877; *Un baile de trajes*, Zarz, 1 act, l, S. M. Granés, est, 1877; *El pompón rojo*, Opt cóm, 3 act, adap Lecqoc, S. M. Granés, est, 1877; *La receta infalible*, Zarz, 1 act, l, S. M. Granés, est, 1877; *Por la tremenda*, Jug cóm-lír, 1 act, l, M, Granés / Prieto, est, 1-II-1877, Te. Apolo; *Periquito entre ellas*, disparate lír, 1 act, l, S. M. Granés / C. Navarro, est, 21-II-1877, Te. Recreo; *A la puerta del Suizo*, Pas cóm, 1 act, l, M. Cartero / C. Navarro, est, 12-IV-1877, Te. Recreo; *¡Pobres madres!*, Zarz, 2 act, col. I. Hernández, l, C. Navarro / E, Albuin, est, 6-IV-1878, Te. Eslava, *E:Msa*; *El laurel de oro*, Zarz, 2 act, col. Taboada Steger, l, C. Navarro / S. M. Granés, est, 16-V-1877, Te. Eslava, *E:Msa*; *Frasquito Barbales*, Zarz, 1 act, l, C. Navarro / J. Beltrán, est, 9-VII-1877, Te. Buen Retiro; *Las mocedades de Don Juan Tenorio*, Apr lír-cóm, 2 act, col. C. Espino, l, J. de Alba, est, 31-X-1877, Te. Eslava; *En la calle de Toledo*, Sai lír, col. C. Espino, l, Barón de Cortés, est, 1878, Jardines del Buen Retiro; *El destierro del amor*, Zarz semifantástica, 2 act, col. C. Espino, l, R. M. Liern, est, 24-VII-1878, Te. Jardines del Buen Retiro; *Don Abdón y Don Senén*, Jug cóm-lír, 1 act, col. C. Espino, l, R. M. Liern, est, 26-VIII-1878, Te. Jardines del Buen Retiro *E:Msa*; *La misa del gallo*, Apr cóm lír, 1 act, l, M. Pina Domínguez, est, 24-XII-1878, Te. Eslava, *E:Msa*; *La serpiente de los mares*, Dr lír, 4 act, l, R. M. Liern, est, 1879; *¡Lucrecia!*, Zarz, 1 act, col. C. Espino, l, L. T. Pastor, est, 25-I-1879, Te. Recreo; *Historias y cuentos*, Zarz, 2 act, l, M. Pina Domínguez, est, 19-II-1879, Te. Zarzuela, *E:Msa*; *La salsa de Aniceta*, Jug cóm, 1 act, l, R. M. Liern, est, 29-III-1879, Te. Apolo, *E:Msa*; *Periquito*, Zarz cóm, 3 act, l, Ramos Carrión / Vital Aza, est, 4-IX-1879, Te. Príncipe Alfonso; *El pañuelo de yerbas*, Zarz, 2 act, l, M. Pina, est, 15-XI-1879, Te. Zarzuela *E:Msa*; *Eh..., A la plaza*, Rv, 1 act, l, M. Pina Domínguez / J. Burgos, est, 22-I-1880, Te. Eslava, *E:Msa*; *Martes 13*, Jug

cóm, 2 act, col. C. Espino, l, S. M. Granés / C. Navarro, est, 22-II-1880, Te. Zarzuela, *E:Msa*; *Ya somos tres*, Jug cóm-lír, 1 act, l, M. Pina Domínguez, est, 15-IV-1880, Te. Eslava, *E:Msa*; *A sangre y fuego*, Jug cóm-lír , l, M. Pina Domínguez, est, 28-IX-1880, Te. Eslava, *E:Msa*; *El corregidor de Almagro*, Zarz, 3 act, l, M. Pina Domínguez, est, 15-X-1880, Te. Apolo; *Aquí León*, Jug com-lír, 1 act, l, M. Pina Domínguez, est, 4-XI-1880, Te. Eslava, *E:Msa*; *En el cuartel*, Jug cóm, 1 act, l, C. Navarro / A. Gamayo, est, 19-I-1881, Te. Martín, *E:Msa*; *Diamantes americanos*, Jug cóm-lír, 1 act, l, J. Jackson Veyán, est, 26-II-1881, Te. Eslava; *La farsanta*, Zarz, 3 act, col. M. Fernández Caballero, l, M. Pina Domínguez, est, 16-IV-1881, Te. Apolo, *E:Msa*; *Dos tenorios del día*, Jug cóm-lír, 1 act, l, R. Bolumar, est, 28-III-1881, Te. Salón Eslava, *E:Msa*; *Armas al hombro*, Jug cóm-lír, 1 act, l, M. Pina Domínguez, est, 30-IX-1881, Te. Eslava; *Una onza*, Jug cóm-lír, 1 act, l, E. Jackson Cortés / J. Jackson Veyán, est, 27-X-1881, Te. Variedades, *E:Msa*; *Mazapán de Toledo*, Apr, 1 act,

Cortesía de Unión Musical Ediciones SL

Cortesía de Unión Musical Ediciones SL

l, J. Jackson Veyán, est, 27-XII-1881, Te. Variedades; *¡¡¡El bandido!!!*, Jug cóm-lír, 1 act, l, S. Lastra, est, 16-I-1882, Te. Variedades; *Para quien es Don Juan...*, Jug cóm-lír, 1 act, l, J. Ruiz, est, 8-II-1882, Te. Salón Eslava, *E:Msa*; *El viaje a Suiza*, veraneo cóm-lír, 2 act, l, M. Pina Domínguez, est, 18-III-1882, Te. Variedades; *Las mil y una noches*, cuento fantástico, 3 act, col. Fernández Caballero, l. M. Pina Domínguez, est, 21-VI-1882, Te. Príncipe Alfonso; *Adiós mundo amargo*, Zarz, 2 act, col. C. Espino, l, J. Jackson Veyán / E. Jackson Cortés, est, 19-VII-1882, Te. Buen Retiro, *E:Msa*; *Madrid se divierte*, Rv, col. Espino, l, P. Górriz, est, 5-VIII-1882, *E:Msa*; *La sopa está en la mesa*, Jug cóm-lír, 1 act, l, R. Valladares, est, 23-X-1882, Te. Variedades; *El grito de guerra*, Dr lír, 3 act, l, C. Navarro, est, 4-I-1883, Te. Principal (Alicante); *Viva tu madre*, Sai, 1 act, l, C. Navarro, est, 18-I-1883, Te. Novedades, *E:Msa*; *Flamencomanía*, Jug cóm, 1 act, l, C. Navarro / E. Sánchez, est, 17-VI-1883, Te. Buen Retiro, *E:Msa*; *Ellos y nosotros*, 1 act, l, M. Pina Domínguez / J. de Burgos, est, 18-VII-1883, Te. Jardines del Retiro, *E:Msa*; *Meterse en honduras*, Jug, 1 act, col. Espino, l, F. Flores García, est, 11-VIII-1883, Te. Recoletos, *E:Msa*; *La mantilla blanca*, Zarz, 1 act, col. Espino, l, P. de Górriz / E. Navarro, est, 16-VIII-1883, Te. Jardines del Retiro, *E:Msa*; *Política y tauromaquia*, Sai, 1 act, col. Espino, l, J. de Burgos, est, 26-X-1883, Te. Eslava, *E:Msa*; *¡Cómo está la sociedad!*, pasillo cóm-lír, 1 act, col. Espino, l, J. de Burgos, est, 16-XII-1883, Te. Eslava, *E:Msa*; *De Cádiz al puerto*, Zarz, 2 act, col. Espino, l, F. Flores García / J. Romea, est, 18-XII-1883, Te. Eslava, *E:Msa*; *Contratos al vuelo*, Pasa cóm-lír, 1 act, col. C. Espino, l, F. Mínguez, est, 21-XII-1883, Te. Eslava; *Hatchís*, Rv político social, 2 act, col. Espino, l, E. Perillán Buxó, est, 12-I-1884, Te. Eslava, *E:Msa*; *Cascabeles*, Bu cóm-lír, 1 act, l, J. Jackson Veyán, est, 24-I-1884, Te. Eslava, *E:Msa*; *Quién fuera libre*, Jug cóm, 1 act, col. Espino, l, E. Jackson Cortés, est, 6-III-1884, Te. Eslava, *E:Msa*; *Escapar con suerte*, Jug cóm-lír, 1 act, col. C. Espino, l, F. Mínguez, est, 15-IV-1884, Te. Eslava, *E:Msa*; *Los cómicos de mi pueblo*, Sai lír, 1 act, l, J de Burgos, est, 30-IV-1884, Te. Eslava; *Toros en París*, guasa lír, 1 act, l, C. Navarro, est, 8-VII-1884, Te. Recoletos, *E:Msa*; *Una doncella de encargo*, Jug cóm, 1 act, l, F. Flores García, est, 26-VII-1884, Te. Recoletos, *E:Msa*; *¡Viva mi tierra!*, potpourrit Fant, 2 act, col. C. Espino, l, J. Jackson Veyán / J. de la Cuesta, est, 31-VII-1884, Te. Príncipe Alfonso; *Lo pasado pasado*, Zarz, 1 act, l, F. Pérez González, est, 11-X-1884, Te. Variedades, *E:Msa*; *Fiesta torera*, Jug cóm, 1 act, l, E. Jackson Cortés, est, 28-X-1884, Te. Martín, *E:Msa*; *Los matadores*, político, 1 act, l, E. Perillán Buxó / J. Jackson Veyán, est, 6-XI-1884, Te. Variedades, *E:Msa*; *A turno impar*, Zarz cóm, 1 act, col. C. Espino, l, E. Navarro Gonzalvo, est, 16-VII-1885, Te. Felipe, *E:Msa*; *Brinquini*, Jug cóm-lír, 1 act, l, S. M. Granés / C. Navarro, est, 21-VII-1885, Te. Recoletos, *E:Msa*; *El puesto de las castañas*, Sai cóm, 1 act, col. C. Espino, l, R. Navarro Gonzalvo, est, 18-IX-1885, Te. Martín (*E:Msa*); *En las Batuecas*, Zarz Bu, 1 act, col. C. Espino, adap de Offenbach, l, M. Arenas, est, 25-IX-1885, Te. Martín; *Animales y plantas*, Rv, 1 act, col. Espino, l, E. Navarro Gonzalvo, est, 2-X-1885, Te. Martín, *E:Msa*; *Baños sulfurosos*, 1 act, col. Espino, l, E, Navarro Gonzalvo, est, 18-XI-1885, Te. Martín, *E:Msa*; *Castillos en el aire*, Zarz, 2 act, l, M. Pina Domínguez, est, 11-XII-1885, Te. Eslava, *E:Msa*; *El barbián de la Persia*, Hum cóm, 1 act, col. C. Espino, l, E. Navarro Gonzalvo / F. Pérez, est, 16-XII-1885, Te. Variedades, *E:Msa*; *Desconcierto musical*, desafinación político-cóm-lír, 1 act, col. C. Espino, l, Prieto / Ruesga / Lastra, est, 24-XII-1885, Te. Variedades; *Curro Achares*, Jug lír, 1 act, l, C. Navarro / J. Beltrán, est, 12-VII-1886, Te. Recoletos; *Madrid viejo y Madrid nuevo*, paralelo lír, 1 act, col. T. Reig, l, C. Navarro / M. Arenas, est, 24-VII-1886, Te. Recoletos *E:Msa*; *El año de la Nanita*, Zarz, 3 act, col. Espino, l, L. M. de Larra, est, 9-I-1886, Te. Zarzuela, *E:Msa*; *A real y medio la pieza*, Rv, 1 act, col. Espino, l, E. Navarro Gonzalvo, est, 25-I-1886, Te. Martín, *E:Msa*; *El testamento y la clave*, Zarz cóm, 2 act, col. Espino, l, Ruesga / Lastra / Prieto, est, 6-III-1886, Te. Variedades, *E:Msa*; *En el nombre del padre...*, Zarz, 2 act, l, S. M. Granés / C. Navarro, est, 20-VII-1886, Te. Recoletos, *E:Msa*; *Ciclón XXII*, Fant atmosférica, 1 act, col. Fernández Caballero, l, P. Górriz / C. Navarro, est, 31-VII-1886, Te. Maravillas, *E:Msa*; *Tres y repique o Las hijas del tío Tumbaga*, Bu, 1 act, col. C. Espino, l, E. Navarro Gonzalvo, est, 10-X-1886, Te. Martín, *E:Msa*; *El país de la castaña*, Sai, 1 act, col. Espino, l, S, Lastra / Ruesga / E. Prieto, est, 30-X-1886, Te. Variedades, *E:Msa*; *El club de los feos*, extravagancia cóm lír, 1 act, col. C. Espino, l, G. Perrín / M. Palacios, est, 17-XI-1886, Te. Variedades, *E:Msa*; *El premio gordo*, disparate cóm, 1 act, col. Espino, l, Jackson Cortés / J. Jackson Veyán, est, 18-XII-1886, Te. Variedades, *E:Msa*; *El teatro nuevo*, pasillo cóm-lír, l, M. Pina Domínguez / S. M. Granés, est, 24-XII-1886, Te. Eslava, *E:Msa*; *Madrid en el año dos mil*, panorama lír, 2 act, col. M. Nieto, l, G. Perrín / M. Palacios, est, 13-I-1887, Te. Variedades, *E:Msa*; *Un torero de gracia*, Jug cóm, 1 act, col. Espino, l, Jackson Veyán, est, 2-IV-1887, Te. Variedades, *E:Msa*; *Te espero en Eslava tomando café*, pasillo cóm-lír, 1 act, col. Nieto, l, Granés / Lustonó / Jackson, est, 21-IV-1887, Te. Eslava, *E:Msa*; *Grandes y chicos*, col. Espino, l, S. M. Granés / J. Jackson Veyán, est, 2-VII-1887, Te. Felipe, *E:Msa*;

El siete de julio, episodio madrileño, 1 act, col. Espino, l, G. Perrín / M. Palacios, est, 6-VII-1887, Te. Maravillas, *E:Msa*; *Pepito París*, Jug cóm, 1 act, col. Espino, l, R. M. Liern, est, 14-VII-1887, Te. Felipe, *E:Msa*; *Don Dinero*, Zarz, 1 act, col. Espino, l, G. Perrín / M. Palacios, est, 26-VIII-1887, Te. Recoletos, *E:Msa*; *Tiple en puerta*, Jug cóm-lír, 1 act, l, M. Pina Domínguez, est, 16-X-1887, Te. Variedades, *E:Msa*; *Una prueba fotográfica*, Jug cóm, 1 act, col. Espino, l, E. Navarro Gonzalvo, est, 2-XI-1887, Te. Eslava, *E:Msa*; *La boda de la Polonia*, Zarz, 1 act, l, E. Álvarez, 28-XI-1887, Te. Variedades, *E:Msa*; *Las plagas de Madrid*, Rv cóm-lír, 1 act, col. C. Espino, l, E. Jackson Cortés / J. Jackson Veyán, est, 10-XII-1887, Te. Variedades, *E:Msa*; *Pepa, Pepe, Pepín*, extravagancia inverosímil, 1 act, l, R. M. Liern, est, 4-VII-1888, Te. Felipe, *E:Msa*; *La estrella del arte*, Zarz, 1 act, 2 cuadros, col. M. Nieto, l, J. Jackson Veyán, est, 10-II-1888, Te. Martín, *E:Msa*; *Dos canarios de café*, Zarz, 1 act, l, R. M. Liern, est, 11-II-1888, Te. Martín, *E:Msa*; *Apuntes del natural*, Com, 1 act, l, G. Perrín / M. Palacios, est, 6-IV-1888, Te. Eslava, *E:Msa*; *Zaragoza*, episodio lír, 1 act, l, J. Jackson Veyán, est, 28-IV-1888, Te. Martín, *E:Msa*; *Esta casa es muy de ustedes*, Apr, 1 act, l, R. M. Liern, est, 30-V-1888, Te. Felipe *E:Msa*; *El cosechero de Arganda*, Jug, 1 act, l, J. Jackson Veyán, est, 19-VI-1888, Te. Recoletos, *E:Msa*; *Tío..., yo no he sido*, Jug cóm-lír, 1 act, l, F. Pérez y González, est, 17-VII-1888, Te. Príncipe Alfonso, *E:Msa*; *Nina*, Jug cóm-lír, 1 act, l, L. Cocat / H. Criado, est, 14-VIII-1888, Te. Maravillas, *E:Msa*; *Los de Cuba*, Jug cóm, 1 act, col. E. Marín del Río, l, M. de Falcón / R. M. Liern, est, 18-VIII-1888, Te. Felipe, *E:Msa*; *Al agua patos*, pasillo cóm, 1 act, l, J. Jackson Veyán, est, 25-VIII-1888, Te. Felipe, *E:Msa*; *En el ambigú*, Jug cóm-lír bailable, 1 act, col. Fernández Grajal, l, C. Torres y Pastor, est, 1-IX-1888, Te. Felipe, *E:Msa*; *Dos inválidos*, 1 act, l, E. Navarro Gonzalvo, est, 18-V-1888, Te. Martín, *E:Msa*; *Los madrugadores*, exposición cóm-lír, 1 act, l, J. Usúa, est, 10-X-1888, Te. Martín, *E:Msa*; *Santo y seña*, Jug cóm-lír, 1 act, col. L. Arnedo Muñoz, l, A. Ruesga / N. M. Rivero, est, 28-XI-1888, Te. Martín, *E:Msa*; *Ayer y hoy*, Jug cóm-lír, 1 act, l, E. Jackson Cortés, est, 1-X-1888, Te. Martín; *Oro, plata, cobre y..., nada*, apunte cóm lír fantástico, 1 act, l, F. Pérez y González, est, 20-XII-1888, Te. Martín, *E:Msa*; *Al pan, pan, y al vino, vino*, tertulia cóm lír, 1 act, l, J. Jackson Veyán, est, 19-I-1889, Te. Martín, *E:Msa*; *¡Pum!*, Jug cóm-lír, 1 act, col. Arnedo Muñoz, l, G. Merino, est, 4-II-1889, Te. Martín, *E:Msa*; *A la exposición*, viaje, 1 act, l, H. Criado / L. Cocat, est, 24-VIII-1889, Te. Príncipe Alfonso, *E:Msa*; *Viva mi niña*, Jug cóm-lír, 1 act, l, E. Jackson Cortés, est, 9-XI-1889, Te. Zarzuela, *E:Msa*; *París de Francia*, l, T. González, est, 13-XI-1889, Te. Apolo, *E:Msa*; *La Virgen del Mar*, Zarz, 2 act, col. García Catalá, l, F. Jaques, est, 22-XII-1889, Te. Apolo, *E:Msa*; *Receta infalible*, Jug cóm-lír, 1 act, col. J. García Catalá, l, M. Altolaguirre, est, 27-III-1890, Te. Eslava, *E:Msa*; *Escenas sueltas*, 1 act, l, F. C. Sicilia, est, 9-V-1890, Te. Zarzuela, *E:Msa*; *Niñas al natural*, Jug cóm-lír, 1 act, col. García Catalá, l, J. Jackson Veyán, est, 1-VI-1890, Te. Maravillas, *E:Msa*; *La amazona*, Jug cóm-lír, 1 act, col. García Catalá, l, F. Jaques Aguado, est, 2-VII-1890, Te. Maravillas, *E:Msa*; *La restauración*, anécdota francesa de 1816, 1 act, col. García Catalá, l, F. Pérez y González, est, 26-VII-1890, Te. Maravillas, *E:Msa*; *Folies Bergères*, l, J. Jackson Veyán, est, 1891, Te. Eslava, *E:Msa*; *Para dos perdices..., tres*, Jug. cóm-lír, col. García Catalá, l, R. M. Liern, est, 11-IV-1891, Te. Gayarre (Barcelona), *E:Msa*; *La gata de oro*, Zarz mágico-fantástica, 2 act, l, R. M. Liern, est, 18-IV-1891, Te. Gayarre (Barcelona); *La deseada*, quisicosa, 1 act, col. García Catalá, l, E. Navarro Gonzalvo, est, 27-VI-1891, Te. Tívoli, *E:Msa*; *Blanca o negra*, cuento lír, 1 act, col. García Catalá, l, C. Navarro, est, 6-VIII-1891, Te. Tívoli, *E:Msa*; *La Santa Cecilia*, Zarz, 3 act, col. R. Taboada, l, S. M. Granés / C. Navarro, est, 20-I-1892, Te. Circo de Parish; *Los vecinos del segundo*, Jug cóm, 1 act, l, J. Jackson Veyán / F. Pérez, est, 5-III-1892, Te. Eslava, *E:Msa*; *Ordeno y mando*, Jug lír,

1 act, I, C. Navarro, est, 21-III-1892, Te. Novedades, *E:Msa*; *Los cuatro palos*, jugada, 1 act, I, C. Navarro, est, 30-VI-1892, Te. Jardines del Buen Retiro; *Madrid puerto de mar*, chifladura cóm-lír, I, E. Navarro Gonzalvo, est, 18-VII-1892, Te. Recoletos *E:Msa*; *Manzanilla y Manzanares*, I, C. Navarro, est, 24-IX-1892, Te. Apolo, *E:Msa*; *Bodas de oro*, cuadro lír, 1 act, I, C. Navarro, est, 30-IX-1892, Te. Eslava, *E:Msa*; *Guasín*, parodia lír, I, S. M. Granés, est, 2-XII-1892, Te. Eslava, *E:Msa*; *El capitán tiburón*, Jug cóm, 1 act, col. García Catalá, I, Navarro Gonzalvo, est, 1892, *E:Msa*; *Gota serena*, cuadro dramático, 1 act, I, C. Navarro, est, 22-VII-1893, Te. Recoletos, *E:Msa*; *Salomón*, Jug, 1 act, I, A. Paso Cano / E. García Álvarez, est, 11-VIII-1893, Te. Recoletos, *E:Msa*; *¡Alto!... ¿Quién vive?*, Jug lír, 1 act, I, C. Navarro, est, 11-XI-1893, Te. Romea, *E:Msa*; *El bello ideal*, 1 act, I, C. Navarro / E. López, est, 17-XI-1893, Te. Romea, *E:Msa*; *Almas en pena*, Jug lír, 1 act, I, C. Navarro, est, 9-XII-1893, Te. Martín, *E:Msa*; *Los vampiros*, Zarz, 1 act, I, C. Navarro, est, 15-XII-1893, Te. Eslava, *E:Msa*; *Guayabita*, cuadro lír, 1 act, col. A. Álvarez, I, C. Navarro, est, 22-XII-1893, Te. Romea, *E:Msa*; *Clases especiales*, Jug cóm-lír , 1 act, I, J. Jackson Veyán, est, 20-I-1894, Te. Romea, *E:Msa*; *Enaguas y pantalones*, Jug cóm, 1 act, I, E. Jackson Cortés, est, 6-IV-1894, Te. Romea, *E:Msa*; *Cruz laureada*, Zarz, 1 act, I, C. Navarro, est, 4-VII-1894, Te. Recoletos, *E:Msa*; *Los números primos*, Jug cóm-lír , 1 act, I, G. Merino, est, 11-VII-1894, Te. Recoletos, *E:Msa*; *Nadar en seco*, Zarz cóm, 1 act, I, C. Navarro, est, 20-VII-1894, Te. Recoletos, *E:Msa*; *De P.P. y W*, Jug cóm-lír 1 act, I, F. Pérez González, est, 12-X-1894, Te. Romea, *E:Msa*; *Academia de hipnotismo*, Jug cóm-lír, 1 act, I, G. Merino, est, 23-XI-1894, Te. Romea, *E:Msa*; *Roberto el diablo*, Zarz cóm, 1 act, col. R. Estellés Adrián, I, G. Merino/M. Palacios, est, 1895, Te. Romea, *E:Msa*; *Mujer y ruina o Mariquita stoi que ardo*, memo drama de magia, I, F, Pérez y González, est, 8-II-1895, Te. Romea, *E:Msa*; *Gustos que merecen palos*, Jug cóm, 1 act, I, J. Jackson Veyán, est, 27-III-1895, Te. Romea, *E:Msa*; *Guajira de Loreto Prado*, monólogo, I, D. Jiménez Prieto, est, 28-III-1895, Te. Romea, *E:Msa*; *La esposa del señor*, Zarz cóm, 1 act, I, G. Merino, est, 4-VII-1895, Te. Moderno de la Alhambra, *E:Msa*; *La brasileña*, Jug lír, 1 act, I, C. Navarro, est, 2-X-1895, Te. Romea, *E:Msa*; *Tiple ligera*, Zarz, 1 act, I, F. Urrecha, est, 16-III-1896, Te. Zarzuela, *E:Msa*; *Ensalada rusa*, desfile cóm-lír, 1 act, col. R. Estellés Adrián, I, J. Jackson Veyán, 21-X-1896, Te. Romea; *La cueva del lobo*, Zarz cóm, 1 act, I, G. Merino, est, 4-XII-1896, Te. Zarzuela, *E:Msa*; *Maniobras militares*, Zarz cóm, 1 act, col. R. Estellés Adrián, I, F. Urrecha, est, 6-II-1897, Te. Eslava, *E:Msa*; *Los adelantos del siglo*, Hum, 1 act, I, G. Merino, est, 20-II-1897, Te. Romea, *E:Msa*; *El fantasma de la esquina*, Jug cóm-lír, 1 act, I, L. A. Navarro / J. Jackson Veyán, est, 4-VI-1897, Te. Zarzuela, *E:Msa*; *Los tenderos*, Zarz cóm, 1 act, col. R. Estellés Adrián, I, A. Casañal, est, 1-X-1897, Te. Eslava, *E:Msa*; *Los rancheros*, Zarz, 1 act, col. R. Estellés Adrián, I, E. García Álvarez / A. Paso Cano, est, 10-XI-1897, Te. Eslava, *E:Msa*; *La florera sevillana*, Jug, 1 act, col. R. Estellés Adrián, I, J. Jackson Veyán, est, 13-VI-1898, Te. Maravillas, *E:Msa*; *El paraíso perdido*, Bu cóm-lír, 1 act, col. R. Estellés, I, J. Jackson Veyán / G. Merino, est, 17-VI-1898, Te. Eldorado, *E:Msa*; *El baño de Diana*, Jug, 1 act, col. R. Estellés, I, S. M. Granés / García Rufino, est, 4-VII-1898, Te. Eldorado, *E:Msa*; *La nieta de su abuelo*, Jug com-lír, 1 act, I, A. Caamaño, est, 27-X-1898, Te. Romea, *E:Msa*; *Niña Rosa*, Jug, 1 act, col. R. Estellés Adrián, I, J. Jackson Veyán, est, 16-XII-1898, Te. Romea, *E:Msa*; *La feria de Sevilla*, Hum, 1 act, I, G. Merino, est, 1-V-1899, Te. Romea, *E:Msa*; *Las buenas formas*, exposición cóm-lír, 1 act, col. Valverde Sanjuan, I, J. Jackson Veyán, est, 12-VII-1899, Te. Apolo, *E:Msa*; *El traje de boda*, Sai lír, 1 act, col. V. Lleó Balbastre, I, G. Perrín / M. Palacios, est, 7-VIII-1899, Te. Eldorado, *E:Msa*; *Cambios naturales*, Zarz, 1 act, col. V. Lleó Balbastre, I, V. de la Vega, est, 19-VIII-1899, Te. Maravillas, *E:Msa*; *El turno de los partidos*, Jug cóm, 1 act, I, L. de Larra (hijo) / E. Gullón, est, 5-II-1900, Te. Romea, *E:Msa*; *La pajarita*, Zarz, 1 act, I, F. Flores García, est, 19-V-1900, Te. Romea, *E:Msa*; *Toñuela la golfa*, Zarz, 1 act, I, V. de la Vega, est, 27-IX-1900, Te. Romea, *E:Msa*; *Don Gonzalo de Ulloa*, Zarz, 1 act, I, G. Perrín / M. Palacios, est, 26-X-1900, Te. Cómico, *E:Msa*; *El juicio oral*, pasillo cóm, 1 act, I, G. Perrín / M. Palacios, est, 20-I-1901, Te. Cómico, *E:Msa*; *La chiquilla*, Zarz, 1 act, col. Masllovet Sanmiguel, I, V. de la Vega, est, 13-VII-1901, Te. Pignatelli (Zaragoza), *E:Msa*; *El beso de Judas*, Sai lír de costumbres madrileñas, col. Cereceda / Arnedo Muñoz, I, E. Prieto, est, 10-VIII-1901, Te. Eldorado, *E:Msa*; *El Marquesito*, Zarz, 1 act, col. García Catalá, I, F. Pérez y González, est, 12-XI-1901, Te. Circo de Parish, *E:Msa*; *El chico de la portera*, Jug cóm, 1 act, col. Masllovet Sanmiguel, I, A. Caamaño, est, 16-XI-1901, Te. Cómico, *E:Msa*; *El polo norte*, Jug cóm-lír, col. J. Power, I, A. Varela / J. Sabau Romero, est, 26-XII-1901, Te. Eslava, *E:Msa*; *El pelotón de los torpes*, Zarz, 1 act, col. Serrano, I, A. Paso Cano / Asensio Mas, est, 4-VII-1903, Te. Apolo, *E:Msa*; *La tuna de Alcalá*, Zarz, 1 act, col. Masllovet Sanmiguel, I, L. Boada / A. López Rosso, est, 19-XII-1903, Te. Cómico, *E:Msa*; *Siempre p'atras*, chifladura satírica, 1 act, col. V. Lleó Balbastre, I, L. de Larra / M. Fernández de la Puente, est, 27-II-1904, Te. Cómico, *E:Msa*; *El cake-walk*, Apr cóm-lír, 1 act, col. Valverde Sanjuan, I, J. Jackson Veyán, est, 13-IV-1905, Te. Eslava, *E:Msa*; *El huracán*, viaje inverosímil, 2 act, col. Fernández Caballero / López Torregrosa, I, M. Pina Domínguez, est, 17-XI-1910, Te. Cómico, *E:Msa*; *A la recíproca*, Zarz, 1 act, col. R. Estellés, I, C. Navarro, *E:Msa*; *A mi los reventadores*, Rv, 1 act, I, A. Fanosa, *E:Msa*; *Artículo tercero*, col. Espino, I, P. Górriz, *E:Msa*; *Con el dogal al cuello*, *E:Msa*; *Coralito*, I, Jackson Veyán, *E:Msa*; *El carnaval de Venecia o Su alteza Serenísima*, col. R. Estellés, I, G. Merino, *E:Msa*; *El Gran Duque*, 3 act, col. Zabala, *E:Msa*; *El hijo del amor*, I, G. Perrín / M. Palacios, *E:Msa*; *El número uno*, I, F. Flores García, *E:Msa*; *El siglo de las luces*, I, C. Navarro, *E:Msa*; *El teatro nacional*, Rv, 1 act, col. R. Estellés, I, R, Monasterio, *E:Msa*; *Escenas de 1808*, 1 act, *E:Msa*; *Hotel 105*, col. García Catalá, I, G. Perrín / M. Palacios, *E:Msa*; *La casaca*, Zarz, 1 act, I, R. M. Liern; *La villa del oso*, col. Nieto / Espino, I, F. Pérez González / E. Navarro, *E:Msa*; *Las flechas de Cupido*, Zarz, 2 act, *E:Msa*; *Las ligas verdes*, I, J. Jackson Veyán, *E:Msa*; *Las mañanas del Retiro*, *E:Msa*; *Los amores de Casiano*, Zarz, 1 act, *E:Msa*; *Los de Sevilla*, 1 act, *E:Msa*; *Milord*, col. Masllovet Sanmiguel, *E:Msa*; *Póliza de seguros o Seguros sobre la vida*, col. Espino, I, E. Navarro Gonzalvo, *E:Msa*; *Un chico en grande*, *E:Msa*; *Viaje al Suizo*, Zarz, 1 act, col. Espino, I, F. Pérez González, *E:Msa*; *Ya no hay Pirineos*, col. Espino, I, M. Pina, *E:Msa*.

2. José. Madrid, 8-VI-1857; Madrid, 24-III-1929. Actor. Estudió en la Escuela de Arquitectura y asistió a las clases de Declamación que el gran actor Manuel Osorio impartía en el teatro de la Zarzuela y bajo su protección entró en la compañía del teatro Español en 1872. En 1875 estrenó en el Príncipe Alfonso *La vuelta al mundo* de Rogel. Posteriormente actuó con Emilio Mario y Francisco Arderius, ya que en la compañía de éste actuaba Rochel, pariente de Rubio; en la compañía de Arderius intervino en 1876 en el estreno de *Chorizos y polacos* de Barbieri y *El viaje a la luna* de Rogel. Considerando su falta de voz abandonó la compañía de los bufos y se escrituró en la del Español, que dirigía Felipe Ducazcal. Hizo algunas breves temporadas en Comedia, Princesa y Cómico. En el teatro de la Comedia estrenó en la temporada 1881-81 *Anda valiente* de Barbieri, y en el Alhambra *La canción de la Lola o Celos engendran desdichas* de Chueca y Valverde. En 1881 ingresó en el Lara, donde transcurrió la mayor parte de su carrera, siendo uno de sus más firmes puntales desde su inauguración y durante más de veinte temporadas. La temporada 1881-82 estrenó una zarzuela de su hermano Ángel, *El país de las gangas*, y *La Filoxera* de Barbieri; en la de 1886-87 *Pepa la frescachona o El colegial desenvuelto* de Llanos y Chapí. Estrenó cerca de quinientos títulos y creó más de novecientos personajes del repertorio español. En 1901 se casó con la actriz Matilde Rodríguez, también del teatro Lara. Convertido en profesor del Real Conservatorio se retiró de la escena en 1912; tras enviudar de Matilde Rodríguez, en 1913, volvió a casarse y en 1926 publicó sus *Memorias*.

BIBLIOGRAFÍA: *TA; OGCH; Madrid Cómico*, 1885; J. Rubio: *Mis memorias*, Madrid, 1926; I. Sánchez Estevan: *Jacinto Benavente y su teatro*, Barcelona, Ariel, 1954.

1. VÍCTOR SÁNCHEZ SÁNCHEZ
2. Mª LUZ GONZÁLEZ PEÑA

Ruesga Villoldo, Andrés. Baltanás (Palencia), 1845; ?. Dramaturgo y actor. Se trasladó a Madrid, al ser destinado allí su padre, que era médico. Recibió una esmerada educación y debutó como galán en el teatro Variedades de la capital, formando parte de la compañía de Vallés y Luján como galán. Como actor, era más serio que Lastra e incluso llegó a interpretar papeles dramáticos, si bien los papeles cómicos eran lo más destacado de sus interpretaciones. Terminó sus días en el teatro Apolo, como actor de carácter, llegando a intervenir en el estreno de *La verbena de la Paloma*.

Fue uno de los principales artífices del teatro por horas en colaboración con Lastra y Prieto. Entre 1876 y 1897 estrenó sus obras más famosas: *Cosas del día, Luces y sombra, Vivitos y coleando* –revista que alcanzó gran éxito–, *Las tentaciones de San Antonio, El plato del día* –música de Marqués, Alhambra, 1889–, *En la tierra como en el cielo, El fantasma de los aires* –con música de Chapí, 1887–. Esta última obra fue la causante del incendio del teatro Variedades, el 29 de enero de 1888, pues en la escena final se produce un incendio que termina con el aparato volador protagonista de la obra; parece que quedaron chispas sin apagar, lo que unido a los bailes de Carnaval, que hicieron abandonar al personal del teatro su lugar de trabajo antes de lo habitual, y a la gran combustibilidad de los decorados y el atrezzo, produjeron el final del primer escenario que tuvo el género chico en Madrid.

Escribió más de ciento cincuenta piezas teatrales, firmando algunas de sus obras con el seudónimo de "Rafael López del Río". Obtuvo los mayores éxitos de su carrera teatral en colaboración de Lastra. Junto con éste y Prieto fue de los primeros cultivadores de la revista musical, obteniendo grandes éxitos con Federico Chueca como *Luces y sombras*, 1882; *De la*

noche a la mañana, "Sueño cómico-lírico", éxito del año siguiente, *Vivitos y coleando*, 1884; *Fotografías animadas o El arca de Noé*, Príncipe Alfonso, 1897. En estas obras se hace sátira política, social y de actualidades, así en *Luces y sombras* se habla del siglo XIX como del de las luces apareciendo en escena todos los inventos del alumbrado, en *Vivitos y coleando*, junto a la crítica de la alternancia política Cánovas y Sagasta, aparecen el Canal de Suez y diversos ríos, entre ellos el Manzanares. También colaboró con otros compositores como Rubio y Espino en *El testamento y la clave*, Variedades, 1886, Federico Viaña en *La Unión (Almacén de calzado)*, Novedades, 1888; Rubio y Arnedo en *Santo y seña*, Martín, 1888; Estellés en *El robo de la calle del gato*, Apolo, 1890 –con un gran éxito–, y Chapí de nuevo en *Las tentaciones de San Antonio*, Felipe, 1890. *Véase* EL ARCA DE NOÉ.

BIBLIOGRAFÍA: *CDE; CTLBN; OGCH; TA; TLE.*

Mª LUZ GONZÁLEZ PEÑA

Rufart, Carlos. España, †1957. Barítono, libretista y actor. Formaba parte de la compañía del teatro Apolo; sus dotes de actor suplieron siempre las que le pudieran faltar como cantante. Chispero dice de él que tenía "voz corta, pero muy afinada, y grandes méritos como actor". Con su contratación se intentaba paliar la ausencia del recientemente fallecido José Riquelme y las de Juan Reforzo y Lola Membrives que habían abandonado el Apolo tras casarse. En 1906 estrenó en el teatro de la Zarzuela *Los mosqueteros*, opereta arreglada de *Los mosqueteros grises* y *El lego de San Pablo* de Caballero. En 1907 fue el protagonista de *La noche de Reyes* de Serrano, y estrenó también *Ninón* de Chapí, en uno de los papeles protagonistas. Asimismo ese año estrenó *La patria chica* de Chapí, interpretando con sumo acierto al inglés Mr. Blay, *Lucrecia* de Salvador Martí Temes, y *La copa encantada* de Lleó. En 1908 estrenó en Apolo *El talismán prodigioso* de Vives, siendo muy aplaudido, *Las mil maravillas* de Chapí, y en la Zarzuela *Pepe Botellas* de Vives y *Episodios Nacionales* de Vives y Lleó. En 1909 en Apolo *Aquí hase farta un hombre* de Chapí y *La alegría del batallón* de Serrano, en la que la crítica alabó su excelente labor. En 1910 estrenó la obra póstuma de Chapí, *La magia de la vida* y *La niña de los caprichos*, que fracasó salvo un número musical que

Carlos Rufart (Foto: El Arte de El Teatro, 1906; Ar. SGAE)

cantó Rufart con la Mayendía, *El trust de los Tenorios* de Serrano, *Sangre y arena* de Luna y Marquina que triunfó y el gran éxito de Vives, *Juegos malabares*, en la que su actuación fue muy alabada e incluso reconocida por Echegaray en la edición del libreto. Cantó también en el éxito de Vives que finalizó la temporada en Apolo, *La reina Mimí*. En 1911 estrenó *La suerte de Isabelita* de Giménez y Calleja, muy aplaudida, *El chico del cafetín* de Calleja, que fue un gran éxito, *Lirio entre espinas* de Giménez, *Anita la risueña* de Vives, *Agua de noria* de Vives, *Barbarroja* de Serrano, *Las hijas de Lemmnos* de Luna, *Mari-Nieves* de Saco del Valle, en la que fue muy aplaudido junto a María Palou, y para su beneficio programó *La patria chica* de Chapí, que le había supuesto el mayor éxito de su carrera.

En 1912 Juan Bautista Pont, Luis Linares Becerra y Gerónimo Giménez le dedicaron *El cuento del dragón* con estas palabras "Al primer barítono de la catedral del género chico Carlos Rufart con una admiración muy honda y en testimonio de una media amistad, que según la formidable frase catalana, vale más que una amistad entera". La obra, estrenada en 1912, fue puesta en escena por Vicente Carrión y obtuvo un gran éxito. Ese año estrenó además *Las mujeres de Don Juan* de Calleja, *La maja de los claveles* de Lleó, *El fresco de Goya* de Valverde y *El arroyo* de Foglietti y Valverde. En 1913 *La alegría del amor* de Luna y *Las musas latinas* de Penella; en 1914 *La boda de La Farruca*, Alonso, *El fresco de Goya* de Barrera, en que fue muy aplaudido, *La sombra del molino* de Arregui y *El amigo Melquíades o Por la boca muere el pez*, que fue otro de los arrolladores éxitos de Apolo, *España Nueva* de Lleó; en 1915 *El nido del principal* de Cayo Vela, *La noche vieja* de Roig, *El chico de las Peñuelas o No hay mal como el de la envidia* de Millán y *Las castañuelas* de Giménez; en 1916 *El patio de los naranjos* de Luna, en que fue muy aplaudido el dúo de amor entre Rufart y Clara Panach, *La estrella de Olympia* de Calleja, *El preceptor de Su Alteza* de Millán, *El señor Pandolfo* y *La ley del embudo* de Vives, *La patria de Cervantes* de Foglietti, *El asombro de Damasco* de Luna, que fue un éxito apoteósico, *El botón de nácar* de Luna y *El tesoro* de Vives que había sido un gran éxito en el teatro de la Zarzuela; en 1917 *El presidente Mínguez* de Luna, *Mantequilla de Soria* de Roig y *El marido de la Engracia* de Taboada y Barrera; en 1918, *Todo el mundo en contra mía* de Vives, *El niño judío* de Luna que fue otro de los títulos de referencia en la historia de Apolo, *Los calabreses* de Luna, *La bella persa* de Giménez; en 1919 *El huerto de los rosales* de Cabas y *La flor del barrio* de Calleja; en 1920 *Pepe Conde o El mentir de las estrellas* de Vives, que dobló en funciónes de tarde y noche, *La del dos de mayo* de Barrera y *La Magdalena te guíe* de Alonso; en 1921 *El Otelo del barrio* de Guerrero. Rufart desapareció de la compañía de Apolo en la temporada 1921-22, pero no dejó de trabajar, así en 1924 estrenó en el teatro

Cómico *La linda tapada* de Alonso y aún seguía trabajando en los años treinta, estrenando en 1932 en el Rialto de Madrid *Katiuska* de Sorozábal, interpretando al Conde Iván y en 1938 en el teatro Pardiñas *El mesón del pato rojo* de Jesús Romo con Rafaela Haro como protagonista femenina. Esta obra fue uno de los mayores éxitos durante la Guerra Civil.

Fue también autor de algunos libretos y así en el archivo de la SGAE de Madrid se conserva una zarzuela, *Los capitanes del Zar* con música de Bretón, estrenada en el teatro Apolo en 1914, pero la obra sólo se mantuvo en cartel cinco días. Escribió con Mario López Avilés *Ya se casó la Isabel o ¡Qué amigos tienes, Benito!* con música de Roig, estrenada el 15 de noviembre de 1917 en el teatro Martín y *De Madrid al infierno* con música de Alonso, estrenada en el teatro Martín en 1918.

FONOGRAFÍA: *El estreno de anoche*, La Voz de su Amo AF 60; *El señor Pandolfo*, Gramófono w264359, w263508 (et. verde) s19592u, s19593u, s19654u, s19594u; *En los toros*, La Voz de su Amo AF 60; *Juegos malabares*, La Voz de su Amo 0264002 (et. verde), 67 y 68.

BIBLIOGRAFÍA: *TA*; A. Collado: *El teatro bajo las bombas en la Guerra Civil. Tragicomedia de actores, figurantes, políticos, personajes y personajillos*, Madrid, Kaydeda Ed., 1989.

Mª LUZ GONZÁLEZ PEÑA

Ruiloa Carrere, Lino. Málaga, 1861?. Director y primer actor. Se trasladó a Madrid con catorce años y se dedicó por algún tiempo al periodismo. Debutó en el teatro interpretando al Caballero de Gracia de *La Gran Vía* y gozó de la protección de empresario del teatro Felipe, Felipe Ducázcal, trabajando con él largas temporadas. Dirigió compañías por España y América. En 1891 estrenó *Los tortolitos* de Marqués, en el teatro Alhambra. Durante muchos años dirigió el teatro Romea en el que estrenó en 1893 *Los glotones* de Chalons, *Las hojas del calendario* de Álvarez y Chalons, *Precipitaciones* de Marín, *¡Alto! ¿Quién vive?* y *Guayabita* de Ángel Rubio; en 1894 *Los africanistas* y *Un punto filipino* de Caballero, *Calma chicha* de Brull; en 1896 *El gran visir* de Álvarez y Chalons, *La moza de rompe y rasga* de Santamaría, *La boda de los muñecos* de Brull y *Charivari* de Mateos. En 1898 en Eldorado *La batalla de Tetuán* de Quinito Valverde y en 1905 en el Martín *El caballo de batalla* de Arnedo y *Las piedras preciosas* de Lleó. En 1907, junto a Nieves Suárez, estrenó *Los intereses creados* de Benavente en el Lara. Formó compañía propia con la que recorrió diversos teatros de España. Posteriormente se trasladó a México, donde fue director de escena del teatro Principal, e intervino en 1910 en *La villa del oso* y *El señor Luis el tumbón*.

BIBLIOGRAFÍA: F. Cuenca: *Galería de músicos andaluces contemporáneos*, La Habana, Cultura, 1927; M. Mañón: *Historia del teatro Principal de México*, México, Ed. Cultura, 1932; A. Retana: *Historia de la canción española*, Madrid, Ed. Tesoro, 1967.

Mª LUZ GONZÁLEZ PEÑA

Ruiz (I). Familia de artistas españoles formada por Leandro, padre, y Julio y Ángel, hijos.

1. Leandro. Madrid, 1822; ?. Compositor. Fue maestro de coros del teatro Real. El nombre del maestro Ruiz aparece entre los de los autores que enviaron un grupo de artistas madrileños al Congreso, para la creación o fundación de la ópera española en octubre de 1855. Durante la temporada 1855-56 fue contratado como maestro compositor y director, junto a Tomás Genovés, para una compañía lírica que actuó en Salamanca y Valladolid.

OBRAS (Todas en E:Msa): *Donde las dan las toman*, I, F. de la Vega, est, 1857, Te. Tirso de Molina; *La almoneda del diablo*, I, R. M. Liern, est, 14-II-1863, Te. Novedades; *A orillas del mar*, 1 act, I, R. M. Liern, est, 6-VII-1874.

2. Ángel. España, segunda mitad del siglo XIX. Compositor. Estudió música con su padre. En 1882 era director de coro de una compañía de ópera del teatro Principal de Cartagena. Sus composiciones estuvieron orientadas hacia la música escénica.

OBRAS: *A vuela pluma*, exposición cóm-lír, 1 act, I, J. Ruiz/E. López, est, 25-VIII-1892, Te. Jardines del Buen Retiro; *Alcalde de Villapeneque*, disparate cóm-lír, I, J. Soravilla/M. Casi, est, 22-X-1892, Te. Romea; *Comunicaciones*, Sai, 1 act, col. H. Rodríguez, I, R. Palomino/J. Guzmán, est, 24-II-1888, Te. Eslava; *El naúfrago del vapor María*, Jug cóm, 1 act, I, J. Pardo; *El regreso del cacique*, Jug cóm-lír, 1 act, I, R. M. Liern, est, 6-IV-1893, Te. Novedades; *El sueño de anoche*, I, J. Ruiz/E. López Marín; *La vía férrea*, I, Mavillard/Oviedo; *Monomanía teatral*, Jug cóm-lír, 1 act, I, J. de la Cuesta/H. Criado, est, 9-II-1888, Te. Eslava; *Tenorio y castañas*.

3. Julio [Julio Ruiz Castellanos de los Cobos]. Madrid, 1850; Madrid, 1919. Actor, libretista y compositor. Fue el actor cómico más famoso de su tiempo. Estaba trabajando en Cádiz con veintitrés años y posteriormente por los principales teatros de Madrid y del resto de España. Los autores cómicos veían en él una garantía del éxito de sus obras. La gracia inagotable que poseía Julio Ruiz le hacía conquistar rápidamente al público que disfrutaba con sus "morcilleos". No trabajó sólo en España sino en América con igual éxito. A su vuelta a España, en 1883, se representó en Eslava el juguete titulado *La vuelta de Ruiz*, que había formado parte de la compañía de ese teatro estrenando *¡Eh!... a la plaza!*, 1880, de Rubio, donde interpretaba a un maestro, muerto de hambre; estrenó además *Torear por lo fino*, Eslava, 1881. En el mismo año de su vuelta, 1883, intervino en la presentación de *De Cádiz al Puerto* de Rubio y Espino en el Eslava. Finalizó ese año con el estreno de *¡Cómo está la sociedad!*,

en la que tuvo un gran éxito el número del can-can que hacía con las hermanas Pastor.

Interpretó magistralmente a uno de los Ratas de *La Gran Vía*; en *Los valientes* daba vida a un cómico borrachín que no tenía donde caerse muerto, lo que parecía en cierto modo autobiográfico, y en *El año pasado por agua*, se interpretaba a sí mismo cantando con Leocadia Alba la "Mazurca de los paraguas", en el diálogo se hacía referencia a los vicios del actor –bebida y mujeres–, el éxito de esta mazurka fue tal que él y Leocadia Alba hubieron de repetirla seis veces la noche del estreno. Cantó en 1885 en Eslava *Toros de puntas* de Hernández, en la que se hizo muy famoso el "Tango del zangá", cantado con María Montes, al que los autores hubieron de añadir letras nuevas pues el público pedía continuamente la repetición, una de las noches Julio Ruiz improvisó con el tango unas letrillas alusivas al estreno fracasado de una obra de Eloy Perillán que a punto estuvo de costarle la vida al apuntarle al autor con una pistola; la representación terminó accidentadamente bajando el telón a toda prisa. En la temporada 1886-87 era primer actor cómico de la compañía de Ricardo Miralles en el teatro Apolo y participó en el estreno del gran éxito de ese año, *Cádiz* de Chueca, siendo muy elogiado por la prensa del momento, en los tres papeles que interpretó. En 1887 estrenó en Eslava *Los trasnochadores* de Nieto. En *Los zangolotinos* de Fernández Caballero, estrenada en Apolo en 1889, interpretaba a un colegial y cantaba un dúo de nuevo con María Montes, que fue aplaudidísimo.

La revista *Madrid Cómico*, que dirigía Sinesio Delgado, publicó el 15 de enero de 1887 bajo el epígrafe de "Actores Cómicos" una caricatura de Cilla, acompañada de los siguientes versos: "Derrocha que es un primor / la mucha gracia que tiene, / y canta, si a mano viene, / lo mismo que un ruiseñor".

En 1899 se embarcó para Buenos Aires con la compañía Pastor y posteriormente fue contratado para el teatro del Renacimiento de México, país en el que permaneció largo tiempo, recorriendo diversos teatros y estados mexicanos. La pérdida de uno de sus hijos en Yucatán le hizo abandonar México por Cuba, donde inauguró los teatros Novedades y Heredia. En 1907 su compañía obtuvo un gran éxito en Santiago de Cuba. En esos ocho años de ausencia de España se difundió la noticia de su muerte, que ocurrió mucho después. La revista *El Arte de El Teatro* (42, 15-XII-1907), se hacía eco

Julio Ruiz (Foto: Nuevo Mundo, 1905; Ar. ICCMU)

Julio Ruiz (Caricatura: Madrid Cómico, 1885; Ar. SGAE)

de la presencia del actor en la localidad panameña de Manzanillo en la compañía de Luisa Martínez Casado y decía: "En la compañía, como hemos dicho, figura, *vivito y coleando*, el simpático y aplaudido actor cómico Julio Ruiz, a quien *Nuevo Mundo* ha enterrado. Julio se encuentra (a D. G.) muy bien, disfrutando perfectísima salud, ganando muy buen sueldo, querido y respetado por la compañía y por el público, esperando terminar esta campaña para emprender otra en la Argentina, para la que en inmejorables condiciones ha sido contratado. La falsa y poco piadosa información de *Nuevo Mundo* ha producido aquí deplorable efecto".

De vuelta a España fue contratado por el teatro Apolo y obtuvo un gran éxito en *La alegría de la huerta*, *La marcha de Cádiz*, que él había estrenado, *El santo de la Isidra*, *El género ínfimo* y *Los trasnochadores*, obra que había cimentado su fama de galán cómico. En febrero de 1908 partía desde Barcelona contratado de nuevo para actuar en Buenos Aires. En el verano de 1912, de nuevo en España, figuraba al frente de la compañía del teatro La Latina. Su afición a la bebida y a las mujeres, le arruinaron y murió tras haber pasado sus últimos años olvidado de todos.

Fue también autor cómico y así escribió algunas obras líricas como *El bombero*, con música de L. Metón; *El gran pensamiento*, disparate cómico con música de Nieto estrenado en Eslava en 1888 y una serie de obras con música de Ángel Rubio, como *Para quién es Don Juan*, Eslava, 1882; y *A vuela pluma*, exposición cómico lírica, teatro de los Jardines del Buen Retiro, 1892. También dejó varios juguetes entre ellos *Sarasate y Rubistein*, para el que también escribió la música en 1881 y *Los tíos*, a la que el actor puso música con letra de Pérez Iruega y Díaz Quijano, si bien sólo la salvó del pateo la autoría del actor, muy querido del público madrileño. En algunas ocasiones escribió la música y el libreto como en *Monólogo Ruiz. Recuerdos del mundo*, que además interpretó.

OBRAS (Todas en E:Msa): *El sombrero de mi mujer*, l, E. Zamora Caballero; *En casa de las Pérez*, 1 act, col. S. López, J. Chicote, est, 1893; *La almoneda del diablo*, 3 act, l, R. M. Liern, est, 15-I-1864, Te. Circo; *La cava baja*, Óp española... con gotas, 1 act, l, S. M. Granés, est, 1-XII-1887, Te. Eslava; *Ladrones*, col. Amatriaín, l, M. Cuartero, est, 30-VII-1877, Te. Prado; *Monólogo Ruiz. Recuerdos del mundo*, monólogo, 1 act, l, J. Ruiz, est, 1892; *Rum rum*, l, J. Romea, est, 1882; *Tres tipos y un topo*, Jug, 1 act, l, G. Blasco; *Y... sin contrata*, Jug cóm, 1 act, l, R. Fernández Iglesias, est, 30-VIII-1895; Te. Parque Rusia.

BIBLIOGRAFÍA: *DAT*; *HZ*; *OGCH*; *TA*; Flores García: "Los actores que mueren. Julio Ruiz", *Nuevo Mundo*, 718, 24-X-1907; Un traspunte: "Nuestra Interviú. Hablando con Julio Ruiz", *El Arte de El Teatro*, 46, 15-II-1908; A. Miquis: "Julio Ruiz", *Mundo Gráfico*, 40, 31-VII-1912; T. Caballé y Clós: *Barcelona de antaño. Memorias de un viejo reportero barcelonés*, Barcelona, Ed. Aries, 1944.

Mª LUZ GONZÁLEZ PEÑA

Ruiz, Concepción. España, siglo XIX. Tiple. Según Saldoni, en 1841 cantaba en el Liceo de Valencia. En el inicio de la aventura de los bufos aparece como una de las componentes de la nueva compañía. En 1858 estrenó *Don Sisenando* de Oudrid en el Circo; en 1872 represent *Los órganos de Móstoles* y en 1880 *Los infiernos de Madrid*, ambas de Rogel.

BIBLIOGRAFÍA: *HGZ*.

EMILIO CASARES RODICIO

Ruiz, Federico. La Coruña, 30-V-1889; México, D. F., 5-XI-1961. Director y compositor. Se trasladó con su familia a Argentina a los tres años e ingresó en el Conservatorio Nacional de Música, donde realizó sus estudios musicales. Su dedicación al teatro se inició a los dieciocho años, primero como director de orquesta en la compañía de la tiple española Úrsula López, y después como compositor. Como director hizo su primera gira por Montevideo al cumplir veinte años, y viajó posteriormente por toda Sudamérica. Su segunda etapa fue la de empresario, efectuando una gira por Centroamérica. En Guatemala conoció a Roberto Soto, empresario mexicano y juntos formaron una compañía de opereta.

Federico Ruiz se especializó sobre todo en revista y dejó una gran producción de títulos. En 1920 estrenó en el teatro Principal la revista de costumbres mexicanas *El maestro Stokovsky* con libro de Guzmán Aguilera; en 1922 la revista teatral *Las doce y un minuto* de la que se hizo famosa la pieza titulada "La china princesa"; en 1923 *A las 12 y un minuto*; en 1924 *El rizo de la Flopper*, *El país de las libertades* y *Las embajadoras de la simpatía*; en 1925 *Kalkomanía*; en 1926 *Dinero llama a dinero*, *La reina de las revistas*, *La diosa de la elegancia*, *Entrada gratis* y *Ay qué gusto*; en 1928 *Petrilla la de la venta*, *Farsas metropolitanas*, *Su majestad el jazz* y *Las alegres venustianas*; en 1930 *De España vengo* y en 1931 *Alma suriana*. Especializado en revista, compuso otras muchas obras con Carlos Ortega y Pablo Prida como *El tostón del Principal*, *Las cuatro milpas*, *La juventud de Fausto*, *Alma en los labios*, *Hay que dar color* y *El triunfo de Uzcudum*. Enseguida pasó con Mario Moreno "Cantinflas" al teatro Follies Bergère y sus mayores éxitos fueron *Bertoldo Bertoldino*, *Cascaseno* y *México Jazz*, con numerosas representaciones. Colaboró con autores mexicanos como José Palacios, Manuel Castro Padilla, Eduardo Vigil y Robles y Emilio Uranga.

BIBLIOGRAFÍA: *RHTM*.

EMILIO CASARES RODICIO

Isabelita Ruiz (Foto: Ar. SGAE)

Ruiz, Isabelita. España, siglo XIX. Tiple. Participó en diversos estrenos entre los años veinte y treinta del siglo XX, casi siempre de revistas, así estrenó en 1928 en el teatro de Price de Madrid *La orgía dorada* de Guerrero y Benlloch; en 1930 en Eslava *La bomba* de Alonso; en 1931 en el teatro Fuencarral *¡Campanas al vuelo!* de Alonso y en el Pavón *Las Leandras*, también de Alonso. En 1932 estrenó en el teatro Ideal, *Sole la peletera* de Guererro.

Mª LUZ GONZÁLEZ PEÑA

Ruiz, Manolita. España, siglo XX. Vedette. En la temporada 1949-50 la compañía de Jacinto Guerrero estrenó *El oso y el madroño* y *Su majestad la mujer* en la que figuraba como segunda vedette Manolita Ruiz, que la siguiente temporada fue contratada para el mismo teatro por el empresario Manuel del Río. En esta ocasión, Manolita participó en el estreno de la revista *El último güito* de Fernando García Morcillo, y también en *Las alegres cazadoras* de García Morcillo. Actuó otras temporadas en teatros como Fuencarral, Maravillas, Latina, donde estrenó *¡Nada más que uno!* de Silva Aramburu y Paso, o el Albéniz donde participó en 1951 en el estreno de la revista de Jacinto Guerrero *El tercer hombro*.

EMILIO GARCÍA CARRETERO

Manolita Ruiz (Foto: Manrique; Ar. Emilio G. Carretero)

Ruiz, María. La Habana, 1902; La Habana, 5-V-1965. Soprano. Graduada de canto y piano en la Academia Municipal de Música de La Habana, inició su vida profesional como pianista hasta que siendo presentada a Ernesto Lecuona por su hermana Ernestina, fue incorporada como cantante a los conciertos típicos que ofrecía Lecuona en diversos teatros de la capital y del interior. Su primera aparición tuvo lugar en el teatro Martí, en 1926, donde se anotó un brillante triunfo. Con motivo de la inauguración del teatro Regina, bajo la dirección artística de Ernesto Lecuona, formó parte del elenco que en 1927 realizó los estrenos de *Niña Rita o La Habana en 1830* y *La tierra de Venus*, ambas de Lecuona. En su primera actuación teatral recibió varios elogios de la crítica especializada y del público. Luego estre-

nó las revistas: *Es mucha Habana, La revista femenina, La liga de las señoras, Alma de raza, Chauffer al Regina, Fantasía de colores* y *Rosalina*, todas de Lecuona. En 1951 partió con la Compañía Lírica de Lecuona hacia México, actuando en los teatros Fábregas, Iris y Lírico, que incluyó entre otras obras *La tierra de Venus, Baile de fantasía* y *Maravillas cubanas*. Posteriormente figuró en las operetas *La guaracha musulmana, Lola Cruz* y *Sor Inés*, la zarzuela *El torrente*, y en varias revistas, todas estrenos también de Lecuona. Contratada por una de las emisoras de radio más importantes de Estados Unidos, la NBC de Nueva York, debutó con éxito, presentación que le valió numerosos contratos para actuar en diversos teatros como el Capitol, Belmont, RKO, Triboro, Del Mar y Ansell, y clubs de aquella ciudad. Luego realizó una serie de giras por distintos países donde cosechó nuevos lauros en Puerto Rico, Guatemala, San Salvador, Honduras y Nicaragua.

BIBLIOGRAFÍA: J. de La Habana: *Figuras del teatro lírico cubano*, La Habana, 1935.

JOSÉ PIÑEIRO DÍAZ

Ruiz Arquelladas. Familia de músicos españoles formada por los hermanos Manuel y Fernando.

1. Manuel. Cúellar Vega (Granada), 1892; Madrid, 5-II-1984. Compositor, pianista y director de orquesta. Inició su formación musical en Granada, ya que su padre, además de maestro de escuela era músico y también su madre. Continuó sus estudios en el Seminario, que abandonó a los veinte años al ser llamado a filas. Posteriormente comenzó a relacionarse con el mundo teatral y empezó a componer cuplés. Se trasladó a Madrid a principios de siglo completando sus estudios, y trabajó como director de orquesta y compositor de zarzuelas y cuplés. La mayoría de sus obras son revistas y sainetes. Gran parte de sus composiciones las realizó en colaboración con su hermano Fernando y el compositor granadino Cayo Vela Marqueta. Además de numerosas obras escénicas, compuso innumerables canciones, cuplés y alguna obra sinfónica.

OBRAS: *Si ellos supieran*, 1/2 act, l, J. Quílez/F. Casares, est, 2-VI-1926, Te. Fuencarral; *El as de copas*, 2 act, col. Ruiz Arquelladas, l, R. González del Toro/L. Rodríguez, est, 21-X-1931, Te. Maravillas; *La primera salida*, Sai, 1 act, col. Vela Marqueta, l, R. González del Toro, est, 26-X-1931, Te. Maravillas; *Consuelo "la del portillo"*, Sai, 1 act, col. Vela Marqueta, l, J. Fanconi/V. López, est, 23-VII-1932, Te. Latina; *Una mujer desnuda*, col. Martín Quirós/Garza, l, Fuentes/Mallol/Sierra, est, 21-X-1935, Barcelona; *Los cardenales*, historieta cómico vodevilesca, 3 act, col. Ruiz Arquelladas, l, C. García Morales/J. Palomo, est, 3-VI-1937, Te. Maravillas; *Torremocha y compañía*, col. Ruiz Arquelladas, l, L. Candela/J. Dicenta, est, VII-1937, Te. Ascaso; *Tati-tati*, col. Ruiz Arquelladas, l, Álvarez Cienfuegos, est, 20-X-1937, Te. Maravillas; *Una cinta trágica*, disparate cóm, 1 act, l, A. Cantos, est, 3-II-1939, Te. Ideal; *Embrujo de amor*, 2 act, col. Benlloch, l, Lámany/Zapata, est, 12-XII-1945, Te. Ruzafa (Valencia); *El velo pintado*, l, Rambal / Soriano, est, 4-X-1946, Te. Victoria Eugenia (San Sebastián); *Puede que si puede que no*, I, M. Klechowa / J. Segovia, est, 17-II-1948, Te. Gran Vía; *Las encajeras*, Zarz, 1 act, col. Vela Marqueta, I, J. Fajardo Jorgozo; *Las frenéticas*, 2 act, col. Villacañas Sastre, I, F. Ruiz Arquelladas; *Las sintéticas*, Rv, 2 act, col. Ruiz Arquelladas / Villacañas; *Moralinda*, Zarz de costumbres andaluzas, I, M. Fernández Mata; *Querer de gitanos*, I, F. Caseres / J. M. Quiles; *Sin novedad en la frente*, col. Ruiz Arquelladas; *Te quiero ver dormida*, col. Ruiz Arquelladas; *Vaya familia*, col. Ruiz Arquelladas, I, C. Morales; *Venganza oriental*, I, Soriano / Rambal.

FONOGRAFÍA: *La embajadora*, La Voz de su Amo AE 1127 (et. verde), BS 1384 BS 1390.

2. Fernando. Alhama de Granada (Granada), 4-III-1904; Madrid, III-1974. Compositor y director. Al igual que su hermano, realizó sus primeros estudios musicales bajo la tutela de sus padres y los terminó en Madrid. Fue director de la Banda Municipal del Retiro. Tomó contacto muy pronto con el mundo teatral, y empezó a componer espectáculos, generalmente en colaboración con Manuel para figuras como Luisita Esteso y Josephine Baker. Se dedicó también al cine, compuso la música de numerosos No-Dos así como la película protagonizada por Sara Montiel *El último cuplé*, junto a Juan Solano. Gran orquestador, trabajó para diversos compositores sin que su nombre aparezca en las obras que instrumentó. Fue, al igual que su hermano, un gran director y pianista y formó parte de diversas compañías como las de Celia Gámez, Tina de Jarque, Laura Pinillos, Perlita Greco, Nati Mistral y otras, con las que recorrió toda España e Hispanoamérica.

OBRAS: *El as de copas*, 2 act, col. M. Ruiz Arquelladas, I, R. González del Toro / L. Rodríguez, est, 21-X-1931, Te. Maravillas; *Los cardenales*, historieta cómico vodevilesca, 3 act, col. M. Ruiz Arquelladas, I, C. García Morales / J. Palomo, est, 3-VI-1937, Te. Maravillas; *Torremocha y compañía*, col. M. Ruiz Arquelladas, I, L. Candela / J. Dicenta, est, VII-1937, Te. Ascaso; *Tati-tati*, col. M. Ruiz Arquelladas, I, Álvarez Cienfuegos, est, 20-X-1937, Te. Maravillas; *Las sintéticas*, Rv, 2 act, col. M. Ruiz Arquelladas, I, Villacañas; *Sin novedad en la frente*, col. M. Ruiz Arquelladas; *Te quiero ver dormida*, col. M. Ruiz Arquelladas; *Vaya familia*, col. M. Ruiz Arquelladas, I, C. Morales.

BIBLIOGRAFÍA: F. Cuenca: *Galería de músicos andaluces contemporáneos*, La Habana, Cuenca, 1927; A. Retana: *Historia de la canción española*, Madrid, Ed. Tesoro, 1967.

Mª LUZ GONZÁLEZ PEÑA

Ruiz Castellanos y de los Cobos, Julio. *Véase* RUIZ.

Ruiz de Arana. Familia de músicos e intérpretes esapañoles formada por Ernesto, Pedro y Mariano.

1. Ernesto. España, †1958. Compositor y actor. Compuso sus obras muy a menudo en colaboración con Manuel Quislant y José Ribas y sus estrenos tuvieron lugar en la primera década del siglo XX. En esos años, Ernesto era actor como su hermano Pedro, en cuya compañía trabajaba, así en 1904 estrenó en Valladolid *Quo vadis?* de Sinesio Delgado, que luego llevaron de gira por otras provincias españolas. Además de las obras escénicas, la mayoría conservadas en el archivo de la SGAE, publicó algunas composiciones en Unión Musical Española como el pasodoble flamenco *Torquito*, dedicado a Serafín Vigiola, y la zarzuela *Villa Alegre*, escrita en colaboración con Tomás Barrera.

OBRAS (Todas en *E:Msa*): *Libros usados*, Hum cóm, 1 act, col. Revilla, I, A. Estremera / E. Sáenz, est, 1902, Te. Moderno; *Los catariongos*, Zazr, 1 act, col. A. Pérez Soriano / M. Giménez, I, L. Pascual, est, 2-XII-1904, Te. Novedades; *Villa alegre*, Zarz, 1 act, col. T. Barrera, I, R. Santa Ana / J. Selva, est, 30-XI-1905, Te. Zarzuela; *El hombre pañuelo*, disparate cóm, 1 act, col. J. Ribas, I, A. Estremera / L. Candela, est, 6-XI-1908, Te. Cómico (Barcelona); *La reina del tango*, Ent, 1 act, col. M. Ribas, I, A. Estremera / L. Candela, est, 20-II-1909, Te. Laflor; *¡Gracias a Dios! ¡Al fin solos!*, Ent, I, A. Domínguez, est, 23-IX-1909, Te. Madrileño; *Amor y libertad*, Opt, 1 act, col. M. Quislant Botella, I, M. Moncayo / L. de Olivera, est, 29-IX-1911, Te. Price; *Chumbo entre jazmines*, 1 act, I, A. González Rendón, est, 1-XII-1911, Te. Noviciado; *El baño de María*, I, L. Candela, 22-III-1913, Salón Madrid; *El gran demócrata*, Zarz cóm, 1 act, col. J. Ribas, I, A. Estremera, est, 22-I-1914, Te. Cómico; *Campanillas de plata*, Sai, 1 act, col. M. Quislant Botella, I, A. González Rendón / C. Pérez, est, Te. Comedia (Buenos Aires); *El alma de león*, 1 act, col. M. Quislant Botella, I, A. Estremera / E. Montesinos, est, Te. Comedia (Buenos Aires); *El ciudadano Metralla*, col. J. Cabas Quílez, I, D. Gante Blanco / J. Milego; *La camisa de Cipriano*, I, E. García Álvarez / F. Pérez Capo; *La diana del amor*, col. M. Quislant, I, L. Olive / M. Moncayo; *Cuento sinfónico*, I, A. Estremera.

2. Pedro. España, siglos XIX-XX. Actor. Debutó en el Salón Eslava en 1874, trabajando posteriormente en el Apolo, Novedades y algún otro teatro de Madrid, además de realizar giras por provincias, pero su nombre está muy unido a la historia del teatro Lara, que inauguró en 1880 con la compañía de Julián Romea. Comenzó siendo galán para pasar después a ser actor cómico; llegó incluso a ser director de escena del Lara hasta que abandonó dicho coliseo por diferencias económicas con la empresa, y se pasó al género chico, aunque ya en Lara había estrenado alguna obra lírica como *Sin contrata* de Mangiagalli, 1882. Tras su salida de Lara debutó en el teatro de la Gran Vía de Barcelona, ya como intérprete de zarzuela. En 1888 *Madrid Cómico* presentaba en su portada la caricatura de Cilla acompañada de estos versos de Sinesio Delgado: "Con él los sietemesinos / resultan tipos divinos… / ¡Si tendrá bríos dramáticos, / cuando sabe hacer simpáticos / los papeles anodinos!".

Pedro Ruiz de Arana (Foto: Comedias y Comediantes, 1910; Ar. ICCMU)

En 1889 estrenó *¡A casarse tocan!* o *Misa a grande orquesta* y *El cocodrilo* de Chapí en el Príncipe Alfonso; en 1893 era cabecera de la compañía de zarzuelas de Ramón Rossell que actuaba en provincias con gran éxito y en la que la primera actriz era Balbina Valverde. En 1899 estrenó en Eslava *El rey de la Alpujarra* de Vives. Volvió al Lara en 1894 para estrenar *El doctor Paletilla* de Quinito Valverde. En 1900 estrenó en la Zarzuela *La Golfemia* de Arnedo y *El guitarrico* de Pérez Soriano y en el Romea *Toñuela "la golfa"* de Ángel Rubio; en 1901 *La Tempranica* de Giménez en la Zarzuela; en 1902 *Libros usados* de Revilla y su hermano Ernesto en el teatro Moderno. En 1905 formaba parte de la compañía del teatro de la Zarzuela y estrenó *La vara de alcalde* e *Ideicas* de Tomás Barrera, además de ser su director escénico, *Guardia de honor* de Chapí. En 1906 estrenó en Apolo *La mala sombra* de José Serrano junto a Joaquina Pino y María Palou y en 1907 *Cinematógrafo nacional* revista de Giménez, que obtuvo un gran éxito, y *El niño de San Antonio* de Juan Gay. En 1910 fue uno de los impulsores del Círculo de Actores Españoles que en ese año consiguió una nueva sede junto al teatro Español. El mismo año que cantó en *El amo de la calle* de Rafael Calleja con la compañía de Apolo, con la que estrenó *Juegos malabares* de Vives y Echegaray, que obtuvo un gran éxito y *Lorenzín o El camarero del cine*, parodia de Arnedo del *Lohengrin* wagneriano. En la temporada 1910-11 cantó *Gloria in excelsis* de Amadeo Vives y *El chico del cafetín* de Calleja, que fue un gran éxito.

3. Mariano. España, siglos XIX-XX. Dramaturgo. Estrenó algunas comedias en las décadas 1880 y 1890, como *La vecina del segundo* y *La camisa de Perico*.

BIBLIOGRAFÍA: *DMEH; TA; IMHA*, 133, 30-VII-1893; Córcholis: "Memorias íntimas del teatro. Pedro Ruiz de Arana", 623, 14-XII-1905; L. Arnedo: "Teatro de Apolo. 'Lorenzín o El camarero del Cine'", *Comedias y Comediantes*, 21, 15-VIII-1910.

Mª LUZ GONZÁLEZ PEÑA

Ruiz de Azagra Sanz, José. España, †1971. Compositor y autor. Músico de melodía fácil, dominador de la técnica de la instrumentación, cultivó la canción con títulos tan famosos como *La chica del 17*, *Zapatitos de charol* o *Zorongo gitano*, de las que en muchas ocasiones es autor de la música y la letra. Compuso además la banda sonora de algunas películas como *La princesa de los Ursinos* y escribió música para diversos ballets como *Bailando el polo*, *De la casada infiel*, *El duende gitano*, *En la ribera*, *Encuentro* y *Soleá carcelera*. Para el teatro escribió *Cuidado con la pintura*, *El duende gitano* y *Escalera de color*, además de las que creó para conjuntos coreográficos. En el archivo de la SGAE en Madrid se conservan numerosas obras líricas suyas, generalmente escritas en colabo-

ración y estrenadas entre los años veinte y treinta del siglo XX Sus estrenos tuvieron lugar en diversos teatros madrileños como el de la Comedia, Fuencarral o Maravillas. Su hermana Mercedes compuso algunas canciones y su hermano Manuel es autor de música y letra de *La deseada*. Además de las numerosas obras líricas con-

José Ruiz de Azagra (Foto: Cartagena, Colección Andrada; Ar. SGAE)

servadas en el archivo de la SGAE de Madrid escribió dos comedias musicales, *La última ronda* y *Vale mi copla un tesoro*.

OBRAS (Todas en *E:Msa*): *Postinerías*, Sai, 1 act, col. Martínez Mollá, l, A. Pérez / J. Almela Melía, est, 3-VII-1920, Te. La Latina; *Que viene el lobo*, Zarz, 1 act, col. Barrera Saavedra, l, R. Peña, est, 23-III-1929, Te. Fuencarral; *Mitad y mitad*, Jug, 1 act, l, F. de Torres / F. García Loygorri, est, 15-I-1931, Te. Martín; *Contigo a solas en Jerusalem*, 2 act, l, A. Paso Cano, est, 1932, Te. Comedia; *Niñas a votar*, col. Soriano, l, A. Paso / Pardo, est, 8-II-1933, Barcelona; *Bonitas y peligrosas*, l, V. Pardo, est, 22-II-1933, Barcelona; *El terror del barrio*, l, E. Povedano / M. Ligero, est, IV-1934, Barcelona; *Las ansiosas*, col. Luna, l, E. Paso Díaz / S. Valverde, est, 18-I-1935, Te. Maravillas; *Tute de reyes*, col. L. Romo / Algueró / Cofiner, l, A. Paso Andrés, est, 23-III-1955, Te. Fuencarral; *Las incendiarias*, Bu con gotas de revista, 2 act, col. Casanova Caparrós, l, A. Díaz / C. García Muñoz, est, 11-XII-1937, Te. Dicenta; *Te llamo y no vienes*, Opt; 2 act, col. Moras Serrapí, l, A. Paso Cano, est, 16-V-1939, Te. Reina Victoria; *Los lunares*, col. Gómez Muñoa, l, A. y E. Paso, est, 7-VII-1939, Te. Chueca; *Escalera de color*, 2 act, l, A. y E. Paso Díaz, est, 8-VII-1947, Te. Comedia; *Por alegrías* (antes *Alegrías de España*), l, A. y E. Paso, est, 13-V-1947, Te. Cómico; *Coja Vd. la onda*, 2 act, col. T. Leblanc, l, A. Paso Díaz / M. Paso Andrés, est, 15-II-1957, Te, Fuencarral; *Achares*; *El muerto al hoyo y el vivo...*, l, L. Martínez Durango / C. Martínez Baena; *El último varón*, col. Soriano; *Fragua, yunque y martillo*, 2 act, col. Barrera Saavedra, l, J. Guichot / S. Valverde; *Ha caído un hombre*, col. Navarro, l, E. Lucuix Márquez; *La Colasa debuta*, Sai, 1 act, col. V. Millán Picazo, Valeriano; *La guerrillera*, col. Soriano, l, L. López de Sala; *La noche de las kurdas*, col. Soriano, l, E. Paso / S. Valverde; *La semana del amor* (antes *Chungonia*), col. Soriano, l, A. Paso Cano / López de Sala; *Mi padre, tu padre, su padre*, l, A. Paso Díaz / E. Paso Díaz; *Modista a domicilio*, col. Soriano, l, F. Padilla / M. Ozores; *No me atropelle*, Hum, col. Casanova Caparrós, l, J. de Lucio Pérez, est, Te. Dicenta; *Pepa, no me des tormento*, col. Gómez Muñoa; *Pide por esa boca* (antes *La pluma roja*), Rv, col. J. Cabas Quílez, l, A. y E. Paso / Silva Aramburu, est, Te. Popular (Fontalba); *Siguiriya*, l, R. Perelló / J. Tejada Martínez; *Te espero en el 4*, Hum, 2 act, l, Loygorri / Mariño; *Un drama de Pirandello* o *Un ratito de Camelo*, Ensayo, col. Gordillo Ladrón; *Yo me río del amor*, l, A. Paso (hijo); *La de los claveles rojos*; *Si te he visto no me acuerdo*, col. Soriano, est, Barcelona.

BIBLIOGRAFÍA: *Memoria SGAE, 1965-1972*, Madrid, SGAE, 1972.

Mª LUZ GONZÁLEZ PEÑA

Ruiz de Luna Arroyo, Gabriel Salvador. Talavera de la Reina (Toledo), 25-IX-1916; Madrid 5-VIII-1978. Compositor. Estudió en el Conservatorio y fue discípulo de Pablo Luna y Conrado del Campo, al que le unió una gran amistad. Vivió en América durante dos largos períodos, con diversas estancias en España. Su dedicación fundamental fue la música cinematográfica, tanto en películas como en documentales y en esta faceta fue un autor muy premiado, tanto por el Círculo de Escritores Cinematográficos como por el Sindicato Nacional del Espectáculo y por diversos certámenes internacionales. Escribió también la música de algunos ballets de Carmen Amaya. Su dedicación a la música lírica tuvo menor importancia, pero en el archivo de la SGAE en Madrid se conservan dos obras líricas suyas: *Rumbo a pique*, con libreto de V. Vila Belda, Eslava, 1943, y *La Sole no me hace caso*, con libreto de A. Aguitera Alcaraz y J. García Herranz, Reina Victoria, 1953.

BIBLIOGRAFÍA: F. Vizcaíno Casas: *Diccionario del cine español (1986-1966)*, Madrid, Editora Nacional, 1970.

Mª LUZ GONZÁLEZ PEÑA

Ruiz de Velasco, Eduardo. Zaragoza?, siglos XIX-XX. Dramaturgo. No se puede afirmar que fuera hermano del compositor aragonés Ruperto Ruiz de Velasco, y tampoco se sabe con certeza su lugar de nacimiento, pero tanto los títulos de sus obras, sus colaboradores y los teatros en los que estrenó indican que ambas suposiciones son suficientemente fundadas. Estrenó en el teatro Pignatelli de Zaragoza *¡Mi niño en colores!*, revista local en colaboración de Ruperto Ruiz de Velasco y música de Espeita y Tremps. De nuevo con Ruperto estrenó dos obras en el teatro Circo de Zaragoza: el entremés *Ensayo general* con música del Luis Aula y *El novio de la chica*, teatro Circo de Zaragoza, 1907, escrita en colaboración de José Aznar y con música de José Híjar. Con el maestro Aula volvió a colaborar en *La juerga del Centenario y sí que nos divertimos*, disparate cómico-local estrenado de nuevo en el teatro Pignatelli de Zaragoza. Escribió una curiosa obra, a la que sus autores denominaron "recorrido histórico-bufo-local", con el título de *¡Cómo cambean los tiempos!*, y en la que colaboraron Mariano Berdejo, Alberto Casañal, Gregorio García-Arista, Francisco Goyena, Rogelio Maestre, Atanasio Melantuche, Jorge Roqués, Ambrosio Ruste y Juan José Lorente, con música de Tomás Barrera y Jesús Ventura.

BIBLIOGRAFÍA: *CTLBN; TLF.*

OLIVA G. BAI BOA

Ruiz de Velasco, Ruperto. Calahorra (La Rioja), 27-IV-1858; Zaragoza, 9-IV-1897. Crítico, musicógrafo, escritor y compositor. Probablemente fuese hermano del dramaturgo Eduardo. Estudió música y filosofía y letras, y fue un gran animador de la vida musical de la Universidad de Zaragoza y de la propia ciudad. Ejerció la crítica musical en el *Diario de Avisos*. Escribió en colaboración de Eduardo Ruiz de Velasco algunos títulos de zarzuela y es compositor de obras líricas que se conservan en el archivo de la SGAE en Madrid.

OBRAS: *El premio mayor*, I, J. Colom, est, 22-XII-1884, Te. Principal (Zaragoza); *El trovador de Belchite*, Apr lír, 1 act, I, J. Colom Sates, est, XII-1884, Te. Principal (Zaragoza); *El primer baile*, I, R. Castro.

BIBLIOGRAFÍA: *DMEH.*

Ruperto Ruiz de Velasco (Foto: IMHA, 1890; Ar. ICCMU)

EMILIO CASARES RODICIO

Ruiz del Portal, Enrique. *Véase* PORTAL.

Ruiz-París. Familia de músicos españoles formada por Francisco, Luisa y Valeriano, probablemente hermanos.

1. Francisco. España, siglos XIX-XX. Actor y cantante. Su actividad es mucho menor que la de Valeriano y Luisa. Estrenó en 1905 en el teatro de la Zarzuela *La vara de alcalde* de Tomás Barrera. En los numerosísimos estrenos en los que sólo figura "Señor Ruiz-París" no puede afirmarse si se trata de Francisco o Valeriano. Primer actor y director de escena, debutó en el teatro Principal en 1906 con *El bateo* y en 1907 seguía actuando en ese escenario.

2. Luisa. España, siglos XIX-XX. Tiple cómica. Es de suponer que sería pariente de Valeriano y Francisco. En 1902 estrenó en el teatro Cómico *Sueño de invierno* de Gregorio Mateos. Contratada por el teatro Principal de México estrenó en 1905 *El organista de Móstoles* de Foglietti, *El perro chico* de Valverde y Serrano, *El arte de ser bonita* de Vives y Giménez, *Las granadinas* de Vives y Giménez, *La ciclón* y *La gatita blanca*; en 1906 *Villa Alegre* de Barrera y Ruiz de Arana; en 1907 *Ruido de campanas*; en 1908 *Toros de Aranjuez*. Abandonó la compañía en 1909 y en el verano de 1910 formaba parte

Luisa Ruiz París (Foto: Gombau en El Teatro, 1904; Ar. SGAE)

de la compañía sicalíptica de Sánchez del Valle que actuaba en el Salón Madrid con obras como *Justino el jardinero o El secreto de Susana* de Prudencio Muñoz, *El canto de Chantecler* y *La pieza de Atenodoro*. Estrenó en 1911 en el Royal Kursaal de Madrid *¡Ojo con la moral!* de Manuel Rivas y *Los secretos de Himeneo* de Campiña.

Valeriano Ruiz París en Luisa Fernanda (Foto: E:Bit)

3. Valeriano. †Barcelona, 3-VIII-1946. Cantante. Estrenó en 1904 en la Zarzuela *La tragedia de Pierrot* de Vives y *La casita blanca* de José Serrano, autor del que estrenó al año siguiente *Moros y cristianos*, también en la Zarzuela. En 1907 formaba parte de la compañía Duval-Puchades y obtuvo un gran éxito en Bilbao, en el teatro de los Campos Elíseos con la opereta *Sangre moza* y con la zarzuela de Chapí, *La patria chica*. En 1910 formaba parte de la compañía de Maximiliano Thous que inauguró el teatro Serrano de Valencia. Llegó al teatro Principal de México en 1922 con la compañía de Mario Vitoria y fue muy aplaudido en *La señorita de los millones* de Lauro Uranga. En la temporada 1923-24 cantó en el teatro de la Zarzuela *Benamor*. En 1928 estrenó *La manola del portillo* de Luna, en el teatro Pavón, y en 1930 en el Eslava *La picarona* de Alonso. Durante la Guerra Civil actuó en el teatro Pardiñas de Madrid junto a Delfín Pulido, Matilde Vázquez y Pepita Rollán. También actuó en el teatro Fuencarral donde en octubre de 1937 cantaba con Blanquita Suárez en *El Tenorio musical*. En 1940 estrenó en Eslava *¡Alhambra!* de Díaz Giles. Actuó por última vez en el teatro de la Zarzuela en la temporada 1945, con la compañía de Luis Sagi-Vela. Tras finalizar el contrato en la Zarzuela, la compañía se dirigió a Barcelona donde el actor falleció.

BIBLIOGRAFÍA: *El Arte de El Teatro*, 40, Madrid, 15-XI-1907 y 42, 15-XII-1907; M. Mañón: *Historia del teatro Principal de México*, México, Ed. Cultura, 1932; E. García Carretero: *Historia del teatro de la Zarzuela de Madrid*, Madrid, Fundación de la Zarzuela Española, 2003.

Mª LUZ GONZÁLEZ PEÑA

Ruiz-Valle Milanés, Eduardo. Málaga, siglos XIX-XX. Dramaturgo y músico. Escribió comedias jocosas y un buen número de zarzuelas, estrenadas en su mayoría en teatros de Málaga y Granada, lo que indica su posible origen andaluz. Se trata de un autor menor del género, que sin embargo cuenta con una producción considerable y gozó del reconocimiento del público sin necesidad de trasladarse a Madrid, como era habitual para los autores que querían triunfar y vivir del teatro. Joaquín González Palomares es el compositor que aparece firmando la música de muchos de sus libretos, pero también escribió para los maestros Cabas Quiles, Pettengui y Rando. Su primer estreno tuvo lugar en el teatro Circo de Málaga en 1890, con el juguete *¡Considerando!* de Joaquín González Palomares; al que siguieron otros muchos con una regularidad que corrobora el éxito de sus obras, de las que destacan algunos títulos como *Emigrantes para Chile*, 1891, pasatiempo con música de Rafael Cabas Galván. Firmó un sainete en colaboración con Francisco Martínez Montosa, *La boda de Camacho en el corralón del trueno* de Joaquín González Palomares, 1899; Sus estrenos se sucedieron a lo largo de la última década del siglo XIX y primera del siglo XX, el último de ellos fue el único que no tuvo lugar en la región andaluza, sino en el teatro Arriaga de Bilbao en 1912, se trata del sainete, escrito también en colaboración de F. Martínez Montosa, *La alternativa del garboso* de Cosme Bauzá.

BIBLIOGRAFÍA: *CDE; CTLBN*.

OLIVA G. BALBOA

Rumayor Fundora, Bennig. La Habana, 12-VIII-1939. Tenor-barítono. Licenciado en el Instituto Superior de Arte, estudió canto con Mariana de Gonitch, Ana Talmachenko, Viril Krastev y Ramón Calzadilla. Comenzó su carrera en 1968, formando parte del elenco de la Ópera Nacional de Cuba. Desde los inicios de su carrera hasta 1972 se dedicó a la interpretación de óperas. A partir de 1974, sin embargo, al formar parte del Teatro Lírico Nacional de Cuba y su repertorio se amplió hacia el género de la zarzuela, realizando los papeles de Leonardo y el Esclavo de *Cecilia Valdés*, en más de cinco ocasiones. Precisamente esta obra le brindó la posibilidad de participar en el I Festival Internacional de Arte Lírico de La Habana, realizado en 1987. *La verbena de la Paloma, Molinos de viento, La viuda alegre, Bohemios, La leyenda del beso, La corte de faraón, La revoltosa, Los claveles, La chulapona, Frasquita, Rosa la China, La del Soto del Parral, Los gavilanes, La rosa del azafrán, Luisa Fernanda, Lola Cruz, Amalia Batista, El cafetal* y *María la O*, son algunas de las obras que integran su extenso repertorio. En 1979 intervino en la puesta para la Televisión Cubana de *La princesa de las czardas*. Ha realizado giras internacionales a algunos países de Europa central, España, Italia, Colombia y Nicaragua. Ostenta la medalla Raúl Gómez García, y desde 1996 reside en Colombia.

CAROLE FERNÁNDEZ MARTÍNEZ

Rusell, Manuel. Cataluña, finales siglo XIX. Barítono. Tuvo su propia compañía de zarzuela y opereta junto a su esposa, la tiple María Fuster, con la que actuó también en la compañía de Eulogio Velasco, con la que recorrió gran parte de Hispanoamérica, así como en la formación de la artista mexicana Esperanza Iris junto a la que llevó a cabo espléndidas temporadas en el teatro de la Zarzuela de Madrid y en los mejores de toda España, cantando títulos como *El conde de Luxemburgo*, *Sybill*, *La princesa de los Balkanes*, *El encanto de un vals*, *El príncipe bohemio*, *La duquesa del Tabarín*, *Boccacio*, *Nancy*, *La casta Susana* o *Molinos de viento*.

BIBLIOGRAFÍA: E. García Carretero: *Historia del teatro de la Zarzuela de Madrid*, Madrid, Fundación de la Zarzuela Española, 2003.

EMILIO GARCÍA CARRETERO

Rusiñol i Prats, Santiago. Barcelona, 25-II-1861; Aranjucz (Madrid), 16-VI-1931. Pintor, poeta y autor dramático. Descendía de una familia de fabricantes y, como hijo mayor, debía continuar el negocio. Al morir sus padres, su abuelo le introdujo en el despacho de la industria. Su auténtica pasión era la pintura. Trabó amistad con Ramón Casas y con Enric Clarassó. En 1880 aparecieron sus primeras publicaciones, y desde 1889 escribía artículos en *La Vanguardia*; se había trasladado a París con su familia, donde vivió de forma absolutamente bohemia. Los artículos, publicados entre 1890 y 1892 eran ilustrados por R. Casas. Fue uno de los artistas destacados del modernismo. En 1891 entró en contacto con el grupo de la revista *L'Avenç*, donde publicó sus primeros escritos de tipología simbolista, *Els caminants de la terra*, 1893, y *La suggestió del paisatge*, 1893. Los escritos de esos años recogen la crisis de fin de siglo, con un distanciamiento irónico de la realidad, mostrando un artista sensible, comprometido con lo moderno, escéptico.

A principios de la década de los noventa escribió algunos monólogos –*El sarau de Llotja*, 1891, *El bon caçador*, 1892–, obras que pueden considerarse como antecesoras de sus obras teatrales, así como los poemas en prosa *Oracions*, 1897. Su interesante creación teatral refleja el conflicto decadentista entre artista y sociedad, entre poesía y prosa: la poesía es la representación del mundo artístico, en el que el Arte se convierte en auténtica religión,

Santiago Rusiñol
(Foto: Ar. SGAE)

mientras que la prosa es el mundo gris y monótono impuesto por la sociedad, un mundo que acaba frustrando al artista hasta obligarle a huir, en una actitud nihilista. Esta oposición se manifiesta en *L'alegria que passa*, 1898, con música de E. Morera, una de sus mejores obras, representada con intensidad a lo largo del primer tercio del siglo XX, su primera intervención en el teatro. También emerge la misma problemática en *El jardí abandonat*, 1900, obra con ilustraciones musicales de Joan Gay, y en *Cigales i formigues*, 1901, con música de Morera, escrito para el Teatre Líric Català. El estreno en 1905 de *La Nit de l'amor*, con música de Morera, fue otro de los títulos destacables de Rusiñol. El estreno de *La bona gent*, 1906, marcó un momento de cambio de postura: el artista necesita de la sociedad, aunque nunca supera la dicotomía poesía-prosa. En *El auca del senyor Esteve*, su obra más popular, surge de nuevo la preocupación por una burguesía prosaica, que sólo puede aportar los medios económicos para permitir subsistir al artista, al fin y al cabo una problemática en la que se reflejaban las circunstancias vitales del propio Rusiñol. *El auca*, estrenada en el teatro Victoria del Paralelo en 1917, Rusiñol alcanzó su éxito más memorable.

Como la mayoría de autores de su tiempo, Rusiñol mostraba preocupación por las constantes dificultades del teatro catalán. El declive del modernismo en favor de la nueva corriente, el Noucentisme, reavivó la crisis teatral catalana. Su modelo teatral, vinculado siempre a la dicotomía poesía-prosa antes mencionada, quedaba alejado de los planteamientos noucentistas. Rusiñol sostuvo siempre la hipótesis según la cual el teatro era el barómetro de la sociedad y así lo expuso en *El teatre per dins*, 1910. Para mantener la viabilidad de sus obras, Rusiñol escribía esos años un teatro de vuelos menores, como melodramas, vodevil y sainetes. En 1915 redactó dos vodeviles, para J. Santpere, *El senyor Josep falta a la dona*, con el pseudónimo Jordi de Peracamps, y *La dona del senyor Josep falta a l'home*. Escribió diversos artículos en la revista satírica *L'Esquella de la Torratxa*, firmados con el pseudónimo "Xarau". Junto con G. Martínez Sierra redactó *Els savis de Vilatrista*, 1907, *Ocells de pas*, 1908, y *Cors de dona*, 1910. En 1926 Cassià Casademont convirtió *La Mare* de Rusiñol, en un drama lírico en tres actos. *Véase* L'ALEGRIA QUE PASSA.

BIBLIOGRAFÍA: M. Casacuberta: *Santiago Rusiñol: vida, literatura i mite*, Barcelona, Curial-Publicacions de l'Abadia de Montserrat, 1997; E. Gallén: "Santiago Rusiñol", *Història de la literatura catalana*, VIII, Barcelona, Ariel, 1986.

FRANCESC CORTÈS i MIR

Rusquella, Fernanda. Sevilla, 1865?; Madrid, 1938. Cantante y actriz. Debutó en el teatro Apolo con *Chateau Margaux* y cantó en la misma temporada *El dúo* *de la Africana*, en la que su éxito igualó al obtenido en su estreno por Joaquina Pino. Alcanzó gran fama en La Habana, donde fue la primera figura lírica entre 1880 y 1893. Llegó a la capital cubana con la compañía de Pedro Delgado y posteriormente fue contratada para los principales teatros habaneros como el Albisu o el Cervantes. En Cuba interpretó las zarzuelas más importantes como *La bruja, La Gran Vía, Las hijas de Eva, Niña Pancha* y *La Marsellesa*. Buena prueba de su fama en aquellas tierras son los versos que le dedicó el autor y actor Joaquín Robreño: "*Niña Pancha* te eleva a inmensa altura; / Tu *Pobre Chica* es una flor galana; / Nadie imita tu cándida *Praviana*; / Ni iguala de *Artagnan* la travesura. / Su admiración por ti, bella criatura, / Demuestra sin cesar toda La Habana, / Y hoy aquí viene a contemplar ufana / Tu gracia, tu talento y tu hermosura. / Cada vez que te ostentas a su vista / La multitud te aplaude entusiasmada / Y un noble lauro para ti conquista. / Ella conoce tu virtud preciada, / Y al par que admira al genio de la artista,/ Rinde homenaje a la mujer honrada". Con la misma compañía llegó a México en 1882 y en 1890 volvió a actuar en el país, en el Circo Orrin, estrenando con gran éxito *El rey que rabió* de Chapí. En 1894 regresó a México en la compañía Arcaraz, cantando en el teatro Principal *Bocaccio* y *Niña Pancha*, y reponiendo *El rey que rabió*. En 1895 estrenó *Mujer y reina* de Chapí, con gran éxito, y poco después celebró su beneficio y regresó a Madrid, si bien en 1899 de nuevo actuaba en el teatro Principal de México donde estrenó *La cuarta plana* de Carlos Curti junto a Esperanza Iris. Al establecerse definitivamente en Madrid siempre se relacionó con la colonia cubana española.

BIBLIOGRAFÍA: M. Mañón: *Historia del teatro Principal de México*, México, Ed. Cultura, 1932; F. Cuenca: *Teatro andaluz contemporáneo. 2. Artistas líricos y dramáticos*, La Habana, Maza, 1940.

Mª LUZ GONZÁLEZ PEÑA

S

Saavedra, Dolores [Lola]. España, siglos XIX-XX. Tiple. Formaba parte de la compañía de Loreto Prado en el teatro Cómico en 1907, y allí estrenó en 1908 *La ilustre fregona* de Calleja y *¡Cuentan de un sabio que un día…!* de Barrera; en 1909 *Las mil y pico de noches* de Giménez, *Piel de oso* de Bretón; en 1910 *La moza de mulas* de Torregrosa, y en 1911 *Los viajes de Gulliver* de Giménez y Vives. En 1913 apareció en la portada de *Nuevo Mundo* como primera tiple del teatro Gran Vía en el que estrenó *El coronel Castañón* de Quislant y Valdovinos.

Lola Saavedra (Foto: Calvache en Nuevo Mundo, *1913; Ar. ICCMU)*

BIBLIOGRAFÍA: *Nuevo Mundo*, 995, 1-V-1913.

Mª LUZ GONZÁLEZ PEÑA

Saavedra, Teresa. España, siglos XIX-XX. Tiple. Participó en el estreno de *La vida breve* de Falla en el teatro de la Zarzuela en 1913; en 1914 estrenó en el teatro Barbieri *El Sultán de la Persia* de Alonso; en 1915 en la Zarzuela *Una mujer indecisa* de Millán. Una de sus mejores creaciones fue *El príncipe Carnaval* de Serrano y Valverde. Participó en el estreno de *El asombro de Damasco*, Apolo, 1916, y ese mismo año estrenó en la Zarzuela *Las alegres chicas de Berlín* de Millán; en 1918 en el Reina Victoria *Los alegres maridos de Maxim's* de Calleja. Seguía en activo en 1922 y en 1924 estrenó *Teodoro y compañía* de Guerrero.

BIBLIOGRAFÍA: E. García Carretero: *Historia del teatro de la Zarzuela de Madrid*, Madrid, Fundación de la Zarzuela Española, 2003.

Mª LUZ GONZÁLEZ PEÑA

Saavedra Millanes. *Véase* MILLANES.

Sabina Corona, Santiago. Santa Cruz de Tenerife, 25-IV-1893; Santa Cruz de Tenerife, 31-VIII-1966. Director de orquesta y compositor. Según Rosario Álvarez, "fue uno de los pilares básicos del desarrollo musical en Santa Cruz de Tenerife durante el segundo tercio del siglo XX". Estudió en el Conservatorio de Madrid con Pedro Fontanilla, y debutó a los diecisiete años en el teatro de la Princesa de Valencia como director-concertador de compañías líricas, como la de José Gamero, el transformista Leopoldo Frégoli o la de Esperanza Iris, compañías con las que recorrió durante muchos años los teatros de España y toda América. Como otros muchos autores líricos simultaneó la labor de director con la composición de obras líricas y sinfónicas, que fueron estrenadas en teatros europeos. Dejó las zarzuelas *La serrana*, *La fuente de los álamos*, *El hechizo* y la opereta *El vencedor de los Parthos*, estrenadas en Sevilla, Madrid o Barcelona. En 1934 hizo su último viaje a América para dirigir una compañía de ópera española en el teatro Colón de Buenos Aires, y a su regreso fue nombrado director del Teatro Lírico Nacional, cargo que abandonó para establecerse en Santa Cruz de Tenerife.

Santiago Sabina (Foto: A. Benítez, Colección Andrada; Ar. SGAE)

OBRAS: *La fuente de los álamos*, 2 act, l, S. Arisnea, est, 1926, Tenerife, *E:Msa*; *La serrana*, Com lír, 2 act, l, L. Fernández de Sevilla / A. Cuadrado Carreño, est, 15-X-1929; *El hechizo*, Zarz, 2 act, l, L. Fernández García / A. Carreño, est, 1930, Sevilla; *El vendedor de los Parthos*, l, Olivares / Carmona, est, 18-VII-1933, Te. Ideal; *L'Errante*, l. G. Fanti.

BIBLIOGRAFÍA: *DMEH*; L. Siemens Hernández: "La creación musical en Canarias en el siglo XX", *Canarias siglo XX*, Las Palmas, Edirca, 1983; A. M. Díaz Pérez: "Un músico canario en América: Santiago Sabina Corona", *Actas del VI Coloquio de Historia Canario-Americana*, Cabildo Insular de Gran Canaria, 1984.

VÍCTOR SÁNCHEZ SÁNCHEZ

Saco del Valle, Arturo.

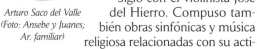

Gerona, 2-II-1869; Madrid, 3-XI-1932. Compositor y director. Nacido en Cataluña de familia castellana, se fue de niño a Madrid, iniciando sus estudios con su padre. Estudió piano con Mendizábal, armonía con Cantó y composición con Arrieta en el Conservatorio de Madrid. Completó su formación con Chapí y Mancinelli. Como otros muchos músicos españoles se inició como intérprete en el Café del Siglo con el violinista José del Hierro. Compuso también obras sinfónicas y música religiosa relacionadas con su actividad como maestro de la Capilla Real.

Arturo Saco del Valle
(Foto: Ansebe y Juanes; Ar. familiar)

Saco del Valle se preocupó por la lírica y concretamente por la zarzuela. Con una producción bastante abundante, de cerca de cincuenta obras, su dedicación a la zarzuela comenzó en 1893 con el estreno de *La indiana*, en un acto, con texto de Jackson Veyán estrenada en el teatro Eslava. Fue un buen comienzo dado que la obra tuvo más de cien representaciones, y alguna de sus páginas se interpretaron frecuentemente por las bandas. En 1897 fue nombrado músico mayor de la Banda de Ingenieros, cargo que desempeñó hasta 1904, cuando renunció. Justamente en ese año estrenó su obra de mayor éxito, *El túnel*, que tuvo más de trescientas representaciones y varios de cuyos números fueron repetidos, entre ellos el instrumental en el que la orquesta imitaba el ruido del tren en marcha. El protagonista de la obra es un obrero que trabaja en la construcción de una vía férrea de Santander, temática que supone una novedad. *El túnel* incrementó su reputación y llevó a los empresarios a pedirle una ópera, que compuso con el título de *Excelsior*, pero no llegó a estrenarse, y que se inscribe en ese interés por recuperar el género operístico en España.

A partir de entonces la zarzuela estuvo presente siempre en la mente de Saco del Valle que compuso, sobre todo, durante la década de los diez y que dejó el género ante la evolución hacia realidades que no le convencían. Un segundo éxito lo constituye un tema también comprometido y con cierta presencia del ideario socialista de inicios de siglo, *El dinero y el trabajo* con libreto de Jackson Veyán y Rocabert, donde el dueño de la fábrica pone los ojos en la mujer de su empleado de confianza Juan, lo que desembocará en una gigantesca huelga de los obreros defendiendo al protagonista, y con un escenario de talleres abandonados y máquinas inmóviles. La obra tuvo éxito y permaneció largo tiempo en los escenarios, representándose posteriormente en varias provincias.

Saco del Valle se interesó por otros géneros zarzuelísticos, como por ejemplo el tema andaluz en *El naranjal* de Muñoz Seca, estrenada con éxito en el Apolo en 1907, en la que Muñoz Seca pone sobre el tapete tipos andaluces, y también el montañés, en otra obra de especial éxito, *Mari-Nieves* de Muñoz Seca, en la que el compositor aporta una música llena de inspiración, con un complejo lenguaje más próximo a la zarzuela grande o al ideario de ópera que entonces se discutía; la obra está dotada de una instrumentación llena de colorido y de vigorosa personalidad.

Como otros wagnerianos de entonces, realizó un viaje a Alemania. Múnich le sirvió para ponerse al corriente de la vida musical de esta nación y también de las líneas estéticas de moda, reafirmándose como wagneriano. En una conversación con Villar le dijo "no he pasado de Wagner", definiendo su línea de producción estética; y en otro lugar dijo: "Beethoven y Wagner, las dos figuras más grandes de la música, son la admiración del mundo porque sobre su técnica asombrosa predomina siempre la belleza de sus ideas". Julio Gómez escribió de él: "Fue uno de los últimos discípulos de Arrieta, y la clara filiación técnica, que le hacía ser el único compositor español de estos últimos tiempos, que verdaderamente emparentaba su arte con el de Ruperto Chapí; el discípulo predilecto del viejo autor de *Marina*, le colocaba en un sitio aparte entre los compositores actuales de España".

OBRAS (Todas en *E:Msa*): *La comicomanía*, boceto, 1 act, l, E. Lustonó, est, 19-II-1868, Te. Zarzuela; *La indiana*, Zarz, 1 act, l, J. Jackson Veyán, est, 21-X-1893, Te. Eslava; *Traje misterioso*, Bu lír, 1 act, l, R. Curros Capúa / J. Lorente, est, 16-I-1894, Te. Eslava; *De polo a Polo*, 1 act, l, C. Navarro, est, 28-IV-1894, Te. Eslava; *La flor de la montaña*, Zarz, 1 act, l, J. Jackson Veyán, est, 20-XI-1894, Te. Eslava; *La alegría del barrio*, Sai lír, 1 act, col. A. Santamaría, l, M. de Labra / E. Ayuso, est, 23-XII-1896, Te. Romea; *Un tío modelo*, cuadro cóm-lír, l, E. Ordóñez, est, 13-V-1897, Te. Zarzuela; *Los besugos*, Sai, 1 act, col. Valverde San Juan, l, E. Mario (hijo) / J. Abati, est, 24-XII-1899, Te. Romea; *Los amarillos*, Zarz, 1 act, l, F. Flores / J. Abati, est, 1-II-1900, Te. Romea; *La tierruca*, Zarz, 1 act, l, A. Corcuera, est, 6-X-1900, Te. Eslava; *En paños menores*, Jug cóm, 1 act, l, M. de Labra y Pérez, est, 22-II-1903, Te. Martín; *Tontín y Tontina*,

Cortesía de Unión Musical Ediciones SL

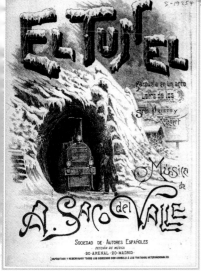

príncipe loco, col. Quislant Botella, I, M. Mihura / R. González del Toro; *El señor de la nava*, I, E. Fernández González; *Flora*; *Horas de sol*, Sai, 1 act, I, J. Fernández del Villar; *La capilla de palacio*, 1 act, I, Flores Gracia / J. Abati; *Las alegres modistillas*, 1 act, col. Barrera Saavedra, I, F. Iracheta / E. Ayuso; *Lección del príncipe*, retablo lír, I, V. Espinós Molto; *Los parrales*, I, F. Arenas Guerra; *Rey y reina*, col. Calleja Gómez, I, J. Jackson Veyán / A. Sainz; *Tres artistas extranjeros*.

BIBLIOGRAFÍA: *DMEH*; J. Gómez: "Los que se van. Arturo Saco del Valle", *El Liberal*, 11-X-1932; R. Villar: *Músicos españoles*, sf.

EMILIO CASARES RODICIO

Sacristán Vitriá, Enrique. Barcelona, 30-XI-1931. Barítono. Se sintió atraído por la zarzuela desde muy joven; en 1954 se presentó y ganó el primer premio del concurso patrocinado por la firma cosmética "Lápiz Vera" para cantantes noveles y del que salieron figuras tan importantes como Victoria de los Ángeles o Manuel Ausensi. Como galardón se le ofreció debutar cantando *Luisa Fernanda* en el teatro Apolo de su ciudad natal. Al mismo tiempo y a raíz de su debut recibió clases de canto con Francisco Puig, José Espeitia, María Dolores Marco, Pilar Torres y Miriam Ucelay. Pasó a formar parte de la Agrupación Lírica Marcos Redondo de Barcelona, donde permaneció algunos años incorporando más de setenta obras a su repertorio. Al mismo tiempo recibía clases de canto del maestro de Pozoblanco que le contó siempre entre sus discípulos predilectos. Se desplazó a Venezuela para realizar una temporada, que se convirtió en un periplo de más de cinco años por México, Perú, Argentina, Chile, Colombia, Uruguay, Republica Dominicana, Miami, entre otros lugares, formando parte de las compañías de zarzuela y opereta de María Francisca Caballer, Faustino García, Manuel Codeso y la suya propia. En 1971 regresó a España incorporándose a la compañía José de Luna con la que recorrió toda España. Posteriormente intervino en las formaciones Ases Líricos, Compañía Lírica Española, Manuel Gas, Juan Gual, Emilio Moreno, Tomás Bretón, y otras. Definitivamente instalado en Barcelona se incorporó en 1974 a la compañía de José María Damut con la que recorrió en diversas ocasiones todo el territorio peninsular e insular, sur de Francia y Gibraltar, permaneciendo como barítono titular hasta octubre de 1997. A partir de entonces ha intervenido en las compañías de Fernando Rigual, Ciutat Comtal, Artistas Líricos de Barcelona y Juan Maragall, con las que ha recorrido toda Cataluña y otras poblaciones españolas.

EMILIO GARCÍA CARRETERO

Jug lír, 1 act, I, E. Ayuso / E. Polo, est, 7-III-1903, Te. Martín; *El túnel*, Zarz, 1 act, I, E. Prieto / R. Rocabert, est, 6-XII-1904, Te. Cómico; *El cochero*, Zarz, 1 act, col. Vives Roig, I, E. Prieto / R. Rocabert, est, 21-I-1905, Te. Cómico; *El dinero y el trabajo*, Zarz, 1 act, col. Vives Roig, I, J. Jackson Veyán / Rocabert, est, 15-IV-1905, Te. Cómico; *La marujilla*, Zarz, 1 act, col. Marquina, I, Jackson Veyán / Cuevas Sabaut, est, 29-V-1905, Te. Moderno; *El trompeta minuto*, Zarz, 1 act, I, L. Boada / M. de Castro, est, 23-III-1907, Te. Eslava; *La bella Lucerito*, Ent, col. Flores I, S. y J. Álvarez Quintero, est, 10-IV-1907, Te. Apolo; *El naranjal*, Zarz, 1 act, I, P. Muñoz Seca, est, 23-IV-1908, Te. Apolo; *Don Pedro el Cruel*, Zarz cóm, 1 act, I, P. Muñoz Seca, est, 19-XII-1908, Te. Regio; *La última ofensa*, Zarz, 1 act, col. San Felipe, I, R. Rocabert / Roché, est, 27-II-1909, Te. Novedades; *Tropa ligera*, Zarz, 1 act, I, J. Jackson Veyán / R. Asensio Mas, est, 19-V-1909, Te. Regio; *La tormenta*, I, C. del Castillo, est, 3-IX-1909, Te. Novedades; *La bella Condesita*, Zarz, 1 act, I, M. F. L., est, 1909; *Maese Eli*, Opt, 1 act, I, J. de Burgos / A. Cuéllar, est, 3-II-1910, Te. Martín; *La corza blanca*, Zarz, 1 act, col. Crespo Burcet, I, J. Jackson Veyán, est, 9-IV-1910, Te. Gran Teatro; *La neurastenia de Satanás*, Hum, 1 act, col. Foglietti Alberola, I, A. Gómez / Muñoz Seca, est, 17-XII-1910, Te. Gran Teatro; *Mari Nieves*, Zarz, 1 act, I, P. Muñoz Seca, est, 5-IV-1911, Te. Apolo; *Los dos amores*, Zarz, 1 act, I, J. Burgos Rizzoli, est, 4-X-1911, Te. Martín; *El capataz*, Zarz, 1 act, col. Vela Marqueta, I, E. Prieto / R. Rocabert, est, 11-XI-1911, Te. Novedades; *A fuerza de puños*, Zarz, 1 act, I, E. González del Castillo / J. de Burgos, est, 9-II-1912, Te. Martín; *Centinela alerta*, Opt, 1 act, col. J. Valverde, I, R. González / M. Mihura, est, 3-VII-1912, Te. Apolo; *Aquí en Valladolid*, I, R. Mateos; *Bastos son triunfos*, col. Grasés Vidal, I, A. Flores; *Del Pisuerga peces*, 1 act, col. Mateo, I, J. Jackson Veyán; *El bonete del cura*, 1 act, I, I. Benito; *El gran Polichinela*, col. Fuentes; *El*

Enrique Sacristán en El asombro de Damasco *(Foto: Ar. Emilio G. Carretero)*

Sadurní Gurguí, Celestí. Barcelona, 14-III-1863; Barcelona, 7-III-1910. Director de orquesta y compositor. Su formación musical la inició con Joan Sariols, J. M. Arteaga y N. Manent. En 1875 pasó a estudiar al Conservatorio del Liceo, donde tuvo como profesor a J. Rodoreda. Al acabar sus estudios consiguió el diploma de honor de fin de carrera. Desde 1882 inició su dedicación docente, primero en la Sociedad Euterpe y más tarde en la Academia de Música de la Casa de Caritat de Barcelona. Desde 1887 a 1896 fue el subdirector de

Celestí Sadurní (Foto: IMHA, 1890; Ar. ICCMU)

la Banda Municipal. Durante ese período desarrolló una importante carrera como director de orquesta y de coros. Dirigió el estreno de *L'Arlésienne* en Barcelona, en 1894, y algunas fuentes le documentan como director de baile en el Liceo. A partir de 1897 se convirtió en director de la Banda Municipal, de hecho fue músico mayor. Fue nombrado caballero de la Orden de Isabel la Católica en 1898, y obtuvo asimismo las Palmes Académiques en Francia.

Compuso diversas zarzuelas, alguna de ellas con una acogida muy favorable, caso de *Pierrot lladre*, estrenada en el Lírico en 1906, y una ópera en tres actos, *Phyrné de Tèspia*. La última obra que compuso, *Els Miquelets d'Olesa*, tenía que ser montada por Joaquín Montero, aunque el fracaso de la compañía la dejó inédita, a pesar de que las fuentes aseguren que se trataba de una de las mejores composiciones de Sadurní. *Pierrot lladre* acabó siendo una de sus mejores obras, a pesar de limitarse a ser unas ilustraciones escénicas sobre la obra de A. Mestres. Una de sus piezas más peculiares, vinculada directamente a la situación política del momento, fue *Despierta España*, creada en pleno ardor patriótico en los inicios de la guerra del 98.

OBRAS: *Despierta España*, Apr, 1 act, l, R. del Castillo, est, 29-IV-1898; *Els gendarmes o Qui vigila no dorm*, l, J. Morató, est, XI-1907, Te. Principal (Barcelona); *Els Miquelets d'Olesa*, l, A. Mestres; *Mesón del Gallo*; *La zarzuela del chico*; *Pierrot lladre*, país de vano, 1 act, l, A. Mestres, est, 24-XI-1906, Te. Lírico (Barcelona); *Tribulaciones*.

BIBLIOGRAFÍA: *DMEH*.

FRANCESC CORTÈS i MIR

Sáenz de Hermua, Eduardo [Mecachis]. Madrid, 1859; Madrid, 1898. Dibujante, caricaturista y escritor. Comenzó estudios de Medicina, que abandonó para ingresar en la Escuela Superior de Pintura donde tuvo como maestro a Madrazo. Fue, junto a Cilla, uno de los caricaturistas más famosos del siglo XIX. Comenzó trabajando en *La Broma*, para pasar al *Madrid Cómico*, donde afianzó su popularidad. Fundó en 1884 *La Caricatura* aunque regresó al *Madrid Cómico* posteriormente y colaboró además en *Blanco y Negro*, *La Correspondencia de España*, y otras publicaciones. En todos estos medios se hizo muy famoso por su gracia y originalidad como dibujante, así como por sus dotes de observación. Colaboró como escritor con Teodoro San José en *Uno y repique*, Eslava, 1890 y *Pajarón*, Eslava, 1894, con extraordinario éxito, y con Apolinar Brull en *Los chicos*, Zarzuela, 1897.

Mª LUZ GONZÁLEZ PEÑA

Sagi. Familia de cantantes españoles formada por Emilio Sagi Barba, padre, Enrique Sagi Liñán, hijo, Luisa Vela segunda esposa de Emilio, Luis Sagi Vela, hijo de ambos, y Emilio Sagi Álvarez-Rayón, hijo de Enrique Sagi Liñán.

1. Sagi Barba, Emilio. Mataró (Barcelona), 26-III-1876; Polop de la Marina (Alicante), 7-VIII-1949. Barítono, compositor y director. Estaba casado con la bailarina Concepción Liñán, de la que se separó a comienzos del siglo XX, y con la que tuvo a su hijo Enrique, cantante y a Emilio, famoso futbolista. Con unas dotes naturales para el canto, estudió solfeo con Guberna y violonchelo con García, siendo condiscípulo de Casals, aunque su dedicación principal fue la de cantante, también se dedicó a la composición y dirección. A los dieciséis años obtuvo en la Escuela Musical de Barcelona un primer premio de canto que también consiguió María Barrientos. En 1903 estrenó en el teatro Lírico de Madrid *Inés de Castro o Reinar después de morir* de Calleja y Lleó. Muy pronto se fue de gira por América, actuando en Argentina y Uruguay. En uno de sus viajes conoció en Montevideo a la soprano Luisa Vela con la que se casó, y formó con ella una compañía con la que viajaron de continuo a Hispanoamérica representando ópera y, fundamentalmente, zarzuela y opereta. Con esta compañía se presentó en México en 1910, donde dejaron el recuerdo de ser uno de los mejores elencos que había pisado este país.

Cuando regresaban a España reorganizaban la compañía, la renovaban, y se dedicaban a estrenar obras nuevas, de esta manera consiguieron uno de sus primeros éxitos con el estreno en 1908 en el Price de la opereta de Lehár *La viuda alegre*, éxito aumentado con el estreno en 1914 de la zarzuela *Las golondrinas* de Usandizaga; su presentación en el teatro de la Zarzuela lo situó en el panorama español como cantante de primera fila. En torno a este estreno nació su primer hijo, Luis Sagi Vela. Ese mismo

1

2

3

4

5

6

7

1. *Emilio Sagi Barba*
   (Foto: Masana; Ar. E. Sagi)
2. *Emilio Sagi Barba en* Las golondrinas
   (Foto:Ar. E. Sagi)
3. *Luisa Vela (Foto: Ar. SGAE)*
4. *Luisa Vela y Emilio Sagi Barba*
   en La viuda alegre *(Foto: JC; Ar. ICCMU)*
5. *Enrique Sagi Liñán (Foto: Ar. E. Sagi)*
6. *Luis Sagi Vela (Foto: De Bellis;Ar. E. Sagi)*
7. *Emilio Sagi Sánchez (Foto: Ar. personal)*

año estrenaron otras dos obras importantes: *La vida breve* de Falla y *Margot* de Joaquín Turina, y con ello se convirtieron en figuras destacadas del momento y un activo del cambio que se estaba produciendo en la música española de entonces. Siguieron otros estrenos como *Una mujer indecisa* de Rafael Millán y *El rey de la banca* José Serrano, ambas en la Zarzuela en 1915.

Su compañía atrajo en la década de los veinte a varias de las mejores voces de zarzuela como Federico Caballé, José Mardones, Luis Bori, Felisa Herrero, Tana Lluró, Antonio Martelo, Amparo Romo, Matilde Rossy y Amparo Saus y con el empresario José Gilber realizaron en el teatro de la Zarzuela una excepcional temporada en 1921-22. En aquel momento, por incompatibilidades con la empresa, se despidió de la Zarzuela, y con su esposa Luisa Vela, fueron contratados en el teatro Tívoli de Barcelona donde estrenó *La alsaciana* con enorme éxito en la noche del 12 de noviembre de 1921; el Tívoli fue el escenario en el que presentaron en Barcelona nuevas partituras como *La dogaresa*, 1920, *El pájaro azul*, y *Los buscadores de oro*, 1922, todas de Millán, o *Don Joan de Serrallonga* de Morera, 1922. Sagi Barba estrenó un número importante de obras a lo largo de su carrera como la citada *La alsaciana* de Guerrero, lo que inició una gran amistad entre músico y cantante; de él estrenó posteriormente *La rosa del azafrán*, 1930, y *La fama del tartanero*, 1931 en Valladolid. En 1923, de nuevo en la Zarzuela, reaparecieron con *Benamor* de Luna, y el estreno de *La moza de campanillas* de Luna, 1923. Posteriormente estrenó *La aventurera* de Rosillo y *La del Soto del Parral* de Soutullo y Vert, ambas en La Latina, 1927, *María la Tempranica* de Giménez, Calderón, 1930. En 1932 Sagi Barba fue el protagonista de otro estreno trascendental, *Luisa Fernanda* de Moreno Torroba, donde encarnaba al agricultor Vidal. A pesar de esta gran actividad de estrenos, no olvidó el repertorio tradicional con obras como *El grumete* y *Marina* de Arrieta, *El juramento* de Gaztambide, *La bruja* y *El rey que rabió* de Chapí, *El guitarrico* de Pérez Soriano, una de las máximas creaciones de Sagi Barba, como lo fue *Por una mujer* de Juan B. Lambert, en la que con la romanza "Carretera castellana" consiguió uno de los mayores éxitos de su gloriosa carrera.

Dotado de una magnífica voz de barítono, tan fundamental en la historia de la zarzuela, pertenece a la élite de los grandes barítonos del género, siguiendo la saga de José Carbonell, Tirso Obregón, Ramón Cubero, Enrique Ferrer, Francisco Fuentes, José Iruela, Antonio Carceller, Federico Caballé, Uliverri o Matías Ferret. Tenía el tipo de voz denominada en la zarzuela, "barítono tenoril", intermedia e híbrida, con un cuerpo central rico y potente, y la parte aguda algo más corta; era una voz perfectamente impos-

tada, con ciertas resonancias nasales y muy flexible y dúctil. Para ella compusieron numerosas obras compositores como Alonso, Guerrero, Moreno Torroba y Sorozábal. Poseía una gran capacidad de solfista, lo que le facilitaba aprender las obras con rapidez. Era además un impresionante actor, esencial para la representación del repertorio zarzuelístico.

Hombre inteligente, emprendedor y de gran talento, compuso varias zarzuelas. En el archivo de la SGAE en Madrid se conservan algunas de ellas: *El desterrado*, en un acto, en colaboración con Gelabert; *El maestro ilusión* (*Estrellas y nubes*), en dos actos, en colaboración con Lambert Caminal, letra de C. Lafuente, estrenada el 28 de octubre de 1934; *Las palomas*, zarzuela en dos actos, letra de J. Ramos Martín, estrenada el 10 de septiembre de 1945, en el teatro Gran Capitán de Granada; *Me caso a las once*, sainete en un acto con letra de J. Ramos Martín, estrenada el 23 de mayo de 1946 en el teatro Victoria de Barcelona.

Grabó numerosas obras, ya que estuvo ligado cincuenta años a la casa EMI prácticamente de manera exclusiva, aunque la casi totalidad de las matrices de cera que se guardaban en el almacén de Barcelona, se perdió en la Guerra Civil.

FONOGRAFÍA: *Benamor*, La Voz de su Amo AD 31, CP 25 CP 40; *Blanco y negro*, Sonifolk 20141; *Bohemios*, Gramófono 64304, 2-62094 (et. morada), 156y 370y; *El asombro de Damasco*, Gramófono AC 77 (et. burdeos), W 64431; *El conde de Luxemburgo*, Gramófono 64391 y 64392 (et. burdeos), 17581u 17582u; *El dictador*, La Voz de su Amo AD 3; *El guitarrico*, La Voz de su Amo AC 30; *Gran revista*, Sonifolk 20141; *La bejarana*, La Voz de su Amo AC 94, BS 1346-II BS 1364-II; *La campana rota*, La Voz de su Amo AC 139 AC 140, AE 2839; *La del Soto del Parral*, La Voz de su Amo-Gramófono AC 130, BJ 1104; *La Gran Vía*, La Voz de su Amo AC 30; *La montería*, Gramófono AC 28 (et. morada), BS 1103; *La pastorela*, La Voz de su Amo AC 124 (et. fucsia), BS 2458 BS 2459; *La pícara molinera*, La Voz de su Amo AC 137; *La reina mora*, Blue Moon BMCD 7546; *La rosa del azafrán*, La Voz de su Amo AC 143 (et. burdeos), BJ 3111 BJ 3112; *La sombra del Pilar*, La Voz de su Amo AC 107 (et. burdeos), BS 1568 BS 1561; *La villana*, La Voz de su Amo AD 5 (et. burdeos), CJ 1013-II CJ 1036-II; *Las golondrinas*, Gramófono AD 17 (et. burdeos), 064092, 062050 • La Voz de su Amo AC 142; *Las hilanderas*, Blue Moon BMCD 7546; *Las palomas*, La Voz de su Amo AA 288 AA 289, OKA 946 a OKA 949; *Las tocas*, Sonifolk 20141; *Los cadetes de la reina*, Gramófono 64389 y 64390 (et. burdeos), 17585u 17587u • La Voz de su Amo 64389 (et. negra), 17585 • La Voz de su Amo AC 38, AD 24 (et. burdeos), 02677, 02678; *Los de Aragón*, Blue Moon BMCD 7546 • La Voz de su Amo AF 282; *Luisa Fernanda*, La Voz de su Amo DA 4205 DA 4207 DA 4208 DA 4216 DA 4217, OJ 378 OJ 381, OJ 383 a OJ 395, OJ 390 a OJ 392; *Marina*, La Voz de su Amo DB 1026 DB 1170 (et. roja), CC 619 CC 620; *Maruxa*, La Voz de su Amo AC 144, AD 32 AD 34 AD 35; *Molinos de viento*, La Voz de su Amo AC 35; *¡Qué sabes tú!*, Sonifolk 20141.

2. Sagi Liñán, Enrique. Madrid, 11-XI-1902; Oviedo, 25-I-1975 Barítono. Hijo del anterior, estudió la carrera de Perito mercantil en Barcelona hasta que en 1920 ganó las oposiciones al cuerpo de correos en Alicante. Se formó musicalmente con su padre, quien durante un tiempo no permitió a su hijo dedicarse a la lírica; por fin convencido de las magníficas cualidades del joven consintió su dedicación. Enrique Sagi se presentó con *Los cadetes de la reina* de Luna en el teatro Dindurra de Gijón en 1925. A partir de entonces perteneció a la compañía paterna como segundo barítono, y con ella recorrió España sustituyendo a su padre cuando se hacían demasiadas representaciones o cuando éste dirigía; en consecuencia interpretó el extenso repertorio de su padre. En 1931 viajó a Buenos Aires interpretando *El gato montés, Maruxa* o *El guitarrico*, recibiendo una magnífica crítica de Titta Ruffo. Estrenó entre otras obras *La dulzaina del charro* de Modesto Rebollo, teatro de La Latina, 1932. En 1934 se reintegró en el cuerpo de correos estableciéndose en Oviedo donde contrajo matrimonio con Berta Rayón. Figura menos destacada que su progenitor y su hermano, no obstante y según las crónicas del momento su voz recordaba a la de su padre, especialmente en el registro medio; tenía muy buen *fiato*, y gran facilidad.

FONOGRAFÍA: *Bohemios*, La Voz de su Amo, 1930, AF 276; *El guitarrico*, La Voz de su Amo, 1930, AE 2660; *La canción del olvido*, La Voz de su Amo, 1930, AE 2660; *La del Soto del Parral*, La Voz de su Amo, 1930, AE 2815; *La Gran Vía*, La Voz de su Amo, 1930, AE 2783; *La tempestad*, La Voz de su Amo, 1930, AE 2839; *Maruxa*, La Voz de su Amo, 1930, AD 34.

3. Vela Lafuente, Luisa. Tuéjar (Valencia), 17-IV-1888; Polop (Alicante), 2-IX-1938. Soprano. Nacida en una familia dedicada a la música, su hermano Telmo Vela fue un gran violinista, y su otro hermano José, cantante. Luisa inició los estudios de canto en Valencia con Enrique Vidal, perfeccionándolos en la misma ciudad con Pietro Varvaró y convirtiéndose muy pronto en una de las sopranos de mayor popularidad en los teatros líricos de España y otros países de América, sobre todo a partir del estreno de *La viuda alegre* en 1908 y de *Las golondrinas* en 1914, obteniendo un gran éxito, así como la presentación en España de *La vida breve* de Falla, en noviembre del mismo año, una interpretación magistral que le valió que el maestro le pidiese la interpretación de las *Siete canciones españolas*. Casada con Emilio Sagi Barba, con el que formaba pareja en el escenario, se acrecentó su fama y actividad, estrenando numerosas zarzuelas antes citadas, y recorriendo con gran éxito los países iberoamericanos. Estrenó entre otras obras *La generala* de Vives, Gran Teatro, 1912; *Las alegres colegialas* de Lleó, Martín, 1915; *La cruz de los rosales* de López Debesa, Martín, 1918; y *La moza de campanillas* de Luna, Zarzuela, 1923. Su presencia en la España anterior a la Guerra Civil de 1936 fue tan destacada como la de su esposo, quien nunca arrojó sombra sobre una cantante estimada como una de las cumbres del

canto en la época. Entre ambos formaron una de las parejas casi únicas de la historia de la zarzuela. Si en algún caso se puede hablar de divos en la zarzuela, es refiriéndose a estos intérpretes.

Luisa Vela tenía una voz de soprano lírico-spinto, y una magnífica técnica canora. Estaba dotada de una voz extensa, flexible y potente, muy bien timbrada, lo que le permitía abordar cualquier papel del género lírico español, con una especial gracia en sus interpretaciones, que venía dada en primer lugar por su espléndida figura, pero también por su gracia y dominio de la interpretación.

FONOGRAFÍA: *Alma de Dios*, La Voz de su Amo AC 33; *Benamor*, La Voz de su Amo AD 31, CP 25 CP 40, 062080-064205; *El anillo de hierro*, La Voz de su Amo AC 33; *El asombro de Damasco*, Gramófono AC 77 (et. burdeos), W 64431; *El conde de Luxemburgo*, Gramófono 64391 y 64392 (et. burdeos) 17581u, 17582u; *El dictador*, La Voz de su Amo AD 3; *La alsaciana*, La Voz de su Amo AC 2 AC 3; *La montería*, Gramófono AC 28 (et. morada), BS 1103 • La Voz de su Amo AC 28; *La rosa del azafrán*, La Voz de su Amo AC 143 (et. burdeos), BJ 3111 BJ 3112; *Las golondrinas*, Gramófono AD 17 (et. burdeos), 064092, 062050; *Los cadetes de la reina*, Gramófono 64389 y 64390 (et. burdeos), 17585u, 17587u • La Voz de su Amo AD 24 (et. burdeos), 02677, 02678; *Maruxa*, La Voz de su Amo AC 144, AD 32 AD 34 AD 35.

4. Sagi Vela, Luis. Madrid, 17-II-1914. Barítono. Abandonó los estudios de Ingeniería para dedicarse al canto tras descubrir que tenía una buena voz, aunque no tan oscura como la de su padre y sin decidir entre el registro de tenor -cantó en Buenos Aires el Edgardo de *Lucia de Lammermoor*-, o de barítono, cuerda por la que se decidió. Su padre le dio las primeras clases y lo puso en manos de Enrique Bru y estudió armonía con el barcelonés Joan Baptista Lambert, hasta que a los dieciocho años debutó en Madrid con *La rosa del azafrán* de Guerrero, con su padre en el foso. Desde entonces inició una carrera de éxitos impresionante, al igual que sus progenitores, en una y otra parte del Atlántico. Constituyó compañía propia y estrenó numerosas zarzuelas: *Barbiana* de Magenti, Barcelona, teatro Victoria, 1932; *El ama* de Guerrero, 1933, que fue su primer gran éxito con quinientas representaciones; siguieron *La del manojo de rosas* de Sorozábal, 1934, *El príncipe azul* de Legaza, 1934; *Me llaman la presumida* de Alonso, 1935, *La chiquita piconera* de Villalonga, *Orquestina* de Carrascosa-Guervós, *Juan del mar* de Magenti, todas en el teatro Ideal, Madrid, 1935. La guerra le sorprendió en Santiago de Compostela por lo que viajó a Buenos Aires, donde conoció a Penella, estrenando en América *Don Gil de Alcalá* y *Curro Gallardo*; recorrió además Chile, Perú, Bolivia, Colombia y México, donde obtuvo grandes éxitos. De allí pasó a Estados Unidos donde en 1938 fue contratado por la emisora WOR, con la orquesta de Morton Gould. Terminada la guerra regresó a Madrid, donde estrenó *Monte Carmelo*, 1939, *Maravilla*, 1941, y *La Caramba* todas de Moreno Torroba, 1942, *Manuelita Rosas* de Alonso, Calderón, 1941, *Golondrina de Madrid* de Alonso, teatro Principal de San Sebastián, 1944; *Mambrú se va a la guerra* de Dotras Vila, 1945, *Anoche soñé contigo* de Moraleda, Jovellanos de Gijón, 1945; *Matrimonio a plazos* de Quintero, Zarzuela, 1946 y *Curro Gallardo* de Penella, 1948. En la temporada 1949-1950 regresó a Buenos Aires y debutó en el teatro Colón interpretando ópera. Se retiró en 1960 con *La rosa del azafrán* en el teatro Alcázar de Madrid.

Inició entonces una fuerte actividad como empresario, donde la opereta y la zarzuela compartían su dedicación tanto en España como en América. Se retiró de la escena, algunas aventuras en el campo de la comedia musical, en 1957, cuando aún estaba en plenas facultades con estrenos como *Al sur del Pacífico, El caballero de Barajas, Ella, el amor y el peluquero, Balalaika* y *El hombre de la Mancha*. Junto a esa labor como empresario, se dedicó después a los negocios discográficos fundando la discográfica Zafiro y la fábrica de discos Iberofón; posteriormente fue Presidente de la firma EMI-Odeón y del Grupo Español de Industria Fonográfica.

Su voz ha quedado registrada en multitud de grabaciones, entre ellas numerosas zarzuelas, como *La del Soto del Parral, La canción del olvido, El huésped del Sevillano, El caserío, El asombro de Damasco, El conde de Luxemburgo, La viuda alegre, María de la O, El cafetal, Rosa la China* y *Marina*. Estaba dotado de una voz de barítono muy lírica, clara, no demasiado timbrada pero muy extensa, maleable, muy bien manejada, con un arte especial para el matiz, las *sfumature*, el legato y la media voz heredados en parte de su padre, pero con una dicción de una nitidez y elegancia aún mayores, y, sobre todo, una gran capacidad para la articulación y una magnífica pronunciación.

FONOGRAFÍA: *100 Años de zarzuela*, EMI 100, 5 66589 2; *Al dorarse las espigas*, La Voz de su Amo, AE 2745; *Alma de Dios*, La Voz de su Amo, 1930, AC 33; *Antología de la Zarzuela*, 1, Columbia-Salvat, 1015-1; *Antología de la zarzuela*, 4 CD, EMI, 7 67580 2 (643.96128); *Don Gil de Alcalá*, Montilla, FM-66 • BMG, EPFM-131; • Zafiro, LM-3010-C • Zafiro 30103010, 189 • Zafiro ZOR-131, 191; *Dúos de Zarzuela*, Zafiro, SA., ZOR-111 y MS-506; *El asombro de Damasco*, BMG, FM-50 • Salvat, 1048-2; *El barberillo de Lavapiés*, EMI, (DS) 7243 5 74163 2 0 (637.00346); *El Cafetal*, BMG, FM-77 •Salvat, 1061-2; *El Caserío* LA VOZ DE SU AMO, VUL 213, VUL 214 • (Selección), LA VOZ DE SU AMO, J-064-20.107 • EMI, (DS) 7243 5 74156 2 0 (637.00411) • EMI, 7 67451 2 (637.64938); *El Conde de Luxemburgo*, Zafiro LM-3.038 (C) • Zafiro ZOR-104, 155; *El huésped del Sevillano*, Montilla, FM-27 • BMG, EPFM-126 • Salvat, STEREO 1012-1 • Zafiro, SA, ZOR-178/LM-3003 (C) • 30103003 (Serdisco), 196; *El rey que rabió*, EMI-Odeón. La Voz de su Amo, 10 C038-020733 • EMI, (DS) 7243 5 74229 2 5 (637. 02631) • EMI, 7 67455 2 (637.64979); *Éxitos de Zarzuela*, Vol I, Zafiro, ZOR-168-STFREO • Vol II, Montilla, MS-523; *Famosas romanzas de Zar-*

zuelas, Zafiro, ZOR-175 y MS-505; *Fragmentos favoritos de Zarzuela*, Montilla, MS-520; *Gran Revista / Las tocas / ¡Qué sabes tú! / Blanco y negro*, Sonifolk 20141; *Grandes Dúos de Zarzuela*, La Voz de su Amo-EMI, J-064-20.109; *Grandes momentos de Zarzuela*, CD, EMI, (962) 7243 5 57053 2 7; *La Canción del Olvido*, BMG, EPFM-25 • Zafiro 30103035, 163; *La del Soto del Parral*, (zarzuela completa, Zafiro ZOR-118, 180 • Montilla, FM-68 • BMG, EPFM-132 • Voz de su Amo, 1930, AE 2745; *La montería*, Montilla, FM-64 • BMG, EPFM-127 • Salvat, 1050-2 • Zafiro, 30103022 (Serdisco) • Zafiro, SA. ZOR-174; *La Montería*, La Voz de su Amo2XKA-U 250 (Gramófono-Odeón, SAE) • *La montería*, Zafiro , LM-3015 (C); *La Revoltosa*, EMI, 10 C 038-020.179; *La Tempranica*, Zafiro ZOR-125 • Montilla, EPFM-6 • BMG, EPFM-26 • Salvat, 1051-2 • Zafiro 30103015 (C)-Serdisco, 1984, 177; *La verbena de la Paloma*, BMG, EPFM-123 • Zafiro-BMG, FM-168; Zafiro, S.A. ZOR-172; *La viuda alegre*, Zafiro 30103018-Serdisco 1985, 164 • Zafiro LM-3018 (C). Serdisco, 1985, 163 • Zafiro ZOR 108, 162; *Luisa Fernanda*, Montilla, FM-67 • Zafiro LM-3041 (C) • Zafiro ZOR-102• Zafiro-BMG, EPFM-128, 262 • Zafiro 30103041 (Serdisco), 200; *Maravilla*, BLUE MOON, BMCD 7526; *María de la O*, BMG, FM-73• Salvat, 1033-2; *Marina*, Zafiro , LM-3.011-C y LM-3.013-C• Montilla, FM-23/24 • Zafiro ZOR-165; *Maruxa*, LA VOZ DE SU AMO, 2XKA-U 264-265 (EMI); 2XKA-U 266-267 (EMI), 72• *Maruxa*, EMI, (DS) 7243 5 74212 2 5 (637.02664) 7 67452 2 (637.64946); *Me llaman la presumida*, BMCD 7528• La Voz de su Amo DA 4248 a DA 4250, GY 201, OKA 246 a OKA 253; *Molinos de viento*, Montilla, FM-26• BMG, EPFM-19• Zafiro, LM-3001 (C); *Romanzas de Zarzuela*, LP, La Voz de su Amo-EMI, J-064-20.108; *Rosa La China*, Montilla, CDMF-75• Zafiro (Serdisco), LM-3032-(C) • *Rosa, La China*, Salvat, 1064-2.

5. Sagi Álvarez-Rayón, Emilio. Oviedo, 25-IX-1948. Escenógrafo. Doctor en Filología Inglesa por la Universidad de Oviedo en 1979 con la tesis "Shakespeare en la Ópera Romántica", fue profesor de literatura inglesa y norteamericana en la facultad de Filosofía y Letras. En este período realizó diversas publicaciones e impartió además cursos monográficos sobre historia de la música. En 1980 inició en el teatro Campoamor de Oviedo su carrera como director de escena con *La traviata* de Verdi; en 1982 debutó en Madrid en el teatro de la Zarzuela con *Don Pasquale* de Donizetti; en 1985 pasó a formar parte del equipo directivo del teatro de la Zarzuela y en 1990 fue nombrado director artístico y sobreintendente del dicho teatro. A lo largo de estos años ha trabajado en los teatros Campoamor de Oviedo, Liceo de Barcelona, teatro Real de Madrid, Victoria Eugenia de San Sebastián, Arriaga de Bilbao, Principal de Valencia, Colón de Buenos Aires, Gran Teatro de La Habana, Teresa Carreño de Caracas, Palais Garnie y Odeón de París, Comunale de Bolonia, Dante Alighieri de Ravenna, Opera de Roma, San Carlos de Lisboa, entre otros, y ha dirigido a figuras como Plácido Domingo, Montserrat Caballé, José Carreras, Alfredo Kraus, Juan Pons, María Bayo, Katia Ricciarelli, Piero Capuccilli, Mariella Devia, Brigitte Fassbaender y René Kollo. Ha dirigido más de veinte óperas desde su primera *Traviata* a su reciente

Zigor! de Vicente Escudero en el Palacio Euskalduna de Bilbao, 2003.

Heredero de la gran historia que han escrito los Sagi en la zarzuela, a lo largo de su carrera se ha sentido comprometido especialmente con el teatro lírico español. Sus acciones en la revitalización del género han sido fundamentales y están teniendo consecuencias en la vida de la zarzuela. Desde sus trabajos con la zarzuela barroca en títulos como *La guerra de los gigantes* y *El imposible mayor lo vence amor*, ambos de Durón, y *Los elementos* de Literes, pertenecientes al mejor barroco hispano, Sagi ha trabajado con dos criterios fundamentales, dignificar el género e introducirlo en el mundo de las más modernas concepciones escenográficas, con el fin de acabar con el lastre que había caído sobre el género en las últimas décadas y hacer que los nuevos talentos de la escenografía española y europea se acerquen a la zarzuela. De esa intencionalidad han surgido creaciones como *La revoltosa* primera zarzuela dirigida por Sagi y estrenada en el teatro García Lorca de La Habana en 1988, seguida por uno de sus mayores éxitos y su presentación en España, la zarzuela *La del manojo de rosas*, teatro de la Zarzuela, 1990, plenamente vigente después de varios años de su estreno. A partir de entonces ha dirigido *La verbena de la Paloma, El bateo, La montería, El gato montés, Doña Francisquita, El juramento, Marina, La generala*, estrenada en el Folksteater de Viena, o *Luisa Fernanda* en la Scala de Milán, 2003. Sagi plantea una zarzuela en la que existen guiños continuados al musical, a la opereta, pero en el que las esencias hispanas quedan siempre patentes, y crea con ello unos espectáculos en los que es fundamental el movimiento de masas, tan esencial en la zarzuela, y el mundo teatral de los protagonistas. Como responsable del teatro de la Zarzuela, ha propiciado finalmente que grandes directores de escena como Calixto Bieito, Alfredo Arias, Adolfo Marsillach o Pier Luiggi Pizzi, incluyesen la zarzuela entre sus proyectos escenográficos dando un giro radical al género.

BIBLIOGRAFÍA: *HGZ*; A. Reverter: "Sagi Vela: Santo y seña", *Cuadernos de Música*, 1, Madrid, SGAE, 1990; J. Martín de Sagarmínaga: *Diccionario de cantantes líricos españoles*, Madrid, Fundación Caja Madrid-Adento Ed., 1997.

EMILIO CASARES RODICIO

Sainete. Género de zarzuela que tuvo especial vigencia desde la llegada del género chico en 1880. Covarrubias en su *Tesoro de la lengua castellana*, 1674, señala que el término "sayn" –proveniente del latín "sagina", con el que se nombraba a ciertas partes grasas de la pieza cazada o del cerdo, que se suponían especialmente sabrosas–, da origen semántico al sainete, "o otra cosita regalada (la cual ellos llaman sainete)". El *Diccionario de la lengua española* lo define como "pieza jocosa y de carácter popular".

Desde el inicio del teatro español existen tres términos: "paso", "entremés" y "sainete", que se suceden y conviven cronológicamente para designar piezas teatrales breves de carácter jocoso. Según Cotarelo, fue Francisco Navarrete y Ribera quien "queriendo apartarse de lo usual, comenzó a dar a su colección [de entremeses] el título de Flor de sainetes, Madrid, 1640". Juan de Agramot y Toledo escribió cuatro o cinco entremeses más extensos similares a los que escribiría más tarde Ramón de la Cruz, y los denominó sainetes, de forma que cuando en torno a 1757 Ramón de la Cruz comenzó a escribir los suyos, el nombre estaba aceptado y hacia 1760 el sainete comenzó a desplazar al entremés que se consideraba anticuado.

Estas pequeñas piezas teatrales que eran los sainetes se colocaban inicialmente entre la segunda y tercera jornada de las grandes obras teatrales ocupando el lugar de los bailes. El sainete tuvo su segunda vida durante los primeros años del siglo XIX, sin sufrir cambio alguno, dado que siguieron representándose las obras de Ramón de la Cruz y del gaditano J. I. González del Castillo, que se mantuvieron en el repertorio debido a la gran aceptación con la que el público recibía estas obras. La historia de este género cambió de manera sustancial a finales del siglo XIX, época en la que adquirió una gran importancia con la llegada del teatro por horas dejando de ser una obra complementaria y pasando a ser independiente, con entidad en sí misma. Aunque no pierde el carácter de pieza breve, popular y jocosa, desde entonces llenará los espectáculos, llegando a su total independencia.

El sainete literario como tal interesó desde el inicio de la zarzuela moderna o romántica a los músicos, y de hecho se conforma en la historia lírica como el subgénero más abundante. No menos de setecientas obras líricas llevan el título de sainetes. Desde la década de 1870 se incrementan las obras de este género, incorporando una música escrita especialmente para ellos, creando así zarzuelas breves, que, por supuesto, tienen como modelo formal la zarzuela chica en un acto. El sainete con música se convirtió en el subgénero de mayor éxito con títulos tan geniales como *La verbena de la Paloma* o *La revoltosa*. Se puede definir el sainete musical como una obra lírica en un acto, de acción contemporánea, nunca histórica, con personajes y ambiente populares, localizado en una ciudad –generalmente Madrid– de carácter cómico, enredo mínimo, lenguaje coloquial y final feliz. El sainete forma parte esencial de la historia de la zarzuela española. *Véase* ZARZUELA.

EMILIO CASARES RODICIO

Sala, Enriqueta. España, siglos XIX-XX. Tiple. En diciembre de 1907 actuaba en los Campos Elíseos de Bilbao en *Bohemios,* con gran éxito en su papel de Cosette; asimismo fue muy aplaudida en *La patria chica* de Chapí.

Mª LUZ GONZÁLEZ PEÑA

Sala Julién, José. España, siglo XIX. Barítono y libretista. Estudió canto en el Conservatorio de Madrid con Saldoni. Inmediatamente fue contratado como primer barítono en la Zarzuela, donde continuaba en 1881. Estrenó las zarzuelas *El proceso del Cancán* de Barbieri, Jardín del Retiro, 1873; *¡Vivan las caenas!* de Rogel, 1879; *La Guerra Santa* de Arrieta, 1879, ambas en el teatro de la Zarzuela. A mediados de los ochenta trabajaba en el teatro Apolo donde estrenó *Melones y calabazas* de Roig, 1885, *La virgen del mar* de Rubio, *Villa y palos* de Nieto, 1885, y *Misa de réquiem* de Nieto, 1890. Fue autor de varios libretos, como el juguete *El prior y el priorato,* 1892, y la zarzuela *Los amores de un príncipe,* en colaboración con R. Siquert, 1881. *Véase* LOS AMORES DE UN PRÍNCIPE

BIBLIOGRAFÍA: *DBE; HGZ.*

EMILIO CASARES RODICIO

Salas, Francisco [Francisco Llerroa Salas] (I). Granada, 2-IV-1812; Madrid, 21-VI-1875. Bajo cómico y empresario. Conocido por su segundo apellido, es uno de los personajes centrales de la zarzuela del siglo XIX en su doble faceta de cantante y empresario, y posiblemente el cantante más importante de toda la historia del género.

I. Biografía. II. Empresario. III. Cantante.

I. BIOGRAFÍA. Estuvo casado con la también cantante Bárbara Lamadrid. Recibió sus primeras lecciones del tenor Leandro Valencia, durante la temporada de 1829, en la que este se encontraba en Granada. Se trasladó a Madrid ese mismo año y comenzó a actuar como corista en los teatros Príncipe y La Cruz, sin pasar por el Conservatorio, aunque recibió clases de Reart de Copons. Durante 1831 dejó el coro y el 26 de julio representó su primer papel en una ópera de Paccini, *El condestable de Chester,* aprovechándose de la enfermedad del partichino José Rodríguez Calonge, una vez que fue aceptado por el director de orquesta Ramón Carnicer, después de una prueba. A partir de esa fecha fue consiguiendo papeles cada vez más destacados actuando con los cantantes más prestigiosos del momento como Tossi, Persiani, Alboni, Frezzolini, Tamberlick, Salvi, Gardoni o Ronconi. Según *El Entreacto* (18-IV-1839), en 1839 realizó un viaje a París, "para contratar algunas partes que aumenten la compañía lírica del teatro de la Cruz. Tenemos fundadas esperanzas para creer que nos traiga a la seño-

ra Campos, o en su defecto a la graciosa Marini que tan gratos recuerdos nos dejó en la ópera *Scaramuccia".* Carmena y Millán señala su presencia en los teatros de la Cruz y Príncipe de manera ininterrumpida desde 1832 a 1848, en el del Circo desde 1846 a 1849 y en Real en las temporadas 1850-51 y 1867-68, épocas en las que estrenó la mayoría de las obras del teatro lírico italiano de moda entonces.

Desde el comienzo fue famoso por su sonora voz de bajo y sus dotes para las partes y papeles bufos, especialmente de Rossini –fue muy admirado su Don Bartolo en *El barbero de Sevilla–,* Ricci y Donizetti, de forma que durante casi doce años fue el gran caricato de cuantas compañías actuaban en Madrid. Por ello fue llamado por el nuevo teatro Real para formar parte de las primeras compañías del reciente teatro, del que además fue director artístico unos años. Allí se inmortalizó junto con la Alboni y Gardoni en *La Cenerentola* de 1851.

II. EMPRESARIO. El período más trascendental de su vida se inició al enrolarse en el proyecto de restauración de la zarzuela que capitaneaba la nueva generación de compositores formada por Barbieri, Gaztambide, Inzenga, Hernando y Oudrid. Salas fue director artístico de varias compañías que hubo en Madrid y viajó por Alemania, Italia, Francia e Inglaterra con el fin de ajustar cantantes para los teatros de la Cruz y del Príncipe. Ello le permitió conocer el complejo mundo del teatro lírico y le decidió a unirse a los autores españoles que luchaban por cambiar la situación del teatro lírico en España. Su participación para llevar adelante la restauración del género zarzuelístico, en compañía de los mencionados compositores, fue sustancial, de tal manera que sin Salas no se puede entender lo ocurrido en aquellos años. Barbieri, que tuvo unas relaciones muy variables con él cuando narra la ruptura con Salas en 1859, lo describe así: "Cito este hecho para que se vea la razón de que yo no haya podido nunca ser amigo de Salas sino a medias porque nuestros caracteres son tan distintos que yo siempre obro por lo que siente mi corazón y Salas por lo que le dicta su cabeza; hay además en su carácter otro distintivo que esencialmente

Francisco Salas (Grabado de Perea, Colección Castellano; E:Mn)

le hace diferir del mío y es una ambición de todo género que él tiene; al paso que yo al contrario siempre tiro la casa por la ventana... Por lo que a mí toca en el particular, veo mis defectos, pero sé que nunca he abusado de nadie para mejorar mi pobre fortuna".

Es evidente que Salas era un nombre de fuerte carácter, temperamento apasionado y avaricioso, y ello dio origen a su gran actividad como empresario y a su destacada presencia en todas las actividades zarzuelísticas que se desarrollan en Madrid hasta su muerte. Ya en 1847 Salas formó una compañía italiana en el teatro de la Cruz con las voces de Cristina Villó, la Carrión y la suya –que tuvo gran éxito– y con Barbieri de director. Allí se estrenó *Leonora* de Mercadante. En 1848 Basilio Basili fundó la sociedad La España Musical con el fin de conseguir que el gobierno crease un teatro para la música dramática española, Salas estaba en ella y logró que el gobierno le nombrase miembro de la Junta de Teatros. El empresario Nemesio Pombo decidió crear una compañía de zarzuela en 1849 y allí estaba Salas con Barbieri, Gaztambide y Hernando. Barbieri, el mejor narrador e historiador de la vida de Salas, comenta estos primeros años: "Durante este verano de 1849 ya Salas, Gaztambide y yo nos agitábamos mucho para establecer la zarzuela bajo sólidas bases en el teatro de la Cruz, que era nuestro sueño dorado; para este objeto escribía yo *Gloria y peluca* y Gaztambide *La mensajera* y nos hallábamos en combinación con un cierto Sr. Pombo que se hizo empresario del citado teatro y que decía tener no sólo el dinero, sino los elementos bastantes para acometer la empresa". Poco después, el 6 de junio de 1849, en el teatro Variedades, se había dado otro paso importante en la línea de batalla de Barbieri, pues se había estrenado *El duende* de Hernando con gran éxito de público y por lo tanto también económico. El éxito condujo al segundo intento de asociación en torno a Hernando y por ello al teatro del que era responsable, el Variedades. Entonces, de nuevo Salas llevaba la voz cantante. El propio Hernando, señala: "Obtenido pues de la empresa lo que tanto anhelaba, ésta me dio el encargo de ver a Salas, lo que inmediatamente efectué, recordando que la primera entrevista al objeto con este cantante, fue en el café del Príncipe y que él me dirigió la pregunta de si yo como compositor exclusivo del teatro de

Francisco Salas (Foto: Laurent; Museo Municipal de Madrid)

Variedades, consentiría que se ejecutasen obras de otros compositores, explicándole entonces el sólo motivo que me había guiado a exigir esa condición, cual fue la intención de que se fuese siempre progresando y por consiguiente lo que deseaba vivamente era que estuviesen a mi lado mis amigos Gaztambide, Barbieri y demás que al objeto sirviesen. Escriturados ya Salas y los otros cantantes y viniendo con sus obras Barbieri y Gaztambide, a poco tiempo me indicó la empresa si sería conveniente señalar a éstos un sueldo diario, a lo que coadjuvé para que inmediatamente se realizase, sin aprovechar para mí la justa oportunidad de que se me abonase algún tanto de derechos de autor en las representaciones de mis obras, que por tener un sueldo diario, pero asaz mezquino, dejaba de percibir, pero con el solo objeto de no entorpecer en nada que se les señalase el sueldo, me abstuve de hacer la más ligera indicación".

De nuevo estaban asociados en el teatro Variedades los compositores Oudrid, Gaztambide, Barbieri y Hernando y los cantantes Salas y González. Allí se presentó *Gloria y peluca*, el primer estreno original del nuevo teatro. En el siguiente paso, de nuevo Salas asumió el protagonismo: la creación de la Sociedad del Circo. El año 1851 fue crucial para el desarrollo de la zarzuela, por ello Saldoni lo consideraba "uno de los fundadores de la zarzuela". El propio Barbieri señala la transcendencia del momento, con una interesante descripción de lo que sucedía: "Llegamos a la época más interesante de la vida de la zarzuela... La iniciativa de este pensamiento, fue de Joaquín Gaztambide, quien después de haber comunicado con Salas y conmigo la idea de tomar el teatro del Circo y establecernos en él por nuestra cuenta, convino, a propuesta mía, en la conveniencia de formar una Sociedad compuesta de nosotros tres y además invitar para que formaran parte de ella al autor dramático Luis Olona y a los líricos Hernando, Oudrid e Inzenga (hijo), que eran los que hasta el día habían escrito zarzuela con éxito... Repartimos todos los trabajos preparatorios, comisionándose cada socio de aquello que estaba más al alcance de sus relaciones, sus talentos o circunstancias especiales. Para todo esto quien más trabajó fue Salas, luego Gaztambide y luego yo, que recuerdo haber tenido que emplear toda mi argucia para convencer a diversos actores y especialmente a Vicente Caltañazor con quien estuve discutiendo en medio de la Puerta del Sol una noche desde las 12 hasta las 3 de la mañana... En cuanto a la organización particular de nuestra Sociedad de los siete, hicimos varios reglamentos y hubo sapos y culebras que merecerán una historia especial; baste ahora decir que nombramos presidente director a Luis Olona, no sin disgusto de Salas, y luego nos repartimos todos un sueldo de 20 reales diarios solamente, en concepto de socios directores del teatro". Salas fue nombrado aquí primer actor: "Yo llamaba a esta sociedad la *de los siete pecados capitales*; pues aunque a cada socio le convenía la aplicación de los siete pecados, es muy singular y exacta la repartición que hice de uno por barba por ser el que más sobresalía, del modo siguiente: 1°. Soberbia, Olona. 2°. Avaricia, Salas. 3°. Lujuria, Oudrid. 4°. Ira, Gaztambide. 5°. Gula, Hernando. 6°. Envidia, Inzenga. 7°. Pereza, Barbieri".

Pero aún quedaba su contribución más importante, la creación del teatro de la Zarzuela en 1856, para lo que de nuevo se estableció una sociedad entre Barbieri, Salas, Olona y Gaztambide quienes decidieron la construcción de un teatro propio para el nuevo género con un préstamo del banquero Francisco de las Rivas. El acta decía así: "El edificio que hoy se levanta, está destinado a las representaciones lírico-dramáticas que hace cinco años, desde la formal creación de la zarzuela, tienen lugar en el teatro del Circo, situado en la Plaza del Rey. Merced a la honrosa cooperación del Sr. de las Rivas, quien como dueño de estos solares y en gracia de su entusiasmo por el género lírico-español costea la construcción del nuevo teatro, para que sea un día propiedad de los empresarios de la Zarzuela; éstos, con la constante fe que los anima, esperan que el arte lírico-español tendrá en este recinto un templo digno del porvenir que le aguarda y un culto tan noble y duradero como debe ser su gloria". La sociedad no tuvo una vida demasiado larga. En el verano de 1858 Olona vendió su parte a Gaztambide y éste, también de fuerte carácter, comenzó sus movimientos para hacerse con el teatro en compañía de Salas. Después de intensas disensiones, Barbieri terminó vendiendo su parte en 1859 y por ella abandonando la empresa que quedaba en manos de Salas y Gaztambide. A partir de entonces y hasta su muerte, unas veces solos y otras en competencia con el teatro Circo, Salas y Gaztambide fueron los grandes protagonistas de la zarzuela en Madrid.

III. CANTANTE. La presencia de Salas era imprescindible para asegurar el éxito y su participación en los estrenos era tan destacada que es casi imposible reseñarla por completo, porque son decenas de obras. Su Marqués de Caravaca en *Jugar con fuego* entusiasmó, y así ocurrió con prácticamente todas

sus intepretaciones, de tal forma que su presencia en una obra significaba el éxito y la seguridad económica que proporcionaba. Una buena parte de todas las zarzuelas que se estrenaron en los años cincuenta, sesenta y setenta, desde *Tramoya* de Barbieri, fueron creadas para él y pensadas para su voz, y por ello estrenadas por él. Fue Curro en *Tramoya* de Barbieri, El capitán Alegría en *El valle de Andorra* de Gaztambide, Sir John Falstaff en *El sueño de una noche de verano* de Gaztambide, Astucio de *El estreno de un artista* de Gaztambide, Lucas en *¡Diez mil duros!* de Arche, el Podestá de *La cisterna encantada* de Gaztambide, *El Marqués de Caravaca* de la homónima de Barbieri y de *Jugar con fuego* Tomás de *El grumete* de Arrieta, Calmuff de *Catalina* de Gaztambide; el príncipe Cariñano de *La cacería Real* de Arrieta; Don Diego de *Mis dos mujeres* de Barbieri en beneficio del bajo; Cesar Rivadeneira en *Guerra a Muerte* de Arrieta.

El catálogo de obras estrenadas es impresionante, máxime si se tiene presente que siempre interpretó el personaje principal de su voz; en el teatro Circo estrenó: *Tramoya* de Barbieri, 1850, *Jugar con fuego* de Barbieri, 1851, *El sueño de una noche de verano* de Gaztambide, 1852, *El estreno de una artista* de Gaztambide, 1852, *El dominó azul* de Arrieta, 1853, *La cisterna encantada* de Gaztambide, 1853, *El grumete* de Arrieta, 1853, *El Marqués de Caravaca* de Barbieri, 1853, *Galanteos en Venecia* de Barbieri, 1853, *Catalina* de Gaztambide, 1854, *La cacería real* de Arrieta, 1854, *Guerra a muerte* de Arrieta, 1855, *Mis dos mujeres* de Barbieri, 1855, *Entre dos aguas* de Gaztambide, 1856, *El Conde de Castralia* de Oudrid, 1856; en el teatro de la Zarzuela: *El sonámbulo* de Arrieta, 1856, *Los madgyares* de Gaztambide, 1857, *Amar sin conocer* de Barbieri, 1858, *El juramento* de Gaztambide, 1859, *Un tesoro escondido* de Barbieri, 1861, *Los dos mellizos* de Fernández Caballero, 1862, *En las astas del toro* de Gaztambide, 1862, *Pan y toros* de Barbieri, 1864, *De tal palo tal astilla* de Arrieta, 1864, *La epístola de San Pablo* de Rogel, 1865, *Perla* de Marqués, 1871, *El maestro de Ocaña* de Marqués, 1874, *Diez mil duros!* de Arche, 1852, *El valle de Andorra* de Gaztambide, 1872 y *El barberillo de Lavapiés* de Barbieri, 1874.

BIBLIOGRAFÍA: *BME; DBE; HZ; OE; TA*; E. Velaz de Medrano: *Álbum de La Zarzuela*, Madrid, Imp. Antonio Aoiz, 1857; J. Yxart: *El arte escénico en España*, vol. I y II, Barcelona, Imp. La Vanguardia, 1896; E. Casares Rodicio: *Francisco Asenjo Barbieri. 2. Escritos*, Madrid, ICCMU, 1994.

EMILIO CASARES RODICIO

Salas, Francisco [Paco] (II). España, siglos XIX-XX. Actor cómico. En 1910 tenía una compañía de zarzuela con la que actuaba en Tánger, siendo muy aplaudido en su interpretación del Casto José en *La corte de faraón*. Posteriormente actuó en Antequera y estrenó en el Gran Teatro de Madrid *El alma del querer* de Vives y Barrera; en 1912, en el Novedades, *El ciudadano Metralla* de Cabas y Ruiz de Arana.

BIBLIOGRAFÍA: *Comedias y Comediantes*, 24, 1910.

Mª LUZ GONZÁLEZ PEÑA

Salas, Miguel. México, siglo XIX. Actor y autor. Dirigía la Compañía de Bufos Cubanos. Escribió el juguete cómico *Artistas para los Palos*, 1884.

BIBLIOGRAFÍA: M. Mañón: *Historia del teatro Principal de México*, México, Ed. Cultura, 1932.

VÍCTOR SÁNCHEZ SÁNCHEZ

Salas, Sergio [Guillermo del Corral de Salas]. Vigo (Pontevedra), 18-XII-1944. Barítono. Nacido en el seno de una familia aficionada a la música, tras estudiar Ingeniería de Telecomunicaciones, se decidió por el canto. Se formó con Luis Arnedillo y debutó el verano de 1970 en la compañía de Antoñita Moreno con la que recorrió casi todo el país, donde fue descubierto por José Tamayo que le contrató para la Compañía Lírica Nacional, que dirigía, con la que debutó en 1971 en el Palacio de Deportes de Barcelona como parte integrante de la

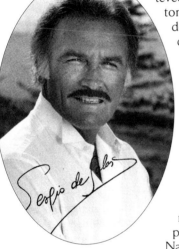

Sergio Salas
(Foto: Ar. Emilio
G. Carretero)

Antología de la Zarzuela. A partir de entonces cantó en el teatro de la Zarzuela títulos como *El barberillo de Lavapiés* o *La tabernera del puerto*, y en el Liceo de Barcelona papeles secundarios en óperas como *Turandot* o *Madame Butterfly*. En 1973 ganó el Concurso de Canto de Macerata, Italia, país al que se había trasladado para perfeccionar sus estudios de canto; en 1974 ganó la Copa Verdi en el concurso internacional de Parma, y ese mismo año, ya en España, ganó el concurso de Televisión Española "La Gran Ocasión" que le hizo muy popular y le permitió alternar los escenarios con platós y estudios de grabación, actuando tanto en zarzuela como en ópera. Bajo la dirección de Eugenio M. Marco grabó distintos discos con arias de ópera y romanzas de zarzuela. En los últimos años se alejó de los escenarios, si bien ofrece, esporádicamente, algún concierto acompañado por la pianista Aida Monasterio.

EMILIO GARCÍA CARRETERO

Salazar y Torres, Agustín de. Almazán (Soria), 1642; Madrid, 1675. Libretista. Estudió Humanida-

des, Cánones y Teología en México. También estuvo en Sicilia. En Madrid compuso algunas de sus mejores obras, como la comedia *El encanto en la hermosura*. Escribió varias obras para el teatro lírico de diversos géneros, como comedias, zarzuelas, bailes y loas, siendo considerado uno de los mejores continuadores de la obra de Calderón. Colaboró con algunos de los compositores más destacados de su tiempo, como Juan de Hidalgo o Juan de Navas. De sus obras escénicas con música, según L. K. Stein, la más elaborada es *Los juegos olímpicos*, representada para la celebración del cumpleaños de Mariana de Austria el 22 de diciembre de 1673, y cuya música se atribuye a Juan de Hidalgo. Otras obras importantes son *Baile de amor y celos* y *Cythara de Apolo*, con música de Juan de Navas y *El mayor triunfo de amor*, 1679.

BIBLIOGRAFÍA: *DMEH*; L. K. Stein: *Songs of Mortals, Dialogues of the Gods. Music and Theatre in Seventeenth-Century Spain*, Oxford, Clarendon Press, 1993.

JUDITH ORTEGA

Salcedo. Se conocen tres cantantes con este apellido, José, María y Patrocinio. En el caso de las mujeres, puesto que actuaban en los mismos años, no es posible saber de quién se trata cuando en el libreto sólo consta "señorita Salcedo", como ocurre en *Las catetas* de Emilio Borrás o *Los hombres alegres* y *El método Górritz* de Lleó.

1. José. España, siglos XIX-XX. Actor-cantante. En 1897 estrenó en el teatro Eldorado *El pobre diablo* de Quinito Valverde y Torregrosa. Formaba parte de la compañía del teatro Eslava donde estrenó en 1897 *¡Simón es un lila!* de Luis Arnedo, en 1900 *La tierruca* de Saco del Valle y en 1901 *El capote de paseo* de Chueca.

2. María. España, siglos XIX-XX. Tiple. En 1909 estrenó en el Gran Teatro de Madrid *El néctar de los dioses* de San José y San Felipe y fue la protagonista de *Mary, la princesa del dóllar* de Leo Fall.

3. Patrocinio. España, siglos XIX-XX. Tiple. En 1905 estrenó *Frou-Frou* de Calleja y Lleó en el Eslava, teatro en el que interpretó en 1910 *El conde de Luxemburgo*, obteniendo un gran éxito en el número de "Los sombreros parisienses" que Lleó añadió a la partitura de Lehár.

Mª LUZ GONZÁLEZ PEÑA

Salces, Juan. España, siglo XIX. Tenor. Contratado por el teatro de la Zarzuela en la temporada 1856-57 donde se presentó con *El perro del hortelano* de Luis Velasco, 1856, fue una importante voz del momento. Al año siguiente cantó en *El relámpago* de Barbieri. En el citado teatro estrenó otras obras como *La jardinera* de Fernández Caballero, 1857, *Azón Visconti* y *El planeta Venus* de Arrieta en

1858, y *El capitán español* de Luis Cepeda, 1859. En la temporada 1859-60 abandonó el teatro de la Zarzuela y en 1859 en Zaragoza estrenó *El novio aragonés*, hecha para su voz. La temporada siguiente se encontraba de nuevo en la Zarzuela donde interpretó *La hija del regimiento*, y en ese mismo año actuó en Barcelona en una compañía dirigida por Olona.

BIBLIOGRAFÍA: *HGZ; HZ.*

EMILIO CASARES RODICIO

Saldoni Remendo, Baltasar. Barcelona, 4-I-1807; Madrid, 3-XII-1889. Historiador, profesor y compositor. Una de las más importantes personalidades de la música española del siglo XIX. Autor de la trascendental obra *Diccionario biográfico-bibliográfico de efemérides de músicos españoles* –que ha proporcionado tantos datos para la historia de la zarzuela del siglo XIX–, y destacado profesor de canto del Conservatorio de Madrid, el teatro lírico fue una de sus mayores preocupaciones, especialmente la ópera. Se formó inicialmente con el maestro de capilla Francisco Andreví y más tarde en el monasterio de Montserrat. Finalmente completó sus estudios con el maestro de capilla de la catedral de Barcelona, Francisco Queralt, con quien siguió estudiando composición, y con el organista de dicho templo, Mateo Ferrer. Dejó entonces la música de iglesia y estrenó su primera obra lírica, la ópera *El triunfo del amor*. Posteriormente decidió trasladarse a Madrid, buscando la protección de Ramón Carnicer, con quien amplió su formación. En 1830 fue nombrado maestro de solfeo y vocalización en el recién inaugurado Conservatorio de Música de María Cristina. Siguieron otras óperas como *Saladino e Clotilde* e *Ipermestra*. Un viaje a París le permitió conocer la vida musical de esta ciudad de donde regresó en 1838. De vuelta a Madrid estrenó una nueva ópera, *Cleonice, Regina di Siria*, 1840. Por fin realizó un nuevo y ambicioso proyecto operístico, *Boabdil, último rey moro de Granada*. Preocupado por el tema de la ópera en España, sobre la que escribió y debatió abundantemente, entre otros con Barbieri, en el folleto *Cuatro palabras sobre un folleto escrito por el maestro compositor Sr. D. Francisco Asenjo Barbieri*, 1864. En 1855 compuso su última ópera, *Guzman il Buono*.

La zarzuela también interesó a Saldoni. De hecho dejó compuestas cinco, y de ellas al menos dos de éxito, una en la que colaboró con otros autores, *Los enredos de un curioso* y una segunda realizada sobre textos de Ramón de Navarrete, *La corte de Mónaco*, estrenada en el teatro de la Zarzuela el 16 de febrero de 1857. Pero quizá su peso mayor en el género fue como profesor.

Saldoni fue el más destacado de los primeros profesores del conservatorio y aquél cuyas enseñanzas tuvieron consecuencias fundamentales para la escuela zarzuelística. En 1830 fue nombrado maestro de solfeo y vocalización con un sueldo de 8.000 reales. Para esta función escribió un *Nuevo método de solfeo y canto para todas las voces* (Madrid, Lodre, *ca.* 1840), elogiado incluso en Europa por Cherubini, Carafa, Fernando Sor o Santiago de Masarnau. Ya antes había editado sus *Veinticuatro vocalizaciones para contralto y bajo* (Lo-

Baltasar Saldoni (Grabado de F. Blanch IMHA, 1889; Ar. ICCMU)

dre, 1837), que se convirtieron en un texto apreciado por estudiantes y maestros y recibieron apoyo de autoridades como Ramón Carnicer, quien manifestó: "Me ha complacido ver cómo desenvuelve Saldoni los principios del buen canto, presentando al discípulo todas las dificultades más generales que el arte contiene, con aquella progresión y buen tino que muy lejos de arredrarle en tan difícil carrera, le allana el camino (por decirlo así) y le induce y anima a no desmayar hasta ver colmados sus deseos y llegar a ser un buen cantante". Saldoni partía de unas técnicas en las que Italia contaba de manera determinante. Un número destacado de los principales cantantes de zarzuela de los inicios de la zarzuela romántica recibieron sus enseñanzas: Francisco Calvet, Nieves Condado, José González, Teresa Istúriz, Adelaida Latorre, Joaquín López-Becerra, Matilde Ortoneda, Amalia Ramírez, Matilde y Elisa Villó, Adela Ibarra, Luisa Lesén, Emilia Moscoso, Manuel Royo, Elena Sanz, Soledad Arróniz, José Sala, y muchos otros. Finalmente, Saldoni tuvo otra relación con el teatro lírico como director de la orquesta del teatro del Príncipe de Madrid, luego teatro Español, entre 1848 y 1851. *Véase* LOS ENREDOS DE UN CURIOSO.

OBRAS: *El triunfo del amor*, Opt, 1 act, I, J. Alegret, est, 1825; *Los enredos de un curioso*, Opt, 2 act, col. F. Piermarini / P. Albéniz / R. Carnicer, I, F. Enciso, est, 1832, E:Mc; *El rey y la costurera*, Zarz, 3 act, I, V. Brusola, est, 1853; *La corte de Mónaco*, Zarz, 1 act, I, R. de Navarrete, est, 16-II-1857, Te. Zarzuela, E:Msa; *Los maridos en las máscaras o No más bailes*, Zarz, 2 act, I, W. Ayguals, est, 1864.

BIBLIOGRAFÍA: *DMEH; HGZ;* J. Torres Mulas: "Baltasar Saldoni, músico e historiador", *Cuadernos de Música*, I, 1990.

EMILIO CASARES RODICIO

Salir el amor del mundo. Zarzuela nueva en dos jornadas. Música de Sebastián Durón. Libreto de José de Cañizares. Estrenada el 6 de noviembre de 1696 en Madrid.

Personajes. Cupido (Amor). Júpiter. Morfeo. Marte. Apolo. Momo Gracioso. Diana. Ninfas. Músicos.

Orquestación. Violines, vihuela de arco, clarines, timbales y acompañamiento.

Argumento. *Jornada I.* Cupido se introduce en los jardines de Diana. Ésta al descubrirle, envía a sus ninfas –Zinna, Yrene y Lesbia–, a que le capturen. Cantan Diana y Música para amedrentar a Cupido. Momo Gracioso –la Ignorancia– que acompaña a Cupido le propone huir, pero Cupido contesta que Diana le desea. Diana pide a las ninfas que prosigan la persecución, pero ante la dificultad,

piden ayuda a Apolo, Marte y Júpiter. Los dioses bajan de las nubes y cantan juntos para asustar a Amor.

Momo se lamenta de la mala suerte de Amor ante lo que se avecina. Aparecen los zagales que se unen al canto de Momo, en el que dice que Amor finalmente siempre vence, aunque huya. Amor pide a los zagales y a Momo que lo dejen solo, y Momo se enfada. Amor canta su dolor e intenta darse ánimos. Se queda dormido en el bosque, que cree un lugar seguro, acompañado por los cantos de Morfeo. Aparecen entonces Diana, Apolo, Marte y Júpiter, y deliberan sobre lo que harán con Amor cuando lo apresen, y deciden romperle las flechas; Amor se despierta. Diana y los dioses se esconden y Amor al ver las flechas rotas se da cuenta de que lo han encontrado y lamenta haberse quedado dormido. Al iniciar su huida aparecen los perseguidores; Amor pide, desarmado, que le dejen marchar, y Diana, cautivada, le deja ir. Amor promete vengarse y los dioses le acusan de cobarde.

Jornada II. Se escucha ruido procedente de la fragua, donde se preparan nuevas flechas para Amor, éste se siente atraído ante los ruidos, aunque también intuye el peligro. Momo y los zagales ven a Amor y se acercan para explicarle que han preparado una flecha para que se vengue de Diana. Amor coge la flecha y Momo le da recomendaciones. Se oyen las voces de Diana y las ninfas que están cazando, y Momo insta a Amor a que vaya a vengarse. Temerosos de que descubran su apoyo a Amor, Momo y los zagales salen con cuidado de que no les oigan.

Aparecen Diana y las Ninfas; Diana propone adentrase en el bosque, pero una ninfa le advierte de que Amor está pensando en la venganza, y es peligroso,

pero ésta se muestra segura, mientras es observada por Amor que piensa en disparar su flecha. Diana anima a sus ninfas a que la sigan. Cuando Amor se dispone a disparar, se interpone Júpiter; Amor le pide que se retire pero éste le advierte que va a perder su única flecha. Al disparar, el arco de Amor no obedece. Júpiter le dice que es difícil vencerle y le deja solo con desprecio, Amor le sigue pero llega Marte a vengarse. Amor le tira la flecha pero falla, y Marte se va, ufanándose de su éxito. Amor se lamenta de su mala suerte, aunque se anima de nuevo y va a recoger la flecha. Sale entonces Apolo y se adelanta, recriminando a Amor por su afán de venganza. Amor le dice que es fácil jactarse armado por lo que Apolo le devuelve la flecha y Amor intenta dispararle, pero se rompe la cuerda del arco. Apolo le insta a huir pero Amor se niega; llama a Venus en su ayuda, y se va perseguido por Apolo. Llega Diana que ha oído a Apolo y sospecha que ha encontrado a Amor, y corre detrás de él. Llega Amor asustado y ve a Diana, y le dice que se va a vengar de los tres, usando la flecha como puñal, al tener roto el arco. Luchan y Amor queda herido y Diana triunfante llama a las ninfas y Dioses para contarles lo ocurrido. Encierra a Amor, junto a Momo, en una gruta. Le atan mientras exclama sus quejas y lamentos, y los demás se ríen de él. Al llevarle a la gruta pide que le dejen quejarse, y acceden a que Amor exprese su lamento. Finalmente le encierran a pesar de sus súplicas y Diana queda triunfadora, y los dioses le rinden homenaje, mientras los zagales y las ninfas gritan en su honor.

Números musicales. Loa: Nº 1. Coro, "Trasfiera en obsequios mil". Nº 2. Soprano, "Suspenda el aplauso". Nº 3. Amor, "Yo, yo que soi". Nº 4. Soprano, "Carlos, tu mejoría". Jornada I: Nº 5. Música, "¡Muera Cupido!". Nº 6. Diana, "Dorada luciente esfera". Nº 7. Apolo, Marte, Júpiter, "Y ia que en la selba". Nº 8. Apolo, Marte, Júpiter, "Tanto de Amor en ultraje". Nº 9. Música, coro a 4, "Qué importa que airada deidad?". Nº 10. Amor, "Sosieguen, sosieguen". Nº 11. Morfeo, "Descanse el Amor". Nº 12. Diana, Apolo, Júpiter, Marte, "Del amor los arpones". Nº 13. Amor, "¿Qué orror, qué espanto?". Nº 14. Coro, Diana, Amor, "¡Huie, huie, cobarde!". Jornada II: Nº 15.

Coro a 4, "De cuantos yerros forjó". Nº 16. Amor, "Temores, ¿qué ruido es éste?". Nº 17. Gracioso, "Biendo que el ceguezuelo". Nº 18. Júpiter, "Pues bibre la cuerda". Nº 19. Marte, "¿Dónde vas, cobarde?". Nº 20. Apolo, "Eso no, cobarde!". Nº 21. Amor, coro, Diana, Júpiter, Apolo, "¡Ay de mí, ay de mí!". Nº 22. Coro a 4, "En el cóncabo profundo".

Comentario. Sebastián Durón, además de maestro de capilla, fue el responsable de las producciones escénicas de la corte de Carlos II a finales del siglo XVII. En este contexto escribió la zarzuela *Salir el amor del mundo*, según A. Martín Moreno, para la celebración del cumpleaños de Carlos II, el 6 de noviembre de 1696. Aunque se desconoce la fecha exacta del estreno de la zarzuela, Martín Moreno la propone a partir del estudio de esta fiesta real, y por las referencias de la loa a la enfermedad de Carlos II, ya que sería la ocasión para celebrar además su mejoría después de haber pasado un verano enfermo. El libreto contiene alguna alusión política, referida posiblemente a Mariana de Neoburgo, segunda esposa de Carlos II, y no a la reina madre Mariana de Austria, ya fallecida entonces. Esta zarzuela formaba parte de una fiesta real, que incluía una loa, bailes, sainetes, intermedios, y un fin de fiesta, además de una obra escénica de mayor entidad que en este caso fue esta zarzuela de Durón.

El libreto se debe a José de Cañizares, uno de los autores de zarzuela más importantes de su época. La estructura de la obra era la habitual, en dos jornadas, y presenta un tema mitológico-pastoril –propio de la zarzuela durante el siglo XVII y parte del XVIII–, del que está ausente cualquier fin moralizante. El argumento presenta un carácter intrascendente, primando lo musical sobre lo visual, por lo que en este contexto, la música se erige como elemento esencial de la obra. La proporción de música respecto a la parte hablada es de casi la mitad, bastante mayor que en zarzuelas anteriores, como por ejemplo *Los celos hacen estrellas*, que ronda una quinta parte. Aunque en algunas fuentes, como Cotarelo, se cita como *Salir el amor al mundo*, ello se debe a la confusión generada con la obra *Venir el amor al mundo* de Melchor Fernández de León, representada en 1680.

Respecto a la partitura de esta zarzuela, uno de los elementos más reseñables es la aparición por primera vez del término "area" en una obra española. Sin duda se relaciona con el término aria empleado en la ópera italiana, que ya dejaba notar su influencia en la música española de finales del siglo XVII, aunque Durón no se atreve a componer la música para estos versos. Esta primera zarzuela de la producción de Durón, aunque ya muestra algunas de las influencias foráneas, que serán mayores en el género escénico conforme avance el siglo XVIII,

aún mantiene esencialmente elementos de la tradición músico-teatral hispana, y no presenta la característica sucesión de arias y recitados propia de la escena italiana. Aparecen los coros a cuatro, así como los dos números de seguidillas, el Nº 4, "Carlos, tu mejoría", perteneciente a la loa, y el Nº 12, que tiene una música pegadiza y reiterativa.

Aunque es incipiente la influencia extranjera, según Martín Moreno, parece claro que Durón se muestra en la música teatral más audaz que en sus obras religiosas, más libre tanto en el ritmo como en la armonía, afianzándose la tonalidad moderna y alejándose así de la modalidad gregoriana propia de la música religiosa. Durón utiliza de manera ágil las disonancias como recurso de identificación con el texto, como muestran algunos números especialmente interesantes, donde los protagonistas dan rienda suelta a la expresión de sus sentimientos. Destaca en este sentido el tono de lamento del Nº 10, que responde a la forma ABCA, aunque Durón no denomina aria. Martín Moreno advierte en la partitura una diferencia clara en el tratamiento entre la primera y segunda jornadas, puesto que esta última los cuatros tienen menos presencia en favor de los solos acompañados, que identifica con fórmulas italianas.

Como expone L. K. Stein, Durón supone el comienzo de un estilo internacional en la música escénica española que se irá imponiendo durante el siglo XVIII, y que une elementos de los diferentes estilos.

Aunque se conocen pocos datos del estreno, según la acción presentada en el libreto, la representación de *Salir el amor del mundo* debió de requerir interesante aparato de tramoya para su puesta en escena, como sería, por ejemplo, la bajada de los dioses desde las nubes a la tierra. Se desconocen los intérpretes del estreno, pero según Martín Moreno, posiblemente fueran los integrantes de alguna de las dos compañías de la corte, la de Carlos Vallejo o la de Juan de Cárdenas. Como era tradicional en las obras escénicas, los papeles eran interpretados por mujeres, de ahí que no aparezca la tesitura de bajo. El papel de Música y el Coro tendría escasos intérpretes, que rondarían los dos por cuerda. El baile, como era habitual, forma parte de esta zarzuela, y era representado por los intérpretes al mismo tiempo que cantaban, uniendo así en la zarzuela los distintos elementos como son música, texto y baile.

Fuentes manuscritas. La partitura (M. 2283) y el libreto (Ms. 17203) se conservan en la Biblioteca Nacional de Madrid.
Ediciones de música. Ed. crítica A. Martín Moreno, Málaga, Sociedad Española de Musicología, 1979.
BIBLIOGRAFÍA: A. Martín Moreno: *Historia de la música española. 4. Siglo XVIII*, Madrid, Alianza, 1983.

JUDITH ORTEGA

Salto del pasiego, El. Zarzuela melodramática en tres actos. Música de Manuel Fernández Caballero. Libreto de Luis de Eguilaz. Estrenada el 17 de marzo de 1878 en el teatro de la Zarzuela de Madrid.

Personajes y reparto. Margarita de Idubeda (Dolores Franco de Salas, tiple). Doña Clemencia (Adela Rodríguez). Lucía de Idubeda (Concepción Baeza). Don Luis de Sodupe (Rosendo Dalmau). El doctor Chinchilla (Enrique Ferrer). Don Julián de Castro (José Sala). El padre Vicente (Daniel Banquells). Pablo Mur (Luis Carceller). Camarón (Andrés Vidal). Un juez (Francisco Mora). **Orquestación.** Flautín, flauta, 2 oboes, 2 clarinetes, fagot, 2 trompas, 2 cornetines, 3 trombones, timbales, percusión y cuerda.

Argumento. *Acto I.* Comienza la obra con un desfile de pasiegos, que traen el alijo de contrabando hasta sus cabañas del monte. Entre los pasiegos se encuentra Pablo, un buen hombre que está enamorado de la bella Margarita, de lo que todos se ríen, porque en el lugar se rumorea que está interesada por otro personaje. Llega la duquesa, Doña Clemencia, acompañada de Don Julián. Por ellos se conoce que la muchacha ha sido seducida por Don Luis, hijastro de la Duquesa, llegando a tener un hijo de él. Doña Clemencia se inquieta por lo ocurrido, ya que la salud de Don Luis es precaria y la existencia de tales amores y de la criatura pone en peli-

Cortesía de Unión Musical Ediciones SL

gro la herencia que, en caso de morir Don Luis sin sucesión, pasará íntegra a la hija de Don Julián, por lo que ambos tratan de interponerse entre aquellos amores. Margarita es citada por su amante en una ermita próxima y allí se dirige confiada con su hijo en brazos. En un aviso de la Providencia, el padre Vicente, que cuida la ermita, ha referido al pueblo pocos momentos antes el castigo ejemplar de una pasiega deshonrada, que para ocultar su falta ha arrojado a su hijo al barranco desde el salto del Pasiego, un abismo próximo. Margarita siente en aquellas palabras una alusión a su oculta falta y marcha al encuentro de Don Luis, nerviosa y con malos presentimientos. Don Julián está al acecho, y al pasar Margarita por el borde de la torrentera, le arrebata al niño y lo arroja al torrente. Mientras, el doctor Chinchilla ha sido encomendado por el rey Carlos IV para buscar una nodriza en el valle para amamantar a su primer hijo. Aparece Don Luis, extrañado de que Margarita no haya acudido al lugar donde la citó ya que deseaba conocer a su hijo. Sin embargo, la pasiega, tras la terrible emoción sufrida, ha perdido el juicio. El pueblo, por su parte, la acusa de haber asesinado al niño. Don Luis quiere salvarla de la multitud. Frente a la realidad dramática, la duquesa es consciente de que Julián ha sido el verdadero responsable del crimen.

Acto II. Margarita, en su desvarío, dice tener en su poder una prueba de su inocencia, arrebatada durante la lucha al asesino de su hijo. Pero en su inconsciencia no logra encontrarla. Por su parte, el doctor Chinchilla reconoce en Don Luis a un enfermo misterioso, a quien se le hizo visitar cierta noche en secreto, y a quien un enmascarado, amenazándole con un puñal, le obligó a recetarle un veneno. Chinchilla refiere la historia a los presentes, pero Don Luis no se acuerda de nada, aunque Don Julián sí y se siente perdido ante las palabras del médico. Su turbación pone de relieve su acto criminal ante los ojos de Clemencia, horrorizada ante tanta maldad. Julián queda solo con Margarita y quiere arrebatarle el reloj que ella le quitó durante la lucha. Clemencia ha presenciado la escena, oculta, e interviene a favor de Margarita. Don Julián le dice que el crimen de él la cubrirá a ella de deshonor, ya que aquel reloj tiene en la tapa un retrato suyo, acompañado de una dedicatoria apasionada, que pondrá ante los ojos de todos el verdadero carácter de las culpables relaciones que ambos sostienen; al mismo tiempo, su hija quedará mancillada y despojada de su herencia. Clemencia no se resigna a ser cómplice de la trama y Don Julián la encierra en el castillo, yendo en persecución de Margarita, que ha huído durante la escena anterior y se dirige a la búsqueda de Don Luis. Margarita, seguida por el pueblo, que reclama a voces su muerte, llega al abismo del salto del Pasiego. Se lanzan varios alguaciles, mandados por el juez en su captura; pero no pueden atraparla, a pesar de las promesas de Don Julián que quiere hacerse con ella a toda costa para que sea condenada y juzgada por el supuesto infanticidio. Don Luis va detrás, y al fin consigue atravesar el precipicio en un momento de gran tensión dramática, haciendo uso de un puente primitivo formado por un tronco de árbol tendido sobre el abismo.

Acto III. Al fin, Don Luis tiene en su mano la prueba de la inocencia de Margarita. Don Julián le hace creer que ha sido el pasiego Pablo el culpable de la muerte del niño. Aquél, enamorado de Margarita, y despechado al conocer sus amores con el Duque, cometió el crimen, después de haber robado el reloj a Don Julián. Pero gracias a la joya y a la inscripción y retrato que guarda, Don Luis ha descubierto las relaciones que unen a su madrastra con Don Julián y desafía a éste mientras que Margarita, aprovechando la confusión, escapa de nuevo, siempre con la obsesión de volver a ver a su hijo. Pablo, el pasiego acusado del crimen, en realidad salvó al niño, a quien encontró colgado de unas ramas y a punto de perecer. Al mismo tiempo, el doctor Chinchilla ha puesto en conocimiento del juez la historia del veneno, dándole unas muestras del mismo que ha encontrado en el botiquín de Don Luis. Éste viene hasta el lugar buscando a Don Julián, con el que se ha citado para batirse. Pablo, el pasiego, ha llevado al niño para ponerlo a salvo de toda tentativa criminal, y el padre Vicente se lo dice a Don Luis. Ambos marchan al encuentro de Margarita, cuya curación, según afirma Chinchilla, puede ser posible ante la impresión de ver al niño. En cuanto lo siente en sus brazos, recobra la razón y Don Julián, confundido y aterrado, es sorprendido por el juez en el momento que quiere hacer desaparecer el reloj que le acusa. Don Luis y Margarita, entre las aclamaciones de la muchedumbre, marchan a la ermita donde han de santificar su unión.

Números musicales. Preludio. Acto I: Nº 1A. Introducción y coro, "¡Compañero, alerta!". Nº 1B. Coro y escena, "Hoy de estos pájaros a cada cual sale su pájara a saludar". Nº 1C. Streta de la Introducción, "Permitan los cielos". Nº 2A. Romanza de tiple, "¡Ay que en vano es el venir!". Nº 2B. Escena, "¡Margarita!". Nº 2C. Raconto de tiple, "Niña inocente". Nº 2D. Terceto, "Es preciso esos locos amores". Nº 3A. Escena y coro, "Gallarda aldeana". Nº 3B. Coro de San Antonio, "Ay, Santo de las niñas". Nº 3C. Balada de Rosalía, "Rosalía la más bella". Nº 3D. Recitado y solo de violín. Nº 4A. Gran escena y salida del doctor, "¡Viva, viva el señor Médico!". Nº 4B. Raconto, "Pues que pude a este sitio llegar". Nº 4C. Escena y coro, "¡Ay cielo santo!". Nº 5. Final I. Duetino, plegaria de la cruz y escena final, "Ninguno me ha visto". Acto II. Nº 6A. Introducción, escena y coro, "Estáis ya todas". Nº 6B. Coro, "Con las patenas de plata". Nº 6C. Coro de la disputa y escena, "Calla, calla presumida". Nº 6D. Coro de nodrizas. "Mire señor Chinchilla este borrego". Nº 7. Escena y romanza de tenor, "¡Nada, nadie! ¡Qué es esto, gran Dios!". Nº 8. Dúo de tiple y tenor, "Margarita. Esa voz es la suya". Nº 9A. Raconto de barítono, "Sonaba la media noche". Nº 9B. Cuarteto, "Has echado con cebo el anzuelo". Nº 10. Escena, "La noche me ampara, me escuda el amor". Nº 11. Final II. Coro, escena y concertante, "Yo la salvaré". Acto III. Nº 12. Introducción y coro interior, "Un pueblo honrado, clamando está". Nº 13A. Escena, "¡Socorro, socorro!". Nº 13B. Vals, "Dice el mundo que estoy loca". Nº 13C. Terceto, "¡Oh! ¡Es el suyo!". Nº 13D. Aria de tenor, "Prenda querida". Nº 13E. Nanas, "Duerme niño chiquito". Nº 14. Canción del caminante, "No te ufanes, río Ebro". Nº 15A. Escena. Nº 15B. Dúo, "Aquí me tienes". Nº 15C. Coro dentro y escena, "Del valle de Pas salen muchas pasiegas". Nº 15D. Escena, canciones y bailes populares, "Es guardar a una pasiega". Nº 16. Final, "Pasiegas del valle, oíd la elección".

Comentario. El salto del pasiego es la obra póstuma de Luis Eguilaz. El éxito logrado con ella superó en mucho al de La Marsellesa, y si ésta fue la iniciación de la gloria de Caballero, aquélla fue su consagración definitiva. Eguilaz había entregado su libro al maestro veintidós años antes de que se estrenara, es decir, cuando Caballero era un desconocido. Es de imaginar la cantidad de vicisitudes que la obra hubo de pasar antes de verse en el escenario de la Zarzuela. Cuando se estrenó Eguilaz ya había muerto y no pudo compartir los aplausos del triunfo con su colaborador. En la primera página del libreto y junto a la fecha de su estreno, como punto final a una larga odisea, hay una nota conmovedora que expresa más que ninguna descripción: "Zarzuela escrita expresamente hace veintidós años para el hoy popular compositor D. Manuel Fernández Caballero, y a quien la dejó dedicada su cariñoso y constante amigo, el insigne poeta que lloran las letras españolas, que adivinó en el niño al consumado maestro". Caballero dedicó a su vez la partitura a Eguilaz. El salto del pasiego muestra, según Matilde Muñoz, "el libro más sombrío y truculento de todos los trazados para este género, que siempre se caracterizó por su afición a reflejar historias extraordinarias y de escaso contenido humano". El trabajo de Eguilaz es serio y su visión dramática considerablemente novedosa, con múltiples detalles que, en alguna medida, vienen reflejados en el propio libreto. Valga el hecho que, en una de las escenas críticas, Eguilaz demanda que "el que haya tenido la desgracia de ver a un inocente niño marchando a gran altura por entre dos líneas que han de juntarse sobre un abismo, comprenderá lo que el autor desea que expresen en este momento todos los personajes que están en escena, menos Don Julián, que, desesperado, incita a los alguaciles para que sigan al duque".

La partitura fue, de hecho, también muy celebrada. El padre Villalba comenta que "más que ninguna El salto del pasiego ha merecido elogios y se ha considerado como la muestra saliente del feliz estro de Caballero", e incluso se atreve a certificar que es "la última gran obra de éste, pues aunque Chateau Margaux, El lucero del alba y Luz y sombra se citan con elogio, en esa primera época lo absorben todo Las nueve de la noche, La Marsellesa y El salto del pasiego". Esta pieza pertenece a una de las épocas más fuertes del compositor murciano, en la que se enseñoreaba sin competencia en el género grande, pese a la decadencia de éste, teniendo en cuenta el declive de Barbieri y Arrieta y que Chapí no había regresado aún de su pensionado en París.

La obra es, posiblemente, la más amplia de concepto y en números de todo el corpus de Caballero, nada menos que treinta y siete, precedidos de un preludio. El Nº 1 cuenta con tres apartados, todos ellos construidos según el molde belcantista. A una introducción sucede una primera escena de Pablo (tenor) con coro general. Le sigue de nuevo un coro y escena, que con los mismos protagonistas culminan, Nº 1C, en una streta, brillante y de gran aparato, sobre la onomatopeya del cucú. El Nº 2A es una romanza –Margarita–, pensada para un registro de tiple central con un sólido registro grave y un agudo de cierta brillantez que alcanza el La#. Está construida en la extraña tonalidad de Fa# mayor. Continúa con una escena entre Clemencia, Margarita y Julián, de gran dramatismo, donde de nuevo Caballero vuelve a jugar con una tonalidad poco corriente –Sol b mayor, enarmónica de la anteriormente vista Fa# mayor–. Sigue, Nº 2C, con un raconto de tiple a cargo de Margarita, una romanza mucho más breve, que se desarrolla en una especie de aire de vals. Culmina, Nº 2D, con un terceto de los mismos personajes que da pie a un fragmento brillante en la línea de los modelos decimonónicos italianos, a los que, en líneas generales, se ciñe la partitura. El Nº 3A comienza con coro en valores ternarios, en un aire pastoril cuya línea melódica entronca con una danza norteña. Da paso al "Coro de San Antonio", Nº 3B, un fragmento en ritmo binario, en el que también interviene Pablo, donde se potencia un ritmo popular. La tercera parte, Nº 3C, es la "Balada de Rosalía", una pieza de gran sabor lírico a cargo del Padre Vicente –bajo lírico–, con el coro, donde Caballero utiliza los habituales recursos aprendidos en Italia. Culmina, Nº 3D, con un curioso y llamativo pasaje. Sobre el protagonismo del violín, acompañado por la orquesta, Margarita recita un fragmento hablado en una especie de melodrama de gran efecto en el que, al final, también interviene el sacerdote. Es un curioso recurso, no demasiado usado por los compositores de zarzuela, por mucho que encuentren algunos precedentes en el *singspiel* y sus variantes más populares. El Nº 4 es una escena de amplias dimensiones donde el coro celebra la llegada del doctor, donde narra las obligaciones que le traen a la ciudad, en una especie de gran recitado –es un barítono o bajo medio–. Continúa en el raconto, Nº 4B, en ritmo ternario, entre el doctor y el coro de mujeres, donde el aire popular se consolida para culminar en *pp*. El Nº 5 es el final, compuesto de un duetino entre Julián y Margarita, llamado así más por sus dimensiones, que por su fuerza dramática. Se suma el coro con los gritos de horror ante la locura realizada por Margarita, terminando el fragmento en Sol b menor, en plena desesperación general.

El segundo acto se inicia con una introducción orquestal breve, cuya sonoridad grave se transforma, a través de un compás de 6/8, medio utilizado por Caballero para romper la tensión con la que había culminado el primer acto y, así, presentar la escena de la elección de la nodriza, donde los grandes protagonistas son el doctor y el coro de tiples, aunque también interviene el sector masculino. Es

un momento donde la influencia de la opereta francesa – posiblemente de Offenbach– resulta perceptible en el espíritu cómico del fragmento y en el tratamiento instrumental. Le sigue un coro general, Nº 6B, que se transforma en el denominado "Coro de la disputa" donde mujeres y hombres se enfrentan en la selección de nodrizas. El coro, Nº 6D, culmina en aire de vals de espectacular brillantez. El Nº 7 es un recitado y romanza de tenor –Don Luis–. Aria de gran fuerza lírica "Campos de Villalar", muy bien escrita para la voz – en este tipo de trabajos, Caballero era siempre un gran maestro–, sobre todo por la densidad orquestal y los requerimientos expresivos y que, de alguna manera, sirven de patrón para referentes posteriores. De gran belleza melódica, es uno de los fragmentos que obtuvieron mayor refrendo, a pesar de que se trata de una de las romanzas más exigentes de su autor. El Nº 8 es un dúo de Margarita, enloquecida, y de Luis. Aquí las demandas vocales para la soprano varían. Frente a la lírica que parecía demandar el primer acto, este segundo la transforma en una ligera, potenciando su coloratura como muestra de su pérdida de juicio. El dúo es muy hermoso y agradecido para ambos intérpretes, sobre todo porque sigue los hábiles recursos del lenguaje operístico italiano. Son los dos números que forjan el núcleo central del segundo acto. El Nº 9 tiene dos partes: la primera es un recitado que precede a un raconto de Julián –barítono–, aunque con la presencia de otros personajes, después de la romanza, que es en realidad de lo que se trata, se pasa a un cuarteto donde Clemencia, el doctor, Julián y Luis, se enfrentan a la realidad. Por ello es un momento de gran dramatismo y fuerza. El Nº 10 es una escena de la protagonista y Julián. Caballero construye la situación con un recitado hablado sobre un fondo musical. Culmina el acto en el Nº 11, un final más breve que el del primero, pero igualmente dramático. La importancia del momento viene de la utilización de los recursos músico-teatrales, con un fondo a cargo de la orquesta que da paso a un coro de notable efecto, siguiendo las estructuras del concertante italiano.

El tercer acto se inicia de nuevo con una brevísima introducción orquestal que da paso al coro que, como se puede constatar, es auténtico protagonista de la obra y demuestra el alto nivel, tanto dramático como canoro, al que debió llegar en su día el del teatro de la Zarzuela, donde se estrenó la obra. El Nº 13A es una escena con la intervención de varios personajes, donde Margarita se ve acosada por la chusma excitada por Julián. El Nº 13B es, sorprendentemente, un vals, en este caso en modo menor, "Dice el mundo que estoy loca", de construcción sencilla pero de gran efectividad, ya que, por su buena escritura, merecería un lugar en el repertorio. De nuevo se vuelve a requerir la parte de coloratura de la cantante. El N° 13C es un terceto de transición, de menor interés musical –aquí Caballero se muestra sólo como un hábil artesano– aunque de importancia dramática. Aparece Julián como un individuo despreciable y dispuesto a salvarse, llevándose por delante a quien haga falta. Sigue el bloque, N° 13D, con un aria –así la denomina el propio compositor– para tenor, "Prenda mía querida". De nuevo aparece el hábil melodismo de Caballero, capaz de sostener un fragmento con una idea siempre eficaz. Sigue una nana, N° 13E, de estructura sencilla, donde el autor parece recurrir a aires populares norteños. Un número de transición, N° 14, una canción brevísima de un caminante, a cappella, se transforma en un fragmento instrumental, N° 15A, con intervenciones habladas que da paso al dúo, N° 15B, entre Luis y Margarita, donde, de nuevo, recurre a la expansión lírica, a la que se unen todos los protagonistas. El N° 15C es un coro interior que entona un fragmento popular que, tras una escena orquestal, donde Julián recibe su recompensa, para culminar en el N° 15D, una escena con canciones y bailes populares pasiegos. Culmina la obra en un final donde el conjunto celebra la nueva realidad de los protagonistas.

El éxito de esta zarzuela llevó a la composición de la correspondiente parodia, *El salto del gallego*, con texto de Salvador María Granés y Calixto Navarro y con música de Manuel Nieto, que vio la luz en los Jardines del Buen Retiro el 13 de julio de 1878.

Fuentes manuscritas. Los materiales de orquesta se conservan en el archivo de la SGAE en Madrid (2281).
Ediciones de música. Madrid, Cd, 1878.
Ediciones del libreto. Madrid, Alonso Gullón, 1878; 3ª ed. 1881.
FONOGRAFÍA: RP: Victoria 2720 y 5776.
D78rpm: Sol. Mercedes Capsir, Columbia R14710, WC 2089 WC 2090 • Sol. Esperanza Clasenti, 622612 (et. beige), 39497, 39498.

BIBLIOGRAFÍA: *OGCH*; M. Fernández Caballero: *Los cantos populares españoles considerados como elemento indispensable para la formación de nuestra nacionalidad musical*, Madrid, Real Academia de Bellas Artes, 1902; P. L. Villalba Muñoz: *Últimos músicos españoles del siglo XIX*, Madrid, La Ciudad de Dios, 1908; J. González Cutillas: "Manuel Fernández Caballero: de la zarzuela al género chico", *Actualidad y futuro de la Zarzuela*, Madrid, Alpuerto, 1991.

LUIS G. IBERNI

Salvador, Conchita. España, siglos XIX-XX. Tiple cómica. En 1907 debutó con gran éxito en Panamá en el teatro Metropole, con *Los granujas* y *El barquillero*, siendo muy aplaudida en ambas. La tiple formaba parte de la compañía de Diestro y Cousirot.

BIBLIOGRAFÍA: *El Arte de El Teatro*, 40, 15-XI-1907.

Mª LUZ GONZÁLEZ PEÑA

Salvador, Consuelo. España, siglos XIX-XX. Tiple. En 1875 estrenó en la Zarzuela *Entre el alcalde y el rey* de Arrieta junto a Elena Salvador, con la que se desconoce si existía parentesco. En 1889 en Apolo *Gilito* de J. Osuna, y en 1892 en el teatro Felipe *La mascarita* de Estellés. Contratada nuevamente por el teatro Apolo, participó en los estrenos de *El dúo de la Africana*, *La verbena de la Paloma*, *Al fin se casa la Nieves*, *El domingo de Ramos*, *Misa de réquiem*, *Las mujeres*, *¡Al santo, al santo!* y *Modus vivendi matrimonial*, de nuevo junto a Elena Salvador.

BIBLIOGRAFÍA: *TA*.

Mª LUZ GONZÁLEZ PEÑA

Salvador, Elena. España, siglos XIX-XX. Cantante. En 1875 estrenó en la Zarzuela *Entre el alcalde y el rey* de Arrieta; en 1884 en el Martín *¡A la cuarta pregunta!* de Hernández y en 1885 *Los diablos del día* de Taboada. Volvió al teatro de la Zarzuela la temporada 1885-86 y allí conoció a José Riquelme con el que se casó. En 1886 estrenó en el teatro Variedades *Modus vivendi matrimonial* de Nieto. En 1888 en el teatro Felipe *Soltero y mártir* de Mariani y en el Martín *Los baturros* de Nieto. En 1891 en el Alhambra de Madrid *Los tortolitos* de Marqués. En 1900 *El viaje de instrucción* en el Eslava; en 1903 *El rey del valor* que llegó a centenaria en cartel, y en 1905 *Music-hall* de Calleja. Es posible que Elena fuese la "señora Salvador" que estrenó con Pepe Riquelme diversas obras como *El cabo Baqueta*, Apolo, 1890; *Los boquerones*, Alhambra, 1891; *El murciélago alevoso*, Apolo, 1891, y *El africano*, Eslava, 1892, aunque también pudo ser Visitación Salvador. En 1910 la revista *El Teatro* organizó un concurso para elegir a la actriz más bella de España y Elena resultó la ganadora. Ese mismo año era la primera actriz del teatro de la Princesa. Llegó a ser primera figura en la Compañía Guerrero-Mendoza. *Véase* RIQUELME, JOSÉ.

Elena Salvador
(Foto: Mundo Gráfico, 1912; Ar. ICCMU)

FONOGRAFÍA: *El país de los tontos*, Sonifolk 20136; *Las alondras*, Sonifolk 20136; *Las inyecciones*, Sonifolk 20136; *Su majestad la mujer*, Sonifolk 20136.
BIBLIOGRAFÍA: *TA*.

Mª LUZ GONZÁLEZ PEÑA

Salvador, Pepín [José Salvador Vicente]. Los Poblados Marítimos (Valencia), 1927. Actor cómico. Se inició muy joven en el teatro en Valencia con la compañía de aficionados de Manolo Sáez, con la que recorrió la mayor parte de los pueblos de la provincia. Tras ganar un concurso en la Casa de los Obreros se incorporó como profesional a la revista *La cotorra del mercat* y a continuación pasó al teatro Alcázar de Valencia donde interpretó todo el repertorio de teatro valenciano. En 1953 llegó a Madrid, donde fue contratado por la compañía de operetas y revistas de Manuel Paso, con la que trabajó en *Tentación, Tute de Reyes, Eres un sol, Mujeres de papel, ¡Anda con ella!* y *El tren de la felicidad* de Algueró, padre e hijo, que se estrenó en el teatro Fuencarral de Madrid en 1957. Pasó después a la compañía del maestro Cabrera y posteriormente a la titular del teatro Martín de Madrid, donde estrenó *Mami, llévame al colegio* y *A las diez, ¡en la cama estés!*, revisiones de *Las leandras* y *¡Cinco minutos, nada menos!*. Tras cinco años en la empresa Muñoz Román fue contratado por la compañía titular del teatro de la Zarzuela y después emprendió su primera gira por Hispanoamérica con la compañía lírica de Faustino García, incorporándose a su regreso a España de nuevo al teatro de la Zarzuela, donde interpretó los primeros papeles en obras como *Doña Francisquita, La tabernera del puerto, La calesera, La del Soto del Parral, Luisa Fernanda, El huésped del Sevillano, La revoltosa, Gigantes y cabezudos, El bateo* y distintas antologías. De nuevo regresó al teatro de la Zarzuela para participar en el estreno de la versión musical de la obra de Máximo Gorki *Los vagabundos*, con música de Moreno Buendía. Se incorporó más tarde a la compañía Ases Líricos, en la que se encargó de los primeros actores y de la dirección escénica, tanto en Hispanoamérica como en el Centro Cultural de la Villa de Madrid. Los años 1979 y 1980 interpretó en Madrid la comedia musical *El diluvio que viene* y posteriormente, nuevamente en el teatro de la Zarzuela *Don Gil de Alcalá*. Diversas series de televisión y películas de cine avalan también el medio siglo de trabajo de este actor.

Pepín Salvador (Foto: Ar. Emilio G. Carretero)

BIBLIOGRAFÍA: E. García Carretero: *Historia del teatro de la Zarzuela de Madrid*, Madrid, Fundación de la Zarzuela Española, 2003.

EMILIO GARCÍA CARRETERO

Salvador, Visitación. Rágol (Almería), siglo XX. Entró como vicetiple en la compañía de Pepe Riquelme, por lo que posiblemente fue ella la que estrenó *El cabo Baqueta*, Apolo, 1890, *Los boquerones*, Alhambra, 1891, *El murciélago alevoso*, Apolo, 1891 y *El africano*, Eslava, 1892. Trabajó después en las compañías de Carmen Sobejano, Carmen Andrés y Amparo Taberner, recorriendo Europa y la América hispana.

Mª LUZ GONZÁLEZ PEÑA

Salvat, Francisco. Tarragona, siglos XIX-XX. Compositor y director. Se formó con el maestro de capilla Victoriano Agustí y fue alumno de Pedrell y Sabatés. Fue director de compañías de ópera y zarzuela con las que recorrió muchos teatros de España. Dirigió la sociedad Euterpe, 1888, fundada por Clavé y El Eco Republicano. En 1893 el Ayuntamiento de Tarragona le nombró director de la Banda Municipal.

Francisco Salvat (Foto: La Música Ilustrada, 1899; Ar. ICCMU)

Fue profesor del Centro de Instrucción Musical. Entre sus composiciones, generalmente para bailes de espectáculo, destaca la zarzuela *Barbers de saló* con letra de Antonio Ferrer y Codina.

OBRAS: *Barbers de saló*, Zarz, 1 act, l, A. Ferrer y Codina, est, 1898, Barcelona, E:Msa; *La dama misteriosa*, Zarz, 1 act, l, R. Homedes Mundo / A. Fayula, est, 1906, Tarragona, E:Mn; *Els entremaliats*, F. Figueras Ribot / F. Boter, M, Zarz, 1 act, l, col. A. Esquerra, Te. Principal (Barcelona); *El cuarto del camarero*, intermedio, 1 act, l, J. Sánchez Mesa, est, 1907, E:Mn; *El fielato*, Sai, 1 act, l, S. Rusiñol / A. Esquerra Codina, est, 1917, Barcelona; *El eclipse total*, sueño, 1 act, l, A. Fayula; *Los fugitivos*, Zarz, 1 act, l, A. Fayula López Bayo; *Los gaditanos*, Zarz, 1 act, l, J. Montagud Jijoane.

BIBLIOGRAFÍA: *IMHA*, II, 19, 25-IX-1899.

FRANCÈSC CORTÉS i MIR

Sama de Torre, José. España, †22-II-1948. Compositor. Es autor de numerosas obras líricas, muchas conservadas en el archivo de la SGAE en Madrid. En ocasiones es autor también de los libretos de sus obras, y colaboró con autores tan destacados como Cayo Vela o Pablo Luna. Se dedicó fundamentalmente a la opereta y el vodevil.

OBRAS (Todas en E:Msa): *Bonita y coqueta*, col. C. Vela Marqueta, l, L. Fernández García; *Chamberí por Hortaleza*, l, J. Silva Aramburu; *Doña Leopardo*, Sai, 1 act, l, E. de Leyva, est, 12-XII-1945, Te. Cómico; *El cielo de España*, 2 act, col. Fuentes, l, R. Peña / M. Sánchez; *El mesón de la Florida*, Zarz, 2 act, l, F. Márquez Tirado / J. Pontes, est, 7-V-1930, Te. Fontalba; *El tonto de la chica*, Hum, 1 act, l, J. Sama, est, 19-VII-1933; *El tonto de morilla*; *Gutiérrez*, l, J. Tellaeche Arrilaga, est, Te. Price; *Hijas de mi vida*, Vo, 3 act, l, A. González Alvarez / J. A. Huertas, est, 10-II-1938, Te. Eslava; *La campanera*, 2 act, l, A. González / F. Márquez, est, 25-VI-1938, Te. Ideal; *La madre*, ilustraciones, 3 act, l, E. Muñoz Portillo, est, 26-III-1938, Te. Progreso; *La tasca de Goya*, col. P. Luna Carné, l, Paradas / Jiménez Martínez, est, 21-XII-1934, Te. Ideal; *Las pulgas de Benito*, Hum cóm-lír, 1 act, l, L. Bellido Falcón, est, 16-IX-1927, Te. Eldorado; *Los cuatro jinetes de la poca la*, 2 act, l, A. González Álvarez / M. Carballeda Ortiz; *Los hombres cabales*, Sai, 1 act, l, R. Vivas Díaz / H. Gutiérrez; *Mi mujer y la máscara*, ilustraciones, l, F. de Lapi / L. Rodríguez Martínez; *Ole con ole* (antes *El conejo de Indias*), Pas, 2 act, l, L. Bellido / R. Bertrán Reyna, est, 13-XI-1931, Te. Maravillas; *Ondas tercianas*, 2 act, col. R. Calleja Gómez, l, Estremera / V. de L'Hotellerie, est, 21-I-1933, Te. Ideal; *Sevilla en broma*, Rv local, l, A. López Macías / H. Gutiérrez Gil; *Tenorio castigador.*

Mª LUZ GONZÁLEZ PEÑA

Samaniego, Juana. España, siglo XIX. Cantante. Hija de la primera dama del teatro del Príncipe, Concepción Samaniego, la primera referencia que aparece de Juana, se encuentra en dos fragmentos editados de la obra *¡Es la Chachi!* de Mariano Soriano Fuertes, 1847, que incluye unas *Siguidillas cantadas en extraordinario aplauso en el teatro de la Comedia por la señorita Samaniego en la pieza en un acto titulada ¡Es la Chachi!* y *La Curra, canción española, cantada con extraordinario aplauso en el teatro de la Comedia por la señorita Samaniego en la pieza en un acto titulada ¡Es la Chachi!*, editadas por A. Romero. Durante la temporada de 1849-50 estaba escriturada por el teatro de la Comedia de Madrid (Variedades), donde interpretó *Misterios de bastidores* y, en 1849, *El duende* de Olona y Hernando, en el papel de Doña Inés, protagonista de la obra; interpretaba dos solos "primorosamente cantados", según afirma Cotarelo, el segundo de los cuales, denominado la "Canción de la florera", era repetido todas las noches, durante más de ciento veinte representaciones casi seguidas. La temporada 1849-50 continuaba en el teatro de Variedades, estando como integrantes de la compañía dirigida por Hernando, y tras estrenar *Tramoya* de Barbieri, en un difícil papel, en 1850 puso por primera vez en escena *Las señas del archiduque* de Gaztambide. A finales de la temporada salió de la compañía por ciertas diferencias con

Adelaida Latorre, siendo entonces contratada para la compañía del teatro del Instituto, donde obtuvo grandes éxitos. La temporada de 1852 aparecía como parte de cantado de la compañía del teatro de la Cruz, estrenando, en su beneficio, la zarzuela de José Valero *Donde menos se piensa salta la liebre*, sobre la que un crítico de la época comenta cómo "el acierto del compositor contribuye a que la señorita Samaniego se haga aplaudir y agrade tanto o más que cuando representa". La temporada siguiente fue contratada para el teatro del Príncipe, donde en 1853 estrenó otra zarzuela en un acto de Juan de Ariza titulada *La flor del valle*. El 27 de junio de ese año se prestó a participar en el beneficio de Arrieta en el Circo, representando el papel de la Duquesa de *Jugar con fuego*, y obligando a la crítica a reconocer sus notorios méritos.

Tras esta colaboración en el beneficio de Arrieta, quedó contratada para participar en la compañía del Circo la temporada siguiente, 1853-54, interpretando, nada más empezar la temporada, *El valle de Andorra* de Gaztambide, donde desempeñó el papel de María; *La cisterna encantada* del mismo compositor, en el papel de la Duquesa, y *El trompeta del Archiduque*, que gustó poco. Al final de esta temporada, la rivalidad entre las dos primeras tiples Amalia Ramírez y Adelaida Latorre, provocó grandes problemas en la compañía, y obligó a la Samaniego a casi no participar en el resto de los estrenos, muy a pesar suyo y "con perjuicio del arte, pues –según comenta Cotarelo– muchos papeles los hacía tan bien o mejor que la Latorre y aún que la Ramírez". En opinión de Cotarelo, en estos años de la década de los cincuenta Samaniego se encontraba en su esplendor, superando en la declamación a importantes cantantes coetáneas como Adelaida Latorre. En 1856 era primera tiple del teatro Principal de Madrid, donde "declama y canta excelentemente", y fue muy aplaudida en *Estebanillo*. La temporada 1856-57 pertenecía a la compañía de zarzuela del Liceo de Valencia. Cotarelo afirma que en la temporada siguiente, 1857-58, actuaba en el teatro Principal de Valencia.

BIBLIOGRAFÍA: *HZ*.

Mª ENCINA CORTIZO

San Antonio de la Florida. Zarzuela escénica en un acto. Música de Isaac Albéniz. Libreto de Eusebio Sierra. Estrenada el 26 de octubre de 1894 en el teatro Apolo de Madrid.

Personajes y reparto. Irene (Joaquina Pino, tiple). Doña Ascensión (Pilar Vidal, tiple). Rosa (Ángela Llanos, tiple). Don Lesmes (Manuel Rodríguez, barítono). Enrique (Isidro Soler, tenor). Gabriel (González, tenor). Joaquín (Castro, barítono). Alcalde (Melchor Ramiro, barítono). Maja 1ª (Srta. Fernández, hablado). Pascual (Alaria, hablado). Un chico (Martínez, hablado). Majo 1º (José Galerón, hablado). Coro mixto.

Orquestación. Flautín, 2 flautas, oboe, 2 clarinetes, fagot, 2 trompas, 2 cornetines, 2 trombones, figle, timbales, bombo, percusión, arpa y cuerda.

Argumento. La acción se desarrolla durante el reinado de Fernando VII. En una calle madrileña durante la noche, se escucha cantar a lo lejos un grupo de majos y majas que regresan de pasear por la orilla del Manzanares. El joven liberal Enrique Cifuentes es perseguido por las autoridades por el ridículo delito de haber dicho que el rey tiene una nariz muy grande. Don Lesmes de Calasparra, su

Escena de San Antonio de la Florida. *Producción de José Carlos Plaza / F. Leal y E. Marty para el Teatro de la Zarzuela, 2002 (Foto: J. Alcántara; Cortesía del Teatro de la Zarzuela)*

rival amoroso y político, es el principal culpable de su persecución con la pretensión de que se aleje de Irene. Gabriel cuenta a Rosa los planes de su amigo Enrique: espera que un cambio en el ministerio le exima de su delito y aprovechará su boda, que se celebrará al día siguiente en la iglesia de San Antonio de la Florida, para encontrarse con Irene, disfrazado de fraile franciscano. Pasa la ronda de alguaciles y un grupo de cuatro miedosos voluntarios realistas, que observan que todo está en calma. Irene y Doña Ascensión, su madre, regresan de la iglesia y se cruzan con Don Lesmes que engaña a la joven diciéndole que han detenido a Enrique, acusado de conspiración. Una vez que Irene entra en casa, Don Lesmes informa a Doña Ascensión que es mentira lo del arresto aunque la previene contra el peligro de Enrique, que se presentará disfrazado en la boda del día siguiente para raptar a su hija. Irene canta entristecida la canción del pajarito, presentándose Enrique con Gabriel, que vigila el encuentro de los dos enamorados avisando cuando llega la ronda nocturna. Al día siguiente, en el merendero próximo a San Antonio de la Florida, Joaquín –el padrino de Gabriel– ultima los preparativos del convite. Don Lesmes entra disfrazado de franciscano y se cruza con Enrique, que al no encontrar un hábito franciscano ha tenido que ponerse el de mercedario. Tras la celebración de la boda, dando vivas y bailando unas alegres sevillanas, las confusiones entre los dos falsos frailes se suceden. Finalmente llega la ronda de alguaciles con el alcalde y detienen a Don Lesmes, creyendo que es Enrique disfrazado. Todos saben que la confusión no durará mucho, ya que todo se aclarará cuando descubran la verdadera identidad del arrestado. Inesperadamente, Doña Ascensión entra sobresaltada informando que ha caído el Ministro y su sucesor es un amigo del padre de Enrique, lo que significa que está libre de sus cargos y podrá casarse finalmente con Irene. Todos celebran a San Antonio de la Florida por el feliz desenlace.

Números musicales. Nº 1A. Preludio, recitado y coro, "Venimos de la orilla del Manzanares". Nº 1B. Gabriel y coro, "Callad un instante y haré la señal". Nº 2. Ronda de alguaciles y volun-

tarios realistas, "Vamos despacito, vamos sin chistar". Nº 3A. Canción del pajarito y escenas. Irene, Enrique, Rosa, Gabriel, ronda de alguaciles y voluntarios, "Pajarito que estás en el árbol". Nº 3B. Dúo. Irene y Enrique, "Enrique... Irene... Silencio por Dios". Nº 4. Salida de los alguaciles e intermedio instrumental. Nº 5. Escena de la boda y sevillanas. Irene, Rosa, Gabriel, Joaquín, majas y majos, "Vivan los novios, vivan mil años". Nº 6. Quinteto. Irene, Rosa, Ascensión, Enrique, Don Lesmes, "No es fraile ni nada aunque viste así". Nº 7. Marcha, escena y final. Irene, Rosa, Gabriel, Enrique, Alcalde, majas y majos, alguaciles, "Gracias al cielo que hemos llegado".

Comentario. *San Antonio de la Florida* fue la única incursión de Albéniz en el género chico, a excepción de sus primeros y desconocidos trabajos en la zarzuela. Tras obtener cierto éxito en Londres con la comedia lírica *The magic opal*, 1893, inició sus contactos con el libretista Eusebio Sierra para componer una zarzuela española, que le permitiese triunfar en su patria. El escritor santanderino formaba parte del círculo del conde de Morphy, en cuyas veladas –relacionadas con la masonería– coincidió con Albéniz, Bretón y Fernández Arbós; de hecho, la partitura de *San Antonio de la Florida* está dedicada a la condesa de Morphy, gran pianista y admiradora de Albéniz. Como se anunció en el diario *El Heraldo de Madrid*, en un artículo de Luis Bonafoux, Albéniz había pedido que en la obra no hubiese "ni ratas, ni chulos, ni toreros" (26-VIII-1894), en referencia a los tópicos habituales de las piezas menores del género chico. Sierra desarrolló así una idea que se remontaba a los modelos de la zarzuela grande, con una ambientación en el mundo goyesco de los majos y majas –mal ubicada en el reinado de Fernando VII–, que recuerda al universo de obras como *El barberillo de Lavapiés* o *Pan y toros* de Barbieri. Lo cierto es que Sierra condensó con habilidad los elementos dramáticos al mínimo, dentro de la concisión que exigía el acto único del género chico. Este hecho no fue comprendido por los críticos, que solían censurar los intentos de amoldar las prácticas de la zarzuela grande dentro del género chico, como señaló Zeda con dureza en *La Época*: "El libro está formado por una serie de escenas deslavazadas, sin interés, sin gracia, sin tipos, ni costumbres, ni situaciones cómicas, ni chistes, ni originalidad ni nada". No obstante, el carácter esquemático del libreto era inevitable, tanto por el deseo de recurrir a un modelo dramático más complejo como por el interés de ofrecer numerosos momentos musicales al compositor, lo que producía un cierto desequilibrio y limitación en la obra.

Albéniz compuso una partitura ambiciosa, tanto en la profundización de los elementos nacionalistas como en los dramáticos. Como señala José de Eusebio, que recientemente ha recuperado esta zarzuela, su música está en la línea de sus grandes óperas de esta época, sobre todo de *Henry Clifford*. El aspecto nacionalista, elemento esencial de la música de Albéniz, encontró un terreno más apropiado en esta zarzuela que en sus wagnerianas óperas inglesas, estando presente tanto en su ambientación goyesca –cuyo mejor ejemplo es el sabor popular del coro inicial– como en sus referencias a la zarzuela grande clásica, evidente en el tema de la ronda de alguaciles en el que parece inevitable pensar que Albéniz tenía en la cabeza el de la guardia de *El barberillo de Lavapiés*. Los elementos nacionales recorren así toda la partitura, con un color muy característico presente tanto en su construcción melódica y sus armonías como en su delicada y trabajada orquestación, como en el coro inicial, Nº 1, la hermosa canción del pajarito, Nº 3, la deliciosa copla de jota del intermedio instrumental, Nº 4, las seguidillas coreadas durante la boda, Nº 5. Otro elemento destacable es la acertada interrelación dramática, que da una gran continuidad a la música, rompiendo incluso el forzado uso de números cerrados de la zarzuela, como en la elaboración de los finales de los dos cuadros o el hermoso quinteto, esquema inusual en el género chico. Todos estos recursos responden a los de un operista –como era Albéniz en estos años– que no ve la necesidad de simplificar su estilo a la hora de hacer una pieza de género chico.

Isaac Albéniz compuso *San Antonio de la Florida* durante el verano de 1894 en París, programándose en el teatro Apolo de Madrid durante la temporada siguiente. Llegó a Madrid apenas tres días antes, para supervisar los últimos ensayos y dirigir las primeras funciones. El estreno alcanzó un mediano éxito, siendo repetidos algunos números y aplaudidos los autores. Sin embargo, la crítica se ensañó con el maestro catalán dedicando duros comentarios al estreno y censurando el excesivo vuelo de la partitura que se consideraba totalmente inadecuada para el género que se ofrecía en el Apolo. Zeda en *La Época* señaló que "el Sr. Albéniz ha incurrido en el defecto del personaje de *Los pavos reales*, que quería poner trufas en todo: ha abusado de las trufas"; el conde de Morphy salió en defensa de su amigo afirmando que "prefería abusar de las trufas más que del ajo y de la cebolla". En *El Imparcial*, Eduardo Muñoz ofrecía una visión más ecuánime lamentando "los siete cuartos de hora que dura la representación sin que pase nada o casi nada capaz de excitar el interés o la hilaridad... Buscando un símil diré que Albéniz se ha embarcado en una fragata para

Escena de San Antonio de la Florida. Producción de José Carlos Plaza / F. Leal y E. Marty para el Teatro de la Zarzuela, 2002 (Foto: J. Alcántara; Cortesía del Teatro de la Zarzuela)

atravesar un río. Sobra embarcación o falta agua; sobra música o falta libro".

La obra se mantuvo en cartel durante diez días en el Apolo, realizándose cinco funciones más poco antes de Navidad dirigidas por Fernández Arbós, que no llegó a calar en el repertorio. Su amigo el escritor Francisco Serrano de Pedrosa le comentó en una carta que "el público de Madrid no va al teatro a oír música, va a divertirse con arreglo a su cultura". Tras más de un año de negociaciones, la zarzuela se pudo ver en Barcelona el 6 de noviembre de 1895, en la función del beneficio de la cantante Ángeles Montilla; al parecer, también se representó en el teatro Tacón de La Habana hacia marzo de 1895. Posteriormente, se hizo una adaptación francesa, en dos actos y titulada *L'Ermitage Fleuri*, que se representó en el teatro Real de la Monnaie de Bruselas el 3 de enero de 1905. La obra quedó en el olvido, a excepción de una reorquestación realizada por Pablo Sorozábal en 1954, hasta la edición crítica de la partitura realizada por José de Eusebio, a partir de unos materiales procedentes de La Habana, localizados por Emilio Casares en 1999. Se hace justicia así a un título atractivo y de interés, fruto del frustrado intento de Albéniz por ser profeta en su tierra.

Fuentes manuscritas. Los materiales de orquesta se conservan en el Museo Nacional de la Música de Cuba (Fondos procedentes del Teatro Tacón).

Ediciones de música. Ed. Crítica J. de Eusebio, Madrid, ICCMU, 2003. Canto y piano, Barcelona, JBP.

Ediciones del libreto. Madrid, Administración Lírico-Dramática, 1894.

BIBLIOGRAFÍA: J. Torres Mulas: "La producción escénica de Isaac Albéniz", *RMS*, XIV, 1-2, 1991, 167-212; W. A. Clark: *Isaac Albéniz. Retrato de un romántico*, Madrid, Turner, 2002; VVAA: *San Antonio de la Florida*, programa, Madrid, Teatro de la Zarzuela, 2003.

VÍCTOR SÁNCHEZ SÁNCHEZ

San Felipe, Francisco Antonio de. España, siglos XIX-XX. Compositor. Socio de la SGAE, había fallecido ya en 1967, aunque se desconoce la fecha. En el archivo de la SGAE en Madrid se conservan numerosas obras líricas. La mayor parte de su creación se inscribe en el género chico, prácticamente todas son en un acto y escritas en colaboración, algo muy habitual en el teatro por horas, tanto en la música como en la letra. El compositor con el que más colaboró fue Cayo Vela Marqueta, y entre los escritores León Navarro Serrano, bien solos o bien con otros autores. Su actividad tuvo lugar en los primeros años del siglo XX, y estrenó la mayoría de sus obras en el teatro Novedades de Madrid.

OBRAS (Todas en *E:Msa*): *Géneros del reino*, Rv, 1 act, col. Aroca Ortega, l, R. Lobo / E. Fernández Gutiérrez, est, 4-VIII-1905, Te. Zarzuela; *Boda de la Felipa o El señor Pepe el Casquero*, Sai, 1 act, col. Gomis, l, R. Solís / R. Peris, est, 31-VIII-1907, Te. Novedades; *La tía Javiera*, Jug, 1 act, col. C. Vela Marqueta, l, G. Farfán de los Godos / R. Rubera, est, 29-IX-1907, Te. Novedades; *Carmen y Marieta*, Zarz, 1 act, col. C. Vela Marqueta, l, L. Anaya, 29-X-1907, Te. Novedades; *Películas madrileñas*, l, P. Baños / J. Manzano Sánchez, est, 3-XII-1907, Te. Novedades; *¡Abajo la media!*, Zarz, 1 act, col. C. Larruga, l, E. Paradas / J. Jiménez, 17-XII-1907, Te. Novedades; *El lobato*, boceto lír, 1 act, col. C. Vela Marqueta, l, C. Díaz Valero / L. Navarro Serrano, est, 17-I-1908, Te. Novedades; *Amor de hermana*, Zarz, 1 act, l, L. Diéguez Barrios, est, 24-III-1908, Te. Novedades; *Astronomía popular*, Rv, 1 act, col. C. Vela Marqueta, l, G. Farfán de los Godos / J. Burgos, est, 18-IV-1908, Te. Novedades; *Artista en crímenes*, Zarz, 1 act, l, J. Romeo / N. Rodríguez, est, 3-VII-1908, Te. Novedades; *Vichy francés*, Hum, 1 act, col. Ubeda, l, R. Rocabert, est, 17-VII-1908, Te. Novedades; *Eslabón de sangre o El tío Cachalo*, Zarz, 1 act, col. C. Vela Marqueta, l, L. Navarro Serrano, est, 3-XI-1908, Te. Novedades; *El perro del molino*, Zarz, 1 act, col. C. Vela Marqueta, l, L. Navarro / E. Múgica / J. Villaseñor, est. 9-I-1909, Te. Novedades; *Vacaciones tragicómicas*, 1 act, col. Lapuerta Morente, l, J. Monteagudo, est, 9-II-1909. Te. Novedades; *Sangre y nieve*, Zarz, 1 act, col. C. Vela, l, M. Rey, est, 22-II-1909, Te. Novedades; *La última ofensa*, Zarz, 1 act, col. A. Saco del Valle, l, R. Rocabert / Roché, est, 27-II-1909, Te. Novedades; *Los dos viejos*, 1 act, l, A. Domínguez Fernández, est, 15-IV-1909, Te. Novedades; *Esmeralda*, Zarz dramática, 1 act, l, E. Gimeno Benito, est, 7-V-1909, Te. Novedades; *Justicia baturra*, Com lír, 1 act, col. C. Vela Marqueta, l, L. Navarro Serrano / J. de Burgos, est, 26-VI-1909, Te. Novedades; *Honra y venganza*, col. E. Giménez Arderíus, l, J. M. Martín de Eugenio, est, 28-IX-1909, Te. Novedades; *El néctar de los dioses*, pt, 1 act, col. T. San José, l, Barrado / Pérez Zuñiga, est, 7-X-1909, Gran Teatro; *El fin del mundo*, fenómeno político, 1 act, col. C. Larruga, l, E. Paradas / J. Jiménez, est, 26-II-1910, Te. Novedades; *Pot pourrit*, Zarz, col. C. Vela Marqueta, l, J. Romeo Sanz, 22-VI-1910, Te. Novedades; *El mesón de la alegría*, Mel, 1 act, l, A. López Monís, est, 2-VII-1910, Te. Novedades; *La villa del oso*, Rv, 1 act, col. C. Larruga, l, Paradas / J. Jiménez, est, 7-IX-1910, Te. Novedades; *Espinilla*, Sai, 1 act, l, Uceda / L. Navarro / Jiménez Echevarría, est, 23-IX-1910, Te. Novedades; *Las cantineras*, Zarz, 1 act, l, L. Navarro / Tirado Fernández / E. Araza, est, 14-XI-1910, Te. Novedades; *Maravillas del progreso*, col. C. Vela Marqueta, l, C. Díaz Valero / L. Navarro / P. Baños, est, 1910; *Flora la viuda verde*, Hum cóm-lír, 1 act, col. C. Vela Marqueta, l, F. Riera / L. Navarro, est, 10-III-1911, Te. Novedades; *Almas bohemias*, Com lír, 1 act, l, J. Romero Sanz, est, 20-IV-1911, Te. Martín; *Tierra bravía*, Zarz, 1 act, col. M. Quislant Botella, l, M. Mihura / R. González Toro, est, 14-VI-1911, Te. Novedades; *El ciego del barrio*, Sai, 1 act, col. M. Penella / T. Barrera, l, J. Romeo / J. Visconti, 20-VI-1911, Te. Gran Teatro; *La morucha*, capricho berebere, 1 act, col. M. Quislant Botella, l, A. Sánchez Carrere, est, 26-VI-1911, Te. Novedades; *La real hembra*, Sai, 1 act, col. T. Barrera Saavedra, l, J. Romeo Sanz, est, 23-IX-1911, Te. Novedades; *El beso de la marquesa*, Dr, 1 act, col. T. Borrás, l, E. Polo, est, Te. Novedades; *El caballero de la triste figura*, Zarz, 1 act, col. C. Vela Marqueta, l, D. Criado; *El cazador de fieras*, 1 act, col. Santamaría; *El cometa Haley*, 1 act, col. C. Vela Marqueta, l, J. Pontes; *El duro sevillano*, 1 act, col. C. Vela Marqueta, l, Mugica / J. Villaseñor; *El Fenómeno*, 1 act, col. C. Vela Marqueta, l, L. Navarro; *El gordo*, 1 act, l, J. Romeo; *El modisto parisien*, capricho, 1 act, col. C. Vela Marqueta, l, G. Farfán de los Godos; *El novicio*, Zarz, 1 act, l, J. Bermúdez / P. Nabaroy; *El redicho*, l, R. y M. Lobo Regidor; *Julia* (2ª parte de *Artista en crímenes*), Zarz, 1 act, l, J. Romeo; *La fiera*, col. E. Bru Albiñana; *La fuente del pino*, 1 act, col. C. Vela Marqueta, l, C. Díaz Valero / L. Navarro Serrano; *La gran maravilla*, Rv, col. C. Larruga; *La ofrenda*, col. A. Brull; *Los ojos de un pícaro*, Zarz, 1 act, col. C. Vela Marqueta, Fernández Pacheco, l, J. Moyrón / G. Farfán de los Godos; *Los vivos*, Zarz, l, A. Palanguez; *Madrid concert*, l, A. Benito Alfaro; *Religión y socialismo*; *Una gota de sangre*, col. C. Vela Marqueta, l, J. Ponzano.

Mª LUZ GONZÁLEZ PEÑA

San Franco de Sena. Drama lírico en tres actos. Música de Emilio Arrieta. Refundición del libreto de José Estremera, sobre una comedia original de Agustín Moreto. Estrenado el 27 de octubre de 1883 en el teatro Apolo de Madrid.

Personajes y reparto. Lucrecia (Dolores Cortés de Pedral, tiple). Lesbia (Gabriela Roca, tiple). Franco (Eduardo Bergés, tenor). Federico (Enrique Ferrer, barítono). Mansto (Miguel Soler, bajo). Dato (Ramón de la Guerra, tenor cómico). Aurelio (Sr. Pastor, actor). Estudiante (Sr. Fernández, actor). Esbirro 1º (Sr. González, actor). Esbirro 2º (Sr. Marín, actor). Posadero (Sr. Gayo, actor). Montero (Sr. Angulema, actor). Damas, caballeros, soldados, hombres y mujeres del pueblo, esbirros, estudiantes, soldados, frailes, niños de coro, etc.

Orquestación. Flautín, 2 flautas, 2 oboes, 2 clarinetes, 2 fagotes, 2 trompas, 2 trompetas, 2 trombones, tuba, percusión y cuerda. Rondalla: guitarras y bandurrias.

Argumento. La escena se sitúa en Sena, en el siglo XIII. *Acto I.* La celebración de una procesión en honor de la Virgen del Carmen se ve interrumpida por el combate de espadas entre Franco y Aurelio y sus parciales; Lucrecia y Lesbia presencian la caballeresca pelea, huyendo posteriormente de la escena. Franco permite huir a sus rivales, quedando frente a frente con su padre, Mansto, que le recrimina su vida disipada, amenazándole con su maldición. El joven se burla de sus amenazas y pidiéndole no le maldiga, espera la llegada de Dato, que ha seguido a las jóvenes para conocer su domicilio; el criado regresa, afirmando que sus pesquisas no han dado fruto, retirándose amo y criado. Lucrecia confiesa a Lesbia la impresión que ha causado en ella el joven Franco, lamentándose de que su hermano Federico la quiera casar con el maduro Fabricio; la joven jura que no aceptará y huirá con Aurelio, que la adora.

Lucrecia transmite su negativa a ese enlace a su propio hermano, quien le ordena someterse a dicha decisión. Aurelio se dispone a dedicar una serenata a Lucrecia, pero en tal situación aparece Franco, que tras matar en duelo a Aurelio, ocupa su lugar, recoge las joyas que Lesbia ha arrojado por el balcón para la huida y sale huyendo con su criado, en compañía de Lucrecia, quien le cree Aurelio. La reanudación de la procesión del Carmen, con la que comenzaba el acto, lo conduce a su fin.

Acto II. Orgía y fiesta de los estudiantes, que vitorean a Franco como jefe y camarada de correrías. Brindis de Franco y terror de él mismo, al hallarse ante una cruz que le recuerda una de sus víctimas; se escuchan cánticos de las vírgenes del Señor que llaman al libertino a la penitencia, mientras que los ecos de la fiesta pretenden arrastrarle de nuevo hacia la vida disipada. Dato se asombra de ver desmayado a su señor, y le relata que la justicia persigue a su padre para dar con el paradero del disoluto. Al saberlo, Franco se dirige al hogar paterno, mientras los esbirros maltratan a Mansto; a su llegada rompe su propio proceso, acomete a los que le buscaban y cogiendo en brazos a su padre, le pone a salvo. Amo y criado llegan con Mansto al castillo donde Franco tiene raptada a Lucrecia, a quien le pide cuide de su anciano y enfermo padre. Llega al castillo Federico que viene a pedir consejo a Franco sobre el castigo que ha de dar a quien tiene raptada a su hermana Lucrecia, desconociendo que habla con el raptor. Puestos, por fin, frente a frente los dos hermanos, Federico comprende la ofensa, y se dispone a matar a Franco, pero éste ordena a sus camaradas que lo saquen de allí. El joven Franco organiza ahora una partida de juego, en la que pierde todo el dinero que posee, las joyas, el traje y, finalmente, los ojos que el blasfemo ha apostado en un último alarde, renegando de Dios que se los dio para tan triste destino. Todos huyen de él al verle ciego, entrando el arrepentimiento en su alma ante la visión de la Virgen del Carmen, prometiendo Franco a partir de ese instante, enmendar su vida y lavar con la penitencia sus pecados.

Acto III. Al lugar de retiro de San Franco, eremita solitario, acuden las aldeanas con sus dones. Aparece Dato, vestido con harapos, mendigando el sustento para él y su amo; las aldeanas le rodean y en un hermoso coro le suplican pida a Dios les conceda un buen marido. Dato les hace ver que él no es el santo, pero que intercederá ante Franco para conseguir sus "imposibles" deseos. Aparece Franco en

Cortesía de Unión Musical Ediciones SL

hábito de tosco sayal y con cadenas en sus pies, dando gracias al cielo por haberle abierto los ojos del alma. Mansto, vestido de peregrino, llega a aquellos lugares pues anda buscando a su hijo perdido; se halla con Franco a quien no reconoce pero el relato de sus desventuras vitales les lleva al reconocimiento mutuo. Franco, tras confesarle que ha conseguido el perdón del cielo, le invita a quedarse en su cueva donde, alejados del mundo, podrán vivir en penitencia hasta el fin de sus días. Federico, hermano de Lucrecia, llega también en busca de Franco, para satisfacer su venganza; tras solicitar a Dato le muestre el retiro de su amo, éste aparece de entre los arbustos, arrodillándose a sus pies, solicitando su perdón. Federico, lleno de cólera, le insulta y le abofetea para despertar su ira, pero, no consiguiéndolo, le persigue para matarle, pero el cielo lo oculta detrás de un peñasco. Huyendo de unos bandidos, aparece Lucrecia en la cueva de Franco, queriendo refugiarse allí: llega Franco y, tras reconocerse ambos, el penitente le pide que se retire a un monasterio para llorar sus extravíos, así lo promete ella, sellando tan piadosas intenciones la Virgen del Carmen, que desciende entre nubes, bendiciendo a los arrepentidos amantes.

Números musicales. Acto I: Nº 1. Introducción. Nº 1A. Preludio y coro a voces solas, "La campana pregona". Nº 1B. Tarantela con coro, "No hay que pararse". Nº 1C. Repetición del coro y procesión, "La campana pregona". Nº 1D. Melodrama. Orquesta. Nº 2. Romanza de Franco, "¿Por qué mis iras calma?". Nº 3. Racconto de Dato, "Aquí vengo, jadeante". Nº 4. Dúo de Lucrecia y Lesbia, "¡Vaya al diablo la mojigata!". Nº 5. Terceto, Lucrecia, Lesbia y Federico, "¡Te has de casar!". Nº 6. Coro de tiples (dentro), "Santa Madona, Madre de Dios". Nº 7. Serenata del coro masculino, "La luna en el espacio". Nº 8. Final 1º. Regreso de la procesión, "Santa Madona, Madre de Dios". Acto II: Nº 9. Introducción. Nº 9A. Coro de hombres, "¡A vivir y a gozar!". Nº 9B. Brindis, Franco y coro, "Amando, agotemos la vida". Nº 9C. Escena y coro, "La cena espera". Nº 10. Escena de la Cruz, Franco y coro interno, "¡Franco, Franco!". Nº 11. Romanza de Mansto, "Si es menester". Nº 12. Coro interno de hombres, "Baila, niña, baila". Nº 13. Terceto, Lucrecia, Franco y Federico, "Mi Lucrecia, dueño hermoso". Nº 14. Final 2º. Gran escena del juego y conversión, "¡Qué horror, qué horror!". Acto III: Nº 15A. Introducción, preludio y coro femenino, "Venid, venid". Nº 15B. Escena y coro de los milagros, Dato y tiples, "A este Santo milagroso". Nº 16. Romanza de Federico, "Por decreto de la suerte". Nº 17. Gran dúo de Franco y Mansto, "¿Qué escucho?, Dios piadoso". Nº 18A. Escena y romanza de Lucrecia, "¡Qué horror! Muriendo llego". Nº 18B. Dúo de Lucrecia y Franco, "¡Qué horror, que nadie aquí!". Nº 19. Final 3º. Orquesta.

Comentario. A comienzos de la temporada 1883-84 la zarzuela parecía en franca decadencia, al ser relegada por primera vez en su historia de los principales teatros de Madrid. Sólo el afán de algunos compositores y escritores –Arrieta, Caballero, Chapí, Marqués, Ramos Carrión– que configuraron una nueva Sociedad Lírico-Dramática Española, establecida en el teatro Apolo, con una buena compañía, coro y orquesta, consiguieron mantener el género, estrenando algunos nuevos títulos entre los que figuraba *San Franco de Sena*, última obra del catálogo de Arrieta, se convirtió en un pretexto para desarrollar un apoteósico y unánime homenaje a su carrera como compositor lírico. Arrieta había comenzado a trabajar sobre la comedia original de Moreto en colaboración con López de Ayala, pero la muerte de éste dejó inconcluso el drama lírico. Al nacer en 1883 la nueva sociedad, decidió retomar el proyecto, solicitando a Estremera la refundición. Según relata Peña y Goñi, "conforme la obra se hacía, componía él la música en un estado de verdadera calentura, en un rapto de alucinación, como si un *medium* impulsara su mano, y sin dormir los más de los días más de tres horas" (*El Liberal*, 28-X-1883). El compositor concluyó el trabajo en mes y medio, presentando así la obra a finales de octubre en el Apolo.

La relación de la obra de Moreto con *Don Juan Tenorio* o *Don Álvaro o La fuerza del sino* es evidente, recordando la prensa coetánea que *San Franco* "ha servido de modelo a muchos autores modernos, por lo que el público reconoce enseguida que van saliendo, a *Tenorio* y a *Ciutti*, a *Don Diego* y a *Mejía*, a los rivales implacables de *Don Álvaro* y a *Fray Melitón* combinado con el lego de *Los magyares*" (J. V. Pérez Martínez, págs. 120-3). Las exigencias de la zarzuela obligaron a sacrificar la estructura original de la comedia de Moreto, eliminando algunas confusiones argumentales, reduciendo las proporciones de algunas escenas y aligerando los diálogos; además, el acto primero reduce a una el número de decoraciones y el tercero concluye en el bosque donde se encuentra la cueva de Franco, y no en un convento, como exige Moreto.

La escena inicial está puesta en música mediante cuatro secciones de interés: un breve preludio orquestal que presenta el tema del coro de la sección Nº 1C y un tema popular que se sitúa en un contexto festivo; una *tarantella* coral, que elige una efectiva textura de *parlante* orquestal, sobre la que el coro declama las frases textuales; la repetición del coro popular inicial completado ahora con un himno mariano, de ritmo marcial, para la procesión que se desarrolla en escena; y una última sección, denominada "Melodrama", construida mediante acordes de sensibles sin resolver, que acumulan tensión de forma un tanto ingenua. La romanza de tenor adopta una estructura tripartita, con un primer tema agitado, de carácter recitado, un segundo tema religioso, que retoma el himno mariano de la sección Nº 1D, y el regreso al agitado carácter inicial en los compases finales; esta estructura se repite dos veces. El *racconto* de Dato, cómico escudero de Franco, es el primer número que plantea relación con el lenguaje lírico zarzuelístico; se trata de un cómico número seccional, en el que se escucha de nuevo una *tarantella* –también desarrollada mediante un *parlante* orquestal– y algunos recursos melodramáticos que Arrieta ya había presentado en la sección Nº 1C de la escena inicial. En opinión de Goizueta, este número adopta un lenguaje rossiniano. Tras un dúo de tiples de estructura tripartita y estilo académico, y un terceto entre éstas y Federico, de claro carácter belcantista, Arrieta introduce una hermosa serenata, a ritmo de barcarola, en la que interviene una rondalla. La repetición del himno mariano de la sección Nº 1C, ahora presentado con mayor densidad orquestal, completa el primer acto.

El acto segundo es superior al primero. La escena inicial está elaborada seccionalmente igual que la primera del acto inicial, mediante un brindis coral, sección Nº 9A, que recuerda el brindis del segundo acto de *Marina*; un coro que canta al amor, elaborado sobre una danza italiana en modo menor; y la repetición del brindis, Nº 9C, para concluir. El Nº 10 presenta la primera llamada sobrenatural –un coro de voces femeninas acompañado por el arpa– que escucha Franco; su actitud negativa se revela mediante la repetición del tema del brindis del número anterior. Una romanza de bajo –Mansto–, un nuevo coro masculino y un terceto entre Lucrecia, Franco y Federico conducen el acto hacia el final 2º. Esta escena final es una de las mejores de toda la partitura, según la crítica contemporánea. Se trata de un número complejo, en el que los parlatos de Franco son sostenidos por la orquesta, protagonista indiscutible del fragmento. El himno mariano del comienzo de la obra cierra el acto, contextualizando así la aparición de la Virgen del Carmen. El tercer acto comienza con un preludio y coro de aldeanas, en el que Arrieta introduce de nuevo motivos de carácter popular que corresponden a la situación y al solista, Dato. Una romanza de barítono, interpretada por Federico, de carácter académico, conduce al gran dúo de Franco y Mansto, otro de los clímax argumentales de la obra y, sin duda, el número más valorado. Se trata de un fragmento seccional, cuyo interés radica en el trabajo melódico del autor, siempre atrayente, y la adecuada orquestación escogida. Tras un solo de Lucrecia, un nuevo dúo de ésta y el protagonista se sitúa en el mundo de la ópera verdiana. La obra concluye con un breve final orquestal.

El estudio de la partitura muestra, a pesar de la denominación de drama lírico de la obra, la intersección de secciones habladas con números musicales, y éstos, a pesar de que adoptan a veces la estructura de complejas escenas dramáticas, rechazan la densidad que proporcionarían los amplios concertantes corales, en favor de dúos y tercetos. El lenguaje armónico del autor evita lo superfluo, concentrando la tensión en acordes cromáticos, y optando por modulaciones a tonos lejanos, recursos que evita en su repertorio zarzuelístico. El acorde de sexta napolitana se convierte en marca de estilo, demostrando así el clasicismo de la obra.

La obra fue interpretada con el decoro propio del Apolo, presentando dos nuevas decoraciones de Busato y Bonardi en los actos iniciales, y dos de Muriel en el tercero. El reparto contribuyó sin duda al éxito de la representación. En opinión de Ruiz Albéniz, este estreno fue uno de los hitos gloriosos del teatro Apolo, manifestando el público su admiración a Arrieta. Pocas veces la prensa reaccionó de forma tan unánime ante un estreno. Todos los periódicos y revistas madrileños se hicieron eco del éxito y, a pesar de que el libro, las situaciones e incluso el lenguaje poético de la obra estaban ya fuera del gusto del público, éste aplaudió al maestro y toda la crítica madrileña elogió la lozanía de la obra, convirtiendo así el evento en un homenaje al director del Conservatorio. Goizueta opina desde *La Época* que la obra se puede convertir en ópera seria con escaso trabajo, ya que las zarzuelas de Arrieta, no son en realidad tales zarzuelas, observándose en todas ellas su tendencia a separarse de lo cómico para acercarse a lo sentimental y lo serio mediante "sonoridades dramáticas en alto grado en las masas instrumentales y vocales…, siguiendo en esto a los maestros italianos". *La Iberia* elogia la frescura de la partitura afirmando que "Arrieta es viejo sólo por fuera, sus facultades creadoras, su fantasía, su sentimiento no tienen edad". El elevado número de representaciones de *San Franco* proporcionó a la empresa del Apolo 318.000 reales, es decir, casi unos 10.600 reales por función, cifra no igualada por ningún otro título de los estrenados hasta entonces. En noviembre comenzaban a llegar las primeras solicitudes de empresas de provincias –Santander, Barcelona, Bilbao, Sevilla, Cartagena, Murcia y Alicante– para poner en escena el drama de Estremera y Arrieta. A finales de mes, fue una empresa de Lisboa la que se interesó por el drama. La obra, que continuó en escena hasta finales de diciembre, provocó también el estreno de una parodia de Arnedo en febrero del año siguiente en el teatro de Variedades, titulada *Curriyo, el esquilaor*.

Fuentes manuscritas. Los materiales de orquesta se conservan en el archivo de la SGAE en Madrid (2175).

Ediciones de música. Canto y piano, adap. I. Hernández, Madrid, BZ, 1883.

Ediciones del libreto. Madrid, Administración Lírico-Dramática, 1883.

BIBLIOGRAFÍA: J. V. Pérez Martínez: *Anales del teatro y de la música. Año I, 1883-84*, 1884; M. E. Cortizo: *Emilio Arrieta. De la ópera a la zarzuela*, Madrid, ICCMU, 1998.

Mª ENCINA CORTIZO

San José, Teodoro. Madrid, 9-XI-1866; Madrid, 25-VI-1930. Compositor. Estudió en el Conservatorio de Madrid, obteniendo por oposición a los ventiún años la plaza de músico mayor del regimiento de Asturias y más tarde en el segundo regimiento de infantería de marina. Sin embargo, su vocación teatral le llevó desde muy joven a componer la música de diversas piezas líricas, creando casi un centenar a lo largo de cerca de cuarenta años de carrera. Sus primeros estrenos se produjeron a finales de la década de 1880

Teodoro San José (Foto: El Teatro, 1904; Ar. SGAE)

en los teatros veraniegos, muy de moda en el Madrid de la época, como el Recoletos, el Maravillas o el famoso Felipe. En este último tuvieron buena acogida la revista de tono patriótico *¡Por España!*, 1888, y el juguete cómico *Los embusteros*, 1889, en cuya interpretación participaron los principales cómicos de la época como Emilio Carreras, Luisa Campos, Consuelo Salvador, José Riquelme o José Zaldívar. Por estos años también presentó algunas obras ligeras de tono picante en el teatro Eslava, que pasaron inadvertidas en un local que vivía sus horas más bajas, como *Si yo fuera hombre*, protagonizado por Lucía Pastor, *Quítese usted la bata*, *Uno y repique*, *Pajarón* o *El espantapájaros*, juguete que incluía dos vistosos dúos en forma de polka y mazurka.

En 1891 hizo su presentación en el teatro Apolo con la zarzuela cómica *El día de la Ascensión*, cuya música había escrito en colaboración con Fernández Caballero; a pesar de que el público dio muestras de desagrado por el escaso acierto de los chistes de Granés, la obra se mantuvo algunos días en cartel, en especial gracias a un número que se popularizó como la "Canción del higo chumbo". Entre 1893 y 1895 compuso la música para varias piezas cómicas de Eduardo Navarro Gonzalvo, por entonces empresario del Recoletos durante el verano y el Romea en la temporada invernal, obras de circunstancias como *El cordero Pascual* –dedicado a la tiple Lucrecia Arana, por entonces en el comienzo de su carrera–, la revista madrileña *¡Bonita está la corte!* o la zarzuela *La avaricia rompe el saco*, destinada a Loreto Prado. El ácido humor crítico de este libretista encontró su mejor expresión en la polémica humorada *El guirigay o Una* *bronca entre dioses y titanes*, que obtuvo un cierto éxito en el Apolo eclipsado poco después por el deslumbrante estreno de *La verbena de la Paloma*. Estrenada en medio de la campaña de Melilla, ofrecía sobre el escenario luchas mitológicas en clave de actualidad, donde se podía reconocer fácilmente a la figura del general Martínez Campos como Júpiter que planeaba la heroica defensa de un castillo que los titanes derribaban a soplos, ante la atenta mirada de un Vulcano que recordaba a Sagasta y un Mercurio a Moret; el principal éxito fue el papel de un corresponsal de guerra, magníficamente interpretado por Emilio Mesejo. La música de San José fue aplaudida, en especial la introducción inicial, que mostraba el buen hacer sinfónico del maestro. También colaboró con Arnedo en la parodia del famoso sainete de Bretón *La verbena de la Paloma*, estrenado en el teatro Moderno con el título de *La romería del Halcón o El alquimista y las villanas y desdenes mal fingidos*. Con un sentido similar está *La Menegilda*, dedicada a Felipe Pérez, desarrollo del famoso personaje de *La Gran Vía*.

Teodoro San José fue un músico polifacético que compuso numerosas obras para banda, coro, canciones y cuplés, además de trabajar como director artístico y de orquesta de diversos teatros de Madrid. Fue socio fundador y secretario de la Asociación de Compositores Españoles y del Pequeño Derecho en la Sociedad de Autores Españoles (SAE), antecedente de SGAE. En el plano pedagógico fue profesor de armonía y canto, dejando dos tratados de gran utilidad: *El arte del canto* y *La música como elemento educativo*. En 1910 por oposición obtuvo la plaza de director de la Banda Municipal de Barcelona, pero renunció al cargo. Su etapa lírica más prolífica fue entre 1908 y 1914, años en que estrenó una treintena de piezas para locales secundarios como el Noviciado, Novedades, Martín o Latina, en medio de la crisis general del género chico. Las obras más atractivas de estos años reflejan la soltura de San José en el género aflamencado como en *Amor gitano*, 1906, *La novia del torero*, 1912 –cuya partitura incluye un coro de maletas, un pasodoble y unas caleseras–, y sobre todo *El gitanillo*, sainete estrenado con éxito en Buenos Aires, 1912 cuyo atractivo residía en la colorista partitura en tono nacionalista con una escena de gitanas, otra titulada la buenaventura, un pasacalle, unas alegrías gitanas, una soleá y unos tientos. En una línea más europea, cercana a la opereta con sus argumentos fantásticos y ritmos de vals, se encuentran *Su Alteza Real*, 1904, *El néctar de los dioses*, 1909, adaptación de una opereta inglesa de Paul Rubens, y *Los placeres de una siesta*, 1910, donde se viajaba desde el plácido sueño madrileño a una playa francesa, el espacio y la imaginaria isla Ardiente. En 1914 compuso dos piezas para la famosa pareja Enrique Chicote y Loreto Prado en el teatro Cómico:

la revista madrileña *La alegre primavera* y la opereta parisina *Travesuras de amor*. Sus dos últimos trabajos en solitario fueron dos ambiciosos proyectos: una curiosa versión lírica de *El Quijote*, 1916, para el Price y el sainete de costumbres madrileñas *Sebastián el marquesito o La verbena del Carmen*, 1919, para el Español. Desilusionado con los ambientes teatrales, con los años se desinteresó de la escena, aunque completó su catálogo con tres trabajos más en colaboración con Miguel Quijano. A pesar del carácter desigual de la recepción de su obra, Teodoro San José fue un músico teatral de interés que mantuvo una cierta independencia dentro del complicado mundo de la escena de su época, pudiéndose incluir en la tendencia nacionalista por su interés en los cantos y danzas españolas, tratados con fluidez y brillantez orquestal.

OBRAS: (Todas en *E:Msa*): *El ante-palco*, Sai, 1 act, l, J. Utrilla, est, 28-X-1881?, Te. Lara; *Epílogo*, 1 act, l, M. Rojas y Ruiz, est, 11-VII-1886, Te. Recoletos; *¡Por España!*, Rv cóm-lír, 1 act, l, M. de Rojas / ?, est, 18-VIII-1888, Te. Felipe; *Mateito*, Jug cóm-lír, 1 act, l, M. Soriano, est, 15-IX-1888, Te. Maravillas; *Los embusteros*, Jug cóm, 1 act, l, F. Yrayzoz, est, 7-VI-1889, Te. Felipe; *El padre alcalde*, Sai, 1 act, l, M. de Rojas / M. Jiménez, est, 11-XII-1889, Te. Zarzuela; *Si yo fuera hombre*, Jug cóm, 1 act, l, M. de Rojas / E. Sánchez Seseña, est, 22-III-1890, Te. Eslava; *Quítese usted la bata*, Sai, 1 act, l, L. de Larra(hijo) / M. Gullón, est, 9-IV-1890, Te. Eslava; *Uno y repique*, Sai lír, 1 act, l, E. S. Hermua / A. Larrubiera, est, 13-XI-1890, Te. Eslava; *El día de la Ascensión*, Zarz cóm, 1 act, col. M. Fernández Caballero, l, S. M. Granés, est, 14-II-1891, Te. Apolo; *Pajarón*, Jug cóm-lír, 1 act, l, E. Sáenz Hermua (Mecachis), est, 4-IV-1891, Te. Eslava; *Lacrima Christi*, Jug cóm-lír, 1 act, l, M. de Rojas / R. Lobo, est, 17-VII-1891, Te. Recoletos; *El espantapájaros*, Jug cóm-lír, 1 act, l, F. Limendoux / L. Gabaldón, est, 5-XI-1891, Te. Eslava; *Gerona*, l, M. Rojas, est, 13-V-1892, Te. Apolo; *Llegar y besar el santo*, Jug cóm-lír, l, F. Rodríguez Escacena, est, 22-IX-1892, Te. Alhambra; *La ley del beso*, Zarz, 1 act, l, E. Navarro Gonzalvo, est, 24-VI-1893, Te. Recoletos; *El cordero pascual*, Zarz, 1 act, l, E. Navarro Gonzalvo, est, 7-VIII-1893, Te. Recoletos; *¡Bonita está la corte!*, miscelánea cóm-lír, 1 act, l, E. Navarro, est, 23-VIII-1893, Te. Recoletos; *El ramillete*, Jug cóm-lír, 1 act, col. Barreta, l, E. Navarro Gonzalvo / A. Ramos, est, 1-XI-1893, Te. Romea; *El duque lo manda*, 1 act, l, A. Ramos / E. Navarro, est, V-1894, Te. Moderno; *El guirigay o Una bronca entre dioses y titanes*, Hum mitológica, 1 act, l, E. Navarro, est, 21-I-1894, Te. Apolo; *La avaricia rompe el saco*, Zarz cóm, 1 act, l, E. Navarro / L. de Larra, est, 1-II-1894, Te. Romea; *Cepa-club*, extravagancia cóm-lír, 1 act, col. A. Brull, l, G. Merino / Limendoux / Rojas, est, 7-VII-1894, Te. Moderno; *La romería del halcón o El alquimista y las villanas y desdenes mal fingidos*, presentimiento cóm-lír, 1 act, col. L. Arnedo Muñoz, l, E. López Marín / L. Gabaldón / J. Pérez Zúñiga, est, 24-VII-1894, Te. Moderno; *La Menegilda*, Jug cóm, 1 act, l, L. Larra (hijo) / M. Gullón, est, 21-XII-1894, Te. Romea; *El género chico*, l, E. Navarro / F. Limendoux, est, 3-V-1895, Te. Romea; *La caza del tigre*, Zarz cóm, 1 act, l, F. Rodríguez Escacena / R. Muñoz Esteban, est, 11-X-1895, Te. Martín; *El ciego del esquinazo*, Sai lír, 1 act, l. E. Fernández Campano, est, 15-XI-1895, Te. Martín; *La chula*, Zarz, 1 act, l, I. A. Benito y Alfaro, est, 14-X-1896, Te. Circo de Parish; *Mi niño*, Bo lír, 1 act, l, C. J. de Arpe/R. Deltell, est, 14-VIII-1902, Te. Eldorado; *Los sabios de Grecia*, Zarz Bu, 1 act, l, E. Gómez Gereda / A. Soler, est, 26-XII-1903, Te. Cómico; *Los tejedores*, Dr lír, 3 act, l, R. Deltell, est, 24-VI-1904, Te. Jardines del Buen Retiro; *Su alteza real*, Zarz, 1 act, l, J. Morales del Campo / R. Reyes Sánchez, est, 17-XII-1904, Te. Novedades; *Eclipse de sol o Diana y los astrónomos*, Zarz cóm, 1 act, l, F. de Iracheta, 1905; *La gran huelga*, caricatura cóm-lír, 1 act, l, C. Sánchez / S. Vanrell, est, 13-I-1905, Te. Cómico; *Amor gitano*, Zarz, 1 act, l, A. Fernández Arreo, est, 4-VI-1906, Te. Zarzuela; ...*Y salir trasquilado*, Jug cóm, 1 act, l, A. García Sánchez, est, 21-IV-1908, Te. Romea; *Juerga y doctrina*, Zarz, 1 act, l, E. Barriobero y Herrán, est, 2-VII-1908, Te. Barbieri; *Luz y tinieblas*, Mel lír, 1 act, l, E. Prieto / F. Riera, est, 10-X-1908, Te. Salón Victoria; *La veleta*, Zarz, 1 act, l, A. García Sánchez, est, 22-X-1908, Te. Noviciado; *El último romántico*, Com lír, 1 act, l, I. Sánchez Estevan, est, 11-XII-1908, Te.

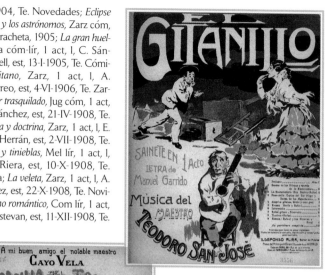

Cortesía de Unión Musical Ediciones SL

La Latina; *La prueba del delito*, 1 act, l, E. Prieto / M. Méndez, est, 20-IV-1909, Te. Lo Rat Penat (Barcelona); *Patria y bandera*, Zarz dramática, 1 act, l, E. Prieto / M. Méndez Álvarez, est, 23-IV-1909, Te. Novedades; *El campanero de San Lorenzo*, 1 act, l, E. Prieto, 24-VII-1909, Te. Tívoli; *El castillo de las águilas*, Dr lír, 1 act, l, L. Linares Becerra / J. de Burgos, est, 5-X-1909, Te. Martín; *El néctar de los dioses*, Zarz, 1 act, col. F. San Felipe, l, A. Barrado / J. Pérez Zúñiga, est, 7-X-1909, Gran Teatro; *El amor en la guerra*, 1 act, l, S. Oria / Blanco Nomdeu, est, 30-XI-1909, Te. Latina; *Ahora sí que va de veras o Negros y rojos*, apuntes de actualidad, 1 act, col. L. Arnedo Muñoz, l, C. Abad / F. Lombardía, 1910; *Ideal japonés*, Hum lír, 1 act, l, E. Haro / J. Martín Díaz, est, 16-IV-1910, Gran Teatro; *Almas grandes*, Com lír, 1 act, col. E. Bru Albiñana, l, F. Madrigal Álvaro, est, 28-IV-1910, Te. Martín; *Los placeres de una siesta*, Fant, 1 act, l, E. Haro / J. Aznar, est, 20-IX-1910, Te. Noviciado; *Epidemia nacional*, Rv, 1 act, l, A. Varela Díaz, est, 9-II-1911, Te. Latina; *Bazar español*, Rv cóm-lír, 1 act, l, E. Haro / J. Aznar, est, 29-IV-1911, Te. Novedades; *Safo*, Ent, l, M. Garrido, est, 8-VII-1911, Te. Salón; *El gitanillo*, Sai, 1 act, l, M. Garrido Centeno, est, 25-VI-1912, Te. Avenida (Buenos Aires); *Orgullo de raza*, 1 act, l, F. Ramos de Castro / J. Mesa, est, 22-XI-1912, Te. Martín; *La novia del torero*, Sai, 1 act, l, E. Haro / J. Aznar, est, 19-XII-1912, Te. Martín; *El último brindis*, Zarz, 1 act, l, R. J. Alaria, est, 3-X-1913, Te. Novedades; *Travesuras de amor*, Opt, 1 act, l, M. Muzas / A. Retana Ramírez, est,

15-IV-1914, Te. Cómico; *El club de la alegría*, Rv, 1 act, l, E. Haro / J. Aznar, est, 9-V-1914, Te. Novedades; *La alegre primavera*, Rv, 1 act, l, E. Haro / J. Aznar, est, 26-VI-1914, Te. Cómico; *Amor y gloria*, 1 act, l, M. Garrido, est, 6-XI-1914, Te. Novedades; *Don Quijote de la Mancha*, 3 act, l, E. Barriobero y Herrán, est, 14-I-1916, Te. Price; *Sebastián el Marquesito o La verbena del Carmen y en el mundo todo llega*, Sai lír de costumbres madrileñas, 2 act, l, C. Díaz Valero / J. Tavares, est, 10-VI-1919, Te. Español; *La coplica nueva*, 1 act, col. Quijano, l, L. Navarro / C. Valdevino, est, 15-XII-1922, Te. Novedades; *El abanico de Su Majestad*, Com lír, 3 act, col. Quijano, l, T. Luceño / F. Moya, est, 1925, Barcelona; *El voto*, 1 act, col. Quijano, l, P. Muñoz Seca / P. Pérez Fernández, est, 11-III-1927, Te. Novedades; *Amor y compañía*, 1 act, l, M. Soriano, est, Te. Novedades; *Bailando se aprende*, 1 act, l, J. Sánchez Calvo; *De aquí para allá*, 1 act, l, E. Navarro / M. Rojas; *De Matute*; *Dimas el buen ladrón*, Zarz, 1 act; *El balcón*, 1 act, l, F. Limendoux / M. Rojas; *El cuento de la abuelita*, 1 act, col. L. Arnedo Muñoz; *El explorador*, 1 act, l, R. Revenga; *El gabinete de López*, Zarz, 1 act, l, C. Miranda; *El médico nuevo*, l, E. Navarro Gonzalvo; *La cartagenera*. Zarzuela, 1 act, l, A. Paso / M. Moras; *La casa de Socorro*, 1 act, l, M. Rojas; *La ciega*; *La vida en un tris*; *Las alegres chicas de París*; *Los Gallegos*; *Pescao, manzanilla y flores*; *Tipos trashumantes*, l, Rojas / Ruiz.

BIBLIOGRAFÍA: *DMEH; OGCH; TA.*

VÍCTOR SÁNCHEZ SÁNCHEZ

San José de la Torre, Diego. Madrid, 1885; Redondela (Pontevedra), 10-XI-1962. Dramaturgo, poeta y periodista. Se dedicó al periodismo desde su juventud en *El Globo* y *La Mañana*. A lo largo de su vida colaboró con los más importantes periódicos y revistas de Madrid: *El Liberal, El Imparcial, Heraldo de Madrid, Mundo Gráfico, Comedias y Comediantes, La Esfera, Nuevo Mundo, La Novela Semanal* y *Blanco y Negro*, entre otros. Publicó un libro de versos, *Rufianescas*, y estrenó en el teatro de la Princesa su comedia *Un último amor*, escrita en verso. Cultivó el estilo y carácter del Siglo de Oro español y alcanzó grandes éxitos, publicando más de treinta volúmenes, entre poemas y novelas. Como dramaturgo tiene una veintena de títulos, a veces en colaboración con Enrique Reoyo, Joaquín Dicenta o José María Granada. En el teatro lírico su mayor éxito fue *La ventera de Alcalá*, escrita en colaboración con José María Granada, con música de Calleja y Luna, y estrenada en el teatro de la Zarzuela en 1929. Otros títulos líricos fueron *La canción de la esclava*, en colaboración con Enrique Reoyo y música de Severo Muguerza, y *Una dama se vende a quien la quiera*, con música de Conrado del Campo. Escribió además algunas canciones y villancicos.

BIBLIOGRAFÍA: *DAT; EDL; BSGAE*, XI-1962.

Mª LUZ GONZÁLEZ PEÑA

San Juan, José de. Cataluña, *ca.* 1685; *ca.* 1747? Compositor. Fue niño de coro en Sigüenza (Guadalajara), y después se trasladó a Madrid, donde fue maestro en el colegio de cantorcicos de la Capilla Real. Fue organista de Sigüenza, y después maestro de capilla de las Descalzas Reales en Madrid. Aunque su dedicación fundamental fue la música religiosa, también compuso algunas obras profanas, como cantatas, zarzuelas y comedias con música. En sus obras líricas tuvo como colaborador casi exclusivo al destacado escritor José de Cañizares. Su primera obra conocida es *Amando bien no se ofenderá un desdén: Eurotas y Diana*, comedia con música estrenada el 10 de noviembre de 1722. El año 1723 fue durante el cual estrenó mayor número de obras, todas, como la anterior, en el teatro de la Cruz: la zarzuela *Telémaco y Calipso*, estrenada por la compañía de José Prado el 22 de enero de 1723, manteniéndose en escena veinte días; *La enigma cómica*, el 10 de agosto y la comedia de música *El prodigio de la Sagra, Sor Juana de la Cruz*, estrenada el 25 de diciembre. La última obra conocida es la comedia con música *La pitonisa Cibeles*, estrenada en el mismo coliseo el 22 de febrero de 1724. También es autor de autos sacramentales, con texto de Calderón de la Barca, como *La divina Filotea*, 1723.

BIBLIOGRAFÍA: *DMEH; HZ;* J. Suárez-Pajares: *La música en la catedral de Sigüenza*, 1600-1750, Madrid, ICCMU, 1998.

JUDITH ORTEGA

San Nicolás, Antonio. España, siglos XIX-XX. Compositor. Cultivó fundamentalmente el género chico y escribió casi siempre en colaboración con otros autores, algunos tan destacados como Tomás Barrera, Pablo Luna, Arturo Lapuerta, Miguel Hermoso y Mariano Camarero. Desarrolló su actividad en los primeros años del siglo XX.

OBRAS (Todas en *E:Msa*): *Aires de primavera*, Zarz, 1 act, l, J. Aguado / D. Berriatúa; *Colasín*, Zarz, 1 act, l, R. Deltell / F. Riera, est, 12-IX-1908, Salón Victoria; *El baile de reyes*, col. T. Barrera Saavedra, l, A. Osete / R. Jiménez; *El canto de la alondra*, col. J. Rodríguez, l, Riaño / M. Goba; *El secreto de Venus*, Pas cóm, 1 act, col. Camarero, l, F. Pérez Capo, est, 21-1-1918, Te. Martín; *La Cenicienta*, Zarz, 1 act, col. T. Barrera, l, Torres del Álamo / E. Montesinos; *La copla de la Dolores*, 2 act, Desco Sanz / J. Bautista Pont; *La valencianita*, col. Hermoso; *Las abejas del amor*, col. P. Marquina, l, Díaz Alonso / Rodríguez; *Las pícaras cartas*, col. Lapuerta Morente, l, F. Arenas Guerras; *Las pobrecitas mujeres*, col. Gómez Muñoa, l, A. González Rendón; *Malas-pulgas*, Sai, 1 act, col. P. Luna Carné, l, M. Fernández Palomero, est, 31-V-1912, Te. Novedades; *Pastora*, l, G. Hernández Mir, est, IX-1925.

BIBLIOGRAFÍA: *TLE.*

Mª LUZ GONZÁLEZ PEÑA

Sanabria, José. Santiago de Cuba, 19-III-1914; La Habana, ?. Actor y autor teatral. Inició su carrera en la ciudad de Santa Clara junto al actor Carlos Pous, con quien formó una pequeña compañía de bufos cubanos que recorrió el país con bastante éxito. Al marchar Pous a La Habana y luego al extranjero, la compañía se disolvió. Más tarde partió hacia la capital donde se dio a conocer a través de la radio C.M.Q. en el programa "Rincón Criollo", encarnando al gallego Don Jaime. Luego trabajó en RHC Cadena Azul y en Radio Habana Cuba. Algunos años después, reanudada la compañía Pous-Sanabria, entre 1948 y 1950 ofrecieron varias temporadas en los teatros Martí y Campoamor. Al surgir la televisión se dedicó por entero a este nuevo medio en el que encarnó el exitoso y popular personaje del viejito Chichí. También se dedicó al cine. Una de sus máximas aspiraciones fue escribir libretos para la escena, tarea que inició en 1943 en el teatro Martí, con el disparate cómico lírico: *Garrido y Piñero siameses* y el sainete lírico: *Ay, Dios mío*, ambas con música de Rodrigo Prats, compositor con quien más colaboró. Entre sus éxitos destacan los sainetes y revistas *Jugando mamá, jugando, La cabalgata criolla, El filo de la guataca, Acabó el juego, La bien pintá* y *Sucedió en la calle*, entre otros. Sus libretos que reflejaban la actualidad nacional y que ascienden a más de cincuenta, gozaron de la gran aceptación del público. Otros destacados compositores que colaboraron con Sanabria fueron Rafael Betancourt, Jehová Ruiz, el maestro Peruchín y Felo Bergaza. También en coautoría con Carlos Pous escribió varias obras con arreglos musicales de René Urbino. En 1961 la compañía Pous-Sanabria inició una temporada que se extendió durante más de cuatro años en el teatro Martí con notable éxito.

BIBLIOGRAFÍA: *Publicidad Circuito C.M.Q.*, La Habana, Centro de Investigaciones Sociales del ICRT, 1946; *Memorias de Pous y Sanabria*, La Habana, Teatro Martí, 1961-62; A. Ferrer de Couto: *Cien vidas humanas*, La Habana, Guerrero, 1962.

JOSÉ PIÑEIRO DÍAZ

Sánchez, Alina. La Habana, 5-IX-1946. Soprano lírica. Cursó estudios en el Conservatorio Peirut, siendo discípula de canto de Mariana de Gonitch y Carmelina Santana. Posteriormente recibió clases de Gonzalo Roig. En 1965, formando parte del Grupo Lírico Universitario del Movimiento de Aficionados de la Universidad de la Habana, debutó interpretando el papel protagonista en la zarzuela *Cecilia Valdés*, en el teatro Amadeo Roldán, bajo la dirección orquestal de Gonzalo Roig. En 1968 fue contratada como solista del Teatro Lírico Nacional Gonzalo Roig, haciendo su primera presentación como protagonista de la zarzuela española *La leyenda del beso*. Rápidamente asumió los papeles principales de otras obras del repertorio internacional en óperas y zarzuelas como *Rigoletto, La traviata, Marina, Molinos de viento* y *Luisa Fernanda*, entre otras; así como de las cubanas *Cecilia Valdés, María la O* y *Amalia Batista*. En 1974 inició sus giras internacionales, actuando en Rusia, Alemania, Hungría, Polonia, Rumanía, Checoslovaquia y México. En 1980 obtuvo el Premio a la Mejor Actuación Femenina en el I Festival de Teatro de La Habana, por su interpretación del personaje de Cecilia Valdés. Un año después, junto al tenor Ramón Chávez, visitó la Unión Soviética, Polonia y Bulgaria. En 1984, formando parte de una delegación artística cubana, viajó a España, donde tuvo una exitosa acogida, que le permitió después regresar a ese país en calidad de solista con la Antología de la Zarzuela de José Tamayo, durante seis meses. Con esta compañía actuó en Italia, Francia, Bélgica, Noruega, Suecia, Finlandia, Puerto Rico, Estados Unidos y Canadá, etapa en la que amplió notablemente su repertorio con obras como *La Gran Vía*, *La tabernera del puerto*, *El cabo primero* y *La Dolores*, entre otras. Los escenarios del Kennedy Center, en Washington; Madison Square Garden de Nueva York; la Ópera de Roma; así como los principales teatros de San Antonio, Texas, Milán, Nueva Orleans, Montreal, Ottawa, Quebec, Toronto y otros, desde entonces admiraron su alta calidad profesional. En este sentido, es de señalar que su musicalidad, talento dramático y delicadeza interpretativa le permitieron incursionar, además, en la música de concierto, incorporando a su repertorio canciones españolas y latinoamericanas, negro *spirituals* y preclásicos italianos, los que le permitieron nuevos triunfos.

De su calidad como intérprete, dijo la prensa mexicana: "Es una soprano de inmensas posibilidades. Al precioso timbre de voz aúna una técnica perfecta y un temperamento expresivo que impresiona favorablemente a su auditorio. Hizo gala de una gama de cualidades excepcionales. Su *Traviata* fue una lección para los conocedores. El repertorio latinoamericano de concierto arrancó al público clamorosos y prolongados aplausos" (E. Baquero, *El Nacional*, México, 20-IV-1975). Asimismo, la crítica especializada norteamericana la catalogó como "una golpeante voz que eriza los pelos y que se mueve con facilidad del canto afrocubano a las improvisaciones veloces".

Poco tiempo después de cumplido su contrato con la compañía de la Antología de la Zarzuela, fue invitada a participar en el Festival Cervantino de Guanajuato, México. En 1986 creó el Estudio Lírico de las Artes Escénicas, del cual fue su directora. En ese mismo año, y en su condición de intérprete, realizó presentaciones internacionales en Brasil, Ecuador, Argentina, España y Francia. También se ha dedicado a la interpretación en varias películas. Desde mediados de la década de los años noventa realiza de forma habitual actuaciones en España.

CLARA DÍAZ PÉREZ

Sánchez, Emilio. Zamora, siglo XX. Tenor. Realizó su formación musical en la Escuela Superior de Canto de Madrid. En el teatro de la Zarzuela ha cantado ópera y zarzuela destacando en este género sus intervenciones en *El bateo*, *El rey que rabió* y *Luisa Fernanda*. Ha participado, bajo la dirección de Ros Marbá, en las grabaciones de *Doña Francisquita* y *Bohemios* y en la de *La tabernera del puerto*, dirigida por Víctor Pablo Pérez. Ha cantado *Doña Francisquita* en Washington. Participó en el IV Festival de Teatro Lírico de Asturias en 1997 cantando *Jugar con fuego* y *El rey que rabió* y al año siguiente *El caserío*. En el año 2000 ha cantado en el teatro de la Zarzuela *Le Revenant* de José Melchor Gomis.

EMILIO GARCÍA CARRETERO

Sánchez, Florencio. Uruguay, 1875; Milán (Italia), 1910. Dramaturgo y periodista. Se inició muy joven en el periodismo. En 1894, tras un primer año en Buenos Aires, retornó a su país y colaboró en *El Siglo* y *La Razón*, donde escribió crónicas dialogadas con el pseudónimo Ovidio Paredes. Se incorporó al movimiento anarquista y en 1898 volvió a Argentina. Empezó a trabajar en el diario *La República* de Rosario, como secretario de redacción. Forzado a abandonar esa ciudad retornó a Buenos Aires, donde prosiguió su labor periodística en *El País*. Mientras tanto fue desarrollando una actividad como autor teatral de gran significación, que le valió una misión diplomática en Europa encomendada por el gobierno uruguayo en 1909, pero al año siguiente falleció en Milán.

Florencio Sánchez es valorado por sus obras dramáticas de gran aliento: *M'hijo el dotor*, *La gringa* o *Barranca abajo*. Pero también escribió sainetes líricos, en los cuales se advierte la exposición minuciosa, crítica y cruda del ambiente, que recuerda al naturalismo de E. Zola. En Rosario escribió *Gente honesta*, 1902, con música de Andrés Abad, sainete de costumbres rosarinas que, a punto de ser estrenado por la compañía española de zarzuelas de Enrique Gil, fue prohibida porque se aludía a un conocido personaje de la sociedad rosarina. La misma noche la publicó en un boletín del diario *La Época*. Después, también en Rosario, escribió *Ladrones, ladrones*, 1902, representado por la compañía española de Lloret, hasta que Jerónimo Podestá la estrenó con el título definitivo de *Canillita* en el teatro Comedia de Buenos Aires. Esta pieza presenta la estructura típica de la zarzuela con numerosos musicales y el habitual pasacalle; la música pertenecía a Cayetano Silva. Otros sainetes, *El desalojo*, 1906, y *Moneda falsa*, 1907, no presentan análoga forma, pues el texto adquiere fundamental importancia por la fuerza de las descripciones ambientales y la cruda exposición de una problemática social. Posteriormente la pieza fue reelaborada y se representó en Buenos Aires con el título *Los curdas*.

BIBLIOGRAFÍA: J. Imbert: *Florencio Sánchez. Vida y creación*, Buenos Aires, Shapire, 1954. B. R. Gallo: *Historia del sainete nacional*, Buenos Aires, Quetzal, 1958.

MARTA LENA PAZ

Sánchez, Guadalupe. Madrid, siglo XX. Soprano. Estudió en el Real Conservatorio Superior de Madrid con María Luisa Castellanos y técnica vocal e interpretación con Victoria de los Ángeles y Francisco Ortiz. Debutó con *L'elisir d'amore* junto a José Carreras en el teatro de la Zarzuela y cantó a continuación *Tosca*, con Pedro Lavirgen en el Campoamor de Oviedo. A pesar de su debut operístico cantó también zarzuela con diferentes compañías con las que recorrió todo el mundo. Ha cantado con Plácido Domingo en la primera Gala de Reyes en 1991 y a partir de entonces ha participado en diferentes conciertos del tenor. Ha intervenido en diversos festivales líricos, como el de Canarias, con títulos como *La Dolorosa* y *Los claveles* de Serrano.

EMILIO GARCÍA CARRETERO

Sánchez, Rafael. Málaga, siglos XIX-XX. Tenor cómico. Se formó en la iglesia parroquial de San Felipe. De mayor se dedicó al género lírico junto a Salvador Videgain y estrenó diversas obras como *Entre locos* de Javier Gaztambide, Eslava, 1877; *Enredos y compromisos* de Taboada, Martín, 1883 y *El chiripero* de Tomás Reig, Recoletos, 1883; *Mazzantini* de Isidoro Hernández y *Una doncella de encargo* de Rubio, Recoletos, 1884; *Ida y vuelta* de Nieto y *¡A la cuarta pregunta!* de Hernández, Martín, 1884; *Los diablos del día* de Taboada y *Escenas de verano* y *Mi pesadilla* de Isidoro Hernández, Martín, 1885; *Libertad de cultos* de Reig, Martín, 1887. En 1900, fuera ya de la compañía de Videgaín, estrenó en el teatro de la Zarzuela *El pregonero de Riosa* de Caballero y Taboada.

Mª LUZ GONZÁLEZ PEÑA

Sánchez, Victoria. España, XIX-XX. Tiple cómica. En 1888 estrenó en el teatro Maravillas de Madrid *Plan de estudios* de Tomás Reig. En el verano de 1910 formaba parte de la compañía sicalíptica de Sánchez del Valle que actuaba en el Salón Madrid con obras como *Justino el jardinero* o *El secreto de Susana*. Su gracia, figura y belleza conquistaban al público en aquellos momentos. En 1911 estrenó en el Gran Teatro de Madrid *El carro del sol* de Serrano y *Er cabesota* de Lozano y Paredes.

BIBLIOGRAFÍA: *Comedias y Comediantes*, 20, 1-VIII-1910.
Mª LUZ GONZÁLEZ PEÑA

Sánchez Albarrán, José. Cádiz, 1825; Cádiz, 10-II-1883. Dramaturgo y actor. Desde muy joven trabajó en compañías de aficionados, donde destacó por ser gracioso y aplicado. Pronto pasó a compañías profesionales, y trabajó durante mucho tiempo al lado de Rafael Calvo al que, además de la profesión, le unía una gran amistad. Fue muy famoso en Andalucía, y aplaudido por su capacidad de improvisación, consiguiendo en ocasiones salvar las obras que estrenó. Fue también poeta, director escénico y autor de numerosas comedias y zarzuelas, a las que supo trasladar el gracejo de sus aportaciones como actor en escena y la experiencia de los recursos dramáticos que funcionan ante el espectador. Es uno de los pocos autores de libros de zarzuela que no residieron en Madrid, y pudo desarrollar su carrera con un reconocimiento no sólo local. Uno de sus primeros estrenos fue en el teatro San Fernando en Sevilla con la ópera cómica *La fábrica de tabacos de Sevilla* de Mariano Soriano Fuertes, 1850. En Madrid estrenó *Loco de amor en la corte* de Luis Arche, 1854, sin éxito, a pesar de la presencia de Elisa Villó y Aquiles di Franco que la cantaron muy bien; en Cádiz la ópera *La loca de Edimburgo* de Ventura Sánchez de Madrid, 1859; uno de sus últimos estrenos tuvo lugar en Málaga con el drama *El diablo mundo* de Luis Bonoris, 1872.

BIBLIOGRAFÍA: *CTLBN; HZ*.
OLIVA. G. BALBOA

Sánchez Allú. Familia de músicos españoles formada por los hermanos Ricardo y Martín, y la hija de Ricardo, Ramona.

1. Sánchez Allú, Ricardo. Salamanca, *ca.* 1817; Santiago de Chile, 8-IV-1887. Tenor cómico, compositor, empresario, libretista y escenógrafo. Se desconocen datos acerca de su formación, aunque es posible que comenzase los estudios en su ciudad natal, como su hermano. Durante la temporada 1852-53 fue contratado por el teatro del Circo como tenor; por entonces acababa de casarse con la joven Ramona García. Como tenor estrenó obras como *Don Simplicio Bobadilla* de Barbieri, 1853, pero no muchas más, dado que su voz no era demasiado buena. Recorrió varias ciudades españolas con diversas compañías, y en 1862 estaba contratado por la compañía de Olona en el teatro principal de Barcelona como primer tenor cómico.

Como otros compositores y cantantes de su época dio el salto a América, pasando por Puerto Rico y los países del Río de la Plata. Después de participar en varias temporadas en la compañía Jarques-Allú, decidió establecerse en Chile y actuar como empresario teatral. No tuvo éxito en su empeño y se mantuvo en la escena reclamado por el público de Santiago y Valparaíso. La zarzuela fue introducida en Chile en 1857 y llegó a su mejor momento con la compañía del barítono aragonés José Jarques que recorrió Chile interpretando las zar-

Ricardo Sánchez Allú
(Foto: Ar. ICCMU)

zuelas de moda. Sánchez Allú llegó a esta nación en 1879 integrando la citada compañía.

Aunque escribió música de salón, su producción más destacada estuvo dedicada a la zarzuela. Se conocen sus obras: *El Robinson del Pacífico*, estrenada el 24 de mayo de 1879 en Valaparaíso; *Los amores de Elena*, estrenada el 2 de septiembre de 1879 en Santiago; *Amor y guerra*, estrenada el 8 de octubre de 1880 en Santiago; *El campamento de Tacna*, zarzuela grande que resultó un fracaso. Su texto, según Manuel Abascal Brunet, fue una adaptación del de la ya conocida zarzuela *Amor y guerra*, cuyo libreto se basó en *El campamento* de Olona. En 1887 trabajaba en el teatro del Cerro Santa Lucía de la capital y allí contrajo una bronconeumonía. Fue trasladado a Valparaíso, donde residía, y falleció a los pocos días.

2. Sánchez Allú, Martín.

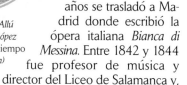

Martín Sánchez Allú (Litografía de L. López Gonzalo en El Pasatiempo Musical; *E:Mn)*

Salamanca, 14-IX-1823; Madrid, 31-VIII-1858. Pianista y compositor. Huérfano de padre, a los seis años inició su vida musical como niño de coro de la catedral de Salamanca por consejo de su tío Dionisio Allú, primer clarinete del 6º de Ligeros. Cursó después tres años de Filosofía y Letras en la Universidad pero abandonó los estudios universitarios y a los diecisiete años se trasladó a Madrid donde escribió la ópera italiana *Bianca di Messina*. Entre 1842 y 1844 fue profesor de música y director del Liceo de Salamanca y, sobre todo, magnífico concertista y compositor de piano, y catedrático del Conservatorio de Madrid en esta especialidad; es, por ello, considerado uno de los iniciadores de la escuela pianística española. A comienzos de los cincuenta su nombre aparece en algunas ediciones de zarzuela como autor de la versión para piano, por ejemplo, en la obra *El estreno de una artista* de Barbieri, 1852 y otras muchas de este autor, y de Gaztambide. Por fin en 1853 tuvo lugar el estreno de su primera obra, *El tren de escala*, con texto de Gerónimo Morán, que fue una de las primeras obras que en España trataban el tema del ferrocarril; hacía sólo tres años que se había inaugurado el tren entre Madrid y Aranjuez y de ello trata la obra. En 1854 colaboró con Oudrid en *La cola del diablo*, una obra que tuvo éxito. Al año siguiente, 1855, llegó

uno de los éxitos de Sánchez Allú, la zarzuela en un acto *Las bodas de Juanita* sobre libreto de Luis Olona, y muy bien cantada y bailada por Amalia Ramírez y Caltañazor y que quedó en el repertorio de muchos teatros. Era el mayor éxito del músico hasta entonces. Consistía, en realidad, en la traducción de una ópera cómica francesa de J. Barbier y M. Carré. Ese mismo año estrenó *Pedro y Catalina o El gran maestro*. En la temporada cómica 1856-57, ya en el nuevo teatro de la Zarzuela, Sánchez Allú estrenó una zarzuela en tres actos titulada *El esclavo*, en colaboración con Cepeda y con libreto de Eguilaz; la obra a pesar de los esfuerzos de Carolina di Franco y de Caltañazor no tuvo éxito. En febrero de 1857 por fin Sánchez-Allú probó en el género de la zarzuela grande estrenando *Fra-Diávolo*, sobre el mismo texto de Scribe y Auber. Cotarelo valora esta obra y señala que contenía momentos de interés como el final del segundo acto, pero que le perjudicó la comparación con la obra francesa y por ello a los pocos días se dejó de representar. Pero poco después fallecía en plena juventud, según Cotarelo, con varias zarzuelas inéditas como *Aventura conyugal*, *Aurora* y *Charreteras y sotanas*. En su homenaje se estrenó una de sus obras póstumas, *La dama blanca*, de nuevo sobre el clásico francés de Scribe. La representación se hizo en beneficio de su madre que vivía con él, pero no tuvo éxito.

Martín Sánchez Allú ha de ser situado entre el grupo de fundadores de la zarzuela, aunque no tuviera la importancia del denominado Grupo de los Seis; se dedicó durante años a probar en el género sólo con zarzuela chica, hasta que al final de su corta vida probó en la zarzuela grande. Según señala Celsa Alonso, es uno de los autores que más influyeron en la interrelación entre canción y zarzuela.

OBRAS: *El bachiller sensible*, Zarz, 1 act, l, E. Bravo, est, 15-II-1853, Te. Circo; *La cola del diablo*, Zarz, 2 act, col. C. Oudrid, l, L. de Olona, est, 24-XII-1854, Te. Circo; *Las bodas de Juanita*, Zarz, l, L. Olona, 1 act, est, 10-II-1855, Te. Circo, *E:Msa*; *Pedro y Catalina o El gran maestro*, Zarz, 1 act, l, J. M. Andueza, est, 16-VI-1855, Te. Circo; *El esclavo*, Zarz, 3 act, col. L. Cepeda, l, L. de Eguilaz, est, 24-XII-1856, Te. Zarzuela; *Fra Diavolo*, Zarz, 3 act, l, J. Morán, est, 21-II-1857, Te. Zarzuela, *E:Msa*; *La dama blanca*, Zarz, 3 act, l, Morán y Andilla, est, 28-X-1858, Te. Zarzuela, *E:Msa*; *Charreteras y sotanas*, Zarz, 1 act; *El tren de Escala*, Zarz, 1 act, l, J. Morán, est, 6-V-1854 Te. Circo; *Las dos rosas*, Zarz, 1 act, col. J. Rogel.

3. Sánchez-Allú García, Ramona.

Madrid, 1854; Concepción del Uruguay (Argentina), 11-XI-1920. Tiple. Hija de Ricardo Sánchez Allú y la tiple Ramona García. Madrileña de nacimiento, viajó con sus padres por América, debutando en Lima en 1877 en un papel secundario en *Adriana Angot*, en la compañía familiar en la que también figuraba su hermano Ricardo como segundo barítono. En 1879 sus padres se asociaron a José Jarques, que junto a la esposa de éste, Isidora Segura, formaron una de las mejores compañías de zarzuela grande de su época en Chile. Desde un primer momento Ramona Allú captó las simpatías del público por su atrayente figura y elegancia en el vestir, además de por su buen gusto para el canto dentro de una voz limitada en volumen y tesitura. Entre 1879 y 1882 recorrió diferentes ciudades chilenas, adquiriendo experiencia con la interpretación de papeles protagonistas de personajes jóvenes en títulos como *La Marsellesa*, *¡Si yo fuera rey!*, *Sensitiva*, *El salto del pasiego*, *Robinson*, así como el estreno de la zarzuela nacional chilena *Una victoria a tiempo* de Eustaquio Guzmán y libro de Víctor Torres Arce. Con posterioridad actuó largos años como primera tiple en las compañías de Orejón, Falconer y Sagi Barba. Sus mejores interpretaciones fueron las zarzuelas *La guerra santa*, *Campanone* y *Los diamantes de la corona*. Actuó repetidas veces en Chile, formando parte en 1895 de la compañía de Andrés Cordero que actuó en el teatro Unión Central de Santiago. Ese mismo año la prensa de Iquique (Chile) señaló sobre ella: "Voz argentina y suave, gesto expresivo y adecuado al papel, naturalidad y espontaneidad, posición escénica y posesión de sí misma, porte airoso y gallardo, buen talante y figura hermosa y simpática... todo eso y más aún posee la señora Allú". Se casó con el director de orquesta Ángel Segura, hermano de la tiple Isidora Segura, del que se separó poco después. Un hijo de este matrimonio, Ángel Segura Allú, actuó en Chile como tenor cómico por los años 1901 a 1903, falleciendo cerca de Lima poco después en 1907 a la edad de 33 años. Tras el fallecimiento de su primer marido contrajo segundas nupcias con el barítono peruano Ernesto Paz, con quien tampoco alcanzó una adecuada estabilidad, aunque tuvo una hija, Ada Paz Allú, con quien residió en Concepción del Uruguay, en la provincia argentina de Entre Ríos, hasta su fallecimiento en 1920. Poco después sus restos mortales fueron trasladados a Buenos Aires.

BIBLIOGRAFÍA: *DBE*; *DMEH*; *HZ*; R. Santa Cruz Henríquez: "Alcances a Ricardo S. Allú y su Leyenda Heróica", *Álbum Musical Patriótico*, Santiago, I, I, 18-IX-1880; R. Laval: *Bibliografía musical. Composiciones impresas en Chile y composiciones de autores chilenos publicadas en el extranjero. Segunda parte. 1886-1896*, Santiago de Chile, Biblioteca Nacional, 1898.

1-2. EMILIO CASARES RODICIO
3. VÍCTOR SÁNCHEZ SÁNCHEZ

Sánchez Bonilla, Gonzalo.
Heredia (Costa Rica), 1889; Alajuela (Costa Rica), 1965. Compositor y escritor. Estudió en Chile y se graduó de profesor de Matemáticas, Historia y Geografía y era respetado como matemático, escritor y músico. Es autor de las zarzuelas *El pobre manco* y *La bachillera*.

BIBLIOGRAFÍA: *DMEH*.

VÍCTOR SÁNCHEZ SÁNCHEZ

Sánchez Camporro, Antonio [Antonio Campó].
Gijón, 27-II-1922; La Coruña, 13-IX-1998. Bajo. En 1938 se trasladó a La Coruña donde obtuvo el título de piloto de la Marina Mercante y recibió sus primeras nociones de canto de Amparo Fraga Irure. Ya en Madrid estudió con Ángeles Ottein, que le hizo debutar a finales de 1945 en Bilbao cantando *La bohème*. A raíz del éxito de su presentación, fue contratado por el empresario italiano Ercole Casali, que junto a su esposa la soprano española María Llácer, hacía una gira por distintos lugares del norte de España compartiendo escenario con figuras de la relevancia de María de los Ángeles Morales, Victoria de los Ángeles o Mario del Mónaco. Tras una gira de conciertos compartidos con Marimí del Pozo se trasladó a Italia, donde perfeccionó sus estudios y cantó en algunas ciudades viajando posteriormente a Londres contratado por la Compañía de Ópera del Estado Italiano para actuar en el Stoll Theatre con motivo de la coronación de la reina Isabel II. En 1955 obtuvo el Premio Nacional de Teatro. En 1966 fue nombrado profesor de la Escuela Superior de Canto de Madrid.

FONOGRAFÍA: *Don Gil de Alcalá*, Columbia SA, C7506 190 • Columbia Zacosa SA, ZCL 1065-1066, 192-193 • Columbia-BMG-Ariola-Salvat 1056-2 • Columbia C 30038-9 y CS 40038-39 • Alhambra-BMG España WD 74553 (9D); *Jugar con fuego*, Columbia SA, 30029 166 • Columbia-BMG WD 74556 (9D) • Columbia-BMG-Ariola-Salvat 1057-2 • Alhambra MCC 30.029; *La dogaresa*; Columbia SA, MCE 868 183 • Columbia-BMG-Ariola-Salvat 1049-2 • Columbia-BMG WD 71808 (9D).

BIBLIOGRAFÍA: *DMEH*; J. Martín de Sagarminaga: *Diccionario de cantantes líricos españoles*, Fundación Caja Madrid-Acento Ed., 1997.

EMILIO GARCÍA CARRETERO

Sánchez Carrere, Adolfo.
España, †21-III-1941. Escritor y compositor. Es autor de muchísimas canciones, generalmente de la letra pero en ocasiones también de la música, y es autor además de la música de una banda sonora. Escribió muy a menudo en colaboración con otros autores. Su relación con el género lírico fue abundante, sobre todo con el compositor Modesto Romero: *A quién le toca*, *Anciano, la lengua ten*, teatro Nuevo, 1913; *Cuántas cómo esta... tan puras*, teatro Barbieri; *El bello Delmonte*, *La reina del molinete*, teatro Barbieri, 1910; *Las pollitas alegres*, *Los polvos* y *El órgano de las se-*

Adolfo Sánchez Carrere (Foto: Nuevo Mundo, 1920; Ar. ICCMU)

ñoras con música de Modesto y Vicente Romero. Otros títulos son *Los brazos caídos* con música de Manuel Ribas; *El centro de las mujeres* con música de Romero y Federico Liñán, teatro del Noviciado, 1910; *La morucha*, definida como capricho bereber, con música de Manuel Quislant, estrenada en 1911 en el teatro Novedades; *El golfo de Guinea*, con música de Cayo Vela, Enrique Bru y el propio Carrere; y *El quinqué de Petronilo*, en colaboración con Fernando Mora y música de Romero y Quislant, Martín, 1914.

BIBLIOGRAFÍA: *DAT.*

Mª LUZ GONZÁLEZ PEÑA

Sánchez de Castilla. Familia de cantantes españoles formada por los hermanos Gabriel y Luisa.

1. Gabriel. Cádiz, †1904. Actor, autor dramático y empresario. Ingresó en la Academia de Cádiz y se dedicó a la pintura escenográfica. En Madrid se incorporó a la compañía de los Bufos Arderius con los que estuvo desde 1867 a 1871. Manuel Catalina le contrató como actor cómico para el Apolo y poco después trabajó en el Español y en casi todos los teatros de Madrid y realizó giras por América. Estrenó diversas obras

Gabriel Sánchez Castilla (Foto: Compañy en El Teatro, *1904; Ar. SGAE)*

como *Mata-moros* de Caballero, Variedades, 1880; *Champagne, manzanilla y peleón* de Mariani y *Cuba libre* de Caballero, Apolo, 1887; *Plan de estudios* de Reig y *Satanás en la abadía* de Taboada, Maravillas, 1888; *La estatua del amor* de Varney y *El martes de Carnaval* de Taboada, Eslava, 1891; *La indiana* de Saco del Valle, 1893; *El abate San Martín* de Marqués y *Los dineros del sacristán* de Caballero, Eslava, 1894; *De doce a dos* de Calleja, Eslava, 1897. Escribió el juguete cómico *El conde Patricio* y la zarzuela *Un ensayo de Pepe Hillo*, con música de Guillermo Cereceda.

2. Luisa. España, siglo XIX. Tiple. Falleció asesinada a tiros en Sevilla. Había protagonizado en 1867 en el teatro Variedades de Málaga la trilogía de Manuel Rodríguez, *El último wals, El café de Rosalía* y *Deuda sagrada*. En esta última obra aparecen dos señoritas Sánchez Castilla, de modo que debía existir otra hermana, dedicada también al espectáculo.

BIBLIOGRAFÍA: *HZ; TA;* F. Cuenca: *Teatro andaluz contemporaneo. 2. Artistas líricos y dramáticos,* La Habana, Maza, 1940.

Mª LUZ GONZÁLEZ PEÑA

Sánchez de Fuentes Peláez. Familia de artistas hispano-cubanos formada por los hermanos Eugenio y Eduardo.

1. Eugenio. Archidona (Málaga), siglo XIX. Dramaturgo. Compaginó su carrera como magistrado con el teatro. Vivió durante mucho tiempo en Madrid, donde escribió y estrenó sus obras dramáticas, de entre las cuales tan sólo se tiene noticia de una zarzuela de cierto éxito: *La vieja y el granadero* de Joaquín Espín y Guillén, 1859.

2. Eduardo. La Habana, 3-IV-1874; La Habana, 7-IX-1944. Compositor. Hijo de Eugenio Sánchez de Fuentes Contreras, destacado autor dramático y poeta, y Josefina Peláez, pianista y cantante. Inició sus estudios musicales en 1885 en el Conservatorio Nacional dirigido por Hubert de Black. Posteriormente fue discípulo de Arturo Quiñónez, Carlos Anckermann e Ignacio Cervantes, del cual recibió lecciones de armonía, composición e instrumentación. Sus viajes a

Eduardo Sánchez de Fuentes (Foto: Ar. SGAE)

México, Italia, Francia y Estados Unidos, donde compartió sus criterios con artistas de la época, contribuyeron en gran medida a su desarrollo profesional. Desde marzo de 1895 se comenzaron a escuchar sus obras musicales para la escena con el estreno de *Entre una mujer y Dios*, en el teatro Tacón. Su producción musical como compositor abarca distintos géneros y formatos, entre los que se destacan sus óperas *Yumurí, El náufrago, La Dolorosa, Doreya, El caminante* y *Kabelia*, más de cien canciones y su música sinfónica. Precisamente con su ópera *Doreya* se adjudicó el primer premio en un concurso organizado en 1918 por el empresario Adolfo Bracale.

Dentro de la música escénica, cultivó, además, la opereta, el sainete lírico, la revista y la zarzuela. Entre éstas últimas se encuentra *Cuartel general*, estrenada en 1896, y que fuera reestrenada con el título de *Entre primos*, en el teatro Albisu, por la compañía de Daniel Banquells. Otro de sus grandes éxitos fueron las operetas *Después de un beso* que se mantuvo por mucho tiempo en cartelera, y *Blanca de Nieves*, compuesta en coautoría con el compositor mexicano Manuel M. Ponce. Para la realización de algunas de sus obras contó con la colaboración de su hermano, el libretista Eugenio Sánchez de Fuentes. Su labor artística no se vio reducida a composición musical; también fue un renombrado investigador.

OBRAS: *Entre una mujer y Dios*, est, 5-III-1895, Te. Tacón; *Cuartel General o Entre primos*, Zarz, l, Conde de Cardiff, est, 12-II-1896, Te. Irijoa; *Por citarse en el corral o Los líos de Perdihuela*, Zarz, 1 act, l, F. García, est, 8-X-1896, Te. Payret; *La dulce caña*, Zarz, 1 act, l, J. J. López; *El caballero de plata*, Opt, 3 act, l, E. Sánchez de Fuentes/ G. Robreño, est, 1905; *Después de un beso*, Opt, 3 act, l, T. Juliá, est, 5-I-1916, Te. Martí; *Blanca de Nieves*, Opt, col. M. M. Ponce, l, L. G. Urbina, est, 1916; *Cubita bella*, Rv, 1 act, l, E. Uthoff, est, 31-III-1923.

BIBLIOGRAFÍA. "Eduardo Sánchez de Fuentes", *Cuba Musical 1929*, La Habana, Molina y Cía, 1929; A. J. Molina: *150 Años de zarzuela en Puerto Rico y Cuba*, San Juan, Ramallo Bros. Printing, 1998.

1. OLIVA G. BALBOA
2. CAROLE FERNÁNDEZ MARTÍNEZ

Sánchez del Arco, Francisco. Cádiz, 1816; Ceuta, 1860. Dramaturgo y libretista. Ejerció también el periodismo fundando los diarios *El Nacional* y *El Constitucional*, además de colaborar en *El Siglo Pintoresco*. En su tierra natal fue muy conocido y estimado y su colaborador principal en el teatro lírico fue Mariano Soriano Fuertes, pero además de sus libretos escribió también algunas comedias y sainetes que se hicieron muy populares que no sólo en Andalucía sino también en Madrid. Fueron famosas sus zarzuelas *¡Es la Chachi!*, 1845, *La sal de Jesús* y *Los toros del puerto*, ambas de 1847, todas con música de Mariano Soriano Fuertes, para el que escribió además *Tal para cual*, comedia de magia estrenada en 1851, *La serrana*, juguete y *Lola la gaditana*, zarzuela, ambas de 1850. Escribió además la opereta *El cuerno de oro*, con música de C. Llorens, 1850, la zarzuela *Los expósitos*, con música adaptada de Ricci, 1858 y la comedia de magia, *Uganda la desconocida o El castillo de Fraga*, 1859. Falleció en Ceuta, donde se hallaba destinado como corresponsal de guerra.

BIBLIOGRAFÍA: *CDE; DUE; HZ.*

Mª LUZ GONZÁLEZ PEÑA

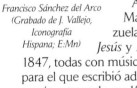

Francisco Sánchez del Arco (Grabado de J. Vallejo, Iconografía Hispana; E:Mn)

Sánchez del Pino, Cristóbal. Sevilla, 1881; Sevilla, 1927. Tenor cómico. Debutó muy joven en la sociedad sevillana de aficionados La Amistad, y pronto su hermosa voz de tenor le llevó a la compañía de Enrique Garro en la que ingresó con sólo dieciséis años. Tras una actuación por las diferentes plazas andaluzas, le contrató Servando Cerbón para actuar en el teatro del Duque de Sevilla. En 1901 se incorporó a la compañía de Talavera donde compartió escenario con Teresita Bordás; uno de sus mayores éxitos conjuntos fue *El dúo de la Africana*. Poco después estre-

nó *Maldición gitana*, escrita expresamente para él por Emilio López del Toro. Pasó después a trabajar en Zaragoza, Barcelona, Oviedo y otros lugares, y por fin ingresó en la compañía de Enrique Lacasa. Llegó a Madrid al teatro Lírico, donde cantó *El bateo* y *La alegría de la huerta* con gran éxito. En 1911 se casó con la famosa tiple Consuelo Mayendía. En 1914 fue contratado por el teatro Apolo en el que permaneció hasta 1917 junto a su esposa y estrenó *Los capitanes del zar* de Bretón, *¡Qué listos son los sabios!* de Lleó, *La noche vieja* de Roig, *La niña de las planchas* de Francisco Alonso, *El chico de las Peñuelas* de Millán, *Las castañuelas* de Giménez, *La ley del embudo* de Vives, *La patria de Cervantes* de Foglietti, *El botón de nácar* de Luna, *Mantequilla de Soria* de Roig y *El tesoro* de Vives. Obtuvo un gran éxito en su reaparición en el sevillano teatro del Duque, en el que permaneció durante tres temporadas. Junto a Consuelo Mayendía realizó una gira por América que incluyó el teatro Martí de La Habana, así como México, a donde llegaron en 1918 con la compañía de Eulogio Velasco, y otras capitales americanas. En su repertorio llevaba, además de las citadas obras, *Bohemios*, *El mal de amores* y *La buena sombra*. *Véase* MAYENDÍA, CONSUELO.

BIBLIOGRAFÍA: *TA*; N. Díaz Clavijo: "Artistas jóvenes. Cristóbal Sánchez-Pino", *El Arte de El Teatro*, II, 41, 1-XII-1907; F. Cuenca: *Teatro andaluz contemporaneo. 2. Artistas líricos y dramáticos*, La Habana, Maza, 1940.

Mª LUZ GONZÁLEZ PEÑA

Sánchez Galarraga, Gustavo. La Habana, 2-II-1892; La Habana, 4-XI-1934. Libretista. Su primera incursión en el teatro fue con el juguete cómico *Todos somos uno*, 1911. Su encuentro con el compositor Ernesto Lecuona fue decisivo para el desarrollo de su carrera teatral, realizando binomio de trabajo con el músico, primero en el género de la canción, y posteriormente en el teatro lírico, donde dejó bajo su firma, a partir de 1919 con la pieza *El recluta del amor*, un amplio e importante catálogo de sainetes, zarzuelas y comedias líricas representativas del género lírico cubano. Fue, además, colaborador de diversas revistas nacionales y editó varios tomos de sus obras teatrales y poesías. *Véase* EL BATEY; EL CAFETAL; ROSA LA CHINA.

BIBLIOGRAFÍA: *Diccionario de la literatura cubana*, La Habana, Ed. Letras Cubanas, 1984.

JOSÉ PIÑEIRO DÍAZ

Gustavo Sánchez Galarraga (Foto: La Esfera, 1923; Ar. ICCMU)

Sánchez Jiménez, Antonia. España, siglos XIX-XX. Tiple cómica. Junto a Julia Fons y Carmen Andrés fue una de las sostenedoras del repertorio de Antonio Paso en los teatros Eslava y Cómico. Intervino en obras como *La gatita blanca* de Giménez y Vives, Cómico, 1905; *La taza de té* de Lleó y *El guante amarillo* y *El arte de ser bonita* de Giménez y Vives, Cómico, 1906; *Tupinamba* de Lleó y Foglietti, Cómico, 1907; *Casta y pura* y *La feliz pareja* de Foglietti, Cómico, 1907; *La alegre trompetería* de Lleó, Eslava, 1907; *La vuelta del presidio, La carne flaca, La balsa de aceite* de Lleó, Eslava, 1908; *La corte de los casados* de Foglietti y Lleó, Eslava, 1908. Casada con un militar, se fue a vivir a Málaga, donde en su madurez escribía comedias.

BIBLIOGRAFÍA: *ME; "Tiples del Teatro Cómico", Nuevo Mundo,* 507, 24-IX-1903.

Mª LUZ GONZÁLEZ PEÑA

Sánchez Pastor, Emilio. Madrid, 1853; Madrid, 16-XI-1935. Libretista. Fue periodista en varias redacciones de diferentes diarios y director de *La Iberia,* así como colaborador y corresponsal de *La Vanguardia* de Barcelona, cargo que ejerció durante cerca de cuarenta años. Su caricatura aparecía en portada del *Madrid Cómico* (12-X-1884) bajo el epígrafe "Directores de periódicos" y con estos versos: "Fama de autor se conquista, / Y como buen periodista / Figura en la prensa seria. / Ahora dirige *La Iberia* / (periódico fusionista)". Fue, asimismo, diputado en 1881 y 1886, senador y subsecretario del ministerio de la Gobernación; senador y director de la Sección de Artes Liberales en la Exposición Universal de París de 1900. Estuvo muy relacionado con el movimiento autoral y presidía el Círculo Artístico y Literario en 1890, cuando se debatían las reformas de tarifas en los teatros; fue gerente de la Sociedad de Autores.

Esta actividad no le impidió dedicarse a su afición predilecta: el teatro. Escribió casi siempre obras cómicas, con o sin música. Es de destacar la siguiente anécdota que habla mucho en su favor. Cuando Ruperto Chapí, que había luchado por los autores, fue "desterrado" del Apolo y de otros teatros y el editor Fiscowich prohibió a sus representados que le proporcionasen algún libreto, Sánchez Pastor entregó a Chapí *El tambor de Granaderos,* con la que obtuvo un resonante triunfo en el teatro Eslava y oca-

Emilio Sánchez Pastor
(Foto: Ar. familiar)

sionó la ruptura del cerco que padecía el compositor villenense. Se casó con la cantante Lucía Pastor. Probablemente su colaboración más afortunada fue con Chapí en la obra citada, pero este compositor le proporcionó además otros títulos como *El bajo de arriba,* 1895, *Los alojados,* 1890, *El cura del regimiento,* 1895, *Los golfos* y *¡Viva el rey!,* 1896, *El paso a nivel,* 1897, *Tierra por medio,* 1901, y *Sesión pública,* 1904, entre otras. Con Miguel Marqués obtuvo un gran éxito en *El monaguillo,* 1891 y colaboraron en *El zortzico,* 1891, *El centinela,* 1892, *Procesión cívica,* 1893, *El santo milagroso,* 1894. Colaboró además con otros músicos como López Torregrosa en *Los flamencos,* 1899; Valverde en *El primer reserva,* 1897, *España en París,* 1900, y Giménez en *La república de Chamba,* 1890. También escribió para Cabas Quiles, Narciso López, Vicente Zurrón y Tomás Reig, entre otros. *Véase* PASTOR, LUCÍA; SEPÚLVEDA, RAFAEL; EL MONAGUILLO; EL TAMBOR DE GRANADEROS.

BIBLIOGRAFÍA: *CDE; DAT; EDL.*

Mª LUZ GONZÁLEZ PEÑA

Sánchez Rogla, Juan. España, †27-X-1950. Compositor y autor dramático. Estrenó la mayor parte de sus obras líricas en teatros valencianos, y alguna de ellas está escrita en valenciano. Su colaborador literario más habitual fue Vicente Vidal, solo o en colaboración con otros autores, sobre todo con Francisco Barchino. Sus obras, estrenadas durante la segunda y tercera décadas del siglo XX se inscriben dentro de las piezas breves en un acto.

OBRAS: *El mayorazgo,* I, F. Barchina Pérez/M. Soto, est, 7-XII-1923, Te. Ruzafa (Valencia); *A la lluna de Valensia,* 1 act, I, F. Barchino/V. Vidal, est, 25-XI-1924, Te. Princesa (Valencia); *La clavariesa,* Zarz, 1 act, I, V. Vidal/F. Barchina, est, 10-VII-1926, Te. Monumental (Alicante); *La caraba,* Sai, 1 act, I, F. Barchino, est, 8-X-1926, Te. Regional (Valencia); *La sort Grosa,* Sai, 1 act, I, V. Ramírez Bordes, est, 1928, Valencia; *El aguilucho,* 1 act, I, J. Amigo/V. Bellido, est, 7-VII-1934, Játiva; *El rapto de las Sabinas,* col. G. Fernández, I, E. Peris Celda, est, 22-XII-1934, Valencia; *La molinera del cerro,* I, J. Morante/J. Pops, est, 5-VII-1941, Te. Victoria (Barcelona); *Chent de mala casta,* 1 act, I, V. Vidal/M. Tallada Mora; *La sang del señor,* I, V. Vidal; *Pepico Valensia,* Rv, 2 act, I, V. M. Carceller/V. Vidal Orero, est, Valencia; *Qué pasa en Valencia,* Rv, 1 act, I, J. M. Morante/J. Castañer; *Tomata, pimiento, y tollina,* Rv, 1 act, I, V. Vidal/F. Barchino; *Valencia a la moda,* I, V. Vidal; *Vestir al desnudo,* historieta, 1 act, I, V. Vidal.

BIBLIOGRAFÍA: *DMEH; TLE.*

EMILIO CASARES RODICIO

Sánchez Santos, Ignacio. México, siglos XIX-XX. Compositor. En 1917 estrenó en el teatro Principal de México *El premio gordo,* revista con libreto de Díez y Rabanal y al año siguiente estrenó *Astronomía política.*

BIBLIOGRAFÍA: M. Mañón: *Historia del teatro Principal de México,* México, Ed. Cultura, 1932.

VÍCTOR SÁNCHEZ SÁNCHEZ

Sánchez Seña, Enrique. Madrid, †18-IX-1892. Escritor. Además de teatro, cultivó la poesía y la novela. Escribió libretos de zarzuela con cierto éxito, destacando Manuel Fernández Caballero en la parte musical de la mayoría de ellas, y en algunas ocasiones lo hizo en colaboración de otros autores del género. Sus obras –sobre todo sainetes, pero también apropósitos, humoradas, pasillos y revistas en un acto– son de tono cómico e intrascendente, perteneciendo al género chico que triunfaba en la última década del siglo XIX, período donde se sucedieron sus estrenos, desde 1881, con el estreno en solitario de *Quien no tiene padrino* de José Rodríguez Canepa; a la que siguieron algunas dignas de mención como *La Lolilla ha parecido* de Tomás Reig, 1886, o *El golpe de gracia* de Manuel Fernández Caballero en 1888. Del mismo año y con el mismo compositor, pero escrita en colaboración de Luis de Larra, hijo, estrenó *La noche del 31*; con Manuel Arenas escribió *Habanos y filipinos* de Manuel Nieto, 1889, y *Concierto europeo* de Fernández Caballero, 1890; su último estreno fue en 1892 con *Los extranjeros*, nuevamente de Manuel Fernández Caballero.

BIBLIOGRAFÍA: *CTLBN; HZ.*

OLIVA G. BALBOA

Sánchez-Arcilla y García, José [Pepito]. Guanabacoa (Cuba), 9-X-1903; Estados Unidos, ?. Libretista. Debutó en 1925 con el sainete *El presidio modelo*, con música de Jorge Anckermann y estrenado en el teatro Alhambra, donde trabajó hasta 1931, en que comenzó a escribir para la compañía del teatro Martí. Dos de sus comedias líricas, *Cecilia Valdés* y *María Belén Chacón* de Gonzalo Roig y Rodrigo Prats, respectivamente, alcanzaron un rotundo éxito, que las ha mantenido vigentes en los repertorios de los intérpretes de distintas generaciones. Fue director escénico de varias de sus obras y ocupó el cargo de presidente de la Sociedad Nacional de Autores de Cuba, hasta 1959 en que emigró al extranjero. *Véase* CECILIA VALDÉS; LA HIJA DEL SOL.

JOSÉ PIÑEIRO DÍAZ

Sánchez-Cano Téllez, Lorenzo. Mora de Toledo, 31-XII-1911; ?, 8-IV-1978. Cantante. Realizó estudios musicales en Italia y en el Real Conservatorio de Música y Declamación de Madrid. Fue primera figura en numerosas compañías como la de Guerrero, de Operetas Vienesas, del Teatro Lírico Español, Cuadro Lírico Julián Gayarre, Gran Compañía Lírica de Zarzuela, Moreno Torroba y Faustino García, entre otras. Interpretó numerosas óperas con las figuras más destacadas del momento y en los mejores teatros, tanto nacionales como extranjeros.

Su dedicación a la zarzuela fue muy intensa y así estrenó en 1949 *La niña del polisón* de Moreno Torroba en el teatro de la Zarzuela, *La canción del Ebro* de

Guerrero en el Principal de San Sebastián, *Byron en Venecia* de Eduardo Aunós, Fontalba de Madrid, 1951, *La Lola se va a los puertos* de Ángel Barrios, Albéniz de Madrid, y en 1952 *El canastillo de fresas*, obra póstuma de Jacinto Guerrero. Además de estos estrenos, cantó numerosos títulos como *Las perlas de la Virgen, El huésped del Sevillano, Los gavilanes, Luisa Fernanda, Carmen, la sevillana, La Dogaresa, Eva* y *La princesa del dólar*, todas en 1949, que parece haber sido su año de mayor actividad. Siguieron *La viuda alegre* y *La verbena de la Paloma* en 1950, *Doña Francisquita* en 1956, con ciento cincuenta representaciones, *La del Soto del Parral* en 1962, *Los claveles* y *La Dolorosa* en 1964, *La del manojo de rosas* en 1972. También figuraban en su repertorio *El tambor de Granaderos* y *La alegría de la huerta*. Realizó una grabación de *Gigantes y cabezudos* con la Orquesta de RTVE.

Mª LUZ GONZÁLEZ PEÑA

Sánchez-Imaz, Araceli. España, siglos XIX-XX. Tiple cómica. Contratada por el teatro Apolo estrenó *El talismán prodigioso* de Vives, *La muñeca ideal* de Audran y Calleja, y *El naranjal* de Saco del Valle, 1908; *La alegría del batallón* de José Serrano, *El método Górritz* de Lleó, *El patinillo* de Giménez, 1909. Posteriormente se dedicó a la opereta y así en 1910 formaba parte de la compañía del teatro Eslava que dirigía Vicente Lleó y participó en el estreno de casi todas las operetas que se programaron en ese teatro como *El conde de Luxemburgo*, obteniendo un gran éxito en el número de "Los sombreros parisienses" que Lleó añadió a la partitura de Lehár. En 1911 estrenó en Eslava *Molinos*

Araceli Sánchez Imaz (Foto: Nuevo Mundo, 1912; Ar. ICCMU)

de viento de Pablo Luna y *El vals de los besos* de Lleó; en 1912 *El cuarteto Pons* de Vicente Lleó y *Los húsares del kaiser* de Kálmán. En 1913 estrenó en el Cómico *Baldomero Pachón* de Alonso; en 1914 *Las llaves del cielo* de Calleja y *El gran demócrata* de Ribas y Ruiz de Arana; en 1916 *Miss Cañamón* de Pedro Badía y en 1923 *El tío Paco* de Gilbert.

BIBLIOGRAFÍA: *TA.*

Mª LUZ GONZÁLEZ PEÑA

Sánchez-Maroto Carrasco, Julián. Manzanares (Ciudad Real), 29-VI-1881; Manzanares, 6-VII-1962. Compositor y director. Cursó la carrera de cornetín con Tomás Coronel en el Real Conservatorio de Madrid. Ingresó en las Bandas Municipal y de Ingenieros de Madrid con Ricardo Villa y Pascual Marquina, con los que estableció una estrecha amistad. En 1903 ganó por oposición la plaza de director de la Banda Municipal de Manzanares. Autor de abundante música de todos los géneros, se adentró también en el mundo de la zarzuela con dos obras, *El secreto de la gitana* y *Sociedad en comandita*.

BIBLIOGRAFÍA: *DMEH*.

VÍCTOR SÁNCHEZ SÁNCHEZ

Sanford, Carlota. España, siglos XIX-XX. Tiple. Debutó en el teatro de la Zarzuela durante la temporada 1898-99, estrenando *El belén del abuelito* de Manuel Chalons y *El testamento del siglo* de Nieto y Caballero. Sus mayores éxitos los logró en los teatros de Eslava y Variedades, aunque también actuó en el Gran Teatro y en el Novedades, dedicados, como el Eslava, a la opereta. En Eslava estrenó en 1901 *Plantas y flores* de Quinito Valverde y López Torregrosa, siendo muy destacada su actuación; en 1902 en el teatro del Parque, *Jaleo nacional* de Méndez y *El número XIII* de Crespo y Quislant, y en Eslava, *El olivar* de Serrano y Barrera. En 1907 fue contratada por la empresa Duval-Puchades y obtuvo un gran éxito en el teatro Los Campos Elíseos de Bilbao con la opereta *Sangre moza*. En 1908 estrenó en Barcelona *Amor baturro* de Mario Bretón. En 1909 *Santuzza* de Peris y Quislant en el Novedades de Madrid, *El néctar de los dioses* de San José y San Felipe, *Dora la viuda alegre* de Lehár, *El jardín de los amores* de López Montenegro, y *Mary, la princesa del dóllar* en el Gran Teatro de Madrid; en 1910, *El alma del querer* de Vives y Barrera y *El poeta de la vida* de Calleja en el Gran Teatro, *La princesa de los Balkanes* de Eysler; en 1912 en Eslava *El cuarteto Pons* de Lleó; en 1914 en Novedades *La pájara pinta* de Jiménez Ortells, *El chavalillo* de Bru y Marquina y *En busca de los novios* de Quislant; en 1915 en el Novedades *El siglo de oro* de Vela y Bru y en el teatro El Paraíso *El mapa de Europa* de Úbeda; en 1918 *La cruz de los rosales* de Zacarías López Debesa y *La mano de Dios* de Fuentes en el teatro Martín, y en 1920 *La perfecta casada* de Alonso en el teatro Martín.

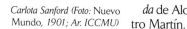

Carlota Sanford (Foto: Nuevo Mundo, 1901; Ar. ICCMU)

FONOGRAFÍA: *Gigantes y cabezudos*, Gramophone 52349 (et. verde), 4498, 432.

BIBLIOGRAFÍA: *HGZ*.

Mª LUZ GONZÁLEZ PEÑA

Sanjuán, Eliseo. España, siglos XIX-XX. Actor cómico. En 1889 estrenó en el teatro Cervantes de Málaga *¡A Buenos Aires!* de Joaquín González Palomares. Actuaba en la compañía del teatro Apolo en la temporada 1889-90, convirtiéndose desde entonces en un firme puntal de la catedral del género chico. En esa temporada su primer triunfo fue *La granadina* de Gregorio Mateos, poco después fue reconocida su labor en *Los alojados* y *Las doce y media y sereno* de Chapí y *Tannhausser cesante* de Giménez. En la temporada 1891-92 participó en *El mismo demonio* de Chapí, en el gran éxito de Caballero, *Los aparecidos*, y en *La revista*, también de Caballero. En la temporada 1892-93 participó en *La mujer del*

Eliseo Sanjuán (Foto: Nuevo Mundo, 1912; Ar. ICCMU)

molinero de Giménez, en *Vía libre*, gran éxito de Chapí, *Las dos Margaritas* de Estellés y *Las mariposas* de Marqués. En la temporada 1896-98 obtuvo un gran éxito en *Los autómatas* de Narciso López, director de la orquesta del Apolo. Pero el gran éxito de esa temporada fue *Agua, azucarillos y aguardiente* de Chueca en la que Eliseo Sanjuán interpretó a Vicente. La temporada siguiente estrenó *La zarzuela nueva* de Torregrosa, *El primer reserva* de Torregrosa y Valverde, *Manolita la prendera* de Manuel Nieto, *Fotografías animadas o El arca de Noé* de Chueca, *Aquí va a haber algo gordo o La casa de los escándalos* de Giménez, *Los autómatas* de Santiago Lope, y el gran éxito de 1897, *La revoltosa* de Chapí, siendo muy celebrado el cuarteto que cantó con Carreras, Ontiveros e Isabel Brú. Esa misma temporada fue muy aplaudido en *El idiota o La venganza de un bandido* de Narciso López, y en *El santo de la Isidra* de Torregrosa, que fue el gran éxito de 1898. Ese mismo año cantó en *Las castañeras picadas*, el sainete de Ramón de la Cruz con música de Torregrosa y Valverde, *Toros del saltillo* de Quinito Valverde, *El mantón de Manila* de Giménez, que no obtuvo una gran repercusión, *La coartada* de Antonio Santamaría y *Pepe Gallardo* de Chapí, que fue un gran éxito y cerró la temporada en Apolo. La temporada siguiente, 1898-99, intervino en *La fiesta de San Antón* de Torregrosa, que, si bien no alcanzó el gran éxito de *El santo de la Isidra*, fue muy aplaudida y muy valorada la actuación de Sanjuán; *Las buenas formas* de Joaquín Valverde y Ángel Rubio y en *Los presupuestos de Villapierde* de Lleó y Calleja, estrenada en el teatro de Maravillas. En 1900 estrenó *El barquillero* de Chapí y *España en París* de Montesinos, en el teatro Eldorado.

Eliseo Sanjuán se especializó en el prototipo de personajes chulos, reflexivos y marchosos. En 1901 estrenó en el teatro de la Zarzuela *Los zangolotinos* y *Los timplaos* de Giménez. Poco después emprendió una gira por Lisboa y al año siguiente, 1902, estrenó en la Zarzuela *La manta zamorana* de Caballero, *La muerte de Agripina* de Quinito Valverde y Tomás López Torregrosa, emprendiendo en julio una gira por Buenos Aires. En 1905 estrenó en Eslava *El contrabando* de Serrano y Fernández Pacheco y *El cakewalk* de Rubio y Valverde. En 1913 fue contratado como director artístico de la compañía Parravicini que realizaba una gira por Buenos Aires.

BIBLIOGRAFÍA: *TA*; "Asuntos de Actualidad: Eliseo Sanjuán, actor de Eslava", *Nuevo Mundo*, 978, 9-IX-1912.

Mª LUZ GONZÁLEZ PEÑA

Sanna Migoni, Francisco. España, siglo XX. Compositor. Autor de varias obras líricas estrenadas en las primeras décadas del siglo XX.

OBRAS (Todas en *E:Msa*): *Blanca Flor y Tomasín*, skecht, 1 act, col. F. Soriano Rubert, l, G. Gómez / A. Hernández; *El capricho del diablo*, Rv, 1 act, col. A. Retana Ramírez, l, D. de las Heras, est, 3-IX-1919, Music-Hall; *El ojo de gallo*; *Este no es mi Juan*, Jug cóm, 2 act, col. Patiño Valdés, l, Dicenta Alonso / A. Paso Díaz, est, 19-VII-1930, Te. Pavón; *La chica del mesón*, 1 act, l, Mendizábal / Mariño; *Las mandarinas*, 2 act, l, T. Bergamín / G. Galán, est, I-1932; *Los usureros del amor* (ahora: *La rubia del Hispano*), Zarz, 3 act, col. Giménez, l, M. Morcillo.

Mª LUZ GONZÁLEZ PEÑA

Rafael Santa Ana (Foto: El Teatro, 1909; Ar. SGAE)

Santa Ana y Llauso, Rafael. Sevilla, 1868; Madrid, VIII-1922. Dramaturgo. Dirigió el periódico *Mari Clara* en su ciudad natal y ya en Madrid trabajó como redactor de *La Correspondencia de España* y colaboró en *Mundo Gráfico*, donde comenzó a ser conocido por sus dotes para la sátira y la parodia. Aunque en sus primeros años quiso ser actor, se dedicó finalmente al teatro como autor y adaptador –en solitario o en colaboración– de numerosas comedias, zarzuelas y juguetes de calidad y éxito irregular, casi todas de tono alegre y desenfadado, pero mostrando a la vez, su conocimiento profundo del teatro. De su producción destacan algunos títulos por la categoría de los compositores para los que escribió, como Amadeo Vives en *El robo de la perla*, 1908, con Pedro Muñoz Seca; Gerónimo Giménez compuso la música de *Malagueñas*, 1914, zarzuela llena de situaciones cómicas que les proporcionó un gran éxito, compartido con Gonzalo Cantó en el teatro Apolo.

BILIOGRAFÍA: *CDE*; *CTLBN*; *Comedias y Comediantes*, III, 30, 1911; *El Teatro*, I, 1, 1909.

OLIVA G. BALBOA

Santa Cruz, Isabel. España, siglos XIX-XX. Tiple. Entre 1907 y 1909 formaba parte de la compañía del teatro Eslava donde interpretó fundamentalmente el repertorio de Vicente Lleó, *Todos somos unos, Mayo florido, La alegre trompetería, El rival de Sherlock Holmes, La balsa de aceite*; también interpretó obras de Lleó y Foglietti como *¡Si las mujeres mandasen!*, o de Álvarez del Castillo como *El becerro de oro*, es decir, un repertorio fundamentalmente de revista y opereta.

Mª LUZ GONZÁLEZ PEÑA

Santa Cruz, María. España, siglos XIX-XX. Tiple ligera. Era ya muy conocida en Madrid cuando el teatro Apolo la contrató en junio de 1889 para reforzar la compañía. Obtuvo un gran triunfo en su debut con *Niña Pancha*. En la temporada 1905-06 volvió a ser contratada por Apolo y estrenó *La favorita del rey* de Vives, 1905, y *El pollo Tejada* de Quinito Valverde y José Serrano. En 1907 fue contratada por el teatro de la Zarzuela donde estrenó *El carro de la muerte* de Barrera, *El delfín* de Gay y Barrera, *Ninón* de Chapí, *El regimiento de Arlés* de Caballero sobre la ópera de Donizetti y *La bohème*. En 1908 era primera tiple de la compañía del teatro de la Zarzuela y estrenó *Pepe Botellas* de Vives y *Episodios nacionales* de Lleó y Vives.

María Santa Cruz (Foto de González en Comedias y Comediantes, 1910; Ar. ICCMU)

Obtuvo grandes triunfos en el teatro del Duque de Sevilla y de nuevo se incorporó en 1910 a la compañía de Apolo, protegida por Vives, que la veía como su intérprete ideal para sustituir a Consuelo Mayendía, que tras su matrimonio emprendía una gira por Buenos Aires. Ese mismo año, en el Gran Teatro, había estrenado la opereta de Vives *La casta Susana*, obra picante en que la tiple podía dar rienda suelta a su travesura y gracia. En 1911 en el teatro del Duque de Sevilla estrenó con gran éxito *El conde de Luxemburgo*. Su mayor éxito lo obtuvo con *Bohemios*, que consiguió grandes llenos en el Apolo. En 1924 debutó como cancionista en el teatro del Rey Alfonso con gran éxito.

BIBLIOGRAFÍA: *ME*; *TA*; *Comedias y Comediantes*, 23, 15-IX-1910.

Mª LUZ GONZÁLEZ PEÑA

Santafé, Josefa. Madrid, 20-III-1833; La Habana, 13-I-1859. Tiple. Estudió en el Conservatorio de Madrid con Saldoni y Francisco Frontera de Valdemosa. En La Habana se había convertido en una de las primeras cantantes españolas que actuaron en la isla con gran éxito; actuó también en Matanzas, Cuba, donde tuvo una gran acogida e incluso le dedicaron poesías por su éxito. Señala Saldoni que su voz sin tener un gran volumen era sumamente dulce, de excelente timbre y afinada.

BIBLIOGRAFÍA: *HZ*.

EMILIO CASARES RODICIO

Santafé, Teresa. España, siglo XIX. Tiple. En 1858 actuaba en el teatro Principal de Cádiz, donde cantó *Crispín y la comare*. Poco después pasó con una compañía a Valencia junto a Ángela Moreno y María Albini. En 1860 actuaba con la compañía Villó-Genovés en Valladolid con un repertorio que incluía *Los diamantes de la corona*, *El dominó azul*, *El relámpago* y *Jugar con fuego*. La temporada 1862-63 fue contratada por el teatro del Circo junto a Trinidad Ramos y Elisa Villó.

BIBLIOGRAFÍA: *HZ*.

EMILIO CASARES RODICIO

Santamaría, Antonio. España, siglos XIX-XX. Compositor. Es autor de numerosas zarzuelas estrenadas a finales del siglo XIX. Estrenó en el teatro Real *Raquel*, ópera traducida al italiano. En 1896 en el teatro de la Zarzuela *El rompeolas*, zarzuela cómica con libreto de Gonzalo Cantó, que obtuvo un gran éxito, sobre todo debido a su intérprete, Lucrecia Arana; a pesar de este primer éxito, el siguiente estreno, *La coartada*, presentada en Apolo en 1898, ni siquiera es mencionada por Chispero, por lo que su estreno resultó indiferente. *El basilisco*, estrenada en la Zarzuela en 1899 fue un auténtico fracaso y el público la protestó airadamente.

OBRAS (Todas en *E:Msa*): *El coche de Parla*, 1 act, l, M. Labra; *El igorrote*, l, G. de Castro / V. Rey; *Quedar en seco*, Jug cóm-lír, l, R. y M. Lobo Regidor, est, 25-V-1895, Te. de la Princesa; *La alegría del barrio*, Sai lír, 1 act, col. A. Saco del Valle, l, M. de Labra / E. Ayuso, est, 23-XII-1896, Te. Romea; *La moza de rompe y rasga*, Zarz cóm, 1 act, l, E. Ayuso Miguel, est, 21-XI-1896, Te. Romea; *La coartada*, cuento lír-dramático, 1 act, l, C. Navarro / F. Castellón, est, 23-VII-1898, Te. Apolo; *El basilisco*, l, C. Navarro, est, 20-IV-1899, Te. Zarzuela.

BIBLIOGRAFÍA: *HZ*; *TA*.

Mª LUZ GONZÁLEZ PEÑA

Santamaría, Luisa. *Véase* MORENO.

Santana, María de los Ángeles. La Habana, 2-VIII-1914. Soprano y actriz. Su madre, la profesora de canto y piano Adela Soravilla, la inició en sus estudios musicales que más tarde amplió con José Ojeda y Arturo Bovi. Inició su carrera como aficionada, y después de presentarse en los Estudios de Películas Cubanas S.A. comenzó su carrera como actriz en el cine con *Sucedió en La Habana*, 1938. Ernesto Lecuona la presentó acompañándola al piano en la emisora CMQ de Monte y Prado, y luego en conciertos y espectáculos de variedades, realizados en Cuba y Estados Unidos, donde escribió para ella bellas páginas musicales como: *Mariposa, Tengo un nuevo amor, Primavera* y *El jardinero y la rosa* entre otras. Fue contratada por el compositor Eliseo Grenet para presentarse en la inauguración del Cabaret Sans Souci, en México, país donde permaneció durante varios años, trabajando en la radio, el teatro, el cabaret y la cinematografía azteca. A su regreso a Cuba, en 1947, formando parte de la compañía de Mario Martínez Casado, representó vodevil en los teatro Principal de la Comedia y Encanto. En 1951 viajó a Madrid, presentándose en la revista *Tentación* de Antonio y Manuel Paso y música de Daniel Montorio, con un éxito tal que alcanzó las mil representaciones realizando cada verano giras por las principales ciudades de la península Ibérica. Allí recibió varios homenajes, entre ellos una medalla de oro que le otorgaron como la artista latinoamericana más popular de España. En diciembre de 1958 regresó a Cuba y se integró a la televisión, donde fue pionera, actuando intensamente como cantante y como actriz, desempeñando papeles en dramas, comedias y telenovelas. Actuó en el teatro lírico en 1959 en el teatro Auditorium, en las obras *La flor del Sitio* y *El batey*, bajo la dirección de Ernesto Lecuona. Dos años después actuó en una breve temporada que se ofreció en el teatro Payret con *La verbena de la Paloma* de Bretón, *La revoltosa* de Chapí, *Doña Francisquita* de Vives y *Cecilia Valdés* de Roig. En el Festival de Música Popular que tuvo lugar en 1962 en el teatro Amadeo Roldán hizo una actuación especial en *La isla de las cotorras* de Anckermann. Más tarde, fue invitada por el teatro Musical de La Habana a interpretar el papel principal de la comedia musical *Tía Meim* de Patrick Dennos y Jerry Arman. Después de una intensa carrera artística en la que contó con actuaciones en los más diversos medios, incluyendo el cabaret, se retiró en 1985, no obstante, desde entonces ha desempeñado algunos papeles en la programación dramática de la televisión, así como en el teatro y en el cine. Ausente de la escena desde hacía once años, reapareció en el teatro Nacional en la comedia sentimental *Una casa colonial* de Nicolás Dorr; luego fue invitada por el Grupo Estudio Lírico de las Artes Escénicas, a actuar en el teatro Karl Marx en la comedia lírica *María la O* de Lecuona, en el papel de la Marquesa del Palmar; y posteriormente, en 1996, interpretó Doña Mercé en la zarzuela *El batey* de Lecuona, en la puesta en escena del Grupo Pro Arte Lírico en la Sala García Lorca del Gran Teatro de La Habana. Por su brillante trayectoria ha recibido múltiples homenajes, distinciones y medallas.

JOSÉ PIÑEIRO DÍAZ

Santana, Olga. Las Palmas de Gran Canaria, 19?. Estudió en el Conservatorio Superior de Música de su localidad natal y amplió los estudios de canto con Lola de la Torre. Su carrera se ha desarrollado principalmente en el ámbito de las islas Canarias. En 1983 protagonizó *La tabernera del puerto* y dos años después *La del manojo de rosas*. Participó en diversas antologías de la zarzuela por las islas y en 1993 cantó en *La verbena de la Paloma*. En 1990 se convirtió en la directora adjunta de la Coral Lírica de Las Palmas y en 1993 pasó a dirigir el coro del teatro de la Zarzuela.

EMILIO GARCÍA CARRETERO

Santaolalla Grau, Marta. Madrid, 27-X-1922. Tiple. Sobrina de la actriz catalana Marta Grau. Desde temprana edad se afincó con su familia en Barcelona donde adquirió una sólida formación cultural y artística y se consagró como primera figura de la escena española cosechando los más grandes éxitos. La fama le llegó a través de la televisión, en la que ha protagonizado una veintena de películas. Por sus excelentes dotes de cantante ha destacado en el género lírico, consiguiendo triunfar sobre todo en la opereta donde lucía su belleza y espléndida figura.

En 1953 debutó como cantante en el teatro Madrid cantando la protagonista de *Luisa Fernanda* de Moreno Torroba, en la que estuvo acompañada por Luis Sagi Vela y Fernando Bañó; tras ofrecer numerosos recitales, en 1955 José Tamayo la eligió como protagonista del último gran montaje del teatro de la Zarzuela: *Al sur del Pacífico*, comedia musical americana en la que estuvo también acompañada por el barítono Luis Sagi Vela. Ese mismo escenario fue testigo en 1958 del estreno de *La canción del amor mío*, opereta en dos actos con libreto de Francis López, que sirvió para la presentación teatral en España del tenor Luis Mariano y en la que –dirigidos por Rafael Richard y Benito Lauret intervinieron artistas tan relevantes como Miguel Ligero, Selica Pérez Carpio o Luisa de Córdoba y una sobresaliente Marta Santaolalla que interpretó el papel de la protagonista Lucía. La temporada 1963-64 actuó de nuevo en la Zarzuela con la compañía lírica Tomás Bretón, integrada por artistas como Tomás Álvarez, Alberto Aguilá, Castejón, Martelo, Maruja Boldoba y Mari Carmen Solves. En esta ocasión cantó *Don Gil de Alcalá*, *El conde de Luxemburgo*, *Luisa Fer-*

nanda, *La Caramba* y algunos otros títulos. Sus últimas actuaciones en el citado teatro fueron en verano de 1965 con la compañía de género chico José de Luna en *La canción del olvido* y *El puñao de rosas*.

La fama de Marta Santaolalla decayó por esos años, aunque ha seguido participando en conferencias y conciertos. Reside en Barcelona, dedicada a la enseñanza.

BIBLIOGRAFÍA: E. García Carretero: *Historia del teatro de la Zarzuela de Madrid*, Madrid, Fundación de la Zarzuela Española, 2003.

EMILIO GARCÍA CARRETERO

Santiago, Francisco. Córdoba, 1970. Bajo. Realizó sus estudios musicales en el Conservatorio de Córdoba completándolos en Madrid en la Escuela Superior de Canto y en el Conservatorio Profesional, donde se graduó con Premio de Honor. Amplió sus estudios en la cátedra de Canto que dirigía Alfredo Kraus, siendo galardonado como alumno más sobresaliente. Su debut tuvo lugar en el teatro de la Maestranza de Sevilla, junto a Plácido Domingo en *Tosca* y junto a Alfredo Kraus en *Rigoletto*. Formó parte del elenco que reestrenó *Los amantes de Teruel* de Bretón en el teatro de la Zarzuela. También participó en el estreno de *Le Revenant* de José Melchor Gomis y de *El juramento* de Gaztambide, en el mismo teatro. Ha cantado otras zarzuelas como *La Dolorosa*, *La verbena de la Paloma*, *La tabernera del puerto* y *El gato montés*.

Mª LUZ GONZÁLEZ PEÑA

Santiago, José. Málaga, siglo XIX; ?. Tenor cómico y actor. Debutó en Málaga junto a Rosario Pino como actor trágico en una compañía de aficionados de la que Santiago era director y empresario. Allí le vio trabajar Julián Romea y le ofreció el papel de "gomoso" de *La Gran Vía*, pasando así José Santiago a convertirse en actor profesional. Se incorporó a la compañía de Romea con la que fue a Sevilla y estuvieron de gira por provincias cinco años. En Sevilla alcanzó gran fama pero su deseo era llegar a Madrid y fue contratado para el teatro Eslava donde debutó como tenor cómico, aunque no tenía conocimientos de música. Debutó con Lucrecia Arana en *El rigor de las desdichas*, con gran éxito, y estrenó algunas zarzuelas más como *¡Maridos a peseta!* y *Los secuestradores* de Nieto, y *La salamanquina* de Marqués, 1892. Posteriormente se pasó al teatro de la Princesa como actor con la compañía de María Tubau y más tarde al teatro Lara.

BIBLIOGRAFÍA: El Caballero Audaz: "Nuestras Visitas. José Santiago", *La Esfera*, 224, 13-IV-1918.

Mª LUZ GONZÁLEZ PEÑA

Santiago de Meras, Carmen. Oviedo, 1917. Compositora. Inició sus estudios musicales a temprana edad, continuándolos a partir de los nueve años en el Conservatorio de Madrid donde los terminó con Enrique

Aroca en piano, completando posteriormente los de armonía con García de Parra, los de contrapunto y fuga con Tomás Blanco y los de composición con Julio Gómez. Ha trabajado en la Biblioteca del Conservatorio Superior de Música de Madrid, centro donde ha desarrollado su labor docente como profesora de Solfeo. Escribió una zarzuela, titulada *Mariana Pineda*, 1960.

Mª ENCINA CORTIZO

Santiago Majo, Rodrigo Alfonso de. Barakaldo (Vizcaya), 23-IX-1907; La Coruña, 30-IX-1985. Director y compositor. Alumno de violín de R. Navarro en el Conservatorio de Bilbao, y de J. Guridi en armonía y folclore, es un autor de abundante producción orquestal. También se acercó al género zarzuelístico en el que dejó algunas obras como *La noche de San Juan*, estrenada el 8 de septiembre de 1951 en el teatro Rosalía de Castro de La Coruña, y *La canción de Zoraida*, estrenada el 30 de septiembre de 1958 en el mismo teatro; ambas con libreto de Luis Iglesias de Souza.

BIBLIOGRAFÍA: *DMEH*.

VÍCTOR SÁNCHEZ SÁNCHEZ

Santo de la Isidra, El. Sainete lírico de costumbres madrileñas en un acto. Música de Tomás López Torregrosa. Libreto de Carlos Arniches. Estrenado el 19 de febrero de 1898 en el teatro de Apolo de Madrid.

Personajes. Isidra (Clotilde Perales, tiple). La señá Ignacia (Pilar Vidal, característica). Cirila (Felisa Torres). Baltasara (Matilde Zapater). La señá Justa (Carmen Palmer). Una vecina (Luisa Campos, tiple). Una invitada (Sta. A. Campos). Una niña (Sta. Gosálvez). Venancio (Emilio Mesejo, tenor cómico). Señor Eulogio (Emilio Carreras, tenor). Señor Matías (José Mesejo, actor). Epifanio (Eliseo Sanjuán, actor). Secundino (José Ontiveros, tenor). El Rosca (Stern). Paco el Curial (Melchor Ramiro). Juan el Migas (Andrés Ruesga). Juan el Migas (Vicente Carrión). Torrija (Luis Manzano). Un vendedor de flores (Gonzálo Máiquez). Convidado 1º (José Delgado). Convidado 2º (Manzano). Convidado 3º (Cester). Un paleto (Pulpeiro). Un romero (Zoilo). Un mozo de merendero (N. N.).

Orquestación. Flautín, flauta, oboe, 2 clarinetes, fagot, 2 trompetas, 3 trombones, 2 cornetines, timbales, triángulo, caja, bombo, triángulo y cuerda. Banda: clarinete, trombón, tuba, dos cornos, caja y bombo.

Argumento. La acción se sitúa en una plazuela de los barrios bajos cercana a la Puerta de Toledo, el día de San Isidro. Isidra, hija del señor Matías y la señora Ignacia, ha estado en relaciones con Epifanio, un chulo al que abandona antes de la boda, al enterarse de que está viviendo con otra mujer que lo mantiene. Epifanio, que tiene amedrentado a todo el barrio, incluyendo al padre de Isidra, ha prohibido a los mozos que la lleven al baile en la pradera de San Isidro. El señor Eulogio, el zapatero, sabe que Venancio, el panadero, ama a Isidra, pero su timidez le impide decírselo. Ante la ruptura de relaciones entre Isidra y Epifanio ve llegar la oportunidad de su protegido y acuerda con la madre de Isidra facilitarle el camino. En la pradera, todos bailan salvo Isidra, ya que Epifanio monta guardia y los mozos acobardados no se atreven a hacerle frente. Llega Venancio y baila con Isidra ante el asombro de Epifanio y su cuadrilla. Cuando Epifanio intenta asustar a Venancio, éste se defiende con ardor y con el mismo ardor defiende a Isidra, a la que termina confesando su amor al tiempo que tira por tierra la fama de matón de Epifanio.

Números musicales. Nº 1. Preludio. Nº 2. Escena de guapos, "¡Toma, granuja!". Nº 3. Dúo de los claveles, "Anda y desembucha". Nº 4. Pasacalle, "Alegre la mañana". Nº 5. Coro de la pradera de San Isidro, "Con tres o cuatro orquestas". Nº 5bis. "Alegre es la mañana".

Cortesía de Unión Musical Ediciones SL

Comentario. Señala Deleito y Piñuela que el año 1898 fue el del sainete. Con los éxitos habidos un poco antes en obras como *Las mujeres*, *Las bravías* y *La revoltosa*, grandes éxitos del género; durante el año se estrenaron nada menos que *La fiesta de San Antón*, *La chavala* y *Pepe Gallardo*. *El santo de la Isidra* se inscribe dentro de aquellas en las que se trataba de pintar tipos y costumbres populares situándolas en torno a escenas de tipo castizo y verbenas populares, que en este caso se celebran en la pradera de San Isidro, lugar en el que aparecen paseantes, romeros, puestos de baratijas, la niñera, a quien disputan el dependiente de ultramarinos y el militar. La ocasión era la fiesta de San Isidro que se celebra el 15 de mayo en la que numerosos "paletos" acudían a Madrid. La obra fue el primer éxito del año en el Apolo, con un libreto de Carlos Arniches, un maestro en presentar ambientes chulapos, usando la repetida costumbre de un protagonista, chulo y bravucón, Epifanio, al que todos temen pero que resulta un cobarde, que se contrapone con Venancio, panadero enamorado de la Isidra. La obra tenía mucho que ver con *Los valientes* de Javier de Burgos y presentaba magistralmente tipos, con un diálogo chistoso.

López Torregrosa compuso seis números de música de radical ambiente popular, que, sin ser geniales, servían perfectamente a su cometido. Un preludio en el que aparecen los temas principales y se presenta ya una voz de un vendedor que pregona "Buenos tiestos de claveles", tema que reaparecerá varias veces, como símbolo del imposible amor entre Epifanio e Isidra. Los dos tempi *andante* y *allegro moderato* marcan los dos caracteres de la obra; se contraponen dos músicas, una con cierto aire casi patético tocada por la cuerda, completada por otra iniciada por la trompeta de ritmo marcado, y en la que se presenta el tema de la Isidra, "Cuando el hombre no es hombre de veras", seguida de una segunda música en la que en ritmo de pasodoble se inicia el *allegro* que cantará el coro en el Nº 4. En el Nº 2 presenta a los dos personajes, Eulogio y Epifanio y también a Matías que canta su tema "A mí los hombres guapos". En el Nº 3 iniciado por un oboe que toca el tema del vendedor, presenta a Isidra con su "Cuando el hombre no es hombre de veras", tema contestado por Venancio, en forma de dúo, e interrumpido por los comentarios del tenor Eulogio. Dos ámbitos canoros claros definen este número, la voz de Isidra, con pretensiones canoras –pensada para la magnífica voz de Clotilde Perales–, y el canto de Venancio de carácter popular, que se contraponen de manera clara a partir del concertante entre ambos que coincide con el *primo tempo* y en el que la pareja rompe. El diálogo es interrumpido dos veces por el tema del pregonero, "Buenos tiestos de claveles". El Nº 4 se inicia con la participación del coro que canta el tema segundo del preludio el "pasacalle" al unísono, como era normal en la mayor parte de los coros del género chico, completa a veces con las usuales terceras. Es un número en el que se recupera el ambiente de la fiesta tan sustancial en el género chico, hasta la llegada de Epifanio, con un abandono del *allegro* y un marcado paso al *andante*, del ritmo binario a ternario y, sobre todo, por el tema chulesco de Epifanio en ritmo de habanera "¿Por qué se van Vds?"; todo ello contribuye a crear una nueva sección claramente marcada y el inicio de las discusiones, que preparan la llegada del personaje Venancio. La música acaba aquí, en realidad, su cometido, dado que en el Nº 5 actúa más bien como ambientadora, y dentro de las funciones que tiene en el melodrama, como animadora de la fiesta y acompañante del coro.

El santo de la Isidra pertenece a las obras del género chico de mediano formato; el reducido uso de números musicales indica que no es una obra de pleno vuelo; la música ni conduce la obra, ni narra, sólo acompaña, pero lo hace con gran interés. No obstante tuvo gran éxito e hizo que surgiesen varias obras en la misma corriente como *La fiesta de San Antonio*.

Fuentes manuscritas. Los materiales de orquesta se conservan en el archivo de la SGAE en Madrid (1926).
Ediciones de música. Canto y piano, Madrid, BZ y UME.
Ediciones del libreto. Madrid, E. Maroto, 1898; 2ª y 3ª ed.,

Madrid, Arregui y Aruej, 1898; 7ª ed., SAE, 1902; Valladolid, Celestino González, 1903; A. Valencia: *El género chico (Antología de textos completos)*, Madrid, Taurus, 1962.
FONOGRAFÍA: LP: Dir. Ataúlfo Argenta, Sols. Toñy Rosado, Gerardo Monreal, Carlos S. Luque, Rafael Campo, Gregorio Gil, Rafael Maldonado, Coro de Cantores de Madrid, Columbia SA, ZCL 1087, Columbia-BMG C 30083 y Columbia-Alhambra (33rpm-25cm) MC 25015 [reed. en CD: Alhambra-BMG España WD 74392 (9D)].
BIBLIOGRAFÍA: *OGCH*.

EMILIO CASARES RODICIO

Santoncha, Gloria. España, siglo XX. Vedette. La temporada 1949-50 pertenecía a la compañía de revistas de Jacinto Guerrero del que estrenó en el teatro de la Zarzuela dos de sus espectáculos más emblemáticos: *El oso y el madroño*, 1949, y *Su majestad la mujer*, 1950, ambos con libreto de Lerena y Llabrés, junto a artistas del renombre de Conchita Leonardo, Marujita Fraguas y Eladio Cuevas.

BIBLIOGRAFÍA: E. García Carretero: *Historia del teatro de la Zarzuela de Madrid*, Madrid, Fundación de la Zarzuela Española, 2003.

EMILIO GARCÍA CARRETERO

Santoncha, María. España, siglos XIX-XX. Tiple. En 1907 una señorita Santoncha estrenó en el teatro Principal de Zaragoza *Camino a la vicaría* de Cosme Bauzá. En 1924 y 1925 actuaba con gran éxito en el teatro Novedades de Madrid estrenando *El molino de la viuda* de Francisco Alonso.

Mª LUZ GONZÁLEZ PEÑA

Santonja Cantó, Miguel. Alcoy (Alicante), 25-XI-1859; Madrid, 11-III-1940. Profesor y compositor. Estudió con su tío abuelo Francisco Cantó Botella, director de la Banda Primitiva, en la que a partir de los siete años comenzó a tocar el flautín, y después diversos instrumentos de banda y orquesta, colaborando en otras agrupaciones dirigidas por su tío abuelo. Fue discípulo de piano de Rafael Pascual, y a los diez años estrenó sus primeras obras, aún sin haber realizado estudios de composición. En septiembre de 1880 ingresó en la Escuela Nacional de Música de Madrid, en la clase de piano de Compta y en la de armonía de Hernando; en 1882 obtuvo por oposición el accesit de piano y el primer premio de armonía; en 1883 obtuvo un segundo premio de piano; después fue discípulo de Power, concluyendo sus estudios de piano en 1884 con el primer premio; en 1886 logró el primer premio de composición al acabar los estudios con Arrieta, después de haber sido discípulo de Grajal. En 1886 fue nombrado profesor repetidor de armonía, desempeñando el puesto hasta 1888, en que obtuvo la beca de pensionado de la Real Academia de Bellas Artes en Roma. Durante los tres años de beca, compuso un oratorio, una sinfonía y una ópera. Al terminar su estancia en Roma emprendió un viaje por Europa para visitar conservatorios, archivos y teatros, redactando una memoria que presentó a la Academia. A su regreso a Madrid se hizo cargo de la clase de armonía en el Conservatorio, posteriormente fue suplente de Juan Cantó, siendo nombrado en 1904 profesor supernumerario en propiedad, y después catedrático de armonía en el Conservatorio de Madrid. Fue muy apreciado por sus alumnos, destacando su carácter afable y su protección desinteresada. También fue director de orquesta en diversos teatros. Compuso diversas obras religiosas y orquestales, así como numerosas piezas y álbumes para piano, en los que predominan las pequeñas formas de salón, como polka, mazurka, vals, schottisch, gavota o galop. Escribió la ópera *Juliana*, que fue premiada con 5.000 pesetas y admitida para su estreno por el teatro Real, aunque ni llegó a recibir el importe económico del premio ni la ópera fue representada; el dramita lírico-bíblico *El nacimiento del Niño*, la fantasía lírica *Monedas y billetes*, y al menos treinta y ocho zarzuelas.

Estas obras, todas en un acto, fueron estrenadas en teatros de segundo nivel, como el Romea, Martín, Barbieri, Novedades, Eldorado, Circo de Colón, Parish o Cómico, que contaban con intérpretes que no eran cantantes profesionales, sino actores dispuestos a cantar, con mayor o menor fortuna, papeles de pocas exigencias vocales; con un coro no profesional, y cuyas orquestas eran reducidas y no disponían de los mejores instrumentistas. De ahí que en sus obras líricas optase, en general, por componer pocos números musicales, entre tres y seis, algunos de ellos destinados a la orquesta, recurriendo a los ritmos de danza de moda en el momento, como el pasodoble –de carácter militar en *Los amigos de Benito*, que se interpreta cuando entran los quintos con el sargento–, el chotis, la polka o la habanera –los tres en *La nieta de Don Quijote*–, o bien, en función del argumento, a otros de carácter popular, como las seguidillas manchegas –en el coro de inicio de *Los amigos de Benito*, cuya acción tiene lugar en un pueblo de la Mancha–. En general son obras efímeras, pensadas para un consumo inmediato, y destinadas a ser sustituidas al cabo de pocos días en la cartelera por otras similares; en ocasiones presentadas pocos días antes del cierre de la temporada teatral, como en el caso de *Sin permiso de su tío*, estrenada en Parish en 1899 para el beneficio del tenor cómico José Gamero, obra que "entretuvo a la concurrencia que no podía ser muy exi-

Miguel Santoja Cantó
(Foto: Ar. ICCMU)

gente tratándose de una obra que se estrena dos días antes de que se cierre el teatro", como indica José de Lace (*Balance teatral de 1898-99*), y que sin duda adoleció de falta de ensayos, dado su carácter efímero. El éxito de algunas de sus obras dependió no sólo de la música o del libreto, sino de la capacidad de algunos de los intérpretes, como las estrenadas por Loreto Prado y Enrique Chicote, caso de *La sucursal del infierno*, 1896 –donde sólo participó Loreto Prado–, *La nieta de Don Quijote*, 1896, o *Mis dos maridos*, 1900 –si bien en esta última las críticas no fueron favorables, por la poca novedad del libro, aunque la partitura fue aplaudida–. En la temporada 1907-08 Santonja estrenó tres obras de temática valenciana, sumándose así a la tendencia de la zarzuela regionalista; se trata del sainete *La barraca del Turia*, la zarzuela *Entre naranjos*, cuya acción discurre en los naranjales de la ribera del Júcar, y el drama lírico *La borrasca*, ambientada en el pueblo de La Marina (Alicante).

Un recurso empleado por Santonja es la inclusión de fragmentos musicales preexistentes, a veces con carácter paródico, en función de las sugerencias del libreto. Ello ocurre en el juguete cómico-lírico *La sucursal del infierno*, 1896, en cuyo número musical inicial se escucha tocar en un piano a una vecina, que interpreta, alternando con el canto de Julia, la protagonista de la obra, el pasaje "Gran Dio, morir si jovene" de *La traviata*, lo que da lugar a que Julia cante: "Con el piano maldecido / no se puede una entender, / y reniego de Bellini, / Donizetti y Meyerbeer"; después toca "Un mantón de la China-na" de *La verbena de la Paloma*, y Julia canta: "Ya está otra vez el piano / con su canción. / Primero ha sido Verdi, / después Bretón, / y si estará seis horas / tocando así, / después de Caballero / vendrá Chapí"; el piano toca a continuación un pasaje de *La czarina*, completando el juego literario-musical planteado en el número. En la zarzuela *Los criticones*, 1896, una de sus obras de mayor éxito, en la que se plantea una crítica a Feliciano, crítico de teatros, adaptando el viejo argumento del "alguacil alguacilado" al mundo teatral, aparecen José y Clara figurando ser diversos personajes que han sido objeto de las críticas de Feliciano, lo que da lugar a la parodia de esos personajes y de la música que cantan habitualmente; así, cuando José se hace pasar por el tenor italiano Pascualini, canta una sucesión de fragmentos musicales entre los que aparecen un rataplán, una imitación de ópera italiana, el fragmento "un mantón de la China te voy a regalar" de *La verbena de la Paloma*, "La donna e mobile" de *Rigoletto* de Verdi, una cita del tango de la Menegilda de *La Gran Vía*, y el himno nacional francés *La Marsellesa*.

OBRAS (Todas en *E:Msa*): *El himno de Riego*, episodio lír-dramático, 1 act, l, C. Navarro / E. M. Toromo, est, 10-III-1893, Te. Novedades; *Cosas de pueblo*, Jug lír, 1 act, l, C. Navarro / M. Herrero, est, 16-II-1894, Te. Romea; *El as de bastos*, Zarz, 1 act, 1894; *Un no y un sí*, Jug cóm-lír, 1 act, l, G. Cantó / S. Arambilet, est, 1-II-1895, Te. Eldorado; *Los amigos de Benito*, Zarz 1 act, l, G. Perrín / M. Palacios, est, 19-X-1895, Te. Romea; *Solo de ocarina*, Jug cóm, 1 act, l, E. Navarro Gonzalvo / A. Ramos, est, 9-XI-1895, Te. Romea; *La sucursal del infierno*, Jug, 1 act, l, E. Montesinos / D. Banquells, est, 29-I-1896, Te. Romea; *Los criticones*, Zarz, 1 act, l, E. Pérez-Alarcón y Rodríguez, est, 18-VII-1896, Te. Circo de Colón; *El uno y el otro*, l, C. Navarro, est, 13-XI-1896, Te. Romea; *De la corte al cortijo*, 1 act, l, G. Cantó / M. Meilán, est, 4-XII-1896, Te. Romea; *La nieta de Don Quijote*, Jug cóm-lír, 1 act, l, D. Giménez Prieto / E. Montesinos López, est, 29-XII-1896, Te. Martín; *Las cigarreras*, Zarz, cóm, 1 act, l, A. Munilla / L. Ferreiro, est, 14-V-1897, Te. Romea; *Los currinches*, Zarz, 1 act, l, Montesinos / L. Pascual Frutos, est, 15-IX-1897, Te. Romea; *La noche del Tenorio*, Hum cóm-lír, 1 act, l, F. Pérez Capo, est, 29-X-1897, Te. Romea; *Sin permiso de su tío*, Zarz, 1 act, l, E. Pérez-Alarcón Rodríguez, est, 17-IV-1899, Te. Parish; *Mis dos maridos*, col. Santamaría, l, L. Cocat / H. Criado, est, 15-X-1900, Te. Cómico; *El nuevo género*, disparate-Rv, cóm-lír, un poco fantástica y muy inverosímil, 1 act, col. F. Orejón, l, F. Castañón, est, 10-XI-1900, Te. Martín; *El manojo de claveles*, boceto de Sai, 1 act, l, A. Curros Vázquez, est, 14-IX-1907, Te. Martín; *La barraca del Turia*, Sai, 1 act, l, J. Royo de León / A. Pérez Camacho, est, 14-XII-1907, Te. Martín; *Entre naranjos*, Zarz, 1 act, l, J. Royo de León / A. Pérez Camacho, est, 29-I-1908, Te. Martín, UME; *La borrasca*, Dr lír, 1 act, l, José Royo de León, est, 12-XI-1908, Te. Barbieri; *Nueva senda*, Zarz dramática, 1 act, col., J. Padilla Sánchez, l, A. Nava Valdés, est, 8-X-1909, Te. Barbieri; *El príncipe soñador*, Opt, 1 act, l, J. Royo de León, est, 7-XII-1911, Te. Martín; *El himno del pueblo*, episodio lír-dramático, 1 act, l, J. Royo de León / S. Jordán Doré, est, 11-X-1912, Te. Barbieri; *Caridad*, Zarz, 1 act, l, Cerezo y Garrido; *Cerveza amarga*, 1 act, l, G. Merino; *Corazones heridos*, col. Asensi Martín; *La muñeira*, col. Chaves Mínguez; *La noche del nacimiento*, Zarz, 1 act; *La vocación de Susana (Casta y Susana)*, l, E. Montesinos; *La voz del pueblo*; *Los facciosos*, 1 act, l, L. Perrín / M. Munilla; *Los voluntarios de Tauste*, l, C. Navarro / M. Fernández de la Puente.

BIBLIOGRAFÍA: *DMEH*; R. L. Delgado: "Miguel Santonja y Cantó", *Lira Española*, 43, 15-XII-1915.

RAMÓN SOBRINO

Santos Abreu, Eliasé. Los Llanos de Aridane (Canarias), 1-V-1856; Santa Cruz de La Palma, 1-IV-1937. Estudió medicina y cirugía en la Universidad de Sevilla, y ejerció de médico en Santa Cruz de La Palma. Hombre culto y erudito fundó en 1883 la primera sociedad musical estable de la capital La Filarmónica. Dejó algunas obras para la escena.

OBRAS: *Don Pantaleón*, Zarz, l, A. Rodríguez López; *Los dos antifaces*, Zarz, 1 act, l A. Rodríguez López; *Loa a la Virgen de los Remedios*, l, A. Rodríguez López, est, 1899; *Loa a la Virgen de Bonanza*, l, D. Carmona Pérez, est, 1902.

BIBLIOGRAFÍA: *DMEH*.

VÍCTOR SÁNCHEZ SÁNCHEZ

Santpere i Pei, Josep. Barcelona, 1875; Barcelona, 1939. Actor, empresario y cantante. En 1900 debutó en el teatro Gran-Vía, como barítono, en *La verbena de la Paloma* y en *Marina*. Sus primeras intervenciones fueron de la mano de Adrià Gual en el teatro Íntimo, en el papel de Don Basilio de *El barbero de Sevilla*. Después pasó a los espectáculos Graner. En la temporada de 1908 figuraba ya como primer actor cómico en la compañía de Enric Giménez, compartiendo cartel con Margarida Xirgu y María Morera. Participó en los estrenos de *L'auca del senyor Esteve*, así como en *La Santa Espina* y *La barca*. En 1910 estrenó en el Nuevo *El conde de Luxemburgo*, ya como actor lírico; su interpretación de *La corte de faraón*, en la que cantó el papel de Casto José, acabó por ser una de sus intervenciones más rememoradas. En la temporada de 1911-12 se arriesgó a arrendar el teatro Nuevo, juntamente con Robert; allí estrenaron *Anita la risueña* de Vives, pero con un pésimo resultado económico. Se casó con la actriz cómica Rosita Hernáez. Junto con Xirgu volvió a los teatros del Paralelo barcelonés, cultivando el género del vodevil, con el que alcanzó una gran notoriedad. Se estableció en el teatro Español, donde introdujo y adaptó el vodevil francés, aumentando lo picante, y en ocasiones lo soez. Supo organizar compañías con buenos actores. Con el vodevil *La reina ha relliscat* Santpere logró uno de sus grandes éxitos, además de volver a interpretar un papel cantado. La mayor parte de la crítica recoge sus grandes cualidades como actor, a pesar de los reproches por haberse dedicado a un género que se tenía por descalificado, el vodevil. Su hija, María Santpere i Hernáez adoptó el nombre de Mary Santpere y fue una actriz cómica muy popular.

FRANCESC CORTÈS i MIR

Sanz de Terroba, Manuel.
Entreña (Logroño), 4-IV-1829; Madrid, 10-III-1888. Tenor y compositor. A los doce años se quedó huérfano y un cirujano de Logroño, Rosendo Moreno, lo acogió en su casa. Entonces aprendió a tocar la guitarra, la bandurria, el violín y la flauta, según Peña y Goñi "con gallardía tal, que las principales familias de Logroño se disputaban su concurso y le colmaban de aplausos". Viajó a Bayo-

*Manuel Sanz de Terroba
(Foto: Colección
Castellano; E:Mn)*

na y Lisboa como miembro de una estudiantina y allí conoció al tenor italiano Milesi, quien le aconsejó dedicarse al teatro. Después de regresar a Logroño, en 1844 se trasladó a Madrid, época de efervescencia del andalucismo y allí conectó con Basilio Basili e Iradier; de este último recibió las primeras lecciones de canto. Con diecisiete años decidió irse a Italia, pero permaneció aún en Barcelona, dando lecciones de bandurria y guitarra y convirtiéndose en un especialista en la interpretación de canción española, lo que le dio una gran popularidad y la posibilidad de impartir lecciones de canto y estudiarlo con Rachel, director entonces del teatro Principal, con Cerili, con el célebre bajo francés Déviris y con Abella, esposo de la soprano D'Angri. Ingresó entonces en un café cantante de Barcelona, especializándose en música andaluza donde le pagaban 25 duros mensuales. La fama adquirida en ese café hizo que se le ofreciese actuar de partiquino en el teatro Principal por treinta duros al mes, trabajo que aceptó.

Después de esta experiencia viajó a Italia y en Florencia conoció a Carlos Romani, quien le dio lecciones de canto. Siguió actuando en los salones florentinos como guitarrista y en esta ciudad conoció a Badía, que regentaba el teatro de la Pérgola, y le propuso debutar en el teatro con *Il conte di Leicester*, junto a la Penco, 1851. Aquí comenzó el éxito y la carrera de este tenor que decidió regresar a Barcelona, ante un ataque de ictericia, reanudar sus lecciones con Abella y conocer al empresario valenciano Máiquez, que le escrituró como primer tenor en la compañía de ópera de aquella ciudad, donde debutó con *Atila*. En la primavera de 1852 interpretó *Jugar con fuego* de Barbieri. Debido al éxito, Barbieri viajó a Valencia para proponerle debutar en Madrid, pero Sanz se negó y siguió cantando ópera italiana por España. Salas le escuchó en Cádiz y renovó la oferta de Barbieri, pero Sanz no la aceptó. Posteriormente, fue contratado como tenor de ópera para el teatro de Barcelona en la temporada de 1853-54, con obligación de cantar zarzuela; fue así como interpretó *El dominó azul*, verdadero acontecimiento en la ciudad condal. Gaztambide viajó a Barcelona en la Cuaresma de 1853 y consiguió convencer a Sanz, que fue escriturado en el teatro del Circo para el año teatral 1854-55. Sanz se presentó con enorme éxito en el estreno de *Los diamantes de la corona* de Barbieri,

Manuel Sanz de Terroba
(Foto: Colección Castellano; E:Mn)

y desde entonces se convirtió en una de las voces más importantes de la historia de la zarzuela con una popularidad sólo similar a la de Caltañazor, con el que conformó uno de los dúos más importantes de la historia del género. Fue contratado como primer tenor en el teatro del Circo con un sueldo de 200 reales diarios, el mismo que cobraría al inciar su actividad el teatro de la Zarzuela, sólo superado por Francisco Salas con 333 reales diarios.

A partir de entonces su presencia fue continua y sus estrenos muy numerosos: *Los diamantes de la corona* y *Mis dos mujeres* de Barbieri, 1855; *La dama del rey* de Arrieta, 1855; *El sargento Federico* de Barbieri, 1855; *El postillón de la Rioja* de Oudrid, donde tuvo un gran éxito cantando la jota estudiantina que se hizo famosa en toda España, acompañado de pandereta. En el nuevo teatro de la Zarzuela inició su actividad con la obra *Cuando ahorcaron a Quevedo* de Fernández Caballero, 1856; siguieron *La corte de Mónaco* de Saldoni, 1857; *Los magyares* de Gaztambide, 1857; *El planeta Venus* de Arrieta, 1858; *Amar sin conocer* de Gaztambide y Barbieri, 1858. En julio de ese año fue contratado por el teatro Circo y estrenó allí *Un pleito* de Gaztambide, donde cantaba admirablemente la serenata, y *La sirena* de Antonio Rovira. En 1860 estaba de nuevo en el teatro de la Zarzuela donde estrenó *El diablo las carga*, *Gil Blas* de José Manzocchi, *Una vieja* y *Anarquía conyugal* ambas de Gaztambide, 1861; *Un tesoro escondido* de Barbieri, 1861; *El agente de matrimonios* de Emilio Arrieta, 1862. En la temporada 1862-63 fue contratado por el competidor teatro Circo con un sueldo de 8.000 reales mensuales. Allí estrenó *Galán de noche* y *La tabernera de Londres* de Antonio García Gutiérrez, *Si yo fuera rey* de José Inzenga, y *Un trono y un desengaño* de Arrieta. Señala Barbieri de su interpretación de esta obra: "Su voz era dulce y muy expresiva. Su voz era extensa, menos poderosa que la de Font, pero de una gran calidad, con un sonido aterciopelado que era muy admirado entonces: no era buen declamador, aunque se fue perfeccionando sin llegar en esta cualidad a las otras grandes voces de la zarzuela como Salas, Obregón, Dalmau o Bergés".

BIBLIOGRAFÍA: *DBE*; *HGZ*; *HZ*; E. Casares Rodicio: *Francisco Asenjo Barbieri. 2. Escritos*, Madrid, ICCMU, 1994.

EMILIO CASARES RODICIO

Sanz Pérez, José. Cádiz, 8-II-1818; Madrid, 28-I-1870. Dramaturgo, novelista y cuentista. Se hizo muy popular con sus obras costumbristas andaluzas, siendo el más prolífico de los poetas que escribieron en este género. En Madrid, trabajó en la prensa del momento y dirigió *El Universal* desde 1867. Su extensa obra fue editada en Cádiz y cuenta con títulos como *Chaquetas y fraques*, 1846, *La flor de la canela*, 1846, *Los celos del tío Macaco*, 1849, y *Amores de sopetón*, 1849. Además

José Sanz Pérez (Foto: Colección Castellano; E:Mn)

publicó unos artículos de costumbres y escribió varios libretos de ópera. En la zarzuela, siguiendo el género costumbrista andaluz, que le había consagrado, escribió *El tío Caniyitas o El viento nuevo de Cádiz*, zarzuela andaluza en dos actos y en verso, a la que puso música Mariano Soriano Fuertes, estrenada en el teatro San Fernando de Sevilla en 1849. *Véase* EL TÍO CANIYITAS O EL MUNDO NUEVO DE CÁDIZ.

BIBLIOGRAFÍA: *DAT; DUE; HZ.*

Mª LUZ GONZÁLEZ PEÑA

Sara, Amparo. España, siglo XX. Vedette-actriz. La temporada 1929-30 actuaba en el madrileño teatro Pavón en la compañía de Celia Gámez, interpretando el papel de Artemisa en la revista de Francisco Alonso *Por si las moscas*. Ya con mejor puesto estrenó *Gol*, revista de Guerrero que permaneció en la cartelera del teatro Romea de Madrid todo el año 1933. En 1934 estrenó, junto a Laura Pinillos y Nena Rubens, en el Cómico de Barcelona, *Las vampiresas* de Badía y Quislant, revista que llegó a finales de ese mismo año al Romea de Madrid. En 1935 estrenó de nuevo en el Cómico de la Ciudad Condal, *Miss-Miss*, revista de Dotras Vila que pudo verse en Romea en el mes de octubre de ese mismo año en el que intervino también en la reposición de la revista de Guerrero *La sota de oros*. Ese año fue importante para Amparo Sara, ya que en el mes de mayo estrenó en el Coliseum madrileño la revista de Guerrero *¡Allo, Hollywood!*, junto a artis-

Amparo Sara (Foto: Ar. Emilio G. Carretero)

tas tan famosos en aquellos años como Conchita Leonardo, Olvido Rodríguez y Antonio Murillo.

Al concluir la Guerra Civil estrenó en 1939 en el Reina Victoria *Te llamo y no vienes*, opereta de Azagra y Moras que la situó en envidiable posición entre las vedettes de la época. Se casó con el maestro Manuel Faixá con el que tuvo a su único hijo por el que espació su carrera. En los años cuarenta alternó revista y zarzuela y así en 1944 en el Fontalba de Madrid estrenó *Polonesa*, zarzuela de Moreno Torroba y en el teatro Español de Barcelona la revista de Irueste y García Morcillo *Dos millones para dos*. Desapareció de los escenarios hasta mediados los años sesenta, en que volvió como actriz de carácter en la compañía de zarzuelas José de Luna que su esposo dirigía musicalmente. Actriz magnífica, fue reclamada por la Compañía Titular del teatro de la Zarzuela con la que estrenó en 1970 la casamentera de *El violinista en el tejado*; en 1975 sustituyó a Selica Pérez Carpio, característica oficial de la Compañía Lírica Nacional, en la reposición de *La rosa del azafrán* e intervino en diversos montajes como *Los vagabundos* de Moreno Buendía. A mediados de los ochenta se retiró definitivamente de los escenarios. Amparo Sara grabó diversos fragmentos de revistas en el soporte de 33 r.p.m., como *Dos millones para dos*, *Gol*, *¡Que se mueran los feos!*, y también de la zarzuela *Polonesa*.

BIBLIOGRAFÍA: A. Collado: *El teatro bajo las bombas en la Guerra Civil. Tragicomedia de actores, figurantes, políticos, personajes y personajillos*, Madrid, Kaydeda Ed., 1989.

EMILIO GARCÍA CARRETERO

Sardinero, Vicente. Barcelona, 12-I-1937; Villanueva de la Cañada (Madrid), 8-II-2002. Barítono. Figura de relieve en la historia del canto hispano, fue en Barcelona donde realizó los primeros estudios y donde cantó ópera por primera vez en el Liceo, logrando numerosos aplausos por su interpretación de Escamillo en representaciones de *Carmen*

Vicente Sardinero (Foto: Ar. SGAE)

celebradas en 1964. Pero desde muy pronto y por impulso de Joaquín Deus y del teatro de la Zarzuela, desarrolló e hizo incursiones en la zarzuela. Posteriormente se trasladó a Milán, para perfeccionar su técnica, comenzando después su larga carrera internacional, dedicada a la ópera. En el campo de la zarzuela ha dejado abundantes grabaciones de enorme interés.

FONOGRAFÍA: *Don Manolito,* Zafiro-Salvat 1055-2 • Zafiro ZOR-222 154; *El pájaro azul,* Columbia-BMG SCE 959 • Columbia SA, ZCL 1067 178; *La canción del olvido,* La Voz de su Amo VUL 202 98; *La revoltosa,* Zafiro 30103042 (Serdisco) 4 y 5 • Zafiro SA, ZOR-216 12; *La rosa del azafrán,* Zafiro-Salvat 1002-1 • Zafiro SA, 30103026 52 • Zafiro SA, ZN 6-5 S (Novola) 58 • Zafiro SA, ZOR-218 56L; *La villana,* Columbia-BMG SCE 960-1 • Columbia SA, ZCL 1061 y 1062 (Zacosa) 61 y 62; *Las golondrinas,* EMI 7243 5 74215 2 2 (637.02672) • EMI 7 67453 2 (637.64953); *Los burladores,* Columbia SA, ZCL 1091 (Zacosa) 145; *Maruxa,* Columbia-BMG-Ariola-Salvat 1038-2 y 1039-2 • Columbia SA, ZCL 1052 y 1053 (Zacosa) 63 y 64 • Columbia-BMG España WD 71584 (9H); *Antología de la zarzuela,* EMI 7 67580 2 (643.96128); *Grandes dúos de zarzuela,* La Voz de su Amo-EMI J-064-20.109; *Romanzas de zarzuela,* La Voz de su Amo-EMI J-064-20.108.

LUIS G. IBERNI

Sargento Federico, El. Zarzuela en cuatro actos. Música de Francisco Asenjo Barbieri y Joaquín Gaztambide. Libreto de Luis Olona. Estrenada el 22 de diciembre de 1855 en el teatro del Circo de Madrid.

Personajes y reparto. El rey Federico Guillermo (Francisco Calvet, bajo cantante). El príncipe Federico (Carolina Di Franco, tiple). La princesa María (Adelaida Latorre, tiple). El conde Gustavo (Manuel Sanz, tenor). El barón Kopen Nikeu (Vicente Caltañazor, tenor). Juan, el molinero (Joaquín Becerra, bajo). Teresa, su mujer (Dolores Fernández, tiple). Fritz, el guardabosques (Manuel Franco). Un general (N. Díaz). Pedro, mozo del molino (José Rodríguez). Un carcelero (Manuel Moya).

Orquestación. Flautín, flauta, 2 oboes, 2 clarinetes, 2 fagotes, 2 cornetines, 2 trompas, 2 trombones, figle, timbales, triángulo, campanas y cuerda. Banda: trombones, figle y cuerda.

Argumento. *Acto I.* Los vecinos de una pequeña villa de Alemania están felices porque se celebra el bautizo del hijo de los molineros. Llega la molinera, Teresa, que ha ido a buscar al padrino con la noticia de que no puede venir por encontrarse enfermo y todos se quedan consternados. Entretanto se acercan al grupo una dama y un caballero que son nada menos que la princesa María, que se aloja en un palacio cercano, y el Barón de Kopen-Niken encargado de custodiarla y llevarla a la corte cuando el rey la reclame para casarla con su hijo Federico. Ella se ha empeñado en salir a dar una vuelta por los alrededores del palacio y se encuentran delante del molino. Aparecen también en escena el conde Gustavo, enamorado de la princesa, y el sargento Federico, hijo del rey e íntimo amigo de Gustavo. Al enterarse de que no tienen padrinos los molineros, la princesa y el príncipe-sargento se ofrecen a serlo. El sargento se enamora de María en cuanto la ve. El conde Gustavo que está aparte recibe una misiva real ordenándole que parta esa misma noche con su compañía para reunirse al amanecer con la división que sale de Berlín para la frontera de Silesia y se lamenta de su mala suerte pues pensaba reunirse con su amada esa misma noche. Cuando regresan de la iglesia para celebrar el bautizo con gran alborozo aparece en escena el rey vestido de militar y les recrimina por estar divirtiéndose en lugar de trabajando, advierte que está su hijo entre los asistentes y se lo hace saber a todo el mundo que se sorprende. La princesa se oculta y oye la conversación entre el padre y el hijo, éste le comunica a su hijo que quiere casarle con una princesa austriaca y éste que ya se ha enamorado de la princesa María protesta enérgicamente. La princesa consternada con la noticia pues no había sido informada de por qué se encontraba allí envía a su amado Gustavo una misiva por medio del molinero. Al regresar al campamento militar el príncipe y su amigo Gustavo se encuentran, y éste pone al príncipe en antecedentes de que está enamorado y necesita ver a su amada.

Federico le anima a desertar e ir a visitar a su amada esa misma noche. Deciden pedirle al molinero que les lleve en barca a entrevistarse con ella.

Acto II. Un grupo de guardabosques, entre los que se encuentra el jefe de ellos Fritz, que se toma muy a pecho la custodia de la Princesa, y ha oído pisadas. La Princesa, acompañada de Juana, la mujer del molinero también llega a la finca. Aparece el Barón consternado porque no encuentra a la Princesa, finalmente lo hace y le comunica que el mismo Rey está de camino a la finca y le ha mandado adelantarse para anunciarle su llegada, pero la princesa ha dado cita a su amado Gustavo y no puede faltar. Se entrevistan los dos amantes y Gustavo le cuenta a la princesa que el príncipe no se opone a su relación pero que está muy preocupado porque se ha visto obligado a desertar para poder reunirse con ella, ambos reiteran sus declaraciones de amor eterno, y mientras tanto Federico espera al amigo a pocos metros de allí. Por unas palabras del molinero descubre que la amada de su amigo es su misma prometida pero no le importa y anima a Gustavo a seguir adelante con su amor, con lo que él quedará liberado de su compromiso (todavía no sabe que la princesa y María, la dama de la que se ha prendado, son la misma persona). Estando en estas disquisiciones aparece Fritz con sus hombres, y el molinero, asustado, les confiesa que Gustavo es un desertor por lo que le apresan inmediatamente.

Acto III. Palacio Real de Berlín. El rey acompañado de la princesa y del barón es vitoreado por sus oficiales, damas y caballeros. A continuación el rey, mientras la Princesa entra en los aposentos de la Reina, le pide al Barón que le lea la crónica del gobernador de Berlín, entre ellas se encuentra el caso del conde Guzmán de Leinsberg, denunciado por un campesino como desertor mientras que otro militar, con grado de sargento, lo estaba esperando y en su huida dejó sus galones. El rey se indigna y manda al Barón que le pida al gobernador que reúna el consejo de guerra. Entra Federico en el salón pero el rey no se extraña porque lo ha mandado llamar para que se reúna con la princesa. Federico entre lisonjas a su padre aprovecha para exponerle que no desea casarse con la princesa con lo que el rey se encoleriza. Al salir el príncipe se encuentra con la princesa pero ésta se apresura a decirle que es dama de honor de aquella y que trae de su parte el ruego de que desaparezca de la corte por quince días en tanto ella se pone en contacto con su familia en Austria para tratar de desbaratar la boda puesto que está enamorada de otro hombre. Federico aprovecha para declararle su amor a la dama, que se muestra cauta pero no se atreve a rechazarle del todo; sale el Barón y se produce un malentendido porque al verlos juntos se sorprende sabiendo que no desean casarse el uno con el otro; el príncipe le dice que corra a decirle a su padre que ésa es la dama con la que desea casarse. El Barón se llena de júbilo y corre a decírselo. Entretanto Federico se entera de que el mensaje que ha mandado a Viena la princesa lo ha sido por medio del conde Gustavo y le confiesa a ésta que el conde está preso y el mensaje nunca llegará. Ella se preocupa por la vida del conde y el príncipe la tranquiliza y promete que le salvará. Federico y el rey se vuelven a ver, éste contento creyendo que su hijo ha cambiado de opinión con respecto al matrimonio con la princesa, pero Federico le hace saber que no es así y el barón que está consternado queda como un mentiroso. Entra un general para informar que está reunido el consejo de guerra; Federico intercede por su amigo pero al ver que su padre no accede, se declara en rebeldía y pide ser llevado preso él también y confiesa que estaba con el conde Gustavo la noche anterior. La princesa está escuchando oculta y se siente desfallecer. Federico es conducido a prisión.

Acto IV. Ciudadela de Berlín, donde están presos el conde, Federico y otros oficiales. A pesar de ello, están cenando y riendo alegremente, entra el barón y le piden que se una a ellos. Federico aprovecha para decirle al barón que si le van a matar tiene un último deseo, el de ver a su padre antes de morir. Al rato aparece Juan, el molinero que ha sido llamado para prestar declaración, está arrepentido de su acción y quiere rectificar pero ya es tarde, él les comunica que la Princesa va a aparecer también acompañada de su mujer, Teresa. Se oye la voz del rey y Federico pide a todos que se retiren y le dejen sólo con su padre. El rey trae la sentencia y viene

Carolina Di Franco
en El sargento Federico
(Foto: Colección Castellano; E:Mn)

acompañado de un general; al leerla ve que su hijo ha sido declarado libre por haber coincidido la llamada del rey con su deserción; aparece Federico y se lo comunica pero éste insiste en que quiere correr la misma suerte que su amigo condenado a muerte. El rey dispone que Gustavo sea conducido por un piquete de soldados que no conozcan al conde ni tengan ninguna ligazón con él al lugar de su ejecución. Federico decide ir él en su lugar para lo que es ayudado por el barón. Llegan la princesa y Teresa a la prisión, la primera viene disfrazada de aldeana, allí se encuentran con el barón y con el conde. Federico ya ha sido trasladado. El barón le presta su casaca al conde para que no sea reconocido y la princesa trae una bolsa de oro para sobornar a los carceleros y poder huir. Entretanto el rey manda llamar a su hijo y al molinero cuya declaración ha leído y le ha hecho sospechar algo. Finalmente todos se encuentran en la prisión, incluso el mismo Federico que confiesa que al ver que lo iban a fusilar había dado su nombre y le habían dejado libre. Se descubre en ese momento que la Princesa a la que ama el Conde es la destinada por el rey para casarse con su hijo, y lo que es más grave Federico descubre que su amada y la Princesa son la misma persona pero decide perdonarles y les da su bendición y consigue además enternecer a su padre que no puede por menos de reconocer que su hijo posee un gran corazón.

Números musicales. Acto I: Nº 1. Introducción coral, "¡Ah de la barca" (Barbieri). Nº 2. Escena y canción de la Princesa y el Barón, "Venid sin miedo" (Barbieri). Nº 3. Escena y coplas de la Princesa, Federico, Teresa, Barón y Juan, "¡Ah, qué gentil sargento" (Barbieri). Nº 4. Romanza de Gustavo y coro, "Orden fatal, tirana suerte". Nº 5. Canción de Federico, "No vayas al bosque, niño". Nº 6. Escena de Federico, Teresa, Princesa y coro, "La noche avanza". Nº 7. Final y barcarola de Federico, Gustavo, Juan y coro, "Ya desatada la barca está". Acto II: Nº 8. Preludio de Fritz y coro de guardabosques, "Entre el ramaje". Nº 9. Terceto de Princesa, Federico y Gustavo, "Ese rumor suave" (Barbieri). Nº 10. Final del acto II. Gustavo, Juan y Fritz y coro de guardabosques, "¡Confuso un eco leve" (Barbieri). Acto III: Nº 11. Introducción y marcha, "¡Viva la ilustre noble princesa" (Barbieri). Nº 12. Dúo de Federico y Princesa, "Corazón que duerme". Nº 13. Final. Princesa, Federico, Barón, Rey, General y damas y caballeros, "Dios contenga mi ciego furor". Acto IV: Nº 14. Preludio (Barbieri). Nº 15. Canción de los granaderos, Federico y coro, "Cuando los granaderos". Nº 16. Canción de la molinera, Princesa, Teresa y coro, "La prudencia fingir aconseja". Nº 17. Final. Federico, Rey y coro, "Seríais vos el marido" (Barbieri).

Comentario. Estrenada en las Navidades de 1855, se trataba de la zarzuela más larga que había conocido el Circo hasta entonces, presentada con decoraciones del famoso Luis Muriel y con un magnífico plantel de cantantes. El libro se refiere a un supuesto episodio de la vida de Federico el Grande de Prusia y es una adaptación de Olona del vaudeville en cinco actos *Le Sergent Frederic* de M. Vandenbourck y Dumanoir, obra que había cosechado un importante éxito en París el año anterior. Barbieri había presenciado este éxito en su viaje a esta ciudad y le encargó a Luis Olona que realizase la versión en español. Este es el origen de una obra en la que colaboraron Barbieri y Gaztambide. Barbieri es autor de ocho números y Gaztambide de los restantes. La obra es de gran formato y necesita unos amplios medios, tanto vocales como instrumentales. En la introducción aparece no sólo la orquesta sino una banda militar dividida en dos grupos. Desde ese momento la obra está dominada por la sonoridad de banda a través de una fuerte presencia del metal y el viento. De todas las partes tuvo especial interés y éxito la introducción del primer acto de Barbieri, –la parte más aplaudida–, la barcarola del Nº 7 "Ya desatada la barca está" de Gaztambide, el preludio y coro del guardabosques del Nº 8, el terceto de tiples y tenor "Ese rumor suave", ambos de Gaztambide, la introducción y marcha del Nº 11 de Barbieri y el dúo del Nº 12 de Gaztambide. Ambos músicos parecen perfectamente conexionados y nadie supo entonces qué partes eran de uno y cuáles del otro.

En el número correspondiente al 15 de noviembre de la *Revista Musical Española* de Sevilla, firmada por R. Wardemburg, aparece la crónica del estreno de la obra en la capital hispalense con las siguientes palabras: "La representación de la zarzuela a que nos referimos, ha sido un verdadero acontecimiento para nuestro teatro, pues le ha prestado un rayo de animación y de vida. En nuestro concepto *El sargento Federico* es una de las zarzuelas más entretenidas puesto que su música es bastante animada, aunque, como la de casi todas las demás, falta de inspiración y de novedad. Pero lo que constituye realmente su interés, es el papel del protagonista, que la Srta. Murillo desempeña, mucho mejor de lo que pudiéramos haber esperado; no porque esta joven artista carezca de talento y de condiciones sino por la enorme dificultad que ofrece el disparatado papel".

Fuentes manuscritas. Dos partituras autógrafas se conservan en el archivo de la SGAE en Madrid (TL-124). Otras dos partituras se conservan en la Biblioteca Nacional de Madrid (M. 3791) y otro ejemplar en la Colección Areu, Albuquerque (Nuevo México).
Ediciones de música. Canto y piano, ed. M. S. Allú, Madrid, CM.
Ediciones del libreto. Imp. del Colegio de Sordo-Mudos, 1855.

BIBLIOGRAFÍA: *DBE*; *HZ*; E. Casares Rodicio: *Francisco Asenjo Barbieri. 1. El hombre y el creador. 2. Escritos*, Madrid, ICCMU, 1994.

EMILIO CASARES RODICIO

Sariols Porta, Joan. Reus (Barcelona), 24-V-1820; Barcelona, 1886. Compositor, pianista y contrabajista. Según Saldoni, que es la principal fuente biográfica de Sariols, en 1828 ingresó en la capilla de música de Reus, recibiendo el magisterio de J. Biosca, para pasar al año siguiente como cantor a la capilla de la catedral de Lérida. Allí estudió con M. Germà, Aleix Mercé, y piano y órgano con J. Ariet, y posteriormente con Magí Pontí, con quien también estudió contrabajo. Al mudar la voz, compuso algunas obras sacras. Al ser disuelta la capilla en 1837 empezó a tocar el contrabajo, al tiempo que continuaba sus estudios con Pontí. Regresó a Reus, donde tocó en cafés. En 1838 ingresó en una banda de música, donde tocaba el figle y compuso marchas y bailables, una sinfonía y un dúo en italiano. Según Saldoni, en 1841 Sariols se trasladó a Barcelona, y allí empezó estudios de composición con Ramón Vilanova. Bajo su tutela compuso dos óperas, *Gonzalo* –en dos actos– y *Giudippe ed Odoardo* –en cuatro–, así como música religiosa. En 1848 estrenó en el teatro Principal la ópera *Melusina*, con libreto de Víctor Balaguer; en la obra cantaron Tamberlick, Agostini y la Cattinari. Aunque la obra no está recogida en todas las fuentes del período, y a pesar de la lisongera acogida que supone Saldoni, sólo alcanzó dos representaciones. Aún así, consiguió dar que hablar en la sociedad catalana de la época. Pedrell en sus memorias, *Jornadas de Arte*, se hacía aún eco de ella. Compuso diversas obras religiosas escritas a petición del vicario general de Pamplona, y estrenó una zarzuela en Zaragoza. Según el propio Sariols, la obra de la que guardaba mejor recuerdo fue la sinfonía descriptiva *Las dos lápidas*. En 1865 fue nombrado maestro de capilla de la iglesia de Santa María de Junqueras y en 1868 fundó una escolanía en San Francisco de Paula, componiendo diversas obras religiosas.

Saldoni testimonia la existencia de siete zarzuelas, una de ellas la estrenada en Zaragoza, y las otras formando parte de las zarzuelas catalanas estrenadas en Barcelona. De ellas se han conservado tres, precisamente las que Saldoni cita, y que consiguieron mayor éxito en su momento, las gatadas *L'esquella de la Torratxa*, 1864, *Lo Punt de les dones*, 1864 y *Lo Pla de la Boqueria o Lo rovell de l'ou*, 1869, esta última un cuadro de costumbres.

Según el testimonio de Conrat Roure, Sariols, después de haber leído la primera redacción de la parodia *L'esquella de la Torratxa*, que había de ser representada en el teatro particular de Bernat de les Cases, pidió a Soler que añadiera alguna pieza de canto a la que él pondría música, "y que haría que la obra se representara en el teatro Odeón, por la Sociedad de aficionados Melpómene". El éxito inesperado de la obra condujo hacia la creación de las bases del teatro catalán, y además de las primeras zarzuelas catalanas, y en ello tuvo, según Roure, un papel destacado Sariols. Sus obras tienen un gran interés puesto que representan un estilo peculiar en el que se combinan desde la influencia de la música bailable, la habanera incluida, al tratamiento de la música coral de la época de Clavé y Pujadas, pasando por el italianismo y la pauta estética de las zarzuelas de Barbieri y Olona, entre otros. *Véase* L'ESQUELLA DE LA TORRATXA; EL PUNT DE LES DONES.

OBRAS: *L'esquella de la Torratxa*, gatada, 2 act, l, F. Soler, est, 24-II-1864, Te. Odeón (Barcelona); *El punt de les dones*, cuadro de costumbres, 2 act, l, F. Soler, est, 1864; *El pla de la Boqueria o Lo rovell de l'ou*, cuadro, 2 act, l, J. Feliu i Codina / F. Soler, est, 8-IV-1869, Te. Romea (Barcelona).

FRANCESC CORTÈS i MIR

Sarobe, Celestino [Celestino Aguirresarobe Zatarain].

Orio (Vizcaya), 6-IV-1892; Zarauz (Guipúzcoa), 25-V-1952. Barítono. En 1917 finalizó en Valladolid la carrera de Medicina que no llegó a ejercer, ya que prefirió dedicarse al canto. Su interés por esta disciplina le llevó a realizar estudios musicales, siendo único alumno del gran barítono Matia Battistini con el que hizo unos largos estudios que en parte financió la Diputación de San Sebastián. Su maestro, a la sazón figura principal en el Liceo Barcelonés, le proporcionó su debut en ese teatro con el Rey de *La favorita*, pasando a continuación a San Sebastián donde cantó *El barbero de Sevilla* y a Lisboa donde alcanzó un clamoroso triunfo con *La traviata*. Saltó a Italia donde cantó un gran repertorio de óperas italianas y alemanas, siendo elegido por Arturo Toscanini para estrenar, junto al tenor Aureliano Pertile, la ópera de Arrigo Boito *Nerone* con la que consiguió un éxito que le colocó en puesto prominente entre los cantantes de su cuerda. En 1924 debutó en el teatro Real de Madrid cantando junto a Ofelia Nieto y Miguel Fleta una *Aida* memorable, así como otras óperas. Gracias a su influencia fue traducida y estrenada en el teatro Nacional de la Ópera de Praga la ópera de Jesús Guridi, *Amaya*, 1938, como ocurrió en el teatro de la Ópera de Frankfurt con la obra de José María Usandizaga *Las golondrinas*, 1943. La temporada 1940-41 en el teatro de la Zarzuela, dedicada a la ópera, actuó en el estreno madrileño de *Turandot* de Puccini; en el elenco de la

Celestino Sarobe
(Foto: Ar. ICCMU)

compañía figuraba Celestino Sarobe, que cantó un *Rigoletto* que resultó lo mejor de la campaña. Tras su retirada de los escenarios ejerció de profesor de canto en el Conservatorio del Liceo de Barcelona y escribió diversos trabajos didácticos, así como el libro *Venimecum del artista lírico* y dio conferencias en ciudades como París o Berlín.

BIBLIOGRAFÍA: *CCE*.

EMILIO GARCÍA CARRETERO

Sassone Suárez, Felipe.

Lima, 10-VIII-1884; Madrid?, ? Escritor. Cursó estudios de Filosofía y Medicina que abandonó para dedicarse a la literatura. Viajó por todo el mundo hasta fijar su residencia en España, donde desarrolló su carrera como dramaturgo, novelista y poeta. Colaboró con sus artículos sobre los temas más variados en periódicos de todo el mundo, y en Madrid, su firma aparecía habitualmente en *ABC*, *Blanco y Negro*, *La Esfera*, *Nuevo Mundo* y *Mundo Gráfico*. En el teatro consiguió un merecido éxito como autor y como director escénico. Su estilo, influido por las corrientes románticas y modernistas, se refleja en una manera de hacer teatro llena de color y sensibilidad, unido a grandes dotes de inventiva, lo que hizo que fuese requerido para el género lírico, aunque sólo se conocen datos de dos estrenos suyos: *La canción de Pierrot*, fantasía lírica con música de José Palacios, 1912, y *La muñeca del amor*, capricho japonés de Manuel Penella, 1914.

BIBLIOGRAFÍA: *CTLBN; EDL*.

OLIVA G. BALBOA

Saullo, José R.

Zaragoza, ?; Colombia, *ca.* 1930. Cantante y empresario teatral. Fue uno de los impulsores del género chico en Chile y América. Nacido en una familia relacionada con el teatro, llegó a tierras chilenas en 1896, incorporándose en diciembre como tenor cómico a la compañía de Pepe Vila que actuaba en el Politeama de Santiago. Muy apreciado por el público chileno, destacó por su gracia escénica en los papeles cómicos como el papel protagonista de *El seminarista* de Perrín y Palacios y música de Nieto, representada más de quinientas veces desde su estreno chileno en febrero de 1899. El público se encariñó con él hasta tal punto que se revolucionó cuando no apareció en el cartel de la nueva compañía; en su reaparición junto a la tiple Ernestina Marín las ovaciones fueron tan estruendosas que un diario llegó a decir que parecía que se trataba de Gayarre y la Patti. En abril de 1900 formó una compañía para el nuevo y modesto Apolo, local que se convertiría en uno de los principales centros de las llamadas tandas, denominación chilena del sistema del teatro por horas. Entre sus logros en el Apolo figuró el estreno de algunas de las zarzuelas chicas chilenas como *Noche de lluvia*, *Noche Buena*, *La Violeta*, todas con música de Alfredo Padovani, o la petipieza *Las esterlinas* de

Chacón. A comienzos de 1902 actuó en el Odeón de Valparaíso, pero pronto se independizó de Pepe Vila formando su propia compañía donde figuraban las tiples Consuelo Celimendi y Carmen Aragón, los actores Ángel Segura y Antonio Vallejo y el director de orquesta Enrique Casajuana. Con ésta recorrió las localidades norteñas de Chile –La Serena, Ovalle e Iquique– para luego trasladarse a Perú y Ecuador. Regresó a Chile a finales de 1907, formando compañía para actuar en el teatro Santiago de nuevo con Vila, junto a los artistas chilenos Arturo Bürhle y Elena Puelma; en marzo de 1908 la compañía se trasladó al teatro Sócrates de Valparaíso para repetir de nuevo sus éxitos. En 1910 formó compañía junto a Juan Zapater en el Politeama de Santiago. En uno de sus viajes conoció a la tiple Conchita Bosch, hija del actor español Juan Bosch, con la que contrajo matrimonio en 1915, actuando poco después juntos en Chile. Según algunas crónicas chilenas ambos terminaron sus días en Colombia.

BIBLIOGRAFÍA: M. Abascal Brunet, E. Pereira Salas: *Pepe Vila. La zarzuela chica en Chile*, Santiago de Chile, Imp. Universitaria, 1952.

VÍCTOR SÁNCHEZ SÁNCHEZ

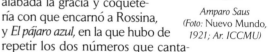

Francisco Saura Moreno
(Foto: Ar. Emilio G. Carretero)

Saura Moreno, Francisco. Aldea del Cano (Cáceres), 20-I-1936. Tenor. A pesar de haber nacido en Cáceres, se considera jerezano, ya que es en esta ciudad gaditana donde ha vivido desde los pocos meses de edad. A los veinticuatro años llegó a Madrid donde estudió con Miguel Barrosa, realizando su debut en el teatro de la Zarzuela con la versión de la opereta de Franz Lehár *La viuda alegre*, dirigido por José Tamayo. En el escenario de la Zarzuela, y en los más importantes de España, ha interpretado en diversas temporadas títulos como *Doña Francisquita*, *Pan y toros*, *El caserío*, *Luisa Fernanda* y todos los del repertorio más popular.

Ha cantado con las compañías Amadeo Vives, Titular de la Zarzuela, Mendoza Lassalle, José de Luna, Isaac Albéniz, así como oratorios y conciertos y ha grabado varios discos. En los últimos años abandonó la carrera de cantante para dedicarse a la gerencia en las compañías privadas de José Tamayo. Está casado con la soprano dramática Mari Carmen Ramírez. *Véase* RAMIREZ, MARI CARMEN.

EMILIO GARCÍA CARRETERO

Saus, Amparo. Valencia, 20-X-1889; ?. Tiple cómica. En febrero de 1921 actuaba en el Tívoli de Barcelona, en el que obtuvo un gran éxito con la opereta *Nancy*. En la temporada 1921-22 formaba parte de la compañía Sagi Barba, que actuaba en el teatro de la Zarzuela donde estrenó diversas obras de Rafael Millán, que dirigía la orquesta de la compañía, entre ellas *La Dogaresa*, en la que fue muy alabada la gracia y coquetería con que encarnó a Rossina, y *El pájaro azul*, en la que hubo de repetir los dos números que cantaba en la obra, alabando la crítica su gracia y belleza. En 1924 se casó con el barítono Federico Caballé. Ese mismo año estrenaron en el teatro Circo de Zaragoza el éxito de Jacinto Guerrero *La montería*, obteniendo un gran triunfo con el "Hay que ver". Tras el estreno en Madrid, con Victoria Pinedo, la obra se llevó a Barcelona a dos teatros diferentes y Guerrero incluso consiguió que cantasen las dos tiples juntas el "Hay que ver", en una representación. Posteriormente formó una compañía propia con su marido, con la que estrenaron en 1931 en el teatro Apolo de Barcelona *La musa gitana* de García Baylac. *Véase* CABALLÉ, FEDERICO.

Amparo Saus
(Foto: Nuevo Mundo, 1921; Ar. ICCMU)

FONOGRAFÍA: *Cándido Tenorio*, Sonifolk 20126; *¡Déjate querer!*, Sonifolk 20135; *El collar de Afrodita*, Sonifolk 20126; *El huésped del Sevillano*, La Voz de su Amo AE 1739 AE 1740, BS 2488 BS 2491; *El oso y el madroño*, Sonifolk 20135; *El último romántico*, Blue Moon BMCD 7547; *La Gran Vía*, Odeón 1-6 (et. roja), SO 6765 SO 6769 SO 6764 SO 6770 SO 6771 SO 6763 • Blue Moon BMCD 7513; *La leyenda del beso*, Blue Moon BMCD 7547; *La marcha de honor*, Blue Moon BMCD 7547; *La meiga*, La Voz de su Amo AE 2656; *La princesa de Czarda*, Blue Moon BMCD 7533; *Las mujeres de Lacuesta*, Sonifolk 20135 • La Voz de su Amo AE 1693; *Las niñas de peligros*, Sonifolk 20126; *Los gavilanes*, Odeón 184488 a 184491, SO 6344 SO 6345 SO 6729, SO 7028 a SO 7031 SO 7042; *Los verderones*, Sonifolk 20126; *Martierra*, La Voz de su Amo AE 2416; *Paca la telefonista*, Blue Moon BMCD 7507; *Rápido internacional*, Sonifolk 20135.
BIBLIOGRAFÍA: *Nuevo Mundo*, 1515, 25-II-1921; A. Fernández-Cid: *El maestro Jacinto Guerrero y su estela*, Madrid, Fundación Jacinto e Inocencio Guerrero, 1994.

EMILIO GARCÍA CARRETERO

Schottisch [chotis]. Baile y canción europea popularizados en España en el siglo XIX, donde dio lugar al chotis madrileño. El término, que procede de la traducción al alemán del gentilicio "escocesa", define, en el contexto europeo, una danza parecida a la polka, de tiempo más lento, conocida inicialmente como polka alemana. No obstante, el schottisch popularizado en España no guarda relación, ni en su música, ni en la forma de ser bailado, con la escocesa ni con el schottisch centroeuropeo. Posiblemente el schottisch se puso de moda en España en la década de 1840, siendo introducido desde París, al igual que la polka, y pasando desde los teatros a los salones y bailes populares. En 1850 el schottisch se había difundido por toda España, gozando del favor de los aficionados, como indica un artículo publicado en *La Ópera* (5-I-1851) en que se comenta la difusión del baile por Europa y su asociación con diferentes clases sociales: "La *schotisch* es conocida y bailada más o menos en toda la Europa, teniendo en cada capital un diferente significado, como lo prueba el que en Viena es el baile de las cortesanas, en Berlín de las actrices, en Bruselas de las costureras, en París de las grisetas y entretenidas, y en Madrid de las grandes señoras. No así en provincias, donde puede decirse que es un baile *omnibus*, más o menos bien admitido, pero que desconocen sólo las aldeanas". En la década de 1850 se inició la publicación de partituras de schottisch para piano o en arreglo para flauta, clarinete o violín, con acompañamiento de piano. Aparecen también adaptaciones en ritmo de schottisch de fragmentos de ópera o zarzuela; es

Cortesía de Unión Musical Ediciones SL

el caso de *El amor del duque*, schottisch sobre motivos de *Rigoletto*, por Lázaro Núñez Robres, 1853, que también contó con un arreglo para guitarra; de *La traviata*, cuatro bailes de salón compuestos sobre los mejores motivos de dicha ópera, arreglados para piano por José Rogel: polka, redowa, schottisch, vals, 1855; de *El capitán Alegría*, schottisch sacada [*sic*] del *Valle de Andorra* por Martín Sánchez Allú, 1852, o de *La capa*, schottisch compuesto para piano sobre motivos de *La cisterna encantada* de Gaztambide, también de Sánchez Allú, 1853.

El schottisch presenta una forma poliseccional, que recurre habitualmente a una sección inicial, repetida más adelante, y a un trío central, generalmente en una tonalidad plagalizante –habitualmente la del IV grado–, apareciendo con frecuencia una coda final, aunque en otras ocasiones la pieza consta de un número mayor de secciones. El schottisch va a formar parte de las colecciones de bailes de salón para piano, publicadas normalmente en grupos de danzas. Son frecuentes las colecciones vinculadas a los lugares en los que eran bailados, como ocurre en "El Elíseo madrileño y el Salón de Capellanes", o "Auras de los salones"; por lo común, estas colecciones constaban de polka, polka-mazurka, redo-

wa, schottisch y vals, orden que quizá se correspondiese con el de las danzas en los salones de baile. El paso siguiente en la evolución del schottisch es su introducción en el repertorio lírico. La popularidad de la mazurka –danza de origen polaco– y el schottisch –escocés–, en la época en que nació la zarzuela, determinó que estas danzas, especialmente la segunda –españolizada bajo la forma del "chotis" –, se convirtieran en un curioso fenómeno de folclore urbano que ha llegado a ser distintivo del Madrid castizo. En la etapa inicial de la zarzuela decimonónica es frecuente que se recurra al ritmo del schottisch sin mencionar la danza, al igual que ocurre con otras como la polka; por ejemplo, en la segunda sección del Nº 12 de *La mensajera* de Gaztambide, 1849, en el que aparecen varios bailes de salón populares en el momento, como la polka, el vals y el schottisch.

Sin embargo, fue en un periodo posterior donde el schottisch adquirió protagonismo, pasando a formar parte habitual de obras líricas, especialmente del sainete lírico en un acto. La primera obra localizada en la que aparece "schotis" en el título de un número musical es *El potosí submarino* de Arrieta, 1870; en el segundo acto de la obra, el Nº 9, un pasaje a cargo de la orquesta sola, lleva el nombre de schotis de las ranas. De todos modos, como señala Ramón Barce, "es difícil señalar en qué momento preciso tuvo lugar un fenómeno que marcaría ya toda la historia del sainete: la introducción masiva de bailes de salón en su música. Ya en *La canción de la Lola*, es decir, en 1880, hay valses y polkas. Pero es en *La Gran Vía* (también de Chueca y Valverde, 1886) donde aparece el empleo sistemático de bailes: polka, vals, tango (es decir: habanera), mazurka, schottisch. Murgas y organilleros, bandas de música y pianos caseros popularizaron esos bailables por toda España y luego por América. Y la incidencia sobre los salones de baile fue decisiva. Se había encontrado una fórmula ideal, que por un lado facilitaba la familiaridad con unas músicas nuevas pero sobre ritmos de moda; y por otra permitía una rapidísima y muy rentable difusión. Desde ese momento los compositores se vuelcan en crear piezas con ritmo de baile pero insertas en una acción teatral, es decir, habitualmente con letra y en muchos casos (no siempre) alusiva a una determinada peripecia argumental. Se eligen todos los bailes de repertorio, desde los más antiguos e incluso a punto de extinción –la pavana, el minué– hasta todos los que habían ido llegando como novedades: vals, polka, mazurka, schottisch, lanceros, rigodón, cuadrilla, redowa, varsoviana, y naturalmente el pasacalle (o paso doble). De esta manera, en un incesante movimiento de ida y vuelta, los salones suministran los modelos para la música de los bailables en los sainetes, y éstos los devuelven renovados a los salones, donde se popularizan frenéticamente, al mismo tiempo que las bandas los tocan por todas las ciudades y en las casas los pianos los repiten incansablemente".

Pero, como indica Barce, "el tantas veces afirmado 'madrileñismo' de los sainetes, por lo que respecta a la música, es muy discutible. La idea, corriente entre algunos críticos e historiadores, de que Chueca 'había inventado' ese madrileñismo necesita ser matizada. Ya en 1925 Antonio Zozaya señalaba que los sainetes recogen unas músicas (las de los salones de baile) muy populares en Madrid (¡y en toda España, no lo olvidemos, y hasta en toda Europa!), pero que muchas de ellas no tienen ninguna raigambre, ya que eran bailables de moda, algunos de reciente importación… El madrileñismo debe considerarse únicamente desde el punto de vista de que refleja la música de baile de moda en Madrid en aquellos años. Música que, repetimos, estaba igualmente de moda en casi toda Europa, con ligeras variantes en cada país; si bien, evidentemente, ya el trasvase de los bailes de un país a otro significaba a veces cambios importantes graduales de coreografía, lo que convertía de alguna manera un baile de importación en algo casi autóctono". En su artículo "El folklore urbano y la música de los sainetes líricos del último cuarto del siglo XIX: la explicitación escénica de los bailes", Ramón Barce comenta uno de los chotis más emblemáticos del repertorio lírico del siglo XIX español: el "schotis" del Elíseo madrileño en *La Gran Vía*, de Chueca y Valverde, 1886, escena III del cuadro 4º. El Elíseo –personificación de un salón de baile– canta: "¡Qué placer es bailar! (*Baila*) / y mover el cuerpo así / y poder apreciar / la melodía del chotís"; siendo contestado por todos con el texto: "Ay, qué gusto es bailar (*Bailan*) / el chulesco chotís / al estilo de Madrid, / y cansados después / del continuo danzar, / cuatro limpias ir a echarse al *restorán*".

Según Barce, "el elogio del chotis se hace aquí en virtud de: el movimiento (presumiblemente cadencioso) que se produce al bailarlo, una llamada sensual; su carácter 'chulesco': un adjetivo que se asocia a menudo (¡a veces también peyorativamente!) a lo 'castizo madrileño'. No es nada fácil definir qué signifique exactamente lo chulesco referido a un baile; pero implica siempre algunos movimientos precisos y cortados, desplantes y ciertas actitudes retadoras y arrogantes, como si se tratara de un espectáculo que el público deba admirar, y no de un baile íntimo, privado, sólo para los interesados; que es algo que se baila 'al estilo de Madrid', como advirtiendo

que existen otros estilos, otras maneras de danzarlo". Comenta Barce además: "Obsérvese la acentuación *chotís*, que viene bien a la rima pero que era normal; hoy se prefiere la forma grave (*chótis*), aunque queda todavía un resto de oscilación prosódica. El hablante madrileño experimenta la sensación de que *chotís* es algo más castizo (aunque obsoleto) que *chótis*. También la grafía vaciló y vacila hoy igual entre *schottisch* (que refleja exactamente la palabra alemana schottish = escocés), *schottis*, *schotiss*, *schotis*, *chottis* y *chotis* (esta última representa la pronunciación normal española actual)".

De esta forma, el "chotis" bailado "al estilo de Madrid" ha pasado a ser considerado como un elemento propio en el lenguaje castizo madrileño. El schotis del Elíseo madrileño es el número más castizo de *La Gran Vía*, al utilizar una danza que, a pesar de su origen foráneo, es considerada la danza de Madrid. Así como el vals era adecuado para el Caballero de Gracia que "con más figura baila en los salones", para representar el baile popular, "el baile de mistó", de una sala destinada a las clases bajas los autores optan por el "burlesco chotís, al estilo de Madrid". El baile del Elíseo madrileño gozó de cierto predicamento entre las clases populares, "criadas, horteras y cocineras", del Madrid de fin de siglo XIX.

Chueca recurre al schottisch en varias de sus obras. En *El año pasado por agua*, 1889, se sugiere el ritmo de schottisch en un pasaje del Nº 6; en *El arca de Noé*, 1890, y en *Los descamisados*, 1893, Chueca emplea en sendos dúos el "schottisch-gavota", curiosa simbiosis que aprovecha la identidad rítmica de ambas piezas; en *El arca de Noé*, en el Nº 6, dúo de Pepito y Pepita, los tímidos, cantado con enorme fortuna por Leocadia Alba y Emilio Mesejo; en *Los descamisados* en el Nº 4, dúo de Guarrete y Eulogia, donde Guarrete dice que se había ganado la vida como músico y representante de compañías teatrales, habiendo compuesto varios schottisch y mazurkas, y como profesor de baile, enseñando a bailar a continuación a Eulogia; la estructura del número es A-B-A'-C-A', con B en IV y C en VI descendido. En el viaje cómico-lírico *La caza del oso o El tendero de comestibles*, el Nº 6 es un tiempo de schottisch, de estructura A-B (en subdominante)-A', número de gran éxito y popularidad, en el que diferentes grupos de personajes, como criadas, guardias, barrenderos y chicos, piden sucesivamente a Don José que no se vaya, mediante el recurso de la sinonimia retórico-musical, repitiendo cada uno de los grupos la misma música sobre el texto: "Ay Señor José, no se marche usted"; el número concluye con la repetición del tema del pasa-calle anterior, sobre el cual Don José es conducido triunfalmente hacia la estación. También en *Las zapatillas*, 1895, hay un chotis que obtuvo el éxito del público. En el sainete lírico *Los arrastraos*, 1899, el Nº 1B es "El Flexible, chotis", en el que sale a escena un piano de manubrio y las vecinas, al oír su sonido –que interpreta la orquesta– abandonan sus tareas y cantan y bailan el chotis con varios vecinos que salen a escena; este chotis consta de una introducción instrumental, que anticipa el material musical principal, y una estructura A-B-A'-C-A''-coda, presentándose A en el tono principal, Fa mayor, y B y C, respectivamente, en los tonos de dominante y cuarto grado. En la refundición de la obra estrenada con el título *El capote de paseo*, 1901, se mantiene el mismo número musical, pero hay un cambio en el texto con sentido irónico: cuando sale a escena el piano de manubrio, una de las vecinas, reparando en el rótulo que lleva el organillo, dice: "¡Uy, el *flesible*, el de *tóos* los días!", lo que indica la popularidad del chotis difundido a través de los organillos. Por fin, en la zarzuela cómica *La corría de toros*, 1902, se presenta en el preludio una sección en 4/4 a modo de chotis. Otros autores de fines del siglo XIX y comienzos del XX recurren también al schottisch; es el caso de Fernández Caballero en *La viejecita*, Chapí en *Los veteranos*, Apolinar Brull en *La celosa*, Rafael Calleja en *El mozo crúo*, Juan Crespo en *Los zapatos de charol*, Fernández Arbós en *El centro de la tierra*, Giménez en *Las castañuelas*, y más adelante, Valverde San Juan en *Congreso feminista*, *El puesto de flores*, *El Gran Capitán*, *La boda de Serafín* y *La cocotero*; Romea y Valverde en *Niña Pancha*, José Serrano en *La mala sombra*, Foglietti en *¡De padre y muy señor mío!* y *La fundición*; Soutullo en *El capricho de una reina*, y Lleó en *La fea del Olé*, entre otros muchos. En el pasatiempo cómico lírico *La edad de hierro* de Arniches, con música de Hermoso y García Álvarez, se emplea en su Nº 5 un schottisch modernista.

En el siglo XX el schottisch se mantiene en la zarzuela y se incorpora a los géneros arrevistados, siendo elegido por los compositores para escenas castizas madrileñas, manteniéndose la identificación entre este baile y lo típicamente madrileño, siendo los schotish habituales en las series de cuplés y géneros relacionados de moda. Deben recordarse las obras *Su majestad el chotis* de Manuel Font de Anta y Eduardo Montesinos; *Madrid* de Agustín Lara; *Rosa de Madrid* de José Soriano y Luis Barta; *Agua que no has de beber* y *Ay Cipriano* de Martínez Abades; *La violetera*, schottisch-canción de José Padilla; *Es mi hombre*, canción chotis de Ivain, Arozamena y Cadenas; *Mantoncito de Manila*, chotis de Raffles y Font de Anta; *Las taquimecas* de F. Alonso, Lozano y Mariño; y ya en el campo lírico, el chotis de *Las lloronas* de Vela, Campúa y Francisco Alonso; el chotis de *Los faroles* de Jacinto Guerrero; y el schottisch de *Las Leandras* de Francisco Alonso, González del Castillo y Muñoz Román, "Pichi", convertido en uno de los números emblemáticos del casticismo chulesco de Madrid. Otras obras de Alonso donde aparece el chotis son *La niña de las planchas*, *La alegre juventud*, *Las castigadoras*, *Aquella noche azul* y *La corte de los gatos*; y en el caso de Guerrero, *Don Quintín el amargao*, *El sobre verde*, *La luz de Bengala*, *¡Lo que va de ayer a hoy!*, *Las mujeres de Lacuesta*, *Teodoro y compañía* y *Tiene razón D. Sebastián*. Muchas de estas obras adquirieron gran popularidad a través de las interpretaciones –en muchos casos desgajadas de las obras originales– de Raquel Meller, Celia Gámez, Concha Piquer, Carmen Flores y otras muchas cupletistas, a cuyas creaciones se debe el mantenimiento del schottisch en el repertorio del siglo XX.

BIBLIOGRAFÍA: *DMEH*; R. Barce: "El folklore urbano y la música de los sainetes líricos del último cuarto del siglo XIX: la explicitación escénica de los bailes", *RMS*, XVI, 6, 1993 ; –: "El sainete lírico", *La música española en el siglo XIX*, eds. E. Casares y C. Alonso, U. Oviedo, 1995.

RAMÓN SOBRINO

Secreto de una dama, El. Zarzuela en tres actos. Música de Francisco Asenjo Barbieri. Libreto de Luis Rivera. Estrenada el 20 de diciembre de 1862 en el teatro de la Zarzuela de Madrid.

Personajes y reparto. Margarita (Teresa Rivas, tiple). Leonor (Manuela Checa, contralto). Beatriz (Sra. Fernández). La directora del Colegio (María Bardán, característica). Colegiala 1ª (Sra. Collado). Colegiala 2ª (Sra. Nogales). Don Carlos (Rosendo Dalmau, tenor). Ginés (Vicente Caltañazor, tenor). El Duque (Francisco Calvet, bajo cantante). El vizconde del Girasol (Modesto Landa, barítono). Notario (Rochel). Teniente (Gimeno). Un caballero (Parcero).

Orquestación. Flautín, flauta, 2 oboes, 2 clarinetes, 2 fagotes, 2 cornetines, 2 trompas, 3 trombones, arpa, timbales y cuerda.

Argumento. La acción transcurre en el siglo XVIII. *Acto I.* En un colegio de señoritas Leonor recibe la noticia de que ha de dejar el colegio para casarse con un primo, oficial de marina, al que no conoce; ella ama al vizconde de Girasol. Al colegio llega Don Carlos, el primo de Leonor, haciéndose pasar por profesor para conocer secretamente a su prometida, sin ganas de casarse pues se ha enamorado de una desconocida en Sicilia. El Duque, tío de ambos llega al colegio y sorprende a Don Carlos, y poco después llega el vizconde de Girasol con un mensaje del rey que ordena al Duque proteger a la Duquesa de Alba-no que va a residir en secreto en el colegio. El vizconde pide a Carlos le ayude en sus amores con Leonor. Llega Margarita, la duquesa de Albano que resulta ser la misteriosa dama que ama Don Carlos. Ginés corteja a Beatriz, doncella de Margarita, y ésta y Carlos se confiesan su amor. Sin embargo Margarita contempla desde una ventana como Don Carlos y el Vizconde declaran a Leonor los planes del Duque y revelan la identidad de su primo y cegada por los celos denuncia a Don Carlos a la directora del colegio que lo expulsa. El castigo del rey, por medio de la intervención del Duque, consiste en casar a Don

Carlos y Leonor, terminando el primer acto con la desventura de los cuatro amantes.

Acto II. Transcurre en la casa del Duque en que va a celebrarse la boda entre Don Carlos y Leonor a la que asistirá el rey. Se murmura de una dama, Margarita, que se supone en amores con el rey, pero Don Carlos no lo cree. Margarita y Beatriz se colocan de criadas en casa del Duque y Carlos reconoce a Margarita y le declara de nuevo su amor, mientras el vizconde intenta deshacer la boda. Para convencer a Margarita de su amor, Don Carlos la encierra en una habitación y ante su tío, Leonor, el vizconde y los convidados declara su amor por ella, explicando que es una dama principal disfrazada; pero cuando la llama, ella ha huido.

Acto III. Transcurre en la sala de armas de una fragata de guerra a la que va a llegar Don Carlos al que el rey ha liberado de la prisión por los ruegos de Margarita que con Beatriz ha ido a buscarle al barco. Sin embargo Don Carlos se deja vencer por las habladurías que hacen a Margarita amante del rey que la ha abandonado y pretende casarla con otro. Llega el Duque con Leonor, a la que el rey en castigo por el matrimonio roto manda a un convento a Italia. Don Carlos para salvarla del convento y vengarse de Margarita la pide en matrimonio y cuando parece que no va a haber final feliz, Margarita explica a Leonor que es hija del Duque de Borbón y prima del rey, y perdona a Don Carlos.

Números musicales. Acto I: Introducción, Leonor y coro de colegiales, "Pues ya la directora". Nº 2. Dúo de Carlos y Ginés, "Forman la historia". Nº 3. Margarita, Beatriz, la directora, Carlos, Ginés, Duque y coro de colegialas, "Esa que viene hoy al colegio". Nº 4. Dúo de Margarita y Carlos, "Bien hayan niña". Nº 5. Final. Todos y coro de colegialas, "Virgen María". Acto II: Nº 6. Introducción, Carlos, Ginés, Duque y coro de caballeros, "Sí, señores". Nº 7. Aria de Carlos, "Será verdad". Nº 8. Dúo de Leonor y Vizconde, "Por fin, mis ojos". Nº 9. Cuarteto de Margarita, Leonor, Carlos y Vizconde, "¡Cielos, esa cara!". Nº 10. Duetino y gallegada. Beatriz y Ginés, "Niña de mis ojos". Nº 11. Final de Leonor, Carlos, Ginés , Vizconde, Duque y coro, "Salud, nobles señores". Acto III: Nº 12. Introducción y marcha, Ginés y coro de guardias marinas, "La vida alegre". Nº 13. Aria de Margarita y Beatriz, "En esa mirada". Nº 14. Escena y seguidillas, Carlos, Ginés, teniente y coro, "Que sea bien venido". Nº 15. Terceto de Margarita, Carlos y Ginés, "Miradme sin temor". Nº 16. Final. Margarita y Carlos, Leonor y tiples, Ginés y tenores, Duque y bajos, "Amor con noble júbilo".

Comentario. Barbieri siguió en la composición de esta obra el prototipo de zarzuela grande, constituida por quince números de música, y se refiere a ella con estas palabras: "El sábado 20 de diciembre de 1862 se estrenó en Jovellanos mi adjunta zarzuela *El secreto de una dama* que fue muy aplaudida y llamados los autores a la escena. En esta obra introduje la novedad de un coro a voces solas, cosa que hasta entonces no se había hecho en la zarzuela. Esta obra dio en su primera tirada a la empresa, un producto de 15.000 duros".

El secreto de una dama se estrenó con la expectación que ya producían las obras de Barbieri, que con estrenos anteriores había logrado un importante reconocimiento, y por ello tuvo un enorme éxito, al que contribuyeron de manera especial las voces de Caltañazor y Dalmau, que destacaron en la interpretación del estreno. Entre los elementos más interesantes que presenta esta zarzuela, desde el punto de vista musical, está la de introducir un coro a cappella en el Nº 14, que imitaba los instrumentos de cuerda mientras Caltañazor cantaba la seguidilla "Que sea bien venido". Precisamente, esta costumbre se detecta en Francia por primera vez en la obra de François Philidor *Tom Jones.* Otros elementos de interés es la inclusión de un arpa, y una muñeira o gallegada en el Nº 10.

Fuentes manuscritas. Dos partituras, copias de Ramón Bernardo, se conservan en el archivo de la SGAE en Madrid (TL-125). Otra partitura se conserva en la Colección Areu, Albuquerque (Nuevo México). Otro ejemplar se encuentra en la Biblioteca Nacional de Madrid.

Ediciones de música. Canto y piano, ed. F. Lahoz, Madrid, CM, 1863.

Ediciones del libreto. Madrid, Imp. José Rodríguez, 1862.

BIBLIOGRAFÍA: *HZ*; E. Casares Rodicio: *Francisco Asenjo Barbieri. 1. El hombre y el creador. 2. Escritos*, Madrid, ICCMU, 1994.

EMILIO CASARES RODICIO

Segovia, Víctor. España, segunda mitad del XIX. Director de orquesta y compositor. Fue uno de los primeros músicos en difundir la zarzuela grande por el continente americano. Según menciona él mismo en un artículo aparecido en el diario *El Ferrocarril* de Santiago de Chile, con una intención propagandística y datos poco fiables, fue "uno de los primeros maestros en Madrid al principiar en esa época el género de música española [zarzuela]... soy el propagador de estas obras en toda América, está en mi deber defenderlas en lo que permitan mis fuerzas y animarlas para que no perezca dicho género" (29-VII-1859). En otro remitido posterior a la prensa indica que trabajó como director de compañías de ópera en Madrid, Barcelona, Valencia y La Habana, obteniendo un amplio conocimiento del repertorio operístico italiano. En febrero de 1859 llegó a la localidad chilena de Valparaíso formando parte de la compañía del barítono Esteban Clapera y su mujer la soprano Ventura Mur, —que había llegada a Argentina en 1867, nación en la que tuvo una gran actividad y compañía propia—, realizando con éxito las primeras temporadas estables de la zarzuela grande en Chile, actuando además de en Valparaíso, en Santiago y La Serena hasta octubre de 1861. En estos años, se tienen noticias de la amplia labor realizada por Segovia para organizar las compañías, creando coros y orquestas con los elementos locales; en este sentido tras el estreno chileno de *El postillón de la Rioja* al poco de llegar a Valparaíso, la prensa destacó el nivel alcanzado por los coros, organizados en unos pocos días por Segovia y capaces de competir con los de los teatros de la capital. Tras el estreno de *El valle de Andorra*, el diario *El Mercurio* le dedicó encendidos elogios felicitando "al infatigable y hábil maestro Segovia, a quien la zarzuela va a deberle y le debe ya su boga en los teatros de Chile, el interés que inspira este nuevo género teatral, la creación de nuevos artistas, la mejora y el adelanto de otros, la organización de un cuerpo de coros cual jamás lo ha tenido teatro sudamericano y por fin el gusto que se va creando por la música española" (22-VI-1859). También contribuyó activamente a la enseñanza del nuevo género español en tierras chilenas, preparando nuevos cantantes, muchos procedentes de sus propios coros, como la tiple chilena Carmen Álvarez que se presentó cantando una romanza de *El dominó azul*, tras sólo ocho días de ensayos con Segovia, incorporándose a la compañía de Mur-Clapera. Entre sus proyectos figuró el de crear en Valparaíso un conservatorio de música, canto y declamación, anunciado en la prensa en marzo de 1860, aunque Segovia se limitó a dar clases particulares a los integrantes más destacados de su compañía.

Como compositor escribió algunas piezas circunstanciales para su propia compañía, como un himno dedicado a las damas de Santiago con letra del barítono Cortés, estrenado en la función de su beneficio en diciembre de 1859, y una misa escuchada en la catedral de La Serena en 1860, interpretada por toda la compañía. Además compuso la música para algunos libretos de zarzuela como *La cola del diablo* o *El hijo de familia*, ambos escritos por Olona y puestos previamente en música en Madrid por otros compositores; en algunos diarios madrileños aparecieron quejas contra la actitud de Segovia de poner música a obras ya estrenadas destinadas a teatros americanos. Dentro de su ardiente defensa del nuevo género lírico español, mantuvo una amplia polémica con el crítico de *El Comercio* de Valparaíso que acusó a *El dominó azul* de ser una copia de la ópera italiana, mencionando referencias concretas; Segovia contestó desafiante que "desde las primeras óperas de Rossini, conozco todas las óperas escritas y las he puesto varias veces en escena", retándole a comparar ambas partituras y recordando que ya en Santiago decidió representar una ópera italiana por una polémica similar para poner en evidencia la independencia del repertorio español. En enero de 1862 organizó una compañía de zarzuela en la que figuraban jóvenes cantantes chilenos para el nuevo teatro de San Felipe, localidad interior cercana a Valparaíso. La última noticia conocida es la dirección de una compañía semi-infantil que actuó en La Serena en agosto y septiembre de 1865, de la que formaba parte su esposa Encarnación Coya.

BIBLIOGRAFÍA: M. Abascal Brunet: *Apuntes para la historia del teatro en Chile. La zarzuela grande*, Santiago de Chile, Imp. Universitaria, 1940.

VÍCTOR SÁNCHEZ SÁNCHEZ

Seguidilla. Danza española en ritmo ternario y 3 / 4, de incierto origen cronológico, que alcanzó notable fortuna en la primera mitad del siglo XIX, llegando a ser identificada como uno de los principales símbolos musicales hispánicos en la época romántica. Fernando Sor, afirma que "la palabra bolero, que en su origen era un adjetivo, se emplea hoy como sustantivo para designar una danza española denominada, sin embargo, seguidilla, en la que un bailarín, llamado Bolero, introdujo unos pasos que exigieron algunas modificaciones en el movimiento y en el ritmo del acompañamiento del aire primitivo. Al hablar del aire así modificado se le llamaba seguidilla bolera y, al hablar de su danza, el baile bolero, terminándose por decir únicamente el bolero. Sin embargo, se ha conservado un recuerdo de su origen, ya que en las inspecciones de las compañías de teatro en España el que ejecuta esta danza se llama el bolero; también se llama a la bailarina la bolera por la única razón de ser su compañera". Como afirma Javier Suárez-Pajares, desde mediados del siglo XVIII, dentro "de una forma musical en cierto modo estática, heredada claramente de las más antiguas seguidillas, se desarrolla un baile que generará en su evolución la esencia de la danza española denominada, en alusión a su origen, escuela bolera". Toda la historiografía parece coincidir en que el origen del bolero no puede remontarse más allá de 1750; Barbieri indica: "Por los años de 1780, se inventó el bolero, hijo legítimo de las seguidillas, aunque de un carácter más noble y majestuoso"; esta datación de Barbieri es asumida por Pedrell en su *Diccionario técnico de la música*.

Como clarificación a un problema de índole terminológica, de acuerdo con Suárez-Pajares, "seguidilla", "seguidillas", "seguidilla bolera", "seguidillas boleras", "bolera", "boleras" y "bolero" son palabras que actúan como sinónimos al referirse a la forma musical que genéricamente se ha llamado "bolero", pero también son sinónimos -con excepción de la palabra "bolero"- al referirse al texto propio de esa forma musical que se denominó, y aún se denomina, "verso de seguidilla", y que consiste en una copla de cuatro versos de arte menor –heptasílabos el primero y tercero, y pentasílabos el segundo y cuarto– a la que se suele añadir un terceto, de rima en ocasiones encadenada, integrado por dos versos pentasílabos –primero y tercero– y uno heptasílabo; la rima resultante está configurada por versos libres y de rima asonante: 7– /5 a /7– /5 a /5 b /7– /5 b. Citemos, a modo de ejemplo, el texto de una seguidilla de la zarzuela *¡Es la Chachi!*, de M. Soriano Fuertes, "Del balcón de tus ojos / di una caída. / No puedo levantarme / si no me miras. / Me he levantado, / señal de que tus ojos / ya me han mirado".

En este mismo sentido, "bolero" y "bolera" designan también a las personas que ejecutan este baile, según las listas de compañías de baile consultadas. La palabra "bolera" aplicada a la bailarina que baila boleros comienza a aparecer a partir de la temporada 1812-13, y la de "bolero" aplicada al bailarín a partir de la temporada 1820-21. Varias son las etapas de consolidación de la seguidilla bolera como danza estable, debiendo citar una etapa inicial de formación del baile –desde los orígenes hasta 1794–; un período de enriquecimiento –1794-ca. 1801– en el que la danza alcanza cada vez una mayor presencia social, siendo aceptada por las clases pudientes, y se integra en los entreactos de los espectáculos teatrales; la reforma de Requejo, ca. 1801; y la reacción a dicho intento de reforma, en los años posteriores a 1801, sistematizada por primera vez en el tratado del bailarín bolero Antonio Cairón, publicado en 1820 con el largo e ilustrativo título de *Compendio de las principales reglas del baile traducido del francés por Antonio Cairón y aumentado de una explicación exacta y método de ejecutar la mayor parte de los bailes conocidos en España, tanto antiguos como modernos.*

La forma de seguidilla se difundió con profusión por todo el territorio español, desarrollando variantes regionales, como las seguidillas manchegas, seguidillas murcianas o seguidillas sevillanas, entre otras, algunas de las cuales aparecen recogidas en el repertorio zarzuelístico. Desde 1832, año de inicio de la zarzuela moderna con el estreno de *Los enredos de un curioso*, formas nacionales, como seguidillas, polos, fandangos o tiranas, se integran en la zarzuela para otorgarle sabor nacional, opuesto a lo extranjero –fundamentalmente identificado con lo francés tras los años de invasión napoleónica–. Era además frecuente que en las sesiones de los teatros madrileños, los bailes se interpretaran en los entreactos de una obra en tres actos –caso del teatro del Príncipe–, o en los intermedios entre las obras breves que obtenían el favor del público en el teatro de la Cruz; el *Diario de Madrid* anunciaba una función para el 22 de febrero de 1832, en el coliseo de la Cruz, articulada de la forma siguiente: I. *Un abrazo al portador*, comedia en un acto; bolero, por la Pando y Pacheco; II. *La despedida o El amante a dieta*, comedia en un acto; cuarteto polonés, baile; III. *La vieja o Los dos calaveras*, otra pieza en un acto; seguidillas manchegas. Esta articulación de los espectáculos obligaba a todas las compañías a contratar a una parte de baile, así, en el teatro del Circo lucieron sus habilidades coreográficas la Fuoco y la Guy Stephan, y en el Instituto bailaron Pepa Vargas y "La Nena".

La identificación de este tipo de formas de danza con el lenguaje nacional lleva a los compositores que están tratando de consolidar un teatro lírico nacional a integrarlas en las obras iniciales, como símbolos musicales de lo propio. Las primeras seguidillas localizada, aparecen en las zarzuelas andaluzas de los años cuarenta; la primera está compuesta por Mariano Soriano Fuertes, para una de sus obras más emblemática, *Jeroma, la castañera*, 1843, cuyo Nº 8 son las seguidillas de Jeroma, Manolo y el francés, "¿Dónde va *usté*, señora, tan de *jopeo*?", con la indicación dinámica de "Tiempo de manchegas" en la partitura manuscrita. El siguiente ejemplo aparece en *La venta del Puerto o Juanillo, el contrabandista*, nueva zarzuela andaluza de Cristóbal Oudrid, estrenada en el teatro del Príncipe en 1846; se trata del Nº 2, presentación vocal del contrabandista Juanillo, gracias al "Romance de Pedro de la Cambra". El texto –"Con el chicote en la boca / y el sombrero *hasia* la oreja / y el trabuco sobre el brazo / y el *jaco* bajo las piernas / ¡Gusto, regusto y *gustaso* / de la gente macarena! / Iba Pedro de la Cambra / desde el Ronquillo a Gerena. / ¡Bien por la Cambra y que el mundo / bajo sus pies se *estremesca*!"–, aunque revelador de su carácter andalucista, no responde a la forma métrica de copla de seguidilla; todos sus versos son octosílabos, con rima asonante en los pares, quedando libres los impares. Esta característica métrica impide la composición de una seguidilla real, por lo que aunque los manuscritos conservados denominen el número como seguidillas manchegas o manchegas respectivamente, comparte elementos con el fandango y la zambra flamenca. La siguiente zarzuela andaluza de Soriano Fuertes, *¡Es la Chachi!*, 1847, presenta dos números que emplean el ritmo de seguidillas, el Nº 1, y el Nº 3. Un nuevo ejemplo se incluye en el siguiente título andalucista de Soriano Fuertes, *La sal de Jesús*, 1847, donde el Nº 4, la canción de José, es un aire de bolero, que se intermedia con dos estrofas de fandango, empleando la estructura del bolero intermediado, tan de moda en el repertorio de salón de principios de siglo. Nuevos ejemplos aparecen en los títulos en dos actos de Rafael Hernando, denominados zarzuelas restauradas por la ampliación formal que llevan a cabo; así, en *El duende*, 1848, Hernando escribe la seguidilla del Nº 2. A partir de esta fecha, las formas de seguidilla se perpetúan en el repertorio como ejemplo de lo castizo, lo popular, lo nacional, integrándose tanto en zarzuelas en un acto, como, posteriormente, en zarzuelas grandes en tres actos. Así, en la década de los cincuenta se encuentran unas manchegas en el Nº 5 de *A última hora* de Gaztambide, estrenada en 1850, interpretadas por un coro interno, "Oliendo a pachiluchi". También Barbieri, en su primera zarzuela en un acto, *Gloria y peluca*, del mismo año 1850, emplea el metro de seguidilla en el Nº 3, las seguidillas cantadas por María y Marcelo, que se repetían todas las noches que se interpretaba la obra; *La España* señalaba: "Las seguidillas del señor Barbieri están, ciertamente, idealizadas: se asemejan a aquellos retratos parecidos a los originales, pero muy embellecidos por el pintor. De la misma manera, las seguidillas se han aristocratizado en manos del compositor y el público no cesa de aplaudir tan preciosa música, siempre española y esencialmente callejera, a pesar de las galas con que la ha revestido el señor Barbieri. Verdad es que el acompañamiento de castañuelas tiene toda la sal y pimienta de nuestros cantos nacionales". *Tramoya*, 1850, incluye también unas seguidillas en el Nº 3. Y *Escenas de Chamberí*, 1850, incluye en el cuadro final unas manchegas –seguidas de jarabe, gallegada y rondeña–. En 1851, Gaztambide, en *Al amanecer*, incluye dos números en aire de seguidilla, las seguidillas del Tío Simón, "Cuando da todo el mundo diente con diente", del Nº 1, y las seguidillas de Benita y Curro, "Veinte veces te he dicho, sierpe tirana", del Nº 3; éstos fueron los números de la obra que alcanzaron mayor éxito, y se repetían todas las noches, según Cotarelo. Un nuevo ejemplo aparece en *El Marqués de Caravaca* de Barbieri, 1853, las seguidillas cantadas por Salas en el Nº 6. Al año siguiente, el mismo Barbieri incluye unas caleseras en el Nº 4 de *Aventura de un cantante*, que en realidad son seguidillas manchegas.

Es también Barbieri quien en 1854 incluye uno de los más famosos ejemplos de todo el repertorio en *Los diamantes de la corona*; un concertante, Nº 8, que presenta motívicamente el tema del bolero, conduce al bolero a dúo del Nº 9, "Niñas que a vender flores", una de las piezas más famosas de toda la producción de Barbieri, que se universalizó de inmediato. Se trata de un bolero intermediado, siguiendo la terminología de la época; es decir, una estructura de seguidilla bolera, o bolero, en la que se ha introducido un elemento externo de variación: una canción andaluza. Al año siguiente, 1855, Barbieri ofrece un nuevo ejemplo en *Mis dos mujeres*, donde el cuarteto del Nº 8, entre Inés, la Condesa, Don Félix y Don Diego, se inicia a ritmo de seguidillas. Ese mismo año, Arrieta estrena la zarzuela en dos actos *Marina*, precedente de la ópera posterior en tres, donde incluye unas seguidillas de Roque, "La luz abrasadora de tu pupila", Nº11, que se mantendrá ampliado en la versión operística de 1871. También en *La Zarzuela*, alegoría del nuevo género escrita para la inauguración del teatro de la Zarzuela en 1856, las seguidillas que cantaba Faco habían sido escritas por el mismo Barbieri. Ese mismo año 1856 ofrece dos nuevos ejemplos; las seguidillas de Rosa, "Cuando pongo en la mesa los tenedores", Nº 1 de *El amor y el almuerzo* de Gaztambide; y el bolero del Nº 5, "Aunque viejecita no lo dudo, no", y la seguidilla inicial de Félix en el

dúo de la Baronesa y Félix, Nº 8, de *El postillón de la Rioja*, de Oudrid. En 1858 hay unas seguidillas en *Por conquista* de Barbieri, y otras en *Azón Visconti* de Arrieta, el Nº 7, de Beppo acompañado por el coro de soldados, única concesión de Arrieta al lenguaje popular hispánico en dicha obra. En 1859, Barbieri escribe unas seguidillas para Paca, Nº 1, en *El niño*; y en *El último mono*, Oudrid incluye dos nuevos ejemplos, la segunda sección del Nº 2, seguidillas de Gregoria y López, "La chica es guapa", y la primera sección del Nº 3, el dúo, bolero y vito, de Gregoria y Juan Colchón, "¿Me dirá usted?".

El número de seguidillas en la década de los años sesenta es algo menor, pero siguen apareciendo un importante número de ejemplos. Como el Nº 3, las seguidillas a cuatro, "Hagamos mucho gasto", de *Misterios de un estudiante* de Cristóbal Oudrid, estrenada en 1860. Y el tango y las seguidillas que integran el Nº 4 de *Una vieja* de Gaztambide, estrenada también ese mismo año. En 1862, Barbieri ofrece un nuevo ejemplo en *El secreto de una dama*; se trata de la escena y seguidillas de Carlos, Ginés, el teniente y coro, del Nº 14, en el que un coro a cappella imitaba los instrumentos de cuerda mientras Caltañazor cantaba la seguidilla. En 1864 estrena Barbieri uno de sus mejores títulos, *Pan y toros*, donde ya en el número inicial se escuchan unas airosas seguidillas zapateadas con la entrada de las vendedoras en las que Barbieri bebe evidentemente en modelos populares; el Nº 3 incluye un nuevo "Aire de bolero". Otro ejemplo aparece en *Cadenas de oro*, 1864, cuyo Nº 8 son las seguidillas de la Reina, "¡Qué importa la obediencia!".

Con los cambios que comenzaron a introducirse en los espectáculos teatrales a partir de la aparición del repertorio bufo y, posteriormente, el teatro por horas, disminuyó aún más el número de seguidillas que se incluían en el repertorio; a pesar de ello, aún en *El joven Telémaco*, estrenada por Rogel en 1866, se encuentran las seguidillas de Venus, Nº 7, "¡Ay, vuelve, dueño mío!", que acuden al esquema rítmico y formal de las seguidillas manchegas. Y en 1868, Oudrid incluye un nuevo ejemplo en *Café teatro y restaurant cantante*, el "tiempo de seguidillas" del Nº 1, "Moreno es mi semblante, mi suerte negra", interpretado por La Pepa.

Los ejemplos destacados de la década de los setenta corresponden al catálogo de Barbieri; el primero pertenece a *El proceso del Cancán*, de 1873, donde el compositor incluye tres ejemplos, la seguidilla y bolero de Terpsícore del Nº 3, las seguidillas del Nº 7, y la redowa, cancán y bolero del Nº 9. El segundo pertenece a la mejor partitura del catálogo del compositor, *El barberillo de Lavapiés*, 1874; varios son los fragmentos de la obra escritos a ritmo de seguidilla, como la entrada de Paloma del Nº 2, "Como nací en la calle de La Paloma" –unas de las seguidillas más célebres de la producción barbieriana, aunque en la partitura autógrafa sean definidas como "Aire de Zapateado"–; la sección intermedia del terceto del Nº 4, que permite el diálogo de los tres personajes –la Marquesa, Paloma y Lamparilla– a ritmo de seguidillas, y se acelera para conducir al terceto final en Fa mayor, escrito en ritmo de zapateado; las seguidillas de Lamparilla en el Nº 9, "En el templo de Marte vive Cupido", escritas a ritmo de seguidillas manchegas; y el número inicial del tercer acto, en el que la introducción orquestal retoma el esquema rítmico de las seguidillas de Paloma del Nº 2 para conducir al coro de costureras. El último de los tres ejemplos de Barbieri, pertenece a su obra *Los carboneros*, estrenada en 1877, donde aparecen unas nuevas seguidillas de Simona, Onofre y Elías en el Nº 3.

Sin duda, el compositor que recoge el testigo de Barbieri como representante de lo castizo y popular, es Federico Chueca; por ello, es este compositor el que en sus sainetes líricos incluye nuevos fragmentos a ritmo de seguidilla. Uno de los primeros ejemplos aparece en *Caramelo* de Chueca y Valverde, estrenado en 1884. Un nuevo ejemplo de Chueca aparece en *Los arrastraos*, 1899. Ya en el nuevo siglo, continúa siendo Chueca, con su facilidad melódica para escribir números de carácter popular que integren las suites de danzas de sus sainetes líricos, quien ofrece nuevos ejemplos de seguidillas. *La alegría de la huerta*, 1900, incluye varios ejemplos, como unas seguidillas que sirven para cerrar el preludio. Un nuevo ejemplo aparece en *La borracha*, estrenado por Chueca en 1904, donde el Nº 3, biseccional, cuenta con una primera parte, *Allegro animado*, a modo de seguidillas, bailadas por dos parejas de mujeres; el Nº 3bis es una transición de seis compases sobre el material de la seguidilla anterior.

Otros compositores emplean también el ritmo de seguidillas en los años iniciales del siglo XX, como Gerónimo Giménez en *Enseñanza libre*, 1901, cuyo Nº 2 incluye unas seguidillas, o José Serrano, quien en *Alma de Dios*, 1904, incluye a modo de Nº 3 las "Seguidillas del fuelle", número popularizado por Enrique Chicote. Ya en la última época de esplendor de la zarzuela grande, en la década de los treinta, hay nuevos ejemplos de ritmos de seguidilla en algunas obras de Jacinto Guerrero, como *El huésped del Sevillano*, 1929, que concluye a "tiempo de seguidillas", en el Nº 13, final de la obra; o *La rosa del azafrán*, 1930, zarzuela ubicada en La Mancha, para la que el compositor realizó un verdadero trabajo de campo, recopilando música popular manchega. En esta obra, comienza ya la partitura con un preludio bullicioso, con panderetas y palmas del coro, elaborado sobre el tema de las seguidillas manchegas "Aun-

que soy de La Mancha", conocida copla empleada ya por Barbieri en *Pan y toros*, aunque con diferente motivo melódico.

Los nuevos modelos teatrales arrevistados que triunfan en los coliseos españoles en los años cuarenta, implican la introducción de nuevos ritmos foráneos y esquemas danzables de moda efímera en muchos casos, desplazando a modelos populares como la seguidilla; a pesar de ello, Guerrero, en una de sus revistas más populares como *La Blanca doble*, 1947, incluye el ritmo de seguidillas en la introducción del Nº 4, el pasodoble de las encajeras de Almagro, cuadro escénico regional que todavía conseguía cierto éxito dentro del tipo de espectáculos amalgamados que respondían al gusto de la época. También en esta obra aparece en otro Nº, el 2, el tango-bolero de la tigresa, "Soy una fiera queriendo", pero siendo empleado ahora el término bolero con una nueva acepción, como canción estrófica de carácter *cantabile*, e imbricaciones americanas.

BIBLIOGRAFÍA: J. Suárez–Pajares: "Bolero", *DMEH; TA;* F. Sor: "Bolero", *Encyclopédie pittoresque de la musique*, eds. Ledhuy y Bertini, París, 1835; F. A. Barbieri: *Las castañuelas*, 1879; M. E. Cortizo: "El bolero español del siglo XIX. Estudio formal", *RMS*, XVI, 4, 1993, 4; —: "La pervivencia del repertorio de la Escuela Bolera en la zarzuela restaurada del siglo XIX", *Encuentro Internacional: La Escuela Bolera*, Madrid, Ministerio de Cultura, INAEM, 1992.

Mª ENCINA CORTIZO

Segura. Familia de cantantes españolas formada por las hermanas Conchita y Francisca.

1. Conchita. Valencia, siglos XIX-XX. Cantante. Triunfó en la zarzuela a finales del siglo XIX, siendo sobre todo una magnífica actriz. En 1890 estrenó *La alegría de la huerta* de Chueca, realizando una gran creación y logrando un gran éxito para la obra; ese mismo año triunfó en Apolo con *¿A que no puedo casarme?* de Caballero, junto a María Montes, *Las doce y media y sereno* de Chapí, y en Eslava con *Los forasteros* de Ramón Laymaría, *Los belenes* de Nieto, y *Con las de Caín* de Quinito Valverde. En 1894 estrenó en Eslava *Los puritanos* de Valverde y Torregrosa, y *El pozo del diablo* de Ta-

Concha Segura en El querer de la Pepa *(Foto: Nuevo Mundo, 1899; Ar. ICCMU)*

boada. Desde 1896 formaba parte de la tríada de tiples que reinaba en el teatro de la Zarzuela, junto a la indiscutible Lucrecia Arana y María Montes y estrenó *El padrino de el Nene* de Caballero, en la que estaba, siempre según la crítica, mejor como actriz que como cantante, valorándose mucho su capacidad como actriz cómica; *La magia negra* de Caballero y Valverde, *La guardia amarilla* de Giménez, *La viejecita* de Caballero –siendo muy aplaudida en el dúo que cantaba con Lucrecia Arana–, *El seminarista* de Manuel Nieto, *El ángel caído* de Brull –en la que según el crítico Dionisio de las Heras sólo su actuación salvó la zarzuela, destacándose, sobre todo, en la canción del primer cuadro–. En marzo de 1899 Vives escribió para ella el juguete *Chiquilladas* y el mismo año obtuvo un gran éxito en *El querer de la Pepa* de Brull en la Zarzuela, donde había cantado *Los borrachos* de Giménez. No se sabe si fue ella o su hermana la que estrenó *Las buenas formas* de Valverde y Rubio y *Los arrastraos* de Chueca en Apolo en julio de 1899. En agosto ambas hermanas fueron contratadas para la compañía del teatro Eslava, que se había reformado y su empresario Ruiz Arana pretendía cambiar el repertorio picante y sicalíptico para presentar "la zarzuela decente y fina" dentro del género chico, así Concha estrenó *El último chulo* de Brull. En junio de 1900 actuaba en el Tívoli de Barcelona con la Compañía Cómico-Lírica Valenciana, de la que formaba parte también Marina Gurina; ese mismo año estrenó *La tempranica* de Giménez, si bien inexplicablemente abandonó la obra siendo sustituida por Matilde Franco.

2. Francisca. Valencia, siglos XIX-XX. Cantante. No llegó a alcanzar la fama de su hermana y actuó casi siempre en provincias. Estrenó en 1889 *Almanaque ilustrado* de Osuna y Liñán en el teatro Circo del Duque de Sevilla. En 1891 *La mujer del oso* de Pethengui en el teatro Principal de Málaga; en 1892 en el teatro Novedades de Madrid *La vida en la aldea* de Eugenio Contreras, *El señor Juan de las Viñas o El presupuesto de Villa-Anémica* de Quinito Valverde y *La comida de boda* de Bauzá; en Santander *Las alegres comadres* de Reparaz. La temporada 1898-99 fue contratada junto a Concha por el teatro de la Zarzuela y juntas cantaron en *El señor Joaquín* de Caballero.

Sus primeros pasos en el teatro fueron en una compañía infantil que se formó en Valencia y tras recorrer durante algunos años los teatros de provincias y algunos de Madrid debutó en el de la Zarzuela, donde su hermana era una de las principales figuras. Su debut en el teatro de la calle Jovellanos se produjo la temporada 1897-98 con el papel de Pascuala en *El Ángel caído* de Apolinar Brull, sin desmerecer al lado de su famosa hermana que encarnaba el papel de la protagonista. Esa misma tempo-

rada estrenaron ambas la zarzuela de Julián Romea y Manuel Fernández Caballero *El señor Joaquín* en la que consiguieron uno de los triunfos más sonados del género chico.

BIBLIOGRAFÍA: *HZ*; *TA*; *Boletín Musical de Valencia*, 126, 10-VIII-1897; E. García Carretero: *Historia del teatro de la Zarzuela de Madrid*, Madrid, Fundación de la Zarzuela Española, 2003; D. de las Heras: *Madrid en la escena, Crítica teatral con una Sinfonía de Jacinto Benavente y un final en verso de Salvador María Granés*, Madrid, sf.

I. Mª LUZ GONZÁLEZ PEÑA
2. EMILIO GARCÍA CARRETERO

Segura Larripa, Isidora. Santander, 1839; Santiago de Chile, 24-VII-1912. Hija de Tancredo Segura, director de la Banda Municipal de Santander y hermana de Félix Segura, profesor de música del Colegio Agustino de la Encarnación en Llanes (Asturias). Se dedicó desde muy joven al canto, formando parte de compañías de ópera con las que recorrió toda España. Con veintiún años conoció en Valladolid al barítono José Jarques, con quien se casó formando una nueva compañía que se dedicó a la zarzuela grande. El matrimonio tuvo dos hijos que se dedicaron también a la música. Trabajaron varios años en España para luego cruzar el océano, actuando en las Antillas, México y San Francisco (California). En 1868 llegaron a Argentina, donde permanecieron casi cuatro años, ofreciendo temporadas líricas también en Uruguay y Brasil. Tras un triunfal paso por Lima se embarcaron en El Callao en diciembre de 1872 rumbo a Chile, donde alcanzaron un gran éxito en los siguientes años, recorriendo todo el país con una excelente compañía. Al poco de llegar a Valparaíso, un admirador –el joven español Andrés Luces que perseguía a la soprano desde Lima, habiendo atentado anteriormente contra Jarques– intentó asesinarla asestándole dos puñaladas en el brazo. Tres semanas después reapareció en el teatro, continuando los éxitos en Valparaíso, Santiago, La Serena, Talca, Concepción y otras localidades chilenas. Tras la interpretación de *Los diamantes de la corona* en Concepción, la prensa recogió el entusiasmo con que se escuchó a la Segura, señalando que "a cada nota arrancaba aclamaciones y aplausos que demostraban la inmensa emoción con que era escuchada. Jamás quizás la voz humana se habrá hecho oír con una ternura tan delicada y una acentuación tan suave y tan bella". En 1875 la familia Jarques-Segura regresó a Argentina, actuando también en Montevideo y Río de Janeiro, donde realizaron una exitosa temporada en 1878.

Isidora Segura destacaba por su agradable presencia escénica y su resistencia para afrontar largas temporadas, asumiendo los papeles protagonistas de la mayoría del repertorio de zarzuela grande durante muchos años consecutivos. Según Manuel Abascal, "su voz era poderosa, suave, melodiosa, de timbre agradable y gran agilidad, lo que permitía cantar sin esfuerzo y la artista lo hacía con gran pureza de estilo, con ternura y colorido, dando expresión y sentimiento a su canto en forma que lograba arrebatar al auditorio". Entre los numerosos elogios recogidos por la prensa de la época, pueden mencionarse el publicado tras interpretar *Marina* y *Jugar con fuego* en donde se afirma que "hay algo en ella que arrastra, fascina, enloquece", añadiendo el crítico que "pendientes de sus más mínimos gestos, fascinados por su ardiente mirada y bajo la influencia embriagadora de su voz, hemos permanecido extasiados en nuestros asientos, ajenos a cuanto nos rodeaba; la hechicera artista jugaba con fuego y ese fuego nos abrasa". Isidora Segura se mantuvo en activo hasta la década de 1890 junto con su marido, aunque la crisis del género grande y su progresiva decadencia vocal les llevó a frecuentar locales más modestos y visitar localidades más alejadas. Además la pasión por el juego de Jarques le llevó a perder lo que pudo ganar en el teatro, viviendo con estrechez en sus últimos años. Establecidos finalmente en Santiago de Chile, Segura falleció víctima de una apoplejía cerebral.

BIBLIOGRAFÍA: M. Abascal Brunet: *Apuntes para la historia del teatro en Chile. La zarzuela grande II,* Santiago de Chile, Imp. Universitaria, 1951.

VÍCTOR SÁNCHEZ SÁNCHEZ

Eugenio Sellés
(*Foto:* El Arte de El Teatro, *1908; Ar. SGAE)*

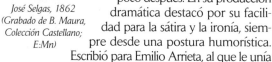

Selgas y Carrasco, José. Lorca (Murcia), 27-XI-1822; Madrid, 5-II-1882. Escritor. Dirigió *La España* y *El Eco de España* y colaboró con sus ensayos en los periódicos más señalados de la época: *El Heraldo, El Padre Cobos* –del cual fue miembro fundador– o *El diario de Barcelona.* Fue miembro de la Real Academia Española y diputado parlamentario. Poeta y novelista con un estilo que anunciaba ya la corriente modernista que triunfaría poco después. En su producción dramática destacó por su facilidad para la sátira y la ironía, siempre desde una postura humorística. Escribió para Emilio Arrieta, al que le unía una buena amistad, la zarzuela *De tal palo tal astilla,* teatro Circo, 1864.

*José Selgas, 1862
(Grabado de B. Maura,
Colección Castellano;
E:Mn)*

BIBLIOGRAFÍA: *CDE; CTLBN; HZ.*

OLIVA. G. BALBOA

Sellés Ángel de Castro, Eugenio. Granada, 1843; Madrid, 11-X-1926. Poeta y dramaturgo. Se licenció en

Derecho en 1863 ejerciendo la carrera judicial. Fue además periodista y Académico de la Lengua Española desde 1895. Su vocación teatral la mantuvo oculta hasta que sus compañeros de redacción descubrieron que una de las obras que mayor éxito obtuvo en su estreno, *La torre de Talavera,* era de su autoría. Lanzado ya a la vorágine teatral estrenó dramas, comedias y monólogos, y se dejó tentar por el teatro lírico, colaborando con Vives, Chapí, Fernández Caballero, siendo uno de sus más resonantes éxitos *La balada de la Luz* de Vives que fue parodiada en *El balido del zulú.* Se le considera continuador de Echegaray, es decir, dramaturgo neorromántico, junto a Dicenta, aunque era más hondo que Echegaray y con más intención docente. En 1884 estrenó *Las vengadoras,* pero su tema, la infidelidad femenina para castigar los devaneos del marido, no fue aceptada por la sociedad española de la época y fracasó, de modo que hubo de refundirla, reestrenándola María Tubau en el Teatro de la Princesa en 1892. Su mayor éxito lo obtuvo en Apolo con *El nudo gordiano,* obra neorromántica, que resucitaba el concepto del honor calderoniano y que le colocó en las más altas cimas de la popularidad entre los madrileños.

Sus comienzos en el género lírico, en el Apolo en 1899, constituyeron un rotundo fracaso, del que se recuperó con *La balada de la luz,* que recorrió con éxito varios teatros de España y América, a pesar de que algunos sectores de la crítica no habían visto con buenos ojos que un autor "serio" se pasase al género chico. Al año siguiente obtuvo otro triunfo con *La barcarola,* con música de Caballero y Lapuerta, apartándose de las chocarrerías y cursilerías en boga en el género chico para realizar una sencilla fábula poética con sonoros versos que fue muy aplaudida la noche del estreno y recorrió diversos teatros de España con el mismo éxito. Sin embargo, ese mismo año, otra de sus obras, *Campanadas y cornetas*, estuvo a punto de fracasar ruidosamente en Apolo y sólo se salvó del pateo debido a la magnífica música de Vives, autor también de *La nube*, estrenada en la Zarzuela en 1902. En 1905 estrenó en la Zarzuela *La guardia de honor*, con música de Chapí.

En 1880 había firmado, con los autores más famosos del momento, tales como Barbieri, Arrieta, Marqués y Ramos Carrión, el Acta de fundación de la Asociación de Autores, Compositores y Propietarios Dramáticos, una de las sociedades que antecedieron a la Sociedad de Autores Españoles, que llegó a presidir. En 1909 le fueron concedidos los títulos nobiliarios de marqués de Gerona y vizconde de Castro y Orozco. Su hijo, Eugenio Sellés, fue también escritor.

BIBLIOGRAFÍA: *CDE*; *CTLBN*; *DAT*; *TA*; *TLE*; J. Deleito y Piñuela: *Estampas del Madrid teatral fin de siglo*, Madrid, Ed. Calleja, sf.

Mª LUZ GONZÁLEZ PEÑA

Sempere, Vicente. Onil (Alicante), 23-II-1895; Alicante, 1-IV-1974. Tenor. Estudió con el tenor Lorenzo Simonetti y más tarde en Barcelona con Concepción Callao. Se presentó con *Marina* de Arrieta en Mataró. A partir de los años veinte realizó una gran carrera internacional dedicado a la ópera. Pero en los años treinta recibió ofertas para cantar zarzuela dedicándose a la zarzuela grande con obras como *La bruja*, *La tempestad* y *Jugar con fuego*. Perteneció a la compañía de Serrano con la que recorrió España interpretando *Los claveles*, *Los de Aragón* y *Las hiladeras*, entre otros títulos.

FONOGRAFÍA: *La Dolorosa*, Odeón 184243 y 184244, SO 7179 a SO 7182; *Moros y cristianos*, Odeón 184505 a 184507, SO 7117 a SO 7122 • Blue Moon BMCD 7524.

Mª LUZ GONZÁLEZ PEÑA

Sepúlveda, Rafael. España, †1961. Dramaturgo. Sus mayores éxitos en el teatro lírico fueron con la última etapa brillante de la zarzuela grande, con obras de sabor costumbrista como la zarzuela en dos actos *La granjera de Arlés* de Ernesto Pérez Rosillo, escrita en colaboración de José Manzano, estrenada en 1923 con un éxito notable, sobre todo por la música. Con el mismo autor escribió *La mesonera de Tordesillas* de Federico Moreno Torroba, 1925, denominada por sus autores aventura de farándula en tres actos, estaba ambientada en la España de Felipe IV, y resultó todo un acierto en cuanto al libreto y la música, por lo que los tres autores consiguieron un gran éxito en el teatro de la Zarzuela. Aunque casi la totalidad de sus obras las escribió en colaboración, tiene un sainete en solitario con música de Eugenió Úbeda, titulado *La casa de los abuelos*, 1921.

BIBLIOGRAFÍA: *CTLBN*; *BSGAE*, 86, VIII/IX-1961.

OLIVA. G. BALBOA

Serna, Eduardo. España, siglos XIX-XX. Tenor. En septiembre de 1910 formaba parte de la compañía del teatro del Duque de Sevilla que dirigía Emilio López del Toro, poniendo en escena *La corte de faraón*, *Juegos malabares*, *El país de las hadas*, *El poeta de la vida*, *La reina Mimí*, *El alma del querer*, *Lorenzín* o *El camarero del cine*, es decir, las operetas y parodias más de moda en ese año.

Mª LUZ GONZÁLEZ PEÑA

Eduardo Serna (Foto: Comedias y Comediantes, 1910; Ar. ICCMU)

Serra, Josep. *Véase* FELIÚ Y CODINA, JOSÉ.

Serra, Narciso [Sáenz-Díez Serra, Narciso]. Madrid, II-1830; Madrid, 26-IX-1877. Poeta, dramaturgo y periodista. Criado por su madre y un tío materno, médico, desde muy niño dio muestras de una gran facilidad para versificar y con doce años dio varios recitales con sus poesías en el Liceo. Con dieciocho años triunfó en el teatro con *Mi mamá* y *La boda de Quevedo*. Alternaba sus obras teatrales con las aleluyas de ciego que escribía para sobrevivir. Dedicado al teatro, no sólo escribía sino que se convirtió en actor y director de una compañía de cómicos de la legua que actuaba en el teatro del Instituto. Al estallar la revolución de 1845 Serra se fugó a Vicálvaro con el general Ros de Olano –de quien se rumoreaba era hijo–, convertido en alférez de caballería. Resultó herido con su compañero y amigo Miguel Pastorfido. Ascendido a teniente fue incorporado al regimiento de Borbón y pasó ocho años en el cuerpo de Caballería sin dejar de escribir para el teatro, estrenando en el del Príncipe y la Zarzuela. Gozaba del favor del público y escribía sus obras en pocos días. Una parálisis repentina le mantuvo postrado durante dieciséis años, ejerciendo el cargo de censor de teatros que le consiguieron sus compañeros, hasta que al triunfar la Revolu-

Narciso Serra, 1881 (Grabado de B. Maura; Ar. SGAE)

ción de 1868 se suprimió la censura y Serra cesó en su cargo, malviviendo a partir de ese momento, aunque en 1877 se le concedió un destino de 20.000 reales en el Ministerio de Fomento.

Su teatro está influido por los clásicos españoles del Siglo de Oro, el romanticismo de Zorrilla, el costumbrismo de Bretón de los Herreros, el humorismo cómico sentimental de algunos autores extranjeros como Mery y Karr y la observación de la sociedad en la que vivía, todo ello aderezado por su gracia, su ingenio y su facilidad para el verso. No fue muy numerosa su aportación al teatro lírico, pero colaboró con algunos de los compositores más destacados de la zarzuela grande, estrenando siempre en el teatro de la Zarzuela varias obras: con Cristóbal Oudrid hizo *El último mono* y *Nadie se muere hasta que Dios quiere*, 1859 y 1860 respectivamente; con Joaquín Gaztambide estrenó en 1861 el pasillo en un acto *La edad en la boca*; con Manuel Fernández Caballero *El loco de la guardilla*, 1861, y *Luz y sombra*, 1867. En colaboración con su amigo Miguel Pastorfido tradujo al español el libreto de *Zampa o Esposa de mármol* de Hérold. *Véase* EL ÚLTIMO MONO.

BIBLIOGRAFÍA: *CDE*; *DAT*; *EDL*.

Mª LUZ GONZÁLEZ PEÑA

Serrano, Arturo. †España, X-1925. Empresario. En 1914 presentó junto a Pablo Luna en el teatro de la Zarzuela una compañía de zarzuela y opereta que debutó el Sábado de Gloria. En 1923, siendo empresario del teatro de la Zarzuela, contrató para dicho teatro a la compañía de Ramón Peña de la que era primera figura Eugenia Zúffoli. Debutaron con gran éxito con la opereta *La noche azul*. Falleció en un accidente de automóvil en el que sufrió heridas la cancionista Elisa Ruiz Romero y su entierro fue una auténtica manifestación de duelo en Madrid.

BIBLIOGRAFÍA: E. García Carretero: *Historia del teatro de la Zarzuela de Madrid*, Madrid, Fundación de la Zarzuela Española, 2003.

Mª LUZ GONZÁLEZ PEÑA

Serrano, Enriqueta. Barcelona, 191?; Madrid, 14-XI-1958. Tiple cómica. Bella, inteligente y graciosa, cantaba y bailaba, hizo opereta, género chico y hasta cine –dos películas con la Paramount–. Comenzó como actriz con Catalina Bárcena antes de pasarse a la zarzuela y opereta. En 1922 formaba parte de la compañía del teatro Apolo, en el que triunfaba con la opereta de Lleó *¡Ave César!*. Ese mismo año sustituyó a Eugenia Zúffoli en la revista *Arco Iris*. En 1924 formaba parte de la compañía de Ramón Peña que encabezada por Cora Raga estrenó en el teatro de la Zarzuela *La granjera de Arlés* de Rosillo, siendo Enriqueta muy alabada por la crítica. En 1925 actuaba en Eslava participando en el estreno de la revista *El jardín encantado de París*. En 1932 estrenó

Enriqueta Serrano
(Foto: Legado Luna; Ar. SGAE)

en el teatro Rialto de Madrid *Katiuska* de Pablo Sorozábal, que ya se había estrenado en Barcelona y en provincias. Obtuvo un gran éxito y Sorozábal le prometió un papel especial en *La isla de las perlas,* que se estrenó en 1933. En agosto de ese mismo año se casó con el compositor. Se retiró un tiempo de la escena y en 1934 nació su hijo Pablo. Participó en el estreno de *La del manojo de rosas* en el teatro Fuencarral de Madrid. Aunque Sorozábal pretendía retirarla, su añoranza del teatro la hizo volver, si bien sólo con las obras de su marido; así en 1942 cantó *Black el payaso* en su estreno barcelonés y en 1945 en la Zarzuela *La casa de las tres muchachas* y llevó a Buenos Aires *La eterna canción*. En 1947 formaba parte de la Compañía Lírica de Sorozábal que realizó una gira por Buenos Aires. Al regreso de esa gira, en 1948 estrenó *Los burladores*, en el teatro Calderón de Madrid con gran éxito; en 1950 estrenó en el Price *Entre Sevilla y Triana*, y en 1955 *Brindis* en el Lope de Vega, siendo muy destacada su interpretación por la crítica. *Véase* SOROZÁBAL MARIEZCUERRENA, PABLO.

FONOGRAFÍA: *Black el payaso*, Hispavox 7 67431 2 (637.77070); *Don Manolito*, Columbia R 14117 R14119 R 14120 R 14121 • *Blue Moon* BMCD 7518; *Entre Sevilla y Triana*, Columbia R 14878 a R 14882, C 8783 a C 8790, C8794 C 8795; *Katiuska*, Hispavox 7 67330 2 (637.33842) • Hispavox HH 1035 • Odeón 184508, SO 7747 SO 6944 • Odeón 203752, SO 7748 SO 7749; *La corte de faraón*, Blue Moon BMCD 7503; *La del manojo de rosas*, Hispavox HH 1036, S 20181; *La eterna canción*, Blue Moon BMCD 7521; *Las tentaciones*, Regal PK 2002 (et. azul), K 3249 K 3250.

BIBLIOGRAFÍA: *ME*; *TA*; P. Sorozábal: *Mi vida y mi obra*, Madrid, Fundación Banco Exterior, 1986.

Mª LUZ GONZÁLEZ PEÑA

Serrano Anguita, Francisco. Sevilla, 10-IX-1887; Madrid, 12-II-1968. Escritor. Colaboró desde muy joven con sus ingeniosos artículos en los periódicos *El Globo, El Heraldo de Madrid, El Sol, El Imparcial, La Tribuna, Informaciones* y *Madrid*. Durante muchos años tuvo una sección en el diario *Madrid*, que era de las más leídas por el público. Ejerció el cargo de director del *Boletín* y de la Biblioteca de la SGAE. Fue tam-

bién Cronista Oficial de la Villa de Madrid. Estrenó más de sesenta obras, la mayoría comedias sainetescas, en las que reflejó la sociedad de su tiempo, su mayor éxito fue *Manos de plata*, 1930.

Su aportación al teatro lírico se limita a cuatro títulos que merecen ser recordados por su éxito. Realizó la adaptación de una novela francesa titu-

*Francisco Serrano Anguita
(Foto: Ar. SGAE)*

lada *La princese aux clowns* de Jean-José Frappa, convirtiéndola en una opereta de argumento y tema atípico en el género: *Black el payaso* de Pablo Sorozábal, 1942; El entremés en verso *Todo el mundo es futbolista o Manuela y su conquista* de Jacinto Guerrero, 1925, y en colaboración de José Tellaeche, el sainete *Luces de verbena* de Reveriano Soutullo, 1935, y la zarzuela en tres actos *Paloma Moreno* de Federico Moreno Torroba, que se estrenó en el teatro Colón de Buenos Aires. *Véase* BLACK EL PAYASO.

BIBLIOGRAFÍA: *DAT; DUE; EDL; Memoria SGAE*, 1965-72.
OLIVA G. BALBOA

Serrano Ruiz, Emilio. Vitoria, 13-III-1850; Madrid, 9-IV-1939. Compositor, pianista, director de orquesta y profesor. La figura de Emilio Serrano es de gran trascendencia en la historia musical del siglo XIX español, no sólo en cuanto al valor intrínseco de su producción musical, sino también en relación con la amplia labor pedagógica desarrollada desde su puesto como maestro de composición en el Conservatorio madrileño, al que accedió en 1894, tras el fallecimiento de Arrieta. Desarrolló una importante actividad de creación lírica en el mundo de la ópera, estrenando cinco óperas, cuatro en el teatro Real –*Mitrídates*, 1882; *Doña Juana la Loca*, 1890; *Irene de Otranto*, 1891, y *Gonzalo de Córdoba*, 1898– y *La maja de rumbo*, estrenada en el teatro Colón de Buenos Aires. Por el contrario, sus incursiones en el género zarzuelístico son escasas, destacando su colaboración con Francisco Alonso en *La bejarana*, una de las últimas obras de su catálogo.

*Emilio Serrano (Xilografía de Félix Badillo
en* La Ilustración Española
y Americana, *1890; Ar. E. Casares)*

Serrano expone algunas de sus opiniones sobre el género lírico en el discurso de ingreso en la Academia de Bellas Artes de San Fernando, "Estado actual de la música en el teatro", pronunciado en un acto celebrado el 3 de noviembre de 1901. El texto desarrolla una reflexión sobre los tres géneros del arte lírico que llenaban los teatros: género chico, zarzuela grande y ópera nacional: "El género chico tiene raíces más hondas que ningún otro género de nuestro teatro, y en él es preciso buscar algunos de los caracteres más importantes de nuestro teatro grande que han florecido en todas las épocas buenas y malas del teatro y por ello no hay motivo para que este género decaiga". En su opinión, el género chico vendría a llenar la laguna que existía en el desarrollo de la música española desde que, dejando de ser puramente cortesana, bajó al teatro, contribuyendo al mayor esplendor del arte escénico; así él denomina al género chico como el arte español por excelencia, manifestando cómo se equivocan los que lo desprecian considerándolo de inferior categoría artística, ya que según sus palabras, "jamás las formas artísticas se excluyen unas a otras". Las causas del éxito del género chico son su tradición y su perfecta colaboración entre música y texto, gracias a lo cual puede llegarse a una definición del género basándose en esta característica: "Letra y música no son bocetos, sino que forman un todo completo con trama y desenlace. Son episodios dramáticos, verdaderos cuadros de género y requieren determinado colorido, casi siempre popular, mucha vida, mucha verdad, gracia por arrobas, sal española y gran originalidad". Aquí reside según el maestro su dificultad y la razón fundamental por la que los principiantes no lograban los triunfos de los grandes maestros como Chapí, Bretón, Caballero, Vives y Chueca. En el género chico lo que verdaderamente interesaba no es la longitud sino la intensidad. La zarzuela, género con el que sigue Serrano su discurso, se encontraba en 1901 en un periodo de transición en busca de nuevas formas para expresarse, y así se ve como decadencia lo que en realidad era un renacimiento del género. Añade Serrano un pequeño cuadro genealógico de ella, llegando hasta la primera mitad del siglo XIX donde tuvo el mayor esplendor con la figura de Barbieri, pero desde ahí la zarzuela entró en un periodo de decadencia por la imitación de la ópera italiana y por lo trivial de los libretos, fenómeno que Serrano define como "la invasión de los ignorantes", ya que no es suficiente tener ideas originales, sino que hay que expresarlas con formas ricas e intensas. Para Serrano, la zarzuela constituye "el punto de arranque de nuestra Ópera Nacional que ya se anuncia y que no ha de tardar en ser efectivo para el bien del arte y gloria de la Patria". Con estas esperanzadoras palabras llega Serrano a la tercera forma del arte lírico que es la ópera. Él intentó a lo largo de su vida defender con obras y palabras la idea de ópera nacional, tan compleja y debatida durante todo este periodo. *Véase* LA BEJARANA.

OBRAS: *El juicio de Friné*, Zarz, 2 act, I, J. de Utrilla, est, 24-VI-1880, Jardines del Buen Retiro; *La voz de la tierra*, Zarz; *La balada de los vientos*, Zarz, 1 act, I, C. Fernández-Shaw; *La bejarana*, Zarz, 2 act, col. F. Alonso, I, L. F. Ardavín, est, 31-V-1924, Te. Apolo.

FONOGRAFÍA: *La bejarana*, Odeón 184833, SO 4652 SO 4655 • La Voz de su Amo AC 94, BS 1346-II BS 1364-II • Odeón 184087 (et. marrón), SO 4652 SO 4655 • Regal RS 1123 (et. negra), K 1274 K 1275.

BIBLIOGRAFÍA: *DMEH*; M. E. Cortizo: "Emilio Serrano a los cincuenta años de su muerte", *Cuadernos de Música*, Madrid, SGAE, 1990.

Mª ENCINA CORTIZO

Serrano Simeón, José. Sueca (Valencia), 14-X-1873; Madrid, 8-III-1941. Compositor. Es una de las figuras más destacadas en el desarrollo del teatro lírico español de las primeras décadas del siglo XX.

I. Formación. II. 1900-1909. La pervivencia del género chico. III. 1910-1914. Acercamiento a la revista y opereta. IV. 1916-1930. De *La canción del olvido* a *La Dolorosa*: la época de plenitud. V. Rasgos estilísticos.

I. FORMACIÓN. Los antecedentes musicales en su familia facilitaron que muy pronto se mostrara inclinado a la música y al teatro. Recibió de su padre las primeras lecciones musicales, actuando además en la banda que éste dirigía. A los doce años tocaba el violín y la guitarra. Estudió piano y tomó las primeras lecciones de armonía y composición. En 1888 presentó en el teatro de Sueca su primera obra teatral, la revista de sátira local en valenciano *Un poble de la Ribera*, con libreto de su amigo Francisco Roig. Tras el éxito cosechado, los mismos autores escribieron otra obra titulada *¡Alerta, qu'es estudiant!* En octubre de 1889 se trasladó a Valencia para solicitar las lecciones de Salvador Giner. Serrano se matriculó un año des-

José Serrano (Foto: Alfonso, Colección Andrada; Ar. SGAE)

pués en el Conservatorio valenciano para cursar estudios superiores de violín, piano, armonía y composición. En el estudio del violín fue dirigido por Andrés Goñi. Éste pronto le incorporó a la orquesta del Conservatorio y un poco después a la orquesta que él mismo había fundado y dirigía, lo que le permitió actuar en conciertos sinfónicos durante el verano y en el foso del teatro Principal de Valencia en el invierno. Abandonó los estudios de piano y más tarde los de violín, para dedicarse a la composición bajo la tutela de Giner, aunque de forma más particular que académica. Varios de sus trabajos de esta época los utilizará más tarde adaptándolos a sus zarzuelas. En 1895 se trasladó a Madrid. Al año siguiente de su llegada se formó entre la colonia valenciana en la capital un denominado "círculo valenciano", más adelante llamado La Señera. De Serrano fue la idea de editar un semanario que se tituló *Les Albaes*. Este mismo título lo aprovechó para un apropósito con letra de Carlos Llinás que, con ocasión de una función a beneficio de la tiple valenciana Felisa Lázaro, se estrenó en el teatro de la Zarzuela. Fue bien acogida la obra y Serrano se animó a la composición de otras dos obras teatrales: *Las sotanas*, con Llinás, y *La fiesta de la calle* con los periodistas Ricardo Revenga y Gabriel Briones, ambas aceptadas para la temporada 1896-97, en el teatro de la Zarzuela y en el Circo de Parish. Sin embargo, ninguna llegó a estrenarse. En octubre de 1898 salió a la luz el semanario *El Saloncillo*, en el cual participó desde el segundo número como cronista de los estrenos líricos teatrales. Esta actividad le permitió conocer y relacionarse con los autores escénicos más en boga. De esta manera conoció a Fernández Caballero, quien le propuso que trasladara al papel pautado la música que él, ya anciano y ciego, concebía. Fueron años difíciles para Serrano que a punto estuvo de claudicar y volver a Sueca, pero cuando los hermanos Álvarez Quintero le ofrecieron el libreto de un entremés titulado *El motete*, su suerte cambió. A partir de entonces puede darse por iniciada su carrera como compositor lírico en Madrid.

II. 1900-1909. LA PERVIVENCIA DEL GÉNERO CHICO. El tipo de obras a las que se consagró Serrano al comienzo de su carrera fue aquel que enlazaba con la tradición del género chico decimonónico. Son las composiciones de Serrano más cercanas a la música popular española y, probablemente, las más frescas de toda su producción. Si bien en estas obras no siempre se adapta servilmente al gusto popular –por ejemplo, apenas utiliza en ellas, al menos cuando trabaja en solitario, los ritmos de moda, casi siempre de carácter bailable y procedentes del extranjero–, supo congratularlo con frecuencia. Su apuesta por la calidad en la zarzuela venía dada en el primer tercio de su carrera por el ahondamiento en las posibilidades que le ofrecía la música popular española. Y cuando Serrano asimila lo foráneo lo hace más a través de los ritmos decimonónicos –valses o habaneras– que de los modernos.

El libro de *El motete*, sin ser lo más sobresaliente contiene las esencias más propias de sus autores, aquella que se entronca, renovándola, con la tradición del entremés español. El argumento plantea las vicisitudes por las que pasa un músico de iglesia para componer en pocas horas un motete que le ha sido encargado. Serrano introdujo tres números musicales: "Preludio" –polka madrileña–, "Pasodoble" y "Canción gitana". La empresa del teatro Apolo aceptó el entremés para su estreno –veinte obras más de Serrano se dieron a conocer posteriormente en el mismo coliseo–, 24 de abril de 1900. Entre los actores destacaban Manolo Rodríguez y Matilde Pretel. El éxito fue completo. La crítica y otros compositores saludaron a una nueva figura de la música escénica y la obra se mantuvo en cartel hasta el final de la temporada. También en 1900 Serrano contrajo matrimonio con Isaura González. El 31 de octubre de ese año se estrenó en el teatro Apolo con poco éxito *El corneta de órdenes*, según el público y la crítica por la baja calidad del libreto de Arniches.

En 1901 sólo estrenó, a finales de abril, el entremés de Francisco Tristán Larios titulado *Coplas y vino*, en Apolo. Los tres números de música fueron bien recibidos. En el año siguiente presentó cuatro obras. *El olivar*, zarzuela de costumbres aragonesas con libreto de Melantuche y García-Arista. Con Serrano colaboró en la música Tomás Barrera Saavedra, novel en las lides compositivas. El tema es la rivalidad entre dos familias a causa de un olivar y la inevitable historia de amor que surge entre dos miembros de las familias enemistadas. Son seis los números que integran la partitura, es el primer acercamiento de Serrano al folclore aragonés y a la jota, cuyos motivos impregnan la mitad de los números de la obra, y que tiene su exaltación en la jota final. La obra tiene mayor envergadura y más posibilidades de desarrollo que las anteriores estrenadas por Serrano y en ella muestra ya sus rasgos más característicos: recreación de la música popular andaluza y aragonesa, la construcción de sencillos y efectivos coros, el dúo de amor como momento de especial explosión lírica. La per-

vivencia del pasodoble aún liga la obra con las primeras producciones de Serrano y, en definitiva, con la tradición decimonónica. La empresa del teatro de la Zarzuela poseía *La mazorca roja* desde la temporada anterior. La buena acogida que tuvo *El olivar* animó a su estreno, el 8 de mayo de 1902. Los actores principales fueron Matilde Pretel y Valentín González y la acogida fue excelente. La acción, desarrollada en Andalucía, narra las tensas relaciones entre terratenientes y labradores por cuestiones económicas y amorosas, con final feliz. La música es de claro ambiente andaluz y consta de un preludio y cinco números. La Introducción recoge los temas que aparecen en los números posteriores, temas que no agotan su presencia en una sola aparición, sino que se convierten en motivos cargados de significado extramusical y, a la vez, constructivo. Serrano gusta usar de este procedimiento, al menos en sus obras de gran calado dramático, buscando una mayor cohesión entre texto y música, y huyendo de la mera presentación de números musicales independientes y totalmente prescindibles para el funcionamiento del libreto. Eso no implica, desde luego, una absoluta dependencia del argumento, o que no queden resquicios para introducir en escena músicas no directamente relacionadas con la historia, como las pícaras coplas que canta el afilador, "Coplas del amolaor", que se pueden relacionar con los cuplés sicalípticos que tan de moda se estaban poniendo entonces, o como el "Raconto de Virgencita" una nana, la primera de las varias canciones de cuna que insertaría después Serrano en sus zarzuelas. La obra gustó mucho. Poco después del estreno de *La mazorca roja*, Serrano, junto a Vicente Lleó y Rafael Calleja pusieron música, con el seudónimo de "Rodrigáñez", a una revista de actualidad política de Salvador María Granés titulada *El jaleo nacional*. El estreno tuvo lugar en el teatro Parque del Retiro el 28 de junio, siendo acogida con escándalo y división de opiniones, y retirada poco después por disposición gubernativa. Por último, *Don Miguel de Mañara* se estrenó en el teatro de la Zarzuela el 20 de diciembre. La letra era de Felipe Pérez Capo, y sólo se aplaudieron algunos números musicales, en especial una romanza cantada por Matilde Pretel.

La primera obra de 1903 fue *El solo de trompa*, con libreto de Antonio Paso y Diego Jiménez Prieto. El asunto gira en torno al ensayo general de una obra de gran espectáculo y las dificultades que ocasiona el encontrar una tiple para cubrir una sustitución. La partitura, de reducidas exigencias vocales, presenta tiempos de tango, de vals y hasta del moderno cakewalk. Sucesión, pues, de ritmos bailables, en la más pura tradición del sainete lírico del XIX. Y para que no le falte nada al modelo, una canción de húngaros errantes, muy habitual desde el éxito de la perteneciente a *La balada de la luz*. Mientras *El pelotón de los torpes* y *El vals de las olas* fracasaron, *La reina Mora*, presentada a finales de año en el Apolo, fue una de las composiciones más importantes para su autor y para el género chico.

El trébol fue la primera zarzuela de 1904. Paso y Abati narran las aventuras de una vieja y fea soltrona a la que varios pretendientes creen adinerada. Los cuatro números de música, entre los que sobresalen un chotis y la "Habanera de los reyes godos", los concibieron Serrano y Quinito Valverde, que colaboraron por vez primera. Los críticos coincidieron en señalar que con *El trébol* la única pretensión por parte de los autores era la de divertir, pero la obra gustó. Mucho más, desde luego, que *La torería*, que no tuvo más éxito que el de la escenografía. Mejor funcionó *La casita blanca*, que Thous y Cerdá localizan en Aragón. La jota está muy presente en los números musicales, dándole un relieve vocal especial a la parte que interpretaba Lucrecia Arana. Se estrenó en el teatro de la Zarzuela. En diciembre de 1904 dio a conocer otras dos obras. Sin mucha fortuna estrenó en el teatro Cómico un entremés *…Y no es noche de dormir*, ambientado en la Nochebuena del Madrid castizo. Es un sainete dotado de una música popular urbana bailable y de cuplés. Quinito Valverde colaboró en la configuración de los seis números musicales. En cambio, una nueva colaboración entre Serrano y Valverde para un libro de Arniches, *Las estrellas*, alcanzó gran éxito. Cuando Serrano formaba pareja con Quinito era cuando más a la moda se mostraba, cuando menos ahondaba en la música tradicional española para dedicarse a los ritmos bailables correspondientes al folclore urbano. La partitura de *Las estrellas* está dominada por el tiempo de tango, pero no faltan aires de mazurka, polka, galop y unas sevillanas. El tema gira en torno a las pretensiones fracasadas de un padre respecto al futuro de sus dos hijos. Loreto Prado y Enrique Chicote destacaron en la interpretación el día de su estreno en el teatro Moderno de Madrid.

Son meses de gran actividad compositiva para Serrano, que ya se estaba consagrando como un autor de primer orden. A ello contribuyeron en gran medida sus dos siguientes obras teatrales que datan ya de 1905: *El mal de amores* y *Moros y cristianos*, ambas recibidas con extraordinario éxito. El mismo año se ofreció en el teatro Eslava la versión musical del sainete titulado *El contrabando* basado en una obra de Pedro Muñoz Seca. Colaboró con el compositor José Fernández-Pacheco y juntos escribieron tres números musicales con cierto éxito. Al día siguiente se estrenó en Apolo *El perro chico*, viaje cómico-lírico, de Arniches y García Álvarez en la letra y Serrano y Quinito Valverde en la música. Toda la intrascendente intriga está pensada para el lucimiento de Emilio Carreras: un cesante que encuentra el perro de un artista de circo, por el cual éste ofrece una buena recompensa, ha de viajar continuamente, enredándose en cómicas situaciones, hasta conseguir dar con el dueño. Ocho son los números que escribieron los compositores, en una línea muy popular y a la moda: tanguillos, romanzas, bailables, los "Cuplés de Pérez" y sobre todo el terceto de las hermanas Pay-Pay, que alcanzó rápidamente gran difusión. *La reja de la Dolores* cuenta con los mismos autores de libro y partitura. En los tres cuadros del único acto se tratan las valentonadas de un fanfarrón en un pueblo toledano y su escarmiento. La partitura, que no caracteriza a los personajes, sino que se limita a ambientar las escenas y a buscar el número fácilmente popularizable, se estructura en torno a tiempos de seguidillas, de jota y de habanera, que se van alternando en su desarrollo. Ruperto Chapí, que sólo había colaborado una vez en toda su carrera, con Morera, lo hizo por segunda ocasión, con Serrano, en *El amor en solfa*, segunda parte de *El amor en el teatro*, de los hermanos Quintero. Chapí no había regateado elogios hacia su paisano, al que llegó a considerar el autor lírico de más personalidad desde Barbieri. Con *El amor en solfa* los libretistas pretendían caricaturizar el amor reflejado en los personajes de distintos géneros del teatro musical: ópera, sainete lírico, zarzuela clásica y zarzuela cómica, asignando un cuadro a cada uno de los géneros. De Serrano son el segundo y tercero: "Amor chulesco" y "Amor audaz". El estreno fue en el Apolo el 8 de noviembre.

Era tradición estrenar obras destinadas a un público joven en las fechas de Navidad, especialmente el día de Inocentes. Tal cometido tenía *La infanta de los bucles de oro*, de Sinesio Delgado que, sin embargo, hubo de aplazar la jornada de su presentación debido al fallecimiento del padre del músico. El estreno fue el 6 de enero de 1906 en el teatro de la Zarzuela. Un año después de *El perro chico* los mismos autores, y con idéntica ocasión del beneficio de Emilio Carreras, volvieron a probar suerte con una obra similar. De nuevo se trata de las aventuras del característico fresco. La obra es *El pollo Tejada*, aventura cómico-lírica en un acto, que cuenta las peripecias de un maduro conquistador que huye en globo de un marido desengañado hasta recalar en el harén del sultán de una ciudad africana. De los seis números musicales destacaron el "Tango de la canariera" –habanera– y una danza paraguaya, cuyo texto, por su parecido, debía de ser un guiño al espectador que recordaría el famoso terceto del pay-pay. No faltaban las melodías de corte moruno tan queridas a Serrano, las seguidillas y un chotis. Se estrenó en el Apolo, el 29 de mayo de 1906. En el mismo teatro, pocos meses después se dio a conocer *La mala sombra*, un claro ejemplo del buen hacer de los Quintero en el campo del sainete. Los éxitos de 1906 se cierran con el estreno el 15 de diciembre en el teatro de la Zarzuela de la obra en un acto titulada *La noche de Reyes*. El libro de Arniches, explota el filón del melodrama.

El año 1907 es el último de los de gran producción de Serrano. Presenta cinco zarzuelas, las cuatro primeras en el teatro Apolo de Madrid. Con Thous y Cerdá *La banda nueva*, de argumento valenciano. En la música trabajó también Enrique Bru. Chispero comenta que la obra se recibió con un gran pateo y que sólo duró tres noches en cartel. Para *Nanita, nana*, entremés de los Quintero, sólo escribió el compositor un preludio y dos números de música. Las tres siguientes obras cuentan con letras del dúo Arniches, García Álvarez. *La gente seria*, sainete lírico de ambiente madrileño, recibió tres números de música. En el libro, Arniches aprovecha para criticar ciertos aspectos de la sociedad de su tiempo, algo que apunta en la línea de lo que serán sus tragedias grotescas. *La suerte loca* fue calificada por sus autores como pasatiempo cómico-lírico. La ocasión vuelve a ser la del beneficio de Emilio Carreras y el argumento trata de nuevo el tema del viaje a lugares más o menos exóticos. En la obra se caricaturiza al ejército de una república americana, lo que, según Chispero, dio lugar a prolijas y enfadosas reclamaciones por parte del embajador del país aludido. Por otra parte, hay que indicar que por entonces empezó a ponerse de manifiesto en las obras del teatro lírico un aumento de su dimensión temporal, lo que acabaría convirtiendo a las piezas del género chico en obras de dos actos. De ahí que la prensa diera cuenta de la "duración excesiva" de *La suerte loca*: setenta y dos minutos. La última obra del año fue encargada, para la Navidad, por Enrique Chicote, actor y empresario del teatro Cómico. Fue titulada por sus autores *Alma de Dios*, éxito rotundo que significó una de las obras más representadas de su autor.

A partir de entonces Serrano escribió a mucho menor ritmo. Se había acabado el período más fecundo del compositor. 1909 es el año de *La alegría del batallón*, estrenada en Apolo, que fue calificada por los autores como cuento militar –el militar era uno de los pocos ambientes típicos del teatro chico que le quedaban por explotar a Serrano–.

III. 1910-1914. ACERCAMIENTO A LA REVISTA Y OPERETA. Con el género chico en franca decadencia, otras modas teatrales se imponían, y Serrano, ya menos prolífico, se dejó influenciar por ellas. De nuevo con Arniches y García Álvarez presentó nueva obra, una vez más en el Apolo, el 3 de diciembre de 1910: *El trust de los tenorios*, afín al género de revista. Poco después, el 28 de diciembre, en el mismo escenario, se estrenó *El palacio de los duendes*, libreto de Sinesio Delgado y única colaboración entre Serrano y Vives en la música. Cuatro son sus números musicales, dos de cada autor. Volvió a contar Serrano con una obra de Sinesio Delgado en *Barbarroja*, estrenada con seis números musicales el 11 de mayo de 1911 en el Apolo de Madrid. El libro fue criticado negativamente. La partitura es sencilla, con un tema melódico principal que caracteriza al pirata Barbarroja y que se oye en varios momentos de la obra. Los otros números contienen también temas bastante simples, apoyados en una base armónica elemental. Son melodías arqueadas con reducidos saltos interválicos, en esta ocasión alejados de cualquier ritmo bailable o de referencias folclóricas, en la línea de *La canción del olvido*. En julio del mismo año presentó en el Gran Teatro *El carro del sol*, no demasiado lejana del espíritu de la opereta.

Después de un año en blanco dos fueron las obras presentadas por Serrano en 1913. No alcanzó el éxito con Arniches en *La gentuza*, comedia lírica de costumbres populares estrenada en el teatro Cómico. *La gentuza*, quiso ser un sainete, con una fuerte carga de argumento serio y provista de una música con tintes de opereta, lo que demuestra la "contaminación" entre los géneros que se daba por aquel entonces en los escenarios. Por su parte, *Si yo fuera rey*, libro de Antonio López Monís, se presentó en el teatro Apolo. Su música es muy abundante –diez números– y en algunos casos su presencia es continua. Sin embargo, es más neutra que la de las primeras producciones del compositor valenciano; posee menos riqueza rítmica y le falta carácter melódico distintivo: las melodías vocales, si bien requieren de algún alarde tipo nota tenida o amplio salto interválico, cosa no frecuente en partituras anteriores, son en general más blandas, algo que se le suele achacar a la opereta.

El amigo Melquiades o Por la boca muere el pez da una vuelta de tuerca más al sainete madrileño –una de las pocas referencias genuinas que le quedaban–. Quinito Valverde colaboró de nuevo con Serrano. El estreno tuvo lugar el 14 de mayo de 1914 en el teatro Apolo. Por otra parte, si bien Serrano se había acercado en algunos números de sus zarzuelas a la revista, todavía no había compuesto una obra calificada de esa manera. La primera fue *El príncipe Carnaval*, estrenada en el teatro San Martín de Buenos Aires en junio de 1914. Los autores del libro fueron Ramón Asensio Mas y José Juan Cadenas y en la música participaron también Quinito Valverde y José Manuel Izquierdo, que orquestó los valses. Tras ser ovacionada en varios escenarios sudamericanos se volvió a presentar en 1920 en el madrileño coliseo Reina Victoria. La obra sufrió entonces modificaciones: pasó de subtitularse "fantasía cómico-lírico-carnavalesca" a "ensayo de revista parisiense", y si la primera versión contenía siete cuadros, la segunda estaba dividida en nueve, pero lo esencial se mantuvo: una muestra del Carnaval en distintas ciudades del mundo, pretexto para la presentación de ricos vestuarios, escenografías espectaculares y músicas alegres. Toda la crítica madrileña recogió la espectacular puesta en escena de la obra. Volviendo a 1914, la última obra que estrenó Serrano fue *El rey de la banca*, dada a conocer en el teatro Ruzafa de Valencia el 21 de octubre. El libreto era de Elías Cerdá, quien localizó la acción en Montecarlo. De nuevo el hálito de la opereta sobrevoló esta pieza.

IV. 1916-1930. DE *LA CANCIÓN DEL OLVIDO* A *LA DOLOROSA*. LA ÉPOCA DE PLENITUD. *La canción del olvido* se encuentra cronológicamente en el período central de la carrera de Serrano, pero parece que con ella ya ha alcanzado la cumbre de sus posibilidades como autor de zarzuelas. A partir de entonces dio a la luz obras más reposadas y más trabajadas, que no hicieron sino intensificar sus rasgos compositivos personales, especialmente su característico don melódico. Quizá sean partituras menos espontáneas si se comparan con las de su juventud, pero en ellas la música está mejor integrada en el drama. Dueño de la melodía, la música impregna todos los poros, aplastando los textos de libretistas de nueva generación –Guillermo Fernández Shaw, Federico Romero, Luis Sevilla–, textos que, aunque se pretenden cuidados, son más que nunca mero soporte para la superficie todopoderosa de lo lírico, de lo *cantabile*. Ya no es tanto lo bailable, como antaño, lo que domina, sino lo cantable. Da igual que sea en composiciones de corte de opereta –*La canción del olvido*, *Las hilanderas*–, en obras que prácticamente cancelan la historia del género chico –*Los de Aragón*, *Los claveles*– o en producciones *quasi* neoclásicas, como *La sonata de Grieg*, o *quasi* neorrománticas como *La Dolorosa*. La melodía en ellas se apodera de todo. Quizá se haya perdido la frescura y pujanza rítmica de las obras de juventud, pero ahora las exigencias vocales son más acusadas y la orquesta, casi siempre mero soporte, se enriquece.

Con *La canción del olvido*, estrenada en 1916 en el teatro Lírico, Serrano logró la composición más representativa de su estilo de madurez. En este mismo coliseo se presentó, el 8 de diciembre una nueva obra con los mismos autores que la anterior, *La sonata de Grieg*, calificada como leyenda noruega. La música se basó en motivos del compositor nórdico, por el que Serrano sentía gran admiración y al que pretendía rendir homenaje. Todavía presentó Serrano una composición más en 1916. Fue el 30 de diciembre, con la obra *El rey del corral*, fantasía cómico-lírica. El libreto, concebido por Enrique López Marín, desarrolla una acción protagonizada por aves que se acerca otra vez a la revista.

En el teatro de la Zarzuela Serrano estrenó el 31 de octubre de 1919 el entremés original de José Fernández del Villar *La venda de los ojos*. Para él compuso unas ilustraciones musicales de carácter popular –tiempo de tango y tiempo de malagueña–. El entremés no obtuvo mucho éxito. Tampoco la zarzuela *Los leones de Castilla*, con libro de Julián Moyrón Sánchez. Hasta el 18 de abril de 1922 no dio a conocer Serrano ninguna nueva obra, con la excepción, ya comentada, del estreno en Madrid de *El príncipe Carnaval* en 1920. Precisamente, es la continuación de esta revista lo que presenta el músico de Sueca. La letra corrió a cargo de José Juan Cadenas y el título fue el de *El príncipe se casa*. *Danza de apaches* fue estrenada en 1924. Con letra del periodista madrileño Luis Germán, fue calificada por éste como "película teatral". La crítica señaló que el tema ya estaba anticuado, entre otras cosas porque el libro llevaba en poder del músico más de diez años. Son cinco los números que integran la partitura, con mayor reconocimiento que el texto. Su primera representación tuvo lugar en el teatro de la Zarzuela el 18 de mayo. Para la comedia de Pilar Millán Astray titulada *Magda la tirana*, escribió en 1926 unas ilustraciones musicales, entre las que destacó una canción interpretada por la actriz Lola Membrives. Por su parte, *La maga de Oriente* es una zarzuela cuyo libreto fue escrito por Sinesio Delgado. Con Serrano colaboró en lo musical Ernesto Pérez Rosillo. El argumento, de amores principescos, mujeres que hechizan y anacoretas que dudan, también fue considerado trasnochado. En cambio, se admiró la pulcritud de los versos y algunos números musicales. Se estrenó también en el teatro de la Zarzuela, el 9 de junio de 1926.

*José Serrano
(Foto: Colección
Andrada; Ar. SGAE)*

Una romanza de tenor titulada *La triunfadora*, con letra de Juan José Lorente, estrenada por Fleta en el teatro Real, se convirtió en el germen de la zarzuela *Los de Aragón*. La obra se dio a conocer el 16 de abril de 1927 en el teatro del Centro de Madrid, con gran éxito. *La prisionera*, que navegaba entre los moldes de la zarzuela y los de la opereta, fue la siguiente obra que estrenó Serrano, el 29 de mayo de 1927, en el teatro del Centro. Con él colaboró en la música un joven compositor valenciano llamado Francisco Balaguer. El libreto fue de Luis Fernández de Sevilla y de Anselmo C. Carreño. *Las hilanderas*, otro de sus grandes éxitos, se presentó el 3 de diciembre de 1927, en el teatro Eldorado de Barcelona.

Los claveles se estrenó en el teatro Fontalba, de Madrid, la noche del 6 de abril de 1929. Es un sainete de corte clásico, una de las obras más representativas del autor, al igual que con *La Dolorosa*, la última zarzuela que presentó Serrano en vida, estrenada en abril de 1930 en Valencia, siendo su última obra. Trabajó después algunas partes de un sainete madrileño de Fernández Sevilla, que se estrenó póstumamente en el teatro Principal de San Sebastián el 1 de septiembre de 1944 con el título de *Golondrina de Madrid*. La crítica se manifestó recelosa al dudar de que toda la partitura fuera del ya fallecido compositor. Vidal Corella señala que algunos números fueron instrumentados por José Manuel Izquierdo. En total constaba de once números de música muy variados inspirados en su mayor parte en bailes: pasacalle, vals, chotis, bolero, mazurka, jácara y tirana. La partitura estaba ya concebida poco antes del comienzo de la Guerra Civil. La contienda y la enfermedad del compositor, motivaron los años de silencio de la obra.

V. RASGOS ESTILÍSTICOS. Cuando Serrano entra en escena, en el Madrid de 1900, se estaba asistiendo a un relevo generacional en el panorama musical de la zarzuela. En el mismo sentido, los libretistas con los que más colaboró –los hermanos Álvarez Quintero, Arniches y García Álvarez– constituyen a su vez la sucesión generacional en el terreno literario del género. En orden a las características generales que se pueden aplicar a su música, todos destacan sobre todo el aspecto melódico. De "forma y construcción melódica perfecta" habla, por ejemplo, Matilde Muñoz. En efecto, sus melodías directas y de apariencia espontánea son las verdaderas protagonistas de todas sus obras. A través de ellas consiguió un sello personal distintivo, característica por la cual se le ha comparado con otro compositor con clara identidad propia: Chueca. Líneas melódicas en la tradición de la ópera italiana, de forma arqueada, apartándose tanto de lo declamado como de los saltos amplios y ásperos, sometidas a un diatonismo dominante. Emplea la orquesta las más de

las veces como soporte tímbrico y armónico de los cantantes, aunque en ocasiones se erige en protagonista, actuando como un personaje más, anticipando o subrayando estados psicológicos. Gusta, por lo demás, de alternar la misma tonalidad en sus modos mayor y menor dentro de los números de mayor envergadura para contrastar estados anímicos. A muchas de sus obras las dota de unidad merced a la repetición de sencillos motivos que se asocian con personajes o estados anímicos. Serrano no abandona nunca estos moldes, sus experimentos no son lingüísticos, de aquí que lo que para unos es coherencia estilística para otros se convierte en una excesiva repetición de sus modelos. Lo que no se le puede negar al compositor es su perfecto sentido y conocimiento a la hora de distribuir los números musicales en la acción dramática y su habilidad a la hora de sugerir un ambiente. Poseía un acusado instinto teatral, de tal manera que es sospechoso en más de una ocasión de imponer su criterio a los libretistas, si no en la concepción de las obras, lo que ocurría no pocas veces, sí en el resultado final, pues era la música la que daba impulso al drama.

Se le ha tildado de perezoso y de falto de recursos técnicos, de estar sometido al arbitrio de la pura inspiración. Es probable, anécdotas aparte, que para el primer adjetivo haya influido en buena medida el hecho de la composición continuamente postergada de *La venta de los gatos*. Sea como fuere, la pereza no parece embargarle en los primeros años de su producción madrileña, con tantos estrenos. Habría que preguntarse por las razones de su progresivo abandono de la composición. Se podría recurrir aquí a esa mencionada limitación técnica de la que muchos hablan. Las primeras lecciones paternas, sus dos años de anárquico aprendizaje con Giner y su apenas documentada presencia en el Conservatorio de Madrid no suelen ser considerados como indicios de una sólida preparación escolástica. El mismo Vives, alabando la "sensibilidad extraordinaria" del músico levantino dijo además de él que "si Serrano supiese algo más que solfeo, ningún músico comería en España; sólo él". Así, un estilo basado en exclusiva en la línea melódica, que se acendraba, no obstante, en la tradición zarzuelera más pura y que había extendido los moldes de esta tradición posiblemente más allá que ningún otro compositor, había alcanzado con *La canción del olvido* sus posibilidades de desarrollo de más amplio vuelo. Las últimas obras de Serrano no serían entonces más que epígonos de gran belleza, pero sometidas a la artificialidad de la *manera*. Cuando la Generación del 27 se hallaba ya en ciernes, Serrano no estaba capacitado para llevar acabo una renovación a la europea, y no precisamente en el sentido de la opereta o de las variedades, del teatro lírico español.

Por lo demás, nunca le faltó el apoyo de un público que, dicho sea de paso, tenía espectáculos donde escoger. Sin embargo, él mismo decía que no era un músico popular, sino que se inspiraba en el ambiente popular. No era popular en el sentido de pretender llegar al espectador a toda costa, utilizando los medios más banales, ni en el sentido de recoger directamente la música tradicional. Su inspiración en el ambiente popular no correspondía a la utilización de citas literales, sino más bien a una cuidada recreación y abarcaba tanto el ambiente rural como el urbano, teniendo en cuenta que cuando se aproximaba a lo rural era en buena medida a través del filtro de la ciudad como éste se manifestaba. Ya se ha comentado que Serrano no aporta nada nuevo, pero conoce a la perfección los distintos códigos, lo que, envuelto con su especial sello lírico y con su intuición dramática, convierte a muchas de sus obras en referentes incuestionables de la zarzuela del siglo XX. Así, acabaría devolviendo al acervo "popular" tanto como tomó de él. En lo que se refiere al tratamiento vocal en las obras de Serrano hay que señalar que se encuentra en una línea de mayor exigencia técnica e interpretativa, si se le compara al menos con las producciones del género chico anteriores a él. Ramón Regidor lo atribuye a la "aparición de voces importantes que aceptan dedicarse al género, como Lucrecia Arana".

Sus obras se difundieron muy ampliamente. Aparte de las representaciones teatrales y las numerosas reposiciones de muchas de sus zarzuelas, se hace necesario mencionar la divulgación que de su música realizaban en su tiempo los cafés con orquesta y las bandas de música, además de las pianolas y los discos. Por otra parte existen varias interpretaciones cinematográficas de las obras dramáticas a las que puso música. En lo que a la edición de sus partituras se refiere, no sólo existen ediciones españolas, sino también extranjeras. En España hay que destacar las de Unión Musical Española, con selecciones para sexteto de sus zarzuelas más famosas y reducciones para canto y piano de distintas romanzas, canciones y dúos. La mayoría de las obras de Serrano se localizan en el archivo lírico de la SGAE en Madrid y en la Biblioteca de Compositores Valencianos de Valencia. *Véase* LA ALEGRÍA DEL BATALLÓN; ALMA DE DIOS; EL AMIGO MELQUÍADES; LA CANCIÓN DEL OLVIDO; EL CARRO DEL SOL; LOS CLAVELES; LA DOLOROSA; LAS HILANDERAS; LOS DE ARAGÓN; EL MAL DE AMORES; LA MALA SOMBRA; MOROS Y CRISTIANOS; LA REINA MORA; EL TRUST DE LOS TENORIOS.

OBRAS: *El motete*, Ent, 1 act, l, S. y A. Álvarez Quintero, est, 24-IV-1900, Te. Apolo, *E:Msa*; *El corneta de órdenes*, Zarz, 1 act, l, C. Arniches, est, 30-X-1900, Te. Apolo; *Coplas y vino*, Ent, l, F. Tristán, est, 25-IV-1901, Te. Apolo; *¡Y no es noche de dormir!*, Ent, 1 act, col. J. Valverde, l, A. Larrubiera / A. Casero, est, 23-XII-1901, Te. Cómico, *E:Msa*; *El olivar*, Zarz, 1 act, col. T. Barrera Saa-

vedra, l, García Arista / A. Melantuche, est, 14-I-1902, Te. Eslava, *E:Msa*; *La mazorca roja*, Zarz, 1 act, l, F. Tristán, est, 8-V-1902, Te. Zarzuela; *El jaleo nacional*, Rv, 1 act, col. V. Lleó / R. Calleja, est, 28-VI-1902, Parque del Retiro; *Don Miguel de Mañara*, Zarz, 1 act, l, F. Pérez Capo, est, 20-XII-1902, Te. Zarzuela; *El solo de trompa*, Hum cóm-lír, 1 act, l, Paso / Prieto, est, 18-IV-1903, Te. Cómico, *E:Msa*; *El pelotón de los torpes*, Zarz, 1 act, col. A. Rubio, l, A. Paso Cano / R. Asensio Mas, est, 4-VII-1903, Te. Apolo, *E:Msa*; *El vals de las olas*, Zarz, 1 act, l, R. Asensio Mas / A. Paso Cano, est, X-1903, Te. Cómico; *La reina mora*, Sai lír, 1 act, l, S. y J. Álvarez Quintero, est, 11-XII-1903, Te. Apolo; *El trébol*, Zarz, 1 act, col. Valverde San Juan, l, Paso Cano / Abati, est, 19-II-1904, Te. Zarzuela, *E:Msa*; *La torería*, Sai, 1 act, l, A. Paso Cano / R. Asensio Mas, est, 5-IV-1904, Te. Eslava, *E:Msa*; *La casita blanca*, Zarz, 1 act, l, M. Thous / E. Cerdá, est, 11-XI-1904, Te. Zarzuela, *E:Msa*; *Las estrellas*, Sai, 1 act, col. E. Valverde, l, C. Arniches, est, 30-XII-1904, Te. Moderno, *E:Msa*; *El mal de amores*, Sai, 1 act, l, S. y J. Álvarez Quintero, est, 28-I-1905, Te. Apolo; *Moros y cristianos*, Zarz, 1 act, l, M. Thous / E. Cerdá, est, 27-IV-1905, Te. Zarzuela, *E:Msa*; *El contrabando*, Sai, 1 act, col. J. Fernández Pacheco, l, S. Alonso Gómez / P. Muñoz Seca, est, 4-V-1905, Te. Eslava, *E:Msa*; *El perro chico*, viaje cóm-lír, col. J. Valverde, l, C. Arniches / García Álvarez, est, 5-V-1905, Te. Apolo, *E:Msa*; *La reja de la Dolores*, Zarz, 1 act, col. J. Valverde, l, C. Arniches / García Álvarez, est, 25-IX-1905, Te. Apolo; *El amor en solfa*, capricho literario, 1 act, col. R. Chapí, est, 8-XI-1905, Te. Apolo, *E:Msa*; *La infanta de los bucles de oro*, cuento infantil, l, S. Delgado, est, 6-I-1906, Te. Zarzuela, *E:Msa*; *El pollo Tejada*, aventura cóm-lír, 1 act, col. J. Valverde, l, E. García Álvarez / C. Arniches, est, 29-V-1906, Te. Apolo, *E:Msa*; *La mala sombra*, Sai sevillano, 1 act, l, S. y J. Álvarez Quintero, est, 25-IX-1906, Te. Apolo, *E:Msa*; *La noche de Reyes*, Zarz, 1 act, l, C. Arniches, est, 15-XII-1906, Te. Zarzuela, *E:Msa*; *La banda nueva*, Zarz, 1 act, col. E. Bru, l, E. Cerdá / M. Thous, est, 22-I-1907, Te. Apolo, *E:Msa*; *La escala de Jacob*, Zarz, 1 act, col. E. Bru, l, M. Thous / E. Cerdá, est, I-1907; *Nanita, nana*, Ent, 1 act, l, S. y J. Álvarez Quintero, est, 27-II-1907, Te. Apolo, *E:Msa*; *La gente seria*, Sai lír, 1 act, l, C. Arniches / García Álvarez, est, 25-IV-1907, Te. Apolo, *E:Msa*; *La suerte loca*, Pasa, 1 act, col. J. Valverde, l, C. Arniches / García Álvarez, est, 19-VI-1907, Te. Apolo, *E:Msa*; *Alma de Dios*, Com lír de costumbres populares, 1 act, l,

Cortesía de Unión Musical Ediciones SL

C. Arniches / García Álvarez, est, 17-XII-1907, Te. Cómico, *E:Msa*; *La alegría del batallón*, cuento, 1 act, l, C. Arniches / F. Quintana, est, 11-III-1909, Te. Apolo, *E:Msa*; *El trust de los tenorios*, Hum cóm, 1 act, l, C. Arniches / García Álvarez, est, 3-XII-1910, Te. Apolo; *El palacio de los duendes*, Zarz, 1 act, col. A. Vives, l, S. Delgado, est, 28-XII-1910, Te. Apolo, *E:Msa*; *Barbarroja*, Zarz, 1 act, l, S. Delgado, est, 11-V-1911, Te. Apolo, *E:Msa*; *El carro del sol*, Zarz, 1 act, l, M. Thous, est, 4-VII-1911, Gran Teatro, *E:Msa*; *Si yo fuera rey*, Opt, 2 act, l, J. Sánchez/A. López Monís, est, 17-XI-1913, Te. Novedades (Barcelona), *E:Msa*; *La gentuza*, Com lír de costumbres populares, 2 act, l, C. Arniches, est, 12-XI-1913, Te. Cómico, *E:Msa*; *El amigo Melquiades*, Sai, 1 act, col. Joaquín Valverde, l, C. Arniches, est, 14-V-1914, Te. Apolo; *El príncipe Carnaval*, Opt, 2 act, col. J. Valverde, l, Asensio Mas / J. J. Cadenas, est, VII-1914, Te. San Martín (Buenos Aires), *E:Msa*; *El rey de la banca*, Zarz, 1 act, l, E. Cerdá, est, 21-X-1914, Te. Ruzafa (Valencia), *E:Msa*; *El rey del corral*, Fant cóm-lír, 1 act, l, E. López Marín, est, 1914, *E:Msa*; *La canción del olvido*, Zarz, 1 act, l, F. Romero / G. Fernández Shaw, est, 12-XI-1916, Te. Lírico (Valencia); *La sonata de Grieg*, balada, 1 act, l, Fernández Shaw / F. Romero, est, 8-XII-1916, Te. Lírico (Valencia); *La venda en los ojos*, Ent, 1 act, l, J. Fernández del Villar, est, 31-X-1919, Te. Zarzuela, *E:Msa*; *Los leones de Castilla*, Zarz, 1 act, l, Moyrón / S. Delgado, est, 19-XII-1919, Te. Zarzuela; *Danza de apaches*, película teatral, 1 act, l, L. Germán, est, 13-V-1924, Te. Zarzuela; *La maga de oriente*, Zarz, 1 act, col. E. Rosillo, l, S. Delgado, est, 28-V-1924, Te. Zarzuela; *Magda la tirana*, Dr, 3 act, l, P. Millán Astray, est, 18-II-1926, Te. Lara; *Los de Aragón*, Zarz, 1 act, l, J. J. Lorente, est, 16-IV-1927, Te. Centro, *E:Msa*; *El príncipe se casa*, Rv, 3 act, l, J. J. Cadenas, est, 18-IV-1927, Te. Reina Victoria; *La prisionera*, Zarz, 1 act, col. F. Balaguer, l, A. Cuadrado Carreño / L. Fernández de Sevilla, est, 29-V-1927, Te. Calderón, *E:Msa*; *Las hilanderas*, Zarz, 1 act, l, F. Oliver, est, 3-XII-1927, Te. Eldorado (Barcelona), *E:Msa*; *Los claveles*, Sai lír, 1 act, l, A. C. Carreño / L. Fernández de Sevilla, est, 6-IV-1929, Te. Fontalba, *E:Msa*; *La Dolorosa*, Zarz, 2 act, l, J. J. Lorente, est, 23-V-1930, Te. Apolo (Valencia), *E:Vsa*, *E:Msa*; *Golondrina de Madrid*, Sai, 2 act, l, L. Fernández García, est, 1-IX-1944, Te. Principal (San Sebastián), *E:Msa*; *Saltos mortales*, *E:Msa*.

FONOGRAFÍA: *Alma de Dios*, A 612 (et. azul), WK 2176 WK 2177 • Alhambra-BMG España WD 71587 (9D) • Columbia SA, MCE 851 39 (38a) • Columbia-Alhambra-BMG MC 25001 • Discophon (S) 4099 (S) 7280 • La Voz de su Amo DB 1079, A 37324 A 37325 • La Voz de su Amo AB 499, AC 33 • Odeón 121014, XXS 4651 XXS 4653 • Odeón 184810, e18044 e18045 • Philips N 00595 L • Victoria 1293 y 1400 • Zafiro-BMG EPFM-136 • Zafiro-Salvat 1021-1 • Zafiro ZOR-130 185 (184a); *El amigo Melquíades*, Alhambra-BMG España WD 74393 (9D) • Columbia-Alhambra-BMG MC 25027 • Columbia SA, C 7501 40 • Victoria 5133; *El carro del sol*, La Voz de su Amo AA 63 • Victoria 5114; *El mal de amores*, Alhambra-BMG España WD 74554 (9D) • Alhambra SCE 976 104 (103a) • Blue Moon BMCD 7543 • Columbia SA, ZCL 1079 (Zacosa) 97 (96a); *El príncipe Carnaval*, Gramófono 2-2263046 y 2-263048 (et. verde), 4582, 4583 y 4594, 4585 • Blue Moon BMCD 7508; *El trust de los tenorios*, Regal RS 1127 (et. azul), K 961 K 1194 • La Voz de su Amo DA 1087, BJ 2304 BJ 2311 • La Voz de su Amo DA 445, BE 388 BB 2843 • Pathé P 5001, CPT 8528 CPT 8529 • Victoria 4882 y 5857; *Golondrina de Madrid*, Blue Moon BMCD 7543; *La alegría del batallón*, Gramófono GC 2-62100, GC 63765 (et. negra), 920y 1005y • Odeón 184177 (et. marrón), SO 6346 SO 6375 • Columbia-Alhambra-BMG MC 25030 • Columbia SA, CS 8510 99 • Columbia SA, ZCL 1046 (Zacosa) 112 • La Voz de su Amo DA 710 DA 762 • Victoria 1554; *La canción del olvido*, Regal SEBL 7015 • A 138517 A 138518 (et. policolor con figura), SO 565 SO 574 • La Voz de su Amo W 64631 W 63824 (et. negra), s19848u, s19734u •

Cortesía de Unión Musical Ediciones SL

Alhambra-BMG España WD 71436 (9D) • Alhambra MCC 30020 • Columbia-BMG-Ariola-Salvat 1035-2 • Columbia SA, MCE 853 170 • Columbia SA, C 30020 106 • EMI 7243 5 74157 2 9 (637.00361) • EMI-Regal LCX 7007 115 • Gramusic • Hispavox 7 67332 2 (637.33867) • La Voz de su Amo AA 63, AE 2660 AE 57 • La Voz de su Amo VUL 202 98 • Odeón 121014, XXS 4651 XXS 4653 • Odeón 184484 a 184487, SO 6400 SO 6922, SO 6931 a SO 6933, SO 6938 a SO 6940 • Palau de la Música EGT 720 • Victoria 5294, 5295, 5401 y 5832 • Zafiro-BMG EPFM-25 • Zafiro 30103035 163 • Zafiro ZOR 107 • Blue Moon BMCD 7514; *La canción del soldado*, Victoria 5375; *La Dolorosa*, Regal SEBL 7006 • Blue Moon BMCD 7524 • Columbia-BMG España WD 71588 (9D) • Columbia-Salvat 1007-1 • Columbia R 14013 a R 14015, WK 2281 a WK 2286 • Columbia-Alhambra-BMG MC 25009 • Columbia-BMG C 30075 • Columbia SA, ZCL 1012 (Zacosa) 94 • Columbia SA, SCE 963 110 • EMI 7243 5 74216 2 1 (637.02698) • Gramófono AF 379, CN 1118 CN 1117 • Hispavox 7 67334 2 (637.33883) • Montilla FM-14 • Odeón 121145 y 173231, XXS 6684 XXS 6683 XXS 7539 XXS 7540 • Odeón 184243 y 184244, SO 7179 a SO 7182 • Odeón 203279, SO 6700 SO 6578 • Regal LKX 5024, DK 4017 DK 8195 (et. azul), KX 289 KX 290, K 2293 K 2294-2 K 2281 K 2296-2 • Regal LCX 7003 114 • Zafiro-BMG EPFM-22 • Zafiro ZOR-176 (Zafiro) 109 LM 3023 C; *La mala sombra*, Blue Moon BMCD 7543; *La reina Mora*, Columbia A 1570 (et. azul),WK 1626 WK 1627 • Alhambra MCC 30005 • Blue Moon BMCD 7546 • Columbia-BMG España WD 74391 (9D) • Columbia R 18667, C 10229 C 10230 • Columbia-BMG-Ariola-Salvat 1042-2 • Columbia SA, ZCL 1057 (Zacosa) 105 • Columbia SA, C 30005 108 • Columbia SA, SCE 956 35 • EMI (941) 7243 5743412 6 • EMI 5 72908 2 (637.36324) • Odeón184480, SO 6068 SO 6067 • Regal LCX 7006 117 (116a) • Victoria 1296 • X 68907 X 68908 (et. marrón), XS 1890 XS 1893; *Las hilanderas*, Odeón 203290 (et. fucsia), SO 6748 SO 6749 • Regal RS 5537 (et. azul), KX 148 KX 149 • Alhambra-BMG España WD 74554 (9D) • Alhambra SCE 976 103 • Blue Moon BMCD 7546 • Columbia SA, ZCL 1079 (Zacosa) 96; *Los claveles*, Regal SEBL 7009 • Blue Moon BMCD 7510 • Columbia SA, SCE 963 111 (110a) • Columbia SA, ZCL 1012 (Zacosa) 95 (94a) • Columbia-Alhambra-BMG MC 25010, C 30075 • Columbia-BMG España-Alhambra WD 71588

(9D) • Columbia-Salvat 1007-1 • La Voz de su Amo AE 2826, BJ 2620 BJ 2623 •La Voz de su Amo GY 381 a GY 384, ON 578 a ON 580, ON 587 a ON 590, ON 598 • Odeón 121096, XXS 5624 XXS 5628 • Odeón 173500, XXS 7033 XXS 7039 • Odeón 184143, SO 5584 SO 5583 • Regal LCZ 7004 119 (118a) • Regal LREG 8018 121 (120a) • Regal M 15202 a M 15204, CKX 3734 a CKX 3739 • Zafiro SA, ZOR 106 93 • Zafiro-BMG EPFM-23; *Los de Aragón*, Regal 5541, RS 5509, PKX 3005 (et. morada), KX 150 KX 151 KX 76 KX 84 KX 224 KX 225 • Blue Moon BMCD 7546 • Carrillon-Diapason CAL 31 • Columbia-Alhambra MC 25004 • Columbia-BMG C 30084 • Columbia-BMG España WD 71590 (9D) • Columbia-Salvat 1010-1 • Gramófono AF 282, CJ 2624 CJ 2628 • La Voz de su Amo AF 282 • Odeón 121001, XXS 4368 XXS 4192 • Odeón 121050, XXS 4971 XXS 4981 • Odeón 121159, XXS 6347 XXS 6599 • Regal LCX 7006 116 • Zafiro ZOR-164 186 LM 3007 C; *Moros y cristianos*, Victoria 1871 y 1872 • A 612 (et. azul), WK 2176 WK 2177 • Columbia-BMG España WD 74389 (9D) • Columbia-BMG-Ariola-Salvat 1042-2 • Columbia SA, C 30059 101 • Odeón 184111 (et. marrón), SO 4800 SO 4813 • Odeón 184505 a 184507, SO 7117 a SO 7122 • Odeón 204376, SO 10546 SO 10547 • Blue Moon BMCD 7524; *San Juan de Luz*, Victoria 1179; *José Serrano: Fantasía de sus obras*, Columbia BMG C 7523.

BIBLIOGRAFÍA: J. Alonso Grosson: *El maestro Serrano. Su vida y su obra*, Valencia, Sembrar, 1951; A. Sagardía: *El compositor José Serrano. Vida y obra*, Madrid, Organización Sala Editorial, 1972; V. Vidal Corella: *El maestro Serrano y los felices tiempos de la zarzuela*, Valencia, Prometeo, 1973; VVAA: *Serafín y Joaquín Álvarez Quintero. Azorín. Enrique García Álvarez. José Serrano*, Madrid, SGAE, 1973; L. Querol: "El maestro José Serrano y su decisiva aportación a la lírica musical española", *Archivo de Arte Valenciano*, XLV, 1974; M. Roa, R. Sobrino: "Introducción", *La canción del olvido*, Madrid, ICCMU, 1993; VVAA: *La canción del olvido*, programa, Madrid, Teatro de la Zarzuela, 1993; R. Díaz, V. Galbis: *La producción zarzuelística de José Serrano*, Adjuntament de Sueca, 1999; R. Díaz: *José Serrano*, catálogos de compositores españoles, Madrid, Fundación Autor, 2001.

RAFAEL DÍAZ GÓMEZ

Setze jutges. Zarzuela en un acto. Música de Joan Pujadas. Libreto de Manuel M. Angelón. Estrenada en 1858 en el teatro del Liceo de Barcelona.

Personajes. Pauleta (soprano). L'arcalde Garrofa (bajo). El maestro de escuela (tenor). Xiquet (tenor). Briones (barítono). Saragata (actor). Alguacil (actor).

Orquestación. Flautín, flauta, 2 oboes, 2 clarinetes, fagot, 2 trompas, 2 cornetines, 2 trombones, timbales, bombo, platillos y cuerda.

Argumento. La acción tiene lugar en 1839. Xiquet canta a su amada Paula, hija del alcalde Garrofa. Briones, un soldado de origen andaluz, también está enamorado de Paula, y arrecia en brabuconadas contra Xiquet, puesto que quiere a Paula para él. Es la fiesta del pueblo, Sant Llop. El alcalde, que tiene un carácter autoritario y muy conservador no permite que nadie baile la polka, y otros bailes de moda de origen francés o castellano, sino que sólo da permiso para que se bailen el "ball rodó", la contradanza con castañuelas, o se haga algún "honesto *tirabou*". El maestro del pueblo, que acompaña al alcalde, hace presunción de sabiduría con constantes latinajos macarrónicos. Xiquet declara su amor a Paula, y se enfrenta con Briones. El alcalde abre una puja para ver quién baila con su hija; Briones gana, a pesar de que Xiquet se enfrente con su padre. Paula, que no puede ver a Briones, arguye que tiene el pie torcido, y no puede bailar. Tanto Briones como Xiquet piden la mano de Paula al alcalde Garrofa. El alcalde les pide que cada uno exponga sus méritos, y él decidirá quién es el mejor postor. Al ver que ambos son pobres, pide consejo al maestro. Éste, que acepta sobornos de todos, da con la solución: podrá casarse con la chica el que sepa pronunciar correctamente en catalán *Setze jutges mengen fetge*. El único que lo consigue es Xiquet, y el alcalde da por solucionado el conflicto. La obra se acaba con el baile de un contrapás coreado.

Números musicales. Nº 1. Introducción y coro, Xiquet, "Quan treus de la finestra els ulls enfora". Nº 2. Coro y Romanza de tiple, "Toquen les campanes, avui és sant Llop". Nº 3. Dúo de tiple y tenor, Xiquet y Paula, "Amb mi no trobaràs sedes". Nº 4. Xiquet, Briones, Garrofa, "Yo tengo una carrera tan lucrativa". Nº 5. Coro general, "Digui, Garrofa, que és lo que passa". Nº 6. Contradanza instrumental.

Comentario. Esta obra, aparentemente de pocas pretensiones, escrita por Angelón después del drama sacro *La Verge de les Mercès*, fue una de las producciones de ambiente popular que se mantuvo sin interrupción en los carteles catalanes hasta bien entrado el siglo XX. Se trata de una de las primeras producciones líricas en catalán, una pieza que en ocasiones se considera como un juguete bilingüe, por el hecho que un personaje habla en castellano. Las obras bilingües fueron la treta ideada para escaparse de una orden gubernamental que prohibía las representaciones teatrales de obras escritas exclusivamente en catalán: se introducía un personaje de hable castellana, o bien se añadía la interpretación de una americana interpretada en castellano. El flamenquismo que había introducido el actor Dardalla está presente en la figura del bravucón Briones. La obra fue recuperada en la década de los setenta en el teatro Tívoli, juntamente con producciones de Pitarra. Alguna de las fuentes de los libretos recoge el nombre del autor de la música como Pujades. Su autor participó junto con Anselm Clavé en los inicios del movimiento coral; su nombre frecuenta los programas de los bailes-concierto de los Jardines de Euterpe, donde estrenaba sinfonías y numerosos bailables.

La introducción y coro iniciales presentan una armonización simple. La entrada de Xiquet se basa en un ritmo bailable, reexpuesto después por el coro.

Tras un momento hablado, el fragmento es repetido con letra distinta. La romanza de Paula –en algunos materiales su nombre se cambia por Pascuala– presenta importantes influencias de opereta, como la alternancia del coro y la solista cantando en monosílabos, así como breves recursos bufos. También de factura sencilla es el dúo de soprano y tenor, basado en una frase de estructura cuadrada, y que es desarrollada a partir de un trabajo de progresiones sobre la cabeza de la frase. El momento de conjunto discurre en terceras paralelas. El Nº 4 es el momento más desarrollado. En este número, Briones interpreta unas seguidillas, con el típico acompañamiento rítmico y los floreos melódicos. A él se opone la intervención de Xiquet, en ritmo ternario, con un tempo similar a la tipología del vals coreado; al intervenir Garrofa cambia de nuevo la interpretación del baile, así como la introducción de una ambigüedad entre los modos mayor y menor, y algunos cromatismos propios de bailes catalanes. Es interesante la relación que se realiza tanto de los individuos como de su edad a través del baile. El penúltimo número, ágil en su concepción, y de ritmo alegre, alterna el diálogo entre el coro, Garrofa y el maestro. Alguna edición del libreto en el siglo XIX, caso de la *Ilustració Catalana*, recoge que el autor de la obra es Joan Sariols.

Fuentes manuscritas. Los materiales de orquesta se conservan en el archivo de la SGAE en Barcelona (B-190-191).

Ediciones del libreto. Barcelona, *ca.* 1868; Barcelona, Biblioteca de lo Teatro Regional, 1895.

FRANCESC CORTÈS i MIR

Severini, María. España, siglos XIX-XX. Tiple lírica. Debutó en el teatro Novedades de Barcelona, donde triunfó gracias a su hermosura y afinación en el canto. Poco después realizó una gira por diversos teatros de provincias para llegar por fin a Madrid, donde obtuvo un gran éxito en el teatro de la Zarzuela. En 1910 formaba parte de la compañía Salas e Izquierdo que actuaba en Tánger y fue muy aplaudida en *La corte de faraón*; posteriormente fue contratada para Santander y poco después entró a formar parte de la compañía del Gran Teatro para la temporada 1910-11, siendo cabecera de la misma la famosa tiple del automóvil, Úrsula López. En la primavera de 1911 estrenó *Los divorciados* de Ricardo

María Severini (Foto: Nuevo Mundo, 1920; Ar. SGAE)

Sendra y en 1912 *Canto de primavera* de Luna en el teatro Circo de Zaragoza. En 1927 estrenó *Roxana (la cortesana)* de Pablo Luna en el teatro Cómico de Barcelona.

BIBLIOGRAFÍA: "Tiples del Gran Teatro", *El Teatro*, 21, Madrid, 6-III-1910; *Comedias y Comediantes*, 24, X-1910.

Mª LUZ GONZÁLEZ PEÑA

Sevilla, Arnaldo W. †La Habana, 1950. Primer actor y libretista. Se vinculó al teatro en 1910, integrándose al elenco de la Compañía dramática de Antonio Sierra. Dos años después fue contratado por Arquímedes Pous para desempeñar el papel de gallego, realizando sus primeras presentaciones internacionales en diferentes ciudades de Puerto Rico. A su regreso a Cuba hizo una gira por el interior del país con las compañías de Alfonso Rogelín y Roberto Gutiérrez "Bolito". Con este último creó una compañía propia en 1920 y se presentó en el teatro Arena Colón de La Habana. A fines de 1922 debutó en el teatro Alhambra, donde se mantuvo como actor y libretista durante algo más de nueve años, poniendo música a sus libretos Jorge Anckermann. Como actor, asumió algunos papeles protagonistas de gran éxito, entre los que destacan: *El bolero*, 1927, *Alhambra en zeppelín*, 1929, *Piernas al aire*, 1930 y *Demasiado tarde*, 1931. En 1928, junto al actor Julito Díaz, hizo algunas grabaciones de duetos cómicos para la firma discográfica Columbia. Durante la temporada de la Compañía de Suárez-Rodríguez, en el teatro Martí, realizó, igualmente, los papeles de carácter de casi todas las obras. Desempeñó, además, la dirección de la compañía en 1933, cuando la misma pasó a trabajar al teatro Campoamor. En ocasiones firmó sus libretos bajo el seudónimo de "S. E. Villa".

BIBLIOGRAFÍA: *LVB*; J. Bonich: "En la intimidad del camerino", *El Mundo*, La Habana, 2-VII-1932.

JOSÉ PIÑEIRO DÍAZ

Sevilla, Pepita. *Véase* LÓPEZ, JOSEFA.

Sevilla, Soledad. España, siglos XIX-XX Tiple. En el verano de 1910 formaba parte de la compañía sicalíptica de Sánchez del Valle que actuaba en el Salón Madrid con obras como *Justino el jardinero* o *El secreto de Susana*. Su gracia, figura y belleza conquistaban al público en aquellos momentos.

BIBLIOGRAFÍA: *Comedias y Comediantes*, 20, 1-VIII-1910.

Mª LUZ GONZÁLEZ PEÑA

Sevillanas. Baile y canción originaria de Sevilla que se canta según la estructura poética de las seguidillas; serían las seguidillas que se cantan y bailan en esa ciudad. A finales del siglo XVIII aparecen las sevillanas como un estilo independiente de las seguidi-

Cortesía de Unión Musical Ediciones SL

llas, recibiendo en el siglo XIX influencias de la escuela bolera, y después de los géneros flamencos. Existen numerosos tipos de sevillanas, que se diferencian en la coreografía, manteniendo casi todas la estructura de cuatro coplas separadas entre sí por la posición bolera del "bien parao", como indica Faustino Núñez.

Al igual que otras danzas del folclore urbano, las sevillanas se integraron en el repertorio lírico, si bien en una primera etapa aparecieron como elemento colorista en obras de sabor andaluz. Así, en el juguete cómico-lírico *Caramelo*, 1884, ambientado en Andalucía, Chueca y Valverde eligen para su suite de danzas ritmos de fandango –Nos 1, 10–, pasodoble torero –Nos 1, 2, 3, 5–, sevillanas –Nos 1, 11–, soleá –Nos 1, 3–, seguidillas –Nos 2, 3–, zapateado –Nos 2, 8–, panaderos –Nº 10–, junto a otros ritmos españoles, como la habanera –Nº 5– y el pasa-calle –Nos 7, 9–, recurriendo al vals, como medio de caracterización musical, sólo en el Nº 5, donde es cantado por Manolito, el único personaje de la obra del ámbito urbano; en la amplia introducción y coro que inicia la obra, la cuarta de sus secciones es un coro de mujeres en ritmo de seguidillas sevillanas que presentan la corrida de toros que se narra en la obra, este pasaje sirve para el cierre del número y, repetido, para la conclusión de la obra. También Chueca y Valverde en *Cádiz*, 1886, ambientado en el Cádiz preliberal y patriótico que lucha contra los franceses entre 1810 y 1812, incluyen sevillanas junto a caleseras, pasacalle, habanera de los negritos, coplas del ciego de los milagros y el célebre pasodoble-marcha que llegó a convertirse en un segundo himno nacional. En *Plato del día* de Marqués, 1889, al presentarse en el Nº 5 la alegoría de la aceituna sevillana, el compositor recurre a una sonoridad que recuerda la de la escuela bolera y la sevillana. Pero en la última

década del XIX, la sevillana ha debido convertirse en un elemento más del folclore urbano, perdiendo los rasgos identificadores de su origen. Así, en el sainete lírico *Los descamisados* de Chueca, 1893, el preludio y el Nº 5 recurren a un pasaje en ritmo entre seguidilla y sevillana, al que sucede en el Nº 5 la entrada de bandurrias y un pasacalle, sin que exista referencia alguna al ambiente andaluz. Lo mismo ocurre en *La alegría de la huerta* de Chueca, 1900, obra ambientada en la huerta murciana en cuyo final, en lugar de interpretarse el pasodoble compuesto por Heriberto, el director de la banda, ésta ejecuta unas sevillanas. Quizás el mejor ejemplo de utilización de las sevillanas en el sainete lírico esté en *El bateo* de Chueca, 1901, cuyo Nº 1, cantado por el coro, son las sevillanas "En el Lavapiés", que sirven de elemento de presentación no de Sevilla o Andalucía, sino de uno de los barrios más castizos de Madrid; se constata así el trasvase de las sevillanas desde el folclore caracterizador de la ciudad andaluza hasta el Madrid más típico y tópico.

BIBLIOGRAFÍA: *DMEH.*

RAMÓN SOBRINO

Shimmy. Danza popular en Estados Unidos durante la década de 1910 y particularmente durante los años veinte. Su invención ha sido atribuido al pianista Tony Jackson cerca de 1900 y se mencionó en la canción de Perry Bradford *The Bullfrog Hop*, 1909. La procedencia del nombre shimmy, como la mayoría de los nombres jazzísticos, es oscuro. La cantante y actriz negra, Ethel Waters, describió su interpretación de la canción de Spencer Williamson, *Shimme-sha-wobble*, 1917, en los siguientes términos: "Cuando los chicos [de la banda] lo interpretaban, yo pondría las manos sobre las caderas y haría trabajar mi cuerpo rápidamente, sin mover los pies". Así, el shimmy consistía en sacudir los hombros y el torso; de hecho, también se conocía como la sacudida. Los africanos del oeste consideran que su origen posiblemente fuera la danza Shika de Nigeria; como tantas otras danzas americanas, alcanzó la popularidad nacional desde la subcultura negra americana. El shimmy se convirtió en un fenómeno nacional en 1922, tras su introducción, por Gilda Gray, en la forma del charleston en la revista *Ziegfield Follies*, pero entre la América negra se conocía anteriormente. El shimmy aparece de una manera limitada en ese periodo de la zarzuela de los inicios del siglo XX donde se dan los denominados géneros frívolos y entran en el teatro estratos musicales extraños a España: el cakewalk, la machicha brasileña, el fox trot, one-step, two-step, rumba, charlestón, etc. Al menos en dos zarzuelas *Las niñas de mis ojos* de Alonso, 1927 y *La feria de las hermosas* de Julián Benlloch, 1926, aparece el shimmy.

EMILIO CASARES RODICIO

¡Si yo fuera rey! Zarzuela en tres actos. Música de José Inzenga. Libreto de Mariano Pina y Miguel Pastorfido. Estrenada el 17 de octubre de 1862 en el teatro del Circo de Madrid.

Personajes y reparto. La princesa Leonor (Rosario Hueto, soprano). Rosina (Adela Montañés, tiple cómica). Genaro (Manuel Sanz, tenor). El Gran Duque (Joaquín L. Becerra, bajo). El Marqués de Padua (Manuel V. Cresci, barítono). Timbal (Eugenio Fernández, tenor cómico). Cortesanos, marineros, pajes, soldados, gente del pueblo.

Orquestación. Flautín, flauta, 2 oboes, 2 clarinetes, 2 fagotes, 2 trompas, 2 cornetines, 3 trombones, timbales, triángulo, bombo y cuerda.

Argumento. La acción tiene lugar en Florencia, a finales del siglo XVIII. *Acto I.* Leonor, sobrina del Gran Duque de Florencia, no quiere casarse con un anciano marqués impuesto por su tío, pues ama y es correspondida, a Genaro, un pescador que la había salvado de morir ahogada. Éste viendo la imposibilidad de su amor, sueña con ser rey y poderoso para aspirar al amor de la joven. El Marqués, novio de Leonor, duerme a Genaro y decide llevarlo a Palacio.

Acto II. En el Palacio Real, Genaro ha sido vestido de rey por el Marqués, con la autorización del Gran Duque, que para divertirse hace creer al joven que es el rey de Toscana, rodeándole de todo el prestigio regio y presentándole sus servidores y ministros. Así el Marqués consigue que Genaro sea objeto de la burla de la corte.

Acto III. Genaro es trasladado de nuevo a la playa y, al despertar, cree que ha tenido un sueño que le convence que no puede casarse con Leonor, por no ser de su condición; al final de la obra, el Duque reconoce en Genaro a un familiar desaparecido, de sangre noble, que había sido recogido al nacer por una familia pobre, con lo que el matrimonio ya es posible.

Números musicales. Acto I: Nº 1. Introducción, coro de pescadores con Rosina y arieta de Timbal, "Sacude ya el sueño". Nº 2. Barcarola y aria de Genaro, "Por el mar de la esperanza". Nº 3. Raconto de Leonor, "Una tarde en que vagaba". Nº 4. Dúo de Leonor y el Marqués de Padua, "Marqués, ¿vos fuisteis?". Nº 5. Final 1º. Genaro, "Expirar desesperado". Acto II: Nº 6. Introducción y coro, "Ya ese mancebo va a despertar". Nº 7. Coro de cortesanos, "Ya el gran monarca". Nº 8. Canción de Timbal y coro, "Seguid y en dulce orgía". Nº 9. Final del acto II, "De la antorcha de Himeneo". Acto III: Nº 10. Canción de Timbal y coro, "En el mullido lecho" (Emilio Arrieta). Nº 11. Romanza y dúo de Leonor y Genaro, "¡Ay! Vuelve, ensueño". Nº 12. Dúo cómico de Rosina y Timbal, "Con voz seductora". Nº 13. Final. Coro, "¡Viva la novia dulce y gentil!".

Comentario. Tras varios años sin componer zarzuelas, Inzenga retornó al género lírico en 1862 para lograr el éxito con *¡Si yo fuera rey!*, sin duda la mejor de sus obras dramáticas. Ambientada en Florencia, el argumento, relacionado con *La vida es sueño* de Calderón, es una adaptación de la obra *Si j'étais roi*, ópera cómica de Adolphe Adam, estrenada en París en 1852, con texto de Scribe. Para Cotarelo, el tema principal es el mismo del argumento del drama calderoniano, añadiendo Scribe el episodio de los amores de la princesa con el pescador. El libreto resulta inferior a la partitura.

La música de Inzenga es la mejor de su producción lírica. Está construida sobre una armonía muy tonal, con pocas modulaciones, con motivos basados en arpegiaciones acórdicas, aunque aparecen algunos pasajes con cierto cromatismo y falsas relaciones cromáticas entre frases, especialmente en las arias de Rosina. En ocasiones se emplean elementos relacionados con ritmos y formas populares, o con bailes de salón de moda, como ocurre en la canción de Timbal del Nº 1, cuyo *Allegro brillante* recuerda un híbrido entre seguidilla y polonesa; en el final del Nº 2, donde se sitúa un zapateado, o en el Nº 5, que presenta un vals. El comienzo del acto tercero recuerda el esquema rítmico y melódico de una muñeira. También se sugiere un fandango al final del dúo del Nº 13. En otros casos la referencia es italianizante, como ocurre en la Barcarola, Nº 2, con el solo de Genaro; o en el Nº 8 donde se acude a un estilo próximo al de la canción napolitana, con cierto virtuosismo vocal. La técnica del *quasi* recitado sobre una nota fija en la melodía es ampliamente utilizada en el trío entre Leonor, el Duque y el Marqués. Otros pasajes, como el dúo del Nº 4, están próximos al lenguaje de la opereta francesa, aun cuando el *Allegro* de este número presenta reminiscencias italianas, en la línea de Donizetti o del estilo de Verdi de mediados de siglo, al igual que el final del primer acto o el Nº 7 del segundo, utilizado también como final de la obra. En el Nº 3 se describe musicalmente la referencia a un huracán mediante un ascenso cromático melódico y una serie de falsas relaciones en el acompañamiento, que terminan con un grito de la soprano, dentro de la más pura técnica verdiana o belliniana. Ese italianismo es palpable también en el

Andante mosso del Nº 12. La asociación del texto *¡Si yo fuera rey!* a un giro melódico de 6ª ascendente, que había aparecido al final del primer acto, es repetida al comienzo del segundo, actuando como medio de unificación, al igual que el ritmo de barcarola. Para indicar las dudas del protagonista, Inzenga utiliza un recitativo con silencios, y una expresión de carácter triste, en valores largos y modo menor.

La obra refleja la evolución artística de Inzenga, que como profesor de canto y repertorio en el Conservatorio había seleccionado para sus alumnos fragmentos virtuosísticos de los principales autores del belcanto, y que como compositor había escrito numerosas canciones para voz y piano, definiendo una predilección por la música italiana, a la que consideraba modelo a seguir –tanto en *Impresiones de un artista en Italia* como en *El arte de acompañar al piano*, Inzenga opinaba que la música de su época estaba en decadencia, y que la etapa gloriosa de la música había sido la del bel canto–. Destaca la música de carácter italianizante, con referencias a Donizetti y al Bellini de *I puritani*, así como a Verdi y a la zarzuela *Marina* de Arrieta, 1855, cuyo autor colabora en la obra de Inzenga componiendo el Nº 10, inicio del tercer acto. Las repeticiones de la frase "Si yo fuera rey" en el Nº 8 recuerdan el pasaje de *Marina* en que Jorge, borracho, canta con Roque. La música refuerza el planteamiento maniqueísta de la obra, haciendo que el espectador tome partido a favor de Genaro y en contra del Marqués.

¡Si yo fuera rey! logró un gran éxito, recogido por la crítica del momento. Para *La Iberia* (19-X-1862), "la música de esta zarzuela, cuyo asunto por lo fantástico da campo a buenas situaciones, ha contribuido a levantar la buena reputación de que ya gozaba en el mundo musical su joven autor, señor Inzenga. Adolece de algunas reminiscencias, pero tiene indisputable mérito, y hay piezas, que por cierto se hicieron repetir entre ruidosos aplausos, que descubren los buenos conocimientos del señor Inzenga, que con su última obra ha justificado ser un maestro digno de la estimación del público".

Fuentes manuscritas. Una partitura incompleta (TL-694), y los materiales de orquesta (1610) se conservan en el archivo de la SGAE en Madrid.

Ediciones de música. Canto y piano, ed. Florencio Lahoz, Madrid, CM, [1863].

Ediciones del libreto. Madrid, Imp. J. Rodríguez, 1862.

BIBLIOGRAFÍA: *HZ*; R. Sobrino: "José Inzenga", *Cuadernos de Música*, Madrid, SGAE, 1992; —: "José Inzenga, ¿un zarzuelista fracasado?", *Actualidad y futuro de la zarzuela*, Madrid, Alpuerto, 1993.

RAMÓN SOBRINO

Sicalipsis. El *Diccionario de la lengua castellana* define el término como "malicia sexual. Picardía erótica". Joan Coromines en su *Diccionario etimológico*, fecha la aparición del término en 1902 y propone una curiosa etimología desde luego muy improbable. Sicalipsis vendría del griego sykon (vulva) y aleiptikos (que sirve para frotar, excitar). Era el término usado para definir lo "subido de tono" según la moral de la época de comienzos del siglo XX, fuese verde, erótico o pornográfico. Según Martínez Olmedilla el origen del término procede del editor catalán Ramón Sopeña quien en una publicación de un

Helena Cortesina
(Foto: Franzen; Ar. ICCMU)

lujoso "portfolio del desnudo" mandó poner unos pies con fuerte poder de reclamo, "algo sicalíptico". En realidad quería decir "apocalíptico", pero Félix Limendoux encargado de inventar los citados "pies", se dio cuenta del poder del "lapsus" que fue inmeditamente asumido por los medios de comunicación para definir lo "subido de tono". Otra teoría relaciona la palabra con "epilépticas", que era como se denominaba en Francia a ciertas cantantes de *varietés* debido a su exagerada gesticulación, cantantes que tuvieron éxito en la Barcelona de finales de siglo. Retana señala que es la obra *Enseñanza libre* la que, en diciembre de 1901 lanza la palabra sicalipsis, para definir la vertiente erótico pornográfica del nuevo género chico.

El término sicalipsis también se utiliza para denominar la perversión del género chico en género ínfimo, mediante el erotismo y se manifiesta con furor en los primeros años del siglo XX. La exhibición cada vez más descarada del cuerpo femenino, total o parcialmente desnudo, es un factor a tener en cuenta como elemento adyacente de los diversos espectáculos del momento. Como consecuencia de la decadencia de los libretos, las intérpretes son cada vez más visuales y menos actrices. El que canten mejor o peor es, después de todo, secundario, porque lo fundamental no era la voz, ni la música, y menos la dramaturgia, sino sus encantos físicos. A partir de 1901 en que vuelven con fuerza las *varietés*, el movimiento fue cada vez más difícil de parar desde el momento en que los empresarios comenzaron a traer artistas de Europa, básicamente de Francia, mucho más liberalizadas que las hispanas.

Más allá de lo anecdótico, lo "sicalíptico" fue un condimento de una buena parte de los platos líricos de comienzos de siglo, eso sí, usado en distintas proporciones, especialmente en el género ínfimo, la revista, las variedades y la opereta. La sicalipsis significaba un filón comercial en unos momentos en los que la "ley de la taquilla" era fundamental y por supuesto el uso del cuerpo femenino como espectáculo, y por ello, como objeto dramático. La sicalipsis es, también, una respuesta a la liberación de costumbres que se inicia con el siglo, fruto de la mutación profunda que se está dando en la época e, indudablemente, un producto de consumo masculino que también circulaba en Europa. Ya en 1894 había aparecido desnuda la actriz Divan Fayouau en la obra *Le coucher d'Yvette*, aunque el primer *strip-tease* tuvo lugar una año antes en 1893 en el Moulin Rouge, lo que implicó el procesamiento de la artista. En España el origen de la utilización del cuerpo femenino como espectáculo teatral, con el fin de atraer al público masculino, proviene del género bufo de Arderius y sus "suripantas". El fenómeno asume una dimensión importante con el género ínfimo, cuando se convierte en lo que Serge Salaün denomina "cuerpo-negocio" o "cuerpo-mercado" y es visto con los peores calificativos desde los códigos morales del momento. Mariano de Cavia las llama, "tiples de las de veinte duros, coche, beneficio libre, préstamos intercalados en el texto, habanos para su señor padre y Anís del Mono para su señora tía".

La primera mujer que se presentó desnuda en España fue Helena Cortesina en el estreno de *El príncipe Carnaval* de Calleja y Lleó en el Reina Victoria. Los primeros desnudos se habían visto en 1900 en el Salón Japonés, que fue cerrado por la autoridad, por atentado contra la moral. Entre 1897 y 1901 en los teatros Madrid, Apolo y Eslava, se va imponiendo el erotismo escénico que tuvo como primeros resultados *Enseñanza libre* y *El género ínfimo* y que tendrá continuación en obras más directamente sicalípticas como, *San Juan de Luz* de Arniches y Jackson Veyán con música de Torregrosa y Quinito Valverde, *El arte de ser bonita* con música de Vives, *La gatita blanca* y *La conquista del marido* de Foglietti y *El triunfo de Venus* de Chapí. El teatro Eslava pasa a ser el nuevo templo de la sicalipsis y allí se estrenan *Apaga y vámonos* de Jackson Veyán con música de Lleó; en el Price se estrenaron *La diosa del placer,* prohibida por el gobernador, y *Venus salón* con su famosa machicha, *Las grandes*

cortesanas de Quinito Valverde y Carlos Fernández-Shaw y Ramón Asensio. *El Mundo* escribe que el gobernador de Madrid quería obligar a la empresa del teatro Eslava a que pusiera en sus carteles una advertencia que diga: "¡Sólo para hombres!". El periódico afirma que "Eslava, sin mujeres, no ya en el escenario, sino en el público, es negocio muerto"; y culmina asegurando que "mientras las determinación sea no más que esta de ahora, la integridad de Eslava y las palmas a las curvas están perfectamente garantizadas".

Escena de Los jardines del pecado *de Francisco Alonso*
(Foto: Revista de Espectáculos, *1933; Ar. ICCMU)*

La sicalipsis estuvo protagonizada por una serie de actrices famosas: María López Martínez en *Enseñanza libre* intérprete del "Tango del morrongo", Carmen Andrés, Úrsula López, María Luisa Labal, Teresita Calvó, Rosario Soler, Paquita Correa y Julia Fons "la reina de la sicalipsis" en *La gatita blanca,* y tuvo vida no sólo en las obras teatrales sino también en las varietés donde la parte fundamental es la canción que pasará a las cupletistas del momento y que se toma frecuentemente de las obras más famosas del género ínfimo: el "Tango de los lunares" de *El género ínfimo* que interpretaba Isabel Brú; el ya citado "Tango del morrongo" de *Enseñanza libre*; el "Vals de la regadera" de *La alegre trompetería*; "El pai-pai" de *El perro chico*, etc. Parecidas realidades se dan, aunque con mayor valor musical, en algunas operetas.

La explosión de la sicalipsis y de las varietés fue tan grande que se impuso incluso al cine, aunque después del entusiasmo inicial por la novedad que implicaba, suscitó el enojo del público debido a sus locales muy rudimentarios, y a la mala calidad de los materiales y la nada fiable industria eléctrica con los numerosos cortes de luz. Esto tuvo como consecuencia, en muchos casos, la sustitución de los salones cinematográficos por los templos de la sicalipsis.

Algunos de los títulos más representatives de este subgénero en Cataluña, son *El Be negre*, y *El Papitu Sentpere*. La primera obra, con música de Parera y libreto de P. de Vilanova, es calificada por sus autores como revista políglota, 1918. En la línea de la sicalipsis, la revista contiene escenas de destape y repetidas referencias eróticas, y al mismo tiempo contiene sátiras políticas y sociales. El libreto está repleto de alusiones a la política y a la sociedad de su época, junto con momentos donde la única alusión es a la sicalipsis y a los números de "desabillés". Otro título representativo de esta tendencia en el ámbito catalán, es *El Papitu Sentpere*, con música de J. M. Torrens y libreto de Joaquín Montero. Denominada como "Semanario barcelonés", esta revista barcelonesa fue muy popular. Tomaba nombre del popular semanario satírico barcelonés *Papitu*, revista con una importante sátira política y social, que acabó evolucionando hacia un humor erótico, manteniendo casi siempre una ideología de izquierdas. Una parte importante de este semanario eran la serie de couplets, que se publicaban en ediciones populares sin música, y cuyos títulos dan una idea del contenido de la revista: "La cançó de la raspa", "Serenada apache", "Dale al manubrio", y otros monstruos similares, en los cuales se aprovechaban músicas populares a las cuales se cambiaba la letra por temas populares, de temática picante, cuando no soez.

La sicalipsis tuvo vida no sólo en Madrid y Barcelona, sino en todas las ciudades españolas, con más o menos fuerza, aunque decayó considerablemente a partir de 1910. Sin embargo, tuvo una segunda época de reactivación que coincidió con la Segunda República. Ya la Dictadura de Primo de Rivera supone la vuelta de lo sicalíptico sobre todo a través de las denominadas revistas visuales que marcaron el apogeo de las mujeres desvestidas. Se introducen formas con soportes nuevos que ya no son sólo teatrales, como las fotos, el cine, el cuplé, el music-hall, e incluso el disco. *Véase* GÉNERO ÍNFIMO; ZARZUELA.

BIBLIOGRAFÍA: *HGZ*; A. Retana: *Historia de la canción española*, Madrid, Tesoro, 1967; S. Salaün: *El cuplé (1900-1936)*, Madrid, Espasa Calpe, 1990.

EMILIO CASARES RODICIO

Sierra, Benito M. Sevilla, siglo XIX; ?, siglo XX. Tenor. Realizó sus estudios musicales en Sevilla, completándolos con el maestro Tolosa. Su amplia voz le hizo iniciarse en la ópera que hubo de abandonar por dificultades económicas. Debutó en Sevilla en un concierto y cinco años más tarde volvió a Sevilla como tenor de una compañía que llevaba *Marina* en su repertorio. Otros títulos con los que destacó fueron *¡Si yo fuera rey!* y *El amor de los amores*. De nuevo con *Marina* se hallaba en 1929 en el teatro Payret de La Habana.

BIBLIOGRAFÍA: F. Cuenca: *Teatro andaluz contemporáneo. 2. Artistas líricos y dramáticos*, La Habana, Maza, 1940.

Mª LUZ GONZÁLEZ PEÑA

Sierra de la Cantolla [Cuerno de la Centolla y Sierra], Eusebio. Santander, 1850; Madrid, 19-II-1922. Poeta, periodista y autor cómico. Llegó a Madrid para realizar los estudios de Derecho, o de Medicina, según algunas fuentes, estudios que abandonó para dedicarse al periodismo y la literatura. En una autobiografía en verso publicada en *El Liberal* en 1894, aclara que fue el Derecho lo que lo trajo a Madrid. Redactor de *El Solfeo* y *El Liberal* de Madrid, tuvo a su cargo en este último la sección "A vuela pluma" que se hizo muy popular. Colaboró en periódicos humorísticos como *El Garbanzo*, *El Cohete* o *Jaque Mate*. A su vuelta a Santander, 1905, dirigió *La Atalaya*. Fue presidente de la Asociación de la Prensa. Escribió y publicó poesía lírica.

La mayor parte de su producción dramática está constituida por zarzuelas, siendo un importante cultivador del género lírico, sobre todo del chico, triunfando con títulos como *La caza del oso o El tendero de comestibles*, Apolo, 1891, muy maltratado por la crítica pero aplaudido por el público, con música de Chueca, al igual que *De Madrid a París*, *Covadonga*, con música de Bretón, 1901, *Blasones y talegas* de Chapí en el mismo año, o *San Antonio de la Florida* de Albéniz, 1894. *Véase* La caza del Oso; COVADONGA; DE MADRID A PARÍS; SAN ANTONIO DE LA FLORIDA.

BIBLIOGRAFÍA: *CDE*; *DAT*; *TLE*; J. Yxart: *El arte escénico en España*, Barcelona, Imp. de La Vanguardia, 1894.

Mª LUZ GONZÁLEZ PEÑA

Sigler, José. ?, 1864; Madrid, 21-IX-1903. Barítono, pianista, compositor y escritor. Su vocación literaria inicial se vio interrumpida por la muerte de su padre. Comenzó entonces su dedicación a la música, para la que tenía gran facilidad, actuando como pianista de café. Ingresó en el Conservatorio para estudiar canto y posteriormente se presentó como barítono especializado en zarzuela. Hizo su debut oficial en 1884 en el teatro de Recoletos con gran éxito, dado que su magnífica voz entusiasmó a un

José Sigler (Foto: Carrillo y García; E:Bit)

público poco acostumbrado a escuchar verdaderos cantantes en teatros del género chico. En 1900 estrenó *La tempranica* de Gerónimo Giménez y en 1901 *La barcarola* de Fernández Caballero, que obtuvo un gran éxito, siendo una de las piezas más apreciadas el dúo que Sigler cantaba con Lucrecia Arana. En diciembre de 1901 estrenó en la Zarzuela *Los timplaos* de Gerónimo Giménez de nuevo con gran éxito.

Desde entonces se dedicó a este género y también a la zarzuela grande, paseando su voz por diversos teatros de Madrid como Príncipe Alfonso, Maravillas, Felipe, Apolo, Eslava, Zarzuela y otros. El número de estrenos realizados a lo largo de su corta vida fue impresionante: *Mazzantini* de Isidoro Hernández, Recoletos, 1884; *Perico el aragonés* de Justo Blasco, Recoletos, 1884; *Bordeaux* de Joaquín Viaña, Felipe, 1888; *La tiple* de Giménez, Martín, 1889; *Buñuelos* de Caballero, Eslava, 1889; *Dos chicos en grande* de Tabaoda, Martín, 1889; *Las niñas desenvueltas* de Giménez, Martín, 1889; *El estudiante de Maravillas* de Giménez, Maravillas, 1889; *Las hijas del Zebedeo* de Chapí, Maravillas, 1889. En la década de los noventa estrenó *Los empecinados* de Brull, Príncipe Alfonso, 1890; *Amores nacionales* de Miguel Marqués, Eslava, 1891; *El castañar* de Marqués, Tívoli, 1892; *Retolondrón* de Joaquín Valverde, Tívoli, 1892; *La manta zamorana* de Caballero, Zarzuela, 1892; *La señá Manuela* de Apolinar Brull, Tívoli, 1892; *El cervecero* de Valverde, Tívoli, 1892; *El húsar* de Andrés Vidal y Llimona, Eslava, 1893; *Las varas de la justicia* de Nieto, Eslava, 1893; *Mujer y reina* de Chapí, Zarzuela, 1895; *Botín de guerra* de Bretón, Zarzuela, 1896; *La viejecita* de Caballero, Zarzuela, 1897; *El país de la cucaña* de Romea *Un tío modelo* de Saco del Valle, Zarzuela, 1897; *El saboyano* de Caballero, Príncipe Alfonso, 1898; *El señor Joaquín* de Caballero, Zarzuela, 1898; *La guardia amarilla* de Giménez, Zarzuela, 1899; *El pregonero de Riosa* de Taboada, Zarzuela, 1900; *Comediantes y toreros o La Vicaría* y *El barbero de Sevilla* de Nieto y Giménez Zarzuela, 1901; *¡Viva la libertad!* de Álvarez del Castillo, Eslava, 1909; *La granja de los amores* de Pascual Marquina, Novedades, 1909.

Durante mucho tiempo fue una de las primeras figuras del género lírico por su hermosa voz y excelente escuela, teniendo el privilegio de estrenar obras de tanta envergadura como *La Dolores* de Bretón, 1895. Se dedicó también a la composición de zarzuelas y en el archivo de la SGAE se conservan varias de sus creaciones.

OBRAS (Todas en E:Msa): *La Barbiana del Sotobanco*, Jug, 1 act, l, P. Gay, est, 2-III-1883, Madrid; *La patria del turrón*, quisicosa, 1 act, col. L. Conrotte, l, L. Bringas, est, 23-XII-1883, Madrid; *Magia blanca*, pasillo cóm, 1 act, col. L. Reig, l, C. Navarro / J. de Burgos, est, 23-VI-1886, Te. Recoletos; *Los tomadores*, Sai, 1 act, l, J. Viera / A. Fanosa, est, 4-V-1889, Te. Martín; *Nacarina o La reina de las aguas*, Zarz, 1 act, col. L. Conrotte, l, E. Arango / E. Asensi, est, VIII-1891, Madrid; *La cuadrilla del cojo*, Zarz cóm, 1 act, l, V. de la Vega, est, 26-VI-1897, Te. Zarzuela; *Camino del viaducto*, Sai, 1 act; *Chavea*, 1 act, l, E. Ayuso; *Cuadros disolventes*, Zarz, 1 act, col. L. Conrotte, l, T. de Asensi; *Llegar a tiempo*, 1 act, col. L. Conrotte, l, E. Navarro Gonzalvo; *Los modelos*, Zarz, 1 act, l, V. de la Vega / J. Arqués; *Nan Kon Kin*, 1 act, l, J. Zaldívar.

BIBLIOGRAFÍA: *HGZ*; *TLE*; Córcholis: "Memorias íntimas del teatro. José Sigler", *Nuevo Mundo*, 508, 1-X-1903.

EMILIO CASARES RODICIO

Silva, Cayetano. San Carlos (Uruguay), 1868; Argentina, 1920. Compositor e instrumentista. Hijo y nieto de esclavos, desde su infancia mostró importantes condiciones para la música y recibió sus primeras lecciones en su ciudad natal. Allí formó parte de la banda de la localidad. Tras una estancia en Montevideo, actuó como director de bandas de algunos regimientos argentinos en Buenos Aires, Rosario,

Cayetano Silva (Foto: Ar. SGAE)

Venado Tuerto y Santa Fe. En esta última ciudad ejerció la docencia en un conservatorio fundado por él. También dirigió orquestas en los teatros.

Escribió la música de *Canillita*, sainete de Florencio Sánchez. Pero fundamentalmente se lo recuerda por haber realizado la *Marcha patriótica de San Lorenzo*, que se popularizó como una de las canciones patrióticas más significativas de Argentina.

MARTA LENA PAZ

Silva, Teresita [Teresa Penella Silva]. Valencia, ?; Madrid, I-1960. Tiple cómica. Hija del compositor Manuel Penella. Una de las mejores tiples cómicas de su generación, cuyo trabajo se desarrolló especialmente en la zarzuela si bien hizo alguna incursión en la revista y la comedia. Trabajó mucho con Luis Sagi-Vela con el que se presentó en 1946 en el madrileño teatro de la Zarzuela con *Mambrú se va a la guerra*, opereta de Dotras Vila, que se había dado a conocer en el teatro Principal de Barcelona en 1945, obra que alternó con lo más destacado del repertorio, en las que Teresita hacía verdaderas creaciones, y estrenó *Matrimonio a plazos* de Juan Quintero, 1946. También en el teatro de la Zarzuela participó la temporada 1954-55 en el estreno del musical americano *Al sur del Pacífico* –primero de este género que se dio a conocer en España–, con

Teresita Silva
(Foto: Ar. Emilio G. Carretero)

Sagi-Vela, bajo la dirección de José Tamayo. Tras finalizar las actuaciones de esta obra, formó su propia compañía de comedias compartiendo cabecera del cartel con Antonio Martelo, con el que estuvo unida sentimentalmente, presentándose en Madrid en el teatro Cómico para hacer a continuación una gira por todo el país. En 1960 regresó al teatro de la Zarzuela, como segunda figura de la compañía de Celia Gámez, junto a la que había de estrenar *La estrella trae cola*, 1960, antología de los mejores números de la estrella argentina. Para su presentación, Teresita se sometió a un severo régimen de adelgazamiento –al parecer sin el debido control médico– y unos días antes del estreno, falleció. De sus papeles se hizo cargo la actriz-cantante Tony Soler. *Véase* PENELLA RAGA, MANUEL

BIBLIOGRAFÍA: E. García Carretero: *Historia del teatro de la Zarzuela de Madrid*, Madrid, Fundación la Zarzuela Española, 2003.

EMILIO GARCÍA CARRETERO

Silva Aramburu, José. Madrid, 7-V-1896; 8-VII-1960. Dramaturgo. Estudió la carrera de Derecho y trabajó en el Ayuntamiento de Madrid compaginándolo con la creación literaria. Fue poeta y articulista de periódicos como *La Tribuna*, *El Mundo* y *La Esfera*, entre otros. Sus cualidades dramáticas se fundamentan en el gran ingenio que poseía, unido a su facilidad para crear situaciones cómicas, a través de la parodia, un estilo caricaturesco y el astracán. Los subtítulos de sus obras dan una clara idea de la mera intención de entrener de sus obras de género lírico: *Chamberí por Hortaleza*, parodia lírico bufa, guía popular de Sama, 1927; *Cha-ca-chá*, investigación cómico-lírica de Font de Anta, 1929; *La cama*, tradición familiar de Font de Anta, 1930, junto a operetas, revistas, sainetes y zarzuelas, que conforman una larga lista de títulos, escritos casi siempre en colaboración de otros autores del género lírico y cuyos estrenos se extendieron hasta los años treinta del siglo XX. En 1919, con Antonio Paso hijo, estrenó *La señorita Tenorio* de Eduardo Fuentes. Se trataba de una parodia de *Don Juan Tenorio* de Zorrilla, denominada por sus autores como "Ensayo general de la testamentaría, en dos actos, seguido de otro como consecuencia, en verso bufo con algunas escenas en prosa", que por sus hilarantes situaciones obtuvo una excelente acogi-

da. Quizás el mayor éxito de público y crítica fue el estreno en 1924 de *La leyenda del beso*, zarzuela escrita con Antonio Paso hijo, y con música de Reveriano Soutullo y Juan Vert. El reconocimiento del público fue unánime tanto por el libreto, como por la música. Otros éxitos obtenidos con el género recién importado fueron las revistas *¡Con el pelo suelto!* de José Padilla, estrenada en 1933, y cuyos méritos residían por igual en la gracia del libreto, como en el lujo de la presentación y la vistosidad de los intérpretes. Lo mismo ocurrió con la fantasía musical *De Cuba a España*, escrito en colaboración de Joaquín Gasa y con música de Augusto Algueró. Uno de sus últimos estrenos, esta vez en solitario, fue *Se ha perdido una vedette* de Dotras Vila, estrenada en Barcelona en 1939. Además de los colaboradores y músicos ya citados, José Silva colaboró en sus obras con José L. Mayral, Francisco de Torres y Enrique Paso en la letra, y con Celestino Roig, José Forns, Francisco Alonso y Ruiz de Azagra en la parte musical.

BIBLIOGRAFÍA: *CTLBN; DMEH; EDL; TA*.

OLIVA G. BALBOA

Silvestre, María. España, siglo XX. Actriz. Trabajó en el teatro Fontalba donde estrenó *Los naranjales* de Balaguer y *Paca la telefonista o El poder está en la vista* de Enrique Daniel, ambas en 1930.

Mª LUZ GONZÁLEZ PEÑA

Silvestre, Ramón. España, siglo XX. Actor. Participó en el estreno de *Los claveles* de Serrano en el Fontalba de Madrid en 1922. En 1923 estrenó en el teatro del Duque de Servilla *El cortijo de "Las Matas"* de López Quiroga.

Mª LUZ GONZÁLEZ PEÑA

Silvestre, Vicentita. España, siglos XIX-XX. Tiple. Trabajaba en el Circo de Parish a finales del siglo XIX y allí estrenó en 1899 *La cara de Dios* de Chapí y en 1900 *La cortijera* ambas de Chapí. En 1903 estrenó *Hidalguía rústica*, que era la traducción de *Cavalleria rusticana*, y *Su Alteza Imperial* de Vives y Morera en el teatro Price; en 1905 en la Zarzuela presentó *La vara de alcalde* de Tomás Barrera, *Lysistrate* de Lencke, 1917, y *El amor de los amores*.

BIBLIOGRAFÍA: *HGZ*.

Mª LUZ GONZÁLEZ PEÑA

Simón, Vicente. Zaragoza, 10-XII-1899; Madrid, 12-I-1963. Tenor. Se educó como infantico del Pilar y miembro del Orfeón de la ciudad. Se inició como barítono pero su voz pasó posteriormente a la cuerda de tenor. Marchó a Barcelona donde estudió con Concepción Callao, Adela Marra y Luis Canalda. Con una voz flexible, de gran belleza, se pre-

Vicente Simón y Selica Pérez Carpio (Foto: Cámara en Nuevo Mundo, *1930; Ar. ICCMU)*

sentó en Madrid en 1929, con *Noche de verbena* de Vives. A partir de entonces se convirtió en una primera figura de la lírica. Estrenó en España *La Dolorosa* de Serrano, que interpretó a lo largo de su vida unas 1400 veces. Estrenó en la Zarzuela en 1930 *El ruiseñor en la huerta* de Leopoldo Magentí, y cantó *Luisa Fernanda*. Durante la República cantó, alternando con Fleta, *Doña Francisquita* y *La Picarona*. Una de sus mejores creaciones fue *Molinos de viento*. Grabó varias zarzuelas con el sello La Voz de su Amo, Montilla, y también las romanzas y dúos del repertorio más popular, como *Luisa Fernanda*, *La chulapona*, *La tabernera del puerto* y *La Dolorosa*.

FONOGRAFÍA: *Alhambra*, Blue Moon BMCD 7549; *Alma de Dios*, Zafiro-Salvat 1021-1 • Zafiro ZOR-130 185 (184a); *El cantante enmascarado*, Blue Moon BMCD 7549; *El divo*, Blue Moon BMCD 7549; *El renegado*, Blue Moon BMCD 7549; *El romeral*, Blue Moon BMCD 7549; *La alegría de la huerta*, Montilla FM-35 • Zafiro-BMG EPFM-257 • Zafiro-BMG FM-125 • Zafiro ZOR-164 187 (186a) LM 3007 C; *La chulapona*, La Voz de su Amo DA 4252, OKA 312 OKA 313; *La del manojo de rosas*, Odeón 184365 a 184367, SO 8776 a SO 8781 • Blue Moon BMCD 7514; *La Dolorosa*, Gramófono AF 379, CN 1118 CN 1117; *La moza que yo quería*, Blue Moon BMCD 7549; *La tabernera del puerto*, La Voz de su Amo DA 4253 DA 4254, OKA 315 a OKA 318; *La viuda alegre*, Blue Moon BMCD 7531; *Los claveles*, La Voz de su Amo GY 381 a GY 384, ON 578 a ON 580, ON 587 a ON 590, ON 598 • Blue Moon BMCD 7510; *Los de Aragón*, Columbia-Salvat 1010-1 • Zafiro ZOR-164 186 LM-3007-C; *Éxitos de zarzuela. Vol I*, Zafiro ZOR-168; *Fragmentos favoritos de zarzuela*, Zafiro-Montilla MS-520.

BIBLIOGRAFÍA: J. Martín de Sagarmínaga: *Diccionario de cantantes líricos españoles*, Madrid, Fundación Caja Madrid-Acento Ed., 1997.

LUIS G. IBERNI

Simonetti, Lorenzo. España, siglos XIX-XX. Tenor y profesor. Su primera dedicación fue la ópera, que ya cantaba en Barcelona a finales del siglo XIX. Estrenó *La Dolores* de Bretón en 1895 en el teatro de la Zarzuela, con gran éxito. En 1899 estrenó *Curro Vargas* de Chapí en el Circo de Parish, puesto en escena y dirigido por Miguel Soler. A esta zarzuela de Chapí y a la ópera de Bretón debe Simonetti gran parte de su éxito. En 1907 de nuevo se encontraba en la Zarzuela cantando ópera, esta vez *El regimiento de Arlés* de Donizetti. En 1910 estrenó *La muñeca* de Audran, junto a Antonia Arrieta en el Circo de Price. En cuanto a zarzuela llevaba en su repertorio prácticamente todos los títulos de zarzuela grande: *Marina*, *El dominó azul*, *Jugar con fuego*, *Los diamantes de la corona*, *La bruja*, *La tempestad* y *El valle de Andorra*, entre otras muchas. Cuando dejó de cantar abrió una academia de canto en la que tuvo ilustres discípulos, Ángeles Ottein y Ofelia Nieto entre ellos.

BIBLIOGRAFÍA: *OCCE*.

LUIS G. IBERNI

Lorenzo Simonetti y Antonia Arrieta en La muñeca *(Foto: Alfonso en* El Teatro, *1910; Ar. SGAE)*

Simons, Moisés [Moisés Simón Rodríguez]. La Habana, 24-VIII-1889; Madrid, 28-VI-1945. Compositor y director de orquesta. Inició sus estudios musicales con su padre, el vasco Leandro Simón Guergué. Su precocidad musical le permitió iniciarse a los doce años como director de orquesta de compañías líricas infantiles que actuaban en el Irijoa –posteriormente Martí– y otros teatros de la capital, así como en teatros del interior del país y en diferentes centros sociales. En 1902, aún sin los estudios requeridos, comenzó su actividad como compositor, creando inicialmente obras de carácter religioso, línea que pronto abandonó para dedicarse a la creación de pequeñas zarzuelas. Dos años después cursó estudios de composición, armonía, contrapunto y fuga con Ignacio Tellería, Fernando Carnicer y Felipe Palau, que amplió más tarde con José Mauri en las especialidades de forma e instrumentación. A los diecisiete años fundó su propia orquesta con la que amenizaba las tandas y variedades de algunos teatros; y en 1908 ocupó el puesto de dirección de la orquesta del teatro Martí, asumiendo los estrenos de diversas comedias musicales de Ernesto Lecuona. Debido a las capacidades demostradas en este importante quehacer y por su labor creativa, despertó el interés de Vicente Lleó, quien lo contrató para que dirigiera la orquesta del teatro Payret, donde actuaba su compañía de zarzuela y opereta. Esto dio pauta para que iniciara sus primeras giras internacionales por México, República Dominicana, Puerto Rico y otros países de América Central. En 1913 compuso su primera opereta, *Deuda de amor*, con libreto de Fermín Samper, en tres actos, estrenada por la Compañía de Esperanza Iris el 3 de febrero de ese mismo año en el teatro Albisu, alcanzando gran éxito. En 1928, y por recomendación de Amadeo Roldán, colaboró con Alejo Carpentier en un espectáculo que se estrenó en Madrid sobre música popular cubana, creando su obra *El manisero*, a propósito de un texto con décimas y guarachas del siglo XIX que hiciera el destacado escritor, y que requiriera de un pregón intermedio para separar dos escenas. La misma fue interpretada con gran éxito por Rita Montaner, alcanzando en poco tiempo gran fama internacional. En 1929 llegó a Nueva York, donde fue recibido como Mr. Peanut, por lo inmensamente popular de su obra en aquella ciudad. A fines del siguiente año, mientras Lecuona, contratado en Hollywood por la Metro Goldwyn Mayer ponía música a la película *The Cuba song*, cuyo tema musical debía ser, precisamente, el famoso pregón de Simons; éste, por su parte, estrenaba en Madrid su comedia *Niña Mersé*, con gran éxito de público y de crítica. Precisamente

Moisés Simons (Foto: O. Urfé / Museo Nacional de la Música de Cuba)

por esa época, el compositor, comenzando por España, realizó un periplo por diferentes países de Europa, entre ellos Francia, Alemania e Inglaterra. En la década de 1930 presentó varias de sus zarzuelas y operetas, siendo algunas de estas últimas estrenadas en París. Tal es el caso de *Toi c'est moi*, en dos actos y doce cuadros, con libreto en francés de Henri Duvernois, siendo recibida con gran éxito, en el teatro de las Bouffes Parisiense, el 18 de octubre de 1934, y con la que dio a conocer a las que más tarde fueron estrellas cinematográficas: Simone Simon y Ginette Leclerc. Con igual resonancia, en 1936 estrenó en el teatro de París la opereta *Le chant des Tropiques*, en la que tomaron parte Jean Sablon y Roger Bourdin de la Gran Ópera, la soprano Helene Regelli y el cantante cubano Antonio Machín, que debutaba en esta obra interpretando, precisamente, el siempre exitoso *El manisero*. De esta opereta es su también famosa canción *Cubanacán*. Radicado en Francia durante los años de la Segunda Guerra Mundial, le sorprendió la ocupación nazi en los momentos en que componía una nueva opereta, *Passez Muscade*, con libreto de Simon Gautillon. Fue así como en 1940 fue recluido en un campo de concentración nazi, adjudicándosele una procedencia judía. Tras múltiples vicisitudes y con la ayuda de familiares y amigos, pudo, finalmente, regresar en 1942 a su país natal, enfermo y en situación económica poco favorable. A unas pocas semanas después de su llegada, dirigió la orquesta del teatro América, recibiendo una gran ovación por parte del público. No obstante, fueron escasas las perspectivas durante aquellos años en La Habana, lo que le hizo emigrar a España donde

estrenó en Madrid y Barcelona su ya célebre opereta *Toi c'est moi*, en una versión de Federico Shaw en español. Falleció cuando se disponía regresar a Francia para reestablecer allí su residencia.

Su producción de música escénica, sobresaliente en la creación de zarzuelas, operetas, revistas y entremeses, legó una importante obra, rica en los géneros y ritmos de la música popular cubana, impregnada de un sello de verdadera originalidad y que logró imponer más allá del ámbito nacional.

OBRAS: *Un vizcaíno en las Antillas*, Ent l, J. Zarasquista, est, 4-III-1910, Te. Martí; *Se soltó el loco*, Ent, l, A. Garrido, est, 18-III-1910, Te. Martí; *Blanca Rosa*, l, E. Castro, est, 29-III-1910, Te. Martí; *Aleluya en el colegio*, Ent, 1 act, l, E. Reinoso, est, 8-IV-910, Te. Martí; *Soy el diablo o El negrito de Belén*, Ent, l, A. Garrido, est, 17-IV-1910, Te. Martí; *¿Cuál es mi padre?*, 1 act, l, E. Reinoso, est, 19-IV-1910, Te. Martí; *Timbirao en garrote*, procesamiento cóm-criminal, 1 act, l, A. Ledesma, est, 26-IV-1910, Te. Martí; *El viaje de Pepián*, Pas cóm-lír, l, E. Reinoso, est, 23-VIII-1910, Te. Martí; *La tiradora*, Jug cóm-lír, 1 act, l, A. Bazi, est, 8-VII-1911, Te. Alhambra; *Deuda de amor*, Opt, 3 act, col. G. Roig, l, F. Samper, est, 3-II-1913, Te. Albisu; *Entre rosas*, Com-lír, l, F. Velazco, est, 10-VIII-1914, Te. Payret; *Cuba en España*, Fant lír, 1 act, l, J. Capella, est, 15-IX-1914, Te. Payret; *El pescador de coral*, Zarz, 1 act, l, J. Capella / A. Nan de Allaniz, est, 23-X-1914, Te. Martí; *1914*, Rv, 1 act, col. D. Ortiz, l, J. Elizondo / J. Capella, est, 31-XII-1914, Te. Martí; *La cueva de los mochuelos*, l, G. Navarro, est, 1914; *¿Habla usted inglés?*, Vo francés, l, R. de Lauría, est, 10-IV-1915, Te. Martí; *Lord Lister*, Zarz, 1 act, col. G. Roig, l, F. Velasco, est, 19-VI-1915, Te. Martí; *La República Española*, Rv, l, M. Valdés Codina, est, 25-VIII-1915, Te. Martí; *El 1915*, Rv, 1 act, col. Micelli, l, J. Necoechea, est, 31-XII-1915, Te. Martí; *El hombre del cheque*, Zarz, 1 act, l, A. Pous, est, 25-VIII-1916, Te. Payret; *Salón Pous*, Rv, 1 act, l, B. Sánchez Maldonado, est, 12-IX-1916, Te. Payret; *Sol de Cuba*, Zarz, 1 act, l, J. de Luis / T. Rodillo, est, 3-X-1916, Te. Molino Rojo; *Delirio de grandeza*, Zarz, l, H. de la Ventosa, est, 13-X-916, Te. Molino Rojo; *Contrabando de guerra*, Zarz, col. G. Roig, l, H. de la Ventosa, est, 20-X-1916, Te. Molino Rojo; *Sueño de talismán*, Fant, 1 act, l, A. de Malas, est, 3-XI-916, Te. Molino Rojo; *Los polvos de carey*, Zarz, 1 act, l, A. Bronca, est, 10-XI-1916, Te. Molino Rojo; *Amor con gasolina*, Zarz, l, M. de Luis, est, 17-XI-1916, Te. Molino Rojo; *La vuelta de la zona*, Zarz, 1 act, l, A. Bronca / J. de Luis, est, 1-XII-1916, Te. Molino Rojo; *Cogiendo caracoles*, Zarz, l, R. de Lauría, est, 12-I-1917, Te. Molino Rojo; *¿Quién será el alcalde?*, Hum, l, J. J. López, est, 23-X-1922, Te. Martí; *Más alegre que la viuda*, Pas de Opt, l, S. Acebal, est, 3-VI-1924, Te. Martí; *Ni dinero, ni timbales*, Zarz, 1 act, col. J. Payas, l, R. de Lauría, est, 10-X-1924, Te. Nacional; *El carácter cubano*, Apr, l, A. Castells, est, 30-XII-1924, Te. Martí; *El dinamismo de Carlos Miguel*, Sai-Rv, 1 act, col. H. Montiagudo, l, G. Sánchez Galarraga / A. López / E. Brillas / T. Hernández, est, 2-III-1928, Te. Actualidades; *El diamante verde*, Zarz, est, 4-VIII-1928, Te. Regina; *La boda roja*, Zarz, 1 act, est, 30-VII-1929, Te. Payret; *Niña Mersé*, Com, l, A. Torres del Álamo, est, 14-III-1931,

Te. Calderón; *El pescador de carey*, Zarz, 1 act, 1 prólogo, l, J. Capella, est, 10-VI-1932, Te. Martí; *Toi c'est moi*, Opt, 2 act, l, H. Duvernois, est, 8-X-1934, Te. Bouffes Parisiense; *Le chant des Tropiques*, Opt, est, 1936, Te. de París; *Passez Muscade*, Opt, l, S. Gautillon, 1939; *La consigna*, l, G. De Mello; *Cocoricó*, Opt franc, 1 act, l, J. Elizando / Abella, inc; *La feminista*, l, J. J. López; *El hilo de la vida*; *Menéndez*, l, J. J. López; *Senda de amor*, l, F. Samper.

BIBLIOGRAFÍA: C. Muñoz Alburquerque: *Moisés Simons Rodríguez. Centenario de su nacimiento (1889-1989)*, La Habana, Imp. Dirección de Información, Ministerio de Cultura, 1989.

CLARA DÍAZ PÉREZ

Sirvent, Andrés. España, siglos XIX-XX. Barítono. En 1896 estrenó en el teatro Gran Vía de Barcelona *Cuba para España* de Conti. En 1905 estaba en el Apolo donde estrenó *El iluso Cañizares* de Valverde y Calleja; en 1908 en el Eslava estrenó *Mayo florido* y *La carne flaca* de Lleó, y *La corte de los casados* de Lleó y Foglietti. En 1909 en el teatro Novedades *La fundición* de Foglietti; en 1910 en el Gran Teatro *Ideal japonés* de San José y *El alma del querer* de Vives y Barrera; en 1911 en el teatro Principal de Barcelona *Els Zin-calós* de Vallmitjana y en 1912 en el teatro Avenida de Buenos Aires *El arroyo* de Foglietti.

Mª LUZ GONZÁLEZ PEÑA

Sirvent Llinares, Adolfo. Alcoy (Alicante), 2-II-1894; Caracas, 23-V-1973. Tenor. Comenzó sus estudios en la Capilla de Santa María de Alcoy y recibió lecciones del tenor Lamberto Alonso en Valencia. Debutó con *La favorita* en el teatro del Bosque de Barcelona. Entró como partiquino en la compañía de Anselmi y pasó después como segundo tenor a la compañía de ópera Fionti-Viñas. Marcos Redondo le oyó cantar y le dio una oportunidad. Estuvo en Italia sin lograr éxito y de regreso a España estrenó *Marianela* de Pahissa. Cantó en el Liceo de Barcelona, volvió a Italia y pasó por Alemania donde grabó romanzas de ópera. Debutó en el teatro San Carlos de Nápoles con *La bohème*, pero una serie de alteraciones vocales que terminaron en una operación quirúrgica le apartaron de la ópera. Se enroló en la compañía de Pablo Gorgé para realizar una gira por España e Hispanoamérica, alternando zarzuelas como *Marina* y *La tempestad* con óperas como *Aida* y *Tosca*. Pasó después a la compañía de José Serrano con la que cantó *La Dolorosa* y en 1933 le llamó Sorozábal para estrenar *La isla de las perlas*. Con la Guerra Civil salió de España con la compañía de Manuel Penella con la que estrenó en el teatro Colón *Don Gil de Alcalá*, para actuar después con Hipólito Lázaro en diversos países hispanoamericanos.

BIBLIOGRAFÍA: *OCCE*.

Mª LUZ GONZÁLEZ PEÑA

Sixto, Encarnación. Morón (Sevilla), 1887; ?, siglo XX. Tiple. Debutó en Jerez de la Frontera can-

tando zarzuela, se trasladó después a Madrid y desde ahí recorrió el norte de España en la compañía de Carmen Domingo. Con la compañía de Arturo León y Paco Terriza recorrió las principales ciudades andaluzas y con Rafael Guzmán llegó al teatro Albisu de La Habana. De ahí pasó a Buenos Aires y otros países hispanoamericanos, regresando a Cuba, esta vez al teatro Martí. Se casó con el barítono José Valle y juntos cantaron las zarzuelas más famosas del momento, sobre todo *Gigantes y cabezudos*, siendo un gran triunfo para ambos. En 1906 actuaba en el teatro Pignatelli de Zaragoza junto a Consuelo Taberner. En 1904 estrenó en el teatro Cervantes de Sevilla *La ventana del jazmín* de Julián Vivas. En 1907 formaba parte de la compañía de Eugenio Casals que abandonó en diciembre para ir a actuar al teatro Tívoli de Barcelona. En 1929 estrenó en la Zarzuela *El niño me retira* de Rafael Calleja junto a su marido y su hijo. *Véase* VALLE, JOSÉ.

BIBLIOGRAFÍA: F. Cuenca: *Teatro andaluz contemporáneo. 2. Artistas líricos y dramáticos*, La Habana, Maza, 1940.

Mª LUZ GONZÁLEZ PEÑA

Sobejano, Carmen. España, siglos XIX-XX. Tiple. Actuó en la Zarzuela y luego en el Apolo. Se casó con el primer actor Casimiro Ortas. Su gran triunfo lo obtuvo con el tango flamenco de la zarzuela *Venus-Salón*. En 1902 estrenó en el teatro Lírico *La visión de Fray Martín* de Gerónimo Giménez y fue contratada después por el teatro de la Zarzuela. En 1906 estrenó en la Zarzuela *Aires nacionales* de Calleja y Caballero. En 1907 actuaba en el Tívoli de Barcelona. En 1915 la contrató el teatro Apolo donde estrenó en temporadas sucesivas *La cómica* de Eysler, *La estrella del Olimpia* de Calleja y *El nido del principal* de Bru y Vela. Al año siguiente estrenó *El preceptor de Su Alteza* de Rafael Millán y *La patria de Cervantes* de Foglietti y en 1917, *Mantequilla de Soria* de Roig. *Véase* ORTAS.

Carmen Sobejano (Foto: Nuevo Mundo, 1902; Ar. SGAE)

FONOGRAFÍA: *Serafín el pinturero*, 100627 (et. azul).
BIBLIOGRAFÍA: *TA*; *El Arte de El Teatro*, 41, 1-XII-1907.

Mª LUZ GONZÁLEZ PEÑA

Sobrinos del capitán Grant, Los. Novela cómico-lírico-dramática en cuatro actos. Música de Manuel Fernández Caballero. Libreto de Miguel Ramos Carrión. Estrenada el 25 de agosto de 1877 en el teatro Príncipe Alfonso de Madrid.

Personajes y reparto. Soledad (Sra. Sarló, soprano). Ketty (Elisa Raguer, soprano). Portera (María Bardán, tiple). Don Marcial Mochila (Ramón Rosell, barítono cómico). Escolástico (Juan Orejón, tenor cómico). Doctor Mirabel (Francisco Arderius, hablado). Sir Clyron (José Escríu, actor). Jaime (Joaquín Manini, barítono). General (José Rochel, tenor cómico). Comandante (J. Jiménez, barítono). Vecina 1ª y 2ª (hablado). Capitán Grant (Ramón Cubero, hablado). Patagón (P. Jiménez, hablado). Posadero (Zacarías Arverás, hablado). Empleado de ferrocarril (hablado). Bandido 1° y 2° (hablado). El capitán del Escocia (hablado). Mozo del molino (hablado). Pescador de coral (hablado). Intérprete (hablado). Marinero 1° y 2° (hablado).

Orquestación. Flautín, flauta, oboe, 2 clarinetes, fagot, 2 trompas, 3 trombones, 2 cornetines, timbal, caja, bombo, triángulo y cuerda.

Argumento. *Acto I. Cuadro 1° "El canuto".* En el patio de una casa de vecindad en Madrid, las vecinas bailan alegremente una mazurca tocada por cuatro murguistas que vienen todas las mañanas desde hace quince días, pagados por Escolástico que está enamorado de Soledad, vecina de la casa. El subteniente retirado Mochila, que vive con una mísera paga, propone un negocio a todos los vecinos para el que deberán aportar medio duro. Todos le toman por loco cuando cuenta que dentro del besugo de Nochebuena encontró un canuto de hojalata con un mensaje indescifrable con el que se puede ganar una fortuna. Soledad le da el dinero por compasión y Mochila le cuenta que la nota viene firmada por un tal Capitán Grant que ha naufragado en la Patagonia y promete una gran recompensa a quien acuda a rescatarlo. Soledad le sigue la corriente y se finge sobrina del famoso capitán, aunque al llegar el noble escocés Sir Clyron y su sobrina Ketty confirman la información y se ofrecen a cubrir los gastos de la expedición. Soledad también convence a Escolástico para que la siga al fin del mundo, sin saber a qué se refiere, haciéndose pasar por su hermano. *Cuadro 2° "A bordo del Escocia".* En el barco rumbo a América, los viajeros madrileños están muy mareados por el continuo oscilar de la navegación. De un camarote sale el despistado doctor Mirabel, que se desmaya al enterarse que se ha equivocado de barco y lleva rumbo a Chile.

Acto II. Cuadro 3° "Viva Chile". En una plaza de Talcahuano (Chile), se celebra el día de la independencia, vestidos con los trajes característicos de su país. Las mujeres fumando cantan un picante tango y todos bailan una alegre zamacueca. Tras la fiesta llegan los expedicionarios y Soledad recrimina a Escolástico el interés que muestra por Ketty. Mochila se desespera porque nadie sabe nada del barco naufragado, pero el doctor Mirabel estudia de nuevo el

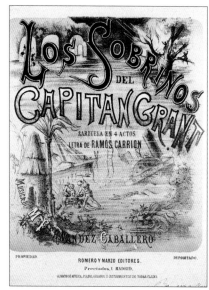

Cortesía de Unión Musical Ediciones SL

confuso mensaje y llega a la conclusión de que el Capitán Grant no se encuentra en la costa sino tierra adentro, prisionero de los indios. Todos parten dispuestos a atravesar los Andes y llegar a las llanuras argentinas. *Cuadro 4° "Vamos subiendo".* En un desfiladero en medio de la cordillera de los Andes, el grupo hace una parada en el penoso viaje para descansar. Un patagón que persigue con su fusil a un cóndor se ofrece para hacer de guía de la expedición. Soledad tiene celos de Miss Ketty y ambas discuten castizamente, comentando la manera de amar en España y en Inglaterra. *Cuadro 5° "A 20.000 pies de altura".* La expedición agotada llega a la cumbre de los Andes, aunque un violento terremoto les lanza rodando montaña abajo. *Cuadro 6° "El cóndor".* Todos caen a las llanuras argentinas, excepto el doctor Mirabel que ha sido capturado por un cóndor que lo lleva por los aires entre sus garras. El patagón dispara, abatiendo al cóndor y el doctor consigue salvarse ya que las alas del ave han hecho de paracaídas. *Cuadro 7° "¡Cuatro tiros!".* En el exterior de un fuerte argentino, un grupo de militares ensayan torpemente el desfile, aguardando la visita del general Archiparraguirreberrigorrigurrea. Unos centinelas traen presos al grupo de expedicionarios, que son juzgados como espías y condenados por él, tras un confuso interrogatorio. Desobedeciendo las órdenes del extravagante general, que se ha alejado del fuerte, el comandante finge el fusilamiento y les deja marchar. *Cuadro 8° "Vida de pájaros".* Las llanuras se han inundado obligando a los viajeros a subirse a las ramas de un gigantesco ombú. El doctor Mirabel se da cuenta que la reconstrucción del mensaje del Capitán Grant estaba equivocada y no está en América sino en Australia. Estalla una fuerte tempestad, un rayo cae en el árbol, que comienza a arder mientras los caimanes les rodean. Todos aterrados se agrupan en el centro, cayendo el telón rápidamente.

Acto III. Cuadro 9° "Un molino en Australia". Tres meses después, un grupo de bandidos australianos, dirigidos por el español Jaime, planean el asalto del tren que lleva el oro de las minas. Llega un grupo de viajeros, que resulta ser la expedición que busca al Capitán Grant, que se salvaron de la inundación al mantenerse en el árbol hasta llegar a su barco. Jaime se hace pasar por el contramaestre del Capitán Grant, con la intención de hacerse con el barco y robarles el dinero. *Cuadro 10° "El tren de las doce".* A una estación rodeada de montañas llegan los viajeros guiados por Jaime para coger el tren con destino al interior del continente. Según se escucha la llamada del mozo de estación, se ve a lo lejos cómo se hunde el puente del tren, lo que complica el viaje ya que deberán continuar a caballo. *Cuadro 11° "La sorpresa".* En el interior de una posada, Jaime engaña a Sir Clyron para que le dé una orden que le permita hacerse con el barco. Cuando Mochila descubre la verdadera identidad del bandido ya es demasiado tarde. *Cuadro 12° "¡Al agua!".* Un pescador de coral informa que el barco que buscan se ha ido a pique tras una pelea; además uno de los que se salvaron le compró una escafandra para bajar al fondo del mar. Mochila le pide otra para intentar recuperar el dinero de Sir Clyron antes que el bandido. *Cuadro 13° "Un drama en el fondo del mar".* Jaime baja por una escala descubriendo entre los restos del Escocia el cofre con las joyas de Sir Clyron. Mochila y el pescador le detienen y según se pelean, un pulpo coge con unos de sus tentáculos a Jaime, arrastrándole hasta hacerle desaparecer.

Acto IV. Cuadro 14° "Prisioneros". Todos han sido apresados por unos maoríes en Nueva Zelanda, a donde han llegado tras naufragar el nuevo barco que compraron para continuar su búsqueda; el doctor Mirabel desapareció en el naufragio. Los indígenas son antropófagos y se disponen a sacrificarlos, aunque Mochila descubre una trampa en el suelo y sigilosamente van escapándose. *Cuadro 15° "La montaña sagrada".* Llegan ante una montaña y los maoríes dejan de perseguirles ya que es un recinto sagrado. Al tirarles una piedra, queda al descubierto el cráter de un volcán, huyendo todos despavoridos cuando empieza a brotar fuego y lava. *Cuadro 16° "El jefe maorí".* El doctor Mirabel ha conseguido salvarse al disfrazarse de maorí y ser tomado por el nuevo jefe. Cuando los perseguidos descubren al doctor, deciden todos escaparse a un islote próximo. *Cuadro 17° "El Capitán Grant".* Finalmente los expedicionarios encuentran al capitán náufrago en el islote, donde vive en una cabaña acompañado de dos monos. Ines-

Escena de Los sobrinos del capitán Grant, *producción de Paco Mir para el Teatro de la Zarzuela, 2002 (Foto: J. Alcántara; Cortesía del Teatro de la Zarzuela)*

peradamente, dice que no desea regresar, ya que le robaron el tesoro hace dos días los maoríes para entregárselo al nuevo jefe. Deciden volver con la tribu para recuperarlo. *Cuadro 18° "El tesoro".* Los maoríes consagran al doctor Mirabel como su nuevo jefe y le entregan el tesoro. Entran varios marineros con los viajeros que lo cogen y salen huyendo hacia un barco que regresa a España.

Números musicales. Acto I: Nº 1. Introducción. Nº 2. Coro de vecinas (Mazurca), "Ya llegó la murga, vamos a bailar". Nº 3. Salida de Mochila, "Soy un hombre que está desesperado". Nº 4. Raconto de Mochila. Mochila, Portera, coro, "¡Vecinos, vecinas! ¡Al patio bajad!". Nº 5. Terceto. Mochila, Soledad, Escolástico, "Vuestro tío se ha salvado". Nº 6. Barcarola. Coro, "Así escuchando de la mar". Nº 7. Final acto I. Coro, "Al pabellón britano debemos saludar". Acto II: Nº 8. Introducción, coro de fumadoras [y Zamacueca chilena]. Coro mixto, "Hoy celebra Chile... Si es en el hombre un vicio el de fumar... Mi corazón a tus pies". Nº 9. Intermedio (instrumental). Nº 10. Dúo de tiple. Ketty y Soledad, "En Inglaterra los amantes". Nº 11. Cabalgata (instrumental). Nº 12. Terremoto [y paso de cóndor] (instrumental). Nº 13. Muerte del cóndor [instrumental] y Coro de soldados. Comandante y coro masculino, "Marchemos de frente con aire marcial". Nº 14. Paso-doble de los gauchos. Coro masculino, Comandante, General, "Viva el General Archiparra...". Nº 15. Mutis del general (instrumental). Nº 16. Mutis de los soldados. Comandante y coro masculino, "Marchemos de frente". Nº 17. Tempestad y final acto II (instrumental). Acto III: Nº 18. Canción y coro de Bandidos. Coro masculino, Jaime, "Aquí nos tienes reunidos... Ya que la ingrata fortuna". Nº 19. Mutación (instrumental). Nº 20. El tren de las doce (instrumental) y coro interno (Bandidos), "En tanto que con gozo repártese el botín". Nº 21. Mutación (instrumental). Nº 22. Vals (instrumental). Acto IV: Nº 23. Introducción y coro (masculino), "Los prisioneros duermen". Nº 24. Banda interna. Nº 25. Coro de Antropófagos. Coro mixto, "Karateté, ratarabaka, bak, baka". Nº 26. Intermedio (instrumental). Nº 27. Mutación (instrumental). Nº 28. Baile final. Todos, "A España ricos ya por fin".

Comentario. *Los sobrinos del capitán Grant* es uno de los grandes éxitos del teatro bufo, una obra que supo unir la espectacularidad con la comicidad y donde la música era un elemento fundamental para la cohesión global. La zarzuela se basa en la conocida novela de Julio Verne, *Los hijos del capitán Grant*, el conocido autor francés que también sirvió como modelo para otras zarzuelas como *La vuelta al mundo*, 1875, de Barbieri y Rogel, otro de los éxitos de la compañía bufa de Arderius. Como señala Robert

Escena de Los sobrinos del capitán Grant, *producción de Paco Mir para el Teatro de la Zarzuela, 2002 (Foto: J. Alcántara; Cortesía del Teatro de la Zarzuela)*

Pourvoyeur, el principal estudioso de la influencia de Verne sobre el teatro, la adaptación de sus historias a la zarzuela era un reflejo de la modernidad y apertura del género, a lo que puede añadirse que era una muestra más de los continuos contactos con lo francés presentes desde sus orígenes. De hecho, la novela era un buen reflejo del espíritu de aventuras e investigación de su época, que despertó el ansia de recorrer el mundo para conocer nuevos y remotos lugares. Lógicamente, el libreto de Ramos Carrión españolizaba la historia original de Verne, despojándola de su lado cientifista y situándola en un contexto cómico: los hijos se convierten en unos falsos y aprovechados sobrinos, el capitán de la expedición en el colérico subteniente Mochila, los mecenas en dos estereotipados ingleses, mientras que el representante de la Sociedad Geográfica es el despistado doctor Mirabel que se une al viaje por error y casualidad. En este sentido, resulta significativo cómo el punto de partida del viaje –las inquietudes científicas de Glasgow– se traslada a una modesta y popular corrala madrileña, con los coqueteos de sus vecinas y las intrigas de sus avispados habitantes, portera incluida. No resulta así extraño que la propuesta de Mochila sea tomada a risa por todos, no despertando ningún interés entre el vecindario. No es tanto un tratamiento superficial del original de Verne, sino de una adaptación al nuevo contexto del espectáculo bufo, donde predomina lo cómico y lo lúdico. De hecho, gran parte del éxito de *Los sobrinos del capitán Grant* estaba en la graciosa pluma de Ramos Carrión, que salpicó el libreto de chistes ingeniosos y acertados, destinados a los prin-

cipales cómicos de la compañía de los bufos, como el propio Arderius, Rossel, Orejón o Cubero.

Otro de los pilares de la producción era el elemento escenográfico, que se presentaba –en un despliegue sin igual en el teatro español de su época– a través de dieciocho variados cuadros, con un total de veintidós decoraciones y más de trescientos trajes y atrezzos. No resulta extraño que un crítico calificase a la zarzuela como un "cosmorama cantable y bailable", ya que siguiendo el viaje en busca del capitán náufrago, se veía sobre la escena la cubierta del barco, una plaza en tierras chilenas, la cordillera de los Andes, una llanura argentina, el país inundado, diversos paisajes australianos –entre ellos una moderna estación de tren rodeada de montañas–, el fondo del mar –ubicación insólita para la época– y varias localizaciones en torno a una tribu maorí neozelandesa. Así, esta obra, podría calificarse como cinematográfica, no sólo por sus numerosos cambios de escenario sino también por la rapidez con que se producen. Las decoraciones fueron realizadas por Giorgio Busato, Bernardo Bonardi y Pedro Valls, en cuyo taller cada uno desarrolló su especialidad, desde la sólida construcción en perspectiva, hasta la pintura de los paisajes o la minuciosidad y el virtuosismo ornamental. De esta manera, como también sucedía en la propia obra, en las decoraciones se unían fantasía y realidad, representando con realismo lugares fantásticos o desconocidos para el público.

La partitura de Caballero contribuía a enriquecer aún más el rico panorama escenográfico de la obra, ofreciendo una gran variedad de registros y estilos. Destaca en primer lugar la amplia presencia de danzas de moda, no limitadas a las danzas europeas popularizadas por el teatro bufo –como la mazurka, el vals o la marcha– sino también a las hispanas como el pasodoble de los soldados argentinos, el sicalíptico tango de las fumadoras, la habanera marinera o la zamacueca chilena, todo un alarde de caracterización que repartía música española por todo el mundo. Detrás de este amplio conocimiento de Caballero del folclore iberoamericano estaba su larga estancia en Cuba entre 1864 y 1871, como lo muestra la inclusión de una zamacueca, danza de origen hispano convertida en nacional chilena, pero completamente desconocida en España. Un buen ejemplo de la genial fusión de elementos internacionales y españoles realizada por Caballero está en el dúo de tiples, Nº 10, donde se contrasta el monótono ritmo de mazurka de la inglesa Ketty con el animado del bolero de la castiza Soledad, fundiéndose ambos al final. Otro de los elementos fundamentales es el estilo cómico bufo, claramente presente en el parlato de Mochila en su salida y racconto, Nᵒˢ 3 y 4, que concluye con un vals coreado, el rossiniano breve terceto, Nº 5, o en las onomatopeyas del coro de antropófagos, Nº 25, recurso característico del género bufo que siempre gozó del favor del público por sus dobles intenciones. A veces la variedad musical surgida de la pluma de Caballero llega a forzar la propia congruencia dramática, como sucede con el hermoso cantable de Jaime, Nº 18, toda un aria de clara factura belcantista italiana, que presenta al bandido como un noble personaje. Recuérdese que con la excepción del barítono Ramón Cubero, el elenco original estaba formado por actores-cantantes, quedando en un plano secundario cualquier exigencia vocal. De hecho, gran parte del numeroso reparto de personajes carece de parte musical. En este sentido, en *El Imparcial* se comentaba con ironía que "el músico [Fernández Caballero] tiene que luchar con las gargantas poco flexibles de las primeras partes de la compañía".

Dentro de la extensa partitura, debe destacarse también la gran cantidad de números instrumentales, con carácter descriptivo y funcional. Muchos sirven para subrayar los cambios escenográficos, dando tiempo a la mutación, aunque otros desarrollan rasgos descriptivos y evocadores. Así la larga travesía por los Andes –que abarca tres cuadros escénicos– está subrayada por cuatro números musicales: un lírico tema que refleja la paz de las montañas, Nº 9, una rítmica cabalgata que termina con un precioso *andante* que sirve para mostrar el vuelo del cóndor, Nº 11, un violento y rápido terremoto que da paso a la caída hacia las llanuras, Nº 12, y la muerte final del cóndor, Nº 13. Los rasgos de tensión, como es habitual, se expresan mediante una armonía cromática apoyada en la ambigüedad de las séptimas disminuidas, como sucede también en la tempestad final del segundo acto, Nº 17, en la caída del puente del tren, Nº 20, donde también se escuchan algunos diseños circulares que describen a la locomotora, o la explosión del volcán, Nº 26. Este largo último número, que sirve a la vez para acompañar la situación escénica y facilitar la mutación al cuadro siguiente, es un claro ejemplo del buen hacer sinfónico de Caballero, que en esta zarzuela tiene ocasión de desarrollar ampliamente.

Los sobrinos del capitán Grant fue estrenada por la compañía de los bufos de Arderius, en una de sus últimas temporadas celebradas en el teatro Príncipe Alfonso. Este amplio local, ubicado en las cercanías del paseo de Recoletos, se había construido como teatro-circo siguiendo el modelo del parisino Circo de los Campos Elíseos, ofreciendo –además de un numeroso aforo– unas grandes posibilidades de representación por su amplio escenario. La crítica censuró con dureza la superficialidad de la obra, no comprendiendo el carácter lúdico del estreno. Así, *El Imparcial* la calificó como "una serie de cuadros deshilvanados, sin plan ni originalidad, ni gracia, y sin otra unidad que la de ser los mismos cinco actores que salen a decir unos cuantos chistes de almanaque o a cantar algunas coplas para dar tiempo a que los maquinistas muden las decoraciones y los coristas varíen de trajes".

Pese a estos duros juicios, la zarzuela constituyó uno de los grandes éxitos del otoño de 1877 alcanzando cerca de ochenta representaciones consecutivas, algunas de ellas en función doble. El entusiasmo que generó se repitió después en el teatro de La Alhambra y en el de la Zarzuela, extendiéndose después por toda España en las largas giras de la compañía bufa, como la de 1881 que llevó la obra por Murcia, Alicante, Valladolid y Burgos, representada según se anunciaba "con todo el lujoso aparato que su argumento requiere", es decir, con todos sus decorados originales, que tuvieron que ser restaurados por su frecuente uso. También tuvo una amplia difusión por toda América, como lo refleja el hecho de que figurase en el repertorio de la compañía de José Palou que hacia 1890 recorrió Cuba, Puerto Rico, Panamá, Perú y Chile. Desde entonces, se ha convertido en una de las zarzuelas más populares, a pesar de que su complejidad escenográfica dificulte su producción, habiéndose establecido la costumbre de representarla durante el período navideño, ya que su vistosidad favorece la asistencia de los niños. *Los sobrinos del capitán Grant*, como la novela original de Verne, ofrece así una obra vistosa y atractiva que siempre gozará del favor del público.

Fuentes manuscritas. Los materiales de orquesta se conservan en el archivo de la SGAE en Madrid (3975).

Ediciones de música. Orquesta, ed. crítica X. de Paz, Madrid, ICCMU, 2002. Canto y piano, Madrid, Cd; Madrid, ICCMU, 2002. Guitarra, Americana, adap F. Cimadevilla, Madrid, UME. Bandurria o mandolina y piano, Zamacueca, adap J. Fernández Alonso, Madrid, Cd. Cuarteto de cuerda y piano, Selección, Madrid, UME. Orquestina, Selección, Madrid, UME. Banda, Selección, Madrid, UME.

Ediciones del libreto. Madrid, Administración Lírico-Dramática, 1880; 4ª ed., 1882; 6ª ed., Madrid, SAE, 1902; Valladolid, Celestino González, 1906; 7ª ed. Madrid, SAE; Madrid, La Novela Teatral, III, 106, 1918; Barcelona, Cisne, 1940?; Ed crítica de Oliva G. Balboa, Madrid, ICCMU, 2002.

FONOGRAFÍA: RP: Victoria 1432.

LP: Dir. Benito Lauret, Sols. Dolores Cava, Mª del Carmen Ramírez, Joaquín Portillo, Luis Villarejo, Coro de Cantores de Madrid, Orq. Sinfónica, Columbia SA, ZCL 1088 y Columbia SA, C 30074 171 [reed. en CD: Alhambra-BMG España WD 75123 (9D)].

BIBLIOGRAFÍA: R. Pourvoyeur: "L'influence de Jules Verne sur la zarzuela", *Bulletin de le société Jules Vernes*, 24, 1972; VVAA: *Ramos Carrión y la zarzuela*, Instituto de Estudios Zamoranos, 1993; E. Casares Rodicio: "Historia del teatro de los Bufos, 1866-1881, Crónica y dramaturgia", *Cuadernos de Música Iberoamericana*, 2-3, 1996-97; J. P. Arregui: "*Los sobrinos del capitán Grant* y su estreno en Valladolid. Algunas consideraciones escénicas", *Cuadernos de Música Iberoamericana*, 2-3, 1996-97; VVAA: *Los Sobrinos del capitán Grant*, programa, Madrid, Teatro de la Zarzuela, 2001.

VÍCTOR SÁNCHEZ SÁNCHEZ

Soirées Fémina. Espectáculo organizado por el empresario Dionisio de las Heras, director del Music-Hall del hotel Palace y representante de las cupletistas y artistas de varietés más en boga en el momento. Los espectáculos de variedades estaban en esa época vedados a las mujeres por su carácter un tanto indecoroso. Dionisio de las Heras propuso llevar ese espectáculo una vez a la semana al teatro de la Zarzuela, dignificándolo de ese modo y dándole un carácter más decente. La asistencia de las mujeres se promovía aún más pues la asistencia de una pareja al teatro suponía la entrada gratis para la señora. La primera representación de estas "Soirées Fémina" tuvo lugar el sábado 1 de marzo de 1923 y comenzó con la representación de *El barbero de Sevilla* de Nieto y Giménez. A continuación La Goya, a quien se debe en gran parte la dignificación del cuplé y las variedades, ofreció lo mejor de su repertorio, seguida de Adelita Lulú y cerrando el espectáculo el baile de Pastora Imperio. En los sábados siguientes continuaron estas sesiones, alternando zarzuelas con entremeses, sainetes o monólogos en la primera parte y actuando en la segunda las cupletistas y bailarinas más famosas del momento como Tórtola Valencia o Amparito Medina, imitadores de estrellas como Ernesto Foliers o Rafael Arcos, e incluso con tiples del teatro de la Zarzuela como Mercedes Salas, lo que explica, quizá, por qué en momentos posteriores tantas tiples de género chico se pasaron al género ínfimo y a las variedades donde se ganaba mucho más dinero.

Mª LUZ GONZÁLEZ PEÑA

Sola, Miguel. Madrid, 8-VIII-1955. Barítono. Hijo de la soprano Fuensanta Sola. Realizó sus estudios en el Real Conservatorio de Música de Madrid terminándolos con el Premio de Honor Fin de Carrera. Ha cantado diferentes géneros, como ópera, oratorio o polifonía. Estrenó el *Cristóbal Colón* de Leonardo Balada en el Gran Teatro del Liceo de Barcelona junto a José Carreras. En el teatro de la Zarzuela ha intervenido, con papeles más o menos relevantes, en diversos montajes tanto de ópera como de zarzuela, entre los que sobresalen *El gato montés*, junto a Placido Domingo, *Pan y toros*, *El niño judío*, *Los sobrinos del capitán Grant* y los que recuperaron obras como *El hijo fingido* de Joaquín Rodrigo, y *Le Revenant* de José Melchor Gomis. En 2002 obtuvo el premio Federico Romero en reconocimiento a su "continuada dedicación al género lírico, combinando con perfecto equilibrio los valores de actor y de cantante", según destacó el jurado.

FONOGRAFÍA: *La Gran Vía*, RTVE-Música 65150; *La revoltosa*, RTVE-Música 65150.

BIBLIOGRAFÍA: E. García Carretero; *Historia del teatro de la Zarzuela de Madrid*, Madrid, Fundación de la Zarzuela Española, 2003.

EMILIO GARCÍA CARRETERO

Soldado, Juan. *Véase* AFÁN DE RIVERA, ANTONIO JOAQUÍN.

Soler. Familia de cantantes españoles compuesta por Manuel, padre, Corina que se dedicó a la ópera, madre, y Almerinda, hija.

1. Soler, Manuel. España, siglo XIX. Tenor. En 1854 se encontraba en Valencia con una compañía de zarzuela, donde seguía en 1856 como tenor principal de la compañía del teatro de la Princesa. Al año siguiente pertenecía a la compañía que estaba en Granada. En 1859 se encontraba en Alicante y al año siguiente estuvo contratado por el teatro Circo junto con José Font como primer tenor; allí estrenó *La cruz del Valle* y *Ardides y Cuchilladas*, 1861, de Antonio Reparaz. Por aquella época era considerado un magnífico tenor y fue contratado junto con Dalmau para la temporada 1862-63 por el teatro de la Zarzuela.

2. Soler di Franco, Almerinda. España, siglo XIX. Tiple. Aparece contratada en 1874 en el teatro Apolo, y en 1877 estrenó en el teatro Español de Barcelona *El sargento Federico*. En ese mismo año fue contratada por el teatro de la Zarzuela como primera tiple presentándose con *El campanero de Begoña* de Tomás Bretón. A partir de entonces estrenó siempre obras de fuertes exigencias canoras como *El santuario del valle*, balada en dos actos de Marqués. En la temporada 1879-80 seguía en el teatro de la Zarzuela y estrenó *El cepillo de las ánimas* de Fernández Caballero en la que era protagonista absoluta, y la primera obra de Chapí en la Zarzuela, *Las dos huérfanas*; a partir de entonces estuvo muy ligada a la figura de Chapí; también estrenó *Las campanas de Carrión* de R. Planquette, *El salto del pasiego* de Fernández Caballero, 1878, y *La guerra santa* de Arrieta, 1879. A finales del 1883 abandonó la Zarzuela. Pasó posteriormente al teatro Apolo en un período en que estuvo dedicado a la zarzuela grande cantando con voces tan destacadas como Bergés y Miguel Soler. En este nuevo período estrenó *El milagro de la Virgen* de Chapí, 1884, obra de grandes exigencias canoras y pensada para su voz, y *El guerrillero*, 1884. En la década de los ochenta y noventa era considerada una de las más destacadas voces de zarzuela y estrenó *El reloj de Lucerna* de Marqués. También en

Almerinda Soler Di Franco (Foto: Colección Castellano; E:Mn)

este teatro estrenó obras de otros autores como *San Franco de Sena* de Arrieta, 1883. En 1885 regresó al teatro de la Zarzuela para estrenar *El regalo de boda*, drama lírico de Miguel Marqués, y ya en 1886 estaba de nuevo integrada en el elenco del teatro como primera tiple donde interpretó *La tempestad* de Chapí y sobre todo *La bruja*, 1887, del mismo autor. En 1891 seguía en la Zarzuela estrenando obras como *El rey que rabió*, *La choza del diablo* de Fernández Caballero, *Los Mostenses* de Chapí. *Véase* DI FRANCO.

BIBLIOGRAFÍA: *HGZ; HZ.*

EMILIO CASARES RODICIO

Soler, Enriqueta. España, siglo XX. Tiple. Participó en algunos estrenos de Francisco Alonso como *La calesera*, Zarzuela, 1925, *La reina del directorio*, Zarzuela, 1927, y *La picarona*, Eslava, 1930.

Mª LUZ GONZÁLEZ PEÑA

Soler, Isidro. España, siglos XIX-XX. Tenor. Estrenó en 1888 *La panadera* de Alberto Cotó en el teatro Eldorado de Barcelona. A finales del siglo XIX fue contratado por el teatro Apolo de Madrid y allí estrenó *La virgen del mar* de Rubio y Catalá, 1889; *El mesón del sevillano* de Estellés y *El señor Luis el tumbón o Despacho de huevos frescos* de Barbieri, 1891; *La procesión cívica* de Marqués, *El robo de la calle del gato* de Estellés y *El titirimundi* de Valverde, 1893; *¡Al santo, al santo!* de Valverde y *El guirigay* de San José, 1894; *Al fin se casa la Nieves* de Bretón, *San Antonio de la Florida* de Albéniz, *Los inocentes* de Estellés, *El cabo primero* de Caballero y *La sobrina del sacristán* de Giménez, 1895; *Las mujeres* de Giménez y *Las escopetas* de Valverde y Estellés, 1896; *Los buenos mozos* de Chapí, 1899; *El gatito negro* de Chapí, 1900; *El siglo XIX* de Montesinos y *Jaque a la reina* de Eladio Montero, 1901; *El puñao de rosas* y *La venta de Don Quijote* de Chapí, *La torre del oro* de Giménez, 1902; *El tirador de palomas* de Vives, 1903. En 1907 estrenó en el Cómico *Los falsos dioses* de Torregrosa. En 1908 y 1909 estuvo contratado por el Gran Teatro de Madrid donde estrenó *Toros en Aranjuez* de Nieto y *Las bandoleras* de Torregrosa, 1908, y *El abrazo de Vergara* de Cereceda, 1909. En 1911 estrenó en el teatro Cómico *Gente menuda* de Quinito Valverde.

BIBLIOGRAFÍA: *TA.*

Mª LUZ GONZÁLEZ PEÑA

Isidro Soler
(Foto: Valentín Gómez; Ar. SGAE)

Soler, Manuel. *Véase* SOLER.

Soler, Rosario. Málaga, siglos XIX-XX. Tiple y bailarina. Era conocida en México con el sobrenombre de "La patita". Debutó como tiple de género chico en pequeños papeles en Málaga, de cuyo teatro Vital Aza su hermano era conserje. Realizó su debut mexicano en el teatro Principal en septiembre de 1896 con la compañía Arcaraz, cuando fue descrita como "muy joven y muy guapa, y muy *salerosa*; con dos ojos como dos avispas, con una voz pequeña, muy pequeña, casi insignificante, pero que brotaba de una boca como flor de granado bordada de perlas; graciosa, graciosísima meciéndose en las provocativas ondulaciones del baile flamenco...". Durante los siguientes años, la Soler fue una de las reinas del escenario mexicano de zarzuela y opereta. Debía su apodo al "dúo de los patos" de *La marcha de Cádiz*, zarzuela que estrenó en 1897 y que fue descrita

Rosario Soler
(Foto: Comedias y Comediantes, 1910; Ar. ICCMU)

por Olavarría como "campo de victorias de Rosario Soler... dándose por innegable hecho que nadie podría superarla en ese papel". Para su beneficio del mismo año, la Soler ofreció una sonada función con cuatro títulos de género chico: *La marcha de Cádiz, El cabo primero, Los dineros del sacristán* y *La tonta de capirote*. En 1897 su participación en *La viejecita* de Fernández Caballero le valió muchos elogios. A pesar de la gran admiración por la cantante, el público mexicano cambiaba fácilmente de gusto y apenas un año más tarde aplaudía frenéticamente a tiples como Fernanda Rusquella o Luisa Obregón y formando partidos de "soleristas" y "obregonistas", causa de más de un escándalo y motivo de repetidos disgustos para las dos tiples, según apunta Olavarría. En 1898 los obregonistas obsequiaron a la Soler con una silba y gritos que la hizo caer entre bastidores presa de un ataque de nervios, en la misma función en que unas tablas se incendiaban en el teatro, provocando una huída en estampida, robos y escenas de pánico que Olavarría simplemente resume como "cosas de las tandas". Al día siguiente, los obregonistas repitieron sus ceceos y la Soler hubo de ser sacada en brazos del escenario consiguiendo con ello su separación de la compañía Arcaraz. Entonces, la tiple emprendió una gira por otras ciudades del país donde triunfó, alejada de los vaivenes del público *tandófilo*. En 1899, la Soler regresó a la capital como "primera tiple del género flamenco y moderno español" de la compañía Macedo Osoro

Rosario Soler (Foto: M.P.; Ar. SGAE)

que en el teatro Arbeu competía con la empresa Arcaraz Hermanos. El público recibió calurosamente a la artista y al parecer todo el escándalo del año anterior quedó en el olvido. Su desempeño en el papel de Regina en *La fiesta de San Antón* fue reconocido como un papel "que dijo con mucha alma y expresión, y cantó con tierno sentimiento". Esa misma temporada con *MariJuana* la tiple confirmó su regreso definitivo a las tandas mexicanas. Además, su participación con una compañía rival de la de Arcaraz le valió ejercer un cierto control en las tareas de la compañía Macedo-Osoro, al grado de que se le describió entonces como semi-empresaria, pues controlaba en buena medida los papeles cantados por otras tiples dentro de la compañía. En 1900 volvió a ser contratada por la empresa Arcaraz. Al presentarse en *La buena sombra*, "fue recibida entre confeti, serpentinas, aplausos y *dianas*, pero no sin que se echase de ver que algo había perdido del dominio absoluto de que disfrutó en los días del estreno de *La marcha de Cádiz*". En junio de ese año incursionó brevemente en la ópera como Musetta en *La Bohéme*, pero su pequeña voz no le permitió ninguna esperanza en ese género; terminó el año representando *El estreno* de los hermanos Quintero al lado de la joven Esperanza Iris.

En 1901 "La patita" se despidió del público mexicano con una función de *La marcha de Cádiz*. En distintos periódicos la cantante publicó una carta dirigida a su público que decía: "Debiendo salir de México y no debiendo volver a trabajar en esta capital, por ahora, creo un deber de gratitud al despedirme del público mexicano, hacer presente a todos mi agradecimiento por su benevolencia para conmigo durante cuatro años... Mucho debo al público mexicano, pero mi gratitud es tan grande que no podrá borrarse de mi alma mientras viva".

Regresó a España y se trasladó a Milán para estudiar canto. A su vuelta, Rafael Calleja la contrató para el teatro de la Zarzuela donde interpretó *Venus-Salón* y *El mozo crúo* de Calleja y Lleó, representada en el teatro Cómico con gran éxito, sobre todo por el "Tango del cangrejo". En 1904 estrenó *Gloria pura* de Lleó y Calleja, que fue la única obra de la temporada, junto a *Bohemios* que alcanzó éxito. En 1907 interpretó *Cinematógrafo Nacional* de Giménez, donde

hacía la "diosa del tango" y cantaba con gran intención un número picaresco que alborotaba diariamente al auditorio. En *Sangre moza* de Quinito Valverde hizo muy popular el pregón de "la ditera". En 1908 la crítica acusó el fracaso de *Los ojos negros* de Calleja, si bien la tiple fue igualmente aclamada. Más adelante, en la temporada 1908-09 estrenó en el Apolo *Las bribonas* de Calleja y Viérgol, sacando al teatro de la crisis que venía padeciendo en esos años en que el Cómico y el Eslava acaparaban los triunfos. La inspirada música de Calleja, el texto de Viérgol, pero sobre todo la simpatía, popularidad y gracia de Rosario Soler se aunaron para conseguir un grandioso triunfo, alcanzando la mayor popularidad los tientos que cantaba Rosario Soler. Por el Apolo desfiló el todo Madrid para contemplarlas a ella y a María Palou. En 1909 estrenó, junto a Joaquina Pino, *El método Górritz*. En 1910 obtuvo otro triunfo resonante con el pregón de *El poeta de la vida*, estrenada en el Gran Teatro. Fue una de las más populares intérpretes de la Mari Pepa de Chapí. Estrenó la última obra de Fernández Shaw con música de Calleja, *La niña de los caprichos* que no triunfó.

Su popularidad llegó a tales cotas que la revista *Nuevo Mundo* en 1910 incluía entre sus "Asuntos culminantes de la semana", junto al atentado contra Maura, la expulsión que la cantante había sufrido el 22 de julio del templo del Pilar de Zaragoza por llevar un traje en que la manga sólo llegaba hasta el codo, según la fotografía publicada por el semanario. La estrella de Rosario comenzó a declinar cuando Calleja la desplazó en su repertorio por otra tiple, Paquita Correa, que estrenó *La tierra del sol* y con la que el compositor se casó, por lo que Rosario dejó Madrid instalándose en México donde triunfó por largos años en el teatro Principal y Arbeu, pasando en 1910 a formar parte de la compañía del teatro Principal, de la misma capital, donde se volvió a presentar con *Sangre moza* y *La buena sombra*. No permaneció por mucho tiempo en México y en 1911 regresó a Madrid y realizó una brillante campaña en el Gran Teatro, de la que se hacía eco la prensa especializada y ocupaba la portada de *Nuevo Mundo* el 28 de abril de ese año; poco después estrenaba *El país de las hadas,* donde el "Tango del aguacate" alcanzó una gran popularidad. *El niño judío* de Luna fue la última obra que representó. En 1912 proyectaba marchar a Estados Unidos como canzonetista, pero no hay constancia de que llevase a cabo sus propósitos. Según algunos autores como Retana, se retiró a Málaga y allí murió, aunque Francisco Cuenca opina que se retiró a México. Rosario Soler es considerada como una de las intérpretes más destacadas del género chico.

BIBLIOGRAFÍA: *HGZ; RHTM;* M. Mañón: *Historia del teatro Principal de México,* Ed. Cultura, México, 1932, F. Cuenca: *Teatro andaluz contemporáneo. Artistas líricos y dramáticos,* La Habana, Maza, 1940.

RICARDO MIRANDA / EMILIO CASARES RODICIO

Soler di Franco, Almerinda. *Véase* SOLER.

Soler García, Miguel. Alicante, 1851; Alicante, 6-IX-1922. Bajo y director de escena. Estudió con Alfonso Fons e inició la carrera en su ciudad natal en cuyo teatro Principal a comienzos de los años setenta interpretaba *Pan y toros* de Barbieri y *Marina* de Arrieta. Continuó su carrera en Valencia, donde adquirió un gran nombre, de manera que fue invitado por Ramos Carrión y Chapí para que se hiciera cargo de la Compañía titular del teatro Apolo de Madrid en 1883. Allí participó en la reposición de *El molinero de Subiza* de Oudrid, *Catalina* y *El juramento* de Gaztambide; se hizo famoso su Rebolledo de *Los diamantes de la corona* y el Pascual de *Marina*. Ya desde entonces era considerado el mejor bajo dedicado a la zarzuela. En 1883 se volvió a formar una gran compañía en el Apolo con voces como Bergés, Almerinda Soler di Franco y el propio Soler con el fin de presentar zarzuela grande. Se estrenaron *San Franco de Sena* de Arrieta y *El reloj de Lucerna* de Marqués, dos grandes éxitos, y *El milagro de la Virgen* de Chapí. Su fama ya era grande en 1884 como se refleja en el *Madrid Cómico* del 23 de marzo en que junto a la caricatura de Cilla aparecían estos versos de Sinesio Delgado: "Lo confieso sin rebozo: / No comprendo sin trabajo / Cómo es Soler tan buen mozo / Siendo además tan buen bajo". Soler siguió realizando estrenos tan importantes como *La bruja* de Chapí, 1887. En 1898 puso en escena *Curro Vargas* de Chapí y Dicenta y en la edición de la obra los autores testimoniaron su agradecimiento a Soler no sólo como actor sino como director de escena.

En 1900 era director de la compañía del teatro de Novedades donde puso en escena, interpretando uno de los papeles, *El ciudadano Simón*, que se mantuvo en cartel un tiempo gracias a la música de Manrique de Lara; en esa misma temporada preparaba el estreno de la zarzuela de Tomás Bretón *Covadonga*, cuya puesta en escena, trajes e interpretación fueron muy aplaudidos. Interpretó el papel de Cervantes en *La venta de Don Quijote* de Chapí en 1902 en Apolo, teatro del que era, a la sazón, director de escena y tanto en su papel de actor como en el de cantante y director recibió los mayores elo-

Miguel Soler en La venta de Don Quijote *de Ruperto Chapí (Foto: El Teatro, 1903; Ar. SGAE)*

gios en esta obra. Intervino en la obra escrita para las Pascuas de 1902 *El rey mago* de Chapí y en *El terrible Pérez*, Apolo, 1903. Fue muy alabada su puesta en escena de *La reina Mora* de Serrano y los Quintero. En 1904 estrenó en el teatro Moderno *La borracha* de Chueca con la compañía Chicote-Prado y con la misma compañía estrenó *El golpe de Estado* con música de Giménez y Vives en el teatro Eslava en 1906. Ese mismo año en la temporada veraniega formaba parte de la compañía del Gran Teatro contratado por la empresa de Arderius. En 1907 se encontraba dirigiendo la compañía de zarzuela de Enrique Beut que realizaba una gira por provincias y así actuó en el teatro Principal de Santander, teatro-Circo de Zaragoza, y otros escenarios, con un repertorio que incluía *La reina Mora*, *La fiesta de San Antón*, *La tempestad*, *Curro Vargas* y *El húsar de la guardia*. A partir de entonces se retiró a Alicante, donde siguió realizando actividades relacionadas con la zarzuela y siendo muy admirado, de manera que el Ayuntamiento le dedicó una de las calles centrales de la ciudad.

BIBLIOGRAFÍA: *HGZ; OCCE, TA; MIHA*, 17, 25-VIII-1899.

EMILIO CASARES RODICIO

Soler Hubert, Federico [Serafí Pitarra]. Barcelona, 1839; Barcelona, 1895. Poeta y dramaturgo. Premiado en diversos Juegos Florales en Barcelona y nombrado Mestre en Gay Saber. Mucho más conocido por su seudónimo, escribió más de un centenar de obras. Su producción lírica está escrita en catalán y se estrenó en diversos teatros catalanes como el Tívoli, Novedades y Odeón y se extiende entre 1864 y 1874: *L'esquella de la Torratxa* y *Lo pla de la Boquería o Lo rovell del ou* con música de Joan Sariols; *Si us Plau per forsa* de Antonio Gordón; *L'últim rey de Magnolia* y *Els pescadors de Sant Pol* de Teodoro Vilar; *La rambla de las flors* de J. Serra y *La festa del barri, Els estudiants de Cervera, A posta de sol, La fira de Sant Geni, Lo moro Benani* y *Lo sacristá de Sant Roch*, todas con música de Nicolau Manent. *Véase* A POSTA DE SOL; EL CASTELLS DELS TRES DRAGONS; L'ESQUELLA DE LA TORRATXA; ELS ESTUDIANTS DE CERVERA; EL PUNT DE LES DONES.

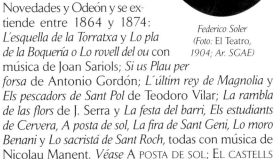

Federico Soler (Foto: El Teatro, 1904; Ar. SGAE)

FRANCES CORTÈS i MIR

Soler Samsot, Iscle. Barcelona, 5-V-1843; Tarrassa, 27-I-1914. Actor. Su padre, orfebre de oficio, era un gran aficionado al teatro. Después de trabajar en el taller de su padre, Iscle Soler recibió clases en el Ateneo barcelonés, con Víctor Balaguer y con Manuel Angelón, de declamación y oratoria. En 1864 entró a formar parte de la compañía del teatro Odeón, encomendándosele el estreno de *L'esquella de la Torratxa*, en la que desempeñó el papel de Grabat. Su amistad con Frederic Soler, y con otro gran actor de su época, Lleó Fontova, y el hecho de estrenar la mayor parte de las gatadas de Soler, le convirtieron en el actor más estimado. Enric Borràs dijo que había encontrado en I. Soler a uno de sus maestros. Para Santiago Rusiñol, crear un papel pensando en que sería interpretado por Soler era sinónimo de éxito seguro. En 1908 se retiró de la escena. A diferencia de Conrat Colomer, otro actor de la época, Soler no participó con intensidad en las representaciones zarzuelísticas, en las que en cambio frecuentaban Pepeta Mateu, Eduard Mollà o Joaquín Torres. Sí que marcó en cambio un modelo a seguir en cuanto a interpretación.

FRANCES CORTÈS i MIR

Solís Rivadeneira, Antonio. Alcalá de Henares (Madrid), 1610; Madrid, 1686. Historiador y dramaturgo. Estudió en Alcalá y después en Salamanca, donde se graduó en Derecho. Fue secretario del conde Oropesa –virrey de Navarra y más tarde de Portugal– y el desempeñó el cargo de oficial de la Secretaria de Estado nombrado por Felipe IV. Su labor como historiador le proporcionó un destacado reconocimiento, en especial gracias a su obra *Historia de la conquista de México*. Solís es considerado como uno de los seguidores más destacados de Cal-

derón. Cultivó diversos géneros, como los entremeses *Un bobo hace ciento*, 1622, o *El niño caballero*, 1658; las comedias *Eurídice y Orfeo*, con música de Antonio López, 1642, y *Abrir el ojo*, con música de Serqueira, 1685; y sobre todo las zarzuelas *Las amazonas*, 1655 y *Triunfos de amor y fortuna*, en la que colaboró con el compositor más importante de música escénica de la época, Juan Hidalgo, 1658. Sus obras se representaron para los reyes en la corte, en ocasión de celebraciones especiales, con música de algunos de los músicos encargados de la música teatral.

BIBLIOGRAFÍA: *DMEH*; L. K. Stein: *Songs of Mortals, Dialogues of the Gods. Music and Theatre in Seventeenth-Century Spain*, Oxford, Clarendon Press, 1993.

JUDITH ORTEGA

Solves, Mari Carmen. Valencia, siglo XX. Tiple ligera. A pesar de su fugaz carrera, es recordada como una de las mejores "Marinas" y "Francisquitas" de todos los tiempos. Por su matrimonio con el tenor Octavio Álvarez emparentó con familia de grandes artistas y cantantes y así es nuera de Conchita Bañuls y cuñada de la soprano Pilarín Álvarez y el barítono Antón Navarro, en cuya compañía actuaba el año 1954. Anteriormente había trabajado con la formación Ases Líricos y posteriormente con la compañía Tomás Bretón que en los primeros años sesenta dirigía escénicamente Rafael Richart, uno de los más aventajados discípulos de José Tamayo. A principios de los setenta el matrimonio Álvarez-Solves abandonó los escenarios retirándose a tierras levantinas.

EMILIO GARCÍA CARRETERO

Somni de l'Innocència, El. Zarzuela en un acto. Música de Urbano Fando. Libreto de Conrat Colomer. Estrenada el 5 de junio de 1895 en el teatro Jardín Español de Barcelona.

Personajes y reparto. Innocència (Rosa Castillo, soprano). Quitèria (Josefa Mateu, soprano). Don Pompeyo (Conrat Colomer, barítono). Señor Palaudàries (Joaquín Montero, tenor). Ernesto (Emili Huerva, tenor).
Orquestación. Flautín, flauta, oboe, 2 clarinetes, fagot, 2 trompas, 2 cornetines, trombón, fliscorno, timbales y cuerda.

Argumento. Innocència, hija de Don Pompeyo, un rico fabricante, ha anunciado su compromiso con Palaudàries, y lo están celebrando bailando sin parar toda la mañana. Ella padece una somnolencia constante: se duerme en todas partes. Ni tan solo quiere dar una fecha para la boda, necesita descansar; Palaudàries cree que no le ama lo suficiente. Innocència, en el fondo una hija de papá, está indecisa, y pide consejo a la cocinera Quitèria, que sólo vive de fantasías de novelas. Mientras duerme, Innocència pronuncia el nombre de Ernesto, el protagonista de una novela. Pompeyo, que la oye, lo confunde con el nombre de un empleado suyo, el meritorio de confianza. Decide interrogar a Quitèria sobre los supuestos amores de su hija. Quitèria cree que Pompeyo le pregunta sobre sus relaciones con Genís, y al responder con evasivas crea un equívoco. Don Pompeyo riñe a Ernesto, y éste supo-

ne que la bronca es por haber perdido un vale de mil pesetas. Palaudàries, que había regresado para saber si Innocència daba por fin una fecha para el enlace, se encuentra con el embrollo, y da por sobreentendido que ella ama en verdad a Alfredo Llinosa, un antiguo pretendiente; se marcha enojado. Al quedar solos Innocència, Ernesto, Don Pompeyo y Quitèria se aclara el enredo; Don Pompeyo sale en busca de Palaudàries para aclararlo y rehacer el compromiso. Pero realmente, existe algo entre Ernesto e Innocència: él la besa y ella descubre que a quien ama en verdad es a Ernesto. Llega su padre con Palaudàrias, ella fingirá que duerme, y cita en voz alta a Alfredo Llinosa, su amor. Palaudàries vuelve a salir descompuesto, jurando venganza. Al final, el padre consiente la boda de su hija con Ernesto, después que éste ha encontrado por casualidad el vale.

Números musicales. Preludio. Nº 1. Innocència, Quitèria, Palaudàries, Don Pompeyo, "Quin moment més agradable". Nº 2. Instrumental. Nº 3. Dúo. Inocencia y Ernesto, "Ara veig lo que són les coses". Nº 4. Ernesto, Innocència, Don Pompeyo, Palaudàries.

Comentario. *El somni de l'Innocència* fue una de las zarzuelas de más éxito de Conrat Colomer, quizá la que alcanzó mayor número de representaciones, a parte de la adaptación del vodevil francés *Ki-ki-ri-ki*. Su estreno se enmarca en uno de los momentos álgidos de la zarzuela catalana, las obras asainetadas estrenadas en el teatro del paseo de Gracia, Jardín Español, entre los años 1893 y 1895. *Lo somni de la Ignocència* –título con el que se representó– alcanzó las cien representaciones en una temporada. Joaquín Montero participó en su estreno; de ahí que cuando volviera a Barcelona en 1913 y se estableciera en el Paralelo volvió a poner en escena esta obra de éxito de su maestro, Conrat Colomer.

Musicalmente, al igual que el argumento, tiene pocas pretensiones, aunque su factura sea correcta y un excelente ejemplo de la música de zarzuela entonces dominante. En ella son evidentes la influencia de las piezas bailables de procedencia francesa, y del vodevil, pero sin lugar a dudas también se percibe la influencia de los sainetes de Bretón y Chapí, excluyendo los elementos más casticistas. Las melodías son cantables bastante afortunados, y fácilmente reconocibles, lo que contribuyó a su rápida popularidad. Un ritmo de vals abre la obra, con una estructura biseccional; en la segunda parte se encuentra un tema melódicamente extenso. El primer número de conjunto se desarrolla a tiempo de polka, con una melodía basada en células rítmicas anacrúsicas, estables, y con una estructura poliseccional próxima al rondó. El dúo, Nº 3, presenta un tema más cantable, con modulaciones al VI grado rebajado, en la primera sección, seguido de una segunda parte rápida en ritmo binario. Realmente, estos son los números con un tratamiento más extenso y esmerado desde el punto de vista musical, ya que el último consiste en una introducción instrumental seguida de rápidas intervenciones de los cantantes, imitando siempre el mismo modelo rítmico y melódico.

El somni de l'Innocència se inscribe en el conjunto de sainetes líricos finiseculares que incluyen lo que Ramón Barce llama el folclore urbano como un elemento constitutivo. La música de baile llega al iniciarse la obra, al oírse desde lejos un piano tocando un bailable. Palaudàries e Innocència entran en escena bailando una polka, y cantando: "Qué momento más agradable! / Qué placer es el del baile! / De dar vueltas y tintineos / no me cansaría jamás". El baile representa un atributo de juventud y de amor; Pompeyo al verlos exclama: "Al mirarlos como lo giran / llenos de amor y de ilusión / saltaría y bailaría / en la punta de un punzón". Además, la obra esconde dentro de su simplicidad una transgresión social: Innocència pertenece a la burguesía, al igual que su pretendiente Palaudàries; sus quehaceres le inspiran tedio: tocar el piano, asistir al teatro... parece incapaz de tomar decisiones. Ernesto es un simple trabajador que no se distingue por nada en especial, no sobresale ni en franquear el correo, su trabajo de más compromiso. Su unión con Innocència, rompiendo las barreras sociales, se produce de forma fortuita, casi tan hedonista como puede ser balancearse durante el baile. Palaudàries en ningún momento, salvo en el baile, controla ninguna situación, y aún así lo único que consigue es agotar a su prometida. Como si se estuviera ante una ficción, y al son de una polka, Don Pompeyo accede a la boda entre su empleado y su hija, un proceder quizá contrario a la norma de unas clases estancas, pero frecuente en la vida real. Aún así el libretista ha mantenido ciertas barreras: Ernesto no baila, como sí lo hacen los miembros de la clase superior; él está preocupado por haber extraviado el vale de las mil pesetas, y a pesar de la insistencia de Quitèria ha perdido el humor. El éxito que mantuvo la obra motivó la aparición de una continuación de la zarzuela, *El senyor Palaudàries*, con libreto de J. Montero y música de Arturo Isaura, estrenada en 1921.

Fuentes manuscritas. Los materiales de orquesta se conservan en el archivo de la SGAE en Barcelona (B-64).

Ediciones del libreto. Barcelona, Biblioteca de Lo Teatro Regional, 1895; 2ª ed., 1896.

FRANCESC CORTÈS i MIR

Soprano. *Véase* VOZ.

Sor Inés. Comedia lírica en dos actos. Música de Ernesto Lecuona. Libreto de Francisco Meluzá Otero y Antonio Castells Casas. Estrenada el 28 de abril de 1937 en el teatro Auditorium de La Habana.

Personajes y reparto. Piedad y Sor Inés (Maruja González, soprano). Doña Leonor (María Pardo). Doña Pepa (Consuelo Novoa, mezzosoprano). Pilarcita (Julita Muñoz, tiple cómica). Don Policarpo (Paco Lara). Doña Lucía (Alicia Rico). Dominga (Luz Gil, tiple). Diego (A. Ordóñez). Antonio (Francisco Naya, tenor). Señorita de ojos negros (Zoraida Marrero, soprano). Don Luis (Robles). Esclava (Rita Montaner, soprano). Florero (Victoria Fernández). Dulcero (J. Blanco). Pajarero (Rita Montaner, soprano). J. (Eddy López). Abadesa (María Pardo). Alfonso (J. Cuevas). Sor Mónica (J. Ruiz). Una monja (M. Machado). Mercedes (Tomasita Núñez, mezosoprano). Sor Brígida (C. Robles). Ella (María Ruiz). Él (Zoraida Marrero, soprano). Mercedes (F. Núñez). Sra. S. (Luz Gil, soprano). Un criado (N. N.). Monjas, damas de honor, oficiales, caballeros, invitados, banda militar y pueblo.
Orquestación. Flauta, oboe, clarinete, fagot, trompas, trombones, piano y cuerda.

Argumento. *Acto I.* Tarde habanera en la primavera de 1806. En la casa de la Duquesa de Medina y el Marqués de Valledarías –Gobernador de Santiago de Cuba–, los visitantes y criados comentan la vida de aislamiento que lleva la familia. Antonio, sobrino de la Duquesa y el Marqués, está enamorado de la hija de éstos, Piedad, que ama a Diego, capitán del Regimiento de Burgos, al que trasladan a España, y al despedirse de Piedad le declara su amor y quedan comprometidos. Ella le asegura que lo esperará, aunque se vea precisada a entrar en un convento como lo desea su padre. Poco tiempo después fallece la madre, y el Marqués propicia el noviazgo con su primo Antonio, poniendo a Piedad en el dilema entre casarse con su primo o irse al convento. La joven, al recibir una carta de Diego arrepentido de su declaración amorosa, decide marchar al convento de Santa Clara, llamándose desde entonces Sor Inés.

Acto II. Algún tiempo después, el portero J. logra pasarle una carta misteriosa. Sor Inés, siempre triste y rebelde, es vigilada y amonestada por la Abadesa. Ella ha hecho amistad con una joven educanda que quiere fugarse, facilitándole la huída y pidiéndole le entregue una carta a su hermano Alfonso, que está en Madrid. Una vez recibida la misiva, el hermano regresa a La Habana, ciudad a la que también está de vuelta Diego. Entre ellos se produce un incidente del cual Diego queda gravemente herido. Alfonso se lo cuenta a su hermana sin saber que ella ama a Diego, y le dice que se tiene que ir rápido de La Habana. Piedad decide fugarse del convento para ver a Diego y lo logra. Al regresar al monasterio, le espera el castigo por el delito cometido, siendo encerrada en un calabozo por el resto de su vida. De dicha celda logra ser secuestrada por dos enmascarados que la llevan a una finca próxima a La Habana, donde vive un matrimonio amigo, cuya hija está enamorada de Antonio. Él mismo avisa a Piedad que su padre ha descubierto su escondite y que viene en su busca. Tan pronto llega Diego, se embarcan en un velero que tenía preparado Alfonso para llevarlos a la Florida.

Números musicales. Acto I: Nº 1. Preludio. Orquesta. Nº 2. Dúo. Piedad y Diego. Nº 3. Canción. Pilarcita, "Señorita de ojos negros". Nº 4. Romanza. Piedad, "Sin ti ya el cielo no es azul". Nº 5. Pregones. El dulcero, la florista, el pajarero. Nº 6. Orquesta, ballet negro y concertante. Acto II: Nº 7. Preludio. Orquesta. Nº 8. Ballet de las flores. Orquesta. Nº 9. Dúo. Piedad y Mercedes Santa Cruz. Nº 10. Romanza. Diego, "Vuelvo a ti". Nº 11. Estudiantina, "En la noche perfumada". Nº 12. Gran final. Piedad, Diegos y todos, "Si feliz ha de ser".

Comentario. *Sor Inés* está considerada entre las más destacadas obras del género de Lecuona. Fue estrenada como comedia lírica en dos actos y veintiún cuadros, y se anunció como preestreno. Esta es la razón por la que algunos testimonios apuntan a que el estreno tuvo lugar en el Gran Teatro de la Habana, el 15 de marzo de 1944. Habiendo reducido su concepción de cuadros –de 21 a 9–, en las puestas posteriores a su estreno, se le ha definido también como opereta-revista y como sainete lírico.

Fuentes manuscritas. La partitura incompleta y algunos materiales de orquesta se conservan en el archivo del Museo Nacional de la Música de Cuba.

Ediciones de música. Canto y piano, "Vuelvo a ti", Ed. Agencia Internacional de Propiedad Intelectual, 1937; "Sin ti ya el cielo no es azul", Ed. Música Moderna.

BIBLIOGRAFÍA: *LVB.*

CLARA DÍAZ PÉREZ

Sorg, Amalia. Nueva York (Estados Unidos), 1886; La Habana, 1974. Tiple cómica. Fue conocida en su época de mayor éxito como "la bella de la Alhambra". Hija de padre alemán y madre húngara, a los doce años vino a residir a La Habana, viajando poco después a España donde se estableció durante varios años. Ingresó en un convento en Barcelona, donde se educó y estudió piano durante cuatro años. Recibió durante algún tiempo clases de canto con la que se distinguió vocalmente en las misas y en las fiestas que se organizaban cada fin de curso en el convento. De regreso a Cuba, trabajó como costurera, aunque su intención de hacer carrera artística la llevó presentarse en el teatro Albisu, y entró a formar parte del coro. Pasados unos meses enfermó Esperanza Pastor, primera tiple de la compañía, siéndole ofrecida la oportunidad de participar como solista en el sainete cómico lírico *El perro chico* de Valverde y Serrano, cuyo éxito le permitió desde entonces trabajar en papeles protagonistas. De este modo actuó en la opereta *Bohemios* de Vives y en el apropósito de costumbres locales *La escuela de baile*, entre otras obras. Del Albisu pasó al teatro Molino Rojo donde cosechó triunfos. El libretista Federico Villoch, que la vio actuar, la contrató para el teatro Alhambra donde actuó una buena parte de su vida y logró sus más grandes éxitos en obras de Jorge Anckermann como *Delirio de automóvil, La isla de las cotorras, Sin Pepita, La revista sin hilos, El plan de Berenguer* y *Fiebre del loro*, entre otras. Al cerrar el teatro Alhambra se retiró y no volvió a reaparecer hasta 1963, en que se presentó en el escenario del teatro Amadeo Roldán, en un Festival de Música Popular.

BIBLIOGRAFÍA: Don Galaor: *Ellas: Amalia Sorg,* La Habana, Imp. Molina, 1930; E. Valdés Pérez: "Evocaciones: "Quién fue la bella del Alhambra", *Bohemia,* La Habana, VI-1990.

JOSÉ PIÑEIRO DÍAZ

Soria, Ezequiel. Catamarca (Argentina), 1870; Argentina, 1936. Autor teatral, director y productor. Con veinte años se trasladó a Buenos Aires, donde cursó estudios de Derecho y Filosofía y Letras, aunque pronto su pasión por las actividades escénicas hizo que se consagrara por entero al teatro. Soria se inscribe con méritos propios entre los fundadores del sainete criollo. Si bien sus primeras piezas se ajustan a la forma de la zarzuela española clásica, en la temática ya se alude a la realidad local. Por eso en la revista política *El año 92*, música de Andrés Abad Antón, estrenada por la compañía de Mariano Galé en 1892 e inspirada en la zarzuela española *El año pasado por agua*, ya abundan las alusiones a la actualidad contemporánea del país, pues se presenta a Leandro N. Alem, figura muy significativa en la historia política argentina. La pieza obtuvo gran éxito. Sucesivamente, estrenó las zarzuelas *Amor y lucha*, 1895, música de Abad Antón, en que se alude a una posible guerra con Chile –que no tuvo lugar–. También escribió *El sargento Martín*, 1896, en la que se refiere a la Guerra de la Triple Alianza –Argentina y Brasil se enfrentaron con Paraguay–.

En 1897 la compañía del actor español Enrique Gil estrenó en el teatro Olimpo de Buenos Aires *Justicia criolla* de Soria, con música de Antonio Reynoso. Aunque formalmente sigue los modelos hispánicos, resultó una expresión fundamental en el desarrollo del sainete criollo, pues incorporó a este género lo que luego sería su ámbito espacial por excelencia: la casa de vecindad, el clásico conventillo porteño. Asimismo, resultó muy significativa la incorporación de tipos populares porteños tomados del contexto histórico-social inmediato, como el pardo criollo Benito, interpretado por Enrique Gil, el gallego José, ordenanza del Congreso de la Nación y ordenanza de Tribunales, respectivamente. Destaca la escena en que Benito mima la coreografía del tango. También aparece un personaje típico del ambiente, en cierto modo remanente de las luchas civiles: un ex-soldado veterano. Estos rasgos se afirman y se enriquecen en *El deber*, 1898, estrenada por Rogelio Juárez, que interpretó al carrero Wenceslao, otro tipo porteño. En cierto modo estas piezas concretan el sainete criollo. En ambas piezas la música de Antonio Reynoso desempeñó un papel muy importante en la configuración definitiva del sainete local. Se conserva la estructura de la zarzuela hispánica, pero se intercalan reelaboraciones de temas populares del tango y la milonga. Entre sus otras zarzuelas, figuran *Ley suprema*, música de Antonio Reynoso, donde caracteriza a un inglés, y *Amor y claustro*, ambas de 1897. Además de zarzuelas y sainetes, Soria escribió comedias y dramas como *Política casera*, 1901, *Cristian*, 1906, *Diógenes*, *El escudo*, *Entre el fuego* y *El medallón*. Destaca además *Yankees y criollos*, 1916, música de A. De Bassi, estrenada en el teatro Nuevo por la compañía nacional de Enrique Arellano. Presenta rasgos de comedia musical, por lo que los números musicales incluyen ritmos y formas musicales muy variados: tango, two steps, machicha, vals o schotis.

Especial mención merece su actuación en la consolidación escénica del teatro argentino, pues formó actores y directores. Así, en 1901 inauguró el teatro Victoria con la dirección escénica de Mariano Galé, mientras tomó a su cargo la dirección artística. Inauguró la temporada con el estreno de obras de autores muy significativos, tales como *La piedra del escándalo* de Martín Coronado, *Los amores de la virreina* de Enrique García Velloso y su propia pieza *Política casera*. Entre 1899 y 1901 recorrió Europa, y allí tomó contacto con teatros como la Comedia de París y Español de Madrid. Realizó dos viajes al Viejo Continente, y a su regreso se dedicó a formar actores y actrices.

Su integración con los hermanos Podestá resultó fundamental, y presentó la compañía de Pepe Podestá en el teatro Apolo. El crítico argentino J. A. de Diego destacó sus aportaciones en los inicios de la cinematografía local. Intervino en la constitución de la productora Cine Patria, en la cual actuó como guionista.

BIBLIOGRAFÍA: J. A. de Diego: *Ezequiel Soria. Prólogo a Política casera y El deber*, Buenos Aires, Eudeba, 1965; J. Marial: "Ezequiel Soria", *Teatro y País*, Buenos Aires, Agón, 1984; I. Moya: *Ezequiel Soria, zarzuelista criollo*, Buenos Aires, U. Buenos Aires, 1938.

MARTA LENA PAZ

Soriano, María. *Véase* MONTAÑÉS.

Soriano Fuertes, Mariano [Mariano de los Dolores Soriano Piqueras]. Murcia, 28-III-1817; Madrid, 26-III-1880. Historiador, crítico y compositor. Es una de las personalidades más destacadas del siglo XIX español.

I. Biografía. II. El teatro musical.

I. BIOGRAFÍA. Hijo de Indalecio Soriano Fuertes, firmó siempre con los dos apellidos paternos. En el tomo de su *Historia de la música española*, hace una autobiografía. Su padre intentó que su hijo no siguiese la carrera musical, sin embargo, pronto abandonó la milicia continuando los estudios que ya había iniciado con él. Su vida profesional comenzó desempeñando la cátedra del solfeo en el Instituto Español; de esta época son sus pri-

Mariano Soriano Fuertes (Litografía de J. Martínez, Iconografía Hispana; E: Mn)

meras colecciones de canciones, como *Los pregones de Madrid. Álbum matritense*, 1840. Pero sobre todo, en ella inició sus trabajos para defender la música española fundando con Espín y Guillén *La Iberia Musical*, 1842, el primer periódico musical de trascendencia en España donde se plantea la defensa de la ópera española y donde Soriano tuvo una destacada actividad de escritor. Participó en las diatribas contra el gobierno y contra la defensa que éste hacía de la ópera italiana, clamando por la recuperación de lo español atacando a Carnicer. Dentro de este contexto se inscriben sus ataques al nombramiento de un italiano, Francisco Piermarini, como primer director del Conservatorio de Madrid. Al mismo tiempo escribió en varios periódicos y revistas y estrenó varias zarzuelas puestas en escena por La Unión: *El ventorrillo de Alfarache*, 1841 y *La feria de Santiponce*, 1842, y sobre todo, *Jeroma la Castañera*, en el teatro del Príncipe.

En 1844 inició su periodo andaluz; pasó a desempeñar el cargo de maestro director del Liceo Artístico y Literario de Córdoba. De este período es su zarzuela en dos actos *A Belén van los zagales*, 1848. En torno a 1849 marchó a Sevilla, como director de música del teatro de San Fernando, intentando desde allí en compañía de Francisco Salas recuperar la zarzuela; viajó a Cádiz a pedir ayuda al poeta gaditano José Sanz Pérez, quien le escribió *El tío Caniyitas*, obra fundamental dentro de la producción de Soriano. Se estrenó en 1849 en el teatro San Fernando de Sevilla con enorme éxito, que acompañará a la obra a lo largo del XIX tanto en España como en América; sólo en Cádiz se representó más de ciento cincuenta veces en el primer año de su estreno. Soriano fue nombrado director del teatro de San Fernando y para él escribió la zarzuela *Fábrica de tabacos de Sevilla*, 1850. La estancia en el sur se completó con su dirección del teatro Principal de Cádiz y también del de la Comedia desde 1850; allí escribió *Lola la gaditana*, 1852, y *Ecos del Guadalquivir*, 1853. De allí pasó a Barcelona donde residió muchos años; en el intermedio Soriano vivió en París durante tres años a partir del verano de 1865. La actividad de Soriano en Barcelona fue muy destacada; fundó la *Gazeta Musical Barcelonesa*, 1861-65. Allí fue nombrado Caballero de la Orden de Carlos III y escribió las obras históricas de más enjundia, desde *Música árabe-española*, 1853, hasta su *Historia de la música española desde la venida de los fenicios hasta el año de 1850*. En 1874 sus amigos Saldoni y Barbieri lo propusieron para la Academia de Bellas Artes de San Fernando, pero la propuesta no tuvo éxito. Cuando falleció era Teniente de alcalde del distrito del Centro de Madrid, donde residía.

II. EL TEATRO MUSICAL. La destacada obra literaria y la actividad musical de Soriano no impidieron una importante y de alguna manera trascendental presencia en la creación del siglo XIX español. Soriano ha de ser definido como un compositor que en gran manera plantea la música como fruto típicamente español y en constante lucha con el extranjero. Incluso dentro de cierta línea populista, perfectamente visible tanto en sus canciones como en sus zarzuelas, Soriano siempre tuvo un gran entusiasmo hacia la música popular española y dedicó parte de su vida a defenderla y enaltecerla. Ha dejado páginas de éxito y algunas como *Jeroma la Castañera*, de importante valor tanto en España como en América. La creación de Soriano, por ello, camina fundamentalmente en esos dos géneros que forman el teatro y la canción aunque, como se señala a continuación, ambos están imbricados y no se pueden entender uno sin el otro.

El restablecimiento de la monarquía, y la apertura del nuevo Conservatorio de María Cristina hacia 1830 desencadenaron una serie de factores que provocaron la resurrección de la nueva zarzuela que aunque desarrollaba ideas musicales de clara influencia italiana y utilizaba tipologías formales de la opereta francesa, se caracteriza por mantener el sabor folclórico de la tonadilla, hecho en el que radicaba su novedad. El humor, los tipos de la vida diaria, los arreglos de canciones y danzas populares, que ya aparecían en la tonadilla, fueron introducidos dentro de un sistema formal, sobre modelo francés, que confiere a la obra una gran unidad de estilo y coherencia dramática.

A pesar del arrinconamiento de la tonadilla de que habla Subirá, no desaparecieron del panorama musical español las formas que le daban vida: polos, tiranas, seguidillas, canciones andaluzas, cachuchas, fandangos y boleros continuaban llenando la vida española, y no cesaban de publicarse en antologías muy valoradas por la burguesía bajo el disfraz de música de salón. Soriano precisamente participó de una manera decidida, durante estos años, en los tímidos intentos que pretendían reinstaurar de nuevo el género lírico y adaptar el nuevo lenguaje a las exigencias del público. Son destacables sus esfuerzos por buscar una forma específica para la lírica española con la obra, denominada "zarzuela nueva", *La pastora de Manzanares*, estrenada en el teatro del Instituto en 1842, zarzuela en dos actos de Basilio Sebastián Castellanos, con música de Sobejano, Lahoz y el propio Soriano. Cotarelo afirmaba que "tiene mucha música al estilo italiano: arias, un rondó, dúos, cuartetos y coros. La letra, en cuanto a su estructura, es una zarzuela tan perfecta como otra cualquiera de tiempos posteriores; porque la música abarca escenas enteras cantadas". Parece que adelanta la forma posterior en dos actos, e incluso el uso extendido más tarde de comenzar el segundo acto con un coro. Soriano usa una terminología nueva "Tonadilla española" para definir su obra *Jeroma la castañera*, puesta en música sobre un texto del actor Mariano Fernández estrenada el 3 de abril de 1843 en el teatro del Príncipe. En el cartel del estreno se señalaba: "El autor de esta tonadilla la presenta al público sensato e indulgente de la capital, sin otras pretensiones que las de despertar el gusto por nuestras antiguas tonadillas, que con tanta verdad retratan las costumbres populares españolas". Soriano lo consiguió y la obra se representó veinte días seguidos.

El 30 de noviembre del mismo año se estrenó también en el teatro del Instituto, a beneficio de Joaquina Molitz, *La sal de Jesús*, zarzuela andaluza en un acto y en verso con letra del mismo autor y música de Soriano. Cotarelo explica que consta de cinco números musicales, pudiéndose adivinar su carácter andalucista. La orquesta que eligió Soriano no presenta características específicas, aumentando la proporción de instrumentos de viento metal en comparación con los que aparecían en obras anteriores.

Sin duda, de todas las obras teatrales de Soriano, la que más trascendió fue *El tío Caniyitas*, estrenada en el teatro San Fernando de Sevilla en 1849; pertenece a las zarzuelas de costumbres andaluzas y pretende liberarse de la influencia extranjera, como dice el propio autor: "Trato de poner en planta una idea adoptada por los grandes compositores de otras naciones, para dar sabor de localidad a sus obras lírico-dramáticas, como principio de un gran pensamiento de utilidad nacional...". La obra fue un auténtico éxito en la España del XIX; se representó centenares de veces, se hicieron grabados sobre ella, se interpretó de muy diversas maneras tanto en España como en América, y hasta se hicieron terracotas de sus personajes principales. *Véase* JEROMA LA CASTAÑERA; EL TÍO CANIYITAS.

OBRAS: *La pastora del Manzanares*, 2 act, col. D. J. Sobejano (padre e hijo) / F. de la Hoz, l, B. Sebastián Castellanos, est, 24-XII-1842, Te. del Instituto, *E:Mn*; *El ventorillo de Alfarache*, cuadro, 1 act, l, F. P. de Montemar, est, 1842, Te. de la Cruz; *La feria de Santi Ponze*, l, F. P. de Montemar, 1842; *Jeroma, la castañera*, tonadilla andaluza, 1 act, l, M. Fernández, est, 3-IV-1844, Te. del Príncipe, *E:Msa*; *La venta del Puerto o Juanillo el contrabandista*, Zarz, 1 act, col. C. Oudrid, l, M. Fernández, est, 16-I-1847, Te. Príncipe; *¡¡Es la Chachi!!!*, Zarz andaluza, 1 act, l, F. Sánchez del Arco, est, 19-V-1847, Te. del Instituto, *E:Msa*; *La sal de Jesús*, Zarz andaluza, l act, l, F. Sánchez del Arco, est, 30- XI-1847, Te. del Instituto; *Los toros del Puerto*, Zarz, 1 act, l, F. Sánchez del Arco, est, 1847, Cádiz; *A Belén van los zagales o La bella estudiantina*, Zarz, 2 act, 1848, Córdoba; *El tío Caniyitas o El mundo nuevo de Cádiz*, Óp cóm, 2 act, l, J. Pérez Senz, est, XI-1849, San Fernando (Sevilla); *La fábrica de tabacos de Sevilla*, Óp cóm, 2 act, l, J. Sánchez Albarrán, est, V-1850, San Fernando (Sevilla); *El tío Pinini*, Jug, 1 act, l, E. Salvatierra, est, XI-1850, Te. Comedia; *Trepabancos o Andaluzas sobre todas*, Zarz, 1 act, l, A. Romero, est, XI-1850; *Don Esdrújulo*, tonadilla, 1 act, l, R. Maiquez, 1850, Te. del Instituto; *La serrana*, Jug lír, 1 act, l, F. Sánchez del Arco, est, 1850, Sevilla; *Lola la gaditana*, Zarz, 1 act, F. Sánchez del Arco, est, 1850, Cádiz; *El tío Carando en las máscaras*, Jug, 1 act, l, F. Gómez de Bedoya, est, IV-1851, Te. Comedia; *Pepiya la salerosa*, Zarz, 1 act, l, F. Gómez de Bedoya, est, 6-IX-1851, Te. Variedades; *Las dos cigarreras*, Jug, 1 act, l, M. Perillán, est, 1851; *Tal para cual*, Com, 1 act, l, F. Sánchez del Arco, est, 1851, Cádiz; *El 15 de mayo*, Jug, 1 act, l, J. de Olona, est, 20-X-1852, Te. del Instituto; *Buen viaje, señor don Simón*, Zarz, 1 act, col. T. Solera / N. Manent / B. Calvó Puig, l, R. Barrera, est, V-1853, Te. Liceo (Barcelona); *Don Simón*, 1853; *Las sombras corpóreas o Misterios de un Barón*, 1 act, est, 1-VIII-1871; *Los gaditanos*; *Recuerdos de Andalucía*.

BIBLIOGRAFÍA: *HZ*; *DMEH*; M. E. Cortizo: "La restauración de la Zarzuela en el Madrid del XIX", tesis doctoral, U. Complutense de Madrid, 1993.

EMILIO CASARES RODICIO

Sorondo, Mario. Matanzas (Cuba), 23-IX-1885; La Habana, ?. Libretista. Hijo de emigrantes cubanos en Tampa, se inició como actor aficionado en esta ciudad. Radicado en La Habana, a los veinticuatro años escribió y estrenó su primera obra, la zarzuela *Lydia en el convento*, con música de Jorge Anckermann, compositor con el que más colaboró. Brillante escritor costumbrista, sus libretos fueron solicitados por los principales músicos de su época, entre quienes destacan Manuel Mauri, Jaime y Rodrigo Prats, Tata Pereira, Santiago Sampol y Eliseo Grenet. En 1911 fundó junto a otros libretistas la revista *El Teatro Alegre*, que durante siete años mantuvo una favorable acogida. En su intenso y diverso quehacer artístico se desempeñó como director, y en ocasiones actor, de las emisoras de radio CMBZ y CMBY; director artístico del teatro Molino Rojo y empresario de los teatros Auditorium, Payret, Actualidades y Molino Rojo. Realizó una destacada labor como promotor y director de las carpas-teatros en 1932. Luego construyó el teatro transportable con el que logró grandes triunfos por la calidad del espectáculo y los artistas que actuaron. Dictó conferencias para los trabajadores, escribió crónicas, cuentos y artículos para varias publicaciones y editó algunas de sus obras y el interesante libro *Treinta años de teatro*.

BIBLIOGRAFÍA: M. Sorondo: *Treinta años de teatro*, La Habana, Tip. Meylan, 1943; A. Ramírez: "Nuestra farándula: Mario Sorondo", *Carteles*, La Habana, 11-VI-1944; E. Robreño: *Historia del teatro popular cubano*, La Habana, Oficina del Historiador, 1961.

JOSÉ PIÑEIRO DÍAZ

Sorozábal Mariezcurrena, Pablo. San Sebastián, 18-IX-1897; Madrid, 26-XII-1988. Compositor y director de orquesta. Fue uno de los grandes zarzuelistas de mediados del siglo XX y, muy posiblemente, el más original de todos los compositores líricos de éxito popular. A diferencia de Francisco Alonso y Jacinto Guerrero, especializados de forma casi exclusiva en la composición de lírica popular, y similarmente a Federico More-

*Pablo Sorozábal
(Foto: Ar. familiar)*

no Torroba –su eterno antagonista–, Sorozábal tuvo una formación y una vocación inicial sinfónica, y conservó durante toda su carrera inquietudes por géneros musicales diversos y por dar al gran público de zarzuela unas composiciones asequibles, pero al mismo tiempo no exentas de refinamiento. De este modo, su repertorio de zarzuelas dista mucho de alcanzar la cantidad de los catálogos de los otros compositores aludidos y, no obstante, por su calidad y su variedad, constituye el centro del último periodo histórico de la creación zarzuelística.

I. Origen y primera formacion. II. Alemania: del sinfonismo a la zarzuela. III. El éxito en el Madrid de la República. IV. Guerra y represión. V. Última etapa creativa y retiro.

I. ORIGEN Y PRIMERA FORMACIÓN. Sus padres eran campesinos vascos emigrados a San Sebastián y sus primeros años no fueron fáciles para la familia. Se inscribió en las clases de solfeo que impartía gratuitamente Manuel Cendoya en la Academia de Bellas Artes. En vez de ser cantero, que era lo que su padre esperaba de él, Sorozábal continuó su formación musical ingresando en el Orfeón Donostiarra y estudiando violín con Alfredo de Larrocha y piano con Germán Cendoya, hermano del profesor de solfeo. Ya en esta primera etapa se encuentran claves que explican su dedicación y habilidad para el género lírico. Así, resulta significativa la fascinación que le produjo participar en 1911, como integrante del Orfeón Donostiarra, en los ensayos y estreno en San Sebastián de la ópera vasca *Mendi-Mendiyan* de José María Usandizaga, un año después de su estreno en Bilbao. Poco después comenzó a ingresar algún dinero con el trío formado por él al violín, Juan Tellería al piano y Santos Gandía al violonchelo, que amenizaba las películas del cine Novedades. Temporadas locales de zarzuela y fiestas aristocráticas le condujeron al final, en 1914, a un puesto fijo en la orquesta del Gran Casino de San Sebastián. Dirigida por su maestro de violín Larrocha, esta pequeña orquesta de quince atriles crecía en la temporada de verano al rango de orquesta sinfónica con músicos de Madrid que hacían un buen agosto tocando para la alta sociedad veraneante y refugiada de la Primera Gran Guerra bajo la dirección de Enrique Fernández Arbós. Tras el gran coralismo del repertorio del orfeón, Sorozábal entró guiado por Arbós en el sinfonismo germánico y en el arte de la dirección orquestal que, a partir de entonces, le interesaría profundamente.

Con la bonanza económica del tiempo, la situación familiar mejoró notablemente y pudieron comprar un piano. Ayudó a Ramón Usandizaga, hermano de José María, a revisar la partitura de *La llama*, dejada inconclusa tras la muerte del compositor en 1915. Recomendado por Larrocha, a quien había impresionado positivamente un cuarteto compuesto por Sorozábal, éste pasó a estudiar armonía con

Beltrán Pagola sin demasiada aplicación. En 1918 dejó la orquesta del Gran Casino y comenzó a trabajar como pianista del café del Norte. Estos fueron tiempos de rebeldía y de un inconformismo que rayaba con la delincuencia en los que Sorozábal se involucró con un grupo variopinto de jóvenes con pretensiones artísticas autodenominado "Los independientes". Esta etapa de bohemia se prolongó en 1919 cuando, después de cumplir un mes de servicio militar, Sorozábal se trasladó a vivir a Madrid ingresando como violinista en la Orquesta Filarmónica, tocando con un trío en el Café Comercial, trasnochando mucho y malviviendo en pensiones baratas. Trabajosamente, en el poco tiempo libre que le dejaba su disipada existencia, acabó de componer un cuarteto perdido, y un *Capricho español* para orquesta que tenía la ilusión de estrenar en Madrid como, en noviembre de 1917, había hecho Juan Tellería con el poema sinfónico *La dama de Aitzgorri*. No tuvo suerte y dio por concluida su primera estancia en Madrid regresando a San Sebastián donde consiguió una beca del Ayuntamiento para ampliar estudios en el extranjero y se trasladó a Leipzig en octubre de 1920.

II. ALEMANIA: DEL SINFONISMO A LA ZARZUELA. Alemania no era el destino normal de los españoles en el periodo de entreguerras, como lo era París. Así, en Leipzig, Sorozábal sólo se encontró con el pianista canario Víctor Doreste con quien compartió varios años de su estancia en el país. En sus memorias, Sorozábal recordó sobre todo el ambiente de crisis y xenofobia que reinaba allí después de la I Guerra Mundial. En el capítulo formativo, comenzó a estudiar contrapunto con Stephan Krehl, director del conservatorio y profesor de composición que, entre otras cosas, transmitió al joven discípulo su pasión por la *Carmen* de Bizet. También en Leipzig amplió estudios de violín con Hans Sitt que le dio algunas lecciones de dirección de orquesta suficientes para que decidiera dirigir una orquesta sinfónica por primera vez, el 19 de abril de 1922 con la Gotrian Steinweg-Orchester de Leipzig que no tenía director titular y se dejaba dirigir previo pago de una asequible cantidad de dinero, y en el programa Sorozábal incluyó su *Capricho español*. En 1922 se trasladó a Berlín, donde estudió composición con Friedrich Koch, profesor de la Escuela Superior de Música que le encaminó por las viejas sendas del contrapunto fuxiano, y prosiguió sus ensayos compositivos con la *Suite vasca* para coro y orquesta de 1923. Después de 1923 su situación en Alemania cambió radicalmente porque el cambio de divisa dejó de ser favorable para él y la vida se le encareció extraordinariamente viéndose, a partir de entonces, forzado a complementar la beca que le daba entonces la Diputación de Guipúzcoa con distintos trabajos, no todos musicales, como hacer almohadones o vender medias, una ocupación curiosa que iba a aparecer en el eje de la trama cómica de su primera zarzuela. A pesar de todo, su resistencia en la Alemania convulsa de los años veinte le dio cierta fama en San Sebastián, donde acudía a pasar los veranos. Secundino Esnaola, el histórico director del Orfeón Donostiarra había estrenado con notable éxito alguno de los coros vascos que Sorozábal había ido componiendo y un grupo de aficionados y profesionales llegó incluso a formar una orquesta con el único fin de ponerla a su disposición para que ejerciera como director. Con esta orquesta de bolo y con el Orfeón Donostiarra, Sorozábal pudo estrenar su *Suite vasca*.

En 1927 estrenó *Variaciones sinfónicas sobre un tema vasco* y sus actuaciones en San Sebastián llamaron la atención de Lasalle, quien le contrató para que dirigiera su orquesta en Madrid con un programa de música vasca. A pesar de estos aparentes triunfos, convencido, no obstante, de que el camino que había emprendido como compositor de música sinfónica y director de orquesta no le conducía a ninguna parte, un tanto cansado ya de la vida bohemia que había llevado hasta entonces, y consciente del éxito y, sobre todo, la rentabilidad económica que obtuvo Jesús Guridi con *El caserío* en 1926, Sorozábal aprovechó su presentación en Madrid con la Orquesta Lasalle, en enero de 1928, para contactar con el ambiente teatral madrileño. Alfonso Peña, hijo del presidente del Orfeón Donostiarra, Javier Peña y Goñi, le puso en contacto con Emilio González del Castillo y Manuel Martí Alonso que fueron los autores del libreto de *Katiuska*, la primera pieza lírica de Sorozábal. González del Castillo era ya un autor reconocido, pero Manuel Martí, aún era un desconocido. A pesar de la vinculación de los libretistas con la temática rural vasca, Sorozábal quería apartarse de obras como *El caserío* o *La meiga*, 1928, que Guillermo Fernández-Shaw y Federico Romero habían escrito para Guridi y, advirtiendo la saturación de la escena nacional de zarzuelas de ambiente rural, los tres colaboradores optaron por un tema a la vez pintoresco y de actualidad. De ahí surgió la idea de tratar el éxodo de la aristocracia rusa que, con una dosis de cabaré parisino, y con el artificio de un personaje cómico como Amadeo Pich, vendedor catalán de medias que pretende saldar deudas en Rusia, podía constituir un buen argumento de opereta, un subgénero que en aquellos años se vislumbraba como una posible alternativa a las formas tradicionales de zarzuela.

Sorozábal volvió a Leipzig con algunas ideas sobre *Katiuska* y los libretistas le fueron enviando con enfadosa parsimonia los números cantables. La avidez de Sorozábal y su concentración en la composición de esta música contrasta con el relativo interés que él percibía en los libretistas. En realidad, para ellos no era más que un experimento, quizás una pérdida de tiempo: Sorozábal no era un músico de teatro y el

resultado era, por tanto, más que incierto dentro de una escena bastante reacia a cualquier novedad y en la que la fama de músico sinfónico era una mala carta de presentación. Como consecuencia, resultó que pocas zarzuelas de esta época recibieron una dedicación tan dilatada y eso, necesariamente, se notó en la partitura que, en su estreno, en Barcelona el 27 de enero de 1931, obtuvo cierto éxito aunque se pusieron de manifiesto algunos problemas en su estructura que, gracias al tesón de Sorozábal, a la simpatía de González del Castillo y a la colaboración de Marcos Redondo, se subsanaron sobre la marcha. Así, tras una bien planificada gira por provincias y algunos retoques, la obra se presentó en Madrid el 11 de mayo de 1932 y el público y la crítica capitalinos celebraron con entusiasmo la llegada a la lírica popular de un compositor como Sorozábal que unía a su bien aprendido oficio sinfónico una fina intuición para la música dramática.

III. EL ÉXITO EN EL MADRID DE LA REPÚBLICA. Mientras *Katiuska* empezaba a rodar por España, animado por el éxito que iba obteniendo y aprovechando otra temporada en Leipzig, Sorozábal compuso y estrenó en 1931 su segunda obra lírica: la comedia musical en un acto titulada *La guitarra de Fígaro* con libreto del periodista Ezequiel Enderiz y del actor Joaquín Fernández Roa, buen amigo del compositor. Esta obra, en la que incluyó su *Capricho español*, se estrenó, al parecer, en el teatro Arriaga de Bilbao, pero no está documentada la fecha de estreno con mayor precisión y, de cualquier modo, no se trató nunca de una obra en la que Sorozábal pusiera ninguna esperanza: "Esta partitura la hice sin ganas y sin ilusión", escribió en sus memorias. No obstante, el 2 de mayo de 1933, *La guitarra de Fígaro* se estrenó en teatro de la Zarzuela de Madrid. Pocos días después, Sorozábal sentó la cabeza casándose con la tiple cómica Enriqueta Serrano a la que conoció en la compañía que estrenó *Katiuska* en Madrid y, juntos, se establecieron en Madrid; él estaba ya completamente dedicado a la lírica y acababa de estrenar, en los dos meses inmediatamente anteriores, dos nuevas obras de muy distinta índole: *La isla de las perlas* en marzo y *Adiós a la bohemia* en abril. Sorozábal concibió *La isla de las perlas* para lucimiento de Enriqueta Serrano y escribió su música en gran medida en Leipzig, cuando regresó a la ciudad germana después del estreno madrileño de *Katiuska*, en lo que fue su última estancia en Alemania. Como autores del libreto, reunió de nuevo a los que tan buen resultado le habían dado en su primera incursión lírica, González del Castillo y Martí Alonso, que le proporcionaron –esta vez sin dilación– el texto de una nueva opereta cuyas líneas maestras argumentales son una réplica de las de *Katiuska* pero transportadas a una isla del Pacífico y a un conflicto más pintoresco y menos político como es el del enfrentamiento de la "cultura natural" con la "cultura occidental". Aunque Sorozábal puso en esta obra un entusiasmo similar al que había puesto en *Katiuska*, *La isla de las perlas* no llegó a funcionar, según el compositor a causa de un deficiente montaje escénico. El tema no tenía la cercanía de *Katiuska*, era de un exotismo poco convencional y la resolución escénica, basada según el propio autor en códigos del cine americano, necesitaba de una realización acorde que no debía ser sencillo conseguir en los escenarios españoles. En este sentido, los autores se basaron en una de las mejores películas del primer cine: *Tabú*, 1931, la tercera y última parte de la trilogía documental maorí del gran director Robert Flaherty, que había inaugurado un género de cine documental con *Nanuk el esquimal* de 1922 del cual derivó la trilogía maorí. Además, el público debió echar de menos el melodismo fino de músicos como Serrano o Soutullo o la vena melódica popular de Alonso. El melodismo de Sorozábal es más vigoroso, pero menos lírico y si en *Katiuska*, esto pasó desapercibido gracias a las documentadas citas tópicas del cancionero popular ruso sobre el que descansan los momentos melódicos más notables de la partitura, en *La isla de las perlas* Sorozábal sólo contó con su maestría como orquestador con la que consigue intensificar emocionalmente unas melodías como "Bendice mi despertar" o "No me quiere, la mujer que yo quería", pero eso no fue suficiente para un público que demandaba cantables. La crítica volvió a manifestar enfoques y tendencias bien distintas: dura y cáustica fue, aunque respetuosa, la de Salazar en *El Sol*, y elogiosa la publicada en *ABC*. Más para mal que para bien, ambos críticos coincidieron en resaltar la abundancia de números ligeros, "de operetística frivolidad que acaso no se acomodan al tono y unidad de carácter del resto de la partitura, pero que se adaptan a la vivacidad y travesura de Enriqueta Serrano", según el crítico del *ABC* (8-III-1933), que acertó de pleno en su valoración porque, como ya se ha dicho, Sorozábal concibió la obra para que la protagonizara su tiple cómica. Al final de su carrera, en los años ochenta, Sorozábal volvió una y otra vez sobre esta obra y, en la última copia mecanografiada del libreto conocida, aparece un nuevo libretista, José Méndez Herrera, además de los dos iniciales de donde se deduce que el músico reformó muy sustancialmente la estructura original de esta obra.

Pocas veces en la historia de la lírica española, una obra maestra pasó tan desapercibida como *Adiós a la bohemia* que se estrenó el 21 de noviembre de 1933, pleno día de elecciones, en el teatro Calderón. Sorozábal había puesto todo su empeño en la composición, realizada entre 1931 y 1932, y había conseguido arrimar al terreno de la lírica a un autor del relieve de Pío Baroja que puso un gran interés en la realización del libreto. Entrambos dieron lugar a una obra singular y a un nuevo género que bautizaron ingeniosamente como "ópera chica". Desafortunadamente, este comienzo de colaboración, que apuntaba tan alto, se vio truncado por el estallido de la Guerra Civil y no pudo tener la continuidad que hubiera podido dar lugar a un excelso repertorio. Obra de un neocasticismo completamente original, redonda en todos sus planteamientos, la estructura de *Adiós a la bohemia* tiene algo de tonadilla y algo de esperpento resultante de la distorsión del género dieciochesco visto desde la óptica del género chico decimonónico que se había convertido en uno de los referentes de Sorozábal. En esta misma dirección tonadillesca, pero mucho menos matizada y sin alcanzar de ningún modo la categoría magistral está la otra obra lírica estrenada por Sorozábal al final del año 1933: *El alguacil Rebolledo*. Sobre un libreto de Arturo Cuyás de la Vega, *El alguacil Rebolledo* se estrenó el 3 de noviembre en el teatro Calderón y se puede enmarcar dentro del proyecto de recuperación de la tonadilla escénica encabezado por José Subirá quien había dado fin a su obra monumental sobre la historia de este género en 1932. Esta relación motivó las iras más airadas de Adolfo Salazar que mantuvo una polémica con Subirá y puso de manifiesto su animadversión en la crítica que publicó al día siguiente del estreno en el diario *El Sol*. Según Sorozábal, que tenía menos prejuicios e ideas más claras sobre este pequeño juego lírico, "la obra no tenía importancia y no pasó nada".

El 4 de mayo de 1934 estrenó en el teatro Astoria de Madrid otra obra que tampoco llamó demasiado la atención del público: *Sol en la cumbre*, una zarzuela en dos actos con libreto de Anselmo Cuadrado Carreño en la que el músico, como alarde de su formación sinfónica, introdujo un interludio orquestal sobre un tema castellano que fue lo que más gustó. Sorozábal se había ganado el respeto y el interés de la crítica y públicos líricos, pero continuaba viviendo básicamente de las rentas de *Katiuska*, sin acabar de obtener uno de los éxitos arrolladores que otros autores habían descubierto o revalidado en los primeros años treinta. Sin embargo, esta situación de relativa inferioridad cambió radicalmente a finales de 1934 cuando, con un excepcional libreto de Cuadrado Carreño y Francisco Ramos de Castro, Sorozábal estrenó *La del manojo de rosas*. Las primeras obras de Sorozábal fueron operetas, las siguientes exploraron los linderos de la tonadilla desde distintos puntos de vista, y *La del manojo de rosas* inauguraba un género que podría denominarse "sainete grande", que significaba la restauración del género sainetesco de la misma manera que *Doña Francisquita* de Amadeo Vives había supuesto en 1923 una restauración de la zarzuela grande. A pesar de que pueden citarse algunos precedentes y algunos modelos para *La del manojo de rosas*, así como numerosas secuelas –principalmente, *Me llaman la presumida*, 1935, de Francisco Alonso y *La boda del señor Bringas o Si te casas la pringa*, 1936, de Federico Moreno Torroba, ambas sobre libretos de los mismos autores de *La del manojo de rosas*– la obra de Sorozábal se puede considerar como el origen y la culminación del género, así como una de las más grandes zarzuelas de todos los tiempos. Tres días después del estreno, Sorozábal dio a conocer en el teatro de la Zarzuela, el 16 de noviembre de 1934, su adaptación de la opereta alemana de Heinrich Berté *Das Dreimäderlhaus*, 1916, bajo el título de *La casa de las tres doncellas* con un libreto arreglado por José Tellaeche y Manuel Góngora. Tanto en la adaptación del texto como en la música, los autores y el compositor pusieron mucho de su parte, de tal manera que Sorozábal contaba esta pieza como una más de su catálogo y, por considerarla además un título importante de su producción, dedicó bastante tiempo en 1978 a revisar música y libro así como a orquestar nuevamente toda la partitura.

Después de haber colaborado con parejas de libretistas como González del Castillo y Martí Alonso, Cuadrado Carreño y Ramos de Castro, y –aunque no en una obra enteramente original– con Tellaeche y Góngora, Sorozábal alcanzó la cumbre del libretismo zarzuelero en 1935, cuando el tándem formado por Federico Romero y Guillermo Fernández Shaw le proporcionó el libreto de una comedia lírica en un prólogo y dos actos titulada *No me olvides*.

Pablo Sorozábal (Foto: Ar. familiar)

La acción tenía lugar en Viena el día en que se declaró la Primera Guerra Mundial, el protagonista era un músico, y una canción, que pasaba a ser un himno para convertirse al final en un foxtrot, actuaba de hilo conductor. A pesar de estar llena de situaciones musicales interesantes y parecer un libreto totalmente cortado a la medida de Sorozábal, la obra no resultó, pero poco tiempo después, el músico se hizo con otro libreto que Romero y Fernández Shaw habían escrito originalmente para Guridi. Se trataba de *La tabernera del puerto*, una obra de envergadura, la primera zarzuela en tres actos que se disponía a poner en música Sorozábal y otro de sus éxitos perdurables, que se estrenó en el teatro Tívoli de Barcelona pocos días antes del Alzamiento. Este hecho truncó dramáticamente la historia de España, la carrera de una obra como *La tabernera del puerto* que no llegó a estrenarse en Madrid hasta acabada la guerra y la biografía de Sorozábal que, en los últimos meses de la República, no sólo había conseguido colocar en la cartelera un nuevo éxito en un género que le confirmaba ya como el mejor valor de la lírica española, sino que había conseguido un puesto oficial en un campo que le interesaba particularmente como director de la Banda Municipal de Madrid, una formación de prestigio fundada por Ricardo Villa cuya sucesión fue bastante disputada, recayendo en última instancia en Sorozábal que además tenía proyectos interesantes en Berlín para llevar al cine *Katiuska* y poner música a una película titulada *Camaradas*.

IV. GUERRA Y REPRESIÓN. La actividad fundamental de Sorozábal durante los años de guerra fue la dirección de la Banda Municipal, un cargo oficial con ciertas connotaciones políticas que él, además, asumió con perfecta consciencia de lo que se trataba, sobre todo en los últimos momentos del conflicto, cuando el Ayuntamiento de Madrid se trasladó a Valencia y la banda, como institución dependiente del Ayuntamiento, emprendió una gira de conciertos por Levante para recaudar fondos destinados al abastecimiento de comida para el pueblo sitiado de Madrid. Cuando en 1938 el Gobierno de la República puso en marcha la iniciativa de crear una Orquesta Nacional de España que se presentó en Barcelona ese mismo año, descontento por la marcha de varios profesores de la Banda de Madrid a la recién creada formación, Sorozábal dimitió de su cargo y, tras un último concierto en Madrid, se trasladó a Valencia donde su familia residía desde hacía algún tiempo. Reanudó entonces la composición de zarzuela con un libreto titulado *La Rosario o La Rambla de fin de siglo*, que sus colaboradores –los libretistas Federico Romero y Guillermo Fernández Shaw, que también habían abandonado Madrid– le mandaron desde Barcelona. Su idea era crear un sainete catalán pero, sobre la calidad del libro, surgieron discrepancias entre Romero que lo consideraba digno de *La verbena de la Paloma* y Sorozábal que lo juzgó fallido. No obstante, el músico completó su trabajo y *La Rosario* se estrenó en el teatro Apolo de Valencia el 9 de diciembre de 1939 y, poco tiempo después, en Barcelona, completando el programa con otro sainete, éste de ambiente típicamente madrileño, que le escribieron también Romero y Fernández Shaw: *Cuidado con la pintura*. Sin embargo, a petición del propio Federico Romero, *La Rosario* no se llegó a presentar nunca en Madrid, según Sorozábal, por miedo a la censura ya que Romero era un "caballero excautivo" y en *La Rosario* había una escena en la que se caricaturizaba a dos policías que ya tuvo que suprimirse durante las representaciones en Barcelona. *Cuidado con la pintura* sí llegó a representarse en la capital, en el cine Rialto y, con esa ocasión, Sorozábal experimentó la presión de los nuevos poderes civiles que le prohibieron dirigir en público –orden que, al parecer, procedía de los despachos de Falange– y boicotearon de una manera terrible el estreno de *La tabernera del puerto* en el teatro de la Zarzuela de Madrid.

A pesar de su vinculación con el gobierno constitucional a través de la Banda Municipal de Madrid y aunque sus inquietudes políticas tendieron siempre hacia la izquierda, el músico mantuvo una actitud de relativa independencia que, unida a sus influencias y a su popularidad, le permitió sobrevivir. Incluso, pudo seguir trabajando, no sin antes padecer un proceso de "depuración" en el que le inhabilitaron para desempeñar algunos cargos. Él se tomó la inhabilitación como si fuera un premio y vivió con dignidad en la España de la posguerra, básicamente dedicado al teatro lírico y teniendo que asumir el riesgo que supone tener una compañía propia, a pesar de que, entre sus enemigos, siempre contó a personas del relieve, dentro de la zarzuela, de Jacinto Guerrero y, sobre todo, Federico Moreno Torroba.

Sorozábal regresó al terreno de la opereta desde una óptica más bien seria, de un humor, por lo tanto, poco convencional y un libretista como Francisco Serrano Anguita extraño, como Baroja, a los ambientes de la lírica popular. El resultado fue *Black el payaso*, una composición grande en todos los sentidos, con vuelos de ópera, que se dio a conocer en el teatro Coliseum de Barcelona el 22 de abril de 1942 y, por circunstancias aún poco claras, determinó la ruptura entre Sorozábal y el barítono Marcos Redondo que, hasta entonces, había mantenido una fructífera relación profesional con el compositor. En el estreno madrileño de esta obra, verificado en diciembre de 1942, Sorozábal desafió a las autoridades dirigiendo la orquesta y, si bien ese hecho fue pasado por alto, se impidió que la prensa de Madrid publicase reseña alguna del evento. Por más que se trate de una obra mucho más redonda y ambiciosa musicalmente, *Black el payaso* obtuvo menos éxito que *Don Manolito*, la siguiente zarzuela de Sorozábal con la que vuelve al humor amable del sainete grande madrileño e inaugura una colaboración que se prolongará durante bastante tiempo con el libretista Luis Fernández de Sevilla que, junto a Anselmo Cuadrado Carreño, firmó el libreto. *Don Manolito*, que se estrenó en el teatro Reina Victoria de Madrid el 24 de abril de 1943, quiso ser, de alguna manera, una secuela de *La del manojo de rosas* adaptada a los nuevos tiempos, pero no alcanza para nada la frescura ni la espontaneidad de aquella obra maestra y, más que de la mixtura de sainete y opereta que tan buen resultado había dado a la zarzuela republicana, *Don Manolito* se construye con la mezcla de elementos del sainete con una estructura argumental que es más propia de la comedia musical.

Para los mismos cantantes que habían defendido *Don Manolito* en su presentación barcelonesa en enero de 1944 –la soprano Marianela Barandalla y el barítono Andrés García Martí– con un libreto de Luis Fernández de Sevilla en solitario y una estructura más parecida a *La del manojo de rosas*, entre el sainete y la opereta, Sorozábal compuso su siguiente zarzuela y su último gran éxito lírico: el sainete en dos actos *La eterna canción* estrenado en el teatro Principal Palace de Barcelona el 27 de enero de 1945 con el que Sorozábal se acerca más que nunca a su sueño de crear una obra que actualizase *La verbena de la Paloma*.

V. ÚLTIMA ETAPA CREATIVA Y RETIRO. El año 1945 se puede considerar como un punto de inflexión en la persecución y marginación de que había sido objeto Sorozábal a lo largo del último lustro. Para empezar, de ser un director proscrito, pasó a ser nombrado titular de la Orquesta Filarmónica de Madrid en sucesión de Bartolomé Pérez Casas que se había hecho cargo de la Orquesta Nacional y, en segundo término, fue contratado para realizar una temporada de zarzuela con todas sus obras en el teatro Avenida de Buenos Aires, donde ya era conocido porque, según relata en sus memorias, allí "se había estrenado durante nuestra guerra civil *La del manojo de rosas*, sin mi consentimiento, fraudulentamente, y con una instrumentación que hizo el maestro Penella en el barco cuando huyó de España con Ramos de Castro y la Compañía Lírica de Luis Calvo". La temporada exitosa en Buenos Aires fue seguida de una estancia igualmente triunfal en Montevideo en 1946 donde le sorprendió la noticia de la muerte de Manuel de Falla y, después de un proyecto frustrado de viajar a Chile, Sorozábal tuvo que improvisar algunas actuaciones con mucho menos éxito y regresó a España en el otoño de 1947 tras una última temporada en Buenos Aires en la que se renovaron los éxitos originales y algunos conciertos sinfónicos entre los que sobresalió uno, en homenaje a Falla, celebrado en el teatro Colón.

De nuevo en España, Sorozábal volvió a hacerse cargo de la Orquesta Filarmónica actuando primero en el Palacio de la Música y luego en el cine Lope de Vega. Varios años de trabajo precario con esta orquesta que tenía que ceder a muchos de sus profesores a la Orquesta Nacional, se fueron al traste en 1952 cuando el Gobierno suspendió un concierto en cuya preparación Sorozábal había puesto mucho trabajo y grandes esperanzas. El pretexto de tan súbita cancelación, producida un día antes del concierto, cuando ya estaba todo el aforo vendido, debió estar en el programa que, además de un estreno de Sorozábal –la suite orquestal sobre coros de Tomás Luis de Victoria, titulada *Victoriana*– incluía la *Séptima sinfonía* de Shostakovich, pero la censura había aprobado previamente el programa por lo que toma consistencia la idea que Sorozábal expresó en sus memorias de que todo fue un nuevo complot contra él. En consecuencia, dimitió como director de la Filarmónica y esto dio lugar a un nuevo periodo de marginación en su biografía. La rehabilitación de Sorozábal en la vida musical madrileña había durado bien poco y, ahora, con todo una vez más en su contra y menos fuerzas para combatir, comenzó a retirarse. Hasta ese momento, la actividad como director la había compaginado con la composición de dos nuevas obras líricas: *Los burladores* sobre un libreto de los hermanos Álvarez Quintero cuyo proyecto ya se había llevado Sorozábal en su viaje a América pero no pudo concluir hasta 1948, cuando ya habían fallecido los dos libretistas, y *Entre Sevilla y Triana*, un nuevo sainete, en este caso de ambiente andaluz con libro de Luis Fernández de Sevilla y Luis Tejedor, en el que el músico insertó el pasodoble "Me caso en la mar salada" escrito el día 18 de septiembre de 1947 en el barco que le traía de regreso a España desde Argentina, compuesto para celebrar su cincuentenario y el éxito de la campaña americana. Tanto en el estreno de *Los burladores* en el teatro Calderón de Madrid el 10 de diciembre de 1948, como en el de *Entre Sevilla y Triana*, el 8 de abril de 1950 en el teatro Price madrileño, sobresalió la interpretación de Enriqueta Serrano, pero la crisis del teatro lírico estaba llegando a un momento terminal y ya no había lugar para éxitos con la resonancia de los que se produjeron en los años treinta.

En los años que siguieron a su dimisión del puesto de director de la Orquesta Filarmónica, Sorozábal aún compuso algunas piezas líricas originales como *La ópera del mogollón*, una zarzuela bufa, parodia de la ópera italiana con libreto de Ramón Peña Ruiz, que se estrenó, pasando muy desapercibida, en el teatro Fuencarral de Madrid el 2 de diciembre de 1954, y *Brindis*, su única incursión en el terreno de la revista, realizada con un libreto de Fernández de Sevilla y Tejedor, y estrenada el 14 de diciembre de 1955 en el teatro Lope de Vega de Madrid con éxito protagonizado, una vez más, por Enriqueta Serrano. Ese mismo año, en colaboración con su hijo, Pablo Sorozábal Serrano, puso música a *Marcelino pan y vino* de Ladislao Vajda, una de las películas de cine español que más éxito tuvieron en aquellos años y comenzó la composición de sus dos últimas creaciones líricas originales: la zarzuela en tres actos *Las de Caín*, sobre un texto dramático de los hermanos Álvarez Quintero que él mismo adaptó a la lírica escribiendo todos los cantables, y la ópera *Juan José*, sobre un libreto suyo basado en la obra de Joaquín Dicenta. *Las de Caín* fue un éxito y se estrenó en el teatro de la Zarzuela de Madrid el 23 de diciembre de 1958 protagonizada por Lola Rodríguez de Aragón. En el mes de noviembre de ese mismo año había fallecido Enriqueta Serrano y Sorozábal se quedó solo, con-

centrado en la finalización de su ópera y en la drástica conversión en ópera en tres actos de la comedia lírica en dos actos *Pepita Jiménez* de Isaac Albéniz. Esto lo hizo por encargo de Lola Rodríguez de Aragón a quien Sorozábal dedicó su libro de memorias, fuente principal para el conocimiento de la trayectoria vital del músico. El arreglo de *Pepita Jiménez*, en el que Sorozábal cambió elementos muy sustanciales de la estructura y del detalle de la obra de Albéniz, se presentó en 1964 en el teatro de la Zarzuela, con Pilar Lorengar como soprano y Alfredo Kraus como tenor y, a pesar del éxito que obtuvo, sólo se hicieron dos representaciones, aunque, con algunas modificaciones adicionales, Sorozábal consiguió realizar una grabación de esta obra. Sorozábal conocía *Pepita Jiménez* y el lenguaje lírico de Albéniz, que era algo completamente desconocido para el mundo de la música en general, desde tiempo atrás, cuando realizó la instrumentación de *San Antonio de la Florida* –al parecer, la orquestación de Albéniz para esta obra se perdió durante la guerra– estrenada en el teatro Fuencarral el 18 de noviembre 1954 con poco éxito –el mismo que tuvo en su estreno en 1894–, aunque la obra siempre entusiasmó a Sorozábal que hizo gestiones, sin éxito, para grabarla con la compañía discográfica Hispavox y, años más tarde, en 1960, compuso un ballet en un acto y dos cuadros, titulado *Comedieta* y basado en *San Antonio de la Florida*. Sorozábal escribió *Comedieta* con intención de que lo coreografiara el bailarín Antonio que, en 1955 le había contratado para dirigir sus montajes de *El amor brujo* de Falla en Londres y París, y para quien escribió su *Paso a cuatro* inspirado en melodías de compositores del siglo XVIII y estrenado por Antonio en junio de 1956 en el V Festival Internacional de Música y Danza de Granada.

A petición de su buena amiga Lola Rodríguez de Aragón, que estaba entonces realizando una importante labor en la recuperación y fijación del repertorio zarzuelístico, Sorozábal hizo un arreglo de la zarzuela *Pan y toros* de Barbieri. Una vez más, de acuerdo con sus criterios dramáticos, realizó una revisión drástica del original de Barbieri, José María Pemán colaboró con él en la reforma del libreto y el músico incorporó a la partitura algunas piezas procedentes de otras zarzuelas de Barbieri además de un cantable de su tonadilla *El alguacil Rebollado* que Fernández-Cid reconoció en su crítica al estreno de este arreglo de *Pan y toros* en unos festivales celebrados en el Retiro de Madrid en 1960.

Sorozábal concluyó su última gran obra lírica, la ópera *Juan José*, en 1968 y diez años después libró su última batalla con el fin de poder estrenarla en condiciones dignas en una temporada lírica del teatro de la Zarzuela de Madrid en 1979 y en la que, además de *Juan José*, se iban a interpretar *Doña Francisquita* y *Marina*. Por más que la política española había cambiado diametralmente, Sorozábal volvió a toparse, en el inmovilista ambiente musical, con una confabulación en su contra que impidió el estreno de la composición. Eran él y sus principios contra la Dirección General de Música y sus intereses. El resultado favoreció a la institución y Sorozábal falleció diez años más tarde sin haber visto en escena *Juan José*, que permanece, desde entonces sin estrenar. *Véase* ADIÓS A LA BOHEMIA; BLACK EL PAYASO; DON MANOLITO; LA ETERNA CANCIÓN; KATIUSKA; LA DEL MANOJO DEL ROSAS; LA TABERNERA DEL PUERTO.

OBRAS: *Katiuska*, Opt, 2 act, l, E. González del Castillo / M. Martí Alonso, est, 27-I-1931, Barcelona, *E:Msa*; *La isla de las perlas*, Opt, 2 act, l, E. González del Castillo / Martí Alonso, est, 7-III-1933, Te. Coliseum, *E:Msa*; *Adiós a la bohemia*, Óp chica, 1 act, l, P. Baroja y Nessi, est, 23-IV-1933, Te. Calderón, *E:Msa*; *La guitarra del Fígaro*, Com lír, 2 act, l, E. Endériz / J. Fernández Roa, est, 2-V-1933, Te. Zarzuela, *E:Msa*; *El alguacil Rebolledo*, l, A. Cuyás de la Vega, est, 1934, Te. Calderón, *E:Msa*; *La casa de las tres muchachas*, Com lír, 3 act, l, J. Tellaeche / M. Góngora, est, 16-II-1934, Te. Zarzuela, *E:Msa*; *Sol en la cumbre*, Zarz, 2 act, l, A. Cuadrado Carreño, est, 4-V-1934, Te. Astoria, *E:Msa*; *La del manojo de rosas*, Sai, 2 act, l, F. Ramos de Castro / A. Cuadrado Carreño, est, 13-XI-1934, Te. Fuencarral, *E:Msa*; *La casa de las tres muchachas*, Opt, 3 act, l, J. Tellaeche / M. Góngora, est, 16-XI-1934, Te. Zarzuela; *No me olvides*, Opt, 2 act, l, F. Romero / G. Fernández-Shaw, est, 20-IV-1935, Te. Zarzuela, *E:Msa*; *La tabernera del puerto*, romance marinero, 3 act, l, F. Romero / G. Fernández-Shaw, est, 10-V-1936, Te. Tívoli (Barcelona), *E:Msa*; *La Rosario o Rambla de fin de siglo*, Sai, 1 act, l, F. Romero/G. Fernández-Shaw, est, 2-XII-1939, Te. Apolo (Valencia), *E:Msa*; *Cuidado con la pintura*, Sai, 1 act, l, F. Romero / G. Fernández-Shaw, est, 9-XII-1939, Te. Apolo (Valencia), *E:Msa*; *Cuidado con la pintura*, Sai madrileño, 1 act, 1941; *Black el payaso*, Opt, 3 act, l, F. Serrano Anguita, est, 21-IV-1942, Te. Coliseum (Barcelona), *E:Msa*; *Don Manolito*, Sai, 2 act, l, L. Fernández de Sevilla / A. Carreño, est, 24-IV-1943, Te. Reina Victoria, *E:Msa*; *La eterna canción*, Sai, 2 act, l, L. Fernández, est, 27-I-1945, Te. Principal Palace (Barcelona), *E:Msa*; *Los burladores*, Zarz, 3 act, l, S. y J. Álvarez Quintero, 10-XII-1948, Te. Calderón, *E:Msa*; *Entre Sevilla y Triana*, Sai, 2 act, l, L. Fernández Sevilla / L. Tejedor Pérez, est, 8-IV-1950, Te. Price, *E:Msa*; *Brindis*, Rv, 2 act, l, L. Fernández de Sevilla / L. Tejedor, est, 14-XII-1951, Te. Lope de Vega, *E:Msa*; *La ópera de mogollón*, Zarz Bu, 2 act, l, Peña Ruiz, 1954, *E:Msa*; *Las de Caín*, 3 act, col. Sorozábal Serrano, l, J. y S. Álvarez Quintero, est, 19-XII-1958, Te. Zarzuela, *E:Msa*; *Juan José*, Dr lír, l, J. Dicenta (padre), 1968, *E:Msa*.

FONOGRAFÍA: *Adiós a la bohemia*, Columbia-BMG España WD 74386 (9D) • Columbia- BMG MCE 837, SCE 937 • Columbia SA, ZCL 1095 (Zacosa) 146 • EMI 7243 5 74345 2 2 (637.05345) • Hispavox 7 67434 2 (637.83508) • Hispavox HH 1037; *Black el payaso*, Blue Moon BMCD 7534 • EMI 7243 5 74227 2 7 (637.02706) • Hispavox 7 67431 2 (637.77070); *Don Manolito*, Alhambra-BMG España WD 71581 (9D) • Columbia R 14117 R 14119 R 14120 R 14121 • Columbia CS 8583 151 • EMI 7243 5 74343 2 4 (637.05451) • Hispavox 7 67430 2 (637.77096) • Zafiro-Salvat 1055-2 • Zafiro ZOR-222 154 • Blue Moon BMCD 7518; *Entre Sevilla y Triana*, Columbia R 14878 a R 14882, C 8783 a C 8790, C8794 C 8795; *Katiuska*, Blue Moon BMCD 7516 • Alhambra-BMG España WD 71585 (9H) • Columbia R 14016 a R 14020, WK 2481 a WK 2484, WK 2488 WK 2489 WK 2518 WK 2519 WK 2615 WK 2616 WK 2618 WK 2619 • Columbia MCE 829, SCE 929-942 • EMI 7243 5 74161 2 2 (637.00353) • Gramófono DA 4215, OJ 576 OJ 577 • Hispavox 7 67330 2

(637.33842) • Hispavox HH 1035 • Odeón 184205, SO 6780 SO 6779 • Odeón 184227, SO 6921 SO 6929 • Zafiro ZN6-8 • Zafiro-Salvat 1037-2 • Zafiro ZOR-22-152 LM-3016 (C) • La Voz de su Amo DA 4326, OJ 936 OJ 937 • Odeón 184508, SO 7747 SO 6944 • Odeón 203752, SO 7748 SO 7749; *La del manojo de rosas*, Columbia SCE 930-Alhambra SCE 943/4 • Columbia-BMG España WD 71583 (9H) • Columbia SA, ZCL 1011 (Zacosa) 141 • EMI 7243 5 74158 2 8 (637.00395) • Hispavox 7 67325 2 (637.33818) • Hispavox HH 1036, S 20181 • Odeón 184365 a 184367, SO 8776 a SO 8781 • Zafiro-Salvat 1018-1 • Zafiro 30103024 (Serdisco) 142 LM 3024 (C) • Zafiro-Novola N 6-9 • Zafiro ZOR-221 150 • Blue Moon BMCD 7514; *La eterna canción*, Columbia R 14289, R 14319 a R 14321 (et. fucsia), C 6526 C 6536 C 6531 C 6532 C 6537 a C 6539 • EMI 7243 5 74344 2 3 (637.05337) • Hispavox 7 67433 2 (637.77054) • R 14288 (et. fucsia), C 6524 C 6525 • Blue Moon BMCD 7521; *La isla de las perlas*, Columbia RG 16155 RG 16156, CC 754 a CC 757; *La Rosario*, Blue Moon BMCD 7534; *La tabernera del puerto*, Zafiro-Salvat 1030-2 • Zafiro LM-3009-C • Zafiro 30103009, 30103014 y 30112102 (Serdisco) 143, 144 y 149 • Zafiro-Salvat 1031-2 • Zafiro LM-3014-C • Zafiro ZOR-160 153 • Columbia-BMG España MCE 839-40 y SCE 939-40 • Columbia-BMG España WD 71469 (9H) • EMI 7243 5 74158 2 8 (637.00395) • Hispavox 7 67325 2 (637.33818) • La Voz de su Amo DA 4253 DA 4254, OKA 315 a OKA 318 • Odeón 184368, SO 8790 SO 8791 • Blue Moon BMCD 7518; *Las de Caín*, EMI 7243 5 74342 2 5 (637.05311) • Hispavox 7 67432 2 (637.77062); *Los burladores*, Columbia C 7509 161 • Columbia SA, ZCL 1091 (Zacosa) 145; *Pepita Jiménez*, Columbia SA, ZCL 1096 y 1097 (Zacosa) 147 y 148.

BIBLIOGRAFÍA: *DMEH*; M. Gómez Santos: *Españoles en órbita*, Madrid, Afrodisio Aguado, 1964; M. Redondo: *Un hombre que se va…*, Barcelona, Planeta, 1973; P. Sorozábal: *Mi vida y mi obra*, Madrid, Fundación Banco Exterior, 1986; J. Suárez-Pajares: "Pablo Sorozábal en la lírica española de los años 30", *Cuadernos de Música Iberoamericana*, 4, 1997, 105-43; J. L. Ansorena Miranda: *Pablo Sorozábal*, catálogos de compositores españoles, Madrid, Fundación Autor, 1998; R. Alier: "La del manojo de rosas", Madrid, Teatro de la Zarzuela, 1998-99; J. Suárez-Pajares: "Reflexiones sobre el tiempo, el género y el estreno de *La del manojo de rosas*", *ibíd*; —: "*La del manojo de rosas*, una instantánea de España en 1934", programa, X Temporada Festival de Teatro Lírico Español de Asturias, 2003, 9-14.

JAVIER SUÁREZ-PAJARES

Soto, Roberto. México, siglos XIX-XX. Actor cómico y director artístico. Cuando era ya un querido y afamado actor cómico, muy conocido en México, se pasó al género lírico en 1918 con *La ciudad de los camiones*, y su primera actuación fue un fracaso aunque con el tiempo llegaría a ser uno de los más famosos actores de género chico. En 1924 participó en el teatro Principal en *Roma se divierte* de Gilbert, con María Conesa, y *El rizo de la Flapper* de Federico Ruiz; en 1928 en *El gato montés* de Penella. En 1930, tras una brillante temporada en el teatro Lírico de México, tenía previsto emprender una gira por toda la nación mexicana para llegar a España donde se le esperaba con expectación, pero fue demandado por Eugenia Galindo "La negra" y otros artistas de su compañía y hubo de regresar a México, para estrenar en el Principal entre 1930 y 1931, *De España vengo*, *Así es México* y dos obras del maestro Ruiz, *Alma suriana* y *El maestro Stokowsky*.

BIBLIOGRAFÍA: M. Mañón: *Historia del teatro Principal de México*, México, Ed. Cultura, 1932.

RICARDO MIRANDA PÉREZ

Soutullo Otero, Reveriano. Puenteareas (Pontevedra), 11-VII-1880; Madrid, 29-X-1932. Compositor. La producción lírica de Soutullo, en una parte importante compuesta en colaboración con Juan Vert, se desarrolla en uno de los momentos de mayor interés del género en el siglo XX: los felices años veinte, en los que dejó obras que han permanecido en el repertorio.

I. Formación y comienzos líricos en el Novedades, 1880-1915. II. Colaboración con Pablo Luna, 1915-1918. III. Colaboración con Juan Vert, 1919-1931. IV. El inesperado final.

I. FORMACIÓN Y COMIENZOS LÍRICOS EN EL NOVEDADES, 1880-1915. Nacido en el seno de una familia vinculada a la música, recibió lecciones desde niño de su padre, director aficionado de la Banda de Redondela y, en opinión posterior del mismo Soutullo, gran músico intuitivo. Mostrando un temprano talento musical, continuó estudiando con Segundo Fernández Cid, director de la Banda de Puenteareas. A los catorce años dirigía el Orfeón de Tuy y, entre 1896 y 1900, fue cornetín solista en el Regimiento de Infantería Murcia 37 de Vigo; en esta etapa en el Ejército, fue el maestro Cetina quien perfeccionó su formación, impartiéndole clases de armonía. Decidido a continuar sus estudios musicales, en 1900 se trasladó a Madrid, con escasa fortuna, y su cornetín como único medio de vida. Fernández Núñez, en una entrevista realizada al compositor recoge el relato del músico sobre cómo surgió su afición al teatro y decidió trasladarse a Madrid: "Mi padre deseaba hacerme bachiller, ingeniero, licenciado en ciencias. No sé qué tentación me asaltó cierto día de leer en el periódico un estreno de Chapí, que constituyó un éxito enorme para aquel malogrado músico. Me sedujo el entusiasmo que había despertado la obra, los elogios de la crítica, los aplausos del público; todo hizo vibrar en mí ilusiones que no dejé de acariciar con delectación. Y, un buen día, sin contar más que con ocho pesetas que guardaba en mi bolsillo, me vine a Madrid". Ya en octubre de ese mismo año 1900 se matriculó en el Conservatorio madrileño de armonía con Pedro Fontanilla, y cornetín. Entre 1901 y 1906 desarrolló sus estudios de composición en dicho centro, finalizando ese mismo año, en la clase de Fernández Grajal, con sobresaliente, y obteniendo el Premio de Composición por unanimidad.

Reveriano Soutullo
(Foto: Saus; Ar. familiar)

Viudo y con su primer hijo, regresó Soutullo a su tierra, recibiendo un importante homenaje el 14 de julio de 1906, en el que se le nombró socio de Honor de la sociedad La Oliva, de Vigo. Su primera etapa como compositor se desarrolló en esta ciudad pontevedresa, donde estrenó dos zarzuelas, *El regreso*, 1906, y *El Tío Lucas*, 1907; el mismo compositor recordaba, años después, sus comienzos líricos en la entrevista de Fernández Núñez ya citada, afirmando: "Compuse mi primera obra en Vigo para un empresario caprichoso que se empeñó en pedírmela, y logró empeñarse en el negocio". En septiembre de 1907, instalado de nuevo en Madrid, comenzó a estrenar nuevas obras en un teatro de último orden, el de Novedades, dedicado al sainete; Soutullo trabajó entonces en colaboración con un joven que comenzaba también su carrera lírica, y cuyo catálogo está compuesto íntegramente por obras –líricas y música para banda– escritas en colaboración, el compositor gallego Lorenzo Andreu Cristóbal. De su colaboración - desarrollada entre 1907 y 1911 – se conservan títulos como *Don Simón Págalotodo* de 1907, *La siega* y *La serenata del pueblo* de 1909, *La pelirroja* de 1910, *Hercina*, entre 1907 y 1911, y *La paloma del barrio*, de 1911. Este sainete lírico de Gonzalo Cantó obtuvo un gran éxito y supuso una primera cima en la carrera lírica del compositor gallego. *Comedias y comediantes* (38, XII-1911) recoge un extenso comentario de la obra, destacando la gracia del libreto –que relata el acoso a una moza de barrio de un indiano rico, a quien ésta rechaza en favor de su mozo– y afirmando que la música obtuvo un éxito grandísimo en "los couplets del segundo cuadro". En resumen, "nuevos cuadros del pueblo madrileño, llevados con toda maestría y sinceridad artística, de la que ya nos habían quitado la costumbre esos señores absurdos que escriben sus engendros a la hora de la digestión para estrenarlos a la hora de dormir", en palabras del editorial de dicha revista, firmado por Diego San José.

En 1908 no estrenó ninguna obra porque realizó un viaje por Francia, Italia y Alemania, gracias a una subvención concedida por el Ayuntamiento de Vigo. Los fines del viaje eran meramente culturales, como acredita un breve diario manuscrito, conservado en el archivo familiar, que documenta detalladamente el mes inicial de este periplo –abril / mayo de 1908–. En este periodo de su carrera, Soutullo mantuvo también un intenso contacto con la editorial Alier, de la que, según algunas publicaciones –*El Heraldo de Madrid*, 28-X-1932–, llegó a ser jefe de publicaciones durante diez años. Sí está documentado que en 1910 Soutullo, Villanueva y Alier suscribieron un contrato por el cual las obras de banda se editarían en Galicia y el resto, por Alier en Madrid. (Estévez Vila, págs. 47-48). En 1911 se creó la sociedad mercantil "Soutullo y Villanueva", para publicar dichas obras para banda en un plazo de seis años; sin embargo, tres años más tarde, Soutullo cedió sus derechos a Manrique Villanueva, abandonando la sociedad. Sin duda, el compositor había decidido concentrar todos sus esfuerzos en el género lírico, tras el éxito obtenido por su nuevo sainete *El cofrade Matías*, 1914, como él mismo afirmaba.

II. COLABORACIÓN CON PABLO LUNA, 1915-1918. Luna, en colaboración con Arturo Serrano, había alquilado el teatro de la Zarzuela durante las temporadas 1913-14 y 1914-15, con el fin de potenciar el género lírico nacional. No se conocen los contactos entre Soutullo y Luna, pero el 16 de abril de 1915, Soutullo estrenó una zarzuela en dos actos en dicho teatro, abandonando así los coliseos de último orden y peores medios, como el de Novedades. La obra, *Amores de aldea*, es una zarzuela de costumbres gallegas, claramente deudora de *Maruxa*, que había sido estrenada en el teatro de la calle Jovellanos el año anterior. Esta obra, que marca el inicio de la colaboración entre Soutullo y Luna, obtuvo inmenso éxito ya que, además de sus valores intrínsecos, fue puesta en escena con todo lujo de detalles. El libro merece los parabienes de Fernández Núñez, desde *El Arte Musical* (1-V-1915), quien afirma que "el tipo de Mariquiña, estudiado con exquisito cuidado, es un tipo perfecto de mujer aldeana. Impregnado de espíritu de amores hacia Pedro, sabe perdonar la brava actitud de Petra, su rival, quien, enamorada del novio de Mariquiña, intenta romper el idilio de los amantes con ayuda de Bartolo, aldeano confiado que, por inclinación hacia Petra e ignorando sus malas artes, se presta a realizar maquiavélicos proyectos". En cuanto a la música es, en opinión de Fernández Núñez, "sencillamente admirable", ya que "el joven compositor Soutullo ha acertado componiendo una partitura en que sabe amalgamar los modernos procedimientos técnicos con la fresca y sana inspiración de la melodía popular gallega". Los números que destaca el crítico de los escritos por Soutullo son los preludios inicial, el del cuadro segundo, y el del último cuadro, llegando a afirmar que el compositor gallego "triunfó y la zarzuela, que producirá fama y dinero a sus autores, servirá para colocar a Soutullo en primera fila entre sus contemporáneos". Tras elogiar la labor de Luna, se valora la labor de todos los intérpretes y del escenógrafo, Martínez Garí.

Tras *Amores de aldea*, estrenó en solitario *La giraldina*, 1916, en el teatro de Novedades. Se trata de una especie de revista de Pacheco y Renovales, para la que Soutullo "se ha esmerado escribiendo una linda y alegre partitura que gustó y que aún hubiera obtenido más éxito si las tiples, señoritas Paisano y Lacalle, hubiesen mostrado mayor interés en sus interpretaciones, lo mismo que el resto de la compañía cuya actuación fue muy mediana" (*El Arte Musical*, 29-II-1916). Después de estrenar *La guitarra del amor* en colaboración con diversos autores ya consagrados, el maestro gallego presentó en octubre de 1916 un nuevo sainete en el Novedades, *Don Juanito y su escudero*. Se trata de una obra "nieta de los sainetones que tanto dinero como aplausos proporcionaron *in illo tempore* a Arniches, García Álvarez, Valderde y demás gentes de dichos arrabales". En cuanto a la música, "Soutullo ha puesto la música, es decir, hablemos claro, puesto que los literatos han relegado lo lírico al mismo lugar que los corchos, que hay que meter a máquina para entaponar [*sic*] las botellas de aguas minerales, el concertador lírico ha tenido que quedar en tan descarada posición" (Bart, *El Arte Musical*, 15-XI-1916). En opinión de Estévez Vila, "es probable que en estos años, hasta que conoce a Vert, llevara una vida de segundón instrumentando partituras", afirmación para la que se basa en el testimonio de su cuñado, Diego San José, quien tiene la certeza de la colaboración en silencio de Soutullo con Luna en las obras estrenadas por éste en 1918 –razón que justifica que en este año el maestro gallego no estrenase ninguna obra–. Según el testimonio de San José, Soutullo sería colaborador director de Luna en títulos como *El aduar* o *El niño judío*, siendo el autor de la famosa "Canción española" de esta última; de hecho, en el álbum de recortes de prensa del compositor gallego, se han recogido recortes de estos dos estrenos, revelando, de forma tácita, la participación de Soutullo en dichas obras.

III. COLABORACIÓN CON JUAN VERT, 1919-1931. Es el mismo San José quien afirma que "hasta que inició su colaboración con Vert –de la que tengo el orgullo de haber sido el iniciador– no logró Soutullo salir del segundo término en que se quedaba instrumentando partituras ajenas". El valenciano Juan Vert era diez años más joven que Soutullo, tenía una buena formación musical y, en el momento de unir sus destinos líricos, había estrenado sólo dos obras en solitario: *Las vírgenes paganas* y *El Versalles madrileño*. La pareja constituye el último gran tándem del género lírico, llegando a escribir más de treinta títulos en común. Desde 1919 a 1931 toda la producción de Soutullo fue hecha en colaboración con Vert, a quien le uniría una relación fraternal, de total identificación, rota de forma trágica por la temprana muerte de Vert en 1931.

Su primer fruto, la zarzuela *El capricho de una reina*, se presentó en 1919 en el teatro Apolo. La obra calificada por sus autores de parodia de opereta, "no es sino una tal opereta –según Chispero– con injertos de juguete cómico y abundantes retruécanos –algunos de los cuales parecieron excesivos al público, sobre todo porque Galleguito patinó, subrayándolos con exceso–. De la partitura se repitió un quinteto del primer acto, la inevitable –desde *El niño judío* ya no faltaba nunca– 'Canción Española', unos cuplés que Meana cantó y accionó insuperablemente y un schotis japonés con ribetes madrileñistas. Las hermanas Leonís, Meana y María Esparza, fueron muy aplaudidas y por primera vez desde su representación en el escenario de la 'Catedral', el excelente actor cómico Sr. Montero, que ya había perdido las esperanzas de encajar en el

Reveriano Soutullo (Foto: Ar. familiar)

Apolo". La obra compartió el cartel con *La flor del barrio* y *El niño judío* hasta el fin de la temporada, el 20 de julio. La crítica valora muy positivamente la labor de Soutullo y Vert en *El capricho de una reina*, únicos protagonistas de la velada, al considerarse el libro de menor calidad que la partitura. Los números más aplaudidos de la obra fueron una canción andaluza, un cuplé de tenor cómico, un duetto de tiple y tenor cómico, unos cuplés coreados de bajo, un bailable y el donosísimo schotis japonés.

El siguiente estreno de Soutullo, en colaboración esta vez con Barba, le llevó de nuevo al teatro de Novedades al tratarse de un sainete lírico, *La pitusilla*. Soutullo, que colaboraba una vez más en este género con el escritor Enrique Calonge, consiguió su mayor éxito en el género sainetesco, superando el logrado por obras anteriores de ambos, como *La paloma del barrio* o *El cofrade Matías*. Según recogen los recortes de prensa del álbum del compositor, "la partitura es agradable, original y está notablemente instrumentada. Soutullo es uno de los pocos músicos que saben armonizar su talento con la modestia de los libros que se le entregan". De la partitura destacaron "una canción de cuna interesantísima, un precioso intermedio y un dúo cómico", que fueron ovacionados, teniendo que ser repetidos. *La garduña*, estrenada en noviembre de 1919, es la única obra de Soutullo en colaboración con Bernardino Bautista Monterde. La obra pasó sin obtener éxito, como afirma la prensa y recoge el *Anuario teatral 1919-1920*, de V. Ojeda González y L. Cano Márquez, Madrid, 1920. *Justicias y ladrones*, siguiente título estrenado en diciembre de 1919, "gustó", en términos de dicho *Anuario*, pero el libro de Sinesio Delgado fue criticado por la prensa, que afirmaba cómo "la música de Soutullo y Vert es más que acertada, es más que agradable: es perfecta. Adaptada a otro libro, hubie-

ra conseguido un éxito sin regateos" (*El País*, 27-XI-1919). Los autores, según afirmaba *La Acción* del mismo día, habían escrito "una copiosa partitura, pero no figuraba en ella el número definitivo". Dentro de esa misma temporada, ya en mayo del año 1920, *Guitarras y bandurrias* les proporcionó un "gran éxito" (*Anuario teatral, 1919-1920*). Un nuevo éxito llegó con *Las perversas*, estrenada en noviembre de 1921, zarzuela cómica puesta en escena en el teatro Cervantes que obtuvo un éxito franco y rotundo gracias a sus "números originales, inspirados, de música que se queda en los oídos, y que fueron repetidos por petición unánime" del público (*La Correspondencia*, 12-XI-1921). En enero de 1922 Soutullo y Vert recibieron por primera vez críticas negativas con la partitura de *La guillotina*, zarzuela en dos actos que no fue bien recibida por el público de Apolo, un público "que sigue de malas", pues "de otro modo, en ocasión más favorable, *La guillotina* estrenada anoche, hubiera tenido un éxito más satisfactorio" (*El Debate*, 28-I-1922). El mes siguiente, estrenaron *La venus de Chamberí* en el teatro Martín, coliseo de segunda fila, con un público más fácil de contentar que el de Apolo. La partitura de la obra, integrada por números directos y ligeros como solicitaban el libro y el contexto, consiguió éxito, teniendo que ser repetidos unos cuplés y una zambra gitana, según recoge *El Imparcial* del día siguiente al estreno. Durante la temporada 1922-23 estrenaron Soutullo y Vert la zarzuela bufa, algo subida de tono, *El regalo de boda*; la obra gustó al público y a la crítica, llegando a afirmar *El Imparcial* que "limpia de estos lunares –refiriéndose a los chistes subidos de tono– puede decirse que es de lo mejorcito que este año hemos visto en Martín" (3-II-1923). También en el Martín se estrenó en abril de 1923 *La piscina de Buda*, obra completada por Soutullo y Vert ante el fallecimiento de Lleó, que había dejado incompleta la partitura. El estreno, sentimental homenaje tácito al maestro Lleó, obtuvo un nuevo éxito, afirmando *La Voz* "que los autores fueron llamados a escena al finalizar los tres cuadros. El triunfo fue absoluto" (7-IV-1923).

Ya en la temporada 1923-24 obtuvieron Soutullo y Vert un destacado triunfo con el juguete en dos actos *La conquista del mundo*, siendo elogiados por la crítica tanto el texto, como la partitura, a la altura de éste, "siendo el número saliente un schotis gracioso y movido que al público gustó tanto que quiso oírlo tres veces" (*La Acción*, 21-XI-1923). Pero el año cómico 1923-24 fue decisivo para el desarrollo de un nuevo concepto de zarzuela grande, siendo además el año del primer gran éxito de Soutullo y Vert con *La leyenda del beso*. Las obras que se estrenaron poco antes, no hicieron sino preparar el camino que había de seguir el género. *Doña Francisquita* –con letra de Romero-Fernández Shaw y música de Vives– es el ejemplo seguido por los autores coetáneos, de los que Soutullo y Vert representan en este sentido una avanzadilla tan próxima que su *Leyenda del beso* comparte cartel en la misma temporada con la obra de Vives. En tres meses se anticipa la primera representación de *Doña Francisquita* a *La leyenda del beso*, ambas en el teatro Apolo. Este año lírico había comenzado con el éxito clamoroso de la primera, pero hubo de darse por concluida la temporada por estar comprometido el teatro con la compañía argentina Rivera de Rosas. Esta compañía, que dio grandes rendimientos económicos, terminó el 6 de enero de 1924, y el 18 del mismo mes y año inició su actuación la compañía de revistas y sainetes de los hermanos Velasco; el cartel del debut lo integraban el sainete de Ramos Martín *La real gana* y la zarzuela *La leyenda del beso*. La obra se mantuvo en cartel alternando con *Doña Francisquita* y con la revista *La tierra de Carmen*. No obstante el éxito de estas obras, el público no acudía al Apolo, por lo cual el 1 de febrero, la empresa –regentada por Amadeo Vives– ofreció una considerable rebaja de precios, costando la butaca para la función entera cinco pesetas. Se repuso *La montería* y el 5 de febrero debutó Galleguito, reponiéndose la revista de la temporada anterior, *Arco Iris,* con la que hizo su presentación este tenor cómico. Así con esta obra y *La leyenda del beso* se llegó con una buena situación económica al 9 de marzo, fecha en que la empresa ofreció al público un espectáculo titulado *Revista de revistas,* en el que se reunieron los cuadros y números musicales más celebrados de *Arco Iris* y *La tierra de Carmen*. El testimonio de Chispero es elocuente sobre la situación del teatro en aquella época, todavía no abierta favorablemente a la zarzuela grande, pero capaz de aceptar la libertad de escritura que muestran las partituras del momento, que en el caso de Soutullo y Vert es la suma de calidad de inspiración y dominio técnico que se funden para la creación de obras bien construidas en los moldes del clasicismo zarzuelero, pero abiertas a la recepción de las últimas estéticas musicales europeas. La música de *La leyenda del beso* es eminentemente lírica, de amplio concepto expresivo, dramática porque en el libro hay una historia de amor cuyo fin es la muerte, pero el dramatismo de Soutullo y Vert, tiene más de resignación fatalista que de pasión encendida. *La leyenda del beso* obtuvo un clamoroso éxito en todos los escenarios donde fue interpretada, como Valencia –donde la crítica habla de éxito clamoroso–, Granada o incluso Nueva York.

Tras este éxito, los dos autores estrenaron el 5 de marzo de 1925 un nuevo sainete en el teatro de Nove-

dades una vez más con texto de Calonge, *La casita del guarda*. El diario *La Libertad* del día siguiente al estreno, elogia el resultado de la obra, y L. Bejarano, desde *El Liberal* del mismo día, afirma que se trata de "una partitura de clara línea melódica y amplios efectos orquestales, de la que saldrá a los gramófonos y pianolas una farruca del más garboso aire". Un nuevo sainete en dos actos, *Encarna la misterio,* fue estrenado en Apolo el 8 de mayo de esa misma temporada. Libro y música resultaron del agrado del público, si bien la partitura, por su extensión y pretensiones, se estimó como excesivamente engolada para un sainete madrileño, según algunas opiniones de la crítica que recoge Chispero. Sin embargo, desde *La Libertad,* Antonio de la Villa afirma al día siguiente al estreno, que Soutullo y Vert se apuntaron en esta obra "el mejor tanto de toda su vida artística. Y es que, ante la magnitud del libro, ellos han hecho la música que necesitaba la obra". La misma fuente destaca como números principales "un dúo cómico, un pasacalle, una mazurka y un intermedio".

El 27 de enero de 1927 Soutullo y Vert volvieron a la cartelera del Apolo con una obra sobre un libreto de los hermanos Ramos Martín, titulado *Así se pierden los hombres,* que obtuvo un éxito mediano y mereció de la crítica severas censuras, sobre todo por estimarlo inadecuado, aduciendo que el Madrid del año 1927 distaba mucho de ser como lo pintaban en su sainete los autores, para quienes, por lo visto, el tiempo se había detenido en los finales del siglo XIX, en que se estrenaron *La verbena* y *La revoltosa*. *Así se pierden los hombres* se representó durante una quincena en función de tarde, continuando por la noche en el cartel *El huésped del Sevillano*. Dos años más tarde la pareja obtuvo otro inmenso triunfo: el 26 de octubre de 1927 se estrenó en el teatro de La Latina de Madrid la zarzuela *La del Soto del Parral*. Esta zarzuela es el único caso de la historia del género zarzuelístico que la misma obra se puso en escena simultáneamente en tres teatros madrileños, La Latina, Apolo y Fuencarral. Con *La del Soto del Parral* y *El sobre verde* de Guerrero, "subieron bien la cuesta de enero los del Apolo –según Chispero–, donde no hubo variación en el cartel y sí sólo una corta exhibición del número de atracción Harry-Willis". En la Latina la interpretaba Sagi Barba y su compañía, mientras que en el Apolo lo hacían Selica Pérez Carpio y Godazol. El libro de Luis Fernández de Sevilla y Anselmo C. Carreño, se sitúa en el costumbrismo y en el argumento de una historia de carácter rural, diciendo la propia dedicatoria de la obra: "A Segovia, recia tierra castellana en cuya tradición, hidalguía y pintorescas costumbres hallaron ambiente para esta zarzuela los autores". Se trata de una historia en la que juegan por igual el amor, los celos, la nobleza y el localismo, ingredientes que el tino teatral de los libretistas distribuyen equilibrando las escenas y proporcionando elementos dramáticos para que la inspiración musical se manifieste con fuerza lírica.

En este periodo, comenta Estévez Vila que Soutullo creó dos compañías líricas, con la intención de crear una sociedad de artistas, constituida en empresa, que potenciara la zarzuela española. Es éste un aspecto nada conocido del compositor, al que él mismo no hizo referencia nunca a lo largo de su vida. Parece que la primera compañía estuvo formada antes del estreno de *La del Soto del Parral*, pero ante el éxito de la obra, Soutullo decidió disolverla. La segunda, fue formada en el otoño de 1931, después del fallecimiento de Vert y del estreno de *Marcha de honor* en el teatro Maravillas de Madrid; esta segunda compañía –denominada Romeu Soutullo– fue disuelta a principios de 1932.

El 9 de marzo de 1928 de nuevo lograron Soutullo y Vert un buen éxito con la zarzuela *El último romántico*, escrita sobre un libro de Tellaeche, "muy bien trazado y en el que se presentaban tipos del Madrid de Alfonso XII perfectamente estudiados y que además ofrecían a los músicos ocasiones propicias al lucimiento. En efecto, Soutullo y Vert lograron una partitura que si no llegó a superar a *La del Soto del Parral*, gustó extraordinariamente al auditorio –según Chispero–, que hizo repetir casi íntegramente todos los números de la obra, entre los que había una romanza de tenor muy melódica, que Pepe Romeu cantó deliciosamente, viéndose obligado a hacerlo tres veces. Pero aún superó la calidad y el triunfo logrado con la mazurca madrileña, de corte muy parecido al número célebre de los Ratas de *La Gran Vía*, y que hubo de ser cantado entre grandes ovaciones cuatro veces".

El 20 de octubre de 1929 Soutullo recibió un apoteósico homenaje en su patria chica, Puenteareas, en el que participó todo el mundo musical gallego; con motivo de este acontecimiento, se estrenó el pasodoble *Puenteareas*, hoy himno de dicho ayuntamiento. El discurso del maestro –publicado íntegramente en *El Faro de Vigo* del 22 de octubre de 1929– fue transcrito en el estudio biográfico de Estévez Vila. En febrero de 1931 murió Juan Vert, interrumpiendo todo un futuro de proyectos, tras doce años de colaboración. Su último estreno juntos, aunque ya póstumo para el valenciano, fue *Marcha de honor*. Tras el fallecimiento, Soutullo relataba en una entrevista titulada "El sitio vacío que dejó Juan Vert": "No era para mí el colaborador, era el amigo, el hermano, eso de lo que no se puede prescindir. Juanito Vert, que además de un gran músico era un gran holgazán, me convirtió a mí a la religión de la gandulería. Nos sucedía siempre lo mismo. Nos daban un libro, adquiríamos el compromiso con autores y empresa de entregar la obra para fecha determinada y dejábamos pasar el tiempo alegremente hasta que un día el calendario o una carta insultante de nuestros colaboradores nos daba la voz de alarma. Entonces, como el que va al patíbulo, nos íbamos a casa, nos encerrábamos con el piano y empezábamos a trabajar febrilmente hasta acabar la obra. Esta forma de trabajar indudablemente había de repercutir en nuestra salud". En cuanto al método de colaboración, afirmaba Soutullo en la misma entrevista: "Vert hacía sus números y yo los míos, y después nos preocupábamos de darles unidad. Entre Juan y yo había una compenetración tan grande que los números suyos parecían hechos por mí y viceversa. En lo referente a la orquestación nos ocurrieron cosas graciosas. Este schotis –decía la gente– está orquestado por Fulano y la melodía es del otro, pues era al revés… Vert orquestaba formidablemente".

IV. EL INESPERADO FINAL. Desaparecido Vert, afirmó Soutullo que no iba a establecer una nueva colaboración con ningún otro maestro, aunque sí llevaría a cabo alguna puntual con Pablo Luna. Sus últimas obras quedaron incompletas, y fueron estrenadas póstumamente, como *La rosa de Flandes*, zarzuela terminada por Estela y estrenada en el teatro del Progreso de Madrid en 1933, o *Luces de verbena*, sainete completado por su antiguo compañero en las clases de composición del Conservatorio, Gregorio Baudot y Moreno Torroba, siendo estrenado en el teatro Calderón de la capital de España, en 1935.

Aunque la mayoría de los textos biográficos de Soutullo atribuyen su muerte a un accidente automovilístico, ésta se produjo, según recoge Estévez Vila, por un desafortunado postoperatorio tras una trepanación de oído. Todos conocían la sordera que el maestro sufría del oído derecho, por lo que se sometió a una operación, de la que se estaba recuperando cuando sufrió una bronconeumonía de la que falleció en 1932.

El compositor se encontraba en la cima de su carrera, que había alcanzado ya la consideración de sus contemporáneos. Era Vicepresidente de la Sociedad española de Autores Líricos y miembro del Consejo de Administración de la SGAE. *Véase* LA LEYENDA DEL BESO, LA DEL SOTO DEL PARRAL, EL ÚLTIMO ROMÁNTICO.

OBRAS: *El regreso*, Zarz, 1 act, l, A. Fernández Arreo, est, 1-X-1906, Te. Tamberlick (Vigo); *El tío Lucas*, Zarz, est, 1-II-1907, Te. Rosalía de Castro (Vigo); *Don Simón págalo todo*, Zarz, 3 act, col. L. Andreu Cristóbal, l, E. Ramos Padilla / J. Prats Peralta, est, 28-IX-1907, Te. Novedades, E:Msa; *La siega*, Zarz, 1 act, col. L. Andreu Cristóbal, l, G. Cantó, est, 11-VI-1909, Te. Novedades, E:Msa; *La serenata del pueblo*, Zarz dramática, 1 act, col. L. Andreu Cristóbal, l, G. Cantó /R. de Santa Ana, est, 11-IX-1909, Te. Novedades, E:Msa; *La pelirroja*, Zarz, 1 act, col. L. Andreu Cristóbal, l, M. Escamilla, est, 4-XII-1910; *La paloma del barrio*, Sai lír, 1 act, col. L. Andreu Cristóbal, l, G. Cantó /E. Calonge, est, 15-XII-1911, Te. Novedades, E:Msa; *Hercina*, Zarz, 1 act, col. L. Andreu Cristóbal, l, R. Pastor, entre 1907-11, E:Msa; *Los zuecos de la Maripepa*, Zarz de costumbres gallegas, est, verano de 1914, La Habana; *El cofrade Matías*, Sai lír, 1 act, l, E. Calonge, est, 7-XII-1914, Te. Novedades, *E:Msa, E:Mc; Amores de aldea*, Zarz gallega, col. P. Luna, l, J. Gómez Renovales / F. García Pacheco, est, 16-IV-1915, Te. Zarzuela, *E:Msa; La giraldina*, Jug cómlír, 1 act, l, J. Gómez Renovales / F. García Pacheco, est, 16-II-1916, Te. Novedades; *La guitarra del amor*, Fant musical, 1 act, col. T. Bretón / G. Giménez / A. Vives / T. Barrera / P. Luna / R. Villa / E. Bru / E. Anglada, l, G. Perrín / M. Palacios, est, 16-V-1916, Te. de la Zarzuela; *Don Juanito y su escudero*, Sai lír, 1 act, l, E. Calonge / E. Reoyo, est, 27-X-1916, Te. Novedades, *E:Msa; El capricho de una reina*, Opt, 2 act, col. J. Vert, l, A. Paso (hijo) / A. Vidal, est, 17-V-1919, Te. Apolo, *E:Msa, E:Mc; Como los ojos de mi morena*, Sai lír, col. E. Granados / J. Guridi / J. Vert / P. Luna / J. Guerrero / F. Alonso / F. Moreno Torroba / E. Pérez Rosillo, l, F. Casares / J. M. Quiles, est, 4-VI-1919, Te. Apolo, *E:Msa; La pitusilla*, Sai lír, 1 act, col. I. Barba, l, E. Calonge, est, 6-VI-1919, Te. Novedades, *E:Msa, E:Mc; La garduña*, Zarz, 2 act, col. J. Vert, l, A. Paso Cano / J. Rosales, est, 15-XI-1919, Te. Cómico, *E:Msa, E:Mc; Justicias y ladrones*, Zarz, 2 act, col. J. Vert, l, S. Delgado, est, 26-XI-1919, Te. Apolo, *E:Msa; Las aventuras de Colón*, Hum, 2 act, col. J. Vert / B. Bautista Monterde, l, A. Paso Cano / J. Rosales, est, 23-XII-1919, Te. Cómico, *E:Msa, E:Mc; Guitarras y bandurrias*, Sai lír, 2 act, col. J. Vert, l, A. Paso Cano / F. García Pacheco, est, 20-V-1920, Te. del Centro, *E:Msa, E:Mc; La caída de la tarde*, Fant, 1 act, col. J. Vert, l, A. Paso Cano / J. Rosales, est, 7-XII-1920, Te. Martín, *E:Msa, E:Mc; La misma cara*, Ent, col. J. Vert, l, A. Muñoz Lapena, est, 31-XII-1920, Te. Zarzuela, *E:Msa; Los hombrecitos*, fábula, 1 act, col. J. Vert, l, E. Calonge, est, 8-III-1921, Te. Novedades, *E:Msa; Las perversas*, Com lír, 2 act, col. J. Vert, l, A. Muñoz Lapena / A. Muñoz, est, 11-XI-1921, Te. Cervantes, *E:Msa, E:Mc; La guillotina*, Zarz, 2 act, col. J. Vert, l, A. Paso Cano / F. García Pacheco, est, 27-I-1922, Te. Apolo, *E:Msa, E:Mc; La venus de Chamberí*, Zarz, 1 act, col. J. Vert, l, F. Luque, est, 2-II-1922, Te. Martín, *E:Msa; La chica del sereno*, Sai, 1 act, col. J. Vert, l, E. Calonge, est, 2-XII-1922, Te. Price, *E:Msa; El regalo de boda*, Zarz, 1 act, col. J. Vert, l, F. Luque, est, 2-II-1923, Te. Martín, *E:Msa, E:Mc; La piscina de buda*, Zarz, 1 act, col. J. Vert / V. Lleó, l, J. Dicenta (hijo) / A. Paso Díaz (hijo), est, 6-IV-1923, Te. Martín, *E:Msa; La conquista del mundo*, Zarz, 2 act, col. J. Vert, l, F. Luque, est, 20-XI-1923, Te. Cómico, *E:Msa, E:Mc; La leyenda del beso*, Zarz, 2 act, col. J. Vert, l, A. Paso Díaz / E. Reoyo / J. Silva Aramburu, est, 18-I-1924, Te. Apolo, *E:Msa, E:Mc; La casita del guarda*, Sai, 1 act, col. J. Vert, l, E. Calonge, est, 5-III-1925, Te. Novedades, *E:Msa; Encarna la misterio*, Sai, 2 act, col. J. Vert, l, F. Luque / E. Calonge, est, 8-V-1925, Te. Apolo, *E:Msa, E:Mc; Primitivo y la Gregoria o El amor en la prehistoria*, Sai, col. J. Vert, l, F. Luque / E. Calonge, est, 28-XII-1925, Te. Apolo, *E:Msa; Así se pierden los hombres*, Sai, 2 act, col. J. Vert, l, A. y J. Ramos Martín, est, 27-I-1927, Te. Apolo, *E:Msa; La del Soto del Parral*, Zarz, 2 act, col. J. Vert, l, L. Fernández de Sevilla / A. C. Carreño, est, 26-X-1927, Te. La Latina, *E:Msa, E:Mc; El asombro de gracia*, Hum, 2 act, col. J. Vert, l, E. García Álvarez / J. Lucio, est, 26-XI-1927, Te. Chueca, *E:Msa; El último romántico*, Zarz, 2 act, col. J. Vert, l, J. Tellaeche, est, 9-III-1928, Te. Apolo, *E:Msa, E:Mc; Las maravillosas*, col. J. Vert, l, A. Paso / T. Borrás, est, 11-I-1929, Te. Price, *E:Msa; La virgen de bronce*, Zarz, 2 act, col. J. Vert, l, R. Peña / A. Paso Díaz, est, Te. Apolo (Valencia), 29-XI-1929, *E:Msa, E:Mc; Las bellezas del mundo*, Zarz, 2 act, col. J. Vert, l, A. Paso Cano / T. Borrás, est,

Cortesía de Unión Musical Ediciones SL

19-IV-1930, Te. Metropolitano, *E:Msa; Las pantorrillas*, Hum, 2 act, col. J. Vert, l, J. Mariño / F. García Loygorri, est, 26-IV-1930, Te. Eslava, *E:Msa, E:Mc; Marcha de honor*, Zarz, 2 act, col. J. Vert, l, A. Lapena / L. Blanco, est, 9-IV-1931, Te. Maravillas, *E:Msa; Las caras iguales*, Apr, 1 act, col. J. Vert, l, A. Lapena / A. Muñoz Seca, 1931, *E:Msa; Caras y caretas*, col. J. Vert, l, A. Paso, 1931, *E:Msa; El capricho de Margot*, col. J. Vert, 1931, *E:Msa; La canción de los batanes*, col. J. Vert, l, L. Fernández de Sevilla / A. C. Carreño, 1931, *E:Msa; Bellezas del mundo*, Zarz, 2 act, col. J. Vert, l, A. Paso Cano / T. Borrás, 1931, *E:Msa; La maja serrana*, Zarz gallega, col. G. Baudot, l, A. Mori / E. Calonge, 1932; *Piso 5º, letra C*, Zarz, col. J. M. Tena, l, A. Torrado, 1932, *E:Msa; La rosa de Flandes*, col. E. Estela, l, M. de Góngora / J. Tellaeche, est, 11-I-1933, Te. del Progreso, *E:Msa; Luces de verbena*, Sai, 2 act, col. G. Baudot / F. Moreno Torroba, l, Serrano Anguita / J. Tellaeche, est, 2-V-1935, Te. Calderón, *E:Msa; Emperatriz*, Zarz, col. L. Andreu Cristóbal, ed. 1911.

FONOGRAFÍA: *El capricho de una reina*, Gramófono W 264430 W 262228 (et. verde), s20477u, s20480u • Victoria 5778 y 5782; *El último romántico*, Blue Moon BMCD 7547 • Columbia-BMG España WD 75124 (9D) •Columbia-Alhambra MCC 30034, SCLL 14042 • Columbia SA, ZCL 1034; *La baturrica*, Odeón 184917, SO 6983 SO 6985; *La del Soto del Parral*, Montilla FM-68 • Zafiro-BMG EPFM-132 • Regal SEBL 7014 • Gramófono AC 130, BJ 1104 • Zafiro ZOR-118 180 • Alhambra-Columbia MCE 852 • Alhambra-Columbia-BMG España WD 71582 (9D) • Columbia-BMG-Ariola-Salvat 1032-2 • Columbia SA, C 30025 • EMI 7243 5 74228 2 6 (637.02623) • La Voz de su Amo AC 132, AE 2034 AE 2217 AE 2218 AE 2745 AE 2815 • Odeón 121183, XXS 4680 XXS 5037 • Regal 33 LCX 108; *La leyenda del beso*, Alhambra ALG 23001, CCB 5048 CCB 5050 • Blue Moon BMCD 7547 • Alhambra-BMG España WD 71463 (9D) • Discophon (S) 4032 (S) 7278 (S) 7279 (S) 1005 • Columbia SCE 962 • La Voz de su Amo AF 414, CN 1107 CN 1106 • Odeón 173191, XXS 6450 XXS 6451 • Regal RS 1007 (et. azul), KX 40 205832 • Zafiro-BMG EPFM-134 • Zafiro 30103008 159 • Zafiro ZOR-128 158; *La marcha de honor*, Blue Moon BMCD 7547.

BIBLIOGRAFÍA: *OGCH; TA*; M. F. Fernández Núñez: *La vida de los músicos españoles. Opiniones, anécdotas e historia de sus obras*, Madrid, FF, 1925; J. Estévez Vila: *Reveriano Soutullo Otero (1880-1932). Estudio biográfico y musical*, Madrid, Alpuerto, 1995.

Mª ENCINA CORTIZO

Stela, Juanita. España, siglos XIX-XX. Tiple. En 1912 estaba contratada por el Gran Teatro como primera tiple y estrenó *La cartera de Marina* de Prudencio Muñoz y *La Generala* de Vives. En 1914 formaba parte del teatro Eslava en el que estrenó *El ayudante del duque* de Bretón y Aroca.

Mª LUZ GONZÁLEZ PEÑA

Stern. Se conocen dos cantantes españoles, Concepción y Emilio, probablemente hermanos.

1. Concepción. España, siglos XIX-XX. Tiple. En 1917 estrenó en Apolo *Albi-Melén* de Calleja. Participó en el estreno de *Los claveles* de José Serrano, que tuvo lugar en el teatro Fontalba de Madrid en 1929 y que protagonizaron Matilde Vázquez y Tino Folgar.

2. Emilio. España, siglos XIX-XX. Actor y cantante. En 1892 estrenó en el teatro Alhambra *Majos y estudiantes o El rosario de la Aurora* de López Juarranz; en 1895 en el teatro de la Princesa de Madrid *El candidato* de Joaquín Valverde; en 1896 en Apolo *La banda de trompetas* de Torregrosa; en 1897 en el Príncipe Alfonso, *Fotografías animadas o El arca de Noé* de Chueca y en Apolo *Aquí va a haber algo gordo o La casa de los escándalos* de Giménez; en 1898 en Apolo *El santo de la Isidra* y *La fiesta de San Antón* de Torregrosa, *Toros del saltillo* Valverde y *La chavala* de Chapí; en 1909 en Eslava *La moral en peligro* de Lleó; en

Emilio Stern y el Sr. González en La moral en peligro *de Vicente Lleó (Foto:* Comedias y Comediantes, *1909; Ar. ICCMU)*

1910 en Eslava *Colgar los hábitos* de Foglietti y Lleó y *El Conde de Luxemburgo* de Lehár en adaptación de Lleó; en 1911 en el Gran Teatro *La niña de las muñecas* de Leo Fall y en Eslava *Molinos de viento* de Luna; en 1906 en el Price *Aires nacionales* de Calleja y Caballero; en 1912 en Eslava *Los húsares del kaiser* de Kálmán adaptada por Lleó, *El cuarteto Pons* de Lleó; en 1914 en el Gran Teatro, *La muñeca del amor* y *La isla de los placeres* de Penella; en 1923 en Apolo *El rey nuevo* de Guerrero, y en 1924 *La Bejarana* de Alonso.

BIBLIOGRAFÍA: *TA*.

Mª LUZ GONZÁLEZ PEÑA

Suárez. Familia de cantantes españoles formada por Leopoldo y sus hijas Cándida y Blanca.

1. Leopoldo. España, siglos XIX-XX. Barítono. En 1896 estrenó en el teatro Circo de Colón de Madrid, *Simbad el marino* de Brull. Estuvo contratado junto a sus hijas Cándida y Blanca, por el teatro Principal de México en 1908. En 1929 estrenó en el teatro del Centro de Madrid, junto a sus hijas, *El caballero del guante rojo* de Luna.

2. Cándida. España, siglos XIX-XX. Primera tiple de género chico, opereta y revista. Sus cualidades vocales estaban parejas con su belleza, distinción y con una gran escuela de canto, méritos que le permitieron triunfar pronto. Actuó en México entre 1907 y 1908, año en el que Cándida estrenó en el teatro Principal *El barbero de Sevilla* de Giménez y Nieto y *Las boletas* de Alcántara. En 1910 actuaba con la compañía de opereta española del teatro de la Comedia, siendo muy aplaudida en títulos como *El encanto de un vals*. En 1917 se presentó como cupletista y en París como tonadillera; de vuelta a España en 1918, se reintegró a la revista de gran espectáculo y a la opereta. En 1925 estrenó en Eslava la adaptación de José Juan Cadenas de la opereta de Gilbert *Katia la bailarina*, junto a José Luis Lloret. En 1928, junto a Emilio Vendrel, *La Manola del Portillo* de Pablo Luna en el teatro Pavón. Del mismo compositor, con Celia Gámez, estrenó en Madrid y Barcelona y en teatros Eslava y Tívoli, respectivamente, la opereta *Roxana*. En 1929 junto a Blanca y a su padre estrenó *El caballero del guante rojo* de Luna en el teatro del Centro de Madrid.

FONOGRAFÍA: *¡Abajo las coquetas!*, Sonifolk 20133; *La blanca doble*, Sonifolk 20133; *Las castigadoras*, Blue Moon BMCD; Parlophon B 25756-II, Gramófono AE 1955 AE 7872 AE 19569 • Odeón 182043 (et. azul), SO 4327 SO 4328; *Los bullangueros*, Sonifolk 20133.

2. Blanca. San Sebastián, finales siglo XIX; ?. Tiple de género chico. Desde los catorce años destacó como tiple cómica. Triunfó también en la opereta en el teatro Comedia con obras como *La viuda alegre, El Conde de Luxemburgo* y *El encanto de un vals*. En 1913 estrenó en el teatro Martín *El debut de la chica* de Foglietti y Valverde y *Hay que picarlas* de Modesto Romero y Germán Matute. En 1915 estrenó *El mapa de Europa* de Úbeda en el teatro el Paraíso de Madrid y *Sierra Morena* de Lleó en el parque de los Recreos. En 1918 se presentó en el teatro Eldorado de Barcelona como estrella de variedades con repertorio de Padilla y Retana, autor del famoso *Fado Blanquita* que escribió para ella. Posteriormente actuó en revistas, estrenando *El sobre verde* de Guerrero en el Apolo y *La del Soto del Parral* de Soutullo y Vert en diciembre del mismo año. En 1928 estrenó en el teatro Apolo uno de los grandes éxitos de Pablo Luna, el sainete en dos actos de Paradas y Jiménez, *La chula de Pontevedra*, junto

Las hermanas Suárez (Foto: Nuevo Mundo, *1910; Ar. ICCMU)*

a Selica Pérez Carpio y Galleguito. En 1930, con compañía propia, presentó la revista *Que se mueran los feos* y en abril de 1937 fue contratada por Eugenio Casals para el Fuencarral de Madrid cantando *Los claveles* y *Gigantes y cabezudos*. En 1938 estrenó en el teatro Fuencarral de Madrid *Los amos del barrio* de Quiroga, Lerena y Llabrés. Además de tiple, cupletista y bailarina, se convirtió en actriz de verso y de comedia, y así reapareció en el teatro de la Zarzuela en 1952 en la revista de Joaquín Gasca, *Piernas de seda*, que permaneció en cartel hasta el 17 de agosto, en que Blanquita Suárez debutó junto a Reyes Castizo, "La Yankee", en la Sala Río de Madrid. Se retiró del teatro hacia 1960.

BIBLIOGRAFÍA: *ME*; A. Collado: *El teatro bajo las bombas en la Guerra Civil. Tragicomedia de actores, figurantes, políticos, personajes y personajillos*, Madrid, Kaydeda Ed., 1989.

Mª LUZ GONZÁLEZ PEÑA

Suárez, Álvaro. Matanzas (Cuba), 25-XI-1905; ?. Libretista y actor. Debutó como histrión, haciendo comedia española, antes de convertirse en un solicitado escritor teatral. Actuó con éxito en diversas compañías nacionales y foráneas que recorrieron América Latina. Su carisma le permitió interiorizar cualquier personaje en escena. Dentro de su labor artística actuó en muchas oportunidades como director de compañías. Sus obras teatrales estrenadas, cerca de cien, reflejan en su mayoría la actualidad nacional, y la música fue compuesta por importantes nombres como Rodrigo Prats, Rafael Betancourt y Ernesto Lecuona.

BIBLIOGRAFÍA: J. A. López: *Libro de oro de la farándula*, La Habana, Ed. La Campaña, 1950.

JOSÉ PIÑEIRO DÍAZ

Leonor Suárez
(Foto: Comedias y Comediantes, 1910; Ar. ICCMU).

Suárez, Leonor. España, siglos XIX-XX. Primera tiple. En enero de 1910 formaba parte de la compañía de Fernández Palomero que inauguró el teatro Balear de Palma de Mallorca. En 1912 formaba parte de la compañía del Gran Teatro y en 1913 estaba contratada por el teatro de la Zarzuela. En 1914 de nuevo en el Gran Teatro estrenó *La muñeca del amor* y *La isla de los placeres* de Penella. En 1915 estrenó en la Zarzuela *Una mujer indecisa* de Rafael Millán.

Mª LUZ GONZÁLEZ PEÑA

Suárez Bravo, Ceferino. Oviedo, 13-XII-1825; Barcelona, 26-VII-1896. Escritor. Siendo casi un niño se dedicó al periodismo y la literatura. Con sólo diecisiete años estrenó su primera obra en Oviedo, lo que le animó a trasladarse a Madrid para continuar con su vocación, que desarrolló como escritor de cuentos, novelista y periodista. Fue miembro fundador junto con Selgas, Navarro Villoslada, Garrido y Pedrosa del famoso semanario satírico *El Padre Cobos* y fundó el diario *El Fénix*. Pasó los últimos años de su vida en Barcelona colaborando en *El Diario de Barcelona*. Es un autor interesante, influido por las tendencias románticas, con una prosa muy cuidada. La única aportación al género lírico que se conoce fue la zarzuela *Las señas del Archiduque*, con música de Joaquín Gaztambide, 1850, con un libreto de carácter histórico, situado en un ambiente distinguido y tratado desde una fina y sutil comicidad, por lo que tal vez el público no supo recibirlo como se merecía, acostumbrado hasta entonces a un tipo de humor más fácil y a localizaciones más populares y urbanas. Aún así abrió el camino para una nueva tendencia en la zarzuela, más seria y elegante.

BIBLIOGRAFÍA: *CDE; DAT; DUE; EDL*.

OLIVA G. BALBOA

Suárez de la Fuente, Caridad. La Habana, ?; Miami (Estados Unidos), 1989. Soprano. Estudió canto con Juan Manuel Elósegui y posteriormente se incorporó a los Conciertos de Música Cubana promovidos por Ernesto Lecuona. En abril de 1927 realizó su primera presentación profesional junto al barítono Álvaro Marante, en las tandas elegantes del teatro Prado, siendo su debut escénico meses más tarde, el 29 de septiembre, en la función inaugural del teatro Regina, con el estreno de las obras de Lecuona *Niña Rita o La Habana en 1830* y *La tierra de Venus*. Alcanzando gran éxito en dicha temporada –de la cual se derivó una serie de grabaciones de números de *Niña Rita* para la firma discográfica Columbia, en 1928–, dos años más tarde realizó una gira por México donde estrenó la romanza de *María la O*, entre otros títulos de Ernesto Lecuona, y que le reportaron, igualmente, nuevos lauros para su carrera artística. De su actuación en esa ciudad, escribió la prensa mexicana: "Cantó *La conga se va*, y el aplauso la hizo repetir dos veces; *María la O*, y tornó la ovación más cálida por la interpretación dramática; al acabar la sesión del debut de la compañía de Lecuona, el público de México tenía un nuevo ídolo: Caridad Suárez" (*El Nacional*, México, IV-1931).

Durante esa misma época, y ya de regreso a La Habana, fue contratada por la compañía Suárez Rodríguez para hacer la temporada del teatro Martí, escenario donde realizó la etapa más intensa de su labor como cantante. Fue precisamente en este período en el que interpretó y estrenó el repertorio más representativo de la etapa de oro de la zarzuela cubana. Tómese en cuenta, en este sentido, gran parte de la obra lírica de Ernesto Lecuona, destacándose en los personajes protagonistas de *Lola Cruz*, *María la O*, *El cafetal* y *Rosa la China*. Asimismo, de Gonzalo Roig realizó con gran éxito sus obras *El clarín*, *Cecilia Valdés* y *La hija del sol*; y de Rodrigo Prats, con similar aceptación, *Amalia Batista*, *Guamá*, *La perla del Caribe* y *María Belén Chacón*. Tales éxitos consolidaron desde entonces su prestigio como intérprete suprema del teatro lírico cubano, no sólo por su interpretación vocal, sino también por su proyección escénica y caracterización dramática de los personajes. A propósito de su incorporación a la compañía Suárez Rodríguez, dijo el crítico Francisco Ichazo: "Su presencia en el elenco de 'Martí' significa, por tanto, que en ese coliseo podrán abordarse las más difíciles y brillantes modalidades de la zarzuela cubana, bien se trate de obras ya escritas, bien de las que se escriban en el futuro con un propósito de hacer teatro más 'en grande'" (*Diario de la Marina*, La Habana, 3-VIII-1932).

El 27 de junio de 1933 recibió una función homenaje, en la que Gonzalo Roig le dedicó la opereta *Sueño azul*. Un año más tarde, y con motivo de su viaje a Estados Unidos, se despidió de la compañía Suárez Rodríguez interpretando la zarzuela *María la O*, junto al tenor Marcelino del Llano. No retirada totalmente de la escena, regresó eventualmente a los principales teatros de la capital para estrenar o reponer las más importantes obras líricas del momento.

Cultivadora, además, de un nutrido repertorio internacional, interpretó obras como *Marina*, *La viuda alegre*, *Los diamantes de la corona*, *La bruja*, *El milagro de la Virgen* y *Maruxa*, entre otras; incursionando, asimismo, en la ópera, con la interpretación de *Tosca* de Puccini, junto al tenor italiano Giussepe Radaelli y el barítono español Augusto Ordóñez.

BIBLIOGRAFÍA: *LVB*.

CLARA DÍAZ PÉREZ

Subirá Puig, José [Jesús A. Ribó]. Barcelona, 16-VIII-1882; Madrid, 7-I-1980. Musicólogo. Es uno de los más importantes musicólogos españoles. Estudió piano y composición en el Conservatorio de Madrid y se doctoró en Derecho. Permaneció como funcionario en un puesto administrativo que compartió con su dedicación musical. Inició su carrera musical como compositor, pero se dedicó finalmente a la musicología. Desarrolló una extensa labor en este campo, como conferenciante, crítico, profesor, y cuenta con numerosísimas publicaciones, tanto de investigación como de divulgación. En 1944, al crearse el Instituto Español de Musicología, dentro del Consejo Superior de Investigaciones Científicas, pasó a ser secretario de la Sección de Madrid, llegando en 1950 a jefe de ésta. En 1952 fue elegido académico numerario de la Real Academia de San Fernando y correspondiente de la Hispanic Society de Nueva York. Recibió además numerosos reconocimientos.

Dedicó algunos de sus mejores trabajos a la música teatral en España, siendo pionero de estos estudios. Sus publicaciones siguen siendo referencia ineludible para el conocimiento del género, y algunos de ellos aún no han sido superados, como los tres volúmenes dedicados a la tonadilla escénica. Sus trabajos cuentan con planteamientos modernos, atendiendo a ámbitos escasamente presentes de la investigación como la música profana, y ámbitos de mecenazgo como las familias nobles. Destaca además su interés en el estudio de las formas de teatro menores, como la tonadillas, el sainete o el melólogo, y el origen del teatro musical español. Aunque se centró fundamentalmente en el ámbito madrileño, trabajó el contexto catalán. Se centró en el entorno de la música cortesana en diferentes ámbitos, no circunscrita a la práctica musical relacionada con la Capilla Real, sino también otras manifestaciones musicales, como música de cámara. Algunos títulos fundamentales para el estudio de la música teatral en España son *Historia y anecdotario del teatro Real*, *La ópera en los teatros de Barcelona* y *El teatro del Real Palacio*.

ESCRITOS. 1. Libros: *Tonadillas satíricas y picarescas*, Madrid, 1926; *Una ópera española del siglo XVII*, Madrid, Sucesores de Rivadeneyra, 1926; *La música en la Casa de Alba. Estudios históricos y biográficos*, Madrid, Sucesores de Ribadeneyra, 1927; *La tonadilla escénica*, 3 vols., Madrid, 1928-30; *Juicios críticos sobre la tonadilla escénica*, Madrid, Tipografía de Archivos, 1932; *Tonadillas teatrales inéditas*, Madrid, 1932; *Celos aun del aire matan. Ópera del siglo XVII. Texto de Calderón y música de Juan Hidalgo*, Barcelona, 1933; *Historia de la música teatral en España*, Barcelona, Labor, 1945; *La ópera en los teatros de Barcelona*, 2 vols., Barcelona, Alba, 1946; *Historia y anecdotario del Teatro Real*, Madrid, 1949 (reed. Madrid, Fundación Caja de Madrid-Acento Ed., 1997); *El compositor Iriarte (1750-1791) y el cultivo español del melólogo (melodrama)*, 2 vols., Barcelona, Casa Provincial de Caridad, 1949-50; *El Teatro del Real Palacio (1849-1851)*, Madrid, 1950.

2. Artículos: "El patriotismo musical del compositor Laserna: *Aragón restaurado*", *ibíd.*, 502-13; "Una 'tonadilla' catalana. *El puente de las Virtudes*", *Revista Musical Catalana*, 1925, 167-70; "Un sainete olvidado: *La Academia de boleros*", *Revista de la Biblioteca, Archivo y Museo del Ayuntamiento de Madrid*, 1926, 500-3; "La participación musical en los sainetes madrileños del siglo XVIII", *Revista de la Biblioteca, Archivo y Museo del Ayuntamiento de Madrid*, 1927, 1-14; "Un melólogo curioso y una 'Introducción' a otro melólogo: la escena trágica *Policena*", *ibíd.*, 360-64; "En pro de la tonadilla madrileña", *Revista de la Biblioteca, Archivo y Museo del Ayuntamiento de Madrid*, 1929, 205-14; "La participación musical en las comedias madrileñas del siglo XVIII", *Revista de la Biblioteca, Archivo y Museo del Ayuntamiento de Madrid*, 1930, 109-23

y 389-404; "El debut del tonadillero català D. Pau Esteve a Madrid", *Revista Musical Catalana*, 1932, 89-96; "La Junta de Reforma de Teatros: sus antecedentes, actividades y consecuencias", *Revista de la Biblioteca, Archivo y Museo del Ayuntamiento de Madrid*, 1932, 19-45; "El centenari d'Amadeu Vives (Pàgines d'un musicòleg de l'any 2032)", *Revista Musical Catalana*, 1933, 29-35; "Les produccions teatrals del compositor català Manuel Pla", *Revista Musical Catalana*, 1933, 353-61; "Varias 'Medeas' musicales en el antiguo teatro madrileño", *Revista de la Biblioteca, Archivo y Museo del Ayuntamiento de Madrid*, 1933, 293-7; "El operista español D. Juan Hidalgo. Nuevas noticias biográficas", *Las Ciencias*, 3, Madrid, 1934, 1-8; "La Tirana: su familia y su resurrección", *Revista de la Biblioteca, Archivo y Museo del Ayuntamiento de Madrid*, 1934, 105-9; "Un fondo desconocido de tonadillas inéditas", *ibíd.*, 338-42; "El operista Manuel García en la Biblioteca Municipal de Madrid", *ibíd.*, 1935, 179-96; "La 'tonadilla' escénica a Barcelona a través dels llibrets", *Revista Musical Catalana*, 1935, 481-91; "Una seguidilla satírica de Barbieri", *Las Ciencias*, 3, Madrid, 1935, 3, 1-12; "Una tonada del operista D. Juan Hidalgo", *Las Ciencias*, 1, Madrid, 1935, 1-9; "La relació epistolar entre Apel.les Mestres i Francisco A. Barbieri", *Revista Musical Catalana*, 1936, 81-90; "Manuscritos de Barbieri existentes en la Biblioteca Nacional", *Las Ciencias*, 2, Madrid, 1936, 1-12; "La música en el teatro valenciano. Apuntes históricos", *Música*, Barcelona, II-1938, 7-25; "La música en el teatro barcelonés. Apuntes históricos", *Música*, Barcelona, IV-1938, 9-32; "La participación eventual de instrumentos no orquestales en la tonadilla escénica", *Revista de la Biblioteca, Archivo y Museo del Ayuntamiento de Madrid*, 1947, 7-32; "Hernán Cortés en la música teatral", *Revista de Indias*, Madrid, 1948, 105-26; "Jaime Facco y su obra musical en Madrid", *AnM*, 1948, 109-32; "Un manuscrito musical de principios del siglo XVIII. Contribución a la música

teatral española", *AnM*, 1949, 181-91; "En el centenario de don Emilio Cotarelo y Mori: sus labores literarias y musicológicas", *Revista de Literatura*, Madrid, 1957, 15-43; "En el centenario de un gran músico: Ramón Carnicer", *Revista de la Biblioteca, Archivo y Museo del Ayuntamiento de Madrid*, 1958, 1-41; "El postrer capítulo de la 'Historia de la zarzuela'", *Boletín de la Real Academia Española*, Madrid, 1958, 55-92; "En memoria de Enrique Granados", *Música*, Barcelona, V/VI- 1958, 5-37; "Felipe Pedrell, compositor y musicólogo", *ibíd.*, 61-8; "Cantables en sainetes líricos del siglo XVIII", *Revista de Literatura*, Madrid, 1959, 11-36; "Repertorio teatral madrileño y resplandor transitorio de la zarzuela (años 1763-1771)", *Boletín de la Real Academia Española*, CLVIII, 59, 1959, 429-62; "La estética operística en el siglo XVII", *ibíd.*, Madrid, 1961, 287-306; "El Teatro Real y los teatros palatinos. Páginas históricas", *Academia. Anales y Boletín de la Real Academia de San Fernando*, Madrid, 1966; "La 'Tirana' poético-musical", *Segismundo*, III, Madrid, 1966, 161-78; "Las escénicas desde mediados del siglo XVIII", *Segismundo*, IV, Madrid, 1966, 73-94; "Relaciones musicales hispano-italianas en el siglo XVIII (Panoramas y esclarecimientos)", *Revista de Ideas Estéticas*, Madrid, 1966, 199-220; "Músicos al servicio de Calderón y de Comella", *AnM*, 1967, 197-208; "Nuestro pretérito Teatro Real. Páginas históricas", *Academia. Anales y Boletín de la Real Academia de San Fernando*, 24, Madrid, 1967, 33-62; "Lo histórico y lo estético en la 'zarzuela'", *Revista de Ideas Estéticas*, Madrid, 1969, 103-25; "Algunas fiestas reales", *Revista de Ideas Estéticas*, Madrid, 1971, 177-98; "Nuevas ojeadas históricas sobre la tonadilla escénica", *AnM*, 1971, 119-37; "Felipe Pedrell y el teatro musical español", *AnM*, 1972, 61-76; "La estética ante Amadeo Vives", *Revista de Ideas Estéticas*, Madrid, 1972, 3-21.

BIBLIOGRAFÍA: *DMEH.*

JUDITH ORTEGA

Sueños de oro. Zarzuela fantástica de grande espectáculo en tres actos. Música de Francisco Asenjo Barbieri. Libreto de Luis Mariano de Larra. Estrenada el 21 de diciembre de 1872 en el teatro de la Zarzuela de Madrid.

Personajes y reparto. Pilar (Matilde Franco, tiple). Carmen / Duquesa del Caracol (Dolores Fernández, característica). La Fortuna / Arabella (Carmen Álvarez, tiple). La Hermosura / Aleppa (Clara López, tiple). La Virtud / Una hermana de la caridad (Carolina López). Menga / Camarista (Valentina Sampela). Hermosa 1ª (Carolina Luján). Hermosa 2ª (Sta. Bergés). Pascual (Joaquín Manini, actor). Tío Roque / Lord Bollimbroke / Circasio / D. Dimas (Francisco Arderius, actor). Colás / El príncipe (Juan Orejón). El alcalde (Luis Ponzano).

Orquestación. Flautín, flauta, 2 oboes, 2 clarinetes, 2 fagotes, 2 trompas, 2 cornetines, 3 trombones, arpa, timbales, triángulo, monedas, bombo, platillos, castañuelas y cuerda. Banda militar.

Argumento. *Acto I.* Transcurre en una aldea, en la que el tío Roque expone que su felicidad está en dormir cuando quiere y comer sin trabajar. Pilar ama sin esperanza a Pascual, enamorado de Carmen, pero ésta le abandona debido a su pobreza. Llegan al pueblo tres damas misteriosas, la Fortuna, la Hermosura y la Virtud ofreciendo a los lugareños transformar en realidad sus sueños de oro. El acto termina formando cola el pueblo ante cada una de las tres damas, siendo la más numerosa la que pretende fortuna y la menos nutrida la de la Virtud, ante la cual sólo espera Pilar.

Acto II. Transcurre en un palacio en el que se encuentra Carmen transformada en Duquesa del Caracol, decidida a dar su mano al Príncipe Colasino (antes Colás), pues aunque Pascual ha sido favorecido por la Fortuna sólo cuenta con un millón mien-

tras el príncipe, aunque es un borrico cuenta con trescientos. El tío Roque, convertido en Lord Bollimbroke maldice la fortuna que no le permite seguir con su vida anterior. La Fortuna transmutada en princesa Arabella, aconseja a la Duquesa del Caracol despreciar al príncipe por el rey de Suecia y ésta así lo hace. La Fortuna desesperada con el tío Roque decide pasárselo a su hermana la Hermosura a ver si ella consigue hacerle abandonar su vida anterior. Mientras Pilar se encuentra en una cabaña junto a un lago, con la sola compañía de su abuela enferma y de una hermana de la Caridad que la ayuda a cuidarla. El príncipe Colasín, que ha oído hablar de su virtud y ha sido rechazado por Carmen le ofrece sus trescientos millones a cambio de convertirla en su esposa, a lo que Pilar se niega exponiéndole que ama a otro. Llega Pascual dispuesto a arrojarse al lago, ya que Carmen ha vuelto a despreciarle, pero Pilar le salva y él se conmueve ante su amor puro y desinteresado. Mientras, el tío Roque ha llegado al camino de la Hermosura.

Acto III. Comienza en el mismo camino, bordeado de espejos y lleno de mujeres hermosas a las que Roque desprecia como despreció la Fortuna, de modo que lo envían ambas al camino de la Virtud. Aparece la habitación de Pilar con Pascual la hermana de la Caridad y Roque transmutado en el médico Don Dimas que atiende gratuitamente a pobres y ricos, eso sí, protestando de su virtud, como antes lo hizo de la fortuna y la hermosura. Llega Carmen, que descubriendo que lo del rey de Suecia era una broma y habiendo despreciado al príncipe se encuentra sola y ofrece a Pascual su amor y su fortuna, pero este renuncia confesando que el amor de Pilar le ha conquistado. Llega la hora de despertar y todos los vecinos se encuentran de nuevo en la aldea, las tres damas les explican que sus sueños de oro han concluido y sólo se han beneficiado los que han escogido el camino de la Virtud.

Cortesía de Unión Musical Ediciones SL

Números musicales. Acto I: Nº 1. Preludio e introducción. Colás, Roque, Menga y coro, "La luz del día". Nº 2. Romanza. Pilar y Roque, "A través de mis cristales". Nº 3. Pilar, Carmen, Pascual y Roque, "Ingrata Carmen mía". Nº 4. Coro, "Venid mortales". Nº 5. Coro, "¿Qué es esto? ¿Qué pasa?". Nº 6. Pilar, la Fortuna, la Hermosura y la Virtud, Carmen, Colás, Pascual, Tío Roque y coros, "Yo soy del mundo entero". Nº 7. Pilar, la Fortuna, la Hermosura y la Virtud, Tío Roque, Carmen, Pascual, Menga, Alcalde, "Fuera miseria". Acto II: Nº 8. Carmen y coro, "Perlas coronen". Nº 8bis. Carmen y coro, "Santa Rita, Santa Rita". Nº 9. Carmen, Colas y coro, "Entremos señores con paso marcial". Nº 9bis. Interludio instrumental. Nº 10. Romanza de Carmen y Pascual, "Yo te amaba y te ofrecía". Nº 11. Marcha instrumental. Nº 12. Canción de Roque y coro, "A la puerta de mi casa". Nº 13. Interludio orquestal. Nº 14. Plegaria de Pilar y Roque, "Sin patria y sin familia". Nº 15. Dúo de Pilar, Pascual y coro, "¡Quién es! –Detente Pilar… Yo soy".

Comentario. Con esta obra inició Barbieri su colaboración con Luis Mariano de Larra, hijo del famoso Fígaro, –con quien en breve firmaría una de sus obras fundamentales, *El barberillo de Lavapiés*–, y está basada en realidad en otra zarzuela, *Los infiernos de Madrid*, escrita por el mismo Larra hacía tiempo. El músico se había interesado por colaborar con el escritor ya en 1858 y éste le había enviado diversas obras como *La conquista de Madrid* y *Una intriga palaciega* que no debieron convencer a Barbieri. En una carta del 12 de enero de 1864 le señalaba Larra: "Mis deseos de escribir una zarzuela contigo son desde hace

tiempo muy grandes y creo como tú, que la primera vez que nos vea juntos el público, debe ser muy a gusto de entre ambos y con todas las probabilidades de un triunfo. Para ti quiero yo mi libreto *Español castizo*, de forma poética limpia y de fondo cómico, ligero e intencionado". En dos cartas posteriores se narra el nacimiento de *Sueños de oro*: "Querido Paco: el lunes 15 del actual, a las dos y media en punto de la mañana, estaré con un coche a la puerta de tu casa. Subiremos en él y bajaremos al taller de Ferri, donde te esperan unos macarrones y el 1er acto de la opera-cómica nueva de los Sres. Larra y Barbieri titulada, *Los sueños de oro*. Con este motivo soy tuyo". En la carta posterior se ejemplifica esa manera tan característica de componer con la unión de poeta y músico: "El día 9 me tendrás en tu casa a las 12 para que hablemos, aunque tu deseo, como comprendes, lo que me indicas del personaje de Carmen trastorna algo mi plan. Vale la pena hablar despacio. Yo te explicaré todo el acto 3º y convendremos desde luego las piezas musicales juntos para evitar luego nuevas rectificaciones, que siempre roban tiempo...". Barbieri tenía en aquel momento escritos ya los dos primeros actos.

Barbieri concibió la obra dentro de la estética de las obras bufas que había compuesto para Arderius. Se trata de una obra de gran formato, con quince números musicales, donde los coros tienen un gran relieve y una especial fuerza. La música es inspirada y ligera, dentro del espíritu del teatro bufo en el que Barbieri se sentía tan a gusto, por lo que un crítico dijo: "Creemos que *Sueños de oro* no sean para el señor Arderius sólo sueños, sino una patente y constante realidad". Y así fue: en un prólogo que el propio Larra escribió a la segunda edición del libreto, señala: "Cuarenta representaciones consecutivas lleva esta obra al corregir el último pliego de esta segunda edición..., y cada día acude el público con más increíble empeño a llenar el afortunado teatro de la Zarzuela... los sesenta mil espectadores que hasta ahora han venido a visitarnos, han aplaudido en la empresa el lujo y el esmero con que ha puesto en escena la obra; en mi amigo Barbieri la deliciosa y siempre apropiada música que la adorna; en los celebrados artistas Ferri y Busato la fantasía y el buen gusto de las decoraciones...". En la cuarta edición se añadía: "Esta obra llegó a la 96ª representación de la temporada de su estreno, produciendo a la empresa del teatro de la Zarzuela de Madrid, la suma de 956.325 reales, cantidad fabulosa en los fastos teatrales de España". Fue un gran éxito, con decoraciones y maquinaria de Ferri y Busato.

Fuentes manuscritas. Una partitura se conserva en el archivo de la SGAE en Madrid (TL-147). Otra partitura se conserva en la Biblioteca Nacional de Madrid (M. 3109), procedente de la copistería Dionisio Bornás. Los materiales de orquesta se conservan en el archivo de la SGAE en Madrid (1594).

Ediciones de música. Canto y piano, ed. Isidoro Hernández, Madrid, AR, Dionisio Bornás, 1872 y Cd.

Ediciones del libreto. Madrid, Imp. José Rodríguez, 1872; 3ª ed., Madrid, Alonso Gullón, 1873; 4ª ed., 1875; 5ª ed., Madrid, hijos de A. Gullón, 1882.

BIBLIOGRAFÍA: E. Casares Rodicio: *Francisco Asenjo Barbieri. 1. El hombre y el creador. 2. Escritos,* Madrid, ICCMU, 1994.

EMILIO CASARES RODICIO

Sunyer, Leandro. España, siglo XIX. Compositor. Fue maestro de capilla de la iglesia del Pi de Barcelona, en la que se conservan obras suyas, así como en la iglesia de Santa María de Cornudella y en el Archivo Comarcal de Tárrega. Estrenó en Barcelona en 1862 una zarzuela, *Los tíos de sus sobrinos,* con libreto de M. Angelón. Antonio Fargas y Soler, que da la noticia, señala: "En este su primer ensayo de música dramática de cortas dimensiones hizo una composición de estilo italiano en alguna pieza y en otras de bastante carácter español, teniendo la obra buena estructura, fluidez melódica y a veces elegancia en la instrumentación. Tuvo éxito regular". En 1867 estrenó otra zarzuela titulada *Las mujeres del siglo.* En los catálogos de las editoriales del XIX aparecen bastantes obras suyas lo que indica que tuvo cierto éxito. Su obra no religiosa pertenece al género de salón.

BIBLIOGRAFÍA: *DMEH; OE;* A. Fargas y Soler: *Diccionario de música y de las biografías de los músicos más distinguidos,* Barcelona, Andrés Vidal, 1866.

EMILIO CASARES RODICIO

Conchita Supervía (Foto: Ar. SGAE)

Supervía Pascual, Concepción. Barcelona, 3-XII-1895; Londres, 31-III-1936. Mezzosoprano. Cursó sus estudios musicales en el Conservatorio del Liceo de su ciudad natal y a los catorce años se presentó en el teatro Colón de Barcelona, con el tenor Francisco Viñas interpretando el papel de Isabel en la ópera de Bretón *Los amantes de Teruel,* obteniendo un gran éxito. A partir de entonces comenzó su carrera internacional dedicada a la ópera. En rela-

ción con el género zarzuelístico realizó varias grabaciones, que incluyen algunos de los títulos más destacados del repertorio como *La verbena de la Paloma* y *La reina Mora.*

FONOGRAFÍA: *La reina Mora,* Odeón 184480, SO 6068 SO 6067; *La revoltosa,* Odeón 184235 (et. marrón), SO 6609 SO 6679; *La verbena de la Paloma,* Odeón 185022 (et. roja), SO 6059 SO 6055; *Las hijas del Zebedeo,* Odeón 185022 (et. roja), SO 6059 SO 6055; *Sociedad General de Autores: cincuentenario,* SGAE 1.

LUIS G. IBERNI

Suriñach, Ena [Filomena]. Barcelona, †1991. Soprano. Estudió en el Conservatorio del Liceo con Muné, primero en la cuerda de contralto, aunque pronto pasó a soprano ligera, con una voz de timbre dulce y muy ágil, que alcanzaba sin esfuerzo las notas más altas. Debutó en 1918 en el teatro del Bosque de Barcelona con *La traviata,* triunfando desde entonces en la ópera no sólo en España sino en el extranjero, a partir de 1921, año en que inició sus giras. De regreso a España, en 1929, se decantó por la zarzuela en la compañía de Tomás Ros junto a Tana Lluró y Emilio Sagi Barba. En 1930 realizó una brillante temporada en el teatro Metropolitano de Madrid con *La rosa del azafrán, Las golondrinas, La del Soto del Parral* y el estreno de *La campana rota* de Obradors. Se casó con el barítono Ernesto Rubio y estrenaron *Campanela* de Guerrero en el teatro Apolo de Valencia. A partir de la Guerra Civil desapareció de los escenarios, auque cantó alguna vez en Barcelona, como en *El retablo de Maese Pedro* de Falla en 1947.

BIBLIOGRAFÍA: *OCCE.*

EMILIO GARCÍA CARRETERO

Suripanta. Término empleado para referirse a las coristas del teatro bufo. El término, un neologismo que pretendía la caricatura del griego, se aplicó al coro de señoritas, ninfas de la diosa Calipso, que introdujo el libretista Eusebio Blasco en la obra de *El joven Telémaco,* en la que cantaban los siguientes versos: *"Suri panta, la suri panta / suripanta de somatén / makatruki de somatén / sun faribún, sun faribén / maka trúpiten sangarinén".*

Estos versos se acompañaban con una música de Rogel que fue cantada y conocida en todo Madrid y a partir de entonces las coristas del teatro de los Bufos fueron conocidas con el nombre de suripantas. Tal como ha puntualizado Ruiz Morcuende, el término ha tenido diversas connotaciones: "Corista de la compañía de los bufos; tiple, en general, de segunda fila; tunanta, hipocritilla o mujer liviana". El *Diccionario de la academia de la lengua* (1970) le da las siguientes accpciones: "Mujer que actuaba de corista o de comparsa en el teatro. 2. Despectivo. Mujer ruin, moralmente despreciable". Así las describe Arderíus: "He aquí por qué mis coristas son conocidas con el nombre de suripantas. Estas lindísimas criaturas, bastante calumniadas por la generalidad de las gentes, son hijas que mantienen a sus ancianas madres, o jóvenes que se mantienen a sí mismas, luchando como tantos seres desgraciados que hay en el mundo, con la horrible miseria". En cambio Matilde Muñoz las describe como "ninfas semidesnudas que cantaban cuplés políticos y exhibían sus secretos de alcoba con un impudor que nada tenía de ático. Para esta conquista contaban con un ejército singular, armado de armas invencibles, de insinuantes desnudeces, de guiños de ojos provocativos, de flechas bien agudizadas, manejadas con un arte al mismo tiempo ingenuo y procaz por muchachas que pesaban ochenta kilos, lo que resume el ideal estético y amoroso de entonces".

Eusebio Blasco señala en *Olores patrios*, que "alegraron con su buen ver, su soltura inesperada, sus maneras desenvueltas y sus pantorrillas izquierdas (entonces no se enseñaba más que una), y el público las acogió con entusiasmo", y que su éxito consistía en, "acortar el vestido por arriba y por abajo, lo cual produce economía de tela y enseñanza libre de hombros y pantorrillas". Una visión parecida daba la propia revista *La Correspondencia de los Bufos:* "La vida agreste me espanta / Quiero entrar de Suripanta / dime lo que debo hacer. / Debes el pelo cortarte, / En cuanto pienses venirte, / Y debes más que vestirte, / aprender a desnudarte".

Se trataba de jóvenes de origen humilde, que interpretaban música de pocas exigencias canoras, como era normal en mucho teatro del XIX, y su presencia proporcionó grandes ganancias a la empresa de Arderius y desde luego, a ellas, un éxito económico y a veces social. Se sabe que varias de estas intérpretes se casaron con destacados personajes del siglo XIX: Conchita Gómez con un banquero judío, Conchita Ruiz con el escritor Ricardo Puente y Brañas, que llegó a Subsecretario, Celsa Fontfrede con el ganadero Concha y Sierra.

La cita de esos versos lleva a hablar de otras realidades del género, sin duda importantes, concretamente la mujer y los bufos. Señala Salaün que: "La suripanta es la madre de las tiples y vicetiples de las zarzuelas, y la abuela de las girls de las revistas modernas". *El joven Telémaco* contiene bailes de cancán y momentos que demandan la exhibición de las "intimidades femeninas" y esta era una realidad nueva en la historia del teatro lírico español. Una realidad que, además, va a tener una presencia ya constante en la escena, o al menos en algunas vías fundamentales a comienzos del siglo XX y que se conocen con el término de géneros frívolos, en el que se incluye el género ínfimo, las varietés, y algunas revistas y operetas. Ciertamente en los bufos aparecen numerosos elementos picantes, eróticos, o protoeróticos, como señala Eduardo Huertas, que eran uno de los mayores atractivos de este teatro. Los diálogos en ocasiones subidos de tono, cierta presencia del destape, las gasas, los descubrimientos de hombros y pantorrillas. Existen testimonios de las alteraciones del orden en sala, camerinos y escenario, y de cómo el momento vital de las obras eran los bailes de cancán u otros en los que aparecían las suripantas. Todo ello ejerció una clara influencia en la apertura de la pacata y puritana sociedad española de la Restauración. *Véase* Género bufo.

BIBLIOGRAFÍA: E. Casares Rodicio: "Bufo", *DMEH*; E. Blasco: "Olores patrios", Madrid, Ed. Leopoldo Martínez, 1894; J. de Entrambasaguas: "Un éxito inopinado de Eusebio Blasco", *Segismundo*, 15-16, 1972; E. Huertas: "Las suripantas", *El bosque*, Madrid, 5-V-1993; E. Casares Rodicio: "El teatro de los bufos o una crisis del teatro lírico del XIX español", *AnM*, 48, 1993; —: "Historia del teatro de los bufos, 1886-1881", *Cuadernos de Música Iberoamericana*, Madrid, SGAE, 1996-97.

EMILIO CASARES RODICIO

t

Taberner. Familia de músicos españoles formada por Mariano, sus hijas Adela, Amparo y Consuelo, y su nieta Amparito, hija de Amparo.

1. Taberner y Velasco, Mariano. Toledo, 20-V-1842; Valencia, 16-I-1915. Compositor y director de orquesta. Se formó musicalmente en Granada y a los once años era ya violín concertino en el teatro San Fernando de Sevilla, pasando luego a ser maestro director de orquesta durante muchos años. Su importancia se debe a su capacidad de instrumentador, labor que realizó en obras como *El arca de Noé* y *El chaleco blanco* de Chueca, *La espada de honor* y *Los hijos de Madrid* de Cereceda y *El alcalde de Strassberg* de Taberner.

2. Taberner, Adela. España, siglos XIX-XX. Tiple. Alcanzó menos fama que su hermana Amparo. En los primeros años del siglo XX, intervino junto con su hermana Consuelo en diferentes obras. Así ambas cantaron en Pamplona en 1904 *La reina Mora* de Serrano, y *La puñalada*. En 1907 obtuvo un gran éxito en el Apolo de Valencia con *Sangre moza*. En 1909 estrenó junto a Consuelo *Entre chumberas* de Penella en el teatro Pignatelli de Zaragoza; en 1914 ambas actuaron en el teatro Nuevo de Barcelona con la compañía de zarzuela de Vega y Vivas, cantando entre otras obras *Enseñanza libre*, *La España de pandereta* de Penella, *El arte de ser bonita* y *La corte de faraón*. Díaz de Quijano la describe como una mujer menuda, de boca y ojos rasgados y voz chillona. En diciembre de 1914 celebró su beneficio en el teatro Nuevo y cantó *La patria chica* de Chapí. Seguía actuando en el mismo teatro en enero de 1915, con la misma compañía de la que formaba parte su hermana Consuelo. En 1916 estrenó en el teatro Martín de Madrid *El alegre Jeremías* de Alonso. Cantó en el teatro Gayarre de Pamplona *Los zapatos de cha-*

Adela, Amparo y Amparito Taberner
(Fotos: Ar. Familia Culla;
Ar. SGAE; E. Casares)

rol de Caballero y por esos mismos años las canciones andaluzas que interpretó en *Enseñanza libre* de Giménez que hubo de repetir la tiple entre las ovaciones del público fueron destacadas por la prensa del momento como lo mejor de la obra. En 1919 estrenó en el teatro Ruzafa de Valencia *Juan de Dios* de Asensi. *Véase* GIL, RAFAEL.

3. Taberner, Amparo. Valencia, siglo XIX; Madrid?, siglo XX. Tiple. En la temporada 1900-01 sustituyó a Joaquina Pino en el Apolo, ocupándose de su papel en *María de los Ángeles* de Chapí, si bien dos semanas después de inaugurarse la temporada, partió para América. Reapareció en junio de 1901, debutando con el Mocito de *El barquillero* de Chapí, uno de sus grandes éxitos, y cantando además *¡Al agua patos!*, zarzuela veraniega de Ángel Rubio. Estuvo a punto de sustituir a Joaquina Pino en el estreno de *Doloretes*, obra trascendental para el asentamiendo de la Sociedad de Autores, pero la Pino se repuso a tiempo de su enfermedad. Cantó *La alegría de la huerta* de Chapí en Barcelona, siendo muy aplaudida. En 1901 intervino en el gran éxito de los hermanos Quintero *El género ínfimo*, junto a Isabel Brú, Matilde Pretel y Joaquina Pino, es decir, todo el plantel de tiples del Apolo. En la tamporada 1901-02 sustituyó a Teresa Lacarra y obtuvo un gran éxito en la función de Inocentes con *Quo vadis?* de Chapí y también participó del gran éxito de *La torre del Oro* de Giménez. En 1903 estrenó *El Dios grande* de Fernández Caballero en la Zarzuela, y fue muy aplaudida en su papel de la Gurriona que se suponía creado para Loreto Prado; presentó además *La Macarena* de Sebastián Alonso y Emilio López del Toro, en la que derrochó gracia como actriz y cantante. En 1904 estrenó *Los hijos del mar* de Calleja y Lleó en el teatro Lírico, alabando la crítica tanto su voz como su actuación. Ese mismo año fue contratada por Riquelme para la compañía del teatro Eslava, y estrenó *Venus Salón*, donde obtuvo un gran éxito interpretando a una niña. Poseía poca voz, a pesar de lo cual obtuvo un gran triunfo en el papel de Cosette en *Bohemios* de Vives junto a Carlos Allen-Perkins. La revista *El Teatro* (43, IV-1904) destacaba su agradable timbre de voz y su modo de declamar con delicadeza y sentimiento de actriz, lo que era bastante escaso en el género lírico. Intervino en la opereta alemana *Noches de Cabaret* estrenada en el Maravillas, y posteriormente se dedicó a la revista, interviniendo en algunas obras con Miguel Ligero, como *Mi costilla es un hueso*.

FONOGRAFÍA: *La verbena de la Paloma*, Regal LCX 7015 51 • Regal LREG 8029 164 • Regal SEBL 7047.

4. Taberner, Consuelo. España, siglos XIX-XX. Tiple. Triunfó en la primera década del siglo XX.

Estrenó en 1901 *La diligencia* de Caballero en el teatro Eldorado de Madrid. Fue la Reina Mora en la zarzuela homónima de Serrano en 1904, destacando la prensa navarra su actuación; estrenó con su hermana Adela *La puñalada*, obra silbada pero en la que el público aplaudió la actuación de las hermanas Taberner, que juntas de nuevo estrenaron en 1909 *Entre chumberas* de Penella en el teatro Pignatelli de Zarzgoza. En 1907 actuaba junto a Adela en el Apolo de Valencia en *Cinematógrafo nacional*. Juntas actuaban en 1914 en el teatro Nuevo de Barcelona, pasando después al Principal para volver al Nuevo, con obras como *La mala sombra* de Serrano o *La boda de la Farruca* de Alonso; para su beneficio, celebrado en diciembre en el teatro Nuevo, interpretó entre otras *Los cadetes de la reina* de Luna, *La revoltosa* y *Gigantes y cabezudos*. Máximo Díaz de Quijano, que la vio actuar en Barcelona, la describe parecida a Carmen Andrés, en lo físico, y con voz gruesa y flamenca. Ni Adela ni Consuelo alcanzaron nunca el nivel artístico y la fama de su hermana Amparo.

5. Taberner, Amparito. España, siglo XX. Tiple. Fue corista en los espectáculos de los hermanos Velasco. Más tarde la contrató Campúa para el teatro Romea como segunda vedette y Francisco Alonso la impuso en el teatro Martín como primera figura, donde obtuvo importantes triunfos estrenando con gran lujo obras como *Las mujeres de fuego* o *Carmen la cigarrera*. Dejó el escenario muy joven. En 1929 estrenó junto a Celia Gámez *El antojo* de Luna en el Romea y en 1930 *¡Colibrí!*.

BIBLIOGRAFÍA: *HGZ; ME; MT; Boletín Musical de Valencia*, 222, 30-III-1900; T. Caballé y Clós: *Barcelona de antaño. Memorias de un viejo reportero barcelonés*, Barcelona, Ed. Aries, 1944; A. Retana: *Historia del arte frívolo*, Madrid, Ed. Tesoro, 1964; —: *Historia de la canción española*, Madrid, Ed. Tesoro, 1967.

Mª LUZ GONZÁLEZ PEÑA

Tabernera del puerto, La. Romance marinero en tres actos. Música de Pablo Sorozábal. Libreto de Federico Romero y Guillermo Fernández-Shaw. Estrenada el 16 de mayo de 1936 en el teatro Tívoli de Barcelona.

Personajes y reparto. Marola (Conchita Panadés, soprano). Juan de Eguía (Marcos Redondo, barítono). Simpsom (Aníbal Vela, bajo). Leandro (Faustino Arregui, tenor). Abel (Estrella Rivera, tiple cómica). Antigua (María Zaldívar, característica). Menga (Trinidad Rodríguez, actriz). Tina (Pepita Fontfría, actriz). Chinchorro (Joaquín Valle, tenor cómico). Ripalda (Antonio Palacios, actor con parte de cantado). Verdier (Antonio Ripoll, actor con parte de cantado). Fulgen (Manuel Murcia, actor). Senén (Manuel Lopetegui, actor). Valeriano (Francisco Sanz, actor). Marinero 1º (Joaquín Elvira, corista). Marinero 2º (Enrique Sanchís, corista). Pescador 1º (Armengol Mach, corista). Pescador 2º (Luis Castañón, corista). Pescador 3º (Jaime Buendía, corista). Pescador 4º (Alberto Martí, corista). Pescador 5º (José Ramos, corista). Pescador 6º (José Gascueña, corista). Pescador 7º (José Rojo, corista). Un carabinero (José Argelich, no habla). Un oficial de la escuadra americana (Vicente García, no habla). Un marinero de la Ayudantía del Puerto (Arturo Losada, no habla). Cuatro marineros negros de la escuadra (Faustino Delgado, Alberto Boggiano, Julio Linares y James Griffin). Mujeres, pescadores y marineros.

Orquestación. 2 Flautas, flautín, oboe, 2 clarinetes, fagot, 2 trompas, 2 trompetas, 3 trombones, timbales, percusión, arpa y cuerda.

Argumento. *Acto I.* La acción transcurre en época contemporánea y en la ciudad imaginaria de Cantabreda, al norte de España. En un barrio de pescadores cercano al viejo puerto hay una taberna y un café, el café del Vapor, en el que se encuentra el dueño, Ripalda, con Verdier, un marino marsellés de bajos fondos pero de una elegancia extraña. Fuera, los marineros entonan una canción popular y Abel, un joven músico de Provenza que vaga por el puerto, se acerca a Verdier cantando y recitando un romance sobre Marola, la tabernera de la taberna cercana. Mientras Verdier se toma un café, se escucha el cántico de la Salve marinera y Abel le pone al día de las novedades, en particular, de la apertura de la nueva taberna, de los encantos de la tabernera y de su enigmática relación con Juan de Eguía, un hombre bronco y temido que es el dueño de la taberna. Verdier conoce a Juan de Eguía y manda a Abel a buscarle. Entre tanto, aparece Chinchorro, un viejo bebedor patrón de un barco en el que está enrolado Leandro, el joven marinero enamorado de Marola, dudando si salir a la mar o quedarse en el puerto.

Juan de Eguía y Verdier tienen entre manos un asunto poco claro y se reúnen a solas en el café del Vapor ante la sorpresa de Ripalda a quien mandan a por tabaco para quitárselo de encima. Ripalda a su vez pasa el encargo a Abel y vuelve al café donde entra Antigua, la mujer de Chinchorro, una vieja vendedora de sardinas que empina el codo tanto como su marido. Antigua ve que Chinchorro entra en la taberna y, celosa por la tabernera, tiene una graciosa bronca con él. Juan de Eguía habla con Marola. Quiere que ella utilice sus encantos para convencer a Leandro que haga un recado para él. A Verdier no le convence la idea de involucrar a Marola en el negocio y Simpson, un viejo lobo de mar inglés que también está con ellos, le advierte que no es una buena idea. Leandro entra en la taberna y declara su amor a Marola, pero ella no le dice nada del negocio de Juan de Eguía y, cuando él se ha ido, entra una tropa de mujeres capitaneadas por Antigua para recriminar a Marola por traer como locos a sus maridos. En medio de la riña, aparece Juan de Eguía que, haciendo caso de las quejas de las mujeres, maltrata con dureza a Marola.

Acto II. Al día siguiente, beben los hombres en la taberna y Marola y Juan de Eguía cantan un par de canciones animados por Simpson. Abel, que presenció el maltrato a Marola por parte de Juan de Eguía, solivianta a los hombres contra él y todos acuerdan ir a buscar a Leandro para que encabece el linchamiento. Antes de que le encuentren, Leandro habla con Simpson que se sincera con él y le advierte que le van a proponer, usando a Marola, un negocio peligroso de contrabando de cocaína. Leandro vuelve a verse con Marola y, aunque intenta ponerle las cosas fáciles para que le pida lo que quería Juan de Eguía, ella sigue sin hacerlo y sigue rechazándole. Aparece

Sociedad Española de Autores Líricos

entonces Antigua para disculparse ante Marola por el lío del día anterior y Leandro se entera por ella del trato que recibió de Eguía, se encoleriza y ella se ve obligada a contarle su historia: Juan de Eguía es su padre y no quiere que haga nada contra él. Leandro confiesa que sabe lo del alijo de cocaína y está dispuesto a ir a buscarlo. Ella decide arriesgarse a ir con él y quedan por la noche en el rompeolas. El acto concluye con una escena cómica entre Abel, Ripalda y Marola y un final dramático con los marineros y Abel que aparecen con Leandro para pedir cuentas a Juan de Eguía. Ante la decepción de toda la marinería, Leandro se entiende con Juan de Eguía, y Abel quiere enfrentarse solo contra él.

Acto III. Marola y Leandro se han hecho a la mar para recoger el fardo de cocaína pero les sorprende una tormenta y su barca se pierde entre las olas del temporal. En el puerto les dan por desaparecidos, Chinchorro especula fantasiosamente sobre lo que pudo pasar y Ripalda se frota las manos por el cierre de la taberna. Juan de Eguía aparece desesperado por la pérdida de Marola, confiesa públicamente que era hija suya y se lamenta por haber sido un mal padre. Entonces llega Simpson con la noticia de que Leandro y Marola sobrevivieron a la galerna y vienen detenidos por los carabineros. Simpson cuenta a todo el mundo las maquinaciones de Juan de Eguía y él se confiesa único autor del delito del que se acusa a Leandro y Marola. Los carabineros se llevan a Juan de Eguía y liberan a los dos amantes.

Números musicales. Acto I: Introducción y Nº 1. Abel y coro general, "Eres blanca y hermosa". Nº 2. Verdier, Juan de Eguía y Simpson, "Hace días te esperaba". Nº 3. Antigua y Chinchorro, "Ven aquí camastrón". Nº 4. Dúo de Marola y Leandro, "¡Todos lo saben!". Nº 5. Marola, Antigua, coro de mujeres y Leandro (dentro), "Aquí está la culpable". Acto II: Nº 6. Marola, Juan de Eguía, Simpson y coro de hombres, "Eres blanca y hermosa". Nº 6b. Romanza de Marola, "En un país de fábula". Nº 6c. Romanza de Juan de Eguía, "La mujer, de los quince a los veinte". Nº 7. Romanza de Simpson. Simpson y tres marineros negros, "Despierta, negro, que viene el blanco". Nº 8. Romanza de Leandro, "¡No puede ser! Esa mujer es buena". Nº 9. Terceto cómico. Marola, Abel y Ripalda, "Marola resuena en el oído". Nº 10. Juan de Eguía y Marola, "De aquel amor olvidado". Nº 10b. Final del acto II. Marola, Juan de Eguía, Leandro, coro de marineros, Abel y Simpson, "¡Padre, deja que te bese!". Acto III: Nº 11. Dúo de Marola y Leandro, "¿No escuchas un grito…?". Nº 12. Abel, "En la taberna del puerto" (recitado), "¡Ay! que me muero". Nº 13. Juan de Eguía y coro, "¡No! No te acerques". Nº 14 Final. Marola, Leandro, Juan de Eguía, Simpson y coro mixto, "Son ellos. Era verdad".

Comentario. Después de haber colaborado con parejas de libretistas como González del Castillo y Martí Alonso, Cuadrado Carreño y Ramos de Castro, y –aunque no en una obra enteramente original– con Tellaeche y Góngora, Sorozábal alcanzó la cumbre del libretismo zarzuelero en 1935, cuando el tándem formado por Federico Romero y Guillermo Fernández-Shaw le proporcionó el libreto de una comedia lírica en un prólogo y dos actos titulada *No me olvides*. La obra no tuvo éxito, pero poco tiempo después, el músico se hizo con otro libreto que Romero y Fernández-Shaw habían escrito originalmente para Jesús Guridi. Una obra de ambiente marinero que Guridi no pudo aceptar porque ya se había comprometido entonces con el escenógrafo bilbaíno Garay para poner música a *Mari Eli*, una pieza de ese mismo género. Se trataba de *La tabernera del puerto*, la primera zarzuela en tres actos que se disponía a poner en música Sorozábal y otro de sus éxitos perdurables, que se estrenó en el teatro Tívoli de Barcelona pocos días antes del Alzamiento. Este hecho truncó la carrera de una obra como *La tabernera del puerto* que no llegó a estrenarse en Madrid, en el teatro de la Zarzuela, hasta acabada la guerra siendo objeto de un grave boicot. Para empezar, la Falange prohibió a Sorozábal dirigir la orquesta y después un grupo de confabulados armó un gran escándalo aprovechando el intermedio orquestal del último acto. Sorozábal siempre culpó a Moreno Torroba de la organización de este altercado. A pesar de eso y de que, según el compositor, la policía cacheaba a los que iban a ver la obra, *La tabernera del puerto* se mantuvo en cartel y prolongó el éxito que obtuvo en su estreno barcelonés.

La tabernera del puerto, como libreto, es un acierto pleno. Tiene la parte dialogada escrita, casi en su totalidad, en una forma muy fluida de romance –de ahí su subtítulo de romance marinero–, presentado tipográficamente como si fuera prosa. Ese ritmo poético que tizna levemente el diálogo, unido a la indefinición del espacio donde ocurre, que es una ciudad ficticia llamada Cantabreda, ayuda para sumir la obra en una especie de neblina fabulosa, a lo que sin duda contribuye muy ingeniosamente la canción popular con la que empiezan los dos primeros actos, *Eres alta y delgada*, pero con una letra diferente: "Eres blanca y hermosa". Este toque de fábula se contrarresta, no obstante, con el hecho de ubicarse en el "tiempo actual" con algunas alusiones muy epocales, personajes construidos muy consistentemente, una trama centrada en el mundo del contrabando que en los años de guerra y posguerra se iba a convertir en uno de los tópicos reales de la marginalidad social, y una representación del espacio en la que Cantabreda se puede intuir como una especie de Castro Urdiales.

En su origen, el libreto tendía algo más a la opereta gracias a un número que Romero y Fernández Shaw habían urdido en el segundo acto con las vicetiples en uniforme de marinero norteamericano bailando claqué, tan al uso del cine americano contemporáneo. Sin embargo, Sorozábal, en aras de una mayor verosimilitud, suprimió ese número, como en su día suprimiera el de las vicetiples pilotos del libreto de *La del manojo de rosas*. En vez del claqué de las vicetiples, a Sorozábal se le ocurrió convertir el papel de Simpson, que originalmente era un actor, en un bajo cantante con su principal actuación cantando una romanza en el número de los marineros negros borrachos. El bajo que estrenó *La tabernera del puerto* en Barcelona, Aníbal Vela, no pudo con su papel, pero Manuel Gas, que le reemplazó, alcanzó un gran éxito y, desde entonces, las obras más importantes de Sorozábal que siguieron a *La tabernera del puerto* contaron con Gas como intérprete.

Eliminado el número de vicetiples, *La tabernera del puerto* se queda, entre la fábula de opereta y la realidad del sainete, en una comedia lírica llena de buenas ocasiones musicales y bien pergeñada en lo teatral con una acción escasa pero dosificada con buen manejo del ritmo escénico. Así, en el primer acto realmente no pasa nada más que un desfile de personajes y deja en ascuas sin saber cuál es la misión de Leandro, ni cuál la relación de Juan de Eguía con Marola. Eso sí, los personajes, en su totalidad, quedan muy bien presentados: los misteriosos Verdier y Juan de Eguía, sospechosos de no se sabe qué; la tabernera Marola, resignada, cándida pero con carácter; Abel, apenas hombre, soñador y enamorado; Simpson, un independiente; Leandro, un simple marinero enamorado más que un galán; y el grupo cómico formado por Ripalda, en el nivel hablado, y la pareja de borrachines Chinchorro y Antigua. Se crea así una estructura dramática con tres bandas: la de los contrabandistas –Juan de Eguía, Verdier y Simpson–, la de los enamorados –Leandro, Marola y Abel– entre quienes no hay competencia –no hay triángulo amoroso, lo que contribuye al estatismo de una obra cuyo principal motor es la intriga–, y, finalmente, la del ámbito tabernario formada por Ripalda, Antigua y Chinchorro. Musicalmente, *La tabernera del puerto* se inicia con un par de buenos números de música dramática, seguidos de la cómica bronca de los característicos "Ven aquí camastrón", N° 3, el primer dúo de Leandro y Marola, N° 4, situado en su lugar preceptivo en las operetas, hacia el final del primer acto, y un final con otra de esas broncas en las que Sorozábal cifraba el éxito de los sainetes: Marola contra las pescaderas, como una lección para las mujeres casadas –otro de los tópicos del género chico–, que podría haber sido otra ocasión para un número de vicetiples desestimado por Sorozábal en favor de una realización más verosímil con pescaderas desarrapadas más que hermosas coristas escasas de ropa.

Aprovechando la tensión argumental creada en el primer acto, el segundo, en vez de clarificar el argumento, se convierte al principio en una especie de calderón lírico sobre el que se suceden las romanzas principales del cuarteto de solistas: primero la de la soprano Nº 6b, "En un país de fábula", seguida sin apenas solución de continuidad por la del barítono "La mujer, de los quince a los veinte", Nº 6c. Ni una ni otra tienen relación alguna con el argumento de *La tabernera del puerto*, tratándose sencillamente de sendas canciones interpoladas y cantadas en la taberna por la tabernera y el dueño. De hecho, la romanza de barítono, que es lo que convierte este arranque del acto segundo en una especie de catálogo vocal, fue una adición posterior al estreno arreglada a partir de una zarzuela anterior, *Sol en la cumbre*, 1934. Al parecer, a pesar del éxito de *La tabernera del puerto*, Marcos Redondo andaba algo apesadumbrado porque su romanza, colocada estratégicamente hacia el final del acto tercero, "¡No! No te acerques", Nº 13, menos convencional y más dramática, hecha como de jirones melódicos, no alcanzaba la aclamación que las de los demás solistas, por eso Sorozábal decidió darle otra ocasión de lucimiento. La tercera romanza del acto segundo corresponde al bajo: "Despierta, negro, que viene el blanco", Nº 7, que, como se ha dicho, reemplazó el número de vicetiples y significó el comienzo de una fructífera relación de Sorozábal con Manuel Gas, y la última romanza –cuarto número y cuarta romanza del acto segundo–, ya inserta en la trama de una manera plena, es "¡No puede ser! Esa mujer es buena", Nº 8, popularizada enormemente en la voz incomparable de Alfredo Kraus. A cuenta de esta romanza, los mayores aplausos de esta obra –concebida originalmente para el barítono Marcos Redondo–, se los llevó Faustino Arregui. Antes de la romanza de tenor, Simpson revela los planes de Juan de Eguía y, después de ella, Marola confiesa a Leandro que es hija de Juan de Eguía, precipitándose así toda la clarificación que había quedado en suspenso durante la primera parte del acto. A continuación, un terceto cómico entre Marola, Ripalda y Abel, Nº 9, sirve para distender por un momento la acción antes del final dramático del acto segundo, antes del cual, originalmente, Juan de Eguía cantaba una romanza, Nº 10, más convencional que la del acto tercero y mejor insertada en la trama argumental que la del Nº 6c, pero que, siguiendo una tradición comenzada por el propio compositor, no se canta y no figura ya en el libreto editado en los años cuarenta, aunque sigue estando en las partes de apuntar de los materiales del archivo de la SGAE. Tras este corte, el Nº 10b sirve de final del acto segundo con un dúo entre Marola y Juan de Eguía, seguido de otra bronca protagonizada por los marineros, Abel y Leandro contra Juan de Eguía.

El acto tercero consta de dos cuadros separados por un intermedio consistente en la orquestación del cómico Nº 3 para facilitar la mutación de escena. El primer cuadro, enteramente musical, es el de la tormenta con el dúo de Marola y Leandro, Nº 11, que concluye con una orquestación, marcada "Grandioso" en la partitura, del tema de introducción de la obra. El cuadro final comienza con un recitado y canción de Abel, Nº 12, que es contrapunto de un recitado similar del Nº 1. Como en este caso, los libretistas aprovecharon diferentes ocasiones para lucir su estro poético un poco más allá de la prosa romanceada de la parte hablada: por ejemplo, en el diálogo en pentasílabos entre Marola y Abel que sigue al Nº 4, o tras el Nº 8, el romance en el que Marola cuenta su historia. La obra termina con la romanza final de Juan de Eguía, un romance hablado de Simpson en el que vuelven a asomar los libretistas y un corto final de música dramática, protagonizado de nuevo por el barítono y concluido por la misma orquestación grandiosa del tema de la introducción que cerraba el cuadro de la tormenta.

Una obra, en definitiva, tan compacta, redonda, bien realizada teatralmente, abundante en música puramente lírica, zarzuelística, donde apenas queda rastro del Sorozábal sinfonista, que necesariamente, por más difícil que se lo pusieran las circunstancias, triunfó en lo que Enrique Franco llamó las dos orillas de la música española –antes y después de la Guerra Civil– quedando desde entonces en el repertorio y llegando a ser una de las pocas zarzuelas que ha tenido el honor de producirse discográficamente en los años noventa, contando en esa ocasión con un reparto que incluía a María Bayo, Plácido Domingo y Juan Pons.

Fuentes manuscritas. Los materiales de orquesta se conservan en el archivo de la SGAE en Madrid (6280).

Ediciones de música. Canto y piano, Madrid, Sociedad Española de Autores Líricos.

Ediciones del libreto. Madrid, Biblioteca Teatral, XX, 195.

FONOGRAFÍA: D78rpm: Dir. Pablo Sorozábal, Sols. Marcos Redondo, Aníbal Vela, A. Ripoll, Odeón 184368, SO 8790 SO 8791 • Sols. María Espinalt, Vicente Simón, La Voz de su Amo DA 4253 DA 4254, OKA 315 a OKA 318.

LP: Dir. Pablo Sorozábal, Sols. Isabel Penagos, Alicia de la Victoria, Clara Martínez, Julián Molina, Pedro Farrés, Julio Catania, Ramón Regidor, Eduardo Fuentes, Luis Frutos, Coro de Cantores de Madrid, Orq. Sinfónica, Zafiro ZOR-160 153, Zafiro LM-3009 y 3014-C, Zafiro 30103009, 30103014 y 30112102 (Serdisco) 143, 144 y 149 [reed. en CD: Zafiro-Salvat 1030-2 y 1031-2] • Dir. Pablo Sorozábal, Sols. Ana Higueras, Juan Manuel Ariza, Manuel Ausensi, Víctor de Narke, Coro de Cantores de Madrid, Orq. Sinfónica, Columbia-BMG España WD 71469 (9H).

CD: Dir. Pablo Sorozábal, Sols. Alfredo Kraus, Leda Barclay, Renato Cesari, Coro de Cantores de Madrid, Orq. de Conciertos de Madrid, Hispavox 7 67325 2 (637.33818) y EMI 7243 5 74158 2 8 (637.00395) • Sols. Marcos Redondo, Antonio Medio, María Espinalt, Blue Moon BMCD 7518.

BIBLIOGRAFÍA: M. Redondo: *Un hombre que se va…*, Barcelona, Planeta, 1973; P. Sorozábal: *Mi vida y mi obra*, Madrid, Fundación Banco Exterior, 1986; C. Gómez Amat: "Romance marinero", notas al disco, Auvidis, 1996; J. Suárez-Pajares: "Pablo Sorozábal en la lírica española de los años 30", *Cuadernos de Música Iberoamericana*, 4, 1997, 105-43.

JAVIER SUÁREZ-PAJARES

Taboada. Familia de músicos españoles formada por Rafael y sus hijos Joaquín y Ricardo.

1. Taboada Mantilla, Rafael. Puerto de Santa María (Cádiz), 23-VI-1837; Luceni (Zaragoza), 1914. Compositor y profesor. Se trasladó a Madrid con su familia a los once años y se matriculó en el Conservatorio de Madrid donde estudió piano con José Miró, y armonía, contrapunto y fuga con Francisco de Asís y Gil. Perteneciente a la primera generación de compositores de zarzuela románticos, y con una abundante producción que se extiende desde la década de 1860 hasta la de 1880, no dejó ninguna obra de éxito que haya permanecido en el repertorio. Se dio a conocer con la ópera en italiano *Liseta*, estrenada a beneficio de los heridos de la guerra de África en el teatro del Príncipe. En 1861 estrenó en el teatro del Circo *Una antigua española*, con libreto de Roque Barcia. En 1863 fue nombrado maestro de música del Hospicio y estrenó en el teatro de la Zarzuela *Pedro el marino*, en un acto, que fue silbada; en 1865 presentó *De Salamanca a Madrid* con letra de A. Lasso de la Vega. En 1866 se estrenaba en el Circo su zarzuela *La juglaresa*, con libreto de Ángel Lasso de la Vega; ese mismo año presentó *Manos blancas no ofenden*. En 1880 se estrenó con éxito su juguete lírico *De vuelta de Argel*, con libreto de Cocat. En 1882 en el teatro Eslava un disparate cómico-lírico en un acto con libreto de Pedro Górriz, titulado *Cante hondo*, con enorme éxito de público; en 1886 un juguete cómico-lírico titulado *Tula*, con libreto de Granés, de diálogo ingenioso y música ligera y agradable; en 1887 en el teatro de Recoletos presentó otro éxito, la revista titulada *Perico el de los palotes*, con libreto de Luis Garín y Gullón.

OBRAS: *Las cábalas del tío Basilio*, Zarz, 1 act, l, G. Fernández, est, 30-V-1859, Te. Zarzuela, E:Msa; *El canapé*, pasillo, 1 act, l, R. Barcia, est, 11-V-1861, Te. Circo; *Una antigua española*, 1 act, l, R. Barcia, est, 26-X-

Rafael Taboada (Grabado de A. Bros en IMHA, 1894; Ar. ICCMU)

1861, Te. Circo; *Una hija de Despeñaperros*, Zarz, 1 act, l, R. Barcia, est, 1861, Te. Novedades; *Pedro el marino*, Zarz, 1 act, l, R. Barcia, est, 12-III-1862, Te. Zarzuela, E:Msa; *Sin conocerse*, Jug, 1 act, l, C. Navarro, est, 21-XII-1862 , Te. Martín, E:Msa; *Armonías conyugales*, Jug, 1 act, l, M. Henao Muñoz, est, 16-I-1865, Te. Circo; *¡Al perro flaco…!*, Zarz, 1 act, l, F. García Cuevas, est, IV-1865, Te. Circo; *De Salamanca a Madrid*, Zarz, 3 act, l, A. Lasso de la Vega, est, 19-IV-1865, Te. Circo; *Manos blancas no ofenden*, Jug, 1 act, l, F. García Cuevas, est, 9-X-1866, Te. Circo, E:Msa; *La juglaresa*, Zarz, 3 act, l, A. Lasso de la Vega, est, 1866; *El mundo por dentro*, sueño inverosímil, 1 act, l, F. García Cuevas, est, 14-II-1868, Te. Zarzuela; *El maestro Fugatto*, Jug, 1 act, l, A. Lasso de la Vega, est, 1873, E:Msa; *El laurel de oro*, Zarz, 2 act, col. A. Rubio, l, S. M. Granés / C. Navarro, est, 16-V-1877, Te. Eslava, E:Msa; *Por cambiar de domicilio*, Zarz, 1 act, l, J. Olier, est, 23-XI-1877, Te. Eslava, E:Msa; *La enamorada del mar*, est, 1877; *El fantasma de la aldea*, Zarz, 2 act, l, J. Castellanos, est, 26-III-1878, Te. Zarzuela; *Los bohemios*, pasillo, 1, act, M. Chacel, est, 5-IV-1878, Te. Eslava, E:Msa; *Celos, veneno y suegra*, Jug, 1 act, l, J. Olier, est, 13-XII-1878, E:Msa; *Perdigón en Hamburgo*, jugada, 1 act, l, L. T. Pastor, est, 16-XII-1878; *El país de las musas*, Zarz, 1 act, col. I. Hernández, l, M. Cuartero Pérez / W. Ferrer, est, 23-XII-1878, Te. Recreo; *Ángeles y Serafines*, Jug, 1 act, l, E. Prieto / E. Sierra, est, 1879, Barcelona, E:Msa; *La familia Balsamina*, Zarz, 1 act, l, L. T. Pastor / M. Cuartero Pérez, est, 4-I-1879, Te. Recreo; *Espiridión en Vulcano*, viaje, 2 act, col. I. Hernández, l, L. T. Pastor / W. Ferrer, est, 22-III-1879, Te. Recreo; *Sonó la flauta*, Zarz, 1 act, l, M. Cuartero Pérez, est, 24-V-1879, Te. Eslava, E:Msa; *La vuelta de Argel*, Jug, 1 act, l, R. de Lartundo / L. Cocat, est, 26-VI-1880, Te. Recreos Matritenses, E:Msa; *El traviato*, Zarz, 2 act, l, J. A. Almela, est, 14-VII-1880, Te. Jardín del Buen Retiro; *Trabajar con fruto*, Jug, 1 act, l, J. Olier, est, 11-V-1881, Te. Lara, E:Msa; *Un sueño de Gloria*, Apr, 1 act, l, A. Lasso de la Vega, est, 25-V-1881, Te. Apolo; *Teoría y práctica*, Zarz, 1 act, l, E. Zumel, est, 24-VIII-1881, Te. Recoletos, E:Msa; *Tres al saco*, Jug, 1 act, l, E. Sierra, est, 17-III-1882, Te. Eslava, E:Msa; *¡Cante hondo!*, Jug, 1 act, l, P. Gorriz, est, 19-IV-1882, Te. Eslava, E:Msa; *Las dos llaves*, Zarz, 2 act, l, E. Zumel, est, 15-VII-1882, Te. Recoletos, E:Msa; *La regata*, balada, 1 act, l, A. Lasso de la Vega, est, 28-II-1883, Te. Alhambra; *El mascoto*, crítica, 1 act, l, M. Cuartero Pérez, est, 25-VI-1883, Te. Recoletos; *La del tren*, Jug, 1 act, l, A. Cruselles, est, 27-VI-1883, Te. Recoletos, E:Msa; *Enredos y compromisos*, Jug, 1 act, l, J. Olier, est, 3-XII-1883, Te. Martín, E:Msa; *Fortuna te dé Dios, hijo*, 1 act, l, C. Navarro, est, 1883, E:Msa; *Las tres Auroras*, Zarz, 1 act, l, L. Blanc, est, 19-II-1884, Te. Martín; *Por un sobrino*, Jug, 1 act, l, E. Navarro Gonzalvo, est, 6-V-1884, Te. Eslava; *¡Al baile!*, Jug, 1 act, l, E. Sierra, est, 4-VII-1884, Te. Recoletos, E:Msa; *El pañuelo de Manila*, l, M. Cuartero Pérez, est, 3-VII-1884, Te. Príncipe Alfonso; *Un cuento de Bocaccio*, Opt, 1 act, l, M. Cuartero Pérez, est, 4-VII-1884, Te. Alhambra, E:Msa; *Los diablos del día*, hum, 2 act, l, E. Zumel, est, 4-IV-1885, Te. Martín, E:Msa; *Pinaflor*, Zarz, 2 act, adap de Sullivan, l, Llanos Alcaraz / M. Cuartero, 10-X-1885, Te. Zarzuela; *El señor de Rascati*, est, 1885; *Tula*, Jug, 1 act, l, S. M. Granés, est, 3-X-1886, Te. Martín, E:Msa; *La ópera española*, Opt, 1 act, l, J. A. Martínez de Guzmán, est, 6-XII-1886, Te. Alhambra, E:Msa; *Sauterie de Susana*, pasillo, 1 act, l, E. Sierra, est, 11-VII-1887, Te. Recoletos, E:Msa; *Perico el de los palotes*, Rv, 1 act, l, M. Gullón / L. de Larra, est, 22-VIII-1887, Te. Recoletos, E:Msa; *Isabel y Marsilla*, Jug, 1 act, l, A. M. Segovia, est, 9-IX-1887, Te. Eslava, E:Msa; *El señor gallina*, Zarz, 1 act, l, A. M. Segovia, est, 1-X-1887, Te. Martín, E:Msa; *Un gatito en Madrid*, Jug, 1 act, l, A. M. Segovia, est, 1887, E:Msa; *Casa editorial*, Rv, 1 act, l, G. Cantó / C. Arniches, est, 9-II-1888, Te. Eslava, E:Msa; *El entreacto*, Hum, 1 act, l, J. Caldeiro / I M. de Larra, est, 25-III-1888, Te. Eslava; *El mesón del vino*, Jug, 1 act, l, A. M. Segovia, est, III-1888, Te. Apolo; *Fondos municipales*, est, 9-V-1888, E:Msa; *Satanás en la abadía*, Opt, 1 act, l, M. Cuartero Pérez, est, 14-VI-1888, Te. Maravillas, E:Msa; *Nanon*, Zarz, 2 act, col. T. Reig, l, S. Ferrer / F. Olona, est, 24-VII-1888, Te. Maravillas, E:Msa; *Quedarse in albis*, Jug, 1 act, H. Criado / L. Cocat, est, 1-IX-1888, Te. Maravillas, *E:Msa*; *El tío vivo*, Sai, 1 act, l, E. Jackson Cortés, est, 1-XII-1888, Te. Martín, *E:Msa*; *Dos chicos en grande*, Hum, 1 act, l, H. Criado / L. Cocat, est, 6-IV-1889, Te. Martín; *Olla de grillos*, guilladura, 2 act, col. T. Reig, l, C. Navarro, est, 25-XII-1889, Te. Zarzuela, *E:Msa*; *Salsa picante*, 1 act, l, M. Luque, est, 11-IV-1890, *E:Msa*; *Un pretexto*, Jug, 1 act, l, A. M. Segovia, est, 30-VIII-1890, Te. Maravillas, *E:Msa*; *El empecinado*, Zarz, 3 act, l, M. Cuartero Pérez, est, 12-IX-1890, *E:Msa*; *El diablo en el molino*, Opt, 1 act, l, M. Cuartero Pérez / V. García Valero, est, 22-VII-1891, Te. Recoletos, *E:Msa*; *El martes de Carnaval*, Jug, 1 act, l, J. Redondo, est, 28-XI-1891, Te. Eslava, *E:Msa*; *La barrica de oro*, Hum, 1 act, l, H. Criado / L. Cocat, est, 5-IX-1891, Te. Tívoli; *La santa Cecilia*, Zarz, 3 act, col. A. Rubio, l, S. M. Granés / C. Navarro, est, 20-I-1892, Te. Circo de Parish; *La muerte de los lobos*, est, 15-IX-1892, Te. Apolo; *La meseta de los lobos*, Zarz, 1 act, l, F. Bermejo Caballero, est, 1892, *E:Msa*; *La viuda de González*, Jug, 1 act, l, E. Arango Alarcón, est, 27-VII-1895, Te. Maravillas, *E:Msa*; *La máscara de hierro*, Zarz, 3 act, l, A. Lasso de la Vega, est, 1896, Te. Colón, *E:Msa*; *A las once*; *Bizcochos borrachos*, 1 act, *E:Msa*; *El mesón del cuervo*, *E:Msa*; *El señor juez*, Jug, l, M. Casañ; *El soberano de Babia*, Zarz, 1 act, l, A. M. Segovia; *El teatro*, 1 act; *Imprenta y litografía*, 1 act, l, J. Caldeiro, *E:Msa*; *Influencias*; *La del diecisiete*, col. M. Nieto, *E:Msa*; *La estrella de Tartaria*, 1 act, l, Mozo de Rosales; *La hija del cochero*, 1 act, l, Álvarez Piñadas; *La hostería de Botín*, Zarz, 1 act, col. R. Estellés, l, M. Cuartero Pérez / W. Ferrer, *E:Msa*; *Los amores de la Paca*, 1 act, l, J. M. Ruiz Cornejo, *E:Msa*; *Los botijos*, 1 act, *E:Msa*; *Los caballeros de la montaña*, 2 act, l, J. G. Lamadrid; *Servicio de guarnición*, Sai, 1 act, col. R. Estellés, l, M. Soriano, *E:Msa*.

2. Taboada Steger, Joaquín. Madrid, 1870; Madrid, 23-I-1923. Compositor.

Inició sus estudios musicales con su padre completándolos en el Conservatorio de Madrid. Entre su producción zarzuelística destacó la obra *El pregonero de Riosa* estrenada en 1900, en colaboración con Mario Caballero, cuyos números fueron repetidos. Compuso numerosas zarzuelas, pero no dejó ninguna de éxito.

OBRAS: *Casa de baños*, Zarz, 1 act, l, M. Soriano, est, 1889; *Los chirigotas*, Jug, 1 act, l, R. Taboada Steger, est, 14-II-1890, Salón Madrid, *E:Msa*; *El niño ciego*, Opt, 1 act, l, J. M. Ruiz Cornejo, est, 6-VIII-1892, *E:Msa*; *El lego del Parral*, Zarz, 1 act, l, J. Redondo, est, 21-III-1893, Te. Novedades, *E:Msa*; *Don Quijote*, boceto, 1 act, l, J. Lorente / R. Curros, est, 13-IV-1893, Te. Eslava, *E:Msa*; *Antolín*, cuento, 1 act, col. J. Valverde, l, C. Navarro, est, 4-VIII-1893, Te. Príncipe Alfonso; *El hijo del diputado*, Jug, 1 act, col. M. Font, l, T. Torres, est, 25-I-1894, Te. Cervantes (Sevilla), *E:Msa*; *El pozo del diablo*, Zarz, 1 act, l, J. Redondo, est, 28-II-1894, Te. Eslava, *E:Msa*; *La condesa está durmiendo*, Jug, 1 act, l, A. Cánovas del Castillo, est, 30-VII-1895, Te. Maravillas, *E:Msa*; *Los sobrinitos*, Zarz, 1 act, col. S. Lope / S. Viniegra, l, L. Falcato / M. Soriano, est, 13-I-1900, Te. Romea; *El pregonero de Riosa*, disparate, 1 act, col. M. Fernández de la Puente, l, M. Fernández de la Puente / P. Moreno, est, 23-V-1900, Te. Zarzuela, *E:Msa*; *Los mamelucos*, Zarz, 1 act, col. M. Fernández de la Puente, l, M. Fernández de la Puente / E. Luque, est, 1900, *E:Msa*; *José de Calasanz*, 1 act,

l, J. Redondo, 1903; *Castillo de naipes*, Zarz, 1 act, J. Redondo, est, 1905; *La hucha*, 1 act, l, J. Redondo, 1905; *Canuto Sonsonete o El vals de las rosas*, Jug, 1 act, l, J. Zahonero, est, 1906; *Día de campo*, Zarz, 1 act, l, J. Redondo, est, 1907; *La fiesta del árbol*, Zarz, 1 act, l, J. Redondo, est, 1907; *La plana de Navidad*, 1 act, l, J. Redondo, est, 1907; *La bendición de los campos*, Zarz, 1 act, l, J. Redondo, est, 1909; *¡Sólo para solteras!*, Hum, 1 act, l, E. Fernández Campano / A. Soler, est, 19-I-1910, Te. Latina, *E:Msa*; *Tumba y palacio*, episodio, 1 act, l, J. Redondo, est, 1910; *El rey poeta*, episodio, 1 act, l, J. Redondo, 1911; *La campana de Huesca*, Zarz, 1 act, l, J. Redondo, est, 1911; *La Minerva del barrio*, Zarz, 2 act, l, R. Taboada Steger / J. Redondo, est, 1911; *La primera comunión*, 1 act, l, J. Redondo, est, 1911; *La rendición de Granada*, 1 act, l, J. Redondo, est, 1911; *Los tercios de Flandes*, episodio, 1 act, l, J. Redondo, est, 1911; *Reparto general*, 1 act, l, J. Redondo, est, 1911; *Una hora de estudio*, monólogo, 1 act, l, R. Taboada Steger, est, 1911; *Trampa y cartón*, Jug, 2 act, l, P. Muñoz Seca / P. Pérez Fernández, est, 21-XII-1912, *E:Msa*; *Lazo de unión*, 1 act, l, J. Redondo, est, 1912; *El pájaro verde*, Zarz, 1 act, col. J. Padilla, l, J. I. Alberti / M. San Román, est, 1912, *E:Msa*; *El sabio Vernier*, Opt, 1 act, l, M. Rovira, est, 3-VI-1913, Te. Novedades, *E:Msa*; *La corona de la Virgen*, Zarz, 1 act, l, Redondo, est, 1913; *Cena y zambombo, El belén de don Macario*, Jug, 1 act, l, J. Redondo, est, 1914; *Pastelero a tus pasteles*, Jug, 1 act, l, J. Redondo, est, 1914; *Un mundo más*, Zarz, 1 act, l, J. Redondo, est, 1915; *Naide es na*, Sai, 1 act, l, P. Pérez Fernández / P. Muñoz Seca, est, 17-V-1915, Te. Novedades, *E:Msa*; *El marido de la Engracia*, Sai, 1 act, col. T. Barrera, l, P. Muñoz Seca / P. Pérez Fernández, est, 19-IV-1917, Te. Apolo, *E:Msa*; *El general Papillons*, Opt, 1 act, l, F. Torres Olmedo / A. Varela, est, 26-VII-1917, Jardines del Buen Retiro, *E:Msa*; *El yelmo del Mambrino*, Zarz, 1 act, est, 1930; *El caballo Clavileño*, 1 act, l, J. Redondo, 1930; *La bayadera roja*, l, E. Contreras, est, IX-1937, Te. Pardiñas, *E:Msa*; *Alegría*, 1 act, *E:Msa*; *Alma gaucha*, Zarz, 3 act, l, M. García Llopis / A. Chiraldo, *E:Msa*; *El cornetilla*; *El espejo*, diálogo, l, J. Redondo; *El hijo de santa Mónica*, 1 act, l, J. Redondo; *El jarro de agua fría o Las gallinas de la tía Marcela*, 1 act, l, J. Redondo; *El Nuevo siglo*, 1 act, *E:Msa*; *El oro del moro*, l, P. Pérez Fernández, *E:Msa*; *Goya*, 1 act, l, J. Redondo; *La esmeralda*, Zarz, 1 act, *E:Msa*; *La gloria del pueblo*, 1 act, l, M. Lasso, *E:Msa*; *La libertad del cultos*, Zarz, 2 act, col. M. García Llopis, l, J. González Pastor / D. Gante, est, Te. Martín, *E:Msa*; *La oveja perdida*, 1 act, l, J. Redondo; *La promesa*, Opt, 3 act, l, J. Anquera, *E:Msa*; *La romería de la Virgen*, 1 act, l, R. Taboada Steger; *Miraflores*, Zarz, 1 act, l, J. Redondo, *E:Msa*; *Pastores y reyes*, Zarz, l, J. Zahonero.

3. Taboada Steger, Ricardo. España, siglo XX.

Escritor y compositor. Fue redactor de *El Comercio Ibérico*, 1892, y director de *Cómicos y Políticos*, 1901, e *Hijos de Madrid*, 1904. Escribió para el teatro *Antolín*, 1887, *Las chirigotas*, 1889, *La madrileña*, 1894, *Matinée*, 1895, *Carabanchel de Arriba*, 1895, *La pareja de guardia*, 1896, *El asistente Cantares*, 1902, y muchas más, además de novelas y poesías.

BIBLIOGRAFÍA: *DMEH*; *HZ*; F. Cuenca: *Galería de músicos andaluces contemporáneos*, La Habana, Cultura, 1927.

EMILIO CASARES RODICIO

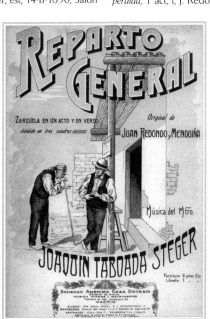

Cortesía de Unión Musical Ediciones SL

Tabuyo Muro, Ignacio. Rentería (Guipúzcoa), 17-X-1863; Madrid, 26-III-1947. Barítono y compositor. Después de terminar arquitectura se dedicó al canto. Inició sus estudios en Padua (Italia) a los veintidós años y posteriormente en Milán con Antonio Selva, quien le hizo debutar en dicha ciudad con *La favorita* en octubre de 1888, obteniendo gran éxito de público y crítica. En 1889 se presentó en el teatro Real de Madrid donde interpretó *Lohengrin* con Julián Gayarre. A partir de entonces tuvo una carrera internacional dedicada a la ópera luciendo una potente voz de barítono de gran calidad. En 1909 se retiró de la escena y pasó a ser profesor interino de canto en el Conservatorio de Madrid y en 1920 profesor numerario enseñando una técnica de canto heredada de su maestro Antonio Selva. Fundó una academia de canto en su propia casa de Madrid por la que pasaron numerosas figuras de la zarzuela, como Faustino Arregui, Casenave, Aníbal Vela, Carmen Antón, Lola Rodríguez de Aragón, José Romeu, Fidela Campiña, Matilde Revenga, Luis Almodóvar, Celestino Sarobe, Pedro Terol, Faustino Arregui, Cristóbal Altube, Felisa Herrero, Pablo Hertogs, José Alonso Orduña, Jaime Samaniego, Juan Eraso, Marcos Redondo y López de Saa. Se trata, por tanto, de un profesor cuya enseñanza dejó frutos indelebles en el género zarzuelístico. Un alumno de Tabuyo, Cristóbal Altube, le sucedió como profesor numerario de la cátedra de canto en 1943.

Fue tambien compositor en una línea nacionalista dejando canciones, romanzas y obras para piano y corales y también una obra lírica, *La bella Diana* en un acto y en colaboración con Anglada.

BIBLIOGRAFÍA: *DMEH.*

EMILIO CASARES RODICIO

Talavera, Mario. México, siglos XIX-XX. Tenor cómico y compositor. Cantó en 1919 *La gallina ciega* de Caballero en el teatro Principal de México.

BIBLIOGRAFÍA: M. Mañón: *Historia del teatro Principal de México*, México, Ed. Cultura, 1932.

RICARDO MIRANDA PÉREZ

Tamargo, José F. Oviedo, 1858; ?. Tenor. Abandonó Asturias para irse a América en busca de fortuna. Contaba con una buena voz que se había puesto de manifiesto en reuniones amistosas y que le permitió ingresar en una compañía lírica que recorría diversos teatros americanos. Debutó en 1886 en Guatemala interpretando Jorge de *Marina*. Regresó a España en 1887 para cantar en el Circo de Price de nuevo la obra de Arrieta y *La tempestad* de Chapí y comenzó a formar su voz, dedicándose al estudio durante cuatro años para reaparecer en diversos teatros de Lisboa, Cádiz y Canarias. En 1893 apareció en el teatro Albisu de La Habana y se trasladó a México, donde rápidamente conquistó al público, alternando

con Abelardo Barrera. La voz de Tamargo era inferior a la de Barrera y algo nasal, aunque bella y bien timbrada. En el teatro Principal debutó con *Campanone* en el que hubo de repetir el aria del tercer acto. El público del teatro Principal se dividió entre tamarguistas y barreristas hasta el punto de que incluso una revista propuso una especie de concurso para delimitar cuál de los dos tenores era el mejor, aunque ambos dirimieron la cuestión al dirigirse al director de la publicación aclarando que no existían rivalidades entre ellos.

BIBLIOGRAFÍA: *RHTM*; M. Mañón: *Historia del teatro Principal de México*, México, Ed. Cultura, 1932.

Mª LUZ GONZÁLEZ PEÑA

Tamarit, Antonio. España, siglo XIX. Bajo cómico. En 1888 estrenó en Eslava *Ortografía* de Chapí. El año siguiente estrenó *Boulanger, Madrid-Club* y *Liquidación general* de Nieto, *A Roma por todo* de Caballero, *¡Ni en broma!* de Sedó, en el teatro Eslava. En 1894 estrenó la opereta *Eclipse de luna* en el teatro Circo de Parish y *Los lunes del Imparcial* de Quinito Valverde en el teatro Lara a beneficio de Balbina Valverde, tía del autor. Llegó con su compañía al teatro Principal de Burgos en la temporada de Pascua de 1896. En su repertorio llevaba *La leyenda del monje* de Chapí, *Las zapatillas* y *Cádiz* de Chueca y estrenaron *El cabo primero* y *La revista* de Fernández Caballero y *El tambor de granaderos* de Chapí, excelentemente acogido. También estrenó en Burgos *De vuelta del vivero* de Giménez, muy aplaudido, así como el episodio cómico-lírico-nacional *Tabardillo* de Torregrosa, que logró un destacado éxito. Formaban parte de la compañía de Tamarit, Isabel Brú y Echevarría.

BIBLIOGRAFÍA: C. A. Archaga y Martínez: *Actividades dramáticas en el teatro Principal de Burgos, 1858-1946*, Ayuntamiento de Burgos, 1997.

Mª LUZ GONZÁLEZ PEÑA

Tamayo, Maruja. España, siglo XX. Vedette. En 1944 estrenó en el teatro Martín *¡Cinco minutos nada menos!* de Guerrero. En la temporada 1952-53 formaba parte de la Compañía Internacional de Revistas de Joaquín Gasa que estrenó en el teatro de la Zarzuela diversas revistas de Augusto Algueró, como *De Cuba a España* y *Llegó el ciclón*; en la temporada siguiente estrenaron *¡Todos a la Zarzuela!*, seguida *Tutti-Frutti* en la temporada 1954-55.

Maruja Tamayo
(Foto: Ar. Emilio G. Carretero)

FONOGRAFÍA: *¡Cinco minutos nada menos!*, R 14154 R 14155 R 14168 (et. fucsia), C 5910 a C 5913, C 6004-2 C 6005-3 • Sonifolk 20124 • Columbia R 14168 R 14169, C 6004 C 6007; *El antojo*, Sonifolk 20140; *Gran Cliper*, Sonifolk 20140 • Odeón 204271, SO 10233 SO 10235; *Las bribonas*, Sonifolk 20140; *Los babilonios*, Sonifolk 20140; *Los Países Bajos*, Sonifolk 20124; *Mi costilla es un hueso*, Sonifolk 20122; *Sole la peletera*, Sonifolk 20124; *¡Taxi... al cómico!*, Sonifolk 20122; *24 Horas mintiendo*, Sonifolk 20122.

BIBLIOGRAFÍA: E. García Carretero: *Historia del teatro de la Zarzuela de Madrid*, Madrid, Fundación de la Zarzuela Española, 2003.

EMILIO GARCÍA CARRETERO

Tamayo y Baus, Victoriano. Madrid, 1833; Madrid, 1904. Dramaturgo, actor y director teatral. Desarrolló su carrera en Madrid y en Andalucía principalmente. Con su hermano, el gran autor de teatro romántico realista Manuel Tamayo y Baus, escribió la zarzuela de magia *Don Simplicio Bobadilla* con música de J. Inzenga, R. Hernando, J. Gaztambide y F. A. Barbieri, estre-nada con expectación en el teatro del Circo en 1853, pero sin obtener en un principio la acogida que se merecía, tanto por la música como por el libreto. En solitario escribió la zarzuela *El hijo del regimiento* de Cristóbal Oudrid, estrenada en el teatro del Circo en 1857; se trataba de una adaptación del original francés *L' enfant de la trouppe*, convertido por el autor en un drama pueril y falso y sin embargo o, precisamente por ello, obtuvo un gran éxito, debido más a los encantos de su protagonista, Amalia Ramírez, que a la calidad de la obra.

Victoriano Tamayo y Baus (Foto: E:Mn)

BIBLIOGRAFÍA: *CTI BN; EDL; HZ.*

OLIVA G. BALBOA

Tambor de granaderos, El. Zarzuela cómica en un acto. Música de Ruperto Chapí. Libreto de Emilio Sánchez Pastor. Estrenada el 16 de noviembre de 1894 en el teatro Eslava de Madrid.

Personajes y reparto. Gaspar (Isabel Brú). Luz (Sra. García de Pinedo). Bibiana (Sra. Sabater). El Lego (Bonifacio Pinedo). Coronel (Daniel Banquells). Don Pedro (Valentín García). Quintana (Vicente Carrión). Oficiales, pobres, coristas, centinelas, hermanos 1 y 2 de la Paz y Caridad. Coro general.

Orquestación. Flautín, flauta, 2 oboes, 2 clarinetes, fagot, 2 trompas, 2 cornetines en La, 3 trombones, timbales, percusión y cuerda. Banda.

Argumento. Época de la dominación francesa en España. Comienza el cuadro primero en una plaza pública frente al cuartel de Granaderos. Un grupo de mendigos espera a que el lego Roque les traiga su sopa diaria. Una vez hecho el reparto, el lego es informado de la llegada del Consejero Don Pedro que, decidido a enclaustrar a su sobrina Luz por hallarse ésta enamorada de Gaspar, muchacho nada del gusto del tío, ha llegado para llevar a cabo las últimas gestiones. Amparándose a veces en la ausencia de Don Pedro y otras en la vista defectuosa de éste, Luz logra entrevistarse secretamente con Gaspar, que está a punto de convertirse en tam-

Cortesía de Unión Musical Ediciones SL

bor de Granaderos, en lo que en realidad es una trampa tendida por el tío de Luz para alejar a los amantes. Pero Gaspar promete no olvidar a la muchacha y ella le jura que no profesará como monja mientras él exista. Gaspar, que ha comprendido que su nuevo oficio no va a significar ningún adelanto para sus amores con Luz, decide no besar la cruz ni jurar la bandera, en la ceremonia que significaría su definitivo ingreso en las filas. Para lograr su propósito se entrevista con el lego Roque, a quien logra convencer y hacerle su cómplice para el arriesgado plan que tiene en mente. Puestos de acuerdo, Gaspar sale satisfecho, saboreando de antemano el triunfo de su proyecto.

Llegada la hora de la jura de bandera, todos los soldados se muestran disciplinados, excepto Gaspar, que a pesar de suscitar la cólera del coronel, se niega rotundamente a besar la cruz y jurar la bandera, por considerar antipatrióticos ambos actos. Luz, que presencia la ceremonia desde un balcón, y no conoce las intenciones de Gaspar, cae desmayada al ver a éste reprendido y enviado al calabozo por el coronel. No obstante, y con la ayuda del lego Roque, Gaspar logra fugarse de la prisión. Refugiándose en el convento de la Merced, se disfraza de fraile, y bajo el nombre de padre Benito, inicia sus planes. Gaspar y el lego toman el camino de la hacienda de Don Pedro, que tiene por muerto al amante de su sobrina, y únicamente espera la visita del padre Benito para entrevistarse definitivamente con Luz, que sigue negándose a ingresar en el convento. Mientras tanto, descubierta la desaparición de Gaspar, el coronel trata de darle alcance, acompañado por varios de sus hombres. Al ver a Gaspar, Luz cae desmayada, actitud que desconcierta a Don Pedro, cuya defectuosa vista no le permite alcanzar los límites de la trampa. A esto sigue un diálogo de graciosos equívocos, que da lugar a la llegada del coronel y sus acompañantes. Gaspar y el lego intentan darse a la fuga, pero rodeada la casa por los soldados, la huida se hace imposible. Entonces Gaspar, despojado de sus hábitos, se presenta en lucha abierta, pues prefiere morir antes que entregarse a manos de tales afrancesados. En ese crítico instante, llega a caballo un soldado. Informa cómo el rey José ha sido sustituido por Fernando VII y el padre de Gaspar nombrado Corregidor de Madrid. Estas noticias vienen a salvar definitivamente al amor de Gaspar y Luz, que al fin pueden abrazarse en público.

Números musicales. Obertura. Nº 1. Coro y escena de la sopa, "Cuando tardan estos frailes". Nº 2. Terceto de Don Pedro, Gaspar y Luz, "Oficial, su Majestad, el rey Don José Primero". Nº 3. Couplets del tambor, "En haciendo rataplán, yo no sé donde a las hembras". Nº 4. Coro, pasodoble y escena de la jura, "¿Qué sucede que las tropas van a formar?". Nº 5. Couplets de los milagros, "Érase un labrador muy devoto". Nº 6. Cuarteto del exorcismo, "¿Qué la pasa, Jesucristo, que se pone Luz así?". Final.

Comentario. Durante su etapa de director artístico del teatro Eslava, 1894-1895, tras su enfrentamiento con los empresarios del Apolo, Chapí llevó a cabo una política de apertura en un coliseo que había desarrollado una considerable mala fama. Además de abrir el repertorio, presentó varios títulos –incluyendo la ópera *La serenata*, aunque convertida en zarzuela–, de los que ha perdurado con mayor éxito *El tambor de granaderos*. Estrenada el 16 de noviembre de 1894, gracias al impacto popular que logró llegó a salvar económicamente la difícil temporada. En realidad, no fue un golpe de suerte como otras piezas que el tiempo devolvió a su verdadero lugar, sino que es una de las creaciones que se consagraron desde el mismo día del estreno. En una época de confusión, acentuada por el éxito de *La verbena de la Paloma* en el Apolo, el asunto de *El tambor de granaderos* miraba hacia otros campos, especialmente el de la opereta francesa, con la que presenta varios elementos en común.

La obra muestra continuos guiños al mundo dramático. La escena de los pobres demandando la comida es tanto una caricatura de *La forza del destino* de Verdi y el Duque de Rivas –o de *Pan y toros* de Barbieri–, mientras que el segundo cuadro parece mirarse en el espíritu de *La bruja* de Ramos Carrión. A pesar de estos elementos provocativos la

crítica fue muy dura con el libreto de Sánchez Pastor. Zeda afirmaba que "es una farsa sin gracia, empedrada de equívocos de mal gusto, pesada, sosa y remendada con escenas tomadas de aquí y de allá e hilvanada sin orden ni concierto" (*La Época*, Madrid, 17-XI-1894), mientras que Joaquín Arimón señalaba que "el cuadro escénico está desenvuelto en sobrada lentitud, sin que ofrezcan ningún interés las situaciones que a la vista del espectador se desarrollan".

Chapí aporta a la obra, además de un preludio, una escena de coro con tenor cómico, un terceto entre las dos tiples protagonistas y un bajo, los cuplés de Gaspar, la escena de la jura, los cuplés llamados de los milagros, el llamado "Cuarteto del exorcismo" y un final que sigue modelos similares a los propuestos en *Música clásica*. Vocalmente las exigencias son mínimas, incluidas las de las dos solistas –el papel de Gaspar es travestido, como era habitual cuando se trataba de presentar actores jóvenes–, mientras que los papeles de hombre son intercambiables por cualquiera de las voces masculinas al uso. De hecho, aunque la tradición obliga a que el de Don Pedro sea interpretado por un tenor, está escrito en clave de Fa, si bien en una tesitura muy centrada.

Es el preludio el apartado que mayor interés ofrece a la partitura. Chapí se muestra siempre como un autor dramático por lo que sus preludios carecen de otra consistencia que la sucesión de temas que se escuchan a lo largo de la zarzuela y preparan al oyente a la acción posterior. El compositor alicantino pensaba en el preludio al final, una vez diseñada la obra. Sin embargo, a pesar de estar así construido, el de *El tambor de granaderos* muestra una notable habilidad en la confluencia de los temas y en la mezcla de éstos, de un modo similar al planteado por Giménez, el más hábil en este tipo de piezas. El fragmento está construido sobre varias ideas y se inicia con el tema de "Yo no beso ni juro esa infamia", y tras pasar por diferentes secuencias instrumentales llega al que canta Don Pedro: "Oficial, su Majestad". Este se ve contestado por una idea en Re menor que enlaza con otra extraída del Nº 6, "Gaspar de mi vida". Tomados estos tres temas básicos, una vez expuestos, son mezclados con indudable habilidad por el compositor. La primera escena parece un calco cómico de las que antes se han citado. Escrita en el extraño modo de La b menor, se adapta a las características del coro del teatro Eslava, que no debía caracterizarse por su virtuosismo. De estilo silábico, se ve siempre apoyado en las intervenciones individuales por instrumentos de viento. La orquesta, como no puede ser de otra manera, en función del conjunto. El Nº 2 es un terceto, guiado en forma de vals, estructurado en dos partes. Una primera, con intervenciones paralelas de las dos tiples y otra desde éste hasta el final, siguiendo el modelo concertante, aunque muy simplificado.

Los cuplés del Rataplán muestran una ambigüedad notoria en la primera parte alternando los modos mayor y menor como aspecto más llamativo. Dejando aparte su calidad, siguen el modelo usual: una línea melódica sobre la que se superponen diferentes letras, en una tesitura centrada. El acompañamiento es igualmente sencillo. El Nº 4 tiene mayor enjundia. Después de unos compases de llamada militar, sucede una escena a ritmo marcial por parte del coro, a la que sigue un pasodoble que alterna también con el coro. La habilidad de Chapí en este tipo de recursos es notoria y su magisterio fue seguido por casi todos los compositores de música militar en España. La escena continúa con la jura, donde se recurre a los temas entonados en el preludio. La intervención de Rosa está en la línea de Barbieri, con el toque hispano oportuno. Los llamados "Cuplés de los Milagros" tienen más interés en su aspecto cómico que en el musical, aunque se aprecian continuos detalles del hábil instrumentador que es siempre Chapí. Desde el punto de vista musical, el número de mayor interés es el "Cuarteto del exorcismo", donde la orquesta, a pesar de su simplicidad, aparece como elemento conductor que completa, como una voz más, lo que sucede en el escenario. Culmina en el modo concertante. El final se compone de un puñado de compases conclusivos que invitan al aplauso.

Sobre la música, la impresión fue notable. Arimón afirmaba que "Chapí ha dado esta vez, nueva y elocuente prueba de lo mucho que vale como compositor de méritos extraordinarios. No todas las piezas de su flamante partitura tienen idéntico valor; pero entre ellas, hay que hacer mención especialísima de la obertura; del terceto que se distingue por su originalidad y gracia; de la romanza y de los couplets que dijo con gran donaire el Sr. Pinedo". Sobre la interpretación, el citado Arimón afirma que "la señorita Brú, que desempeñaba la parte de protagonista; las señoras Pinedo y Sabater, y los Sres. Banquells, Pinedo y Carrión, interpretaron con fortuna sus respectivos papeles y fueron merecidamente celebrados. Las decoraciones pintadas por Bussato y Amalio Fernández son muy bonitas; produjeron excelente efecto y valieron a ambos artistas los honores de la escena".

En la noche del estreno el éxito debió ser memorable. Lo cuenta el propio Zeda cuando afirma que "quien sin asistir hubiese oído anoche los aplausos, vítores y aclamaciones con que el pueblo soberano celebraba la *obreja* estrenada en Eslava, hubiera creído de seguro que había resucitado Calderón o que

Wagner y Shakespeare, por milagroso acaso, se habían juntado para crear entre ambos la epopeya dramática más asombrosa de cuantas se han producido en el transcurso de los siglos. Aplausos tempestuosos, bravos que parecían rugidos, carcajadas homéricas, todas las manifestaciones del asombro, del regocijo y del entusiasmo, sucediéronse sin interrupción desde que el Sr. Chapí empuñó la batuta hasta que al cabo de dos horas caía lentamente el telón, con gran pena de casi todos los espectadores y con no poca satisfacción de unos pocos. No he visto jamás

Escena El Tambor de Granaderos *(Foto: Ar. SGAE)*

alboroto semejante. Delante de mí, había un tendero de ultramarinos, que estuvo a punto de perder el juicio. ¡Qué modo de palmotear, qué alaridos los suyos, que saltar de su asiento!... Y como este tendero había más de doscientos en el teatro".

Fuentes manuscritas. La partitura se conserva en la Biblioteca Nacional de Madrid (legado Chapí, vol. 60). Otra partitura (TL-406) y los materiales de orquesta (1864) se conservan en el archivo de la SGAE en Madrid.

Ediciones de música. Canto y piano, Madrid, PM, 1894. Banda, Preludio, UME, 1957; Pasodoble, SAE. Orquestina, UME, 1945. Piano, Preludio, PM y UME, 1931.

Ediciones del libreto. Santiago de Chile, Administración Lírico-Dramática, 1893; Madrid, Administración Lírico-Dramática, 1894; 5ª ed., Madrid, R. Velasco, 1895; 6ª ed., Madrid, SAE, 1929.

FONOGRAFÍA: RP: Victoria 5825.

D78rpm: Dir. Pascual Marquina, Banda de Regimiento de Ingenieros de Madrid, Gramófono W 260335 (et. verde), s19924u, s19923u • Dir. Ataúlfo Argenta, Orq. de Cámara de Madrid, Columbia RG 16190, CC 788 CC 792 • Bandas Creatore e Internacional, La Voz de su Amo AE 2504.

LP: Dir. Ataúlfo Argenta, Sols. Teresa Berganza, Toñy Rosado, Rafael Campos, Carlos S. Luque, Gregorio Gil, Julita Bermejo, Coro de Cantores de Madrid, Orq. Sinfónica, Columbia SA, ZCL 1063 (Zacosa) 63, Columbia SA, C 30077 33 y Alhambra MC 25013 [reed. en CD: Columbia-BMG España WD 71591 (9D) y Columbia-BMG-Ariola-Salvat 1047-21.

BIBLIOGRAFÍA: *MT*; A. Salcedo: *Ruperto Chapí. Su vida y su obra*, Madrid, Aguilar, 1958; A. Sagardía: *Ruperto Chapí*, Madrid, Espasa Calpe, 1979; L. G. Iberni: *Ruperto Chapí*, Madrid, ICCMU, 1995.

LUIS G. IBERNI

Tamés, Manuel. México, siglos XIX-XX. Actor cómico. En 1915 estrenó en el teatro Principal de México *El gran demócrata*, *La primera centinela*, *La moral en peligro* y *El perro chico*; en 1916 *Música, luz y alegría*. Regresó al Principal en 1921 con *Mexicanerías* de Germán Bilbao, y con la revista *Y los sueños, sueños son*. En 1922 formaba parte de la Compañía de Mario Vitoria y estrenó *La princesa de las Czardas* y en 1927 cantó *El santo de la Isidra* y *La vendedora de besos*.

BIBLIOGRAFÍA: M. Mañón: *Historia del teatro Principal de México*, México, Ed. Cultura, 1932.

RICARDO MIRANDA PÉREZ

Tandas. Denominación que reciben en Chile, México, Venezuela y otros países hispanoamericanos las representaciones de piezas de género chico, dentro del sistema de teatro por horas, que tuvieron un gran auge entre 1886 y 1920. En sus primeros tiempos el término "tandero" o "tandófilo" adquirió un sentido despectivo, que denominaba a las personas de baja moralidad que acudían a estos locales.

En el sistema de las tandas, las funciones de zarzuela se ofrecían en serie y por actos, es decir, aquellas funciones que incluían dos o más zarzuelas y a las que los espectadores podían acceder al inicio de cualquier acto. En México, según Olavarría fue la compañía de Arcaraz, instalada en el teatro Principal la que ideó este curioso régimen que tuvo un éxito tremendo. Incluso, durante algunos años esa compañía se hacía anunciar como "Empresa Arcaraz y Compañía de zarzuela por tandas o actos". Hacia 1898 cada tanda valía 25 centavos y un peso la función corrida. Este curioso esquema de pagos resultó un verdadero hallazgo comercial. Al ser mayor el público que podía pagar 25 centavos por entrar a ver la zarzuela, el género cobró una popularidad inusitada, además de dar origen también a los "tandófilos", aquellos que al poder pagar de manera fraccionaria el costo de la función asistían a la zarzuela varios días a la semana. Por extensión, el término tandófilo fue utilizado por algunos escritores y cronistas para referirse despectivamente a quienes gustaban de las zarzuelas sicalípticas o de cualquier otro tipo de zarzuela de poca valía artística. *Véase* CHILE; MÉXICO; VENEZUELA.

RICARDO MIRANDA PÉREZ

Tango. Aire de danza en 2/4 de procedencia americana. Hasta la llegada del tango argentino, se designaba como tango a la habanera. También se denomina tango a un baile flamenco propio de Cádiz, y tanguillo a una variedad gaditana popular de carácter alegre y temática, jocosa la mayor parte de las veces. A partir de 1912-13 llegó a España el tango argentino, pasando entonces a denominarse tango sólo a la modalidad argentina y no a la habanera, manteniendo la homonimia con el flamenco. A partir de 1920 aparecen otras modalidades de tango, mezclándose con danzas y bailes populares del momento.

1. Tango con ritmo de habanera. Celsa Alonso comenta cómo ha sido discutido el origen del tango y la habanera, señalándose para la habanera un origen andaluz, una herencia africana, o una derivación de una *contredanse* francesa introducida en Cuba a fines del siglo XVIII, al llegar gran número de franceses de Luisiana y Haití. En Cuba, la contradanza habría sido sometida a un proceso de criollización y complicación rítmica, que tuvo como resultado la *contradanza habanera*. Para María Teresa Linares, resulta casi imposible deslindar cuáles son los elementos afrocaribeños, españoles o explícitamente cubanos; más bien cabría pensar en un proceso de transculturación de todos ellos.

Al igual que otros bailes y danzas, el tango y la habanera entraron pronto en la zarzuela restaurada. Posiblemente la primera obra lírica que utiliza un tango –esto es, una habanera– citándolo en su título, es *Marina* de Arrieta, 1855, cuyo Nº 13, final, es el conocido tango de Roque y coro, "Dichoso aquél que tiene la casa a flote". Este número, que es una habanera, no responde a los rasgos descritos por Celsa Alonso para las habaneras para voz y piano de la segunda mitad del siglo XIX: ritmo de tango o de habanera en el acompañamiento, que se convierte en un cliché rítmico ajustado al compás de 2/4, ritmo de trido en la melodía, construcción biseccional, con A en menor y B en mayor, prosodia silábica, cuadratura del fraseo que hace referencia a la danza, y reproducción de la jerga de los "negros bozales" en las primeras. En el tango de *Marina* sí aparece el característico ritmo de tango –o habanera– en el acompañamiento, caracterizado por la figuración corchea con puntillo-semicorchea-corchea-corchea, aunque en la melodía no aparecen ritmos "trido", caracterizados por la utilización de tresillos de corcheas seguidos por un grupo de dos corcheas, siendo el único grupo irregular el cinquillo de corcheas, que indicaría la acomodación forzada, imitando el modelo ultramarino, de un pasaje textual al 2/4; todo el número está escrito en Mi mayor, sin cambios de modo, y es cantado por el contramaestre Roque, sin que aparezca ninguna referencia a lo cubano ni a los negritos, sino sólo a la vida marítima.

En muchas obras el tango se vincula a elementos caribeños, y a los personajes de raza negra. *Los dos ciegos* de Barbieri, entremés estrenado un mes después de *Marina*, cantan en el Nº 4 de la obra un tango –un tanguillo en apreciación de Emilio Casares–, cuyo texto comienza "Un *neguito* y una *nega*", relacionando así el tango con referencias a la raza negra cubana. En la zarzuela *El relámpago* de Barbieri, 1857, adaptación de una ópera cómica francesa, la acción se sitúa en Cuba, concluyendo la obra con un "coro de negros" en ritmo de tango. En la zarzuela-disparate del mismo autor *Entre mi mujer y el negro*, 1859, cuya acción se sitúa en Nueva Orleans, el negro Benjamín canta en el Nº 8 el tango "Como tengo la cara negra", que es una danza habanera que logró una enorme popularidad. Otra obra del mismo año, 1859, es el sainete filosófico *El último mono* de Oudrid, en el que el criado negro canta un tango, *"Poi que me ven morenito"*, con ritmo de habanera y con una primera sección en Fa menor y el resto en Fa mayor, apareciendo cierta caracterización lingüística en el personaje. También en la zarzuela *Los piratas* de Luis Cepeda, 1860, se incluye un tango interpretado por "unos negros". El Nº 4, Arieta –tango y seguidillas– de *Una vieja* de Gaztambide, 1861, presenta un tango "intermediado" dentro del número, que se inicia con una introducción en Fa mayor, a la que sigue la primera parte del tango, en Re menor, después la segunda, en Re mayor, un pasaje de cierre en Fa mayor, y a continuación unas seguidillas; el ritmo del tango es el de la habanera, con frecuentes grupos de tresillos de corchea en la melodía, recurriendo la

letra a tópicos asociados a las canciones de ultramar, como "chinito", o la imitación del acento cubano; la misma obra, en su Nº 3, presenta una "Americana a 3" en 4/4 que recuerda algunas canciones popularizadas años atrás, como la titulada *Los negritos* de Moretti. En *Matilde y Malek-Adel* de Oudrid y Gaztambide, 1863, el Nº 6, compuesto por Oudrid, es el tango "A la negrita, ¡qué pena da!", que canta la criada negra llamada Blanca, en el que se combina el tradicional esquema rítmico de la habanera en 2/4 con otro en 6/8 en el que se acentúa una negra a contratiempo en la segunda parte del compás. Como se puede apreciar, en bastantes casos el tango caracteriza personajes de raza negra o del ámbito colonial, como sucede en las habaneras para canto y piano de Iradier y otros autores del momento. En el sainete lírico de costumbres cubanas *Boda, tragedia y guateque*, 1894, Miguel Marqués no emplea el tango, sino un danzón cubano, en ritmo de habanera.

La obra que inicia el repertorio bufo en España, *El joven Telémaco* de Rogel, 1866, presenta en su Nº 4 una habanera, que tiene una pequeña introducción en modo menor y una estructura bipartita en modo mayor, pero que está planteada como una copla, que admite diversas letras; la misma obra cuenta en su Nº 6 con un tango, cantado por Calipso y el coro de ninfas, en la que tras una breve introducción, aparece el "aire de tango muy tranquilo", escrito en 6/8

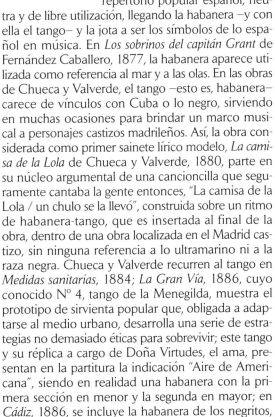

Cortesía de Unión Musical Ediciones SL

–por tanto, con ritmo diferente al Nº 4, habanera, que está en 2/4–, y que debe ser cantado meciéndose dulcemente las ninfas, imitando el movimiento de un barco; el tango presenta la figuración del acompañamiento adaptada al ritmo de subdivisión ternaria; ni la habanera ni el tango presentan relación con los negritos o el Caribe, pero el tango sí guarda relación con un viaje en barco mediante el cual llegan, al inicio del segundo acto, Calipso y las ninfas a visitar a Venus; no obstante, la presencia de una habanera y un tango en la misma obra es una excepción, pues en la mayor parte de las obras líricas de este periodo sigue apareciendo la palabra tango como sinónimo de habanera.

Lo que ocurre es un proceso de asemantización del tango y la habanera, que pierden paulatinamente su simbolismo –primero cubano, luego "ultramarino", americano en general; más tarde como mera alusión al mar, a la navegación y al "ritmo de las olas", indica Ramón Barce– para convertirse en una danza más del repertorio popular español, neutra y de libre utilización, llegando la habanera –y con ella el tango– y la jota a ser los símbolos de lo español en música. En *Los sobrinos del capitán Grant* de Fernández Caballero, 1877, la habanera aparece utilizada como referencia al mar y a las olas. En las obras de Chueca y Valverde, el tango –esto es, habanera– carece de vínculos con Cuba o lo negro, sirviendo en muchas ocasiones para brindar un marco musical a personajes castizos madrileños. Así, la obra considerada como primer sainete lírico modelo, *La camisa de la Lola* de Chueca y Valverde, 1880, parte en su núcleo argumental de una cancioncilla que seguramente cantaba la gente entonces, "La camisa de la Lola / un chulo se la llevó", construida sobre un ritmo de habanera-tango, que es insertada al final de la obra, dentro de una obra localizada en el Madrid castizo, sin ninguna referencia a lo ultramarino ni a la raza negra. Chueca y Valverde recurren al tango en *Medidas sanitarias*, 1884; *La Gran Vía*, 1886, cuyo conocido Nº 4, tango de la Menegilda, muestra el prototipo de sirvienta popular que, obligada a adaptarse al medio urbano, desarrolla una serie de estrategias no demasiado éticas para sobrevivir; este tango y su réplica a cargo de Doña Virtudes, el ama, presentan en la partitura la indicación "Aire de Americana", siendo en realidad una habanera con la primera sección en menor y la segunda en mayor; en *Cádiz*, 1886, se incluye la habanera de los negritos, quizá como medio de situar la acción en el puerto que en el periodo de guerra contra los franceses recibía el mayor tráfico marítimo de ultramar; *De Madrid a París*, 1889, en su Nº 7, Coro de Alguacilillos, recurre a un tiempo de habanera poco movido, sin que aparezca la mención al tango en el título del número; en *El año pasado por agua*, 1889, aparece la Chula en el Nº 5, cantando un tango que se inicia con una introducción en 6/8 a la que sigue un "Aire de Americana" en 2/4 y con cambios de tiempo, el número es deudor del tango de la Menegilda de *La Gran Vía*; el Nº 4 de *El arca de Noé*, 1890, cantado por el Caballero de Industria, consta de un vals, un ritmo de panaderos, y un tango, donde el timador disfrazado de caballero se pone "tierno", recordando a "su Lola"; en *Los arrastraos*, 1899, el Nº 3, dúo de Patro y Menegildo, contiene una sección *Moderato* en ritmo de tango-habanera, en el que la protagonista está caracterizada con expresiones chulescas y castizas en el texto, como "na", "ahorcao", "intervieses", "revacuná" o "pué"; quizás el otro tango más conocido de la producción de Chueca, después del de la Menegilda, sea el tango de Wamba de *El bateo*, 1901, Nº 1bis, en el que el personaje anuncia sus propósitos para el día que triunfe la revolución, alternando el zapateado "Tum purumpum" inicial con el ritmo de tango; la misma obra presenta dentro del Nº 2, dúo cómico de Virginio y Visita, el archiconocido "estoy, estoy, estoy muy *enamorao*", en ritmo de tango-habanera; en el Nº 2bis de *La borracha*, 1904, Rosa la borracha canta su canción, un tango. Se constata, pues, la falta de relación del tango con temáticas ultramarinas en la obra de Chueca.

Otros autores del periodo emplean el tango como sinónimo de habanera en sus obras líricas. Es el caso de Rubio en *Siempre p'atrás* o *¡Tío, yo no he sido!*. También Nieto en *El estilo es el hombre*, *El gorro frigio*, *Los inútiles*, *¡Pobre Gloria!* y *Certamen nacional*, 1888, cuyo Nº 6, tango del café, conocido como "tango del caracolillo", cantado por Lucía Pastor y coro de señoras, es una habanera biseccional en 2/4 y Mi b mayor, en *Aire de tango*, cuya primera sección es cantada por la solista y la segunda por el coro, a modo de estribillo, repitiéndose, cambiando la letra de la copla. Igualmente Fernández Caballero en *Aires nacionales*, *El Dios grande*, *El señor Joaquín* y *La magia negra*. Asimismo, Isidoro Hernández en *¡A las máscaras!* y *Toros de punta*.

2. Tango, flamenco y sicalipsis. José Otero, en su *Tratado de bailes* (Sevilla, 1912), indica que "aunque el tango es baile antiguo no se ha generalizado hasta hace unos ocho o diez años. En Cádiz siempre se bailó el tango entre la gente artesana pues era su baile favorito, y aquí en Sevilla, en los cafés cantantes, en varias ocasiones, se han visto bailadores de tango que han sido de Cádiz, y los dos últimos que vinieron fueron el Curri y Paquiro, que estuvieron en el café de Novedades. Fueron conocidas dos clases de tango, uno que se llamaba el tango gitano, muy flamenco, y que no se podía bailar en todas partes, por las posturas, que no siempre eran lo que requerían las reglas de la decencia, y el otro que le decían el tango de las vecindonas o de las corraleras, pero éste se encontraba entre mil muchachas una que se atreviera a bailarlo, aunque supiesen hacer las cuatro tonterías con que solía adornarlo la que era un poco despreocupada. Hoy es uno de los bailes de moda y que da dinero a los artistas". Describe, por tanto, el tango-tanguillo gaditano, el tango flamenco vinculado a los gitanos, y el baile del tango estilizado, previo aún al baile argentino. El tango vinculado al flamenco, o a lo gitano, aparece también en la zarzuela, muchas veces sin diferencia apreciable con el ritmo de la habanera, pero en general con una temática atrevida desde el punto de vista moral, y pasa en poco tiempo a los cuplés y a la sicalipsis de fines de siglo, asociándose con las formas de temática erótica que empezaban entonces a cultivarse en los cafés y que pronto pasaron a las variedades.

Una de las primeras utilizaciones del tango vinculado a lo flamenco aparece en *Flamencomanía*, 1883, donde Rubio une en el Nº 2bis una malagueña con un tango, que emplea el ritmo de habanera. En la revista *¡A ti suspiramos!* de Fernández Caballero y Mangiagalli, 1889, aparece un tango en el cuadro que representa el género flamenco. El compositor andaluz Gerónimo Giménez, en *Enseñanza libre*, 1901, incluye en el Nº 2C de la obra el tango del morrongo, "Arza y dale yo tengo un morrongo", cantado por Pura, que es la parte más popular de la obra, y se convirtió en pieza favorita de cupletistas, pasando inmediatamente a los cafés por la adecuación a la chispa erótica de la letra. El mismo Giménez, en *Cinematógrafo nacional*, 1907, presenta en el cuadro quinto el Madrid sicalíptico; el Nº 7 es la escena en que aparecen la Diosa del tango y un coro, que en su última parte tiene un *Allegro* en 2/4 relacionado con el tanguillo, al que sigue un pasaje cantado por la diosa que es un vals; Nº 7A, tango de la sicalipsis, *Allegro* en 6/8, "De una pulga que pica y salta", es un híbrido entre zapateado —recuerda el de *La tempranica*, "La tarántula *e* bicho *mu* malo"— y tanguillo gaditano, sin que el número, titulado tango, guarde relación alguna con la habanera. José Serrano recurre en *Alma de Dios*, 1907, al tango en el intermedio seccional que anticipa fragmentos para desarrollar musicalmente más adelante, y en el Nº 4, escena y baile de la farruca, en el mundo de los gitanos; allí la cantaora María del Carmen interpreta el tema del tango presentado en la introducción; el número continúa con una copla flamenca y una farruca. En *El perro chico* de Valverde Sanjuán y José Serrano, aparece un niño de raza gitana, que canta a un grupo de cinco ingleses un "tango gitano".

3. Tango argentino. Como señala Ramón Barce, el tango argentino llega tarde al sainete, pues su entrada en Europa puede fecharse en 1912-1913, y su primera aparición en la escena española puede ser *El tango argentino* de Q. Valverde y Foglietti, 1914, subtitulado por sus autores "humorada" y que tiene poco de sainete y más de revista. A la llegada del tango argentino desapareció esta designación para la habanera, y se entiende por "tango" sólo el nuevo baile rioplatense. En la obra citada, el material musical fluctúa a veces curiosamente entre el tango –habanera– y el tango argentino. Un ejemplo de utilización del tango argentino se encuentra en el sainete de Guerrero *Don Quintín el amargao*, 1924, en el que además del pasodoble de doncellas y barberos, la canción coreada de los segadores y el chotis, logró el éxito la canción-parodia del tango argentino.

4. Otros tipos de tangos. En la zarzuela del siglo XX, el tango se integra en el teatro lírico junto a otros bailables del folclore urbano, como fox-trot, marcha o pasodoble, que estaban de moda en el Madrid de la época y conectaban con los gustos del público. Alonso, Guerrero, Sorozábal y casi todos los autores del periodo lo emplearon en sus obras, a menudo hibridada con otros bailables, con éxito. Debe destacarse el denominado por Guerrero tango-milonga que aparece con gran éxito en dos de sus obras más conocidas: *La montería* y *Los gavilanes*; el Nº 6 de *La montería* es el famosísimo tango-milonga "¡Hay que ver!", interpretado primero por Ana y luego por el coro de aldeanas, que fue coreado por el público desde la misma noche de su estreno; el Nº 4 de *Los gavilanes* es el tango-milonga "¡Que salga pronto, que le esperamos", cantado por Juan, Clariván, Triquet, Renato, Camilio y el coro general. En *El sobre verde*, 1927, Guerrero denomina al número que cierra el primer acto, "Tangolio", y describe la manera de bailar este tango lento; lo cantan Mimí, Fifí, Don Nicanor, Simeón, y una pareja de baile que "imitan, en cómico, los pasos lánguidos de película"; en la misma obra, la debutante Blanquita Suárez consiguió gran éxito en el tango cómico de la "garçon", que tuvo que repetir tres veces. En *Las alondras* de Guerrero, 1927, Mimí canta en el Nº 12 el "tango infernal", que es bailado en escena por una pareja de baile. Una de las últimas obras del género, la humorada cómico-lírica *La blanca doble*, compuesta por Guerrero en 1947, presenta en su Nº 2 el tango-bolero de la tigresa, "Soy una fiera queriendo".

Cortesía de Unión Musical Ediciones SL

5. La presencia del tango en citas musicales del repertorio lírico. En "El folklore urbano y la música de los sainetes líricos", Ramón Barce comenta el caso de *El pobre Valbuena* de Valverde y Torregrosa, 1904, donde el protagonista (Valbuena) escribe una polka y un tango, y en dos momentos de la obra los canta y los baila. "La música, en ambos casos, parece en realidad alejarse un poco de los modelos fijos y orientarse hacia un estilo bufo e híbrido que está ya más cerca del cuplé estrictamente cantado (para escuchar) que de las genuinas músicas de baile". En relación con el empleo de materiales "familiares" está la abundancia de citas musicales no folclóricas: cuplés, zarzuelas, otros sainetes, óperas e incluso música sinfónica. En *La boda*, Exuperancio toma la guitarra y canta el "Tango del Lerele". En *El chico del cafetín*, cuadro primero, una comparsa duda entre tocar "Las viudas" de *La corte de faraón* o la "Habanera del Pompón" de *El pobre Valbuena*; finalmente tocan el tango en *El monoplano*.

En la zarzuela *Los criticones* de Santonja, 1896, una de sus obras de mayor éxito, en la que se plantea una crítica a Feliciano, crítico de teatros, aparecen José y Clara figurando ser diversos personajes que han sido objeto de las críticas de Feliciano, lo que da lugar a la parodia de la música que esos personajes cantan habitualmente; así, cuando José se hace pasar por el tenor italiano Pascualini, canta una sucesión de fragmentos musicales entre los que aparecen un rataplán, una imitación de ópera italiana, el fragmento "un mantón de la China te voy a regalar" de *La verbena de la Paloma*, "La donna e mobile" de *Rigoletto* de Verdi, una cita del tango de la Menegilda de *La Gran Vía*, y el himno nacional francés *La Marsellesa*.

6. Otras obras que incluyen formas de tango. A continuación se ofrece una relación de obras que contienen tangos. Chapí: *Calabazas, El puñao de rosas, La cara de Dios, La patria chica, La peseta enferma, La Puerta del Sol, Los golfos, Ortografía.* Valverde: *Sangre moza.* Valverde Sanjuán: *Bettina, Congreso feminista, El fresco de Goya, El género ínfimo, El pobre diablo, El pollo Tejada* –con José Serrano–, *El noble amigo, El último chulo, Gente menuda, La casa de la juerga, La Cocotero, La tremenda, Las estrellas* –con José Serrano–, *Las píldoras de Hércules, Los granujas, Madrid Petit, San Juan de Luz, ¡Viva Córdoba!.* Giménez: *Cuadros al fresco, El arte de ser bonita, El Morrongo, La familia de Sicur, La Machaquito, La morenita, La Tempranica, La torre del Oro, Las mil y pico de noches, Las niñas desenvueltas, Los borrachos.* Tomás Barrera: *Piqui-*

to de oro, La Venus moderna, Villa-Alegre. Rafael Calleja: *El chato del Albaicín, El chico del cafetín, El delirio dominical, El mozo crúo, El país de las hadas, El ratón, El respetable público, Frou-Frou, La boda, La diosa del placer, La manzana de oro, La tierra del sol, Los monigotes del chico, Por peteneras.* Luis Foglietti: *Botón de rosa, ¡De padre y muy señor mío!, El club de las solteras, Granito de sal, La buena moza, La feliz pareja, La pajarera nacional, Las doce de la noche.* Vicente Lleó: *Bazar de muñecas, La balsa de aceite, La loba, Mayo florido, Ninfas y sátiros, ¡Si las mujeres mandasen!…* José Padilla: *¡Con el pelo suelto!, El decir de la gente.* Manuel Penella, *El arrojado, La niña mimada.* Tomás López Torregrosa: *El palacio de cristal, Los falsos dioses, Los niños llorones, ¡Qué se va a cerrar!* José Serrano: *El solo de trompa, La gente seria.* Conrado del Campo: *El cabaret de la academia.* Amadeo Vives: *La vendimia, Los flamencos, Noche de verbena.* Francisco Alonso: *Ideal festín, La mejor del puerto, Baldomero Pachón.* Jacinto Guerrero: *El rey nuevo, Los faroles, Teodoro y compañía.* Véase HABANERA.

BIBLIOGRAFÍA: J. Otero: *Tratado de bailes,* Sevilla, 1912; R. Barce: "El folklore urbano y la música de los sainetes líricos del último cuarto del siglo XIX: la explicitación escénica de los bailes", *RMS,* XVI, 6, 1993; C. Alonso: *La canción lírica española en el siglo XIX,* Madrid, ICCMU, 1998.

RAMÓN SOBRINO

Tarín Hernández, Estanis. Navarrés (Valencia), 11-IX-1907; Barcelona, 6-I-1995. Barítono. Se trasladó a Barcelona con su familia con sólo seis años. Alternó sus estudios de canto con su oficio de carpintero y en el teatro del Bosque se aficionó a la zarzuela. Debutó con el Orfeón Graciense en *Luisa Fernanda* y profesionalmente con *La del manojo de rosas* en una modesta compañía. El éxito le llevó al teatro Nuevo de Barcelona para estrenar posteriormente en el teatro Victoria *La Giralda* y en el Tívoli *Monte Carmelo* de Moreno Torroba. Durante la Guerra Civil siguió actuando en diversas compañías por la zona catalana junto a Conchita Panadés, Gloria Alcaraz, Ricardo Mayral o Vicente Simón, con un amplio repertorio que incluía *Los gavilanes, Luisa Fernanda, La del manojo de rosas, La tabernera del puerto* y *La del Soto del Parral.* En 1943 estrenó en el teatro Principal de Barcelona *Don Manolito* de Sorozábal que se había estrenado recientemente en el teatro Victoria de Madrid. En 1947 emprendió una gira por Sudamérica actuando más de un año por Cuba y Venezuela y regresando en 1949 a Colombia. A su regreso a España emprendió diversas

Estanis Tarín, 1944
(Foto: E:Bit)

giras por el norte de España con la compañía de Pablo Sorozábal. Se retiró en 1963.

FONOGRAFÍA: *Doña Francisquita,* Regal LCX 7014 77 • Regal M 15027 a M 15213, CKX 3746 a CKX 3755, CKX 3760; *La generala,* EMI 7243 5 74340 2 7 (637.05329) • EMI 7 67473 2 (637.65513); *La verbena de la Paloma,* Regal LCX 7015 51 • Regal LREG 8029 164.

BIBLIOGRAFÍA: *OCCE.*

LUIS G. IBERNI

Tatché i Pol, Laureà. Amer (Gerona), 24-VIII-1890; Ripollet del Vallès (Barcelona), 22-II-1961. Compositor. Nació en una familia muy vinculada a la música, en especial con las coblas de sardanas. A los diez años tocaba el fliscorno en una cobla juvenil de Amer. Después destacó como instrumentista de tenora en la cobla Catalònia de Barcelona, en la década de los años treinta, pasando años después a tocar el flabiol, en la cobla Germanor. Además de las sardanas, destacó en la instrumentación de ballets para grupos de danzas catalanas, los *esbarts.* Entre sus sardanas más difundidas se encuentran *La refilada del merlot, Atlàntida Caterina, La barca nova, Englantina, L'avi, L'estimada del negre* y *Les noces de la pastora.*

En su producción lírica se encuentran desde revistas, como *La festa de l'amor,* a zarzuelas de grandes proporciones caso de *La filla del bosc.* Compuso también música incidental. La mayor parte de este repertorio lo realizó en la década de los años treinta. La factura de las obras es correcta, encontrando resonancias en otras obras que habían alcanzado ya una acogida incontestable. Este sería el caso de *La pubilla de l'hostal,* una obra que tiene unas referencias, tanto argumentales como en cierta parte musicales, con la *Cançó d'amor i de guerra.* La trama argumental es muy similar, así como la interpretación de una sardana en uno de los momentos culminantes de la acción. Se pueden encontrar diversas referencias a la situación política del país, proclamas en favor de la libertad republicana –"con el despotismo e ignorancia del alcade tenían a todos los vecinos del lugar subyugados", repite con insistencia un personaje–. Una de sus primeras obras, *En Pere Clavetaire,* seguía aún las trazas de los cuadros de costumbres dieciochescos, en un momento que el modelo estaba claramente superado, y en el que el autor introdujo de nuevo el baile de una sardana.

OBRAS: *En Pere Clavetaire i el borratxo,* Com lír, 2 act, l, L. Tatché Pol, I-1930, Ripollet; *El príncep cego,* Zarz, l, J. Tabuenca Reula, 15-XII-1931; *La pubilla de l'hostal,* Dr lír, 2 act, l, L. Tatché i Pol, III-1933, Ripollet; *La filla del bosc,* Zarz dramática, 3 act, l, J. Tabuenca Reula, 30-X-1933, Ripollet; *L'inconscient,* Zarz, 2 act, l, J. Mogas, XI-1934; *Jesús al món o Els pastorets a Betlem,* l, J. Mogas, XII-1951, Ripollet; *L'Aplec de la ginesta,* 1 act, l, L. Tatché; *La festa de l'amor,* Rv, l, Subirós i Pineda.

FRANCESC CORTÈS i MIR

Teatros. El peso de la zarzuela en la cultura hispana ha sido enorme, especialmente desde su restauración a mediados del siglo XIX. Esto derivó en la necesidad de dotar al teatro lírico de abundantes y variados espacios teatrales. En general, y salvo excepciones como el teatro de la Zarzuela de Madrid, casi todos los teatros tuvieron la doble funcionalidad de acoger teatro hablado y cantado, aunque se incide solamente en este segundo aspecto y, concretamente, en su relación con la zarzuela. En América, los teatros se han tratado en las entradas correspondientes a cada país. *Véase* ARGENTINA; CHILE; COLOMBIA; CUBA; MÉXICO; VENEZUELA.

I. Los primeros teatros de zarzuela. Desde los orígenes a la restauración del género. II. Los teatros de Madrid en el siglo XIX y XX. III. Los teatros de zarzuela en el resto de España.

I. LOS PRIMEROS TEATROS DE ZARZUELA. DESDE LOS ORÍGENES A LA RESTAURACIÓN DEL GÉNERO.

La zarzuela tiene sus orígenes en el siglo XVII como un espectáculo teatral de carácter cortesano y su nacimiento aconteció en un pequeño teatro situado en el palacio de la Zarzuela –lo que dio nombre al género–, del que no se tienen otros datos. Este teatro y los que existían en los palacios próximos a Madrid, La Granja, Aranjuez, y Palacio Real, fueron lógicamente los primeros contenedores de la zarzuela barroca que estaba naciendo y compitiendo con la ópera, con una presencia aún limitada; ellos y los famosos Corrales de Comedias. Algo parecido sucedió en el siglo XVIII en el que los teatros de El Buen Retiro, Caños del Peral, la Cruz y el Príncipe, dieron cobijo a las zarzuelas y otros géneros escénicos de éxito, sobre todo la ópera, pero también a formas menores como entremeses, sainetes, comedias, y desde mediados del siglo XVIII la tonadilla escénica.

En el primer tercio del siglo XIX permanecían activos en Madrid dos teatros, el del Príncipe y el de la Cruz. En el primero se estrenaron *El novio y el concierto* de Basilio Basili, 1839, y *Jeroma la castañera* de Soriano Fuertes; y en el segundo *La zarzuela interrumpida*, 1841, *El mesón en Nochebuena* y *El diablo predicador*. El teatro de Los Caños del Peral se dedicaba entonces a la ópera. A estos teatros se añadieron otros tres, que fueron asumiendo un especial protagonismo desde la década de 1930: el del Instituto, el Variedades y el del Circo.

Teatro del Instituto. Era el local de espectáculos de la sociedad cultural el Instituto Español. Fue fundado en 1839 por el marqués de Sauli, Basilio Sebastián Castellanos, pero lo reclamó el estado y hubieron de desalojarlo. El marqués de Sauli construyó un nuevo edificio inaugurado en 1845, en el número 7 de la calle Urosas, hoy Luis Vélez de Guevara, con 846 localidades. El conde de San Luis dispuso que se denominase teatro de la Comedia y más tarde se llamó Tirso de Molina. En realidad en este teatro nació la zarzuela del siglo XIX con el estreno de *Los enredos de un curioso* de Carnicer, Saldoni, Albéniz y Piermarini, 1832. Siguieron otras obras como *La pastora de Manzanares.*

Teatro Variedades. Se levantó en el número 40 de la calle Magdalena, sobre lo que había sido un frontón hasta 1843, que José Arpa, hacendado de Alcalá de Henares, convirtió en Coliseo. Fue un teatro políticamente famoso: en él se constituyó el cuartel general de las revueltas de los años 1854, 1856, 1865, 1868 y 1872. Este teatro tuvo una gran trascendencia ya que en él se inició la zarzuela romántica o restaurada, y también el teatro bufo de Arderius y, finalmente, el género chico. En 1848 todos los que habían trabajado en el Instituto constituyeron una sociedad para cultivar la zarzuela y en 1849 arrendaron el teatro de Variedades. Tenía una capacidad de 600 localidades. Fue construido de nuevo en 1850 y, como tal, se inauguró con *El duende* de Rafael Hernando, representada con gran éxito durante cien noches consecutivas. Le siguieron, entre otras, *La mensajera* de Gaztambide y *Gloria y peluca* de Barbieri; pero el teatro no tuvo entonces más historia dado que fue declarado en ruinas en 1850. En este coliseo se inauguró la costumbre de pagar por actos. También en Variedades los actores Lastra, Ruesga y Prieto iniciaron el teatro por horas que tanta importancia tuvo para el género chico. Su actividad fue especialmente destacada en la década de los ochenta con más de sesenta estrenos, entre ellos *¡Hoy sale hoy!* y *Novillos en Polvoranca* de Barbieri, o *Chateau Margaux* de Fernández Caballero. Precisamente después de una obra de género chico, *El fantasma de los aires* de Chapí, quedó asolado por un incendio en enero de 1888.

Teatro del Circo [Circo Price, Circo de Paris]. Fue otro de los espacios trascendentales del inicio de la zarzuela donde se estrenaron más de ciento cincuenta obras. En él se desarrollaron los cinco años definitivos entre 1851 y 1856, en que se inauguró el teatro de la Zarzuela, con una actividad enorme. En 1851 se dieron 299 representaciones, en 1852, 282, y así sucesivamente. Estaba situado en la plaza del Rey (hoy Ministerio de Cultura). Construido en 1834 para la compañía acrobática del célebre Monsieur Paul Laribeau, era al comienzo una especie de corralón. En 1840 Segundo Colmenares edificó el teatro Circo, donde el marqués de Salamanca dio funciones de ópera y se oyó por primera vez a Verdi. Con una cabida de 1600 espectadores, en él vivió la zarzuela sus primeros años gloriosos, pero, sobre todo, llegó a formularse como un género peculiar. En el Circo se constituyó la denominada Sociedad del Circo que condujo al nacimiento de la zarzuela romántica con las obras de Hernando, Gaztambide, Barbieri, Oudrid e Inzenga. Varias decenas de obras de zarzuela grande y chica se estrenaron en este edificio desde que el 14 de septiembre de 1851 comenzó su actividad con la obra de Gaztambide, *Tribulaciones*. Allí se estrenaron ocho obras de Hernando, treinta de Oudrid –entre ellas *El postillón de la Rioja, Moreto* o *Buenas noches señor don Simón*–, diecinueve de Gaztambide, –tan significadas como *El valle de Andorra* o *Catalina*–, diecinueve de Barbieri, –algunas transcendentales como *Jugar con fuego, Los diamantes de la Corona*–, doce de Arrieta, –como *El grumete* o *El dominó azul*–. El teatro Circo permaneció como centro zarzuelístico más allá de la inauguración del teatro de la Zarzuela; y además, en varias épocas fue una especie de contra-teatro; las disputas entre los promotores de la zarzuela terminaban con el alquiler del Circo, que entonces competía con el de la Zarzuela. Así su actividad zarzuelística se extiende a las temporadas 1858-59, 1861-62, 1864-65, 1866-67, 1869-75, hasta que un incendio producido en 1876 terminó con él, pero no con su historia zarzuelística. El local fue reconstruido inmediatamente con el nombre de Circo Price por el empresario William Parish y el arquitecto Agustín Ortiz de Villajos. En este nuevo local se volvió a representar zarzuela entre los años 1881 y 1922.

Teatro de la Zarzuela. El 10 de octubre de 1856 es una fecha histórica en la historia de la zarzuela: se inauguraba el teatro de la Zarzuela y, con ello, comenzaba un nuevo período en la evolución del género. Nacía un auténtico espacio lírico que llevaba precisamente el nombre del género. Surgió impulsado por los cuatro grandes protagonistas de la zarzuela que eran los compositores Barbieri y Gaztambide, el libretista Luis Olona y el cantante Francisco Salas. No es exagerado decir que en él se resume la historia de la zarzuela: en su ya centenaria historia se han estrenado más de mil obras. Su inauguración supuso la coronación de un gran empeño y la plasmación de un ideario. La demanda del nuevo género y también sus exigencias artísticas hacían imprescindible un nuevo local, y en ello se empeñaron los cuatro citados protagonistas. La apertura del teatro Real, al servicio exclusivo de la "ópera extranjera" –como se leía en muchas críticas del momento– desató una defensa de la producción hispana de cuño nacionalista, y, desde diversos ámbitos se reclamaba un teatro propio para el género. Los acontecimientos de finales de 1855 llevaron a Barbieri a una lucha tenaz, casi una cruzada a favor del género lírico español, que ayuda a comprender lo ocurrido en 1856, año trascendental en la historia de la zarzuela. Por primera vez se puede señalar que la actividad prioritaria de los componentes del grupo fue trabajar sin descanso con el fin de plasmar su ideario. Barbieri narró minuciosamente esta aventura. El 6 de marzo de 1856, bajo el reinado de Isabel II, se colocó la primera piedra del teatro lírico-español, y pocos meses después el propio Barbieri lo contaba así: "Por fin llegó el deseado día de la inauguración del teatro que fue el 10 de octubre de 1856 a las 8 de la noche. Habíamos señalado tal día por ser el del cumpleaños de S. M. la Reina Isabel II y aunque esta augusta Señora no pudo asistir por causa del besamanos y comida de corte, estuvo el teatro completamente lleno de la sociedad más culta y elegante de Madrid". Se había inaugurado el nuevo templo de la música lírica hispana; una obra arquitectónica concebida por Barbieri según lo que él estimaba las exigencias estrictas del género. Foso, escenario, decoraciones, gran sala, capacidad, todo era como un manifiesto del propio género y también una especie de respuesta a la construcción del teatro Real. La lírica española estaba condenada a caminar con sus propios medios.

En el teatro de la Zarzuela se escribió la parte fundamental de la historia de la zarzuela. Desde la primera zarzuela estrenada en la inauguración y titulada precisamente *La Zarzuela*, hasta la última, compuesta por Manuel Moreno Buendía titulada *Fuenteovejuna*, 1981, allí se presentaron las obras más prestigiosas del patrimonio lírico y allí se vivieron los mejores momentos del género zarzuelístico. Zarzuela grande y zarzuela chica, género chico, opereta, género ínfimo y todas las ricas variantes de la lírica, tuvieron acogida en él.

II. LOS TEATROS DE MADRID EN LOS SIGLOS XIX Y XX.

Teatro Albéniz. Teatro de gran aforo, se dedicó con preferencia a la opereta y al género arrevistado. Se estrenaron en él 33 zarzuelas aproximadamente, especialmente entre 1945 y 1957, de las cuales fueron dos muy famosas: *Tres días para quererte* de Alonso y *El canastillo de fresas* de Guerrero.

Teatro Alcázar [Alkazar]. Emplazado en la calle de Alcalá 20 y realizado por iniciativa de José Juan Cadenas, artífice también del Reina Victoria. Fue inaugurado en enero de 1925 como teatro, ya que su proyecto inicial de Gran Casino con cabaret y sala de conciertos, quedó truncada al prohibir el Ministro de la Gobernación, duque de Almodóvar del Valle, los juegos de azar en España. Desde su inauguración se dieron en este teatro obras líricas, inicialmente opereta, pero su actividad mayor tuvo lugar después de la Guerra Civil estrenándose obras como *Las calatravas*.

Teatro Alhambra [Teatro Moderno]. Situado en la calle de la Libertad, con vuelta a San Marcos, era uno de los teatros de más cabida de Madrid. Decorado con elementos mudéjares y árabes, funcionó desde 1870, año de su inauguración, hasta su derribo en 1905. En él se estrenaron entre 1870 y 1899 unas 27 obras de todo tipo: zarzuela, género chico, variedades, music-hall, destacando títulos tan exitosos como *Certamen nacional* y *La canción de la Lola* de Chueca, con la que se inició el género chico musical. A comienzos del siglo XX cambió su nombre por teatro Moderno y como tal estrenó no menos de cuarenta obras. En 1903 lo arrendaron Loreto Prado y Enrique Chicote.

Teatro Apolo. Junto con el de la Zarzuela fue sin duda el más importante templo de la Zarzuela y orgullo de Madrid. Ubicado en la calle de Alcalá, confluencia con Barquillo, y con una cabida de 2200 plazas, fue construido por el banquero Gargollo según proyecto del arquitecto Sureda. Se trataba de un teatro que en decoración, concepción estructural, elementos mecánicos y decorativos, imitaba a la arquitectura francesa de fines del XIX. Ángel Ruiz Fernández lo califica como "el mejor proyecto de arquitectura teatral que conocemos a lo largo del siglo XIX" y por supuesto el más suntuoso de Madrid tras el Real, con mármoles, candelabros de bronce, magníficas pinturas, etc. Dotado de un profundo vestíbulo y un gran *foyer*, era un lugar indicado para la relación y el encuentro de la sociedad tal como exigía un teatro la sociedad del XIX, y por ello fue tan famoso. Lo inauguró en noviembre de 1873 la compañía de verso del gran actor Manuel Catalina con la obra *Casa con dos puertas, mala es de guardar* de Calderón de la Barca. Inicialmente se dedicó al teatro hablado con escaso éxito; durante los años 1875-77, Tirso de Obregón lo dedicó a la zarzuela grande, pero poco después volvió al teatro hablado llegando a tener graves problemas financieros. Por fin en 1883-84 se creó la Sociedad Artística, integrada por músicos y libretistas, y volvieron a estrenar obras de zarzuela grande como *El reloj de Lucerna* de Marqués o *San Franco de Sena* de Arrieta. Esta situación de incertidumbre se terminó en 1886, cuando el Apolo se convirtió por fin en la "catedral del género chico", y se iniciaron los éxitos con el empresario Ducazcal y la zarzuela *Cádiz*. La llegada de otros dos grandes empresarios, Arregui y Aruej, convirtió el lugar en una especie de templo de la diversión y allí se estrenaron más de ochocientas obras, entre ellas auténticos mitos como *La verbena de la Paloma, La revoltosa, El dúo de la Africana* o *El santo de la Isidra.* La historia del género chico, pero también de todas las variables que nacen durante el siglo XX, incluida la ópera y la nueva la zarzuela grande, tuvieron acogida en este teatro. En el último período se estrenaron *El asombro de Damasco, Los calabreses, El niño judío, El amigo Melquíades, Doña Francisquita, El huésped del Sevillano, La del Soto del Parral,* y muchas otras. Fue derruido en 1929 para construir un banco.

Teatro Barbieri [Teatro de Madrid]. Situado en la calle de la Primavera, en plena Morería, se inauguró en 1880 con el nombre de teatro Madrid con un apropósito de Pascual Alba titulado *Teatro de Madrid.* Fue inicialmente un teatro dedicado al melodrama, pero a finales del XIX se dedicó a las varietés y allí actuó la famosa actriz Augusta Bergés, que cantaba el cuplé "el cuplé de la pulga". Poseía un techo corredizo y se convertía en teatro de verano. En él se estrenaron

Teatro del Circo, (Foto: Ar. ICCMU)

Teatro Circo de Price (Foto: Ar. ICCMU)

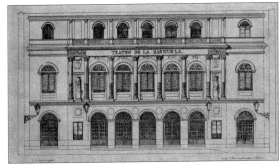

Teatro de la Zarzuela (Litografía de V. Urrabieta en Lit. de J. J. Martínez)

Teatro Apolo (Foto: Comedias y Comediantes, 1910; Ar. ICCMU)

más de ochenta obras, y su actividad fue especialmente importante entre 1907 y 1914. Terminó su historia con un incendio.

Teatro Bufos Arderius. Véase TEATRO VARIEDADES; TEATRO CIRCO DE PAUL.

Teatro Calderón [Teatro Odeón, Teatro del Centro]. Proyectado por el arquitecto Eduardo Sánchez Eznarriaga, autor también del Alkázar e Infanta Beatriz, era símbolo de la nueva imagen que querían ofrecer los teatros de Madrid, caracterizada por el atractivo ornamental. Terminado en 1917 e inaugurado con el nombre de Odeón, fue creciendo con añadidos hasta llegar a 2.000 localidades, aunque siempre con un escenario pequeño; allí se estrenó la revista *Blanco y negro* de Millán. Por una fuerte crisis económica fue adquirido por el Centro de Hijos de Madrid, que le cambió su nombre por el de teatro del Centro, donde se estrenaron unas diez zarzuelas. Después de una segunda crisis fue adquirido por el duque del Infantado, que lo denominó Calderón, con este nombre estrenó unas quince obras fundamentalmente de Luna, Guerrero, Serrano, Moreno Torroba y Alonso, entre ellas, *La fama del tartanero, Los de Aragón, La rosa del azafrán, El cantar del arriero, Luisa Fernanda* o *La chulapona*. En la postguerra se dedicó a la revista y los espectáculos flamencos que le dieron gran notoriedad.

Teatro Cervantes. Situado en la Corredera de San Pablo, nació con el nombre de Salón Nacional, y fue inaugurado en 1910. Reformado por el marqués de Amboage, se transformó en un hermoso teatro. Aunque se dedicó fundamentalmente al teatro hablado se estrenaron en él unas veinte zarzuelas en sus primeros diez años de vida.

Teatro Chueca. Inaugurado en 1924, estaba situado en la plaza de Chamberí, al comienzo de la calle del Cisne. Era un local amplio y destartalado pero con buenas condiciones acústicas. En él se estrenaron unas veinte obras entre 1924 y 1930.

Teatro Circo de Paul [Teatro de la Bolsa, Teatro Lope de Rueda, Teatro de los Bufos, Bufos Madrileños, Bufos Arderius]. Emplazado en la calle Barquillo 5-7, lo fundó el empresario circense M. Paul Laribeau. También fue bolsa de contratación por algún tiempo y de ahí su segundo nombre. La fama le vino por ser el teatro en el que Arderius hizo varias temporadas de sus bufos desde 1867 a 1872. Allí estrenó la mayor parte de su repertorio: *Traidor inconfeso y bufo, Bazar de novias* de Oudrid, *La trompa de Eustaquio* y *Robinson*, entre otras. Tuvieron mucha fama sus bailes de máscaras y en él se presentó Juan Breva.

Teatro Circo Price. Véase TEATRO DEL CIRCO. Parte I.

Teatro Circo [Teatro Príncipe Alfonso, Teatro Circo de Rivas]. Denominado originariamente Circo de Rivas –y distinto del otro teatro Príncipe Alfonso de la calle Génova–, fue construido en 1863 por el banquero Simón de Rivas, según proyecto de José María Gallart. Estaba situado en el paseo de Recoletos, junto al palacio de Medinaceli, entonces a las afueras de Madrid y casi contiguo al Circo Price. Tomó como modelo el circo de los Campos Elíseos de París y, según la prensa del momento, era un local elegante, amplio y ventilado, con las mejores condiciones de higiene, luz y comodidad, cuya elegancia y lujo atraían a la buena sociedad. Contaba con 28 palcos y 300 butacas y era más apropiado para conciertos sinfónicos que para representaciones. En este teatro dio Barbieri los primeros grandes conciertos sinfónicos de Madrid. Desde 1875 actuó Arderius con sus bufos y estrenó obras tan importantes como *Chorizos y polacos, La vuelta al mundo, El siglo que viene* y *Los sobrinos del capitán Grant*. Hizo las veces de teatro de verano, trasladándose a éste la compañía del Apolo durante la época veraniega. En 1888 se estrenó *Certamen nacional*, y en 1896 *Cuadros disolventes* de Manuel Nieto, que tuvo un gran impacto. Se estrenaron otras cincuenta obras. Hacia 1910 era el teatro de los niños, donde se estrenaban obras infantiles.

Teatro Coliseum. Proyectado en 1931 por Pedro Muguruza y Casto Fernández-Shaw, y situado en la Gran Vía, esquina General Mitre, fue originariamente una sala de cine, sin embargo, en la postguerra, tuvo importancia como centro de la zarzuela, sobre todo desde que lo adquirió el compositor Jacinto Guerrero. En él se estrenaron obras como *Loza lozana*, y otras muchas de Guerrero y *Black el payaso* de Sorozábal.

Teatro de la Comedia. Situado en el número 14 de la calle del Príncipe, fue obra de Agustín Ortiz de Villajos y lo inauguró Alfonso XII el 18 de septiembre de 1875, con la representación de *El espejo de cuerpo entero* de Diego Luque y *Me voy de Madrid* de Bretón de los Herreros. Con una capacidad de 1035 espectadores, era uno de los teatros mejores de Madrid, con interiores diseñados según el estilo italiano. En 1895 Joaquín Dicenta estrenó su controvertido drama social *Juan José*. A éste le sucedieron en la dirección del teatro Rosario Pino, el matrimonio María Guerrero-Fernando Díaz de Mendoza, Jacinto Benavente, La Fornarina y Tirso Escudero. El 16 de abril de 1915 fue destruido por un incendio y se reconstruyó en nueve meses. En él tuvo lugar el acto fundacional de la Falange Española en 1933. Tras la Guerra Civil fue uno de los teatros más activos de la capital española. Actualmente es sede de la Compañía Nacional de Teatro Clásico.

Aunque nunca fue un teatro eminentemente lírico, acogió más de cincuenta obras entre zarzuelas, revistas y operetas como las de Barbieri: *Anda, valiente*, 1880; *Artistas para La Habana*, 1877; *Los chichones*, 1879 y *Tramoya*, 1850. Tomás Bretón estrenó *Guardia de Corps*, 1897; Ruperto Chapí *Música clásica*, 1880 y *La piel del diablo*, 1889. En el siglo XX se estrenaron algunas revistas como las Modesto Rebollo: *Las andanzas de Michatillo*, 1944 o las de José Ruiz de Azagra, *Contigo a solas en Jerusalem*.

Teatro Cómico. A mediados del siglo XVI se edificó un local destinado al asilo de capellanes, fundado por deseo de la reina Doña Juana de Austria. Con el paso del tiempo se convirtió en un local de espectáculos frívolos como el cancán, llegado de la vecina Francia, que hacía furor. Pasó después a ser "Salón de baile Pablo Romero" y el plato fuerte era el baile del cancán realizado por jóvenes ligeras de ropa; posteriormente se transformó en teatro y en salón de varietés bajo la dirección de Santiago Gascón. Después, con una compañía de verso, se le dio el nombre de teatro Nuevo, pero fracasó; finalmente, con la llegada de Enrique Chicote, se le nominó teatro Cómico y en él tuvieron uno de sus primeros éxitos los hermanos Álvarez Quintero con *La reja*.

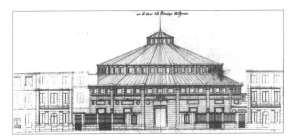

Teatro Circo Príncipe Alfonso (Foto: Ar. ICCMU)

En el siglo XX comenzó su dedicación a la zarzuela con más de trescientos estrenos, sobre todo en la primera década, y por ello se convirtió en uno de los grandes templos de la zarzuela. En 1903 lo dirigía Antonio Paso y figuraba al frente de su compañía José Ontiveros, con nombres como Juana Manso, Dolores Millanes, María Querol o Carmen Andrés. Hacia 1905 lo tomó la compañía de Loreto Prado y Enrique Chicote y desde entonces le acompañó el éxito con obras como *Alma de Dios* de José Serrano, que tuvo más de setecientas representaciones seguidas. El teatro estuvo tan indisolublemente unido a Loreto Prado y Enrique Chicote que el público llegó a pedir que se cambiase el nombre del coliseo por el de la pareja de actores. Cuando éstos lo abandonaron, actuaron en él María Palou, Pepe Alfayate, Franz Johan, y otros destacados artistas. Se estrenaron numerosos títulos, como *La linda tapada, El bueno de Guzmán, Taxi al Cómico o Te espero en el Cómico, La viuda mucho más alegre, Guillermo Tell, La celosa* y una obra clave para la zarzuela del XX, *Bohemios* de Vives. El teatro se cerró definitivamente en 1969 para ser demolido.

Teatro Felipe (Foto: Ar. ICCMU)

Teatro del Centro. Véase Teatro Calderón.

Teatro Eldorado [Teatro El Dorado]. Teatro de verano ubicado en la confluencia de las calles Juan de Mena y Alarcón, fue construido en 1897, y junto con el Felipe es uno de los teatros veraniegos de

Teatro Jardines del Buen Retiro (Foto: Mundo Gráfico, 1912; Ar. ICCMU)

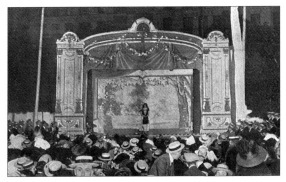

Teatro El Paraíso (Foto: Ar. ICCMU)

Teatro Lírico (Foto: Ar. ICCMU)

Madrid más interesantes. En los seis años que se mantuvo abierto se representaron numerosas obras de género chico, siendo su éxito más sonado *El barquillero* de Chapí, además de *Las grandes cortesanas* de Valverde, y otras obras de Torregrosa, Giménez y Fernández Caballero que superaban los cincuenta títulos. El teatro se incendió en julio de 1903, siendo su empresario Manuel Montilla.

Teatro El Paraíso. Parque de recreos situado en la calle de Alcalá, esquina con Goya. En un amplio jardín se instalaron diversas atracciones, desde tiro al blanco, kiosko de música, pista de patinaje o Skating-Ring, como aparecía en la prensa; era además restaurante y teatro, en el que se exhibían películas y había números de varietés. Se estrenaron algunas zarzuelas como *La escuela de Venus* de Rafael Millán, 1915; *El gaitero de la aldea* de Teodoro Valdovinos, 1917, y *Abejas y zánganos* de Gerónimo Giménez, 1918.

Teatro Eslava. Emplazado en la calle Arenal de Madrid, se trata de uno de los teatros más importantes y fundamental en la historia de la zarzuela. Propiedad del editor Bonifacio Eslava, se inauguró en 1871 como Salón Eslava a imitación de los salones de Paul y Capellanes; era destartalado y pequeño y contaba con un café teatro que se inauguró el 30 de septiembre de 1871. Es el café citado en *La Gran Vía* con aquellos versos: "Te espero en Eslava/tomando café!". Cuando comenzó el género chico en 1880 fue de los teatros con más actividad, sobre todo en la década de l880 y 1890 y en las dos primeras del siglo XX. Cerca de cuatrocientos títulos fueron estrenados en este teatro, y dos maestros permanecieron especialmente unidos a él: Gerónimo Giménez y Manuel Nieto; se estrenaron obras como *El gorro frigio*, *El gaitero*, *La marcha de Cádiz*, *El cortejo de la Irene*, *Enseñanza libre*, *El tambor de granaderos*, *Molinos de viento* y *Las castigadoras*. En el Eslava se refugió Chapí en su lucha con el editor Fiscowich y trabajaron por un tiempo Loreto y Chicote y, sobre todo, Lleó con *La república del amor*, *La alegre trompetería* y *La corte de faraón*. Celia Gámez se dio a conocer aquí en 1926.

Teatro Felipe. Construido en madera, era el más importante teatro de verano y fue inaugurado el 23 de mayo de 1885. Estaba situado a la entrada del paseo del Prado y próximo a los Jardines del Buen Retiro. Propiedad del empresario Felipe Ducazcal que le dio el nombre, se inauguró con *Salir del paso* y el mayor éxito lo vivió con el estreno en 1886 de *La Gran Vía* y posteriormente con *El chaleco blanco*. En él se estrenaron unas treinta obras. Tuvo actividad desde 1885 hasta 1891.

Teatro Fontalba. Situado en la Gran Vía se inauguró en 1924, era del marqués de Fontalbo y fue construido por el arquitecto José López Sallaberry. Era un teatro lujoso y en él se estrenaron entre 1924 y 1951, varias obras, por ejemplo, *Los claveles* de Serrano.

Teatro Fuencarral. Era un teatro destartalado dedicado inicialmente a las varietés, desde la década de los veinte hasta los años cincuenta se estrenaron más de sesenta obras, entre ellas *La del manojo de rosas*.

Teatro Gran Kursaal. En realidad era el Frontón Central del empresario Berriatúa que por las noches se transformaba en teatro de variedades. En este teatro actuaron Mata-Hari y La Fornarina. En él tuvieron lugar unos diez estrenos entre 1909 y 1911 de autores poco importantes, excepto Luna, y en general del género ínfimo.

Gran Teatro [Teatro Lírico]. Era uno de los más notables edificios teatrales de Madrid de inspiración francesa, construido por el empresario Luciano Berriatúa según proyecto de José Grases Riera y estaba situado en la calle Marqués de la Ensenada. Se inauguró en 1903 y tuvo actividad hasta el 30 de enero de 1920 en que lo destruyó un incendio. Importante teatro para la lírica hispana, nació como una opción contra el dominio de la ópera extranjera del Real; en él se planeó para su inauguración una estación de ópera española de gran importancia con el estreno de *Circe* de Chapí, *Farinelli* de Bretón o *Raimundo Lulio* de Ricardo Villa. Posteriormente llevó a cabo una gran actividad con más de ciento cincuenta obras estrenadas, especialmente operetas, entre ellas, *La veda del amor*, *La hija del mar*, *La niña de los besos*, *La canción española*, *El país de las hadas*, *La generala* y tantas otras. Todos los grandes compositores de la primera generación del siglo XX estrenaron allí.

Teatro Gran Vía. Próximo a la plaza de Callao, fue construido con carácter provisional y siempre fue un teatro de poca popularidad. Estrenó algunas zarzuelas entre 1909 y 1911 como *El príncipe Pío* de Giménez.

Teatro Ideal [Teatro Ideal Polístilo]. Se trata de otro de los típicos teatritos de verano de Madrid. Situado en la calle Villanueva, formando parte de un parque veraniego de espectáculos. Allí se estrenó en 1908 la primera opereta española, *Musseta* de Pablo Luna, y se dieron obras hasta 1935, sobre todo de Guerrero y Alonso, como *Me llaman la presumida*.

Teatro Infanta Isabel. Situado en el calle Barquillo, 24, se trataba de un teatro pobre, de madera, al que acudía la gente a ver sesiones de género chico. Su actividad se extendió entre 1915 y 1928; en él se estrenaron unas diez obras de autores como Luna, Calleja y Roig.

Teatro Jardines del Buen Retiro. Su origen se remonta al siglo XVII. Erigido por el conde-duque de Olivares y situado en el estanque grande del Retiro, este teatro tuvo una larga historia operística durante el siglo XVIII, previo a su uso como teatro de zarzuela; fue dirigido por el marqués de Scotti y allí trabajó su hueste de italianos, y Farinelli. En el siglo XIX con el mismo nombre existió un teatro de verano, situado en la plaza de Cibeles donde hoy se sitúa el Palacio de Comunicaciones y en él se representaron cerca de treinta títulos de zarzuela desde 1874 en que se da *El testamento azul* de Barbieri, hasta 1904, con *Los tejedores* de Teodoro San José.

Teatro La Infantil. Este teatro tuvo también su pequeña historia zarzuelística. En él se estrenaron unas quince obras desde 1878 hasta 1889. Después de una reforma pasó a llamarse Teatro Romea.

Teatro La Latina. Tuvo una relevante actividad zarzuelística entre los años 1909 y 1922; en él se estrenaron más de noventa obras, entre ellas algunas importantes como *El último romántico*, 1908, o *La del Soto del Parral*, 1927.

Teatro Lara. Situado en la Corredera de San Pablo, y mandado construir por Cándido Lara según proyecto del arquitecto Carlos Velasco, fue inaugurado el 4 de septiembre de 1880 por una compañía dirigida por Julián Romea y Antonio Riquelme de la que formaba parte la gran actriz Balbina Valverde, alma del teatro durante muchos años. Se conocía al teatro como "la bombonera" por su reducido tamaño. En él se estrenaron más de cincuenta obras desde 1886 a 1926, entre ellas dos de Barbieri, *La filoxera* y *Los holgazanes*.

Teatro Lírico. Véase GRAN TEATRO.

Teatro Lope de Rueda. Véase TEATRO CIRCO DE PAUL.

Teatro Madrid. Emplazado en lo que fue frontón Central y construido por Berriatúa, dedicado posteriormente a circo y cine, fue inaugurado en 1943 y tenía una capacidad de 1949 plazas. Se inauguró con la ópera *La venta de los gatos* de Serrano. Desde su inauguración y, dada su gran cabida, fue muy usado como teatro de zarzuela por diversas compañías. Hubo otro teatro en el siglo XIX que llevó este mismo nombre. *Véase* TEATRO BARBIERI.

Teatro Maravillas. Tres coliseos distintos llevaron este nombre: el primero situado en la calle Sandoval esquina Ruiz y Fuencarral, propiedad del arquitecto Joaquín Concha. Era de madera al estilo de los de verano y se inauguró en 1886. En él se estrenaron unas cincuenta obras, entre ellas *Las hijas del Zebedeo* de Chapí y actuaron excelentes compañías de género chico y figuras como Julia Segovia, Julio Ruiz, José y Emilio Mesejo, que inició en este teatro su brillante carrera, así como Loreto Prado. Fue demolido para edificar una casa.

Un segundo teatro Maravillas, también de madera, se construyó en la glorieta de Bilbao esquina Malasaña y Carranza en 1891. Una granizada de 1899 lo destruyó. Estrenó unas veinte obras, entre ellas *Los presupuestos de Villapierde* de Lleó y Calleja.

El tercer teatro Maravillas, es el que ha existido hasta el año 2002, situado en la calle Malasaña 6, y realizado según proyecto de Celestino Aranguren. Por él desfilaron artistas como Sarah Bernhardt o Joaquina Pino. Este teatro tuvo una época de gran actividad como teatro de varietés y de género ínfimo.

Numerosas compañías desfilaron por este escenario y el empresario Manuel Carballeda explotó el género de revista y también Antonio Paso.

Teatro Martín. Situado en la calle Santa Brígida 3, inicialmente fue un salón, y pasó a teatro propiedad del editor Casimiro Martín. Levantado en 1870 con proyecto del arquitecto Manuel Felipe Quintana, sufrió una reforma en 1919 realizada por Teodoro Anasagasti que le dio su apariencia definitiva. La zarzuela tuvo una vida importante en este teatro desde su inauguración, especialmente en la década de los ochenta con más de sesenta estrenos. Pero su mayor fama llegó a comienzos de siglo al convertirse en uno de los teatros favoritos de la sicalipsis y del género ínfimo así como opereta y revista. Se estrenaron más de quinientas obras, como *Las corsarias* o *Levántate y anda*. Fue un teatro con muy mala fama entre la clase intelectual que despreciaba la zarzuela.

Teatro Moderno. Véase TEATRO ALHAMBRA.

Teatro Novedades. Inaugurado el 14 de diciembre de 1857, era un teatro amplio con gran escenario con una cabida de 1500 espectadores y uno de los más populares de Madrid. Situado entre la calle de Toledo y la plaza de la Cebada se dedicó inicialmente al teatro hablado. En 1867 Gaztambide llevó su compañía al Novedades, pero su dedicación a la zarzuela no sería hasta la década de los noventa, y sobre todo en el siglo XX, en el que fue uno de los teatros más activos con cerca de quinientos estrenos hasta el día 23 de septiembre de 1928, en que durante la representación de *La mejor del puerto* de Alonso, un incendio destruyó el edificio.

Teatro Noviciado. Era un barracón de madera situado en la calle San Bernardo donde se estrenaron unas sesenta obras de género chico y del género ínfimo, entre los años 1907 y 1911. Un incendio terminó con este teatro en 1911 y en el mismo solar se construyó el teatro Álvarez Quintero.

Teatro Odeón. Véase TEATRO CALDERÓN.

Teatro Pavón. Situado en la calle de Embajadores, junto a la Plaza de Cascorro, en pleno Madrid castizo de Lavapiés, se inauguró en 1925. Realizado por el arquitecto Teodoro Anasagasti, el teatro se levantó por iniciativa de Francisca Pavón. Se inauguró con una compañía de zarzuela y fue uno de los teatros más populares de Madrid. Aunque por su escenario han pasado todo tipo de obras, el hito más importante lo marcó el estreno de *Las leandras* de Francisco Alonso en 1931, con la compañía de Celia Gámez, que convirtió el Pavón en su templo particular. Alonso había estrenado también otras revistas como *Las de Villadiego*. También Jacinto Guerrero estrenó algunas de sus revistas como *Cornópolis* y *Los bullangueros*, y *Las tentaciones*. Pablo Luna estrenó *El tropiezo de la Nati* y *La joven Turquía*, 1925, entre otros títulos de menor éxito. José Forns, Francisco Davo Mas, Martínez Faixá, Modesto Romero, fueron algunos de los autores líricos que estrenaron en este teatro. En el año 2000, tras permanecer cerrado quince años, volvió a abrir sus puertas, dedicado a la representación de teatro clásico español.

Teatro Price. Véase TEATRO DEL CIRCO.

Teatro Príncipe Alfonso. Véase TEATRO CIRCO PRÍNCIPE ALFONSO.

Teatro Recoletos. Inaugurado el 10 de junio de 1882, estaba situado en la calle Olózaga 2, y se dedicó a la comedia y al teatro por horas. Se trataba de otro teatro veraniego, en realidad un barracón de madera con techo de lona, activo desde 1888 hasta 1894. A partir de 1884, bajo la administración de Eusebio Mata y García se intentó explotarlo durante todo el año, sin resultado. En este teatro se estrenaron más de sesenta obras, entre ellas *Los bandos de Villafrita* y *La madre del cordero*.

Teatro Reina Victoria. Situado en la carrera de San Jerónimo se inauguró en 1916 con un estilo marcadamente *art decó*, presidida su fachada por una vidriera de J. M. Maumejéan, el mejor cristalero de principios de siglo. Los suelos estaban recubiertos de mosaico de estilo bizantino y el teatro rematado por una bóveda acristalada de medio punto, con armadura metálica, que permitía ver el cielo de Madrid. En los años veinte fue dirigido por Vicente Lleó y después por José Juan Cadenas para dedicarlo a la opereta, siendo con el Eslava los dos grandes centros del género. En él se estrenaron *La duquesa del Tabarín, Los alegres maridos de Maxim's, La bella Risetta, El último mosquetero, Las noches del cabaret, El duquesito o La corte de Versalles*. También se estrenó alguna zarzuela como *Don Manolito* de Sorozábal, 1943, y en los años cincuenta varias revistas.

Teatro Romea. Situado en la calle Colegiata 3, se inauguró el 5 de febrero de 1873, siendo su propietario José Lázaro y estuvo activo hasta poco antes de la Guerra Civil. Se trataba de uno de los teatros más activos de zarzuela, con más de doscientos estrenos que se extendieron desde 1873 hasta 1934, y en él tuvieron una activa vida como empresarios y actores dos genios del género chico que fueron la pareja Enrique Chicote y Loreto Prado.

Teatro Salón Madrid. En 1910 ofrecía ópera italiana.

Teatro Salón Victoria. En este teatro se dio actividad zarzuelística entre los años 1907 y 1910. estrenándose obras como *La poca vergüenza* de Emilio Borrás en 1909. En 1910 actuaron cupletistas y bailarinas como *La bella Laura*.

Variedades. Véase TEATRO VARIEDADES en I.

Otros teatros. Teatro Álvarez Quintero, donde se estrenaron en los años 1915 y 1916 algunas obras de Valverde y Prudencio Muñoz; *Teatro Benavente* con tres estrenos en los años 1910 y 1914; *Teatro Coliseo Imperial*, situado en la calle Concepción Jerónima, se dedicó a la zarzuela en el año 1908 estrenando ocho obras; *Teatro de Liceo de Capellanes*, tuvo una reducida vida

zarzuelística en 1892 con el estreno de dos obras de Arnedo y de Espino; *Teatro Lo Rat Penat*, en este teatrito se estrenaron seis zarzuelas entre los años 1905 y 1910; *Teatro Madrileño*, en él se estrenaron 24 obras entre 1909 y 1911; *Teatro Magic-Park*, teatro de verano situado en la calle Ferraz y creado por los padres de las hermanas Nieto con el fin de que sus hijas practicasen. Se estrenaron entre 1911 y 1917 unas diez obras; *Teatro Coliseo Pardiñas*, en él se estrenaron una seis obras de autores como Roig y Cayo Vela en 1925; *Teatro Princesa*, tuvo actividad zarzuelística entre los años 1883 y 1916 con unos dieciséis estrenos; *Teatro Salón Regio*, se denominó después *Royal Kursaal* y en él se estrenaron unas diez obras entre 1908 y 1909; *Teatro Tívoli*, teatro de verano situado en lo que es hoy el Hotel Ritz; tuvo una vida efímera pero en él se estrenaron unas diez obras entre 1891 y 1909. En los últimos años han surgido dos nuevos escenarios que acogen representaciones de zarzuela: el teatro de Madrid en La Vaguada y el Centro Cultural de la Villa. Éste ha centrado su actividad en torno a los Veranos de la Villa, con un repertorio muy popular, con las obras más conocidas del género.

III. LOS TEATROS DE ZARZUELA EN EL RESTO DE ESPAÑA. La zarzuela tuvo una destacada presencia en todos los escenarios de la sociedad hispana. Será difícil encontrar un teatro del siglo XIX y comienzos del XX en el que no se haya desarrollado una actividad zarzuelística más o menos continua. Es cierto que algunas ciudades como Barcelona, Valencia, Málaga, Valladolid, Zaragoza, Sevilla o Cádiz tuvieron un movimiento especial, pero en cualquier municipio español estuvo presente el género. Se presentan aquí algunos de los escenarios más significativos en el desarrollo del género y de manera especial los de dos ciudades: Barcelona y Valencia.

1. Andalucía. 1.1. Cádiz. Tuvo una rica actividad teatral desde el siglo XVIII y contó desde entonces con varios teatros: el *teatro Español*, el *Coliseo de la Ópera Italiana*, y el *teatro Francés*. El siglo XIX continuó con esta actividad constructiva y en él se construyeron el *teatro Principal* considerado como uno de los mejores de España, activo hasta 1929, año de su derribo; en él se estrenaron obras como *La loca de Edimburgo* o *El embajador. Gran Teatro*, inaugurado en 1871 hasta que se incendió en 1881; tuvo un sucesor con el mismo nombre inaugurado el 12 de enero de 1910. La reconstrucción corrió a cargo del arquitecto Cabrera. En 1900 se incendió durante la representación de *El anillo de hierro*, quedando sólo en pie las paredes laterales. Tuvo una gran actividad zarzuelística. *Teatro Cómico.* Inaugurado el 20 de noviembre de 1886, se dedicó fundamentalmente a la zarzuela, y se estrenaron obras como *Aragón, Marido por carambola, Guerra fratricida. Teatro Eslava*, de 1886, también actuaron en él principalmente compañías de zarzuela y acrobáticas.

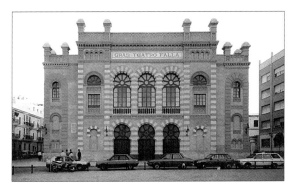

Gran Teatro Falla de Cádiz (Foto: Ar. ICCMU)

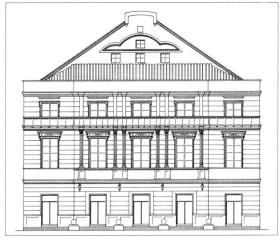

Teatro Cervantes de Málaga (Foto: Ar. ICCMU)

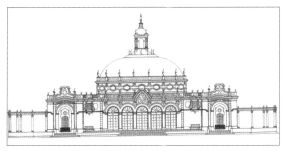

Teatro Lope de Vega de Sevilla (Foto: Ar. ICCMU)

Teatro Pignatelli de Zaragoza (Foto: Ar. ICCMU)

1.2. Granada. Esta ciudad contó con dos teatros, el *Principal,* inaugurado en 1810, más tarde llamado Cervantes, donde se estrenaron obras como *Farinelli, De carnaval, La niña de los cantares, El misterio de un vals, La flor de los montes* y *La trianera.* De interés fue también el *Isabel la Católica* inaugurado en 1864.

1.3. Málaga. Tiene una especial relevancia en el mundo de la zarzuela. Cuatro teatros cuentan con actividad zarzuelística: *teatro Cervantes, teatro de Verano, teatro de la Merced, teatro Lara, teatro Principal* y *teatro Vital Aza.* A comienzos del siglo XIX el más importante era el Principal, con más de una docena de representaciones; en 1870 se inauguró el Cervantes que se convirtió en el gran teatro de la ciudad y donde la zarzuela tuvo sus mejores momentos. En la primera década del siglo XX se inauguró el Vital Aza, donde también se estrenaron zarzuelas.

1.4. Sevilla. Fue la ciudad de mayor actividad zarzuelística en Andalucía. Constan al menos ciento cincuenta estrenos de zarzuela en los teatros del *Centro, Cervantes, San Fernando, Variedades* y *Del Duque,* que tuvieron actividad zarzuelística más o menos continuada. Sin duda este último fue el de mayor actividad. Al menos desde 1888 y hasta la década de 1930 del siglo XX, tuvo una actividad ininterrumpida con un gran número de estrenos. Antes de él comenzó su actividad el de *San Fernando,* inaugurado en 1848 con *I Lombardi* de Verdi –con un aforo de 2.000 espectadores– y también el de *Variedades* que ya daba obras en la década de los setenta y casi al mismo tiempo el *Cervantes,* donde por ejemplo, se estrenó *Molinos de viento* y *La canción húngara,* ambas de Luna, en 1910.

2. Aragón. Zaragoza. Cuatro teatros conforman la vida lírica de esta ciudad: *Principal, Pignatelli, Circo* y *Novedades.* El más antiguo de ellos era el Principal, cuya construcción inicial es de finales del siglo XVIII, con una gran reforma en 1858 y otra en 1896 en la que llega a 1500 localidades; es el que tuvo una actividad más continua de estrenos de zarzuela aragonesa, y donde actuaban todas las compañías de zarzuela. Una actividad similar en estrenos tenía el Pignatelli. Finalmente en el siglo XX se incorpora el Circo, donde se estrenó *La montería* de Guerrero, y el *Variedades;* en todos ellos se estrenaron zarzuelas.

3. Asturias. En las giras que realizaban las compañías, siempre era temida la estancia en Oviedo, donde había un público especialmente entendido. El primer teatro donde se realizó esta actividad en Oviedo fue *El Fontán.* Este teatro fue sustituido por el *Campoamor,* inaugurado en 1892, y que, con diversas reformas, se ha mantenido como uno de los mejores teatros de España. En Gijón también existieron dos teatros que representaron zarzuela, con estrenos incluso, de manera ininterrumpida: el *Dindurra* y, posteriormente el *Jovellanos.*

4. Baleares. La actividad zarzuelística de esta autonomía se concentró en su capital, Palma de Mallorca. Esta ciudad contó con un teatro que tuvo sucesivamente los nombres de *teatro de la Princesa*, inaugurado en 1857; un incendio acabó con él y fue reconstruido en 1860 con el nombre de *teatro Príncipe de Asturias.* Después de la revolución de 1868 pasó a llamarse *teatro Principal.* Tuvo una vida zarzuelística por cierto bastante rica.

5. Canarias. Estas islas gozaron de una especial actividad zarzuelística. Muchas de las compañías españolas que desde mediados del siglo XIX viajaron a America hacían un descanso en su viaje de ida o de vuelta en estas islas. Los empresarios las incluyeron en sus circuitos, y las compañías actuaban tanto en Las Palmas como en Santa Cruz y, en ocasiones, en Santa Cruz de La Palma.

5.1. Tenerife. El *teatro Guimerá* fue inaugurado en 1851 y sufrió una gran reforma en 1911. En él actuaron las compañías de zarzuela, normalmente al menos, dos veces cada año con el repertorio habitual. Pero en este teatro además se estrenaron zarzuelas de autores autóctonos o foráneos que pasaban por la isla, y otras que se pueden calificar como zarzuela regional canaria, es el caso de las escritas por Juan Reyes Bartlett y Juan Álvarez García. Otros autores, Carlos Guigou y su hijo Francisco, Tomás Calamita, Crisanto Delgado, Eugenio Domínguez Guillén, Mariano Navarro, Santiago Lope, Ricardo Sendra y Salvador Sugráñez, estrenaron obras en este teatro. Otro lugar de actividad zarzuelística fue Círculo de Amistad, donde estrenó sus zarzuelas el tinerfeño José Crosa y Costa.

5.2. Las Palmas. Existió un *teatro Tirso de Molina*, incendiado en 1918. Por fin sobre proyecto de Francisco Jareño se inauguró en 1890 el *teatro Pérez Galdós*, donde tendría cabida la zarzuela de esta ciudad.

6. Cantabria. La actividad zarzuelística se concentró en su capital, Santander. Relacionada con Asturias, Burgos y Bilbao, entre ellas se estableció una relación natural dado que las compañías pasaban de una a otra por su proximidad geográfica. Esta tradición desembocó en la construcción del *teatro Principal* por el arquitecto Antonio Arrieta, inaugurado en 1838. Ya en 1852 se estrenó la zarzuela de Barbieri, *Jugar con fuego* con la compañía de Pedro Montaño. A partir de entonces la zarzuela contó con representaciones de una forma continua y normalizada, basada en compañías que llegaban a la ciudad. En este teatro estrenó sus obras el artista local Máximo Díaz de Quijano y también Maximino Anguita. Esta actividad fue completada con las zarzuelas que se representaban en los cafés-teatro como el Consulado, Salones Toca, Ancora, Imperial, El Dorado, América, o algún otro teatrillo, como el inaugurado a finales del siglo XIX con el nombre de *Salón Variedades*, donde se estrenó la revista *Viaje*

Teatro Campoamor de Oviedo (Foto: Ar. ICCMU)

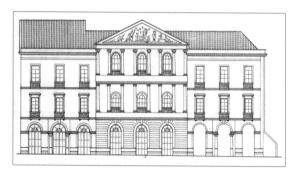

Teatro Palma, Mallorca (Foto: Ar. ICCMU)

Teatro Principal de Mallorca (Foto: Ar. ICCMU)

Teatro Pérez Galdós de Las Palmas (Foto: Ar. ICCMU)

alrededor de Santander de Maximino Anguita, o el *Apolo*, que existió a comienzos de siglo, hasta llegar en 1919 al teatro *Pereda* , convertido desde entonces en el gran centro de la vida teatral santanderina y por ello de la zarzuela.

7. Castilla y León. La ciudad de Valladolid es la gran capital de la zarzuela en la región; se estrenaron obras, se editaron numerosos libretos y se mantuvo una gran actividad desde mediados del siglo XIX.

7.1. Burgos. Teatro Principal. Inaugurado el 4 de abril de 1858 y cerrado en 1946, estaba situado en el paseo del Espolón y fue obra del arquitecto Francisco Angoitia, con una capacidad de 1200 butacas. Conoció diversos nombres como teatro Nuevo del Espolón, Municipal, y desde el primer cuarto del siglo XX el definitivo de Principal. A lo largo de su historia han pasado compañías cómicas y dramáticas, pero sobre todo compañías líricas, como la del teatro de la Zarzuela, José Sigler, Enrique Lloret, teatro Apolo de Madrid, Sagi-Vela, Amparito Saus y Federico Caballé, Pablo Sorozábal, Conchita Panadés, Loreto Prado y Enrique Chicote, Emilio Carreras, Julio Ruiz, Eugenia Zúffoli y muchas más. Se reinauguró, tras su restauración, en 1997.

7.2. Valladolid. Cuatro teatros mantuvieron la actividad zarzuelística.

Calderón de la Barca. Era un teatro a la italiana, se inauguró en 1864 con la obra *El alcalde de Zalamea*, dirigida por Joaquín Arjona. Augusto Ferri pintó el techo y Francisco del Pozo la sala, hasta el punto que en su momento se consideró incluso superior a los teatros construidos en Madrid. Tuvo una enorme actividad zarzuelística. En el mes de febrero de 1887 se estrenaron por ejemplo 18 zarzuelas distintas, todas, zarzuela grande. Por este teatro pasaron hasta 1966 todas las grandes compañías de zarzuela de España.

Teatro Lope de Vega. Surgió en 1861 por iniciativa particular y con planos del arquitecto Jerónimo de la Gándara. Tenía un aforo de 1500 espectadores. En él se estrenaron varias zarzuelas, entre ellas *La fama del tartanero* de Guerrero.

Teatro Zorrilla. Fue inaugurado en 1881, con planos del arquitecto Ruiz Sierra. Tuvo una actividad zarzuelística importantísima con el estreno de varias zarzuelas, como *Corte o cortijo* y *Madera de santos*.

8. Cataluña. La zarzuela tuvo un especial arraigo en Cataluña, y no sólo en Barcelona, aunque los teatros han sido los más estudiados.

8.1. Barcelona. Los documentos que ha aportado la nueva musicolgía indican que a lo largo del siglo XIX hubo periodos en los que la actividad zarzuelística fue similar en Barcelona a la que se producía en Madrid.

Teatro Apolo. Se trataba de un teatro muy humilde en sus orígenes, y que a partir de 1907 experimentó un giro cualitativo. El Apolo mantuvo duran-

Teatro Principal de Burgos (Foto: Ar. ICCMU)

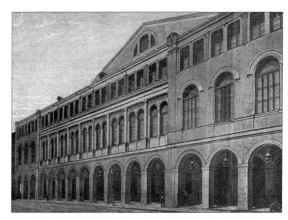
Teatro Calderón de la Barca de Valladolid (Foto: Ar. ICCMU)

Teatro Rojas de Toledo (Foto: Ar. ICCMU)

te un tiempo zarzuelas, sin programar obras del repertorio catalán.

Teatro del Bosque. Estaba situado en la villa de Gràcia, la cual sería años más tarde integrada en el municipio barcelonés. Era un teatro muy activo, programándose, además de obras dramáticas, bastantes zarzuelas castellanas y del repertorio catalán.

Teatro Buen Retiro. Teatro de madera construido en una esquina de la actual plaza de Cataluña; lo dirigía León Fontova. Se inauguró en 1876. Tenía unas grandes dimensiones, a pesar de lo simple de la construcción, pudiendo albergar unos 3.400 espectadores en verano, y unos 2.600 en invierno, al cerrarse y cubrirse las partes laterales. En 1886 fue sustituido por una nueva construcción, también de carácter efímero, conocido como Pabellón Nuevo Retiro. En 1889 se construyó un nuevo teatro, el Nuevo Retiro, en el que empezó a actuar una compañía de zarzuela. La calidad de sus representaciones era alta, muy próxima a la que ofrecía el Tívoli.

Teatro Calvo-Vico. Se abrió en 1888 con el nombre de los actores Rafael Calvo y Antonio Vico, después se cambió por el de Gran Vía, en alusión a su emplazamiento. Se programaban temporadas de zarzuela.

Teatro Circo Barcelonés. Se construyó en 1852 y al año siguiente daba su primera representación. Posteriormente se primaron los estrenos de repertorio catalán, así como de zarzuelas. En las décadas de 1870 y 1880 alcanzó una actividad destacable. Allí se estrenaron obras de Manent, como *La Tuna*, 1882, *El moro Nenani*, 1873, y también parodias como *Robinson petit.*

Teatro Circo Ecuestre. Establecido en la plaza de Cataluña. Se ofrecían espectáculos diversos, desde funciones zarzuelísticas, hasta números circenses, pantomimas y funambulistas. A principios del siglo XX se trasladó al Paralelo, siendo demolido el edificio primitivo.

Teatro Eldorado [Teatro Ribas, Teatro Catalunya]. En su origen se denominó teatro Ribas, y posteriormente, con la edificación de un nuevo edificio, teatro de Catalunya. Inició su actividad en 1884. En la primera década del siglo XX se trasladó a un nuevo edificio construido por el arquitecto Bruguerola.

Teatro Español. Situado en el paseo de Gracia, se inauguró en 1870. Fue destruido por un incendio en 1889. Después se trasladó al Paralelo. Allí se introdujo el género del melodrama. Sufrió un nuevo incendio en 1907 lo que obligó a la compañía a trasladarse al teatro Apolo. En el Español actuó también la compañía de J. Santpere, estrenándose *El senyor Josep falta a la dona* de S. Rusiñol.

Gran Teatro del Liceu. Su repertorio era principalmente operístico. En 1847 se inauguró un nuevo edificio con aforo para 3500 espectadores, mucho mayor que el teatro Principal. En 1850 se dieron las primeras representaciones zarzuelísticas con *El duende* de Hernando y, en 1851, *A última hora* de Gaztambide, seguidas en 1852 de *El tío Caniyitas*, *Tramoya* y *Jugar con fuego* de Barbieri, y *El valle de Andorra* en 1853. El éxito de este repertorio ocasionó la composición de *Buen viaje, señor don Simón* en colaboración entre Soriano Fuertes, Manent, Solera y Bernat Calvó, en 1852. En 1858 se estrenó la primera de las zarzuelas catalanas de Clavé, *L'aplec del Remei*, junto con *Setze jutges*, obra de gran repercusión. En 1872 Francisco Salas dirigió una temporada de zarzuela representando obras de Oudrid, Caballero, Arrieta, Gaztambide y Barbieri; Oudrid fue el director de la orquesta. En 1893 Rosendo Dalmau volvió a dirigir otra temporada zarzuelística. Poste-

Teatro Eldorado de Barcelona (Foto: Ar. ICCMU)

Teatro Lírico, Sala Beethoven de Barcelona (Foto: Ar. ICCMU)

Teatro Nuevo de Barcelona (Foto: Ar. ICCMU)

riormente se programaron de forma esporádica algunos títulos zarzuelísticos.

Teatro Gran Vía. Era otro de los teatros del Paralelo. Allí se estrenó *Bohemios* de Vives en 1904. Programaba habitualmente funciones de zarzuela.

Teatro Jardín Español. Adquirió una importancia destacada en los últimos años del siglo XIX, al estrenarse pequeñas zarzuelas catalanas en un acto, como *Alí-Oli*, así como obras del género chico. Allí se estrenó *El somni de l'Innocència* en 1895.

Teatro Lírico [Sala Beethoven]. Estaba situado en uno de los jardines del paseo de Gracia, y fue sin lugar a dudas uno de los más lujosos, con cuidadas producciones después de la reforma que pagó el banquero Arnús. Originariamente se denominaba sala Beethoven. Se inauguró en 1881. Fue construido por el arquitecto Elies Rogent, con decoraciones de Soler i Rovirosa. En 1899 se estrenó allí *L'alegria que passa* de Morera, y la primera zarzuela catalana de Granados, *Blancaflor*. La programación incluía representaciones operísticas. Se desmanteló en 1900.

Teatro Nou. Situado en el Paralelo. Desde sus orígenes programaba habitualmente temporadas de operetas y zarzuelas. Era un barracón con escenario de siete metros adosado a un café. Fue de los primeros teatros en funcionar por sesiones, al igual que se hacía en Madrid. En 1930 se estableció una compañía de teatro Lírico Catalán dirigida por Josep Llimona, estrenándose una impresión lírico-dramática, *La taverna d'en Mallol* de F. Caparrós. En el Nou se estableció durante varias temporadas la compañía de J. Santpere, con representaciones de vodevil. La actividad de zarzuela castellana fue muy activa contando con compañía propia. En 1926 se estrenó la *Cançó d'amor i de guerra*, y en 1930 *La legió d'honor*.

Teatro Novetats. Estaba situado en el paseo de Gracia. Sus inicios fueron esplendorosos, al contratar artistas de gran relieve como Fontova, Bonaplata, E. Goula, encabezados por el empresario Salvador Mir. Su objetivo fue la recuperación del teatro catalán, y para ello contrató, entre otros, al escenógrafo Soler y Rovirosa. Allí se estrenaron *Les bodes d'en Cirilo* de E. Vilanova, *La Baldirona* y *Les monges de Sant Aimant*. Su momento de mayor esplendor comprendió los años 1890 a 1895. Su interior era lujoso, y junto con el Lírico y Tívoli, fue uno de los anfiteatros mejor considerados de la ciudad. En 1908 A. Gual ocupó el lugar de director artístico, iniciando un programa de teatro catalán.

Teatro Nuevo. Se inauguró en 1843, en la actual plaza Real, donde estaba el convento de los capuchinos. Allí se interpretaron por primera vez zarzuelas románticas en Barcelona en 1847. En este teatro se interpretaron, también por primera vez *Hernani* y *Roberto il diavolo*. Fue derruido en 1848.

Teatro Odeón. Se edificó en el antiguo solar del convento de San Agustín con un aforo de 800 espectadores. Desde 1850 se ofrecían regularmente temporadas dramáticas. En 1853 se representaron los juguetes líricos de Clavé *Paco Mandria* y *¡Junto a su puerta!*. En cierta medida, el teatro catalán inició su andadura en el Odeón. Aquí se estrenó *L'esquella de la Torratxa* con música de Sariols, y empezó su andadura la sociedad La Gata. Se reestrenó *L'aplec del*

Remei de Clavé, y varias obras de F. Soler, como *Lo boig de les campanilles*. Se cerró en 1887.

Paralelo. Calle barcelonesa en la que se abrieron distintos teatros desde la última década del siglo XIX, y que acabó por convertirse en lugar de diversión y de intensa vida teatral durante el siglo XX. Era el centro de la bohemia barcelonesa. En 1892 se abrió el primer teatro del Paralelo, el Circo, y en 1893 se inauguró el teatro Español, en ambos existió una intensa actividad lírica. En el Español se estrenó *La reina ha relliscat* de Santpere. El Español, además, mantuvo representaciones continuadas de revistas. En 1894 se abrió de forma oficial la avenida del Paralelo, nombre que aludía a su perfecta orientación este-oeste. En 1892 se inauguró el Pabellón Soriano, construido con materiales procedentes del antiguo Circo Alegría, edificado en la plaza Cataluña. La década comprendida entre 1900 y 1910 fue el momento más intenso para el Paralelo: en 1901 existían ya cinco teatros, Español, Delicias, Soriano, Olympia y Nuevo; en 1903 se erigieron el teatro Arnau y el Condal, en 1904 el teatro Apolo, y en 1905 el nuevo teatro Cómico. El Cómico era otro de los teatros del Paralelo que representaban habitualmente obras de género chico, así como operetas. Allí se dieron las primeras representaciones barcelonesas de *Maruxa* y *Doña Francisquita*. El Arnau, que empezó siendo conocido como salón Arnau, desarrolló una actividad interesante, sobre todo de tipo dramático. Cabe destacar el teatro Onofri, antes llamado Condal, y al que se le puso el nombre de una familia de actores franceses que alcanzó renombre. Allí se dieron también funciones de zarzuela. A ellos deben añadirse los varios cafés y music-halls que mantenían una actividad continuada –La Pajarera Catalana, el Salón Venus, el Trianón, el Café Lyonés, el Paraíso, el café Sevilla–, en los que eran habituales los grupos musicales y los cantantes. En palabras de M. Badenas: "El Paralelo se transformó en el paseo de Gracia de los humildes". Fue en la década de los treinta cuando acabó por convertirse en un lugar de referencia para los estrenos zarzuelísticos españoles: diversas obras se estrenaban antes en Barcelona que en Madrid –un buen ejemplo es *El cantar del arriero* de Díaz Giles que estrenó todas sus obras en el Paralelo–, siendo los teatros Apolo, Nuevo y Victoria los que se distinguieron por su actividad lírica. Los años cuarenta significaron un momento de recuperación después del conflicto bélico. En 1941 se representaron en el teatro Victoria un total de 109 obras; la revitalización de la zarzuela en el Paralelo se debió al impulso dado por los empresarios J. Pons y T. Ros. El teatro Nou fue el primero de toda Barcelona que consiguió eludir la prohibición de representar obras en catalán, con la interpretación de *La flama* de Quirós, obra a la que siguieron las reposiciones de *Gent del camp* y de *Cançó d'amor i de guerra*. En la década de los cincuenta, el género ínfimo y la revista volvieron a desplazar la zarzuela, con las empresas de Bonavía-Mestres, Gasa, Colsada, iniciándose entonces la decadencia, no sólo de las representaciones zarzuelísticas, sino también del Paralelo entendido como un lugar plural para las representaciones teatrales y musicales.

Teatro Prado Catalán. Estaba situado en uno de los jardines del paseo de Gracia. Se inauguró en 1863, con dimensiones mucho menores que el Tívoli o los Campos Elíseos. Habitualmente programaba títulos zarzuelísticos, juntamente con alguna ópera y obras dramáticas. En la década de los setenta se estableció allí la compañía de los Bufos Arderius.

Teatro Principal [Teatro de la Santa Creu]. Su nombre primitivo era teatro de la Santa Creu. Era el teatro más antiguo de Barcelona, fundado a partir del privilegio que en 1579 Felipe II concedió al Hospital General de la Santa Creu. Se incendió en 1787 siendo reedificado en 1788. En 1729 se representaría en este teatro la zarzuela de Cañizares *De los hechizos de amor, la música es el mayor*, según R. Alier, seguida de *Eurotas y Diana*, de Cañizares; es posible que en 1718 ya se hubiera representado alguna otra zarzuela, *Apeles y Campaspe*. Después de introducirse la ópera en Barcelona en 1708, fue en el teatro de la Santa Creu donde en 1750 se representaron los primeros *pasticcios* y en 1751 la primera aparición documentada de compañías italianas de ópera; desempeñó un papel decisivo en el interés por la ópera en Cataluña. En 1840 cambió su nombre por el de teatro Principal. Con la apertura del Liceo se entabló una reñida competencia entre ambos teatros. Habitualmente se dieron temporadas de zarzuela. En 1903 Morera intentó un nuevo episodio del teatro Líric Català. En 1905 los espectáculos-audiciones Graner iniciaron su andadura en el Principal, juntamente con la sala Mercè, con estrenos de obras de Morera, Pedrell, Granados, Pahissa, Esquerrà, Marraco, Freixas, Sadurní, entre otros. En 1907 se estrenó *La Santa Espina*, una rondalla con música de Morera y texto de Guimerà, que acabó siendo una de las obras más apreciadas por el público catalán. En 1908, siguiendo otro proyecto de teatro catalán distinto de la empresa que había impulsado el Teatre Líric Català, se estrenó *La reina vella* de Morera, obra que impactó en la prensa de la época.

Sala Mercè. Teatro de aforo reducido. En él se dieron algunas funciones de los Espectáculos-Audiciones Graner. Se registraron a lo largo de los primeros años del siglo XX diversos estrenos de zarzuelas catalanas, generalmente consistentes en obras populares en uno o dos actos, caso de obras de Esquerrà –*La gentil porquerola*–, Alfonso, Sadurní, y otras obras que han quedado olvidadas.

Teatro Santa Creu. Véase TEATRO PRINCIPAL.

Teatro Talleres. Lugar de reunión de artistas y literatos donde entre otras actividades se ofrecían representaciones teatrales. Jugaron un papel decisivo en el desarrollo del teatro catalán, dándose allí el denominado teatro de "sala y alcoba", además de interpretarse diversos entremeses con acompañamiento musical. Entre los talleres más destacados estaba el de Rull, el de Sant Domènec del Call, el de Escudellers, el Taller Embut, el Niu Guerrer, y el de Altimira. Este último estaba situado sobre la casa del Ardiaca, y en él se documentaron algunos entremeses cantados. En el siglo XX continuaron su actividad, registrándose en la prensa bajo el nombre de sociedades recreativas.

Teatro Tívoli. Antes de 1848 se ajardinó una extensa parcela del paseo de Gracia. Un jardinero italiano le dio el nombre. Allí se inauguró en 1853 el teatro Tívoli, siendo en su origen uno más entre los varios teatros al aire libre de los jardines del Paseo de Gracia, junto con los Campos Elíseos. Poseía originariamente un amplio espacio dedicado a los bailes, conocidos como "saraos". Según Conrat Roure, las primeras representaciones líricas en el Tívoli contaban sólo con acompañamiento de piano. El primer empresario del Tívoli fue Bernat de les Cases, suegro de Frederic Soler. A partir de 1867 inició una nueva etapa, iniciándose en la década de los setenta una serie de estrenos cruciales en la historia de la zarzuela catalana: *Els pescadors de sant Pol*, *El Metge dels Gegants* o *La criada*. En 1875 se inauguró un nuevo edificio en la actual calle Caspe, junto al paseo de Gracia, donde se representaron las zarzuelas *De la terra al sol*, *De Sant Pol al Polo Nort*, *El cant de la Marsellesa* y *El País de l'Olla*, con producciones y decorados de gran relieve, algunos de las cuales pueda considerarse como obras de referencia en la escenografía del siglo XIX; además se registraron los estrenos de *Els estudiants de Cervera*, *La fira de sant Genís* y *El sagristà de sant Roc*. En las temporadas de invierno generalmente la compañía se trasladaba al teatro Circo Barcelonés. El Tívoli fue, de todos los teatros del paseo de Gracia, el más activo y el que marcó la pauta. A principios de siglo, en 1901, mantuvo una intensa actividad lírica estrenándose obras como *La reina del cor* de Morera, en el marco de la empresa del Teatre Líric Català, encabezada por Morera, y con la que se representaron obras significativas: *Picarol*, *La nit de Nadal*, *La reina del cor* y *Cigales i formigues*. En 1922 se estableció una compañía de teatro Lírico Catalán, con la que se estrenaron obras de Sancho Marraco. Además de teatro catalán, en el Tívoli se representó por primera vez en Barcelona *La generala*, además de estrenarse obras de R. Millán.

Teatro Variedades. Se inauguró en 1864, a la derecha del Paseo de Gracia. Se dedicó completamente a las temporadas de zarzuela, además de ofrecer conciertos matinales y baile.

Teatro Victoria. Era otro de los teatros del Paralelo, con una actividad lírica importante. En él se produjo el reestreno de *La reina ha relliscat*.

Teatro Zarzuela. Era conocido popularmente como "el Barracón". Estaba situado en el paseo de Gracia, y estuvo en activo desde 1864 a 1872. Su programación estaba dedicada casi por completo a la representación de zarzuela.

9. Galicia. 9.1. La Coruña. Gozó de especial relevancia con una gran actividad zarzuelística desde mediados del siglo XIX. Un primer teatro del siglo XVIII, el *teatro Setaro*, fue sucedido por el *teatro Principal* abierto al público en 1842 y después denominado *teatro Rosalía de Castro*.

9.2. Vigo. Inició su vida zarzuelística a mediados del siglo XIX en el *teatro Romea* construido en 1859. Poco después y con planos del arquitecto Alejandro Sesmero se construyó el *teatro Cervantes*, hasta que en 1900 comenzó su nueva etapa con el nombre de *teatro Rosalía de Castro*, que tras un incendio fue reconstruido con el nombre de *teatro García Barbón*.

9.3. Lugo. En 1860 en el *teatro de la Beneficencia*, se representaron óperas italianas, pero fue sobre todo en el *Círculo de las Artes* donde representó zarzuela, a lo largo del siglo XIX. Por él pasaron las compañías de Maximino Fernández, Bergés, Francisco Soriano, Echevarría, Fernando Viñas o Barrilaro, quien actuó en otro teatro, el Circo en 1899, donde estrenó una zarzuela de José Carracedo, director del Orfeón Gallego, *Un tenorio del Ferrol*.

10. Murcia. La ciudad de Murcia fue un lugar privilegiado en el cultivo de la zarzuela. La proximidad de ciudades como Cartagena, Alicante y Albacete, la hacían ser muy visitada por las diferentes compañías que desde mediados del siglo XIX recorrían España. Murcia tuvo dos teatros: el *teatro Trinquete* y el *teatro del Toro*, que precedían al mandado construir por el Ayuntamiento de Murcia en 1846, en el solar del convento de los Dominicos. En 1857 se aprobó el proyecto de los arquitectos Diego Manuel Molina y Carlos Mancha y el teatro se inauguró en 1862 bajo el nombre de *teatro de los Infantes*; con la interpretación del preludio de *Los diamantes de la corona* de Barbieri.y asistiría la reina Isabel II. Con la proclamación de la República en 1868, el teatro recibió el nombre de *teatro de la Soberanía Nacional* y por fin en 1872, el definitivo nombre de *teatro Romea*. Ha contado con una actividad teatral ininterrumpida, con más de diez estrenos líricos, lo que convirtió a esa ciudad en uno de los grandes centros de la zarzuela.

11. País Vasco. Los escenarios que tuvieron un papel más destacado en la recepción de la zarzuela, así como en la presentación de nuevas obras de compositores propios, fueron sobre todo Bilbao y San Sebastián.

11.1. Bilbao. En esta ciudad existieron teatros desde el siglo XVIII con un destacado cultivo de la ópera.

A comienzos del XIX existió un teatro situado en la plaza Arriaga que fue reemplazado por uno nuevo en 1833, que duró hasta 1886, denominado Principal o Viejo con una cabida de 1047 localidades y en el que actuó Gayarre. Allí se levantó en 1890 el actual *teatro Arriaga*, cuyo arquitecto fue Rucoba La demolición del teatro en 1886 hizo que las representaciones de zarzuelas continuasen en tres teatros provisionales, el *teatro Romea*, inaugurado en 1885 con las zarzuelas *Entre mi mujer y el negro* y *La canción de la Lola*. En ese mismo año de 1885 se inauguraron el *Teatro-Circo de la Gran Vía* y el *Gayarre* con 760 localidades. Desde mediados del XIX en esta ciudad la zarzuela se impuso a la ópera, y a partir de entonces numerosas compañías madrileñas pasaron por estos dos teatros, actuando dos compañías cada año –en época de verano y de invier-

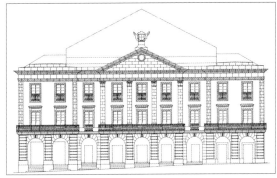

Teatro Rosalía de Castro de La Coruña (Foto: Ar. ICCMU)

Teatro Romea de Murcia (Fotos: Ar. ICCMU)

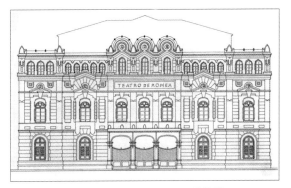

Teatro Romea de Murcia (Foto: Ar. ICCMU)

Teatro Viejo o Principal de Bilbao (Foto: Ar. ICCMU)

Teatro Circo de Bilbao (Foto: Ar. ICCMU)

Teatro Coliseo Albia de Bilbao (Foto: Ar. ICCMU)

Teatro Campos Elíseos de Bilbao (Foto: Ar. ICCMU)

no– que estrenaban, pocos meses después que en Madrid, los éxitos mayores del año; en el Arriaga se estrenaron zarzuelas como *La alternativa del garboso*, *Canto de primavera* de Luna o *El amor de Friné* de Forns. En 1902 se inauguró el *teatro de los Campos Elíseos*, situado en la calle Bertendona, que alternó con el Arriaga para ofrecer espectáculos teatrales y donde realmente se estrenaron las zarzuelas vascas y muchas de otros autores como *Los dos timos*, 1903, *La galerna*, 1904, *El zortzico de Miguel*, 1904, *La escalera de los duendes* de Luna, 1904, o *Trenzas de oro*. El último gran teatro construido en Bilbao fue el *Coliseo Albia*, en la calle Urquijo, iniciado en 1917 con una cabida de 2.580 localidades y realizado por Pedro de Asúa, y donde se han realizado las programaciones de la Asociación Bilbaína de Amigos de la Ópera, hasta la reciente construcción del Palacio Euskalduna. La zarzuela tuvo también su vida en los cafés concierto y salones; fueron famosos los de La Amistad, inaugurado en 1896 por una compañía de zarzuela; también Colmado, el Eden Concert y El Diván o el Salón Vizcaya especializado en varietés.

11.2. San Sebastián. Es el otro gran centro de actividad zarzuelística vasco, sobre todo en el verano. Varios teatros tuvieron especial protagonismo: *Circo, Principal, Victoria, Príncipe* y *Reina Victoria*. En el Circo se estrenaron las primeras obras líricas vascas en 1884 y algunas zarzuelas castellanas como *La hija del barba* de Julián Romea. El Principal tuvo actividad a inicios del siglo XX, con varios estrenos como *Los suegros* de Torres, 1907, *El triunfo de Quirico* de E. Navarro, 1919, y aún en 1943 se estrenó *Qué sabes tú* de Rosillo. En el Victoria tuvo lugar el estreno en 1938 de *Sor Navarra* de Moreno Torroba. Desde su inauguración en 1912 el teatro Victoria Eugenia, del arquitecto Francisco Urcola, construido con una arquitectura modernista y ecléctica de los pabellones en las Exposiciones Universales, se constituyó en otro centro zarzuelístico destacado.

12. Valencia. Zona privilegiada para la zarzuela, no sólo por la actividad desplegada en la capital, sino también por la de otras ciudades como Alicante.

12.1. Valencia. Fue la tercera ciudad en importancia zarzuelística después de Madrid y Barcelona. Como en el caso de Barcelona, no se limitó a ser receptora de las compañías que llegaban de Madrid, sino que tuvo una actividad propia, generada en la ciudad y, por supuesto, una creación propia que se aproximaba a los doscientos títulos. Entre 1790 y 1830 los locales teatrales de la ciudad de Valencia dedicados a la música escénica tenían un carácter provisional y las malas condiciones como es el caso de la Botiga de la Balda. No se contó con un teatro de nueva planta hasta 1832, año de inauguración del teatro Principal. En las décadas de 1880

Teatro Lírico de Valencia (Foto: Ar. ICCMU)

Teatro Principal de Valencia (Foto: Ar. ICCMU)

Teatro Serrano de Valencia (Foto: Ar. ICCMU)

y 1890, Valencia contó con cinco teatros estables donde se representó zarzuela. Destacaron los teatros de verano como el *teatro de las Delicias* o los existentes entre 1880-1900 con nombres como el teatro del Jardín del Santísimo, Tívoli Valenciano, teatro Peral y teatro Pizarro, y en el siglo XX el Serrano.

También destacaron los Cafés-Teatro como el del Comercio, Café-Teatro de la plaza Príncipe Alfonso, Café-Teatro Ruzafa y Café-Teatro de la Zarzuela. Finalmente hubo otros especializados en zarzuela valenciana como el teatro Novedades, teatro Regional o el Nostre Teatre.

Teatro Apolo. En las dos últimas décadas del siglo XIX, el Apolo se convirtió, junto con el Ruzafa, en el templo del género chico en Valencia. Esta especialización se fue diluyendo a partir de la entrada de la siguiente centuria al insistir en la zarzuela grande. En la primera década del siglo XX siguió una trayectoria paralela a la del Ruzafa, destacando la presencia mayoritaria de piezas de José Serrano. En la segunda década se alternaron las zarzuelas grandes, las revistas, las operetas y, sobre todo, las obras de Manuel Penella. Hasta 1936 se volvieron a reproducir los triunfos de Serrano y, en general, los de la última generación de zarzuelistas.

Teatro Colón. Inaugurado en el último cuarto del siglo XIX.

Teatro Delicias. Teatro de verano inaugurado en 1857, situado en la playa valenciana del Cabañal. En sus sesiones se podían escuchar fragmentos de ópera y los grandes títulos de la zarzuela moderna.

Teatro Lírico. Se inauguró en 1916 pero, en realidad, era la nueva denominación del antiguo Trianón Palace. Hasta 1920 fue el escenario de grandes triunfos de José Serrano, representados por su propia compañía e interpretados bajo su dirección.

Nostre Teatre. Ofreció revistas en la lengua autóctona, alternándolas con comedias y zarzuelas.

Teatro Novedades. Surgió en 1921 con la aspiración de convertirse en la sede del teatro en valenciano. En él se ofrecían tanto piezas dramáticas como zarzuelas en valenciano y de carácter costumbrista.

Teatro Princesa. Inaugurado en 1853. Aunque alternó las funciones operísticas con la zarzuela, contó desde su inauguración con una compañía específica de este último género. Los últimos diez años del siglo suponen la época dorada de este teatro, alternando los éxitos del género chico (con Chapí a la cabeza) con el triunfo de la zarzuela regionalista de Salvador Giner y, sobre todo, Vicente Peydró. El período 1905-1910 comenzó con un relativo retroceso del género zarzuelístico, que se fue recuperando en el siguiente lustro, al combinar compañías dedicadas a la ópera, la insistencia en la opereta y el recurso al género chico. Tras una breve estabilidad se produjo un largo periodo de decadencia que llegó hasta 1925. En los cinco años siguientes parecía que el Princesa salía de la crisis gracias al recurso a las obras líricas en valenciano y a la zarzuela grande. En la temporada 1930-31 se le cambió su nombre por teatro de la Libertad. Hasta el inicio de la Guerra Civil, en el que el Princesa volvió a sumirse en otro período de atonía.

Teatro Principal. Inaugurado en 1832, surgió con la vocación de ofrecer ópera. Sin embargo, en febrero de 1850 empezó a entrar con fuerza la zarzuela moderna y, a partir de 1853, ya formó compañías específicas de género lírico español. De todos modos, en las dos últimas décadas del siglo fue el teatro menos dedicado al género zarzuelístico: la clase más alta de la sociedad valenciana siempre aspiró a ver ópera italiana o, al menos, otros géneros emergentes como el sinfónico. Lo anterior explica el éxito de la zarzuela grande y la ópera española (Bretón, Giner) entre 1905 y 1925. Frente a unos fracasos iniciales, los triunfos de Usandizaga, Penella o el Falla de *La vida breve* mostraban la orientación de un público que, significativamente, rechazó diferentes compañías de revista. Entre 1925 y 1936, su programación refleja la desorientación y progresiva decadencia del género lírico español.

Teatro Regüés. Tuvo su época de esplendor entre 1919 y 1923 gracias a las zarzuelas en valenciano.

Teatro Regional. Se centró en la zarzuela valenciana durante algunas temporadas. A partir de 1926 fue sustituido en esta dedicación por el *Teatro Moderno*, derribado tres años después.

Teatro Ruzafa. Fue inaugurado en 1873. Se trata de uno de los teatros más activos de la ciudad de Valencia y el auténtico templo del género chico. En él se estrenaron numerosas obras, no solo de autores valencianos residentes en Valencia sino de otros que vivían en Madrid, entre ellos Peydró, Lleó, Rosillo, Barrera, Serrano, Asensi y Reig.

Teatro Serrano. Construido en 1920 por iniciativa de Pallás y Dasí. Su capacidad era de 2.000 butacas. El teatro se construyó en medio de un jardín y el telón de boca fue pintado por el famoso escenógrafo Ricardo Alós.

12.2. Alicante. Teatro Principal. Siguiendo los planos del arquitecto Emilio Jover se inauguró en 1847 y tenía una cabida de 1159 asientos. Este teatro ha tenido una vida zarzuelística continuada e historiada por Corarelo y Mori, dado que la proximidad con otras ciudades como Valencia, Murcia y Cartagena hacía de esta ciudad un lugar atractivo para las compañías de zarzuela.

BIBLIOGRAFÍA: *DMEH*; *TA*; J. Nombela: "Los teatros de Madrid", *La España Artística*, 1, X-1857, 3-30; VIII-1858, 345-6; R. Barnola: "Compañías de zarzuela en los teatros de provincia", *La España Artística*, II, 20, 15-III-1858, 153; L. García Martín: *Manual de teatros y espectáculos públicos con la reseña histórica y descripción de las salas o circos destinados a ellos*, 2ª ed., Madrid, Imp. de Cristóbal González, 1860; R. Nieva: "Teatro Apolo: Sus defectos, sus bellezas, magníficas pinturas de su techumbre, adornos y consideraciones generales", *La Ilustración Universal*, 2, I-1874; *Teatros y edificios destinados a espectáculos públicos: disposiciones vigentes sobre su construcción, alumbrado y reformas en los existentes*, Ayuntamiento de Madrid, 1888; E. Sepúlveda: *El teatro del Príncipe Alfonso: historia de este Coliseo*, Madrid, Imp. de R. Velasco, 1892; A. González: "Los teatros de Madrid en 1850", *Por esos mundos*, 152, IX-1907, 273-8; "Gran Teatro, de Cádiz inaugurado el 12 de enero de 1910", *Comedias y Comediantes*, II, 7, 1-II-1910; "Inauguración del Teatro Balear", *Comedias y Comediantes*, I, 5, 1-I-1910; "Inauguración del Teatro Serrano. Valencia. El género chico y sus intérpretes", *Comedias y Comediantes*, II, 18, 1-VII-1910; "El Paraíso, Recreo de Verano", *Mundo Gráfico*, 35, 26-VI-1912; V. Tamayo: "El viejo Teatro de Novedades", *Blanco y Negro*, 1892, VIII-1927; "Madrid en estío: Los antiguos teatros de verano", *Nuevo Mundo*, 2057, VIII-1933; A. Martínez Olmedilla: *Los teatros de Madrid (Anecdotario de la farándula madrileña)*, Madrid, José Ruiz Alonso, 1947; A. Velasco Zazo: *Los teatros*, Madrid, 1948; F. C. Sainz de Robles: *Los antiguos teatros de Madrid*, Madrid, Instituto de estudios Madrileños, [Madrid, 1952]; A. Vallejo, F. Ramírez Dampierre: "Teatro de la Zarzuela", *Revista Nacional de Arquitectura*, XVII, 181, I-1957, 3-7; J. Barceló: *El teatro Romea y otros teatros de Murcia*, Murcia, Ed. Academia Alfonso X el Sabio, 1962; V. Ramos: *El teatro Principal en la historia de Alicante (1847-1947)*, Ayuntamiento de Alicante, 1965; P. Navascués Palacio: *Arquitectura y teatros madrileños en el siglo XIX*, Madrid, Instituto de Estudios Madrileños, 1973; M. C. Carmen Simón Palmer: "Construcción y apertura de teatros madrileños en el siglo XIX", *Segismundo. Revista Hispánica de Teatro*, 19-20, Madrid, 1974, 85-137; L. Alberdi Elola: *El teatro Principal*, Burgos, Ayuntamiento, 1979; L. Lagarma Bernardos: "Seis teatros madrileños destruidos por el fuego: Variedades, Eldorado, Zarzuela, Gran Teatro, Comedia y Novedades", *Revista Villa de Madrid*, 69, Madrid, 1980, 39-43; G. Sabater: *De la casa de las comedias al teatro Principal*, Palma de Mallorca, Conseil Insular, 1982; VVAA: *Arquitectura teatral en España*, catálogo de la exposición, Madrid, Dirección General de Arquitectura y Vivienda, MOPU, 1984; J. Ll. Sirera: *El teatre Principal de Valencia*, Valencia, Institució Valenciana d'Estudis i Investigació, 1986; VVAA: *Teatro Lope de Vega. Cinco Aniversarios de Plata: 1861-1986*, Valladolid, Caja de Ahorros Provincial, 1986; A. L. Fernández Muñoz: *Arquitectura teatral en Madrid. Del corral de comedias al cinematógrafo*, Madrid, Avapiés, 1988; VVAA: *Arquitectura teatral y cinematográfica. Andalucía 1800-1990*, Junta de Andalucía, 1990; F. Andura Varela: "Del Madrid teatral del XIX: la llegada de la luz, el teatro por horas. Los incendios. Los teatros de verano", *Cuatro siglos de teatro en Madrid*, Madrid, Consorcio Madrid Capital Europea de la Cultura, 1992, 85-115; M. T. Baratech: "Sobre el arrendamiento del Teatro Apolo en 1874-1875", *Ibíd.*, 213-30; V. J. Morant: "Aproximación a la arquitectura de los teatros madrileños de los siglos XVIII y XIX", *Ibíd.*, 53-67; VVAA: *La arquitectura en escena. Programa de rehabilitación de Teatros Españoles del siglo XIX*. Madrid, Ministerio de Obras Públicas y Transportes, 1992; VVAA: *Historia de los teatros nacionales, 1939-1962*, Madrid, Ministerio de Cultura, 1993; E. Casares Rodicio: *Francisco Asenjo Barbieri. 2. Escritos*, Madrid, ICCMU, 1994; C. A. Archaga y Martínez: *Actividades dramáticas en el teatro Principal de Burgos, 1858-1946*, Ayuntamiento de Burgos, 1997; VVAA: *El noble y leal Teatro Calderón de la Barca*, Valladolid, Ayuntamiento, 1999; C. Bacigalupe: *Bilbao. Teatro y teatros*, Bilbao, Ayuntamiento, 2000; A. I. Ballesteros: *Espacios del drama romántico español*, Madrid, Consejo Superior de Investigaciones Científicas, 2003. E. García Carretero: *Historia del teatro de la Zarzuela de Madrid*, Madrid, Fundación de la Zarzuela Española, 2003.

EMILIO CASARES RODICIO

Tejada, Carmen. España, siglo XIX. Actriz y tiple cómica. Actriz de teatro que actuó también de tiple estrenando obras como *Felipe* de Chapí, teatro Felipe, 1887; *Tocador de señoras* de Viaña y *Los lobos marinos* de Chapí ambas en Apolo, 1887; *¡A ti suspiramos!* de Fernández Caballero, *Dos chicos en grande* de Taboada y *El rey de oros* de Antonio Álvarez, todas en Martín, 1889; *La granadina* de Mateos, 1890, y *Tannhauser* de Giménez, ambas en Apolo, 1890.

Carmen Tejada
(Foto: El Teatro, 1904;
Ar. SGAE)

EMILIO CASARES RODICIO

Tejedor Pérez, Luis. †Madrid, 1985. Libretista. Estudió la carrera de Medicina aunque nunca ejerció. Es autor en solitario y en colaboración de numerosas obras escénicas con y sin música, cultivando todos los géneros, aunque la revista le proporcionó sus mayores éxitos entre las décadas de 1930 y 1940. Luis Fernández de Sevilla, Ángel Torres del Álamo y Jesús María de Arozamena fueron algunos de sus colaboradores, siendo Luis Muñoz Lorente el que más se repite en su catálogo de obras. Con él estrenó la comedia lírica *Sor Navarra*, 1938, teatro Victoria Eugenia de San Sebastián, y la zarzuela *La ilustre moza*, 1943, ambas con música de Federico Moreno Torroba, basada esta última en una obra de Lope de Vega, que consiguió un éxito extraordinario por una adaptación impecable del libreto y la inspiración de la partitura. Con sólo quince días de diferencia los mismos autores estrenaron en el Coliseum de Madrid *Lluvia de besos* (antes *Mil besos*) de Jacinto Guerrero. Con Luis Fernández de Sevilla escribió uno de sus mayores éxitos, *Las alegres cazadoras* de Fernando García Morcillo, teatro de la Zarzuela, 1950.

BIBLIOGRAFÍA: *CTLBN*; E. García Carretero: *Historia del teatro de la Zarzuela de Madrid*, Madrid, Fundación de la Zarzuela Española, 2003.

OLIVA G. BALBOA

Tellaeche y Arrillaga, José. Madrid, 12-XII-1887; Madrid, 13-IX-1948. Dramaturgo. Colaboró en los principales diarios y revistas de Madrid, destacando por sus artículos agudos y de cuidada prosa. Fue director del teatro Apolo durante su última etapa hasta la fecha de su demolición. Su producción teatral, tanto comedia como zarzuela, es extensa, y sus estrenos –la mayoría con una excelente acogida– tuvieron lugar entre las décadas de 1920 y 1940. Se distinguió por su conocimiento de los recursos escénicos y por una gran habilidad para el desarrollo de los asuntos, unido a un estilo desenvuelto y enérgico. El talento que mostró para integrar en su teatro costumbrismo, emoción y auténtica gracia, le dieron la oportunidad de colaborar con los compositores más importantes de la época como Rafael Calleja en la zarzuela *Las mariscalas*, 1923, ambientada en los agitados días de la usurpación francesa; Ernesto Pérez Rosillo en la zarzuela *La aventurera*, 1927; Federico Moreno Torroba en otra zarzuela, *Los cascabeles*, 1928; Reveriano Soutullo y Juan Vert en el grandísimo éxito de *El último romántico*, 1928; y Pablo Sorozábal compartió el reconocimiento del público obtenido con la acertada adaptación de la opereta alemana, *Das dreimäderlhans* de Franz Schubert, realizada en colaboración de Manuel de Góngora y bajo el título de *La casa de las tres muchachas*, 1934. Escribió en la mayoría de las ocasiones en colaboración de otros autores del género: con Manuel de Góngora –con quien repetiría en varias ocasiones– la zarzuela *Curro el de Lora* de Francisco Alonso, 1925, que tuvo una fría acogida inicial por parte del público, a pesar de la buena música y de un libreto con una calidad literaria inusual, con toques románticos en la descripción del mundo de los bandoleros, lleno de situaciones de interés y pintoresquismo y todo ello mezclado en las dosis

José Tellaeche
(Foto: Ar. SGAE)

justas con elementos cómicos. Con José de Lucio colaboró en la humorada *La corte de los gatos*, también de Francisco Alonso, 1926; con Federico Romero en la comedia lírica *Las Calatravas* de Pablo Luna, 1940. *Véase* LAS CALATRAVAS; CURRO EL DE LORA; LA LINDA TAPADA; EL ÚLTIMO ROMÁNTICO.

BIBLIOGRAFÍA: *EDL*; E. García Carretero: *Historia del teatro de la Zarzuela de Madrid*, Madrid, Fundación de la Zarzuela Española, 2003.

OLIVA G. BALBOA

Tellería Arrizabalaga, Juan. Zegama (Guipúzcoa), 12-VII-1894; Madrid, 26-II-1949. Compositor. Tellería no sólo es el autor de música sinfónica en el mejor estilo de los compositores del 27 –cuya formación académica compartió en alguna medida–, o de música lírica destacada por la crítica de un tiempo en el que la parte más funcional de la profesión musical era la que tenía que ver con el teatro, sino que también es autor de una música tan precisamente popular como el pasodoble *Venta de Vargas* y un himno tan importante en el sustrato musical de generaciones de españoles como el *Cara al sol* de la Falange, la música quizá más cantada y cargada de connotaciones de una época de la historia de España.

I. Primeros años y formación. II. De Madrid a la bohemia europea. III. Las obras líricas anteriores a la Guerra Civil. IV. Guerra, posguerra y últimas composiciones líricas.

I. PRIMEROS AÑOS Y FORMACIÓN. Juan Tellería fue el segundo de los cinco hijos de un humilde organista. Huérfano a los siete años, él, sus hermanos y dos primos que vivían con ellos fueron recogidos por su tío Baldomero Tellería, sacerdote y músico aficionado, con quien comenzó los estudios musicales. No fue sencillo el encauzamiento de Tellería en el terreno de la música ya que en Zegama y en la zona sur de la provincia de Guipúzcoa –como en la casi totalidad de la España rural de principios de siglo– no había ningún centro dedicado a la enseñanza musical. A pesar de ello, según los primeros biógrafos de Tellería, además de las lecciones elementales que le daba su tío, también se le procuraron algunas clases particulares de piano.

Tellería permaneció en Zegama hasta los dieciséis años. En torno a 1911 la Diputación Provincial de Guipúzcoa, en la que se encontraba el ingeniero y gran filarmónico Francisco Gascue, convocó en San Sebastián un concurso para la adjudicación de una pensión de 300 pesetas anuales, que obtuvo Tellería y trasladó su residencia a la capital donostiarra. Durante este tiempo fue pianista en los abundantes y concurridos cafés de San Sebastián y en los cines de moda entre los que destacaban el Lumière de la calle Reina Regente, el Rocamora de la calle Fuenterrabía o el Novedades en el que tocaba como integrante de un trío en el que también figuraban Pablo Sorozábal como violinista y Santos Gandía como violonchelista. Además, tocaba el órgano en la iglesia de los jesuitas donde también estaba Nemesio Otaño. Así Tellería pudo costearse unos estudios oficiales de música cursados en la Academia de Música de San Sebastián con Juan Germán Cendoya los de solfeo, y con Beltrán Pagola los de piano y composición. En enero de 1915 culminó la etapa de formación trasladándose a Madrid donde completó sus estudios y comenzó su carrera como compositor. En 1915 se acababa de incorporar al conservatorio, como profesor de armonía, Conrado del Campo, con quien estudió

Juan Tellería con su esposa e hijos (Foto: Ar. familiar)

Tellería –en clases particulares de composición, no como alumno oficial– así como otros muchos músicos de la Generación del 27. Otro recién incorporado al conservatorio, el pianista Manuel Fernández Alberdi, fue el profesor de piano de Tellería.

II. DEL SINFONISMO EN MADRID A LA BOHEMIA EUROPEA. No parece que Tellería llegara nunca a integrarse en el ambiente creativo del grupo de compositores de Madrid articulado en torno al crítico Salazar y con un punto de referencia situado en Falla; Tellería debía de llevar una existencia bastante ocupada ganándose la vida como músico profesional, como para poder dedicar tiempo suficiente al lujo del asociacionismo musical por el que iban los derroteros de la joven música madrileña. La pensión que le daba la Diputación de Guipúzcoa se le había acabado en 1915 por lo que tuvo que seguir trabajando en cafés y cines y se ayudó también dando algunas clases particulares. Dos de sus primeras discípulas fueron unas sobrinas del ilustre Julián Gayarre. A pesar de esta cierta desvinculación personal entre Tellería y los músicos del Grupo de Madrid, es un hecho muy significativo que sus primeras obras se programaran en lo que han de considerarse los dos órganos básicos de la difusión de la nueva música: la Orquesta Sinfónica dirigida por Fernández Arbós y la Sociedad Nacional de Música. En 1917 estrenó una obra sinfónica, que parece que le permitió conseguir una ayuda de la Diputación Provincial de Guipúzcoa con lo que su situación económica debió verse bastante aliviada. El día 17 de noviembre de 1917, poco después del éxito conquistado en San Sebastián, Arbós volvió a programar –esta vez en su versión completa– *La dama de Aitzgorri* dentro de un ciclo de conciertos populares celebrados en la temporada de otoño en el teatro Odeón de Madrid, hoy teatro Calderón.

La carrera de Tellería en esta época, partiendo de un sinfonismo post-romántico se había encauzado hacia la creación contemporánea y apuntaba muy alto, pero esta proyección se vio truncada por un viaje a finales de 1919, primero a París, y más adelante –en torno a 1923–, a Alemania donde permaneció hasta 1925. Fueron años de bohemia y, mientras otros músicos, incluso paisanos suyos como Andrés Isasi y Pablo Sorozábal, volvieron de aventuras europeas similares llenos de ideas y proyectos con los que contribuyeron de forma importante a la revitalización de la música española, lo primero que parece dar a conocer Tellería después de su viaje por Europa es una colección de bailables para piano publicada en Zegama con planchas del editor barcelonés Boileau en colaboración con su tío Félix Tellería, que además era el editor. En esta colección, adoptó el seudónimo de John Teller necesario para imponerse en el mundo del fox en el que brillaba un nombre indiscutible: Pedro Astort, alias Clifton Worsley.

III. LAS OBRAS LÍRICAS ANTERIORES A LA GUERRA CIVIL. Tellería entró en el género lírico de la mano de Conrado del Campo, uno de los compositores españoles más influyentes de la primera mitad del siglo XX. La obra que firmó Tellería en colaboración con Conrado del Campo –que constituye su presentación en el difícil mundo de la lírica madrileña– no constituye ningún proyecto ambicioso. Bajo el título significativo de *El cabaret de la Academia*, se trata más bien de una obra de circunstancias, arrevistada sobre todo por la temática de gran actualidad y por la estructura musical determinada por un libreto cuya trama es sólo una excusa para conducir a una serie de números bailables de moda. El libreto, de Miguel Monter y del ingeniero Domingo Goitia Ajuria, trataba de la incorporación de las lenguas regionales a la Real Academia de la Lengua y se subtitulaba "humorada lírico-bailable, en un acto y once cuadros". La música consta de trece números siendo el segundo el charleston "Si vas alguna vez a Barcelona", el sexto un Tiritón, el séptimo un tango milonga "Pone el tango en la farra", el octavo la canción gallega "Cando partí d'o meu fogar" seguida de una muñeira, el noveno una sardana "Nostra dansa, la sardana", el décimo un zortzico cuyo texto está en euskera en el libreto editado por la editorial Siglo XX de Madrid –"Guré euscalerri maite"–, mientras que en la partitura de la SGAE con la que se realizó la representación el texto está en castellano –"Vasconia siempre alegre"–. Esta inconsistencia entre el libreto y la partitura, bastante normal en este tipo de repertorio, también se detecta en la canción gallega y en el danzón cubano del Nº 12. La serie de bailes termina con un romance gitano, Nº 11, recitado sobre una música de carácter flamenco en la que la guitarra forma parte importante de la orquestación, seguido por un danzón cubano, Nº 12, y, en último término, la obra concluye con un número en tiempo de pasodoble. Esta obra, en la que además se encontró lugar para incluir un schottisch, fue estrenada en el teatro Eslava el 17 de junio de 1927 por la compañía de la argentina Celia Gámez quien interpretó el tango milonga poniendo la chispa picante necesaria en el género arrevistado. Precisamente, este número cantado por la Gámez, junto con el Tiritón, fueron los que más éxito obtuvieron y ello les valió ser publicados por la Unión Musical Española en reducción para canto y piano. Como se puede apreciar, esta obra marca un giro radical en lo que había sido la carrera de Tellería antes de su viaje por Europa; una clara inflexión hacia la música comercial. A falta de una pensión institucional como había tenido en épocas anteriores, careciendo de un puesto fijo de trabajo y con los empleos ocasionales que antes solía desempeñar como pianista de café y cine en recesión, trató de buscar su sustento en el ejercicio como compositor de música para el teatro y la sala de fiestas y este desempeño le apartó definitivamente de la composición sinfónica. Según una nota manuscrita que se encuentra en el libreto depositado en el archivo de la SGAE, *El cabaret de la Academia* se representó 105 noches seguidas con lo cual, en términos funcionales, se puede considerar una obra perfectamente lograda que debió de reportar unos buenos ingresos a sus autores.

Después de *El cabaret de la Academia*, suceden tres años sin actividad compositiva, excluidas algunas canciones con acompañamiento dentro del ámbito de música de salón. Varias de estas obras se popularizaron en la época y eso proporcionó a su autor algunos ingresos extraordinarios. Sin embargo, la siguiente obra lírica de su catálogo, la zarzuela bufa *Los blasones*, estrenada en el Circo Price el 26 de diciembre de 1930, viene a representar una nueva orientación en la actividad del compositor. Fuera del mundo esencialmente comercial de la revista y del bailable de moda, intentó crear una zarzuela de éxito. Sin embargo, no tuvo la fortuna de contar con un buen libreto y, a pesar de que la crítica se dio perfecta cuenta del desequilibrio entre letra y música, la obra no representó ninguna consagración de su autor en el siempre complicado mundo de la creación lírica, sobre todo en una época en la que la diversificación de espectáculos y la progresiva educación de las audiencias había introducido nuevos elementos de competencia y exigencias nuevas en el género lírico. Con el mismo fondo de la Rusia zarista, el libreto de Francisco García Loygorri y Antonio González Álvarez para *Los blasones,* es notablemente peor que el de *Katiuska* que estrenó Sorozábal apenas un mes después, y la música tiende claramente a lo pegadizo –algo a lo que tampoco renunció Sorozábal en *Katiuska,* aunque por otros medios– con la repetición de estribillos muy directos y fácilmente reconocibles. Por otra parte, la inclusión de formas bailables es tópica dentro de este repertorio y no parece que sea objeto de crítica ya que el fox-trot era una página inevitable, al margen de que el libro tratase de la Rusia zarista o de África central, pero se echa de menos el tinte exótico y llamativo que se podría haber conseguido a través de melodías rusas, algo que consiguió perfectamente Sorozábal que basó su obra en citas casi literales del más conocido folclore ruso. Además, el segundo acto incluía un número de viceplies, algo que Sorozábal procuró evitar a lo largo de su carrera: el "Himno de los Estudiantes" que también se usó como fin de fiesta. En último término, la elección del género opereta por parte de un Sorozábal inmerso entonces en la cultura musical germana demostró ser más oportuna que la de zarzuela bufa elegida por Tellería. El tiempo iba a mostrar que era precisamente en el género opereta donde se iban a conseguir alguno de los frutos más granados en los últimos momentos del género lírico español. Tellería parece que entendió esto, y el 11 de febrero de 1943 estrenó en el teatro Tívoli de Barcelona una versión revisada de *Los blasones,* bajo el nuevo título de *El amor en vacaciones* y con el subtítulo de "opereta en dos actos".

La reacción de Tellería ante el fracaso de *Los blasones* se produjo dos años después con el estreno, el 7 de diciembre de 1934, de *El joven piloto* en el teatro Calderón con la compañía de Moreno Torroba. Esta obra significó un importante cambio cualitativo en su actividad escénica. En este caso, el libreto de Luis Urquijo (marqués de Bolarque) y Jacinto Miquelarena subtitulado "cuadros sentimentales de la vida en el mar y en los puertos", que obtuvo un éxito memorable, es excelente en su concepción lírico-dramática. Al igual que la crítica, la opinión pública se dio perfecta cuenta de lo que significaba una obra de estas características, muy opuesta a *Los blasones,* y el 23 de diciembre se celebró un banquete en honor de los autores en cuyo comité organizador aparecían el pintor Eduardo Chicharro, director general de Bellas Artes, Jacinto Benavente, Mariano Benlliure, Eduardo Marquina y Jacinto Guerrero, representantes de los más variados ramos del arte.

IV. GUERRA, POSGUERRA Y ÚLTIMAS COMPOSICIONES LÍRICAS. En los años inmediatamente anteriores a la Guerra Civil, Tellería se relacionó con toda una serie de personalidades del mundo de la cultura y el arte afines al movimiento falangista lide-

rado por José Antonio Primo de Rivera. Para él escribió la música del himno *Cara al sol* que será su composición más conocida que forma parte indisoluble del paisaje acústico de una época de la historia de España. La guerra sorprendió a Tellería en Madrid y, durante los primeros cinco meses, sufrió dos encarcelamientos, pudiéndose salvar de la muerte milagrosamente. Durante los años siguientes, ya con una esposa y una hija a las que atender, logró normalizar su existencia en la medida de lo posible, se integró en el ambiente en el que le había tocado vivir y llegó incluso a escribir la música de dos películas importantes de la propaganda republicana: *Amores de juventud* de Julián Torremocha, que se finalizó unos meses después de que terminara la Guerra Civil y *Defendemos nuestra patria* dirigida en 1938 por Juan Manuel Plaza, escritor y crítico de cine miembro de la Alianza de Intelectuales Antifascistas para la Defensa de la Cultura y comisario político del Ejército republicano. Esto tampoco le favoreció al final de la guerra y, quizá por ello, tuvo que ceder sus derechos de autor por el *Cara al sol* al Movimiento, a pesar de que su himno estaba perfectamente registrado en la SGAE.

En 1939 consiguió un puesto como profesor interino de música de cámara en el Conservatorio. Es la etapa en la que el Conservatorio se reestructuraba bajo la dirección del omnipresente Nemesio Otaño, con quien Tellería no mantenía buenas relaciones. Cuando en 1946 se realizó la oposición para la plaza que había estado desempeñando, el tribunal presidido por Otaño se la concedió a otro de los opositores de una manera que a Tellería siempre le pareció injusta. De esta manera, en 1946 terminó su actividad docente. Entre tanto, en 1940 puso música a una de las películas emblemáticas del nuevo régimen político: *Sin novedad en el Alcázar.* En 1942 recibió la medalla de oro del Sindicato Nacional del Espectáculo, pero durante los seis años largos que fue profesor del Conservatorio, sólo compuso música incidental para la comedia de Julio Bravo *Don Cugat de Escalada,* algunos himnos para instituciones franquistas y apenas música de baile.

Una vez apartado de la docencia, Tellería reanudó su carrera como compositor de música para la escena con un libreto de José María Pemán titulado *Las viejas ricas.* Esta obra se estrenó en el teatro de la Zarzuela el 15 de febrero de 1947. En esta época Pemán era una de las figuras más representativas de la cultura oficial franquista y resulta muy significativo que confiara su libreto a Tellería, sin duda porque intentaba aprovechar su capacidad creativa para llenar de alguna manera la débil escena musical española de la posguerra. El libreto estaba completamente supeditado a la música y los críticos apuntaron la brillantez de la parte musical a pesar de que el libreto sacrificaba demasiadas situaciones dramáticas en favor de ofrecer al músico momentos de lucimiento. Sainz de la Maza destacó en su columna crítica del *ABC* que "el primero y tercer cuadros están casi por completo construidos musicalmente y son verdaderos cuadros de ópera cómica".

Al igual que sus obras líricas anteriores, *Las viejas ricas* no se repuso en la programación teatral, de manera que el sueño de Tellería que, como el de cualquier compositor de música lírica, era el de ver sus obras programadas de forma sistemática, no llegó a cumplirse y, a pesar de ello, volvió a intentar una zarzuela con el libro *Alegre primavera* de Julio Bravo, que no llegó a terminar dejándolo sólo a falta de la orquestación. "El 25 de febrero de 1949 –según relato de Sagardía– Tellería se sintió algo indispuesto; lo visitó el médico que certificó le aquejaba un ataque gripal. El día 26 a las seis de la mañana, pidió a su mujer una tableta de aspirina; la tomó y al poco quedó dormido; lo dejaron solo y hacia las diez y media, al observarle muy silencioso, la esposa se aproximó al lecho y lo encontró muerto. Se diagnosticó había expirado de un derrame interno". Pocos días después, Gerardo Diego publicó en la *Crónica de la Tarde* (2-III-1949), las siguientes líneas necrológicas: "La súbita muerte del popular compositor Juan Tellería ha conmovido hondamente a sus innumerables amigos y a todos los aficionados españoles que esperaban con ilusión la música nueva del maestro guipuzcoano. Se le sabía trabajando no sólo en su habitual sector de teatro, sino en el sinfónico cuyo cultivo habíamos visto con pena abandonar demasiado tiempo a un músico tan bien preparado y de tan ferviente impulso interior. La *Sinfonía heroica* será una sinfonía más inacabada, pero el buen Tellería, alma de niño, siempre buscando, pidiendo poesía –tenemos que colaborar ¿sabes? Dame poesía, poesía– sabiéndose abrir la entraña para dejar manar su melodía bien caliente, no pasará a mejor vida sin dejar lo que vale más que un nombre: un canto aprendido por millones de españoles que ha vivido anónimo en los años heroicos como seguirá viviendo, firmado ya por la muerte y la victoria, en los anales de España". *Véase* EL JOVEN PILOTO.

OBRAS (Todas en *E:Msa*): *El cabaret de la academia*, Hum lírico-bailable, 1 act, col. C. del Campo, l, D. Goitia Ajuria / M. Monter, est, 17-XII-1927, Te. Eslava; *Los blasones*, Zarz, 3 act, l, F. García Loygorri / A. González Álvarez, est, 20-XII-1930, Te. Circo Price; *Las gatas republicanas*, Zarz, 2 act, col. C. Vela / J. Belda, l, J. De Lucio / A. Paso Díaz / F. Jiménez, est, 2-VI-1931, Te. Maravillas; *El joven piloto*, cuadros sentimentales de la vida en el mar, 2 act, l, L. Urquijo Landeche (marqués de Bolarque) / J. Miquelarena Regueiro, est, 7-XII-1934, Te. Calderón; *El amor en vacaciones*, Opt, 2 act, l, F. García Loygorri / A. González Álvarez, est, 11-II-1943, Te. Tívoli (Barcelona); *Don Cugat de Escalada*, comedieta, l, J. Bravo, est, 1941; *Las viejas ricas*, Dr lír, 2 act, l, J. M. Pemán / J. C. Luna Sánchez, est, 15-II-1947, Te. de la Zarzuela; *Alegre primavera*, Com

musical, 3 act, l, J. Bravo San Feliú; *Gente del llano*, 2 act; *En un pueblo de Castilla*, 2 act, l, Pérez de León; *Mujeres, muchas mujeres*, l, R. Endériz.

FONOGRAFÍA: *El cabaret de la academia*, Blue Moon-Regal RS 548, K 686.

BIBLIOGRAFÍA: *DMEH*; A. Sagardía: "Un compositor donostiarra, Juan Tellería", *Vida Vasca*, 34, 1957, 81-7; T. Borrás: *Juan Tellería*, Madrid, Zagor, 1962; A. Sagardía: *Vida y obra de cuatro músicos vascos. Ensayo crítico-histórico*, [1965]; J. A. Arana Martija: *Música vasca*, Bilbao, Caja de Ahorros Vizcaína, 1987; J. Suárez-Pajares: "El compositor vasco Juan Tellería y su tiempo. Reflexiones después del centenario", *Cuadernos de Música Iberoamericana*, 1, 1996, 25-62; –: "Pablo Sorozábal en la lírica española de los años 30", *Cuadernos de Música Iberoamericana*, 4, 1997, 105-43.

JAVIER SUÁREZ-PAJARES

Téllez, María. España, siglo XX. Tiple cómica. En 1925 estrenó en el teatro del Duque de Sevilla *El chaval de las flores* de Carretero y Vidriet; en 1929 actuaba en el teatro Principal de México donde estrenó *Al dorarse las espigas* de Francisco Balaguer, *La parranda* de Alonso, *La marchenera* de Torroba y *El gato montés* de Penella. De vuelta a España estrenó

María Téllez
(Foto: Galán; Ar. SGAE)

en 1930 *La rosa del azafrán* de Guerrero en el teatro Calderón de Madrid y *El cantar del arriero* de Díaz Giles en el teatro Victoria de Barcelona; en 1931 estrenó en el Novedades de Barcelona *Marcha de honor* de Soutullo y Vert y en 1932 en el teatro Nuevo de Barcelona *La moza que yo quería* de Díaz Giles. En 1934 estrenó *La del manojo de rosas* de Sorozábal en el teatro Fuencarral de Madrid. En 1943 estrenó *Loza lozana* de Guerrero en el Coliseum con Pepita Embil. En 1945 estaba en el teatro de la Zarzuela dentro de la compañía de Moreno Torroba y cantó *Bohemios* y *La verbena de la Paloma*.

FONOGRAFÍA: *Aquella canción antigua*, Columbia RG 16207 a RG 16212, CC 839 a CC 840; *El sobre verde*, Odeón 102258 (et. azul), SO 4186 SO 4187; *La rosa del azafrán*, El espejo de la Voz 89121 (et. azul) • La Voz de su Amo AE 3104 (et. verde), BJ 3252 BJ 3253 • Odeón 203217 (et. fucsia), SO 6097 SO 6099; *Me llaman la presumida*, La Voz de su Amo DA 4248 a DA 4250, GY 201, OKA 246 a OKA 253 • Blue Moon BMCD 7528.

BIBLIOGRAFÍA: M. Mañón: *Historia del teatro Principal de México*, México, Ed. Cultura, 1932.

Mª LUZ GONZÁLEZ PEÑA

Tempestad, La. Melodrama en tres actos. Música de Ruperto Chapí. Libreto de Miguel Ramos Carrión. Estrenado el 11 de marzo de 1882 en el teatro de la Zarzuela de Madrid.

Personajes y reparto. Ángela (Dolores Cortés de Pedrol, tiple). Roberto (Dolores Franco de Salas). Margarita (Teresa Rivas). Una aldeana (Elisa González). Simón (Enrique Ferrer). Beltrán (Eduardo Bergés, tenor). Mateo (Juan Orejón). El juez (José Subirá). El procurador (Antonio Belloc). Un pescador (Fernando Jiménez). Marinero 1 (Antonio Barragán). Marinero 2 (José Vidal). Mujeres del pueblo, marineros y pescadores. Coro general.

Orquestación. Flautín, flauta, 2 oboes, 2 clarinetes, fagot, 2 trompas, 2 cornetines en La, 3 trombones, timbales, percusión y cuerda.

Argumento. La acción tiene lugar en un pueblo de Bretaña, a principios del siglo XIX. *Acto I.* Sucede en la sala baja de la hostería de Simón, frente al mar, y se inicia en plena tempestad, mientras los marineros luchan por salvar sus barcos y las mujeres rezan a una imagen de la Virgen. Pasada la tormenta, los marineros entran en la hostería y beben con alegría, a la par que comentan las incidencias del salvamento de un bergantín, en cuyas labores ha destacado Roberto, hijo de marineros, y al que todos elogian por su conducta en el naufragio. Roberto está enamorado de Ángela, hija de un comerciante que fue asesinado hace años, y robado, durante una tempestad, cuando esperaba a que reinara la calma, tras la galerna, para embarcar. Entonces no pudo encontrarse al asesino, y Ángela, pequeñita y huérfana, fue prohijada por el señor Simón con quien vive. Tras el coloquio en el que Roberto cuenta el origen de su vida, sale a escena Simón donde, en su romanza, refleja sus temores. Prosigue el encuentro entre Roberto y Ángela, donde se declaran su amor mutuo. Posteriormente, Roberto entona su célebre romanza, en la que reconoce y valora sus raíces. Queda definitivamente convenido el matrimonio de los jóvenes, a pesar de la falta de convencimiento de Simón.

Acto II. Se inicia con dos escenas de conjunto donde se canta la boda de los jóvenes, a la que sigue una serenata de carácter cómico y en la que se hace una exaltación de la fortuna que se le supone a Beltrán. Cuando todo es alegría y júbilo, aparece la justicia que quiere detener a Beltrán. Simón, rencoroso de la felicidad ajena, ha acusado a éste de ser el asesino del padre de Ángela. El juez afirma que deberá expiar su crimen, ante el asombro de todos.

Acto III. Comienza con una escena de conjunto donde se señala la tristeza del desdichado. Sigue un número de voces cómicas. A pesar de que el tribunal ha condenado a Beltrán, Ángela apuesta por su inocencia. De hecho, nadie en el pueblo cree en su culpabilidad. Beltrán permanece preso en la casa de Simón y Roberto y Mateo barajan su fuga. Mateo,

Cortesía de Unión Musical Ediciones SL

sin embargo, que vigila desconfiado a Simón, sorprende su sueño y en la agitación del mismo oye cómo, entre pesadillas, aquél reconoce su crimen y ve cómo esa confesión la tiene escrita en un papel que guarda en el pecho. Mateo, entonces, le quita el papel y lo lleva al juez, quien se presenta a detener a Simón, que ha intentado, mientras, asesinar también a Beltrán, a quien supone autor del hurto de su confesión escrita. Beltrán es liberado definitivamente de la cárcel y los enamorados celebran el final de sus múltiples padecimientos.

Números musicales. Preludio. Acto I: Nº 1. Introducción y coro, "Estrella de los mares". Nº 1bis. Coplas, "Para ser marinerito no he nacido yo". Nº 1ter. Coro y romanza, "Aquí está el mancebo valiente y audaz". Nº 1cuater. Mutis del coro, "Honor al mancebo". Nº 2. Monólogo, "La lluvia ha cesado". Nº 3. Dúo, "¡Ángela mía! ¡Mi dulce encanto!". Nº 4. Romanza, "Salve, salve costa de Bretaña, donde nací". Nº 5. Cuarteto, "¡Virgen Santa!". Acto II: Nº 6. Introducción y coro, "Llegad, llegad, venid, venid". Nº 6bis. Coro y alborada, "Despierta, niña, despierta, que el día avanzando va". Nº 6ter. "Tengan muy buenos días". Nº 7. Coro de los consejos, "En busca de la novia, que ya le espera". Nº 8. Terceto, "Diamantes brasileños tan claros como el sol". Nº 9. Balada fantástica, "Alegres campanas repica el sacristán". Nº 10. Concertante final del acto II, "En tanto que los novios vienen acá". Acto III: Nº 11. Introducción y coro, "Esa es la puerta del tribunal". Nº 11bis. Coro de los sueños, "En cuanto me acuesto sueño con fantasmas". Nº 12. Romanza de tiple, "Con él, mi esperanza va". Nº 13. Terceto, "¡Valor, Ángela mía! ¡El ánimo perdí!". Nº 14. Melodrama. Nº 15. Final.

Comentario. El salto que se produce con *La tempestad* en la vida de Chapí fue determinante hasta el punto de ubicarle como el verdadero líder de la recuperación del género grande que se encontraba en esa época en un proceso de regresión y, de alguna manera, decadencia. Es el primer gran éxito de su vida, incontestable para casi todos. Tras los diferentes trabajos previos, *La tempestad* se mostraba como una zarzuela novedosa en el tratamiento de los materiales musicales, por lo menos para lo que el público español estaba acostumbrado. Frente al italianismo forzado que presentaban Gaztambide, Barbieri y, sobre todo Arrieta, por no citar la ecléctica línea de Fernández Caballero, Chapí adaptaba la zarzuela a las nuevas realidades musicales europeas que él conocía bien, aunque sin apostar por un excesivo radicalismo que, posiblemente, hubiera sido contestado por la crítica más conservadora. A instancias de Arderius, que había asumido la empresa del teatro de la Zarzuela, Chapí había sido requerido para hacerse cargo de la dirección de la orquesta de la Zarzuela, aunque sus compromisos con la del teatro Apolo se lo habían impedido. Chapí aceptó, sin embargo, la responsabilidad de poner música al texto de Ramos. Este se había convertido, en realidad en el único libretista de cierto fuste que mantuvo vigente la zarzuela grande. Como escribía Octavio Picón, Ramos era un caso semejante a "esos políticos hábiles que saben oponerse a lo que parece inevitable. Ramos Carrión está retrasando, y con retrasarla acaso evite, la muerte de la zarzuela". Melodrama lírico llamó Ramos a su obra, viniendo con el título a justificar que estaba riñendo con las reglas de la lógica y la verosimilitud bajo todos los conceptos. La obra estuvo pensada desde el principio para Chapí, a quien Ramos respetó y valoró desde un principio.

Ante el notable prestigio de Ramos, no es de extrañar que la zarzuela fuera muy bien valorada desde su estreno. *El Globo* señalaba que "sin ser una obra de importancia literaria, responde muy bien a las exigencias del género y realiza por completo el propósito de su autor. Los libretistas de zarzuela no suelen pararse en barras y están autorizados para apoderarse de cuanto les convenga, con tal de que sea nuevo entre nosotros y ofrezca garantía de un éxito seguro y decisivo". El crítico Antonio Peña y Goñi, que dedicó todo un opúsculo a la obra, afirmaba sobre el libreto que "es inverosímil, ilógico, burdo, todo lo que se quiera, pero que, engalanado por una versificación delicada y tierna, y trazado con gran vigor, si no con concisión, conmueve e interesa... y da margen a bellísimas situaciones musicales" (*Revista Contemporánea*, Madrid, IV-1882). Pero la valoración de la obra no fue unánime y así, en *La Correspondencia Musical*, el conservador crítico que firmaba con el seudónimo de Sostenido, señalaba que "ni por su argumento, ni por sus situaciones, ni por el realismo que reviste, ni por la localización de la escena, responde a las exigencias de la zarzuela, género especialísimo y eminentemente español que necesita para desenvolverse con propiedad y holgura cuadros muy distintos de los que ha trazado la pluma del Sr. Ramos Carrión". Y añadía que "creemos que por semejante camino no es posible llegar a la creación de la ópera española y sólo se persevera en un error en que los libretistas han incurrido algunas veces, desde la creación de nuestra zarzuela. ¡Qué diferencia tan grande entre el libro de *La tempestad* y los de *Jugar con fuego, El dominó azul, Marina, Pan*

y toros y tantos otros que han dado margen a las brillantes y sentidas inspiraciones de Arrieta, Barbieri, Gaztambide y de otros muchos maestros insignes que han elevado la zarzuela al rango que hoy ocupa y le han impreso el indeleble sello de nacionalidad que ostenta en sus blasones! Se trata de música, y para la música queremos poesía, sentimientos, inspiración, y no tiradas de hermosos versos que vistan un cuerpo monstruoso y enteco, hijo de un realismo exagerado y mal disimulado por la habilidad de un escritor que bien pudiera emplear sus grandes dotes en obras de alto vuelo, dignas de la justa fama de que en el mundo literario goza" (Madrid, 22-III-1882).

La partitura es una de las más voluminosas y ambiciosas de la primera etapa de Chapí. Consta de un preludio y veintidós números. A pesar de ofrecer un preludio de corte sencillo, está orquestado con rigor, lleno de múltiples matices del máximo interés. En el primer acto, aparece un preludio descriptivo, donde se aprecia que Chapí conocía bien algunos recursos del wagnerismo romántico y ya los había asimilado, en lo que le convenía al menos y que muestra un tratamiento similar al *Otello* verdiano que, por cierto, todavía no se había estrenado. *El buque fantasma*, tamizado por el espíritu francés, está detrás de todo este tratamiento. La plegaria de las mujeres, interrumpida por las exclamaciones de los marineros, tiene carácter y allí el vínculo con el coro de hilanderas de *El holandés* resulta casi inevitable. Los apoyos instrumentales del tenor cómico así como el dramatismo de Roberto, cantado siguiendo las convenciones al uso por una mezzo, merecen ser destacados. Aquí se comprueba la influencia de la nueva visión del teatro musical de la Europa del XIX en la combinación de voces. Sin duda que esta primera escena es una de las más logradas de Chapí. El aria de Simón, donde se aprecia la influencia de Verdi, es una muestra de las aportaciones que había asumido el compositor villenense. La segunda parte del aria es más francesa, especialmente el "¿Por qué, por qué temblar?" con su correspondiente coda, que está en la línea de algunas arias de Gounod. Culmina en un Fa #, a modo de lucimiento para el cantante. Se pueden establecer todos los paralelismos con melodías similares como las entonadas en el *Werther* de Massenet. A pesar de tener una estructura que recuerda el modelo recitativo / cavatina / cabaletta, la traslación al lenguaje español de un modo que bien puede vincularse con la estética posterior a Gounod, parece bastante clara. Continúa con un dúo femenino con una estructura que recuerda al Offenbach de *Los cuentos de Hoffmann* que, con total seguridad, Chapí no pudo conocer. El modelo barcarola fue, en todo caso, muy habitual en su época.

La romanza del tenor viene precedida por un motivo rítmico apoyado por el oboe que toma una idea de corte folclórico. El tratamiento de la voz masculina estaba pensado en origen para un tenor lírico, registro acorde con el de Eduardo Bergés de principios de los ochenta. En varias partes, el "Salve costa de Bretaña" tiene lógicas resonancias francesas. Mucho más original resulta la parte intermedia, especialmente a partir de "Escuchando el rumor de ese mar", basado en un ritmo ternario, de estructura popular con una base musical que imita el sonido de gaitas a través del viento madera y que enlaza con el melodismo característico de Arrieta, que hace funcionar, con un acompañamiento musical para terminar en el consiguiente Do de pecho. El acto termina con un cuarteto bien construido, trazado con mucha seguridad e inteligencia dramáticas, dentro de un estilo bastante caduco, que está íntimamente relacionado con los conjuntos finales a ritmo de marcha que hay en tantas óperas de Verdi, donde se intercalan ideas españolas, caracterizadas por las segundas aumentadas.

El elemento coral domina el segundo acto. La serenata a la novia, el terceto, que podría llamarse de las joyas, maneja con ingenio las semejanzas de la situación con el aria de Margarita de *Fausto*, tal y como ya destaca Peña y Goñi. La melodía, sencilla, y corta de inspiración, configura algunos elementos del acto. Hay que destacar la balada de Simón; considerada desde su estreno como una obra maestra, es posiblemente el fragmento más pensado de la zarzuela y que Chapí se negó a quitar pese a múltiples opiniones contrarias. La música va siguiendo, paso a paso, la descripción, con muy bellas gradaciones de la narración donde se ven diferentes formas y matices, dentro de una gran unidad rítmica. Engañado por el comienzo de la historia, el coro responde tranquilo al campaneo de Simón y, sobrecogido de terror al escuchar el desenlace, el cuadro va cambiando de tintas, con las sarcásticas frases del hostelero repercutiendo dolorosamente en los oyentes que convencidos por los acentos del avaro, se convierten en eco de sus exclamaciones. Un fúnebre tañido pone fin a la balada. Las resonancias verdianas y, en su tratamiento instrumental, de la escuela de Gounod son evidentes. También aquí se fuerza el género híbrido que era la zarzuela, donde se requiere del intérprete una gran capacidad de actuación.

El gran final del segundo acto viene con la mayor oportunidad a presentar al músico ocasión de manejar las masas vocales, y de componer una de esas piezas de grandes dimensiones y seguro efecto, que tanto entusiasmó al público madrileño. Después de un breve episodio coral, que precede a la entrada del juez y la detención inesperada del delincuente, comienza el concertante, trazado bajo los principios del género italiano en esta clase de composiciones. Propuesto el primer motivo por el tenor y repetido por el barítono y la tiple a intervalos iguales, el interés empieza con el segundo motivo en tono mayor, que las voces van adornando paulatinamente, hasta llegar al máximo. La distribución está hecha con admirable maestría, tanto en la escena como en la orquesta; los motivos y contramotivos se destacan con la mayor claridad en medio de un acompañamiento coral, enérgico y vigoroso, que adquiere por su estructura notable importancia. Hábil es la inclusión de la barcarola del dúo del acto primero que representa la pérdida de las ilusiones de Ángela y Roberto. El final es de efecto, siguiendo el modelo belcantista italiano. La escena termina con una stretta breve que tiene como único fin contentar al público, cerrando con la melodía de la barcarola. El acto tercero no contiene más que un coro, una romanza y un terceto. Ni el coro ni la romanza aportan nada especial, salvo un oficio notabilísimo. Sin embargo, el terceto es un remate del edificio propuesto por Chapí, sustentado dentro del esquema italiano.

Lo más llamativo de esta obra es el notable avance en la estructuración de la zarzuela grande. Una nueva sonoridad, especialmente en lo que se refiere al primer acto y en las primeras escenas, que la música española no había producido. La incorporación de elementos melodramáticos a un género básicamente cómico no era nueva, pero sí resultaba nuevo que una zarzuela grande fuera un melodrama en su totalidad. Musicalmente hay una gran diferencia entre *La tempestad* y *Marina*, su más clara antecesora. El tratamiento general temático, orquestal y dramático evidencian los casi treinta años que las separan así como que el alumno había asimilado y superado las lecciones del maestro, si bien en momentos determinados Chapí se muestra especialmente arcaico. La verdad es que *La tempestad* supuso un cambio de aires tras la decadencia que estaba viviendo el género. Únicamente Fernández Caballero con *El salto del pasiego*, su composición más completa y pensada hasta el momento, con libro de Luis Eguilaz y estrenada en el teatro de la Zarzuela cuatro años antes, había venido a galvanizar un género al que tantos medios habían enterrado, y resulta inevitable pensar que Caballero, con sus ritmos sistemáticos, sus cadencias gritadas y un estilo desigual y descuidado, demasiado adaptado a los gustos del público, tampoco podía ser el modelo. Chapí no entonaba un nuevo credo con esta obra, ni venía a sentar plaza de reformador. Después de todo, sólo actuó de modo iconoclasta en contadas ocasiones. Posiblemente, el mayor mérito de su obra está precisamente en que, sin extremar procedimientos, ni derribar ídolos, conseguía arrastrar a la zarzuela a otros lugares y con otras referencias. Era una forma de europeizar, mediante un lenguaje ecléctico, la zarzuela grande.

El crítico de *El Globo* ha dejado amplias referencias del estreno. Así señala que "en la ejecución de la obra se distinguieron sobremanera las señoras Cortés y Franco de Salas y los señores Bergés, Ferrer, Orejón y Subirá, a quienes aplaudió repetidas veces el público por el esmero con que ejecutaron sus respectivos papeles". El más conservador Sostenido de *La Correspondencia Musical* asegura por su parte que los intérpretes "cantaron y declamaron con gran acierto y dieron grandes pruebas de las excelentes condiciones que poseen. La orquesta estuvo bastante acertada y la dirección de escena, a cargo del Sr. Arderius, no dejó nada absolutamente que desear". Hay que señalar que el éxito de *La tempestad*, que se mantuvo como un clásico en cartelera durante decenios, hizo que casi veinte años más tarde, Gerónimo Giménez y Fiacro Yraizoz escribieran una especie de parodia de título en *La noche de La tempestad*, estrenada en el teatro de la Zarzuela el 9 de junio de 1900, que volvía a utilizar diferentes materiales de la creación chapiniana.

Fuentes manuscritas. La partitura se conserva en la Biblioteca Nacional de Madrid (legado Chapí, vol. 40). Los materiales de orquesta se conservan en el archivo de la SGAE en Madrid (2233).

Ediciones de música. Canto y piano, Madrid, Cd, 1882, y PM. Banda, Concertante, UME. Sexteto, Selección, UME. Orquestina, Selección, UME, 1946.

Ediciones del libreto. Madrid, Administración Lírico Dramática, 1882; 11ª ed., Madrid, SAE, 1902; 13ª ed., Madrid, 1912.

FONOGRAFÍA: RP: Victoria 1162, 1821, 1823, 1824 y 2787.

D78rpm: Sol. Felisa Herrero, Regal PKX 3014 (et. azul), KX 330 KX 334 • Sol. Marcos Redondo, Odeón 121181, XXS 4649 XXS 4650 • Sol. Jesús de Gaviria, Odeón 121189, XXS 5863 XXS 5836 • Sol. Federico Caballé, La Voz de su Amo AF 194 • Sol. Enrique Sagi-Barba, La Voz de su Amo AE 2839.

LP: Dir. Ataúlfo Argenta, Sols. Toñy Rosado, Pilar Lorengar, Manuel Ausensi, Carlos Munguía, Gregorio Gil, A. Díaz Martos, Coro de Cantores de Madrid, Orq. de Cámara de Madrid, Columbia-BMG-Ariola-Salvat 1062-2 y 1063-2, Columbia-Alhambra-BMG (33rpm-30cm) MCC 30012-13, C 7507 y Columbia SA, ZCL 1068 y 1069 (Zacosa) 68 y 69.

CD: Dir. Enrique Estela, Sols. Alfredo Kraus, Lina Huarte, Dolores Pérez, Francisco Kraus, Santiago Ramalle, Ramón Alonso, Coros Líricos, Orq. Sinfónica, Alfa Delta AD-ZK-009/94.

BIBLIOGRAFÍA: A. Salcedo: *Ruperto Chapí. Su vida y su obra*, Madrid, Aguilar, 1958; J. J. Águila: *Ruperto Chapí y su obra*, Diputación Provincial de Alicante, 1973; V. Prats Esquembre: *R. Chapí, un hombre excepcional*, Villena, Apadis, 1984; L. G. Iberni: *Ruperto Chapí*, Madrid, ICCMU, 1995; —: *Ruperto Chapí: Memorias y escritos*, Madrid, ICCMU, 1995.

LUIS G. IBERNI

Tempranica, La. Zarzuela en un acto. Música de Gerónimo Giménez. Libreto de Julián Romea. Estrenada el 19 de septiembre de 1900 en el teatro de la Zarzuela de Madrid.

Personajes y reparto. María, la Tempranica (Conchita Segura, tiple). Grabié (Julia Mesa, tiple). Salú (Emilia Mavillard). La Moronda (Nieves González). Pastora (Antonia Espinosa). La condesa (Carmen Hidalgo). Don Luis, conde de Santa Fe (José Sigler). Miguel, el Lobito (José Moncayo). Don Mariano (Pedro Ruiz de Arana). Míster James (Manuel Guerra). El zeñó Chano (Pablo Arana). Don Ramón (Mariano Toha). Curro (Francisco Mora). Zalea (Fausto Redondo). Pilín (Niño Andreu). Juan (Domingo Gallo). Un gitano (Sr. Sánchez). Cazadores, ojeadores, gitanos, señoritas y caballeros, guardas de monte. Coro general.

Orquestación. Flautín, flauta, 2 oboes, 2 clarinetes, fagot, 2 trompas, 2 cornetines en La, 3 trombones, timbales, percusión, arpa y cuerda.

Argumento. La acción transcurre a fines del siglo XIX, en las cercanías de la sierra de Granada. El protagonista, Don Luis, llega al cortijo después de una partida de caza, rodeado de sus amigos. Todos comentan y hacen planes para el ojeo del día siguiente. Entre ellos está Mister James, un inglés que pide oír canciones típicas. Ante la demanda, Curro acude en busca de Grabié, un chiquillo que vive en una herrería próxima, que pasaba canturreando cerca. Don Luis reconoce en él al hermano de María, llamada la Tempranica. Gabrié celebra el cariño que tiene su familia por el señorito y canta la "Canción de la tarántula". Don Luis, después de requerir de Gabrié que no diga nada a su hermana de su presencia en el corti-

Cortesía de Unión Musical Ediciones SL

jo, no tiene más remedio que contar su aventura ante la expectación general. Así, habla de su caída del caballo al atravesar un barranco en plena sierra y de cómo, cuando despertó ligeramente herido, se encontró en una pobre choza rodeado de personas extrañas que le atendían. Explica que, entre ellas, estaba María la Tempranica, joven gitanilla de dieciocho años, que le cuidó y ayudó durante su convalecencia. Al cabo de unos días, fue naciendo una atracción especial que, halagaba la vanidad del enfermo. En realidad, para él la gitana era poco más que un pasatiempo por lo que no se sintió especialmente afectado ante sus sollozos al marcharse, cuando ella le pidió que le llevara con él. Olvidando su promesa, Gabrié habla con su hermana del encuentro. Ésta, que ya había conseguido olvidar al señorito, ve resurgir de nuevo sus sentimientos. Don Luis, que se ha casado, intenta, sin éxito, convencerla de la inutilidad de su insistencia. La segunda parte de la obra transcurre en un campo de gitanos, en lo alto de la sierra, y encuadra más cercanamente a Miguel, joven trabajador que va a casarse con María. Una gran fiesta va a celebrarse para festejar la boda, cuando aparecen Don Luis y su grupo, que trata de enseñar a Mister James la belleza del campo. Miguel, ignorante de todo, les invita a participar de su alegría. María cree que Don Luis ha vuelto por ella. Confundida, está a punto de abandonar a Miguel. Gabrié, su hermano, deshace el enredo. Escondido tras unas piedras ha oído reírse a Don Luis que habla, además, de su esposa, a la que quiere de verdad. María sufre por el engaño y los celos. Desesperada, arrastra a su hermano a Granada, donde vive Don Luis y se desarrolla el tercer cuadro. Sin embargo, allí a la vista de la mujer del conde y del hijo de éstos, vuelve a la tranquilidad y se adapta a su realidad que no es otra sino casarse con Miguel a quien ve bueno, honrado y de su misma clase.

Números musicales. Preludio. Nº 1. La cacería, "La caza ya se esconde". Nº 2. Zapateado, "La tarántula é un bicho mu malo". Nº 3. Dúo de la Tempranica y Don Luis, "Yo no sé al verte que me ha pazao". Nº 4. Coro, "A trabajá con fatiga". Nº 4bis. "Don Guilindin Guilindon". Nº 5A. Coro, "¡Ea! ¡Ea! ¡Vayan peniya afuera!". Nº 5B. Canción de la Tempranica, "Sierras de Granada". Nº 5C. Tango, "Venga un tanguito nuevo". Nº 5D. Final cuadro II e intermedio. Final.

Comentario. A principios de 1900 la prensa se hacía eco de un proyecto de nueva obra de dimensiones importantes que iba a contar con libreto de Julián Romea y música de Gerónimo Giménez que diversas circunstancias habían retrasado. Como comentaba el propio Romea, en declaraciones al diario *La Época*, "con tanto traer y llevar en los periódicos a mi *Tempranica*, le están dando una importancia que no tiene, porque se trata sencillamente de una de tantas obras del género chico, que podrá gustar más o menos, pero que no creo yo vaya a ser un acontecimiento como *Tosca* de Puccini". Y afirma más adelante que "tampoco existen esos apuros que suponen para encontrar una tiple que pueda hacer la protagonista de mi obra. Lo que ha pasado es que yo repartí el papel a Pilar García y como ésta ha dejado de pertenecer a la compañía, me vi en la necesidad de suspender por algunos días los ensayos. En este interregno vino a verme el hermano de Conchita Segura, para decirme que ésta se encontraba disgustada en Eslava y que quería volver a la Zarzuela. Empezaron las negociaciones entre la empresa y la tiple, y cuando ya estaba todo convenido, nos mandó un recado diciendo que se arrepentía del paso que había dado y que no había nada

de lo dicho" (Madrid, 29-I-1900). Así que, definitivamente, *La Tempranica*, en un acto y tres cuadros, subía a las tablas del teatro de la Zarzuela el 19 de septiembre de 1900, abriendo la temporada, con un reparto encabezado por la mencionada Conchita Segura. En cualquier caso el ambiente inhóspito generado hizo que sólo la llevara a cabo durante diez noches, siendo sustituida definitivamente por Matilde Franco, que saldría además muy airosa del empeño, lo que le fue agradecido en la impresión del libreto por los autores, uniendo su aplauso "a los que el público le concedió por el buen resultado de su arriesgada empresa". La revista *El Teatro* intentó dar una explicación asegurando que *La Tempranica* "se ha señalado por una crisis de tiples, uno de esos acontecimientos de bastidores que forman el entretenimiento teatral. La señorita Segura, llevada a la Zarzuela para crear *La Tempranica*, la abandonó apenas creada... ¿Por qué? Vientos de fronda... batallas de damas... ¡Cualquiera sería capaz de establecer las verdaderas causas de estas crisis ruidosas! Lo cierto es que la señorita Segura fue sustituida por la señorita Franco y que *La Tempranica* ha seguido en el cartel sin hundirse el mundo ni temblar las esferas" (Madrid, XII-1900).

El impacto causado por el verismo en la zarzuela española del final de siglo se traslada aquí al mundo de la gitanería. Con estas coordenadas, Romea no extrae dos o tres tipos característicos, sino que busca más bien el ambiente andante granadino. El libretista trazó un cuadro escrito en un argot muy cuidado, culminando un cuadro costumbrista de lo más desarrollado y perfecto en la época. Deleito comenta que "el influjo de la gitanería fue uno de los que arraigaron en el espíritu de Romea con más intensidad. Vio en él un filón artístico, y supo explotarle como creador y como intérprete". Considera curioso que "lo hiciera asociado a Gerónimo Giménez, el músico gaditano, que llevó el alma gitana al pentagrama con verdadero arte".

La obra se centra en la protagonista, María la Tempranica, una gitana ingenua, pura, apasionada, llena de espíritu vengativo, a la par que sensible, que sufre del primer amor no correspondido, que sólo sale en efusiones líricas muy concretas. El tratamiento es muy realista. Deleito comenta que Romea era un "conocedor perfecto de las costumbres gitanas, de sus supersticiones y su modo de hablar", por lo que trazó "un cuadro primoroso, escrito, en su mayor parte, en el argot del más perfecto cañí, y que culmina en la presentación de un rancho gitano de herreros, cesteros y chalanes, con sus mujeres greñudas, chiquillos astrosos, borriquillo escuálido, pájaros, perros y gallináceas".

La música es una de las más importantes de Gerónimo Giménez y, paralelamente, de la historia de la zarzuela. El compositor Claudio Prieto, autor de la edición crítica (Madrid, ICCMU), ha señalado que el trabajo orquestal del creador andaluz es "mucho más moderno que el de sus contemporáneos". Y ello lo atestigua cuando afirma que, frente a éstos, "que suelen hacer uso de la duplicación de las voces en los instrumentos", en el caso de Giménez "estas duplicaciones pasan a ser la excepción, recurriendo, en unas ocasiones, a tejidos distintos entre las voces y la orquesta; en otras, al empleo de ornamentaciones y finalmente, a los diálogos entre ambas partes".

La partitura cuenta con un preludio y seis números. El Nº 1 es una escena que se abre con especie de fanfarria de caza a cargo de trompas y trombón. Progresivamente la banda da pie a la orquesta que colabora con el coro en un aire entre marcial y festivo. Es un número amplio, típicamente introductorio, en el que no es difícil establecer algún vínculo con escenas de este tipo, tanto en la

Gerónimo Giménez y dos escenas del estreno de La Tempranica
(Foto: El Teatro, 1900; Ar. SGAE)

ópera italiana como en la alemana. El Nº 2 es un aire de zapateado, el conocido como "La Tarántula", que ha sido popularizado por varias artistas durante décadas. A cargo de una voz centrada, destaca la continua conversación entre la cantante y la orquesta que mantiene un ritmo vibrante, rápido y ostinato, propio del zapateado flamenco. El Nº 3 comienza con el canto de la gitana tras una introducción estructurado en dos temas. El dúo utiliza el mismo material aunque manejado con gran habilidad. Claudio Prieto considera que, en este fragmento, hay "un discurso sutil, imaginativo y de rica textura, que en su caminar va acumulando poder e intensidad en unión de los textos, en negativo para ella y en positivo para él". El Nº 4 es una escena que incluye el coro al completo y que tiene el interés de utilizar el arpa en la orquestación. Aparece material conocido (en el preludio) aunque utilizado con inteligencia y habilidad, hasta el punto que Prieto valora que "los materiales ya están previamente planteados, pero con un tratamiento tan hábil y consecuente, como para hacernos creer que nos hallamos frente a algo novedoso". El Nº 5 es una de las más importantes romanzas de la historia lírica, "Sierras de Granada", donde se demuestra la habilidad de Giménez para este tipo de recursos. A medio camino entre la recitación y el canto, consigue unos resultados muy similares a los que obtenía Chapí en *La chavala*, aunque partiendo de planteamientos diferentes. El elemento verista, inevitable en una obra como ésta, queda en parte superado por el implacable lirismo y las bellas melodías que Giménez dise-

ña con elegancia, sobre ritmos que pueden resultar próximos a un tipo de vals aunque manipulado en contexto hispano. El Nº 6 recupera al personaje principal, a partir de material previo aparecido en el preludio, aunque tratado de una nueva forma y donde destaca el excelente resultado que obtiene de la orquesta.

La obra fue recibida de modo entusiasta por el público, y de modo ambivalente por la crítica. De hecho se aprecian todo tipo de matices. Jorge Floridor en *Blanco y Negro* afirma que "es un precioso cuadro de color, de asunto sencillísimo, con caracteres sólidamente dibujados. Efecto de la misma sencillez de su asunto, la acción llega al último cuadro un tanto desmayada, diluida, pero es tan tierna la figura de la gitanilla, hay tanta poesía en aquella mozuela anhelante y amorosa, y es tan graciosa y tan ingenua la del gitanillo, que aunque otra cosa no tuviera la obra, es muy digna de figurar entre las mejores del género chico" (Madrid, 29-IX-1900). José Laserna le da mucho mérito ya que "hay que tener un conocimiento del teatro muy grande y un arsenal inagotable de recursos. Con el mismo asunto, cualquier autor de segunda fila hubiese fabricado un buñuelo de kilométrica circunferencia" (*El Liberal*, Madrid, 20-IX-1900). Sin embargo, Zeda, en *La Época*, la relaciona con *Zazá* y llega a afirmar que "al Sr. Romea le gustó, sin duda, mucho el tercer acto de la comedia francesa... y aquí te cojo y aquí te mato. El parecido entre la obrita y la obra salta a la vista. Zazá va a casa de su amante a armarle el gran escándalo; pero ve allí a la inocente Toto, y la cólera de la pobre se deshace en lágrimas. *La Tempranica* se dirige a la casa del conde de Santa Fe, decidida a hacer un disparate; pero ve al condesito tan mono en su cunita y la pobre muchacha se retira, toda compungida, con la música a otra parte" (*La Época*, Madrid, 20-IX-1900). A pesar de sus críticas, considera que no es un desatino "como tantos otros que se nos sirven a diario. La zarzuela estrenada anoche es decorosa, y si no revela arte verdadero, manifiesta habilidad teatral y conocimiento de ciertos resortes". No está de acuerdo Deleito, ya que, después de celebrar el éxito de "la Marvillard, Nieves González, Moncayo, Ruiz de Arana, Guerra y cuantos estrenaron la obra" que "lo hicieron con el acierto y el

Felisa Lázaro en La Tempranica
(Foto: Nuevo Mundo, *1903;*
Ar. ICCMU)

ajuste que en aquel teatro eran proverbiales", afirma que "Romea, contra lo que acostumbraba, no se reservó papel en su obra, a pesar de irle tan bien los personajes gitanos y ser tan de su predilección. Pero cuidó la postura, y dirigió la representación, mostrando su maestría acostumbrada".

Si en el caso del libreto se dieron diferencias de pareceres, en lo que se refiere a la música el comentario favorable fue casi unánime. Laserna señala de Giménez que "ha luchado valientemente, no con las dificultades del libro, que para el músico no existen, sino contra el autor de la letra, pues ahoga en compases hermosos, inspiradísimos, el escaso asunto sobre el que descansa la obra" y afirma que "la partitura es un pedazo de vida de Granada. El músico andaluz sintió como otro no hubiera sentido la nostalgia de su tierra baja, y se desbordó su fantasía en un raudal de notas tristes, que llegan a lo jondo como dicen ellos". Destaca, en su opinión, "el primer número del segundo cuadro y la canción de la Tempranica que conmueven y entusiasman. En este último, el músico presintió al autor y tradujo fielmente su pensamiento en amarga queja". En *El Teatro*, se señala que "la música del maestro es digna de este inspirado compositor que si lograra vencer su pereza, podría legar a la posteridad obras de gloria más durable que la de estas particellas que el organillo callejero vulgariza, pero no conserva". En la revista se destaca "un coro inicial,

una canción de Grabié, un dúo de la Tempranica y de Don Luis y otros dos coros" de los que afirma que "son todo lo que para el libro de Romea ha escrito Giménez y en ello hay de sobra para conocer la marca de su talento musical en que la inspiración y el savoir faire van de la mano". Por cierto, en la misma revista, para dar testimonio del éxito de la composición, se afirma que "no se mostró la crítica muy satisfecha de esta producción a pesar de la predilección que por su persona sienten cuantos cultivan el teatro, pero no debían de ser muy justos aquellos reparos puesto que *La Tempranica* sigue representándose y ha llevado más de cien veces al teatro de la Zarzuela público que la aplauda".

Fuentes manuscritas. La partitura (TL-595) y los materiales de orquesta (1989) se conservan en el archivo de la SGAE en Madrid.

Ediciones de música. Orquesta, ed. Claudio Prieto, Madrid, ICCMU, 1999. Canto y piano, Madrid, Cd, 1900. Orquestina, Selección, UME, 1945. Banda, Selección, UME. Guitarra y mandolina o laúd, Zapateado, Cd, 1906. Mandolina o laúd y piano, Zapateado, Cd. Guitarra, Zapateado, Cd, 1906, y UME, 1972.

Ediciones del libreto. Madrid, Hijos de Hidalgo, 1900; Madrid, Asociación de Autores, Compositores y Propietarios de Obras Teatrales, 1900; 2ª ed., Madrid, SAE, 1901; 3ª ed., 1907; 4ª ed., 1913.

FONOGRAFÍA: D78rpm: Sol. José Mª Tarridas, Banda Sinfónica de la Cruz Roja Española de Barcelona, Odeón 173509, XXS 9321 XXS 9322 • Dir. Rafael Ferrer, Orq. Sinfónica Española, Regal M 10046, CKX 3761 CKX 3762 • Orq. Hispánica, La Voz de su Amo AF 239.

LP: Rafael Frühbeck de Burgos, Sols. Teresa Berganza, Manuel Ausensi, Rosita Montesinos, Mª Dolores García, Elena Sansinenea, Roque Montoya, Juan del Campo, José Mª Maiza, Nicolás Aldanondo, Juan de Andía, Julio Uribe, Coro de Cámara del Orfeón Donostiarra, Orq. Sinfónica, Columbia SA, 32043 167 y Columbia SA, ZCL 1027 27 • Dir. Enrique Navarro, Sols. Dolores Pérez, Teresita Silva, Pilar Quirós, Luis Sagi-Vela, Manuel Codeso, Santiago Ramalle, Coros de RNE, Orq. de Cámara de Madrid, Zafiro ZOR-125 168, Zafiro LM-3015-C, Zafiro 30103015 (C) Serdisco 177 y Montilla FM-49 [ed. en EP: Zafiro-BMG EPFM-26 y reed. en CD: Zafiro-Salvat 1051-2] • Dir. Rafael Ferrer, Orq. Sinfónica Española, Regal SEDL 111.

BIBLIOGRAFÍA: J. Parejo Delgado: *Gerónimo Giménez: Un precursor de Manuel de Falla*, Sevilla, 1997.

LUIS G. IBERNI

Tenor. *Véase* VOZ.

Teres, Bernardino. España, †1969. Compositor. Es autor de varias obras conservadas en el archivo de la SGAE, tanto zarzuelas como revistas. Además escribió *El calendario festivo*, en colaboración con C. Ballesteros y libro de Sebastián Franco Padilla, autor también del libro de *El alegre mosaico*. Con Juan de la Cruz Ferrer escribió diversas obras, como *Los apaches de Martins*, comedia musical de la que es autor también de parte del libro; *El correo viejo*, *La crisis del amor*, *Del Olimpo a Buenos Aires* y *Educación física*.

OBRAS: *¡Meu Fillo!*, cuento, 1 act, l, J. Díaz Franco, est, 2-IX-1925, Te. Centro; *Como la Virgen morena*, Zarz, 1 act, l, M. Fernández Palomero, est, 6-XII-1919, Te. Novedades, E:Msa; *El alegre mosaico*, 1 act, l, S. Franco Padilla; *El calendario festivo*, Zarz, 1 act, l, S. Franco Padilla / A. Ballesteros, est, XII-1926, Murcia; *El correo viejo*, Com lír, 1 act, l, J. Ferrer Arimón; *El juicio de Salomón*, Dr, 1 act, l, J. Ferrer Arimón; *En la feria de Sevilla*, Zarz, l, M. Fernández Palomero; *En los profundos infiernos*, l, M. Mihura / J. Santiago; *En plena locura*, Rv, 2 act, col. Granados García / Benlloch, l, T. Borrás / S. Franco Padilla, est, 7-X-1926, Te. Victoria Eugenia (San Sebastián), E:Msa; *Gallardo y Calavera*, E:Msa; *La crisis del amor*, Dr, 1 act, l, J. Ferrer Arimón; *La feria de las Hermosas*, 2 act, col. Soriano / J. Benlloch, l, S. Franco Padilla / E. Velasco, E:Msa; *La ilusión de un Canillita*, Rv, 1 act, l, C. Romeu, est, 4-IX-1904, Te. Centro; *La montaña*, Com campesina, 1 act, l, F. Mate, E:Msa; *La muerte de Paco Gálvez*, Com lír, 1 act, l, J. Ferrer Arimón; *La ranita*, Sai, 1 act, l, F. Escobar Cubo, est, 15-IX-1925, Te. Centro; *La revista de la comedia*, l, S. Franco Padilla; *La revista del Albéniz*, l, S. Franco Padilla; *La revista del Ariel*, l, S. Franco Padilla; *La revista del Olimpo*, l, S. Franco Padilla; *Las hijas del placer*, 1 act, l, S. Franco Padilla, E:Msa; *Las muñecas de Lili*, 1 act, l, M. Fernández Palomero, E:Msa; *Las musas del mar*, 1 act, l, J. de Castro/M. Monge, E:Msa; *Los apaches de Martins*, Com lír, 1 act, l, J. Ferrer Arimón; *Los organilleros*, l, J. Ferrer Arimón; *Los pecados capitales*, 1 act, l, S. Franco Padilla; *Méndez Folies*, Zarz, 2 act, l, S. Franco Padilla; *Música celestial*, Zarz, 1 act, l, S. Franco Padilla; *Templo del amor*, 1 act, l, S. Franco Padilla; *Viaje del rajah*, l, B. Teres, E:Msa; *Yo quiero ser monja*, E:Msa.

Mª LUZ GONZÁLEZ PEÑA

Terol, Pedro [Pedro Sánchez Terol]. Orihuela (Alicante), 22-X-1908; Madrid, 19-VIII-2003. Barítono. Estudió en Barcelona con Rafael García, empezando a cantar con sólo diez años. Siguió estudios en Madrid con subvenciones de la Diputación Provincial, perfeccionándolos luego en Milán durante cinco años con Grani y Russitano, aprovechando una beca del Círculo de Bellas Artes de Madrid. Debutó en el teatro Calderón en 1932 con *La rosa del azafrán* en la compañía de Moreno Torroba, y un año después interpretó una de sus obras favoritas, *Luisa Fernanda* de Moreno Torroba, de quien precisamente estrenó *La boda del Señor Bringas o Si te casas la pringas*, 1936, también en el Calderón, y *Polonesa*, teatro Fontalba, 1944. En 1934 fue a Barcelona, interpretando *Las golondrinas* de Usandizaga en el teatro Victoria. Estrenó numerosas zarzuelas, interpretando también las más conocidas del género. Intervino en la realización de algunas películas siendo la primera *Carceleras*, 1932, y siguiendo más tarde *La reina mora*. En 1943 realizó una gira por gran parte de las plazas de toros del país y montó

su propia compañía, con la que recorrió parte de Francia y el continente americano. Estrenó en 1949 en el teatro Eslava *¡Alhambra!* de Díaz Giles, y en 1951 *El canastillo de fresas* de Guerrero en el teatro Albéniz. Formó compañía con Matilde Fernández y más tarde, en 1957, montó *Álbum de arte*, realizando, en 1962, una larga serie de actuaciones en el show de "Sullivan" de Estados Unidos. En 1965, después de *La revoltosa* y *Molinos de viento* en el teatro de la Zarzuela, se retiró de los escenarios para dedicarse a la hostelería.

Pedro Terol
(Foto: E:Bit)

FONOGRAFÍA: *¡Conquístame!*, Columbia R 18395 a R 18398, C 9598 a C 9605; *La Caramba*, Blue Moon BMCD 7526.

BIBLIOGRAFÍA: *CCE*; *HGZ*; J. de Dios Aguilar: *Historia de la música en la provincia de Alicante*, Diputación de Alicante, 1970.

EMILIO CASARES RODICIO

Terol Gandía. Familia de compositores españoles formada por los hermanos Arturo, José y Vicente.

1. Arturo. España, siglo XX. Compositor. Autor de numerosas canciones, bailes y jingles publicitarios, escribió también algunas obras de género lírico, estrenadas en los años treinta y cuarenta, muy a menudo en colaboración con su hermano Vicente. Además de las conservadas en la SGAE escribió, todas con su hermano Vicente, *La mesonera del acueducto*, con libro de Francisco Corell Mascarós; *Els bigardos*, comedia con libro de Francisco Trigueros y Salvador Pordomingo y *Cap i Cua* con libro de Ernesto Peris.

OBRAS (Todas en E:Msa): *Casos y cosas*, 1 act, col. V. Terol Gandía, l, E. J. Peris; *El abre del pecat*, col. V. Terol Gandía, l, A. Casinos Molto; *El hechizo de Sevilla*, 3 act, col. V. Terol Gandía, l, M. Settier, est, 12-VIII-1946, Te. Apolo (Valencia); *La canción del pirata*, col. V. Terol Gandía, l, J. Pascual / L. Ferrer, est, 15-VI-1934, Barcelona; *Les almejes*, l, V. Marco Rivas / V. Marco Badenes; *Los dragones*, Opt, 2 act, l, J. Romón Pedrera; *Orgull de rassa*, col. V. Terol Gandía, l, L. Mari Simó; *Yo no me caso Nicerato*, col. V. Terol Gandía, l, J. P. Rodríguez / L. Ferrer, est, 28-V-1934, Gandía.

2. José. España, †1981. Compositor. Autor de numerosísimas canciones, tiene algunas obras líricas como *Los dragones*, con libreto de Julio Romón, *Damas en juego*, en colaboración con Rafael Millán Picazo y libreto de S. Conde, y *La flecha de la Aljaba*.

3. Vicente. España, †1957. Compositor. Al igual que sus hermanos es autor de numerosas canciones y en colaboración con Arturo escribió algunas obras líricas que se conservan en el archivo lírico de la SGAE en Madrid.

OBRAS: *Casos y cosas*, col. A. Terol Gandía, l, E. J. Peris; *El abre del pecat*, col. A. Terol Gandía, l, A. Casinos Molto; *El hechizo de Sevilla*, 3 act, col. A. Terol Gandía, l, M. Settier, est, 12-VIII-1946, Te. Apolo (Valencia); *La canción del pirata*, col. A. Terol Gandía, l, J. Pascual / L. Ferrer, est, 15-VI-1934, Barcelona; *Orgull de rassa*, col. A. Terol Gandía, l, L. Mari Simó; *Yo no me caso Nicerato*, col. A. Terol Gandía, l, J. P. Rodríguez / L. Ferrer, est, 28-V-1934, Gandía.

Mª LUZ GONZÁLEZ PEÑA

Thibaut, Monique. Francia, siglo XX. Vedette. Aunque era de origen francés, se afincó en España hasta finales de la década de 1950. Presentó numerosas obras durante los años cuarenta, y dejó además algunas grabaciones interesantes, como *Tres días para quererte* o *Entre dos luces*. Estrenó *Tres días para quererte*, teatro Albéniz, Madrid, 1945, comedia musical de Francisco Alonso; *Entre dos luces*, teatro Tívoli, Barcelona, 1946, revista de Duisberg, Gisa Gert, Casas Auge, Cadenas y Algueró; *Historia de dos mujeres*, teatro Martín, Madrid, 1947, opereta de Daniel Montorio y Ernesto Rosillo; *¡Yo soy casado, señorita!*, teatro Martín, Madrid, 1948, opereta cómica de Jacinto Guerrero y *¡Eres un sol!*, teatro Ruzafa, Valencia, 1949, fantasía cómico-lírica de Daniel Montorio.

FONOGRAFÍA: *Entre dos luces*, Gardenia Discos VE-CX-0263-2; *¡Eres un sol!*, SONIFOLK 20150; *Historia de dos mujeres*, Gardenia Discos VE 0303-2; *Tres días para quererte*, SONIFOLK 20139.

EMILIO GARCÍA CARRETERO

Thous, Maximiliano. Pravia (Asturias), 1875; Valencia, 1947. Dramaturgo. Era de ascendencia valenciana y estudió Derecho en Valencia sin llegar a terminar la carrera. Colaboró en diversos periódicos valencianos como *El Correo de Valencia* y fundó el semanario *El Guante Blanco*. Escribió poemas, canciones y "llibrets de fallas" y fue uno de los pioneros del cine en la región levantina. Escribió tanto solo como en colaboración –generalmente con Elías Cerdá– y tiene algunas zarzuelas famosas con música de José Serrano como *Moros y cristianos*, sin duda su mayor éxito. Otras obras destacadas son *La casita blanca*, 1904, *La banda nueva*, 1907, y *Episodios nacionales*, revista de 1908. Con Serrano escribió además en 1909 el *Himno a la Exposición Regional* de Valencia, que en los años treinta fue la melodía de Cifesa. En 1910 se convirtió en empresario del recién construido teatro Serrano de Valencia. *Véase* EL CARRO DEL SOL; MOROS Y CRISTIANOS.

BIBLIOGRAFÍA: *CDE; DAT; Comedias y Comediantes*, II, 18, 1-VII-1908.

Mª LUZ GONZÁLEZ PEÑA

*Maximiliano Thous
(Foto: Comedias
y Comediantes, 1908;
Ar. ICCMU)*

Tic-Tac. Seudónimo. *Véase* CAMPO, ÁNGEL DEL.

Tío Caniyitas, El. Ópera cómica española en dos actos. Música de Mariano Soriano Fuertes. Libreto de José Sanz Pérez. Estrenada en noviembre de 1849 en el teatro de San Fernando de Sevilla.

Personajes y reparto. Catana –Cayetana– la Lagartija (Rita Revilla, tiple). Pepiyo Repampliyao (Manuel Carrión, tenor). Tío Caniyitas (Francisco Luna, bajo). Mr. Frich (Joaquín Becerra, bajo). Tío Joyín (Sr. Cejudo). Un vendedor (Sr. Santos). Tío Joaquín (Sr. Caballero). Un municipal (Sr. Oriolas). Un negrito (Sr. Carvajal). Un ciego (Sr. Tristán). Estudiante 1º (Sr. Delgado). Estudiante 2º (Sr. Jiménez). Un Rosquetero (Sr. Ruiz). Una florera (Sra. Belmonte). Calamá (Sr. N.). Un pescador (Sr. Gómez). Un nuecero (Sr. Cordoncillo). Un naranjero (Sr. Brito). Un aguador (Sr. Comba). Un lañador (Sr. Gutiérrez). Un castañero (Sr. Villa). Un alpujarrero (Sr. Vázquez). Vendedores, estudiantes, pescadores, guardias municipales, gitanos y gitanas, y toda clase de pueblo.
Orquestación. Flautín, flauta, oboe, 2 clarinetes, fagot, 2 trompas, 2 trombones, figle, 2 cornetines, timbales, bombo, martillos y cuerda.

Argumento. La acción se sitúa en Cádiz. *Acto I.* En una populosa escena en la que intervienen un ciego tocando su guitarra a la puerta de una barbería, diversos vendedores callejeros –una castañera, una rosquera, una florera, el aguador, el alpujarrero y un pescador–, y una estudiantina, se presenta el gitano Calamá y el ridículo inglés Mister Frich, que ha llegado a Cádiz con la intención de aprender el lenguaje caló de labios de una joven gitana. El tío Caniyitas, gitano marrullero, vendedor de antiguallas de hierro, queriendo sacarle unos cuartos al inglés, le propone a Catana –abreviatura de Cayetana–, la Lagartija, hija de su *compare* Jeromo, como profesora, afirmando que la chiquilla es, además, toda una hermosura. Tras cobrarle por adelantado cuatro duros, se dispone a presentarle a Catana no sin antes consultarle cuáles son sus intenciones ya que la gitana es de muy buena familia y en lo tocante al honor, el padre es muy estricto. Mister Frich y Caniyitas llegan buscando a Catana, a una *tienda de montañés* –típica taberna andaluza– donde los gitanos, subidos a la mesa y palmeando, cantan un vito. Concluida la música, el inglés conoce a Catana, disponiéndose a recibir la primera clase. Llega a la taberna el herrero Juanillo, el Repampliyao, novio de la gitana, que la colma de insultos y maldiciones al verla en compañía del inglés.

Acto II. En la fragua donde trabaja Pepiyo, sus compañeros intentan hacerle olvidar la ofensa de la gitana, para devolverle la alegría. Entran en la fragua

Catana, el pícaro Caniyitas y el inglés. Pepiyo dedica a su novia todo tipo de maldiciones, deseando que se mueran de hambre sus hijos y no pueda darles ni un trozo de pan, pero acaba por enternecerse, cantando con Catana un dúo de reconciliación. El inglés afirma que no renuncia a aprender caló, pero es muy mal acogido por la gitana que le maldice, deseando que lo coja un toro. Tras echarle en cara a Caniyitas su mala conducta, los herreros, compañeros de Pepiyo, cogen a los dos culpables y les chamuscan el pelo y las patillas, dejando a ambos bien escarmentados.

Números musicales. Acto I: Preludio. Orquesta. Nº 1. Introducción y coro, "¡Ay, qué bulla!". Nº 2. Canción de Caniyitas y Mr. Frich, "Es una *jembra* morena". Nº 3. Coro de vendedores, "¡Ay, Caniyitas!". Nº 4. Canción del vito por Catana, con coros, "Quien no haya visto". Nº 5. Presentación de Mr. Frich por Caniyitas, "Dios guarde". Nº 6. Terceto de Catana, Caniyitas y Frich, con coro, "Si me *dices*". Nº 7. Cuarteto final con coros, Catana, Pepiyo, Caniyitas y Frich, "Anda ve". Acto II: Nº 8. Introducción y coro de herreros, "¿Qué tendrá?". Nº 9. La maldición de Repampliyao, "Eres como la adelfa". Nº 10. Dúo de Catana y Pepillo, "Yo no he tenío". Nº 11. Aria de Mister Frich, "Mi gitana". Nº 12. Dúo de Catana y Caniyitas, "Tú lo tienes". Nº 13. Coro y dúo de Caniyitas y Mr. Frich, "Caniyitas". Nº 14. Rondó final. Catana y coros, "*Naide* se atreva".

Comentario. Soriano Fuertes, en la parte autobiográfica de su *Historia de la música española* cuenta los hechos que provocaron la composición de esta obra: "En el verano de 1849 marchó Soriano a Sevilla, en cuya capital se encontró a su amigo Francisco de Salas, el que a más de informarle del pensamiento que tenía de pedir el privilegio para el planteamiento de la zarzuela, le instó a que coadyuvara al objeto, escribiendo alguna obra de costumbres andaluzas; lo que Soriano le prometió, marchando a Cádiz para el efecto a ponerse de acuerdo con el celebrado poeta del género andaluz don José Sanz Pérez. Este apreciable escritor no tuvo dificultad en adherirse a tan útil pensamiento, y escribió un libro dividido en dos actos, bajo el título de *El tío Caniyitas*, que puso en música Soriano. Para el pueblo, único apoyo con que entonces podía contar el teatro lírico-español, se escribió el *Caniyitas*, con los descuidos consiguientes al que nunca corrige sus producciones como le sucede al Sr. Soriano, pero fáciles de hacer desaparecer, estando la base aprobada por una mayoría inmensa, destructora en todo tiempo de las minorías exclusivistas, tan perjudiciales para el desarrollo y adelantos de los

conocimientos útiles… En noviembre de 1849 se ejecutó con un feliz resultado y por primera vez el *Caniyitas* en el teatro de San Fernando de Sevilla, por los actores Rita Revilla y Francisco Luna, y los cantantes españoles Manuel Carrión, célebre tenor hoy en Europa, y Joaquín Becerra, Director de orquesta Silverio López Urice, Maestro de Coros, Antonio García; y a poco más de un año de su estreno, se había ejecutado en los tres teatros de Cádiz, a la vez, 130 noches consecutivas, y en los de Gibraltar, Málaga, Valencia, Madrid, Granada, y después en todos los demás teatros de España y de América, con un satisfactorio éxito".

Peña y Goñi dedica duras palabras al texto de Soriano y afirma qué fácilmente "se puede observar el cariño paternal con que trata Soriano Fuertes la parte histórica de su popular zarzuela. No hizo otra en su vida, ni podía acometer empresas de algún empeño, porque la aparición de los primeros maestros españoles que al cultivo de nuestra ópera cómica se dedicaron, hizo enmudecer forzosamente a quien estaba imposibilitado para tomar parte en la contienda… *El tío Caniyitas* fue principio y fin de su carrera". Barbieri, en contra de las opiniones demoledoras de Peña y Goñi, presenta una visión más imparcial del estreno: "Esta obra traía una gran representación de Andalucía, donde se había ejecutado por primera vez, y en Madrid, a pesar de hacer el protagonista Salas, no tuvo sino un resultado frío, fundado tal vez en que las *andaluzadas* iban de capa caída, o en que esta obra era de un interés local, y por consiguiente el público de la Corte no podía entusiasmarse como lo había hecho el de Sevilla". Para Barbieri, la música de la obra es "una rapsodia o arreglo de multitud de aires andaluces antiguos y modernos, más o menos conocidos, como el mismo autor confiesa".

Se trata de una obra coherente como las obras anteriores de su autor, coincidiendo incluso en el tipo de trama argumental con sus creaciones anteriores como *Jeroma la castañera* o *¡Es la Chachi!*, y refleja el final del tipo de zarzuela andaluza que pertenecía ya a otra época del género y que no recibía el aplauso de un público al que había entusiasmado años antes –así se estrenó el mismo año de *Colegialas y soldados*, ya en dos actos–. El éxito de *El tío Caniyitas* en 1849 indica, de alguna manera, que el casticismo no había abandonado los escenarios españoles. Sin embargo, el

Litografía de Peant

empleo en el texto de la obra de lenguaje caló lleva a escribir a Cotarelo: "Está escrita en caló tan cerrado, que causa maravilla cómo de lo cantado pudo el público entender una palabra, y ni aún de lo hablado". El casticismo de *Jeroma la castañera* era considerado demasiado "vulgar" por los autores –Hernando, Gaztambide, Oudrid, Barbieri en menor medida–, que pretenden reinstaurar un género lírico nacional, con pretensiones de crear la ópera nacional, pero poco a poco, la utilización de formas del lenguaje nacional –seguidillas, boleros, polos, tiranas, jotas– comienza a ser una necesidad para crear un lenguaje propio. No hay duda de que sin la ayuda del teatro lírico, parte de estas formas se habrían perdido, o se mantendrían como algo pintoresco y perteneciente al pasado popular. Igualmente, si el naciente teatro no hubiera encontrado un material preexistente con el que contar, no hubiera conseguido "nacionalizar" el género, un género sin duda importado de París en cuanto a actitud y a forma global se refiere.

Jean-Ch. Davillier en *L'Espagne,* ilustrada con 309 dibujos de G. Doré, incluye una destacada referencia a esta obra de Soriano Fuertes –recogiendo el resumen detallado del argumento, la partitura para voz y piano del Nº 2, y una ilustración de Doré de una escena de la obra–, por considerarla, a diferencia de otras zarzuelas como *El dominó azul* o *El valle de Andorra* –imitaciones de comedias francesas–, "una obra enteramente española". El autor francés, "excelente amigo" de Soriano Fuertes, comenta que la obra, cuadro característico de costumbres nacionales, fue casi una improvisación, siendo escritos libreto y partitura en menos de quince días. Se asombra Davillier del éxito obtenido por la obra, que "en menos de dos años dio la vuelta a la Península, siempre cubierta de fanáticos aplausos, y no hubo pueblo que no quisiera verla representar", aunque quizá "en ninguna parte el entusiasmo haya sido tan grande como en Cádiz". La zarzuela se hizo tan popular en toda España que se reproducía de cien modos diferentes, en grabados, en litografías, en librillos de papel de fumar, hasta en los abanicos de calaña.

La obra no obtuvo en Madrid el mismo éxito que en Cádiz, pero se mantuvo ocho noches en escena, y luego se representó con bastante frecuencia, produciendo a la empresa, sólo en las quince primeras representaciones, un beneficio neto de más de 31.000 reales. En *La Ópera* (22-XII-1850) aparece la crónica del estreno en el teatro del Circo. "*El tío Caniyitas,* ya no pertenece al género de zarzuelas; en la forma es una ópera cómica o jocosa, como quieras llamarla, pero qué ópera. ¡Pepe mío, qué ópera! ¿Querrás creer, ya sabes que nunca miento, que nos han querido comulgar llamando zarzuela compuesta por el señor Soriano Fuertes (hijo) a una colección de canciones populares que estamos cansados de oír a los ciegos, y con las que nos han roto los cascos a los

chiquillos por espacio de algunos meses, como el tango y demás que se le parecen? Pues nada menos que eso hemos ido a oír al teatro de la Plaza del Rey, unas seguidillas, unas boleras, en fin nada nuevo, nada desconocido por más que la composición de algunas de estas canciones pertenezca al autor de *El tío Caniyitas.* Tú, que eres periodista casi desde la cuna, sabes como se hacen gacetillas y artículos de tijera ¿no es verdad? pues así, ni más ni menos, podríamos decir que está hecha la zarzuela en cuanto a la música. El asunto es del género de esas piezas que invadieron hace algún tiempo la escena dramática, cuyas costumbres no enseñan nada bueno, sino al contrario mucha inmoralidad y grosería. El enredo es tan flaco como se han quedado tus pantorrillas después de pulmonía".

Fuentes manuscritas. Los materiales de orquesta se conservan en el archivo de la SGAE en Madrid (1383) y en el Museo de la Música de Cuba (PM-225), procedentes del teatro Tacón en La Habana.

Ediciones de música. Piano, Madrid, L. Lodre. Canto y piano, Madrid, AR, reed. Madrid, F. Echevarría, 1870.

Ediciones del libreto. 1ª ed., Cádiz, Imp. Librería y Tip. de la Revista Médica, 1849; Cádiz, Imp. Librería y Tip. de la Revista Médica, 1850; Málaga, Establecimiento Tipográfico-Literario de D. José García, 1850; 2ª ed., Madrid, Administración Lírico-Dramática, 1864; 2ª ed., Madrid, Imp. de José Rodríguez, 1864; 6ª ed., Madrid, Administración Lírico-Dramática, 1877.

BIBLIOGRAFÍA: *HZ; OE;* M. Soriano Fuertes: *Historia de la música española desde la llegada de los fenicios hasta el año de 1850,* Madrid, B. Carrafa, 1855; J.-Ch. Davillier: *L'Espagne,* París, Hachette et Ca., 1874; E. Casares Rodicio: *Francisco Asenjo Barbieri. 2. Escritos,* Madrid, ICCMU, 1994.

Mª ENCINA CORTIZO

Tiple. *Véase* VOZ.

Tirador, Romualdo. México, siglos XIX-XX. Actor cómico. Era muy querido en México. En 1918 tenía una compañía de zarzuela junto a Lupe Rivas Cacho y ambos contaban con muchos admiradores a su llegada al teatro Principal, donde cantaron *El bueno de Guzmán, La casta Susana, La cara del ministro* o *Venus-Salón;* en 1919 Tirado estrenó *El cetro del rey.*

BIBLIOGRAFÍA: M. Mañón: *Historia del teatro Principal de México,* México, Ed. Cultura, 1932.

RICARDO MIRANDA PÉREZ

Tirana. Forma musical española, de carácter popular, que inicialmente es una canción bailada, aunque posteriormente se convierte sólo en canción. Está escrita en compás de 3/8 o 6/8, y su letra quedó constituida por coplas de cuatro versos octosílabos, con un estribillo que suele hacer alusión a la danza, empleando incluso el propio término de "tirana". Iza Zamácola, "Don Preciso", describe cómo se danzaba la tirana, afirmando cómo "por degenerar la tirana danzada en libertinaje, cayó en desuso como baile mas no como música, pues gozó de gran predicamento. Los maestros de la tonadilla escénica la cultivaron hasta el punto de hacer que desterrase a la seguidilla". Según recoge Pedrell en su *Diccionario técnico*, Vicente Martín y Soler "hizo fanatismo" insertando tiranas en sus óperas; añadiendo Pena y Anglés que Mercadante incluyó alguna tirana en sus óperas y Granados la empleó como tema fundamental del primer número de sus *Goyescas* para piano.

En el repertorio zarzuelístico la presencia de tiranas es escasa, siendo empleadas en obras donde se pretende desarrollar una caracterización castiza del medio o los personajes teatrales. La primera encontrada pertenece al melodrama *Los enredos de un curioso*, 1832, en su Nº 8, Canción de Pedro (tirana), cuya composición corresponde a Saldoni. Una nueva tirana aparece en *La zarzuela improvisada o Lo que fuere, sonará* de Carnicer y Saldoni en 1841; se trata del Nº 6 y final, que cierra la obra. Un ejemplo más aparece en *La sal de Jesús* de Mariano Soriano Fuertes, en la que Elisa canta una tirana en el Nº 5, con un texto "Un navío, dos navíos", que incluso ya había empleado Gomis en un hermoso ejemplo de tirana camerística publicada y difundida en Madrid años antes.

Fue Barbieri quien reflejó los mejores y casi únicos ejemplos de empleo de esta forma. Así, en *El barberillo de Lavapiés*, 1874, recurre al ritmo de tirana para el dúo de reencuentro entre el Barberillo y Paloma, Nº 8 del segundo acto; es en la segunda sección del número donde se localiza el ritmo de tirana, siendo el propio Barberillo el que lo introduce, afirmando en el texto: "¡No seas tirana!", a lo que responde Paloma: "Tirana... ahí va", dando comienzo la música de la misma. Barbieri emplea un compás de 6 / 8 y una tonalidad menor, jugando en el estribillo cantado por ambos, con estructuras rítmicas sincopadas, propias de la tirana desde el repertorio cancionístico del siglo XIX. Un nuevo caso presenta la zarzuela *Chorizos y polacos*, 1876, también de Barbieri, en la que la recreación del ambiente musical de la tonadilla escénica del siglo XVIII lleva al compositor a introducir numerosos ritmos danzables de este periodo musical, entre los que se encuentran la tirana de Don Preciso, Nº 5, la tirana de Tusa, Nº 10, o la tirana de La Figueras, Nº 16. Un nuevo ejemplo de tirana lo ofrece Gaztambide en *El juramento*, 1858, en la presentación vocal de la Baronesa, Nº 2. En este número, tras la intervención coral, la soprano expone una primera sección del solo en La menor y 3 / 8, que constituye una evidente tirana, aunque el compositor no incluya ninguna referencia a dicho término.

A pesar de la escasez de tiranas, sí es común el empleo de estructuras rítmicas en 3 / 8 o 6 / 8, sincopadas, que recuerdan su esquema básico, debiendo hacer referencia a estructuras atiranadas, muy frecuentes en los números casticistas de la zarzuela decimonónica. Un ejemplo de este tipo de esquemas aparece en el genial dúo cómico de Sebastián y Peralta,

Nº 11, de *El juramento* de Gaztambide. Así como la canción andaluza escrita en La menor y 3 / 8, evocando el carácter de la tirana, que canta Paca al inicio del Nº 3 de la zarzuela *Bazar de novias* de Oudrid, 1867.

BIBLIOGRAFÍA: F. Pedrell: *Diccionario técnico de la música*, Barcelona, I. Torres Oriol, 1894; J. Pena, I. Anglés: *Diccionario de la música Labor*, Barcelona, Ed. Labor, 1954.

Mª ENCINA CORTIZO

Tizol, Mateo. Puerto Rico, siglo XIX. Compositor, violinista y director. Pertenecía a una familia de músicos puertorriqueños formada por varias generaciones. En 1876 la compañía de Rosario Hueto, de la que era director, actuó en Cuba. Según los periódicos hubo una gran rivalidad en el público pues unos apoyaban a la Hueto y otros a Matilde Ortoneda. Según la revista *El Atril*, la rivalidad terminó al casarse la Hueto con Tizol, fijando su residencia en Ponce. Es autor de al menos dos zarzuelas: *El niño Pancho*, con letra de E. Rasilla, y *Su excelencia el jefe*, con letra de M. Pardo. Su fama se debió a su pericia como concertador de compañías líricas; ejerció también como violinista y a partir de los años noventa residió en Cuba. *Véase* HUETO, ROSARIO.

BIBLIOGRAFÍA: *DMEH.*

EMILIO CASARES RODICIO

Toda, Enriqueta. Madrid, 18-I-1840; ?. Tiple. Ingresó muy joven en el Conservatorio de Madrid, en el que terminó sus estudios con el segundo premio de canto en 1860 como compañera de Manuela Checa, Cecilia Cárdenas y Cristina Leca. Tuvo una vida concertística de relieve antes de decidirse por el teatro, contratada por el teatro de la Zarzuela en la temporada 1861-62. Se presentó en dicho teatro el 1 de setiembre de 1861 con la obra *Ardides y cuchilladas*. En 1864 decía de ella el autor de *Cabezas y calabazas*: "Haz que en teatro llegue / A ser notable tu historia / Pues no es bien que acabe en *nada* / La que empezó siendo *Toda*". Más adelante dijo sobre ella en la revista *El Melonar de Madrid*: "Tiene linda voz, es bella, / tiene buen aire, buen modo / y vale la Toda... todo / lo que quiera pedir ella".

Estrenó numerosas obras a lo largo

Enriqueta Toda (Foto: Colección Castellano; E:Mn)

de su vida, entre las que destacan: *Cadenas de oro* de Arrieta, teatro del Circo, 1864; *El rapacín de Candás* de Balart, Circo, 1864; *Ardides de amor* de Miguel Carreras, Zarzuela, 1865; *Una apuesta en la velada de San Juan* de Natividad de Rojas, Circo, 1865; *De Salamanca a Madrid* de Rafael Taboada, Circo, 1865; *El hidalguillo de Ronda* de Antonio López Almagro, Zarzuela, 1875; *El salto del gallego* de Nieto, Jardines del Retiro, 1878; *El diablo en la Abadía* de Carlos Mangiagalli, Jardines del Retiro, 1878; *El fuego de San Telmo* de Brull, Zarzuela, 1889; *El arca de Noé* de Chueca, Zarzuela, 1890; *La romería de Miera* de Ángel Pozas, Zarzuela, 1890; *El diamante rosa* de Marqués, Zarzuela 1890; *Angelito* de Brull, Zarzuela, 1890; *Las alforjas* de Nieto, Maravillas; *Los licenciados* y *Duendes y frailes* de José Osuna, Cervantes de Sevilla, 1894.

Dotada de una magnífica afinación y buen gusto en el canto y en la declamación, su carrera se puede seguir a lo largo del XIX en los principales teatros de España.

BIBLIOGRAFÍA: *DBE*; *HGZ*; *HZ*; E. Casares Rodicio: *Francisco Asenjo Barbieri. 2. Escritos*, Madrid, ICCMU, 1994.

EMILIO CASARES RODICIO

Tojedo, Carlos. España, siglos XIX-XX. Actor cómico. Como actor de verso triunfó en el teatro Lara. Pero su participación en el teatro lírico fue muy abundante desde los años noventa del siglo XIX hasta los años veinte del siglo XX. En 1884 estrenó en el teatro Lara *El último tranvía* de Romea y Valverde y en el mismo teatro, en 1888, *Mam'zelle Nitouche*. En 1892 estrenó en el teatro Cómico *Gravina* de Martínez y Olea, y en el Romea *Otro monaguillo* de Espinosa, que obtuvo un gran éxito. En 1893 en el teatro del Duque de Sevilla estrenó *La epidemia reinante* de José Osuna y Rafael Cabas Galván y seis años después, en 1899, *El peregrino* de Vicente Gómez Zarzuela en el mismo teatro sevillano. Ya en el siglo XX participó en la breve aventura del teatro Lírico donde estrenó en 1902 *La visión de Fray Martín* de Giménez y en 1903 *El trueno gordo* de Giménez, *Los hijos del mar* de Calleja y Lleó y *El famoso Colirón* de los mis-

mos autores. Ese mismo año trabajó en la Zarzuela donde estrenó *Tolete* de Fernández Caballero y *La chica del maestro* de Chapí y al año siguiente *¡Hule!* de Calleja y Lleó. A finales de 1904 ya estaba contratado por el teatro Eslava y así estrenó *El premio de honor* y en 1905 *La mulata* de Valverde, Calleja y Lleó, *Frou-Frou, El trágala* y *Music-Hall* de Calleja y Lleó, *El cake-walk* de Rubio y Valverde y *La tarasca* de Lleó. En 1906 actuaba en el Gran Teatro de Madrid donde estrenó *Torrijos* de Prudencio Muñoz y Enrique Riera. Volvió en 1907 al teatro de la Zarzuela donde fue muy aplaudido en *La patria chica* de Chapí y estrenó en 1908 *Pepe Botellas* de Vives y *Episodios nacionales* de Vives y Lleó. En 1914 en el teatro Magic-Park de Madrid estrenó *El alma de Garibay* de Barrera. Fue contratado por el teatro Martín en 1915 y allí estrenó *Las alegres colegialas* de Lleó y en el teatro Álvarez Quintero *La Morronguito* de Prudencio Muñoz. En 1916 de nuevo estuvo contratado por el teatro de la Zarzuela y estrenó *Las alegres chicas de Berlín* de Rafael Millán. Al año siguiente volvió al Martín para estrenar *La mano que atosiga* de Millán. Seguía en al teatro Martín en 1918 estrenando *Perico de Aranjuez* de Camarero y Fuentes y *El soldado de Nápoles* de Alonso; en 1919 estrenó *El rápido de Irún* de Alonso.

BIBLIOGRAFÍA: *El Arte de El Teatro*, II, 40, 15-XI- 1907.

Mª LUZ GONZÁLEZ PEÑA

Carlos Tojedo en La patria chica *de Chapí (Foto: El Arte de El Teatro, 1907; Ar. SGAE)*

Toma de Veracruz, La. Viaje cómico lírico en un acto. Música de Eliseo Grenet. Libreto de Agustín Rodríguez y Julio Díaz. Estrenada el 4 de junio de 1914 en el teatro Alhambra de La Habana.

Personajes y reparto. Sinforosa (Blanca Becerra). Teté (María Pardo). María (Chelito). Cucusa (Hortensia). Lola (Luz Gil, tiple). Bibiana (Luz Gil, tiple). Mexicana 1ª (Julita); Mexicana 2ª (Amelia Sorg). El Capitán (Vilar). Anacleto (Mariano). Sacude (Ñico). Venancio (Julito). Botero (Valdivia). Sixto (Robreño). Rabuja (Parapar). Belisario (Sevilla). Venustiano (Valdivia). Pícaro (Parapar). Camarero (René Márquez). Marinero (Parapar).

Argumento. Anacleto le comenta a Sacude que México está en guerra con los norteamericanos, y que si no tuviera negocios que atender iría a luchar. Sacude se burla, y aparece el mexicano Venancio, que invita a Anacleto a irse con él a México al día siguiente en una expedición secreta, con un Gene-

ral que quiere reconquistar Veracruz. Sacude, se une como polizón. Anacleto, Sacude y Venancio informan a sus esposas –Teté, María y Chulita, respectivamente–, y se hace una alegre despedida.

En el muelle están las mujeres despidiéndose entre sonrisas y lágrimas, y comentan que seguro volverán.

A bordo los tres conversan sobre la escasa y mala comida, y que el polizón está negro pues está escondido en el cuarto de máquinas. Se acercan Sinforosa y su hija Lola, que reconcen a Anacleto pues son las que lo echaron de su camarote y lo han reconocido, pero les convencen para que guarden silencio. El Capitán recibe un aerograma de que entre sus pasajeros viaja de incógnito el general mexicano de apellido Gómez y ordena su búsqueda. Anacleto está al lado del Capitán y al no poder mostrar su billete se delata, y le piden identificación, entrega uno falso que tiene el nombre del General. Lola le pide al capitán que perdone a Anacleto, y lo acepta por estar a bordo y no poder escapar. El Capitán explica a Lola quién cree que es, y le declara su amor.

Lola dice a su madre que dejó a Anacleto el camarote y Sinforosa piensa que él está enamorado de ella y lo ve más atractivo que antes. Anacleto cree que Lola está enamorada de él, y les dice a Sacude y Venancio que ya tiene hasta un criado y una novia. Aparece Lola, a quien abraza, y el Capitán al verlo lo despacha.

Ya en México el general les abandona y tratan de regresar a Cuba. Se han estado disputando el amor de una mexicana, Bibiana, hasta la inesperada llegada de su esposo Sixto. Explican que están allí luchando y el marido les invita a un cabaret.

En un baile se encuentran Venustiano, el gallego Belisario y Pícaro que es afeminado, que conversan con dos mexicanas. Allí han llegado Anacleto, Sacude, Sixto y Bibiana. Belisario se da cuenta que Anacleto es gallego al igual que él, y Pícaro también encuentra en Sacude un coterráneo. Anacleto y Sacude bailan con las mexicanas. Venustiano se molesta al ver a Anacleto hablándole al oído a la mexicana segunda, sin embargo todo se aclara y Sixto propone que Bibiana cante una rumba. Anacleto se da cuenta que la mexicana segunda está interesada en él, pero Venustiano, que también la pretendía, se ha puesto celoso y se arma tremendo alboroto. Sixto interviene porque sólo ha traído a los extranjeros a divertirse. Culminado el incidente Anacleto se da cuenta que ya no puede regresar a su país. La mexicana segunda se queda con él y sigue la fiesta.

Números musicales. N° 1. Todos, marcha-rumba, "A la guerra". N° 2. Rabuja, pregón, "Pulpa pulpita". N° 3. Teté, María, Cucusa, Anacleto, Sacude, Venancio, bolero, "Voy a partir para lejanas tierras". N° 4. Capitán, Lola, dúo-criolla, "En alta mar te conocí". N° 5. Bibiana, Sixto, habanera, "Chichicuilotes". N° 6. Paso doble. N° 7. Todos, ensalada méxico-cubana, "Allá en la noche callada".

Comentario. *La toma de Veracruz* fue una obra escénica de una increíble actualidad. La forma en que expuso al público habanero los sucesos acaecidos en México, así lo demuestra. Hacia mediados del siglo XIX el presidente Polk pretendió mediante una autoagresión hacer reales los propósitos del gastado "destino manifiesto" declarado desde el inicio del siglo. Algunas bibliografías de la época muestran que fue una verdadera acción de rapiña. La guerra cesó con el tratado Guadalupe-Hidalgo que puso nuevos límites a ambos territorios. Los norteamericanos quedaron así dueños de California y Nuevo México. Como esta son las innumerables agresiones de los norteamericanos hacia México. Los autores de este viaje cómico lírico, fueron testigos de la ocupación, por encontrarse trabajando en México con una compañía de zarzuelas. A su vuelta a La Habana se valieron del interés del teatro Alhambra por mostrar un hecho tan actual y realizaron la obra. En ella mostraron algunos personajes mexicanos con sus respectivas características, apartándose un poco de la triste realidad de la ocupación del puerto de Veracruz.

La obra se mantuvo por mucho tiempo en cartelera, incluso hasta después de devuelto el puerto de Veracruz a sus verdaderos dueños. Otros escenarios como los del teatro Payret y el Nacional también contaron con este viaje cómico lírico dentro de sus obras. A pesar de ser una de las primeras composiciones de Eliseo Grenet para el género, en ella ya se vislumbran los éxitos alcanzados con sus obras posteriores. De excelente se puede calificar el manejo de todos los géneros utilizados en la obra. El número final es uno de los más sobresalientes donde se conjugan algunas características compositivas de la música mexicana con géneros cubanos como la guaracha, la rumba y el son. Igualmente destacan el pregón "Pulpa pulpita" y el dúo "En alta mar te conocí".

Fuentes manuscritas. La partitura y el libreto se conservan en el Museo Nacional de la Música de Cuba.

BIBLIOGRAFÍA: E. Robreño: *Teatro Alhambra. Antología*, La Habana, Letras Cubanas, 1979.

CAROLE FERNÁNDEZ MARTÍNEZ

Tomás, Carmen. España, siglos XIX-XX. Tiple. Debutó en el teatro Principal de México en 1917 con *Las vírgenes paganas*. En 1920 fue contratada por la compañía Romo-Viñas para actuar en el mismo teatro y en 1930 cantó en *El huésped del Sevillano* y *El soldado de chocolate*.

BIBLIOGRAFÍA: M. Mañón: *Historia del teatro Principal de México*, México, Ed. Cultura, 1932.

Mª LUZ GONZÁLEZ PEÑA

Tomás, Guillermo. Cienfuegos (Cuba), 10-X-1868; La Habana, 30-X-1933. Compositor y director de orquesta. Era hijo del destacado compositor y director de orquesta Tomás Tomás, quien lo inició en el arte musical. Posteriormente continuó sus estudios en Estados Unidos, donde se doctoró en la especialidad de música. De regreso a Cuba en 1898, después de concluida la guerra independentista en el país, fundó junto a su esposa, la destacada soprano

Ana Aguado, el Instituto Vocal Aguado-Tomás. Creador y gran promotor, fundamentalmente de la música de concierto, incursionó también en la música escénica con su capricho fantástico *Mascarada florentina*, realizada en 1929 junto con el libretista Salvador Salazar, estrenada el 11 de julio de ese mismo año en el teatro Auditorium; así como la revista cómico lírico bailable *La Habana al fresco*, compartida en la autoría musical con Hubert de Blanck, Luis Mayoquí y Pepe del Campo, y con texto de Necoechea, puesta por primera vez en escena en aquella misma ocasión.

OBRAS: *La Habana al fresco*, Rv-cóm-lír bailable, col. H. de Blanck / L. Mayoquí / P. del Campo, l, Necoechea, est, 11-VII-1929, Te. Auditorium; *Mascarada florentina*, capricho-fantástico, 1 act, l, S. Salazar, est, 11-VII-1929, Te. Auditorium.

CLARA DÍAZ PÉREZ

Tomás, Maruja. España, siglo XX. Vedette. Trabajó fundamentalmente en el teatro Martín estrenando revistas de los dos maestros más populares del momento: Alonso y Guerrero, así estrenó en 1935 *¡Mujeres de fuego!* de Alonso, en 1943 *Luna de miel en El Cairo* de Alonso y en 1944 *¡Cinco minutos nada menos!* de Guerrero.

Mª LUZ GONZÁLEZ PEÑA

Julio Torcal (Foto: Ar. ICCMU)

Torcal Pellejero, Julio. España, †2-I-1949. Compositor. Socio de la SGAE, en cuyos archivos de Madrid se conservan una serie de obras líricas a su nombre, la mayoría en colaboración con Bertrán Reyna.

OBRAS (Todas en *E:Msa*): *¡Anda vete por el mundo!*, Zarz, 1 act, col. F. Grases, l, A. Fernández Cuevas / P. Escamilla; *Candidato nuevo*, Hum, 2 act, col. R. Bertrán Reyna, l, J. López / F. Prado, est, Cuenca; *Cándido Bueno*, Hum, 2 act, col. M. Bertrán Reyna, l, F. Prado / J. L. de Lerena / R. Bertán Reyna, est, XII-1923, Cuenca, *E:Mn, E:Msa*; *Conting Danzing*, Zarz, col. M. Bertran Reyna, l, F. Prado Duque / J. L. de Lerena; *El hada del frío o Última noche del mundo*, Hum, 1 act, col. M. Bertrán Reyna, l, J. López Nuñez / M. Carballeda Ortiz, est, 26-II-1927, Te. Novedades; *El querer de la chica*, Sai, 1 act, l, R. Sánchez Sarachaga; *Herminia*, Zarz, 1 act, l, Navarro; *La flor de malva*, col. M. Bertrán Reyna, l, R. Bertrán Reyna / J. López Nuñez; *La Peque*, Sai, 1 act, col. M. Bertrán Reyna, l, J. López Lerena / P. Llabrés Rubio; *La pinturera*, col. M. Bertrán Reyna, l, P. Llabres Rubio / J. López de Lerena; *La princesa está triste*, Rv, 1 act, col. M. Bertrán Reyna, l, S. Adame Martínez / P. Amalio Fernández, est, 5-X-1925, Te. Rey Alfonso; *La reina de Solteraquia*, col. R. Bertrán Reyna, l, F. Prado Duque, est, VI-1918, Te. Eldorado; *Las chicas de la Latina*, Rv, col. M. Bertrán Reyna, l, R. Bertrán Reyna; *Les pica a las colegialas*, l, F. Prado Duque; *Los chisperos de Madrid*, episodio, 1 act, l, V. Cobos Pérez, est, 21-XII-1921, La Latina; *Los maños de Teruel*, Sai, 1 act,

col. M. Bertrán Reyna, l, E. Montesinos Lopez / J. Santonja Santonja, est, XI-1925; *Radio Paris-Charleston*, Rv, 1 act, col. G. Cases Cases / R. de Julián / R. Yust / R. Jiménez Ortells, l, E. Povedano Arizmendi; *Un buen regalo*, Zarz, 1 act, col. M. Bertrán Reyna, l, L. Bellido / López de Frayle, est, X-1926; *Una chica para todo*, col. M. Bertrán Reyna, l, J. L. de Lerena / L. Bellido / C. Portella, est, X-1926.

BIBLIOGRAFÍA: *DMEH*.

Mª LUZ GONZÁLEZ PEÑA

Tormo, Miguel. España, 1861; ?. Tenor cómico y comediógrafo. Colaborador del periódico *Barcelona Cómica*. En 1879 estrenó en la Zarzuela *Camöens* de Marqués y *La guerra santa* de Arrieta. En 1873 en Eslava *Las fieras de Su Alteza* de los hermanos Fernández Grajal y al año siguiente *Fuego en guerrillas* de Manuel Nieto. En la temporada 1880-81 figuraba en la compañía de Rosendo Dalmau para el Apolo, siendo muy aplaudido en la zarzuela de Ángel Rubio *El corregidor de Almagro*. Esa misma temporada estrenó *Amor y gloria*, zarzuela en tres actos con música de Manuel Nieto, que no obtuvo ningún éxito. Con Manuel Nieto volvió a probar suerte en 1885, estrenando en el teatro Tívoli de Barcelona otra zarzuela en tres actos, *El rey reina*. En 1893 escribió con Calixto Navarro el episodio lírico-dramático *El himno de Riego*. En 1907 actuaba en el teatro Apolo de Valencia siendo muy aplaudido en *Sangre moza*.

BIBLIOGRAFÍA: *CDE; TA*.

Mª LUZ GONZÁLEZ PEÑA

Miguel Tormo en La Marsellesa de Fernández Caballero (Foto: Ar. Emilio G. Carretero)

Enriqueta Torner (Foto: Ar. SGAE)

Torner, Enriqueta. España, siglos XIX-XX. Tiple. Estrenó en 1919 *La hebrea* de Enrique Estela en el teatro Apolo de Valencia. Aunque sólo se conoce esta actuación, existe abundante iconografía de esta cantante, por lo que posiblemente debió ser bastante famosa en su momento.

Mª LUZ GONZÁLEZ PEÑA

Torrado Estrada, Adolfo. La Coruña, 11-V-1904; Madrid, 12-VII-1958. Dramaturgo. Colaboró en el periódico *La Voz de Galicia*, donde se encargaba de la crítica de teatros. Su vocación teatral le llevó muy pronto a escribir sus propias obras, por lo que

*Adolfo Torrado
(Foto: Ar. SGAE)*

decidió trasladarse a Madrid. A pesar de que su carrera está llena de éxitos, no se puede decir que fuese un autor de calidad. Su estilo era descuidado –tal vez debido a las numerosas obras que escribió–, pero poseía el don de lo teatral para lograr la atención del espectador. Su sentido de la comicidad, basado en chistes fáciles y de dudoso gusto en ocasiones, supo conectar con un público tal vez poco exigente. Algunas de sus obras alcanzaron más de doscientas representaciones consecutivas, lo que demuestra que, sin ser un escritor de primer orden, era eficaz en su labor. De su extensa producción lírica destacan los libretos escritos en colaboración de Serafín Adame: la zarzuela *El cantar del arriero*, 1930 –que fue su primer gran éxito–, *El renegado*, 1931, *El cantante enmascarado*, 1934, y *Paloma de Embajadores o Cada cual con su igual*, todas con música de Fernando Díaz Giles. Escribió una ópera, operetas, sainetes, zarzuelas, dedicándose en la década de 1930 y 1940 preferentemente a la revista y comedia musical, en las que trabajó con los compositores Ernesto Pérez Rosillo en *Las ambiciosas*, 1952; Manuel Montorio y Augusto Algueró en *De pillo a pillo*, 1955, y *El cosaco y el rajá*, 1957. Otros compositores de la importancia de Jesús Guridi, Reveriano Soutullo y Manuel López Quiroga, compartieron éxitos en su breve pero fecunda carrera teatral. *Véase* EL CANTAR DEL ARRIERO.

BIBLIOGRAFÍA: *TLE*; *BSGAE*, IV, 32, Madrid, 1957-58.

OLIVA G. BALBOA

Torrano, Ginés. Murcia, 17-I-1929. Tenor. Su formación musical la recibió en el Conservatorio Superior de Música y en el Orfeón Fernández Caballero de Murcia, con su director Manuel Massotti Littel, y alternando las clases con las actuaciones en el Orfeón. Su debut profesional tuvo lugar en el teatro Romea de Murcia con *Cavalleria rusticana* en 1949. Tras ampliar sus estudios en Roma con Lauri-Volpi regresó a España y fue contratado por el Liceo. Su carrera estuvo fundamentalmente enfocada hacia la ópera pero en la temporada 1965-66 debutó en el teatro Arriaga de Bilbao con *Marina*. En 1969 tuvo lugar su debut en el teatro de la Zarzuela con *El último romántico* de Soutullo y Vert. No fue ésta la única zarzuela que incluyó en su repertorio, pues además cantaba *Marina*. A Torrano se debe la única grabación existente de *El último romántico*, en su discografía se encuentran también *Don Gil de Alcalá*, *La generala*, *La pícara molinera* y *Los diamantes de la corona*, además de la ópera *Goyescas*. En 1974 obtuvo la plaza de profesor de canto del Conservatorio de Murcia y se retiró aunque siguió ofreciendo algunos recitales y participó en el homenaje que se le tributó a Manuel Ausensi en Abarán (Murcia) en 1995.

FONOGRAFÍA: *Don Gil de Alcalá*, Alhambra-BMG España WD 74553 (9D) • Columbia-BMG C 30038-9, CS 40038-9 • Columbia-Zacosa SA, ZCL 1065 y 1066, 192 y 193 • Columbia SA, C 7506 190 • Columbia-BMG-Ariola-Salvat 1056-2; *El último romántico*, Columbia-Alhambra MCC 30034, SCLL 14042 • Columbia SA, ZCL 1034; *Goyescas*, Alhambra-BMG España WD 71322 (9D) • Columbia SA, ZCL 1094 197; *La generala*, Columbia SA, OZS 1004 (Alhambra) 91 • Columbia SA, C 32032 65; *La pícara molinera*, Columbia-Alhambra-BMG MCC 30036; *Los diamantes de la corona*, Columbia-Alhambra-BMG MCC 30049, CS 40049 • Columbia SA, SCLL 14073 • Columbia SA, ZCL 1092 (Zacosa) 165 • RCA-BMG España 74321 35973 2; *Antología de la zarzuela (2)*, Columbia-Salvat 1020-1.

BIBLIOGRAFÍA: *CCE*; *HGZ*; J. Martín de Sagarmínaga: *Diccionario de cantantes líricos españoles*, Fundación Caja Madrid-Acento Ed., Madrid, 1997.

EMILIO CASARES RODICIO

Torre del Oro, La. Zarzuela en un acto. Música de Gerónimo Giménez. Libreto de Guillermo Perrín y Miguel de Palacios. Estrenada el 29 de abril de 1902 en el teatro Apolo de Madrid.

Personajes y reparto. Rosalía (Joaquina Pino). Soledad (Isabel Bru). Angustias (Amparo Taberner). Antonia (Felisa Torres). Manuela (Elisa Moreu). Pepa (Isabel Carceller). Carmen (Braulia Gálvez). Paco (Anselmo Fernández). Sotero (Emilio Carreras). El tío Pepe (Melchor Ramiro). Solera y El Camarón (Isidro Soler). Antoñito el Retirao (Ricardo Simó Raso). El Cordobés (Antonio Pérez Juste). El Lechuza (Vicente Carrión). El Niño de Triana (José Mesejo). Un concurrente (Gonzalo Máiquez). Coro general.

Orquestación. Flautín, flauta, 2 oboes, 2 clarinetes, fagot, 2 trompas, 2 cornetines en La, 3 trombones, timbales, percusión y cuerda.

Argumento. La acción tiene lugar en una venta a las afueras de Sevilla. Aparecen Angustias, Manuela, Pepa, Antonia y el coro de señoras, vestidas a la sevillana, con flores en la cabeza. Llegan a su lado los hombres, con Sotero, que es el que paga la fiesta, Solera y Antoñito el Retirao. Cantan y dan palmas alrededor de la mesa. En un momento todos jalean y acompañan con sus aplausos a Angustias que muestra su talento en el baile, con gran animación general. Hablan de Rosalía, una mujer de gran atractivo, hija del tío Pepe, a la que llaman "la Torre del Oro", por "lo esbelta, lo firme y lo gallarda". Llega Soledad, una cantaora, mujer de gran empaque, que genera un enfrentamiento entre los parroquianos, mientras parte de éstos no hacen más que llamar a Rosalía que finalmente aparece. Cuando llega, el espectador se da cuenta que ella y Soledad están enfrentadas por un hombre, Paco, que dejó en su día a Rosalía. Cantan y bailan todos alrededor. Cuando se van a otro lado, quedan solos Rosalía y Paco. La primera le echa en cara al segundo qué razones tuvo para marcharse con Soledad, y qué razones tiene éste para renegar de su nuevo amor. Paco, muy confuso, duda entre las dos, totalmente atormentado. Rosalía, la Torre del Oro, también llora su desgracia. En el cuadro segundo, en una calle de Sevilla, pasean Sotero y Antoñito el Retirao. El primero se muestra disgustado porque Soledad le rechaza. Cuando ambos iban en un coche, Paco apareció y lo echó a él de su lado. Ahora le muestra su disgusto a Antoñito. En mitad de la calle se presentan tres tocadores de café junto al Lechuza, un jaleador, con su bastón. Salen a ritmo musical y entonan unas melodías. Después aparecen Angustias, Antonia, Manuela y Pepa, a los que añaden Soledad y Paco. Éste le cuenta a la cantaora que Rosalía se ha quedado llorando por

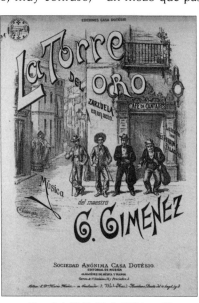

Cortesía de Unión Musical Ediciones SL

él lo que genera una incomodidad en aquélla que, además, debe cantar en el café esta noche. Por otro lado, Paco no hace sino mostrar sus celos ante los acosos de Sotero, a lo que Soledad no dice nada. Cuando ésta va a trabajar se tropieza con Rosalía, con la que discute. Están a punto de llegar a las manos, pero Soledad se retira retando a Rosalía, mientras va al tablao, desafío que acepta Rosalía. El cuadro tercero tiene lugar en un café cantante de Sevilla. Allí están todos cuando Rosalía le pide permiso a Solera para cantar en el tablao. De entrada Soledad se niega por lo que Rosalía le espeta que tiene miedo. Cuando se van a enfrentar físicamente, los presentes lo impiden. Paco defiende a Rosalía, lo que genera el enfado de Soledad, que está al borde de perder los nervios, hasta el punto de reclamar de Antoñito que mate a Paco. En ese momento se da cuenta del tipo de mujer que es Soledad. La desprecia de inmediato y se lanza en los brazos de Rosalía, con el entusiasmo general y el consiguiente dolor de Soledad.

Números musicales. Nº 1. Preludio. Nº 2A. Seguidillas, "Con sal y mujeres y con guitarras". Nº 2B. Tango del lapicero, "Hay una cosa en el mundo que cuesta poco dinero". Nº 3. Escena y zapateado, "¿Quién llama a Rosalía? ¿Quién quiere saber de mí?". Nº 4. Dúo de Paco y Rosalía, "Amor es una veleta". Nº 5. Cuarteto de los cantaores flamencos, "Con la guitarra en funde ole ya". Nº 6. Copla de El Lechuza, "¡Ay comare del arma!". Final.

Comentario. El éxito del melodrama comprimido que había tenido gran fortuna a fines del siglo anterior con obras como *La chavala* de Chapí, animó a Perrín y Palacios a probar fortuna en un drama entre una cantaora de café, la hija de un ventero y un mozo que pasa de "la mala" a "la buena" conforme se aclaran sus sentimientos, todo ello contando con el equipo habitual del teatro Apolo, incluyendo figuras como las Pino, Brú, Taberner, Fernández, Carreras, Mesejo o Soler y apostando por un andalucismo mucho más marcado. El comentarista de *El Globo* opinaba incluso que "los autores sólo han tratado de componer varios cuadros de gran visualidad y llenos de color" (Madrid, 30-VI-1902) por lo que así se consigue que, en la nueva obra, haya "alegría, juerga, baile y color, mucho color. Toda la corte de cantadoras, bailadoras y guitarristas que compone la Sevilla alegre, sale en la nueva obra y en sus cantes, bailes y toques, respectivamente, hacen pasar agradablemente el rato". José de Laserna, sin embargo, señalaba que "los artistas de Apolo no sienten el andaluz, y que es, por tanto, muy difícil esperar de ellos primores de ejecución en una obra que se desenvuelve en plena Sevilla" (*El Liberal*, Madrid, 30-IV-1902).

Chispero, por su lado, comenta que "al día siguiente de desaparecer *La divisa* se estrenó *La torre del Oro*, una a modo de revista andalucista debida a los maestros del género señores Perrín y Palacios, y musicada de modo asombroso nada menos que por Giménez (y Serrano), colaboración magnífica que sólo se dio en esta obra y ello fue para dejar el grato recuerdo de aquellos bizarros números basados en temas populares y con toda luminosidad, el brío, el calor, el garbo y la alegría de lo típicamente andaluz. La interpretación acrecentó el mérito de la obra. La Pino, además de cantar muy bien su parte, estuvo magistral como actriz. En un mutis se le tributó una ovación extraordinaria. La Brú, la Taberner, Anselmo Fernández, Emilio Carreras, Mesejo (José), Soler, Carrión y Soriano, a más de Simó Raso, que creó magistralmente un tipo episódico –aunque pocos subrayaron su acierto– estuvieron a la altura de su fama". Es de señalar la indicación de Chispero sobre la colaboración de Serrano que en ningún sitio más que en su memoria ha permanecido. Bien puede ser un error de Chispero o que se tratase de una colaboración esporádica, sin mayor trascendencia, que no mereció ser anotada en el haber del valenciano. Hay que destacar la perceptible influencia de *La chavala*, sobre todo en el toque melodramático del personaje de Soledad, inevitable guiño al verismo que inundaba todo el panorama del momento. Pero también debe resaltarse la inclusión del número erótico, en este caso la "Canción del lapicero", una de las múltiples creaciones que enlazaron al género chico con el cabaré.

La obra se inicia con el célebre preludio –que en bastantes ocasiones se ha denominado erróneamente como intermedio–, pieza que ha permanecido en el repertorio, si bien en una versión reducida, posiblemente tras su fama, por las manos de su autor. Tras un redoble general de la percusión y un trémolo de la cuerda grave, aparece un tema solemne en *Adagio*, en el que se puede rastrear la influencia del wagnerismo al uso aunque transformado por el carácter hispano y que parte de material del dúo posterior entre Paco y Rosalía, más concretamente de la frase "Vuelve tus ojos amantes". Sigue un *Allegro* sobre un ritmo característico de fandango, donde los giros aflamencados se manifiestan en su melodía, mientras la orquesta juega con variados y brillantes contrastes tímbricos. Aunque el tratamiento orquestal resulta bastante clásico, Giménez consigue unos efectos colorísticos de indudable resultado. Debe incidirse de nuevo en que, tradicionalmente, en las versiones orquestales que se han mantenido, se prescinde de la parte de la partitura que incluye una malagueña cantada que Giménez introduce a la mitad, con lo que éste todavía ve aumentar sus dimensiones y, de alguna manera, su concepción. El material temático de esta malagueña es reproducido por la orquesta en *fortísimo* y da paso a un *moderato* (del que también se prescinde en las versiones discográficas) que se transforma en un *Allegro animato*, un zapateado, donde Giménez vuelve a demostrar que era el mejor en la composición de este tipo de ritmos. Culmina el número con material inicial, mucho más solemne, amplificado en la orquesta y donde la influencia wagneriana está todavía más presente en la instrumentación. Las cadencias de cierre se desarrollan sobre el material del zapateado. El Nº 2 sobre ritmo de seguidillas, supone la intervención de una cantaora, junto al resto de los solistas y el coro. En realidad se está ante una escena característica de presentación como tantas otras en el género chico. El Nº 2B es un tango, denominado "del lapicero". Teniendo en cuenta que estaba escrito para Amparo Taberner, una artista con indudable picardía, se constata cómo un texto que en primera impresión resulta lo más limpio, adquiere una dimensión procaz al releerlo en clave erótica. Cuenta con una música muy característica de su autor, graciosa, servida para una voz centrada, sin demasiados pro-

blemas de extensión y acompañada por el coro. Culmina el número la orquesta exaltada. El Nº 3 es una escena que da paso a un zapateado que ya se había escuchado en el material del preludio, tal y como era habitual en la época. El conjunto, coro y solistas, desarrollan esa idea melódica con idéntica habilidad, lo que muestra el dominio de su autor en este tipo de menesteres. El Nº 4 es un dúo de Rosalía y Paco, en la misma línea del célebre de *La revoltosa* que se convirtió en modelo de referencia para este tipo de escenas, aunque con material aflamencado. En este caso se escucha una variante del *Adagio* del preludio. Es un dúo apasionado, de gran fuerza y donde los personajes utilizan giros y melismas flamencos. El Nº 5 es un cuarteto muy gracioso, denominado de los cantaores flamencos con algunas variantes de los ritmos ya escuchados en el preludio. El Nº 6 por su parte, es una copla del Lechuza y el final, un zapateado ya anunciado en el preludio.

La música sí fue acogida con unanimidad. *El Globo* celebra que es "digna" del maestro Giménez y afirma que "lo mejor de todo es el preludio, en el que hay derroche de inspiración, arte y dominio de la orquestación. Con grandes aplausos fue acogido. También fueron muy aplaudidos los restantes números de la partitura, mereciendo alabanza un original cuarteto". Laserna comenta que "de la partitura gustó la sinfonía que es un pot-purri de aires andaluces, orquestado con mucho brío y brillantez y luego un cuarteto cómico de mucho efecto". También se destacaron las decoraciones de Martínez Garí.

Fuentes manuscritas. La partitura se conserva en el Museo del Teatro en Almagro (C / 1702). Los materiales de orquesta se conservan en el archivo de la SGAE en Madrid (1683).
Ediciones de música. Madrid, Cd, 1902.
Ediciones del libreto. Madrid, SAE, 1902; 2ª ed., 1905.

BIBLIOGRAFÍA: *TA*; J. Parejo Delgado: *Gerónimo Giménez: Un precursor de Manuel de Falla*, Sevilla, 1997.

LUIS G. IBERNI

Torregrosa, Rosa. España, sigos XIX-XX. Tiple. En 1908 era tiple del teatro Eslava y en 1912 del Gran Teatro de Madrid. En 1915 debutó en el teatro Principal de México al que regresó en 1921 con la Compañía de Zarzuelas y Revistas Hispano-Mexicana, cantando *La moza de mula*s y *Las musas latinas*.

BIBLIOGRAFÍA: M. Mañón: *Historia del teatro Principal de México*, México, Ed. Cultura, 1932.

Mª LUZ GONZÁLEZ PEÑA

Torrens Boqué, Eduardo. La Selva (Tarragona), 1865; ?. Compositor y docente. Hijo del organista de la iglesia parroquial, fue educado por su padre. A los trece años ocupó la plaza de primer violín en el teatro del Circo Barcelonés. En 1873 viajó a París y en ese mismo año fue a Buenos Aires, donde alter-

Eduardo Torrens (Grabado de J. Diéguez en IMHA; Ar. ICCMU)

nó el ejercicio de la composición con el de la docencia. Interesado por la difusión de la temática criolla, inició, en 1876, la edición del *Álbum Musical Hispanoamericano*. En 1879 comenzó a componer la ópera *Gualterio*, a la que siguieron algunas otras. Dejó al menos dos zarzuelas, una estrenada en 1894, *La caja misteriosa*, con libreto de Antonio Fernández Cuevas y otra estrenada al año siguiente, en el teatro Olimpo, titulada *La chumbera*, con libreto de Ximeno Ximénez.

BIBLIOGRAFÍA: *DMEH*; "Eduardo Torrens Boqué", *IMHA*, 26-VII-1889; M. García Acevedo: "Compositores Hispanos en la Cultura Musical Argentina", *Lira*, 192-4, 1964.

EMILIO CASARES RODICIO

Torrens [Torrents] i Ventura, Josep Maria. Esparraguera (Barcelona), 27-III-1899; Barcelona, 11-X-1986. Compositor. Comenzó su carrera musical en su localidad natal, donde en 1917 fundó el Orfeó de Esparraguera. En su familia había otros miembros dedicados a la música. Desarrolló una extensa carrera compositiva, interesándose en distintos géneros musicales. Alcanzó una popularidad considerable con las canciones y couplets que popularizaron Emili Vendrell, y años más tarde Núria Feliu. Mantuvo amistad con Enric Morera, con Jacinto Benavente, y con el compositor de zarzuelas Jaume Mestres, además de con el dibujante Opisso. Compuso con intensidad revistas, que fueron aceptadas muy favorablemente, al tiempo que alcanzaron una importante difusión. Algunos de estos números gozaron de una gran popularidad, caso del "Pericón del Paraguay", que se reprodujo en rollos de pianola, y sobre todo el cuplé "Remena nena", perteneciente al vodevil *La reina ha relliscat*, obra que aún se interpreta, y que popularizó Mary Santpere. Esta última obra fue la que más éxito y reconocimiento reportó a Torrens, realizándose una traducción al castellano. La primera versión, estrenada en 1932, se anunció como un vodevil sonoro; de ella Torrens realizó una revisión, refundida como opereta bufa, y estrenada en 1952. En la década de los setenta se editó una grabación, arreglada por Jordi Teixidor, de la cual Narcís Comadira publicó unos aleluyas propagandísti-

cos para el sello discográfico Pu-put, con ilustraciones de Enric Satué. El argumento es propio del género vodevilesco, el embarazo no deseado de una reina, aderezado con escenas picantes y situaciones chistosas. La revista *L'ou com balla*, estrenada en 1922, fue la primera obra con la que consiguió que su nombre sonara en el ambiente lírico barcelonés, además de *Roda el món... i torna al Born*, 1935, composición en la que el lenguaje de tipo jazzístico tiene un papel importante.

Aparte de canciones de género ligero, Torrens cultivó el repertorio liederístico. A principios de enero de 1939 la Generalitat republicana le otorgó el premio "Francesc Alió" –uno de los premios musicales de la Generalitat que se convocaron hasta 1938–, por su obra *Nou cançons*. El jurado estaba integrado por E. Morera, J. B. Lambert, J. Suñé, J. Massià y J. Fontbernat. En esa convocatoria fueron galardonados también, en otros géneros, R. Lamote de Grignon y F. J. Obradors. El importe del premio ascendía a 1.500 pesetas. Cultivó este repertorio hasta el año 1939. También puso música a textos de Gaston A. Mantua y de A. Roure, autores de libretos para comedias y revistas, así como sobre textos del tenor Emili Vendrell, *L'arengada*, *Tota tu absent de mi* y *Cançó primaveral*. Otra de sus vertientes fue la composición para ballets y grupos de variedades, caso del ballet de Sacha Goudine, para el que compuso *Tiempos antiguos*, así como la composición de sardanas, algunas premiadas, y bandas sonoras, muchas de cuyas melodías se hicieron muy populares, en especial las de anuncios radiofónicos. No menos importante es la ingente cantidad de música incidental y composiciones de música ligera que llegó a publicar. Algunas de ellas las firmaba con el pseudónimo Diator. Entre la música de revistas se encuentran *Flaman te dinero*, *Moneda circulante*, *La sirena tonta*, *Concentrado Intercasa* o *La bruja de la escoba rota*. Las composiciones bailables, así como la música ligera, comprenden desde bailes de moda, fox-trot, schotis, danzones, two-step, sambas, hasta melodías inspiradas directamente en la música melódica americana de los años cincuenta, y en el estilo de Xavier Cugat; algunas de las obras las compuso en colaboración con J. Pla. *La canción del Tirol*, una de sus piezas más divulgadas, fue editada fonográficamente.

Sus obras arrevistadas, como *La reina ha relliscat*, 1932, a pesar de que se subtitule como opereta bufa o vodevil sonoro en algunas ocasiones, incluyen números bailables de moda, couplés, junto con música incidental. La obra se reestrenó en el teatro Victoria, en noviembre de 1952. Entre esa fecha y finales de 1953 alcanzó las cien representaciones. Es muy habitual que se repita un mismo número, sólo en versión instrumental, en distintos momentos de la obra. Torrens tenía un gran acierto, tanto melódico como rítmico, para caracterizar sus pericones, los schotis o el fox-trot; la mayor parte de las obras se terminaban con un himno y una marcha final para propiciar el desfile de toda la compañía. Aún están presentes las americanas, y los tangos, en los cuales se nota su papel de referencia a formas antiguas, propias del siglo XIX, frente a los bailes de moda de la década de los treinta, el fox –un ritmo muy presente en la mayor parte de sus obras arrevistadas–, el pericón y el vals inglés, entre otros. También es notable la influencia de la música de jazz en sus composiciones, así como la presencia del saxofón y la batería en sus instrumentaciones. El caso del couplé "El cóctel de l'amor", conocido popularmente como "Remena nena", tiene un claro antecedente en un dúo de la zarzuela catalana *Si us plau, per força*, 1866, obra con música de Antonio Gordon, y que alcanzó una notable difusión hasta el siglo XX; en ese dúo Jepet y Maria cantan "Remena, remena noieta" con un tono vodevilesco y bufo que tendrá sus ecos en la obra de Torrens. En general, sus revistas seguían los patrones habituales del género, si bien Torrens consiguió encontrar un nivel medio en sus composiciones, con una calidad musical que evitaba caer en lo rayano a la vulgaridad. Alguna de estas obras, caso de *El Papitu Santpere*, contenía abundantes referencias políticas, junto con los chistes picantes que tanto divulgó J. Santpere. En la marcha final de esta obra el texto contiene vivas en favor de la República.

OBRAS: *Bella de noche*, I, A. Roure; *Cochero, al Edén*, Rv, I, A. Manchón; *Deauville, port de París*; *Don Juan Tenorio*, versión cómico musical; *El duque de Montalt*; *El Papitu Santpere*, semanario barcelonés, col. V. Quirós / J. Viladomat, I, J. Montero, est, XII-1932; *El secreto del abuelo*; *El tropezón de la reina*, adaptación al castellano de *La reina ha relliscat*, Vo, I, A. Roure, est, 19-XII-1936, Te. Español (Barcelona); *Fuentes de amor*, Rv; *Il trovatore imprudente*, parodia bufa; *L'ou com balla*, Rv, col. E. Nogués, I, E. Duch Salvat, est, 28-XI-1922, Te. Tívoli (Barcelona); *La canción del Tirol*; *La princesa Bebé*, col. J. Mestres; *La princesa Blanca Nieves*, Opt fantástica, 3 act, I, C. A. Mantua / A. Estefanía, est, 3-VI-1942, Te. Principal Palacio (Barcelona); *La reina ha relliscat*, Opt Bu-Vo sonoro, 3 act, I, A. Roure, est, 23-I-1932, Te. Espanyol (Barcelona); revisión est, 29-XI-1952, Te. Victoria (Barcelona); *La retirada de Belchite*, Com musical, 2 act, I, J. Vila Casas; *Lo Ninot de mollas*, Jug cóm, 1 act, I, L. Millàs; *Objetivo al Cómico*, Rv; *Pimpinela*, col. J. Pla; *Reportaje de actualidad, o qué bien va*, I, R. Serrat, 1960; *Roda el món... i torna al Born*, jazz-fantasía, 3 act, I, A. Collado / J. Roig, est, 24-I-1935, Te. Español (Barcelona); *Si Eva fuera coqueta*, Rv, col. VVAA.

FRANCESC CORTÈS i MIR

Torrente, Adelaida. España, siglo XX. Tiple. En 1932 actuaba en el teatro de La Latina donde estrenó *Consuelo "la del Portillo"* de Vela y Arquelladas y *La dulzaina del charro* de Modesto Rebollo. En 1940 estrenó en Eslava *¡Alhambra!* de Díaz Giles y es de suponer que entre esos años seguiría trabajando aunque no se conocen otros estrenos.

Mª LUZ GONZÁLEZ PEÑA

Torrentó, Lolita. Segre (Lérida), 1921. Soprano lírico-ligera. Su debut se produjo en el Gran Teatro del Liceo de Barcelona en 1939 con *La bohème*, su ópera favorita, en el papel de Musetta. Ha cantado sobre todo ópera y algún oratorio. Su vinculación a la zarzuela se debe fundamentalmente a las grabaciones discográficas que hizo, entre las que destacan *La generala* de Vives para EMI, *Molinos de viento* de Luna y *Bohemios* de Vives, ambas con Marcos Redondo, y *Los cadetes de la reina* de Pablo Luna junto a María Espinalt y José Simorra.

FONOGRAFÍA: *Bohemios*, Columbia, SA, ZCL 1017 (Zacosa SA) • REGAL LCX7002 70; *Doña Francisquita*, Regal LCX 7014 77 • Regal M 15027 a M 1513 CKX 3746 a CKX 3755, CKX 3760; *El huésped del Sevillano*, Regal LCX7012 60; *La generala*, EMI (941) 7243 5743402 7 • EMI 7 67473 2 (637.65513); *La Reina Mora*, EMI 5 72908 2 (637.36324) • Regal LCX 7006 117 (116ª); *La verbena de la Paloma*, Regal LCX 7015 51 • Regal LREG 8029 164; *Los cadetes de la reina*, EMI (941) 7243 5743412 6 • EMI 5 72908 2 (637.36324); *Los gavilanes*, Regal LCX 7008 128; *Luisa Fernanda*, Regal LCX 7001.

BIBLIOGRAFÍA: J. Martín de Sagarmínaga: *Diccionario de cantantes líricos españoles*, Madrid, Fundación Caja Madrid-Acento Ed., 1997.

EMILIO GARCÍA CARRETERO

Torres, Antoñita. España, siglo XX. Bailarina y vedette. En la segunda década del siglo XX formaba pareja de baile con otra joven anunciándose en los carteles con el sobrenombre de "Las Napolitanas". Deshecho el dúo tras algunos años de actuación, trabajó como bailarina solista y vedette en distintas compañías de revistas, destacando en su trabajo el llevado a cabo en el desaparecido teatro Romea cuando era regido por el periodista-empresario José Campúa. Figuró en revistas al lado de artistas del renombre de Celia Gámez, Laura Pinillos, Conchita Costanzo o Amparito Taberner, estrenando obras como *Las lloronas* de Alonso, 1928, *¡Por si las moscas!* de Alonso y *El antojo* de Pablo Luna, 1929.

Antoñita Torres (Foto: Ar. SGAE)

BIBLIOGRAFÍA: A. Retana: *Historia del arte frívolo*, Madrid, Ed. Tesoro, 1964.

EMILIO GARCÍA CARRETERO

Torres, Clara. España, siglos XIX-XX. Tiple. En 1889 estrenó con extraordinario éxito *Viaje a Cádiz* de Blanca Lozano Mena en el teatro de La Infantil. En 1890 estrenó con gran éxito *El cuerno* de Federico Gassola en el Salón Variedades de Madrid, y *El* *cabo Baqueta* de Brull, en el Apolo. En 1891 estaba en el teatro Eslava donde estrenó *Pajarón* de Teodoro San José, con gran éxito y en el mismo teatro estrenó en 1894 *El pozo del diablo* de Rafael Taboada, también con éxito, *Boda, tragedia y guateque o El difunto de Chuchita* de Marqués. En 1897, siempre en Eslava, estrenó *De la retreta a la diana* de José M. Alvira. Probablemente sea Clara la señorita Torres que estrenó en Eslava *Los belenes* de Nieto, 1890, *¡Viva el rey!* de Chapí, 1896, y *El arco iris* de Torregrosa y Valverde, 1897.

Mª LUZ GONZÁLEZ PEÑA

Torres, Emilio. España, siglo XIX. Actor-cantante. Actuó en Málaga y Sevilla y también en Madrid, en teatros de segunda categoría. En 1889 estrenó *¡A Buenos Aires!* de Joaquín González Palomares en el teatro Cervantes de Málaga y en el teatro La Infantil de Madrid *Los aficionados* de Antonio Puig y *La más negra* de Luis Conrotte; en 1893 *La epidemia reinante* de Cabas y Osuna y *¡Viva tu madre!* de Ángel Rubio en el teatro del Duque de Sevilla; en 1896 estrenó *El año veinte* de Luis Mariani en el teatro del Duque y en 1899, en el mismo teatro, *El peregrino* de Vicente Gómez Zarzuela.

Mª LUZ GONZÁLEZ PEÑA

Torres, Enriqueta. España, siglos XIX-XX. Tiple cómica, Estrenó en 1910 *La princesa de los Balkanes* de Eysler en el teatro Novedades de Barcelona. En 1923, convertida ya en primera tiple cómica, formaba parte de la compañía de verano de Eugenio Casal para el teatro Maravillas de Madrid.

Mª LUZ GONZÁLEZ PEÑA

Torres, Felisa. España, siglos XIX-XX. Tiple. Perteneció a la compañía del teatro Apolo, como su marido, el primer actor Emilio Carreras. Felisa tuvo una gran actividad en ese teatro, donde estrenó *El hermano Baltasar* de Caballero, 1884; *El cabo Baqueta* de Brull y Mangiagalli y *Tannhaüser cesante* de Giménez, 1890; *¡Viva el rey!* de Chapí, 1896; *La zarzuela nueva* de Torregrosa y *El cocinero de Su Majestad* de los Valverde, 1897; *El santo de la Isidra* y *La fiesta de San Antón* de Torregrosa, *La chavala* de Chapí, *El mantón de Manila* de Chueca, *El reloj de cuco* de Bretón, 1898; *Las buenas formas* de Rubio y Valverde, *Los arrastraos* de Chueca, *La familia de Sicur* de Giménez, *Los buenos mozos* de Chapí, 1899. En los comienzos del siglo XX seguía siendo un firme puntal del teatro Apolo y estrenó *El gatito negro* de Chapí, *¡A cuarto y a dos...!* de Calleja, 1900; *El siglo XIX* y *Los locos* de Montesinos, *Los niños llorones* de Valverde y Torregrosa, *El coco* y *La buena ventura* de Vives y *El género ínfimo* de Quinito Valverde, en la que arrebataba al auditorio bailando un tango y cantando un

número titulado "Salón verde botella", 1901; *La torre del Oro* de Giménez, *La venta de Don Quijote* y *El rey mago* de Chapí, y participó en la reposición de *Novillos en Polvoranca o Las hijas de Paco Ternero* de Barbieri, 1902; *El terrible Pérez* de Torregrosa, 1903; *El pobre Valbuena* de Torregrosa, 1904; *Los bárbaros del Norte* de Chapí, 1906; *El niño de San Antonio* de Juan Goytisolo Gay, que la prensa reflejaba como un gran éxito, 1907; *El diablo con faldas* de Chapí y *El método Górriz* de Lleó, 1909. Abandonó el Apolo en la temporada 1903-04 y acompañó a Quinito Valverde a París para dar a conocer la música española. En 1907 regresó a Madrid con la intención de dedicarse a la ópera y trasladarse a América dedicada a ese género. En 1912 formaba parte de la compañía del Gran Teatro de Madrid.

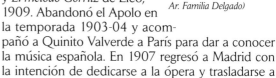

Felisa Torres en Quo Vadis? *de Chapí (Foto: Calvet; Ar. Familia Delgado)*

BIBLIOGRAFÍA: *HGZ; ME; TA.*

Mª LUZ GONZÁLEZ PEÑA

Paquita Torres (Foto: Nuevo Mundo, *1913; Ar. ICCMU)*

Torres, Paquita. España, siglos XIX-XX. Tiple. Fue discípula de Simonetti y *Nuevo Mundo* en 1913 daba la noticia de que iba a debutar como primera tiple de Eslava por sus inmejorables cualidades artísticas. En abril de 1914 era tiple de la compañía de opereta y zarzuela de Pablo Luna y Arturo Serrano que actuaba en el teatro de la Zarzuela. En 1915 estrenó en Eslava *La invitación al vals* de Strauss. Estrenó en 1922 en el teatro Reina Victoria la opereta de Gilbert *¡Roma se divierte!*. En 1925 estaba contratada por el teatro Alkázar. Por la época en que se produjeron los estrenos de *La pescadora de Ubiarco* de José M. Tena, teatro del Cisne, 1925 y *El carro de la alegría* de Corral y Campiña, Fuencarral, 1927, probablemente fuese Paquita la señorita Torres que aparece en los libretos de ambos estrenos.

Mª LUZ GONZÁLEZ PEÑA

Torres, Rosa. España, siglo XX. Cantante. Formaba parte de la compañía de zarzuela y opereta de Vicente Lleó que actuaba en el teatro Martín y el 23 de febrero de 1916 se pasaron al teatro de la Zarzuela. Participó en el estreno de *Las alegres chicas de Berlín* de Millán con gran éxito e incluso con la asistencia de la familia real; ese mismo año estrenó *La guitarra del amor* de Bretón, Giménez, Vives, Barrera, Luna, Villa, Brú, Soutullo y Anglada. En 1929 estrenó *La Meiga* de Guridi alternando con Dorini De Diso.

BIBLIOGRAFÍA: E. García Carretero: *Historia del teatro de la Zarzuela de Madrid*, Madrid, Fundación de la Zarzuela Española, 2003.

EMILIO GARCÍA CARRETERO

Torres Clavé, Raimundo. Barcelona, 10-V-1912; Barcelona, 10-IV-1987. Barítono. La afición musical le venía de familia y pronto abandonó los estudios de arquitectura para dedicarse por completo al canto. Estudió con Ana Milich y posteriormente se perfeccionó en París. Fue además un magnífico dibujante y llegó a realizar exposiciones en Barcelona. Debutó en el Coliseum de Barcelona en 1940 con *Pagliacci* y a continuación cantó *Madama Butterfly* en el Liceo junto a Mercedes Capsir. Con una voz de amplia tesitura, en el repertorio de este barítono dramático figuraban la ópera y el lied. Cantaba lo mismo ópera alemana que italiana y su mayor éxito fue *Boris Godunov* por los teatros de Europa y América, compartiendo escenario con los mejores cantantes del momento. En la temporada 1942-43 fue contratado por el Liceo de Barcelona cantando los numerosos títulos de su repertorio y estrenando *La Atlántida* de Falla, *El Pesebre* de Casals y *Canigó* de Masana. Estrenó en 1949 en el teatro Eslava *¡Alhambra!* de Díaz Giles y ha grabado *Las golondrinas*, de la que fue uno de sus mejores intérpretes. En 1972 cantó en Madrid *El giravolt de maig* de Toldrá.

FONOGRAFÍA: *Las golondrinas*, Columbia-BMG España WD 75126 2 (9H) • Columbia-BMG-Ariola-Salvat 1053-2 y 1054-2 • Columbia-Alhambra MCC 30016-18.
BIBLIOGRAFÍA: *CCE*.

Mª LUZ GONZÁLEZ PEÑA

Torres Daza, Francisco. Sevilla, 8-VIII-1880; Madrid, 7-IX-1958. Dramaturgo y empresario. Estudió Derecho en la Universidad de Sevilla, pero desde muy joven se dedicó a la literatura y el periodismo. Se trasladó a Madrid en 1901, en pleno auge del género chico, al que dedicó su labor. Colaboró habitualmente con Aurelio Varela, Antonio Paso y otros autores, y escribió libretos para Luna, Guerrero, Alonso, al tiempo que colaboraba como redactor en *La Mañana*. Fue el creador de La Novela de Bolsillo. Empresario del teatro Martín varias temporadas, así como del Español, Infanta Beatriz, Latina e incluso de la Zarzuela, así como del teatro Eldorado de Barcelona. Fue gerente de dos periódicos *Informaciones* y *La Tribuna*. Sin duda su obra más famosa fue *La Blanca doble* de Guerrero, para el que escribió también *Los verderones, Los faroles, Los caracoles* y *Pelé y Melé*, por citar sólo las más famosas; con Alonso *Música, luz y alegría, La alegre juventud, El gallo, La perfecta casada* y *Tres gallinas para un gallo*; con Manuel Parada, *Kikiriki*; con Quinito Valverde, *La chanteuse*; con Pablo Luna, *La piscina* y *Piezas de recambio*; con Luna y Penella, *Ris Ras*; con Barrera, *La suerte de la fea*; con Calleja, *La ola verde* y con Lecuona y Fuentes, *Levántate y anda*.

BIBLIOGRAFÍA: *BSGAE*, 53, X-1958.

Mª LUZ GONZÁLEZ PEÑA

Torres del Álamo, Ángel. Madrid, 10-IV-1880; Madrid, 2-II-1958. Periodista y dramaturgo. Licenciado en Derecho, desde 1900 se dedicó al periodismo, colaborando en los principales diarios y revistas del momento, como *La Época* o *Comedias y Comediantes*. Como autor supo reflejar en sus obras teatrales las costumbres madrileñas y la mayoría de sus producciones —más de sesenta— las escribió en colaboración con Antonio Asenjo. En 1911 ambos obtuvieron con *El chico del cafetín* el primer premio de sainetes del Ayuntamiento de Madrid. Otros de sus colaboradores fueron Luis Tejedor, Eduardo Montesinos y Antonio Paso. En cuanto a su aportación al género lírico, sus obras suman más de cuarenta, escritas la mayor parte con Asenjo y puestas en música por los compositores más importantes; así, Pablo Luna colaboró en *Sangre de reyes o Rocío la canastera, El cabaret de los narcisos, La boda de Cayetana, La pícara molinera, Llévame al metro mamá* y *Roxana (la cortesana)*. La mayoría de estas obras pertenecen al género chico, a excepción de *La pícara molinera*, zarzuela en tres actos de costumbres asturianas basada en la novela de Alfonso Camín. Para Luis Foglietti escribió *El gusano de luz*,

Ángel Torres del Álamo (Foto: Ar. SGAE)

Gorón, Ellas, La playa de moda, Los postineros –colaboración de Foglietti y Luna– y *Serafina la rubia o El juzgado de La Latina*, colaboración de Foglietti y Quinito Valverde. Con Manuel Font de Anta colaboró en *A la cola, a la cola, El preceptor, La multimillonaria* y *Se desean artistas*; con Rafael Calleja en *El cabaret de los narcisos, La romántica* y *Reinas magas*; con Manuel Quislant en *Don Félix del Mamporro* y *La Mary-Tornes*; con Ernesto Pérez Rosillo en *¡Ay que trío!, El aguinaldo del soldado, El sol de la serranía, El último ensayo, El Tempranillo* y *Sirenas de Apolo*, nueva versión de *¡Ay que trío!*. Colaboró con compositores menores y con los mejores autores de la revista en el siglo XX: Guerrero en *Las tentaciones* y *Sole la peletera* y Alonso en *París Madrid*. Del mismo modo trabajó con dos grandes maestros como Vives en *Los pendientes de la Trini o No hay mal que por bien no venga*, y con Conrado del Campo en *La fadista enamorada*. En *La cañamonera*, con letra de Luis de Larra y Eduardo Montesinos, aparece Torres del Álamo como compositor, en colaboración con Tomás López Torregrosa. *Véase* EL CHICO DEL CAFETÍN; LA PÍCARA MOLINERA.

BIBLIOGRAFÍA: *CDE; DUE; EDL*.

Mª LUZ GONZÁLEZ PEÑA

Torres Marcos, Pilar. Valencia, 4-XII-1916; Barcelona, 1988. Mezzosoprano. Poseía una voz poderosa, con un fraseo armonioso y limpio que le permitió actuar tanto en ópera como en zarzuela. Debutó en el teatro Principal de Alicante con *La Dolorosa*, pero con el estallido de la Guerra Civil, y hasta finalizada ésta no tuvo lugar su auténtico debut profesional, en 1940 en Barcelona, con *La revoltosa* en la compañía de Marcos Redondo con la que cantó además *La dogaresa* y *La canción del olvido*. Pasó después por diversas formaciones cantando *Doña Francisquita, La rosa del azafrán, El dúo de la Africana* y *La verbena de la Paloma*, siempre con éxito. Contratada por Guerrero para su compañía, interpretó los principales títulos del compositor y además estrenó *Entre Sevilla y Triana* de Sorozábal. Con la compañía de María Francisca Caballer emprendió una gira por la América hispana que incluyó Argentina, Costa Rica, Cuba, México y Venezuela. A su regreso a España debutó en el Liceo de Barcelona y se decantó por la ópera aunque en 1976 participó en el estreno de la zarzuela de Damunt, *Sueños de gloria*.

BIBLIOGRAFÍA: *OCCE*.

Mª LUZ GONZÁLEZ PEÑA

Torres Nin, Lorenzo [J. Demón]. †España, 22-XII-1964. Compositor. En el archivo de la SGAE en Madrid se conserva su obra *Ya-ya* escrita en colaboración con Pascual Godés Terrats y José Matas

González y con libreto de Felipe Moreno. La obra se estrenó en el teatro Nuevo de Barcelona. Además es autor de la opereta *Amor y melodía*, de nuevo en colaboración con Pascual Godés y libreto de Ramón Mayoral, José Pey Xandri y Antonio Astell Mur; la revista *Cabalgata mágica*, en colaboración con Joaquín Subirá y libreto de María de los Llanos García Rubio; la comedia musical *Charivari* escrita en colaboración con José Padilla, Rafael Martínez Valls y Vicente Martín Quirós y libreto de José María Sagarra y otra revista, *Reus, París, Londres*, en colaboración con Miguel Fernández París y libreto de Francisco Madrid Alier y Ángela Falques Permanyer. Es autor además de numerosas canciones y algunas bandas sonoras de películas.

Mª LUZ GONZÁLEZ PEÑA

Tourné Obanas, Teresa. Madrid, 11-I-1933. Soprano lírica. Se matriculó en el Conservatorio de Madrid para estudiar piano, pero Lola Rodríguez de Aragón la oyó cantar y la animó a ser cantante. Debutó, aún antes de terminar la carrera, en el teatro de la Zarzuela de Madrid con *Marina*, seguida de *Gigantes y cabezudos*. Obtuvo el Premio Lucrecia Arana al finalizar sus estudios y ganó el concurso televisivo "Hacia la fama". Cantó *Bohemios* en la Zarzuela y recorrió España y el norte de Marruecos con un repertorio español y francés. Su carrera se vio jalonada de premios y se dedicó más a la ópera, lieder y repertorio sinfónico aunque dejó numerosas grabaciones de zarzuela: *Luisa Fernanda, La revoltosa, La verbena de la Paloma, Agua, azucarillos y aguardiente, La Gran Vía, Molinos de viento, La Dolorosa, La eterna canción* y *Las de Caín*. Se retiró en 1968 para dedicarse a la enseñanza en la Escuela Superior de Canto.

FONOGRAFÍA: *Agua, azucarillos y aguardiente*, EMI 7243 5 74152 2 4 (637.00320) • Hispavox 7 67331 2 (637.33859); *Bohemios*, EMI 7243 5 74209 2 1 (637.02680); *Doña Francisquita*, EMI 7243 5 74209 2 1 (637.02680) • Hispavox 7 67322 2 (673.33800); *La dolorosa*, EMI 7243 5 74216 2 1(637.02698) • Hispavox 7 67334 2 (637.33883); *La eterna canción*, EMI 7243 5 74344 2 3 (637.05337) • Hispavox 7 67433 2 (637.77054); *La Gran Vía*, EMI 7243 5 74152 2 4 (637.00320) • Hispavox 7 67331 2 (637.33859); *La revoltosa*, 7243 5 74162 2 1 (637.00312) • Hispavox 7 67328 2 (637.33826); *La verbena de la paloma*, 7243 5 74162 2 1 (637.00312) • Hispavox 7 67328 2 (637.33826); *Las de Caín*, EMI 7243 5 74342 2 5 (637.05311) • Hispavox 7 67432 2 (637.77062); *Luisa Fernanda*, EMI 7243 5 74153 2 3 (637.00387) • Hispavox-Montilla 7 67329 2 (637.33834); *Molinos de viento*, EMI 7243 5 74226 2 8 (637.02656) • Hispavox 7 67333 2 (637.33875); *Antología de la zarzuela (1)*, EMI 7 67335 2 (637.33891) • EMI 7 67580 2 (643.96128); *100 Años de zarzuela*, EMI 100 5 66589 2; *Grandes momentos de zarzuela*, EMI (962) 7243 5 57053 2 7; *Lo mejor de la zarzuela*, EMI 5 65432 2 (643.57518).

BIBLIOGRAFÍA: *OCCE*.

Mª LUZ GONZÁLEZ PEÑA

Trafalgar. Episodio nacional lírico-dramático en dos actos. Música de Gerónimo Giménez. Libreto de Javier de Burgos. Estrenada el 20 de diciembre de 1890 en el teatro Principal de Barcelona.

Personajes y reparto. Un brigadier de Marina (Alfredo Alcón). La Gaviota (Sofía Romero). Doña Irene (Eloísa Górriz). Doña Ifigenia y Doña Pepita (Matilde Guerra). Purificación (Conchita París). Virtudes (Carolina Cruz). Tío Golondrino, Un abate y Don Justo (Julián Romea). Federico (José Montijano). Dionisio (Carlos Miralles). Peneque (José Gamero). Tío Tolondrón (Mariano Larra). Aguamala (Sr. Echevarri). El sargento Berruga y Simón (Casimiro Ortas). Carlos (José Santiago). Fernando (Sr. Salvat). Un oficial (Alfredo Alcón). Piripi (Sr. Sánchez). Jefes y oficiales de marina ingleses, franceses y españoles, marineros, soldados, tres alguaciles, frailes, majos, pescadores, damas y caballeros, gente del pueblo y chicos. Coro general.

Orquestación. Flautín, flauta, 2 oboes, 2 clarinetes, fagot, 2 trompas, 2 cornetines en La, 3 trombones, timbales, percusión y cuerda.

Argumento. *Acto I.* La acción se desarrolla en la Carraca, isla de León, en Cádiz. En el primer cuadro, cuando se levanta el telón, se oye a lo lejos un coro de marineros a bordo de un buque que leva ancla del puerto de Cádiz. Aparece en escena la gitanilla Gaviota, a la entrada del puente, donde llora la ausencia de su amado, del que desconoce dónde está. Sale el Tío Golondrino de la cantina al que se le junta el sargento Berruga que está llevando a cabo la leva para llevarse a los voluntarios a los barcos. Todos comentan el gran movimiento de navíos que se da en el puerto y que ello sólo puede ser fruto de que algo se prepara. Cuando se marchan, llega el oficial de marina Federico, molesto con las disparatadas directrices del general Villeneuve, responsable de la flota conjunta hispano-francesa. Cuando Dionisio, también oficial, le comenta que inmediatamente van a salir al mar, se enfada porque sabe que partirán en busca de la flota inglesa, lo que ha sido desaconsejado por Gravina, Galiano y Churruca que conocen mejor la mentalidad de Nelson, comandante de la flota británica. Dionisio enfurruñado va a ver corriendo a su novia, a la que quiere mucho, por si no vuelven de la batalla. Ambos se declaran amor eterno. Ven a Gaviota, una mujer por la que Federico siente una profunda debilidad. Federico le declara su amor y le confiesa que esta noche se embarcará. Gaviota, que ha oído rumores, ve confirmar sus sospechas con las palabras de Federico y tiembla de perderlo. Peneque, hermano de ella, les sorprende en actitud cariñosa, lo que genera el inevitable mosqueo. Federico, que tiene que marcharse, pide poder verla esa noche, a lo que la gitana consiente. Cuando se quedan solos, Peneque le recrimina su actitud, que ella justifica porque, en su día, Federico le salvó la vida. Peneque se muestra más tranquilo ya que había temido por la honra de su hermana. Ésta le expone que está enamorada del oficial pero está triste porque ha soñado con cañones y sangre y como sabe que van a partir, tiembla

Cortesía de Unión Musical Ediciones SL

por él. De repente aparece Aguamala, un pescador obsesionado por Gaviota a quien odia Peneque. Aguamala le obliga a quedarse mientras ella se va, murmura que, como ella no le haga caso, un gran mal le espera. Llegan los pescadores, junto a vagabundos y desarrapados. Están cantando cuando aparecen el sargento Berruga y los soldados que, con los fusiles en la cara, les apuntan y se los llevan como reclutas obligados.

El cuadro segundo tiene lugar en una callejuela en el extremo de la isla. Gaviota está preocupada porque su hermano no acaba de venir, pero sí llega Federico. Gaviota le comenta que, sin estar su hermano presente, no puede permitir que otro hombre entre en su casa. Sin embargo, le entrega un escapulario para que le proteja a pesar de las dudas de Federico. Cuando le está dando un beso, Aguamala, que lo ha visto está dispuesto a hacer una barbaridad por celos, que sólo frustra la aparición del sargento Berruga y los soldados. Al irse Federico con éstos, afirma con despecho, pensando en Gaviota: "¡Tú quedas entre mis uñas, o eres mía, o morirás!". El cuadro tercero tiene lugar en la Alameda de Cádiz, con la muralla al fondo. Al levantarse el telón, la escena está llena de gente que se prepara para la salida de la flota. Junto a Ifigenia y sus hijas, está Doña Irene, muy disgustada por la desaparición de su perrito. Irene está exaltada y piensa que la flota española va a derrotar a los ingleses. Afligida llega Gaviota que se ha enterado que han reclutado a su hermano, por lo que tiene miedo de quedarse sola en el mundo. Por su parte, el Abate trae al perrito de Irene. Ambos coquetean de forma frívola cuando se da la señal de la partida de la flota, que todos celebran, cantando un himno.

Acto II. El cuadro cuarto tiene lugar en una azotea de Cádiz, donde Doña Irene y Doña Pepita, coquetean con dos petimetres, Fernando y Carlos. La llegada de Don Justo anuncia que el combate va a tener lugar de modo inminente. Cuando todos se van, Don Justo se duele de la actitud de los petimetres, a los que desprecia por su frivolidad. El cuadro quinto es una descripción sinfónica del mar agitado, en plena oscuridad. El cuadro sexto, denominado "¡Homenaje al heroísmo!", se ubica en la cubierta del navío español San Juan Nepomuceno donde se describe musicalmente la muerte de Churruca. El cuadro séptimo se ambienta en la noche de la batalla de Trafalgar. En la playa de Santa María, al sur de Cádiz, se agolpan los restos de las embarcaciones destrozadas. Gaviota se lamenta de las angustias que ha pasado esa noche mientras Aguamala la sigue vengativo. El cuadro octavo tiene lugar en la cubierta del navío español Santa Ana, apresado por los ingleses. En él se encuentra Peneque que cuenta a los otros compañeros sus vivencias en la batalla, donde vio morir a Alcalá Galiano y al hijo de Don Justo. Con agresividad y valentía, Federico dice que está dispuesto a jugárselo todo antes que lo lleven a la prisión de Gibraltar. Preparan un ataque sorpresa a los ingleses y se hacen con el control del barco. El cuadro noveno tiene lugar en el antedespacho del jefe de marina de la capitanía de Cádiz. Un oficial le explica a Don Justo el desastre mientras que les informan de la llegada de un barco con bandera española. Cuando se van, llega Gaviota a preguntar por su hermano. Se tropieza con Aguamala. Mientras éste le declara su amor, ella le desprecia y repudia. Enfurecido, está a punto de acuchillarla, cosa que evita Federico y Peneque junto a unos marineros que lo detienen. Se desplazan todos al muelle. El cuadro décimo tiene lugar en ese lugar. Don Justo ve aparecer a su hijo, Dionisio, al que se daba por muerto, con gran alegría. El último cuadro es un coro que celebra el arrojo y la valentía de los valientes que lucharon por defender la patria.

Números musicales. Acto I: Nº 1. Preludio. Nº 2. Introducción, "¿Ohé! ¡Ohé! ¡Ohé!". Nº 3. Dúo de Gaviota y Federico, "Con ansia te buscaba". Nº 4. Escena y canción del lagarto, "Gracias al día que al fin llegáis". Nº 5. Escena del Titirimundi, "Qué hermosa mañana, qué plácida brisa". Nº 6. Terceto del perrito, "Mi señora Doña Irene, siervo humilde a vuestros pies". Nº 7. Final 1º. Acto II: Nº 8. Cuarteto-Gavota, "Necesito hermosa Irene que oiga usted mi confesión". Nº 9. Mutaciones. Mar y cielo. Homenaje al heroísmo. La noche de Trafalgar. Orquesta. Nº 10. Romanza de Gaviota, "Como esas nubes negras que el viento arrastra". Nº 10bis. Tempestad. Orquesta. Nº 11. Conjura, "Aunque herido y vigilado, nuestro ilustre general". Nº 11bis. El rescate. Orquesta. Nº 12. Dúo de Gaviota y Aguamala, "¡Gaviota! ¡Dios mío!". Nº 13. Final.

Comentario. Uno de los momentos más importantes en la vida artística de Giménez llegó a raíz del estreno de *Trafalgar* en el teatro Principal de Barcelona, una de las contadísimas ocasiones en las que una obra del compositor andaluz se estrenó fuera de Madrid. Supuso, además, el encuentro con Javier de Burgos, con el que llevó a cabo posteriormente obras de gran trascendencia. Este libretista había alcanzado un gran éxito con el estreno de *Cádiz* de Chueca el 20 de noviembre de 1866, que había sido todo un revulsivo en la vida lírica del momento. Javier de Burgos, gaditano de origen, obtuvo mayor reconocimiento como sainetero, aunque quizá su trascendencia a largo plazo pudiera venir con estas piezas de mayor calado. El empresario y célebre actor Julián Romea preparó una producción de altos vuelos, hasta el punto de exigir once cuadros diferentes, con las consiguientes combinaciones de vistas al mar, combates, naufragios y buques en marcha, dentro del gran espectáculo al que se había acostumbrado a su público. Como curiosidad hay que decir que su coste fue, en gran parte, responsable de la escasa vida de *Trafalgar*, ya que las exigencias del montaje debieron limitar su explotación, todo ello sin perder de vista que la gran zarzuela patriótica establecida a partir de modelos como los *Episodios Nacionales* de Benito Pérez Galdós podría estar, ya en ese momento, en el comienzo de su decadencia. José Deleito ha sido entre todos los historiadores, posiblemente, su mayor defensor. El analista, que había estado presente en el estreno en el teatro Príncipe Alfonso de Madrid, comenta que "es una de las mejores zarzuelas que ambos han compuesto, y con notoria injusticia está olvidada y excluida de los actuales repertorios". En su opinión, las razones venían de que "poseía todas las cualidades propias de su género: interés, que bordaba lo melodramático en algún instante, sin caer del todo en ello; emoción patriótica; gracia en los tipos y situaciones; variedad espectacular, decoraciones vistosas y efectos escénicos". Además añade que es "una de las partituras más inspiradas que ha compuesto el autor de *La Temprancica* y de *La boda de Luis Alonso*, siendo tan notables los números cómicos como los dramáticos".

La obra se inicia con un preludio, en la línea característica de su autor, con un *maestoso* solemne. Estos recursos serán muy utilizados en otras obras posteriormente, como por ejemplo en *La torre del Oro*. Poliseccionado, se enlaza con un *Allegretto* que da paso a un tiempo de gavota que, por su lado, vuelve a unirse al *maestoso* inicial, que culmina en una especie de gran coda cadencial. El drama parte con una romanza al uso, de gran contenido lírico, donde la gitana Gaviota expresa el temor de que su amado zarpe a la batalla, acompañada por el coro de marineros sobre un ritmo de tango / habanera. Es sorprendente que, a pesar de su melodismo fácil y delicado, junto a una hábil estructura, no se haya mantenido en el repertorio. El primer dúo, Nº 3, es una demostración de dos sentimientos cruzados, la locura de Federico y el amor de ella hacia él, aunque limitado por su prejuicios. Está construido el dúo sobre la gran tradición de la zarzuela, de modo casi belcantista, pero con un tratamiento mucho más libre. La necesidad de utilizar al personaje cómico, de amplia tradición en el teatro lírico, permite la aparición del hermano de ella, Peneque, que canta la típica melodía de cantina, N° 4, conocida como "Canción del lagarto", simpática y eficaz, precedida por una escena con el coro masculino y Aguamala. Se comprueba, en todo caso, que esta canción puede ser considerada en alguna medida un preámbulo a las piezas de corte satírico-erótico, tan habituales en el campo del género chico a principios del XX. Culmina el número con la llegada de Berruga y sus soldados, a ritmo marcial, y con el enrolamiento obligatorio de Peneque, que obliga a los inevitables efectos cómicos. El N° 5 es una escena simpática del tío Tolondrón y el coro. Hay que destacar el juego entre el intérprete, que se desenvuelve casi como un melodrama hablado que viene plasmado por las continuas indicaciones de Giménez a recursos del tipo de "sin rigor de compás" y "como recitado". El número musical resulta muy festivo y cómico, en el que se critica al triángulo formado por Carlos IV, la reina María Luisa y Godoy. El N° 6 es un terceto, denominado "del perrito", sin especial trascendencia, aunque con cierta gracia, mientras que el final 1° es un número brillante.

El segundo acto comienza con un ambiente frívolo dieciochesco en el que, de alguna manera, se masca la tragedia. Se abre, N° 8, con un cuarteto-gavota, con material ya percibido en el preludio y que refleja la frivolidad de los petimetres y de las damas de alta sociedad del momento, en contraste con la realidad que se va a encontrar en la batalla. Hay que destacar los dos cuadros a los que Giménez puso una música de mayor ambición y que merecerían su recuperación para el repertorio sinfónico. El primero es una descripción del mar, con violento oleaje sobre el que después de unos cañonazos se describe la batalla. Es un número amplio y con un requerimiento orquestal importante, donde Giménez mira a Beethoven y, también, al Chapí de *La tempestad*, paradigma de la época, aunque con indudable personalidad. El segundo cuadro sinfónico sucede, en la cubierta del navío San Juan Nepomuceno donde se describía la muerte de Churruca. Javier de Burgos recomienda en el libreto "a la inteligencia y buen gusto artístico de los directores de escena la formación de este cuadro, la combinación de las numerosas figuras que en él aparecen y demás detalles que, con vigorosa exactitud histórica y sorprendente efecto, han sido presentados al público en el estreno de esta obra. La duración del cuadro será brevísima, mezclándose a los acordes de la música el estampido sordo de los cañones". El aparato musical culmina en el siguiente telón donde se representa la playa de Santa María con vestigios del naufragio final de combate que da pie a la romanza de Gaviota, N° 10, de gran calado lírico y que trasciende con mucho las exigencias normales del género. Los últi-

mos cuadros incluyen la escena de conjura de Federico con el coro, N° 11, el dúo de Gaviota y Aguamala, N° 12, muy agresivo y brillante y la culminación en el final feliz, N° 13, uno de los números más débiles de la composición, aunque de indudable efecto para la obra.

Burgos y Giménez crean una pieza de gran impacto, de amplias proporciones, que supera las tres horas de duración y que, a pesar de las complicaciones que reviste su puesta en escena, consigue una notable coherencia tal y como fue resaltado por la crítica. Las exigencias escénicas fueron especialmente señaladas porque Busato y Fontana, sus responsables, aspiraban a representar "el Arsenal de la Carraca, lleno de luz y hermosamente presentado; un despejadísimo horizonte en las aguas de Cádiz; esta ciudad, a vista de pájaro, desde una azotea; el mar agitado en noche oscurísima; la cubierta del navío San Juan Nepomuceno en el acto de morir Churruca, cuadro plástico de mucho efecto; la playa de Santa María, al sur de Cádiz, cubierta de restos de embarcaciones, que el agitado oleaje ha arrojado a la orilla, y ofreciendo en noche tempestuosa la vista de un navío encallado; la cubierta del Santa Ana, con movimiento, y en donde van presos por los ingleses unos cuantos marinos españoles que, merced a un arriesgado complot, rescatan el barco y enarbolan de nuevo el pabellón español donde antes ondeaba la bandera británica, y el muelle de Cádiz, que una vez despejado de la bruma, deja al descubierto la hermosa bahía con los cinco navíos salvados del combate e iluminados por el sol naciente".

El mayor responsable del éxito fue Julián Romea, su director, además de actor. En agradecimiento, Javier de Burgos señaló en el libreto que "si como actor has creado tres tipos notables al estrenarse esta obra, como director has alcanzado un verdadero triunfo dirigiendo y presentado con habilidad y talento los cuadros complicados y difíciles de este episodio histórico. A los calurosos aplausos del culto e ilustrado público de Barcelona, une el suyo modestísimo tu amigo de corazón". La crítica, en general, acogió con entusiasmo esta pieza. Pedro Bofill en *La Época*, a raíz del estreno en Madrid, afirma que "se ha hecho una obra sugestiva que nos hace pensar, nos hace sentir, nos inspira admiración por los héroes de aquella epopeya sin tener necesidad de presentar ante nuestros ojos más que algunos detalles, algunos rasgos propios y característicos de tan triste a la par que glorioso combate".

El éxito de la música fue muy celebrado. El mismo Bofill la califica de "sobresaliente en la introducción" y destaca "la original canción del lagarto bailarín que fue repetida y valió muchos aplausos al maestro y al señor Gamero; un airoso terceto; un hermoso preludio descriptivo del segundo acto en que se oye a través de los quejidos de los violines, el lejano cañoneo del combate, mientras que van apareciendo lentamente algunas brillantes decoraciones; una sentida romanza y varios coros, en los cuales se pinta de mano maestra la verdadera situación de los personajes" (*La Época*, Madrid, 19-VI-1891). Bofill culmina su crítica señalando que "con todos estos elementos ideados por Javier de Burgos, y llevados a feliz término por sus colaboradores, ha resultado *Trafalgar* una obra de gran fuerza simpática y de interesante contenido".

Fuentes manuscritas. La partitura se conserva en el Museo del Teatro de Almagro (C / 1013). Los materiales de orquesta se conservan en el archivo de la SGAE en Madrid (74).

Ediciones de música. Madrid, BZ, 1891.

Ediciones del libreto. 4ª ed., Madrid, Arregui y Aruej, 1891.

BIBLIOGRAFÍA: *OGCH; TA;* J. Parejo Delgado: *Gerónimo Giménez: Un precursor de Manuel de Falla*, Sevilla, 1997.

LUIS G. IBERNI

Train, Emilia. España, siglos XIX-XX. Tiple. Estrenó en 1902 en Eslava, *El respetable público* de Calleja y Lleó, *El curita* de Vives y *La corría de toros* de Chueca y en el teatro Lírico *La visión de Fray Martín* de Giménez. En 1904 en el teatro Cómico de Madrid *La molinera de Campiel* de Arturo Pérez Soriano, *La fuentecica* de Requejo y Pons y *El túnel* de Arturo Saco del Valle; en 1905 *La gatita blanca* de Giménez y Vives, *Perico el jorobeta* de Marquina y Fuentes, y *El*

Emilia Train y el sr. León en La fuentecica *de Requejo y Pons (Foto: Nuevo Mundo, 1905; Ar. ICCMU)*

dinero y el trabajo de Vives y Saco del Valle; en 1906 *El aire*, juguete cómico lírico de Luis Mariani y Vicente Lleó y *La taza de té* de Vicente Lleó; en 1907 *Todos somos unos* de Lleó en Eslava, *Tupinamba* de Lleó y Foglietti y *La alegre trompetería* de Lleó. En 1908 formaba parte de la compañía del teatro Eslava donde estrenó *La corte de los casados* de Foglietti y Lleó. En 1909 estrenó en el teatro Martín de Madrid *La señora Barba-Azul* de Quislant y Escobar y el sainete de Ramón López-Montenegro *El suceso del día* así como *Los vividores* de Úbeda; en 1910 *¡A ver si va a poder ser!* de Candela y Goncerlián en el Martín y *Los ochavos* de San Felipe; en 1911 participó en el estreno de *El dirigible* de Luna, *El pueblo del peleón* de Padilla y *De regia estirpe* de Mayol en el teatro Martín. Estrenó además *San Juan de Luz* de Torregrosa y Valverde y *Almas bohemias* de San Felipe.

Mª LUZ GONZÁLEZ PEÑA

¡Tramoya!. Zarzuela en un acto. Música de Francisco Asenjo Barbieri. Libreto de José Olona. Estrenada el 27 de junio de 1850 en el teatro de la Comedia de Madrid.

Personajes y reparto. Curro, andaluz (Francisco Salas, bajo). Don Fernando, joven elegante (José González, tenor). Don Primitivo (José Aznar, bajo). Doña Anacleta, su hermana (María Bardán, característica). Carlota, su hija (Luisa Cocco, tiple). Concha, criada (Juana Samaniego tiple).

Orquestación. Flautín, flauta, 2 oboes, clarinete, 2 fagotes, 2 cornetines, 2 trompas, 2 trombones, figle, triángulo, timbales, campana y cuerda.

Argumento. La obra se desarrolla en Madrid el año 1850. Fernando, joven gaditano, acaba de regresar de La Habana a donde se trasladó en busca de fortuna para casarse con Carlota, que junto a su madre, Anacleta, ha abandonado Cádiz a la muerte de su padre, siendo recogidas en Madrid por su tío Don Primitivo, viejo avaro que tiene a ambas prácticamente prisioneras en casa. Curro, que había sido criado de Fernando, ama a Concha, criada de Don Primitivo. Curro se hace pasar por Don Roque Aguado, un rico caballero gaditano y pide la mano de Carlota para su

Cortesía de Unión Musical Ediciones S.L.

hijo, que no es otro que Fernando. Pero Doña Anacleta había tenido amores con el verdadero Don Roque, fruto de los cuales nació Carlota. Curro para salir del embrollo finge amar a Anacleta y mediante un abrazo le roba la llave de la estancia en que está encerrada Carlota que trata de huir con Fernando. Después de un gran embrollo en que se finge un incendio, los enamorados consiguen vía libre para su amor.

Números musicales. Nº 1. Coro general, "Yo vendo gloria casi de valde". Nº 2. Romanza de Don Fernando, "Triste el alma y sin ventura". Nº 3. Seguidillas de Curro, "No te tapes la cara mosa bonita". Nº 4. Dúo de Fernando y Curro, "De esa carta el contenido". Nº 5. Romanza de Carlota, "Cual la aurora da colores". Nº 6. Diálogo de Curro y Don Primitivo, "Tengo un hijo tan hermoso". Nº 7. Cuarteto de Salas y las tres damas, "Aunque soy palomo viejo". Nº 8. Coro, "Pronto, pronto, ya las bambas". Nº 9. Final, "Partamos compañeros". Nº 10. Rondó final. Carlota y coro, "Llorosa y sin consuelo".

Comentario. La obra está dedicada en el manuscrito 2.542 de la Biblioteca Nacional al "Excmo. Sr. D. Mariano Téllez Girón, Duque de Osuna, Duque del Infantado", y lleva el siguiente prólogo: "Presento a V. E. esta obra confiando no en su escaso mérito, sino en la benevolencia con que se ha dignado admitir su dedicatoria. Si logro que V. E. mire sin desagrado esta pequeña muestra de mi agradecimiento trabajaré incesantemente procurando adelantar en el arte para que mi nombre llegue a ser digno de su ilustre protección. Es de V. E. Afmo. y S. S". El duque correspondió a la dedicatoria de Barbieri con una carta publicada, que dice: "Con el mayor gusto he admitido la dedicatoria de la zarzuela de su composición titulada *¡Tramoya!*, habiéndome sido muy grata la justicia que el público ha hecho de su talento, como he tenido ocasión de ver en las distintas veces que he asistido a su representación. Amante de mi país, me es igualmente satisfactorio que Vd. y otras personas que en diferentes ramos se encuentran en disposición de hacer alarde de su instrucción y talentos, publiquen obras que den a conocer nuestros adelantos; y considerándome por lo tanto en el deber de alentarles, espero que admitirá como una prueba de mi aprecio, el adjunto obsequio que como pequeña recompensa de su trabajo, me atrevo a ofrecerle. No dudo que el buen éxito de su primer ensayo le animará a continuar en la noble carrera que ha emprendido y en la que le desea toda clase de felicidades su atento y servidor q. b. s. m." Al mismo duque dedicó muy pronto otra obra fundamental, *Jugar con fuego* y, en recompensa, como señala Vélaz de Medrano: "El difunto Duque de Osuna... le dispensó varias atenciones" que sin duda debieron de ser muy importantes para el joven compositor.

La obra tuvo al comienzo sus problemas, como señala el propio Barbieri: "Parece que estaba escrito que en la representación de mis obras había de haber contrariedades; es el caso que estando ensayándose *Tramoya*, cayó enferma la Latorre y fue necesario contratar a Dña. Luisa Cocco para que hiciera el papel, estrenándose por fin la obra, a beneficio de D. José Aznar, en el teatro de los Basilios el jueves 27 de junio de 1850". Sin embargo, añade: "Esta obra gustó mucho, aunque en aquella temporada dio poco dinero. La canción, 'No te tapes la cara' se hizo extremadamente popular, y como Salas hacía esta zarzuela muy bien, resultó que cuanto más se representaba después, más gente acudía a verla y

más se aplaudía". No sólo es de destacar la canción citada, sino también la romanza de Don Fernando, "Triste el alma y sin ventura" de clara definición italianista con el característico acompañamiento de barcarola, con lo que se contraponen claramente los dos estilos. Es de destacar también el predominio de una rítmica ternaria en toda la obra (3/4, 3/8, 6/8), y, sobre todo, la fuerte presencia de la música con diez números musicales en un solo acto. La censura de los teatros del Reino suprimió algunas partes que la edición del libreto de S. Omaña no contiene. Cotarelo afirma de nuevo que la música es lo más destacable.

Fuentes manuscritas. En la Biblioteca Nacional de Madrid, se conservan tres ejemplares de la partitura (M. 2279, M. 2717 y M. 2542, este último autógrafo, procedente del legado de los duques de Osuna). Otros tres ejemplares y los materiales de orquesta (1331) se conservan en el archivo de la SGAE en Madrid (TI.-148).
Ediciones de música. Canto y piano, Catalina, 1850.
Ediciones del libreto. Imp. de S. Omaña, 1850.

BIBLIOGRAFÍA: *HZ*; E. Casares Rodicio: *Francisco Asenjo Barbieri. 2. Escritos*, Madrid, ICCMU, 1994.

EMILIO CASARES RODICIO.

Travesedo Bisbal, María Dolores. Madrid, 12-I-1943. Soprano. Hizo sus estudios musicales en el Real Conservatorio de Madrid, obteniendo el premio Lucrecia Arana, y los de canto con Miguel Barrosa, debutando en el teatro de la Zarzuela en 1968 con la obra *Molinos de viento* de Pablo Luna, en la que estuvo dirigida por Jorge Rubio y Ángel Fernández Montesinos. Su excelente formación musical y su bellísima voz la convirtieron en una de las cantantes preferidas por el público que desde hace más de tres décadas la sigue con absoluta fidelidad. Sus actuaciones en el teatro de la Zarzuela han sido numerosas y siempre con gran éxito en montajes de obras de directores como José Tamayo, con quien hizo *La tabernera del puerto* o *Carnaval en Venecia*. Con la compañía Isaac Albéniz de Juan José Seoane hizo incursiones por tierras hispanoamericanas y en la temporada 1986-87 creó, formando sociedad con el barítono Antonio Lagar, su propia compañía de ópera y zarzuela con la que ha hecho buenas temporadas en el Centro Cultural de la Villa de Madrid y en otros escenarios de España. En 1990 ganó por oposición la cátedra de canto que desarrolló durante algunos años en el Conservatorio Superior de Salamanca y en la actualidad en la Escuela Superior de Canto de Madrid.

EMILIO GARCÍA CARRETERO

Trejo, Nemesio. Argentina, 1862; Argentina, 1916. Autor teatral y payador. Fue uno de los primeros autores que contribuyeron a la formación del género chico criollo. Desde los once años trabajó en una imprenta; a los diecisiete ingresó como meritorio en los tribunales de Buenos Aires y abandonó este empleo en 1889, al obtener el título de escribano público, profesión que ejerció regularmente. Antes de dedicarse por completo al teatro había alcanzado gran popularidad como payador; sus contrincantes fueron, entre otros, Gabino Ezeiza y Pablo Vázquez. Su primera pieza, *La fiesta de Don Marcos*, música de Andrés Abad Antón, se estrenó en 1890 en el teatro Pasatiempo de Buenos Aires, por la compañía española Juárez-Lastra. Pese a su estructura típica de zarzuela hispánica, las alusiones a la actualidad política y en especial las críticas al presidente de la república Miguel Juárez Celman, le otorgaron ya cierto carácter local. A partir de entonces y hasta 1916, en que se estrenó después de su muerte la comedia *Mujeres lindas*, escribió más de cincuenta piezas, en las que predominan numerosas expresiones que si bien se ajustan formalmente a las pautas del género chico hispánico, exteriorizan los rasgos fundamentales del sainete criollo. El carácter ligero de ese tipo de teatro, la abundancia de números musicales, el diseño un tanto elemental de los personajes, la comicidad del lenguaje, no le impidieron desarrollar una crítica bastante intencionada. Por esto eligió siempre temas, tipos, personajes y circunstancias inmediatas del contexto en los que su agudo don de observación, su amplia experiencia en medios judiciales y su acendrado sentido nacionalista lo capacitaban muy bien para señalar ciertos defectos ancestrales de la sociedad argentina: los vicios burocráticos y la lentitud de los trámites administrativos normales, la ambición desmedida de los políticos, la arbitrariedad de la justicia al discriminar entre ricos y pobres, la hipocresía de las conductas en apariencia intachables. En esta línea se inscriben *Las dos misiones*, 1895, música de Pérez Camino, representado por la compañía de Emilio Orejón; *Un día en la capital*, 1890, revista con música de Andrés Abad Antón, sátira del entonces presidente Juárez Celman; *Los óleos del chico* o *Ciudad y campaña*, 1890; *Casos y cosas*, 1890, música de Pérez Camino, con alusiones a la actividad política; *Registro Civil*, 1895, música de Antonio Reynoso; *El testamento ológrafo*, 1895, música de Pérez Camino; *Los políticos*, 1897, música de Antonio Reynoso, estrenada por la compañía de Rogelio Juárez. El final trágico de esta obra, la muerte violenta de un joven candidato opositor, resultó un duro enjuiciamiento de la "politiquería criolla". Obtuvo un gran éxito de público. Otras obras suyas son *Aves negras*, 1898, música de Antonio Reynoso, y *Los devotos*, 1900, música de Rodríguez Maiques.

Además destacan, entre sus numerosos sainetes, *Los inquilinos* de Francisco Payá, inspirada en una situación real; *La trilla*, 1901, música de Eduardo García Lalanne. Escribió monólogos como *Conferencia sobre el descubrimiento de América*, 1909, estrenado por Florencio Parravicini y *El veinticinco*, escrito para Rogelio Juárez con motivo de sus bodas de plata y estrenada por dicho autor en el teatro Apolo de Buenos Aires en 1913. Trejo fue el autor criollo con quien colaboraron actores españoles como Rogelio Juárez, Julio Ruiz, Eliseo San Juan y Arsenio Perdiguero, Abelardo Lastra, las hermanas Millanes, Emilio Orejón, Enrique Gil, Elisa Pocoví y Federico Carrasco, aunque su sainete *Los óleos del chico* fue estrenado por la compañía criolla de Podestá Hermanos. Trejo fue uno de los primeros autores teatrales cuyas obras se representaron en el exterior. Su sainete *Registro Civil* fue estrenado en los teatros Gran Vía de Barcelona, Paris de Madrid y Apolo de Valencia.

BIBLIOGRAFÍA: B. R. Gallo: *Historia del sainete nacional*, Buenos Aires, Quetzal, 1958; J. A. Bossio: *Nemesio Trejo. De la trova popular al sainete popular*, Buenos Aires, Peña Lillo, 1966.

MARTA LENA PAZ

Trianerías. Sainete en dos actos. Música de Amadeo Vives. Libreto de Pedro Muñoz Seca y Pedro Pérez Fernández. Estrenada el 23 de enero de 1919 en el teatro Apolo de Madrid.

Personajes y reparto. Carmen (Elisa Moreu). Patrocinio (Rosario Leonís). Josefilla (Sra. Rodríguez). Señá O (Matilde. Xatart). Soledad y La Marchenera (Clotilde Revilla). Mistress Plin King (María Montes). Merceditas y Genoveva (Carmen Domingo). Regla y Manolita (Srta. Gutiérrez). Rocío y Esperancita (Srta. Asensio). Rosario (Srta. Muñoz). Miserere (Amalia Suárez). Dña. Mónica (Sra. Alcázar). Otto (Joaquín Montero). Mahoma (Sr. Velasco). Garbito (Francisco Gallego). Cañaíya (Luis Fischer). Curiana y Juan (Vicente García Valero). Escobard y Salmonete (Santos Asensio). Mandanguita (Sr. Vidal). Míster Plin King (Juan Frontera). Pinturas, Horacio y Goyanes (Sr. Román). El marqués de la Isla, Cintura y Juanón (Antonio Segura). Matías y Juanillo (Sr. Galerón). Pedro, Fuente, Antonio y Atanasio (Sr. Messó). Posturas, Mr. Durand y Suárez (Emilio Gutiérrez). El carcelero y Anastasio (Sr. Pérez). Apolinar (Sr. Yelmo). Toribio (Ramiro Llayna). El del Silencio (Sr. Mariño). Serafín (Niña Prieto). Menencias (Niño Ortega). El de los Camarones (Hilario Vera). Nazarenos, municipales, monaguillos, vecinos y vecinas. Coro general.

Orquestación. Flautín, flauta, 2 oboes, 2 clarinetes, fagot, 2 trompas, 2 cornetines en La, 3 trombones, timbales, percusión y cuerda.

Argumento. *Acto I.* Cuadro primero. En los años veinte, en un alfar de Triana trabajan varios personajes. Perico canta que este oficio es tan antiguo que incluso fue practicado por el mismo Dios cuando moldeó al hombre. La Señá O, una vieja nerviosa, le recrimina a Cañaíya sus chapuzas, a lo que éste comenta que sólo se dedica a la alfarería para ganar dinero pero que dista mucho de ser su auténtica vocación. Una de las trianeras, Soledad, le dice que no se case con una mujer que se pasa el día mirándose al espejo. Llega Mahoma que trae un tibor pintado de gran belleza. Las trianeras dicen que es una pena que Otto, el mejor pintor de loza del barrio, tenga que ser alemán. De repente se deja ver en una ventana Patrocinio, una de las más atractivas del lugar y comentan que le va a cantar a Otto. Éste también refleja su interés por ella, lo que comentan todos en el alfar. Mahoma bromea afirmando que él nunca ha trabajado y aprovecha la ocasión para narrar su turbulenta vida. Todos se hacen eco de la mala fama que persigue a Patrocinio, a pesar de que su padre fuera una persona distinguida y haya más dudas sobre su madre. Llega ésta, Carmen, una cantaora muy atractiva que echa en cara la hipocresía de los que hablan de ella para reafirmar el buen nombre de su niña. Cuando se marcha, Garabito hace saber su disgusto por el interés de Patrocinio por Otto ya que está loco por ella; por su parte, Cañaíya, también le comenta su pasión por Josefilla, la hija de Mahoma, sin que ésta tampoco lo sepa y teniendo en cuenta, además, que también ama a Otto. Garabito y Josefilla organizan un plan y le piden su auxilio a Mahoma. En ese momento Otto se deja caer, canta las maravillas de la ciudad y del barrio y, sobre todo, de Patrocinio, de la que está absolutamente prendado. Llega ésta con su madre. Patrocinio bromea con Otto y los demás. Indignada, rabiosa de amor por el alemán, Josefilla convence a su padre y éste le promete va a conseguir que se fije en ella hasta el punto de provocar un incidente que llame su atención. Cuadro segundo. Cuando se abre el telón, llegan una docena de trianeros, formados militarmente como si trasladaran un paso de Semana Santa y mandados por Mahoma, vistiendo como domingueros. Entre ellos figuran Otto y Cañaíya. Llegan unas operarias de la fábrica de La Cartuja y se ríen del extraño esfuerzo de los hombres. Otto está muy triste porque ha dejado de interesarse por Patrocinio debido a los chismes que le ha contado Mahoma. Por su parte, Mahoma, le pide a Cañaíya que le hable a Otto de su hija, siguiendo el interés de ésta. Sin embargo, Cañaíya se sincera y le cuenta al alemán que todo es mentira. Otto, extraño ante todas las presiones, le pregunta a Mahoma cuál es el camino para casarse con una sevillana a lo que aquél le comenta que, lo mejor, es ir a casa de la novia. Cuadro tercero. Una habitación en casa de Patrocinio. Ésta aparece en el balcón, mirando la calle. Mahoma la reclama a la calle, a lo que ésta se niega. Mahoma le dice que su relación con Otto se ha terminado, con gran enfado de la joven, aunque sepa disimular. Mahoma comenta que, además, Garabito está loco por ella y le pide que vaya y cante en una fiesta que ha organizado para Mister Plin king. Si bien, de entrada, no quiere, luego cambia de opinión cuando se entera de la calidad de la concurrencia. Todos llegan y Patrocinio, medio borracha, después de haber bebido a instancias de Mahoma, se entusiasma con el tibor que le trae Garabito. Cuando le

anuncian que viene Otto, la avergonzada Patrocinio le dice que será de Garabito siempre que consiga que Otto no entre y la vea en ese estado. Cuando se escucha un tiro, baja el telón.

Acto II. Cuadro primero. Patio central de la calle de Sevilla. Entre otros presos, está Garabito, detenido por haber herido a Otto levemente. Sus compañeros le comentan que como el tiro era de fogueo, no tardará en salir. Además, la declaración de Otto ha sido muy positiva. Cuadro segundo. Una taberna de Triana. Cuando los parroquianos están hablando de sus problemas, aparece Garabito que ha salido de la cárcel. Les comenta lo que ha pasado. Cañaíya le pide a Garabito que ya que él se va a casar con Patrocinio, intente arreglarle el problema con Josefilla. Al fondo se ven pasar los Nazarenos y llegan Mahoma y Otto. Éste se siente muy engañado y cree que todo es mentira, incluso lo que es cierto. Cuadro tercero. Aparecen en escena casi todos los intérpretes. Otto lleva del brazo a Garabito y le pide que, por ninguna razón, se mueva. Sale a la calle y se abraza con Patrocinio, lo que se anuncia a todo el mundo, generando la consiguiente confusión. Por su parte, Garabito, muy práctico, se quita el dolor con Josefilla con el consiguiente enfado de Cañaíya y la fiesta general.

Números musicales. Acto I: N° 1. Introducción, "A los güenos nísperos der Japón". N° 1bis. Orquesta. N° 2. Mahoma, todos y coro general, "Con cara de vinagre y al hombro su lanzón". N° 3. Mandolinas y guitarras. N° 4. Mandolinas y guitarras. N° 5. Mandolinas y guitarras. Final 1°. Acto II: N° 6. Orquesta. N° 7. Saeta (dentro), "El sol se vistió de luto y la luna se eclipsó". N° 8. Orquesta. N° 9. Patrocinio, tambores y banda, "Padre mío, der Cachorro".

Comentario. *Trianerías* es una pieza muy particular dentro del catálogo de sus autores, sobre todo de Vives. En realidad es una composición teatral, a la que se le han añadido diferentes números musicales que, frente a otras creaciones, no están engarzados en el desarrollo de la obra. En realidad, *Trianerías*, producto del hábil sentido del humor de Pedro Muñoz Seca, es una pieza dramática, que podría representarse sin necesidad de utilizar los números musicales, aunque el arte de Vives sea imprescindible para darle un nivel superior. Se vuelve al espíritu de la música incidental decimonónica, en la que los números musicales tenían un valor de preludio, intermedio o, simplemente, base de un melodrama. Es bastante inhabitual en el catálogo de un autor de prestigio como el compositor de *Doña Francisquita*, si bien su firma se justifica por la calidad de la obra. Y es que el libreto, de Muñoz Seca y Pérez Fernández, es excelente por su extraordinaria comicidad. Ambientado en el célebre barrio de Sevilla, construido en dos actos, con el primero muy desarrollado y el segundo muy breve, sirve para presentar a unos personajes simpáticos, graciosos, muy próximos al espíritu de la astracanada, pero con cierta consistencia emocional. Hay que destacar la inmensa lección escénica de Mahoma así como el despistado Otto.

Refiere Chispero que "el solo anuncio del estreno de este sainete y colofón de los nombres ilustres de sus autores, tantas veces aclamados en este mismo teatro, puso en conmoción a los aficionados al género chico o por lo menos al género lírico nacional clásico. Todo el mundo esperaba el éxito definitivo, rotundo, y los que habían presenciado los ensayos no dejaban entrever otra cosa. Mas, ¡ay!, que no se contaba con la huésped, y la huéspeda fue la deficiente interpretación que se dio a *Trianerías* precisamente por lo desentrenados que estaban los más de los elementos que integraban la compañía de tales empeños saineteriles, en los que, a más de cantar, se precisaba decir y hacer bien los papeles".

En todo caso, Chispero señala que el mérito de la pieza era indudable. Así comenta la calidad tanto del libro, "por su gracia, por la fina y ajustada presentación de tipos. La música, porque si bien el maestro Vives jamás se había distinguido haciendo música saineteril y mucho menos andalucista, tal cantidad de inspiración y sabiduría se reunían en el glorioso compositor catalán, que por fuerza la partitura tenía que sonar bien. La crítica elogió a Rosario Leonís, a Elisa Moreu... y *Pax Christi*, no hubo plácemes para nadie más. El público estuvo a ratos severo con exceso, a ratos excesivamente y siempre sin saber a qué carta quedarse". Parecía que esta obra estaba condenada a la desaparición y sin embargo, tal y como añade el mismo Chispero "desde el 15 de febrero hasta final de este mes se volvió a *El niño judío* y por uno de esos extraños fenómenos tan frecuentes en el teatro, la gente que no había querido aplaudir *Trianerías* en los comienzos de su existencia, en la época que citamos la aplaudió y llenó muchas noches el teatro".

Es curioso que en la obra Vives rinda homenaje al mundo sevillano que tan bien había servido su amigo Gerónimo Giménez y a quien había visitado recientemente, haciéndose cargo de la difícil situación económica de aquél. De sólo tres días previos al estreno es una misiva del andaluz donde éste señala que "lo que en la actualidad está haciendo Vd. sobrepasa ya de la buena amistad, pues sólo un hijo es capaz de hacer lo que Vd. conmigo, haciéndome derramar lágrimas de agradecimiento". Es, precisamente, en *Trianerías* donde Vives muestra de modo más acusado su vínculo con Giménez, con el que había colaborado en una docena de títulos, heredando la gracia y la habilidad de manipulación del material andaluz casi al mismo nivel que su viejo amigo. Por aquella época, Vives estaba en la plenitud de su fama. Los éxitos de *La generala*, *Maruxa* y, más recientemente, *Todo el mundo en contra mía*, lo habían convertido en uno de los creadores más reco-

nocidos y demandados, pese a que Vives dosificó su presencia pública. *Trianerías* es sólo unos meses anterior de una de sus obras de mayor trascendencia, la ópera *Balada de carnaval*. También por aquella época, entregó a Conrado del Campo su zarzuela *Bohemios* para que la transformara en ópera, estrenándose un año más tarde.

La zarzuela se inicia con un preludio con aire de fandango que, sin solución de continuidad, se une a una escena que utiliza el mismo material del preludio. Vives construye esta escena siguiendo los esquemas de la zarzuela decimonónica, perceptible sobre todo en obras como *La revoltosa*, donde orquesta, coro y solistas se funden al servicio del texto. El Nº 1bis, instrumental, desarrolla el material anteriormente escuchado que sirve de nexo de unión para la obra. El Nº 2 es una marcha andaluza, que sigue la línea de este tipo de creaciones, típicas de las procesiones de Semana Santa, aunque ligeramente desfigurada por la intervención de los solistas, sobre todo Mahoma, personaje cómico, servido en tesitura de tenor. Posteriormente Vives genera un juego polirrítmico entre una sección de la orquesta que toca en 6/8 y una de la banda que lo hace en 2/4. De hecho, es un fragmento muy hábil ya que el creador catalán traslada a la música los requerimientos escénicos que demanda el libreto. Los Nºs 3, 4 y 5, denominados "Mandolinas y guitarras" están pensados para ser resueltos por la rondalla, tratándose de fragmentos instrumentales que recogen ritmos andaluces, con giros típicos, a modo de fandango. El Nº 6 es un intermedio, uno de los más brillantes de su compositor, no demasiado amplio aunque de gran intensidad emocional y de orquestación muy brillante. El Nº 7 es una saeta, cantada por una voz aflamencada desde dentro, mientras la orquesta y la banda juegan con esta peculiar, aunque habitual, ubicación espacial y sonora. El Nº 8 es un fragmento instrumental, a modo de intermedio que utiliza material ya conocido mientras que el Nº 9 concluye, en una escena, donde la orquesta se convierte en gran protagonista.

Fuentes manuscritas. La partitura (TL-1684) y los materiales de orquesta (4563) se conservan en el archivo de la SGAE en Madrid.

Ediciones de música. Madrid, SAE, 1919.

Ediciones del libreto. Madrid, SAE, 1919; Madrid, Imp. Pueyo, 1919; 4ª ed., Madrid, SAE, 1924.

FONOGRAFÍA: *Trianerías*, Gramófono W 264409 W 262225 (et. verde), s20306u, s20305u.

BIBLIOGRAFÍA: *OGCH*; *TA*; J. Montero: "Relatos y recuerdos. Amadeo Vives", *El Día Gráfico*, Barcelona, 26-VII-1931; F. Hernández Girbal: *Amadeo Vives*, Madrid, Ed. Lira, 1971; A. Sagardía· *Amadeo Vives*, Madrid, 1971; VVAA: *Amadeo Vives*, Madrid, SGAE, 1972; S. Burguete: *Vives*, Madrid, Espasa-Calpe, 1978; J. M. Lladó i Figueres: *Amadeu Vives (1871-1932)*, Barcelona, Biblioteca Serrador, 1988.

LUIS G. IBERNI

¡Tribulaciones!. Zarzuela en dos actos. Música de Joaquín Gaztambide. Libreto de Tomás Rodríguez Rubí. Estrenada el 14 de septiembre de 1851 en el teatro del Circo de Madrid.

Personajes y reparto. Carlota (Elisa Villó, soprano). Doña Angustias (María Bardán, característica). Ambrosio (Vicente Caltaña-zor, tenor cómico). Leoncio (Francisco Fuentes, barítono). Don Rufo (José Aznar, bajo). Don Pantaleón (Francisco Calvet, barí-tono). Ginés (Cipriano Martínez, bajo). Un comisario (Vicente Fernández Pombo, de por medio). Un embozado. Coros.

Orquestación. Flautín, flauta, 2 oboes, 2 clarinetes, 2 fagotes, 2 trompas, 2 cornetines, 2 trombones, figle, timbales, triángulo, bandurrias, guitarras, pandereta y cuerda.

Argumento. La acción tiene lugar en la buhar-dilla del memorialista Ambrosio, en la que hay una puerta secreta. *Acto I.* Ambrosio, despertado por una serenata en honor de una vecina, arroja un ladrillo a los que cantan. Ha recibido el encargo de su amigo Don Pantaleón de custodiar por unos días a Carlo-ta, bella joven de noble familia, que se ha traslada-do a su casa y que canta y toca el piano. El memo-rialista va a copiar un escrito que le ha entregado su vecino el teniente retirado Don Rufo, en el que se llama a las armas y a la revolución a los españoles; al darse cuenta del contenido del escrito, se dispo-ne a quemar los papeles para no comprometerse. Pero se oye un tiro, y entra por la ventana el joven Leoncio, que amenaza a Ambrosio para que guar-de silencio, preguntándole por la muchacha que vive en la casa. Leoncio estaba en el cuarto de una seño-ra que le había invitado a acompañarla, cuando se ve obligado a salir por la ventana al llegar el mari-do de la señora, y a través del tejado entra en la habitación de Doña Angustias, la esposa del militar; éste, al oír el ruido, suelta un tiro creyendo que han seducido a su esposa. Leoncio pide a Ambrosio que salga a la calle y compruebe si está por allí el mili-tar. Al quedarse solo y a oscuras, aparece Carlota, haciéndose pasar por una hechicera, y Leoncio ve a la joven, que se esconde. Aparece Ginés, a quien su amo Don Pantaleón ha pedido que vaya a reco-ger a la joven, y se encuentra con Leoncio, a quien llama "mi señorito"; Leoncio sale para buscar a la joven, y mientras tanto, Carlota acompaña a Ginés a la calle. Leoncio no comprende qué hacía allí su criado Ginés. Entonces llega Doña Angustias, esca-pando de su marido. Se presenta Don Pantaleón, que lleva consigo a Doña Angustias creyendo que es Carlota. Aparece Don Rufo, dispuesto a disparar al primero que encuentre, y después Ambrosio, que se asusta al haber perdido a Carlota. Amanece, y Don Pantaleón vuelve a buscar a su protegida, pues la mujer que se había ido con él no era Carlota, sino Doña Angustias; Don Rufo, al oírlo, se dispone a matarlo, pero éste se esconde, cogiendo los pape-les que estaban sobre la mesa; Ambrosio nota que no están los papeles de Don Rufo, y éste decide "sui-cidar" a Ambrosio. Aparecen los vecinos a com-probar qué pasa.

Acto II. Mientras Ambrosio duerme, Carlota cruza por su cuarto. Aparece un grupo de hombres embo-zados, con algunos instrumentos musicales, que son los que rondaban la noche anterior, y rodean a Ambrosio, asustándole por haberles tirado el ladri-llo la noche anterior. Llega Leoncio, y hace huir a los embozados. Ambrosio, agradecido, se pone a su disposición, pero cuando Leoncio le pregunta por la chica, le dice que no puede revelarle nada, pues es un favor que le ha pedido Don Pantale-ón; Leoncio le dice que Don Pantaleón es su padre, y Ambrosio confiesa que la joven desapareció la noche anterior. Carlota canta dentro, ofreciendo su amistad al joven si sabe llevar una vida formal, y permancce escondida. Aparece Doña Angustias, preocupada por su situación, con Don Pantaleón, que le ofrece los papeles de Don Rufo que se llevó por la noche y que pueden ayudarla; pero al haber-se olvidado los papeles va a buscarlos. Leoncio, al ver a una mujer, cree que es Carlota y la abraza, entonces se presenta Don Rufo, que al ver a su mujer abrazada con otro se va a buscar la escope-ta. Leoncio salta por la ventana, y Doña Angustias se esconde en otra habitación; Don Pantaleón trae los papeles de Don Rufo, y revela a Ambrosio que Carlota es la hija de un Marqués, ministro del gobierno, el cual ha pedido a Don Pantaleón que atienda a Carlota unos días por razones de familia que ya han desaparecido, y Don Pantaleón, para ponerla a salvo de las acechanzas de su hijo, la con-fió a Ambrosio. Aparece Leoncio, a quien su padre pregunta qué hace en Madrid, y él contesta que está enamorado de Carlota. Don Rufo, provisto de una escopeta de doble cañón, es desarmado por Leoncio que, desesperado al haber perdido a su amada, amenaza con pegarse un tiro. Una canción de Carlota, oculta, detiene la acción. Llega Ginés y advierte que la policía va a detenerlos, por tener proclamas ilegales, que el comisario encuentra en manos de Ambrosio. Entonces aparece Carlota, que responde por ellos y aclara a Leoncio que ya habí-an coincidido en los baños de Biarriz, después la había oído en Madrid, por estar las ventanas de su cuarto de estudio enfrente de las del joven, y de nuevo en la casa, aceptando ahora su amor.

Números musicales. Acto I: Nº 1. Aire de jota a dos voces y coro interno, "Son los ojos retrecheros". Nº 1bis. Coro interno y Ambrosio, "Ayer tarde, niña bella". Nº 2. Coplas de Ambrosio, "Mi mal es harto cierto". Nº 3. Terceto de Ambro-sio, Leoncio y Carlota dentro, "¡Ah!…, ¡oh!… –¡Chut!…". Nº 4. Dúo de Carlota y Leoncio, "La eterna cadena que está de continuo". Nº 5. Ambrosio, "¡Favor!…, ¡a mí!…, ¡ladrones!". Nº 6. Final 1º. Ambrosio, Don Rufo y el coro, "¡¡Arriba!…,

¡arriba suena!". Acto II: Nº 7. Preludio. Nº 8. Ambrosio y coro de hombres, "Aquí está el hombrecillo". Nº 9. Dúo de Leoncio y Ambrosio, "¡Gracias, gracias…, mi amigo, mi dueño!…". Nº 10. Terceto de Carlota (dentro), Ambrosio y Leoncio, "La angustia que te afana". Nº 11. Dúo de Ambrosio y Pantaleón, "¿Qué haremos, ¡cielo santo!, en tal tribulación?". Nº 12. Romanza de Carlota (dentro), "¡Detente, detente!". Nº 13. Coro del Comisario y policías, "Ninguno aquí respire". Nº 14. Dúo de Carlota y Leoncio. Concertante y coro final, "Errante mariposa, de afán henchido el seno".

Comentario. Tras cerrarse el teatro del Circo en 1851, Gaztambide convenció a Salas, Olona, Barbieri, Hernando, Oudrid e Inzenga para formar parte de la Sociedad para el establecimiento de la zarzuela en España. La sociedad arrendó el teatro del Circo, denominado Lírico-Español, y la primera obra interpretada fue *¡Tribulaciones!*, completando la sesión un baile español. La obra carece de argumento como tal, siendo una serie de escenas de enredo rápidas en las que Ambrosio, un memorialista excelentemente interpretado por Caltañazor, sufre los mayores apuros y peligros. Según el *Correo de los Teatros* (21-IX-1851), Rubí "se ha propuesto en esta zarzuela hacer reír a todo el mundo, y ha conseguido su intento. Nos ha presentado escenas graciosísimas, pinturas verídicas de la vida humana, chistes en abundancia y hechos, por fin, demasiado reales y patentes. Ha satirizado, ha puesto en caricatura, ha ridiculizado al hombre, al vicio, a las cosas, con la maestría y brillantez de su potente ingenio, y ha sabido alcanzar un triunfo en las *Tribulaciones*". La crónica estima poco adecuado este tipo de libreto para avanzar hacia la ópera cómica, pues "es menester trazar un camino algo distinto de lo que hasta ahora se ha tenido; y los escritores melodramáticos antes que secundar el gusto y las tendencias de cierta parte del público, deben al contrario aspirar a modificar uno y otras consecuentemente a la civilización y progreso del día. Sólo así podrá ostentar también España su teatro lírico-nacional". El *Pasatiempo Musical* opina que las situaciones del libreto "no son musicales, su lenguaje tampoco es el que más tarde hemos visto requiere la música; de manera que el señor Rubí en su buena obra literaria no suministró al compositor los alicientes necesarios para inspirarse". La zarzuela presenta la misma forma dramática que *El duende*, parecido que según Barbieri le perjudicó ante el público, ya que esta obra del género burlesco era "inferior como libreto". El personaje de Carlota es una imitación de Doña Inés de *El duende*, y a su vez sirve de modelo para Diana, en *La hechicera* de Barbieri, 1952. Según Cotarelo, la obra "estaba muy bien escrita; más que llena saturada de chistes, y los versos cantables eran hermosos y poéticos", por lo que su pobre éxito se debe a que el público ya estaba cansado de este tipo de obras, "prefiriendo obras más serias".

Gaztambide escribió catorce números musicales, siguiendo el modelo de *El duende*. Destaca la utilización de ritmos habituales en las danzas de salón del momento, como la polonesa –Nº 1, Nº 6– o el vals –Nº 8, segunda sección–, y junto a ellos las seguidillas y la jota –símbolo de lo español– en el número inicial, que es acompañada por bandurrias y guitarras; también la utilización de un "aire *De profundis*" en la parte final del Nº 8, para representar el miedo infundido a Ambrosio por la ronda que interrumpe su sueño. Es frecuente que los números sean poliseccionales, concluyendo con una aceleración temporal, *piu mosso*, a modo de coda. El papel de Carlota exige un cierto virtuosismo vocal, debiendo cantar una fermata en el Nº 4. Aparecen también pasajes italianizantes, como la sección central del Nº 2, o el *Andante* central del Nº 8. La música de Gaztambide es ligera, agradable, y "no desmerece de la de sus obras anteriores, teniendo en cuenta los reducidos límites en que ha podido desarrollarse en esta última", según el *Correo de los Teatros* (21-IX-1851). Para el *Pasatiempo Musical*, "la parte musical de *Tribulaciones* no ofreció novedad digna de mención. En todas las obras del señor Gaztambide encontramos mucho de su primera, y sin embargo, no es en ninguna de ellas lo que allí fue. Tiene muy a menudo este compositor algunos modismos en sus frases o melodías que le descubren y hacen muy igual sus ritmos. Instrumenta siempre bien y tiene facilidad, pero no paciencia para corregirse, oyéndose a sangre fría". Se aplaudieron la jota del coro del primer acto y el coro de hombres del inicio del segundo.

La crítica se hizo eco de la perfecta interpretación de la obra, destacando el papel representado por Caltañazor, que debutaba en la compañía; así como las intervenciones de Elisa Villó en la romanza del primer acto y en el dúo con Fuentes, poniendo de manifiesto su conocimiento de la escuela de ópera italiana; la intervención de Fuentes en un papel distinto a los que interpretaba habitualmente; la creación de Doña Angustias realizada por María Bardán; y las actuaciones de Calvet –que también debutaba– y Aznar. Aunque Peña y Goñi dice que no tuvo éxito, la obra gustó, representándose varios días seguidos. Se repuso en varias ocasiones, pero no logró el éxito que precisaba la nueva Sociedad del Circo, éxito que llegaría con *Jugar con fuego*.

Fuentes manuscritas. Dos partituras (TL-582) y los materiales de orquesta (1058) se conservan en el archivo de la SGAE en Madrid. Otras dos partituras se conservan en la Biblioteca Naciona de Madrid (M-3342 y M-3217).

Ediciones del libreto. Madrid, C. González, 1851.

BIBLIOGRAFÍA: *HZ*; *OE*; E. Casares Rodicio: *Francisco Asenjo Barbieri. 2. Escritos*, Madrid, ICCMU, 1994.

RAMÓN SOBRINO

Tributo de las cien doncellas, El. Opereta cómico-burlesca en tres actos. Música de Francisco Asenjo Barbieri. Libreto de Rafael García Santisteban. Estrenada el 7 de noviembre de 1872 en el teatro de la Zarzuela de Madrid.

Personajes y reparto. Dominga (Patrocinio Roselló). Lindaraja (Dolores Custodio). Piloña (Juan Orejón). Moro Muza (Francisco Arderius). Zancarrón (José Escríu). El alcalde (Francisco Castillo). El eunuco (Zacarías Arveras).

Orquestación. Flautín, flauta, 2 oboes, 2 clarinetes, 2 fagotes, 2 cornetines, 2 trompas, 3 trombones, timbales, triángulo, bombo, platillos, cascabeles, lira, bandurrias y cuerda. Banda: requinto, flautín, 2 clarinetes, 2 fliscornos, 2 cornetines, 4 trompas, 2 trombones, 2 barítonos, 3 bombardinos, tambor y bajos.

Argumento. La escena se representa en un pueblo de Galicia, limítrofe con Asturias, en el primer acto, el segundo y tercer actos tienen lugar en el palacio del rey moro de Jaén. *Acto I.* Están los gallegos y gallegas descansando cerca de casa de Piloña, tocando la trompa, ven bajar a éste y le piden que cante y entona unas coplas un tanto picantes, llega a su casa y echa en falta a su mujer, Dominga de la que está muy enamorado, llega Dominga, con la horquilla de aventar al hombro, muy contenta también porque adora a su marido, juguetean los dos y se hacen arrumacos, en ese momento se acercan el alcalde y el alguacil, el alcalde que está enamorado de Dominga le dice a Piloña que el

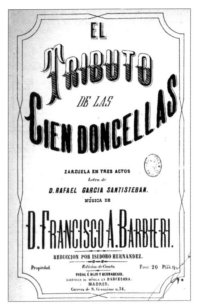

moro requiere que le paguen las cien doncellas como tributo y ha decidido mandar una embajada para decirle que no es posible, por sorteo le ha tocado a Piloña formar parte de esa embajada, éste no quiere ir pero su mujer le tranquiliza y acepta. El moro Muza, disfrazado de judío, y Zancarrón aparecen en escena, el moro dispuesto a divertirse y llevarse a las doncellas y Zancarrón a avisar a los habitantes del peligro. El moro quiere que Zancarrón se disfrace de moro y pase por ser él mismo pero Zancarrón avisa a Dominga de su maniobra. Llega la fiesta y el moro Muza se encuentra con el alcalde en medio de una refriega, típica del país en medio de la cual recibe un garrotazo, el alcalde recibe otro. Aparece Zancarrón disfrazado de moro y diciendo que viene a buscar a las doncellas y Dominga le convence para que se lleve sólo una docena. Dominga le facilita doce amas de cría y ellas, el moro y Zancarrón se dirigen a Jaén.

Acto II. Lindaraja, la sultana vieja y fea está reunida con sus odaliscas, todas ofendidas porque saben que el moro ha ido en busca de las doncellas gallegas, llega Piloña que confiesa que viene de parte del alcalde a decir que no pueden pagar el tributo y cuenta lo accidentado del viaje y que ha perdido a sus compañeros, la sultana primero le encuentra muy gañán pero al cabo de un rato le va pareciendo atractivo y decide quedárselo, él le pide que se quite el velo y con gran desilusión ve que es fea y vieja, ella manda que

le vistan de musulmán con elegantes trajes. En ese momento llegan el sultán, Zancarrón y las gallegas, capitaneadas por Dominga, el sultán está prendado de Dominga y ella aprovechando esta circunstancia consigue que él le deje el sello real con el cual todo el mundo habrá de obedecerla, entran la sultana y Piloña, del que dice la sultana que es su primo Solimán. Él y Dominga se reconocen pero Piloña, que es menos valiente que Dominga, tiene miedo y no se da a conocer aunque está muy celoso. Dominga haciendo valer su autoridad por la posesión del anillo encarcela a la sultana, el sultán y el pretendido Solimán.

Acto III. Las gallegas que han ido a Jaén con Dominga se encargan de emborrachar a los centinelas. Dominga ha enviado al moro Muza, a su marido y a la sultana un arroz con almejas, manda a Zancarrón que les deje en libertad y les cuenta que el arroz estaba envenenado, la sultana quiere hacer beber a Piloña un antídoto para que el veneno no surta efecto. El pueblo y el ejército se han declarado en huelga y Dominga aprovechando la confusión le hace firmar un decreto por el que renuncia al tributo de las cien doncellas al que se había comprometido el rey Mauregato. Zancarrón va en busca de su esposa y sus doce hijos y también se va con ellos.

Números musicales. Acto I: Preludio orquestal. Nº 1. Piloña y coro, "Tiang, tiang, tiang, tiang". Nº 2. Dominga y Piloña, "Cucú, quién eres tú". Nº 3. Moro Muza, "Yo soy un morito". Nº 4. Dominga, Moro Muza, Zancarrón, Alcalde mujeres del pueblo y amas de cría, "Mañana es gran día". Acto II: Nº 5. Odaliscas, "Preso al valiente Gonzalo". Nº 6. Lindaraja y Odaliscas, "El moro trae marusas". Nº 7. Interludio orquestal. Nº 8. Piloña, "Con ocho paisanos". Nº 9. Dominga, Moro Muza, amas de cría y coro, "Ya a su palacio vuelve el sultán". Nº 10. Interludio orquestal. Nº 11. Dominga y Moro Muza, "Yo tengo hipocondria". Nº 12. Dominga, Lindaraja, Piloña, Moro Muza, Zancarrón, amas y coro, "Este morito es mío". Acto III: Nº 13. Muezín, amas y coro, "Ala ho ho akbar". Nº 14. Lindaraja, Piloña y Moro Muza, "Silencio desgraciada". Nº 15. Zancarrón y Moro Muza, "Ya en el harén no hay moras". Nº 16. Moro Muza y coro, "¡Voto a Mahoma!". Nº 17. Dominga y Piloña, Lindaraja y Zancarrón, Moro Muza, amas y odaliscas, coro, "Como veis esta opereta".

Comentario. Esta obra es una nueva colaboración de Barbieri con los bufos de Arderius y con un autor que escribía abundantemente para ellos, Rafael García Santisteban, por lo que la obra, desde el punto de vista literario, era ligera, graciosa y con abundantes chistes epigramáticos y se movía en el mismo ambiente irreal, a veces grotesco y lleno de hilaridad, de *Robinsón*. Barbieri permanece fiel a sus constantes; sumo interés en el tratamiento de los coros sobre todo femeninos, presencia de elementos locales de folclore asturiano y árabe, con la imitación del sonido de la gaita por las voces, magnífica y colorística orquestación, enriquecida en los Nºs 4 y 9 por la presencia de una banda. Como en las "zarzuelas grandes bufas", camina en un intermedio entre la gran forma zarzuelística, que se denota no sólo en los medios usados, sino en la poliseccionalidad, o en la cabaleta del número once "Tiene la chinfonía", pero también, como no podía ser menos, está lleno de elementos bufos llamativos: uso del aire de gallegada en el primer número, de la música árabe que canta el muecín en el Nº trece, los personajes hablan en gallego en el Nº dos, presencia de bandurrias en el Nº 4, estructura estrófica en el Nº 8. Los tres actos son desiguales; el primero de sumo interés, el segundo decae y el tercero vuelve a recuperarlo. El éxito fue grande y Barbieri, que era el director, hubo de saludar después del primer y tercer actos. La obra quedó junto con *Robinson*, como su gran aportación al género bufo.

La crítica estimó la obra, a pesar de su pésima interpretación, como una de las grandes producciones de Barbieri. J. Giménez y Fernández señalaba en *La Armonía*: "La música que el señor Barbieri ha introducido en esta opereta, es tan igual en todas sus partes, que difícilmente se puede distinguir que números son los mejores; nueva siempre, alegre unas veces y sentimental otras, según lo requiere la situación del libreto, es una de esas partituras que manifiestan desde los primeros compases la reputación de su autor".

Fuentes manuscritas. La partitura (TL-126) y los materiales de orquesta (7763) se conservan en el archivo de la SGAE en Madrid. Otro ejemplar de la partitura se encuentra en la Biblioteca Nacional de Madrid (M. 3114).

Ediciones del libreto. Imp. de José Rodríguez Calvario, 1872; Madrid, Alonso Gullón, 1872.

EMILIO CASARES RODICIO

Trillo, Dolores. Madrid, 1845; ?. Soprano. Fue primer premio de canto en el Conservatorio de Madrid en 1866. Debutó en el teatro Real un año más tarde al lado de Tamberlick: encarnó con éxito, en una función extraordinaria que incluía únicamente el tercer acto, a la Desdémona en *Otello*. En 1872 pasó a la compañía del teatro de la Zarzuela, donde cantó Adalgisa de *Norma* de Bellini y Oscar de *Un baile de máscaras* de Verdi. Estrenó *Los dos sargentos franceses* de Mazzucatto, teatro de la Zarzuela, 1875, y *Una venganza* de Fernández Caballero en el Centro Artístico y Literario, 1871. Su voz, presumiblemente de soprano lírica, era capaz de adaptarse a papeles muy diversos, pertenecientes incluso a otras cuerdas. Sus últimos años de carrera los dedicó a la interpretación de zarzuela.

BIBLIOGRAFÍA: *HGZ*.

EMILIO CASARES RODICIO.

Trillo, Lolo. España, siglo XX. Tiple. Bella, moderna y dentro del tono frívolo que a finales de los años veinte triunfaba en los escenarios, así presentaba la revista *Nuevo Mundo* a Lolo Trillo a la que su belleza española y su gracia artística hacían triunfar en aquellos años. En 1927 estrenó en el teatro Eslava en la compañía de Celia Gámez *Las castigadoras* y *La deseada* de Alonso y al año siguiente *Las coquetas* de Guerrero. En 1938 actuaba en México donde estrenó, en el teatro Principal *¡En tiempos de Don Porfirio!* de Ruiz y Castro Padilla.

Lolo Trillo
(Foto: Nuevo Mundo, 1927;
Ar. ICCMU)

FONOGRAFÍA: *¡Abajo las coquetas!*, Sonifolk 20133; *La blanca doble*, Sonifolk 20133; *Los bullangueros*, Sonifolk 20133.

BIBLIOGRAFÍA: M. Mañón: *Historia del teatro Principal de México*, México, Ed. Cultura, 1932.

Mª LUZ GONZÁLEZ PEÑA

Trust de los tenorios, El. Humorada cómico-lírica en un acto. Música de José Serrano. Libreto de Carlos Arniches y Enrique García Álvarez. Estrenada el 3 de diciembre de 1910 en el teatro Apolo de Madrid.

Personajes y reparto. Arturo (Luis Manzano). Cabrera (Salvador Videgain). Isabel (María Palou). La Bella Cu-Cú (Julia Domínguez). Rama-Kana (Dionisia Lahera). Randilla (Enrique Povedano). Saboya (José Moncayo). Sirka (Francisco Molinero). Argentina 1ª (Consuelo Mayendía). Guardia 1º (José Gadea). Guardia 2º (Sánchez). Socia 1ª (Clotilde Perales). Socia 2ª (Isabel Carceller). Socio 1º (Luis Moreno). El maitre d'hotel (Diego Gordillo). Máscara 1ª (Enrique Povedano). Camarera 1ª (Elisa Moreu). Un carbonero (Sr. González). Un panadero (Victoriano Picó). Un pastor protestante (Pedro Ruiz de Arana). Una cupletista (Consuelo Mayendía). Una doncella india (Consuelo Mayendía). Baturro 1º (Enrique Gandía, tenor). Veneciano 1º (Consuelo Mayendía). Veneciano 2º (Paula Cortés). Veneciano 3º (Srta. Fonrat). Vienés 1º (Vicente Carrión). Vienés 2º (Carlos Rufart). Vienés 3º. Vienesa 1ª (Dionisia Lahera). Vienesa 2ª (Julia Domínguez, soprano). Vienesa 3ª (Clotilde Perales).

Orquestación. Flautín, flauta, oboe, 2 clarinetes, fagot, 2 trompas, 2 trompetas, 3 trombones, percusión, arpa y cuerda.

Argumento. El "Trust de los tenorios" es el nombre de una distinguida sociedad de donjuanes. De ella va a ser expulsado en sesión plenaria Pedro Saboya por haber recibido calabazas de una humilde planchadora. Saboya, que presume de tener un impresionante historial de conquistador, propone, sin embargo, una apuesta que es aceptada: conquistará a la primera mujer que pase por debajo del balcón y así obtendrá no sólo el perdón sino también la presidencia de la sociedad; de lo contrario tendrá que abandonarla, además de pagar una cuantiosa multa. Quien acierta a pasar resulta ser Isabel, la mujer de Cabrera, el presidente del trust y principal interesado en la expulsión de Saboya. Se inicia entonces la huida de Cabrera con Isabel y la persecución implacable de Saboya. Primero van a París, luego a Venecia, donde es carnaval, y por último a la India inglesa. Ya desde París, el pintor Arturo, un amigo de Cabrera, va a ayudar a deshacer las sucesivas artimañas de Saboya para lograr el amor de Isabel, tretas que siempre acaban en desgracia para el tenorio. Pero finalmente tampoco Cabrera va a salir bien parado, pues su mujer, harta ya del juego, se va a acabar fugando con el pintor. Los dos tenorios acuerdan volver humillados a Madrid y pagar la multa a medias.

En el centro, Dionisia Lahera y Vicente Carrión, a la izquierda, Consuelo Mayendía, y la derecha, María Palou en El trust de los tenorios *de Serrano (Foto: Calvache en* Nuevo Mundo, *1910; Ar. ICCMU)*

Números musicales. Introducción. Gavota. Nº 1. Intermedio y vals-capricho. Nº 2. Couplets de mon bebé, "Madama Bobari y Henri Tontolican". Nº 3. Intermedio. Danza húngara. Nº 3bis. Tarantella. Nº 4. Cazadoras argentinas, "Hermosas argentinas". Nº 5. Vals vienés, "Es la cadencia del vals". Nº 6. Comparsa española. Jota, "Te quiero, morena". Nº 7. Serenata veneciana, "Niña de trenzas de oro". Nº 8. Preludio y coro interno, "Cuando la luz de la tarde declina". Nº 9. Invocación y danza oriental, "¡Oh! Vírgenes". Final.

Comentario. *El trust de los tenorios*, la producción más destacada del año 1910 en el teatro madrileño de Apolo, se sitúa en la línea de las zarzuelas que desde el éxito de *Los sobrinos del capitán Grant* explotan el recurso del viaje a diferentes lugares. En este caso lo hace en la conocida modalidad de las aventuras del típico tenorio fracasado, que ya había explotado Serrano con fortuna y junto a los mismos libretistas en *El pollo Tejada*, 1906. Pero también se acerca de forma clara a la revista en virtud de la agilidad de la intrascendente acción, del rápido cambio de decorados, de la riqueza del vestuario y de la abundancia de números musicales, muchos de ellos de conjunto (así, por ejemplo, el número de cazadoras argentinas pone sobre el escenario la necesaria vistosidad femenina). Era inevitable por aquella época, ya en plena decadencia del género chico, que incluso los compositores que, como Serrano, con más empeño y *pureza* se habían dedicado a él, pusieran su mirada en otros géneros como la opereta, la revista y las variedades en general. Por eso no ha de sorprender que las críticas del estreno incidan sobre el aspecto visual de la producción. Así lo recoge el cronista de *El Mundo*, quien de paso informa sobre los nombres del figurinista y escenógrafo: "Presenciamos de nuevo el inevitable desfile de vestuarios brillantes que corta y cose el Sr. Vila en su taller, un taller de sastre que a algunos parece una academia de elegancia y de arte. Hemos visto al Sr. Muriel, que salió a recoger aplausos por una de las decoraciones". Por otra parte, atendiendo al texto, el crítico de *El Heraldo de Madrid* calificó la obra como divertida e ingeniosa, pero sugirió a los escritores la posibilidad de convertirla en pieza de tres actos, con un eminente sentido práctico que pone sobre una de las pistas que posiblemente llevaron por aquella época a abandonar cada vez más el patrón del acto único: "¡Ah, candorosos Arniches y Álvarez! Haciendo la conveniente división, pudo haber sido de tres actos vuestra divertida obra de anoche. Dura la representación hora y media. Con actos de media hora o un poco más por virtudes de relleno, un tantico de sinfonía y los entreactos reglamentarios… pues ¡dominó! Así habrías conseguido trustizar todas las secciones, monopolizar todos los ingresos por derechos de autor, acaparar el cartel, estancar la plata. No hay duda, por tal hecho, de que sois unos manirrotos, despilfarradores y jóvenes incautos. Dais pretexto, además, a que se discuta vuestra producción y a que se os acuse de haber perdido la noción exacta de las proporciones".

En el apartado musical existen una serie de números cortos, sencillos y directos, nunca a cargo de los personajes principales. La música, por lo tanto, es de algún modo ajena a la trama y sólo se sostiene como elemento ornamental. Predominan los números instrumentales (introducción e intermedios) y los de conjunto, con fáciles pasajes corales. Se da en todos ellos una evidente exaltación de lo bailable: desde la antigua gavota, pasando por el vals, la tarantela, hasta una danza húngara y otra de carácter oriental. Se trata de piezas que conocieron amplia difusión en su transcripción para banda. Cuatro de los nueve números musicales –del 4º al 7º– se localizan en el sexto cuadro y toman como justificación la presentación de comparsas de distintos países durante el carnaval veneciano. Una de esas comparsas es española, nacionalidad que se afirma a través de una efectiva jota, al parecer escrita en muy poco tiempo tanto en la letra como en la música por Serrano. Fue sin duda el número estrella de la partitura. Rápidamente lo adoptaron como pieza de lucimiento muchos tenores, siendo Miguel Fleta uno de los primeros en hacerlo.

En la interpretación, sobresalió Moncayo, "genial y elegante como él solo" en un papel de fresco hecho a su medida, y destacó también "la Srta. Mayendía, graciosa y excelente cantatriz, que tuvo anoche, por ya sabia costumbre adoptada entre compositores, el *pezzo* más difícil de la partitura, y venció brillantemente, merced a las agilidades y a la disciplina de la voz". De cualquier forma, el *"pezzo* más difícil de la partitura" nunca deja de ser vocalmente sencillo y en las cuatro intervenciones que tuvo que llevar a cabo Mayendía es tan importante la gracia escénica como el aspecto canoro. Eso es lo que ocurre, por ejemplo, con los "Couplets de mon bebé", una de las escasas ocasiones en las que Serrano recurre al cuplé como parte de sus obras escénicas –justificada aquí su presencia por desarrollarse la acción en ese momento en un café modernista de París–, género del que no tenía alta consideración a pesar de que antes de *El motete*, su primer éxito teatral, en los años de bohemia madrileña, compusiera varios cuplés con seudónimo a fin de ganar algún dinero.

Fuentes manuscritas. Los materiales de orquesta se conservan en el archivo de la SGAE en Madrid (3481).

Ediciones de música. *Colección completa de las obras musicales de José Serrano*, Madrid, Mott, 1912. Banda, selección, UME.

Ediciones del libreto. Madrid, R. Velasco, 1910.

BIBLIOGRAFÍA: R. Díaz, V. Galbis: *La producción zarzuelística de José Serrano*, Adjuntament de Sueca, 1999.

RAFAEL DÍAZ GÓMEZ

Turina Pérez, Joaquín. Sevilla, 9-XII-1882; Madrid 14-I-1949. Compositor, crítico e historiador. Es uno de los compositores españoles más destacados del siglo XX. La música teatral ocupó un lugar importante en su actividad creativa, de manera significativa la ópera. Con sólo quince años compuso *La Sulamita*, ópera en tres actos, que orquestó entre 1901 y 1902. En 1904 estrenó en Sevilla el sainete en un acto *La copla*, zarzuela sobre

*Joaquín Turina
(Foto: Alfonso;
Ar. M. de Falla)*

motivos populares sevillanos con libreto de Joaquín Labios y Enrique Lucuix. Otro sainete, *Fea y con gracia*, también sobre costumbrismo sevillano de los hermanos Quintero, fue estrenado en el teatro Moderno de Madrid el 3 de mayo de 1905, con la intervención de Chicote y de Loreto Prado. La crítica no fue muy favorable y nunca más volvió a reponerse después de las quince primeras representaciones. El resto de sus obras líricas pertenece al género operístico.

BIBLIOGRAFÍA: *DMEH*.

EMILIO CASARES RODICIO.

Úbeda Plasencia, Eugenio. †Madrid, 22-VII-1938. Compositor. Junto con los libretistas Pont y Sotillo, estenó en Valencia la zarzuela *Luz en la fábrica* y al llegar esta obra a Madrid, representándose en el teatro Novedades, se organizó una protesta de los estudiantes de medicina que consideraban ofensivo para su gremio un diálogo que aparecía en la obra: "¿Qué hacen esos señoritos que estudian medicina, sino destrozar los cadáveres de los pobres para estudiar las enfermedades de los ricos?". La protesta provocó que los autores del libro retirasen ese diálogo de la obra y con esa supresión siguió representándose en el Novedades. Este teatro fue escenario de la mayoría de sus estrenos, aunque también el Barbieri, Martín y Pavón. Escribió varias obras en colaboración con otros compositores como Manuel Quislant, Vicente Lleó y Luis Foglietti y cultivó fundamentalmente el sainete, el entremés o el pasatiempo en un acto, si bien tiene algunas obras –zarzuelas y operetas– en dos e incluso en tres. Aunque tuvo diversos colaboradores literarios, como Francisco Ramos de Castro, Enrique García Álvarez y Javier de Burgos, el más habitual fue Manuel Desco Sanz.

OBRAS (Todas en *E:Msa*): *Vichy francés,* Hum, 1 act, col. T. San Felipe, l, R. Rocabert, est, 17-VII-1908, Te. Novedades; *El príncipe sin miedo,* Opt fantástica, 2 act, col. V. Lleó Balbastre / L. Foglietti, l, G. Jover / E. González, est, 24-XII-1908, Te. Martín; *El bufete de Mínguez,* Zarz, 1 act, l, R. Rocabert, est, 30-VII-1909, Gran Teatro; *Los vividores,* Zarz, 1 act, l, R. Rocabert, est, 6-IX-1909, Te. Martín; *El barranco de la muerte,* Zarz, 1 act, col. Fuster Virto, l, J. Gómez Renovales, est, 5-XI-1909, Te. Barbieri; *Luz en la fábrica,* 1, act, l, J. B. Pont / A. Sotillo, est, 19-XI-1910, Te. Novedades; *Sobre todas las cosas,* Zarz, 1 act, l, J. de Burgos / L. Linares, est, 19-V-1911, Te. Martín; *El intrépido aviador,* col. L. Candela Ardid, l, E. Polo López, est, 1911, Te. Novedades; *La comedianta,* Opt, 3 act, adap de Eysler, l, Gamero de la Cruz, est, 1911; *Los mil francos,* Zarz, 1 act, col. C. Vela Marqueta / E. Bru Albiñana, l, J. Pérez López, est, 5-III-1912, Te. Martín; *Cosas de la calle,* Sai, 1 act, col. M. Quislant Botella, l, J. Mesa Andrés / F. Ramos de Castro, est, 16-X-1912, Te. Novedades; *El leñador,* col. López Debresa, l, M. Mañas, est, 1912; *La poca lacha,* l, González Torres / M. González Lara, est, 1914, Te. Novedades; *El mapa de Europa,* improvisación, 1 act, l, E. Polo, est, 16-VI-1915, Te. Paraíso; *Las buenas almas,* Sai lír, 2 act, col. E. García Álvarez, l, E. García Álvarez / A. López, est, 8-II-1918, Te. Cómico;

Eugenio Úbeda
(Foto: Nuevo Mundo, *1910; Ar. ICCMU)*

El pobre carrillo izquierdo, Zarz, 1 act, l, E. Polo, est, 8-VII-1919, Te. Fuencarral; *Las travesuras de Polito,* Pasa cóm-lír, 1 act, l, E. Múgica / A. Soler, est, 30-IV-1920, Te. Novedades; *Camino del destierro,* boceto de Com, 1 act, l, M. Desco Sanz, est, 3-IV-1922, Te. Novedades; *La casa de los abuelos,* Sai lír, 1 act, l, R. Sepúlveda / J. Manzano, est, 31-VIII-1922, Te. Novedades; *La castiza,* 1 act, l, P. Guillén, est, 5-II-1923, Te. Novedades; *La mezquita,* Zarz, 1 act, l, J. M. Aracil / E. Palacio Valdés, est, 13-II-1925, Te. Novedades; *El ingenio de Jeromo o Un guasón de tomo y lomo,* Sai, 2 act, l, M. Desco Sanz, est, 20-XI-1925, Te. Pavón; *Rosa y clavel,* Ent lír, 1 / 2 act, l, A. Calero Ortiz / M. Desco Sanz, est, 27-XI-1925, Te. Pavón; *Ben-Hur,* Com lír, 3 act, l, A. Alcoriza / J. de Burgos, est, XI-1928, Palma de Mallorca; *1913 ¡¡¡Lagarto lagarto!!!; La boda del príncipe,* col. S. Lope; *La declaración de guerra,* Pasa cóm-lír, 1 act, l, E. Polo, est, Te. Novedades; *La rosa del valle,* Zarz, 1 act; *Las brasileñas; Las delicias,* 1 act, l, J. Villarrea; *Las sufragistas,* l, Gimeno; *María Thompson o La novia millonaria,* 3 act; *Non Sancta,* l, P. Chirivella.

BIBLIOGRAFÍA: *Nuevo Mundo,* 882, 1-XII-1910; A. Collado: *El teatro bajo las bombas en la Guerra Civil,* Madrid, Kaydeda, 1989.

Mª LUZ GONZÁLEZ PEÑA

Ulierte Bernal, Enrique. España, †29-IV-1985. Compositor. Es autor de numerosas obras escénicas, produciéndose su actividad en las décadas centrales del siglo XX. Colaboró con frecuencia con Bernardino Bautista Monterde y Eugenio Gómez Muñoa.

OBRAS: *Por fin se estrenó "La convencida"*, Jug, 1 act, l, J. Criado / J. Moreno, est, 1-VIII-1925, Reina Victoria; *Alhambra*, Sai, 1 act, col. B. B. Monterde, l, E. Criado / R. Cruz, est, IX-1926; *Mundo Gráfico*, 2 act, col. Lleó, l, J. Silva Aramburu / M. Caballeda Ortiz, est, VII-1930, E:Msa; *Familia Morcillo víctima del fandanguillo*, ilustraciones, l, A. Paso / R. González del Toro, est, 3-VI-1939, Te. Eslava, E:Msa; *Las cien maneras de amar*, 2 act, col. Gómez Muñoa, l, E. Paradas, est, 24-III-1943, Te. Nuevo (Barcelona), E:Msa; *La rana verde*, col, L. Navarro Tadeo, l, C. Saldaña / E. Paradas del Cerro, est, 24-IV-1943, Te. Español (Barcelona), E:Msa; *Galas humorísticas*, espectáculo, 2 act, col. E. Gómez Muñoa, l, C. Saldaña / E. Paradas, est, 1-I-1944, Te. Rojas (Toledo); *100.000 dólares*, Com musical, 2 act, col. E. Gómez Muñoa, l, J. Durane / M. Zaragoza, est, 14-VI-1946, Te. Albéniz, E:Msa; *La princesa maniquí*, Opt, 2 act, col. Gómez Muñoa, l, A. González / A. Paso Díaz, est, 28-VI-1946, Te. Albéniz; *Una mujer de miedo*, Opt, 2 act, col. Gómez Muñoa, l, A. Paso / A. González Álvarez, est, 29-VI-1946, Te. Albéniz, E:Msa; *El amor es un pesado*, 2 act, col, Gómez Muñoa, l, J. Mathias / D. Céspedes, est, 7-VIII-1953, Te. Maravillas, E:Msa; *Al capricho*, Sai, 1 act, col. B. B. Monterde, l, E. Criado / R. Loza; *Así es Luisito*, Sai, 1 act, col. B: Monterde, l, E. Criado / R. Loza; *Batamba*, 2 act, col., Bernal; *Guitarra*, col. Gómez Muñoa, E:Msa; *Hotel internacional*, col. B. B. Monterde, l, E. Criado / L. Criado; *Hotel Madrid-París*, col. B. B. Monterde, l, E. Criado / R. Cruz; *La bella Zulima*, col. B. B. Monterde, l, E. Criado / R. Loza; *Loco de amor*, Zarz, 1 act, l, R. Cruz / E. Criado; *París nocturno*, Sai, 1 act, col. B. B. Monterde, l, R. Loza / E. Criado.

BIBLIOGRAFÍA: *DMEH; TLE.*

Mª LUZ GONZÁLEZ PEÑA

Uliverri. Familia de cantantes españoles formada por los hermanos Eulalia y Severo.

1. Eulalia. España, siglos XIX-XX. Tiple. Llegó con su hermano al teatro Martín en 1905 y coincidieron en numerosos estrenos, como el apropósito *El caballo de batalla* de Luis Arnedo. Al año siguiente en el Cómico de Barcelona estrenaron la zarzuela dramática *Soledá* de Joaquín Gené y en 1907 en el Martín *María del Rosario* de José Fonrat, *Holmes y Raffles* de Pedro Badía, y *La garra de Holmes*, 1908; en 1909 *La ruada* de Pedro Badía y *La virgen de Utre-

Severo Uliverri (Foto: Comedias y Comediantes, 1909; 1910; Ar. ICCMU)

ra de Cabas Quiles, que ya había triunfado en diversos escenarios de América y España y en la que Eulalia y Alarcón eran muy aplaudidos. Juntos aparecen también en *El clown bebé* de Candela y Goncerlián, 1910, y en *El dirigible*, fantasía cómico-lírica de Pablo Luna y Escobar, 1911. Eulalia también participó en algunos estrenos sin su hermano, como el sainete de Ramón López Montenegro *El suceso del día*, 1909, o la opereta *El pueblo del peleón* de José Padilla, 1911.

2. Severo. La Rioja, 1885; ?. Barítono. Fue discípulo de Abunio Boezo en canto. Su simpatía, buena planta, gran voz y talento para la actuación le hicieron triunfar en el teatro. Perteneció a las compañías de Patricio León, César Muro y Lino Ruiloa con las que recorrió diversos teatros españoles cantando *Marina*, *La tempestad* o *El juramento*. Llegó con su hermana Eulalia al teatro Martín en 1905 y con su llegada comenzó ese teatro a obtener llenos coincidiendo ambos hermanos en las obras citadas anteriormente. Severo formó parte de la compañía de zarzuela y opereta de Vicente Lleó que actuaba en el teatro Martín y en 1913 se pasó al teatro de la Zarzuela. Participó en el estreno de la opereta de Rafael Millán *Las alegres chicas de Berlín*, 1916, con gran éxito, en *El tinglado de la farsa* de Rafael Calleja y la *La guitarra del amor*. En 1920 estrenó la revista de Millán *Blanco y Negro* en el teatro Odeón de Madrid. Entre sus obras favoritas estaban *El grumete*, *El guitarrico* y *Carceleras*.

BIBLIOGRAFÍA: El Bachiller Bambalina: "Figuras del teatro. Severo Uliverri", *Comedias y Comediantes*, II, 6, 15-I-1910.

Mª LUZ GONZÁLEZ PEÑA

Último mono, El. Pasillo filosófico-práctico en un acto. Música de Cristóbal Oudrid. Libreto de Narciso Serra, sobre un pensamiento de Alfonso Karr. Estrenado el 30 de mayo de 1859 en el teatro de la Zarzuela de Madrid.

Personajes y reparto. Gregoria, doncella (Elisa Zamacois). El Marqués (Francisco Arderius). Sánchez, banquero (Francisco Calvet, bajo). López, escribiente (Ramón Cubero, barítono). Juan Colchón, soldado de caballería (Francisco Salas, barítono). Un negro, lacayo (Tomás Galván, tenor cómico). Un ciego, mendigo (Vicente Caltañazor, tenor cómico).

Orquestación. Flautín, flauta, 2 oboes, 2 clarinetes, 2 fagotes, 2 trompas, 2 cornetines, 2 trombones, percusión y cuerda.

Argumento. La acción tiene lugar en Madrid, en época contemporánea al estreno. Un banquero llamado Sánchez pretende casar a su hija con el hijo de un Marqués, y aunque al parecer habían llegado a un acuerdo por el cual el banquero, que había comprado numerosos pagarés del Marqués, apenas podría volver a ver a su hija, el Marqués retira su palabra a causa de la desigualdad de clases.

Un escribiente del banquero llamado López le pide la mano de su hija, y Sánchez le despide con cajas destempladas, exponiéndole la diferencia de clases, y expulsándole del banco. A este dependiente le ofrece su mano Gregoria, la doncella de la casa; pero el galán, aunque le gustaba la moza, la desaira por no descender de categoría social. Por lo mismo rechaza esta doncella al lacayo, diciéndole que se case con la fregona. El lacayo trata desdeñosamente a un criado negro, y éste a un ciego que mendiga, el cual sacude una patada a su perro, que es el último mono.

Números musicales. Nº 1. Introducción. Orquesta. Nº 2. Seguidillas. Gregoria y López, "La chica es guapa". Nº 3. Dúo, bolero y vito. Gregoria y Juan Colchón, "¿Me dirá usted?". Nº 4. Tango del negro, "Porque me ven". Nº 5. Final. Orquesta.

Comentario. Denominado "sainete filosófico" en el libreto y "pasillo filosófico-práctico" en la reducción para canto y piano, el asunto de la obra estaba tomado de un proverbio de Alfonso Karr, y fue versificado por Narciso Serra para representarse como comedia. La obra fue leída por Camprodón, que le compró a Serra su propiedad, conservando el nombre de autor, y le agregó los textos de los cantables, haciendo que escribiera la música Cristóbal Oudrid. El texto está bien versificado, consiguiendo Serra "hacer una obra modelo de versificación, de chistes a cual mejores y de representación de caracteres diversos en pocas palabras"; el juguete "encierra un profundo pensamiento desarrollado y vertido en la forma más pura y graciosa", que sirve de crítica a la escala social, según *La Época* (31-V-1859).

Oudrid compuso cinco números musicales, de los cuales el inicial y el final son para orquesta sola. La obra se inicia con una introducción en ritmo de polka, sencilla. El Nº 2 son las seguidillas cantadas por Gregoria y López; consta de tres secciones: la primera presenta varios pasajes a modo de recitado sobre la música; sigue un *Andante movido* en ritmo atiranado; la tercera sección es un *Tiempo de seguidillas* con un primer pasaje a cargo de Gregoria, otro a cargo de López y finalmente el dúo. El Nº 3 consta de cinco secciones; comienza con un *Allegro* con giros de sabor españolizante, sigue un recitado de Gregoria; después un *Tiempo de bolero* en el que aparecen las típicas figuraciones de tresillos de semicorchea en el acompañamiento, mientras Juan canta un texto lleno de modismos andalucistas; la tercera sección, a modo

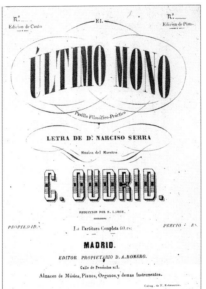

Cortesía de Unión Musical Ediciones SL

de polka, sirve de transición modulante; la cuarta sección, *Più mosso* es un vito en el que aparece la típica acentuación de este aire; la última sección cambia y enlaza el ritmo del vito anterior con un ritmo próximo al vals. El Nº 4 es el tango cantado por el criado negro, en cuyo texto aparece una caracterización racial; en el habitual 2/4, es una habanera con su primera sección en Fa menor, y la segunda en mayor; presentando un pasaje en 6/8 con texto cómico, para repetir a continuación la música de la segunda sección. La obra concluye con un breve final instrumental.

La música de *El último mono* representa una minisuite de danzas, anticipando así en más de veinte años lo que a partir de 1880 será práctica habitual en el sainete lírico. La obra logró gran éxito, siendo representada entre aplausos y terminando el día de su estreno con "manifestaciones frenéticas de entusiasmo", según *La Época*, siendo la ejecución de la obra calificada como perfecta por todos los actores sin excepción. El día del estreno salió Calvet en su papel del banquero Sánchez, disfrazado de modo que era el vivo retrato de Francisco de las Rivas, el constructor del teatro de la Zarzuela, y como a este personaje le había sucedido, según rumores, algo parecido a lo de la obra, todo el mundo entendió la alusión y la celebró con grandes risas; pero Salas hizo que Calvet saliese al día siguiente con otra fisonomía. El número más celebrado de la obra es el tango cantado por el lacayo negro, personificado por Galván, que se hacía repetir todas las noches y que Peña y Goñi considera una de las mejores piezas líricas compuestas por Oudrid en toda su producción. El éxito de la obra animó a Oudrid a estrenar el 19 de septiembre de 1860, de nuevo en colaboración con Narciso Serra, el pasillo filosófico-fúnebre *Nadie se muere hasta que Dios quiere*, también con gran éxito.

Fuentes manuscritas. Cuatro partituras, procedentes de los archivos de Enrique Bergali, del teatro de El Escorial y de la Empresa de Juan Orejón (TL-1089) y los materiales de orquesta (1775) se conservan en el archivo de la SGAE en Madrid.

Ediciones de música. Canto y piano, ed. F. Lahoz, Madrid, AR.

Ediciones del libreto. Madrid, J. Rodríguez, 1859; 3ª ed., Madrid, Alonso Gullón, 1874.

BIBLIOGRAFÍA: *HZ; OE.*

RAMÓN SOBRINO

Último romántico, El. Zarzuela en dos actos. Música de Reveriano Soutullo y Juan Vert. Libreto de José Tellaeche. Estrenada el 9 de marzo de 1928 en el teatro Apolo de Madrid.

Personajes y reparto. Aurora (Selica Pérez Carpio, soprano). Encarnación (C. Suárez, soprano). Enrique (Pepe Romeu, tenor). Ceferino (L. Rodríguez, tenor). Tomás (F. Gallego, tenor).

Orquestación. Flautín, flauta, oboe, clarinete, fagot, 2 trompetas, 2 trompas, 3 trombones, tuba, timbales, caja, combo, triángulo, arpa, lira y cuerda.

Argumento. La acción transcurre en Madrid. *Acto I.* Año 1872. En un café los parroquianos discuten acaloradamente sobre cuestiones políticas, con las guerras carlistas como trasfondo. Alguien habla de la condesa Aurora de Téllez-Girón, que está casada en contra de su voluntad, mientras conserva su amor por Enrique de Gorbea. Por su parte, Tomás, camarero del café, confiesa a Ceferino que ama a Encarnación, una aguerrida modista, pero con pocas esperanzas, pues la chica está, a su vez, enamorada de Enrique. Éste corresponde a la condesa Aurora, cosa que Encarnación desconoce. Por otra parte, la situación política está revuelta y la condesa teme que Enrique se pueda ver perjudicado. De pronto llega la noticia de que se ha atentado contra el rey, al tiempo que dos policías entran en el café con la intención de detener a Enrique, a quien se acusa de subversión. Lo evita Aurora, que se ha presentado de incógnito en el local. La condesa ruega a Enrique que huya para evitar su encarcelamiento. El hombre accede y se disfraza de lacayo. La despedida de los amantes es presenciada por Encarnación, quien se resigna a perder a Enrique.

Acto II. Transcurre en 1887. Tomás y Encarnación se han casado y ambos trabajan en el café. Aparece Enrique, vuelto de su exilio para verse con Aurora, que ha enviudado recientemente. Encarnación le dice que puede citarse con la condesa por la noche en el baile del Real. Para no levantar sospechas acudiendo solo, Enrique va al baile acompañado por Encarnación. Cuando Enrique encuentra a Aurora le propone huir a París, pero ella, prudente, aconseja esperar un día. Sin embargo, la actitud de Gonzalo, un joven impertinente, hacia la condesa, lleva a Enrique a enfrentarse con él en pleno baile y a precipitar la huida con su enamorada hacia París, aprovechando el desconcierto de los asistentes.

Números musicales. Nº 1. Introducción y escena, "Qué dicen los periódicos, amigo don Abilio?". Nº 2. Encarnación, Enrique, Pepe, Caballeros 1º y 2º, "La Encarna yo soy y me llamo". Nº 3. Tres damitas (2as tiples), tres mamás y tres pollos, "¡Señorita! ¡Señorita!". Nº 4. Romanza, "Anda ve y dile a tu madre". Nº 5. Dúo. Aurora y Enrique, "Yo dudaba, Aurora mía". Nº 6. Tomás, Ceferino, 2as tiples y coro, "Hoy vuelvo yo a nacer". Nº 7. Pasacalle de las mantillas, "Lucimos hoy todas las mujeres". Nº 8. Final

Cortesía de Unión Musical Ediciones SL

acto I Aurora, 2as tiples y coro, "Voy con mi mantilla a los toros". Nº 9. Introducción acto II y escena. Encarna, Ceferino, Tomás, dos murguistas y coro, "¡Basta ya de murga!". Nº 10. Dúo. Encarna y Emrique, "Era la Encarnación". Nº 11. Mazurka. Tomás, Ceferino, dos chulas y chulos, "Hoy no te he visto en el Habanero". Nº 12. Intermedio. Nº 13. Bailable. Nº 14. Enrique, "Sueño de amor". Nº 15. Can-can. Encarna, Tomás, Ceferino, 2as tiples y coro, "Moda es hoy bailar pasos de can-cán".

Comentario. Con esta zarzuela, los autores de la música revivían otro gran éxito obtenido poco tiempo antes en Apolo con *La del Soto del Parral*. Así lo cuenta Chispero: "Los maestros Soutullo y Vert lograron un buen éxito sobre un libro de Tellaeche titulado *El último romántico*, libro muy bien trazado y en el que se presentaban tipos del Madrid de Alfonso XII perfectamente estudiados y que además ofrecían a los músicos ocasiones propicias al lucimiento. En efecto, Soutullo y Vert lograron una partitura que si no llegó a superar a *La del Soto*, gustó extraordinariamente al auditorio, que hizo repetir casi íntegramente todos los números de la obra, entre los que había una romanza de tenor muy melódica que Pepe Romeu cantó deliciosamente, viéndose obligado a hacerlo por tres veces. Pero aún superó la calidad y el triunfo logrado con la mazurca madrileña, de corte muy parecido al número célebre de los Ratas de *La Gran Vía*, que hubo de ser cantado entre grandes ovaciones cuatro veces". El preludio, ligero, rumboso, en compás ternario, maneja dos temas principales, estructurados en forma ABA, el primero lírico, arqueado, con característicos tresillos en el tiempo fuerte de algunos compases, el segundo rítmico como unas populares seguidillas. A continuación llega una escena en la que van desfilando personajes típicos por el café madrileño donde discurre la acción: el aguador, la florista —con sus respectivos pregones—, unos pretendientes que se hacen llegar una carta, todo esto entre los comentarios políticos de los parroquianos —alternándose el coro con partes a solo o simplemente declamando—. La aparición del primer tema del preludio cierra este primer número. El segundo es la canción "La Encarna yo soy y me llamo", una pieza castiza que alterna el 6/8 y el 3/8 en la que se juega con al menos cuatro secciones diferentes, algunas de las cuales se repiten, y que, desde la alabanza de sus mujeres, avanza hacia la exaltación final de Madrid. El tercer número es un dúo coral entre señoritas y caballeros que galantean, bajo la mirada y los comentarios interesados de las carabinas. En su primera mitad está confeccionado a base de motivos breves y punzantes, respondidos con gracia por la instrumentación. En la segunda las frases, con un cierto aire de opereta, son ya amplias y la orquesta dobla las voces. El siguiente número comienza con una jota en la que un tenor se alterna con un coro de hombres por terceras. La segunda estrofa de la jota hace referencia al asunto tan candente del carlismo. De esta forma se da paso al fragmento más conocido de esta zarzuela, la romanza de tenor –puesta en labios de Enrique–, "Bella enamorada", en compás ternario y con esta estructura: ABABB, alternándose las tonalidades de Mi menor (A) y Mi mayor (B). El quinto número es el extenso dúo de amor entre Enrique y Aurora, cuyo tratamiento se corresponde bien al carácter serio y noble de ambos personajes. Sobre todo al comienzo del dúo se pueden advertir influencias veristas. Vuelve a continuación, para contrastar, lo cómico, en este caso en otro dúo, ahora entre Tomás y Ceferino, puntuado por el coro, quienes a ritmo de marcha comentan los peligros de la moda de ir en bicicleta. El Nº 7, también en compás binario, un pasodoble, es otra exaltación castiza de España, en este caso a través de la mantilla. Se pone en boca de Aurora y de un coro de mujeres y está en la tradición de la canción española impuesta desde el éxito de la de *El niño judío* de Pablo Luna. La música de este número sirve también para cerrar el primer acto.

El segundo acto comienza con una intervención orquestal menos castiza que la del primer acto y más cercana al ámbito de la opereta, sin duda ésta más afín al contenido del texto en esta segunda parte. No obstante, en la escena que va después de esta introducción, se oye a Encarnación, Tomás y Ceferino, que se han desembarazado de unos murguistas, quejarse de que no se oigan en Madrid otras músicas que no sean las de Bretón, Marqués, Chueca, Valverde o Chapí y *La Gran Vía, Cádiz, Niña Pancha* o *Chateau Margaux*. Lo paradójico del caso es que lo hacen de una forma que bien pudiera pertenecer a un número fácilmente popularizable de esos modelos del género chico que ellos critican. El número siguiente, décimo, es el dúo entre Enrique y Encarna. Los dos personajes se vuelven a ver después de quince años y la música recoge muy acertadamente la nostalgia de la pasada juventud y del amor que pudo haber sido entre ellos y no fue. La parte central del número es un recuerdo de la canción madrileña de Encarna del comienzo de la obra. El Nº 11 es una mazurka coral, entre chulos y

chulas, del que no anda lejos el espíritu de otras mazurkas de zarzuela famosas. Después de dos números instrumentales –interludio, también en tiempo de mazurka, y bailable, en tiempo de pavana–, vuelve la voz de Enrique a ser protagonista, con la romanza "Sueño de amor, que eres mi tormento", también nostálgica, ondulante, en forma ABA. El tenor ha de subir en esta ocasión hasta un La. Por fin, el último número, "Moda es hoy bailar pasos de can-cán", con Encarna, Tomás, Ceferino, segundas tiples y coro general en escena,

Selica Pérez Carpio y Pepe Romeu en El último romántico
(Fotos: Nuevo Mundo, 1908; Ar. ICCMU)

posee un manifiesto aire triunfal de final de revista. Así se cierra una zarzuela en la que lo musical sólo en contadas ocasiones va íntimamente unido a lo dramático. La música, abundante, tiende aquí más a ambientar y lo hace con absoluta versatilidad, acudiendo bien a los antiguos patrones del género chico, bien a las revistas y operetas, bien a algunos modelos operísticos ya trasnochados, dando cuenta del carácter netamente híbrido del género lírico y de la encrucijada en que se hallaba a finales de los años veinte del siglo XX. Existe una comedia lírica en un acto titulada también *El último romántico*, con libreto de Ismael Sánchez Estevan y música de Teodoro San José, estrenada en el teatro de La Latina de Madrid, el 11 de diciembre de 1908.

Fuentes manuscritas. Los materiales de orquesta se conservan en el archivo de la SGAE en Madrid (5314).

Ediciones de música. Canto y piano, Madrid, UME.

Ediciones del libreto. Madrid, Rivadeneyra, 1928.

FONOGRAFÍA: LP: Dir. Indalecio Cisneros, Sols. Teresa Berganza, Inés Rivadeneira, Ginés Torrano, Gerardo Monreal, Gregorio

Gil, Rondalla y Coro de Cantores de Madrid, Orq. Sinfónica, Columbia SA, ZCL 1034 y Alhambra SCLL 14042 [reed. en CD: Columbia-BMG España WD 75124 (9D)].

CD: Sols. Selica Pérez Carpio, Pepe Romeu, Regina Zeldizaval, Federico Caballé, Amparo Saus, Blue Moon BMCD 7547.

BIBLIOGRAFÍA: M. E. Cortizo: "Juan Vert Carbonell y la última etapa de la zarzuela grande", *Cuadernos de Música*, Madrid, 1992; J. Estévez Vila: *Reveriano Soutullo Otero. Estudio biográfico y musical*, Madrid, 1995.

RAFAEL DÍAZ GÓMEZ

***Un casament en Picaña*.** Zarzuela de costumbres valencianas en un acto. Música de Juan García Catalá. Libreto de Francisco Palanca y Roca. Estrenada el 26 de noviembre de 1859 en el teatro Princesa de Valencia.

Personajes y reparto. Toneta (Francisca Pastor). Alcalde (Manuel Nogueras). Tomasa (Ángela Burgos). Tonet (Asensio Mora). Pascualo (Angel Mollá).

Orquestación. Flauta, oboe, 2 clarinetes, 2 trompas, 2 trompetas, 3 trombones y cuerda.

Argumento. La acción se desarrolla en el pueblo valenciano de Picaña, en época contemporánea al estreno. En el domicilio de Tomasa se celebra una fiesta en la que el alcalde propone a la acomodada propietaria que su hijo se case con Toneta, la sobrina de Tomasa. Ésta acepta encantada porque la joven está enamorada del criado Toni Bacora, al que secretamente pretende también la dueña. Entre los dos urden un plan para evitar que el muchacho sea reclutado forzosamente para el servicio militar. De todos modos, Tonet se entera del arreglo matrimonial y le propina una paliza a Pascualo, el hijo del alcalde. A continuación se produce una larga escena entre los dos enamorados, en la que él le indica que la salvación para su amor es un papel que, por el momento, no le puede enseñar. Ambos recuerdan el inicio de su relación, Toneta expresa sus dudas respecto a la relación del criado con su tía y todo concluye de una forma más cómica que romántica. Tras un duelo dialéctico entre Tomasa y Toneta, la sobrina le confiesa la relación secreta que mantiene con Tonet y le indica que piensa casarse con él puesto que ya es mayor de edad. La obra finaliza con el triunfo de la pareja ya que el criado hace valer el papel en el que incluye una lista de rebeldes carlistas y, ante este hecho, el alcalde tiene que ceder. Tras obtener el consentimiento de todos, Tonet destruye el listado de nombres y regresa el ambiente festivo del comienzo.

Números musicales. Introducción y Nº 1. Coro, "Vinga el jaleo y la broma". Nº 2. Alcalde y coro, "Señores, no yá que cridar". Nº 3. Toni, "El amor es la plaga". Nº 4. Dúo de Toneta y Toni, "Si al servisi ten anares". Nº 5. Bolero de Toneta, "Sintura més bonica…". Nº 6. Final. Coro, "Vinga el jaleo y la broma".

Comentario. Esta zarzuela de costumbres valencianas constituyó la primera pieza de este tipo en triunfar masivamente entre el público de la ciudad de Valencia. En general, se observan unos rasgos musicales bastantes simples puesto que las partes cantadas las desempeñaron actores de la compañía de teatro del Princesa. De hecho, la obra se escribió expresamente para el beneficio de la actriz Francisca Pastor, que interpretó el papel de Toneta en el estreno.

El primer número es un coro (preludiado por un breve fragmento instrumental) que interpretan los tenores y los bajos, en el que el compositor plantea la filiación de esta obra con la música popular valenciana. Se trata de una jota que presenta unas características típicas: ritmo ternario, diseño rítmico repetitivo, textura homofónica. Con estos rasgos y una letra que invita a disfrutar de una futura boda se introduce de forma inmediata al espectador en un ambiente popular y alegre.

El segundo número integra al personaje cómico del alcalde con el coro de voces masculinas. Con respecto al número anterior, el tempo se vuelve más lento para incidir más en ese aspecto humorístico. Frente a la sencilla armonía de toda la zarzuela, García Catalá caricaturiza al alcalde incluyendo el cromatismo en el desarrollo de sus melodías. Por el contrario, las intervenciones del coro –que se alternan con el alcalde estableciendo un diálogo– inciden en la simplicidad del número anterior. Básicamente, el número se desarrolla de forma poliseccional a través de las distintas preguntas en las que el alcalde trata de afirmar, de forma paródica, su amplio poder sobre el pueblo de Picaña. Merecen una mención las secciones conclusivas ya que García Catalá propone una articulación melódica a través de tresillos combinada con la utilización del crescendo y, para otorgar variedad, en ocasiones sustituye la alternancia entre el personaje y el coro por la simultaneidad. En definitiva, el efecto del número se consigue plenamente y da lugar a uno de los mejores momentos de la pieza.

En el tercer número, García Catalá dramatiza musicalmente la pena de Tonet por no poder desarrollar su relación con la protagonista a través del uso de una velocidad más rápida. Ese carácter fuerte del criado ya aparece marcado en una introducción orquestal que presenta un motivo de carácter rítmico. Asimismo, el compositor plantea la romanza mediante una estructura poliseccional, en la que cada parte va cambiando de tempo, tonalidad y, en ocasiones, de ritmo. En general, es uno de los fragmentos más elaborados de toda la zarzuela.

El Nº 4 constituye el esperado dúo entre Toneta y Toni. Tras una sentimental introducción a cargo de la protagonista femenina, en la que destaca el diseño melódico descendente, aparece una primera sección en la que el criado ruega a su novia que tenga paciencia. Tras la dolorosa respuesta de la chica comienza la siguiente sección, iniciada con una intervención homofónica de ambos en la que se intensifica una tristeza por la posible separación a causa del reclutamiento de Tonet. La aparición del diálogo dotará de variedad a esta amplia sección central, que culmina dramáticamente con una breve intervención hablada. La sección conclusiva constituye una afirmación del amor de la pareja a través, sobre todo, de un diálogo que en ocasiones llega a ser imitativo. Un aspecto curioso es que la última parte de texto que desarrollan los solistas es una onomatopeya – "rataplán" –, ya que en las últimas frases se hace referencia a que el amor que sienten provoca que su corazón suene como un tambor. El Nº 5 es la escena de lucimiento de Toneta, ya que se sitúa en medio de un enfrentamiento con su tía Tomasa por el amor de Tonet. Se trata de un bolero que constituye, desde la introducción orquestal, con un ritmo marcado y de una dinámica muy expresiva. El Nº 6 es bastante similar al primero y sólo se diferencia por su menor extensión. Plantea una celebración musical por la feliz conclusión de los acontecimientos para los dos enamorados.

Un casament en Picaña representó el despegue de una zarzuela de temática valenciana y desarrollada en el idioma autóctono. La transposición del esquema del sainete en valenciano a cargo de uno de sus escritores más señalados y la simplicidad de la música de García Catalá produjo un gran impacto sobre el público local. Su éxito hizo que en teatros como el Princesa se efectuara una apuesta clara hacia los compositores de obras que presentaban estos rasgos. Su elevado número de representaciones –veintitrés tras el estreno– le llevó posteriormente a acercarse a las abultadas estadísticas que en Valencia habían obtenido piezas como *Jugar con fuego*, *El valle de Andorra* o *Catalina*. Otra muestra del gran éxito obtenido es la creación por los mismos autores de una segunda parte, *Suspirs y llágrimes*, estrenada en 1860. En temporadas sucesivas se llegó a combinar en una misma función *Un casament en Picaña* y su segunda parte, lo que recuerda el caso de zarzuelas como *El duende* y su continuación.

Fuentes manuscritas. Los materiales de orquesta se conservan en el archivo de la SGAE en Valencia.

Ediciones del libreto. Valencia, Imp. de la Regeneración Tipográfica, 1859 (reed. facs., Valencia, Librerías París-Valencia, 1998).

BIBLIOGRAFÍA: J. L. Sirera: *Història de la literatura valenciana*, Valencia, Alfons el Magnànim, 1995; V. Galbis López: "La música escénica en Valencia: 1832-1868. Del modelo del Antiguo Régimen a la organización musical del estado burgués", U. Valencia, 2001.

VICENTE GALBIS LÓPEZ

Un sarao y una soirée. Zarzuela en dos actos. Música de Emilio Arrieta. Libreto de Miguel Ramos Carrión y Eduardo Lustonó. Estrenada el 31 de diciembre de 1866 en el teatro de Variedades de Madrid.

Personajes y reparto. Primera lámina: El barbero (Juan Orejón). Don José (Francisco Arderius, actor y cantante). El médico (José Escríu, bajo). Don Casto (Sr. Valladares). Pepín (Srta. Rey). Serapio (Zacarías Arveras). Doña Josefa (Concepción Sampelayo). Doña Sira (Emilia Bardán, característica). Blasita (Srta. Gómez). Pepita (Srta. Rubio). Una criada (Srta. Macías). Currutaco 1º (Fernando Arderius). Currutaco 2º (Francisco Castillo). Dama 1ª (Srta. Carcaz). Dama 2ª (Srta. Sanz). Mozalbete 1º (Doña L. España). Mozalbete 2º (Doña A. España). Damisela 1ª (Srta. Alcaraz). Damisela 2ª (Srta. Tárrida). Frailes, damas, currutacos, damiselas y mozalbetes. Segunda lámina: El peluquero (Juan Orejón). Don José (Francisco Arderius, actor y cantante). El doctor (José Escríu, bajo). Don Carlos (Sr. Valladares). Pepito (Srta. Rey). Serafín (Celsa Fontfrede). Doña Josefa (Concepción Sampelayo). Doña Elvira (Emilia Bardán). Matildita (Srta. Gómez). Pepita (Srta. Rubio). Una doncella (Srta. Macías). Caballero 1º (Fernando Arderius). Caballero 2º (Francisco Castillo). Señora 1ª (Sra. Larraz). Señora 2ª (Sra. Sanz). Pollo 1º (Srta. L. España). Pollo 2º (A. España). Polla 1ª (Srta. Alcaraz). Polla 2ª (Srta. Tárrida). Militares, señoras y caballeros, pollas y pollos.

Orquestación. Flautín, flauta, 2 oboes, 2 clarinetes, fagot, 2 trompas, 3 trombones, 2 cornetines, timbales, tam tam, bombo, campanas, lira y cuerda.

Argumento. *Acto I.* Sarao celebrado en 1801, en casa de Don José Sotillo, el día de su onomástica. La primera lámina comienza con la aparición en escena de un Barbero que expone la situación mediante un monólogo en verso que funciona como prólogo. La acción se sitúa en una casa decorada al gusto de 1801, donde no faltan los toques pintorescos, como la guitarra decorada con escarapelas y cintas situada sobre una cómoda. La señora de la casa, Doña Josefa, encarga las compras necesarias para agasajar a los

Cortesía de Unión Musical Ediciones SL

invitados al sarao –leche helada, bizcochos y chocolate–. El primero en llegar es un fatuo doctor, amigo de la familia, llamado Don Canuto, que mantiene un cómico diálogo con Don José sobre el sistema educativo que aplica a sus doce hijos: la dieta. Van llegando poco a poco los demás invitados, y cuando ya están todos reunidos, la joven Blasita canta una cursi canción para entretener a los invitados, ridiculizando Arrieta a los *dilettanti* de comienzos de siglo. Tras lamentarse Doña Josefa porque el chocolate se ha ahumado, los invitados deciden bailar un minueto, hasta que irrumpe en escena Don Canuto con su hijo Serapio y Pepín –hijo de los anfitriones– a quienes ha encontrado fumando hojas de rosa y anís. El acto concluye con un final que simula la despedida.

Acto II. Soirée celebrada en casa de Don José, a mediados del siglo XIX. La segunda lámina es presentada por Edouard González, peluquero galicista que anuncia no sólo el desarrollo de la soirée sino su propia coiffeur de la carrera de San Jerónimo, nº 46. Igual que en el primer acto, se asiste a la preparación del buffet para la reunión, mientras la niña se queja de su modisto y el niño comenta que no asistirá porque le aburren las soirées. Las costumbres han cambiado, y ahora los chicos tienen llave y entran y salen de casa a la hora que gustan. La llegada de los invitados también es amenizada con música. La dilettante de la soirée se llama Matildita, y canta un aria del porvenir, en clara alusión al mundo wagneriano. Tras disculparse la anfitriona porque el pianista "cubano no tocará el piano", deciden entretenerse con unos "cuadros vivos" de Adán, Eva y el manzano del paraíso. El baile también tiene un espacio en la reunión, pero ahora se baila al son de la habanera, con la que todos se van quedando dormidos. La llamada al buffet despierta a los invitados y concluye la obra.

Números musicales. Lámina primera: Nº 1. Preludio. Nº 2. Introducción y *racconto* de Blasita con coro, "Buenas noches, buenas noches". Nº 3. Escena coral y canción del pajarito de Blasita, "Pajarito que vas por el aire". Nº 4. Minueto. Orquesta. Nº 5. Final 1º. Doña Josefa, Don Canuto, sereno y coro general, "Ave María Purísima". Lámina segunda: Nº 6. Introducción y vals. Orquesta. Nº 7. Escena y *racconto* de Matildita, *"Buona sera signorina"*. Nº 8. Escena y aria del porvenir de Matildita, "¿Qué es esto? ¡Dios mío!". Nº 9. Habanera. Orquesta. Final 2º. Coro general, "Comamos, comamos".

Comentario. *Un sarao y una soirée* es el segundo título que Arrieta escribió para los Bufos de Arderius, y uno de los mayores éxitos de la compañía, comparable al de *El joven Telémaco*. Alcanzó 54 representaciones seguidas, llegando hasta la cifra de 64 en la temporada. La obra supuso también la definitiva consagración de Miguel Ramos Carrión. Eusebio Blasco en sus *Memorias* dedica un comentario a la génesis de la obra: "Desde la inauguración hasta el tercer año de su existencia, el teatro de Arderius fue una honesta diversión del pueblo de Madrid y se hicieron en él obras perfectamente literarias como *El sarao y la soirée*, de que voy a ocuparme, porque fue el bautismo literario de dos escritores que hoy figuran entre los más conocidos y uno de ellos entre los primeros de nuestros autores dramáticos. Parece que les estoy viendo. Eran dos jóvenes muy modestos, sumamente modestos, empleados en la Junta de Estadística con sueldos de 4 o 5000 reales. Se me presentaron un día en mi cuarto tercero de la calle de las Huertas, donde vivía con mi madre y mi her-

mano, y ¡es claro!, como el éxito del *Telémaco* me daba en el teatrito de Variedades mucha influencia, venían a leerme una obra que para dicho teatro habían escrito; entonces, como ahora, tuve siempre empeño en ayudar a todo el que empieza y en esto creo que me he diferenciado de muchos viejos, a quienes parece que les estorban los jóvenes. La obra y los autores me fueron simpáticos. Tenía el libreto sus inexperiencias, pero estaba muy bien escrito. A Luque y Eguilaz recomendé los autores noveles para que leyeran la obra y la corrigiesen si algo había que modificar, porque de hacerlo yo, si la obra fracasaba podía tener responsabilidad; y al maestro Arrieta, mi amigo del alma, le pedí que escribiera la música. Y cuando la obra, después de muchos ensayos y puesta con el mayor cuidado por Diego Luque, se estrenó, tuvo un éxito grande, franco, ruidosísimo, tan grande o mayor que el de *El joven Telémaco*, y al salir a la escena juntos los autores sonaron por primera vez sus nombres en el mundo de las letras: aquellos principiantes modestos se llamaban Miguel Ramos Carrión y Eduardo de Lustonó, y desde entonces hasta hoy han sido mis fieles y sinceros amigos".

La obra, que está inspirada en *Ayer, hoy y mañana* de Antonio Flores, presenta dos cuadros, un sarao celebrado a principios de siglo y una *soirée* contemporánea. Desde el comienzo, la música está al servicio de la escena, actuando como elemento decorador que enriquece la caracterización social de los personajes. El preludio orquestal, sobre el que comienza el prólogo del Barbero de la primera "lámina", evoca el esquema de seguidilla que tan útil será a Barbieri en 1874 para caracterizar musicalmente el Madrid de *El barberillo de Lavapiés*. El coro y racconto de Blasita es un gracioso número bipartito, cuya primera sección presenta la llegada de los vecinos al sarao con pequeñas intervenciones vocales, sin interés melódico, sobre una hermosa melodía desarrollada en la orquesta; en la segunda parte es Blasita la que narra una terrorífica historia, ridiculizando Arrieta la retórica teatral caduca que todavía funcionaba en algunas obras de magia de teatros de segunda fila. La canción de Blasita del Nº 3 pone de manifiesto la capacidad del compositor de imitar de forma burlona el estilo que tan bien conocía, las canciones de cámara italianas tan de moda entre los *dilettanti* madrileños. Tras el acartonado minueto, llega el final primero, un pretexto para concluir la lámina con un número musical. En la segunda lámina, las situaciones pretenden ser paralelas a las presentadas en la lámina anterior, manifestándose de continuo el interés de la sociedad madrileña de 1866 por los dramas y la ópera. De nuevo Arrieta escribe una música decorativa, que trata de enriquecer la acción escénica. Tras la introducción en forma de vals sobre la que habla el peluquero, el Nº 7 presenta a los invitados, que acompañan a Matildita en la descripción del drama de costumbres que acaban de ver. El aria del porvenir del Nº 8 es una explícita alusión al drama wagneriano o a la concepción que Arrieta tenía de él. Al contrario de lo esperado, el lenguaje armónico es sencillo y tan sólo hay cierta urgencia rítmica en el fraseo y la elección de tresillos que desarrollan un acompañamiento cromático. Tras la habanera, algo aburrida, que sirve para que todos los asistentes a la reunión se queden dormidos, el coro final invita a comer revelando que en estas *soirées* "de más está el baile, / se viene al 'bouffet'".

Esta obra consiguió un inmenso éxito y perduró en el repertorio. Peña y Goñi siempre defendió este título como uno de los mejores del catálogo de Arrieta: "Hay una zarzuela de Arrieta por la que yo tengo verdadera debilidad, una obrita en la que ha sabido presentar, con los más delicados detalles y formando curioso contraste, la música de dos siglos, *Un sarao y una soirée*, que ha sido uno de los grandes éxitos de su autor", afirma en sus *Impresiones musicales*. Y en su obra sobre la ópera española comenta: "Aún va más lejos Arrieta en *Un sarao y una soirée*. Esos dos preciosos cuadros que revelaron a

Ramos Carrión, constituyen el *credo* de Arrieta en la aplicación del canto popular. Recuérdese la introducción, la canción y el final del primero y la introducción, cavatina y habanera final del segundo, y dígase si es posible, con recursos aparentemente más sencillos, dar mejor idea de lo que puede llegar a ser en música el tan debatido color local. El canto popular no es pues, para Arrieta un fin, sino un medio, no es el principal y único objetivo, sino el elemento preciado que ha de fundirse con los demás en el troquel de su delicadeza y de su sentimiento". *Un sarao y una soirée*, que encandiló al público por su sátira social y su frescura, fue uno de los títulos emblemáticos de los bufos que se reponía con más asiduidad.

Fuentes manuscritas. Los materiales de orquesta se conservan en el archivo de la SGAE en Madrid (1512).

Ediciones de música. Canto y piano, ed. Isidoro Hernández, Madrid, CM y PM.

Ediciones del libreto. Madrid, Imp. de J. Rodríguez, 1866.

BIBLIOGRAFÍA: *OE*; E. Cortizo: *Emilio Arrieta. De la ópera a la zarzuela*, Madrid, ICCMU, 1998.

Mª ENCINA CORTIZO

Un tesoro escondido. Zarzuela en tres actos. Música de Francisco Asenjo Barbieri. Libreto de Ventura de la Vega. Estrenada el 12 de noviembre de 1861 en el teatro de la Zarzuela de Madrid.

Personajes y reparto. Magdalena (Teresa Rivas, tiple). Rosa (Dolores Fernández, tiple). Lucas (Manuel Sanz, tenor). Roque (Vicente Caltañazor, tenor cómico). Escaligero. (Francisco Salas, bajo). Un familiar del Santo Oficio (José Rochel).

Orquestación. Flautín, flauta, 2 oboes, dulzaina, 2 clarinetes, 2 fagotes, 2 trompas, 2 cornetines, 3 trombones, tambor, timbales, triángulo y cuerda.

Argumento. La acción sucede en España a mediados del siglo XVIII. *Acto I*. En un pequeño pueblo Lucas, conocido y admirado por su bonita voz de tenor y Magdalena, hermosa aldeana se han casado y están celebrando sus esponsales entre la algarabía popular. Llegada la noche, cuando ya se van a retirar a descansar aparece en el pueblo el maestro Escaligero, compositor de Fernando VI que necesitando un buen tenor para una fiesta regia, rapta a Lucas, con el fin de convertirlo en primer tenor de la Capilla Real. De este modo Lucas abandona a su mujer el mismo día de su boda y Roque que había sido aspirante a la mano de Magdalena, despechado le hace creer que Lucas la ha abandonado por que le han ofrecido una buena cantidad de dinero.

Acto II. Establecido en la corte, Lucas se enamora de la Marquesa de Manglar, recién llegada, que no es sino su fallida esposa, Magdalena que, al ser

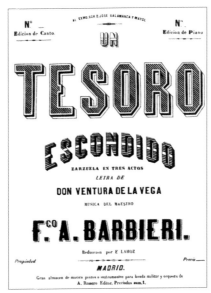

Cortesía de Unión Musical Ediciones SL

abandonada, se había ido a América y heredado el título nobiliario y la fortuna de una tía que se ha situado en una hermosa mansión a las afueras de Madrid y planeando su venganza ha conseguido que el maestro Escaligero le diera clases de canto y se enamorara de ella. Ha conseguido que el maestro traiga a todos sus músicos a la casa, entre los que se encuentra el muy afamado tenor Filodoro que no es otro que Lucas. También se encuentra en la corte Roque, su antiguo pretendiente que trabaja para Escaligero y que se presenta esa tarde en casa de Magdalena pero no la reconoce debido a que se ha convertido en una verdadera Marquesa por sus delicados ademanes y su forma de hablar. Sí reconoce a Rosa, antigua criada de Magdalena que le comenta que Magdalena murió y ahora ella sirve a la Marquesa. Los músicos se presentan a cantar pero han decidido, capitaneados por Filodoro, poner como excusa que están mal de voz y no cantar hasta que Lucas advierte quién es la dueña de la casa que no es otra que la Marquesa de Manglar que acude todas las noches a oírlo y de la que se ha quedado prendado y les pide que no se nieguen a cantar. Aparece Magdalena y Lucas le declara su amor y ella siguiendo el plan trazado le pide que se case con ella esa misma tarde, a lo que él accede. Escaligero entra en cólera cuando se entera de la noticia y dice que Lucas no se puede casar sin el beneplácito real a lo que Magdalena responde que no lo necesitan porque ya están casados.

Acto III. Rosa, la criada le entrega a Escaligero una carta de Magdalena, la aldeana con la que Lucas se casó diciendo que está viva y que va en busca de su marido, Escaligero dice que Lucas es un bígamo y que va a caer sobre él el peso de la Santa Inquisición. Se presenta la Santa Inquisición pero Magdalena después de hacerle penar un rato decide deshacer el entuerto y perdonarle y él le promete dejar el teatro para siempre.

Números musicales. Acto I: N° 1. Magdalena, Luis, coro de aldeanos, "Dios les dará ventura". N° 2. Dúo de Lucas y Magdalena, "Mira qué novio tienes". N° 3. Dúo de Roque y Escaligero, "Yo pondré blando". N° 4. Magdalena, La madrina, Lucas y coro, "¡Vivan, vivan!". N° 5. Lucas, Roque, Escaligero y coro, "Oíd, oíd, la historia". N° 6. Magdalena, Roque y coro, "Ya espera la doncella". Acto II: N° 7. Rosa y coro de criados, "Poco trabajo". N° 8. Magdalena, "En vano la fortuna". N° 9. Lucas y Roque, "¡Oh, bravo Filidoro!". N° 10. Magdalena y Lucas, "¡Gracias doy al destino!". N° 11. Magdalena, Rosa, Lucas, Roque, Escaligero y coro, "Aquí mismo en este instante". Acto III: N° 12. Magdalena, Lucas, Escaligero y coro, "Ven, ¡ay!, pastora mía". N° 13. Lucas, romanza, "¡Oh mágica armonía!". N° 14. Rosa, Lucas y Roque, "¡Tostón!". N° 15. Magdalena, Lucas, Escaligero y coros, "Este es el bígamo". N° 16. Magdalena, Lucas y coro, "Olvido para siempre".

Comentario. La obra está dedicada a José de Salamanca y Mayol para agradecerle, sin duda, su intervención a favor de Barbieri en París. Barbieri señala de ella: "El martes doce de noviembre de 1861 se estrenó en Jovellanos *Un tesoro escondido*: obtuvo un gran éxito y fuimos los autores llamados a la escena al final del acto segundo. Adjunto el impreso y el manuscrito autógrafo de Vega que me sirvió para componer la música. Esta obra estaba escrita mucho antes y debió representarla la Señorita Ramos en la temporada teatral anterior, y no se hizo así porque yo no quise". Barbieri llevaba casi dos años sin estrenar una obra y por ello era muy esperada. *Un tesoro escondido* es de gran formato, y como señala Cotarelo aporta ciertas novedades, por ejemplo, la relevancia de la textura polifónica, la rica instrumentación –en el N° 1 introduce una dulzaina– los numerosos parlatos, todo ello en consciente detrimento de arias y romanzas menores y sin tanto vuelo, lo que incluso lleva a decir a este autor: "Esto no impide que la melodía triunfe y se salve, ya en la forma sintética, amplia y comprensiva, a lo Wagner, ya en ideas sueltas y aparentemente dispersas, pero enlazadas con el arte delicado y misterioso de quien posee en grado sumo toda la técnica y depurado gusto para disponer y utilizar los elementos necesarios".

Cotarelo atribuye a la dificultad musical de la obra el que no se interpretara más, dado que exigía excelentes cantantes, por ejemplo en la romanza "En vano la fortuna" y añade: "De las catorce o quince piezas de que consta la obra, dice un crítico inteligente, hay diez al menos, de primer orden en su género. Las más celebradas fueron: la introducción, el dúo de tiple y tenor y el coro de la boda, en el primer acto; el coro de criados, el ensayo de concierto y el concertante final del segundo, y el terceto cómico y la penúltima pieza del tercero".

Fuentes manuscritas. Una partitura se conserva en la Colección Areu (Albuquerque, Nuevo México) y otro ejemplar en la Biblioteca Nacional de Madrid. Los materiales de orquesta se conservan en el archivo de la SGAE en Madrid (2248).

Ediciones de la música. Canto y piano, ed. F. Lahoz, Madrid, CM y AR.

Ediciones del libreto. Madrid, Administración Lírico-Dramática, 1861 y 1867.

BIBLIOGRAFÍA: *HZ*; E. Casares Rodicio: *Francisco Asenjo Barbieri. 1. El hombre y el artista. 2. Escritos,* Madrid, ICCMU, 1994.

EMILIO CASARES RODICIO

Una vieja. Zarzuela en un acto. Música de Joaquín Gaztambide. Libreto de Francisco Camprodón. Estrenada el 11 de diciembre de 1860 en el teatro de la Zarzuela de Madrid.

Personajes y reparto. Adela (Trinidad Ramos, soprano). Conrado, oficial (Manuel Sanz, tenor). León, pintor (Ramón Cubero, barítono). Pancho, mayordomo (Francisco Arderius, bajo). Un criado. Tres doncellas.
Orquestación. Flautín, flauta, oboe, 2 clarinetes, fagot, 2 trompas, 2 trompetas, 3 trombones, timbales, triángulo, caja y cuerda.

Argumento. La acción tiene lugar en México en 1826. Una hermosa joven mexicana, Adela, se queda en Tejas viuda y heredera de un anciano y rico patriota, durante el inicio de la rebelión contra España. Adela, que quiere regresar a México, se disfraza de vieja para atravesar las zonas en guerra, siendo escoltada por un escuadrón español mandado por el capitán Conrado, de quien se enamora. Éste cae herido y prisionero, y la falsa vieja consigue que sea conmutada su prisión, recogiéndolo en su quinta y curándole con esmero. Adela hace venir a un pintor amigo del capitán, León, para que lo retrate y entretenga a su amigo. León había pintado, a partir de una fotografía, un retrato de una hermosa joven que no sabía quién era, de la cual se había enamorado Conrado al contemplar el retrato. Un decreto del gobierno rebelde manda internar en Tejas a los prisioneros españoles. Para evitar la prisión de Conrado, la vieja finge un matrimonio con el capitán, pero el mayordomo de Adela, dado a enmendar todo lo que se le mandaba, lleva el acta de matrimonio, firmada sólo por un notario amigo, a la alcaldía y al registro, quedando así casados de verdad. La noche de la boda, mientras Conrado leía el relato escrito por Adela de su historia, la falsa vieja se le muestra un momento con su aspecto normal, y éste comprueba, loco de asombro, que era la dama de la que se había enamorado al ver el retrato. Al final, sale riéndose la joven Adela y todo acaba felizmente.

Cortesía de Unión Musical Ediciones SL

Números musicales. Obertura. Orquesta. Nº 1. Cavatina de Conrado, "Un español que viene". Nº 2. Terceto de Adela, Conrado y León, "Noble señora". Nº 3. Americana a tres. Adela, Conrado y León, "¡Mal hayan, ay, las brisas!". Nº 4. Arieta, tango y seguidillas de León, "Haré por ponerme triste". Nº 5. Seguidillas trágicas. Conrado y León, "En luchas desiguales". Nº 6. Rondó final. Adela, con Conrado, León y Pancho, "De un nuevo sol".

Comentario. *Una vieja* es una de las obras más bellas de Camprodón y Gaztambide, y que más tiempo ha permanecido en repertorio. El libro es una refundición de la conocida pieza en un acto *Las gracias a la vejez*. "Un asunto gracioso y bien coordinado, situaciones muy cómicas y bien dialogadas en oportunos y fluidos versos, y todo ello salpicado de una música ligera y agradable, hizo que el público aplaudiera de corazón y que en el entreacto no se oyeran más que elogios de franca aprobación", indica *La Época* (13-XII-1860). Es la primera obra en que Gaztambide introduce números musicales en lenguaje americano, siguiendo la moda de los tangos y habaneras utilizados por Barbieri, Cepeda y Oudrid, con el favor del público.

Tras una obertura poliseccional, en la que se presentan algunos de los temas utilizados en la obra, en especial el del *Allegro moderato* del Nº 2, pero a modo de polka en 2/4 y no en 3/4 como en el número cantado, la obra presenta la cavatina de Conrado, en aire emparentado con la siciliana, con estructura bipartita, la primera en modo menor y la segunda en mayor; este número juega con efectos de imitación del eco, e incluye una fermata virtuosística. El Nº 2 es el terceto de Adela, Conrado y León, donde la soprano canta con voz de vieja; consta de tres secciones, la última de las cuales, en ritmo de

polonesa, retoma en este ritmo ternario el material presentado en la obertura en compás binario. El Nº 3 lleva el título de "Americana a 3", pero se corresponde con una estructura rítmica relacionada con la de algunas canciones popularizadas años antes, en compás de 4/4, como la titulada *Los negritos* de F. Moretti. El Nº 4 ofrece una sección inicial –el "tango"– en ritmo de habanera, que recurre incluso en la letra a tópicos asociados a las canciones de ultramar, como "chinito", o a la imitación del acento cubano; la segunda sección es un tiempo de manchegas, que se inicia con el texto "para bailar manchegas vestido corto". De gran interés es la utilización que Gaztambide hace de la música en el Nº 5, "Seguidillas trágicas" cantadas por León y Conrado, donde se exagera el dramatismo musical a través de las figuraciones corchea con puntillo-dos fusas-negra-negra, y donde el bajo realiza frecuentes giros dramáticos. La obra concluye con un rondó cantado por Adela, con la intervención de Conrado, León y Pancho, pensado para el lucimiento vocal de la protagonista.

En la interpretación destacó Trinidad Ramos, que cantó y declamó con dos voces, la suya y la de vieja, según lo pedía la situación. Sanz y Cubero estuvieron a la altura adecuada en sus personajes de Conrado y León. Pero quien consiguió admirar al público fue Arderius en su papel de Pancho el mayordomo, dejando un modelo del tipo de criado mexicano de maneras suaves, pero amigo de enmendarlo todo;

Arderius, Cubero, Sanz y la Ramos en Una vieja *de Gaztambide, (Colección Castellano; E:Mn)*

este papel fue el primero que le hizo popular. Casi todos los números musicales fueron repetidos en el estreno, convirtiéndose *Una vieja* en la obra que mayor rendimiento dejó a la empresa del teatro. Su secuela, *Una niña*, escrita por los mismos autores y estrenada el 24 de abril de 1861 en el teatro de la Zarzuela, no consiguió la misma fortuna. Según el *Almanaque de La Iberia*, *Una vieja* "merece por lo delicada y bien escrita figurar entre las buenas del repertorio". La obra siguió representándose ininterrumpidamente en España e Hispanoamérica. Así, en el beneficio de Ferrer celebrado en 1882 en la Zarzuela, Arderius volvió a interpretar el mismo papel de mayordomo mexicano que veintidós años antes le había dado a conocer. En 1895, para celebrar la 400ª representación de *El tambor de granaderos*, Chapí, que siempre había sido admirador de Gaztambide, dirigió en la primera parte de la función *Una vieja*, con gran éxito, consiguiendo que fueran repetidos la obertura y otros dos números musicales. La obra figuró en los carteles teatrales hasta la década de 1940, siendo una de las que mayor número de representaciones, que se cifran en miles, alcanzó del repertorio. Un arreglo de las manchegas para flauta, violín o clarinete, realizado por C. Miré, fue publicado por Casimiro Martín.

Fuentes manuscritas. Tres partituras (TL-584) y los materiales de orquesta (2243) se conservan en el archivo de la SGAE en Madrid.

Ediciones de música. Canto y piano, ed. Florencio Lahoz, Madrid, CM y Cd.

Ediciones del libreto. Madrid, Imp. José Rodríguez, 1860; 6ª ed., 1894.

RAMÓN SOBRINO

Uranga, Lauro David. Tulancingo, Hidalgo (México), 18-VIII-1882; Los Ángeles (Estados Unidos), 2-VIII-1927. Compositor. Miembro de una destacada familia de músicos, distintas fuentes señalan que realizó estudios musicales en el Conservatorio de Madrid y en Milán. A su regreso a México en 1903 incursionó en los teatros mexicanos cuando se presentó en dúo de mandolinas con su hermano Emilio. En 1904 comenzó su carrera en el ámbito de la zarzuela con el estreno de *Las extraviadas*. A decir de Olavarría, "el título de la obra era debido a que en la sucesión de sus cuatro cuadros escénicos aparecían nueve tarjetas postales que por culpa de un cartero aficionado a coleccionarlas, no habían llegado a su destino. Libreto y música parece que agradaron bastante, y el público encontró muy de su gusto el bueno que tuvo el autor para hacer la crítica de varios asuntos sensacionales ocurridos en la Capital. La triste y no envidiable celebridad que su libro adquirió, fue explotada por los autores de *Las extraviadas*, pero comprendiendo que la figura del Benemérito don Benito Juárez no debía ser llevada a un escenario en una obra de aquel género, los señores Uranga supri-

mieron en las subsiguientes representaciones el cuadro relativo al señor Bulnes. Con esa supresión la zarzuelilla tuvo un éxito franco, y en su desempeño fueron muy celebrados Pajujo en el célebre *Rubiar*, la Luca, la Segarra, la Morales, Ursula López y Galeno".

Con *Las extraviadas*, Uranga se reveló ante el público mexicano como un autor de música ligera, fácil, pero de un gusto sensible. Aunque su siguiente obra, *El príncipe negro*, no gustó por el tono subido de su libreto, la música de Uranga fue aplaudida, lo mismo que sus siguientes obras donde destacó su musicalidad. Tales fueron los casos de *Juegos peligrosos* y *¿Quién es el ministro?*, ambas de 1905 y de las que la prensa local destacaba diversos números. Pero quizá su primer triunfo notable tuvo lugar en 1910 cuando al lado de Luis G. Jordá estrenó *El pájaro azul* en la misma función donde también dio a conocer la pieza *El monstruo sicalíptico*. Organizada por la Sociedad Mexicana de Autores aquella función revelaba un modelo de zarzuela que dominó los escenarios en aquella época, un modelo donde a la música ligera y sencilla, siempre inspirada en el baile, se añadía un libreto de corte sicaliptico en el que pululaban coristas desvestidas en mayor o menor grado. Aunque ciertos críticos adoptaron una posición moralista, lo cierto es que tal espectáculo generó toda clase de dividendos a distintos teatros y empresas.

Del éxito de Uranga pese a los bemoles de sus libretos da cuenta el estreno de su siguiente obra, *La alegría de vivir*, quizás una de sus mejores piezas. Escrita con libreto de Jacinto Capella, la crónica consignada por Olavarría es elocuente: "La obra de Capella es de una factura muy simpática y tiene todas las cualidades de ley, para triunfar. Bailables, coros intencionados, frases de doble sentido, *couplets* al rojo fuego, y tipos de esos que su sola presentación producen espontánea risa y general regocijo. Se trata de un doctor que todo lo cura con sus específicos, representados en lindas mujeres. Y allí salen las pastillas para la tos, las inyecciones cutáneas, el opio, la menta, y otras muchas drogas y materias que hay en las farmacias, y por fin aparece la Homeopatía, los glóbulos blancos, y se desborda la fantasía del autor en cancioncitas que hacen la delicia de los tandófilos. El éxito fue unánime la noche del estreno, y se repitieron todos los números hasta el punto de hacer durar la representación una hora y veinte minutos. Los asuntos se mezclan con ingenio; los diálogos chispean en cada palabra y en cada frase; el argumento se desarrolla sin languidez, y distrae y ahuyenta el mal humor, y hace estallar la risa y resonar los aplausos. La música es agradable, quizás poco original, pero produjo buen efecto, resultando muy bien los bailes, el *cake walk*, el *garrotín*, y el *san Vito*. La obra fue montada con mucho gusto y lujo. María Conesa, vistiendo un primoroso *traje charro*, y representando el *jarabe mexicano*, recitó algunos versos que fueron celebradísimos... Excusado parece decir que, en efecto, el público prorrumpió en *vivas* a México, al *jarabe*, a la Conesa y a Capella. Este fue llamado a la escena y agasajado con entusiastas aplausos, dianas y *ibravos!*".

Montada por la Empresa Arcaraz, de la que Uranga era director concertador, *Alegría de vivir* tuvo numerosas representaciones. Alentados por su éxito, Capella y Uranga produjeron otra pieza en 1911, *La corte del Visir*, que sin embargo, no tuvo mayor fortuna. De hecho, *Alegría de vivir* señala el momento de gloria de Lauro Uranga, pues sus obras posteriores volvieron a los libretos sicalípticos y a escenarios como el del teatro María Guerrero donde tuvieron público, pero nunca un éxito semejante. Tal fue el caso de *El héroe del día*, pieza que la prensa encontraba muy mala "pero tratándose de obras del *género sicalíptico*, hay que concretarse a decir si fue del agrado del público o no... La obra de Humberto la encontramos *sosa*, pues tiene escenas que carecen de *sentido común* y algunas otras que llaman al sueño". Otra obra de Uranga, *La lámpara maravillosa*, tampoco tuvo éxito a juzgar por la dura crítica recibida: "En la pieza no brillan ni el ingenio, ni la gracia, ni siquiera un destello de jocosidad; seguramente por eso resultó tan cansada que el público se levantó de sus asientos antes de que terminara la obrilla y abandonó el teatro. Además, hay un cuadro en que se profana de una *manera burda* la religión católica, pues representa la gloria, en la cual se hace mofa del Apóstol San Pedro, desvirtuándose con *calembours de pulquería*, la serena belleza del cristianismo. La música, a ratos nos sonó a *La corte de faraón*, a ratos obras conocidas, a ratos no sonaba a nada porque pasaba inadvertida".

Tras los años de la Revolución Mexicana, Uranga continuó escribiendo música para revistas, sin embargo, fue más conocido como autor de canciones populares. Entre 1919 y hasta 1923 se presentaba regularmente en el teatro Principal donde ofrecía canciones de su autoría, entre las que destacan *Alborada*, *Muñequita de amor* y *Ecos rancheros*, títulos que en su momento gozaron de enorme popularidad.

OBRAS: *Las extraviadas*, Zarz, 1 act, l, J. B. Uranga, est, 8-X-1904, Te. Renacimiento; *El príncipe negro*, Zarz, 1 act, l, J. B. Uranga, est, 1904, Te. Renacimiento; *Juegos peligrosos*, Zarz, 1 act, l, D. Mazas Naquet, est, 1905, Te. Renacimiento; *¿Quién es el ministro?*, Zarz, 1 act, l, M. Castro, est, 1905, Te. El Moderno; *El sueño de Caín*, Zarz, 1 act, l, J. B. Uranga, est, 1907, Te. Renacimiento; *El pájaro azul*, Rv, 1 act, l, J. B. Uranga, est, 1910, Te. Principal; *El monstruo sicalíptico*, Zarz, 1 act, l, H. Galindo, est, 2-VIII-1910, Te. María Guerrero; *La alegría de vivir*, Zarz, 1 act, l, J. Capella, est, 5-IV-1911, Te. Principal; *El futuro gabinete*, Rv, l, J. del Moral, est, 1924, Te. Principal; *El héroe del día*, 1 act, l, H. Galindo; *La lámpara maravillosa*, Opt, 1 act, l, H. Galindo; *¿Quién será presidente?*, Rv, l, J. del Moral, est, 1927, Te. Principal.

BIBLIOGRAFÍA: *RHTM*; L. Reyes de la Maza: *El teatro en México durante el porfirismo*, vol. III, México, U. Nacional Autónoma de México, 1968; R. Miranda: "La zarzuela en México, Jardín de senderos que se bifurcan", *Cuadernos de Música Iberoamericana*, 2-3, Madrid, 1996-97, 451-73; -: "Jordá: un español en el México porfiriano", notas al disco *Obras de Luis G. Jordá*, México, Prodisc, 1998.

RICARDO MIRANDA / ROCÍO TERÁN

Ureña, Elena. México, siglos XIX-XX. Tiple. Era hija de Faustino Ureña, director de orquesta del teatro Principal de México y debutó en dicho teatro el 12 de junio de 1890 en el papel de chula de la obra *Ya somos tres*. En 1892 actuó en *El rey que rabió* de Chapí, en el Gran Teatro. En 1899 trabajaba en el teatro Principal y en 1911 seguía en activo.

BIBLIOGRAFÍA: *RHTM*.

EMILIO CASARES RODICIO

Urfé, José Esteban. Madruga (La Habana), 1910; La Habana, 23-XII-1979. Compositor y director de orquesta. Hijo de José Urfé, que fue su maestro. Su mayor actividad profesional la desarrolló como director de orquesta de teatro y pianista. Trabajó con el Grupo de Teatro Lírico Jorge Anckermann en los años sesenta. En su catálogo se incluyen algunas zarzuelas y música para ballet, entre ellas, *Las esquinas de La Habana* con letra de E. Robreño, teatro Martí, 1965, y *La vida secreta de Don Juan Tenorio* con letra de F. San Pedro.

José Esteban Urfé (Foto: O. Urfé / Museo Nacional de la Música de Cuba)

CLARA DÍAZ PÉREZ

Urgell, Modest. Barcelona, 1839; Barcelona, 1919. Pintor, escenógrafo y dramaturgo. Es uno de los artistas destacados de la pintura romántica catalana, amigo de Vayreda, conoció al francés G. Courbet y expuso en la sala Parés. Su vocación era, sin embargo, el teatro. Fundó la Societat Artística i Literària de Catalunya, y estrenó diversas comedias teatrales. A finales de 1906 asumió la dirección artística de los Espectacles-Audicions Graner, después de que A. Gual abandonó la empresa en un momento en el que su sostenibilidad económica parecía casi imposible.

FRANCESC CORTÈS i MIR

Urgellés i Granell, Antoni. Vilanova i la Geltrú (Barcelona), 5-III-1845; Vilanova i la Geltrú, 10-I-1897. Compositor, director y pedagogo. Después de haber iniciado sus estudios musicales con G. Parera i Mata y de proseguirlos con J. Pascual i Mirt, marchó a Barcelona, donde estudió con Gabriel Balart y empezó a tocar el violín en orquestas de teatros. Regresó a Vilanova para ayudar a su padre en el negocio familiar. Este compromiso marcó en buena medida el devenir de Urgellés, quien a partir de ese momento desempeñó casi toda su actividad en su localidad natal. Dirigió la orquesta del teatro Principal de Vilanova, fundó la orquesta del Casino Artesano, y organizó la orquesta-cobla conocida como Els Vius que convirtió en una agrupación muy solicitada en su tiempo. Desde 1866 dirigió el coro claveriano La Unión Villanovesca; según Saldoni en 1864 dirigía ya la sociedad coral de Vilanova. En 1877 abrió una editorial de música, Apolo, en la cual publicó obras bailables y sinfónicas durante doce años. Entre sus obras, aparte de un número considerable de bailables, destacan sus zarzuelas *Entre Capmany i Figueres*, 1875, composición que fue considerada de valor por la prensa, y *L'Andreuet de Montanyans*, compuesta después del éxito que obtuvo con su primera aventura teatral. *L'Andreuet de Montanyans* fue repuesta diversas veces; desde la prensa catalana se consideró que Urgellés mostraba ya un estilo personal. Ejerció la docencia y entre sus alumnos sobresalió Josep Planas i Font. Su corpus compositivo recoge, además, obras religiosas, un buen número de bailables, numerosas habaneras y música de salón. Diversos bailables suyos fueron interpretados en los bailes de máscaras del teatro del Liceo. Al morir se le rindió un homenaje en el que participaron Conrat Roure, el senador Joan Ferrer-Vidal y Víctor Balaguer.

OBRAS: *Entre Capmay i Figueres*, Zarz, 2 act, l, F. Vidal, est, 1875, Te. Tívoli (Vilanova i la Geltrú); *L'Andreuet de Montanyans*, Zarz, 2 act, l, F. Vidal, est, 27-XI-1876, Te. Principal (Vilanova i la Geltrú); *Pauleta la planxadora*, Zarz, 1 act, l, F. Vidal, est, 1876; *Retrets*, l, J. Verdú i Feliu, est, 1879; *Los baños de Santander*, Zarz, l, J. Alegret i Samà.

BIBLIOGRAFÍA: X. Orriols i Sendra: *Antoni Urgellés i Granell*, Ayuntamiento de Vilanova i la Geltrú, 1998.

FRANCESC CORTÈS i MIR

Uriondo Sánchez, Carolina. Madrid, 6-X-1853;?. Tiple. Se matriculó en la clase de canto del conservatorio en 1868 como alumna de José Inzenga y por consejo de Hilarión Eslava que apreció sus dotes artísticas. Previamente había estudiado armonía con Hernando, piano con Compta y declamación con Antonio Pizarroso. Obtuvo el primer premio en 1872, por lo que muy pronto fue contratada como primera tiple en el teatro de la Zarzuela por Francisco Salas, en 1873, debutando en la obra *El estudiante de Salamanca*, seguido de *La gallina ciega* y *El sargento Bailén*, ambas de Fernández Caballero, en las que tuvo un gran éxito. En 1874 estrenó *Los comediantes de antaño* de Barbieri y *Una canción de amor* de Acebes, ambas en el teatro de la Zarzuela. Siguieron *Juan de Urbina* de Barbieri, Zarzuela, 1876, y *La banda*

del rey de Caballero, Zarzuela, 1878. Interpretó a lo largo de su vida otras obras como, *Ildara*, *El molinero de Subiza*, *El último figurín*, *El dominó azul* y *Catalina*. Ya en 1874 había pasado por los teatros de Madrid, Zaragoza, Vitoria y Sevilla con enorme éxito, asumiendo siempre los primeros papeles en las obras en que intervenía. Ese año fue contratada por el teatro Apolo donde en 1876 estrenó *Guzmán el Bueno* de Bretón. Según las crónicas del momento tenía una voz muy extensa y afinada.

Carolina Uriondo (Foto: Colección Castellano; E:Mn)

BIBLIOGRAFÍA: *DBE*; *HGZ*; *La Correspondencia Teatral*, 54, 23-XII-1874.

EMILIO CASARES RODICIO

Uriz, María [María de la Asunción Uriz Mosquera]. La Coruña, 21-VIII-1946. Soprano. Estudió piano y composición su ciudad natal y canto con Honoria Goicoa, disciplina que continuó en el Conservatorio del Liceo de Barcelona con Pablo Civil y después en Milán con Elvira de Hidalgo. Tras cantar numerosos conciertos en Italia y Alemania debutó en el Liceo barcelonés la temporada 1974-75 cantando Ninetta en *Las vísperas sicilianas* de Verdi junto a Montserrat Caballé y Plácido Domingo. Tras dedicarse algunas temporadas exclusivamente a la ópera, a partir de 1982 empezó a compaginarla con la zarzuela debutando con la *Antología Moreno Torroba* en el teatro de la Zarzuela. Desde la citada producción hasta *Pan y toros* llevada a cabo en 2000-01, María Uriz ha intervenido en numerosos montajes tanto de zarzuela como de ópera. Ha realizado actuaciones de zarzuela por Cataluña y región valenciana con la compañía de José María Damunt. Compagina la interpretación con la enseñanza del canto.

FONOGRAFÍA: *El mal de amores*, Alhambra-BMG España WD 74554 (9D) • Alhambra SCE 976 104 (103a) • Columbia SA, ZCL 1079 (Zacosa) 97 (96a); *Las hilanderas*, Alhambra-BMG España WD 74554 (9D) • Alhambra SCE 976 103 • Columbia SA, ZCL 1079 (Zacosa) 96.

EMILIO GARCÍA CARRETERO

Urpí Rodríguez, Rosa. Barcelona, 2-II-1907. Soprano. Debutó en 1940 en el teatro Escuela de la Agrupación Cultural Soutullo cantando *Luisa Fernanda* en el papel de Carolina. En agosto del mismo año debutó profesionalmente en el teatro Victoria de Barcelona con *Bohemios*, actuando posteriormente, con gran éxito, en los teatros de su ciudad natal. Realizó diversas representaciones por el resto de España con las compañías de Luis Calvo, Tomás Ros, Pablo Hertog y Pablo Civil compartiendo cartel con los más afamados cantantes de entonces. Gracias a su versatilidad y características especiales de su voz pudo interpretar tanto papeles de soprano lírica como dramática, destacando en *Doña Francisquita, Maruxa, Las golondrinas, La Generala, Los gavilanes, La del Soto del Parral* y especialmente en *Romanza húngara* de Dotras Vila, en la que hacía una verdadera creación del papel de Sandra, la Loba, ya que a sus dotes de cantante unía también los de excelente actriz. En 1963 se retiró de la escena con *La rosa del azafrán*.

EMILIO GARCÍA CARRETERO

Rosa Urpí
(Foto: Archivo Manuel Andrés Serra)

Urrengoechea Gomeza, Timoteo de. Bermeo (Vizcaya), 19-VI-1899; Bilbao, 7-I-1993. Director de orquesta y coros y compositor. Alumno de Enrique Larrea, y más tarde de José Franco con el que estudió armonía, a los doce años componía su primera obra musical y a los quince ingresó en la Academia de Música Vizcaína, estudiando órgano con Jesús Guridi y composición con José Sainz Basabe. En 1925 fue nombrado pianista y director de la orquesta que actuaba durante la proyección de las películas en el teatro Buenos Aires de Bilbao. Al inaugurarse Radio Bilbao en 1933, pasó a ocupar el cargo de director de la Orquesta Sinfónica de dicha emisora. En 1940 fue nombrado subdirector de la Sociedad Coral de Bilbao. Su inclinación por el teatro le llevó a crear la Compañía Lírica de la Coral de Bilbao, que en varias temporadas interpretó las zarzuelas *Mari Eli* y *El caserío* de Guridi, *Maitena* de Colin, *El anillo de hierro* de Marqués, y *Doña Francisquita* de Vives, e incluso estrenó obras como la zarzuela *Tierra y mar* en tres actos, 1944, de Sabino Ruiz Jalón y el propio Urrengoechea, con texto de R. Salvanés, y *Sucedió una noche*, en colaboración con Díaz Gordillo y letra de M. Martínez Remis. Su labor como compositor ha sido muy variada componiendo numerosas canciones ligeras y melodías populares bilbaínas, pero se dedicó especialmente al teatro infantil con obras como *La granja de las Maravillas*, Bilbao y Madrid, 1936, *Bazar de juguetes, La bruja Chisgarabís, Rufo, Pablo y el diablo, Quiero dormir* o *La princesa Rosalinda*, todas ellas estrenadas en Bilbao, San Sebastián, Logroño, Santander y algunas en Madrid.

BIBLIOGRAFÍA: *DMEH.*

EMILIO CASARES RODICIO

Urrutia, Blanca. España, siglos XIX-XX. Actriz y cantante. En 1897 actuaba en el teatro Eslava de Madrid y estrenó *De doce a dos* de Calleja, *Los tenderos* de Rubio y Estellés e *Historia natural* de Brull. Ese mismo año estrenó obras en el teatro Eldorado de Madrid como *El pobre diablo* de Valverde y Torregrosa y en 1899 en el Maravillas *Los presupuestos de Villapierde* de Lleó. En los comienzos del siglo XX volvió al teatro Eldorado de Madrid para estrenar *El barquillero* de Chapí y *España en París* de Montesinos, ambas en 1900, año en el que también estrenó en Eldorado de Barcelona *La luna de miel* de Montesinos. En 1901 apareció otra vez en Eldorado de Madrid estrenando *La soleá* de Mario Fernández de la Puente y *El beso de Judas* de Arnedo, Rubio y Cereceda. En 1905 formaba parte de la compañía del teatro Cómico y allí estrenó con Loreto Prado y Enrique Chicote *Academia modelo* de Fuentes y Foglietti y *La reina del couplet* de Foglietti.

Mª LUZ GONZÁLEZ PEÑA

Usandizaga Soraluce, José María. San Sebastián, 31-III-1887; San Sebastián, 5-X-1915. Compositor. Se inició en la música muy pequeño de la mano de su madre, pianista, demostrando muy pronto sus grandes capacidades musicales. En 1902, con catorce años, ingresó en la Schola Cantorum de París, donde completó su formación durante los cinco años siguientes. Allí coincidió con otros dos músicos vascos, Resurrección María de Azkue y Jesús Guridi, con quien entabló amistad. Una lesión en la mano le llevó a abandonar la carrera de piano para dedicarse a la composición, vocación alimentada por la novedad de las tendencias que fue conociendo en los medios parisinos. Además de la escuela impresionista francesa, le causó una fuerte impresión el *Boris Godunov* y, sobre todo, Puccini, autor que siempre admiró. En 1907 regresó a San Sebastián, convirtiéndose en una de las figuras más prestigiosas del renacimiento musical vasco. Además de su interés por el órgano y la música religiosa, destacó por su acercamiento a la música popular vasca presente tanto en la armonización de cantos populares —la colección *Ecos de Vasconia*— como en su música instrumental, impulsada por la intensa actividad del Casino

José María Usandizaga Soraluce
(Foto: Ar. Eresbil)

donostiarra, como en la fantasía para orquesta *Ururak bat* o *Umezurtza* poema para soprano, tenor, coro y orquesta.

Usandizaga siempre se sintió atraído por el teatro lírico, con el que alcanzó sus principales éxitos. El primero llegó con la pastoral lírica en tres actos y un epílogo *Mendi-Mendiyan*, encargo de la Sociedad Coral de Bilbao dentro de las campañas de promoción de una ópera nacional vasca impulsadas por dicho orfeón, de las que salieron títulos como *Mirentxu* de Guridi y *Lide ta Ixidor* de Santos de Inchausti. El libreto, escrito por José Power, miembro de la burguesía bilbaína y presidente de la Sociedad Coral, adoptaba la forma de "ópera cómica", con un curioso bilingüismo que mezclaba diálogos hablados en castellano con partes cantadas en euskera, traducidas por Pepe Artola. El título significa "En plena montaña", lo que remite al ambiente rural en el que se desarrolla un trágico triángulo amoroso según los modelos veristas de la época. Dos son los elementos fundamentales de la música de *Mendi-Mendiyan*, ambos inevitables ante la referencia vasca de la partitura: lo coral y lo popular. Como obra concebida para un orfeón, lo coral recorre toda la obra, destacando un hermoso *Ave María* que se incorporó como pieza independiente al repertorio de todos los coros vascos. Los elementos populares son tanto citas directas como evocaciones motívicas presentes en todos los cantables. Entre los primeros pueden mencionarse un zortziko y el canto del Ormachulo y sobre todo las danzas (aurresku, ariñ ariñ) de la romería junto a la ermita en el acto tercero, que provocaron un auténtico delirio el día del estreno. En éstas, según *La Voz de Guipúzcoa*, "el compositor ha sabido hermanar con los aires del país cierta espiritualidad menos brusca que hace las danzas más elegantes" (22-V-1910). Además, los temas de los cantables estaban inspirados en los motivos populares vascos, siendo tratados a la manera de leit-motiv recurrentes que se relacionan con cada uno de los personajes. No está exenta esta utilización de lo vasco de un idealismo que pretender reflejar un mundo rural idílico, como expresa el propio Usandizaga al comentar la escena inicial, donde "en la orquesta se oye un canto popular vasco-francés, un fragmento del cual servirá para expresar el carácter bueno y sencillo de Andrea". La obra se estrenó el 21 de mayo de 1910 en el teatro de los Campos Elíseos de Bilbao, con unos bellos decorados de Eloy Garay y bajo la dirección del compositor, obteniendo enorme éxito. Las dos únicas representaciones fueron protagonizadas por los miembros de la Sociedad Coral de Bilbao –preparada por el director Aureliano Valle– que se encargó también de los papeles solistas, excepto el papel principal (Andrea) encomendado por el músico a la soprano navarra María del Carmen Béjar. Al año siguiente se puso en esce-

na en el teatro Circo de San Sebastián por el Orfeón Donostiarra. Poco antes de su temprano fallecimiento, Usandizaga puso música a las partes habladas, creando una versión operística que se estrenó en Bilbao en mayo de 1916, durante la campaña artística organizada por la Sociedad Coral de Bilbao en memoria del músico donostiarra. Con posterioridad el Orfeón Donostiarra ha repuesto *Mendi-Mendiyan* en varias ocasiones: en 1934 protagonizada por Fidela Campiña y en 1945 en el Gran Teatro del Liceo de Barcelona.

Su siguiente proyecto lírico se tituló *Costa brava*, sobre un libreto del militar Juan Arzadun de ambiente marinero, que a pesar de su título se desarrollaba en los muelles de San Sebastián. Quedó frustrado en sus primeros esbozos musicales por una enfermedad que le obligó a permanecer en cama durante varios meses. Mucha mejor fortuna tuvo la lectura del drama *Saltimbanquis* del matrimonio María Lejárraga y Gregorio Martínez Sierra, que le llevó a solicitar su colaboración para transformarlo en la zarzuela en tres actos *Las golondrinas*. Fue estrenada en el teatro Price de Madrid, el 4 de febrero de 1914, por la compañía del gran barítono Emilio Sagi-Barba, que se hizo cargo del papel de Puck, mientras su mujer Luisa Vela se encargó del de Lina y la tiple Eva López del de Cecilia. Al día siguiente se podía leer en el diario *ABC*: "Éxito delirante, frenético, brutal, con que anoche fue consagrado el joven compositor Usandizaga, que en los comienzos de su carrera se coloca tan brillantemente en primera línea de nuestros compositores, aportando a la escena lírica española una obra maestra". El éxito fue enorme, hasta el punto que la compañía Gramophone decidió grabarla pocos meses después, representándose por toda España en una agotadora gira que supuso una dura prueba para la delicada salud del maestro. Poco después, la compañía Sagi-Vela se fue a América, estrenando la zarzuela en Uruguay y Argentina. Martínez Sierra presentó a Usandizaga al matrimonio Sagi-Vela como "el Puccini español" y lo cierto es que el calificativo resulta muy apropiado para la partitura de *Las golondrinas*. La acción posee claras resonancias veristas, que recuerdan a la famosa tragedia de la ópera *Pagliacci*: un angustioso drama de celos en el ambiente de un circo ambulante con un clown como protagonista que mata a su ex-amante en un arrebato de desesperación. La verosimilitud se une a una gran intensidad y pasión, que se refleja en una partitura llena de inspiración y dramatismo. Destaca en primer lugar el gran trabajo sinfónico, elaborando y variando los motivos musicales con gran naturalidad, dentro de una rica armonía, teñida de recursos impresionistas. Un buen ejemplo es la famosa "Pantomima" del segundo acto, aunque el tejido sinfónico recorre toda la obra. Sin embargo, el atractivo principal de *Las golondrinas* está en el acierto en la caracterización melódica, llena de encanto tanto para los cantantes como para el público, aunque siempre al servicio del desarrollo dramático. Como muy bien ha señalado Pablo Sorozábal, en un artículo sobre esta zarzuela incluido en la biografía de Arozamena, "el interés de la obra no decae en ningún momento y, por el contrario, se sostiene y acrecienta en los dos últimos actos". Quince años más tarde, su hermano Ramón transformó la zarzuela en ópera uniendo los números musicales con partes recitadas. La transformación fue mínima, aunque reorganizó parte del desarrollo escénico, llevando a cabo algunos cortes y añadiendo música de su propia invención a partir del material melódico original. La versión operística, que luego ha tenido gran difusión, fue estrenada en el Gran Teatro del Liceo de Barcelona el 14 de diciembre de 1929, protagonizada por Fidela Campiña, Matilde Revenga, Carlo Galeffi y Aníbal Vela.

El último proyecto lírico de Usandizaga fue *La llama*, de nuevo con libreto de los Martínez Sierra, en cuya partitura trabajó durante el verano de 1915, retirado por su creciente enfermedad en la casona de Stembert en la aldea navarra de Yanci. Inicialmente se proyectó hacer dos versiones de la obra, una zarzuela con diálogos y otra completamente musical como ópera, tal y como menciona el libretista en una carta, debido a tener ofertas para su estreno tanto del teatro Real como del teatro de la Zarzuela. Finalmente, como drama lírico en tres actos, la obra quedó inconclusa por el temprano fallecimiento del maestro donostiarra, restando por completar tan sólo el cuadro final. Fue concluida por su hermano Ramón tres años después, para su estreno en el teatro Victoria Eugenia de San Sebastián en enero de 1918, con un reparto encabezado por la soprano Fidela Campiña y el tenor dramático Luis Canalda. Dos meses después pudo escucharse en el Gran Teatro de Madrid, esta vez con la gran Ofelia Nieto; en el Liceo de Barcelona se representó en 1932. *La llama* fue el gran proyecto operístico de Usandizaga, basado en una poética leyenda fantástica de ambiente oriental que da lugar a una gran riqueza de sonoridades de fuerte carácter evocador y resonancias impresionistas. Tanto por lo vago de su argumento, que renunciaba a cualquier referencia a lo vasco, como por la originalidad de la partitura, la ópera póstuma de Usandizaga ha permanecido en el olvido. Como muy bien justifica Federico Moreno-Torroba, en otro trabajo incluido en la mencionada biografía de Arozamena, "si *La llama* no ha alcanzado la popularidad de *Las golondrinas* es por su propia estructura, donde lo delicado, lo sublime, es fundamental". Cerraba así su carrera uno de los grandes músicos líricos españoles, dejando por su temprana muer-

te tan sólo tres geniales obras, en las que la frontera entre ópera y zarzuela es difícil –e innecesario– establecer.

FONOGRAFÍA: *La llama*, 150.003 (et. gamuza); *Las golondrinas*, A 138394 (et. policolor con figura), SO 1435 SO 1417 • Columbia-Alhambra MCC 30016-18 • Gramófono AD 17 (et. burdeos), 064092, 062050 • Odeón 121130 (et. marrón y roja), XXS 5831 XXS 5832 XXS 5850 XXS 5854 XXS 5777 XXS 5778 • Odeón 121043 (et. marrón), XXS 4810 XXS 4811 • Columbia-BMG-Ariola-Salvat 1053-2 y 1054-2 Alhambra ALG 23003, CCB 5054 CCB 5055 • Columbia-BMG España WD 75126 2 (9H) • EMI 7243 5 74215 2 2 (637.02672) • EMI 7 67453 2 (637.64953) • Homokord HC 004 • La Voz de su Amo AB 338, CJ 1317 CJ 1318 • La Voz de su Amo AC 142 AC 48 • Blue Moon BMCD 7529; *Mendi Mendiyan*, La Voz de su Amo AE 2483.

BIBLIOGRAFÍA: *DMEH*; J. M. Arozamena: *Joshemari Usandizaga y la bella época donostiarra*, San Sebastián, Caja de Ahorros Municipal, 1969; J. M. Usandizaga: *Las golondrinas*, ed. crítica R. Lazkano, Madrid, ICCMU, 1999; N. Morel Borotra: "La ópera vasca. Tentativas para la creación de una ópera nacional (1884-1936)", *La ópera en España e Hispanoamérica*, vol. II, Madrid, ICCMU, 2002; M. Nagore Ferrer: *La revolución coral. Estudio sobre la Sociedad Coral de Bilbao y el movimiento coral europeo*, Madrid, ICCMU, 2002.

VÍCTOR SÁNCHEZ SÁNCHEZ

Uya Morera, Jaime. España, siglo XX. Compositor. Aunque la mayor parte de su obra está integrada por bandas sonoras cinematográficas, también escribió algunas obras líricas que se conservan en el archivo de la SGAE en Madrid. Algunas de sus obras escénicas las compuso en colaboración con Daniel Montorio y Manuel Olmedo.

OBRAS: *Las arrepentidas*, 2 act, col. Montorio Fajó, l, E. Paso / Dicenta Alonso, est, 18-II-1932, Te. Maravillas; *Los pantalones*, col. Montorio, l, A. Paso Díaz / J. Dicenta Alonso, est, 24-II-1933, Te. Eslava; *Piropos*, Sai, 1 act, col. M. Olmedo, l, L. Candelas / M. Merino.

Mª LUZ GONZÁLEZ PEÑA

Uzal Armada, Antonia. Madrid, 4-III-1842; ?. Soprano. Fue alumna de canto de Hilarión Eslava, continuando sus estudios con Antonio Cordero. Asistió también en el Conservatorio a la clase de Valldemosa. Interpretó papeles de ópera cantando *Norma* en Valladolid. Se presentó al público como cantante de zarzuela en Zaragoza y posteriormente pasó dos años en La Habana. En 1857 se hablaba ya de que iba a ser contratada por el teatro de la Zarzuela, y se lamentaba su mala salud. En 1864

Antonia Uzal (Foto: Colección Castellano; E: Mn)

fue contratada por el teatro Circo como primera tiple, donde estrenó *Cadenas de oro* y *El toque de ánimas*, ambas de Arrieta, y la revista, *1864-1865*, del mismo autor. Finalmente actuó en teatros de zarzuela de diversos lugares de España. En 1866 fue contratada como principal solista en el teatro del Circo, pero no por mucho tiempo porque en noviembre fue contratada para Bilbao. En 1867 estaba de nuevo actuando en el teatro del Circo, donde estrenó *Susana* de L. Ricci. En 1874 fue contratada por Oudrid para el teatro Apolo. Después de un voluntario descanso que se impuso negándose a aceptar varias zarzuelas, regresó al teatro a finales de 1876. A partir de entonces actuó en Murcia, Alicante y en 1881 en Burgos. Los críticos valoraban muy positivamente sus cualidades vocales.

BIBLIOGRAFÍA: *HGZ*.

EMILIO CASARES RODICIO

Vaccarezza, Alberto. Buenos Aires, 1-IV-1886; Buenos Aires, 6-IX-1959. Dramaturgo y director artístico. Es uno de los autores de sainete con mayor popularidad y vigencia; algunas de sus obras como *El conventillo de la Paloma*, se siguen representando con gran éxito de público. Escribió sus primeras obras a partir de 1904, con *El juzgado*, pero su carrera dramática en el sainete comenzó con *Los escruchantes* (Los ladrones), que ganó un concurso en 1911. La música es de Enrique Cheli y, aunque su estructura sigue las líneas del sainete hispánico, ya se advierte el especial manejo del lenguaje, rasgo que lo identifica: retruécanos, juegos de palabras, deformación de vocablos, sílabas colocadas al revés. Reinventó el habla coloquial de sus personajes, que eran los tipos del sainete por excelencia. A esta forma pertenecen gran parte de las cien piezas que produjo hasta 1947: *Función y baile*, 1914, *La gente guapa*, 1915, *Palomas y gavilanes*, 1917, todas con música de Francisco Payá; *La otra noche en los Corrales*, 1918, *El barrio de los judíos*, 1919, *Tu cuna fue un conventillo*, 1920, y sobre todo *El conventillo de la Paloma*, 1929, ya mencionada. Todas ellas constituyen sus sainetes arquetípicos. La última, sobre todo, se convirtió en una de las expresiones paradigmáticas del género, al punto de superar las dos mil representaciones. Se estrenó en el teatro Nacional por la compañía de Pascual Carcavallo, donde desempeñó un papel importante la significativa cancionista y actriz Libertad Lamarque. El conflicto es muy simple, y en cierto modo, se asemeja a *La revoltosa* de López Silva y Chapí. La música contribuyó a acentuar la eficacia escénica y el carácter de fiesta popular que distingue a su teatro. Intercaló en sus obras diversas especies musicales, con la participación de payadores, orquestas y solistas en vivo, para subrayar el efecto de la situación dramática culminante. Los valores intrínsecos de muchas de esas composiciones les aseguraron vigencia independiente. Los tangos *La copa del olvido*, *Padre nuestro*, *Araca corazón*, *Otario que andás penando* se incluían respectivamente en los sainetes *Cuando un pobre se divierte*, 1921, *A mí no me hablen de penas*, 1922, *Cortafierro*, 1927, y *Soy el payaso Alegría*, 1931. La música pertenece a Enrique Delfino, quien también escribió *Calle Corrientes*, *Francesita*, *Talán, talán, talán, pasa el tranvía por Tucumán*... Asimismo destaca el tango *El carrerito*, música de Raúl de los Hoyos, en *El corralón de mis penas*, 1928. En el tercer acto se canta el tango *Atorrante*, también de Raúl de los Hoyos. Estas composiciones, como casi todas las del autor, destacan por la flexibilidad de la versificación. La acción, en la mayor parte de sus sainetes, se desarrolla en el conventillo, ámbito típico de esa clase de obras, ubicados en los diversos barrios del suburbio porteño, tales como Villa Crespo en *Todo el año es carnaval*, Almagro en *Todo bicho que camina va a parar al asador*, La Ribera en *Va... cayendo gente al barrio*. También aparecen Patricios en *La otra noche en los Corrales* y el barrio judío en *El barrio de los judíos* y *Cambalache*.

Cierta crítica subestima a Vaccarezza pues le adjudica repetir tipos y situaciones saineteras que ya estaban agotadas; sin embargo la creatividad de Vaccarezza supo transgredir personajes y situaciones estereotipadas en nuevas expresiones. Asimismo, se le ha objetado que su temática caía siem-

Alberto Vaccarezza
(Foto: Ar. ICCMU)

pre en "un fácil sentimentalismo" y en un moralismo convencional. Se desconoce así el sentido de fiesta popular de su teatro. Si bien se nutre de la realidad inmediata, instala una verdadera "imaginería de lo popular". Por otra parte, dicha creatividad se advierte sobre todo en el manejo de los distintos niveles de lenguaje, como la lengua coloquial, y la imitación de las distintas jergas de los extranjeros. Su inventiva logra juegos de palabras muy ingeniosos.

BIBLIOGRAFÍA: L. Franco: *Alberto Vaccarezza*, Buenos Aires, Ed. Culturales Argentinas, 1975; N. Mazziotti: *El conventillo de la Paloma*, Buenos Aires, Kapelusz, 1982.

MARTA LENA PAZ

Valcárcel, Marcos A. Cuba, siglo XX. Compositor y libretista. Autor de varias comedias musicales, entre las que destacan *El amor nació en la plaza*, estrenada por el Grupo de Teatro Lírico Jorge Anckermann en el teatro Martí, 1965, y *El coche de Malanga*, premiada en 1984.

CLARA DÍAZ PÉREZ

Valdemoro, María. España, siglos XIX-XX. Tiple. En 1903 fue la protagonista de *Vida galante* de Calleja en el teatro Cómico de Madrid. Actuó después en el teatro Eslava donde estrenó en 1904 *El premio de honor* de Calleja y Lleó y en 1905 *La mulata* de Calleja, Lleó y Valverde; *Frou-Frou, Music-hall*, y *El trágala* de Calleja y Lleó, *El contrabando* de Serrano y Fernández-Pacheco y *La tarasca* de Lleó. En 1907 fue contratada por el teatro Apolo.

Mª LUZ GONZÁLEZ PEÑA

Valdés, Esther. La Habana, 15-IX-1927. Soprano. Comenzó a cantar a los siete años en reuniones familiares, integrándose a los doce en una compañía infantil, ubicada en la Sociedad Curros Enríquez. En contra de la voluntad de su padre, en 1941, con el nombre cambiado, se presentó en la emisora CMQ en el programa "La Corte Suprema del Arte" donde se seleccionaban los mejores intérpretes, con la canción *Celos* de Ernesto Lecuona, obtuvo un premio. Realizó estudios musicales con Isabel Panada, Estrella González y Mariana de Gonitch. Contratada para cantar en el teatro Auditorium, debutó interpretando un aria de *Madame Butterfly*. Posteriormente actuó en el teatro Payret, bajo la dirección de Rodrigo Prats. En

Esther Valdés (Foto: Ar. ICCMU)

1951 conoció a Gonzalo Roig quien al escucharla, la presentó como solista en sus conciertos con la Banda Municipal y en el programa de radio "Gonzalo Roig y su orquesta". Con este maestro realizó una gira por el interior de la isla. Asimismo, Lecuona la incluyó en sus famosos conciertos en el teatro Auditorium, así como en el elenco de su compañía donde interpretó sus primeras zarzuelas bajo su dirección: *Rosa la china, El cafetal, La guaracha musulmana* y *El batey*. También en el medio televisivo actuó en las presentaciones de *Amalia Batista* y *Soledad* de Prats y en *María la O* y *Lola Cruz* de Lecuona, bajo la dirección de sus autores. Durante la década de 1950 realizó numerosas actuaciones con Roig, Lecuona y Prats. Al triunfo de la Revolución ingresó en 1966 en el elenco del Grupo la Comedia Lírica Gonzalo Roig, debutando en *Los gavilanes* de Guerrero, donde obtuvo un rotundo éxito. Su repertorio incluye, además *La viuda alegre* de Lehár, *La leyenda del beso* y *La del Soto del Parral* de Soutullo y Vert; *Luisa Fernanda* de Moreno Torroba; *Los claveles* de Serrano; *La corte de faraón* de Lleó; selecciones de varias óperas; *La hija del sol* y *Cecilia Valdés* de Roig, esta última una de sus grandes interpretaciones, que cantó por primera vez en 1954 bajo la dirección del compositor, y con la cual se presentó con el Grupo Lírico en seis países del antiguo campo socialista: en los que cosechó grandes éxitos y recibió elogiosas críticas. Ha actuado además en Colombia, República Dominicana, Jamaica, México y Estados Unidos.

JOSÉ PIÑEIRO DÍAZ

Valdés, Gilberto. Jovellanos (Cuba), 21-V-1905; Estados Unidos, 1971. Compositor. Se dio a conocer dentro de la línea afrocubana con las canciones *Bembé, Baró, Tambó* y *Sangre africana*, algunas estrenadas en 1935, por la cantante Rita Montaner. Incursionó en el género lírico con su apropósito de actualidad *El secuestro de Falla*, compuesto en 1935 y estrenado ese mismo año por la Compañía Suárez-Rodríguez en el teatro Martí.

BIBLIOGRAFÍA: *LVB*; A. Ramírez: "Compositores cubanos de hoy. Gilberto Valdés", *Carteles*, La Habana, 1-III-1942.

Gilberto Valdés (Foto: O.Urfé / Museo Nacional de la Música de Cuba)

CLARA DÍAZ PÉREZ

Lidia Valdés (Foto: Ar. ICCMU)

Valdés, Lidia. Pinar del Río (Cuba), siglo XX. Soprano. En 1962 se integró al elenco del teatro Lírico Ernesto Lecuona, de su ciudad natal. Posteriormente realizó estudios en el Conservatorio Cervantes, y en 1967 se incorporó a la Coral de la Ópera Nacional de Cuba. En 1971 pasó a ser solista de dicha entidad, debutando como tal en la ópera *Don Pasquale* de Donizetti. Su repertorio incluye operetas y zarzuelas, habiendo realizado presentaciones en Cuba, México y Estados Unidos, entre otros países.

BIBLIOGRAFÍA: A. J. Molina: *150 Años de zarzuela en Puerto Rico y Cuba*, San Juan, Ramallo Bros. Printing, 1998.

CLARA DÍAZ PÉREZ

Valdés Fraga, Pedro. Parras, Coahuila (México), 1864; México, 1943. Violinista y compositor. Realizó una notable carrera como intérprete y fue uno de los músicos mexicanos más sobresalientes de su tiempo en el ámbito de la música de cámara. Estudió en el Conservatorio Nacional donde fue alumno de Pedro Manzano y de Melesio Morales. Fue violín primero de la Orquesta Sinfónica Nacional e integrante del Cuarteto Clásico del Conservatorio. En 1918 fundó su propio cuarteto y fue maestro del Conservatorio desde 1930 y hasta su muerte. Al recordar un concierto ofrecido por el violinista al Ateneo Mexicano, Juan de Dios Peza lo recordó así: "En la parte musical no podía el público ambicionar nada superior a lo que se le ofreció aquella inolvidable noche... Pedro Valdés Fraga, con su violín que parece encerrar coros de ángeles, fue saludado como digno émulo de los grandes manejadores del arco. ¡Qué ovación tan estruendosa se le tributó aquella noche!". En 1908, cuando Fritz Kreisler visitó México, Valdés Fraga tocó la viola cuando el célebre violinista encabezó un cuarteto que le acompañó en una de sus presentaciones.

Valdés Fraga fue autor de diversas canciones, coros y piezas de cámara, algunas de las cuales fueron famosas en su época. Su única incursión en la zarzuela tuvo lugar el 25 de noviembre de 1899, cuando en el teatro Principal se estrenó *Soledad*, zarzuela con libreto de José Gamboa y Miguel S. Pereira. Según Olavarría, "la obra tenía por base un episodio novelesco ocurrido en un pueblecito de los Estados mexicanos del norte, en la época de la guerra de la Intervención francesa... El libreto parece que estuvo bien escrito, y resultó interesante y patético". La música, en concepto de *El Universal* "fue lo mejor que de autores mexicanos se había oído en los últimos tiempos. La partitura de Valdés, añadía el cronista, lleva sello de personalidad; hay en ella inspiración y cuidado en la factura; el coro de niños es muy agradable, las coplas del *ranchero* tienen sabor popular, y la romanza es de un corte muy delicado; el concertante resultó brioso, armónico e imponente". Sin duda, y a juzgar por otras obras del violinista, la música habría resultado notable por su refinamiento y sensibilidad; Valdés Fraga no volvió a componer para la escena.

BIBLIOGRAFÍA: *RHTM*.

RICARDO MIRANDA / ROCÍO TERÁN

Valdespí, Armando [Armando Pi Valdés]. Pinar del Río (Cuba), 25-IX-1907; San Juan (Puerto Rico), 1967. Compositor, pianista y director de orquesta. En su ciudad natal comenzó los estudios musicales, primero bajo las orientaciones de su madre, y luego con Montagú, director del Conservatorio de Pinar del Río. En 1917, al establecer su residencia en La Habana, ingresó en el Conservatorio Municipal de esta ciudad, bajo la dirección de Gonzalo Roig. A los quince años fundó una orquesta de baile con la que realizó una gira a México en 1926, y luego en 1935 a Estados Unidos, donde fue contratado para realizar grabaciones de su extenso repertorio. Iniciándose en el género teatral como pianista en compañía de Alberto Garrido, hizo sus primeras actuaciones en el teatro de variedades del Havana Park y realizó en diversas ocasiones giras nacionales como maestro acompañante, actuando, además, en diferentes temporadas en los teatros Regina, Actualidades, Payret y otros. Autor de más de sesenta piezas, entre las que destacan numerosos boleros, incursionó en el teatro musical, componiendo zarzuelas, sainetes y revistas, algunas de ellas de reconocido éxito, entre las que se pueden citar: *La rosa de la vega*, zarzuela cubana en dos actos; *La dama azul*, opereta en tres actos; *La otra mujer*, zarzuela en un acto; *La flor del viñedo*, zarzuela de costumbres españolas y *La Carolina*, zarzuela cubana en un acto, con libreto de Francisco Meluzá Otero, basada en un episodio real de la vida del héroe nacional cubano José Martí, estrenada en 1936 manteniéndose durante 25 días consecutivos en el escenario del teatro Martí.

OBRAS (Algunas conservadas en el Centro Argeliers León de Pinar del Río): *La Carolina*, Zarz cubana, 1 act, l, F. Meluzá Otero, est, 1936, Te. Martí (La Habana); *La dama azul*, Opt, 3 act; *La flor del viñedo*, Zarz; *La otra mujer*, Zarz, 1 act; *La rosa de la vega*, Zarz, 2 act; *Revista en la noche...*, Rv Apr de actualidad, est, 1-IX-1937, Radio Escenario Martí.

BIBLIOGRAFÍA: H . Rodríguez Díaz: "Charla con el Rey del Ritmo", *Melódico cancionero*, I, 3, X-1936, 40-1.

CLARA DÍAZ PÉREZ

Valdovinos Pujol, Teodoro. Barbastro (Huesca), 1880; Madrid, 1963. Flautista y compositor. A los seis años era flautín de la Banda de Barbastro y a los nueve de varios teatros de Zaragoza. A los veintiún años se trasladó a Madrid trabajando en el teatro, campo en el que se había iniciado en Zaragoza con su obra *Un inglés*, a la que siguieron después otras estrenadas en las dos primeras décadas del siglo, algunas de éxito, como *La paloma azul*, con libreto de S. Delgado.

OBRAS (Todas en *E:Msa*): *El movimiento continuo*, col. Valverde / Cereceda, l, J. Arqués Llorens, est, 16-X-1905, Te. Price; *El preservativo del rostro*, col. Giménez Arderius, l, A. Larroder / J. Aguado Pérez, est, 14-V-1906, Te. Martín; *La liberala*, l, G. Romero Landa, est, 1911; *El burlador de Plutón*, Hum, 1 act, 1 act, l, J. de Madrazo, est, 5-V-1911, Te. Gran Vía; *Las capeas*, Sai, 1 act, l, R. Tirado Ruiz, est, 27-XI-1912, Te. La Latina; *El amor al arte*, 1 act, l, A. Larroder / J. de Labaig, est, 18-I-1913, Te. Gran Vía; *El coronel Castañón*, Zarz cóm, 2 act, col. Quislant, l, F. Pérez Capo, est, 25-I-1913, Te. Gran Vía; *El gaitero de la aldea*, Com lír, 1 act, l, L. García Conde / A. Briones, est, 28-VIII-1917, Te. Parque del Paraíso; *El octavo de coraceros*, 2 act; *Girasol*, Opt, 2 act, l, E. Rodríguez Arias; *La alegre caravana*, col. J. M. Alvira y Almech; *La flauta de Bartolo*, Rv, 2 act, col. Padilla; *La mujer y el diablo*.

EMILIO CASARES RODICIO

Valencia, Víctor. España, siglos XIX-XX. Tenor. Entró a formar parte de la compañía del teatro del Circo en 1853, presentándose ante el público con *El estreno de una artista*. Poco después estrenó *La cisterna encantada*, en la que sus dotes como cantante superaron a sus dotes de actor. En el Circo nunca alcanzó la categoría de primer tenor, que ocupaba Font, con bastante mejor voz que él. Estrenó *El trompeta del Archiduque* de Javier Gaztambide y *Aventura de un cantante* de Barbieri en 1854, y ese mismo año fue contratado como primer tenor en una compañía que se formó para ir a Cuba; en 1855 se enroló en otra compañía que partía para La Habana, donde seguían en 1856, cosechando éxitos tanto en La Habana como en Matanzas. Desde Cuba viajó a México donde actuó ese mismo año.

BIBLIOGRAFÍA: *HZ*.

Mª LUZ GONZÁLEZ PEÑA

Valero, José. Sevilla, 1808; Barcelona, 12-I-1891. Actor y director escénico. Hijo del también actor Antonio Valero, a su vez hijo de actor. Inicialmente se formó con su padre y comenzó a trabajar en obras de aficionados para llegar posteriormente al teatro de la Cruz como galán joven. Fue un gran director, triunfando en todos los teatros nacionales y americanos, ya que por ese continente realizó diversas giras. Obtuvo el título de profesor honorario del Conservatorio de Música y Declamación por sus brillantes actuaciones. Aunque su dedicación fundamental fue el teatro de verso o declamado, tuvo alguna relación con el género lírico, ya que dirigía una compañía

José Valero (Grabado de T. Pijolm en IMHA, 1889; Ar. ICCMU)

mixta de declamado y zarzuela que actuaba en el teatro Principal de Zaragoza en la temporada de 1856 y contaba entre sus integrantes a Tirso Obregón como barítono y a Emilia Moscoso como tiple. Viudo de su primer matrimonio, contrajo segundas nupcias con Emilia Moscoso que falleció cuatro años después. En sus últimos años, 1888, se vio obligado a formar una compañía de zarzuela para poder sobrevivir, y con ella realizó una gira por América, obteniendo en Montevideo un gran éxito. En julio de 1889 llegó a Barcelona procedente de Buenos Aires, donde fijó su residencia. Allí la compañía de Antonio Vico, su más aventajado discípulo, le ofreció un homenaje en el teatro Cataluña. El paso de su cortejo fúnebre ante el teatro Principal resultó una verdadera manifestación de duelo en la ciudad condal. *Véase* MOSCOSO, EMILIA.

BIBLIOGRAFÍA: *IMHA*, I, 13, 30-VII-1888; *IMHA*, II, 37, 26-VII-1889; *IMHA*, VII, 73, 30-I-1891; *IMHA*, VII, 75, 28-II-1891; F. Cuenca: *Teatro andaluz contemporáneo. 2. Artistas líricos y dramáticos*, La Habana, Maza, 1940.

Mª LUZ GONZÁLEZ PEÑA

Valero Sánchez, Diego. Cádiz, siglo XX; Madrid, 193?. Bajo y director de escena. Comenzó siendo bajo de la capilla de la catedral de Cádiz, pero abandonó la iglesia por el teatro, con su voz potente y bien timbrada. Tras recorrer diversos teatros y compañías, convertido ya en primer actor en Madrid, formó una compañía con la que realizó una gira triunfal por los teatros Ruzafa de Valencia y teatro de Verano de Cádiz, en los que estrenó obras como *El canto de las sirenas* de Miguel Asensi, Ruzafa, 1918. Entre 1929 y 1932 actuó en Buenos Aires y regresó posteriormente a Madrid. Escribió una zarzuela de costumbres vascas, *El triunfo de Quirico*, estrenada en San Sebastián y otra con música de Peiró, *Así es el Rey*, estrenada en Jerez de la Frontera, ambas con éxito.

BIBLIOGRAFÍA: F. Cuenca: *Teatro andaluz contemporáneo. 2. Artistas líricos y dramáticos*, La Habana, Maza, 1940.

Mª LUZ GONZÁLEZ PEÑA

Valiente, Jesús. España, siglos XIX-XX. Actor. Participó en numerosos estrenos de obras líricas como *Los dos timos* de Vivas y Cortó en el teatro de los Campos Elíseos de Bilbao, 1903; *El premio de honor* de Lleó y *El trueno gordo* de Giménez, Eslava, 1904; *La mulata* de Valverde, Calleja y Lleó, *Music-Hall* y

El trágala de Calleja y Lleó, *El contrabando* de Serrano y Fernández Pacheco, todas en Eslava en 1905. Ese mismo año estrenó en el teatro Cómico *Academia modelo* de Foglietti y Fuentes y *La reina del couplet* de Foglietti.

Mª LUZ GONZÁLEZ PEÑA

Valle. Familia de cantantes españoles formada por Joaquín, y su hijo del mismo nombre.

1. Joaquín del. España siglos XIX-XX. Tenor cómico. En 1903 Aurelio González-Rendón le escribió expresamente un monólogo, *El señorito Pepe*, inspirado en el protagonista de *El puñao de rosas* de Chapí. La obra se estrenó con éxito en el teatro Cervantes de Sevilla la noche del beneficio del cantante. El autor hizo destacar la simpatía que el público dispensaba a Joaquín del Valle, a cuyo trabajo atribuía el éxito de la obra. En 1904 estrenó en el teatro Cómico *Flor de mayo* de Caballero (hijo) y Hermoso. En 1907 en el teatro Cómico hay un señor del Valle que estrenó *Casta y pura* de Foglietti y *Tupinamba* de Lleó y Foglietti, bien puede tratarse de Joaquín que ya había actuado allí en 1904, pero igualmente podría ser Vicente S. del Valle que triunfaba en Eslava en esos años. Es posible que fuese Joaquín el que estrenó *El hijo del pescador* de Baltasar Moya en 1909 en el teatro Lírico de Palma de Mallorca. En 1911 en el teatro la Latina de Madrid un señor del Valle estrenó *La babucha de Mahoma* de Juan Crespo y *Huelga de señoras* de Penella, pero pudo ser Joaquín, José o Manuel.

2. Joaquín del. España, siglo XX. Cantante. Estrenó *El niño me retira* de Calleja en el teatro de la Zarzuela y *¡Me acuesto a las ocho!* de Alonso en el teatro Romea de Madrid en 1930. Es posible que fuese también el Joaquín del Valle que estrenó en 1925 *Encarna, la misterio* de Soutullo y Vert en el teatro Apolo, en 1926 *El caserío* en el teatro de la Zarzuela, en 1929 *El romeral* de Díaz Giles en el teatro Romea de Madrid y en 1933 *La posada del caballito blanco* en el Price de Madrid. La temporada 1932-33 estuvo en el teatro de la Zarzuela y estrenó *La labradora* de Leopoldo Magentí. En la temporada 1934-35 fue uno de los intérpretes en el teatro de la Zarzuela de *La del manojo de rosas* de Sorozábal, del que estrenó poco después *No me olvides*, aunque no tuvo la misma acogida.

BIBLIOGRAFÍA: *TA*.

Mª LUZ GONZÁLEZ PEÑA

Valle, José. Córdoba, siglos XIX-XX. Barítono. Se dedicó a la zarzuela grande sobresaliendo especialmente en *Gigantes y cabezudos*, cuya jota le hizo muy popular. Cantó en los principales teatros de España y América y realizó diversas giras con su esposa, la tiple Encarnación Sixto. En 1905 estrenó con ella *La ventana del jazmín* de Julián Vivas en el teatro Cervantes de Sevilla y en el teatro del Duque, también en Sevilla *La pastora* de Font y López del Toro. En 1907 ambos abandonaron la compañía de Eugenio Casals con la que estaban actuando en el teatro del Duque de Sevilla y se fueron a Barcelona contratados por el teatro Tívoli. Tuvieron un hijo, José, actor de verso, aunque toda la familia llegó a actuar en obras como *El niño me retira* de Rafael Calleja, 1919, teatro de la Zarzuela. *Véase* SIXTO, ENCARNACIÓN.

BIBLIOGRAFÍA: F. Cuenca: *Teatro andaluz contemporáneo. 2. Artistas líricos y dramáticos*, La Habana, Maza, 1940.

Mª LUZ GONZÁLEZ PEÑA

Valle, Manuel del. España, siglo XX. Actor. Estrenó en 1917 en el teatro Novedades de Madrid *La primera de feria* de José Cabas y *Los novios de las chachas* de Calleja. También aparece en el estreno de *El río de oro* de Barbero.

Mª LUZ GONZÁLEZ PEÑA

Valle, Vicente del [Vicente S. del Valle]. España, siglos XIX-XX. Actor-cantante. En 1904 estrenó en el teatro de la Zarzuela *La casita blanca* de Serrano y en 1905 *Villa-Alegre* de Barrera y Ruiz de Arana, *Ideícas* de Barrera, *Moros y cristianos* de Serrano, *El ilustre Recóchez* de Lleó y *El seductor* de Chapí. Al año siguiente, siempre en la Zarzuela, *La cacharrera* de Caballero y Hermoso y *La infanta de los bucles de oro* de Serrano. Pasó después al teatro Eslava con numerosas obras de Lleó. En ese teatro estrenó *El guante amarillo* de Vives y Giménez, 1906; *La alegre trompetería* y *Todos somos uno* de

Vicente del Valle (Foto: Comedias y Comediantes, 1910; Ar. ICCMU)

Lleó y *La feliz pareja* de Foglietti, 1907. En 1908 estrenó en Eslava *Mayo florido* de Calleja, *La regadera* de Lleó y Foglietti, *La corte de los casados* de Lleó y Foglietti, *La remendona* de Foglietti, *¡Si las mujeres mandasen!* de Lleó y Calleja y *La vuelta del presidio* de Lleó. En 1909 *El becerro de oro* de Álvarez del Castillo, *Rosita de oro* de Losada y *Los tres maridos burlados* de Lleó.

Mª LUZ GONZÁLEZ PEÑA

Valle Alvira, Ramón del. España, siglo XX. Compositor. Su hermano Gerardo es autor de numerosas canciones, al igual que él mismo, pero Ramón escribió también algunas obras líricas que se conservan en el archivo de la SGAE en Madrid.

OBRAS (Todas en *E:Msa*): *Academia de peatones*, I, F. Márquez; *La cuestión es divertirse*, 1 act, I, F. Plaquer Sánchez; *La fuente de los lirios*, 2 act, I, H. Negre, est, 23-III-1933, Te. Valldigna; *La suerte de Regúlez*.

Mª LUZ GONZÁLEZ PEÑA

Valle Chiniestra, Bernardino del. Villamayor (Zaragoza), 1849; Las Palmas de Gran Canaria, 1928. Compositor y director de orquesta. Fue seise en el Pilar de Zaragoza, donde aprendió composición y órgano con Domingo Olleta. Completó sus estudios en el Conservatorio de Madrid con Arrieta y Zubiaurre y fue compañero de Fernández Caballero, Chapí y Bretón. Con este último estrenó en 1875 en el teatro Romea la zarzuela en dos actos *María*, con libreto de Calixto Navarro. Fue maestro de coro en los teatros de la Zarzuela y Apolo. Compuso una *Serenata española* para orquesta y una *Misa pastorella*, entre una amplia producción que superó las trescientas obras. Se trasladó a Las Palmas en 1878 y allí permaneció más de cincuenta años.

BIBLIOGRAFÍA: *DMEH*.

Mª LUZ GONZÁLEZ PEÑA

Valle Gagern, Carlos. México, siglos XIX-XX. Escritor y periodista. Desempeñó un papel desafortunado como escritor de libretos pero notable como impulsor de las distintas sociedades de escritores y artistas formadas para fomentar la escritura de zarzuelas mexicanas y proteger los derechos de los autores locales. Amparados en chistes y escenas altisonantes, buena parte de sus libretos sólo alcanzaron éxitos medianos. Ya desde su debut en 1900 con *Los rayos X* de Ignacio Mercado, la prensa le censuraba así: "La pieza abunda en chistes de color subido, y aun cuando se trata de un compañero nuestro lo censuramos severamente y creemos que por ello deben comenzar los recortes; aparte de esto la obra gustó por su mucho movimiento y por el lujo con que está puesta; la música agradó a su vez y fueron muy celebradas el vals de las *Estrellas* y el número del *Conffeti y la Serpentina*". Una colaboración con Alberto Michel y el compositor José Austri le trajo mejor fortuna cuando estrenó en julio de 1900 *La Guerra de China*, obra "bastante aplaudida por sus oportunos chistes". Su siguiente pieza, *Las bendiciones de San Antonio*, con música de Salvador Pérez, no fue del todo afortunada: "Las primeras escenas no parecieron mal, la música resultó agradable y fueron aplaudidos dos números, los autores fueron llamados a la escena entre *dianas* y palmadas, pero a partir de ese punto el entusiasmo fue en descenso... líricamente la pieza agradó; literariamente, no mucho. Sin embargo, tiene dos o tres escenas *d'après nature*, no mal hechas. Como su nombre los indica, el autor quiso pintar escenas populares y logró en algunos detalles y en una que otra frase, encontrar la nota real y el efecto teatral".

En 1901 regresó al escenario con el libreto de *El Rebumbio de Santa Ana*, "una graciosa pintura de costumbres populares mexicanas" que alcanzó algunas reposiciones en años siguientes. Desde 1902, Valle Gagern participó activamente en la conformación de la Sociedad Mexicana de Autores, de la que fue nombrado prosecretario. Posteriormente, en 1904, ayudó a la creación de una sola agrupación profesional que unió la Sociedad Mexicana de Autores Dramáticos y Líricos y la Unión de Autores Mexicanos, otra asociación de la que él formaba parte. Reflejo de la cercana relación que tuvo con diversos colegas fue su participación, al lado de Luis Frías Fernández, Alberto Michel, Arturo Beteta, Pedro Escalante, Eduardo Macedo y Cirilo R. del Castillo, en el sainete *Don Juan Manuel*, experimento de creación de zarzuela colectiva que no tuvo éxito. Por el contrario, su libreto *Los dos osos*, 1903, con música de Mercado, fue "bien puesto y ensayado" además de gozar de cierta aprobación por su calidad literaria, pero la obra tuvo una presencia efímera. En 1904 Alberto Izabal puso música a otro de sus textos, *Exposición Nacional*. De esta obra se dijo: "Es una revista de lo más malo que se ha representado en nuestros teatros. Sosa, sin ingenio; con el 'peladillo' obligado y los obligados retruécanos, que más bien son injurias soeces; no tiene ni por donde cogerla. El público la obsequió con un 'meneo' de regulares proporciones".

BIBLIOGRAFÍA: *RHTM*.

RICARDO MIRANDA / ROCÍO TERÁN

Valle de Andorra, El. Zarzuela en tres actos. Música de Joaquín Gaztambide. Libreto de Mr. de Saint-Georges, arreglada a la escena española por Luis de Olona. Estrenada el 5 de noviembre de 1852 en el teatro del Circo de Madrid.

Personajes y reparto. El capitán Alegría (Francisco Salas, barítono). Colás, aldeano (Vicente Caltañazor, tenor cómico). Víctor, cazador (José González, tenor). Marcelo, pastor (Francisco Calvet, bajo). El sargento Lirón (Juan Carceller, barítono). El síndico del valle de Andorra (Luis Rivera, de por medio). Luisa (Josefa Rizo, soprano). María (Ángela Moreno, tiple). Teresa (María Soriano, característica). Un pastor (José Areces, de por medio). Un guarda (Manuel Moya, de por medio). Un aldeano (Felipe Díaz, de por medio). Un recluta (Ramón Pavón). Soldados, reclutas, aldeanos, aldeanas, jueces, coristas, músicos, bailarines y comparsas.

Orquestación. Flautín, flauta, 2 oboes, 2 clarinetes, 2 fagotes, 2 trompas, 2 cornetines, 2 trombones, figle, timbales, caja, tambor, triángulo, bombo, platillos y cuerda.

Argumento. La acción tiene lugar en el valle de Andorra. *Acto I.* En una alquería vive Teresa, viuda joven y rica, con María, doncella huérfana y muy hermosa, que es como de la familia. En el Valle habitan también Marcelo, un pastor viejo, protector de María, según dice, por habérsela encargado la madre de ésta; Víctor, un gallardo cazador, y un joven aldeano llamado Colás, atraído por Luisa, prima de Víctor, y por Teresa. La república de Andorra pagaba a España el tributo de unos cuantos soldados. Llega el capitán Alegría a recoger los mozos, entre los cuales se sortea quiénes han de ir o quedarse. Colás se libra porque saca bola blanca, pero el cazador

Cortesía de Unión Musical Ediciones SL

Víctor, que saca bola negra, se desespera porque tiene que abandonar a su anciana madre, la cual no tiene más recursos que la escopeta de su hijo, y se propone desertar para no abandonarla. María, que amaba a Víctor y sabe que si lo prenden lo fusilarán, saca de casa de su ama, quien le había entregado por tener que ausentarse las llaves de su dinero, en que tenía reunidas 3.000 libras, las 1.500 que el capitán pedía por la redención de Víctor. María esperaba reponer dicha cantidad con otra mayor que Marcelo le había dicho que era suya y ofrece entregarle el mismo día yendo a buscarla a una villa cercana.

Acto II. Víctor, agradecido, se vuelve al lugar para averiguar quién puso el dinero para redimirle, y María, que desea guardar el secreto de su acción, le dice que fue Luisa. Víctor, aunque ama sin habérselo dicho a María, llevado por la gratitud, ofrece a Luisa su mano. El dolor de María es grande. Marcelo llega diciendo a María que el depositario se había fugado con el dinero. Al regresar Teresa, advierte la falta de las libras. Aunque sospecha de María, no se atreve a acusarla, hasta que el capitán Alegría le dice que quien le dio el dinero en nombre de Víctor fue aquella muchacha. Teresa, que abrigaba cierto proyecto matrimonial respecto del gentil cazador, en un arrebato de celos acusa y arroja de su casa a la huérfana.

Acto III. Luisa asegura a Víctor que no ha sido ella quien ha entregado el dinero para librarle de ser soldado. Y por más que, tanto él como el viejo pastor defienden la inocencia de María, ésta va a ser juzgada por el tribunal de ancianos del Valle. Víctor, que no podía alejarse mucho de María y deseaba auxiliarla, oye escondido que la joven confiesa a su protector Marcelo, que la había recogido al ser expulsada de la aldea, haber sido ella quien había quitado el dinero a Teresa para redimir a Víctor por el

amor que le tenía. Entonces Marcelo, que creía poder sostener con verdad la inocencia de María, al ver que no había otro medio de salvarla, aunque había ofrecido guardar el secreto de la madre de Teresa, le declara a ésta que María es su hermana natural, pues su madre la había tenido después de viuda fuera del Valle. Teresa, que lo ha oído, recordando las enérgicas recomendaciones de su madre a favor de la huérfana y otros indicios, comprende que, en efecto, María es hermana suya, y se presenta al Tribunal diciendo que en un arrebato de celos había calumniado a María, y que ésta no había hurtado cantidad alguna. Víctor entrega su mano a María, y Luisa se casa con Colás, quien por ella hasta había estado a punto de hacerse soldado, para hallar más pronto la muerte al no tener su amor.

Números musicales. Acto I: Nº 1. Introducción. Colás, un pastor, un guarda y coro, "¡Ah del Valle!". Nº 2. Romanza. Marcelo, "Yo soy del valle de Andorra el viejo pastor". Nº 3. Cuarteto. Teresa, Luisa, Colás y Marcelo, "Cual en el claro seno de limpio río". Nº 4. Romanza de María, "Blanca rosa, flor galana". Nº 5. Cavatina de Víctor y coro de cazadores, "Retorna a tus hogares, retorna cazador". Nº 6. Aria del capitán Alegría con María y coro, "Bellísimo paisaje, magnífica alquería", y Rataplán. Nº 7. Concertante. María, el capitán Alegría, Víctor, Colás y coro, "Tributo de sangre nos mandan pagar". Nº 8. Final 1º. María, el capitán Alegría y coro, "¡Fusilado! ¡Y aún vacilo". Acto II: Nº 9. Introducción. Luisa, Colás y coro, "Viva la reina de las flores". Nº 10. Terceto. María, el capitán Alegría y Víctor, "Los vasos nos esperan". Nº 11. Final 2º. María, Luisa, el capitán Alegría, Colás, Víctor, Marcelo y coro, "¡María! ¡María! –Ay Cielos! –¡Qué horror!". Acto III: Nº 12. Canción militar. El capitán Alegría y coro de soldados, "La española infantería". Nº 12b. Orquesta. Nº 12c. Orquesta. Nº 13. Marcha. Coro, "La ley severa cúmplase". Nº 14. Final 3º. María, Teresa, Luisa, el capitán Alegría, Colás, Víctor, Marcelo y coro, "La amarga desventura en dicha se trocó".

Comentario. *El valle de Andorra* fue la obra de mayor interés de la temporada 1852-53 del teatro del Circo. El libreto se basa en una obra de Saint-Georges, con música de Halévy, estrenada en París en 1848; también en Italia, Cagnoni había puesto en música este libreto en 1851, según refiere Arrieta en carta a Barbieri. Las características del libreto permitieron a Gaztambide escribir una música adecuada a la expresión de las situaciones argumentales, en la que sobresalen los pasajes de carácter pastoril.

Al comenzar la obra, la orquesta describe mediante "una melodía elegante y característica la tranquilidad de los valles al rayar el día, al que sigue un coro de aldeanos que van a sus faenas campestres. La belleza de este coro es superior a todo elogio, tanto por la originalidad y propiedad del pensamiento, cuanto por la maestría con que está instrumentado", en palabras de Arrieta publicadas en *La Nación* (7-XI-1852). Para *La Época*, este número inicial "reúne todas las condiciones de melodía y ritmo y se liga maravillosamente con el preludio, y prepara la salida de Colás con el tamboril. El acompañamiento del *silbo* que dialoga con la orquesta y la voz da mayor realce al canto de Colás, con quien vienen luego a hermanarse las voces del coro… El tamboril, las voces y los instrumentos de la orquesta forman el natural complemento de la introducción, tan perfectamente desempeñada por el compositor. La frescura del valle, la brisa de las montañas, todo se trasluce en esa bellísima página". Sigue la romanza de Marcelo, "llena de sentimiento y grata melancolía" según *La Época*, que para Arrieta "es un rasgo de inspiración que pudiera vanagloriarse de haberlo imaginado el más distinguido compositor"; Arrieta opina que los ocho compases anteriores a la repetición del tema principal por el solista debían haber sido confiados a la orquesta solamente, y lamenta que el tema del oboe no fuese interpretado más *piano*. El Nº 3, cuarteto, es para Arrieta, "de un mérito superior y el trozo que canta Colás con las palabras: *Moreno, agraciado, tostado del sol*, produce muy buen efecto". El Nº 4, romanza de María, presenta una estructura A-A'-B, con una *fermata* en el paso de A' a B y otra al final del número; fue calificada como "delicada" y "muy sentida" por la crítica. Sigue el "vigoroso" –según *La Época*– coro de cazadores y cavatina de Víctor, escena "brillante y característica" para Arrieta, aunque presenta demasiada variedad de compases; así, el coro inicial es un *Allegro* en 6/8, canta después Víctor un *Allegro vivo* en 3/8, entrando a continuación el coro en *Moderato* y 3/4 con ritmo de polonesa, de nuevo interviene Víctor en *Allegro vivo* en 3/8, para, al entrar el coro acompañando al solista, volver al *Moderato* en 3/4 y ritmo de polonesa, concluyendo el número con un *Tiempo 1º* en 6/8. El Nº 6, aria del capitán Alegría, es uno de los mejores de la obra; presenta una estructura poliseccional, y un lenguaje vinculado a la *opéra comique*; se inicia con una introducción orquestal *Marcial* en 2/4, apareciendo al fondo de la escena el capitán, el sargento y los soldados; el capitán canta un *Menos* en 4/4 a modo de recitado sobre el acompañamiento rítmico de la orquesta; baja a escena, dialoga con María en un recitado acompañado, y canta a continuación un aria en *Andantino* y 6/8, que enlaza en su segunda parte con un *Marcial* en 2/4 que presenta el tema ya escuchado en la introducción orquestal, a modo de marcha militar, iniciando un rataplán que es más adelante cantado por el coro, en un pasaje de claro referente a Donizetti. Sigue la escena del sorteo, que se inicia con un pasaje *Marcial*, cantado por el capitán y el coro; a continuación, un *Andante* belcantista, iniciado por María, a la que se unen Víctor, después Colás y a continuación el coro, este terceto con coro es para Arrieta "de un efecto magnífico"; tras un redoble de tambor, un recitado del capitán hace iniciar el sorteo, siguiendo un *Moderato* en 2/4 a modo de polka durante el cual los mozos sacan la bola blanca o negra, Colás se libra, pero Víctor saca la bola que le destina a ser soldado; tras ello, una transición orquestal conduce a un *Agitato* cantado por Víctor y después por María; Colás, en un *Moderato* en 3/8 canta su alegría por librarse del ejército; y un *Marcial* iniciado por el capitán y continuado por todos cierra la escena del sorteo, a la que Gaztambide supo dotar de interés "con el vivo contraste del animoso canto de los militares, los ayes de dolor de María y el grito de desesperación y protesta de Víctor", según Cotarelo. El acto concluye con una escena en la que la orquesta presenta un aire marcial, que es repetido en *pianísimo* para permitir un hablado del capitán, María y el sargento sobre la música, sigue la dramatización musical de la palabra "fusilado" y la decisión de María de pagar el rescate de Víctor, a continuación se repite de nuevo el aire militar inicial, se interrumpe la música con un *Agitado*, sobre el cual María entrega el dinero al capitán, y éste, en un recitado, le promete su silencio, concluyendo el número con el aire marcial.

El segundo acto contiene tres números musicales. El Nº 9 presenta una introducción orquestal en *Allegro vivo* y 3/8, un coro en que se vitorea a Luisa, nombrada reina de las flores, con la intervención de Colás que toca el tamboril, y la canción de Luisa, biseccional, con una primera parte en 3/4 y *Andantino gracioso* y una segunda en 6/8 y *Allegretto*, coreada al final; la canción se repite con una segunda letra. La introducción y el coro inicial sugieren un ritmo vinculado al zortzico, escrito en 3/8; la segunda parte de la canción de Luisa, *Allegretto*, es claramente un zortzico, en 6/8, como era frecuente que se transcribiese a mediados del siglo XIX, sin recurrir todavía al 5/8, estando la unidad rítmica formada por dos compases: en la primera mitad del primero aparece la figuración corchea, corchea con puntillo y semicorchea, en la segunda mitad, corchea y negra, y en el segundo compás, corchea y negra ligada a una negra con puntillo. El Nº 10 es el terceto poliseccional cantado por María, Víctor y el capitán, que se inicia con un *Allegro moderato* de sabor operístico, basado en un ritmo de polka, al que sigue un *Andantino* cantado por el capitán, con una primera parte en 3/4 a modo de bolero en modo menor y una segunda en 2/4 en mayor, como la polka inicial, en la que intervienen los tres personajes; sigue un recitado del capitán, un *Agitato* operístico, un nuevo recitado, y un *Allegro moderato* en ritmo de polonesa, con el que concluye el número, escrito "de un modo tan hábil y bien trabado", que todas las noches se repetía, pese a su extensión, una y hasta dos veces, según Cotarelo. Para Arrieta, es un "terceto lindísimo que tiene un primer tiempo superior en su género a cuanto hemos oído hasta ahora en el teatro de la zarzuela". El acto concluye con el Nº 11, "pieza capital de la obra" en opinión de Arrieta; se inicia con un *Allegro* en Re menor de fuerte dramatismo literario-musical, en el que los trémolos de la orquesta en los pasajes cantados por Víctor y Marcelo, rechazando la acusación hecha a María, y los giros melódicos del pasaje, se sitúan en la sonoridad del pasaje cantado por el Comendador en el final de *Don Giovanni* de Mozart; el coro interviene con un *parlato* orquestal; sigue un *Andante* iniciado por Marcelo y convertido en un cuarteto con coro, de gran efecto dramático; la acción continúa en un *Allegro* en 4/4 en el que la joven no se defiende de las acusaciones, la música modula a tonalidades lejanas al Re menor inicial, como Re bemol Mayor o su relativo menor; el número concluye con un *Allegro* en Si bemol Mayor y una coda orquestal. Para Cotarelo, "este número, tanto en la instrumentación como en las voces, expresa exactamente la angustiosa situación de la víctima y sus amigos, así como los furores de un pueblo indignado"; según Arrieta, en este final "altamente dramático", Gaztambide "ha tenido ancho campo para conmover a los espectadores con sus melancólicas inspiraciones. El *largo* concertante es una concepción notable, desde el principio hasta el fin... Gaztambide es uno de los jóvenes compositores que más han ennoblecido la música española".

El tercer acto contiene tres números musicales y dos pasajes de música incidental. Su música se inicia con la hermosa canción militar cantada por el capitán Alegría, que consta de una introducción marcial en 2/4, una primera sección en *Moderato* y 3/8 de sabor españolizante, donde se recurre a ritmos atiranados –pues el texto hace referencia a "La española infantería"–, y una segunda sección en 2/4 y tiempo marcial cuyo texto comienza "Tambor, tu claro redoblar", acompañado por los tambores tocados con los palillos, y contestado por el coro de soldados acompañado de tambores; la canción se repite con una segunda letra, y posee un carácter popular que contribuyó a su enorme difusión. Siguen dos pasajes con función diegética, el primero de ellos, de 11 compases, al inicio de la escena V, cuando habla Teresa, imita el sonido de la zampoña [*sic*] del pastor, para aparecer en escena Marcelo; el segundo, de 8 compases, sirve de transición entre la escena V y VI, mientras Víctor espera oculto y aparece María; también se escuchan toques de trompas en la escena VII, como señal que convoca al tribunal de ancianos. El Nº 13 es la curiosa Marcha en 6/8 y Re menor interpretada por la orquesta, con un breve coro al final; se inicia con un pasaje de 16 compases que recuerda el inicio del Nº 9, sugiriendo un ritmo de zortzico, a continuación se presenta un contracanto en la orquesta de carácter militar, y contrasta en su estructura binaria de sub-

división ternaria con el acompañamiento en el que se sigue sugiriendo el zortzico; un nuevo pasaje elabora una frase musical de sabor vasco, para, en un *crescendo* gradual, volver a presentarse el tema de carácter militar; por último se escucha un coro al unísono, a modo de *parlato* orquestal. La obra concluye con un brillante final en el que tras un pasaje hablado sobre la música y un breve coro en modo menor, se presenta una música de carácter marcial, cantada por Colás y después por el capitán, concluyendo con la repetición del final de la canción del capitán, Nº 12, "Tambor, tu claro redoblar", contestado por los soldados que se disponen a partir, sumándose a la música los otros seis personajes principales de la obra y el coro de aldeanas, expresando su júbilo ante las inminentes bodas. Arrieta destaca, como mérito relevante de la obra, "lo perfectamente que ha sabido adecuar su autor a cada personaje la música más propia a sus respectivos caracteres. Reciba, por lo tanto, nuestra cordial enhorabuena".

La obra, estrenada "con un éxito afortunado" según Arrieta, fue puesta en escena con todo lujo de detalles, esmerándose tanto los cantantes como el pintor Muriel, autor de las decoraciones, o el coro, ensayado por Barbieri y conducido con mano férrea por Gaztambide, y supuso un éxito para los intérpretes principales –algunos de los mejores intérpretes de zarzuela del siglo XIX–, entre los cuales destacaron Salas en su versión del capitán Alegría –que obtuvo cuantos aplausos quiso y algunos más, teniendo que repetir casi todo lo que cantó–, Ángela Moreno y Josefa Rizo, así como González, Caltañazor –inimitable, obteniendo una salva de aplausos en cada frase–, y Calvet –que dio a su papel de viejo pastor todo el colorido patriarcal requerido por el autor–. En palabras de Barbieri, "aunque en las primeras noches tuvo un éxito frío, se empezó al cabo de algunos días a crecer tanto, que fue una obra popularísima en Madrid y en toda España, que dio mucho dinero a las empresas teatrales. Es la obra musical que más honra a Gaztambide. Recuerdo que cuando se vio el pobre éxito de las primeras representaciones, todos opinábamos que la obra era muerta y solamente Olona (padre) dijo que nos equivocábamos y que daría esta función mucho dinero. Los hechos confirmaron este dicho". La obra se mantuvo en cartel todo el mes de noviembre y parte de diciembre, teniendo que suspenderse por enfermedad de Caltañazor, siendo repuesta en Navidad y después con bastante frecuencia, en el Circo y en toda España e Hispanoamérica, pasando a la Zarzuela y a Apolo. Según refiere en enero de 1853 *La Época*, "El valle de Andorra* es a este año lo que fue al pasado *Jugar con fuego*. Cuarenta y cuatro representaciones van ya de la zarzuela de Gaztambide, que han producido la pequeña suma de más de veinte mil duros". *El valle de Andorra* obtuvo una enorme popularidad, siendo tarareada por toda la gente de Madrid, en un fenómeno parangonable al que 34 años más tarde experimentaría *La Gran Vía*. Según *La España* (17-V-1853), "con más furor que nunca los domésticos de ambos sexos van a formar una cadena magnética en derredor de la partitura del compositor Gaztambide, y sólo Dios sabe cuándo nos veremos libres del *Valle de Andorra*, obra apreciabilísima, ciertamente, pero tan repetidamente repetida, que ya cansa".

Fuentes manuscritas. Tres partituras completas y dos incompletas (TL-572) y los materiales de orquesta (1876) se conservan en el archivo de la SGAE en Madrid. Otras dos partituras se conservan en la Biblioteca Nacional de Madrid (M-230 y M-4408).

Ediciones de música. Canto y piano, Madrid, CM y PM.

Ediciones del libreto. Madrid, Imp. José Rodríguez, 1855; Madrid, Administración de obras Lírico-Dramática, 1865; 10ª ed., Madrid, Imp. de José Rodríguez, 1865.

BIBLIOGRAFÍA: *HZ*; E. Casares Rodicio: *Francisco Asenjo Barbieri. 1. El hombre y el creador. 2. Escritos*, Madrid, ICCMU, 1994; M. E. Cortizo: *Emilio Arrieta. De la ópera a la zazuela*, Madrid, ICCMU, 1998.

RAMÓN SOBRINO

Valle Riestra, José María. Lima, 9-XI-1858; Lima, 25-I-1925. Compositor. Se formó en Londres y París. Es un importante exponente del nacionalismo musical peruano, con marcado interés en dar solución original al problema de las formas musicales. Aunque su obra escénica más sobresaliente es la ópera *Ollanta*, que le proporcionó un importante reconocimiento, es autor de la zarzuela *El comisario del Sexto* con libreto de F. Blume, estrenada en 1900, la comedia musical *El cigarrero de Huacho* y la opereta *La Perrichola*, dejando inconclusa la ópera *Atahualpa*.

BIBLIOGRAFÍA: *DMEH*.

EMILIO CASARES RODICIO

Valle Tellaeche, Aureliano. Bilbao, 16-VI-1846; Bilbao, 22-III-1918. Organista y compositor. Realizó sus primeros estudios musicales con Anacleto de Inchaurbe, organista de la parroquia de San Vicente de Abando, y más tarde perfeccionó órgano, armonía y composición con Nicolás Ledesma. Fue un destacado compositor con abundante y variada obra, en la que destaca la zarzuela en tres actos de carácter vasco *Bide Onera*, sobre libreto de Alfredo de Echave. La obra se estrenó en 1906 en Patronato de Obreros de Bil-

Aureliano Valle Tellaeche (Grabado. IMHA, 1892; Ar. ICCMU)

bao, en una velada de carácter íntimo, con el título en castellano *Al buen camino*.

BIBLIOGRAFÍA: *DMEH*; J. Arana Martija: *Música vasca*, Bilbao, Caja de Ahorros Municipal, 1987.

EMILIO CASARES RODICIO

Vallejo, Fernando. Sevilla, 1879; ?. Primer actor y director. Comenzó muy joven a trabajar en diversas agrupaciones líricas y en 1915 era ya primer actor y director de la compañía del teatro Infanta Isabel de Madrid y en 1917 del teatro El Paraíso. Entre 1919 y 1920 recorrió los principales teatros de Madrid, Barcelona y Valencia y ya finalizados los años treinta se afincó en Madrid. Además de actor y director, siempre dedicado a la zarzuela, montó algunas obras, entre ellas la zarzuela *El niño bonito* y actuó en la película *La linda Beatriz*. En 1909 estrenó *Amores y millones* de Masllovet en el teatro Victoria de Barcelona y *Los miuras* en el teatro del Duque de Sevilla, al frente de cuya compañía se hallaba en 1910, año en que estrenó *Las tentaciones de Pío* de Fuentes y López del Toro. En 1915 estrenó *Temple baturro* de Bautista Monterde en el teatro Nuevo de Barcelona; en 1918, en el teatro El Paraíso *El club de los melancólicos* de Córdoba y Romo y *Su majestad la verbena* de Fuentes y, en 1921, *El hijo de su padre* de Emilio Acevedo en el teatro Victoria de Barcelona.

BIBLIOGRAFÍA: F. Cuenca: *Teatro andaluz contemporáneo. 2. Artistas líricos y dramáticos*, La Habana, Maza, 1940.

Mª LUZ GONZÁLEZ PEÑA

Vallejo, Francisco. España, siglos XIX-XX. Actor-cantante. Debido a que trabajaba en los mismos años que Fernando Vallejo, no es posible establecer en muchas ocasiones quién era el intérprete de algunas obras. Francisco actuó en el teatro de la Zarzuela en los primeros años del siglo XX, y así estrenó en 1904 *¡Hule!* de Lleó y Calleja; en 1906 *La casa de socorro* de Lleó, *Los Campos Elíseos* de Nieto y Alvira, *La noche de Reyes* de Serrano, *La cacharrrera* de Caballero y Hermoso; en 1907 *Ninón* de Chapí, *Lucrecia* de Martí Temes; en 1908 *Pepe Botellas* y *Episodios nacionales* de Vives y en 1909 *La tajadera* de Tomás Borrás. En 1910-11 estaba en el Gran Teatro de Madrid donde estrenó *Ideal japonés* de Teodoro San José, 1910, y *El carro del sol* de Serrano, 1911. No se sabe si era Francisco o Fernando el que estuvo contratado en el teatro Apolo durante dos temporadas, entre 1911 y 1913.

BIBLIOGRAFÍA: *TA*.

Mª LUZ GONZÁLEZ PEÑA

Vallés, José. †Madrid, 3-IX-1904. Actor y director. Fue director de la compañía del teatro Variedades. Su primera profesión fue la de cajista de imprenta,

José Vallés
(*Foto:* El Teatro, 1899; *Ar. SGAE*)

profesión que abandonó para dedicarse al teatro. Fue alumno de Julián Romea, de quien aprendió la naturalidad en la interpretación. Su obra predilecta, *La mujer de un artista*, con la que debutó en el teatro del Recreo, pasó a formar parte del repertorio del Variedades cuando Vallés se trasladó al teatro de la calle Magdalena al que su nombre está indisolublemente unido junto a los de Luján y Riquelme y más tarde a los de Lastra y Prieto, autores de la mayoría de las obras que constituyeron el repertorio del Variedades. En febrero de 1888 aparecía en la portada de *Madrid Cómico*, con caricatura de Cilla y estos versos, que hacían referencia al incendio del teatro cuando se representaba *El fantasma de los aires*: "La buena escuela del arte / que siempre siguió Vallés, / le ha dado laurel... y plata / que vale más que el laurel. / El teatro de sus triunfos / sintió tanto su esquivez / que, por no sufrir la ausencia / se quemó cuando él se fue". En 1878 Eusebio Sierra le dedicó la comedia *Específico moral* que estrenó con gran éxito en Variedades, con estas sentidas palabras: "Al primer actor D. José Vallés. Amigo mío: Dicen que un actor bueno puede hacer que guste y se aplauda una comedia mala: es verdad; desde que usted estrenó ésta que tengo la honra de dedicarle, sé yo eso por experiencia. Su afectísimo Eusebio Sierra".

Mientras actuó en el género chico, que abandonó posteriormente, lo hizo con gracia, soltura y naturalidad. Se convirtió en empresario de los Jardines del Buen Retiro y allí se arruinó. Pasó del género chico al grande de la mano de María Tubau en el teatro de la Princesa, en el que fue evolucionando hasta convertirse en un elegante actor de carácter medio cómico. Se convirtió en actor fijo de esa compañía, si bien también actuó en el teatro de la Comedia a las órdenes de Emilio Mario. En este teatro se produjo su última actuación en *Juan José* de Dicenta, en el papel del Cano, aplaudiéndole los madrileños con mucho más calor que a Enrique Borrás, actor catalán protagonista de la obra. Estrenó en Variedades *¡Hoy, sale hoy!* de Barbieri y Chueca, 1880; *Luces y sombras* y *Fiesta nacional* de Chueca y Valverde, ambas con extraordinario éxito, *Viaje a Suiza* de Ángel Rubio, *La plaza de Antón Martín* de Chueca y Valverde, 1882; *De la noche a la mañana* de Chueca y Valverde y *De Getafe al paraíso o La familia del tío Maroma* de Barbieri, 1883; *Los matadores* de Ángel Rubio y *Vivitos y coleando* de Chueca y Valverde, 1884; *El testamento y la clave*, *El país de la castaña* y *Desconcierto musical* de Rubio y Espino, 1886; *Madrid en el año 2000* de Rubio y Nieto y *El fantasma de los aires* de Chapí, 1887, obra que causó el incendio del teatro. En 1889 estrenó en el teatro Príncipe Alfonso *El cocodrilo* y *A casarse tocan o La Misa a grande orquesta* de Chapí.

BIBLIOGRAFÍA: *OGCH*; *Madrid Cómico*, VIII, 260, Madrid, 11-II-1888; E. Sepúlveda: *El Madrid de los recuerdos*, Madrid, Imp. de la Revista de Navegación y Comercio, 1897; J. Rubio: *Mis memorias*, Madrid, 1926; J. Deleito y Piñuela: *Estampas del Madrid teatral fin de siglo*, Madrid, Ed. Calleja, sf.

Mª LUZ GONZÁLEZ PEÑA

Vallés de Iglesias, Carlota. España, siglos XIX-XX. Actriz. Estrenó en 1887 en el teatro Novedades *El esclavo o La venida del Mesías* de Chapí y Giménez y en 1890 *El cuerno* de Federico Gassola y *La pupilera* de Hipólito Rodríguez, en el Salón Variedades de Madrid.

Mª LUZ GONZÁLEZ PEÑA

Vallmitjana i Colomines, Juli. Barcelona, 1873; Reus (Tarragona), 5-I-1937. Dramatugo. Su formación fue autodidacta en gran medida. Hijo de un platero, frecuentó Els quatre Gats, donde conoció a Casas y a Picasso, quienes le hicieron sendos retratos; con ellos frecuentaba los barrios bajos de Barcelona. En sus inicios se interesó por el dibujo, formando parte del llamado "Grupo del azafrán", junto con Nonell y Mir. Su forma de entender el arte estaba sometida a su carácter espontáneo e impetuoso. En 1907 estrenaron su primer drama, *Els oposats*. La representación en 1911 en el Principal de *Els Zin-calós* representó su consagración definitiva; la obra era un cuadro de gitanerías que, sin embargo, había conseguido huir del tópico aflamencado del casticismo y de las estampas de manolas y toreros. El uso de las técnicas costumbristas lo continuó en la prueba interesante de *Muntanyes blanques*, un drama musical de tipo simbólico, al que puso música J. Cumellas i Ribó. La obra se estrenó en 1911 con toda fastuosidad en el teatro Principal; la prensa no se mostró unánime respecto a su interés. En 1913 redactó el libreto de *El casament d'en Tarregada*, un sainete lírico al que puso música Francisco Montserrat Ayarbe, y con él consiguió un nuevo éxito. El encargo del sainete partió de Joaquín Montero, después de la buena acogida que obtuvo el monólogo *En Tarregada*, estrenado en junio de 1911 por Vallmitjana. La buena acogida de que gozaban sus obras explica que Enric Morera convirtiera en ópera una de ellas, *Tassarba*, 1916. Enric Borrás estrenó obras de Vallmitjana en Madrid. Sus últimas creaciones tendían a un estilo menos costumbrista, próximo al teatro burgués.

BIBLIOGRAFÍA: F. Curet: *Història del teatre cátala*, Barcelona, Aedos, 1967; F. Castells: *Teatre de gitanos i de baixos fons*, Barcelona, Edicions 62, 1976.

FRANCESC CORTÈS i MIR

Vallojera, Maruja. Bilbao, 1918; ? Cantante y actriz. Estudió canto con Bernardo Ochoa en Zaragoza, donde debutó con *La alsaciana* de Guerrero junto a Marcos Redondo. En 1933 estrenó *La isla de las perlas* de Sorozábal en el teatro Coliseum de Madrid y en 1934 *La del manojo de rosas* de Sorozábal, tanto en Madrid, teatro Fuencarral, como en Barcelona, y un año después *Me llaman la presumida* de Alonso, obra por la que le dieron la medalla del teatro Apolo. Cantó *Jugar con fuego* junto a Ricardo Mayral en la temporada del Teatro Lírico Nacional en el teatro Calderón. Trabajó durante algún tiempo en Cataluña,

Maruja Vallojera
(Foto: Ar. Emilio G. Carretero)

estrenando en el Novedades de Barcelona *Don Gil de Alcalá* de Penella. De vuelta a Madrid estrenó títulos como *Maravilla* de Moreno Torroba en el Fontalba, *Adiós a la bohemia* de Sorozábal, *Las calatravas* de Luna en el teatro Alcázar de Madrid y *Luna de miel en El Cairo* de Alonso en el teatro Martín. En el teatro de la Zarzuela debutó en 1945, formando parte de la compañía de Moreno Torroba con su obra *Baile de trajes*. La soprano se hallaba en el mejor momento de su carrera, a lo largo de la cual estrenó más de treinta zarzuelas permaneciendo en los escenarios hasta 1950.

FONOGRAFÍA: *Don Gil de Alcalá*, Odeón 183576, 183577, 183579, 183582, 184403 a 184405 (et. azul), SO 7911 a SO 7914, SO 7920 SO 7921 SO 7927 SO 7928 • Blue Moon BMCD 7513; *Maravilla*, Blue Moon BMCD 7526; *Me llaman la presumida*, La Voz de su Amo DA 4248 a DA 4250, GY 201, OKA 246 a OKA 253 • Blue Moon BMCD 7528; *Mi costilla es un hueso*, Sonifolk 20122; *¡Taxi... al Cómico!*, Sonifolk 20122; *24 horas mintiendo*, Sonifolk 20122.

BIBLIOGRAFÍA: *CCE*; *DAT*; P. Sorozábal: *Mi vida y mi obra*, Madrid, Fundación Banco Exterior, 1986.

EMILIO GARCÍA CARRETERO

Valls, José. Cocentaina (Alicante), 1847; Valencia, 15-VII-1909. Director y compositor. Siendo aún niño se trasladó con su familia a Bocairente, donde comen-zó su formación musical con el maestro de banda Francisco Miralles. En Valencia estudió piano con Justo Fuster, armonía con el organista de la catedral, Pascual Pérez, y composición con José Piqueres. Más tarde perfeccionó sus estudios en el Conservatorio de Madrid, donde cursó un año con Zabalza. Aunque comenzó sus tareas profesionales en el mundo musical impartiendo clases de piano, pronto se consagró a la dirección de orquesta, y como director, actuó en numerosos teatros de la península, entre ellos en el de la Zarzuela de Madrid. Su labor fundamental la desarrolló en los teatros Principal y Princesa de la capital valenciana, aunque también fue maestro director y concertador en el teatro Ruzafa y en el Apolo. Saldoni le localiza al frente de la compañía italiana que actuaba en el primero de todos ellos en 1878 y 1879. En esta ciudad, con Pascual Rodríguez y José Guallar, fundó la Sociedad de Conciertos, cuya orquesta, formada por sesenta y cuatro profesores, dirigió por vez primera en 1879, dando así impulso a una institución de plantilla estable que no sólo difundió la música de concierto en Valencia, sino que también actuó de estímulo para la creación local hasta su disolución con la muerte del maestro. Las primeras sesiones se celebraron en el teatro Principal, en Cuaresma, trasladándose posteriormente al denominado Skating-Garden, situado en el Huerto del Santísimo.

Valls se distinguió por sus esfuerzos en crear y propagar un arte lírico-dramático valenciano, uniéndose en el empeño al compositor Vicente Díez Peydró. Sus campañas teatrales fueron cada vez más intensas, dirigió obras ya consagradas en el repertorio dramático y estrenó zarzuelas valencianas. Aparte de los teatros ya citados, organizó campañas durante la temporada veraniega en el mencionado Skating-Garden, sustituyendo la concha de conciertos por un escenario adecuado; el lugar fue llamado teatro de Verano. Desde 1886 fue miembro habitual del jurado del certamen de bandas de Valencia; fue presidente del Círculo Musical, director honorario de la Banda de Veteranos y de los orfeones El Micalet y La Vega. Es autor de las zarzuelas *El favorito*, *El pacto de Satanás*, comedia de magia, y *Entre bobos anda el juego*.

BIBLIOGRAFÍA: *DMEH*; "El maestro Valls", *Valencia. Literatura. Arte Actualidades*, 10, Valencia, 1909.

RAFAEL DÍAZ GÓMEZ

Vals. Baile y danza de salón, escrito primero en 3/8 y después en 3/4, de origen centroeuropeo. Parece proceder de los *tanzlieder* de los siglos XVI y XVII, de los *ländler* populares, e incluso de bailes emparentados con la *volta* provenzal. En su forma moderna apareció hacia 1780, y presenta dos estilos principales: el vals lento, más antiguo, en movimiento moderado, y el vals vienés, en aire más rápido. En España se popularizó en las primeras décadas del siglo XIX, publicándose, desde la difusión masiva de la música impresa, numerosos valses para piano, para diversas agrupaciones instrumentales, o para ser coreados, siendo el vals un baile vinculado primero a la aristocracia, para después pasar a los recintos de bailes populares. El vals va a formar parte de las colecciones de bailes de salón para piano publicadas con frecuencia en grupos de danzas, y relacionadas con los salones de baile.

En la etapa inicial de la zarzuela decimonónica es frecuente que se recurra al tiempo de vals, sin que aparezca la mención a esta danza, pues los títulos de los números indican normalmente escena, dúo, terceto, siguiendo los modelos de la ópera y la ópera cómica francesa e italiana; una de las primeras obras del género, *Jeroma, la castañera* de Soriano Fuertes, 1843, incluye una *stretta* final, a la manera rossiniana, en el Nº 7, dúo, escrito sobre un ritmo de vals; en *La venta del Puerto o Juanillo, el contrabandista* de Oudrid, 1848, aparecen dos ritmos de vals, uno en la canción del estudiante, Nº 5, donde el vals evoca la diafanidad ligera propia de la ópera cómica, y en el número final de la obra –Nº 7 ó 9 según el manuscrito–, asociado a personajes andaluces; en *Colegialas y soldados* de Hernando, 1849, el brindis de Pascual, conato de canción báquica en ritmo de vals, se traslada al mundo de la ópera cómica francesa, bien conocido por el compositor durante los años de su formación en la capital parisina; *El duende* de Hernando, 1849, muestra en el Nº 6, canción "de la Florera" interpretada por Inés, un ejemplo de melodía construida en ritmo de vals y cantada por la soprano sobre un coro masculino, con un acompañamiento orquestal reducido a su mínima expresión; en *Gloria y peluca* de Barbieri, 1850, el Nº 4 recurre por dos veces al ritmo de vals, que sirve para el cierre del número sometido a un procedimiento de aceleración de corte rossiniano; en *Los diamantes de la corona* de Barbieri, 1854, el Nº 14, quinteto, incorpora el ritmo de vals; en *Entre dos aguas* de Barbieri y Gaztambide, 1856, el inicio del tercer acto presenta una combinación de banda y orquesta en tiempo de vals; el Nº 4 de *El postillón de la Rioja* de Oudrid, 1856, es la canción "Pajarito que vas por el aire", especie de vals cantado por la solista con voz ridícula y de vieja; el Nº 5 de *Compromisos del no ver* de Barbieri, 1859, es un vals que alcanzó cierta popularidad.

Es frecuente que el ritmo de vals se asocie en el mismo número musical a otros ritmos de bailes de

Cortesía de Unión Musical Ediciones SL

moda; ello ocurre, por ejemplo, en la segunda sección del Nº 12, dúo cómico de Don Gil y Don Cleto de *La mensajera* de Gaztambide, 1849, número en el que aparecen varios bailes de salón populares en el momento, como la polka, el vals y el schottisch; en el Nº 2 de *El estreno de una artista* de Gaztambide, 1852, donde se yuxtaponen una polka, un vals y, tras un recitado, una marcha y una nueva polka, configurando así una suite de ritmos de danzas de moda en el momento; en *El último mono* de Oudrid, 1859, el Nº 3 consta de cinco secciones, presentando giros españolizantes, un bolero, una polka, un vito, y en la última sección el vito anterior es enlazado con un ritmo próximo al vals. Muchas de las obras que recurren al ritmo de vals utilizan en otros números musicales otros ritmos de moda; así ocurre en *¡Tribulaciones!* de Gaztambide, 1851, donde además del vals –Nº 8, segunda sección– se escucha la polonesa, –Nº 1, Nº 6–, las seguidillas y la jota en el número inicial, como símbolo de lo español; en *A rey muerto...* de Oudrid, 1860, aparece una referencia al vals en el Nº 4, y a la tirana en el Nº 5; *¡Si yo fuera rey!* de Inzenga, 1862, presenta una seguidilla la hibridación con una polonesa en el Nº 1, un ritmo de zapateado en el Nº 4, y un vals en el Nº 5. En este periodo, los ritmos de vals aparecen escritos habitualmente en 3/8, e incluso en ocasiones en 6/8, como ocurre en el brindis de *Colegialas y soldados*, cuya primera sección está en 3/8 y la segunda es un *Allegretto* en 6/8 que mantiene el ritmo de vals.

El vals permite en ocasiones la caracterización musical del ambiente urbano y de clases sociales elevadas; ello ocurre en *El juramento* de Gaztambide, 1858, donde el vals se asocia a la Baronesa, que procede del ambiente de la ciudad y que rechaza lo rural, entorno en el que tiene lugar la obra. Años más tarde se aprecia la misma utilización del vals en *El barberillo de Lavapiés* de Barbieri, 1874, que en el Nº 3, terceto, presenta vocalmente a la Marquesita, a Don Luis y a Don Juan, todos ellos de clase social alta, para los cuales Barbieri recurre a un trabajo musical opuesto al popular de los números anteriores, que entronca ahora con el lenguaje teatral europeo de raíz italiana; en este número seccional, tras un primer fragmento dialogado sobre un ritmo de minuetto, se escuchan exposiciones solistas de cada personaje, para concluir con una *stretta* a ritmo de vals en 3/8. El vals del Caballero de Gracia de *La Gran Vía* de Chueca y Valverde, 1886, participa también de esta utilización.

La aparición en 1866 de los Bufos de Arderius hizo que el nuevo género, siguiendo el modelo parisino, adaptase su música al modelo de suite de danzas que después será propio del sainete lírico, manteniendo su presencia el vals; así, *El joven Telémaco* de Rogel, 1866, primera obra compuesta para los bufos, incluye, entre otras danzas, una marcha en Nº 1, una polka y el vals de Calipso en el Nº 2, el famoso vals de las suripantas en el Nº 3, coro griego, cuyo texto comienza "Suripanta, la suripanta" y un vals en el Nº 8; *Un sarao y una soirée* de Arrieta, 1866, incluye en su segunda lámina, Nº 6, una introducción y vals para orquesta sola, sobre la que habla un peluquero; el segundo acto de *El potosí submarino* de Arrieta, 1870, comienza con un preludio y coro de anfibias, que cantan un vals lleno de descriptivas onomatopeyas, una mazurka, concluyendo el número con el schotisch de las ranas; el tercer acto de la misma obra comienza con una introducción orquestal que reexpone el tema de Misisipí del Nº 1 y un vals relacionado con la *cabaletta* de Violetta en el cuadro segundo del acto I de *La traviata*.

Tanto la zarzuela grande como el género chico continuaron utilizando el vals, de forma implícita o explícita, en sus números musicales. *El molinero de Subiza* de Oudrid, 1870, recurre al vals en su Nº 13, con participación del coro; la revista *¡A los toros!* de Chueca y Valverde, 1877, presenta en su Nº 10 un coro de porteros que recurre a ritmos de vals y de mazurka; *El diablo cojuelo* de Barbieri, 1878, recurre al aire de vals en su Nº 4. Algunos de los valses de zarzuela lograron gran popularidad, editándose como piezas independientes, es el caso del vals de *El tulipán de los mares*, zarzuela de Gabriel Balart estrenada en 1871.

En el sainete lírico, los números musicales suelen ser designados por el baile en que se basa el compositor para su construcción. La primera obra significativa del sainete lírico, *La canción de la Lola o Celos engendran desdichas* de Chueca y Valverde, 1880, presenta elementos dramatúrgicos asociados a la música y al baile, bailándose en escena una polka y un vals; el Nº 5 de la obra es la canción del Jugador, desvinculada de la acción del sainete, en cuya segunda sección aparece un ritmo emparentado con el vals, si bien escrito en 6 / 8; de mayor interés es el Nº 7B, que comienza con la aparición en escena de "el Francés" este Nº 7B es un vals que, tras ocho compases de enlace o introducción, se inicia con el tema de *El Danubio azul* de J. Strauss, que figura ser tocado por el piano de manubrio, y que "bailan todos chulescamente al compás del piano"; a continuación, el Memorialista y la Zapatera cantan aparte un pequeño dúo, en los que se declaran su amor, siguiendo la música el ritmo del vals, seguidamente, el coro en escena y el picador cantan "Con el capotín, tin, tin tin", uno de los fragmentos más conocidos de la obra,

basado en una jota de corte popular, integrada dentro del ritmo del vals; tras el tema "Con el capotín" se escucha de nuevo *El Danubio azul*, interpretado supuestamente por el organillo, y a continuación el coro dentro, acompañado por la banda también dentro, canta la canción popular "No me mires, no me mates". Otras obras del momento recurren al vals entre las danzas utilizadas; así, *Picio, Adán y compañía* de Mangiagalli, 1880, presenta seis números musicales, el segundo de los cuales es la escena y vals de tiple; el mismo autor, con Fernández Caballero, estrena en 1889 la revista *¡A ti suspiramos!*, cuyo Nº 3 es el vals de la fortuna también se utiliza en *Luces y sombras* de Chueca y Valverde, 1882; *¡Cómo está la sociedad!* de Rubio y Espino, 1883, recurre al vals en el preludio y los Nºs 2 y 3, el último de los cuales consta de polka, vals y cancán; el Nº 1 de *Hoy sale, hoy...* de Barbieri, 1884, es la introducción y vals; la pesca cómico-lírica *Vivitos y coleando* de Chueca y Valverde, 1884, incluye el vals del Código penal; *Caramelo* de Chueca y Valverde, 1884, recurre al vals sólo en el Nº 5, como medio de caracterización musical, pues es cantado por Miguelito, el personaje "fino" de la obra, único de procedencia urbana, mientras el resto de personajes pertenecen al ámbito rural andaluz; también *En la tierra como en el cielo* de Chueca y Valverde, 1885, emplea el vals. *La Gran Vía* de Chueca y Valverde, 1886, representa la apoteosis de las danzas en el género lírico. El Nº 2 es el vals del Caballero de Gracia, con coro, presentación musical del personaje que personifica una de las calles más emblemáticas del corazón de Madrid; Chueca y Valverde optan por el "aire de vals", ritmo aristocrático y decadente, para identificar la figura caballeresca y algo cursi del Caballero, enfrentando dos niveles sociales: el Caballero que canta "yo soy el caballero que con más finura baila en los salones *comm' il faut*", y el coro de señoritas que se ríen de su petulancia; se encuentran referencias en el texto al repertorio operístico de moda entre los *dilettanti*, como *Norma*, *Ruy Blas*, e incluso al *Ave María* de Gounod, que revelan el carácter obsoleto y pasado de moda del personaje. En esta obra, el Elíseo Madrileño afirma en su chotis que "se baila la habanera, polka y vals", confirmando cómo el vals ha pasado de ser un baile de los salones aristocráticos a convertirse en un baile de moda entre criadas, horteras, cocineras, etc. En el nuevo cuadro tercero de la obra, que sustituyó en febrero de 1887 al anterior, aparece el vals de la Seguridad, cantado por un policía con coro, el cual en un momento dado "baila yendo de un lado para otro"; en una nueva adaptación de la obra, el número se convierte en el vals del Juego. La popularidad de la obra fue grande en España y en el extranjero, siendo el vals del Caballero de Gracia interpretado por las orquestas callejeras italianas junto a las populares canciones napolitanas.

Chueca recurre al vals en casi todas sus obras; debe recordarse en *El año pasado por agua*, 1889, el Nº 3, vals de Neptuno y coro, el Nº 3C, tiempo de vals, que acompaña a la presentación del periódico *La Época*, el Nº 7, vals a cargo de la orquesta, que traslada la acción al Liceo Ríus; en *De Madrid a Barcelona*, 1888, el Nº 4 es el vals coreado de Barcelona, que es convertido en el Nº 3, vals de las Golondrinas, del viaje cómico-lírico *De Madrid a París*, 1889, el tema del vals figura también en el preludio de la obra; en *El arca de Noé*, 1890, el Nº 4, cantado por el Caballero de Industria, comienza con un vals cuando el personaje se hace pasar por un caballero respetable, con capa y chistera, aunque al desembozarse y quedarse con traje de "rata" canta unos panaderos y un tango; con ello, el vals funciona de nuevo como medio de caracterización musical de un personaje respetable; en *La caza del oso o El tendero de comestibles*, 1891, la sección final del Nº 3, Coro de cazadores, es un vals, que en lugar de recurrir al modelo vienés –caso del vals del Caballero de Gracia–, emplea una sonoridad "moruna", especialmente a partir de la segunda sección del vals, que en ocasiones se mezcla con ritmos de jota, en los que se superpone un esquema rítmico binario en la melodía contra el ternario del acompañamiento; en *Agua, azucarillos y aguardiente*, 1897, el Nº 4 es un vals poliseccional cantado por Asia, Serafín, Doña Simona y Pepa; en *Los arrastraos*, el Nº 2, dúo de Luisa y Perico, presenta un vals que, una vez avanzado el número, se mezcla con un contracanto instrumental a modo de jota, con figuraciones en tresillos que evocan la jota de los Ratas de *La Gran Vía*, para continuar con un pasacalle, concluyendo con el vals del inicio, vals que ya había sido anticipado en el preludio; en *El bateo*, 1901, hay dos ejemplos de vals en números que sirven de potpurrí de danzas, el primero es el Nº 2, dúo de Virginio y Visita, en el que aparecen elementos de mazurka, habanera y vals –"Lo que me ha dicho"–, pasaje ya anticipado en el preludio, el otro es el Nº 3, potpurrí de los organilleros, que muestran un concierto sintético de pequeñas piezas de baile: mazurka, vals y el estreno de un pasodoble; el Nº 4 de *La borracha*, 1904, es un tiempo de vals, mientras que el Nº 4bis, indicado como tiempo de vals, es en realidad una transición orquestal en ritmo de habanera.

Cortesía de Unión Musical Ediciones SL

Como la mayoría de sus contemporáneos, Miguel Marqués emplea el vals en gran parte de su producción lírica, especialmente en la posterior a la Restauración alfonsina; *Plato del día*, 1889, incluye en la segunda sección del Nº 2 un recitativo y un tiempo de vals, cantado por la Extravagancia, personaje principal de la obra que ofrece al escritor la inspiración; *El diamante rosa*, 1890, concluye su primer acto, Nº 8, con un breve vals coreado en estilo de opereta vienesa, incorporando de nuevo el vals en el inicio del acto segundo asociado a una polka, y en el Nº 11, coro de Salvajes; en el Nº 3 de *Amores nacionales*, 1891, hace su entrada la Moda, que canta su parte a ritmo de vals, como medio de dar importancia a este personaje procedente de París, este vals es repetido como final de la obra; *El cornetilla*, 1893, recurre en su Nº 1 a un "vals-jota", formado por la yuxtaposición de una introducción orquestal en tiempo de vals; un *Allegretto* a modo de polka cantado por el coro, tras el que se escuchan dentro toques de corneta y tiros; y una jota dividida en dos partes. En el caso de Fernández Caballero, además de la ya citada *¡A ti suspiramos!*, en colaboración con Mangiagalli, deben citarse los valses empleados en *Chateau Margaux*, *¡Cuba libre!*, *El cabo primero*, *El dúo de la Africana*, *El primer día feliz*, *El saboyano*, *El salto del Pasiego*, *España*, *La magia negra*, *La revista*, *Las cuatro estaciones*, *Las dos princesas*, *Las mil y una noches*, *Los sobrinos del capitán Grant* y *Triple alianza*. Destacan también las obras de Isidoro Hernández: *Dos petardistas*, *Efectos de La Gran Vía*, *La palomita*, *La virtud premiada* y *Soledad*; de Rubio: *¡Al agua, patos!*, *Lo pasado, pasado*, *La Restauración*, *La salsa de Aniceta*, *La tuna de Alcalá*, *Oro, plata, cobre y… nada*, *Periquito*, *Siempre p'atrás* y *¡Tío, yo no he sido!*; de Nieto: *Calderón*, *Los Campos Elíseos* y *Un minué*; de Giménez: *Aquí va haber algo gordo*, *Cinematógrafo nacional* –cuyo Nº 7 presenta el Madrid sicalíptico, apareciendo la Diosa del tango que canta un vals–, *El amigo del alma*, *Enseñanza libre*, *La cencerrada*, *La embajadora*, *Las malas lenguas*, *Los hombres que son hombres*, *Los viajes de Gulliver*, *Tannhäuser el estanquero* y *Los verderones*; de Chapí: *Calabazas*, *El organista*, *La peseta enferma*, *La serenata*, *Las hijas de Zebedeo*, *Los lobos marinos*, *Los nuestros*, *Pepe Gallardo* y *Sábado blanco*; de Bretón: *El reloj de cuco* y *La piel del oso*; de Brull: *Cepa-club*, *El cabo Baqueta*, *Lucifer* y *La verdad desnuda*; de Cleto

Zavala: *El señor Barón*; de Saco del Valle: *La bella Condesita*; de Cereceda: *El maestro de obras* y *La espada de honor*; de Calleja: *El país de las hadas, El poeta de la vida, La manzana de oro, La tierra del sol, Las mujeres de Don Juan, Los monigotes del chico, S. M. el couplet* y *Venus Salón*; de José Serrano: *El trust de los tenorios*; de Valverde Sanjuán: *Estuche de monerías, El fresco de Goya, El príncipe Casto, El titirimundi, El vals de las sombras, El paraíso de los niños, Gente menuda, La chiquita de Nájera, La galerna, Las grandes cortesanas, Las píldoras de Hércules, Los tres gorriones* y *Madrid petit*; de Estellés: *El mesón del sevillano* y *La máscara*; de Foglietti: *El capricho de las damas* y *El club de las solteras*; de Lleó: *La corte de faraón* y *Los hombres alegres*; de Vives: *La Chipén* y *La veda del amor*; de Padilla: *Los viejos verdes*; de Penella: *La niña de los besos*; de Quislant: *Eche usted señoras*; de Astort: *El vals de los pájaros*; de Baudot: *La cruz de mayo*.

La producción lírica de las décadas de 1920 a 1940 mantiene el vals como parte habitual de los números musicales, incorporando en ocasiones variantes popularizadas en el repertorio para piano, como el vals-boston. Así, destaca el vals escrito por Alonso para su obra *Noche loca*. Son también frecuentes los valses en gran parte de la producción de Guerrero, entre la que destaca *La alsaciana*, 1922, en la que el N° 3, romanza de presentación del capitán, se incluye en su segunda parte un hermoso vals, que es utilizado de nuevo en el N° 7; *La montería*, 1922, presenta en su N° 2, un clásico vals de opereta, emparentado con el vals de Musetta de *La bohème* pucciniana, que es utilizado de nuevo en el N° 5, final primero; *Los gavilanes*, 1923, presenta algunos fragmentos de sonoridad relacionada con el vals de cabaret; *Las alondras*, 1927, presenta en la segunda sección del número inicial un vals de Mimi; *La fama del tartanero*, 1932, recurre en su N° 8, en el pasaje de murmuración, a un ritmo emparentado con el vals; *El ama*, 1933, recurre en el N° 3 a un tema para la solista en ritmo de vals, que se contrapone al cantado por las mozas que evoca el ritmo de tirana; *¡Cinco minutos nada menos!*, 1944, incluye un vals en el N° 2 que después se convierte en fox-trot lento, y presenta en el N° 7 el conocido vals "Si quieres ser feliz con la mujer"; *La blanca doble*, 1947, presenta en su N° 1 un vals y un tanguillo; este tipo de números, habituales en la producción de Guerrero, se suceden como elementos de melodismo brillante que logran la eficacia buscada para agradar al público.

RAMÓN SOBRINO

Valverde. Familia de músicos españoles formada por Balbina, su hermano Joaquín, y Joaquín —Quinito—, hijo de éste.

1. Valverde Durán, Balbina. Badajoz, 1-IV-1840; Madrid, 4-II-1910. Actriz. En 1901 cumplía 43 años actuando y era la actriz más respetada y querida por el público. Ingresó en el Conservatorio en 1857 siendo alumna de José Luna y Julián Romea. Los premios obtenidos en el Conservatorio hicieron que el director del mismo, Ventura de la Vega, le buscase un contrato en el teatro Español que dirigían José Valero y Fernando Ossorio, que se convertiría en su primer marido y del que enviudó muy pronto. Posteriormente se casaría —y enviudaría nuevamente— con el intendente del teatro Español, José Lara, con quien tuvo a su única hija, Julia, que se casó con el dramaturgo Sinesio Delgado. Debutó con 18 años —ya como característica— y tras el teatro Español actuó en la Zarzuela y Circo. Pasó en 1865 al teatro de la Comedia, en el que permaneció hasta 1870 para emprender a continuación una gira por La Habana. A su vuelta inauguró la "bombonera" de Cándido Lara —teatro Lara—, donde se convirtió en toda una institución, pues allí permaneció 26 temporadas consecutivas desde su inauguración hasta 1909. Por breve tiempo actuó, tras su retirada de Lara, en el teatro Español, en la compañía de María Tubau, retirándose definitivamente al despedirse del Español dicha compañía. Fue la actriz española que más obras estrenó —unas 350—, trabajando con los grandes nombres del teatro: Teodora Lamadrid, Julián Romea, Matilde Díez, José Valero, Emilio Mario, Joaquín Arjona... El número 152 de *Madrid Cómico*, 1886, dirigido por su yerno, Sinesio Delgado la presentaba en portada con estos versos: "Aunque ella no quiera, / nos hace felices, / porque es la primera / de nuestras actrices".

Aunque trabajó fundamentalmente en el teatro de verso o declamado, también incursionó en el género lírico —sobre todo en obras de su hermano Joaquín y de su sobrino Quinito— y así estrenó en el teatro de la Comedia algunas obras de Barbieri como *La confitera*, 1876, *Artistas para La Habana* y *Los carboneros*, 1877, y *Los chichones*, 1879. Estrenó la obra con la que da comienzo el género chico, *La canción de la Lola* de Chueca y Valverde, 1880; *¡Eh! A la plaza* de Ángel Rubio, 1880, *El último tranvía* de Romea y Valverde, 1884, *Chocolate y mojicón* de Romea y Valverde, 1885, *El canario* y *Niña Pancha* de Romea y Valverde, 1886, *Pepito Melaza* de Pérez Soriano, 1891, *El doctor Paletilla* de Quinito Valverde, 1894, *Instantáneas* de Torregrosa y Quinito Valverde, 1899, *Polvorilla* de Vives y Montesinos, 1900, entre otras muchas.

2. Valverde Durán, Joaquín. Badajoz, 27-II-1846; Madrid, 17-III-1910. Compositor de zarzuela y miembro de la generación de compositores del género chico que llenó los últimos años del siglo XIX y comienzos del XX.

I. Biografía. II Obra.

I. BIOGRAFÍA. Inició sus estudios musicales en Badajoz, y comenzó su carrera como flautista en diversas bandas militares, pasando después a la orquesta de varios teatros. Al morir su padre se tras-

1. *Joaquín Valverde (Foto: Ar. E. Casares),* 2. *Joaquín Valverde (Foto: Ar. SGAE).*
3. *Quinito Valverde (Foto:* Comedias y Comediantes, *1910, Ar. ICCMU,*
4. *Quinito Valverde (Foto: Colón en Iconografía Hispana; E:Mn),*
5. *Balbina Valverde (Foto: Archivo familia Delgado).*

ladó con su madre a Madrid, contando con la ayuda de su hermana Balbina, ya actriz famosa, que lo colocó en la orquesta del teatro Español. En septiembre de 1863 ingresó como alumno del Conservatorio de Música de Madrid donde estudió flauta y composición. Tuvo como profesores a Ramón Sánchez, José Piqué, Pedro Sarmiento, José Aranguren y Emilio Arrieta, el gran maestro de composición de la mayor parte de los compositores de aquella generación. Consiguió el primer premio de flauta en 1867 y el de composición en 1870. En ese mismo año inició su trabajo en varios teatros de Madrid: en 1873 aparecía como director de la orquesta de la compañía del teatro Español; en la temporada de 1875 a 1876 era director de la orquesta de la compañía del teatro de la Comedia; de 1876 a 1877 dirigió la del teatro Apolo. Compuso numerosas piezas instrumentales para los entreactos de estos teatros y también varias obras pedagógicas para flauta.

Valderde era muy querido y admirado entre los compañeros de profesión; Miró Bachs en su libro titulado *Cien músicos célebres españoles* ve así a este compositor: "Fue uno de los compositores que podemos llamar castizos, de los que siguiendo las huellas de los Misón y Esteve, crearon la antigua tonadilla, que pasando luego por la musa retozona de Barbieri, desembocó en el género chico".

II. OBRA. La obra de Valverde, a pesar de la abundancia de sus producciones instrumentales, trascendió fundamentalmente por su producción lírica. Desde que en 1877 estrenó las dos primeras obras en colaboración con Chueca, *El maestro de obra prima* y *A los toros*, y hasta su muerte, produjo más de sesenta obras. La mayor parte de ellas, unas treinta, en la década de los ochenta, conocida como la de la conformación del genero chico; su producción creció a un ritmo menor en los años siguientes. Varias características definen sus obras: en primer lugar la asunción del géne-

ro chico como sistema constructivo dado que casi
todas sus obras son en un acto; la segunda, es que
la inmensa cantidad de ellas están realizadas en colaboración de otros autores como Fernández Caballero, Arturo Saco del Valle, Tomás L. Torregrosa,
Tomás Bretón, José Rogel, Ruperto Chapí, Romea y,
por supuesto, Federico Chueca y su hijo Quinito.

En 1876 entabló una gran amistad con un joven
compositor, que también iniciaba su carrera, Federico Chueca, de la que salieron algunos de los mejores títulos de la historia del género, a lo largo de varios
años muy fructíferos de colaboración entre ambos.
Justamente esta realidad ha generado cierta oscuridad a la hora de concretar cuál fue la aportación real
de cada uno. Es cierto que Valverde tenía una sólida formación musical que le faltaba a Chueca, y también que éste estaba dotado de una inmensa inspiración melódica; pero es difícil delimitar la aportación
de cada uno por la falta de manuscritos o documentación originaria. Augusto Martínez Olmedilla
señala al respecto: "Volviendo a Chueca, digamos
que era un gran intuitivo, desconocedor de la técnica musical. De aquí que necesitara imprescindi-
blemente la intervención de colaboradores para instrumentar sus admirables melodías". Otro testimonio
sobre su manera de trabajar lo recoge Vicente Vidal,
refiriéndose a la "marcha" de la zarzuela *Cádiz*; en
una entrevista que se le hizo a Valverde señalaba lo
siguiente: "El borrador se halla en poder mío; pero
escrito por mí, no por el maestro Chueca, de quien
tomé a oído su parte, corrigiéndola a mi modo. Luego
combiné las voces, y, por último, instrumenté en la
forma que se oye por el teatro y en la bandas militares". Se ha llegado a escribir incluso que "las notas
que Chueca escribe son billetes de mil pesetas, de
los que otro se aprovecha con escasísimo trabajo",
pero no se puede argumentar fehacientemente esta
tesis, más allá de añadir que, en el citado primer período de su actividad, casi todas las obras fueron en
colaboración entre ambos y es entonces cuando produjo Valverde los títulos de más éxito, como *La canción de la Lola, Caramelo, Cádiz, La Gran Vía, El año
pasado por agua* y *De Madrid a París*.

No parece lógico que Chueca aceptase la colaboración de otro compositor que no aportara nada
especial, por lo que hay que pensar que Valverde
aportaba una parte que Chueca consideraba esencial: el oficio de orquestador. Lo cierto es también
que esta colaboración se disolvió a inicios de los
noventa cuando Chueca se cansó de ser acusado de
aprovecharse del duro trabajo que realizaba Valverde. Ello trajo como consecuencia el lento declive de
Valverde a partir de esa fecha; de hecho, desde entonces apenas tuvo ningún éxito y disminuyó sustancialmente su producción.

Por lo tanto el inicio teatral de Valverde comienza con su primera colaboración con Chueca en las

Cortesía de Unión Musical Ediciones SL

Cortesía de Unión Musical Ediciones SL

dos citadas obras realizadas para un teatro de verano. A partir de aquí y hasta los años sesenta se puede
seguir la obra de Valverde, íntimamente ligada a la
de Chueca, dado que la colaboración fue prácticamente en cada obra, hasta 1889, estrenándose en
el teatro Alhambra la última obra en la que colaboraron ambos autores, *La revista nueva o La tienda
de comestibles*, con libreto de Sinesio Delgado.

A partir de aquí, ninguna obra de Valverde tuvo
un éxito extraordinario a excepción, de nuevo, de
algunas colaboraciones como la de *El barquillero* con
Chapí. Valverde siguió colaborando con otros autores en la mayor parte de sus obras, sobre todo con
su hijo, lo que confirma la hipótesis de su dificultad
para crear solo.

Entre las obras que compuso después de los noventa destacan *La segunda tiple*, un gran éxito de Felisa

Romero; en esta obra destacaron una preciosa napolitana y un garboso pasodoble. También tuvo éxito la música de *El director*, juguete cómico estrenado en 1891 en el Apolo. Valverde se despedía del teatro con su última obra, *La isla de los suspiros*, estrenada en el Martín. *Véase* EL AÑO PASADO POR AGUA; CÁDIZ; LA CANCIÓN DE LA LOLA; CARAMELO; DE MADRID A PARÍS; FIESTA NACIONAL; LA GRAN VÍA; CHUECA ROBLES, FEDERICO.

OBRAS (Todas en *E:Msa*): *Los sobrinos del difunto*, Jug lír, 1 act, col. Chueca, l, S. Lastra / E. Prieto, est, 24-VIII-1875, Te. Jardín del Buen Retiro; *Un maestro de obra prima*, Jug cóm, 1 act, col. Chueca, l, A. Ruesga, est, 9-VII-1877, Te. Jardines del Buen Retiro; *A los toros*, Rv, taurómaca, 2 act, col. Chueca, l, R. de la Vega, est, 1-VIII-1877, Te. Jardín del Buen Retiro; *Los barrios bajos*, Zarz, 3 act, col. Rogel / Matías / Chueca, l, J. Nombela / J. del Castillo, est, 6-II-1878, Te. Apolo; *La función de mi pueblo*, cuadro lír, 2 act, col. Chueca, l, R. de la Vega, est, 26-III-1878, Te. Comedia; *Las ferias*, Zarz, 1 act, col. Chueca, l, M. Ossorio Bernard / M. Barranco, est, 3-VII-1878, Te. Buen Retiro; *El mundo nuevo*, col. Chueca, est, 1878; *Salón Eslava*, Apr cóm, 1 act, l, C. Navarro, est, 9-X-1879, Te. Eslava; *R. R.*, Jug, 1 act, col. Chueca, l, M. Barranco Caro, est, 27-III-1880, Te. Alhambra; *La canción de la Lola*, Zarz, 1 act, col. Chueca, l, R. de la Vega, est, 25-V-1880. Te. Alhambra; *Luces y sombras*, Zarz, col. Chueca, l, Lastra / Ruesga / Prieto, est, 1-II-1882, Te. Variedades; *Fiesta nacional*, acontecimiento futuro, 1 act, col. Chueca, l, T. Luceño / J. Burgos, est, 25-XI-1882, Te. Variedades; *De la noche a la mañana*, sueño cóm, 2 act, col. Chueca, l, Lastra / Ruesga / Prieto, est, 4-XII-1883, Te. Variedades; *Vivitos y coleando*, pesca cóm, 1 act, col. Chueca, l, Lastra / Ruesga / Prieto, est, 15-III-1884, Te. Variedades; *La abuela*, Zarz, 1 act, col. Chueca, l, R. de la Vega, est, 21-IV-1884, Te. Variedades; *Agua y cuernos*, Apr, 1 act, col. Chueca, l, M. Pina Domínguez / J. de Burgos, est, VII-1884; *Caramelo*, Jug, cóm, 1 act, col. Chueca, l, J. de Burgos, est, 19-X-1884, Te. Eslava; *Medidas sanitarias*, Zarz, 1 act, col. Chueca, l, Lastra / Ruesga / Prieto, est, 12-XI-1884, Te. Eslava; *El último tranvía*, col. J. Romea, l, A. de Palacio / R. Blasco, est, 4-XII-1884; Te. Lara; *Chocolate y mojicón*, Sai, 1 act, col. J. Romea, l, R. Blasco / A. del Palacio, est, 14-II-1885, Te. Lara; *En la tierra como en el cielo*, Zarz, 1 act, col. Chueca, l, Lastra / Ruesga / Prieto, est, 14-III-1885, Te. Variedades; *La baronesita*, Jug cóm-lír, 1 act, col. Romea Parra, l, E. Segovia, est, 5-V-1885, Te. Lara; *Pasar la raya*, Jug cóm-lír, 1 act, col. Romea Parra, l, F. Pérez y González, est, 3-IV-1886, Te. Eslava; *Niña Pancha*, Jug, cóm, 1 act, col. J. Romea, l, C. Gil, est, 13-IV-1886, Te. Lara; *La Gran Vía*, Zarz, 1 act, col. Chueca, l, F. Pérez y González, est, 2-VII-1886, Te. Felipe; *Cádiz*, episodio nacional cóm-lír, 2 act, col. Chueca, l, J. de Burgos, est, 20-XI-1886, Te. Apolo; *El canario*, 1 act, col. J. Romea Parra, l, C. Gil y Luengo, est, 29-XII-1886, Te. Lara; *Los domingueros*, Sai, 1 act, col. J. Romea, l, C. Gil y Luengo, est, 5-I-1888, Te. Variedades; *El año pasado por agua*, Rv general de 1888, 1 act, col. Chueca, l, R. de la Vega, est, 1-III-1889, Te. Apolo; *Lección conyugal*, col. Chueca, est, 18-VIII-1888, Te. Felipe; *De Madrid a París*, 1 act, col. Chueca, l, E. Sierra / J. Jackson Veyán, est, 12-VII-1889, Te. Felipe; *La revista nueva o La tienda de comestibles*, Zarz, 1 act, col. Chueca, l, S. Delgado, est, IX-1889, Te. Alhambra; *Las grandes potencias*, Jug, cóm-lír, 1 act, col. Romea, l, J. de Burgos, est, 15-I-1890, Te. Zarzuela; *Caretas y capuchones*, pasillo cóm, 1 act, col. Valverde San Juan, l, E. Sánchez Seña, est, 11-II-1890, Te. Eslava; *La segunda tiple*, pasillo, col. Romea Parra, l, C. Gil Luengo, est, 21-III-1890, Te. Apolo; *La baraja francesa*, Sai, 1 act, l, S. Delgado, est, 12-VII-1890, Te. Felipe; *Veinte mujeres por barba o El fin de los mormones*, Hum, 1 act, l, R. García Santisteban, 3-XII-1890, Te. Eslava; *Cerrado por nacimiento*, Sai, 1 act, col. Valverde Sanjuan, l, E. Villegas, est, 14-VIII-1891, Te. Tívoli; *El director*, Jug cómico, 1 act, l, R. Monasterio, est, 28-X-1891, Te. Apolo; *Retolondrón*, Opt, 1 act, l, M. Pina Domínguez, est, 18-VI-1892, Te. Tívoli; *El novio de su señora*, Jug, cóm-lír, 1 act, l, G. Perrín / M. Palacios, est, 2-VIII-1892, Te. Recoletos; *La noche de San Juan*, col. Valverde San Juan, l, E. Sierra, est, 22-II-1894, Te. Apolo; *La india Brava*, col. Valverde San Juan, l, Pérez Zúñiga, est, 1894, Te. Príncipe Alfonso; *El candidato*, Jug, cóm, 1 act, l, G. L. de Conde / E. Prats, est, 2-V-1895, Te. Princesa; *El merendero de Toribio*, l, A. M. Segovia, est, 24-X-1896, Te. Circo; *Las abejas*, Zarz, 1 act, col. R. Estellés, l, Prieto / Ruesga, est,12-XI-1896, Te. Apolo; *La manía de Tomás*, l, M. Codorniú, est, 7-XII-1896, Te. Romea; *La primera vara*, col. Valverde Sanjuan, l, A. Munila / L. Ferreiro, est, IX-1897; *Portfolio Madrileño*, l, E. Montesinos / L. P. Frutos, est, XI-1897, Te. Romea; *Concurso universal*, proyecto cóm, 1 act, col. Calleja, l, E. García Álvarez / A. Paso / A. López, est, 3-VII-1899, Te. Maravillas; *El barquillero*, Zarz, 1 act, col. Chapí, l, J. López Silva / J. Jackson Veyán, est, 21-VII-1900, Te. Eldorado; *La mulata*, Zarz, 3 act, col. Calleja / Lleó Balbastre, l, A. Paso / J. Abati / E. Mario, est, 23-III-1905; Te. Eslava; *El estuche de monerías*, Jug, 1 act, col. Valverde Sanjuán, l, E. López Marín, est, 5-IV-1905, Te. Moderno; *Pícara lengua*, col. Valverde Sanjuán, l, J. Jackson Veyán, est, 12-VII-1905, Te. Apolo; *El movimiento continuo*, col. Cereceda / Valdovinos Puyol, l, J. Arqués Llorens, est,16-X-1905, Te. Price; *Los bárbaros del norte*, Zarz, 1 act, col. Valverde Sanjuán / Chapí, l, S. Delgado, est, 28-XII-1906, Te. Apolo; *Mari Gloria*, l, S. Delgado, est, III-1907, Te. Apolo; *Sangre moza*, Zarz, 1 act, l, J. López Silva / J. Pellicer, est, 10-IV-1907, Te. Apolo; *La isla de los suspiros*, l, M. González de Larra / Valverde Sanjuán, est, 1910, Te. Martín; *El amor no tiene edad*, Sai, 2 act, col. Montorio / Chueca, l, F. Romero; *El pecado original*, col. Fontanals, l, M. Giménez.

FONOGRAFÍA: *Cádiz*, Odeón 121046 (et. marrón), XXS 4797 XXS 4798; *De Madrid a París*, Victoria 5808; *El año pasado por agua*, Columbia SA, C 7500 42 • Columbia-Alhambra-BMG MC 25020 • Columbia SA, ZCL 1085 (Zacosa) 45 • La Voz de su Amo AE 3678 (et. verde), ON 264-1 ON 267-1, 110-2008, 110-2009 • Regal DK 8225 (et. azul), K 2313 K 2314 • Blue Moon BMCD 7536; *La Gran Vía*, Alhambra-BMG España WD 71587 (9D) • Alhambra ALG 23000, CCB 5052 CCB 5053 • Columbia A 1137 (et. azul), WK 1998 WK 1969 • Columbia-Alhambra-BMG MCC 25002 • Columbia-BMG C 30064 • Columbia SA, MCE 851 38 • EMI 7243 5 74152 2 4 (637.00320) • Hispavox 7 67331 2 (637.33859) • La Voz de su Amo AC 30, AE 2783 AE 2784 • Montilla FM-12 • Odeón 1-6 (et. roja), SO 6765 SO 6769 SO 6764 SO 6770 SO 6771 SO 6763 • Regal DK 8205 (et. azul), K 2299 K 2319 • Rtve-Música 65150 • Victoria 1157, 1188, 1200, 2099, 2100, 2101 y 4511 • Zafiro-BMG EPFM-124 • Zafiro-Salvat 1013-1 • Zafiro 30103036 174 • Zafiro SA, LM-3036-(C) 44 • Zafiro SA, ZOR-113 37 • Blue Moon BMCD 7513 y 7536; *La marcha de Cádiz*, Gramófono 63768 y 64323 (et. negra), 822 y 772.

3. Valverde Sanjuán, Joaquín [Quinito Valverde]. Madrid, 2-I-1875; México, 4-XI-1918. Apodado Quinito, para distinguirlo de su padre, fue autor de una abundante producción lírica con gran difusión en la España finisecular y en los inicios del siglo XX.

I. Biografía. II. Primeros años de creación. III. La producción del siglo XX.

I. BIOGRAFÍA. Realizó estudios musicales en Madrid con su padre, del que recibió una clara orientación hacia el teatro, y con el maestro Irache. Con catorce años estrenó su primera obra, *Las de Caín*, mostrando una precocidad extraordinaria que le condujo a no realizar estudios reglados, debido a su enor-

Quinito Valverde y La Fornarina (Foto: Ar. ICCMU)

me facilidad y el éxito que tuvo de inmediato. Su estilo, como el de Chueca, está dotado de inspiración natural y de una facilidad impresionante, lo que hizo que muchos números de sus obras adquiriesen fama inmediata, llegando a ser uno de los autores más populares de España e incluso del extranjero, y, desde luego, de los de más éxito en la historia de la lírica española. Hombre simpático y bohemio, gastaba de manera indiscriminada y fue un viajero infatigable, estableciéndose en París en torno a 1907. Al llegar allí era totalmente desconocido, pero asistió a un concierto, en cuyo entreacto se intercambió la tarjeta de visita con el ocupante de la butaca de al lado; éste resultó ser un compositor francés, que al ver el apellido de Valverde, pensó que era el autor de *La Gran Vía*, obra famosa en París. Quinito aprovechó así la popularidad de su padre, y tuvo ocasión de empezar a difundir su obra en los ambientes parisinos, obteniendo grandes éxitos con su pegadizas e inspiradas melodías de *varietès*.

Siguió la costumbre de su padre de escribir en colaboración con otros compositores, sobre todo con López Torregrosa, Fernández Caballero, Rafael Calleja, Joaquín Viaña, Luis Foglietti, Ramón Estellés y José Serrano. Tras el estreno de *Gente menuda*, viajó a América para realizar una gira, que inició en La Habana, siguiendo a Estados Unidos, y continuando por el continente, hasta México, donde falleció.

II. PRIMEROS AÑOS DE CREACIÓN. Fue uno de los creadores más prolijos de la historia del género, con un catálogo que supera los doscienta cincuenta títulos, casi todos pertenecientes al género chico o revistas musicales. Su obra se extiende a lo largo de los últimos años del siglo XIX y los difíciles comienzos del siglo XX. Por ello, en buena parte, su obra

pertenece a la historia del género chico, es decir, obras en un acto, y al denominado teatro frívolo, con una lírica basada en su portentosa facilidad melódica que parte de formas bailables y fáciles de retener. Como en el caso de Federico Chueca, se trata de un músico popular, lleno de inspiración y gracia, y portador de un evidente casticismo madrileño y por ello, también como el citado músico, inmediatamente aceptado por un inmenso público que hacía pronto populares sus piezas. Enrique Chicote señala que nunca estrenaba sin dos o tres números que entusiasmaban al público y pasaban enseguida a los organillos, y sobre todo al dominio de las cupletistas y danzarinas. Pero la comparación entre ambos puede tener otros perfiles; llama la atención el gran número de obras que Quinito realizó en colaboración, lo que puede llevar de nuevo a la hipótesis de que, como en el caso de Chueca, y debido también a sus escasos estudios académicos, necesitase siempre la presencia de un colaborador; entre ellos fueron de especial importancia López Torregrosa, con el que firmó cuarenta y dos obras, y José Serrano.

Quinito Valverde comenzó a componer en los inicios de la década de 1890 y tuvo un primer éxito en el Apolo con la obra *El titirimundi*, 1893, que se repitió en aquel año y en la que Eliseo Sanjuán cantaba un número con el coro, con una música que los cronistas denominan garbosa. El mismo éxito logró con *El señor Pérez* de 1894 y sobre todo *La marcha de Cádiz*, 1896, una consecuencia del éxito de *Cádiz*, obras que hicieron muy famoso a Valverde ya a mediados de los noventa y siendo aún muy joven. "Todo Madrid" acudió al Eslava a ver una de las mejores representaciones del año, *La marcha de Cádiz*; todos sus números alcanzaron una enorme popularidad y con ello Quinito y su colaborador Estellés. Una consecuencia de esta obra fue el siguiente estreno en Eslava, *Los cocineros*, 1897, donde el autor demostró definitivamente las cualidades pegadizas de su música, y, por ello, el camino de éxitos que le esperaba. Se trata de una obra llena de chistes con la genial colaboración de Carreras. Destacaron el dúo del Pelele, el coro de las chicas del barrio y los cantables de Serapio, pero el número más popular fue un chotis cantado por todos y con la letra "¿Le gusta a usted bailar, / cachito de turrón? / ¿Pues no me ha de gustar? / Una dislocación". La obra permaneció mucho tiempo en el cartel. Un éxito similar, aunque de menor trascendencia nacional, se produjo a su vuelta al Apolo en 1897 con la obra *El primer reserva*. Trataba del recurrente tema taurino con un libreto lleno de gracia; los números musicales fueron en realidad el mayor motivo del éxito de la obra, sobre todo, la canción taurina que interpretaba Luisa Campos, y el pasacalle que hubo de repetirse. Emilio Carreras tuvo uno de los mayores éxitos de su vida. En ese mismo año 1897, Quinito se presentó por primera vez en el teatro de la Zarzuela con *Los camarones* de C. Arniches y C. Lucio, en colaboración de Torregrosa; logró un éxito más que aceptable gracias a su libreto, y a la retozona música de Quinito. A finales de los noventa aún estrenó en Apolo la zarzuela de costumbres valencianas *El trabuco*, en compañía de Torregrosa; unos "albaes" cantados por la Brú y unos cuplés por Carreras, fueron los dos números de éxito. *Instantáneas* en Eldorado en colaboración de Torregrosa, tuvo también fama debido al número de las mariposas y los cuplés del obeso Manolo. La década de 1890 había sido prodigiosa, con la demostración de la impresionante facilidad de Quinito; a lo largo de ella estrenó nada menos que once obras.

III. LA PRODUCCIÓN DEL SIGLO XX. Quinito Valverde siguió estrenando numerosos títulos con la llegada del nuevo siglo, más de sesenta, pero con mayor éxito que en el periodo anterior. Varias obras de esta etapa pertenecen a los grandes clásicos del género chico, *El género ínfimo*, *Las grandes cortesanas*, *El terrible Pérez*, *Congreso feminista*, *El pobre Valbuena*, *El iluso Cañizares*, *El pollo Tejada*, *El amigo Melquíades* y *El fresco de Goya*, entre otras.

La señora capitana, 1900, escrita en colaboración de Barrera, fue uno de los primeros éxitos del nuevo siglo, pero ante todo fue una de las obras con la que los autores hicieron frente a esa especie de esclavitud en la que los tenía el editor Fiscowich. *La señora capitana* tuvo de inmediato 31 copias que fueron enviadas a provincias, donde continuó el éxito que en compañía de otras obras como *Doloretes* de Vives y Quislant y otras dos de Quinito, *Los niños llorones* y *El género ínfimo*, permitieron la liberación de los autores y la creación de la Sociedad de Autores Españoles, antecesora de la actual SGAE. Quinito jugó por ello un papel trascendental en la historia de la liberación social del músico español. *Los niños llorones* fue su siguiente éxito en el Apolo y la siguiente de la contienda; tuvo un éxito cómico indiscutible que fue completado con otra obra trascendente por diversos motivos, *El género ínfimo*, con la que se ganó la batalla. Sólo dos años después y en el Eslava hizo una incursión en la opereta, que comenzaba sus mejores años. El Eslava pasó a ser el nuevo templo de la sicalipsis y allí se estrenaron *La diosa del placer*, prohibida por el gobernador, *Venus salón* con su famosa machicha y *Las grandes cortesanas* de Quinito, Carlos Fernández-Shaw y Ramón Asensio. *El Mundo* escribía que el gobernador de Madrid pretendió obligar a la empresa del teatro Eslava a que pusiese en sus carteles una advertencia: "¡Sólo para hombres!". El periódico afirma que "Eslava, sin mujeres, no ya en el escenario, sino en el público, es negocio muerto"; y culminaba asegurando que "mientras las determinación sea no más que esta de ahora, la integridad de Eslava y las palmas a las curvas están perfectamente garantizadas".

Los éxitos continuaron con otra obra que marcó aquellos años del género chico, *El terrible Pérez*, porque inició la famosa tetralogía de Quinito, conocida como la "familia o saga de los frescos", conformada además de las ya citadas, por *El pobre Valbuena*, 1904, *El iluso Cañizares*, 1905, y *El pollo Tejada*, y dentro de cuyo espíritu están también *El amigo Melquíades* y *El fresco de Goya*. Estas obras elevaron a Quinito a figura de primera magnitud en la época y uno de los hombres que más aparecían en la prensa. *Congreso feminista* de 1904 en el Cómico constituyó otro de los éxitos de año, con números musicales de gran valor; al año siguiente, 1905, y en el Apolo, volvía a conseguir un éxito parecido con *El perro chico*, en colaboración de Serrano, con quien repitió en *La reja de la Dolores*, de menor éxito.

En 1907 después del estreno de *La suerte loca* en el Apolo, en colaboración de Serrano, y hasta el 7 de mayo de 1911, cuando volvió a estrenar el sainete *Gente menuda* en el Cómico, Quinito tuvo un paréntesis en su producción teatral. Jugador empedernido, bohemio y derrochador, la presión de los acreedores, unida a un desafortunado matrimonio, le obligaron a marcharse a París, donde permaneció hasta 1911 y donde se hizo famoso; fue el momento en que colaboró con La Fornarina produciendo una serie de inspiradas melodías de *varietés*, especialmente su obra más perdurable, la canción *Clavelitos*, escrita para la citada cupletista. A su regreso reapareció de inmediato su fecundidad, presentándose de nuevo en el Cómico dirigiendo la orquesta, con *Gente menuda*, una obra que ya en su preludio ofrecía una música alegre y ligera, con Amalia Isaura, que recibió una clamorosa ovación, y el personaje de Goya defendido por Moncayo.

A partir de entonces su éxito fue decreciendo, en parte porque su concentración en la creación no era la misma debido a los numerosos viajes a Cuba, Estados Unidos o México. *Véase* EL AMIGO MELQUÍADES O POR LA BOCA MUERE EL PEZ; LA MARCHA DE CÁDIZ; EL PERRO CHICO; EL POBRE VALBUENA; EL POLLO TEJADA; EL PRÍNCIPE CARNAVAL; EL TERRIBLE PÉREZ.

OBRAS (Todas en *E:Msa*): *Caretas y capuchones*, pasillo cóm, 1 act, col. Valverde Durán, l, E. Sánchez Seña, est, 11-II-1890, Te. Eslava; *Madrid petit*, viaje semifantástico, 1 act, l, C. Navarro / F. Castellón, est, 1-I-1891, Te. Martín; *La lucha por la existencia*, col. Mateos Santos, l, J. Pérez / J. Díaz, est, 4-II-1891, Te. Eslava; *Los boquerones*, Sai lír, 1 act, col. Viaña, l, J. Contreras, est, 27-V-1891, Te. de la Alhambra; *Entrar en la casa*, Jug cóm lír, 1 act, l, Perrín / Palacios, est, 2-VII-1891, Te. Recoletos; *La fuente de los milagros*, Jug cóm, 1 act, l, E. Sánchez Seña, est, 1-VIII-1891, Te. Recoletos; *Cerrado por nacimiento*, Sai lír, 1 act, col. Valverde Durán, l, E. Villegas, est, 14-VIII-1891, Te. Tívoli; *Charito*, Jug cóm-lír, 1 act, l, E. Navarro Gonzalvo / E. López Marín, est, 12-IX-1891, Te. Tívoli; *El ordinario de Villamojada*, 1 act, l, S. Delgado, est, 19-XI-1891, Te. Apolo; *El mirlo blanco*, cuento lír fantástico, l, C. Navarro / E. Fernández, est, 20-XI-1891, Te. Eslava; *El paso de Judas*, sai, lír, 1 act, l, E. Sánchez Seña, est, 6-II-1892, Te. Eslava; *El señor Juan de las viñas o Los presupuestos de Villa-Anémica*, pesadilla cóm, 1 act, l, S. M. Granés / E. Navarro, est, 16-

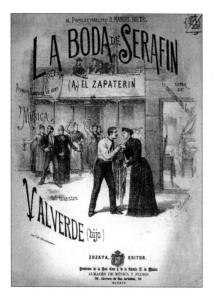

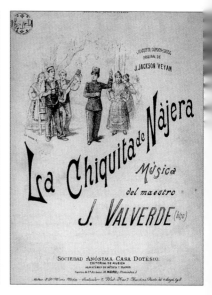

Cortesía de Unión Musical Ediciones SL

IV-1892, Te. Novedades; *Corte y cortijo,* Jug, 1 act, l, E. Villegas, est, 15-V-1892, Te. Eslava; *El botón de muestra,* Óp cóm, 1 act, l, E. Fernández Campano, est, 7-VII-1892, Te. Tívoli; *El cervecero,* Zarz, 1 act, l, Perrín / Palacios, est, 14-VIII-1892, Te. Tívoli; *El gran capitán,* Hum cóm, 1 act, col. López Torregrosa, l, C. Lucio / E. Ayuso, est, 11-X-1892, Te. Eslava; *El día del juicio,* proyecto, 1 act, l, C. Navarro, est, 22-XII-1892, Te. Eslava; *La boda de Serafín,* Sai, 1 act, l, C. Gil Luengo, est, 19-I-1893, Te. Apolo; *La princesita,* Opt, 1 act, col. López Torregrosa, l, E. Prieto/P. Díaz, est, II-1893, Te. Apolo; *Los invasores,* Zarz cóm, 1 act, l, L. de Larra (hijo), est, 20-III-1893, Te. Eslava; *Cara o cruz,* Jug, 1 act, col. López Torregrosa, l, E. Sierra, est, 23-IV-1893, Te. Apolo; *El titirimundi,* Jug lír, 1 act, l, R. Monasterio / B. Ibarrola, est, 1-VII-1893, Te. Apolo; *Antolín,* cuento lír, 1 act, l, C. Navarro, est, 4-VIII-1893, Te. Príncipe Alfonso; *Los lunes del Imparcial,* pasillo cóm-lír, 1 act, l, T. Luceño Becerra, est, 3-II-1894, Te. Lara; *La noche de San Juan,* col. Valverde Durán, l, E. Sierra, est, 22-II-1894, Te. Apolo; *La de vámonos,* Hum cóm lír, 1 act, l, F. Pérez y González, est, 26-II-1894, Te. Apolo; *Los puritanos,* pasillo cóm, 1 act, col. López Torregrosa, l, C. Arniches / C. Lucio, est, 31-III-1894, Te. Eslava; *¡Al santo, al santo!,* Apr, 1 act, l, M. Echegaray, est, 5-V-1894, Te. Apolo; *El doctor Paletilla,* Jug cóm-lír, 1 act, l, S. López, est, 9-V-1894, Te. Lara; *Los bomberos,* Jug, 1 act, l, G. Perrín / M. Palacios, est, VI-1894; *El señor Pérez,* pasillo cóm-lír, 1 act, col. Estellés Adrián, l, E. García Álvarez / A. Paso Cano, est, 31-VII-1894, Te. Recoletos; *El sueño de una noche de verano,* Fant cóm-lír, 1 act, l, G. Merino / C. Lucio, est, 2-VIII-1894, Te. Eldorado; *Golpe secreto,* Jug lír, 1 act, l, C. Navarro / M. Cuartero, est, 5-XII-1894, Te. Romea; *La india brava,* col. Valverde Durán, l, Pérez Zuñiga, est, 1894, Te. Príncipe Alfonso; *Las matuteras,* Sai, 1 act, l, M. Soriano, est, 10-VIII-1895, Te. Maravillas; *Los diablos rojos,* diablura cóm, 1 act, l, E. García Álvarez / A. Paso Cano, est, 28-III-1896, Te. Romea; *Las escopetas,* Zarz, 1 act, col. Estellés Adrián, l, E. García Álvarez / A. Paso Cano, est, 12-VI-1896, Te. Apolo; *Los coraceros,* Zarz, 1 act, l, D. Jiménez Prieto, est, 11-VII-1896, Te. Colón; *La zíngara,* Zarz, 1 act, col. López Torregrosa, l, E. García Álvarez / A. Paso, est, 24-VII-1896, Te. Colón; *El vivo retrato,* 1 act, col. López Torregrosa, l, E. Villegas, est, 2-X-1896, Te. Eslava; *Los millonarios,* l, J. J. Cadenas / N. Rodríguez de Celis, est, 2-X-1896, Te. Romea; *La marcha de Cádiz,* Zarz cóm, 1 act, col. Estellés Adrián, l, C. Lucio / E. García Álvarez, est, 10-X-1896, Te. Eslava; *Y de la niña ¿que?,* Jug cóm-lír, 1 act, l, E. Navarro Gonzalvo, est, 19-X-1896, Te. Martín; *Las abejas,* Zarz, 1 act, col. Estellés Adrián, l, Prieto / Ruesga, est, 12-XI-1896, Te. Apolo; *La tonta de capirote,* Jug, 1 act, col. Estellés Adrián, l, J. Jackson Veyán, est, 18-XI-1896, Te. Martín; *El padre Benito,* Zarz cóm, 1 act, l, E. Sánchez Pastor / A. Paso Cano, est, 3-XII-1896, Te. Eslava; *Sombras chinescas,* col. López Torregrosa, l, A. Paso / E. García Álvarez, est, 24-XII-1896, Te. Eslava; *Madrid de noche,* silueta cóm lír, l, G. Perrín / M. Palacios, est, 22-I-1897, Te. Romea; *Los cocineros,* Zarz, 1 act, col. López Torregrosa, l, E. García Álvarez / A. Paso Cano, est, 6-III-1897, Te. Eslava; *El arco iris,* pasillo cóm lír, 1 act, col. López Torregrosa, l, C. Arniches / C. Lucio / E. García, est, 14-V-1897, Te. Eslava; *El pobre diablo,* Rv, 1 act, col. López Torregrosa, l, C. Lucio, est, 10-VII-1897, Te. Eldorado; *Cocinero de S. M.,* Zarz, 1 act, col. J. Valverde Durán, l, Gonzalo Cantó / E. Montesinos, est, 21-VIII-1897, Te. Eldorado; *La primera vara,* col. Valverde Durán, l, A. Munila / L. Ferreiro, est, IX-1897; *La torre de Babel,* Zarz cóm, 1 act, l, D. Jiménez Prieto, est, 6-X-1897, Te. Romea; *El primer reserva,* pasillo cóm, 1 act, col. López Torregrosa, l, E. Sánchez Pastor, est, 16-X-1897, Te. Apolo; *Los camarones,* Zarz cóm, 1 act, col. López Torregrosa, l, C. Arniches / C. Lucio, est, 4-XII-1897, Te. Zarzuela; *La niña de Villagorda,* Hum cóm, 1 act, col. López Torregrosa, l, J. Jackson Veyán, est, 24-XII-1897, Te. Comedia; *Toros del saltillo,* Zarz, 1 act, l, E. Prieto, est, 29-IV-1898, Te. Apolo; *Las castañeras picadas,* Sai, 1 act, col. López Torregrosa, l, R. de la Cruz / C. Fernández, est, 28-V-1898, Te. Apolo; *La batalla de Tetuán,* Zarz cóm, 1 act, l, G. Perrín / M. Palacios, est, 21-VI-1898, Te. Eldorado; *Las campesinas,* Jug lír, 1 act, l, E. Villegas, est, 25-VI-1898, Te. Maravillas; *La chiquita de Nájera,* Jug cóm, 1 act, l, J. Jackson Veyán, est, 27-VII-1898, Te. Maravillas; *El fin de Rocambol o La casa de las comadres,* Zarz cóm, 1 act, col. Estellés Adrián, l, E. García Álvarez / A. Paso Cano, est, 13-VIII-1898, Te. Eldorado; *La casa de las comadres o El fin de Rocambole,* Zarz cóm, 1 act, col. Estellés Adrián, l, A. Paso / E. García Álvarez, est, 18-VIII-1898, Te. Eldorado; *La estatua de Don Gonzalo,* disparate cóm lír, 1 act, l, A. Meyrán / J. García, est, 29-VIII-1898, Te. Maravillas; *La magia negra,* Jug cóm, 1 act, col. Fernández Caballero, l, M. y E. Gullón, est, 24-IX-1898, Te. Zarzuela; *Los novicios,* Opt, 1 act, l, C. Navarro, est, 20-X-1898,Te. Nuevo Retiro (Barcelona); *Malditas sean las visitas,* Zarz, 1 act, l, J. Burgos Larragoiti, est, 26-X-1898, Te. Zarzuela; *Los tres millones,* Apr cóm, 1 act, l, Jackson Veyán / López Silva, est, 24-XII-1898, Te. Apolo; *Bettina,* Jug cóm, 1 act, l, G. Perrín / M. Palacios, est, 13-I-1899, Te. Romea; *La Mari Juana,* Zarz, 1 act, l, J. Jackson Veyán, est, 24-II-1899, Te. Romea;

¿*Citrato? ¡¡De ver será!!*, Zarz cóm, 1 act, col. Fernández Caballero, l, G. Merino / C. Lucio, est, 24-III-1899, Te. Zarzuela; *El trabuco*, Zarz, 1 act, col. López Torregrosa, l, E. Sánchez Pastor, est, 1-IV-1899, Te. Apolo; *Instantáneas*, Rv, 1 act, col. López Torregrosa, l, C. Arniches / J. López Silva, est, 23-VI-1899, Te. Eldorado; *Concurso universal*, proyecto cóm, 1 act, col. Calleja, l, E. García Álvarez / A. Paso / A. López, est, 3-VII-1899, Te. Maravillas; *Las buenas formas*, exposición cóm lír, 1 act, col. Rubio Laínez, l, J. Jackson Veyán, est, 12-VII-1899, Te. Apolo; *Los flamencos*, Sai lír, 1 act, col. López Torregrosa, l, E. Sánchez Pastor, est, 13-VII-1899, Te. Eldorado; *Escándalo público*, l, A. Corral, est, 19-VII-1899, Te. Apolo; *El último chulo*, 1 act, col. López Torregrosa, l, C. Arniches / C. Lucio, est, 7-XI-1899, Te. Eslava; *Los besugos*, Sai, 1 act, col. Saco del Valle, l, E. Mario (hijo) / J. Abati, est, 24-XII-1899, Te. Romea; *El fondo del baúl*, Apr cóm lír, col. Barrera, l, J. Jackson Veyán, est, 26-II-1900, Te. Eslava; *La señora capitana*, Jug cóm-lír, 1 act, col. Barrera, l, J. Jackson Veyán, est, 21-V-1900, Te. Romea; *España en París*, Zarz, 1 act, col. E. Montesinos / T. López Torregrosa, l, E. Sánchez Pastor, est, 23-VII-1900, Te. Eldorado; *La tremenda*, pasillo cóm, 1 act, col. Barrera Saavedra, l, J. Jackson / L. López Silva, est, 20-VI-1901, Te. Moderno; *Los niños llorones*, Zarz, 1 act, col. López Torregrosa / Barrera, l, Arniches / Paso Cano / García Álvarez, est, 4-VII-1901, Te. Apolo; *El género ínfimo*, pasillo, col. Barrera, l, S. y J. Álvarez Quintero, est, 17-VII-1901, Te. Apolo; *Plantas y flores*, Rv, 1 act, col. López Torregrosa, l, C. Lucio / C. Arniches, est, 5-XI-1901, Te. Eslava; *El debut de la Ramírez*, Zarz cóm, 1 act, col. López Torregrosa, l, G. Merino, est, 11-XI-1901, Te. Cómico; *Chispita o El barrio de Maravillas*, Zarz, 1 act, col. López Torregrosa, l, J. Francos Rodríguez / J. Jackson Veyán, est, 14-XII-1901, Te. Cómico; *El código penal*, Zarz, 1 act, col. López Torregrosa, Barrera, l, E. Sierra / J. Abati, est, 24-XII-1901, Te. Cómico; *La casta Susana*, Jug, 1 act, l, M. Echegaray, est, 5-II-1902, Te. Cómico; *La muerte de Agripina*, Pas, 1 act, col. López Torregrosa, l, C. Arniches / E. García Álvarez, est, 5-IV-1902, Te. Zarzuela; *Los nenes*, Jug, 1 act, l, J. Jackson Veyán, est, 12-IV-1902, Te. Eslava; *San Juan de Luz*, Hum, cóm lír, 1 act, col. López Torregrosa, l, C. Arniches / J. Jackson Veyán, est, 9-VII-1902, Te. Eldorado; *Las grandes cortesanas*, Opt, 1 act, l, C. Fernández / R. Asensio, est, 26-VII-1902, Te. Eldorado; *Los granujas*, Zarz, 1 act, col. López Torregrosa, l, C. Arniches / J. Jackson Veyán, est, 8-XI-1902, Te. Cómico; *Viva Córdoba*, Sai, 1 act, l, C. Fernández / R. Asensio, est, 6-XII-1902, Te. Zarzuela; *El puesto de flores*, Zarz, 1 act, col. López Torregrosa, l, J. Jackson Veyán / J. López Silva, est, 28-II-1903, Te. Zarzuela; *El corneta de la partida*, Zarz, 1 act, l, E. Sellés, 21-III-1903, Te. Cómico; *Mamzelle Margot*, col. Chapí, l, C. Fernández Shaw / R. Asensio Mas, est, 16-IV-1903, Te. Apolo; *El terrible Pérez*, Hum, 1 act, col. López Torregrosa, l, C. Arniches / E. García Álvarez, est, 1-V-1903, Te. Apolo; *La guerrilla del fraile*, Zarz, 1 act, col. Fernández Caballero, l, C. Fernández Shaw, est, 26-V-1903, Te. Apolo; *Colorín colorao...*, cuento cóm lír, 1 act, col. López Torregrosa, l, C. Arniches / J. Jackson Veyán, est, 11-VII-1903, Te. Eldorado; *El abuelo*, Zarz, 1 act, l, R. Asensio Mas, est, IX-1903, Te. Apolo; *La inclusera*, Zarz, 1 act, col. Fernández Caballero, l, L. de Larra, est, 19-XI-1903, Te. Moderno; *Los chicos de la escuela*, Zarz, 1 act, col. López Torregrosa, l, C. Arniches / J. Jackson Veyán, est, 22-XII-1903, Te. Moderno; *El trébol*, Zarz, 1 act, col. Serrano, l, A. Paso Cano / J. Abati, est, 19-II-1904, Te. Zarzuela; *Congreso feminista*, Fant, 1 act, l, C. Lucio / E. García Álvarez / M. Fernández, est, 20-III-1904, Te. Moderno; *La obra de la temporada*, Zarz, 1 act, l, S. Delgado, est, 22-III-1904, Te. Apolo; *El pobre Valbuena*, Hum, 1 act, col. López Torregrosa, l, C. Arniches / E. García Álvarez, est, 1-VII-1904, Te. Apolo; *Las chismosas*, Sai, 1 act, col. Calleja, l, A. Caamaño / I. Soler, est, 11-VII-1904, Te. Lírico; *La galerna*, Zarz, 1 act, l, L. de Larra, est, 15-XII-1904, Te. Campos Elíseos; *El paraíso de los niños*, Zarz, 1 act, l, Arniches / S. Delgado, est, 28-XII-1904, Te. Apolo; *Las estrellas*, Sai, 1 act, col. Serrano. l, C. Arniches, est, 30-XII-1904, Te. Moderno; *Género chico*, col. Chapí, l, J. J. Cadenas / R. Asensio

Mas, est, 1904; *Y... no es noche de dormir*, col. Serrano, l, Casero / Larrubiera, est, 1904, Te. Zarzuela; *Los tres gorriones*, Zarz, 1 act, l, M. Echegaray, est, 26-I-1905, Te. Moderno; *Pasacalle*, Sai, 1 act, l, M. Ramos Carrión / A. Ramos Martín, est, 3-III-1905, Te. Apolo; *La mulata*, Zarz, 3 act, col. Calleja, Lleó Balbastre, l, A. Paso / J. Abati / E. Mario, est, 23-III-1905, Te. Eslava; *El estuche de monerías*, Jug, 1 act, col. Valverde Durán, l, E. López Marín, est, 5-IV-1905, Te. Moderno; *El maestro Lamparilla*, pasillo, col. E. Bru Albiñana, l, S. Alonso Gómez, est, 5-IV-1905, Te. Apolo; *El perro chico*, Zarz, 1 act, col. Serrano. l, Arniches / García Álvarez, est, 5-V-1905, Te. Apolo; *Pícara lengua*, col. Valverde Durán, l, J. Jackson Veyán, est, 12-VII-1905, Te. Apolo; *La reja de la Dolores*, Zarz, 1 act, col. Serrano Simeón, l, C. Arniches / García Álvarez, est, 25-IX-1905, Te. Apolo; *El movimiento continuo*, col. Cereceda / Valdovinos Puyol, l, J. Arqués Llorens, est, 16-X-1905, Te. Price; *Biblioteca popular*, Rv, 1 act, col. Calleja, l, L. de Larra / T. López Torregrosa, est, 20-X-1905, Te. Eslava; *El iluso Cañizares*, Hum, lír, 1 act, col. Calleja, l, C. Arniches / E. García Álvarez / A. Casero, est, 22-XII-1905, Te. Apolo; *El tío Charra*, col. Quislant, l, F. Pérez Capo / V. García Valero, est, 1905; *El vals de las sombras*, 1 act, l, J. Dicenta, est, 8-III-1906, Te. Eslava; *La casa de la juerga*, Sai, 1 act, col. Gay, l, P. Muñoz Seca, est, 10-III-1906, Te. Zarzuela; *La guitarra*, Zarz, 1 act, col. López Torregrosa, l, L. de Larra / E. Gullón, est, 22-III-1906, Te. Apolo; *El recluta*, Jug cóm-lír, 1 act, col. López Torregrosa, l, J. Jackson Veyán / J. Capella, est, 23-III-1906, Te. Eslava; *La ola verde*, Rv, 1 act, col. Calleja, l, L. Larra / F. Torres, est, 2-IV-1906, Te. Eslava; *El moscón*, Ent, 1 act, col. López Torregrosa, l, J. Jackson Veyán / Sainz Rodríguez, est, 21-IV-1906, Te. Apolo; *La Cocotero*, Zarz, 1 act, l, A. López Monís / R. Rocabert, est, 4-V-1906, Te. Cómico; *El pollo Tejada*, aventura cóm-lír, 1 act, col. Serrano. l, C. Arniches / E. García Álvarez, est, 29-V-1906, Te. Apolo; *El noble amigo*, Pas lír, 1 act, col. Calleja, l, López Silva / E. García Álvarez, est, 30-VI-1906, Te. Apolo; *El hijo de Budha*, Opt, 1 act, col. López Torregrosa / Calleja, l, G. Briones / A. Melantuche, est, 24-X-1906, Te. Price; *La pena negra*, Sai lír, 1 act, col. López Torregrosa, l, C. Arniches / E. García Alvarez, est, 30-X-1906, Gran Teatro; *El distinguido sportsman*, Ent, col. Calleja, l, C. Arniches / E. García Álvarez, est, 22-XI-1906, Te. Apolo; *La chanteuse*, Zarz cóm, 1 act, col. López Torregrosa, l, M. de Labrac / F. de Torres, est, 12-XII-1906, Gran Teatro; *Delirium Tremens*, película sensacional, 1 act, col. Calleja, l, S. M. Granés / E. Polo, est, 28-XII-1906, Gran Teatro; *Los bárbaros del norte*, Zarz, 1 act, col. Valverde Durán / Chapí, l, S. Delgado, est, 28-XII-1906, Te. Apolo; *El gallo de la pasión*, Ent, 1, J. López / J. Pellicer, est, 12-IV-1907, Te. Zarzuela; *La suerte loca*, Pas, 1 act, col. Serrano, l, C. Arniches / E. García Álvarez, est, 19-VI-1907, Te. Apolo; *Gente menuda*, Sai, 2 act, l, C. Arniches / E. García Álvarez, est, 7-V-1911, Te. Cómico; *El amigo Melquiades o Por la boca muere el pez*, Sai de costumbres madrileñas, col. J. Serrano Simeón, l, C. Arniches, est, 14-V-1911, Te. Apolo; *El príncipe casto*, Zarz cóm, 1 act, l, C. Arniches / E. García Álvarez, est, 14-II-1912, Te. Apolo; *El fresco de Goya*, Sai, 1 act, l, C. Arniches / E. García Álvarez / Domínguez, est, 22-III-1912, Te. Apolo; *La vida perra*, Zarz, 1 act, col. Foglietti, l, X. Cabello, est, 14-V-1912, Te. Apolo; *El arroyo*, Sai, 1 act, col. J. López Silva / J. Pellicer, est, 2-IX-1912, Te. Avenida (Buenos Aires); *Los apaches de París*, disparate lír, 2 act, col. Foglietti, l, V. de la Vega, est, 4-III-1913, Te. Cómico; *El sostén de la casa*, col. López Torregrosa, l, R. González del Toro / M. Mihura Álvarez, est, 8-V-1913, Te. Apolo; *La última película*, Rv, 1 act, col. López Torregrosa, l, L. de Larra, est, 20-V-1913, Te. Cómico; *El debut de la chica*, monólogo, col. Foglietti, l, A. Paso Cano / J. Abati Díaz, est, 31-X-1913, Te. Martín; *Las mujeres guapas*, 1 act, col. Foglietti, l, A. Paso / J. Abati, est, 5-XII-1913, Te. Apolo; *Las píldoras de Hércules*, Vo, 3 act, col. Foglietti, l, R. Blasco, est, 20-XII-1913, Te. Eslava; *La gitanada*, Sai, 1 act, col. Foglietti, l, G. Corrochano / R. Fernández y Murrieta, est, 2-I-1914, Te. Cómico; *La copla del amor*, 1 act, col. Foglietti, l, A. Martínez Viérgol, est, 14-I-1914, Te. Apolo; *Feria de abril*, 1 act, col. Foglietti, l, V.

de la Vega, est, 6-II-1914, Te. Cómico; *Serafina la rubiales*, 1 act, col. Foglietti, l, A. Torres del Álamo / A. Asenjo, est, 4-III-1914, Te. Eslava; *Caralimpia*, Zarz, 1 act, col. Foglietti, l, V. de la Vega, est, 16-III-1914, Te. Álvarez Quintero; *El tango argentino*, Hum, 1 act, col. Foglietti, l, L. de Larra / M. Fernández de la Puente, est, 18-III-1914, Te. Cómico; *A ver si cuidas de Amelia*, Vo, 3 act, col. Foglietti, l, R. Asensio / J. J. Cadenas, est, 18-IV-1914, Te. Eslava; *El potro salvaje*, Zarz cóm, 1 act, col. Luna, l, A. Paso Cano / J. Abati, est, 28-IV-1914, Te. Cómico; *El príncipe Carnaval*, Opt, 2 act, col. Serrano, l, R. Asensio / J. J. Cadenas, est, VII-1914, Te. San Martín (Buenos Aires); *La venganza de Arlequín*, Fant, 1 act, l, R. Peña / A. López Monís, est, 16-I-1918, Te. Cómico; *El sol de España*, 1 act, col. E. Acevedo, l. M. Mihura, est, 10-XII-1921, Te. Latina; *La tierra de Carmen* (antes *Mujeres y flores*), col. Luna, l, Paso Cano / T. Borrás, est, 20-I-1923, Te. Apolo; *Alma española*, Zarz, 1 act, col. Calleja; *El ministro se casa o El amor en gobernación*, col. Foglietti, l, A. Sotillo / C. Roselló; *Escuela de párvulos*, Zarz, 1 act, l, B. Ferrer / M. Labra; *La feria de Babia*, Apr cóm, 1 act, col. López Torregrosa, est, Te. Ruzafa (Valencia); *La gracia de Dios*, Zarz, 1 act, col. Quislant, l, A. Sainz Rodríguez / M. Velasco; *La reina de la fiesta*, col. López Torregrosa, l, S. Delgado / E. Sánchez Pastor; *La señorita 1918*; *Las alhajas*, Zarz, 1 act; *Los aficionados*, 1 act, col. Quislant; *Los calesines*, Sai, 1 act, l, T. Luceño; *Los gandules*,l act, l, M. Echegaray; *Los héroes de cartón*, 1 act; *Pluma y lápiz*, 1 act, l, R. Asensio Mas.

FONOGRAFÍA: *El amigo Melquíades*, Alhambra-BMG España WD 74393 (9D) • Columbia-Alhambra-BMG MC 25027 • Victoria 5133; *El gran capitán*, La Voz de su Amo 654034 y 652207 (et. gamuza), V 52351 V 264233; *El iluso Cañizares*, La Voz de su Amo 262028, V 54100 (et. verde), 15974, 5439 • Victoria 4978; *El pobre Valbuena*, Regal DK 8306 (et. azul), K 2541 K 2545; *El pollo Tejada*, Victoria 1201; *El príncipe carnaval*, Gramófono 2-2263046 y 2-263048 (et. verde), 4582, 4583, 4585, 4594 • Victoria 5119, 5122 y 5123 • Blue Moon BMCD 7508; *El príncipe casto*, Gramophone 264168 (et. verde), 2908; *San Juan de Luz*, Victoria 1179.

BIBLIOGRAFÍA: *MT*; *OGCH*; *TA*; F. Pérez Capo: *33 Años de teatro*, Barcelona, Borrás, sf; L. Ruiz y Contreras: *Desde la platea (Divagaciones y críticas)*, Madrid, Fernando Fe, 1894; F. Pérez y González: *Casos y cosas teatrales de antaño y de hogaño*, Madrid, Velasco, 1904; J. Francos Rodríguez: *El teatro en España 1908*, Madrid, Nuevo Mundo, 1908; P. Luis Villalba Muñoz: *Últimos músicos españoles del siglo XIX*, Madrid, IA, 1914; M. Zurita: *Historia del género chico*, Madrid, Prensa Popular, 1920; M. Mañón: *Historia del teatro Principal de México*, México, Ed. Cultura, 1932; A. Miró Bachs: *Cien músicos célebres españoles*, Barcelona, Pentagrama, 1942; E. Chicote: *La Loreto y este humilde servidor (Recuerdos de la vida de dos comediantes madrileños)*, Madrid, M. Aguilar, 1944; M. Muñoz: *Historia de la zarzuela y del género chico*, Madrid, Tesoro, 1946; E. Chicote: *Cuando Fernando VII gastaba paletó..., Recuerdos y anécdotas de año de la Nanita*, Madrid, Instituto Editorial Reus, 1952; —: *Las señoritas del "Pan-pringao"*, Madrid, Instituto Editorial Reus, 1953; J. M. Gómez Labad: *El Madrid de la zarzuela (versión regocijada de un paseo en cantables)*, Madrid, Juan Piñero G., 1983.

1. Mª LUZ GONZÁLEZ PEÑA
2. 3. EMILIO CASARES RODICIO

Valverde, José. España, siglos XIX-XX. Actor. Participó en numerosos estrenos de género chico desde 1899, año en el que estrenó en el teatro Romea *La Preciosilla* de Vives. A ésta siguieron *La corría de toros* de Chueca, Eslava, 1902; *La traca* de Crespo y Quislant, Cómico, 1904, y una serie de éxitos en el teatro Apolo como *El mal de amores* de Serrano, *El iluso Cañizares* de Calleja y Quinito Valverde, *Pasacalle* de

Quinito Valverde, *El alma del pueblo* de Chapí, y *La favorita del rey* de Vives, 1905, *La fragua de Vulcano* de Chapí, 1906, *El método Górritz* de Lleó, 1909, *El amo de la calle* de Calleja y García Álvarez y *Juegos malabares* de Vives, 1910.

Mª LUZ GONZÁLEZ PEÑA

Valverdi, Guillermo. Cuba, siglo XX. Compositor, libretista y director de orquesta. Desempeñó el cargo de director de la orquesta del teatro Milanés de Pinar del Río. Es autor de la música y el libreto de la zarzuela *Lección de amor*, que se estrenó en el teatro Milanés y que alcanzó gran éxito en su época.

BIBLIOGRAFÍA: A. J. Molina: *150 Años de zarzuela en Puerto Rico y Cuba*, San Juan, Ramallo Bros. Printing, 1998.

CLARA DÍAZ PÉREZ

Varela, Luis. Madrid, 11-I-1943. Actor y director de escena. Comenzó con tan sólo diez años su carrera profesional en el teatro María Guerrero de Madrid. Simultaneó desde entonces su actividad teatral con los estudios y con la carrera de piano. Participó en *El retablo de Maese Pedro* de Falla, en el teatro de la Zarzuela interpretando al Trujamán. Ha alternado teatro, cine, televisión, radio y doblaje, y participó como actor en la grabación de diver-

Luis Varela (Foto: Ar. personal)

sas zarzuelas para TVE. Intervino en *Pan y toros* de Barbieri en el teatro Calderón de Madrid. En 1994 participó en *La verbena de la Paloma* en el teatro de la Zarzuela y con esta producción viajó a Buenos Aires para la reapertura del teatro Avenida. Ha interpretado zarzuela en teatros de Santo Domingo, Lisboa y los principales teatros españoles.

Ha actuado frecuentemente en el teatro de la Zarzuela, en obras como *La canción del olvido*, *La verbena de la Paloma*, *La revoltosa*, *La del manojo de rosas*, *El rey que rabió*, *La Gran Vía*, *La patria chica* y muchas otras. Participa asiduamente en el Festival de Teatro Lírico Español de Asturias en Oviedo, desde su inauguración en 1994, año en el que intervino en *La del manojo de rosas*, que repitió la temporada siguiente, 1995, siendo el personaje de Espasa una de sus grandes creaciones; en 1997 actuó en *Bohemios* y *El rey que rabió*; en 1998 de nuevo *El manojo de rosas*; en 1999 *Los gavilanes*, *La revoltosa*, *La verbena de la Paloma* y *María la O*; en el 2000 *Katiuska*, *Luisa Fernanda*, *Los gavilanes* y *La Calesera*, siendo siempre muy apreciadas sus dotes para lo cómico. En el año

2001, además de actuar en *La canción del olvido*, debutó en la dirección escénica con el montaje de *Don Manolito* de Sorozábal. En la temporada 2000-01 del teatro de la Zarzuela realizó una genial creación de Mr. Blay en *La patria chica* de Chapí y los Quintero y en la temporada 2002-03 fue muy aplaudido en *Los claveles* de Serrano.

Mª LUZ GONZÁLEZ PEÑA

Varela Silvari, José María. La Coruña, 1-II-1848; Madrid, 10-V-1926. Compositor, pianista y musicógrafo. Importante personalidad del pensamiento musical decimonónico, realizó sus primeros estudios musicales en La Coruña y posteriormente en Lisboa, donde compuso su primera obra, *La guarida del buitre*, drama lírico en tres actos. A su vuelta a La Coruña, inició su gran actividad que le llevó a fundar revistas, escribir numerosos artículos, polemizar en varias

José Mª Varela Silvari (Foto: F. de Arteaga y Pereira: Celebridades musicales..., 1886; Ar. ICCMU, Madrid)

publicaciones periódicas, y dirigir bandas. Residió en Barcelona y en Madrid, donde fue profesor del Instituto Filarmónico de Madrid, director del Orfeón Normal de Madrid y de la Capilla de Música de Santa Cecilia. Compuso alguna zarzuela como *El maestro Ciruela*, con libreto de I. Atienza, estrenada en 1889 en teatro La Infantil, *La pianista enamorada*, zarzuela en dos actos, y *Novios y novias*, zarzuela en un acto.

BIBLIOGRAFÍA: *DMEH*.

EMILIO CASARES RODICIO

Vargas Machuca, Francisco de. España, siglo XIX. Dramaturgo. Escribió dos zarzuelas tituladas *Tragabombas*, con música de Luis Velasco, y *Matamoros*, música de León Alonso, ambas estrenadas en el teatro Lope de Vega en 1861. De nuevo con el compositor León Alonso estrenó en 1864 la zarzuela en verso *La reina de las flores*.

BIBLIOGRAFÍA: *CTLBN; HZ*.

OLIVA G. BALBOA

Varietés [variedades]. Con este término se define un fenómeno teatral en el que se alternan números visuales y cantados, junto con circo, sesiones de hipnotismo, malabarismo, mimo, baile y canción, y concebido esencialmente para un público masculino. En realidad se trata de la sucesión de números de diversos géneros sin relación entre sí, originado en Francia, como había sido el género bufo, y tuvo

vigencia en España desde finales del siglo XIX. *Véase* ZARZUELA III. 2.

EMILIO CASARES RODICIO

Vázquez, Matilde. Cambados (Galicia), 27-III-1905; Madrid, 23-IV-1992. Soprano. Recibió lecciones de canto del tenor Luis Iribarne. Debutó como cupletista en los años veinte pasando después a la revista junto a Celia Gámez, con papeles en *La mujer chic* y *La deseada* de Alonso en el teatro Martín. Tomó parte en los espectáculos de José Juan Cadenas en el teatro Reina Victoria, interpretando operetas como *La bayadera* de Kalmàn. Pero sus cualidades vocales eran muy superiores a lo que se acostumbraba en uno y otro género, por lo que se pasó definitivamente al género lírico presentándose con Sagi Barba en *La del Soto del Parral*, en el teatro Fuencarral, al que siguió en 1929 un gran triunfo en *Los claveles*, que la convirtió en una gran figura. A partir de entonces estrenó gran parte del repertorio de Serrano y obras como *La Caramba* de Moreno Torroba, *Alhambra* de Díaz Giles y *La Carmañola* de Alonso. Fue una de las grandes intérpretes de *Doña Francisquita* que hizo con Fleta, donde realizaba una magnífica creación de Aurora la Beltrana. En febrero de 1937 actuó en el teatro Pardiñas de Madrid junto a Pepita Rollán, Ramona Galindo y Pepe Romeu en *Luisa Fernanda*, y en abril del mismo año fue contratada por Eugenio Casals para *Los claveles* y *Gigantes y cabezudos*; poco después repusieron *Sol de libertad* de Estela, que se había estrenado en Barcelona en 1935. En el mismo teatro estrenó en 1938 *Los amos del barrio*, con música de Manuel López Quiroga. Estrenó también la obra póstuma de Vives, *Talismán*, y protagonizó *Doña Francisquita* en el cine. Fue una de la principales figuras femeninas que presentó Federico

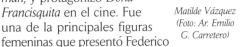

Matilde Vázquez (Foto: Ar. Emilio G. Carretero)

Moreno Torroba en la Zarzuela en 1942. En su repertorio llevaba además *Curro Vargas* de Chapí, *La chulapona* y *Polonesa* de Moreno Torroba y *La moza de campanillas* de Luna, entre otras.

FONOGRAFÍA: *La Caramba*, Blue Moon BMCD 7526; *La picarona*, Blue Moon BMCD 7539; *Las cariñosas*, Odeón 203112 (et. fucsia), SO 5043 SO 5042; *Las castigadoras*, La Voz de su Amo AE 1956, BJ 977 BJ 978; *Los claveles*, La Voz de su Amo AE 2826, BJ 2620 BJ 2623; *Polonesa*, R 14172 (et. rosa), C 6002-2 C 6001; *Rosa la pantalonera*, R 6035 (et. roja), C 4636 C 4644 • Blue Moon BMCD 7511.

BIBLIOGRAFÍA: *CCE*; E. García Carretero: *Historia del teatro de la Zarzuela de Madrid*, Madrid, Fundación de la Zarzuela Española, 2003.

Mª LUZ GONZÁLEZ PEÑA

Vázquez de Orejón. *Véase* OREJÓN.

Vázquez Gómez, Mariano. Granada, 3-II-1831; Madrid, 17-VI-1894. Compositor y director de orquesta. Estudió en su ciudad natal con Baltasar Mira, organista de la Capilla Real de Granada. Destacó en los años de su juventud como pianista, director y compositor, haciendo gala de una gran facilidad para la música. Hacia 1851 inició sus colaboraciones de pianista y director orquestal en la Sociedad de Conciertos del Liceo, en la que se interpretaban obras religiosas y se representaban óperas y zarzuelas. Para el Liceo escribió la zarzuela *Farinelli*, estrenada en 1855 en el teatro del Campillo. Al principio de la década de los cincuenta, un grupo de jóvenes granadinos se reunía en casa de Mariano Vázquez en torno a la tertulia El Pellejo, asociación "gastronómica, artística y literaria" que organizó representaciones de zarzuelas y óperas y que fue el germen de "La Cuerda granadina", famosa tertulia en la Granada de mediados del siglo XIX. En torno a La Cuerda, se agruparon artistas e intelectuales como el folletinista Fernández y González, el novelista Pedro Antonio de Alarcón, el poeta Manuel del Palacio, los músicos A. de la Cruz y Francisco Rodríguez Murciano, y los "diletantes" Castro y Serrano, Moreno Nieto y Pérez Cossío. Entre los músicos extranjeros que formaron parte de dicha tertulia, destaca el barítono veneciano Jorge Ronconi, afincado en estos años en Granada.

En 1856, Vázquez se trasladó a Madrid, e inició una nueva etapa en la que pronto destacó como director de orquesta. Con el traslado a la capital inició una nueva etapa en la que pronto destacó como director de orquesta, pero también por su dedicación a la zarzuela, género para el que compuso alrededor de veinticinco obras. La amistad con Barbieri le abrió las puertas del teatro de la Zarzuela, en donde trabajó como concertador y director musical. Posteriormente dejó el teatro de la Zarzuela para pasar como maestro concertador al teatro Real de Madrid, y, a partir de 1874 fue director musical de dicho teatro. En 1873, al crearse por decreto y a iniciativa de E. Castelar la Sección de Música de la Academia de Bellas Artes de San Fernando, Vázquez fue nombrado académico de número. En 1877 sucedió a Monasterio al frente de la Orquesta de la Sociedad de Conciertos, fundada por Barbieri en 1866.

La llegada de Mariano Vázquez al mundo de la zarzuela da muestra de cómo el género iba atrayendo prácticamente a todos los músicos importantes de la década de los cincuenta, y por supuesto, como se ha señalado, su producción es muy significativa dentro del género, aunque no compuso ninguna obra que haya permanecido en el repertorio. Su primer estreno, *La roca negra* cerraba el año 1857, presentado –según Barbieri– "en el teatro de la Zarzuela el día de Nochebuena, 24 de diciembre de 1857, a las cuatro y media de la tarde con poca gente de público y con éxito muy mediano. Había una batalla que el público hizo repetir, pero la obra valía muy poco a excepción de alguna pieza de música". En la obra, escrita en colaboración con Inzenga, destacaron un dúo de tiple y tenor, la canción de barítono, una marcha de pitos y un coro de frailes. En realidad se trataba de una obra concebida para la Navidad y por ello con varias de las características propias de estas obras: variedad y movimiento en la historia, una música fácil y popular, finales de efecto. *Armas de buena ley*, estrenada en el teatro de la Zarzuela en 1858, es una obra en dos actos con libreto de Pedro Enrique Ramos, joven y malogrado poeta. Fue muy criticada por su texto, con el consabido tema de la mujer abandonada por el esposo que trata de atraerlo a través de los celos. Cotarelo la juzga así: "La música puso de manifiesto lo que faltaba aún al maestro Vázquez para ser completo; era más conocimiento del manejo del diálogo en la parte de canto y cuidar y variar más la parte instrumental. En cuanto a las melodías son inspiradas, si no muy originales. Fueron aplaudidos el coro bailable de jota de la introducción, cantado por los estudiantes; un cuarteto y un dúo de tiple y barítono en el II acto, muy animado en su segundo tiempo, que el público quiso oír otra vez". Los autores fueron llamados al escenario. Otro de sus estrenos, *Un viaje alrededor de mi suegro*, zarzuela en tres actos, arreglada del francés, situada en el Madrid de aquellos días, agradó e hizo reír, pero tuvo poca vida. Se trataba de una obra jocosa de Luis Rivera con música de Oudrid y Vázquez, que a partir de entonces colaboraron en

Mariano Vázquez (Grabado de F. Badillo en La Ilustración Musical, *1883; Ar. ICCMU)*

varias ocasiones. De las partes de la obra destacaron el brindis del primer acto de Oudrid y un coro del tercero de Vázquez. El domingo de Pascua, 20 de abril de 1862, se estrenó en el teatro de la Zarzuela *Por sorpresa* de Juan Ruiz del Cerro, con una nueva colaboración de Cristóbal Oudrid, Mariano Vázquez y Rogel que no tuvo éxito. Sí lo tuvo el siguiente estreno, la zarzuela en dos actos *Astucia y amor*, 1862, con letra de Calixto Boldún. Se trataba de una obra de enredo parecida a *Una vieja*, en la que un joven galán, Rogelio, disfrazado de viejo y con el nombre de su tío, un rico hombre, y tratando de evitar la oposición del avaro tutor de la joven Aurelia, se casa con ella. Barbieri destacó en esta obra la aparición de una nueva voz, Manuela Checa, alumna del Conservatorio donde había cursado canto y declamación.

El primer estreno del nuevo año teatral fue *Una tía en Indias*, el 10 de septiembre de 1863 en el teatro de la Zarzuela. Se trataba de una zarzuela en tres actos, cuya música fue fruto de la colaboración entre Mariano Vázquez y José Rogel sobre libreto de Mariano Carreras González. La revista *El Orfeón Español* señalaba que la obra ya se había compuesto el año anterior y había sido retirada. Se trataba, según esta revista, de un arreglo del francés, de la *Fanchonete*. El libreto, protagonizado por una gitana, era totalmente inverosímil y de la música sólo se destacó un concertante del segundo acto. A comienzos de diciembre de 1863 hubo un nuevo estreno en el Jovellanos. Se trataba de la zarzuela en un acto, *Matar o morir* de Vázquez con libreto de M. Pina Domínguez. La obra tenía lugar en las cercanías de Mallorca en época contemporánea, y hubo de ser suspendida por enfermedad de Arderius. Existe otra obra de 1863: *Una señora como ninguna*, farsa en un acto de Mariano Vázquez con libreto de Carlos Frontaura y Narciso Serra. Se trata de una pequeña obra para tres personajes: Elvira, Manolito y Bruno, compuesta por un preludio y tres números de música. En mayo de 1864 se estrenaba otra obra de Mariano Vázquez con texto de Picón inspirado en Scribe, *El médico de las damas*, cuya acción transcurría en el Madrid de entonces. En el teatro de la Zarzuela se estrenó *Los cómicos de la legua*, 1866, cuya primera parte se editó posteriormente por separado, con el título de *I feroci romani*. Se trata de un disparate en cuatro actos con libreto de Federico Bardán situado en el Toboso en la época actual. Su última etapa como compositor estuvo dedicada a colaborar con los bufos en obras como *El camisolín de Paco*.

OBRAS (Todas en E:*Msa*): *Farinelli*, l, Afán de Rivera, est, 1855, Te. del Campillo; *La roca negra*, Zarz, 3 act, col. Inzenga, l, M. Pina, est, 24-XII-1857, Te. Zarzuela; *Armas de buena ley*, Zarz, 2 act, l, P. E. Ramos, est, 7-IV-1858, Te. Zarzuela; *El cervecero de Preston*, Zarz, 3 act, l, A. Arnao, est, 4-VI-1859, Te. Zarzuela; *Los mosqueteros de la reina*, Zarz, 2 act, l, Ruiz del Cerro, est, 24-XII-1859, Te. Zarzuela; *La franqueza*, 1 act, l, J. Jalvo Villanueva, est, 10-I-1860, Te. Zarzuela; *Tetuán por España*, col. Oudrid / Martín / Gaztambide, l, M. Pina, est, 8-II-1860, Te. Zarzuela; *Las piernas azules*, Zarz, 3, col. C. Oudrid, l, V. de la Vega,9-II- 1861, Te. Zarzuela; *Entre la espada y la pared*, Zarz, 3 act, l, J. Picón, est, 23-II-1861, Te. Zarzuela; *El amor constipado*. Zarz, 1 act, l, E. Martínez, est, 7-VII-1861, Te. Zarzuela; *Por un inglés*, Zarz, 1 act, l, J. M. de Larrea / E. Martínez, est, 24-XII-1861, Te. Zarzuela; *Un viaje alrededor de mi suegra*, Zarz, 3 act, col. Oudrid, l, L. Rivera, 24-XII-1861, Te. Zarzuela; *El hijo de Don José*, Zarz, 1 act, l, C. Fronatura, est, 13-I-1862, Te. Zarzuela; *Por sorpresa*, Zarz, 2 act, col. Oudrid, l, J. Ruiz del Cerro, est, 20-IV-1862, Te. Zarzuela; *Astucia y amor*, Zarz, 2 act, l, C. Boldún, est, 6-IX-1862, Te. Zarzuela; *Matar o morir*, Zarz, 1 act, l, M. Pina Domínguez, est, 2-XII-1863, Te. Zarzuela; *Una tía en Indias*, Zarz, 3 act, col. J. Rogel, l, M. Carreras González, est, 10-IX-1863, Te. Zarzuela; *Una señora como ninguna*, farsa, l, C. Frontaura / Narciso Serra, est, 1863, Te. Zarzuela; *I feroci romani*, Óp, 1 act, l, F. Bardán, est, 12-III-1866, Te. Zarzuela; *Los cómicos de la legua*, 3 act, l, F. Bardan, est, 14-III-1866, Te. Zarzuela; *El camisolín de Paco*, 1 act, col. Oudrid, l, J. Cataluña, est, 29-X-1867, Te. Circo; *Los guardias del rey de Roma*, Zarz, 2 act, l, M. Pastorfido, est, XI-1870; *El hijo de su papá*, l, F. Flores García, est, 1885; *El veterano*, 1 act, l, M. Pina; *La bruja de Albaicín*, Zarz, 2 act.

BIBLIOGRAFÍA: F. de P. y Valladar: "De la música en Granada. La casa de Mariano Vázquez", *La Alhambra*, 6, 31-III-1898; J. M. Esperanza y Solá: *Treinta años de crítica musical*, Madrid, 1906.

EMILIO CASARES RODICIO

Vázquez Palos, José. Zaragoza, 1884; ? Pianista, compositor y pedagogo. Estudió solfeo con Arnaudas y Soler, prosiguiendo con Borobia los estudios de piano, armonía y composición. Fue miembro del Doble Quinteto de Música de Cámara. Obtuvo, por oposición, la plaza de pianista en el Centro Mercantil. Escribió zarzuelas que fueron estrenadas en Zaragoza, Madrid y Barcelona, entre las que sobresalen *Zaragoza de mi vida*, *Los valientes* y *El buen vino*, esta última conservada en la sede madrileña de la SGAE. En 1923 fue nombrado profesor de piano en la Escuela Municipal de Música de Zaragoza, y al fundarse el Conservatorio pasó a ocupar una plaza similar. Fue profesor de folclore de la Escuela Oficial de Jota.

BIBLIOGRAFÍA: *DMEH*.

RAMÓN SOBRINO

Vedette. Personaje femenino, figura fundamental de la revista en el siglo XX, que constituye un espectáculo concebido en torno a ella. *Véase* ZARZUELA IV. 2.

Vedia. Familia de intérpretes españoles formada por Dolores y Evaristo, probablemente hermanos.

1. Dolores. España, siglos XIX-XX. Actriz. Estrenó en 1892 en el teatro Novedades diversas obras, como *La hoguera* de Estellés, *El señor Juan de las Viñas o Los presupuestos de Villa-Anémica* de Quinito Valverde, *La vida en la aldea* de Contreras, y *La comida de boda* de Cosme Bauzá. En 1905 participó en el estreno de *Moros y cristianos* de Serrano en el teatro de la Zarzuela y al año siguiente en el de *Los Campos Elíseos* de Nieto y Alvira. Fue actriz de verso en la compañía de Carmen Cobeña.

2. Evaristo G. España, siglos XIX-XX. Actor. Trabajó, al igual que Dolores, en compañías de verso, pero también en compañías líricas. Estrenó en 1889 *El arte de enamorar* de Ramón Laymaría en el teatro de la Zarzuela y *Las dos madejas* de Estellés en el teatro Cervantes de Madrid. En 1891 trabajaba en el teatro Recoletos de Madrid donde estrenó *Las cuatro estaciones* de Caballero, *Los dos millones* de Manuel Nieto y *Entrar en la casa* de Quinito Valverde. Al año siguiente, 1892, estrenó en el teatro Alhambra *Majos y estudiantes o El rosario de la Aurora* de López Juarranz y *Llegar y besar el santo* de Teodoro San José, y en los Jardines del Buen Retiro *El gran petardo* de Peydró, *A vuela pluma* de Ángel Ruiz, *Los cuatro palos* de Ángel Rubio, *Salú y suerte* de Álvarez y Chalons y *Mañana será otro día* de Quinito Valverde. En 1894 *Los modelos* de Sigler en el teatro Circo del Gran Capitán de Córdoba, y *Los de Albacete* de Rafael Cabas Galván en el Cervantes de Sevilla. Ya en el siglo XX estrenó en 1900 en el teatro de la Zarzuela *El diamante rosa* de Marqués; en 1914 en el teatro Martín *El día del ruido* de Barrera, y en el teatro Barbieri *La cupletista de moda* de Úbeda y Arderius, *La rondalla* de Antonio de la Osa y *El sultán de la Persia* de Alonso y Quirós. En los años veinte era de nuevo actor de verso en el teatro de la Princesa.

Mª LUZ GONZÁLEZ PEÑA

Vega. Familia de libretistas españoles formada por Ventura y su hijo Ricardo.

1. Vega Cárdenas, Ventura de la. Buenos Aires, 14-VI-1807; Madrid, 29-XI-1865. Escritor. Su verdadero nombre era José María. Hijo de un empleado de Hacienda destinado en Buenos Aires, cuando era aún colonia española, donde vivió sus primeros años. Al enviudar su madre, lo envió a Madrid al cuidado de un tío suyo. Desde muy joven se dedicó a la lectura de autores extranjeros y se sintió influido por las corrientes revolucionarias, lo que reflejó en unos versos contra Fernando VII. Sin embargo, después modera su actitud y ocupó diferentes cargos políticos: llegó a ser subsecretario de estado, y cuando el conde de San Luis creó el teatro Español, le nombró director del mismo. Ingresó como miembro de la Real Academia de Bellas Artes en 1842 y en 1856 fue nombrado director del Conservatorio, cargo en el que se mantuvo hasta su muerte. Se casó con la cantante Manuela Oreiro, con la que tuvo dos hijos, uno dibujante famoso, y el otro, Ricardo, escritor como él.

Su formación clásica, unida a la corriente literaria romántica que triunfaba en Europa hicieron de él un autor a medio camino entre el realismo, y el romanticismo, si bien terminó rechazando los excesos románticos y se convirtió en precursor de un nuevo realismo de la "alta comedia". Su teatro se caracteriza por haber sabido renovar los tipos y los conflictos del teatro bretoniano, que hasta entonces triunfaba, asentado definitivamente con *El hombre de mundo*, 1854. Fue uno de los libretistas de mayor calidad, con excelentes dotes dramáticas. Dominaba el juego escénico y los efectos teatrales, sus obras muestran la capacidad de observación de la sociedad que le rodeaba reflejándola con viveza en la pintura de los personajes y sus pasiones. Una de sus primeras aportaciones al género lírico fue el drama en tres actos –adaptación de una comedia homónima del siglo XVII, atribuida a Luis de Belmonte– *El diablo predicador* de B. Basili, 1846, estrenada en el teatro de la Cruz. Fue muy aplaudida y produjo gran efecto en el público por ser uno de los primeros ensayos –y a la vez demostración– de que el idioma español era tan adecuado como el italiano para adaptarse a la música operística. Sin duda su gran aportación al teatro lírico fue el estreno en 1851 de *Jugar con fuego* de Francisco A. Barbieri, por ser la precursora de un nuevo tipo de zarzuela, con una acción única e interesante, de ambiente urbano, con excelentes descripciones y versificada de forma impecable, sin excluir momentos cómicos, y con buenas situaciones musicales. El ingenio, la gracia y la novedad la convirtieron en un éxito unánime y entusiasta de público y crítica. A ésta le siguieron los éxitos de las zarzuelas *El estreno de una artista*, 1852 y *La cisterna encantada*, 1853, ambas de J. Gaztambide. La primera poseía un libreto sencillo y bien desarrollado, con un ritmo ágil muy bien adaptado a la música y que el público del teatro Circo supo apreciar en su estreno. *La cisterna encantada* era en realidad una reinterpretación de otra obra suya anterior, *El pozo de los enamorados*, 1843, traducción a su vez de la comedia *Le puits d'amour* de Scribe y Lauven. Contando con el olvido del público la presentó como nueva, aun cuando sólo compuso los cantables. A pesar del poco interés de la fábula, la obra tuvo mucho éxito por la música y por los decorados de Muriel. Otros títulos que merecen ser recordados por su calidad y éxito fueron *El marqués de Caravaca* de F. A. Barbieri, 1853, *El planeta Venus* de E. Arrieta, 1858 y *Un tesoro escondido* de F. A. Barbieri, estrenada en el teatro de la Zarzuela en 1861. *Véase* LA CISTERNA ENCANTADA; EL ESTRENO DE UNA ARTISTA; JUGAR CON FUEGO; EL PLANETA VENUS; UN TESORO ESCONDIDO.

2. Vega de Oreiro y Lema, Ricardo de la. Madrid, 7-II-1839; Madrid, 22-VI-1910. Dramaturgo. Comenzó su relación con las letras a través de colaboraciones en los periódicos *Diario del Pueblo*, *El Liberal* y *Gente Vieja*, entre otros. Se dedicó al teatro haciéndolo compatible con su labor de funcionario en distintos ministerios. A diferencia de otros autores importantes, que se dedicaron al género lírico de

*Ventura y Ricardo de la Vega (Fotos: Colección Castellano;
E:Mn; Comedias y Comediantes, 1910; Ar. ICCMU)*

forma secundaria, su principal producción pertenece a este género, del que es considerado uno de sus representantes más valiosos. Fue él quien le dio verdadera categoría literaria y quien mejor supo plasmar lo que podría denominarse "madrileñismo", expresado, sobre todo, a través de sus sainetes. Se le considera por ello, heredero directo –salvando las distancias de épocas y estilos– de Ramón de la Cruz. Captó con suma maestría las características de este tipo de teatro en lo referente a los personajes, la pintura de ambientes, el uso del lenguaje como elemento caracterizador del estrato social en el que se movían, sabiendo retratar la vida y costumbres del pueblo madrileño. Aunque escribió zarzuelas y revistas, los sainetes líricos son lo mejor de su producción, con títulos como *La canción de la Lola* de Chueca y Valverde, 1880; *De Getafe al paraíso o La familia del tío Maroma*, 1883, y *El señor Luis "el tumbón" o Despacho de huevos frescos*, 1891, ambas con música de Francisco A. Barbieri. La acción de esta última transcurre en un solo cuadro en una plaza de mercado, y con mínimos ingredientes da una perfecta idea del vecindario y el ambiente madrileño de la época. Tuvo una acogida impresionante por parte del público y la crítica la recibió como una de sus mejores creaciones. Con *El año pasado por agua* de Chueca y Valverde, supo aunar al mismo tiempo el sainete de costumbres madrileñas y el género efímero de origen francés denominado "revista del año", en la que se revisaba y se hacía balance sobre el año que pasaba, en este caso el lluvioso año 1899, y se hacían a la vez pronósticos festivos y caprichosos sobre el venidero. En 1894

se estrenó *La verbena de la Paloma o El boticario, las chulapas y celos mal reprimidos* de Tomás Bretón, con ella el sainete lírico, como forma original y autóctona de la zarzuela alcanzó su cima absoluta. El éxito fue tan rotundo que rápidamente se representó en todas las ciudades españolas, europeas y en casi todos los países de América, sin que su popularidad haya decrecido con el paso del tiempo. El triunfo de la obra dio lugar a innumerables alusiones, parodias, imitaciones, e incluso un fenómeno inverso: si bien una de las principales cualidades de la obra era el reflejo del habla chulesca y castiza madrileña, sus expresiones pasaron, a su vez, al habla popular.

Ricardo de la Vega no superó el éxito de *La verbena*, pero siguió disfrutando del reconocimiento del público en obras como *Al fin se casa la Nieves o Vámonos a la Venta del Grajo* de Tomás Bretón, 1895; *Aquí va a haber algo gordo o La casa de los escándalos*, 1897, y *El guapo y el feo o Las verduleras honradas*, 1909, ambas de Gerónimo Giménez. *Véase* AL FIN SE CASA LA NIEVES O VÁMONOS A LA VENTA DEL GRAJO; EL AÑO PASADO POR AGUA; LA CANCIÓN DE LA LOLA; DE GETAFE AL PARAÍSO O LA FAMILIA DEL TÍO MAHOMA; LA VERBENA DE LA PALOMA O EL BOTICARIO Y LAS CHULAPAS Y CELOS MAL REPRIMIDOS.

BIBLIOGRAFÍA: *CTLBN; HZ; OGCH;* F. Ruiz Ramón: *Historia del teatro español (Desde sus orígenes hasta 1900)*, Madrid, Cátedra, 1992; T. Bretón: *La verbena de la paloma o El boticario y las chulapas y celos mal reprimidos*, ed. crítica R. Barce, Madrid, ICCMU, 1994; M. Pilar Espín Templado: *El teatro por horas en Madrid (1870-1910)*, Madrid, Instituto de Estudios Madrileños- Fundación Jacinto e Inocencio Guerrero, 1995.

OLIVA G. BALBOA

Vega, Isabelita de la. España, siglo XX. Tiple cómica. Una señorita Vega estrenó, en el papel de Catalina, *La del Soto del Parral* en el teatro de La latina de Madrid en octubre de 1927. Isabelita formaba parte de la compañía de Jacinto Guerrero de la que Conchita Leonardo era vedette absoluta y que en la temporada 1949-50 estrenó en el teatro de la Zarzuela diversas obras del compositor toledano, como *El oso y el madroño o Aleluyas de Madrid, La calle 43* y *Su majestad la mujer.*

FONOGRAFÍA: *¡Abajo las coquetas!*, Sonifolk 20133; *El país de los tontos*, Sonifolk 20136; *La blanca doble*, Columbia R 14549 a R 14552, C 7675 C 7683 • Sonifolk 20133; *Las alondras*, Sonifolk 20136; *Las inyecciones*, Sonifolk 20136; *Los bullangueros*, Sonifolk 20133; *Su majestad la mujer*, Sonifolk 20136.

EMILIO GARCÍA CARRETERO

Vega, Lope de [Lope Félix de Vega y Carpio]. Madrid, 25-XI-1562; Madrid, 27-VIII-1635. Dramaturgo y poeta. Es, junto con Calderón, uno de los autores más importantes y representativos de la historia de la literatura española y del Siglo de Oro. Fue autor fecundo de numerosas obras dramáticas que le proporcionaron el reconocimiento ya en su época, siendo alabado por el propio Cervantes. Lope de Vega estuvo muy relacionado con la música y mantenía amistad con Vicente Espinel y Juan Blas de Castro, que compuso la música para muchos de sus textos. En sus obras aparecen con frecuencia referencias musicales de instrumentos que permiten afirmar que poseía conocimientos de música. En lo referente al teatro lírico, Lope de Vega dejó expuesto su pensamiento en *Arte nuevo de hacer comedias en este tiempo*, publicado en 1609, en el que detalla las características de un género escénico del que será el precursor y principal cultivador: la comedia nueva, considerado el género músico-teatral más importante del siglo XVII. También a Lope se debe el primer libreto de una ópera española: *La selva sin amor*, 1627, con música de Piccinini. Cultivó además otros géneros teatrales como autos sacramentales y ópera italiana.

En relación al género zarzuelístico, la palabra zarzuela aparece por primera vez en el contexto del teatro clásico español en el *Baile de la zarzuela*, incluido en el auto sacramental *La esposa de los cantares* de Lope de Vega, escrito antes de 1620. Su relación con la zarzuela continúa mucho después a lo largo de los siglos XIX y XX con la presencia de libretos basados en obras de Lope, producto de una práctica común de refundir libretos basados en obras originales del Siglo de Oro. Entre estas obras que tienen su origen en Lope, destacan *Doña Francisquita* de Vives o *El hijo fingido* de Rodrigo.

BIBLIOGRAFÍA: *DMFH*; I K. Stein: *Songs of Mortals. Dialogues of the Gods. Music and Theater in Seventeenth-Century Spain,* Oxford, Clarendon Press, 1993; M. A. Flórez: "Lope 'libretista' de zarzuela", *RMS*, XXI, 1998.

JUDITH ORTEGA

Vega Pérez, Francisco de la. España, siglo XIX. Dramaturgo. Escribió el drama histórico *Mariana Pineda*, entre otras obras. Su aportación al género lírico consistió en dos zarzuelas de escasa repercusión: *¡Soy yo!* de José Rogel, estrenada en el teatro Tirso de Molina en 1855, y *Dónde las dan las toman* de Leandro Ruiz, estrenada en el Real Sitio de San Lorenzo de El Escorial en 1856.

BIBLIOGRAFÍA: *HZ.*

OLIVA G. BALBOA

Vega y Rodríguez, Ventura de la. Málaga, 1-X-1861; Madrid, 1932?. Dramaturgo, tenor cómico y director. Nació en el teatro del Circo de Málaga y con tan solo siete años representó su primer papel en la compañía de Mariano Fernández. Dos años después entró en el Apolo de segundo apunte y con diez años se trasladó a Granada con la compañía de Francisco Galván y José Suárez, a las que sucedieron otras tantas compañías, algunas tan famosas como las de Juan Espantaleón, Rafael Calvo y Antonio Vico, por lo que contó con grandes maestros en su aprendizaje. Comenzó como actor de verso pero pronto pasó al género lírico como tenor cómico en la compañía de Pablo Gorgé, debutando en el teatro de Recoletos en 1885. Tras un recorrido por las principales capitales españolas, formó su propia Compañía en 1889, con la que emprendió una gira a Buenos Aires y otros países de Hispanoamérica. De vuelta a España dirigió los teatros Martín, Novedades, Reina Victoria, Zarzuela y Princesa en Madrid; teatro Tívoli de Barcelona y Principal de Valencia.

Es autor de comedias, juguetes, sainetes y zarzuelas y, aunque se le ha confundido en muchas ocasiones con Ventura de la Vega y Cárdenas, sus estrenos no son contemporáneos, ni tampoco su estilo es similar. Algunas de sus obras las escribió en colaboración de Manuel L. Cumbreras, como *¡Mala semilla!*, 1907, o Enrique Mayol en *Los convidados de piedra*, 1912, caracterizándose por su capacidad cómica, y su conocimiento de la arquitectura teatral. Los compositores más relevantes de la época pusieron música a sus libretos: Rafael Calleja en *La bella Molinete*, 1908; José Padilla en *¡Almas distintas!*, 1911; Quinito Valverde en *Caralimpia*, 1914, entre más de cuarenta títulos de éxito irregular.

BIBLIOGRAFÍA: *TLE*; F. Cuenca: *Teatro andaluz contemporáneo. 2. Artistas líricos y dramáticos*, La Habana, Maza, 1940.

OLIVA G. BALBOA

Aníbal Vela (Foto: E:Bit)

Vela, Aníbal. Madrid, 7-VI-1896; Madrid, 7-III-1962. Bajo. Alumno de Ignacio Tabuyo, debutó como primer bajo en el teatro Real en 1924 en *Aida*, seguida de *La favorita* y *La fanciulla del West*. Su dedicación a la ópera fue al comienzo más determinante pero en el mismo año 1924 estrenó *La virgen de mayo* de Moreno Torroba. Realizó una gira con Miguel Fleta y una temporada de ópera en el teatro Apolo, arrendado por Luis París al cerrar el Real. Posteriormente cantó en el Liceo de Barcelona *Las golondrinas*. A partir de 1930 alternó la ópera con la zarzuela formando parte de la Compañía Lírica Nacional en el teatro Calderón y marchó a Buenos Aires con Moreno Torroba estrenando en el Colón *Azabache* y *La chulapona*. Estrenó también en 1936 *La tabernera del puerto* de Sorozábal y en 1938 en el teatro Fuencarral *Los amos del barrio* de López Quiroga, alternando tras el estreno con Salvador Roldán. Participó en 1956 en *Doña Francisquita* en el teatro de la Zarzuela en el debut de Alfredo Kraus.

FONOGRAFÍA: *El cabaret de la academia*, Blue Moon BMCD 7542; *El rey que rabió*, Zafiro SA, ZOR-116 18 • Zafiro 30103006-Serdisco 14; *La picarona*, Blue Moon BMCD 7539; *La tabernera del puerto*, Odeón 184368, SO 8790 SO 8791; *La viejecita*, Zafiro-Salvat 1043-2 • Zafiro LM-3028-C 188 • Zafiro ZOR-177 127; *Las castigadoras*, Blue Moon BMCD 7542; *Las hilanderas*, Odeón 203290 (et. fucsia), SO 6748 SO 6749; *Las leandras*, Blue Moon BMCD 7542 • Odeón 183302-304, SO 7392-96, 7409; *Martierra*, Odeón 184108 (et. marrón), SO 4899 SO 4903; *Molinos de viento*, Odeón 184500 a 184504, SO 6713 a 6715, SO 6718 a SO 6724.

BIBLIOGRAFÍA: *CCE*.

Mª LUZ GONZÁLEZ PEÑA

Vela, Augusto José. España, †1974. Compositor. Era socio de la SGAE, en cuyo archivo en Madrid se conservan varias obras líricas suyas, escritas casi siempre en colaboración con Enrique Bru o Eugenio Fuentes. Todas pertenecen al género chico y son revistas, humoradas o sainetes, estrenadas entre 1913 y 1921 en teatros menores como el Martín o el Novedades, ambos en Madrid.

OBRAS (Todas en E:Msa): *La compañía de Jesús o Un bolo en Villapitos*, Zarz, 1 act, col. Fuentes, l, R. Ruiz / F. G. Loygorri, est, 19-V-1919, Te. Martín; *Salustiano Patrono*, ocurrencia, 1 act, col. F. Guerrero, l, E. Pages Cutiño, est, 24-III-1920, Te. Martín; *Corneta de legionarios*, episodio, 1 act, col. Pérez Rodillo / P. Muñoz, l, J. Herrera Sotolongo, est, 31-VIII-1922, Liceo de América; *La pupila de pestaña*, col. Fuentes Oejo, l, F. de Torres / A. Varela; *¿Usted gusta?*, Com, col. Moreno Torroba, l, F. Prada / F. Vázquez Ochando, est, 3-XI-1945, Te. Rojas (Toledo); *Se acabaron los toros*, col. Fuentes Oejo, l, L. Navarro Serrano / J. Fernández Hernando.

Mª LUZ GONZÁLEZ PEÑA

Vela, Casilda. España, siglos XIX-XX. Tiple. Comenzó en el género chico y se pasó a las variedades, como tantas artistas, atraídas por los elevados sueldos que cobraban estas estrellas. Casilda obtuvo tanto éxito en este terreno como en el de la zarzuela y del mismo modo triunfó al pasarse al teatro como actriz, cuando protagonizó *Malvaloca* de los Quintero.

BIBLIOGRAFÍA: *ME*.

Mª LUZ GONZÁLEZ PEÑA

Vela, Dolores [Lola]. España, siglos XIX-XX. Al coincidir los años en que cantó con Luisa Vela, no se sabe con certeza cuál de las dos es la protagonista de algunas obras cuando solamente se indica el apellido de la intérprete. Dolores Vela formaba parte en 1912 de la compañía del Gran Teatro de Madrid. En la temporada 1915-16 estuvo contratada por el teatro de la Zarzuela y allí estrenó en 1916 *Las alegres chicas de Berlín* de Rafael Millán –que supuso un gran éxito para Lola Vela y Luisa Puchol, sus protagonistas–, *El tinglado de la farsa* de Calleja, *Enma* de Clifton Worsley y *La guitarra del amor* de Bretón. En 1922 estrenó *El corneta de legionarios* de Muñoz, Rosillo y Vela en el teatro del Liceo de América de Madrid.

Mª LUZ GONZÁLEZ PEÑA

Vela Lafuente. Familia de músicos españoles formada por los hermanos Luisa, Telmo y José.

1. Luisa. *Véase* SAGI.

2. Telmo. Crevillente (Alicante), 12-II-1889; Ciudad Real, 10-IV-1978. Compositor y violinista. Comenzó sus estudios musicales en el Conservatorio de Valencia y los continuó después en Madrid. Debutó como intérprete en el teatro de la Comedia de Madrid, haciendo presentaciones en otras ciudades españolas y portuguesas. Cultivó la música de cámara, integrando agrupaciones diversas, que le llevaron a actuar en varios países europeos. Se marchó a Argentina en 1913, donde además de su labor como instrumentista, fue profesor. Vivió después en Chile donde fundó nuevas agrupaciones camerísticas y comenzó su dedicación a la música escénica. Compuso su primera obra, *La flor del barrio* en colaboración con Juan Ventura. Era un sainete en tres actos con libreto de Carlos Barella, y fue estrenado en 1921 en el teatro Valparaíso. El mismo año estrenó una nueva obra, *La reina del cabaret*, opereta con letra de Rafael Raveau. Otras obras líricas son *La reina del cabaret* y *La alegría de los humildes*.

A su regreso a Madrid, aunque no cesó de hacer giras por Hispanoamérica, continuó su importante actividad camerística y desde 1934 hasta su jubilación en 1959 fue catedrático de música de cámara en el Conservatorio de Sevilla. Además de la obra lírica, su catálogo incluye numerosas obras para orquesta, música de cámara, cantatas e himnos.

3. José. Crevillente (Alicante), 1890; Montevideo, ?. Barítono. En noviembre de 1912 debutó con éxito en el teatro de Price. Un señor Vela participó en 1914 en el estreno de *Maruxa* de Vives en el teatro de la Zarzuela, quizá fuera José ya que su hermana Luisa fue la protagonista de la obra; el mismo señor Vela cantó en *El rey del mundo* de Pablo Luna. José se fue muy pronto a Buenos Aires, donde recibió consejos y orientación de su hermano Telmo. En 1916 debutó en el teatro Marconi en *Rigoletto*. Convertido en una destacada figura lírica, actuó fundamentalmente en América del Sur.

BIBLIOGRAFÍA: *TLE*; *Mundo Gráfico*, II, 54, 6-XI-1912.

Mª LUZ GONZÁLEZ PEÑA

Vela Marqueta, Cayo. Granada, siglo XIX; Granada, 7-VI-1937. Compositor. Inició los estudios de solfeo y piano con su padre, continuándolos en el Conservatorio de Música de Madrid. Se dedicó a la música teatral, comenzando a partir de 1907 a componer un gran número de obras líricas, en su mayoría en un acto, designadas con los nombres de revista, zarzuela, humorada, boceto o sainete lírico, de las cuales se han conservado al menos noventa y dos, en su mayor parte estrenadas en el teatro de Novedades −se ha documentado el estreno de cuarenta y nueve, al menos, en ese teatro y otras veinte en otros teatros, de las cuales nueve fueron estrenadas después del incendio que destruyó el teatro Novedades−. Eran obras destinadas al consumo inmediato de teatros de segundo o tercer orden, manteniéndose en general poco tiempo en la cartelera teatral, siendo sustituidas por otras de idénticas características. Desde 1909 Cayo Vela se consolida como uno de los autores del género de mayor éxito, colaborando con varios de los maestros dedicados a la composición de estas obras, entre otros con Bretón, San Felipe −con quien colaboró al menos en dieciocho obras entre 1907 y 1911−, Saco del Valle, Quislant, Úbeda, Orejón, Camacho, Calés, Bautista Monterde, Alonso, Marquina y Ruiz Arquelladas. Su actividad compositiva llegó al máximo a través de una colaboración casi habitual con el compositor Enrique Bru, con quien estrenó entre 1909 y 1930 al menos treinta y cinco obras, en su mayor parte en el teatro Novedades. Cayo Vela combinó su actividad como compositor teatral con la dirección de orquesta de teatros, desarrollando la mayor parte de su actividad junto a Enrique Bru como director de la orquesta de Novedades, donde ambos maestros aparecen, al menos, desde la temporada 1913-14 como directores titulares de la orquesta, que contaba con treinta músicos.

Uno de sus primeros éxitos fue el logrado en Novedades con *El eslabón de sangre*, 1908, compuesto en colaboración con San Felipe, saliendo los autores a saludar todas las noches varias veces. Con el mismo autor y para el mismo teatro escribió *Justicia baturra*, 1909, que consta de un preludio, un número para Calzorras y coro de señoras, un dúo de Chichara y Roñica que incluye una jota, una escena y coro de los campesinos, los couplets de la trompeta con una segunda sección en ritmo de chotis, un intermedio y baile de las cintas, y la canción de Viñica, que concluye con una jota, como corresponde a una obra ambientada en Aragón; la obra logró el éxito, siendo editada su reducción. Su siguiente éxito es *Maravillas del progreso*, 1910, también en colaboración con San Felipe, estrenada en Novedades, que según *Eco Artístico* (15-VI-1910), presentaba un derroche de lujo a través de un "decorado precioso, vestuario como mejor no puede confeccionarse, y mujeres bonitas en abundancia", siendo varios de los números de la "linda" partitura repetidos varias veces; la misma publicación incluye el 5 de julio de 1910 un retrato de los autores de la obra y destaca su buen gusto, comentando respecto a la música que "hay números tan bonitos que han de alcanzar gran popularidad y seguramente no tardaremos mucho en oírselos cantar a las adorables *chanteuses* caseras que tan bien suelen hacerlo, y tocar a los pianos de manubrio". También *El lobato*, de Vela y San Felipe, logró el éxito, siendo interpretada de nuevo en 1910. Otro de sus éxitos fue *El capataz*, zarzuela trágica escrita en colaboración con Saco del Valle −que algunas críticas atribuyeron a Vela y Foglietti−, obra que consta de seis números y un intermedio. Es la continuación de *El túnel*, de los libretistas Prieto y Rocabert. Otras obras no merecieron el interés de la crítica, y así, a propósito del estreno de *El siglo de oro* en 1915 en Novedades, escribía Ignacio Salvador en *Música*, "ninguna de ellas merece comentario, pues no son más que la continuación de esas series de obras que se estrenan, sin pies ni cabeza". *Los matarifes*, 1915, "distrajo al público y obligó a repetirse algunos números muy agradables de música", según *Arte Musical* (30-IX-1915), siendo los autores llamados varias veces a escena. El sainete lírico *El nido del principal*, 1915, obtuvo también éxito, siendo editada su reducción para voz y piano, destacando el preludio y coro de cocineras, y el dúo del zángano y la abeja. Con los libretistas Paradas y Jiménez, Vela y Bru escriben algunas de sus obras de mayor éxito, como la revista *Los dos fenómenos*, 1916, con música "retozona y populachera" según *Arte Musical* (15-III-1916), o el pasatiempo *La villa de los gatos*, 1917, revista que presenta tres aspectos distintos de la Puerta del Sol, en el siglo XIX, en el actual y en el venidero, con una música "bien adaptada al libro con números de alegre y pegadiza música", siendo repetidos el terceto de las damiselas en el primer cuadro y el coro de las pantaloneras y los couplets del farolero en el segundo, según *El Cine* (8-XII-1917). También lograron el éxito *La madrina*, 1919; *Como llovido del cielo*, 1919; *El suceso de anoche*, 1920; o *Del Sacro Monte*, 1920, entre otras obras.

Al producirse en 1928 el incendio del teatro Novedades, que ocasionó la muerte de muchos espectadores y la destrucción del edificio, Cayo Vela, que dirigía esa noche la orquesta, no abandonó su sitio, y alentó a los profesores que dirigía a seguir tocando para infundir ánimo y confianza entre el público y aminorar, en lo posible, la catástrofe, resultando herido al salir del teatro. Ello le valió la concesión de la medalla del Trabajo, entregada al compositor por Alfonso XIII en el intermedio de un concierto ofrecido en marzo de 1930 por la Orquesta Lasalle. Fue miembro fundador de la Unión Española de Maestros Directores y Pianistas. En 1935 residía en Zaragoza, como representante de la Sociedad de Autores en la capital aragonesa. En palabras de F. Cuenca, "el maestro Vela es un artista de vena castiza que inspirándose en temas de marcado sabor español, los presenta y desenvuelve con elegante fraseo y factura impecable dentro de una técnica de jugoso sabor moderno".

OBRAS: *¡Felicidad!*, 1 act, col. Bretón Hernández, l, J. Huete, est, 18-IV-1907, Te. Novedades; *Una gota de sangre*, col. San Felipe, l, J. Ponzano, est, 23-VIII-1907, Te. Novedades; *Carmen y Marieta*, Zarz, 1 act, col. San Felipe, l, L. Almayor Beinat, est, 29-X-1907, Te. Novedades; *La tía Javiera*, Zarz, 1 act, col. San Felipe, l, G. Farfán de los Godos / R. Juvera, est, 29-XI-1907, Te. Novedades; *El lobato*, boceto lír, 1 act, col. San Felipe, l, C. Díaz Valero / L. Navarro Serrano, est, 17-I-1908, Te. Novedades; *Astronomía popular*, Rv, 1 act, col. San Felipe, l, G. Farfán de los Godos / J. Burgos, est, 18-IV-1908, Te. Novedades; *Eslabón de sangre o El tío Cachalo*, Zarz, 1 act, col. San Felipe, l, L. Navarro Serrano, est, 3-XI-1908, Te. Novedades; *El perro del molino*, col. San Felipe, l, L. Navarro / E. Múgica / J. Villamur, est, 9-I-1909, Te. Novedades; *Justicia baturra*, Com lír, 1 act, col. San Felipe, l, L. Navarro Serrano / J. de Burgos, est, 26-VI-1909, Te. Novedades; *Maravillas del progreso*, col. San Felipe, l, C.

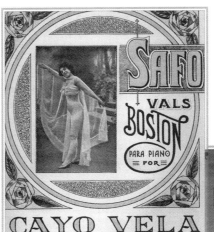

Cortesía de Unión Musical Ediciones SL

Díaz Valero / L. Navarro / P. Baños, est, 6-VI-1910, Te. Novedades; *Flora la viuda verde*, Hum, 1 act, col. San Felipe, l, F. Riera / L. Navarro, est, 10-III-1911, Te. Novedades; *El capataz*, Zarz, 1 act, col. Saco del Valle, l, E. Prieto / R. Rocabert, est, 11-XI-1911, Te. Novedades; *La bomba del retiro*, atentado cóm, 1 act, col. VVAA, l, L. del Moncayo, est, 28-XII-1911, Te. Novedades; *Los mil francos*, Zarz, 1 act, col. Úbeda Plasencia / E. Bru Albiñana, l, J. Pérez López, est, 5-III-1912, Te. Martín; *La parada o El relevo de palacio*, Sai cóm lír, 1 act, col. E. Bru Albiñana, l, C. Lucio / L. García, est, 27-IV-1912, Te. Apolo; *Hambre nacional*, Pas, 1 act, col. Quislant Botella, l, E. Paradas / J. Jiménez, est, 18-VI-1912, Te. Novedades; *El golfo de Guinea*, Sai, 1 act, col. E. Bru Albiñana, l, E. Paradas / J. Jiménez / A. Sánchez, est, 11-IX-1912, Te. Novedades; *El reino de los frescos*, col. E. Bru Albiñana, l, Pérez López / González del Castillo, est, 13-IX-1912, Te. Martín; *Las pobres viudas*, Jug lír, 1 act, col. E.

Bru Albiñana, l, J. Pardo / A. Sánchez, est, 31-XII-1912, Te. Novedades; *Los dragones del rey*, Opt, 1 act, col. E. Bru Albiñana, Candela, l, E. Polo / J. de Burgos, est, 22-III-1913, Te. Novedades; *El rata primero*, col. E. Bru Albiñana, l, Pérez López, est, 30-V-1913, Te. Novedades; *Con permiso de Romanones*, Capr, 1 act, col. E. Bru Albiñana, l, E. Paradas / J. Jiménez / E. Polo, est, 24-VI-1913, Te. Novedades; *El expreso de las 10*, Zarz, 1 act, col. Cambronero, l, J. Maldonado / J. Alvarado, est, 17-X-1913, Te. Novedades; *Matías López*, Zarz, 1 act, col. E. Bru Albiñana, l, E. Paradas / J. Jiménez, est, 30-X-1913, Te. Novedades; *La Faraona*, Jug, 1 act, col. E. Bru Albiñana, l, F. Reparaz / López Montenegro, est, 20-XII-1913, Te. Novedades; *El último juguete*. 1 act, col. Orejón Garrido, l, M. Garrido, est, 9-II-1914, Te. Novedades; *Las sagradas bayaderas*, Opt, 1 act, col. Quislant Botella, l, A. Fernández de Lepina / A. Plañiol, est, 11-IV-1914, Te. Martín; *El terror de las mocitas*, Sai lír, 1 act, col. E. Bru Albiñana, l, V. de la Vega, est, 28-IV-1914, Te. Novedades; *Arriba la liga*, Pas, 1 act, col. E. Bru Albiñana, l, E. Paradas / J. Jiménez / A. Sánchez, est, 30-VIII-1914, Te. Novedades; *La suerte perra*, Zarz, 1 act, col. E. Bru Albiñana, l, E. Paradas / J. Jiménez, est, 3-XI-1914, Te. Cómico; *El siglo de oro*, Rv, 1 act, col. E. Bru Albiñana, l, E. Paradas / J. Jiménez, est, 8-I-1915, Te. Novedades; *El sastre del campillo*, 1 act, col. Orejón Garrido, l, M. Garrido, est, 16-IV-1915, Te. Novedades; *Los matarifes*, Sai, 1 act, col. E. Bru Albiñana, l, M. Fernández de la Puente, est, 24-IX-1915, Te. Novedades; *El nido del principal*, Sai, 1 act, col. E. Bru Albiñana, l, E. Paradas / J. Jiménez, est, 30-X-1915, Te. Apolo; *Los dos fenómenos*, disparate cóm lír, 1 act, col. E. Bru Albiñana, l, E. Paradas / J. Jiménez, est, 3-III-1916, Te. Novedades; *El misterio de la jota*, col. Camacho, l, R. Cansinos / M. Cerezo, est, 21-XI-1916, Te. Novedades; *El viaje del amor*, Fant lír, 1 act, col. E. Bru Albiñana, l, E. Paradas / J. Jiménez, est, 24-XI-1916, Te. Cómico; *La chicharrana*, Com lír, 1 act, col. E. Bru Albiñana, l, E. Paradas / J. Jiménez, est, 9-I-1917, Te. Novedades; *Serpentinas y confetis*, col. Calés, l, M. de L' Hotellerie, est, 11-V-1917, Te. Novedades; *La villa de los gatos*, col. E. Bru Albiñana, l, E. Paradas / J. Jiménez, est, T. Cómico, XII-1917; *El

Cortesía de Unión Musical Ediciones SL

monigotillo*, col. E. Bru Albiñana, l, F. Pérez Capo, est, 18-I-1918, Te. Novedades; *La cartujana*, Zarz, 1 act, col. E. Bru Albiñana, l, E. Paradas / J. Jiménez, est, 5-IV-1918, Te. Novedades; *La madrastra*, Com, 1 act, l, L. Navarro Serrano, est, 31-X-1918, Te. Novedades; *Chiribitas*, Sai, col. E. Bru Albiñana, l, E. Paradas / J. Jiménez, est, 7-III-1919, Te. Novedades; *La madrina*, Com, col. E. Bru Albiñana, l, E. Paradas / J. Jiménez, est, 25-IX-1919, Te. Apolo; *Como llovida del cielo*, Zarz, 1 act, l, T. Adam Gallego, est, 4-XI-1919, Te. Novedades; *A quince el metro*, col. E. Bru Albiñana, l, E. Paradas / J. Jiménez, est, 28-XI-1919, Te. Martín; *El suceso de anoche*, Sai lír, 1 act, col. E. Bru Albiñana, l, J. M. Acevedo, est, 16-III-1920, Te. Novedades; *Del Sacro Monte*, Sai, 1 act, col. B. Monterde, l, A. Calero Ortiz / M. Sanz López, est, 28-VI-1920, Te. Novedades; *La millonaria*, col. E. Bru Albiñana, l, L. Pascual Frutos, est, 27-XII-1920, Te. Novedades; *Los amores de la Filo*, Sai, 1 act, col. E. Bru Albiñana, l, L. Navarro Serrano / J. Fernández, est, 26-III-1921, Te. Novedades; *Las apariencias engañan*, col. E. Bru Albiñana, l, L. García Conde, est, 14-IV-1921, Te. Novedades; *La reina de las Tarantas o La negra honrilla*, Sai madrileño, 1 act, col. E. Bru Albiñana, l, E. Montesinos / F. Porset, est, 3-III-1922, Te. Novedades; *La perla del barrio*, Sai lír, 1 act, col. E. Bru Albiñana, l, S. Mauri Martínez, est, 25-IV-1922, Te. Novedades; *El mejor chocolate*, disparate cóm lír, 1 act, col. E. Bru Albiñana, l, M. Toha, est, 23-V-1922, Te. Novedades; *Cochero... ¡A Novedades!*, col. E. Bru Albiñana, est, 28-XI-1922, Te. Novedades; *Juan Caballero*, Zarz, 2 act, l, A. Calero Ortiz, est, 21-XII-1923, Te. Victoria (Barcelona); *París Madrid*, col. Alonso López, l, A. Torres del Álamo / A. Asenjo, est, 1-X-1924; *Vaya jarana....*, parodia, col. Sancha Morales, l, J. Silva Aramburu / J. V?, est, 11-IV-1925, Te. Novedades; *El señor Pepe el templao o La mancha de la mora*, Sai, 2 act, l, C. Arniches / A. Estremera, est, 23-XII-1925, Te. Novedades; *El príncipe sin par*, Hum, 1 act, col. Úbeda Montés, l, M. Desco / M. Carballeda, est, 31-VI-1926, Te. Novedades; *La capitana*, Zarz, 2 act, col. E. Brú Albiñana, l, L. Fernández de Sevilla / A. Carreño, est, 5-V-1928, Te. Cómico (Barcelona); *Madrid charleston*, col. Marquina, l, Fernández Palomero, est, 28-VI-1929; *La ley seca*, Fant, 2 act, col. E. Brú Albiñana, l, L. Fernández de Sevilla / A. Carreño, est, 4-VI-1930, Te. Chueca; *El cine sonoro*, 2 act, col. M. Ruiz Arquelladas, l, E. Polo, est, 16-X-1930, Te. Fuencarral; *Las gatas republicanas*, 2 act, col. Belda Pastor / Tellería / Arrizabalaga, l, Paso / Lucio, est, 2-VI-1931, Te. Maravillas; *La primera salida*, Sai, 1 act, col. M. Ruiz Arquelladas, l, R. González del Toro, est, 26-X-1931, Te. Maravillas; *Consuelo "la del portillo"*, Sai, 1 act, col. Ruiz Arquelladas, l, J. Fanconi / V. López, est, 23-VII-1932, Te. Latina; *El espanto de Triana*, Sai, 1 act, l, A. Quintero / Sanz, est, 17-V-1933, Te. Zarzuela; *La manga ancha*, 1 act, l, S. Álvarez Quintero / J. Álvarez Quintero, est, 12-VI-1933, Te. Pavón; *Los paraos*, Sai lír, 1 act, col. Flores, l, J. Manzano Sánchez / A. Vila, est, 21-X-1933, Te. Fuencarral; *Bonita y coqueta*, col. Sama de Torre, l, L. Fernández García; *Cielo mar y tierra*, col. B. Monterde, l, A. Calero Ortiz; *Cine sonoro*, 2 act, col. Ruiz Arquelladas. l, E. Polo; *El amo de la pantalla*, col. Alonso López; *El beso republicano*, 1 act, col. Quislant Botella, l, J. de Burgos / E. Polo, est, Te. Martín; *El caballero de la triste figura*, Zarz, 1 act, col. San Felipe, l, D. Criado; *El calvario de Jesús*; *El cometa Haley*, 1 act, col. San Felipe, l, J. Pontes; *El duro sevillano*, 1 act, col. San Felipe, l, Múgica / J. Villaseñor; *El fenómeno*, 1 act, col. San Felipe, l, L. Navarro; *El modisto parisien*, Zarz, 1 act, col. San Felipe, l, G. Farfán de los Godos; *El oráculo de Budha*, 2 act, col. Marquina; *El rey del fado*, 1 act, l, M. Garrido; *La camarera*, 1 act, l, L. Navarro; *La ciega de San Telmo*, l, V. de l'Hotellerie; *La fuente del pino*, 1 act, col. San Felipe, l, C. Díaz Valero / L. Navarro Serrano; *La triunfadora*, col. A. Muguerza Goxencia; *Las encajeras*, Zarz, 1 act, col. M. Ruiz Arquelladas, l, J. Fajardo Jorgozo; *Las hijas del Tío Sam*, col. A. Muguerza Goxencia, l, J. Aracil / E. Palacio Valdés; *Los ojos de un pícaro*, Zarz, 1 act, col. San Felipe, Fernández Pacheco, l, J. Moyrón / G. Farfán de los Godos; *Los panaderos*; *Pot pourrit*, col. San Felipe, l, J. Romeo Sanz.

BIBLIOGRAFÍA. F. Cuenca: *Galería de músicos andaluces contemporáneos*, La Habana, Cultura, 1927.

RAMÓN SOBRINO

Velasco, Ángela [Angelita]. España, siglo XX. Cantante. Con ambos nombres aparece esta cantante que estrenó en 1919 *Los claveles* de Serrano y en 1930 *Las guapas* de Francisco Alonso.

Mª LUZ GONZÁLEZ PEÑA

Velasco, Felipa. España, siglo XX. Cantante. Estrenó en 1919 *Los claveles* de Serrano.

Mª LUZ GONZÁLEZ PEÑA

Velasco, Felipe. España, siglo XX. Estrenó en 1930 en el teatro Fontalba *Paca la telefonista o El poder está en la vista* de Enrique Daniel.

Mª LUZ GONZÁLEZ PEÑA

Velasco, Herminia. España, siglo XX. Tiple. Estrenó en 1908 *La estocá de la tarde* de Julián Vivas en el teatro Lo Rat Penat; en 1909, *La gatita del carril* de Patricio Muñoz en el teatro Romea de Madrid, y *El abrazo de Vergara* de Cereceda en el Gran Teatro; en 1913 *La boda de la Farruca* de Alonso en el teatro Cervantes de Sevilla y en 1916 en el teatro López Ayala de Badajoz *La cacería* de Juan Antonio Martínez.

Mª LUZ GONZÁLEZ PEÑA

Velasco, Julia. España, siglos XIX-XX. Tiple. Aparece en numerosas publicaciones teatrales del momento, debido a la relevancia que alcanzó como intérprete de zarzuela. En 1899 ya aparecía como tiple en el teatro Eldorado de Madrid. En 1902 era tiple del Eslava junto a Carmen Andrés y Julia Fons y estrenó *La corría de toros* de Chueca. En 1903 estrenó *Los hijos del mar* de Lleó y Calleja en el teatro Lírico. En 1904 formaba parte como primera tiple de la

Julia Velasco y E. Duval en El conde de Luxemburgo; *Ar. SGAE)*

compañía del teatro Cómico donde estrenó *Cuadros al fresco* de Giménez y en Eslava *La torería* de Serrano y *La buena moza* de Foglietti y Muñoz; en el otoño de ese año estaba de nuevo en el Cómico interpretando *Cuadros al fresco*. En 1910 estrenó *La princesa de los Balkanes* en el Novedades de Barcelona.

Mª LUZ GONZÁLEZ PEÑA

Velasco, Manuel. España, siglos XIX-XX. Actor-cantante. Estrenó *La gatita del carril* de Patricio Muñoz, Romea, 1909; *Corte o Cortijo* de Pedro y Eugenio Vilches, teatro Zorrilla de Valladolid, 1910; *Juanita la* *divorciada* de Leo Fall, Novedades, 1911; *El eterno sinvergüenza* de Quislant y Matute, Martín, 1917; *La cruz de los rosales* de López Debesa, Martín, 1918 y *El huerto de los rosales* de José Cabas, Apolo, 1919.

Mª LUZ GONZÁLEZ PEÑA

Velasco Huertas, Eulogio. Valencia, ?; ?, 1957. Empresario y dramaturgo. Eulogio Velasco tuvo una gran importancia en el mundo teatral como empresario. Su compañía, denominada en principio Hermanos Velasco, la constituyó con su hermano Rogelio y desde el principio se caracterizaron por la fastuosidad de sus montajes. En 1910 ambos llenaban con su compañía el teatro Cervantes de Málaga y allí trabajó el famoso actor Ramón Peña. En 1913 encargaron al dramaturgo Manuel Moncayo la revista *Las musas latinas* a la que puso música Manuel Penella. Con un espléndido montaje llevaron la obra a Buenos Aires y fue un gran éxito tanto allí como en Madrid al estrenarse en el teatro Apolo y en 1914, la Empresa Velasco, establecidos en aquellos momentos en Buenos Aires, encargaron expresamente a Ramón Asensio Mas y José Juan Cadenas, *El príncipe Carnaval*, opereta con música de Quinito Valverde y Vicente Lleó, que se estrenó triunfalmente en el teatro San Martín de Buenos Aires y obtuvo un clamoroso éxito en los principales teatros de Argentina, Uruguay, Chile, Ecuador y Cuba. Lleó se había hecho cargo de la dirección de la orquesta de la compañía en 1918 para la gira americana que duró tres años. Durante su estancia en Cuba, en 1919, Ernesto Lecuona fue codirector artístico de la compañía Velasco y estrenó numerosas zarzuelas en el teatro Martí. Hay que destacar que fue precisamente Eulogio Velasco el que introdujo a Lecuona en España, ya que simultaneó su actividad como empresario del teatro Martí de La Habana con la del Apolo madrileño, donde estrenó algunas obras del autor cubano. En el teatro Martí y con los Velasco inició su carrera el tenor cómico Antonio Palacios, que volvería con ellos a España y participaría también en los estrenos de Apolo. La tiple Consuelo Mayendía y su marido Cristóbal Sánchez del Pino también actuaron en el teatro Martí con la compañía Velasco.

Eulogio volvió a España con una gran fama como empresario adquirida en América. La temporada 1922-23 se hizo cargo del teatro Apolo, que languidecía en los últimos años. Velasco reorganizó la compañía, con valores tradicionales del género lírico nacional y vedettes que pudiesen triunfar en las revistas que tan de moda estaban entonces. Eugenia Zúffoli y María Caballé fueron los pilares en que se apoyó la nueva compañía, que pretendía llevar al Apolo la revista de gran espectáculo, con gran lujo de vestuario y decorados. El primer triunfo fue la revista de Aulí y Benlloch *Arco Iris*, estrenada en septiembre de 1922 y en la que el propio Velasco figu-

raba como uno de los libretistas. La revista ya la había llevado el empresario por diversas salas de América, y dentro de España la había estrenado en Barcelona y Valencia, siempre con gran éxito, que se revalidó en Apolo. Julián Benlloch era en esos momentos –y lo fue durante muchos años– el director de la orquesta de la compañía Velasco. *¡Ave, César!*, con música de Lleó, revalidó la buena intuición para el espectáculo de Velasco y supuso un triunfo absoluto de Eugenia Zúffoli que, por enfermedad de María Caballé, tuvo que hacerse cargo de los dos papeles protagonistas de la obra, escritos expresamente para ellas. Los decorados de Martínez Garí y el lujo en el vestuario sobre diseños de D'Hoy, contribuyeron al éxito de la obra que alternó durante meses con *Arco Iris* en el cartel de Apolo. Poco después montaron *La tierra de Carmen*, que triunfó también. Ya en 1923 se estrenó *El rey nuevo* de Jacinto Guerrero, con libreto de Pedro Muñoz Seca y Pedro Pérez Fernández dedicado precisamente a los hermanos Velasco. Tras el paréntesis de 1923 en que la compañía de Vives ocupó el Apolo y vivió el gran éxito de *Doña Francisquita*, Eulogio Velasco volvió a regentar el teatro Apolo en 1924 y realizó una gran inversión para estrenar la opereta de Luna *Rosa de fuego*, no sólo en los decorados sino en los ballets que contaron con coreografía de Sacha Goudine. Aunque la Caballé y la Zúffoli triunfaron nuevamente en esta obra, la empresa Velasco acabó perdiendo mucho dinero. En este año Reveriano Soutullo comenzó a colaborar con la empresa Velasco como director y compositor.

En 1928 montó y dirigió escénicamente *La orgía dorada* de Guerrero en el Price de Madrid. Los figurines eran de José Zamora y los decorados de Fontanals en Madrid y de Silva en Río de Janeiro. De una de sus incursiones por América se trajo a la famosa cantante Rita Montaner y la dio a conocer en el Apolo y el Infanta Isabel de Madrid. En 1930 Eulogio Velasco llenaba el teatro Metropolitano de Madrid con su compañía de revistas que estrenó *Las bellezas del mundo* de Soutullo y Vert. Los espectáculos Velasco han quedado en la memoria de los espectadores de aquellos años como sinónimo de lujo y fastuosidad. En la película *Frivolinas* de Arturo Carvallo, 1928, recientemente recuperada por la Filmoteca Española, se puede apreciar el concepto del espectáculo que el empresario tenía; es el único testimonio filmado de las fastuosas revistas de Velasco.

Pero Eulogio Velasco no fue sólo empresario y director escénico sino que escribió parte de los libretos de algunas de las revistas que montó como la ya mencionada *Arco Iris*, en colaboración con Tomás Borrás, 1922; *La feria de las hermosas*, con música de Soriano y Terés y libreto en colaboración con Franco Padilla; *Cock-Tail de amor*, también de Benlloch y Soriano y libreto en colaboración con Fernández de Sevilla; *El mantón español*, con música de

Guerrero y colaboración en el libreto de Joaquín Guichot; *Embrujo de amor* de Benlloch y Ruiz Arquelladas, con libreto en colaboración con Emilio Lamany y Ángel Zapata; *En plena locura* de Benlloch, Teres y Eduardo Granados y colaboración en el libreto de Tomás Borrás; *Frivolinas* de Benlloch y Teres, con libreto de Borrás; *La virgen de bronce*, en colaboración con Antonio y Enrique Paso y música de Soutullo y Vert; *Las aventuras de Jorge Sand* en colaboración con Carreño y Fernández de Sevilla y música de Benlloch y Soriano; *Las maravillosas* en colaboración con Antonio Paso y Tomás Borrás y música de Soutullo y Vert y *Mujeres y flores* en colaboración con Gonzalo Jover y música de Quinito Valverde.

BIBLIOGRAFÍA: *ME*; *TA*; A. Retana: *Historia del arte frívolo*, Madrid, Ed. Tesoro, 1967.

Mª LUZ GONZÁLEZ PEÑA

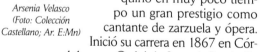

Arsenia Velasco (Foto: Colección Castellano; Ar. E:Mn)

Velasco Pérez, Arsenia. Cuenca, 31-VIII-1843; Vitoria, 4-VIII-1874. Contralto. Hija de un músico mayor del ejército, estudió canto y declamación en el Conservatorio de Madrid con José Inzenga, ingresando en el centro en 1856. Estudió también piano con Manuel Mendizábal. En 1863 fue pensionada con 300 escudos y en 1866 obtuvo el primer premio de canto. Precisamente su profesor le dedicó una extensa necrología a su muerte. Adquirió en muy poco tiempo un gran prestigio como cantante de zarzuela y ópera. Inició su carrera en 1867 en Córdoba con Orsini de *Lucrecia Borgia*. En 1868 cantó en Granada en compañía de Aldighieri, la Spezia y Rosnati. A partir de entonces fue contratada por el teatro de la Zarzuela donde se presentó en 1869 en la obra *Los mosqueteros de la reina* de Halévy, y se dedicó a este género, en parte por acompañar a su padre que tenía negocios en Madrid. Este cambio supuso la necesidad de hacer papeles muy variados que, según Inzenga, deterioraron su voz. Estrenó *El hábito no hace al monje* de Rogel, Zarzuela, 1870; *Los holgazanes* de Barbieri, Zarzuela, 1871; *Beltrán y la Pompadour* de José Casares, Zarzuela, 1872; *La flor de Besalú* del mismo autor, y *¡Guerra al extrangero!* de Monfort, Sevilla, 1873. Destacó además como intérprete en *El juramento, Pan y toros, El grumete* e *Ildara*, dentro de los dramáticos, y *Barba Azul, Los cómicos de Alarcón, Mis dos mujeres* y *Los comediantes de antaño* entre los cómicos.

Recorrió con la compañía de Francisco Salas los teatros de las ciudades de Valencia, Andalucía, Barcelona y Vitoria, donde falleció, poco después de haber tenido un gran éxito en *Barba Azul*. Sus personajes favoritos eran el citado Orsini y Leonor de Guzmán en *La favorita*. Tenía una magnífica técnica de fraseo, frescura y extensión de voz. Un hermano suyo, Ezequiel, fue profesor de flauta.

BIBLIOGRAFÍA: *DBE*; *HGZ*; J. Inzenga: "Arsenia Velasco. Apuntes biográficos por...", *La España Musical*, 10-X-1874.

EMILIO CASARES RODICIO

Velázquez, Conchita [Concepción Rodríguez]. Cartagena (Murcia), 1899; Barcelona, 17-II-1974. Mezzosoprano. Formada en el Conservatorio del Liceo y en Milán, su dedicación fundamental fue la ópera. En 1924 triunfaba en el Liceo de Barcelona y en el teatro Tívoli de la misma ciudad cantando ópera, si bien en 1944 interpretó *La verbena de la Paloma*, asumiendo el papel de la cantaora y el de la Señá Rita. En la temporada 1946-47 debutó en el teatro de la Zarzuela con la compañía de Conrado Blanco junto a Conchita Panadés, con *Las viejas ricas* de Tellería, para interpretar después *Doña Francisquita*.

Conchita Velázquez (Foto: E:Bit)

BIBLIOGRAFÍA: E. García Carretero: *Historia del teatro de la Zarzuela de Madrid*, Madrid, Fundación de la Zarzuela Española, 2003.

EMILIO GARCÍA CARRETERO

Lorenzo Velázquez (Foto: Compañy en El Teatro, 1904; Ar. SGAE)

Velázquez, Lorenzo. España, siglos XIX-XX. Tenor y actor cómico. En 1904 formaba parte de la compañía del teatro Moderno que dirigía Enrique Chicote y estrenó *La última copla* de Marquina, *La perla negra* de Torregrosa, *La borracha* de Chueca, *Las estrellas* de Serrano y Quinito Valverde y *Congreso Feminista* de Quinito Valverde; al año siguiente *El estuche de monerías* de Quinito Valverde, *La velada de San Juan* de Alvira, *La Guardabarrera* de Torregrosa, *El príncipe ruso* de Vives, *Miss Full* y *La* *peseta enferma* de Chapí, 1905. Entre 1907 y 1910 estuvo contratado por el teatro Eslava y estrenó *Todos somos unos* de Lleó, 1907, *El quinto pelao* y *El rival de Sherlock Holmes* de Lleó, 1908, *La remendona* de Foglietti, 1908, *La moral en peligro* de Lleó, 1909, y en 1910 el gran éxito de Lleó *La corte de faraón*. Ese mismo año estrenó en el Novedades de Barcelona la opereta *La princesa de los Balkanes*. En 1913 estaba en el teatro Martín de Madrid donde estrenó *Hay que picarlas* de Matute y Romero; en 1921 en La Latina *De los cuarenta p'arriba* de Rosillo, en 1922 *Farsa matrimonial* y *El apuro de Pura* de Luna en el Martín, en 1924 *La mujer de nieve* de Torroba y Rosillo en el Cómico. En 1931 estrenó en el Maravillas de Madrid *Las mimosas* de Rosillo.

Mª LUZ GONZÁLEZ PEÑA

Velázquez y Sánchez, José. Sevilla, ?; Manila (Filipinas), 13-VIII-1880. Escritor. Estudió la carrera de Derecho. Fue archivero y cronista oficial de Sevilla. Escribió novelas, cuentos, biografías, estudios y su producción dramática es abundante. Cultivó el género lírico esporádicamente y sus estrenos tuvieron lugar en el teatro Variedades de Sevilla entre los años 1866 y 1867. Entre sus títulos destacan *Cría cuervos, El café de Rosalía, El bergantín Rayo* y *El último vals*, todas con música de Manuel Rodríguez, exceptuando *Borrascas de carnaval*, con música de Agostini, estrenada en el teatro San Fernando de Sevilla en 1868.

OLIVA G. BALBOA

Vélez Camarero, Esteban. Burgos, 21-XI-1906; Santander, 25-IX-1983. Compositor. Inició sus estudios musicales como niño de coro de la catedral. Con la ayuda del arzobispo Prudencio Melo se trasladó a Madrid, en cuyo Conservatorio llevó a cabo su carrera, terminando composición con primeros premios, obteniendo con *La primera salida de Don Quijote* el premio fin de carrera en composición. Posteriormente ingresó por oposición como violinista en la Orquesta Sinfónica de Madrid y en la primera categoría del Cuerpo Nacional de Directores de Bandas Civiles. Permaneció durante veintitrés años como director de la Banda

Esteban Vélez Camarero (Foto: Nuevo Mundo, 1928; Ar. ICCMU)

Municipal de Santander. Sus obras fueron premiadas en numerosas ocasiones. Para el teatro lírico escribió *El flautista mágico, El prisionero de Zenda* y *Debajo de los laureles*.

OBRAS: *El flautista mágico*, 3 act, col. M. Parada de la Puente, l, C. Luca de Tena, est, 24-I-1945, Te. Español; *El prisionero de Zenda*, ilustraciones, col. M. Parada de la Puente, est, 19-V-1945, Te. Coliseum, *E:Msa; Debajo de los laureles*, Zarz, l, G. Hoyos, 1958.
BIBLIOGRAFÍA: *Nuevo Mundo*, 1803, 10-VIII-1928.

Mª LUZ GONZÁLEZ PEÑA

Vélez de Guevara. Familia de libretistas españoles formada por Luis y su hijo Juan.

1. Luis. Écija (Sevilla), 1579; Madrid, 1644. Dramaturgo, poeta y novelista. Llevó una vida muy agitada. Pertenecía la escuela de Lope de Vega. Entre sus numerosas obras, algunas fuentes indican más de cuatrocientas, destaca la novela *El diablo cojuelo*, en la que se aprecian algunas de sus cualidades como escritor: gracejo, sátira y donaire. En lo referente al teatro lírico, es autor de *Reinar después de morir,* una de las obras maestras del teatro español, además de varias comedias con música, como *El alba y el sol, La cortesana en la tierra, Enfermar con el remedio,* y entremeses, como *La burla más sazonada*. Sus libretos gozaron de gran éxito, y fueron puestos en música a lo largo del siglo XVII y XVIII, por compositores tan estacados como Antonio Guerrero.

2. Juan. Madrid, 1611; 1675. Libretista. Estudió Derecho en la Universidad de Alcalá. No fue tan prolífico como su padre, pero es autor de varias obras de éxito, como bailes, entremeses y loas. En su producción para la música escénica destaca la comedia *Los celos hacen estrellas o El amor hace prodigios*, 1662, con música de Juan Hidalgo. Escribió también comedias y dramas que alcanzaron discreta fama.

BIBLIOGRAFÍA: *DMEH;* L. K. Stein: *Songs of Mortals. Dialogues of the Gods. Music and Theater in Seventeenth-Century Spain,* Oxford, Clarendon Press, 1993.

JUDITH ORTEGA

Vellani Albini. Familia de músicos de origen italiano formada por los hermanos Napoleón y María Virginia, hijos de la famosa soprano italiana María Napoleona Albini de Vellani.

1. Napoleón. España, siglo XIX. Compositor. Había estudiado en Barcelona con Pascual Pérez, y parece que se presentó con la obra *El anillo de la princesa*, con la que consiguió su primer éxito dado que fue llamado tres veces a escena. En el número 112 de 1863 de *La Gazeta Musical Barcelonesa* se da la noticia de un estreno: "El periódico de Andalucía refiere que uno de aquellos teatros se ha estrenado con gran éxito una zarzuela titulada *El anillo de la princesa*, cuya música ha escrito el joven y adelantado compositor don Napoleón Velani Albini, hijo

de la célebre artista de este nombre. Se hacen los mayores elogios de la belleza de esta partitura, primera obra del joven compositor el cual ha sido llamado tres o cuatro veces al palco escénico en la noche del estreno".

María Virgina Albini
(Foto: A. Liébert; E:Mn)

2. María Virginia. Madrid, siglo XIX. Tiple. Había nacido en Madrid, durante alguna de las estancias en esta ciudad de su madre, que había cantado entre los años 1827 y 1829 y se retiró en 1843 después de viajar por Italia, La Habana y México. María inició su carrera en Valencia, donde actuó en varias temporadas. A partir de la temporada 1860-61, fue contratada como primera tiple por el teatro de la Zarzuela, que abandonó en 1862. Se presentó con la obra *El relámpago*, pero su voz no tuvo una gran acogida a pesar de que se admitía que tenía algunas de las dotes de su madre; por ello no volvió a cantar en Madrid. Posteriormente estuvo en Murcia y otras ciudades españolas siempre como primera tiple.

BIBLIOGRAFÍA: *DBE; HGZ; HZ*; E. Casares Rodicio: *Francisco Asenjo Barbieri. 2. Escritos*, Madrid, ICCMU, 1994.

EMILIO CASARES RODICIO

Vendrell, Emilio. Barcelona, 13-I-1893; Barcelona, 1-VIII-1962. Tenor y musicógrafo. Ingresó, siendo muy niño, en la Escolanía de Santa María del Mar y a los once años en el Orfeó Catalá. Se formó también con Luis Millet y la soprano Asunción Prades y fue solista mucho tiempo del Orfeó Catalá. Actuó con la Orquesta Sinfónica de Madrid bajo la dirección de Arbós y posteriormente se dedicó a la zarzuela. Se presentó con la obra de Morera *Don Joan de Serrallonga* en 1922. Su debut en Madrid tuvo lugar con *La montería* de Guerrero en 1923. Su éxito hizo que fuese invitado a estrenar *Los gavilanes*; para su voz escribió Guerrero la romanza "Flor roja" del segundo acto, con la que el tenor obtuvo un gran éxito. La obra lo consagró y lo llevó a cantar *Doña Francisquita*, que cantó más de mil trescientas veces. En 1925 estrenó en el Tívoli de Barcelona *La severa de Millán*; en 1927 *La reina del Directorio* de Alonso en la Zarzuela y en 1928 *La manola del portillo* de Luna en el Pavón de Madrid. Otra de sus obras favo-

ritas era *La Dolorosa* de Serrano, que estrenó en el teatro Victoria Eugenia de San Sebastián en 1930 y llegó a cantar en unas ochocientas ocasiones. Aún en 1951 en la obra póstuma de Guerrero, *El canastillo de fresas*, sustituyendo a partir de la octava representación a Pedro Terol. Se especializó como liederista dando audiciones y conciertos en este género. Recorrió los más importantes teatros de América con el repertorio lírico. Se retiró de la escena en 1953, al cumplir los sesenta años y

Emilio Vendrell
(Foto: Ar. SGAE)

sólo volvió a cantar en festivales benéficos y en los conciertos del Orfeó Catalá en el que había reingresado.

Es autor de libros como *El mestre Millet i jo* o *Lo cant* y tras su retirada ofreció numerosas conferencias sobre temas musicales. Su pérdida fue muy sentida, sobre todo en Barcelona, constituyendo su entierro una impresionante manifestación de duelo.

FONOGRAFÍA: *Doña Francisquita*, Regal LKX 5007 a LKX 5014 (et. azul), KX 236 a KX 251 • RG 16016 (et. rosa), WKX 242 WKX 246 • Aria • Odeón 121021, XXS 4768 XXS 4769 • Blue Moon BMCD 7501; *Emili Vendrell. Escenas de zarzuela*, 2 vol. Aria Recording, 1035; *L´emigrant*, Regal C 10271, CK 3867 CK 3868; *La balenguera*, Regal C 10271, CK 3867 CK 3868; *La Dolorosa*, Odeón 121145, XXS 6684 XXS 6683 • Columbia R 14013 a R 14015, WK 2281 a WK 2286 • Odeón 203279, SO 6700 SO 6578 • Regal LKX 5024, DK 4017 DK 8195 (et. azul), KX 289 KX 290 K 2293 K 2294-2 K 2281 K 2296-2 • Blue Moon BMCD 7524; *La generala*, Odeón 184492 a 184495, SO 7100 a SO 7107 • Blue Moon BMCD 7523; *La pícara molinera*, Odeón 121188, XXS 5324 XXS 5323; *La verbena de la Paloma*, SO 5282 a SO 5289, SO 5290, SO 5293 a SO 5298, SO 5328 • Odeón 203796 a 203803, SO 5282 a SO 5290, SO 5293 a SO 5298, SO 5328 • Blue Moon BMCD 7505; *Los claveles*, Odeón 184143, SO 5584 SO 5583 • Odeón 121096, XXS 5624 XXS 5628 • Odeón 121001, XXS 4368 XXS 4192; *Los gavilanes*, 153042 y 153043 (et. negra, roja y rosa), SO 3183 SO 3184 • Odeón 184488 a 184491, SO 6344 SO 6345 SO 6729, SO 7028 a SO 7031, SO 7042 • Blue Moon BMCD 7538; *Luisa Fernanda*, Odeón 184496 a 184499, SO 7621 SO 7622, SO 7635 a SO 7639, SO 7671 • Blue Moon BMCD 7522.

EMILIO CASARES RODICIO

Vendrell, Jaime. España, siglo XIX. Actor y cantante. En 1873 estrenó en el Jardín de la Alhambra *Una martingala* de Benito Monfort; en 1877 en el salón Eslava *Las mocedades de D. Juan Tenorio* de Rubio y Espino y *Entre locos* de Gaztambide.

Mª LUZ GONZÁLEZ PEÑA

Venezuela. El término zarzuela ha sido utilizado en Venezuela con un sentido amplio, denominándose con este término cualquier obra teatral con algún número cantado. En este sentido un caso emblemático es el famoso joropo *Alma llanera*, una especie de segundo himno nacional, que aparece ampliamente reseñado como número integrante de la "zarzuela" homónima del compositor Pedro Elías Gutiérrez, y el literato Rafael Bolívar Coronado, cuando de lo que se trata es simplemente de un drama romántico en un cuadro sobre episodios costumbristas de los llanos venezolanos.

I. El siglo XIX. II. El siglo XX.

I. EL SIGLO XIX. La primera noticia conocida referente a la zarzuela se debe a José María Osorio, que en su *Mortuoria* testifica que su hijo Juan Manuel había llevado para Nueva Granada "los cuadernos de las zarzuelas de las niñas". Es probable que este género musical hubiese llegado al país mucho antes disfrazado entre tonadillas y comedias. Ya desde el siglo XVI se tiene documentación referente a la representación de comedias. Juan Suárez, por ejemplo, que acompañó a las huestes de Diego de Losada en la fundación de la ciudad de Caracas y quien sería después alcalde de la misma ciudad, además de tocar la gaita era muy aficionado a las comedias, loas y autos sacramentales, que en festividades importantes se montaban en un tablado improvisado en la plaza mayor. También fue del gusto caraqueño la representación de nacimientos y jerusalenes, donde los números musicales jugaban un papel muy importante. El teatro Unión o de Maderero, por décadas estuvo destinado a este fin. Hay que destacar también los libros de cofradías como fuente importante de documentación sobre las diferentes manifestaciones tea-trales no sólo durante la Colonia, sino también durante buena parte del siglo XIX. José Rojas afirma que el año 1857 se montó en Maracaibo la zarzuela *Alegoría* de Manuel Gandó y letra de Manuel Dagnino. Sin embargo, hasta el momento, no se tiene más información. Por otra parte, el año 1859 en el periódico *El Heraldo* del día 23 de octubre se dice que la compañía de comedias de los hermanos Zafrané montó en Caracas la zarzuela *El amor y el almuerzo* de Joaquín Gaztambide. La prensa recoge unos comentarios sobre esta presentación que hasta el momento, como comenta Fidel Rodríguez es la "primera crítica musical" sobre la zarzuela en el país.

Pero es a partir de 1864 con la Compañía Dramática Blen, integrada por Saturnino Blen, las tiples Francisca y Amalia Muñoz, Joaquín de la Costa, Emilio Muñoz y Pedro Martínez como maestro de orquesta entre otros, cuando se montan con gran éxito verdaderas temporadas con títulos como *Los diamantes de la corona* o *Marina*. La compañía Blen reapareció en Caracas dos años más tarde cuando, fusionada con la de los hermanos Zafrané, montaron el 18 de agosto de 1866 *Las hijas de Eva* de Gaztambide con motivo de la reinauguración de un viejo teatro conocido desde la Colonia como teatro Unión o de Maderero y que, remodelado por su dueño, el señor Eleuterio González, se le cambió el nombre precisamente por el de teatro de la Zarzuela. El éxito que estaba teniendo este género de origen español entre el público caraqueño, ameritaba actualizar este viejo teatro para así poder competir con el teatro Caracas inaugurado en 1854, la sala mimada por los caraqueños hasta su desaparición por un incendio mientras pasaban una de las primeras cintas cinematográficas que llegaron al país una noche de abril de 1919. La compañía Blen-Zafrané, que de nuevo estaba actuando en Caracas en 1878 con algún título nuevo como *La Marsellesa*, es uno de los casos de las muchas compañías itinerantes que recorrieron

Teatro Nacional de Caracas (Foto: Ar. ICCMU)

Sudamérica durante el siglo XIX, deteniéndose en cada ciudad el tiempo que su repertorio era recibido con beneplácito. De hecho, José, Concha y Manuel Zafrané, y los demás integrantes del elenco, se encontraban trabajando en Bogotá el año 1867. No es raro encontrar una compañía deteniéndose en Caracas y otras ciudades costeras como Maracaibo, Cumaná o Puerto Cabello durante unos meses, y al cabo de dos o tres años después topársela de vuelta. En líneas generales estas compañías estaban integradas por los cantantes importantes, generalmente alguno de ellos dueño de la empresa, y de pronto, algún músico puntal; el resto, como los personajes secundarios, coristas, tramoyistas, músicos de orquesta, eran artistas locales. Precisamente en el teatro de la Zarzuela se organizó el año de su reinauguración la Sociedad de Coristas de Caracas, para defenderse los cantores frente a los intereses de las compañías extranjeras. Otro dato interesante a considerar, es que con relativa frecuencia algunos de estos cantantes o músicos que llegaban con las compañías de ópera, drama o zarzuela, se quedaban atraídos por la placidez del trópico, a pesar muchas veces de la inestabilidad política que imperó prácticamente durante todo el siglo XIX. Así sucedió en estos años con el famoso barítono Francesco Dragone que vino con la Compañía Lírica Poch-Danielli, que había sido contratada por el empresario venezolano Don Bartolomé Díaz para montar una temporada de ópera y quien llegó a fundar en Caracas una escuela de canto; o el maestro Albino Abiatti director de orquesta de la compañía de la soprano Zoé Aldini y quien sería el fundador de la emblemática Banda Marcial Caracas.

Otra consideración a resaltar, es que ya desde estos primeros años, las compañías incorporaron a su repertorio zarzuelas de autor nacional. Así sucedió con la Blen-Zafrané que estrenó *Zapatero a tus zapatos* de Manuel Fernández, *Un cortesano en el campo* y *Los alemanes en Italia* del prolífico músico caraqueño José Ángel Montero. Durante el período guzmancista, 1870 y 1888, aunque la cultura en general gozó de uno de los momentos mejores en la historia del país, aunque había temporadas de zarzuela en forma regular, fue particularmente la ópera la favorecida por el mandatario por considerarla de mayor nivel artístico. De hecho inauguró el 1 de enero del año 1881 el teatro Nacional, pronto denominado teatro Guzmán Blanco, hoy teatro Municipal para 1.300 espectadores, suntuosamente equipado de decoración neobarroca, destinado especialmente para realizar allí memorables temporadas de ópera, aunque con el tiempo también la zarzuela tuvo su espacio en esta sala. Entre las compañías que se presentaron en Caracas durante este período, destaca la presencia el año 1875 de la Compañía Grifell integrada por Anto-

nio Grifell y su esposa Concepción Masip, las tiples Catalina Baus y Josefa Mateo, los tenores José Carbonell y José Ruiz, así como el barítono Conrado Colomé. Desde el mes de abril hasta noviembre montaron títulos como *El relámpago, Una vieja, El valle de Andorra, Los diamantes de la corona, El juramento, La sensitiva, El trapero de Madrid, La gallina ciega, El postillón de la Rioja, Catalina o la Estrella del norte* para cerrar la temporada con *Los madgyares*. También estrenaron dos títulos del compositor venezolano José Ángel Montero: *Quiero ser ministro* y el 27 de octubre *Doña Irene o La política en el hogar*. Al año siguiente se presentaron con mucho éxito también en la ciudad de Bogotá. Desde el mes de mayo de 1878, se anunció reiteradamente en la prensa caraqueña la visita de la Compañía Infantil Mejicana (*sic*) que finalmente llega en el mes de diciembre y montó títulos tan conocidos como: *La gallina ciega, El barberillo del Lavapiés* de Barbieri, *Marina* de Arrieta, *La cabra tira al monte* y *El juramento* de Gaztambide.

Una fecha particularmente destacada durante el guzmanato fue la conmemoración del centenario del nacimiento del Libertador Simón Bolívar el año 1883. El gobierno no escatimó esfuerzos en la celebración suntuosa de este acontecimiento para el que tampoco podía faltar la zarzuela. Para ello se trajo la Compañía Española de Zarzuela de Curiol y Quesada con figuras como Josefina Plá y Virtudes Fernández que se quedó en el teatro Caracas durante toda la primera mitad del año siguiente montando títulos como: *Las hijas de Eva, Los diamantes de la corona, El barberillo de Lavapiés, Jugar con fuego, El anillo de hierro, El diablo en el poder, Las campanas de Carrión, La Marsellesa*, entre otras. Inclusive en el teatro Guzmán Blanco montan la "ópera *Marina*" a cuya presentación el 14 de junio asistió el presidente y su familia.

Otro aspecto interesante a considerar en la vida de la zarzuela en Venezuela es la participación intensa de empresarios nacionales, como fue el caso de Miguel Leicibabaza quien trajo en 1885 la Compañía de Valentín Garrido para el teatro Guzmán Blanco. Allí presentó, entre otras, *La tempestad* de Chapí y *Un estudiante de Salamanca*, así como al año siguiente la afamada Compañía Alcaraz-Palou con la tiple Enriqueta Alemany que venía de alcanzar un estruendoso éxito en España. Esta compañía estrenó aquí la zarzuela del compositor venezolano Rogerio Caraballo, *Los dos genios*. El año 1890 Leicibabaza contrató en Lima una empresa española de zarzuela que llegó a Caracas a realizar su temporada. Por cierto que esta compañía contrató a su vez en Caracas diez coristas llevando el número a veintiocho así como el cantante local Lucio Delgado. Otros connotados empresarios fueron el compositor y director de orquesta Sebastián Díaz Peña y Sabater Betancourt, quienes el año 1890 viajaron a España para contratar una compañía de zarzuela quien se estrenó en el teatro Municipal (Guzmán Blanco) con *Marina* de Arrieta dirigida por el mismo Díaz Peña. También hubo empresarios locales, que participaron en esta moda decimonónica y se organizaron compañías nacionales, como sucedió la temporada 1887-88 con la Compañía Americana que presentó obras como: *Entre mi mujer y el negro, Los carboneros, Por seguir a una mujer, Marina, El loco de la guardilla, Los madgyares, Las campanas de Carrión, Catalina o la Estrella del Norte, La tela de araña, Niña Pancha, El grumete, La gallina ciega, La tempestad, El marido de la mujer de Don Blas* y *Los sobrinos del capitán Grant*. Esta compañía, auspiciada por la Unión Filarmónica, estaba dirigida por Fernando Rachelle y la integraron cantantes nacionales como Emma Soler, Amelia Blanco, Félix Ramírez, Teófilo Leal, Guillermo Bolívar y Lucio Delgado

El año 1891 fue particularmente activo, no solamente en Caracas sino también en el interior. Así por ejemplo, en la ciudad de Maracaibo actuó en la primera mitad del año la compañía de zarzuela del venezolano Lucio Delgado que llegó desde la isla de Curaçao con una treintena de los títulos más clásicos del género. La Compañía de Zarzuela Española que llegó en el vapor Mérida y llegaba de actuar en el teatro Tacón de La Habana. En la segunda mitad de este año, también en el teatro Baralt de Maracaibo, realizó una temporada de zarzuela la compañía de Fermín M. Rangel y Antonio Casanova Colina con el siguiente elenco: Federico Marín (director de escena), José Ríos (maestro concertador), Ulises Brambilla (maestro de coros), Paulina Celimendide Vila (tiple absoluta), Leonor Fernández (primera tiple), la aplaudida venezolana Emma Soler (segunda tiple), Adela Debezzi (tiple característica), Lucio Delgado (primer barítono), José María Vila (primer bajo), José Sanz (segundo bajo), de nuevo José Carbonell (primer tenor), Federico G. Marín (primer cómico) entre los actores principales, así como Luis Reyes (apuntador), Antonio Llorens (sastre), Emilio Astorga (peluquero), doce coristas de ambos sexos y dieciséis profesores de música. Como se ve, una compañía muy completa y con la participación de venezolanos o extranjeros radicados en el país. Esta misma compañía trabajó en los últimos meses del año 1891 en la ciudad de Valencia.

El año 1893 se abrió un nuevo "teatrillo" con el nombre de Salón Eslava en la capital de la república donde "se podrán ver zarzuelas a bolívar la tanda". Las tandas fueron introducidas por el empresario Miguel Leicibabaza a imitación del teatro Apolo de Madrid, donde se hacían funciones cada hora, lo que posibilitaba ver una zarzuela del género chico (en un acto). Por esta razón también aparece anunciado como teatro por horas. Esta costumbre se implantó también en salas tan afectas al público caraqueño como el teatro Caracas. Al año siguiente, se abrió

otra nueva sala básicamente también para zarzuela, el teatro Alambra ubicado en la esquina de la Torre en Caracas. La inauguración estaba a cargo de la Compañía Infantil de Zarzuela del tenor venezolano Guillermo Bolívar y el compositor Leopoldo Montero que pusieron en escena *Toros de punta* y *Torear por lo fino*. Hay que señalar que el año 1895 se estrenó en el interior del país otra de las salas importantes: el teatro Cagigal en la ciudad de Barcelona en el estado Anzoátegui. Abrió sus puertas con una compañía de Zarzuela de Miguel Leicibabaza integrada por artistas venezolanos como Emma Soler, Prudencia Grifell, Martina Moreno, Concepción Masip de Grifell e interpretando los títulos *Las campanadas* y *El dúo de la Africana*.

Debe destacarse en este momento, la actividad de uno de los músicos venezolanos que más contribuyó en este fin de siglo y primeras décadas del siglo XX al desarrollo de la zarzuela en Venezuela, como es el caso de Pedro Elías Gutiérrez. Precisamente se inició como compositor componiendo el año 1895 en este género *Un gallero como pocos* y *Un inglés de la Guayana*, apenas con quince años de edad. Como director de la Banda Caracas desde 1911 hasta 1949, Pedro Elías Gutiérrez fue uno de los principales difusores de temas de zarzuela tanto española como nacionales en las afamadas retretas y matinés de la agrupación en la Plaza Bolívar de Caracas. Los números de zarzuela, integraban machaconamente el programa de siete u ocho piezas de estos conciertos en la plaza pública en todas las bandas de pueblos y ciudades importantes del país. Uno de los casos excepcionales de delirio del público por una artista fue el caso de la "simpática tiple madrileña Concha Martínez" en el teatro Caracas, así lo reseña *El Tiempo* (6-VII-1897): "...El éxito de esta tiple continua en crescendo como dicen los músicos... cuando ella canta el teatro se emberengena de gente... es una concurrencia enorme que rebosa hasta en los palcos... basta con eso para dar una idea de la actriz... ojalá que podamos oírla en *Viva mi niña* y *Cocineros* tan aplaudidas

Teatro Guzmán Blanco (Foto: Ar. ICCMU)

en Madrid". Al año siguiente llegó también al teatro Caracas otra tiple, María González, la portuguesita le decían, en "la preciosa zarzuela *Su majestad la tiple* que ha sido escrita expresamente para María González por los autores Félix Limendoux y Mariano Rojas con música de Apolinar Brull... esta obra se estrenó en Madrid en el teatro Romea el 25 de septiembre de 1896 con María González y con tal éxito que se repitió cien noches seguidas". Cuando esta artista se fue, la salieron a despedir al Puerto de la Guaira más de quinientas personas. Destaca a este respecto que, con frecuencia, la prensa hacía referencia a los títulos que se estrenaron o que tuvieron éxito en Madrid, manteniendo informado al público caraqueño de lo que sucedía en este género en su propia cuna.

Nuevos compositores de zarzuela fueron apareciendo a finales de siglo, como Rafael Saumell (pianista afamado desde niño), Simón Wohnsiler, Felipe y Carlos Colón, así como Francisco de Paula Magdaleno. Títulos como: *El tambor de granaderos, La marcha de Cádiz, De la noche a la mañana, La mascarita, El vizconde, La verbena de la Paloma, El reloj de Lucerna, En las astas del toro, La viejecita, Meterse en honduras, Chateau Margaux, Los secuestradores, La madre del cordero, De Madrid a París, La tonta de capirote, La revoltosa, El baile de Luis Alonso, Campanero y sacristán, La batalla de Tetuán, Viento en popa, La czarina, El primer reserva, El rey que rabió, La mascota, Niña Pancha, Los hugonotes, El señor Joaquín, La madre abadesa, El mantón de Manila, La aldea de San Lorenzo, La gallina ciega, Las tentaciones de San Antonio, Los baturros, La cuerda floja, Gigantes y cabezudos, La alegría de la huerta, Colegio de señoritas, Sandías y melones, La maja, La manta zamorana, El monaguillo, Agua, azucarillos y aguardiente,* volvían una y otra vez a las salas, en compañías de todo tipo y siempre con la presencia entusiasta de público caraqueño. Cuesta entender cómo una ciudad pequeña como lo era la Caracas de los techos rojos de las últimas décadas del siglo XIX, pudo mantener hasta tres salas con función diaria de zarzuela en forma simultánea. Hay que destacar la actuación en la población de La Guaira el 10 de mayo del año 1900 de la Compañía de Zarzuela Infantil del venezolano Ruiz Chapellín con el siguiente elenco: Severo H. Franklin (director de orquesta), Presentación Castillo (primera tiple), la niña Angélica Oliveros (segunda tiple), Lorenzo Pérez, Adriano Oropeza, A. Saavedra y J. Pineda (tenores), Ramón Oropeza (barítono), Eloy Pineda (bajo), Manuel Saavedra (actor), doce coristas de ambos sexos, ocho profesores de orquesta, apuntador y peluquero. Tenían como repertorio cerca de cuarenta títulos, entre ellos: *Marina, La sensitiva, La marcha de Cádiz, Campanero y sacristán, Toros de punta, Los monigotes, Un gallero como pocos, Matrimonio en diez minutos, Me*

conviene esta mujer, Lo pasado, pasado, En las astas del toro, El rey que rabió, El dúo de la Africana, Niñas desenvueltas, La tempestad y *Las campanas de Carrión*. Esta compañía se encontraba actuando en 1904 en Valencia y Puerto Cabello.

II. EL SIGLO XX. Entre los primeros estrenos del siglo, cabe destacar la inauguración el 11 de enero de 1905 del teatro Nacional con la Compañía de Zarzuela Española de Argudín-Otazo con el montaje de la obra *El relámpago*. Este teatro fue otro de los espacios preferidos para la zarzuela, particularmente después del incendio del teatro Caracas el año 1919. En esta sala se presentaron compañías de zarzuela como Santacruz, Emilio Sagi-Barba y Luisa Vela, Isaac Albéniz, Pablo Luna, Juanjo Seoane, Faustino García, Francisca Caballer y su esposo Agustín Lisbona. Otro hito importante fue el año 1914 en el teatro Caracas. Actuaron la Compañía Española de Opereta y Zarzuela, la de Manolo Puertoles y la de Matilde Rueda, ya mencionada. Estas compañías traían en su repertorio no sólo zarzuelas como las de los años anteriores sino también, dramas, sainetes, comedias, operetas, variedades y cuplés.

Todavía en la década de 1930 había temporadas frecuentes de zarzuela. Por ejemplo, para esos años actuaba con mucho éxito en el teatro Nacional la Compañía Española de Óperas y Operetas Euterpe con títulos como *Los gavilanes, La leyenda del beso, La del Soto del Parral* o *La gatita blanca* con el tenor cómico venezolano Jesús Izquierdo. Los maestros Juan B. Badía y Emilio Moratal que llegaron con la Compañía Euterpe se quedaron en el país y constituyeron la Compañía Ciudad del Zulia montando zarzuelas, operetas y variedades en la ciudad de Maracaibo. El maestro concertador de esta compañía fue Cayetano Martucci director de la banda de la ciudad y miembro de una familia de músicos italianos residenciados en el país desde finales del siglo XIX. A partir de esta década se instaló la Broadcasting Caracas como primera estación de radio en el país, y allí diversos números famosos de zarzuela tuvieron una gran difusión en la voz de cantantes nacionales y extranjeros con programas en vivo y con público en el estudio.

Quizás el último esfuerzo importante por mantener la zarzuela en los escenarios venezolanos fue la Compañía de Zarzuela y Opereta María Francisca Caballer constituida el año 1961 por la famosa soprano valenciana y su esposo el aragonés Agustín Lisbona, quienes se radicaron en Venezuela. Esta compañía durante cerca de tres décadas hizo numerosas presentaciones en Venezuela y otros países de América. A partir de 1985 la compañía pasó a manos de sus hijos Agustín y María Gloria Lisbona. Otro esfuerzo interesante fue la constitución de la

Asociación Venezolana de Amigos de la Zarzuela y Opereta (AVEAZO) de carácter privado y sin fines de lucro integrada por María Francisca Caballer, Isabel Brito Stelling, Sergio Daniele y Madalit Lamazares entre otros. El último acontecimiento relacionado con la zarzuela digno de señalar, fue la presentación en el teatro Teresa Carreño de la Compañía Teatro Lírico Nacional del teatro de la Zarzuela de Madrid en noviembre de 1991.

BIBLIOGRAFÍA: *DMEH*; J. Calcaño: *La ciudad y su música*, Caracas, Tip. Vargas, 1958; J. Peñín: *José María Osorio. Autor de la primera ópera venezolana*, Caracas, Instituto Latinoamericano de Investigaciones y Estudios Musicales Vicente Emilio Sojo, 1985; M. I. Brito Stelling: "El teatro lírico en Caracas I", *Revista Musical de Venezuela*, 19, 1986, 23-49; J. Rojas: *Historia y crítica del teatro venezolano siglo XIX*, Mérida, Dirección de Cultura de la Universidad de Los Andes, 1986; M. I. Brito Stelling: "Historia del teatro lírico en Caracas: Segundo período", *Revista Musical de Venezuela*, 24, 1988, 13-45; J. Peñín: "La vida de la zarzuela en la prensa venezolana", *Cuadernos de Música Iberoamericana*, 2-3, Madrid, 1996-97, 487-515; J. Peñín: "Venezuela y la ópera: una pasión decimonónica", *La ópera en España e Hispanoamérica*, eds. E. Casares y A. Torrente, Madrid, ICCMU, 2002.

JOSÉ PEÑÍN

Venta de Don Quijote, La. Comedia lírica en un acto. Música de Ruperto Chapí. Libreto de Carlos Fernández Shaw. Estrenada el 19 de diciembre de 1902 en el teatro Apolo de Madrid.

Personajes y reparto. El señor Miguel (Miguel Soler, bajo). Don Alonso (Bonifacio Pinedo, barítono). Blas (José Ontiveros, actor). El ventero (José Mesejo, actor). Tomasa (Felisa Torres, tiple). Maritornes (Carmen Calvó, tiple). La sobrina de don Alonso (Teresa Calvó, tiple). Su ama de llaves (Aurora Rodríguez). El arriero (Isidro Soler). El cuadrillero (Antonio P. Soriano). El barbero (Vicente Carrión). El cura (Melchor Ramiro). Un gañán (Gonzalo Máiquez). Arrieros, trajinantes, segadoras y segadores. Coro general.

Orquestación. Flautín, flauta, 2 oboes, 2 clarinetes, fagot, 2 trompas, 2 cornetines en La, 3 trombones, timbales, percusión y cuerda.

Argumento. La acción tiene lugar a fines del siglo XVI, en el mes de junio, en una venta de La Mancha, en cuyo patio mozos y mozas celebran alegremente la terminación de la siega cantando unas seguidillas. Terminada la fiesta –durante la cual se evidencia que un arriero, que está allí hospedado, requiere de amores a Maritornes, criada de la venta–, aparecen en escena el cura de un pueblecillo inmediato, su sobrina, un barbero charlatán y el ama de llaves de Don Alonso, a quien buscan por todas partes, pues hace días que ha desaparecido de su domicilio, en compañía de Blas, su criado. Uno de los huéspedes de la posada es el señor Miguel, un hidalgo manco que,

Cortesía de Unión Musical Ediciones SL

sobre la cubierta de un viejo galeón, se batió en Lepanto. Tomasa, hija del ventero, llega huyendo de Don Alonso que penetra acometiendo furiosamente a cuantos halla a su paso. Confunde la venta con un castillo y toma a Maritornes, la criada, por una princesa encantada y al ventero, por el dueño del castillo, dando lugar a una serie de situaciones cómicas. Poco antes de llegar la noche se retiran a descansar todos los huéspedes de la venta, menos el señor Miguel que se acuesta sobre un costal de paja a falta de mejor lugar. Cuando todos duermen, aparece en escena el arriero que espera a su adorada Maritornes; luego se presenta ésta, y después don Alonso. Éste cree que la zafia moza, en su fantasía convertida en princesa, viene en su busca dando lugar a un dúo. Don Alonso se entusiasma y abraza a Maritornes, y en este momento aparece de nuevo el arriero, celoso, que la emprende a puñetazos con el caballero. Vuelven a presentarse el cura, la sobrina y el ama de don Alonso, que al oír sus voces, entran en la venta. Como los intentos de la familia son nulos, el cura le dice que se han presentado en su casa solariega unos opulentos magnates que de lejanas tierras vienen en su busca en nombre de una princesa reclamando su ayuda. Cuando esto oye, Don Alonso marcha seguido de su escudero que le anima para realizar tales aventuras, con la esperanza de llegar a ser gobernador de una ínsula. Termina la obra en un cuadro plástico que representa la célebre y grotesca aventura de los molinos.

Números musicales. Preludio. Nº 1. Seguidillas, "¡Pronto! ¡Pronto! ¡Pronto!". Nº 2. Estrofas y coro, "¡Ay, Don Alonso!". Nº 3. Melodrama, endecha y coro, "En el cielo de Oriente la luna raya". Nº 4. Conjunto, "¡Todos están locos aquí menos yo!". Nº 5. Final. "¡En marcha vamos!".

Comentario. Tras el fracaso de *Cuadros vivos*, la situación económica del teatro Apolo se compensó con el éxito y la trascendencia del estreno de *La venta de Don Quijote*, comedia lírica que se presentaba el 19 de diciembre de 1902. Se trata de una composición que prácticamente ha desaparecido del panorama del género chico a pesar de contar con un libreto excelente y una música de indudable interés. Desde un primer momento consiguió que personalidades ilustres se sumaran al proyecto. Así se encuentra el comentario de Francisco Serrano de la Pedrosa cuando escribía, a raíz del estreno, que "hay que señalar el día de ayer para la zarzuela en un acto, no ya con piedra blanca, sino con brillantes y rubíes, y la ocasión de tanto lujo es un éxito franco, verdadero y entusiástico, en el cual han acertado empresa y autores y han conseguido un triunfo los intérpretes" (*El Globo*, Madrid, 20-XII-1902). Cecilio de Roda, que comenzaba en 1902 su labor como crítico en *La Época*, señala que "sacar a escena las figuras de Cervantes y Don Quijote, representa ya un atrevimiento. Sacarlas en el escenario de Apolo y hacerlas cantar, es casi temerario. Y, sin embargo, está tan bien hecho, tan bien tocadas todas las figuras, les dieron tanto relieve los actores, sobre todo Pinedo y Soler, que el público no vaciló un momento; entró en la obra y la siguió con interés, siempre mayor" (Madrid, 20-XII-1902).

Es posible que se esté ante la época que más intensamente define la unión de miras de Chapí y Fernández Shaw. En un momento en que se estudiaba la figura del Quijote cada vez más y bajo muy diversos prismas —no hay que olvidar lo que supone este mito para los noventayochistas— la acción de Fernández Shaw podría verse incluso como una provocación y más teniendo en cuenta lo que suponía el teatro Apolo. *La venta de Don Quijote* es un boceto inspirado en un episodio de la obra de Cervantes. El autor imagina a éste asistiendo a la realización de las hazañas del hidalgo de la Mancha. Recibió varias críticas entusiastas. Así *El Teatro* afirmaba que "si el gusto del público no estuviese tan pervertido, si la crítica, que es la llamada a marcar nuevos derroteros, no apadrinase en muchas ocasiones más por bondad que por ignorancia engendros huérfanos de sentido común y de literatura, ¡qué duda cabe! *La venta De don Quijote* quedaría como modelo de obra de lo que hemos dado en llamar género chico, atendiendo solamente a la cantidad".

En alguna medida se plantea una especie de homenaje a la seguidilla manchega. Chapí, que había logrado un dominio notable del lenguaje andaluz, consigue aquí adaptarse al mundo austero musical de La Mancha. Dos elementos fundamentales determinaron esta partitura. Por un lado, la vuelta de Chapí a un planteamiento similar a *La revoltosa*. Es una obra coral, donde los conjuntos se imponen por encima de las participaciones individuales. Y si allí era el marco de una casa de vecinos de Madrid, aquí es una fonda manchega. El resultado es una obra global más que notable. El ritmo de seguidilla se impone desde el principio hasta

el final de la zarzuela, empezando por el preludio, relativamente breve, que utiliza materiales diversos pero que mantiene ese rotundo homenaje a la danza que invade la pieza. La orquestación no ofrece ninguna novedad a lo acostumbrado.

El primer número es brillante. Está estructurado en forma tripartita ABA'. La primera sección, de conjunto y la tercera, coral-instrumental, se apoyan en el ritmo de la seguidilla, mientras que la segunda, a cargo del arriero, contestado por el coro, viene determinada por la copla de la seguidilla. A pesar de que en ningún momento Chapí pierde el carácter popular, la factura, tanto en la instrumentación —donde el maestro procura optar más por la sonoridad más oscura del fagot y la cuerda— como en su tratamiento temático, son habituales en Chapí. La personalidad del barítono Bonifacio Pinedo es determinante en la configuración del resto de los números. Escribiendo para un actor, que poseía una voz más que notable, Chapí juega entre el canto y la declamación. La locura obsesiva de Don Alonso, la transmite Chapí mediante reiteraciones del mismo giro. El coro tiene un papel activo, participando de las locuras de Don Quijote, mientras que los personajes quedan en un segundo plano, ante la fuerza de carácter de Don Quijote.

El Nº 3 está estructurado en tres partes. La primera, basada en el ritmo de seguidilla, muy similar al apreciado en el preludio, se completa con la intervención de un pastor sobre material bien conocido. La segunda parte es el monólogo de Don Alonso y su dúo con Maritornes. El monólogo, más dramático que cantado, continúa hablado sobre el fondo de seguidillas, para dar paso al dúo en el que Chapí muestra al candoroso personaje de Don Alonso, mostrando su amor mientras es contestado con incredulidad y cierta sorpresa por Maritornes, dando paso a la tercera parte de la escena donde aparecen los diferentes personajes en un concertante al uso. Chapí vuelve a acudir a recursos similares en el Nº 4, un conjunto estructurado en dos partes, en un mismo bloque tonal. La primera, con intervención de los diferentes personajes individuales y la segunda, en forma de concertante, de modo similar al que cierra el número anterior. Destacan las figuraciones rítmicas de la orquesta que originan una situación de precipitación y confusión general.

El Nº 5 constituye un final muy peculiar. La primera parte, donde se despide de las gentes de la hostería, está tratada dentro del modelo del concertante. La segunda se subdivide en dos partes también. La primera, un melodrama donde, sobre fondo del ritmo de seguidilla de la orquesta, intervienen Cervantes y Don Alonso, y la final, donde con un brochazo, Chapí describe, manteniendo dicho ritmo, la escena de los molinos. Chapí da muestras de su dominio del conjunto. No le interesa tanto la caracterización de los personajes, delimitada a la parte hablada, sino el ambiente.

La música fue acogida con entusiasmo. Cecilio de Roda escribía que "Chapí ha hecho una música delicada, finísima que en nada cede, como labor artística a la del libro de Fernández Shaw. Don Quijote está personificado en un tema heroico, lleno de dignidad y nobleza. La Mancha en unas seguidillas manchegas, guitarrescas y de sabor ingenuamente popular, que cambian de color a cada paso; a veces juguetonas y picarescas, otras maliciosas al fundirse con el tema de Don Quijote, deliciosamente cómicas al referirse a Maritornes, jaraneras y ruidosas cuando las cantan los trajinantes que llenan la Venta. Es una poesía de detalles, de cada momento, lograda sólo con el hábil manejo de la paleta orquestal".

El libretista, Carlos Fernández Shaw, hizo un análisis del estreno y señaló que Miguel Soler "ha dirigido la obra y la ha puesto en escena según sabe hacerlo, a las mil maravillas y ha interpretado además el papel de Cervantes –por una deferencia especial hacia el maestro y hacia mí, que uno y otro estimamos en todo lo que vale– ¡y cómo lo ha interpretado! ¡Cómo lo habían soñado los autores!". *La venta de Don Quijote* fue una de esas composiciones que, sin llegar a obtener una gran popularidad, se mantuvo en el corazón de los músicos. Era uno de los títulos favoritos de Manrique de Lara y Oscar Esplá la consideraba como "una de las más bellas muestras de la zarzuela adscrita al género chico", "una especie de alegoría. Cervantes es el protagonista y le vemos en escena, cara a cara con la locura de su criatura. La partitura es una joya de delicadeza extraordinaria".

Fuentes manuscritas. La partitura se conserva en la Biblioteca Nacional de Madrid (legado Chapí, vol. 10). Los materiales de orquesta se conservan en el archivo de la SGAE en Madrid (1462).

Ediciones de música. Madrid, Cd, 1902.

Ediciones del libreto. Madrid, SAE, 1902; Madrid, Imp. R. Velasco, 1903; 2ª ed., 1904.

FONOGRAFÍA: RP: Victoria 2064 y 2065.

BIBLIOGRAFÍA: L. G. Iberni: *Ruperto Chapí*, Madrid, ICCMU, 1995; –: *Ruperto Chapí: Memorias y escritos*, Madrid, ICCMU, 1995.

LUIS G. IBERNI

Venta del Puerto o Juanillo, el contrabandista, La. Zarzuela en un acto. Música de Cristóbal Oudrid. Libreto de Mariano Fernández. Estrenada el 4 de marzo de 1848 en el teatro del Príncipe de Madrid.

Personajes y reparto. Juanillo, el contrabandista (Antonio González, tenor). Curra, su novia, la ventera (Mariana Chafino, tiple). Verdugones, sargento del Resguardo (Pedro Sobrado, actor). Canina (Mariano Fernández, tenor cómico). Escrófula (J. Ramírez, actor). Girones, estudiante (J. Lledó, actor). Centellas, teniente (N. Ucelay, actor). Mellado, contrabandista (M. Fernández, actor). **Orquestación.** Octavín, flauta, 2 clarinetes, 2 oboes, fagot, 2 trompas, 2 clarines, figle, timbales y cuerda.

Argumento. La acción se sitúa en una venta, a un cuarto de hora de Sanlúcar de Barrameda (Cádiz). Allí vive Curra con su novio Juanillo, un intrépido contrabandista; las actividades ilegales de éste mantienen a la ventera aislada, llevando una vida solitaria y llena de riesgos. El sargento Verdugones, ingenuo funcionario de policía que aspira a descubrir *in fraganti* al contrabandista y lograr el cariño de Curra, llega a la venta acompañado de un cabo y ocho hombres del resguardo de infantería; con el fin de aparentar normalidad, Juanillo interpreta el *Romance de Pedro de la Cambra*, una hermosa canción andaluza. Tras pedir los pasaportes a los presentes y relatar el lance en el que han estado a punto de cazar a los contrabandistas, se despide Verdugones de Curra con palabras amorosas y parte con sus soldados hacia Sanlúcar. Aparecen entonces en la venta un grupo de estudiantes, que forman una estudiantina; están cansados y hambrientos, y solicitan posada y alimento hasta poder partir de nuevo al amanecer. Después de servirles, la ventera les solicita unas coplas, interpretando éstos una jota. Tras un breve diálogo en el que Canina, estudiante de medicina, intenta enamorar a la ventera con frases seudolatinas que ella no entiende, interpretan ambos un dúo en metro de seguidillas. Finalizado éste, Curra envía a los estudiantes a dormir al pajar. El sargento Verdugones, sabiendo que Juan está lejos, decide romper la ventana y penetrar en la venta de noche para lograr el amor de la Curra; pero, con idénticos fines ha actuado también Canina. Confundidos por la oscuridad, creen ambos estar en presencia de la joven, dirigiéndose palabras galantes en una graciosa escena cómica, que concluye cuando Canina, espantado, exclama: "¡Que tiene barbas / mi ninfa!". Cuando Curra descubre a los dos intrusos, Juanillo llega a la venta. La moza, jugando con la situación, les previene de que si el contrabandista los encuentra con ella "los deshace / de un *trabucaso*", y decide esconder a Verdugones en un arcón y a Canina en la tinaja de agua. El contrabandista, tras conocer por Currilla los detalles del enredo, viéndose en situación ventajosa, da prueba de su magnanimidad perdonando a todos.

Números musicales. Nº 1. Canción de Curra, "Dueña de esta probe venta". Nº 2. Manchegas coreadas de Juanillo, "Con el chicote en la boca". Nº 3. Jota o rondalla de los estudiantes, "Señores, que me comiera". Nº 4. Dúo de la ventera Curra y el estudiante Canina, "Ventera de mi alma". Nº 5. Terceto de Curra, Juan y el estudiante, "Curriya, prenda quería". Nº 6. Canción de Juanillo, "Qué fresquita está el agua". Nº 7. Final. Solista y coro, "Mi trabuco y mi canana".

Comentario. El estreno de *La venta del Puerto* tuvo lugar dentro de una función celebrada a beneficio su autor literario, Mariano Fernández, actor cómico y autor también del libro de *Jeroma, la castañera*. Esta obra supone la irrupción definitiva de Oudrid en el panorama lírico de la primera mitad de siglo, aunque su nombre ya era conocido por el público madrileño, al haber colaborado en los estrenos líricos de *La pradera del canal* y *El turrón de Nochebuena*. La edición del libro afirma que la obra "fue representada con extraordinario aplauso en el teatro del Príncipe, el 16 de enero de 1847", fecha que reproduce Cotarelo; sin embargo, la investigación hemerográfica lleva a considerar esta fecha como errónea, situando el estreno de la obra el 2 de marzo de 1848, coincidiendo así con Barbieri, que en su relato cronológico afirma que *La venta del Puerto* se repuso el 9 de abril de 1848. La obra escrita en verso y plagada de andalucismos, haciendo hablar a Cotarelo de "dialecto andaluz", consta de doce escenas y requiere ocho actores para los personajes principales. En esta obra Mariano Fernández eleva el número de personajes protagonistas a cuatro. Así, el argumento se enriquece añadiendo dos personajes cómicos, el sargento enamorado de Curra, que persigue las huellas del contrabandista con escaso éxito, y el estudiante que vive al día. De estos dos personajes sólo el estudiante interviene en la parte musical de la obra. El sargento sirve además a Fernández para ridiculizar a las fuerzas de seguridad del estado, frente a la valentía e individualidad del contrabandista, elemento que ya aparecía en la obra de Juan de Alba y que será característico del género en años posteriores, como revelan algunos números magistrales de *La Gran Vía* de Chueca y Valverde, como la "Jota de los Ratas" o el "Vals del policía de seguridad". El contrabandista, en su breve monólogo final, desarrolla un alegato a favor de lo que representa su figura, afirmando que "nunca/un alfiler he *robao*/a *nengún probe*" y que es el "ladrón menos malo". La obra revela el empleo de diversos elementos de la farsa y el *vaudeville*, y su propio argumento se revela manifiestamente inverosímil. Algunos personajes están ridiculizados y emplean un lenguaje trivial explotando la comicidad.

Desde el punto de vista musical, la obra comparte el carácter de otras obras andalucistas del mismo periodo, como las zarzuelas de Soriano Fuertes *Jeroma, la castañera*, *¡Es la Chachi!* o *La sal de Jesús* y emplea música específicamente compuesta para ella, abandonando ya definitivamente el pastiche de música preexistente. Oudrid emplea de forma casi abusiva el metro ternario en todos los números y desarrolla los tópicos del lenguaje musical andalucista, como el modo menor, la escala y cadencia andaluza, los floreos melódicos a modo de tresillo o el intervalo de segunda aumentada en la melodía.

La obra comienza con la presentación musical de la protagonista, la romanza de Curra, Nº 1, canción estrófica andaluza, en metro ternario y Sol menor, con una sección repetida a modo de estribillo que modula al homónimo mayor, como es propio del lenguaje musical popular. La tesitura del número es central (Re-Sol) y no presenta dificultades vocales tal y como exigiría la puesta en escena con actores de declamado,

no con cantantes profesionales. El segundo número es la presentación del contrabandista, que canta el *Romance de Pedro de la Cambra*. El texto, aunque revelador de su carácter andalucista, no responde a la forma métrica de coplas de seguidilla; todos sus versos son octosílabos, con rima asonante en los pares. Dicha métrica impide la composición de una seguidilla real, por lo que aunque las dos fuentes manuscritas denominen el número como seguidillas manchegas o manchegas respectivamente, en realidad es una forma híbrida que comparte elementos del fandango y la zambra flamenca. Este romance de Juanillo comienza con una introducción orquestal desarrollada por movimiento contrario entre el bajo y los violines; Oudrid imita así los acordes de la guitarra que introducen al cantante de boleros en el repertorio popular y de salón. Tras esta sección, aparecen las dos frases iniciales, elaboradas a modo de antecedente y consecuente: un ascenso melódico de dominante a tónica y el descenso de tónica a dominante. Continúa la seguidilla con su parte central en el tono de la dominante (La menor), y regresa de nuevo en la tercera frase de la región central, a la tónica inicial (Re). Tras este pequeño desarrollo, el coro remata el número con dos grupos de frases cadenciales cantando de forma homofónica, en terceras paralelas.

El Nº 3 es una jota, forma popular que va adquiriendo cada vez más importancia en el género lírico, y presenta una típica estructura responsorial, con alternancia entre copla a solo, cantada por Canina, y estribillo coreado por los estudiantes. La orquesta trata de recordar el sonido de las rondallas instrumentales. Es un número brillante, de tesitura aguda, que imita el sonido desgarrado de los "joteros" aragoneses. El texto emplea una copla de jota, que se hizo popular en España tras la invasión napoleónica: "La Virgen del Pilar dice/que no quiere ser francesa,/que quiere ser capitana/de la tropa aragonesa". En este punto de desarrollo de la obra se han presentado ya los tres solistas de la partitura: Curra, Juanillo y Canina, y a partir de aquí se encuentran ya números concertantes hasta el final de la partitura. El Nº 4 es un dúo entre Curra y Juanillo, seguido de un cómico solo del estudiante. En la canción del estudiante, el metro ternario adquiere carácter de vals, proporcionando al fragmento esa diafanidad ligera propia de la opereta. Un nuevo dúo coreado de Curra y Juanillo, acompañados por el estudiante, abre la escena XII; comienza Juanillo cantando una copla de jota, en la que se ríe de la suerte corrida por el estudiante, que interpreta sonidos onomatopéyicos sobre la vocal "o". El número finaliza sobre la dominante, elemento cadencial que facilita el enlace con el tono principal de las repeticiones estróficas, pero carece de carácter conclusivo. La obra termina con un tiempo de vals, Nº 7, en el que Curra se ríe del pobre Canina. Destaca, sin duda, la importancia que Oudrid le otorga en esta zarzuela a los coros, empleados con tres funciones diferentes: a modo de puntuación, como el que interviene al final de la primera parte del *Romance de Pedro de la Cambra*; a modo de coro de entretenimiento, como el que interviene en la jota de Canina; y de final, como los que cierran cualquiera de los números.

Fuentes manuscritas. Dos partituras se conservan en el archivo de la SGAE en Madrid (TL-1099). Otra partitura se conserva en al Museo Nacional de la Música de Cuba, PM-187).

Ediciones del libreto. Madrid, Ed. Vicente Lalama, 1853.

BIBLIOGRAFÍA: *HZ*; E. Casares: *Francisco Asenjo Barbieri. 2. Escritos*, Madrid, ICCMU, 1994.

Mª ENCINA CORTIZO

Hilario Vera en El mozo crúo
(Foto: El Teatro, 1904; Ar. SGAE)

Vera, Adela. España, siglo XX. Tiple. La revista *Mundo Gráfico* en su número 92 de 1913 daba la noticia de que la tiple, después de una brillante campaña por provincias, había regresado a Madrid. Quizá fuese ella la señorita Vera que estrenó *Elemental y superior* en el teatro Romea en 1905. Por las fechas es probable que fuese Adela la que estrenó en el teatro Martín *El lao izquierdo* de Roig y Aroca, 1914, y *La danza de los velos* de Alonso, 1919.

Adela Vera
(Foto: ICCMU)

Mª LUZ GONZÁLEZ PEÑA

Vera, Hilario. España, siglos XIX-XX. Tenor cómico. Tiene en su haber más de ochenta estrenos, a lo largo de una dilatada carrera que comenzó en los años ochenta del siglo XIX y se extiende hasta 1925. En 1887 estrenó *Los inútiles* de Nieto en el Eslava; en 1895 participó en *La Dolores* de Bretón y en *Mujer y reina* de Chapí en el teatro de la Zarzuela; en 1899 estrenó *La cara de Dios* de Chapí en el Circo de Parish de Madrid, y en 1900 en el mismo teatro *La cortijera*, también de Chapí. La temporada 1903-04 formaba parte de la compañía de Bonifacio Pinedo en el teatro Cómico donde realizaron una brillante campaña estrenando *El mozo crúo* y *El pícaro mundo* de Lleó y Caballero en 1903 y en 1904 *El automóvil, mamá* de Lleó y Calleja, *Siempre p'atrás* de Rubio y Lleó, *Los ministros* de Gil y Foglietti, *La molinera de Campiel* de Pérez Soriano y *La vendimia* de Vives y Calleja. La temporada 1904-05 la compañía pasó al teatro de la Zarzuela donde Hilario Vera dio muestras de su excelente vis cómica en el papel de Sulpicio de *El húsar de la guardia* de Giménez y Vives en la que fue muy aplaudido su dúo con Pepe Moncayo, esa misma temporada

estrenó *La vara de alcalde* e *Ideícas* de Barrera, *Los huertanos* de Caballero y Hermoso, *El seductor* de Chapí, *Moros y cristianos* y *La casita blanca* de Serrano, *La Fosca* de Arnedo, *Chirivita* de Calleja y Lleó y *El ilustre Recochez* de Lleó, además de operetas austríacas como *Lisystrata* o *Miss Helyett*. En diciembre de 1905 estaba de nuevo en el teatro Cómico donde estrenó *La gatita blanca* de Vives y Giménez y al año siguiente *La Cocotero* de Quinito Valverde, *La taza de té* de Lleó, *El aire* de Lleó y Mariani y *El guante amarillo* de Giménez y Vives; en 1907 *La chipén* de Vives y *¡Apaga y vámonos!* de Lleó. Para terminar el año fue contratado por el teatro Eslava, que regentaba Lleó y allí estrenó *Todos somos unos* y al año siguiente *La carne flaca, Mayo florido* y *El quinto "pelao"*, las tres del compositor valenciano, *La corte de los casados* de Lleó y Foglietti y *El merendero de la alegría* de Chapí. En 1910 participó en el estreno de *El Conde de Luxemburgo*, gran éxito de Lleó en el Eslava, así como de *La partida de la porra* también de Lleó; en 1911 *El revisor* de Lleó y *La mujer divorciada* de Leo Fall. En 1912 actuaba en el Gran Teatro de Madrid donde estrenó junto a Luisa Rodríguez y Emilio Carreras la opereta de Vives *La generala*, en la que los tres fueron muy aplaudidos, *Canto de primavera* de Luna y para finalizar el año *La veda del amor* de Vives. En 1915 actuó en el teatro Apolo donde estrenó *Las señoras del silencio* de Barrera, en 1916 *La patria de Cervantes* de Foglietti y *El preceptor de Su Alteza* de Millán y en 1917 *Los postineros* de Lleó y Foglietti. En 1924 en el teatro Martín *El capitán Renato* de Moreno y Fernández y en 1925 en el Pavón *La joven Turquía* de Luna, *El ingenio de Jeromo* o *Un guasón de tomo y lomo* y *Rosa y clavel* de Eugenio Úbeda.

BIBLIOGRAFÍA: *TA*; *El Teatro*, 48, IX-1904; 49, X-1904; *Nuevo Mundo*, XIX, 964, 27-VI-1912; XIX, 988, 12-XII-1912.

Mª LUZ GONZÁLEZ PEÑA

Vera, Josefina. España, siglo XX. Tiple. Participó en 1932 en el estreno de *Sole la peletera* de Guerrero en el teatro Ideal de Madrid, y en *Polonesa* de Moreno-Torroba en 1944 en el Fontalba. Es probable que la señorita Vera de *La loca juventud* de Guerrero, teatro Chueca, 1931 y *La del manojo de rosas* de Sorozábal, Fuencarral, 1934, fuese Josefina.

Mª LUZ GONZÁLEZ PEÑA

Vera, Leopoldo. España, siglos XIX-XX. Cantante. Estrenó *Nuestra Señora de París* de Manuel Giró, en el teatro Novedades de Barcelona, 1897. No se sabe con seguridad si el señor Vera que estrenó *El primer premio* de Moreu en el teatro La Alhambra en 1898 y *De veraneo* de José Híjar en el teatro del Parque de Málaga en 1900, fue Leopoldo o Hilario.

Mª LUZ GONZÁLEZ PEÑA

Vera, Marina. España, siglo XX. Tiple. Estrenó en 1930 *María la tempranica* de Torroba y Giménez en el teatro Calderón de Madrid.

Mª LUZ GONZÁLEZ PEÑA

Vera, P. España, siglos XX. Actor. La temporada 1904-05 estaba contratado por el teatro Moderno donde estrenó *La cuna* de Chapí, *La última copla* de Marquina y *La perla negra* de Torregrosa.

Mª LUZ GONZÁLEZ PEÑA

Verbena de la Paloma o El boticario y las chulapas y celos mal reprimidos, La. Sainete lírico en un acto. Música de Tomás Bretón. Libreto Ricardo de la Vega. Estrenado el 17 de febrero de 1894 en el teatro Apolo de Madrid.

Personajes y reparto. Don Hilarión (Manuel Rodríguez, tenor cómico o barítono). Don Sebastián (Melchor Ramiro, tenor cómico o barítono). Julián (Emilio Mesejo, tenor o barítono). Señora Rita (Leocadia Alba, mezzosoprano). Susana (Luisa Campos, soprano). Casta (Irene Alba, soprano). La tía Antonia (Pilar Vidal, contralto). Cantadora (Ángela Llanos, mezzosoprano). El tabernero (José Mesejo, barítono). Portero (barítono). Portera (tiple). Mozo 1º y 2º (barítono). Guardia 1º y 2º (barítono). Sereno (barítono). Un dependiente (hablado). Doña Severina (A. Rodríguez). Doña Mariquita (Srta. Palmer). Teresa (Srta Salvador). Candelaria (Srta. Pastor). Un inspector (hablado). Coro mixto.

Orquestación. Flautín, flauta, oboe, 2 clarinetes, fagot, 2 trompas, 3 trompetas, 3 trombones, arpa, piano, timbales, caja, triángulo, bombo, platillos y cuerda.

Argumento. *Cuadro primero.* En una calle de Madrid durante la fiesta de la Virgen de la Paloma, el 14 de agosto, los vecinos salen a tomar el fresco. El boticario Don Hilarión y su amigo Don Sebastián, sentados a la puerta de la botica, comentan el insoportable calor que hace esa noche. En el otro lado de la calle, unos mozos juegan a las cartas ante una taberna. Julián, joven cajista de una imprenta, se remuerde por los celos que le da su novia la chulapa Susana, mientras su madrina la Señora Rita –mujer del tabernero– le convence para que se tranquilice y se porte como un hombre digno. De una buñolería contigua sale coqueteando un grupo mientras

Cortesía de Unión Musical Ediciones SL

cantan a la Virgen de la Paloma, dirigiéndose hacia la verbena. Julián le cuenta a Rita que esa mañana sorprendió a Susana en un coche acompañada de un hombre y que piensa ir a la verbena a montar un escándalo. Todos se retiran, excepto Don Hilarión que dice que tiene que quedarse para atender a un enfermo. A solas el viejo comenta que está cortejando a dos jóvenes chulapas, las hermanas Casta y Susana, a quienes llevará esa noche a la verbena en compañía de doña Antonia, la tía de las muchachas.

Cuadro segundo. En una calle próxima del barrio de La Latina, Casta, Susana y su tía sentadas a la puerta de su casa escuchan el alboroto que sale del Café de Melilla, de donde se escucha una soleá de una cantadora flamenca. También participan de la escena una pareja de guardias, que pasean por la calle haciendo la ronda nocturna. Un par de vecinas comentan los devaneos del viejo boticario con Casta y Susana, fomentados por las muchachas y bien vistos por la tía. Susana expresa su molestia por los celos de su novio Julián, de quien piensa vengarse esa noche. Todos entran en el interior de la casa, y en la calle quedan solos los dos guardias y un sereno que comenta la mala situación política mientras lee el periódico, no haciendo caso a las llamadas de un vecino. Llega Don Hilarión y convida a las tres –las dos hermanas y la tía– a unos licores y helados del café de Melilla, de donde sale el sonido de una mazurka que bailan alegremente las dos muchachas. Todos entran en el interior de la casa, donde se escuchan risas y bromas. Julián pasa acompañado de la señora Rita y no puede reprimir su enfado, aunque su madrina consigue calmarle. Según salen para ir a la verbena las dos muchachas del brazo de Don Hilarión luciendo hermosos mantones de Manila, Julián se encara con Susana terminando con una pelea a la que se une la gente que sale del café, hasta que los guardias restablecen la calma con una llamada a la autoridad.

Cuadro tercero. En la calle se celebra una de las múltiples verbenas, bailando al compás de un piano de manubrio (organillo). Don Sebastián observa el baile junto a su mujer, Severina, y una vecina, Doña Mariquita, uniéndose al grupo Don Hilarión que llega sofocado. Julián viene buscando al viejo boticario y a Susana entre los bailarines. Al final hay bronca entre Julián y la tía Antonia, obligando a intervenir a un inspector que manda a la tía a la prevención por sus insolentes contestaciones. Julián pide también ser apresado, ofreciéndose Susana a acompañarle. La pareja se reconcilia finalmente y el baile continúa alegremente.

Producción de la La verbena de la Paloma *de Emilio Sagi para el Teatro de la Zarzuela, 1994 (Foto: J: Alcántara / Cortesía del Teatro de la Zarzuela)*

Números musicales. Preludio. Nº 1. Parlante y escena. Don Hilarión, Don Sebastián, Julián, Señora Rita, Tabernero, Mozo 1º, "El aceite de ricino". Nº 1A. Canción de Julián. Julián, Señora Rita, Don Hilarión, Don Sebastián, Tabernero, Mozo 1º y 2º, "También la gente del pueblo tiene su corazoncito". [Transición] Portero, Portera y coro, "El niño está dormido". Nº 1B. Seguidillas. Coro mixto, "Por ser la Virgen de la Paloma". Nº 1BBis. Seguidillas. Coro mixto, "Por ser la Virgen de la Paloma". Nº 2. Coplas de Don Hilarión, "Tiene razón Don Sebastián". Nº 3. Soledad. Cantadora, Tía Antonia, Guardia 1º y 2º, Casta y Susana, coro, "Ay... En Chiclana me crié". Nº 4. Nocturno. Sereno, Guardia 1º y 2º, "Buena está la política... Consumos por aquí". Nº 4A. Escena de las chulapas y Don Hilarión. Don Hilarión, Casta, Susana, Tía Antonia, "Oh que noche me espera". Nº 4B. Mazurka. Nº 5. Dúo-Escena. Señora Rita, Julián, Casta, Susana, Guardia 1º y 2º, Tía Antonia, Don Hilarión, "No lo sé *señá* Rita... Si el cariño a la Susana". Nº 5A. Quinteto. Don Hilarión, Casta, Susana, Tía Antonia, Julián, Señora Rita, "Linda Susana, Casta hechicera". Nº 5B. Habanera concertante. Julián, Susana, Tabernero, Don Hilarión, Casta, Tía Antonia, coro, "Donde vas con mantón de Manila". Final. Coro mixto, "Por ser la Virgen de la Paloma".

Comentario. Tomás Bretón compuso *La verbena de la Paloma* por casualidad, tras recoger un libreto de Ricardo de la Vega que había rechazado Chapí al discutir con los empresarios del Apolo. La noche del estreno el propio Bretón dijo con intranquilidad, "me parece que me he equivocado", manifestando una extrañeza que sólo se puede comprender si se tiene en cuenta que el maestro salmantino se había dedicado a luchar con tesón por la creación de la ópera nacional, viviendo alejado de los ambientes del género chico. No obstante, Bretón mantenía una buena relación con los escritores y músicos del género, sobre todo a través del Círculo de Bellas Artes al que acudía todas las noches, en una de cuyas veladas se encontró a Ricardo de la Vega que le ofreció el libreto del nuevo sainete. Compuso la música con rapidez, finalizando la genial partitura en menos de un mes.

Se ha afirmado con razón que en *La verbena* se une una excelente partitura a un libreto muy eficaz, sobre el modelo del sainete lírico, subgénero que alcanzó un gran desarrollo con el impulso del realismo y el costumbrismo, que se fija en los avatares de las clases populares. Los personajes son numerosos y se ofrecen una serie de cuadros de la vida real, "visto, como quien dice, desde una ventana", según afortunada expresión del crítico teatral José Yxart. El madrileño Ricardo de la Vega era el gran escritor de sainetes del género chico, con títulos tan fundamentales como *La canción de la Lola*, 1880, o *De Getafe al paraíso o La familia del tío Maroma*, 1883, por mencionar sólo dos de ellos. El éxito de *La verbena de la Paloma* ha llevado a magnificar todos los elementos que integran el texto: personajes, ambientación, desarrollo de la acción, chistes o lenguaje. Sin lugar a dudas, uno de los mayores logros de esta obra es su ambientación popular, centrada no sólo en la conocida fiesta madrileña del título, sino en otros espacios como la taberna y el café, que tienen siempre como eje la vida al aire libre, la calle donde se desarrollan los tres cuadros. Todo este ambiente permite la aparición sobre la escena de gran número de personajes, muchos de ellos secundarios y la mayoría apenas abocetados, apoyados en el lenguaje chulesco, que reproduce el habla de la gente humilde, como la famosa expresión "que tiés madre" que alcanzó una gran fortuna en el Madrid de entonces convirtiéndose en un dicho popular. Otro de los elementos destacables es el protagonismo del baile público, que no sólo era un rasgo realista propio del sainete sino que también constituía una importante ayuda para la labor del compositor, que tenía que caracterizar un ambiente donde la música era el elemento central. En el Madrid de entonces se manifestó un entusiasmo por los bailes, que se organizaban durante las fiestas muchas veces al aire libre,

Emilio Mesejo y Leocadia Alba en La verbena de la
Paloma, *1894 (Foto: Viuda de Amayra y Fernández)*

bastando unos pocos farolillos, unas luces y un "piano de manubrio" (un organillo); el propio Don Sebastián menciona que en la fiesta de la Paloma había setenta y dos bailes en el distrito de La Latina.

La crítica contemporánea expresó algunos reproches al libreto. Para Joaquín Arimón en *El Liberal* éste no era, ni mucho menos, el mejor sainete de Ricardo de la Vega, ya que "el asunto es demasiado pequeño, aun dadas las modestas condiciones que exige el género a que la obra pertenece, sin que la fábula ofrezca en su desarrollo la variedad que fuera de desear, ni esté bastante acentuado el dibujo de los caracteres que en la obra intervienen". No obstante, se destacó que junto al costumbrismo habitual existiese una trama argumental bien trazada y de interés, una característica especial de este sainete que a ojos actuales suele pasar desapercibida. Amaniel hablaba así en *El Imparcial* de un nuevo género que denomina "sainete sentimental", mientras que en el diario *El Resumen* se destacaba que el libreto poseía "una particularidad muy digna de nota, porque viene a ser algo revolucionario", ya que "no es solamente una exposición de tipos populares de esos que hace tan magistralmente el laureado sainetero; tiene además una interesante historia de amor y celos escrita con conocimiento perfectísimo del corazón humano y de las costumbres de la *chulapería* madrileña, historia que sabe a mieles y que a ratos conmovió al auditorio". Amaniel insistía en que "aquel granito de ternura que perfuma todo el sainete" permitía al músico desarrollarlo musicalmente. De esta manera, Tomás Bretón se encontró con un libreto que permitía desarrollarse musicalmente en dos direcciones: los bailes populares y la sencilla historia de celos.

La plasmación de estas posibilidades en la partitura fue uno de los aciertos de *La verbena de la Paloma* y una de las principales razones de su gran éxito, que no se puede explicar sólo por su madrileñismo.

La partitura se divide en un preludio y cinco números, aunque la extensión y complejidad de éstos –con varias secciones– dan un gran protagonismo a la música, hasta el punto de que en los dos primeros cuadros puede afirmarse que se está ante una ópera cómica, quedando los diálogos sin música reducidos a la mínima expresión, en favor de un discurso musical continuo, que incluye además breves referencias a temas anteriores. No sorprende así que la mayoría de las críticas no dejaran de censurar la excesiva extensión de la parte musical, demasiado desarrollada para un sainete de género chico. Pedro Bofill en *La Época* comentaba con gran ironía que "me pareció que [Bretón] se olvidaba a cada momento de que escribía para Apolo. Sus números de música son notables sin duda alguna y el afán con que el público se los hacía repetir, demostraba *quizá* que eran muy de su agrado... Pero hay que decirle al Sr. Bretón de vez en cuando: –¡Que *tiés* sainete! como Ricardo de la Vega hace decir a la señá Rita. Si no se le dice esto a Bretón tira siempre... a lo dramático, que para el Teatro de Apolo vale tanto como decir, a lo pesado".

Si se compara *La verbena de la Paloma* con otros sainetes de la misma época, se observa que la extensión de la música es más o menos similar. Sin embargo, la diferencia principal está en el carácter de esta música, donde Bretón muestra inevitablemente su trabajo operístico anterior. El compositor salmantino, que se encontró con un proyecto inesperado, siguió componiendo de la misma manera que estaba haciendo, dejando traslucir en la partitura su sólida personalidad musical, a costa incluso de no adaptarse a los modelos del género chico. Así, se aprecia un elaborado trabajo musical a todos los niveles, desde el orquestal hasta el dramático y vocal, que causó algunos problemas a la compañía del Apolo que se hizo cargo del estreno. Además, Bretón presenta una gran variedad de estilos, clara muestra de su oficio: partes más dramáticas en una línea operística (la canción de Julián y su recitativo posterior con Rita), conjuntos no muy desarrollados pero de buena elaboración polifónica en el tratamiento diferenciado de los personajes (quinteto), pasajes cómicos dentro de la tradición de la ópera bufa italiana (parlante inicial de Don Hilarión), fragmentos de música nacionalista en la línea de Barbieri (seguidillas), piezas ligeras de opereta (coplas de Don Hilarión), danzas de salón de moda (mazurka) o flamenco (soleá). Todos estos elementos convierten a *La verbena de la Paloma* en un modelo de gran interés, que podría haber convertido el género chico en la base de un teatro lírico nacional. Sin embargo, el peso del sistema del teatro por horas fue tan grande que la propuesta de Bretón se convirtió en un esfuerzo aislado, que apenas tuvo continuidad en otros autores, con la excepción de algunas obras de Chapí como *La revoltosa*. Ramón Barce, en su análisis musical de la partitura, concluye en este sentido que "verdaderamente *La verbena de la Paloma* significa la creación de un tipo de Singspiel original que toma sólo en parte la materia bailable que Chueca adoptó y que respeta la estructura de la gran obra lírica, aunque sintetizada; camino en el que Bretón no encontraría continuadores".

El estreno, el 17 de febrero de 1894, estuvo precedido de una gran expectación, a la que contribuyó tanto la polémica previa como el interés que levantaban dos autores

Cortesía de Unión Musical Ediciones SL

tan consagrados como Ricardo de la Vega y Tomás Bretón. La empresa del Apolo, previendo el éxito, puso a disposición de la nueva obra todos los medios posibles, encargando tres nuevas decoraciones a Busato y Amalio Fernández. No obstante, tanto cantantes como orquesta y coro se vieron ante una labor que desbordaba sus posibilidades. La función del estreno constituyó un enorme éxito, repitiéndose prácticamente todos los números de música, y obligando a salir a los autores a saludar en numerosas ocasiones. Al día siguiente, el sainete pasó a la más popular cuarta función, ya que se había estrenado en la segunda. Desde entonces, *La verbena de la Paloma* se representó casi todos los días en el teatro Apolo, y ha recorrido todo el mundo, con numerosas adaptaciones y grabaciones, siendo una de las obras más interpretadas del repertorio. Tomás Bretón había conseguido inesperadamente con este sainete su obra más popular, eclipsando toda su producción musical anterior y posterior, hasta el punto de que algunos autores le han calificado injustamente como compositor de una sola obra.

Fuentes manuscritas. La partitura (TL-230) y materiales de orquesta (1486) se conservan en el archivo de la SGAE en Madrid.

Ediciones de música. Ed. crítica R. Barce, Madrid, ICCMU, 1994. Canto y piano, Madrid, Cd, 1902.

Ediciones del libreto. 6ª ed., Madrid, Administración Lírico-Dramática, 1898; 7ª ed., Madrid, Imp. R. Velasco, 1903; Madrid, SAE, 1935; Madrid, Gráficas Sánchez, 1955; UME, 1983.

FONOGRAFÍA: RP: Victoria 1192, 1492, 2053 y 5771.

D78rpm: Banda del Real Cuerpo de Guardias Alabarderos de Madrid, M 060010 (et. verde) 25z y La Voz de su Amo AF 25 •

Dir. Antonio Capdevila, Sols. Conchita Supervía, Marcos Redondo, Odeón 185022 (et. roja), SO 6059 SO 6055 • Dir. Pascual Marquina, Banda del Regimiento de Ingenieros de Madrid, Regal DK 8197 (et. azul), K 2302 • Sols. Asensio, Manolo Fernández, Cora Raga, Odeón 196505 (et. azul), SO 5328 SO 5294 • Dir. Ataúlfo Argenta, Orq. de Cámara de Madrid, Columbia RG 16214, CCB 5040, CC 851 • Orq. Hispánica, La Voz de su Amo AE 2420 • Dir. Maestro Ayllón, Banda Municipal de Valencia, La Voz de su Amo AB 381, CJ 1461 CJ 1462 • Dir. Ricardo Villa, Banda Municipal de Madrid, Odeón 121104, XXS 5184 XXS 5185 • Sols. Anselmo Fernández, Enrique Domínguez, Cora Raga, Emilio Vendrell, Manolo Fernández, Carmen Valor, María Hernández, Rosita Rodrigo, B. Banquells, Asensio, M. Company, Orq. Sinfónica, Odeón 203796 a 203803, SO 5282 a SO 5290, SO 5293 a SO 5298, SO 5328 • Sols. R. Zaldívar, Pepe Romeu, Eduardo Marcen, H. Hernández, Selica Pérez Carpio, G. Galindo, Fernández, Larrica, Escrich, Recio, Columbia R 14030 a R 14032, WK 2671 a WK 2674, WK 2689 WK 2693.

LP: Dir. Antonio Ros-Marbá, Orq. Philarmonia de Madrid, Discophon (S) 4031 [ed. en casete (S) 7278 y cartucho (S) 1005] • Dir. José Casas Augé, Orq. Sinfónico-Lírica, Discophon (S) 4113 [ed. en casete (S) 8050] • Dir. Ataúlfo Argenta, Sols. Toñy Rosado, Ana María Iriarte, Inés Rivadeneira, Marianela de Montijo, Patrocinio Rico, Soledad Giménez, Carlos Oller, Manuel Ausensi, Juan Encabo, Gerardo Monreal, Orq. de Cámara de Madrid, Columbia-Salvat 1001-1, Columbia SA, MCE 866 8469 y Columbia-Alhambra-BMG (33rpm-30cm) MCC 30000 [reed. en CD: Columbia-BMG España WD 71435 (9D)] • Dir. E. M. Marco, Sols. Luis Sagi-Vela, Dolores Pérez, Santiago Ramalle, Elsa del Campo, Rosita Montesinos, Luisa Espinosa, Ramón Alonso, Tino Moro, Luisa Castillo, Agustín S. Luque, Coro y Orq. Montilla, Zafiro-BMG FM-168 y Zafiro SA, ZOR-172 50 [ed. en EP: Zafiro-BMG EPFM-259] • Dir. Enrique Estela, Orq. de Cámara de Madrid, Zafiro-BMG FM-176 • Dir. Rafael Ferrer, Sols. Lolita Rovira, Lolita Torrento, Rosario Gómez, Teresa Sánchez, Josefina Escriba, Alberto Aguila, Estanis Tarin, Enrique Esteban, Francisco Parra, Oscar Pol, Bartolomé Bardaji, J. de la Vega, J. Amenedo, A. Taberner, E. Vila, Orq. Sinfónica Española, Regal LCX 7015 51 y Regal LREG 8029 164.

CD: Dir. Federico Moreno Torroba, Sols. Teresa Tourné, Renato Cesari, Coro de Cantores de Madrid, Orq. de Conciertos de Madrid, Hispavox 7 67328 2 (637.33826) y EMI 7243 5 74162 2 1 (637.00312) • Dir. Antoni Ros-Marbá, Sols. María Bayo, Plácido Domingo, Raquel Pierotti, Silvia Tro, Rafael Castejón, Jesús Castejón, Ana Mª Amengual, Milagros Martín, Enrique Baquerizo, Juan José Rodríguez, Alberto Ríos, Alfonso Echeverría, Ramón de Andrés, Martín Grijalba, Mª Luisa Maesso, Mª Carmen Campos Ros, Alfredo García Huerga, Coro de la Comunidad de Madrid, Orq. Sinfónica de Madrid, Audivis Valois V 4725 • Sols. Emilio Vendrell, Cora Raga, Blue Moon BMCD 7505 • Sols. Ángeles Chamorro, Inés Rivadeneira, Alfedo Kraus, Eduardo Fuentes, Coro de Cantores de Madrid, Orq. Manuel de Falla, Carillón •

Dir. Igor Markevitch, Sols. Alicia de la Victoria, Norma Lerer, José Granados, Carlo del Monte, Coro de Rtve, Orq. Sinfónica de Rtve, Philips • Sols. José Romeu, Jesús Gaviria, Fidela Campiña, Ricardo de la Vega, Selica Pérez Carpio, Manuel Hernández, Blue Moon BMCD 7550.

BIBLIOGRAFÍA: *TA*; J. Yxart: *El arte escénico en España*, Barcelona, Ed. Alta Fulla, 1987 (ed. original, 1894-95); J. López Ruiz: *Historia del teatro Apolo y de La verbena de la Paloma*, Madrid, Avapiés, 1994; VVAA: *La verbena de la Paloma*, programa, Madrid, Teatro de la Zarzuela, 1994; V. Sánchez Sánchez: *Tomás Bretón. Un músico de la Restauración*, Madrid, ICCMU, 2002.

VÍCTOR SÁNCHEZ SÁNCHEZ

Vercher Adán, César. Valencia, 9-III-1884; Valencia, 25-XII-1966. Tenor y profesor. Estudió música en el Conservatorio de Valencia. En 1908 debutó en el teatro de la Zarzuela con *Marina* de Arrieta. Formaba parte de la compañía que reinauguró en 1913 el teatro de la Zarzuela tras el incendio de 1909. En 1913 cantó *La Dolores* de Bretón. Ese mismo año estrenó en el teatro Apolo *¡Si yo fuera rey!* de Serrano, en la que fue muy aplaudido junto a Marina Gurina. En 1916 en el teatro Lírico de Valencia estrenó *La sonata de Grieg* y en 1917 en el teatro del Duque de Sevilla *El rey está triste* de Torres y Sánchez Ríos. Alternó la interpretación de ópera y zarzuela tanto en España como en Italia, Portugal o Austria, hasta que fue nombrado catedrático de canto del Conservatorio de Valencia, puesto que desempeñó durante más de treinta años.

César Vercher (Foto: Ar. ICCMU)

BIBLIOGRAFÍA: *DMEH*; *TA*.

Mª LUZ GONZÁLEZ PEÑA

Verdera, Teresa. Ibiza, 11-X-1964. Soprano. Estudió piano en el Conservatorio de Palma de Mallorca, y amplió sus estudios en la Escuela Superior de Canto de Madrid. Asistió a clases magistrales con Montserrat Caballé, Alfredo Kraus y Félix Lavilla. Posteriormente continuó su formación en Madrid, Siena, Ancona, Milán y Viena. Ganó diversos concursos de canto como el Francisco Viñas. Debutó en el Gran Teatro de Palma de Mallorca con *La flauta mágica*. En agosto de 1988 estrenó en Jumilla la zarzuela *La niña del boticario* de Julián Santos. En el teatro de la Zarzuela ha cantado en la temporada 1989 *Don Gil de Alcalá* de Penella, en *Bohemios*, 1994, *Maruxa*, 1995, y en la temporada 1999-2000, *El juramento* de Gaztambide. Ha participado en alguna de las Galas de Reyes con Plácido Domingo, con un repertorio de ópera y zarzuela.

BIBLIOGRAFÍA: E. García Carretero: *Historia del teatro de la Zarzuela*, Madrid, Fundación de la Zarzuela Española, 2002.

Mª LUZ GONZÁLEZ PEÑA

Vert Carbonell, Juan. Carcagente (Valencia), 22-IV-1890; Madrid, 16-II-1931. Compositor. Vert constituye, junto a Reveriano Soutullo, una de las últimas parejas de creadores líricos, que con zarzuelas como *La leyenda del beso*, *La del Soto del Parral* o *El último romántico*, consiguió ocupar un puesto destacado en la última etapa de esplendor del género.

I. Formación y primeras obras. II. El estreno de tres obras claves: *La leyenda del beso, La del soto del parral* y *El último romántico.*

I. FORMACIÓN Y PRIMERAS OBRAS. Introducido en la música por su padre, se trasladó a Onteniente, donde comenzó sus estudios musicales con Enrique Casanova, director de banda, continuando piano, armonía y composición con Manuel Ferrando. Actuó como niño cantor, al mismo tiempo que estudiaba violín y piano, llegando a concertino de la orquesta local. Tras la muerte de Ferrando en 1908, otros profesores convencieron a la familia de que saliese de Onteniente y se matriculara en el Conservatorio de Valencia. Entre los profesores de dicho centro destacaba el compositor y director de la Banda Musical de Valencia, Luis Emilio Vega Manzano, que desarrollaba paralelamente una amplia labor docente. A partir de 1911 Vega obtuvo el puesto de director de la Banda de Alabarderos como sustituto de Pérez Casas, lo que le obligó a trasladarse a Madrid, llevándose con él a Vert, donde recibió ayuda económica de Andrés Marín Simón, dueño de una fábrica de guitarras, que actuó como un auténtico mecenas. Vert comenzó sus estudios en el Real Conservatorio, donde obtuvo el Premio de Honor en Armonía y Composición.

En 1917 estrenó su primera obra en el teatro de la Zarzuela: *Las vírgenes paganas*. La obra, una zarzuela bufa, está estructurada en un acto y nueve números musicales y revela como había asimilado Vert las modas líricas más populares. Sin querer convertirla en un pastiche, son evidentes ciertas referencias. Así, el coro inicial con su carácter marcial y brillante, recuerda los coros de *La corte de faraón*, donde Vicente Lleó parodiaba en 1910 el Verdi grandilocuente y pomposo de *Aida*.

Juan Vert (Foto: Saus, Col. Andrada; Ar. SGAE)

En el segundo el solo de Saúl, manifiesta la influencia en Vert de la ópera francesa, con largos arpegios en la cuerda, recordando, en algunos momentos, las obras de Massenet; el número se desarrolla dentro de la tonalidad de Re mayor, demostrando todavía poca pericia en las modulaciones, y sólo aparece Sol mayor para dar paso a una danza, una especie de bacanal, que recuerda, o parodia, el último acto de *Sansón y Dalila*, siendo de nuevo el ambiente musical francés el que asoma a la partitura. El número siguiente es un vals, que podría pertenecer a alguna de las operetas de Offenbach, si bien en la parte central aparece una canción insinuante, y evocadora de sonoridades gitanas, que se inscribe en la línea de

Juan Vert (Foto: Ar. particular)

la canción que escribe Lleó sobre "Las mujeres de Babilonia...", en su famosa obra. En el Nº 5, dúo entre Flavia, hija del rey Saúl, y Theseo, valeroso guerrero que pretende su mano, reaparece el ambiente sonoro francés. El resto de la obra no aporta nada nuevo, destacando el Cuplet de Pomponia, Nº 7, que imita *La corte de faraón*, pero no con tanta fortuna. La obra termina con otro número amplio y solemne, Nº 9, del mismo carácter que el primero. Tras este estreno, compuso una obra titulada *El Versalles madrileño*, con libreto de García Álvarez y Muñoz Seca, que se estrenó en el teatro Apolo de Madrid. Esta obra, por su estructura, hace pensar en música incidental, compuesta para ser interpretada en el contexto de una obra de teatro. Consta de tres números musicales: el primero es un preludio orquestal muy poco afortunado, resultando monótono por su pobreza temática, y sus escasas inflexiones tonales. Los siguientes números muestran un carácter muy español, pudiendo incluso definirse como pasodobles, y utilizan los tresillos y el intervalo de segunda aumentada como símbolos de lenguaje nacional, resultando algo más brillantes y amenos que el reludio.

Estas dos obras convencieron a Reveriano Soutullo de la necesidad de unir su trabajo con el de Vert en favor del género lírico. Su producción en común fue numerosa –treinta y una zarzuelas según el catálogo–, constituyendo la última gran asociación de autores de la historia del género. La pareja ofreció su primer trabajo en 1919 en el teatro Apolo: la zarzuela *El capricho de una reina*. Chispero comentó así este primer estreno: "La obra, según sus autores es calificada de parodia de opereta, pero en realidad no es sino una tal opereta con injertos de juguete cómico y abun-

dantes retruécanos (algunos de los cuales parecieron excesivos al público, sobre todo porque 'Galleguito' patinó, subrayándolos con exceso"). De la partitura se repitió un quinteto del primer acto, la inevitable –desde *El niño judío* ya no faltaba nunca– "Canción española", unos cuplés que Meana cantó y accionó insuperablemente y un schotis japonés con ribetes madrileñistas. Tras este debut, que obtuvo poco éxito, Soutullo y Vert compusieron otra obra que se estrenó también en el Apolo en la temporada 1919-20: *Justicias y ladrones*, sobre un libro de Sinesio Delgado, que no alcanzó demasiada aceptación del público, que tampoco prestó atención a *La esnigotina*, sobre un libro en dos actos de Paso y García Pacheco, estrenada en 1921. Esta obra que cita Chispero no aparece en el archivo de la SGAE bajo ese título, sin embargo hay otra obra, *La guillotina*, que tuvo a los mismos autores del libreto, pero que se estrenó en el Apolo en 1922. Podría tratarse de la misma zarzuela.

II. EL ESTRENO DE TRES OBRAS CLAVES: *LA LEYENDA DEL BESO, LA DEL SOTO DEL PARRAL, Y EL ÚLTIMO ROMÁNTICO*. La temporada 1923-24 fue decisiva para el arranque de un nuevo concepto de zarzuela grande, siendo además el año del primer gran éxito de Soutullo y Vert con *La leyenda del beso*. Las obras que se estrenaron poco antes, no hicieron sino preparar el camino que había de seguir el género. *Doña Francisquita*, con letra de Romero-Fernández Shaw y música de Vives, fue el ejemplo seguido por los autores de la época, de los que Soutullo y Vert representan en este sentido una avanzadilla tan próxima que *La leyenda del beso* compartió cartel en la misma temporada con la obra de Vives. En tres meses se anticipó la primera representación de *Doña Francisquita* a *La leyenda del beso*, ambas en el teatro Apolo en la citada temporada. La obra se mantuvo en cartel alternando con *Doña Francisquita* y con la revista *La tierra de Carmen*. No obstante el éxito de estas obras, el público no acudía al Apolo, por lo cual el 1 de febrero, la empresa –regentada por Amadeo Vives– ofreció una considerable rebaja de precios, costando la butaca para la función entera cinco pesetas. Se repuso *La montería* y el 5 de febrero debutó Galleguito, reponiéndose la revista de la temporada anterior: *Arco Iris*, con la que hizo su presentación este tenor cómico. Así con esta obra y *La leyenda del beso* se llegó con una buena situación económica. El testimonio de Chispero es elocuente sobre la situación del teatro en aquella época, todavía no abierta favorablemente a la zarzuela grande, pero capaz de aceptar la libertad de escritura que muestran las partituras del momento, que en el caso de Soutullo y Vert es calidad de inspiración y dominio técnico que se funden para la creación de obras bien construidas en los moldes del clasicismo zarzuelero, pero abiertas a la recepción de las últimas estéticas musicales europeas. Así la obra denuncia ciertas referencias de clima acústico que unas veces pueden recordar Puccini y otras el Wagner de *Tannhäuser*, sin que por ello pueda dudarse de la originalidad de la misma. La obra está construida en dos actos que cuentan con seis números musicales cada uno de ellos.

Tras este éxito, los dos autores estrenaron en 1925 el sainete en dos actos, con libreto de Luque y Calonge, *Encarna la misterio*. Libro y música fueron muy del agrado del público, si bien la partitura, por su extensión y pretensiones, se estimó como excesivamente engolada para un sainete madrileño, según algunas opiniones de la crítica que recoge Chispero. En enero de 1927, Soutullo y Vert volvieron a la cartelera del Apolo, con una obra sobre un libreto de los hermanos Ramos Martín, titulado *Así se pierden los hombres*, que obtuvo un éxito mediano y mereció de la crítica severas censuras, sobre todo por estimarlo inadecuado, aduciendo que el Madrid del año 1927 distaba mucho de ser como lo pintaban en su sainete los autores, para quienes, por lo visto, el tiempo se había detenido en los finales del siglo XIX, en que se estrenaron *La verbena* y *La revoltosa*. *Así se pierden los hombres* se representó durante una quincena en función de tarde, continuando por la noche en el cartel *El huésped del Sevillano*. Dos años más tarde, en 1927, la pareja obtuvo otro inmenso éxito en el teatro de La Latina de Madrid *La del Soto del Parral*, con tal fortuna que el 15 de diciembre del mismo año se representaba también en el Apolo para una larga temporada. En palabras de Chispero con *La del Soto del Parral* y otra obra titulada *El sobre verde* "subieron bien la cuesta de enero los del Apolo, donde no hubo variación en el cartel". En La Latina la interpretaba Sagi Barba y su compañía, mientras que en la "catedral" lo hacían Selica Pérez Carpio y Godayol. El libro de Luis Fernández de Sevilla y Anselmo C. Carreño, se sitúa en el costumbrismo y en el argumento de una historia de carácter rural. Se trata de una historia en la que juegan por igual el amor, los celos, la nobleza y el localismo, ingredientes que el tino teatral de los libretistas distribuyen equilibrando las escenas y proporcionando estimulantes dramáticos para que la inspiración musical se manifieste con fuerza lírica. Si los autores del libro encuentran su fuente de inspiración en la tierra sego-

viana, también sucede con los autores de la música, si bien es notable que se hallaba ya contaminada por el verismo, consecuencia tardía en España del realismo literario de Zola, y más concretamente del que impuso la partitura de *Cavalleria rusticana*. *La del Soto del Parral* no puede ocultar su filiación artística a esta tendencia, aunque la influencia se manifieste en el clima armónico y el color orquestal más que en el origen de la creación melódica. Por la originalidad de la inspiración, la fluidez con la que surgen los temas, el sentido noble del vuelo lírico y la bravura que se confía a las voces, *La del Soto del Parral* es una obra importante de la zarzuela contemporánea.

El 9 de marzo de 1928 de nuevo Soutullo y Vert alcanzaron un buen éxito sobre un libro de Tellaeche titulado *El último romántico*, "libro muy bien trazado y en el que se presentaban tipos del Madrid de Alfonso XII perfectamente estudiados y que además ofrecían a los músicos ocasiones propicias al lucimiento. En efecto, Soutullo y Vert lograron una partitura que si no llegó a superar a *La del Soto del Parral*, gustó extraordinariamente al auditorio, que hizo repetir casi íntegramente todos los números de la obra, entre los que había una romanza de tenor muy melódica que Pepe Romeu cantó deliciosamente, viéndose obligado a hacerlo tres veces. Pero aún superó la calidad y el triunfo logrado con la mazurca madrileña, de corte muy parecido al número célebre de los ratas de *La Gran Vía*, y que hubo de ser cantado entre grandes ovaciones cuatro veces" (Chispero). La partitura de *El último romántico* representa el equilibrio entre la elegancia melódica y lo fácilmente popular.

Este ambiente teatral de cambio, con el que se vio comprometida la producción lírica de Soutullo y Vert, se puede interpretar como una verdadera encrucijada en la que confluyen dos generaciones de compositores, representados de una parte por Vives, Luna, Lleó y Serrano que entroncan con Caballero, Chapí, Bretón, Chueca y Giménez y de otra por Soutullo y Vert, Penella, Millán, Guerrero, Alonso, Guridi, Dotras Vila, Martínez Valls, Moreno Torroba, Díaz Giles, Sorozábal, que son la última hornada de compositores cultivadores de la zarzuela. El paso de una a otra generación, como había sucedido en el paso de la época de Hernando, Arrieta, Gaztambide, Barbieri y Oudrid a la de Chapí, Chueca, Caballero y Bretón, significó un notable cambio de lenguaje.

En el momento de su muerte estaba dedicado a la composición de *La maja serrana*, que dejó inconclusa. Soutullo, conocedor sin duda de la gestación de la obra, ante la ausencia de su fiel colaborador, renunció a ver terminada lo que pudiera haber sido la última obra de ambos. *Véase* LA DEL SOTO DEL PARRAL; LA LEYENDA DEL BESO; EL ÚLTIMO ROMÁNTICO; SOUTULLO, REVERIANO.

OBRAS (Todas en *E:Msa*, si no se indica lo contrario): *Las vírgenes paganas*, Zarz Bu, 1 act, I, E. García Álvarez / F. Garzo, est, 31-IV-1915, Te. de la Zarzuela; *El Versalles madrileño*, Sai, 1 act, I, E. García Álvarez / Muñoz Seca, est, 4-V-1918, Te. Apolo; *El capricho de una reina*, Opt, 2 act, col. Soutullo, I, A. Paso (hijo) / A. Vidal, est, 17-V-1919, Te. Apolo; *La garduña*, Zarz, 2 act, col. Soutullo, I, A. Paso Cano / J. Rosales, est, 15-XI-1919, Te. Cómico; *Justicias y ladrones*, col. Soutullo, I, S. Delgado, est, 26-XI-1919, Te. Apolo; *Las aventuras de Colón*, Hum, col. Soutullo / Bautista Monterde, I, A. Paso / J. Rosales, est, 23-XII-1919, Te. Cómico, *E:Mc*; *Guitarras y bandurrias*, 2 act, col. Soutullo, I, A. Paso / F. García Pacheco, est, 20-V-1920, Te. del Centro; *La caída de la tarde*, Fant, 1 act, col. Soutullo, I, A. Paso Paso / J. Rosales, est, 7-XII-1920, Te. Martín; *La misma cara*, Ent, col. Soutullo, I, A. Muñoz Laperio, est, 31-XII-1920, Te. Zarzuela; *Los hombrecitos*, fábula, 1 act, col. Soutullo, I, E. Calonge, est, 8-III-1921, Te. Novedades; *Las perversas*, Com, 2 act, col. Soutullo, I, A. Lapena / A. Muñoz, est, 1-XI-1921, Te. Cervantes; *La guillotina*, Zarz, 2 act, col. Soutullo, I, A. Paso / F. García Pacheco, est, 27-XII-1921, Te. Apolo; *La chica del sereno*, Sai, 1 act, col. Soutullo, I, E. Calonge, est, 2-XII-1922, Te. Price; *La Venus de Chamberí*, Zarz, 1 act, col. Soutullo, I, F. Luque, est, 2-II-1922, Te. Martín; *El regalo de bodas*, 1 act, col. Soutullo, I, F. Luque, est, 2-II-1923, Te. Martín; *La piscina de Buda*, Zarz, 1 act, col. Soutullo / Lleó, I, J. Dicenta (hijo) / A. Paso (hijo), est, Te. Martín, 6-IV-1923; *La con-*

Cortesía de Unión Musical Ediciones SL

quista del mundo, Zarz, 2 act, col. Soutullo, I, F. Luque, est, 20-XI-1923, Te. Cómico, *E:Mc*; *La leyenda del beso*, Zarz, 2 act, col. Soutullo, I, E. Reoyo / J. Silva / A. Paso (hijo), est, 18-I-1924, Te. Apolo; *La casita del guarda*, Sai, 1 act, col. Soutullo, I, E. Calonge, est, 6-III-1925, Te. Novedades; *Encarna, la misterio*, Sai, 2 act, col. Soutullo, I, F. Luque / E. Calonge, est, 8-V-1925, Te. Apolo; *Primitivo en la gloria o El amor en la prehistoria*, col. Soutullo, I, F. Luque / E. Calonge, est, 28-XII-1925, Te. Apolo; *Así se pierden los hombres*, 2 act, col. Soutullo, I, A. y J. Ramos Martín, est, 25-I-1927, Te. Apolo; *La del Soto del Parral*, Zarz, 2 act, col. Soutullo, I, L. Fernández de Sevilla / A. C. Carreño, est, 26-X-1927, Te. La Latina; *El asombro de Gracia*, Hum, 2 act, col. Soutullo, I, E. García Álvarez / J. Lucio, est, 26-XI-1927, Te. Chueca; *El último romántico*, Zarz, 2 act, col. Soutullo, I, J. Tellaeche, est, 9-III-1928, Te. Apolo; *Las maravillosas*, col. Soutullo, I, A. Paso / J. Borrás, est, 11-I-1929, Te. Price; *Las bellezas del mundo*, 2 act, col. Soutullo, I, A. Paso (padre) / T. Borrás, est, 19-IV-1930, Te. Metropolitano; *Las pantorrillas*, Hum, 2 act, col. Soutullo, I, J. Mariño / F. García Loygorri, est, 26-IV-1930, Te. Eslava; *La virgen de bronce*, Zarz, 2 act, col. Soutullo, I, Ramón Peña / A. Paso (hijo), est, 29-XI-1930, Te. Apolo, Valencia, *E:Mc*; *Mancha de honor*, Zarz, 2 act, col. Soutullo, I, A. Lapena / L. Blanco, est, 9-IV-1931, Te. Maravillas; *Las caras iguales*, Apr, 1 act, col. Soutullo I, A. Lapena / A. Muñoz Seca; *Caras y caretas*, col. Soutullo, I, A. Paso; *El capricho de Margot*, col. Soutullo; *La canción de los batanes*, col. Soutullo, I, L. Fernández de Sevilla / A. C. Carreño.

FONOGRAFÍA: *El capricho de una reina*, Gramófono W 264430 W 262228 (et. verde), s20477u, s20480u • Victoria 5778 y 5782; *El último romántico*, Blue Moon BMCD 7547 • Columbia-BMG España WD 75124 (9D) • Columbia-Alhambra MCC 30034, SCLL 14042 • Columbia SA, ZCL 1034; *La del Soto del Parral*, Montilla FM-68 • Zafiro-BMG EPFM-132 • La Voz de su Amo-Gramófono AC 130 AC 132, AE 2034, BJ 1103 BJ 1104 BJ 1105 • Zafiro ZOR-118 180 • Alhambra-Columbia MCE 852 • Alhambra-Columbia-BMG España WD 71582 (9D) • Columbia-BMG-Ariola-Salvat 1032-2 • Columbia SA, C 30025 • EMI 7243 5 74228 2 6 (637.02623) • La Voz de su Amo AE 2217 AE 2218 AE 2745 AE 2815 • Odeón 121183, XXS 4680 XXS 5037 • Regal 33 LCX 108; *La leyenda del beso*, Alhambra ALG 23001, CCB 5048 CCB 5050 • Blue Moon BMCD 7547 • BMG España WD 71463 (9D) • Discophon (S) 4032 (S) 7278 (S) 7279 (S) 1005 • Columbia SCE 962 • La Voz de su Amo AF 414, CN 1107 CN 1106 • Odeón 173191, XXS 6450 XXS 6451 • Regal RS 1007 (et. azul), KX 40 205832 • Zafiro-BMG EPFM-134 • Zafiro 30103008 159 • Zafiro ZOR-128 158; *La marcha de honor*, Blue Moon BMCD 7547.

BIBLIOGRAFÍA: *DMEH*; *OGCH*; *TA*; M. F. Fernández Núñez: *La vida de los músicos españoles. Opiniones, anécdotas e historia de sus obras*, Madrid, FF, 1925; M. Muñoz: *Historia de la zarzuela y el género chico*, Madrid, Ed. Tesoro, 1946.

Mª ENCINA CORTIZO

Cortesía de Unión Musical Ediciones SL

Viaña, Joaquín. España, siglo XX. Compositor. No figura en la lista de socios de la SGAE, pero en sus archivos de Madrid se conservan obras líricas con su nombre. Se sabe por Víctor Ruiz Albéniz "Chispero" en *Historia del Teatro Apolo*, que su obra, *Pobres chicas*, estrenada en 1889 fue un fracaso, hasta el punto de que ni se proclamaron los nombres de los autores por la mala acogida del público. Sin embargo *La rapaciña de Lemus* y *El hijo del leñador* se habían estrenado con éxito en el teatro La Infantil de Madrid en 1878. También con éxito extraordinartio se estrenó *La herencia de mi tío*, zarzuela en un acto con libreto de Ignacio Garcés que se estrenó en el teatro del Recreo en 1879 y que se escribió para el tenor cómico Cándido Navarro. En 1887 estrenó en Apolo con gran éxito *Hay ascensor*, pasillo cómico lírico con libreto de Félix Limendoux. Fue también muy aplaudida en 1888 *La Unión (Almacén de calzado)*, juguete cómico lírico con libreto de Ruesga y Prieto estrenado en el teatro Novedades; el mismo año se estrenó con aplauso *Bordeaux* a beneficio de Emilio Mesejo en el teatro Felipe. En 1891 estrenó, también con éxito en el teatro Alhambra, una obra en colaboración con Quinito Valverde, *Los boquerones*, cuyo libreto tuvo dos ediciones el mismo año del estreno.

OBRAS (Todas en *E:Msa*): *Para mujeres España*, viaje cóm-serio lír-bailable, I, R. Cabarro, est, 10-VII-1878, Te. La Infantil; *Tocador de señoras*, Sai lír, 1 act, I, A. Llanos, est, 16-VIII-1887, Te. Felipe; *Bordeaux*, 1 act, I, Marín y Ayuso, est, 12-IX-1888, Te. Felipe; *Pobres chicas*, col. G. Giménez, est, 16-II-1889, Te. Apolo; *La sultana de Marruecos*, Jug cóm-lír, 1 act, I, E. López Marín / L. Gabaldón, est, 14-X-1890, Te. Eslava; *Los boquerones*, Sai lír, 1 act, col. J. Valverde San Juan, I, J. Contreras, est, 27-V-1891, Te. de la Alhambra; *La suripanta Camila*, Sai, 1 act, I, E. Arango y Alarcón, est, Te. La Infantil; *Los madrileños*, Pas, 1 act, I, J. Floridor; *Restaurant de las tres clases*, Zarz, 1 act; *The verde*, 1 act, I, F. Limendoux.

BIBLIOGRAFÍA: *TA*.

Mª LUZ GONZÁLEZ PEÑA

Vicente, Adela de. España, siglos XIX-XX. Tiple cómica. Debutó en septiembre de 1910 en el Royal Kursaal de Madrid. En 1911 estrenó en dicho teatro *El tonto de las monjitas* de Alonso Valdrés, y *Ojo con la moral!* de Manuel Ribas. En 1915 una señora Vicente estrenaba en el teatro Barbieri *El mantón rojo* de Padilla, con gran éxito, pero debe tratarse de Avelina Vicente que el mismo año y en el mismo teatro estrenó *Fotografía feminista* de Agustín Rada. También existió una Irene Vicente que participó en el estreno de *El rey de la banca* de José Serrrano en 1914 en el teatro Ruzafa de Valencia. Se desconoce si existía parentesco entre estas tres tiples.

Mª LUZ GONZÁLEZ PEÑA

Vicente Arche. *Véase* ARCHE.

Vidal, Pilar. Barcelona, 1858; Barcelona, 1934. Actriz de carácter. Comenzó su carrera con siete años en el Liceo de Barcelona, en papeles infantiles dirigida por Domingo García. Debutó, ya como característica, en el teatro del Circo de Madrid en 1883 y allí permaneció hasta 1884. En 1906 estrenó en Apolo *La mala sombra* de José Serrano junto a Joaquina Pino y María Palou. Ducazcal la contrató para el Felipe y en 1888 pasó al teatro Apolo, donde llegó a ser toda una institución y permaneció

Pidarl Vidal en El paraíso de los niños *(Foto: Compañy, Ar. familia Delgado)*

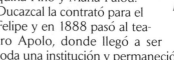

hasta 1913 en que se retiró por motivos de salud. A la Vidal se la llamaba "la Valverde del género [chico]" por ser la característica más destacada. Pilar Vidal era imprescindible en todas las zarzuelas estrenadas en Apolo, así destaca su interpretación en obras como *Los descamisados*, *Las bravías*, *San Antonio de la Florida*, *Agua, azucarillos y aguardiente*, *La revoltosa*, *El santo de la Isidra*, *La buenaventura*, *Las zapatillas*, *La reina mora*, *Doloretes*, *Las bribonas*, *El baile de Luis Alonso*, si bien su mejor creación fue la Señá Antonia de *La verbena de la Paloma*, en su estreno en Apolo, 1894. El desgarro aguardentoso de su interpretación, más real que cualquier arrabalera del barrio de la Paloma, fue una de las claves del éxito de la obra y marcó la pauta para la interpretación del personaje. También fue muy aplaudida en *Las zapatillas* de Chueca, en 1895 y en *Las mujeres* de Giménez al año siguiente, en la que dio vida a la Señá Serapia, una de sus mejores creaciones. Al retirarse de la escena en 1913, se trasladó a su Barcelona natal.

BIBLIOGRAFÍA: *HGZ*; *MT*; *TA*; D. de las Heras (Plácido): *Madrid en la escena. Crítica teatral con una Sinfonía de Jacinto Benavente y un final en verso de Salvador María Granés*, Madrid, sf.

Mª LUZ GONZÁLEZ PEÑA

Vidal Guinovart, Pablo. La Canonja (Tarragona), 17-II-1913. Barítono. Fue el director José Gols quien le animó a dedicarse al canto tras oírle entonar un fragmento de *Bohemios* de Vives, obra en la que participaba con el orfeón de su pueblo natal, proponiéndole cantar *La tempestad* bajo su dirección. Debutó profesionalmente en el Tívoli de Barcelona, en 1936, meses antes de que comenzara la Guerra Civil, que dio al traste con sus proyectos durante los tres siguientes años. Concluida la contienda, Vidal fue a visitar al maestro José Sabater solicitándole trabajo y éste le propuso una gira española en honor de Miguel Fleta, que acababa de fallecer, en la que interpretó algunos títulos operísticos. A su regreso trabajó en teatros pequeños, junto a Hipólito Lázaro, interpretando, entre otros títulos, *Marina* de Arrieta. El empresario Mestres y Calvet escuchó su voz, proponiéndole debutar en el Liceo, donde entre 1940 y 1942 participó en importantes producciones de *Aida*, *Il trovatore* u *Otello*, con los más destacados cantantes europeos. Tras una exitosa gira americana por Argentina y Brasil, regresó a Cataluña, cantando con frecuencia en el Liceo. En sus últimos años de carrera continuó recogiendo éxitos, como el logrado en una de sus más acertadas creaciones, el personaje de Puck de *Las golondrinas*. En Bilbao cantó *Amaya* de Guridi, en 1962. A finales de la década de los sesenta puso fin a su carrera teatral, dedicándose a la enseñanza en los conservatorios de Tarragona y Santa Cruz de Tenerife. En 1990 decidió dar por concluida toda su actividad profesional.

Vidal consideraba que el canto era una recitación ampliada. Admirador de los grandes actores del tipo de Fernando Díaz de Mendoza o Enrique Borrás, buscaba en ellos su modelo, moldeando cada palabra con estilo plástico, buscando otorgar a cada una su adecuado valor métrico y agógico. Su voz era sonora y resistente, timbre claro, amplio fiato y un acentuado vibrato en los agudos. Apenas se dedicó a la grabación, quedando registro solamente de una grabación de *La caramba*, dirigida por el propio autor, Moreno Torroba, y una selección de *Luisa Fernanda*.

Pablo Vidal (Foto Ar. SGAE)

BIBLIOGRAFÍA: *CCE*; J. Martín de Sagarmínaga: *Diccionario de cantantes líricos españoles*, Madrid, Fundación Caja de Madrid-Acento Ed., 1997.

Mª ENCINA CORTIZO

Vidal y Llimona, Andrés. Barcelona, 5-VI-1844; ?, 1912. Compositor, editor y empresario. Hijo de Andrés Vidal Roger, en sus publicaciones suele firmar "Andrés Vidal, hijo" para distinguirlas de las de aquél. Inició su formación musical a edad muy temprana, con Juan Sarriols y M. Boisselot, y a los dieciocho años llegó a ser profesor en el Conservatorio de su ciudad natal. Posteriormente amplió estudios en París y Berlín. Aunque alcanzó bastante renombre entre sus contemporáneos como compositor,

especialmente de zarzuelas, esta faceta suya quedó prácticamente oscurecida por su gran actividad empresarial. Entre 1870 y 1874 trabajaba en el establecimiento de su padre y tomaba parte activa en la redacción del semanario *España Musical*, que venía publicándose desde 1866 y servía de medio de promoción de la firma comercial. En 1874 se trasladó a Madrid, con el fin de instalar allí una sucursal de la casa paterna y al año siguiente inauguró su propio almacén de música y editorial (Carrera de San Jerónimo, 34), donde publicó más de cuatrocientas obras.

A mediados de este último decenio del siglo se debió constituir la sociedad "Vidal Llimona y Boceta", con sede en Madrid y Barcelona y delegaciones en La Habana y Lisboa, que entre otras representaciones obtuvo la rentable gestión de la edición Ricordi de las óperas de Verdi. El nacimiento de la SAE supuso un cambio brusco de planteamientos, que llevó aparejado, a partir de 1900, la desaparición de todos los archivos líricos particulares, además del monopolio casi completo de la gestión de los derechos de autores y editores. El archivo de Vidal Llimona y Boceta no fue una excepción y pasó a engrosar el patrimonio de dicha institución. Años más tarde, el fondo editorial de Vidal, Llimona y Boceta pasaría a propiedad de Casa Dotesio, precedente de Unión Musical Española.

OBRAS (Todas en *E:Msa*): *La mujer de papá*, Vo, 2 act, l, M. Pina Domínguez, est, 19-IV-1892, Te. Lara; *El estudiante endiablado*, Óp cóm, 1 act, l, R. Ginard de la Rosa / A. Laguardia, est, 30-IX-1895; Te. Martín; *El plan de ataque*, Zarz cóm, 1 act, col. Audrán, l, C. Arniches / C. Lucio / J. Pardo, est, 7-IV-1897, Te. Eslava; *El barbero de mi calle*, Sai lír, 1 act, l, E. Fernández / A. Fanosa, est, 21-VI-1898, Te. Maravillas.

BIBLIOGRAFÍA: *DMEH*; C. J. Gosálvez Lara: *La edición musical española hasta 1936*, Madrid, AEDOM, 1995.

Mª LUZ GONZÁLEZ PEÑA

Vidal i Torrent, Francesc de Sales. Vilanova i la Geltrú (Barcelona), 1819; Vilanova i la Geltrú, 1878. Dramaturgo. Personaje influyente en la vida de su comarca, llegó a ser alcalde de Vilanova durante un largo periodo. Estudio Derecho en Cervera. Sus obras se sitúan en los albores del teatro romántico catalán; *Un engany a mitges*, 1858, es un buen ejemplo de dicho estadio. Destacó en el terreno de la comedia costumbrista, después de haber intentado sin demasiado éxito la redacción de dramas en castellano. La ambientación de sus obras en ambientes marineros, y lo acertado en su descripción, abrieron paso a diversas comedias y zarzuelas ambientadas en cuadros costumbristas de "marinas". Su obra *Una noia com un sol*, 1861, alcanzó un éxito sorprendente en un momento en el que el teatro catalán era aún muy incipiente y de poca calidad en la redacción de los textos. Colaboró con el compositor local Antoni Urgellés en la composición de las zarzuelas *Entre Cap-*

many i Figueres, 1875, *L'Andreuet de Montanyans*, 1875, y *Pauleta la planxadora*, 1876, obras todas ellas muy bien recibidas por la calidad del texto y de la música.

BIBLIOGRAFÍA: E. Bo (dir.). *Nou diccionari 62 de la literatura catalana*, Barcelona, Ediciones 62, 2000.

FRANCÉS CORTÈS i MIR

Vidal y Valenciano, Eduard. Vilafranca del Penedés (Barcelona), 1839; Barcelona, 1899. Dramaturgo. Estudió humanidades e inició estudios de ingeniería. Conoció a J. A. Clavé y se convirtió en uno de su principales colaboradores. Eduard Vidal, juntamente con Frederic Soler y con Conrat Roure, sentó las bases del nuevo teatro catalán, de tipo romántico, superando el estado incipiente de los sainetes y de las piezas breves que dominaban la escasa producción dramática catalana hasta mediados del siglo XIX. Sus primeras obras, unos juguetes bilingües, las estrenó en Vilafranca. Su primera obra representativa fue el juguete lírico-dramático *Un beneit de Jesucrist*, 1864, con música de Francisco Altamira, seguida de una nueva zarzuela, *Qui tot ho vol tot ho perd o La festa de l'ermita*, 1864, con música de Antón Lamarca. Esta obra señaló ya a Vidal y Valenciano como uno de los autores más originales y valiosos del momento. El punto de inflexión se encuentra en su obra *Tal faràs, tal trobaràs*, 1865. Con *Tants caps, tants barrets* introdujo por primera vez en la escena catalana a personajes contemporáneos, y con *La virtut i la consciència*, 1867, hizo aparecer por vez primera en Barcelona a la clase obrera como personaje teatral, limitado hasta entonces a elementos procedentes del medio rural. Entre sus zarzuelas se encuentra *Maria*, 1866, con música de N. Manent, un cuadro de costumbres que debe situarse entre los primeros del género. *La Guardiola*, con música de F. Pedrell –aunque existe otra versión con libreto publicado a finales de siglo y música de Enric Martí i Puig–, *L'art de la bruixeria*, con música de Clavé, *Les campanetes*, 1873, con música de J. Ribera. *La criada*, 1880, zarzuela en dos actos con música de J. Navarro constituyó uno de sus éxitos más importantes en el terreno lírico. Colaboró en diversas ocasiones con Nicolau Manent, redactando para él la humorada *A sort i ventura*, 1871, o *Lo somni daurat*, 1872, una zarzuela en dos actos, en la que colaboró con Joaquín Arimón, y para la que realizaron decoraciones Soler i Rovirosa y Pla. También participó en la aventura del género bufo. La primera obra de este tipo fue *De Barcelona al Parnàs*, 1872, una zarzuela-revista cómico-lírica-dramática-satírica-fantástica, con música de J. Ribera, y que atrajo la atención del público de la época. A ella la siguieron la zarzuela bufa *Un pobre diable*, 1873, también con música de Ribera, y escrita *ex profeso* para la temporada de zarzuela catalana, o la extravagancia *Micos*, 1880, con música de

Joan Rius. Otro de los compositores con los que trabajó en diversas ocasiones fue J. Ribera, quien en 1873 puso música al juguete *Les Campanetes*, obteniendo un gran éxito con *La Manescala*, 1874, una zarzuela en dos actos que se mantuvo durante muchos años en el repertorio catalán. En 1873 recibió un galardón en los Juegos Florales por *La barqueta de Sant Pere*. El lenguaje de sus obras es siempre interesante, mostrando habilidad en crear situaciones dramáticamente ágiles, al tiempo que asumió la moda del teatro romántico contemporáneo.

BIBLIOGRAFÍA: C. Roure: *Recuerdos de mi larga vida*, Barcelona, 1926.

FRANCESC CORTÈS i MIR

Vidaurreta, Rosario. Santa Clara (Cuba), 22-IX-1861; ?. Cantante. Aunque nació en Cuba, la familia se instaló en Málaga, donde creció Rosario. Comenzó cantando en un teatro local y desde ahí pasó a formar parte de diversas compañías con las que recorrió durante años España y América. En 1887 estrenó *Un rapto* de Nicolau en el teatro Circo de Price de Madrid.

BIBLIOGRAFÍA: F. Cuenca: *Teatro andaluz contemporaneo. 2. Artistas líricos y dramáticos*, La Habana, Maza, 1940.

Mª LUZ GONZÁLEZ PEÑA

Videgain. Familia de actores y cantantes españoles formada por Salvador, su esposa Antonia García y el hijo de ambos, Salvador. Cuando los libretos solamente indican Videgain, es muy difícil dilucidar si se trata del padre o el hijo.

1. Videgain, Salvador. Málaga, 184?; ?, 190?. Actor y bajo cómico. Debutó con los Bufos Arderius. En 1873 estrenó en el teatro del Circo, *César y Bruto* de Arche y Carreras, *Por echarlas de Tenorio* de Fernández Caballero, y *El último figurín* de José Rogel, todas con Antonia García, con la que se casó; al año siguiente estrenó *Dos leones* de Bretón y Nieto en el Romea. En 1877 estrenó en los Jardines del Buen Retiro *Un maestro de obra prima* de Chueca y Valverde, *Cambio de papeles* de Bernardino del Valle y en el teatro Eslava, *Entre locos* de Javier Gaztambide. En la temporada 1878-79 formaba parte de la compañía cómico-lírica de Ricardo Morales que ofreció diversas zarzuelas en el teatro Apolo. Con los Bufos en el teatro de la Comedia cantó en 1880 *Música clásica* de Chapí con Ramón Rosell, y *Preston y Compañía*. En 1883 actuaba en el teatro Recoletos de Madrid donde estrenó *El chiripero* de Tomás Reig, *Meterse en honduras* de Rubio y Espino y *Música del porvenir* de Manuel Nieto. Además estrenó en el teatro Martín *El estudiante de Alcalá* de Apolinar Brull, *Otelo y Desdémona* de Nieto, *Curriya* de Caballero, *El lápiz mágico* de Reig, *Enredos y compromisos* de Taboada. En 1884 seguía en el Martín y estrenó *La perla de Triana* de Juan Cansino, *Las tres auroras* de

Taboada, *Una doncella de encargo* de Rubio y *Mazzantini* de Isidoro Hernández. En 1884 actuó también en el teatro Recoletos donde estrenó *Los bandos de Villa Frita* de Caballero. Al año siguiente, de nuevo en el Martín estrenó *Mi pesadilla*, *La sevillana* y *Escenas de verano* de Isidoro Hernández, *Los diablos del día* de Taboada, *La mejor receta* de Caballero, *¡Quién fuera ella!* de Nieto, *¡Ya pican, ya pican!* de Chapí, *Florentina* de Reig, y *Frutos… coloniales* de Arnedo. En prácticamente todos los estrenos actuó con su esposa Antonia García. En 1887 aparece por primera vez indicado Salvador Videgain, padre, en el reparto de *El estudiante de Alcalá* de Brull, estrenado en el teatro Martín, lo que indica que ya estaba trabajando el hijo, si era necesario diferenciarlos. Ese mismo año estrenó *Libertad de cultos* de Luis Reig. Posteriormente trabajó en las compañías de Cereceda y Bergés. Falleció en la primera década del siglo XX durante una gira. Los autores Francisco Flores García y Tomás Reig le dedicaron su obra *Ganar el pleito*, 1885.

2. García [de Videgain], Antonia. Cádiz, 8-IV-1850; Madrid, 1924. Cantante. Su carrera está muy unida a la de su esposo con el que realizó más de treinta estrenos en las décadas de 1870 y 1880, en diversos teatros como el Circo, Romea, Jardines del Buen Retiro, Martín, Recoletos y Variedades. Comenzó a cantar en la compañía de Arderius y permaneció más de veinte años en escena en las compañías de Bergés, Cereceda y otras. Desde 1873 en que Antonia estrenó junto a Salvador en el teatro del Circo *César y Bruto* de Arche y Carreras hasta 1885 en que juntos estrenaron *Frutos… coloniales* de Luis Arnedo, se sucedieron una serie de éxitos, en la época dorada del género chico, en los que actuó junto a su marido. Juntos formaron compañía y recorrieron también algunos teatros de Hispanoamérica, sobre todo cantando zarzuelas andaluzas. En 1883 estrenó en el teatro Recoletos la humorada de Leopoldo Palomino Guzmán y José de la Cuesta *I comici tronati*, con música de Mangiagalli. Los autores le dedicaron a ella esta parodia de ópera, que fue un gran éxito alcanzando más de 1090 representaciones. También está dedicada a ella *Entre locos* de Javier Gaztambide, que estrenó en 1877. Ese año el semanario *Madrid Cómico* le dedicaba su portada con caricatura de Cilla y estos versos: "Tiene toda la gracia / de Andalucía… / ¡qué salero el salero / de la García"!. En 1875 estrenó *La condesa Diana* de Sabater en el Romea y en 1876, en los Jardines del Buen Retiro, *Azulina* de Benito Monfort.

Coincide en nombre y cronología con otra cantante llamada también Antonia García, igualmente andaluza, que murió en el barco en que volvía a España tras una gira, por lo que a veces ésta aparece identificada como García de Videgain. Se retiró hacia 1918 tras una gira.

3. Videgain García, Salvador. ?, 1886; ?, 12-X-1947. Actor, cantante, libretista y compositor. Debutó con tres años en la compañía de sus padres, con los que trabajó en diversas obras como *La revoltosa*, y a partir de entonces tuvo una vastísima actividad como cantante y actor de zarzuela. En 1907 formaba parte de la compañía Duval-Puchades en el bilbaino teatro de los Campos Elíseos y fue muy aplaudido en *Sangre moza* y *La patria chica*, en la que interpretaba a Españita. En el teatro Circo de Zaragoza estrenó *El novio de la chica* de José Híjar. Contratado por Servando Cerbón actuó en Barcelona y Madrid y después, al frente de su propia compañía

Salvador Videgain (Foto: Nuevo Mundo, 1952; Ar. ICCMU

recorrió los principales teatros españoles, haciéndose un nombre en provincias hasta que en 1910 apareció en Madrid, contratado por el Gran Teatro donde estrenó *Ideal japonés* de Teodoro San José y *El poeta de la vida* de Rafael Calleja. Fue contratado después por el teatro Apolo, adueñándose rápidamente del cariño del público "apolíneo" que reía todas sus gracias aún cuando la crítica las censurase. Estrenó *El coche del diablo* de Giménez, 1910, *Agua de noria* de Vives, *La suerte de Isabelita* de Giménez y Calleja, y *¡El 20 pelao!* de Arturo Escobar; en ese mismo año triunfó por su vis cómica en *El trust de los tenorios*, junto a Consuelo Mayendía. En 1911 estrenó *Barbarroja* de José Serrano, *El fresco de Goya* de Quinito Valverde, *El arroyo* de Valverde y Foglietti, *Los molinos cantan* de Van Oost, *El cuento del dragón* de Giménez, *Las mujeres de Don Juan*, *Sangre y arena* de Luna y Marquina, y con 102 representaciones, desde su estreno hasta el fin de la temporada, fue muy celebrado en *El chico del cafetín* de Rafael Calleja. En 1916 estrenó en el teatro Nuevo de Barcelona *De maniobras* de Pascual Parera, en 1917 *Los bailes de la Zarzuela* de Bernardino Bautista Monterde; en 1919 *Las Corsarias* de Alonso. En la temporada 1919-20 se hallaba por Málaga con la compañía de Casimiro Ortas, en el teatro Vital Aza y con la misma compañía trabajaba en el teatro Martín de Madrid, donde participó, entre otras obras, en *La perfecta casada* de Francisco Alonso, *La alegre trompetería* de Vicente Lleó, 1920, que permaneció un mes en cartel, para finalizar ese año estrenó *La caída de la tarde* de Soutullo y Vert. La obra, dirigida por el propio Videgaín, tuvo 153 representaciones.

En 1921 estrenaba el vodevil *La conquista del pardillo* de Eduardo Fuentes en el Martín y la humorada *Sanatorio del amor* de Enrique Estela. Uno de sus mayores éxitos fue *El gran bajá* con música de Fuentes y Camarero, Martín, 1922, llegando al centenar de representaciones. En 1922 estrenó *La Venus de Chamberí* de Soutullo y *La hora tonta* de Alonso. En 1923 *El regalo de boda* de Soutullo y Vert, donde actuó además como director escénico, *El cortijo de las matas* de López Quiroga, en el teatro del Duque de Sevilla, *La cucaña del solarillo* y *La alegría del amor* de Pablo Luna. En 1924 *El banco de la paciencia o 100 años de penitencia* de Rica y Graiño en el teatro Eldorado y *La rosa de Triana* de López Quiroga en el Ideal. En 1925 en el teatro Maravillas de Madrid *La veneciana* de José Forns junto a Eugenia Zúffoli, que obtuvo un gran éxito en provincias llegando a más de 200 representaciones. En 1926 estrenó en el teatro Chueca *El jardín de las caricias* de Font de Anta, en 1928 *El raja de Cochin* de Ernesto Pérez Rosillo; en 1929 *La piscina de Buda* de Lleó, Soutullo y Vert.

Por esta epoca realizó una gira por América en la que recorrió Brasil, Chile y Argentina. De vuelta a España, en los años treinta tuvo compañía teatral con Felisa Herrero, con la que había realizado la gira por América. En 1937 formó parte de la compañía lírica del teatro Pavón y en 1939 estrenó en el Maravillas *La flauta de Bartolo* de Carrascosa y Guervós. En los años cuarenta rodó algunas películas: *La famosa Luz María*, 1941, *La rueda de la vida*, 1942, *La danza de las brujas* de Villena y Esbrí, *El abanderado*, y *A los pies de usted*. También compuso una zarzuela *Tenorio en Nápoles*, humorada en colaboración con Federico Liñán, con letra de J. Arques, estrenada en 1900 en el teatro Gran Vía de Barcelona; aparece como compositor de otras dos obras *Buscando compañía* y *Películas nacionales*. Como autor dramático, escribió la letra de la comedia lírica *Luz roja*, con música de Matheu y López Quiroga, el juguete cómico *El triunfo de Cañete* y la zarzuela *¡Dichosa verbena!*, con música de Fuentes y Vela.

BIBLIOGRAFÍA: *TA*; *TLE*; F. Cuenca: *Teatro andaluz contemporáneo. 2. Artistas líricos y dramáticos*, La Habana, Ed. Maza, 1940; A. Collado: *El teatro bajo las bombas en la Guerra Civil. Tragicomedia de actores, figurantes, políticos, personajes y personajillos*, Madrid, Kaydeda Ed., 1989.

Mª LUZ GONZÁLEZ PEÑA

Viedma, Juan Antonio de. Jaén, 1831; La Habana, 1869. Escritor. Estudió la carrera de Derecho. Ejerció como magistrado y llegó a ser diputado. Colaboró como periodista en *La Razón Española*, *El Eco del País*, entre otras publicaciones, dedicándose a la crítica teatral. Escribió tan solo una zarzuela con escasa fortuna, *El alférez*, con música de Lázaro Núñez Robres, estrenada en el teatro de la Zarzuela en 1858.

BIBLIOGRAFÍA: *CTLBN*; *HZ*.

OLIVA G. BALBOA

Viejecita, La. Zarzuela cómica en un acto. Música de Manuel Fernández Caballero. Libreto de Miguel Echegaray. Estrenada el 30 de abril de 1897 en el teatro de la Zarzuela de Madrid.

Personajes y reparto. Carlos (Lucrecia Arana, tiple). Luisa (Concepción Segura, tiple). Sir Jorge (Julián Romea, actor). Fernando (José Moncayo, actor). El marqués (José Sigler, barítono). Don Manuel (Juan Orejón, tenor cómico). Federico (Sr. Pardo). Un oficial (Mariano Toha). Un ordenanza (José Galerón). Un ujier (Melchor Ramiro). Damas, caballeros, oficiales españoles, dragones ingleses. Coro general.

Orquestación. Flautín, flauta, 2 oboes, 2 clarinetes, fagot, 2 trompas, 2 cornetines en La, 3 trombones, timbales, percusión y cuerda.

Argumento. La escena tiene lugar en septiembre de 1812 en Madrid. Cuando se abre el telón aparece el cuarto de banderas de un cuartel. Carlos, Fernando y varios oficiales brindan alegremente para celebrar su definitiva victoria sobre los franceses. Hablan de un sarao, al que algunos de ellos están invitados, y entre la alegría general, Fernando comenta el caso de una tía viuda, millonaria, que está a punto de llegar de América, y con la que se encontrará en dicho sarao. Carlos, joven oficial de sólo veinte años, apuesta que él también asistirá al sarao, aunque, en realidad, carece de invitación. Esto motiva una apuesta entre Carlos y los amigos, que lo creen imposible. El sarao es ofrecido por un Marqués muy rico, cuya sobrina Luisa, su única heredera, está enamorada de Carlos en secreto, aunque el aspirante a su mano sea Federico, joven amigo de la familia y muy del gusto del Marqués, que considera, por otro lado, a Carlos alocado y juerguista y, como tal, inadecuado para su sobrina. El cuadro segundo presenta la mansión del Marqués, donde llegan los invitados, entre los que se cuentan Carlos, Manuel y Fernando. Este último atento a la aparición de su tía, que está a punto de llegar. Cuando mayor es el bullicio, hace su entrada Carlos, vestido de viejecita, truco de que se ha valido para ganar la apuesta. De momento no es reconocido, pero sus extravagancias pronto llaman la atención. Fernando está escandalizado porque le cree su tía, pero Carlos continúa bailando y provocando risas en los concurrentes. Aprovechando un momento, Carlos revela su identidad a Fernando, y recuerda a éste su apuesta. Pero Fernando le señala que tiene que batirse con Federico, el prometido de Luisa, para lograr su propósito. Carlos, tras dudar, se despoja de sus ropas y salta por una ventana a la calle, donde le espera Federico preparado para el duelo. Carlos regresa victorioso a hurtadillas y en comprometida situación se deja descubrir por el Marqués y Luisa. Las cosas le salen bien, sin embargo, ya que sus promesas de mejora de vida ablandan la voluntad del Marqués, dispuesto a entregarle su sobrina, sobre todo cuando Carlos asegura que va a irse a la guerra y piensa regresar triunfante.

Números musicales. N° 1. Introducción y brindis, "Ya soy dichoso, ya soy feliz". N° 2. Coro de la invitación, "Pobrecito Carlos, duro es el castigo". Mutación. N° 3A. Mazurca, "Señor Marqués, de corazón, agradecemos la invitación". N° 3B. Schotis, "Los dragones ingleses vienen aquí". N° 4. Canción de la viejecita, "Amigas mías y caballeros". N° 5. Minué, "¿Qué es eso? ¡Qué ha sido? ¿Qué fue? Se ha caído". N° 6. Dúo, "Pobre viejecita, qué delicadita". N° 7. Final.

Comentario. Aunque no fue nunca muy continua, la relación de Miguel Echegaray y Fernández Caballero produjo algunas de las piezas más celebradas del mundo zarzuelístico. Junto a títulos que han perdurado en el repertorio como *El dúo de la Africana*, *La viejecita* o *Gigantes y cabezudos*, hay que señalar otras como *Los estudiantes* o *La señá Justa*, que merecerían otro interés al que les ha proporcionado la historia. Casi definitivamente volcado en el género chico, con una salud muy menguada, la habilidad del músico murciano había llegado a su madurez. Los últimos cinco años del siglo vieron algunas de sus creaciones más estimables. Lo llamativo viene de su capacidad de adaptación a muy diferentes esquemas literarios a los que dota de una música variada donde el oficio no era, ni mucho menos, sustituto de una nueva juventud. En esta ocasión, *La viejecita* se ubicaba en los tiempos napoleónicos que también sirvieron, entre otras muchos, como marco a obras como *Cádiz*, *El tambor de granaderos* o *El húsar de la guardia*. En realidad Echegaray rehuyó los efectismos patrióticos a que se prestaba su libreto, que Matilde Muñoz califica de "ingenioso y bien tratado", y escribió una fábula anecdótica, al margen de la lucha, basada en una intriga amorosa de salón, más próximo al mundo literario de la opereta francesa o vienesa. Como recurso escénico, la alianza de Inglaterra con España y la situación militar del país le permitían presentar la suma de uniformes muy variados y brillantes, inevitables en una zarzuela de la época. Como además abunda en situaciones cómicas que facilitan una comicidad sencilla, resultó muy impactante en la época.

La partitura está compuesta de seis números y final brevísimo. El primero es una introducción instrumental breve a la que sigue un coro masculino, provista de cierto aire marcial, con la intervención de varios de los protagonistas que da paso a Carlos, interpretado por Lucrecia Arana, en aire ternario, a modo de vals, con un tono patriótico, "Fuego es el vino del suelo español", que culmina en una *stretta* rápida típica de las operetas. El N° 2 es una escena con coro que se transforma en un peculiar aire de habanera que parece conectado con referencias centroeuropeas. Tras una mutación, que utiliza material conocido de la introducción y un aire marcial a través del cornetín. El N° 3, organizado en dos partes, es una escena, en la primera guiada por el aire de mazurca que, posteriormente, pasa a un schotis, "Como en correcta formación nos presentamos hoy aquí", que alcanzaría una notable popularidad. La entrada de la tía de Carlos, precedida de aires brillantes, da pie a la celebérrima canción de la viejecita, "Al espejo al salir me miré", a la que se hacía antes referencia, en la que los elementos cómicos que se producen cuando Fernando se da cuenta que no es su tía, contrastan con un aire lento ternario, casi un vals, que se transforma en un binario, guiño de mazurca, de indudable efecto por la excelente relación entre el texto y la música. El N° 5 es un bello minueto, académico, pero con la gracia melódica de la que era capaz su autor, intercalado con las diferentes intervenciones de los personajes del baile. Por último, el N° 6, es el inevitable dúo amoroso, un tanto cómico, lleno de estupendos detalles orquestales, donde Caballero hace uso de toda su paleta de recursos melódicos. Es un fragmento magnífico donde los protagonistas se enfrentan a su momento culminante. Hay que señalar que, pese a tratarse de obras de género chico, las composiciones de Caballero siempre miran al bel canto donde él se movía más cómodo. Bas-

Cortesía de Unión Musical Ediciones SL

ta repasar su línea melódica principal, llena de exigencias expresivas y dinámicas, para constatar el tipo de requerimientos que demanda. En alguna época, las sopranos tendían a culminar en el Re sobreagudo su primera intervención. Hay que destacar que esa especie de culto al compás ternario que, en otras manos, se hubiera transformado en una fotografía vienesa, en manos de Caballero no pierde un cierto aire castizo como cuando entona la mezzo "Que eres tú de él único amor", que posteriormente recibe la réplica de la tiple. El Nº 7 es un final orquestal sencillo.

Gran parte del éxito se debió al reparto que, teniendo en cuenta las personalidades del momento, fue excepcional. M. Muñoz valora a Lucrecia Arana, su protagonista, como "una artista que había de ser la intérprete ideal de estas partituras". Y añade que "había sido encargada varias veces de papeles de mancebo a los que ella daba una especial desenvoltura, y que iban muy bien a la naturaleza robusta de su bella voz". El número del espejo es calificado por la Muñoz como "maestro" comenta que "ante las ovaciones que le premiaban incasables, Caballero, que saludaba desde el escenario, besó llorando la frente de Lucrecia Arana. Y así todo el resto de la partitura y al caer el telón sobre las graciosas y movidas escenas del último cuadro, una de aquellas apoteosis de entusiasmo delirante, de las que ya desgraciadamente se ha perdido la receta".

En la misma línea se expresa Deleito. Afirma que Lucrecia Arana hacía una versión excepcional. También en el terreno canoro la adjetiva de "maravillosa. Dio a la canción del espejo una finura sin igual, rica de matices; y en el dúo con Luisa, su voz robusta de contralto, lució arrebatadora". El gran mérito venía del propio compositor ya que, según Deleito, "Caballero, identificado con ella le preparaba efectos adecuados para que los registros graves de su voz ostentaran toda su fuerza". Del resto del reparto Deleito destaca a Conchita Segura, que fue "una Luisa ideal, de tipo, de presentación, de canto. En el famoso dúo de contralto y tiple, hizo digno *pendant* a Lucrecia Arana. Sigler dio la debida prestancia al Marqués, en que pronto le sustituyó García Valero. Orejón batió el record de comicidad en el

Lucrecia Arana en La viejecita
*(Foto: Comedias y Comediantes,
1910; Ar. ICCMU)*

Don Manuel. Moncayo estuvo muy bien en el asombrado sobrino de la imaginaria. Y sobre todo el elenco masculino descolló Julián Romea, caracterizando magistralmente al flemático Sir Jorge, el inglés que ríe para adentro. Nada tenía que cantar, y esos tipos, de los que hizo varios por entonces, volviéndole a su plano predilecto de actor no musical, le iban ya mejor que los de contextura algo lírica".

Fuentes manuscritas. La partitura se conserva en el Museo del Teatro de Almagro. Los materiales de orquesta se conservan en el archivo de la SGAE en Madrid (1963).

Ediciones de música. Canto y piano, Madrid, Cd, 1897. Orquestina, Selección, Madrid, UME. Banda, Selección, Madrid, UME. Cuarteto de cuerda y piano, Madrid, UME. Bandurria, laúd o mandolina y guitarra, "Canción de la viejecita", Madrid, Cd. **Ediciones del libreto.** Madrid, F. Fiscowich, 1897; 2ª ed., Madrid, Imp. R. Velasco, 1898; 4ª ed., Madrid, Imp. R. Velasco, 1903; 5ª ed., 1909; 6ª ed., Madrid, UME, 1917; Madrid, Tipografía Artística, 1954; Madrid, UME, 1967.

FONOGRAFÍA: RP: Victoria 1574 y 1578.

D78rpm: Dir. Ataúlfo Argenta, Sols. Ana Mª Iriarte, Toñy Rosado, Carlos Munguía, Manuel Ausensi, Luis S. Luque, Gregorio Gil, A. Díaz Martos, Coro de Cantores de Madrid, Orq. de Cámara de Madrid, Alhambra ALG 23001, CCB 5048 CCB 5050 [reed. en LP: Columbia-Alhambra-BMG MCC 300101 • Banda de Real Cuerpo de Guardias Alabarderos de Madrid, La Voz de su Amo AA 27 • Dir. Concordio Gelabert, Sols. Mercedes Melo, Enrique Parra, Pedro Vidal, Gorgé, Mary Isaura, Tino Folgar, Ignacio Cornadó, La Voz de su Amo AF 302 a AF 305, CJ 2949 CJ 3000 CJ 3001 CJ 2950, CJ 2954 a CJ 2957 [reed. en CD: Blue Moon BMCD 75091 • Dir. Maestro Lago, Orq. Ibérica de Madrid, Odeón 184786, SO 7405 SO 7406 • Dir. Pascual Marquina, Sol. Lucrecia Arana, Z-53003 (et. verde) 17 • Sol. Cora Raga, Odeón 184102 (et. marrón), SO 4764 SO 4765.

LP: Dir. Daniel Montorio, Enrique Navarro, Sols. Lily Berchman, Elsa del Campo, Santiago Ramalle, Luis Franco, José Marín, Eladio Cuevas, Aníbal Vela, Zafiro ZOR-177 127 y Zafiro LM-3028-C 188 [reed. en CD: Zafiro-Salvat 1043-2].

BIBLIOGRAFÍA: *OGCH*; M. Fernández Caballero: *Los cantos populares españoles considerados como elemento indispensable para la formación de nuestra nacionalidad musical*, discurso, Madrid, Real Academia de Bellas Artes, 1902; P. L. Villalba Muñoz: *Últimos músicos españoles del siglo XIX*, Madrid, La Ciudad de Dios, 1908; M. Muñoz: *Historia de la zarzuela y el género chico*, Madrid, Ed. Tesoro, 1946; J. González Cutillas: "Manuel Fernández Caballero: de la zarzuela al género chico", *Actualidad y futuro de la Zarzuela*, Madrid, Alpuerto, 1991; B. Álvarez: "Un hito en la historia de la zarzuela", *El Dúo de la Africana*, Madrid, Teatro de la Zarzuela, 2000.

LUIS G. IBERNI

Viento es la dicha de amor. Zarzuela en dos jornadas. Música de José de Nebra. Libreto de Antonio Zamora. Estrenada el 28 de noviembre de 1743 en el teatro de la Cruz de Madrid.

Personajes. Liríope. Zéfiro. Amor. Marsias. Delfa. Tiresias (hablado). Antenor (hablado).

Orquestación. Trompas, clarines, flautas, oboes, violines y bajo.

Argumento. *Jornada I.* Zéfiro –hijo del Viento–, ayudado por los zagales ha incendiado el templo de Amor, quien se lamenta al ver destruir su templo y anuncia su venganza. Amor se disfraza para ayudar a Liríope –ninfa dedicada al culto a Amor y a quien quiere conquistar Zéfiro–, que huye despavorida. Tiresias –sabio astrólogo que es vecino del templo de Amor–, Fedra –que vive con Tiresias– y las ninfas descubren a Liríope, que canta lo sucedido. Tiresias se ofrece a acoger a Liríope. Aparecen discutiendo los zagales y Antenor –príncipe extranjero enamorado de un retrato de Fedra, que acude al templo en su búsqueda–. Tiresias pide que dejen de discutir e interroga a Antenor sobre lo que ha pasado, y Tiresias le ofrece hospitalidad. Cerca de esa casa, Zéfiro acecha esperando la oportunidad de ver a Liríope, mientras canta su amor a ella. Aparece Marsias persiguiendo a Delfa, y Zéfiro les aborda pidiendo explicaciones. Marsias –criado de Antenor– y Delfa se pelean. Marsias tiene interés en el vino, la comida y las mujeres y se pelea constantemente con Delfa mientras busca sus favores. Zéfiro tiene la intención de sobornar a Delfa para conseguir la información que le permita la entrada en la quinta de Tiresias donde se refugia Liríope. Liríope y sus ninfas, ayudadas por Fedra y los zagales, componen un pabellón en homenaje y desagravio a Amor. Mientras, Amor, disfrazado de zagal, presencia la escena. Queda Fedra de guardia en el templo. Antenor y su criado Marsias, al que creía muerto en el naufragio, se acercan a saludar a las ninfas, cuando sorprenden una escena de celos entre Fedra y Zéfiro. Antenor ofrece su ayuda a Fedra y descubre que se trata de la mujer de la que está enamorado. Zéfiro, que entró en el pabellón sobornando a Delfa, aborda a Liríope que intenta huir. A los requerimientos de Liríope responde Zéfiro, le declara su amor y ella le recrimina sus mentiras. Amor disfrazado de peregrino se interpone entre ellos ayudando a Liríope y regañando a Zéfiro. Llegan todos atraídos por la discusión, y Liríope quiere ceder a los requerimientos de Zefiro, pero Amor, ahora sin disfraz, se lo impide.

Jornada II. Fedra, Delfa y las ninfas descansan en la estancia de Fedra. Antenor, que se siente celoso desea abordar a Fedra. Amor, disfrazado, espera el momento de su venganza. Tiresias consulta a los astros y las cartas el destino de Liríope, quien le sorprende y quiere saber lo que le depara el futuro. Mientras, Amor ha entrado sin ser visto y permanece a la espera de lo que sucede en los jardines cercanos. Tersias se resiste a hablar, pero finalmente confirma las intuiciones de Liríope: el Fuego, violencia del deseo, y el Viento, la acechan. Tiresias predice el nacimiento de Narciso, hijo de Zéfiro y Liríope, que morirá desgraciado por causa de la ninfa Eco. Liríope se desespera y se marcha para suicidarse y burlarse así de lo predestinado. Todos van en su busca y ayuda. Aprovechando la situación Delfa y Marsias siguen en sus peleas amorosas. En el río, Zefiro busca desesperado a Liríope. Canta su amor cuando es sorprendido por Fedra y Antenor, y se produce una escena de amor y celos. Liríope, en otro lugar del río se interna en el agua para poner fin a su vida, pero Zefiro se lo impide. Liríope se deja ayudar y, aunque se muestra preocupada ante la predicción, Zéfiro ahuyenta sus temores y va entregándose al amor, pero finalmente pide ayuda sobreponiéndose al amor que siente, y Zefiro huye. Las ninfas ayudan a Liríope y los zagales persiguen a Zéfiro. Mientras, Delfa y Marsias siguen entre cariños y discusiones.

Tiresias, en una rotonda de los jardines de su quinta, reflexiona sobre lo ocurrido. En el jardín las ninfas y Fedra tratan de consolar a Liríope y con ese propósito van a recoger flores para hacer una guirnalda para el escudo de Amor. Al traer los presentes, ajenos al problema, mencionan a Narciso y Eco, desatando la furia de Liríope. Delfa intenta calmarla y canta mientras las ninfas danzan. Aparece Zéfiro dispuesto a todo para llevarse a Liríope. El Viento comienza a desatarse, y Liríope le pide que cese, pero Zéfiro acalla su voz cantando. Liríope cree que las voces son de su imaginación y Zéfiro entonces hace volar las flores del ramo de Liríope. Ésta tiene sospechas pero no quiere admitirlo. Liriope intenta impedir su rapto pidiendo ayuda a las ninfas, pero nuevamente Zéfiro acalla su voz con el Viento y finalmente logra raptar a Liríope, llevándosela a su elemento, el Aire. Amor se presenta enfurecido, y Tiresias le intenta aplacar en vano, siente rabia por no haber podido evitar que Zéfiro se llevase a Liríope. Reaparecen Zéfiro y Liríope que se ha dejado llevar por el Amor venciendo su miedo al destino, y cantan felices el triunfo del Amor.

Números musicales. Jornada I: Coro, "Fuego, fuego". Recitativo. Amor, "¿Qué es esto, vengativa ardiente saña?". Aria. Amor, "Teme aleve fementido". Recitativo. Liríope, "Esto es el que al ver que el templo". Aria. Liríope, "No siento, no, el estrago". Coro, "Zagales de la selva". Recitativo. Zéfiro, "Dónde me lleva amor mi dulce acento". Aria. Zéfiro, "Tórtola que carece". Coro, "Para proseguir los cultos". Coplas. Liríope y Ninfas, "Zagales de la Arcadia". Recitativo. Ninfa, "Viendo que a impulso infiel". Aria. Ninfa, "Temprana rosa". Coro, "Solo el Amor es deidad". Fedra, "Vela cuidado, vela rigor". Seguidillas. Zéfiro y Liríope, ""No, que quiere mi pena". Recitativo. Liríope, Zéfiro, Amor, "En que mi amor". Aria a tres. Liríope, Zéfiro, Amor, "Óyeme". Jornada II: Solo. Ninfa, "Ay Dios aleve". Coplas. Amor y cuatro, "Es el hijo del viento". Zéfiro. Recitativo, ""Oh tú, selva, si ufana y floreciente". Aria. Zéfiro, "Selva florida". Recitativo. Zéfiro y Liríope, "Dónde precipitada Ninfa bella". Aria. Liríope, "Seré precipitada". Recitativo. Zéfiro y Liríope, "Aunque contrario se me muestre el cielo". Aria a dúo. Liríope y Zéfiro, "Ídolo amado mío". Recitativo. Marsias y Delfa, "Buenos días, señora mi Zagala". Aria a dúo. Marsias y Delfa, "Quiéreme picarita". Coro, "En los jardines de amor". Coro, "Viento es la dicha de amor". Coplas. Zéfiro y Liríope, "Ahora verás cruel perfección". Solo y cuatro. Zéfiro y cuatro, "Que en vano intenta el rigor". Coro, "Que en vano intenta el rigor". Recitativo. Amor, "Es una injusta trágica violencia". Aria. Amor, "Guerra publique, guerra". Dúo. Zéfiro y Liríope, "Albricias Arcadia". Coro, "Que en vano intenta el rigor".

Comentario. *Viento es la dicha de amor* es la más temprana de las zarzuelas de Nebra conservadas. Aunque Nebra fue un prolífico compositor de música para teatro de muy diversos géneros, son muy pocas las obras de las que se conoce la música. El libreto, escrito por Antonio de Zamora, es de tema mitológico, y presenta una trama amorosa que se desarrolla en tres niveles diferentes, siendo los dos puntos de contraste los formados por la pareja de Zéfiro y Liríope, cuyo contrapunto cómico lo constituyen Marsias y Delfa. La fecha en que Zamora escribió el libreto se retrotrae hasta 1719, y es posible que esta obra se representase antes de su fallecimiento en 1728. Esta zarzuela, como otras de Nebra, obtuvo un enorme éxito. La compañía encargada de su estreno fue la de Antonio Palomino. Se repuso en 1748 y 1752, como era habitual, con algunos cambios debidos a Antonio Moroti. La necesidad de actualizar las obras daba lugar a que en posteriores reposiciones de las zarzuelas, éstas sufrieran modificaciones para adaptarlas a los nuevos gustos y necesidades escénicas, tanto en lo que se refiere a la parte musical como al texto. Aunque no constan los intérpretes del estreno se sabe que al menos María Hidalgo y Jacoba Palomera eran dos de las integrantes de la compañía.

Viento es la dicha de amor cuenta con ocho personajes principales, de los cuales seis tienen partes cantadas. Como era propio del género, la trama principal, en este caso la que se centra en Zéfiro y Liríope, tiene un contrapunto cómico con otra pareja de graciosos, Marsias y Delfa. El compositor utiliza la música, y lo hace de forma muy efectiva, como medio de caracterización de los personajes, al usar los recursos musicales diferentes para cada una de las tramas que se suceden en la obra. Por medio del lenguaje expresivo enfatiza las diferentes situaciones, así como las emociones de los personajes. Tanto la furia que cantan Zéfiro o Amor como la melancolía y amor que canta Liríope.

Esta obra muestra algunos interesantes elementos respecto a la utilización los recursos formales. Liríope y Zéfiro utilizan arias da capo en sus intervenciones musicales y dúos, que sirven para expresar sus sentimientos y estados emocionales. El príncipe Antenor y la zagala Fedra mediante el diálogo. La pareja cómica formada por Marsias y Delfa recurre también a la música para expresar sus desencuentros amorosos. Destaca la sabia utilización de Nebra de los recursos musicales, dotando de una magnífica expresividad al texto. El lenguaje instrumental, muy bien desarrollado, contribuye eficazmente a la expresión del texto. Así, los instrumentos de viento aparecen en momentos señalados de la acción dramática, como son las dos arias de Amor. El recitativo y aria a lo largo de toda la obra alterna con algunas formas procedentes de la tradición hispana como el coro a cuatro o algunas formas estróficas, como en "Zagales de la Arcadia". Están presentes las seguidillas, que se integran en la obra, siendo utilizadas por la pareja seria protagonista, no estando, como era habitual, reservadas a los personajes más populares. De igual forma, los graciosos utilizan el aria da capo en su expresión musical. También aparecen las coplas. Aunque estas formas musicales sean propias del estilo español, no están exentas de la influencia formal del aria da capo. Precisamente, la no diferenciación en el uso de las formas musicales –la utilización del recitativo y aria para los personajes serios y las formas populares hispanas para la expresión de los graciosos–, es una de las novedades que aporta esta zarzuela. El dominio de los diferentes recursos estilísticos confirman la maestría de Nebra en la música teatral, logrando obras de gran belleza. *Viento es la dicha de amor*, es una de las mejores creaciones de la zarzuela barroca, con valores suficientes para reincorporarse al repertorio.

Fuentes manuscritas. La partitura se conserva en la Biblioteca Histórica Municipal de Madrid (M 50-3). El libreto se conserva en la Biblioteca Nacional de Madrid (Ms 14771, *Obras cómicas de don Antonio Bazquez Zamora*) y otro ejemplar en la Biblioteca Municipal de Madrid (T 1-9-4).

Ediciones del libreto. *Comedias de Don Antonio de Zamora, gentil-hombre que fue de la casa de su magestad...*, Madrid, Joaquín Sánchez, 1744.

FONOGRAFÍA: CD: Dir. Christophe Coin, Sols. Maite Arruabarrena, Marta Almajano, Raquel Pierotti, María del Mar Doval, Pilar Jurado, Ensemble Baroque de Limoges, Coro Capilla Peñaflorida, Auvidis Valois V 4752.

BIBLIOGRAFÍA: *DMEH*; J. M. Leza: "La zarzuela *Viento es la dicha de amor*. Producciones en los teatros públicos madrileños en el siglo XVIII", *Música y literatura en la península Ibérica: 1600-1750*, Valladolid, 1997; —:"La zarzuela mestiza", *Scherzo*, XVII, 165, Madrid, VI-2002.

JUDITH ORTEGA

Viérgol, Antonio María. *Véase* MARTÍNEZ VIÉR-
GOL, ANTONIO MARÍA.

Vigil y Robles. Familia de músicos mexicanos formada por los hermanos José María y Eduardo.

1. José María. Guadalajara (México), 17-X-1863;
México, 8-X-1913. Tenor y libretista. Nacido en el
seno de una familia de músicos, desarrolló una amplia
e importante carrera en la escena de la zarzuela mexicana como tenor y también como libretista. Su primera obra, la comedia *Un viaje al otro mundo* se estrenó en agosto de 1887, en medio de la admiración
por su precoz talento. Desde joven asistía a los ensayos de zarzuela y opereta, donde se preparó como
cantante suplente en *La mascotte*. Su debut fue con
el papel de Jorge en *Marina* contratado por la compañía de Isidoro Pastor para la temporada de Pascua
de 1887. A decir de Olavarría, "ese selecto público
estaba allí no por la función misma, sino porque en
ella y en el papel de *Jorge*, de *Marina*, iba a hacer su
primera salida a las tablas el joven tenor José Vigil y
Robles... Dos apellidos honorables y respetados en
las ciencias y en el foro, en la literatura y en la política, iban a ser llevados a un tan falso y difícil terreno como el del foro teatral, por un joven, casi un
niño de precoz talento ciertamente, demostrando en
la brillantez de sus estudios, en muy estimables ensayos de diversos géneros literarios, y en el manejo del
lápiz y del pincel; [Obtuvo el triunfo] por la aprobación unánime, general, sincera, espontánea de
aquel público culto, selecto, elegante, público el más
temible entre los nuestros... el aplauso nutrido, los
hurras y los *bravos* partían de los palcos y de la lune-
ta... Tímido en un principio, pronto, al verse observado por la curiosidad de la inmensa sala... se repuso e hizo fuerte, y su voz en extremo melodiosa, en
extremo dulce, en extremo afinada, conmovió a
todos los espectadores, porque melodiosa como
nunca, dulce como nunca, y co-
mo nunca afinada, la realza-
ba la emoción... del artista
que tocaba a las puertas
del porvenir ambiciona-
do y no sabía si el público dejaríale pasar bajo
su dintel".

José Mª Vigil Robles
(Foto: Ar. ICCMU)

También en 1887
cantó el estreno de
Sustos y gustos, zarzuela de Julio Ituarte que
volvió a representar un
triunfo para su carrera
cuando se dijo que había
cantado de forma "irreprochable". De tal suerte, Vigil y
Robles entró con el pie derecho

a los escenarios pues ya en julio de ese año tuvo su
primer "beneficio" donde recibió toda suerte de elogios y ganancias. En aquella función, Vigil y Robles
cantó *Los valientes* y algunas escenas de *Traviata* y
Fausto en los que según el citado cronista "estuvo
muy feliz, alcanzando los mismos espontáneos y
nutridos aplausos que en toda aquella su primera
temporada obtuvo en cada obra; a la vez fuéronle
ofrecidos varios y valiosos obsequios y mil evidentes muestras de aprecio con que era visto".

Entre 1888 y 1889 el tenor continuó en la compañía de Pastor, con la que ofreció además alguna
función extraordinaria de ópera al lado de la tiple
Rosa Palacios. Sin embargo en 1890 el cantante pasó
a la Compañía de Zarzuela Hispano Mexicana de
los hermanos Guerra, rival de Isidoro Pastor y con
ella realizó diversas funciones tanto de zarzuela como
de ópera, en particular de *Carmen* y de *Rigoletto*,
obras con las que el tenor obtuvo sendos triunfos.
En 1880 partió a Europa donde, a decir de Olava-
ria, "visitó los principales teatros de Francia, Italia y
España; recibió en París lecciones de la gran cantante y esplendidísima artista Mad. Ana Lagranje y
cosechó frescos laureles en los teatros de Madrid".
Asociado con la compañía de Enrique Labrada, reanudó funciones en los escenarios mexicanos en
1891, en el teatro Principal. Entre los estrenos que
realizó estos años destacan los de *Perfiles y contornos*
de Austri, y *El rey que rabió* de Chapí. Sin embargo,
Vigil y Robles había puesto parte de los fondos para
las funciones de dicha empresa y el negocio no fue
afortunado. En 1892 estrenó *El Jettatore*, zarzuela
con música de su hermano Eduardo, donde "se distinguió por la esplendidez y buen gusto de sus trajes, y por la corrección de su canto; ya lo hemos
dicho otras veces; en compañías de zarzuelas Pepe
Vigil es una joya, y pocos tenores se encontrarán en
ellas no que le superen pero que ni siquiera puedan
soñar en competir con él". Finalmente, en 1893,
arregló su participación financiera en la compañía
de Labrada y pasó a la compañía de los hermanos
Arcaraz, con la que inició una nueva etapa en la que
además "azarzueló" algunas óperas. Al lado de tiples
como Vicenta Peralta y Soledad Goyzueta, el primer tenor de la compañía Arcaraz dio carácter y voz
a un sinfín de personajes, nunca limitándose a la zarzuela, sino incursionando constantemente en la
ópera y la opereta. *Pagliacci, Cavalleria rusticana, La
Africana, Miss Helyett, Marta, Mignon, El vendedor de
pájaros, La Gran Duquesa, La hija del tambor mayor,
Carmen, La Dolores, La Navarraise, Gigantes y cabezudos*, la imprescindible *Marina* y varios títulos más
fueron cantados por Vigil y Robles a quien aun otros
cronistas menos entusiastas no dejaban de reconocer su mérito. En 1894 un periodista le describió en
estos términos: "Vale más cultivar el *bel canto*, el ver-

dadero arte. Vigil, que es muy zorro para cantar, y que sabe más que lo que le han enseñado, lo ha comprendido así; no tiene una gran voz ese artista, y no obstante, jamás lanza un *gallo*, ni siquiera un *pollo*; se cuida y sube hasta donde puede, hasta donde no tiene peligro, hasta donde la prudencia lo permite, y es aplaudido; no soltará *dos* de pecho, pero sale airoso de su empresa."

Entre las actividades más sobresalientes de Vigil no puede pasarse por alto su participación en los estrenos de importantes zarzuelas mexicanas: *Keofar* de Felipe Villanueva, *La cuarta plana* de Austri o *Soledad* de Valdés Fraga; todas, destacadas obras de factura mexicana. Por otra parte, Vigil hizo de empresario en distintas ocasiones, como cuando conformó una compañía de zarzuela en asociación con Alejandro Rodríguez, español que vino a México desde Cuba. Esta empresa, formada en 1896, sería la primera de algunas más que quiso formar Vigil y Robles, aunque nunca con el éxito que él esperaba. Posteriormente formó otro cuadro de zarzuela asociado con Emilio Carriles, pero tampoco tuvo fortuna. En cambio, Vigil y Robles cantó en innumerables y efímeras compañías de ópera y zarzuela formadas por otros empresarios aquellos años como la empresa Austri Palacios, la Compañía mexicana de ópera popular, 1903, y la Compañía de zarzuela Fuertes-Lerdo, 1906. Sin embargo, fue en el teatro Principal y como artista de la compañía Arcaraz que realizó sus mejores funciones y en las que, además, fue muchas veces acompañado por su esposa, la tiple Esperanza Dimarías. Asimismo, José Vigil y Robles escribió la letra de una canción del compositor Gustavo E. Campa, *Quiero un besito*. Vigil continuó en la escena mexicana al menos hasta 1906.

2. Eduardo. Guadalajara (México), 10-II-1875, México, 15-XII-1945. Compositor, director de orquesta y pianista. Vigil y Robles realizó una destacada labor en el ámbito del teatro lírico mexicano. Además de dirigir innumerables funciones y de llevar a cabo importantes estrenos de óperas y zarzuelas, escribió sus propias creaciones que le valieron destacados éxitos. Tras iniciarse en la música con su padre estudió en el Conservatorio Nacional donde fue alumno de Ricardo Castro. Incursionó en los escenarios mexicanos desde muy joven como pianista y también como cantante. Su primera composición escénica se estrenó en 1900 cuando puso música a *Momentáneas*, pieza que ofrecía diversos cuadros sin mayor trama. Según Olavarría, "la música de Vigil y Robles tuvo agradables números como el de la gavota intermezzo que alcanzó los honores del *bis*, igualmente gustaron mucho un danzón y un bolero de graciosa y correcta hechura". El hecho no deja de ser relevante pues se trataba

de un compositor de escasos quince años. En 1902, Vigil y Robles puso música al libreto de Alberto Michel *Por la bandera*, inspirado en un episodio histórico de la lucha en el Transvaal y en cuya primera función los autores fueron ampliamente reconocidos. Inspirados, ambos artistas llevaron a escena el *Quo Vadis?*, cuyo libreto estaba basado en la novela homónima de Sienkiewicz. Para Olavarría, el *Quo Vadis?* "fue un acontecimiento teatral de alta importancia en los anales del teatro en México, y gustó mucho y se representó con grandes aplausos para el autor, el músico, el pintor y los artistas de la Compañía".

Al contrario de la gran mayoría de los autores de su época, Vigil y Robles inició su precoz trayectoria como compositor con las referidas obras de índole histórico y en seguida escribió una zarzuela de género grande, *Jetattore*, con letra de su hermano José Vigil y Robles. Según la prensa de la época "la música tiene primorosos números, algunos muy inspirados y correctamente escritos, acusando todos ellos mucho arte y mucho talento. Fue justamente muy aplaudida esta primera composición del joven Eduardo Vigil y Robles, tan joven que apenas contaba entonces con diecisiete años de edad". Sin embargo, con el correr de los años, las serias aspiraciones del joven compositor cederían al gusto local. En 1904 escribió la música de una zarzuela más, *María de la Luz*, pero a partir de entonces sólo colaboró con diversas revistas y destinó lo mejor de su tiempo y su talento a la orquestación y a la dirección orquestal. Como orquestador, realizó importantes contribuciones como la de ofrecer una segunda instrumentación de *Zulema*, la zarzuela oriental de Ernesto Elorduy cuyo estreno dirigió en 1903. Sin embargo, Vigil y Robles jugó como orquestador un papel crucial en la difusión del repertorio de zarzuela pues "orquestaba" las producciones españolas que presentaba la Empresa Arcaraz. Con ello, la citada empresa se evitaba el pago de derechos a la vez que ofrecía al público mexicano un producto sensiblemente diferente. Sólo en 1904, cuando agentes españoles visitaron México, pudo revelarse este proceder a propósito de la zarzuela *La última copa* cuyas falsas partichelas fueron decomisadas por un juez. Este episodio, sin embargo, no impidió que el director y sus músicos ofrecieran la función de aquel día tocando "de memoria".

La valía de Vigil y Robles como eficaz director le valió una nutrida carrera en ese ámbito. Además de realizar en 1901 el estreno de *Atzimba*, la zarzuela de Ricardo Castro, dirigió en forma continua durante varias décadas y fue, sin duda, el gran director de zarzuelas del porfiriato. Aunque estuvo fuertemente ligado a la empresa Arcaraz, Vigil y Robles formó distintas compañías y participó en innumerables funciones de ópera y conciertos. Además, como pianista, realizó conciertos con el llamado Octeto México, agrupación para la cual realizó distintos arreglos.

Al finalizar la década de los años veinte, escribió algunas revistas como *1919* y *Mundo, demonio y carne*. Tales obras, quizás insignificantes como realizaciones escénicas, le permitieron convertirse en un reconocido autor de canciones populares, muchas de las cuales provenían de sus revistas y zarzuelas. Piezas como *La segadora*, *Norteña de mis amores*, *Pompas ricas* y *Cuatro milpas* le ganaron un amplio reconocimiento como compositor y le valieron el hecho de haber sido contratado en 1924 para supervisar el repertorio latinoamericano de la casa RCA Victor. Como director de la orquesta de esa empresa, dirigió a cantantes famosos como Juan Arvizu, José Mojica y otros. En 1931 trabajó para la radiodifusora XEW, empresa que jugó un papel definitivo en la conformación del gusto de la música popular mexicana de los años treinta.

OBRAS: *Momentáneas*, Zarz 1 act, l, A. Michel, est, 25-II-1900, Te. Arbeu; *Por la bandera*, episodio histórico, 1 act, l, A. Michel, est, 29-V-1902, Te. Renacimiento; *Quo Vadis?*, episodio histórico, 1 act, l, A. Michel, est, 13-IX-1902, Te. Hidalgo; *El Jettatore*, Zarz 3 act, l, J. Vigil y Robles, est, 15-X-1902, Te. Circo Orrín; *La coronación de Don Juan*, Zarz, 1 act, est, 1914, Te. Principal; *1920*, Rv, 1 act, l, J. F. Elizondo, est, 1919, Te. Principal; *María de la Luz*, Zarz, 1 act, l, A. Michel, est, 27-VIII-1904, Te. Principal; *Mundo, demonio y carne*, Rv, l, T. Sáenz, est, 1921, Te. Lírico; *Mexican rataplán*, col. M. Castro Padilla, l, E. D. Uranga, est, 1925, Te. Lírico.

BIBLIOGRAFÍA: *RHTM*; R. Miranda, "La zarzuela en México. Jardín de senderos que se bifurcan", *Cuadernos de Música Iberoamericana*, 2-3, Madrid, 1996-97, 451-73.

RICARDO MIRANDA / ROCÍO TERÁN

Viglietti [Señorita Vigliettil. España, siglos XIX-XX. Tiple. En ninguno de los libretos aparece el nombre de esta cantante que estrenó en 1905 en el teatro Cómico una serie de obras como *La fuentecica* de Requeijo y Pons, con gran éxito, *Perico el jorobeta* de Marquina y Fuentes, *Academia modelo* de Foglietti y Fuentes, *La reina del couplet* de Foglietti, *La cueva de Salamanca* de Juan Gay, *La boheme* de Cassadó y Guitart, *Rusia y Japón* de Caballero y Hermoso y, *El dinero y el trabajo* de Vives y Saco del Valle.

Mª LUZ GONZÁLEZ PEÑA

Vila, Arturo. Barcelona, ?; ?. Tenor. Radicado desde su infancia en La Habana, tras la recomendación del actor Arnaldo W. Sevilla al director musical Gonzalo Roig, debutó en 1931 interpretando una *Jota*, tras bastidores, correspondiente a la obra *No me beses* de Eliseo Grenet. Desde entonces se integró al elenco de la compañía Suárez Rodríguez realizando papeles secundarios hasta que con el estreno de *La perla del Caribe* de Rodrigo Prats en 1931, logró verdadero éxito como figura solista, con la interpretación del

número *Canto esclavo*. A partir de entonces, trabajó en papeles de mayor envergadura, correspondientes a obras tan importantes como *El Clarín*, *María la O*, *Rosa la China*, *Cecilia Valdés* y *El Mayoral*, entre otras. Asimismo, interpretó el papel protagonista de la zarzuela *El batey* de Lecuona, y en 1935, contratado por el propio compositor para trabajar con el elenco del teatro Principal de la Comedia, interpretó con gran éxito el Niño Alberto de *El cafetal* y el Rosillón de *La viuda alegre*.

BIBLIOGRAFÍA: *LVB*.

CLARA DÍAZ PÉREZ

Vila Bonastre, José María. Onteniente (Valencia), 15-IV-1861; Santiago de Chile, 6-VII-1936. Cantante cómico. Fue el principal impulsor del género chico en Chile, conocido popularmente como Pepe Vila. Con apenas diez años se unió a una compañía cómica de paso por Onteniente marchándose a Valencia, donde recibió lecciones de Emilio Villegas y José Miguel. Pronto se trasladó a Madrid para trabajar en el Price y la Zarzuela, además de recorrer toda España, obteniendo aplausos con los papeles cómicos de *El hermano Baltasar* y *La mascota*. Destacaba más por su comicidad y acierto en las caracterizaciones que por su limitada voz. En 1885 se embarcó para Caracas como segundo bajo de una compañía de zarzuela grande que a pesar de los buenos resultados artísticos se arruinó a los pocos meses. Al regresar el elenco a España decidió quedarse junto a la tiple Enriqueta Alemany, siendo contratados para formar parte de la compañía del maestro Rebagliati en el teatro Municipal de Guatemala. Con esta compañía recorrió en los cuatro años siguientes San José de Costa Rica, Medellín, Bogotá y de nuevo el teatro Guzmán Blanco de Caracas. En 1889 tras un breve paso por México, fijaron su centro en el teatro Albisu de La Habana, viajando además a San Juan de Puerto Rico, Matanzas, Cárdenas y Cienfuegos. En esta última ciudad se casó con la tiple Paulina Celimendi, viuda del tenor Antonio Monjardín. Ella sería la madre de sus dos hijos, Tomás y Alfonso, nacidos en Chile. En 1892 se incorporó en Puerto Rico a la compañía de zarzuela grande del barítono José Palou con quien actuó en Panamá, Ecuador y Perú. En septiembre de 1892 llegó a Iquique, Chile, donde alcanzó un buen éxito de nuevo con *La mascota*, durante mes y medio; después a Valparaíso donde sólo estuvieron unos pocos días ya que el público no acudió al ser muy caras las localidades. Finalmente alcanzaron su mayor éxito en Santiago, en el teatro del Cerro Santa Lucía, donde estuvieron cuatro meses. En abril de 1893 regresaron a Buenos Aires, donde Vila abandonó la compañía de Palou para ser contratado por el nuevo teatro de la Zarzuela (hoy Argentino), actuando luego en Montevideo con el conjunto de las hermanas Millanes, Lola y Carlota.

A mediados de 1893 le llegó una oferta del empresario del teatro Odeón de Valparaíso para unirse al tenor cómico Diego Campos y la tiple Felisa Toscano. Supuso su inicio en el género chico, con el que iba a triunfar definitivamente en Chile en los años siguientes. Su apogeo se produjo entre 1895 y 1905, donde adquirió fama, popularidad y reputación como uno de los principales actores cómicos de las denominadas tandas, tanto en Santiago como en Valparaíso. Formó su propia compañía en la que él era el principal protagonista, junto a las hermosas tiples las hermanas Irma y Zema De Gásperis, francesas que habían llegado con una compañía de opereta, el catalán Carlos Salvany, actor de mucha gracia y pareja constante de Vila, Joaquín Pelegrí y el venezolano Rafael Elizalde; después se incorporarían Ricardo Benach, el tenor José Saullo y la tiple Ernestina Marín. Pepe Vila dignificó el género eliminando el componente sicalíptico que tan mala fama le había dado anteriormente. En Santiago convirtió el Politeama, reformado en 1897, en el centro principal del género chico, inaugurando además otros dos locales: el efímero teatro San Martín, 1905-06, y el teatro Edén, 1906, luego llamado teatro Alhambra que se convirtió en uno de los principales de su época. Vila abarcó un enorme repertorio, que incluía no sólo los grandes éxitos madrileños, sino también obras menores, que habían tenido incluso una mala acogida en España. Entre todos sus papeles se pueden destacar ocho, que reflejan su gran capacidad de caracterización cómica: el del henchido cesante Don Telesforo de *Viento en popa*, el recluta de *El húsar*, el inolvidable clarinete de *La marcha de Cádiz*, el profesor Don Silverio de *El seminarista*, el desesperado amante de Gertrudis de *Alta mar*, el borracho Curro Chaveta de *La Macarena*, el fresco de *Lohengrin* y el tenorio de *El pobre Valbuena*.

Tras inaugurar el teatro San Martín en Santiago, un agudo ataque de paludismo le obligó a retirarse a finales de 1905 a su finca de Los Guindos. Allí se dedicó al campo y al cultivo de flores, reduciendo su actividad a breves participaciones en temporadas e incluso a apariciones aisladas, ya en un género chico en crisis. Entre éstas puede destacarse su colaboración durante tres meses en el teatro Santiago, antiguo Politeama, en 1909 con Joaquín Montero, uniéndose dos de las principales figuras de las tandas chilenas. Lógicamente también participó en la función inaugural del teatro que llevó su nombre, levantado en Santiago por Rafael Concha González, realizada el 17 de enero de 1913 con *Viento en popa*. A finales de 1913 realizó una gira por el sur, llegando hasta Puerto Montt. En 1914 estrenó algunas zarzuelas chilenas en el teatro Pepe Vila, como *Las últimas flores*, la revista político-social y de costumbres santiaguinas *Con permiso de Don Juan Luis*, *La marcha triunfal*, *Flores del campo* o la revista local *Santiago alegre*. En 1917 recibió diversas funciones de homenaje en Santiago y Valparaíso con motivo de sus veinticinco años sobre la escena chilena. Después realizó su última gira, que duró diez meses, recorriendo el norte de Chile, Bolivia y Perú: Iquique, Tacna, Arica, La Paz, Puno, Arequipa, Mollendo, Antofagasta y La Serena. En 1921 recibió un nuevo homenaje donde una vez más se representó *Alta mar*, una de sus piezas más celebradas, cuyo saludo "¡Adiós Gertrudis!" se había convertido en un dicho popular. En sus últimos años fue nombrado inspector de espectáculos, cargo público con el que se pretendió aliviar su delicada situación económica. Tras su jubilación en 1931 recibió una modesta pensión vitalicia.

BIBLIOGRAFÍA: M. Abascal Brunet, E. Pereira Salas: *Pepe Vila. La zarzuela chica en Chile*, Santiago de Chile, Imp. Universitaria, 1952.

VÍCTOR SÁNCHEZ SÁNCHEZ

Vilar, Angelina. †Valencia, *ca.* 1963. Vedette de revista y actriz de comedia. José Juan Cadenas la contrató para el teatro Reina Victoria de Madrid, sede de las operetas al gusto parisino. Se convirtió en actriz de comedia en Lara y otros teatros madrileños. Fue famosa por la ropa que utilizaba.

*Angelina Vilar
(Foto: Legado Luna;
Ar. SGAE)*

Mª LUZ GONZÁLEZ PEÑA

Vilar, Josep Teodor. Barcelona, 1836; Barcelona, 1905. Compositor y director. Su formación musical la inició en Barcelona, con Ramón Vilanova. Posteriormente marchó a París, hacia 1859, cuando la mayor parte de las fuentes le citan estudiando composición y armonía con Herz y con Halévy. Desde la década de los sesenta se le encuentra ya en Barcelona, primero como maestro acompañante en el teatro del Liceo, donde además tocaba la viola, y en los setenta dirigiendo zarzuela en varios teatros. Josep Teodoro compuso también lied y canciones, así como abundante repertorio de salón y de cámara, como unas *Horas de solaz*, colección de veinticuatro lecciones "recreativas" para piano. Este compositor está totalmente olvidado, de forma injustificada a juzgar por la trascendencia de alguna de sus obras y por la difusión que consiguieron durante el siglo XIX.

Entre sus obras destaca el interés que sintió por los cuadros de costumbres. En este subgénero Vilar trabajó ya desde 1864, creando un curioso cuadro ambientado en el Ampurdán. En sus inicios fue uno de los compositores que colaboró con Frederic Soler, uniendo su nombre a la fortuna de las comedias de Pitarra. Uno de sus mayores éxitos lo consiguió con el cuadro de costumbres *Els pescadors de Sant Pol*, 1869, obra que en 1910 aún se reeditaba y de la que se documentan reposiciones hasta bien entrado el siglo XX. La buena acogida de la obra motivó que Pitarra redactara una segunda parte del cuadro de costumbres, *Donya Guadalupe*, a la que puso música Joan Pujades. Con *La lluna en un cove*, 1871, volvió a cosechar un nuevo triunfo de público; esta obra se repuso también durante bastantes años. El interés de sus obras, desde el punto de vista musical, es desigual. Así en el caso de *La Rambla de les flors* Vilar compuso sólo unos cinco números musicales, concebidos más como una "zarzuela" –así consta en un manuscrito– que no desde el punto de vista costumbrista, tal como prevée el libreto. En sus números se recogen desde un vals cantado, a un quinteto sin desarrollos solísticos, cerrándose la obra con un tango final. Mucho más desarrollada e interesante resulta *Els pescadors de Sant Pol*; el cuadro de costumbres, que en el manuscrito se califica de nuevo como "zarzuela", se compone de doce números, dentro de una obra estructurada en dos actos. La obra recoge por una parte influencias de la lírica italiana, con romanzas y cavatinas, a la par que integra números con bailables –como el vals que cierra la obra–, un concertante y la casi omnipresente americana, habitual en los repertorios de esta época. Fue en los años setenta cuando sus composiciones llegaron al punto más alto de difusión, coexistiendo al lado de las obras también costumbristas que por aquellos años componía N. Manent. *Véase* ELS PESCADORS DE SANT POL.

OBRAS: *L'últim rey de Magnolia*, Óp cóm, 3 act, l, Pitarra, est, 1-XII-1868, Te. Odeón y Romea (Barcelona); *La romería de Recasens*, quadro de costums contemporáneas del Ampurdá, 3 act, l, D. Calvet, 1869; *Los pescadors de Sant Pol*, cuadro de costumbres, 2 act, l, Pitarra, est, 15-IV-1869, Te. Tívoli (Barcelona); *La prometensa*, joguet lírich-dramátich, 1 act, l, N. Campmany, est, 24-V-1870, Te. Novedades (Barcelona), *E:Bsa*; *La Rambla de las flors*, quadro de costums, 1 act, l, Pitarra / J. Serra, est, 1-VI-1870, Te. Novedades (Barcelona), *E:Bsa*; *La lluna en un cove*, Zarz, 1 act, l. N. Campmany, est, 18-V-1871 Te. Novetats (Barcelona), *E:Bsa*; *L'esca del pecat*, juguet lírich, 1 act, l, N. Campmany / Pahissa, est, 28-X-1871, Te. del Circo (Barcelona); *Lo Fa sostenido*, Jug, 1 act, 1872; *Nit de máscaras*, pieza, 1 act, 1882; *Pot més qui piula*, l. E.V.V. y J. Carcasona, *E:Bsa*.

FRANCESC CORTÈS i MIR

Vilardell, Jerónimo. Sabadell (Barcelona), 10-II-1916. Tenor. Sus primeros contactos con la música llegaron en el servicio militar, cuando entró en un coro y ya licenciado, comenzó a tomar lecciones en Barcelona con Francisco Ribas y Jaime Ferrer. Comenzó a trabajar con compañías de aficionados con las que aprendió el repertorio. Debutó en el teatro Nuevo de Barcelona con *Marina* en 1947. Actuó con la compañía de Luis Gimeno en el teatro Calderón, estrenando *Volodia* de Jesús Romo. Pasó por la compañía

Jerónimo Vilardell (Foto: Ar. ICCMU)

de Francisco Bosh y por la de Tomás Ros y estrenó *Sobresaliente en amor* de Dotras Vila y *Los jerifaltes* de Julián Santos. Se retiró en los años sesenta.

FONOGRAFÍA: *Bohemios*, Columbia SA, ZCL 1017 (Zacosa) 67 • Regal LCX 7002 70; *El gaitero de Gijón*, Odeón 185056 y 185057, SO 11277 SO 11280; *La generala*, EMI 7243 5 74340 2 7 (637.05329) • EMI 7 67473 2 (637.65513); *Los gavilanes*, Regal LCX SEBL 7008 128.

BIBLIOGRAFÍA: *OCCE*.

Mª LUZ GONZÁLEZ PEÑA

Villa, Amparo. España, siglos XIX-XX. Tiple. Debutó en 1910 en el teatro Price con gran éxito. En 1912 estrenó *Juego de amor* de Calleja.

Mª LUZ GONZÁLEZ PEÑA

Villa, Manuel. España, siglos XIX-XX. Barítono. Estrenó *Molinos de viento* de Pablo Luna en el teatro Cervantes de Sevilla en 1910, interpretando al Capitán Alberto. En 1912 estrenó en el teatro Arriaga de Bilbao, junto a su esposa María Marco, *La alternativa del garboso* de Cosme Bauzá. En 1919 se presentó junto a su esposa en el teatro Apolo con *En Sevilla está el amor*, que no fue bien acogida por el público, si bien el matrimonio cosechó un gran triunfo. Manuel Villa fue muy aplaudido también en *Molinos de viento* que se cantó en esta temporada. *Véase* MARCO, MARÍA.

FONOGRAFÍA: *¡Abajo las coquetas!*, Sonifolk 20133; *La Blanca doble*, Sonifolk 20133; *Los bullangueros*, Sonifolk 20133.

BIBLIOGRAFÍA: *TA*.

Mª LUZ GONZÁLEZ PEÑA

Villa del Valle, José. España, siglo XIX. Escritor. Poeta de escaso renombre, fue además autor y traductor de obras dramáticas. Escribió tan solo una obra lírica, pero con gran éxito: la zarzuela *Gloria y peluca* de Francisco A. Barbieri, 1850. El libreto con una versificación irregular, poseía tan sólo dos personajes y una trama no muy interesante, pero contaba con escenas de mucha comicidad y, sobre todo, supo adaptarse con naturalidad a la excelente música de su compositor. *Véase* GLORIA Y PELUCA.

BIBLIOGRAFÍA: E. Casares Rodicio: *Francisco Asenjo Barbieri. 1. El hombre y el creador*, Madrid, ICCMU, 1994.

OLIVA G. BALBOA

Villa González, Ricardo. Madrid, 27-X-1877; Madrid, 10-IV-1935. Compositor, violinista y director. Fue un brillante estudiante del Conservatorio de Madrid, culminando su formación en 1898 con el premio de composición. Además, su dominio del violín le permitió incorporarse a la orquesta del teatro Real y la Sociedad de Conciertos de Madrid, donde actuó bajo las batutas europeas más insignes que visitaron España. Su consolidación le llegó con la suite *Cantos regionales asturianos*, premiada en el certamen de obras sinfónicas convocado en 1899 por la Sociedad de Conciertos de Madrid. Como una prometedora figura de la composición española fue invitado a participar en el proyecto del teatro lírico, organizado por el empresario Luciano Berriatúa con la intención de crear un local dedicado a la ópera nacional. Villa, que había viajado en los años anteriores por Europa dirigiendo conciertos y óperas, se hizo cargo de la orquesta dirigiendo el concierto inaugural en mayo de 1902, en el que estrenó su poema sinfónico *La visión de San Martín*, basado en un poema de Núñez de Arce, con el que mostraba su asimilación del wagnerismo desde una óptica nacional. Villa había compuesto una ópera interesante, a partir de un brillante libreto de Joaquín Dicenta sobre la vida del famoso escritor mallorquín, con un estilo sobrio y elegante, donde –según el crítico del diario *El Globo*– "la frase melódica es siempre natural y fácil, el tejido armónico sobrio y elegante, y la instrumentación de buen gusto, sin relumbrones en demasía".

Ricardo Villa González (Foto: Ar. ICCMU)

Tras estos comienzos prometedores, Ricardo Villa se centró en su carrera como director, ya que la composición suponía un camino difícil en España. Durante muchos años fue uno de los directores del teatro Real, entre 1906 y 1912 con la empresa de Calleja y Boceta y desde 1920 hasta el cierre del local.

Aunque su producción musical fue escasa, compuso algunas zarzuelas a lo largo de su carrera. La más destacable es la zarzuela en tres actos *El Cristo de la Vega* estrenada por la compañía del barítono Banquells en el Price en 1915. El libreto de Gonzalo Cantó y Fernando Soldevilla se basaba en *A buen juez mejor testigo* de José Zorrilla, que desarrollaba una leyenda popular fantástica que terminaba con el milagro de un Cristo en la vega toledana que movía la mano para dar una señal que aclaraba toda la trama. Villa compuso una partitura desigual, que constaba de doce números, más un preludio y un breve final. El carácter continuo de la música, que llegaba a abarcar escenas completas, remite a planteamientos operísticos que no se reflejan en el escaso vuelo de la música, en especial en el sobrio tratamiento orquestal. Aún así no faltan el acierto en algunos esquemas tradicionales, como el elaborado concertante del final del segundo acto o algunos coros efectistas. La obra fue puesta en escena con todo lujo, contando con siete decoraciones de Luis Muriel entre las que destacaba la de la caída del brazo del Cristo, momento culminante de la zarzuela. No obstante, fue recibida con frialdad, debido también a las limitaciones de los intérpretes que la protagonizaron, como la soprano García Ramírez o el tenor Rosell.

En 1918 estrenó en el Apolo *El minué real*, obra que se consideró excesivamente inocente y trasnochada y cuyo tema histórico –ambientado a comienzos del XIX– no fue del gusto del público del famoso local. Villa fue recibido con aplausos nada más bajar al foso, debido a su fama como director, recibiendo aplausos por algunos números: un dúo del primer acto, una copla, una danza, un intermedio y una magnífica canción chispera, que interpretó con gran carácter Rosario Leonís. No obstante, la obra pasó sin pena ni gloria, como sus dos posteriores zarzuelas, ambas en dos actos: *El patio del Monipodio*, que incluía una canción de Preciosa, y *La nazarita*. También participó en la creación colectiva de la extravagante fantasía musical *La guitarra del amor*, estrenada en el teatro de la Zarzuela en beneficio del Montepío de la Asociación de Maestros Compositores en mayo de 1916. En la partitura participaron nueve compositores, encargándose Villa del Nº 5, de carácter andaluz: una petenera, sevillanas y zapateado. En los ensayos de la obra surgió un conflicto por la negativa de los músicos a ser dirigidos por el maestro Villa, que tuvo que ser sustituido por Soutullo.

OBRAS (Todas en *E:Msa*): *El Cristo de la Vega*, Zarz, 3 act, l, G. Cantó / F. Soldevilla, est, 23-XI-1915, Te. Price; *La guitarra del amor*, Fant, 1 act, col. Bretón / Giménez / Vives / Barrera / Luna / Villa / Bru / Anglada / Soutullo, l, Perrín / Palacios, est, 16-V-1916, Te. Zarzuela; *El minué real*, l, L. López de Saa, est, 26-IV-1918, Te. Apolo;

El patio de Monipodio, I, J. Montero / F. Moya Rico, est, 1919; *La nazarita*, Zarz, 2 act, I, J. López Nuñez / F. Moya Rico.

BIBLIOGRAFÍA: *DMEH*.

VÍCTOR SÁNCHEZ SÁNCHEZ

Villacañas Sastre, Manuel. España, siglo XX. Compositor. Sus obras más destacadas las realizó en colaboración con Francisco Muñoz, "Currito", aunque también colaboró con Manuel García Matos, Villena, Trujillo y Francisco Almagro. Su carrera se desarrolló sobre todo en las décadas de los años treinta y cuarenta, siendo entonces cuando fueron interpretadas y grabadas la mayor parte de sus composiciones.

Manuel Villacañas (Foto: Ar. ICCMU)

Además de un destacado número de obras líricas, escribió también numerosas canciones para voz y piano, interpretadas muchas de ellas por grandes estrellas del momento, como Estrellita Castro, Concha Piquer, Tomás de Antequera o Pepe Mairena. Sus obras emplean los ritmos y bailables de moda entonces, destacando ritmos característicos de España e Hispanoamérica, prestando especial atención al folclore andaluz.

OBRAS (Todas en *E:Msa*): *Corazón gitano*, 2 act, I, J. Cruz / F. Muñoz, est, 1935; *Doctor Cataratas*, 1 act, I, R. Cruz, est, I-1940, Te. Lara (Málaga); *Gracia castiza*, 1 act, I, A. Villena, est, 3-II-1944, Te. Cine Bilbao; *Glorias y cantares*, Com lír, 2 act, I, E. Bestard / A. Montorio, est, 15-VI-1940, Cuenca; *Ecos de España*, 2 act, I, R. Ruiz González, est, 7-XI-1940, Te. Liceo (Guadalajara); *...Y mañana Navidad*, I, M. Fernández Cuesta, est, 25-XII-1940, Te. Alcalá; *En la escuela*, Apr cóm, 1 act, I, R. Ruiz González, est, 12-VI-1941, Te. Cine Bilbao; *El triunfo del botones*, Sai cóm, 1 act, I, E. Pérez Domínguez, est, 15-V-1942, Tomelloso; *El zapatero remendón*, I, J. Córdoba, est, VIII-1942; *Zambra en grana*, I, M. Villacañas, est, 14-VIII-1942, Alicante; *Estrellas de cine*, 2 act, I, A. L. Motoro, est, 18-VIII-1942, Te. Central Azul (Alicante); *El sereno de mi casa*, 1 act, I, J. L. Garrido, est, 19-IV-1942, Venta de Baños; *Patio de vecindad*, I, C. Losada Sánchez, est, 27-II-1944, Te. Maravillas; *Albores de sonatina o Sontina sigue*, 2 act, I, L. Pérez de León, est, 22-XII-1946, Te. Reina Victoria; *Bajo el sol de Sevilla*, 2 act, I, C. Alonso / M. Trujillo; *El tren carretas* (antes *Viajeros al tren*), I, E. Pérez Domínguez; *Las frenéticas*, 2 act, col. M. Ruiz Arquelladas, I, F. Ruiz Arquelladas.

BIBLIOGRAFÍA: *DMEH*.

Mª ENCINA CORTIZO

Villagrasa, María. España, siglos XIX-XX. Actriz y cantante. Aparece en diversos estrenos entre 1908 y 1929. Así estrenó en 1908 *Las ruinas de Talía* de Quislant; en 1911 *Los hijos de Hungría* de Chaves en el Novedades y *Las hijas de Lemnos* de Luna en el Apolo, teatro en el que seguía en 1912 estrenando *La maja de los claveles* de Lleó y *El príncipe casto* de Quinito Valverde, Apolo, 1912. En 1914 de nuevo en Novedades estrenó *Las buenas obras* de Enrique Brú. En 1923 *La montería* de Guerrero en el teatro

de la Zarzuela, interpretando a la Condesa. En 1925 en Apolo *Curro el de Lora* de Alonso y en el mismo teatro, en 1928, *Los flamencos* de Vives y *La Romerito* de Luna y Calleja y en 1929, en el teatro de la Comedia, *La guitarra* de Fuentes y Navarro.

BIBLIOGRAFÍA: *TA*.

Mª LUZ GONZÁLEZ PEÑA

Villalba, Elisa. España, siglos XIX-XX. Tiple. Se casó en agosto de 1899 con el actor Eugenio Casals y ambos fueron contratados por el teatro Gran Vía de Barcelona para la temporada invernal. Estrenó *Antolín* de Quinito Valverde y *La bayadera* de Cereceda en 1893 en el teatro del Príncipe Alfonso, *Las cigarreras* de Miguel Santonja, Romea, 1897, y en 1907 en el Novedades *El barón de la Chiripa* de Marquina y Borrás. *Véase* CASALS, EUGENIO.

BIBLIOGRAFÍA: *MIHA*, II, 17, 25-VIII-1899.

Mª LUZ GONZÁLEZ PEÑA

Villalba, Manuel. Sevilla, siglo XX. Tenor. Debutó cantando zarzuela, siendo interrumpida su carrera por la Guerra Civil española. Entre sus triunfos se cuentan *Los de Aragón*, *El huésped del Sevillano* y *La Dolorosa*. En 1939 interpretó en la catedral de Sevilla el *Miserere* de Hilarión Eslava, con motivo de la Semana Santa.

BIBLIOGRAFÍA: F. Cuenca: *Teatro andaluz contemporáneo. 2. Artistas líricos y dramáticos*, La Habana, Maza, 1940.

Mª LUZ GONZÁLEZ PEÑA

Villalobos, Bernardo. La Habana, siglo XX. Tenor. Estudió canto en el Conservatorio Municipal de su ciudad natal. Fue solista de la Ópera Nacional de Cuba, y de los espectáculos del famoso cabaret Tropicana. Se ha presentado en escenarios de Estados Unidos, Venezuela y Puerto Rico interpretando un variado repertorio de zarzuelas y óperas del catálogo internacional.

BIBLIOGRAFÍA: A. J. Molina: *150 Años de zarzuela en Puerto Rico y Cuba*, San Juan, Ramallo Bros. Printing, 1998.

CLARA DÍAZ PÉREZ

Villalón, Alberto. Santiago de Cuba, 7-VI-1882; La Habana, 16-VII-1955. Compositor. Autor e intérprete del género trovadoresco, es reconocido como uno de los grandes de la trova cubana. Radicado en La Habana desde 1900, mantuvo su actividad como trovador. En 1904 dirigió el teatro Variedades de Palatino, vinculándose de manera más estrecha al mundo del teatro musical. En 1906, en coautoría con Gaspar Agüero y el libretista Daniel de Mario, compuso su zarzuela *El triunfo del bolero*, estrenada con éxito en julio de ese mismo año, en el teatro Alhambra.

BIBLIOGRAFÍA: A. J. Molina: *150 Años de zarzuela en Puerto Rico y Cuba*, San Juan, Ramallo Bros. Printing, 1998.

CLARA DÍAZ PÉREZ

Villana, La. Zarzuela en tres actos. Música de Amadeo Vives. Libreto de Federico Romero y Guillermo Fernández Shaw. Estrenada el 1 de octubre de 1927 en el teatro de la Zarzuela de Madrid.

Personajes y reparto. Casilda (Felisa Herrero, tiple). Juana Antonia (Rosa Cadenas, tiple cómica). Blasa (Cándida Folgado, tiple). Peribáñez (Pablo Gorgé, barítono). Don Fadrique (Mateo Guitart). David (Victoriano Redondo del Castillo). Roque (José Moncayo actor). Olmedo (Antonio Palacios, tenor cómico). Miguel Ángel (Enrique Gandía). Chaparro (Manuel Luna). El rey (Victoriano Redondo del Castillo). El licenciado (Sr. Rodríguez). Quintanilla (Sr. Rodríguez Flores). Un mayoral (Manuel Perales). Labrador 1º (Sr. Rodríguez). Labrador 2º (Sr. Muñoz). Pregonero (Manuel Luna). Garcés (Sr. Muñoz). Gañán 1º (Mariano Llabona). Gañán 2º (Sr. Seba). Gañán 3º (Fernando Corao). Labradores y labradoras acomodados, segadores, trilladores, espigadoras, caballeros y damas de la corte de Enrique III, heraldos, soldados del Rey, ballesteros, oficiantes de la procesión y gente del pueblo de Toledo.

Orquestación. Flautín, flauta, 2 oboes, 2 clarinetes, fagot, 2 trompas, 2 cornetines, 3 trombones, timbales, percusión, celesta y cuerda.

Argumento. La acción se desarrolla a principios del siglo XV en las inmediaciones de Ocaña. Miguel Ángel, cachicán de la hacienda y su esposa Juana Antonia, mujer del campo, están esperando que baje su amo, Peribáñez, para la ceremonia de su boda. Baja Peribáñez, en traje de fiesta y alegre porque va a casarse con una villana guapa y honrada. Se adelantan un grupo de mujeres, con Juana Antonia al frente, para entregarle un presente y los segadores entonan unas coplas. Suenan, a lo lejos, unas campanillas, y al poco tiempo aparecen Casilda, la novia, y su tía Blasa. Peribáñez se acerca al carro para darle la mano a Casilda. Suena la campana de la ermita y se oye el bullicio de la gente que sale precediendo a los recién casados. Antes de que terminen de entrar todos los invitados al patio de la hacienda, entran armando un gran revuelo Miguel Ángel y el poeta Olmedo, pues un toro ha atacado al comendador Don Fadrique, al que traen, desmayado, dos labradores. Don Fadrique abre los ojos y al ver a Casilda queda prendado de ella. Se incorpora y le pregunta si es la novia, a lo cual contesta Casilda que ya está casada. Aparece Peribáñez y Don Fradrique, en prueba de agradecimiento por lo bien que le han tratado le dice que le pida algo. Peribáñez dice que ya tiene un buen pago al verle con vida. A fuerza de insistir el comendador, le dice que su mujer deseaba ir a la fiesta de Toledo, pero como su carro es de labrador y no está engalanado, le agradecería mucho si le prestara una alfombra y repostero. Cuando se marchan los invitados, Casilda y Peribáñez se declaran su amor frente a sus tierras, tras lo cual penetran en casa. Aparece Olmedo que está enamorado de Juana Antonia. Viendo aparecer a Don Fadrique por el fondo, Olmedo le pregunta si viene a felicitar al novio a lo que contesta el comendador que se ha enamorado de Casilda. Poco tiempo después el pregonero dice en la casa de labor de Peribáñez que el rey Don Enrique va a hacer la guerra y requiere que se haga una compañía de labradores voluntarios de la que Peribáñez será el capitán. Esto último es una orden del comendador que quiere que esté lejos para poder abordar a Casilda. Cuando Peribáñez ya está a punto de partir, aparece en la casa un judío llamado David que pide hospitalidad que pagará bien. Peribáñez no lo quiere acep-

tar pero David le entrega a Casilda en pago de su hospitalidad unos pendientes de perlas. Se marcha Peribáñez. David está, en realidad, enviado por el comendador, Roque y Blasa, los tíos egoístas de Casilda, sospechan algo y vigilan al judío; tras saber por quién va enviado, sale Roque en busca del comendador, mientras Blasa intenta convencer a Casilda. Todo ello lo escuchan Olmedo y Chaparro. Sale Casilda a la ventana y al ver al comendador llama a los segadores con mucha diplomacia. Mientras huye Don Fadrique aparecen Olmedo y Chaparro que comentan cómo se ha sabido defender el ama.

En una venta del camino de Ocaña a Toledo Miguel Ángel y algunos labradores jóvenes esperan a su amo. Cuando llega éste se encuentra con el judío David que le dice quien le envió a su hacienda. Peribáñez vuelve a su casa con la duda de si han mancillado su honor pero cuando ve a Casilda le pregunta por los pendientes de perlas y ella le contesta que siendo labradora y villana y habiéndose casado con un villano, también llevando pendientes de perlas, le dirían que era de señor. Cuando por fin Peribáñez tiene que partir a la guerra, manda al comendador que le ciña su propia espada, dejándole a su cuidado su hacienda y su mujer, y que si él le ha dado el honor ya sabe lo que le roban si se lo quitan. Juana Antonia sale con traje de marcha y dispuesta para ir a la guerra con su Miguel Ángel, afrentando a Olmedo por no ir, tras lo cual éste también se va. Queda sola Casilda en la casa. Aparece el comendador que le ofrece su amor, rechazándole Casilda y echándole de la casa. Aquél le contesta que si no lo quiere la tendrá por la fuerza, saltando por la ventana. Casilda pide socorro. En estos momentos, Peribáñez, que se ha sentido celoso e intranquilo, ha vuelto y oye los gritos de su mujer. Entra y con la espada que le ciñó el mismo comendador le mata. El rey ofrece una recompensa a quien le entregue al asesino del comendador de Ocaña. Peribáñez se entrega y el rey pide a los soldados que le prendan. Ninguno se mueve, por lo que el rey pregunta por qué desoyen sus instrucciones, a lo que le contesta Peribáñez, que ellos le perdonan. Conociendo el motivo por el que mató al comendador, también será perdonado por el rey, culminando felizmente la obra.

Números musicales. Acto I: Nº 1. Escena, "Mi amo Peribáñez presto bajará". Nº 2. Peribáñez, Olmedo, Chaparro y coro, "Hable Olmedo, Desembucha agora el cantar aquel". Nº 3. Casilda, Peribáñez, Juana, Antonia, Blasa, Roque, Chicos y coro, "Ya suenan los campanillos". Nº 4. Casilda, Don Fadrique, Peribáñez, Olmedo, Miguel Ángel, Juana Antonia, Blasa y coro, "Nostrama ya se ha casado. Nostramo ya es su marido". Nº 5A. Don Fadrique, Peribáñez, Juana Antonia, Roque, Miguel Ángel, Licenciado, Blasa, Casilda, "Señor, feliz me hiciste en un momento". Nº 5B. "Ya estamos en casa... ¡La nuestra, mujer!". Nº 5. Endecha. Don Fadrique, "Tus ojos me miraron". Acto II: Nº 6. Preludio, pregones y coro interno. Nº 7A. Casilda, Peribáñez, Miguel Ángel, David y coro, "¿Vamos? Seor escudero". Nº 7B. Peribáñez, Miguel Ángel, David, "¿Quién habrá llamado?". Nº 8. Casilda, Peribáñez, David, Blasa, Roque y coro, "Me guarda la sombra que dejas aquí". Nº 8bis. Nº 9. Peribáñez, David, Miguel Ángel y villanos, "¡Malvado! ¡Calma, calma tus iras!". Nº 10. "A la fuente de la Zarza, a beber van las mujeres". Nº 11. Casilda, Peribáñez, Don Fadrique, Juana Antonia, Blasa, Olmedo, Chaparro, Roque y coro, "La mujer de Peribáñez, hermosa es a maravilla". Acto III: Introducción y coro interno, "Ram ram rataplan plam plam". Nº 13. Casilda, Don Fadrique y Peribáñez, "¡Se fue!, ise fue! El alma mía va con él". Nº 14. Intermedio. Nº 15. Jota castellana, "Vengo de despedida, mi vida". Nº 16. Final, "¡El Rey! ¡El Rey!".

Comentario. *La villana* es una de las obras más exigentes de Vives y, posiblemente, aunque parece jugar con diversos registros –la gran zarzuela popular heredera del *Curro Vargas* de Chapí, la opereta, el melodrama verdiano, el verismo–, adquiere una indudable unidad. Vives y sus libretistas, Federico Romero y Guillermo Fernández Shaw, trabajaron muy intensamente en la obra y durante muchos meses. Detalles del modo de trabajar de estos autores se transmiten en su correspondencia. Así Federico Romero escribió una carta del 30 de abril de 1927 a Vives en la que dice "ayer recibimos el monstruo del concertante y la reforma de las escenas anteriores. Sobre la marcha nos ponemos a ello y en seguida se lo mandaremos hecho todo. ¿Tirarle a usted las piedras de la calle de Alcalá por las dificultades del monstruo? ¡Cá! Después del quinteto de *Doña Francisquita* estamos entrenados para todo lo que venga. Muy atinadas sus observaciones sobre los versos que han de modificarse en el dúo de tiple y barítono". Y más adelante, en carta del 6 de mayo, Romero –en constatación a las dificultades que planteaba siempre Vives a sus libretistas– decía que "estamos absolutamente de acuerdo con que no está justificada la repentina traición de David a Don Fadrique. Esta tarde –libres ya de la preocupación de los cantables a que dimos cima ayer– nos ocuparemos de planear la nueva escena, que todavía no sabemos hacia dónde la orientaremos, pero quede usted seguro de que no la daremos por buena mientras no prepare debidamente el formidable dúo de David y Peribáñez". El propio Romero valoraría años más tarde que la partitura de *La villana* era en su opinión "la mejor de su numen, aunque no tiene la garra popular de *Doña Francisquita* porque el *Peribáñez* es un drama y lo seguimos con más fidelidad que a la *Discreta enamorada*, con las indispensables alteraciones para una adaptación muy musical, como que el texto hablado no llega a veinte minutos".

Las negociaciones para el estreno fueron lentas. Primero mostraron interés el empresario Martínez Penas y el barítono Emilio Sagi Barba. Se pensó el estreno en el teatro del Centro o en la Zarzuela. Pero tras diversas negociaciones, otro empresario Francisco Torres que había tomado la Zarzuela, lo ofreció para ello; lo que Luna, director artístico en aquel momento, confirmó en una carta afirmando que "El asunto de la obra está resuelto, pues esta misma

Estreno de La villana
(Foto: Díaz Casariego en La Esfera, *1927; Ar. ICCMU)*

mañana nos ha comunicado Romero que era para la Zarzuela, pues se había desligado del compromiso con Martínez Penas. Como usted ve, ya por aquí se nos ha proporcionado la primera y gran alegría, de modo que a esa gentileza venimos obligados una vez más, si ya no fueran méritos bastantes su talento y leal amistad". La formación del reparto fue lenta y compleja. Nombres como Matías Ferret, Emilio Sagi Barba, Pablo Gorgé, Emilio Vendrell, Federico Caballé o Marcos Redondo fueron barajados. Como responsable musical fue elegido Juan Antonio Martínez que ya se había hecho cargo en su día de *Doña Francisquita* y en quien Vives tenía una gran confianza. Los decorados de los actos primero y tercero fueron realizados por Salvador Alarma y los del segundo por José Martínez Garí, realizando el vestuario Peris, con arreglo a dibujos de Emilio Ferrer. La dirección de escena fue de Antonio Palacios.

El primer acto se inicia con un breve preludio con aire de seguidilla que se funde con una escena de amplias dimensiones con intervención de coro y solistas donde el primero tiene un gran peso en un ritmo que recuerda el espíritu de *La venta de Don Quijote* de Chapí y que culmina en la primera romanza de barítono "Tengo un majuelo tres verdores", donde Vives rehuye la estructura rítmica tradicional y juega con las variaciones de compás, que son continuas, buscando una especie de gran recitado melódico sin la tiranía impuesta por el metro. El fragmento es de lucimiento para el barítono solista y culmina con una especie de pequeña cadencia en las notas sobreagudas. El Nº 2 es una canción de siega para tenor y coro que se construye sobre el ritmo de seguidilla. Es un fragmento gracioso y destaca el fino acompañamiento que le proporciona Vives. El Nº 3 se abre con un coro sobre ritmo de marcha (la partitura indica *Allegretto marcial*) y muestra un dúo provisto de ciertos recursos graciosos entre Casilda y Peribáñez, en lo que supone la presentación de ésta, donde se juega al equívoco. A destacar la importante presencia del coro. El Nº 4, tras la correspondiente introducción coral —el autor apuesta tanto por los pasajes colectivos como por los individuales— tiene lugar el dúo de Casilda y Fadrique, donde Vives parece moverse entre dos ámbitos. La línea vocal es heredada de la opereta, pero el tratamiento rítmico y orquestal parece recuperar el espíritu renacentista tan de referencia en la música española de la época. Hay que señalar el fino tratamiento instrumental con un entramado tímbrico muy bien construido. El dúo, uno de los más amplios de la partitura, es muy exigente para ambas voces, sobre todo en lo que se refiere a la demanda de recursos expresivos. Tras la escena de enfrentamiento entre Peribáñez y Don Fadrique, Nº 5A, con intervención de todos los solistas y el coro tiene lugar el dúo entre Casilda y Peri-

báñez, Nº 5B. Se construye sobre una línea vocal y un ritmo muy sencillos, a modo de canción popular, aunque sin perder el oficio del que siempre dio muestra Vives. El Nº 5C es una endecha cantada por Don Fadrique, "Tus ojos me miraban", donde el autor vuelve al espíritu renacentista, omnipresente en la composición. El acompañamiento del arpa, del *pizzicato* de la cuerda y los giros modales, que reviven aires populares, suponen un guiño anacrónico debidamente justificado por el espíritu que trata de plasmar el autor. Con esta endecha culmina el primer acto.

El segundo se inicia con un preludio sobre el que el pregonero da a conocer la declaración de guerra y solicita que los lugareños se alisten. El aire de seguidilla, con sus variantes, sirve para construir la base instrumental que se transforma, sin solución de continuidad, en una marcha coral. El Nº 7 es la conocida como "Romanza de la capa" que canta Felisa. Construida sobre un aire popular, de notable exigencia para la tiple, donde Vives se muestra deudor de la gran tradición romancística de zarzuela y, en alguna medida, también de la influencia verista aunque construida dentro del espíritu de la opereta. Sorprende que, pese a su brillantez, no haya quedado en el repertorio. El Nº 7B se abre con una escena que da paso a la denominada "Canción de las joyas", en realidad una romanza, a ritmo de bolero, interpretada por el judío David, un bajo de cierta solidez en el grave y facilidad para manejar los melismas. Es uno de los más brillantes momentos de la zarzuela, sobre todo por la hermosa línea vocal para el bajo. El ritmo de bolero configura el fragmento. La romanza es muy exigente no sólo por las sutilezas expresivas, sino también en el terreno vocal. Tras una escena múltiple, Nº 8, donde la orquesta se convierte en vehículo dramático al mismo nivel que las voces, llega el dúo entre Peribáñez y David, uno de los más dramáticos de la zarzuela, que presenta el contraste entre las dos voces graves. En realidad aquí Vives parece mirar a la gran escuela melodramática verdiana, aunque con inevitables giros modales y recursos rítmicos hispanos. El Nº 10 es una escena de transición, apenas reseñable. El Nº 11 tiene como núcleo el segundo gran dúo de Peribáñez y Casilda, mucho más dramático y emocional. Aunque su tratamiento es muy tradicional Vives se muestra dominador de los recursos armónicos para enfatizar las emociones. La orquesta vuelve a tener una gran personalidad, sostenida por momentos por ritmos populares ternarios, que se funde con las líneas vocales. Es el dúo de mayores dimensiones de la obra y, en alguna medida, el centro neurálgico del segundo acto. El dúo da pie a un gran final, apoteosis inevitable donde Vives vuelve a mostrarse maestro en el género de la opereta, si bien el vínculo melodramático resulta igualmente obvio. El acto tercero se inicia con un fragmento instrumental al que sigue un coro militar. Sigue una escena, Nº 13, con una romanza de Casilda "Se fue, ise fue!" en dos partes, seccionada por una melodía que luego se verá en el intermedio y que se funde en el dúo entre Casilda y Don Fadrique, donde los recursos veristas se hacen muy presentes, bien secundados por una orquesta muy activa. El intermedio, Nº 14, es una danza de corte renacentista donde Vives se contagia de la misma

Estreno de La villana
(Foto: Díaz Casariego en La Esfera, *1927; Ar. ICCMU)*

inspiración que encuentra en Bacarisse, Falla o Rodrigo hacia la historia. El contraste entre bloques tímbricos es un recurso que también utilizaron aquellos compositores que vivieron el revival neoclásico desde Stravinski a Respighi. Es curiosa la utilización de la celesta en la orquestación, tan inhabitual en la zarzuela. El Nº 15 es una jota castellana, básicamente instrumental, aunque intervienen los tenores del coro. Vives marca en la partitura que "esta jota debe bailarse y tocarse mucho más lenta que la aragonesa. La danza es de combinación y no de baile individual". Culmina la obra en un final ambicioso, de gran exigencia para el propio autor, sobre todo por los requerimientos orquestales y corales, donde Vives se muestra deudor del espíritu melodramático italiano. Destaca el monólogo del barítono, donde Pablo Gorgé mostraba sus habilidades canoras y dramáticas. Hay que destacar que existe una grabación, reseñada en la fonografía, que se llevó a cabo con la mayoría de los protagonistas del estreno y que, de alguna manera, teniendo en cuenta que no es completa y la restauración no es muy perfecta, da una idea aproximada del espíritu de la composición y de las peculiaridades del canto de la zarzuela de la época.

La obra, dedicada a Ramón Pérez de Ayala, fue acogida con gran éxito desde el principio. Hernández Girbal cuenta que "al dar fin la obra sonaron sin cesar clamorosas ovaciones. El público reclamaba una y otra vez la presencia de los autores en escena. Y también la de los felices intérpretes. De éstos, Pablo Gorgé fue el triunfador. ¡Qué claridad y emoción en el decir, qué seguridad en la emisión; qué valentía en los agudos; qué exacta comprensión del personaje! Felisa Herrero, extraordinaria de voz, estuvo también insuperable, al igual que Redondo del Castillo, magnífico en la caracterización y como actor

y cantante. Mateo Guitart, tan sólo discreto, y los restantes acertados. Eran las dos de la madrugada cuando el público, aún bajo la emoción de la hermosa música, abandonaba el teatro". El periódico *ABC* daba cuenta del estreno (5-X-1927). Señala que en la obra "hay una lograda armonía entre lo pasional, ya puro, ya torpemente sentido por unos u otros actores de la tragicomedia, y los elementos exteriores de orden subalterno, que, en diversidad de temas, se funden con una gran belleza de expresión; de máxima sencillez en la misma atención que el primer plano, los demás aspectos musicales que se derivan de la acción y del ambiente. En este sentido el movimiento y la intervención de los coros, el juego de los personajes episódicos son de una animada pintura".

Fuentes manuscritas. Los materiales de orquesta se conservan en el archivo de la SGAE en Madrid (5268).

Ediciones de música. Canto y piano, ed. J. Pacheco, Madrid, UME, 1928. Cuarteto de cuerda y piano, Selección, UME. Banda, dos selecciones realizadas por J. Franco, UME; Jota castellana, ed. J. Franco, UME.

Ediciones del libreto. Madrid, SAE, 1927.

FONOGRAFÍA: D78rpm: Sols. Felisa Herrero, Emilio Sagi-Barba, La Voz de su Amo AD 5 (et. burdeos), CJ 1013-II CJ 1036-II • Dir. Rafael Martínez, Sols. Antonio Palacios, Redondo del Castillo, Orq. Teatro Real de Madrid, Odeón 182133 y 182141 (et. celeste), SO 4432 SO 4433 SO 4424 SO 4424.

LP: Dir. Enrique García Asensio, Sols. Montserrat Caballé, Dolores Cava, Vicente Sardinero, Francisco Ortiz, Antonio Borras, José Manzaneda, Enrique Serra, Orfeó Gracienc, Orq. Sinfónica de Barcelona, Columbia-BMG SCE 960-1 y Columbia SA, ZCL 1061 y 1062 (Zacosa).

BIBLIOGRAFÍA: *OGCH*; J. Montero: "Relatos y recuerdos. Amadeo Vives", *El Día Gráfico*, Barcelona, 26-VII-1931; F. Hernández Girbal: *Amadeo Vives*, Madrid, Ed. Lira, 1971; A. Sagardía: *Amadeo Vives*, Madrid, 1971; VVAA: *Amadeo Vives*, Madrid, SGAE, 1972; S. Burguete: *Vives*, Madrid, Espasa Calpe, 1978; J. M. Lladó i Figueres: *Amadeu Vives (1871-1932)*, Barcelona, Biblioteca Serrador, 1988.

LUIS G. IBERNI

Villanova, Francisco. España, siglo XIX. Tenor. En 1866 pertenecía a la compañía de zarzuela que actuaba en Las Palmas. Al menos hasta 1875 perteneció a la compañía del teatro de la Zarzuela. En este año abandonó este teatro y fue escriturado por Lisboa y en 1876 por el teatro de Vitoria. Estrenó *El pan de la boda* de Barbieri, teatro del Circo, 1868.

BIBLIOGRAFÍA: *HGZ*.

EMILIO CASARES RODICIO

Villanova, Luis. España, siglos XIX-XX. Actor. Participó en diversos estrenos en los años noventa del siglo XIX, así estrenó *A vuela pluma* de Ángel Ruiz en los Jardines del Buen Retiro en 1892, *El cocinero de Su Majestad* de Quinito Valverde, *El pobre diablo* de Quinito Valverde y Tomás López Torregrosa, en el teatro Eldorado, 1897, y el mismo año en el Eslava *De doce a dos* de Calleja.

Mª LUZ GONZÁLEZ PEÑA

Villanueva Gutiérrez, Felipe. Tecámac (México), 5-II-1862, México, 28-V-1893. Compositor. Autor de una de las producciones más notables de música para piano del siglo XIX mexicano, Felipe Villanueva realizó algunos estudios en el Conservatorio Nacional aunque se le rechazó "por carecer de talento". Sin embargo, Villanueva tocaba el piano y el violín. Había sido alumno de Julio Ituarte y Antonio Valle y a su vez se desempeñó como maestro de piano y violinista de orquesta en distintos teatros como el Hidalgo y el Arbeu. Sus obras fueron muy populares –Eugene d'Albert llegó a ejecutar en el teatro Nacional algunas de sus composiciones–, y sin duda, varias de ellas como sus mazurcas o el célebre *Vals poético* han perdurado en el repertorio de los pianistas mexicanos. En 1887 fundó –al lado de Ricardo Castro, Gustavo E. Campa y Juan Hernández Acevedo– un prestigioso Instituto musical que se opuso con tenacidad a los arcaicos modelos pedagógicos y estéticos vigentes por aquel entonces en el Conservatorio. Particularmente notables fueron sus danzas habaneras, a las que distingue no sólo un estilo inconfundible sino una elaborada escritura, particularmente evidente en lo intricado de su tratamiento rítmico. Su corta vida le

Felipe Villanueva (Foto: Ar. ICCMU)

impidió ver el estreno de su ópera cómica *Keofar*, realizado meses después de su muerte. "La música de Villanueva perdura a través de los años –dijo Manuel M. Ponce en 1946, cuando los restos de Villanueva fueron trasladados a la Rotonda de los hombres ilustres– porque, como toda obra de arte verdadero, es la expresión desinteresada del sentimiento".

Según consigna Olavarría y Ferrari, Villanueva estrenó el 10 de julio de 1885 en el teatro Hidalgo una zarzuela intitulada *Casa de locas* de la que no existen mayores referencias. Por otra parte, su ópera cómica *Keofar* fue estrenada el 29 de julio de 1893 por la compañía de zarzuela de los hermanos Arcaraz, en una función dirigida por Eduardo Vigil y Robles. De tal suerte, aunque no se trata *strictu sensu* de una zarzuela, la obra guarda más de un vínculo con la zarzuela mexicana y sus protagonistas a la vez que su producción confirma cómo la zarzuela tuvo efectos y consecuencias para la ópera mexicana. Lamentablemente, la música de *Keofar* está extraviada, salvo por alguna romanza. Respecto a la recepción de la obra, una reseña consignada por Olavarría resume los méritos de la música y los defectos del libreto: "Es de sentirse que el *libreto* algo enfriara el entusiasmo del público. Nosotros creemos que si Villanueva hubiera basado su bella música sobre ideas grandiosas, apropiadas a su estro, todavía la ópera sería más bella, porque no cabe duda que el compositor se inspira en las ideas que tiene que traducir en el idioma de los ángeles. *Keofar* es de esas obras que no pueden comprenderse bien en la primera audición, hay que oírla varias veces para apreciar sus bellezas y paladear las frases aquellas en las que el autor ha seguido el camino trazado por los apóstoles de la música moderna".

BIBLIOGRAFÍA: *DMEH*; *RHTM*; C. Carredano: *Felipe Villanueva 1862-1893*, México, Centro Nacional de Investigación, Documentación e Información Musical Carlos Chávez, 1992.

RICARDO MIRANDA / ROCÍO TERÁN

Villarejo Santiago, Luis. Marmolejo (Jaén), 12-V-1936. Barítono. Debido a la Guerra Civil su familia se trasladó a Granada. Con dieciocho años llegó a Madrid para cursar la carrera de perito agrónomo que abandonó para dedicarse a la música que estudió por libre, ganando a pesar de ello el premio fin de carrera y de canto que cursó bajo la tutela de Ángeles Ottein. Tras diversos y numerosos conciertos de lieder y oratorio debutó en el género lírico la temporada 1961-62 a las órdenes de José Tamayo en el teatro Guimerá de Tenerife con *Bohemios* de Vives, consiguiendo tal éxito que, ya como protagonista, permaneció en la compañía nada menos que once años cantando obras tan importantes como *Carnaval en Venecia*, *La tabernera del puerto*, *La boda de Luis Alonso*, *La viuda alegre* o *El barberillo de Lava-*

Luis Villarejo
(Foto: Ar. Emilio G. Carretero)

piés en la que hace una verdadera creación del papel de Lamparilla. Su debut en el teatro de la Zarzuela se produjo en 1964 en *La vida breve* de Falla junto a Montserrat Caballé. En la Zarzuela ha intervenido en distintas temporadas de ópera con papeles más o menos relevantes y ha cantado en innumerables producciones de zarzuela siendo la última de ellas *La del manojo de rosas* en el montaje de Emilio Sagi. Desde hace algunos años Luis Villarejo alterna su trabajo como actor genérico con la dirección escénica en distintos Festivales de Zarzuela, como los celebrados en Tenerife, Córdoba, Baracaldo y otras ciudades.

FONOGRAFÍA: *El barbero de Sevilla*, Alhambra-BMG España WD 74552 (9D) • Columbia-Alhambra-BMG España C 32022, CS 42022; *La vida breve*, La Voz de su Amo SAN 158L 127; *Los sobrinos del capitán Grant*, Alhambra-BMG España WD 75123 (9D) • Columbia SA, C 30074 171 • Columbia SA, ZCL 1088.

EMILIO GARCÍA CARRETERO

Villarrazo Pintado, Federico. *ca.* 1885; † antes de 1969. Compositor. Estudió composición y armonía con Enrique Granados y renunció a una beca en el extranjero para proseguir su formación con Granados y Malats. Terminada su formación comenzó a tocar en el Gran Café de Novedades de Barcelona, además de empezar su labor como concertista. Llegó a Madrid en 1908 como profesor de la Academia de Canto dirigida por el marqués de Altavilla, combinando esta labor con la de director de orquesta de algunos teatros como el Príncipe Alfonso y la Comedia. Su fama le viene fundamentalmente del mundo del cuplé, con títulos tan famosos como *La Maja de la Vistillas*, cari-

Federico Villarrazo
(Foto: El Cine, 1917;
Ar. SGAE)

catura policíaca en un acto, en colaboración con Muñoz y Pujol y letra de Enrique Jardiel Poncela y Serafín Martínez que se conserva en el archivo de la SGAE en Madrid.

BIBLIOGRAFÍA: "Álbum de Música Popular" de la revista *El cine*, Barcelona, 1917.

Mª LUZ GONZÁLEZ PEÑA

Villarroel, Verónica. Chile, siglo XX. Soprano. Debutó en el teatro Municipal de Santiago de Chile como Musetta en *La bohème*, compartiendo escenario con Renata Scotto. Terminó sus estudios musicales en la Julliard School of Music y el América Opera Center de Estados Unidos. Desde entonces ha desarrollado una destacada carrera internacional, con presentaciones en escenarios como el Metropolitan de Nueva York, el teatro Colón de Buenos Aires o la Ópera Estatal de Hamburgo. Su relación con el mundo de la zarzuela llegó de manos de Plácido Domingo, con quien representó *El gato montés* en Los Ángeles, y en la que participó en la grabación discográfica.

FONOGRAFÍA: *Luisa Fernanda*, Auvidis Valois V 4759.
BIBLIOGRAFÍA: *DMEH*.

Mª ENCINA CORTIZO

Villó. Familia de cantantes españoles formada por Manuel y sus hijas Carlota, Cristina, Elisa y Matilde.

1. Villó, Manuel. España, siglo XIX. Director de orquesta. En la temporada 1849-50 era director del teatro Supernumerario de la Comedia, donde se estrenó la zarzuela de Hernando *Bertoldo y comparsa*. Cuando se inauguró el teatro de Variedades en setiembre de 1850 era el director de orquesta y por ello estuvo comprometido con el nacimiento de la nueva zarzuela romántica. En 1859 aún dirigía en el teatro Príncipe.

2. Villó, Carlota. España, siglo XIX. Cantante. Se encontraba en 1844 en la compañía de ópera del teatro de la Cruz; en 1855 aparece en La Habana y en 1856 en México.

3. Villó, Cristina. España, siglos XIX. Tiple. Fue la primera discípula pensionada que tuvo el Conservatorio de Madrid en 1831. Se escrituró en el teatro Circo una vez terminada su educación musical. Estrenó en 1832 la obra *Los enredos de un curioso*. En enero de 1851 era ya miembro de la primera compañía de zarzuela que se estableció en el teatro Variedades dirigida por su padre; estaba entonces dotada de una bella voz, aunque no era buena actriz. En febrero se presentó en la obra *Las señas del archiduque* de Gaztambide y en marzo en *La picaresca* de Gaztambide y Barbieri. Desde entonces actuó de tiple absoluta en los primeros teatros de España y el extranjero.

De izquierda a derecha: Cristina Villó (Foto: Iconografía Hispana; E:Mn), Elisa Villó (Foto: E:Bit) y Matilde Villó (Foto: Iconografía Hispana; E:Mn)

4. Villó de Genovés, Elisa. España, siglo XIX. Tiple. Discípula de solfeo de Saldoni, se casó con el compositor y director Tomás Genovés en 1851, año en que entró como tiple en la compañía del teatro del Circo. Actuó en la obra de Genovés *Un embuste y una boda*, calificada de ópera cómica y en este mismo año 1851 estrenó la obra *Tribulaciones* de Gaztambide en el personaje de Carlota. En 1852 se encontraba en Barcelona con Sanz e hicieron *Jugar con fuego*. En 1853 estrenó en el Circo la obra de Nicolás Manent *Tres para una* y fue ajustada por la ópera de Barcelona con la obligación de interpretar alguna zarzuela; hizo *El dominó azul*. Posteriormente siguió a su marido en varias compañías de zarzuelas por diversas provincias, como la que actuó en 1855 en Salamanca y Valladolid. El matrimonio se estableció en esta ciudad en 1856 y allí estrenaron obras como *Loco de amor en la corte* de Genovés, y formaron una compañía en la que intervenían como primeras tiples sus hermanas. En 1857 se encontraba de nuevo en Madrid en la compañía que tenía Oudrid en el teatro del Circo; allí estrenó en 1858 la obra de Antonio Rovira *La sirena* en el papel principal. En el teatro de la Zarzuela estrenó *Los mosqueteros de la reina*, su zarzuela de mayor éxito, y en Valladolid, *Nadie toque a la reina*. El teatro donde se interpretaban estas obras era el denominado Edificio de la Plazuela del Teatro, después, teatro de la Comedia.

La temporada 1857-58 se encontraba con su esposo y su hermana Matilde en Sevilla. Allí representaron *Jugar con fuego* entre otras obras, y a finales de noviembre *Los mosqueteros* del propio Genovés, *El dominó azul*, *El diablo en el poder* y *Los diamantes de la corona*. En ese año hubo de suspenderse la sesión por las protestas que siguieron cuando el presidente no accedió a los deseos del público de que se repi-

tiese el brindis de la zarzuela, que había cantado magistralmente la Villó. En el siguiente año se incorporó a la compañía que Oudrid formaba para el teatro del Circo de Madrid, competidor del de la Zarzuela. En 1861-62 se encontraba en Santander y 1862 en Cádiz en el teatro Balón, y en Córdoba, Jaén y otros lugares. En 1862-63 fue de nuevo contratada por el teatro Circo, donde la sociedad compuesta por Antonio García Gutiérrez, Emilio Arrieta y la tiple Trinidad Ramos, iniciaron de nuevo su aventura como empresarios. Elisa Villó tenía el contrato más alto con 6000 reales mensuales, por encima de Adela Montañés, 3000, Rosario Hueto, 1800 y Adela Rodríguez, 1800; allí estrenó *Galán de noche* de José Inzenga. En 1863 aparece un bajo Federico Villó quizás hermano de ellas.

Todavía en 1867 estaba actuando en Sevilla interpretando teatro bufo en el teatro Circo, que pasó después a denominarse Bufos sevillanos. Sin duda fue una de las grandes voces de la zarzuela en el siglo XIX.

5. Villó y Montesino, Matilde. Burgos, 12-II-1826; ?. Tiple. Discípula de su padre y de Saldoni, fue una de las más destacadas tiples de zarzuela durante el siglo XIX. Cantó en la compañía de ópera italiana que hubo en Valencia, Cádiz, Sevilla y Valladolid, acompañando a importantes divos del momento. En 1857 pertenecía a la compañía de Genovés que actuaba en Valladolid y poco después en Sevilla. En 1860 pertenecía a la compañía del Circo como primera tiple y se presentó en Madrid en la obra *El grumete*. Ese mismo año se encontraba en Granada y en 1862 en Cádiz. En 1867 estaba escriturada como primera tiple de zarzuela en Bilbao.

BIBLIOGRAFÍA: *HGZ; HZ.*

EMILIO CASARES RODICIO

Villoch Álvarez, Federico. Matanzas (Cuba), 11-VIII-1868; La Habana, 11-XI-1954. Libretista. Tras una estancia de dos años en Europa durante su juventud, regresó a Cuba escribiendo su libro *Por esos mundos*. Desde entonces, plenamente identificado con el mundo literario, decidió abandonar la carrera de Derecho para dedicarse al periodismo y al teatro. En 1896 escribió su primer libreto de zarzuela: *La mulata María*, con música de Raimundo Valenzuela, que se estrenó en el teatro Irijoa, con gran éxito. A partir de entonces lograría una prolífica producción de más de cuatrocientas obras en un período de cuatro décadas, que le reafirmarían como un autor destacado dentro del género popular. Su firma prestigió las más importantes publicaciones periódicas de la época, con sus comentarios acerca de la vida teatral en La Habana. En 1902, hizo sociedad con los hermanos y actores José y Regino López para trabajar en el Alhambra, donde estrenó la mayor parte de sus obras, que lo consagrarían como uno de los más importantes libretistas de su época. Sus libretos fueron puestos en música por connotados compositores, como Jorge Anckermann, José y Manuel Mauri, José Marín Varona, Rafael Palau, Rodrigo Prats y Gonzalo Roig. Su último trabajo para la escena fue la zarzuela *Guamá*, con música de Rodrigo Prats, estrenada el 10 de julio de 1936, en el teatro Martí. *Véase* LA CASITA CRIOLLA; LA ISLA DE LAS COTORRAS; LA REPÚBLICA GRIEGA.

BIBLIOGRAFÍA: E. Robreño: *Historia del teatro popular cubano*, La Habana, Cuadernos de Historia Habanera, 1961; F. Soloni: *Historia del teatro Martí*, La Habana, Consejo Nacional de Cultura, 1965.

JOSÉ PIÑEIRO DÍAZ

Viniegra Lasso de la Vega, Salvador. Cádiz, 12-XI-1862; Madrid, 28-IV-1915. Pintor, compositor y poeta. Hijo del compositor gaditano Salvador Viniegra Valdés, aunque fue autodidacta, dominaba el piano y la composición. Creó un sistema propio de instrumentación que aplicó en sus obras. Si la obra de su padre fue instrumental, Salvador hijo escribió varias zarzuelas, algunas en colaboración con Santiago Lope o Rafael Calleja, conservadas todas en el archivo lírico de la SGAE en Madrid. Sus primeros estrenos tuvieron lugar en el teatro Principal de Cádiz en 1895, en que estrenó *Los acróbatas* con libreto de Grosso y García de Castro al igual que *El embajador*, estrenada en 1898. Posteriormente debió trasladarse a Madrid –siendo ya muy conocido como pintor–, pues ya en 1899 estrenó en el teatro Apolo *Los garrochistas*, que Pedro Novo y Colson describió como "episodio nacional", basado en la batalla de Bailén. La obra tuvo un gran éxito, sobre todo el preludio y un dúo que se repitió la noche del estreno. Los decorados de Amalio Fernández y la actua-

ción de Matilde Pretel ayudaron al triunfo de la obra que pasó a la cuarta de Apolo. Al año siguiente estrenó en el Romea *Los sobrinitos*, en colaboración con Santiago Lope y en 1904 estrenó en el teatro de la Zarzuela *El serrano*, escrita en colaboración con el prolífico Rafael Calleja, si bien las críticas del momento señalan que ambos autores hicieron una obra con trozos de todas las piezas andaluzas conocidas, que no interesó prácticamente a nadie.

OBRAS (Todas en E:Msa): *La mancha de la mora*; *Los acróbatas*, Zarz, 1 act, l, C. García de Castro / M. Grosso, est, 7-V-1895, Te. Principal (Cádiz); *El embajador*, l, M. Grosso / C. García de Castro, est, 1898; *Los garrochistas*, Zarz, 1 act, l, P. Novo Colson, est, 12-X-1899, Te. Apolo; *Los sobrinitos*, Jug cóm-lír, 1 act, col. S. Lope Gonzalo, l, M. Soriano / L. Falcato, est, 13-I-1900, Te. Romea; *El serrano*, Zarz, 1 act, col. R. Calleja Gómez, l, J. Martel Fernández, est, 28-IV-1904, Te. Zarzuela.

BIBLIOGRAFÍA: *DMEH*; *TA*; F. Cuenca: *Galería de músicos andaluces contemporaneos*, La Habana, Cultura, 1927.

Mª LUZ GONZÁLEZ PEÑA

Viñas, Fernando. España, siglos XIX-XX. Actor. Actuó en los teatros La Infantil, Comedia, Felipe, Apolo y Lara de Madrid, muy a menudo en la compañía de Balbina Valverde. Estrenó en el teatro de la Comedia *Los carboneros* de Barbieri, 1877, *Entre solteros* de Gaztambide y *La función de mi pueblo* de Chueca, 1878; en el teatro Alhambra *La canción de la Lola* de Chueca y Valverde, 1880; en el teatro Lara, *El último tranvía*, 1884 y *Chocolate y mojicón*, 1885, ambas de Romea y Valverde; en el teatro de verano Felipe una obra de Chapí, *Felipe*, 1887; en el teatro La Infantil, *¡Si era la otra!* de Tomás Reig, *El maestro Ciruela* y *Ganar la acción* de Varela Silvari, *El aya* de Tomás Calamita y *Viaje a Cádiz* de Blanca Lozano, obra que obtuvo un gran éxito, todas en 1889; *Los aficionados* de Antonio Puig, *La más negra* de Luis Conrotte 1890; en Apolo *Hay ascensor* de Joaquín Viaña, 1887, con extraordinario éxito, y *La República de Chamba* de Giménez, 1890, y en el Romea, *Otro monaguillo* de Espinosa, 1892.

Mª LUZ GONZÁLEZ PEÑA

Viñas, José. España, siglos XIX-XX. Actor, director de escena y cantante. Estrenó en 1908 *El gran embustero* de Luna en el Coliseo Imperial de Madrid; en 1909, en el teatro La Flor de Madrid, *El día de la fiesta* de Faixá, y en el teatro Nuevo de Barcelona *La princesa del dóllar* de Leo Fall y en el mismo teatro en 1911 *¡¡Al fin solos o La noche del amor!!* de Ramón López Montenegro. Formaba parte de la compañía de Manuel Fernández de la Puente que actuó en el teatro de la Zarzuela en 1913. Fue uno de los principales intérpretes de la opereta *La señorita capricho*, adaptación de *La dame de Chez Maxim* de Feydean. Cantó también *Eva* de Franz Lehár y *Pan de Viena* de Rafael Calleja, en la que obtuvo un gran éxito. En el otoño de 1913 fue contratado por el teatro Eslava en el que estrenó *Las píldoras de Hércules* de Valverde y Foglietti, y en 1914 *Serafina la rubiales o ¡Una noche en el juzgao!* de Foglietti y Valverde y *El ayudante del Duque* de Aroca y Julio Bretón. En 1919 en el teatro Victoria de Barcelona estrenó *Sabino el trapisondista o El saber todo lo puede* de Padilla. La temporada 1921-22 volvió a la Zarzuela como director de escena y primer actor de la compañía en que cantaban Emilio Sagi y Luisa Vela, que estrenaron *El pájaro azul* y *La Dogaresa*, además de interpretar numerosas obras del repertorio zarzuelístico. En 1922 estrenó en Apolo *La rubia del Far West* de Rosillo.

BIBLIOGRAFÍA: E. García Carretero: *Historia del teatro de la Zarzuela de Madrid*, Madrid, Fundación de la Zarzuela Española, 2003.

Mª LUZ GONZÁLEZ PEÑA

Viñas, Rosa. España, siglo XX. Tiple. Sus estrenos se circunscriben al entorno catalán. Estrenó *Efectos del divorcio* de Vivas y Acevedo; en 1925 *La severa* de Millán en el Tívoli (Barcelona) y en 1931 *La musa gitana* de García Baylac en el Apolo de Barcelona, en la compañía Saus-Caballé.

BIBLIOGRAFÍA: *TA*.

Mª LUZ GONZÁLEZ PEÑA

Viñuales, Mariano. Huesca, 8-II-1959. Bajo. Comenzó sus estudios en Huesca con Conrado Betrán y los continuó en Barcelona con Gilbert Price. Ingresó en el coro del Gran Teatro del Liceo en el que permaneció hasta 1988. Ha obtenido diversos premios tanto nacionales como internacionales y su amplio repertorio abarca desde la ópera hasta el oratorio. En el teatro de la Zarzuela su primera intervención ha sido en *El barberillo de Lavapiés* interpretando a Don Juan Peralta.

Mª LUZ GONZÁLEZ PEÑA

Vito. Canto y baile popular de carácter alegre propio de Andalucía, en 3/8 y de movimiento animado, que se canta y baila acompañado de guitarra. Existen diversas hipótesis sobre el nombre, haciéndolo derivar del término "vivo", de los bailes convulsivos denominados "de San Vito" por ir los afectados de tarantismo a bailar ante la ermita de San Vito en Alemania, de un torero sevillano conocido por ese sobrenombre, y hasta de un borrachín jerezano apodado "Vito" que cantaba hacia 1842-48 en Sevilla "Yo soy Vito, / yo soy Vito, / yo soy Vito de Jerez; / yo me llamo D. Pepito, / y me achispo alguna vez", al tiempo que hacía mogigangas para hacer reír a la gente, según José Otero. Su origen ha sido relacionado también con una versión del Romance de Gerinaldo que se cantaba en Arcos de la Frontera. José Otero indica que él vio bailar el vito por

Cortesía de Unión Musical Ediciones SL

primera vez a María Cazuela en los años 1870 a 1878; este baile era una parodia del toreo y tanto el creador del baile como María Cazuela hacían todas las suertes del toreo y finalizaban matando al toro; después el maestro Carreto, cuando tenía la escuela en la calle Arrayán en 1879 lo enseñaba a sus discípulas sevillanas, según Otero. El vito era uno de los bailes más populares en el sur de España, bailado ordinariamente por una mujer sola. Su melodía se basa en una estructura relacionada con la cadencia andaluza. Una de sus letras más populares dice: "Con el vito, vito, viene / con el vito, vito, va / no me 'jaga' usté' cosquillas / que me pongo colorá".

El vito se incorporó a la zarzuela romántica desde las primeras obras del género; la primera obra que lo incluye es *El tío Caniyitas o El mundo nuevo de Cádiz*, estrenada en noviembre de 1849 en Sevilla −unos veinticinco años antes de la descripción de Otero−; en el primer acto, escena quinta, aparece una tienda de bebidas y varios gitanos y gitanas bebiendo alrededor de una mesa, sobre la cual una de las gitanas baila el vito en el Nº 4, canción del Vito con coros, donde el vito aparece insertado en un tiempo de vals. Davilier, en su descripción de los teatros de Madrid, comenta a propósito de una representación de *El tío Caniyitas*: "En una tienda de montañés… en medio de la tienda, hay una mesa, sobre la que la gitana baila una de las más bellas danzas andaluzas, el vito sevillano, cantando las coplas que suelen ir acompañando este baile. Algunos gitanos, pintorescamente trajeados, sentados alrededor de la mesa, acompasan la canción de la bailadora dando palmaditas secas o golpeando con los vasos y las botellas en la mesa, escena típicamente andaluza que ya Doré había dibujado en Sevilla. Después de expresar el famoso refrán que dice 'Las solteras son de oro, las casadas de plata, las viudas de cobre y las viejas de hojalata', Catana se baja de la mesa y aparece el tío Caniyitas". También incluyen el vito las zarzuelas *Catalina* de Gaztambide, 1854, cuyo Nº 4, terceto que se inicia con la presentación de Kalmuff, recurre al vito, en una clara incongruencia desde el punto de vista argumental, en cuanto a la relación del vito con un cosaco ruso; *Un pleito* de Gaztambide, 1858, donde Don Severo, magistralmente interpretado por Salas, cantaba con la voz empapada en lágrimas ante la ingratitud de su sobrino, un vito cuyo texto comienza "¡Ay! que a aquél que no tiene hijos / da *zobrinoz er* demonio; / cría cuervos, cría cuervos / *pa que te zaquen loz ojo*"; *El último mono* de Oudrid, 1859, en cuyo Nº 3, dúo, de estructura poliseccional, hay un bolero, una polka, el vito y un vals; *En las astas del toro* de Gaztambide, 1862, cuyo Nº 2 es la escena, coro de toreros y vito del Maestro y Toreros, cuya parte final, Nº 2bis, es el vito coreado cantado por el Maestro, esto es, Salas, cuya letra empieza: "De los toros que he corrido / me han cogido más de cien; / y aunque tantos me han cogido, / ninguno me cogió bien", número que logró gran popularidad. Asimismo en *Los dominós verdes* de Isidoro Hernández, *Dos truchas en seco* de Rogel, *Blanca o Negra, ¡Eh, a la Plaza!* –en cuyo Nº 3 el vito sigue a una malagueña–, *Flamencomanía* y *Periquito* de Rubio, y *El hombre es débil* de Barbieri, 1871. Manuel Fernández Grajal publicó una reducción del vito para piano en su *Colección de aires populares* a finales del siglo XIX, y Fernando Obradors publicó un arreglo para canto y piano.

BIBLIOGRAFÍA: *DMEH*; Davilier: *Viaje por España*, París, Hachette et Cie, 1874; J. Otero: *Tratado de bailes*, Sevilla, 1912.

RAMÓN SOBRINO

Vittone, Luis. Uruguay, 1882; Argentina, 1925. Actor teatral. Demostró tempranas inclinaciones por la actividad escénica e integró varias compañías circenses, con las que recorría gran parte del territorio uruguayo. Entonces popularizó su mote de clown, Pupo. En 1904, ya en Buenos Aires, se incorporó a la compañía que dirigía Ulises Favaro en el teatro Nacional Norte. Actuó con los Podestá y con Florencio Parravicini: fue fundamental su unión con Segundo Pomar; la compañía Vittone-Pomar estrenó sainetes de los autores más significativos, entre otros Alberto Vaccarezza. Realizó varias temporadas en el teatro Nacional Corrientes, dirigido por Pascual Carcavallo. Asimismo, en el teatro Politeama, actuó en varias revistas. En 1923, junto con Pomar, inició una gira por México, La Habana y España, que les fue adversa. Desarrolló su última temporada en el teatro Avenida. Por la gran cantidad de tipos que compuso, fue considerado como uno de los mejores macchietistas del teatro argentino.

MARTA LENA PAZ

Vivas Balbastre, Julián. España, siglo XX. Compositor. Varias de sus obras líricas están escritas a menudo en colaboración con otros autores como Emilio Acevedo y estrenadas en diversos teatros de Madrid, Sevilla, Bilbao, Barcelona e incluso Lisboa, si bien ninguna de ellas alcanzó un excesivo éxito ni ha quedado en el repertorio; quizá la más famosa fuese *La güelta e Quirico*, pasillo cómico con libreto de Pablo Parellada, un autor de éxito. La obra se estrenó en 1901 en el teatro Nuevo de Bilbao. Algunas tuvieron estrenos en Barcelona y Madrid como *¡¡¡La estocá de la tarde!!!*, que fue estrenada en 1905 en el teatro Eldorado de Barcelona.

OBRAS (Todas en *E:Msa*): *La güelta e Quirico*, pasillo cóm, 1 act, l, P. Parellada, est, 12-X-1901, Te. Nuevo de Bilbao; *Los dos timos*, Zarz cóm, col. F. Cortó, l, V. Hernández Aldaeta, est, 26-III-1903, Te. Campos Elíseos (Bilbao); *Aventura en Montecarlo*, l, J. Parera, est, Barcelona; *Efectos del divorcio*, Zarz, 1 act, col. E. Acevedo Muro, l, F. J. Santero; *La ventana del jazmín*, boceto lír, 1 act, l, R. Álvarez García, est, 11-II-1904, Te. Cervantes (Sevilla); *¡¡¡ La estocá de la tarde!!!*, Zarz, 1 act, l, D. Ramos de la Vega, est, 28-X-1905, Te. Eldorado (Barcelona); *¡Como está el mundo!*, pretexto, 1 act, col. Puchol Ávila, l, V. Gracia Paesa, est, 19-V-1911, Te. República (Lisboa); *Asalto a las damas*, Opt, l, J. Aguado Pérez, est, 28-V-1913, Te. Tívoli (Barcelona).

Mª LUZ GONZÁLEZ PEÑA

Vives Roig, Amadeo. Collbató (Barcelona), 18-XI-1871; Madrid, 2-XII-1932. Compositor y empresario.

I. Biografía. II. Análisis y valoración de su obra.

I. BIOGRAFÍA. Nacido en una pequeña localidad barcelonesa, en la que se habían instalado sus padres apenas un año antes, era hijo de Rafael Vives Solà y de su segunda esposa, Josefa Roig i Deu. Desde muy pronto, Vives mostró su interés por la música a la que se dedicó desde muy temprano. A los seis años parece que sufrió una poliomielitis que le dejó cojo y con una invalidez en una mano. Los padres se instalaron en Barcelona con sus hijos. Comenzó a recibir clases del maestro de capilla José Ribera y Miró, una figura muy reconocida como pedagogo. Participó en el estreno en Barcelona de la ópera *Mefistofele* de Boito, como miembro de la escolanía. Entabló relaciones con el personal del teatro lo que le permitió tomar contacto con las obras programadas por el coliseo de las Ramblas. Su profesor le introdujo en el repertorio clásico y también en los creadores catalanes. Cuando en 1885 su hermano fue trasladado a Málaga, le pidió que le acompañara para hacerse cargo de la banda de música del asilo. En la ciudad andaluza conoció a Antonio Nicolau que le ubicó como director de la orquesta de un teatro pequeño. Ante la escasa vida musical de Málaga se trasladó a Madrid pero sus limitaciones físicas le cerraron las puertas por lo que no le quedó más opción que volver a Barcelona. Pasó de ser maestro de capilla de la parroquia de Jesús de Gracia a la de las monjas de Loreto con sólo dieciocho años, mientras se iba introduciendo en el mundo de la zarzuela. Desde los quince años escribía piezas para coro y también algunas composiciones orquestales. Su vinculación con Ricardo Güell fue muy importante para dar el paso a los escenarios. Paralelamente, en estos años, se afilió a Juventud Escolar, donde también militaban Cambó, Corominas y Prat de la Riva. Comenzó a escribir en el semanario *La Veu*, donde conoció a Verdaguer y a Joan Batlle. También empezó a frecuentar la tertulia del Café Pelayo donde trabó contacto con Ángel Guimerá, Antonio Gaudí, José Feliú i Codina y Luis Doménech, aunque la figura que le influyó en mayor medida fue la de Lluís Millet, a quien calificaría más adelante como "hombre admirable por su talento y su cultura". En las clases con Pedrell, a quien Vives no le profesaba un gran afecto, fue condiscípulo de Enrique Granados. Tras morir su padre en 1890, Vives se volcó en la creación del Orfeó Català junto a Millet, cuyos primeros estatutos son de 1891, a quien dedicó una serie de obras, entre ellas *L'emigrant*, con texto de Verdaguer. Paralelamente empezó a ganarse un sobresueldo como pianista en las compañías de zarzuela. Se sintió muy impresionado con el estreno en 1892 de *Garín* de Bretón en el Liceo. En aquella época amplió su círculo musical con personalidades como Enric Morera o Lamote de Grignon. En 1893 falleció su madre, lo que le produjo una fuerte depresión. Se centró en el trabajo y fue también testigo del éxito del estreno de *La verbena de la Paloma* en Barcelona. En 1895 se casó con Montserrat Giner y un año más tarde nació su hijo. Paralelamente dedicaba sus esfuerzos a la composición de su primera ópera, *Artús*, una leyenda bretona inspirada en un relato de Walter Scott. La situación política se enconaba. Vives tuvo que acudir a todas sus influencias para sacar a Pedro Corominas de la cárcel, acusado de anarquista y de haber puesto una bomba. Dio muestras, durante estos años, de una gran sensibilidad social que transmitirá en su correspondencia con Unamuno. También tuvo ocasión de trabar contacto con Richard Strauss en su visita a Barcelona, hasta el punto de invitarle a leer *Salomé* de Wilde.

Cuando el empresario Ignacio Elías afrontó en 1897 una temporada en el teatro Novedades, Vives asistió a su primer estreno lírico, *Artús* que conoció una acogida desigual. La visita de Carlos Fernández Shaw y José López Silva a Barcelona, coincidiendo con el estreno de *Las bravías* de Chapí, permitió la toma de contacto del primero con el músico catalán. Éste le propuso el proyecto de *Entre bobos anda el juego* de Francisco de Rojas que sería el punto de partida de su *Don Lucas del Cigarral* que se estrena-

ría en Madrid, un año más tarde. Los propios libretistas presionaron al compositor para que se trasladara a la capital, a lo que Vives, que ya había mostrado su interés en épocas anteriores, accedió. Fernández Shaw y Luceño concibieron un libreto para Vives. Chapí, asesor artístico de la temporada del teatro Parish, le pidió que estrenara *Don Lucas* allí, lo que Vives aceptó, al lado de obras como *María del Carmen* de Granados o *La cara de Dios* del propio Chapí. Así, tras alguna tentativa previa –*La primera del barrio*, en el teatro de la Zarzuela–, el verdadero debut en Madrid se produjo el 18 de febrero con *Don Lucas del Cigarral* y causó un gran impacto, siendo acogido con interés por crítica y público. Inmediatamente Vives fue introducido en el caótico mundo de la zarzuela madrileña. Un par de meses más tarde, y con libreto de González Prieto, estrenó *La Preciosilla* en el teatro Romea. Paralelamente, Vives llevó *Don Lucas del Cigarral* a Barcelona, donde fue acogida con entusiasmo.

En aquel momento volvió a retomar el problema de la ópera y concibió con Ángel Guimerá la posibilidad de convertir en ópera *Euda d'Euriach*. Cuando volvió a Madrid se encontraba en mitad del conflicto de los autores e, inmediatamente, se puso al lado del bando capitaneado por Sinesio Delgado y Ruperto Chapí. Compuso *La luz verde* con libro de Fiacro Yraizoz, que supuso su presentación en el teatro Apolo el 16 de junio de 1899. La obra fue celebrada por la crítica y permaneció en cartel hasta el final de la temporada. Colaboraciones puntuales en el teatro Eslava y en el Martín, dieron paso a uno de los años más intensos. En 1900 Vives vio el estreno, entre otras, de *Viaje de instrucción* en el teatro Eslava, 1900, una de las escasas colaboraciones musicales de Jacinto Benavente. Dos meses más tarde, el teatro de la Zarzuela veía el estreno de *La balada de la luz*, una obra de amplia concepción, protagonizada por Lucrecia Arana y Julián Romea que obtuvo un gran éxito y decenas de representaciones, así como la parodia de Granés, *El balido del zulú*. Mientras la batalla entre los autores se hacía más cruenta, estrenó en Barcelona su ópera *Euda d'Euriach* que fue acogida con entusiasmo aunque no llegó a cuajar. Los autores, capitaneados por Chapí, utilizaban todo tipo de recursos y así Vives se unió otros compositores, componiendo obras como *Polvorilla, La buenaventura* y *A estudiar a Salamanca*. Sin embargo, fue *Doloretes*, 1901, una pieza de resonancias míticas, casi olvidada del repertorio, la que acabó con el imperio Fiscowich. Junto a Arniches y Quislant, la firma de Vives quedó como testimonio de su actitud luchadora.

La labor de Vives conoció un creciente apoyo del público y fue muy bien recibida por la crítica, en una repetición del modelo Chapí, de quien Vives venía a ser su heredero. Ello se constata con *El coco*, obra menor de Francos Rodríguez y Jackson en el teatro Apolo, 1901, que fue acogida con atención y cierto éxito o, sobre todo, *El tirador de palomas*, 1902, con libro de Fernández Shaw y Asensio Mas, que reconfirmó su vínculo con el teatro Apolo, aunque algunos medios le acusaron del cacareado, e inevitable por aquellos tiempos, plagio. Su capacidad de creación sigue los moldes del medio y se produjeron, en poco más de tres meses, varios estrenos de piezas menores como *Sueño de invierno*, *El curita* o *La caprichosa*. A partir de 1902, y a lo largo de varios años, se vinculó al teatro de la Zarzuela con varios títulos de irregular éxito, incluyendo una colaboración con su amigo Enric Morera, *Su Alteza Imperial*. Ante la dificultad de triunfar en ese mundo, Morera optó por volver a Barcelona. Vives vivió éxitos, más o menos trascendentes, con obras como *Lola Montes o El parador de las golondrinas*. Por su parte, el teatro de la Zarzuela sirvió de marco para que el creador catalán obtu-

Amadeo Vives: (Foto: Comedias y Comediantes, *1910; Ar. ICCMU)*

viese uno de los mayores éxitos de su vida, con *Bohemios*, 1904, apenas unos días más tarde de *La vendimia*, que había sido acogida con poco interés. Dedicada a su amigo, Gerónimo Giménez, con el que inició una curiosa colaboración al poco tiempo, *Bohemios*, con libro de Perrín y Palacios, magistralmente interpretada por Amparo Taberner y Carlos Allen-Perkins, aprovechaba la estela de *La bohème* pucciniana, hispanizando ese espíritu. En diciembre de ese año los éxitos regresaron con *El húsar de la guardia* que inició su relación con Giménez que produjo una decena de obras. Tras largos meses de ausencia, en 1904, volvía al Apolo con *La familia de Doña Saturia o El salvador y los evangelistas*, con libreto de Ricardo de la Vega, única colaboración con el famoso sainetero y que pasó prácticamente desapercibida, cayendo del cartel inmediatamente. En 1905, Vives escribió, solo o con Giménez, más de una decena de títulos. Precisamente destacan las que llevó a cabo con éste, con piezas de cierta trascendencia como *El arte de ser bonita*, *Las granadinas*, *La gatita blanca* o *La libertad*. Se constata cómo igualmente batalló en el terreno del género ínfimo con creaciones como *El arte de ser bonita* o *La gatita blanca* o afrontaba las dificultades de la incipiente opereta en el caso de *La favorita del rey*. La labor de Vives se llevó a cabo tanto en el Apolo como en teatros menores como el Cómico, el Moderno o el Eslava.

En 1906 recibió la propuesta de Vicente Lleó de asumir la dirección conjunta de los teatros Cómico y de la Zarzuela. Rodeados de colaboradores, entre los que estaban Manuel Fernández de la Puente, Pablo Luna, Luis Foglietti y Manuel Infante y junto a una compañía en la que figuraban personalidades como Lucrecia Arana, Irene Alba, Carlos Rufart o José Moncayo, pusieron en marcha el conocido como "trust teatral". Merece reseñarse que se mostraron abiertos a las nuevas tecnologías puesto que culminaban las sesiones con un pase cinematográfico. Al poco tiempo, también el teatro Eslava se sumaba al trust. El núcleo teatral intentaba frenar la expansión de los salones de varietés que se habían multiplicado. El propio Vives instó a la presentación de figuras de este campo en los teatros controlados por ellos. No es de extrañar que hasta diciembre de 1908, la pluma de Vives se hiciera únicamente presente en los teatros citados. Junto a sus colaboraciones con Giménez con *La Machaquito*, *El golpe de Estado*, *El guante amari-*

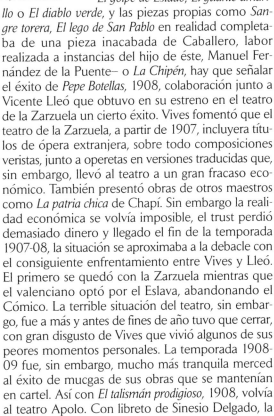

llo o *El diablo verde*, y las piezas propias como *Sangre torera*, *El lego de San Pablo* en realidad completaba de una pieza inacabada de Caballero, labor realizada a instancias del hijo de éste, Manuel Fernández de la Puente– o *La Chipén*, hay que señalar el éxito de *Pepe Botellas*, 1908, colaboración junto a Vicente Lleó que obtuvo en su estreno en el teatro de la Zarzuela un cierto éxito. Vives fomentó que el teatro de la Zarzuela, a partir de 1907, incluyera títulos de ópera extranjera, sobre todo composiciones veristas, junto a operetas en versiones traducidas que, sin embargo, llevó al teatro a un gran fracaso económico. También presentó obras de otros maestros como *La patria chica* de Chapí. Sin embargo la realidad económica se volvía imposible, el trust perdió demasiado dinero y llegado el fin de la temporada 1907-08, la situación se aproximaba a la debacle con el consiguiente enfrentamiento entre Vives y Lleó. El primero se quedó con la Zarzuela mientras que el valenciano optó por el Eslava, abandonando el Cómico. La terrible situación del teatro, sin embargo, fue a más y antes de fines de año tuvo que cerrar, con gran disgusto de Vives que vivió algunos de sus peores momentos personales. La temporada 1908-09 fue, sin embargo, mucho más tranquila merced al éxito de mucgas de sus obras que se mantenían en cartel. Así con *El talismán prodigioso*, 1908, volvía al teatro Apolo. Con libreto de Sinesio Delgado, la zarzuela obtuvo suficiente impacto como para mantenerse unas semanas devolviendo una cierta seguridad al compositor catalán. Tampoco rehuyó su trabajo en piezas menores que se presentaron en el Cómico o el Eslava.

Vivió un momento difícil con el fallecimiento de Chapí, que había sido uno de sus principales protectores cuando llegó a Madrid. Al tiempo, se dedicaba a la composición de una ópera para el teatro Real, que se estrenó un año más tarde. En el mismo 1909 Vives sufrió otro golpe personal con el incendio del teatro de la Zarzuela. Algunas semanas después el Apolo presentaba *La muela del rey Farfán*, 1909, que brindaba la curiosidad de tratarse de su primera obra en colaboración con los hermanos Álvarez Quintero. Sin embargo, como señala Chispero, "buena parte del público que había aplaudido con entusiasmo el primer acto, empezó a fruncir el ceño al notar que la obra dejaba los seguros y fáciles carriles del sainete para enderezar su ruta hacia un modo de cuento infantil, que sin dejar de ser gracioso e interesante pareció a muchos excesivamente ingenuo, por lo que a los aplausos de los más se contrapusieron las toses y siseos de los menos". Un mes más tarde, se dio el estreno de la ópera *Colomba* en el Real que contó con la presencia de la familia real y del Gobierno, incluyendo al presidente, Segismundo Moret. Fue acogida con diferencia de opiniones aunque, en general, fueron más a favor que en contra. Pocos días más tarde veía la luz uno de los mayores éxitos en vida de Vives, *Juegos malabares*, 1910, en el teatro Apolo (que coincidió sólo con la diferencia en un día con el éxito de *La corte de Faraón* en el Eslava). Con libreto de Echegaray, el impacto popular vino de la actuación de la soprano Consuelo Mayendía. Según Chispero "para ella, para su personal lucimiento, estaba sin duda escrita la música de *Juegos malabares*, en cuyo único cuadro cantaba la famosa tiple ligera un número de más picardía técnica que alta inspiración, a cuyo final había una serie de picados y falsetes de gran lucimiento para quien, como la Mayendía, poseyera una garganta flexible y un poderoso aliento para atacar y sostener *fiattos* en altísima tesitura. Consuelito alcanzó un éxito inenarrable, apoteósico, posiblemente el mayor de cuantas tiples habían cantado hasta entonces desde el escenario de la catedral del género chico". Vives, impulsado por la situación, volvió entonces a ser una figura muy presente en el Apolo. Otras cuatro zarzuelas llevó a su escenario, incluyendo *El palacio de los duendes*, 1910, la única ocasión en la que colaboró con José Serrano. Entre ellas hay que destacar *La reina Mimí*, con libro de Perrín y Palacios, una opereta en tres actos, al modo europeo. Según Chispero, que la califica de "revista fantástica", gracias a su éxito "se permitió prorrogar la temporada hasta final de julio,

no obstante el azote canicular". La obra contaba con un libro ligero y fácil concebido para que la música se convirtiera en protagonista. Ruiz Albéniz destaca de ella "un dueto de tiples, el vals del primer acto, un sexteto de doctores y un dúo de tiple y tenor". Por su parte, *El palacio de los duendes* era en realidad más que una zarzuela una función teatral con un par de números, concebida para la fiesta de los inocentes que tenía gran raigambre en el Apolo.

Frente a las éxitos anteriores, y a muchos posteriores, 1911 fue un año totalmente secundario. Media docena de piezas, de las que ninguna tuvo especial trascendencia con la excepción de *Los viajes de Gulliver*, en colaboración con Giménez, y posiblemente de *Anita la risueña*, con libro de los Quintero. Chispero, cronista peculiar, afirma con descaro que su estreno "constituyó un verdadero éxito por parte del libro, porque esta vez el insigne músico catalán no estuvo a la altura de las circunstancias". Sin embargo, *Anita la risueña* se mantuvo, en sección doble, gran parte de la temporada de invierno. El gran acontecimiento de la época se produjo apenas unos meses más tarde con el estreno de *La generala*, 1912, en el Gran Teatro. Con libreto de Perrín y Palacios contó con un gran reparto en el que intervenían figuras como Luisa Rodríguez, Asunción Aguilar, Emilio Carreras y Sofía Romero. Con un gran despliegue escenográfico, suponía de alguna manera la constatación de que el público de Madrid se decantaba por la opereta. El teatro Apolo también hacía sus tentativas en este terreno y tanto *La alegre Polonia*, Gran Teatro, 1912, como *La veda del amor*, Gran Teatro, 1912, abundaban en este inconcreto, pero sin duda fascinante terreno. Vives, agradecido al Apolo, también volvió a la catedral del género chico con *El pretendiente*, con libro de Echegaray, 1913, en la que, según Chispero, se alcanzó "uno de los mayores éxitos de su vida de artista". La obra fue acogida "como una colosal opereta, tan buena o mejor que las mejores de Leo Fall o Strauss". La sucesión de éxitos vino con los diferentes momentos. Según Albéniz, "todos los números de la extensa partitura recibieron idéntica acogida de un público llevado a estado delirante por el entusiasmo artístico. ¡Hasta se intentó formar una manifestación al acabarse el estreno para acompañar al maestro catalán hasta su casa y llevarlo a hombros como a torero en tarde de apoteósico triunfo!". En realidad, la tanda de éxitos de este momento comenzó a limitar la producción de Vives a apenas un par de títulos al año, reflejo en alguna medida de que la situación económica de los autores también había mejorado sensiblemente y, por otro, de la realidad del teatro lírico. El año siguiente estrenó uno de sus mayores éxitos: *Maruxa*. Con libro de Luis Pascual Frutos, esta "égloga lírica", término ambiguo, a medio camino de la zarzuela y de la ópera, se constituye como uno de los grandes acontecimientos en los anales de la historia del género. En su estreno contó con un núcleo de grandes personalidades en la escena con figuras como la mítica Ofelia Nieto, Emilia Iglesias o Juan Corts. Se sucedieron homenajes e, incluso, el ministro de Instrucción Pública, José Bergamín, presidió uno al que asistieron numerosas personalidades. El éxito de *Maruxa* fue determinante en el proceso creador de Vives. Al año siguiente, salvo algunas piezas no escénicas –las poco conocidas, y muy bellas, *Canciones epigramáticas*–, Vives no produjo nada. Y hay que esperar a enero de 1916 para el estreno de *La ley del embudo*, de Sinesio Delgado, que obtuvo una aceptable respuesta. Pero ni ésta, ni *Los pendientes de la Trini*, Apolo, 1916, fueron más allá de obligadas presencias ante sus seguidores en un momento que comenzaba a vivir una crisis general. De hecho, hay que esperar a fines de 1916 para que Vives volviese a obtener un gran éxito con *El señor Pandolfo*. El teatro Apolo acogía esta obra en tres actos, con libro de Luis Fernández Ardavín que, según Chispero, contó "con una de las mejores partituras del ilustres compositor catalán, del corte y en cierto modo superior a la de su célebre opereta *La generala*". Con un eficaz libro basado en un cuento de Bocaccio, sirvió a Vives para desplegar su habilidad hasta el punto que Albéniz no duda en calificarla de "genial", lo que refleja la acogida del público que reaccionó "con extraordinarias muestras de entusiasmo. Hubo números que se cantaron tres veces tras ponerse el público en pie para ovacionar al maestro. Hubo un número que se tuvo que cantar cuatro veces ante las aclamaciones interminables del auditorio". El catálogo de Vives creció estos años muy despacio. Entre todas las escasas aportaciones nuevas, hay que destacar *El tesoro*, 1917, en tres actos, estrenada en el remozado teatro de la Zarzuela, con libro de Manuel Fernández de la Puente que obtuvo un aceptable éxito debido a que era una explosión de aires aragoneses, gallegos, andaluces y hasta portugueses y porteños. Sin embargo, el público se mostró retraído y la situación económica se hizo insoportable. El paso al Apolo tampoco mejoró la situación. Con *Todo el mundo en contra mía*, 1918, también con libro de Fernández de la Puente en el Apolo, volvió a fracasar. Hubo que esperar hasta *Trianerías*, 1919, que se impuso sobre todo gracias al libro de Muñoz Seca y Pérez Fernández. Chispero comenta que "la música, porque si bien el maestro Vives

Amadeo Vives
(Foto E:Bit)

jamás se había distinguido haciendo música saineteril y mucho menos andalucista, tal cantidad de inspiración y sabiduría se reunían en el glorioso compositor catalán, que por fuerza la partitura tenía que sonar bien". En todo caso, no fue más allá de un triunfo mediano, en parte por las características del mundillo lírico del momento. Tras el paso por *Las verónicas* y la ópera cómica en un acto *Balada de carnaval*, con libro de Ardavín y Montero, se comprueba cómo los diferentes géneros estaban estrechamente vinculados y Vives pasaba de la opereta a la zarzuela o la ópera cómica con indudable facilidad. En 1920 tuvo lugar uno de sus últimos éxitos en el terreno del sainete *Pepe Conde o El mentir de las estrellas* con libro de Muñoz Seca. Según Chispero "la obra alcanzó un gran triunfo. En realidad fue uno de los últimos éxitos culminantes de la bien nutrida historia de aciertos de Apolo". Contaba con una trama eficaz y una serie de tipos, "que se fueron apoderando del ánimo del público aun cuando la noche del estreno no lo hiciesen totalmente, pero sí desde la tercera representación el éxito fue creciendo de tal forma que no tardó en ocupar el cartel de Apolo diariamente por duplicado en las funciones de tarde y noche". Unos meses más tarde, Vives tentaba otra vez el camino de la opereta con *El duquesito o La corte de Versalles*, con libro de Luis Pascual Frutos. El teatro Reina Victoria se llenó hasta los topes aunque la obra no acabó de impactar en la medida de las anteriores piezas de Vives y quedó pronto en un segundo lugar en la temporada lírica.

Tras obras menores en el Apolo –a destacar *El sinvergüenza en palacio* con libro de Muñoz Seca– hay que esperar hasta 1923 para volver a encontrar a Vives en actividad. Previamente había obtenido la cátedra de composición del Conservatorio de Madrid, 1922. El hecho de haber asumido la empresa del teatro Apolo a partir de la temporada 1923-24 también fue determinante. Ese año, Vives afrontaba la dirección y financiación del célebre coliseo, con el apoyo de Francisco Delgado. Este empresario estaba interesado en trasladar a la compañía a Buenos Aires para lo que era imprescindible llevar obras de amplias dimensiones. De esas exigencias nacería *Doña Francisquita*, uno de los hitos de la historia de la zarzuela, en tres actos y con libro de Federico Romero y Guillermo Fernández Shaw. Su gestión fue lenta y difícil, a lo que no fueron ajenas las exigencias de Vives, que además contaba con una salud muy deficiente. Finalmente se llevó a buen puerto y el 17 de octubre de 1923 se abría el telón. El éxito fue sorprendente. Vives la llevó por toda España y también viajó con ella a Buenos Aires, donde obtuvo un éxito inenarrable. Los requerimientos del viaje a Buenos Aires y un empeoramiento de su salud hicieron que, entre 1924 y 1927, el catálogo de Vives no se incrementara. La fortísima crisis del género lírico en esa época hizo el resto. Hay que esperar nada menos que al 1 de octubre de 1927 para presenciar otro acontecimiento en la vida artística del compositor, con el estreno de *La villana*, con libro de Federico Romero y Guillermo Fernández Shaw. Acogido por el teatro de la Zarzuela, contó con un reparto importante en el que destacaban Pablo Gorgé y Felisa Herrero. El éxito con el que fue recibido fue más que notable y volvió a suscitar el problema del teatro lírico nacional que fue, una y otra vez, discutido por los diferentes sectores en la prensa. Vives viajó durante estos años bastante a Barcelona e incluso compuso algunas piezas menores inspiradas en la sardana. Sin embargo, su limitada salud sólo permitiría algunos títulos líricos más en su haber. *Los flamencos*, 1928, fue uno de los últimos acontecimientos de la postrera, y no muy brillante, vida final del teatro Apolo aunque la situación crítica del coliseo, que en unos meses sería derruido para dar paso a un banco, puso muchas trabas a su popularización. Un sainete en dos actos, con libro de Luis Vargas, veía la luz en el Eslava. *Noche de verbena*, 1929, es apenas un testimonio de recuerdo para uno de los coliseos visitados por el compositor, por mucho que la pieza fuera generosamente recibida en su estreno. La situación política obligó a un cambio de actitud. La República, a propuesta del ministro de Instrucción Pública, nombraba a Amadeo Vives Vicepresidente de la denominada Junta Nacional de la Música y de los Teatro Líricos en julio de 1931. En noviembre de ese mismo año era elegido presidente de la Sociedad de Autores Españoles. A instancias del Gobierno, se consolidó una compañía en el teatro denominado entonces Nacional de Zarzuela y Ópera Cómica, aunque su labor quedó mermada por falta de presupuesto. Por su parte Vives se presentó en la candidatura de Concordia ciudadana al Parlamento de Cataluña. Comenzaron los ensayos para su obra *Talismán*, un título que tardaría bastante en presentarse, el 6 de diciembre de 1932 en el teatro Calderón con libro de Romero y Fernández Shaw. Unos días antes, la noche del 2 de diciembre, Vives falleció en Madrid. Multitudes pasaron por el lecho de muerte y asistieron a un homenaje masivo en su funeral presidido por el gobierno en pleno.

II. ANALISIS Y VALORACIÓN DE SU OBRA.

El caso Vives no es muy diferente al de la mayoría de los grandes creadores líricos, puesto que aunque cuenta con alguna bibliografía, no hay un estudio completo de su obra. Con un catálogo extenso, aunque lejos de las inmensas producciones de Fernández Caballero, Chapí o Giménez, pertenece a una de las generaciones más interesantes de la historia de la zarzuela, también a falta de un estudio global. Vives es contemporáneo, entre otros, de Enrique Granados, Vicente Lleó y José Serrano. Es unos años mayor, aunque dentro del mismo bloque temporal, que Manuel de Falla, Conrado del Campo, Pablo Luna, Manuel Penella y Joaquín Turina, mientras que Jesús Guridi y Julio Gómez, ambos nacidos en 1886, pueden ser considerados como sus contemporáneos aunque ya un tanto alejados. En realidad pertenece al grupo que aprendió en su infancia del saber de la zarzuela decimonónica pero desarrolló toda su labor a lo largo del XX. De hecho, la primera obra importante de Vives, *Don Lucas del Cigarral*, de 1899, cierra el siglo. Vives fue un caso, por otro lado, muy especial de educación autodidacta. Aunque tuvo relación directa con algunos músicos destacados, caso de Pedrell, Morera o Granados, su formación más sólida se llevó a cabo con el maestro de capilla José Ribera y Miró y, posteriormente, fue resultado de sus diferentes experiencias al frente de bandas, orquestas de foso y acompañamientos en los cafés. Sus limitaciones físicas debieron ser determinantes en sus comienzos y, posiblemente, lastraron su primer deseo de instalarse en Madrid. Tomás Borrás ha realizado una descripción minuciosa: "Tenía el brazo derecho tan inútil que para escribir había de trasladar esa mano con la izquierda, elevándola (como si transportase el brazo de otra persona) hasta depositarla sobre la mesa; al tocar el piano, la izquierda repetía su grúa rapidísima en los acordes sobre teclas extremas, devolviéndola al lugar preciso (parecían tres manos simultáneas). El hombro derecho le subía y le bajaba, brazo colgante, pierna a rastras, permanente sufrimiento sobre todo en las escaleras, que le hacían resollar". A pesar de todo, y teniendo en cuenta el talante del comentario, "Vives sonreía a su dolencia, jamás avinagrado, ni se desesperaba. Hasta hizo cierta chacota de su inutilidad atribuyéndola a un origen cómico".

Paralelamente, su formación intelectual debió ser una de las mayores de su época, muy superior a lo que solía ser habitual en el campo de la música. Federico Romero afirma que demostraba, sin petulancia ni pedantería, "asombrosa formación intelectual: filosofía, literatura clásica, griega, latina y española, sin olvido de la italiana y la francesa, poesía y teología. Desde sus primeros años en Madrid se afilió al Ateneo que frecuentaba mucho". Lo cierto es que tuvo un contacto permanente con los intelectuales y literatos más destacados del primer cuarto de siglo, caso de Echegaray, Benavente, Baroja, Unamuno, Valle Inclán, Bueno, Pérez de Ayala, Ortega y Gasset y fue ponente de varias conferencias en el mismo Ateneo. Tomás Borrás valora su inteligencia y dice: "Agudeza y arte de ingenio era el Vives pensante y juzgante, discípulo del clásico, a nadie cedía en alfiler. Si se hubiera recogido las chispas de Vives, el haz epigramático parecería de un Marcial a escala de discreto, bajo guante uñas en metáfora". Fue un gran defensor de la cultura y el arte españoles, coincidiendo con el espíritu de reivindicación de la generación del 98 con la que de alguna manera puede estar ligado, así como un durísimo crítico de los gestores políticos. En una célebre conferencia en el teatro Eslava acusaba a estos últimos de que "nunca han tenido casi noción exacta de los valores espirituales de la nación. No han sido hombres de cultura integral. Solamente así se comprende el abandono en que están las obras de los grandes polifonistas, el culto casi sectario por la ópera italiana, el desdén nunca desmentido y jamás interrumpido hacia nuestras zarzuelas, el abandono en que están muchos monumentos de arquitectura nacional, la cantidad de admirables edificios y pequeños templos ruinosos que hay, el sinnúmero de altares, estatuas y frescos que están llegando a su total ruina".

Su mentalidad musical también era muy abierta. Su generación ya había asumido la importancia de Verdi y Wagner. Apreciaba, aunque con matices, a Strauss, al que calificaba de "fuerza bárbara" y consideraba en gran medida a Debussy, cuya obra, según Salazar, dio a conocer al mismo Falla. Utilizó todos los recursos para defender la música española. Y apostaba por un recorrido intenso y sistemático en la búsqueda del pasado para a partir de las raíces, obtener el alma de la música española. Declaraba que "es indispensable crear una Biblioteca General de Música; es indispensable llevar a dicha biblioteca todas las obras maestras de la música española. Hay que recorrer catedrales y archivos y copiarlo y fotografiarlo todo y, cuando sea posible, hay que traerse los originales, y después hay que renovar, reconstruir y catalogar todas las obras para publicarlas en su día y que sirvan de admiración y estudio a propios y extraños. En una palabra: hay que crear el gran Museo de la Música Española. Si no se hace esto, ¿dónde podremos instruirnos los músicos en nuestra propia música? ¿Con qué derecho se nos pedirá a los músicos que hagamos música verdaderamente española?". Su respeto por los músicos no le hacía ocultar las deficiencias de sus colegas, a los que llegó a criticar con denuedo. Así, en conferencia en el Ateneo, señalaba que "los compositores españoles viven, por regla general, en un terrible desconocimiento de su propio arte y, lo que es peor, no tienen el menor interés por conocerlo; y no sólo no tienen interés, sino que algunos de ellos desprecian a los que se preocupan de cosas inútiles". Sólo una gran inteligencia y una disciplina a prueba de presiones, permiten comprender un corpus y una labor como la que llevó a cabo con increíble rapidez, ya que desde su debut en Madrid, todavía no cumplidos los treinta años, su nombre no dejó de sonar en el panorama lírico. Debió tener una gran facilidad para escribir, lo que sorprende si se valoran sus limitaciones físicas. De ella da cuenta Federico Romero, que transmite que después de una larga charla previa al estreno de *Maruxa* junto a él mismo y El Caballero Audaz, Vives les pidió que se fueran, ya que debía madrugar. Según Romero, "afirmaba que había advertido en el ensayo que flojeaba algo la obra en el acto segundo y quería hacerle un preludio para reforzarlo. A las once de la mañana se presentó un mensajero de la Sociedad de Autores a recoger la partitura del preludio que había de desplegarse en los distintos papeles de los profesores instrumentistas; a la seis de la tarde se ensayaba en la orquesta y, a la noche, merecía una ovación estruendosa". Verdaderamente su corpus, casi ciento cincuenta obras, es considerable si se tiene en cuenta que gran parte de ellas no pertenece al género chico, sino que son composiciones en dos y tres actos.

Las obras de Vives –que se debaten en la inevitable batalla de géneros, pasando la frontera de la ópera a la zarzuela– viven las vicisitudes del género lírico a comienzos del XX y hasta casi la Guerra Civil. Es un momento que todavía no está del todo bien estudiado pero que ofrece algunas claves conocidas. Los primeros años son testigos de la decadencia del género chico, la exaltación del género ínfimo, la llegada muy celebrada del verismo y la potenciación de la nueva opereta vienesa de Lehár –quien, por cierto, era apenas unos meses mayor que Vives– que veía como su *Viuda alegre*, 1905, o *El conde de Luxemburgo*, 1909, triunfaron en España traducidas. El éxito de Vives vino, en gran parte, de saber adaptarse a estas tendencias. Por otro lado, no puede ser ajeno a las influencias del neoclasicismo imperante en la Europa de los veinte y que en España supone una mirada musical a el Siglo de Oro que, de diferentes maneras, influyó también en Falla, Halffter, Bacarisse, Rodrigo y, en general, en toda la denominada Generación del 27. Vives comparte con ellos la utilización de ritmos y melismas renacentistas y barrocos como bien se constata en su obra final, desde *Doña Francisquita* a *La villana*.

Es difícil establecer una estructuración de la obra de Vives aunque una primera división sería: la primera etapa, que coincidiría con los diez primeros años, es la más prolífica de Vives. Casi la mitad, en número, de su corpus se estrenó entre 1899 y 1910. De entrada hay que destacar que el éxito de Vives, frente al de otros colegas, fue inmediato. Su primera obra en Madrid –si se exceptúa *La primera del barrio*–, *Don Lucas del Cigarral*, de gran complejidad teniendo en cuenta el marco del teatro Parish donde estrenó, fue un acontecimiento y lanzó a Vives al estrellato corroborado un año más tarde con *La balada de la luz*, cuyo éxito se constató con el estreno de la correspondiente parodia. El nombre de Vives se vincula a la victoria contra Fiscowich, ya que suyo fue el éxito de *Doloretes*, 1901, título emblemático en la batalla por la defensa de los autores. Posiblemente la promoción del mismo Vives, vinculado en esta primera etapa a nombres como Luceño o Fernández Shaw y, por ende, al mismo Chapí, tuvo que ver con la escasa presencia de músicos en la falange que comandaba el creador de *La revoltosa*. Vives aprovechó el impulso y obtuvo uno de sus mayores impactos populares con *Bohemios*, 1904, zarzuela que fue transformada años después en ópera por Conrado del Campo y que nunca bajó del repertorio. También en esa época comenzó su vínculo con Gerónimo Giménez. Hay que recordar que las colaboraciones de Vives, con excepción de las que llevó a cabo con el músico andaluz, fueron mínimas. En varias ocasiones señaló su desagrado con esta forma de trabajar tan típica del género lírico. A pesar de ello firmó algunas obras junto a Saco del Valle, Lleó, Barrera, José Serrano y Luna. Sin embargo, la decena de piezas que construyó con Giménez muestra, a las claras, un especial vínculo que, además, fue fructífero teniendo en cuenta la popularidad de algunas de ellas. Vives siempre mostró su respeto y admiración por Giménez. Fue él quien le proporcionó el calificativo de "músico del garbo" y quien permaneció fiel hasta la triste muerte, totalmente arruinado, del autor de *La tempranica*. Las razones de su colaboración debieron surgir a instancias de la presión de los grupos de autores que, de este modo, venían a rehuir los contratos que algunos de ellos —entre ellos Giménez— habían firmado con Fiscowich. Salvo *El húsar de la guardia*, 1904, en general eran composiciones frívolas y destinadas a teatros menores como el Eslava. Federico Romero comenta que se trataba de juguetes cómicos "con ciertas picardías verdosas, que entonces parecían atrevimientos y hoy se autorizarían para menores de catorce años. Giménez y Vives probaron que sus musas tanto sabían inspirar la gracia y la ligereza cual el arrebatado lirismo". Dentro de este ámbito hay que destacar, teniendo en cuenta el éxito que obtuvieron, obras como *El arte de ser bonita*, *Las granadinas*, *La gatita blanca* o *La Machaquito*. La configuración durante estos tiempos del denominado trust teatral convirtió a Vives en empresario aunque la crisis de la zarzuela y, posiblemente también, su falta de olfato para las cuentas, le hicieron entrar en una crisis que tardó más de diez años en superar económicamente. De hecho, sobre todo los últimos años de la década, hasta el incendio del teatro de la Zarzuela, fueron muy intensos y obligaron a Vives a trabajar mucho.

La muerte de los grandes referentes decimonónicos —Caballero, Chueca y Chapí—, las peculiaridades del estro de Bretón y Giménez y la falta de figuras carismáticas, convirtieron a Vives en referente y, de alguna manera, en líder de su generación a lo largo de la segunda década. El género ínfimo se había diluido en terrenos más cómodos, como el cuplé y la revista, y la zarzuela estaba en un proceso de revisión. La asunción de la opereta como modelo resultó inevitable tras la llegada de los éxitos antes referidos, caso de *La viuda alegre* o *El conde de Luxemburgo* por citar sólo un par de ellos, aunque no fueron ni mucho menos los únicos. Vives afrontaba la segunda década del siglo con un aura de prestigio. No se olvide, sin ir más lejos, que el estreno de su ópera *Colomba* en el teatro Real contó con la presencia de la familia real y del gobierno en pleno, lo que no dejaba de ser un acontecimiento que, en ningún caso, se hubiera dado ante un compositor apreciado socialmente como menor. Vives asumió el modelo de la opereta y obtuvo un gran éxito con *La generala*, 1912, modelo que continuó con títulos como *La veda del amor*, *El pretendiente* o *El señor Pandolfo*, por no citar más que algunos. No abandonó el sainete con alguno de los cuales triunfaría, caso de *Trianerías*. Y también proporcionó nuevos modelos entre los que hay que señalar por su trascendencia, el de *Maruxa*, calificado como égloga lírica, zarzuela u ópera regionalista, cuyas claves trasladó a otros autores contemporáneos. Son años intensos pero mucho más relajados que la primera década, dos o tres títulos a lo sumo por temporada, frente a la media docena anterior. La última época es la más confusa en líneas generales. Vives reduce considerablemente su producción a una decena de obras y plantea, quizá, su legado con piezas como *Doña Francisquita*, *Los flamencos*, *La villana* o *Talismán*, lo cual no llegó a ver en escena. Son obras de mucha más personalidad, donde la escritura de Vives puede abordar sin problemas cualquier tipo de exigencia. También rezuman, pese a su oficio, cierta decadencia. Los tiros del mundo escénico musical iban por otros derroteros en todo el mundo con lo que no se puede evitar, al escucharlas, una sensación de que pertenecen a otra época. Pero su honestidad, y su validez como piezas musicales, las han hecho muy celebradas. Especialmente destacable es el caso de *Doña Francisquita*, de alguna manera cumbre del género y donde Vives da una lección de estilo y, a la vez, brinda un homenaje a los grandes zarzueleros que le han precedido, desde Barbieri y Arrieta, hasta Chapí y Giménez. En realidad es una pieza resumen de la historia de la zarzuela, una especie de gran legado que se ha mantenido en el repertorio desde el primer día pese a que no es una composición fácil de hacer.

Toda la obra lírica, especialmente sus zarzuelas, tiene varios elementos en común. En primer lugar, su gran melodismo. Vives es un compositor para la voz, a la que mima, un poco al modo antiguo. Por ello no extraña que sus romanzas hayan perdurado en el repertorio. Entendía que al tratarse de un género casi industrial requería seguir unos determinados esquemas prácticos. Así Vives señalaba, tal y como han transmitido sus contemporáneos, que "la zarzuela es música tarareable. Si a las pocas semanas de un estreno no cantan los números las cocineras, se ha perdido el tiempo". Entendía con ello que la difusión de un título, generando el interés del público potencial, venía sólo por la capacidad de prender en la masa a través de los transmisores habituales, es decir los organillos, pianos o pianolas. Su vínculo con los coros, desde la etapa de gestación del Orfeó Català, fue importante y se traslada a la zarzuela, donde escribe algunos de indudable efecto desde prácticamente *Don Lucas del Cigarral* hasta *La villana*. De hecho, habría que destacar que es el autor que mejor, con más ambición y eficacia, ha escrito para el coro en la historia de la zarzuela. Su orquestación, aprendida desde el estudio metódico característico de un autodidacta, presenta múltiples referencias a los maestros del género, aunque pasadas por un tamiz muy personal. Tampoco es de extrañar que, en alguna medida, en sus declaraciones rinda homenaje a Barbieri y Giménez, porque debieron ser sus mejores maestros. Del primero obtuvo la ligereza y la capacidad de mantener las estructuras contrapuntísticas sin avasallar el canto. Del segundo, la solidez de la escritura y la eficacia para hacer sonar la orquesta de foso con brillantez y potencia sinfónicas. De Arrieta y Caballero conoció los recursos vocales, de ahí que su escritura a veces parezca hija del bel canto. De Chapí, el tratamiento musical para las escenas de conjunto y la habilidad para manipular la rítmica de acuerdo a los requerimientos del libreto. Su armonía asume sin problemas, aunque con mesura, el wagnerismo cuando no algunos recursos straussianos, con inevitables guiños al mundo impresionista o neoclásico. Su vocalidad también introduce los resortes del verismo, aunque sin abusar de ellos. De alguna manera, el mérito de su obra, lo transmitía el propio Giménez, cuando señalaba que "Vives es el músico que ha sabido unir a su irreprochable técnica, sus inagotables melodías llenas de pasión, de dulzura, irónicas o bruscas, según el caso lo ha requerido. Y así lo entiende el público y así está con él". *Véase* BOHEMIOS; DOLORETES; DON LUCAS DEL CIGARRAL; DOÑA FRANCISQUITA; LOS FLAMENCOS; LA GATITA BLANCA; LA GENERALA; EL HÚSAR DE LA GUARDIA; JUEGOS MALABARES; TRIANERÍAS; LA VILLANA.

OBRAS. (Si no se indica lo contrario, todas en E:Msa): *La primera del barrio*, 1 act, l, J. García Rufino, est, 10-VI-1898, Te. Zarzuela; *Don Lucas del Cigarral*, Com lír, 3 act, l, T. Luceño / C. Fernández Shaw, 18-II-1899, Te. Parish; *La preciosilla*, Jug cóm-lír, 1 act, l, D. Jiménez Prieto, est, 25-IV-1899, Te. Romea; *La luz verde*, Zarz, 1 act, l, F. Yraizoz, est, 16-VI-1899, Te. Apolo; *Fruta del tiempo*, Zarz, 1 act, col. M. Santos, l, G. Merino, est, 22-XI-1899, Te. Martín; *El rey de la Alpujarra*, Zarz, 1 act, l, A. Paso / F. Locatelli, est, 23-XII-1899, Te. Eslava; *Campanas y cornetas*, Zarz, 1 act, l, E. Sellés, est, 14-II-1900, Te. Apolo; *El escalo*, Zarz, 1 act, l, C. Arniches / C. Lucio, est, 28-II-1900, Te. Eslava; *Viaje de instrucción*, Zarz, 1 act, l, J. Benavente, est, 6-IV-1900, Te. Eslava; *La balada de la luz*, Zarz, 1 act, l, E. Sellés, est, 13-VI-1900, Te. Zarzuela; *Polvorilla*, Zarz, 1 act, col. Montesinos, l, F. Yraizoz / C. Fernández Shaw, est, 31-XII-

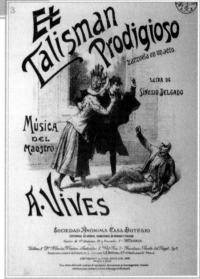

Cortesía de Unión Musical Ediciones SL

1900, Te. Eslava; *A estudiar a Salamanca*, Zarz, 1 act, col. J. Guervós, est, 10-V-1901, Te. Apolo; *Doloretes*, boceto lír-dramático, 1 act, col. M. Quislant, est, 28-VI-1901, Te. Apolo; *El coco*, Zarz, 1 act, l, J. Francos Rodríguez / J. Jackson Veyán, est, 24-X-1901, Te. Apolo; *Las nueve*, Dr lír, 1 act, l, E. Sellés, est, 8-I-1902, Te. Zarzuela; *El tirador de palomas*, Zarz, 1 act, l, C. Fernández Shaw / R. Asensio Mas, est, 25-II-1902, Te. Apolo; *Sueño de invierno*, Fant cóm-lír, 1 act, col. G. Mateos, l, G. Merino, est, 29-III-1902, Te. Cómico; *El curita*, Zarz, 1 act, l, V. de la Vega, est, 2-IV-1902, Te. Eslava; *La caprichosa*, Sai madrileño, 1 act, l, L. Pascual Frutos / A. López Monís, est, 25-IV-1902, Te. Zarzuela; *Lola Montes*, Zarz, 1 act, l, F. Yraizoz, est, 11-VI-1902, Te. Zarzuela; *El ramo de azahar*, Dr lír, 1 act, l, F. Yraizoz, est, 10-II-1903, Te. Zarzuela; *Su Alteza Imperial*, Zarz, 3 act, col. E. Morera, l, S. Delgado, est, 14-III-1903, Circo de Price; *El parador de las golondrinas*, Zarz, 1 act, l, M. Rovira / E. Sierra, est, 13-X-1903, Te. Zarzuela; *La patria nueva*, Rv, 1 act, l, F. Yraizoz / G. Merino, est, 19-XII-1903, Te. Zarzuela; *La vendimia*, Zarz, 1 act, col. R. Calleja, l, D. Jiménez / A. Jiménez Guerra, est, 12-III-1904, Te. Cómico; *Bohemios*, Zarz, 1 act, l, G. Perrín / M. Palacios, est, 24-III-1904, Te. Zarzuela; *El húsar de la guardia*, Zarz 1 act, col. G. Giménez, l, G. Perrín / M. Palacios, est, 1-X-1904, Te. Zarzuela; *La familia de doña Saturia o El salvador y los evangelistas*, Sai, 1 act, l, R. de la Vega, est, 6-XII-1904, Te. Apolo; *El cochero*, Zarz, 1 act, l, R. Rocabert, est, 21-I-1905, Te. Cómico; *Sangre roja*, Zarz, 1 act, l, M. Linares Rivas, est, 22-III-1905, Te. Apolo; *La máscara duende*, Zarz, 1 act, l, C. Fernández Shaw, est, 12-IV-1905, Te. Apolo; *El dinero y el trabajo*, Zarz, 1 act, col. A. Saco del Valle, l, J. Jackson Veyán / R. Rocabert, est, 15-IV-1905, Te. Cómico; *El príncipe ruso*, Zarz, 1 act, l, L. Boada / M. de Castro Tiedra, est, 18-V-1905, Te. Moderno; *La favorita del rey*, Opt, 1 act, l, G. Perrín / M. Palacios, est, 27-VII-1905, Te. Apolo; *El arte de ser bonita*, Zarz, 1 act, col. G. Giménez, l, A. Paso / Jiménez Prieto, est, 7-IX-1905, Te. Cómico; *Las granadinas*, Zarz, 1 act, col. G. Giménez, l, G. Perrín / M. Palacios, est, 29-IX-1905, Te. Cómico; *El amigo del alma*, Zarz, 1 act, col. G. Giménez, l, F. de Torres / C. Cruselles, est, 16-XI-1905, Te. Eslava; *La gatita blanca*, Zarz, 1 act, col. G. Giménez, l, J. Jackson Veyán / J. Capella, est, 23-XII-1905, Te. Cómico; *La libertad*, Zarz, 1 act, col. G. Giménez, l, G. Perrín / M. Palacios, est, 30-XII-1905, Circo Price; *La marcha real*, Zarz, 3 act, col. G. Giménez, l, G. Perrín / M. Palacios, est, 7-II-1906, Te. Zarzuela; *El golpe de estado*, Zarz, 1 act, col. G. Giménez, l, A. Melantuche / S. Oria, est, 3-V-1906, Te. Eslava; *La Machaquito*, Zarz, 1 act, col. G. Giménez, l, L. de Larra, est, 29-V-1906, Te. Eslava; *El guante amarillo*, Zarz, col. G. Giménez, l, J. Jackson Veyán / J. Capella, est, 5-X-1906, Te. Cómico; *El diablo verde*, Zarz, 1 act, col. G. Giménez, l, G. Perrín / M. Palacios, est, 11-X-1906, Te. Zarzuela; *Sangre torera*, Zarz, 1 act, l, L. Pascual Frutos / J. López Monís, est, 8-XII-1906, Te. Eslava; *El lego de San Pablo*, Zarz, 1 act, col. M. Fernández Caballero, l, M. Fernández de la Puente, est, 22-XII-1906, Te. Zarzuela; *La chipén*, Hum lír, 1 act, l, R. Monasterio / F. Limendoux, est 16-II-1907, Te. Cómico; *La rabalera*, Zarz, 1 act, l, Echegaray, est, 22-III-1907, Te. Zarzuela; *Las tres cosas de Jerez*, Zarz, 3 act, l, C. Fernández Shaw / P. Muñoz Seca, est, 30-IV-1907, Te. Eslava; *Pepe Botellas*, Zarz, 2 act, l, col. V. Lleó, l, M. Ramos Carrión, est, 17-III-1908, Te. Zarzuela; *Episodios Nacionales*, Zarz, 1 act, l, M. Tous / E. Cerdá, est, 30-IV-1908, Te. Zarzuela; *El robo de la perla negra*, Zarz, 1 act, l, L. Cuesta, est, 11-V-1908, Te. Zarzuela; *El talismán prodigioso*, Zarz fantástica, 1 act, l, S. Delgado, est, 6-XI-1908, Te. Apolo; *A la vera del queré*, Sai andaluz, 1 act, l, P. Pérez Fernández / G. de la Cruz, est 10-VII-1909, Te. Cómico; *Ábreme la puerta*, Zarz, act, l, F. Yraizoz, est, 30-X-1909, Te. Eslava; *La muela del rey Farfán*, Zarz, 1 act, l, J. y S. Álvarez Quintero, est, 28-XII-1909, Te. Apolo; *Juegos malabares*, Zarz, 1 act, l, M. Echegaray, est, 4-II-1910, Te. Apolo; *Así son las mujeres*, Sai, 1 act, l, E. de la Vega, est, 24-V-1910, Te. Apolo; *La fresa*, Zarz, 1 act, l, J. Jackson Veyán / J. López Silva, est, 22-VI-1910, Te. Eslava; *La reina Mimí*, Opt, 3 act, l, G. Perrín / M. Palacios, 8-VII-1910, Te. Apolo; *El alma del querer*, Zarz, 1 act, col. T. Barrera, l, P. Pérez Fernández, est, 27-VII-1910, Gran Teatro; *Gloria in excelsis Deo*, Rv, 1 act, l, S. Delgado, est, 26-X-1910, Te. Apolo; *El palacio de los duendes*, Zarz, 1 act, col. J. Serrano, l, S. Delgado, est, 28-XII-1910, Te. Apolo; *La casa de los enredos*, Zarz, 3 act, l, J. Lorenzo, est, 31-I-1911, Te. Apolo; *Los viajes de Gulliver*, Zarz, 3 act, col. G. Giménez, l, A. Paso / J. Abati, est, 21-II-1911, Te. Cómico; *Agua de noria*, Zarz, 1 act, l, J. Echegaray, est, 4-III-1911, Te. Apolo; *La canción española*, Zarz, 1 act, col. T. Barrera, l, M. Mihura / R. González del Toro, est 14-XII-1911, Gran Teatro; *La gallina de los huevos de oro*, Com, 2 act, l, S. y J. Álvarez Quintero, est, 23-XII-1911, Te. Apolo; *El cantar de la jota*, Zarz dramática popular, 1, act, l, F. Yraizoz, est, 6-IV-1912, Te. Novedades; *La generala*, Opt, 2 act, l, G. Perrín / M. Palacios, est, 14-VI-1912, Gran Teatro; *La veda del amor*, Opt, 1 act, l, G. Perrín / M. Palacios, est, 5-XII-1912, Gran Teatro; *El pretendiente*, Opt, 1 act, l, J. Echegaray, est, 27-VI-1912, Te. Apolo; *El gran simpático*, Zarz, 1 act, l, R. González del Toro, est, 7-XI-1913, Te. Martín; *Miss Australia*, Zarz, 1 act, l, G.

Perrín / M. Palacios, est, 11-IV-1914, Gran Teatro; *Maruxa*, égloga lír, 2 act, l, L. Pascual Frutos, est, 28-V-1914, Te. Zarzuela; *La cena de los húsares*, Zarz, 1 act, l, A. Paso / J. Abati, est, 22-X-1915, Te. Apolo; *La ley del embudo*, Zarz, 1 act, l, S. Delgado, est, 19-I-1916, Te. Apolo; *Los pendientes de la Trini o No hay mal que por bien no venga*, Sai madrileño, 1 act, l, A. Asenjo / A. Torres del Álamo, est, 1-II-1916, Te. Apolo; *La guitarra del amor*, Zarz, 1 act, col. T. Bretón / R. Villa, G. Giménez / R. Calleja / T. Barrera / R. Soutullo, l, G. Perrín / M. Palacios, est, 16-V-1916, Te. Zarzuela; *El señor Pandolfo*, Zarz, 3 act, l, P. Pérez Fernández / L. Fernández Ardavín, est, 27-XII-1916, Te. Apolo; *La mujer de Boliche*, Zarz, 2 act, l, M. Fernández de la Puente, est, 8-II-1917, Te. Zarzuela; *Todo el mundo en contra mía*, Zarz, 2 act, l, M. Fernández de la Puente, est, 19-I-1917, Te. Apolo; *El tesoro*, Zarz, 3 act, l, M. Fernández de la Puente, et, 7-IV-1917, Te. Zarzuela; *Trianerías*, Sai, 2 act, l, P. Muñoz Seca / P. Pérez Fernández, est, 23-I-1919, Te. Apolo; *Las verónicas*, Jug cómlír, 3 act, l, P. Muñoz Seca / P. Pérez Fernández, est, 25-IV-1919, Te. Reina Victoria; *Balada de Carnaval*, Zarz, 1 act, l, L. Fernández Ardavín / J. Montero, est, 5-VII-1919, Gran Teatro; *Pepe Conde o el mentir de la estrellas*, Sai, 2 act, l, P. Muñoz Seca / P. Pérez Fernández, est, 5-II-1920, Te. Apolo; *El duquesito o La corte de Versalles*, Opt, 3 act, l, L. Pascual Frutos, est, 16-IV-1920, Te. Reina Victoria; *El parque de Sevilla*, farsa sainetesca, 2 act, l, P. Muñoz Seca / P. Pérez Fernández, est, 22-I-1921, Te. Apolo; *Sinvergüenza en palacio*, Zarz, 3 act, col. P. Luna, l, P. Muñoz Seca / P. Pérez Fernáneez, est, 28-IX-1921, Te. Apolo; *El ministro Giroflán*, Vo, 3 act, l, R. González del Castillo / J. J. Cadenas, est, 14-X-1922, Te. Reina Victoria; *Doña Francisquita*, Zarz, 3 act, l, F. Romero / G. Fernández Shaw, est, 17-X-1923, Te. Apolo; *La villana*, Zarz, 3 act, l, F. Romero / G. Fernández Shaw, est, 1-X-1927, Te. Zarzuela; *Los flamencos*, Sai, 2 act, l, F. Romero / G. Fernánez Shaw, est, 15-XI-1928, Te. Apolo; *El Rosario*, Com lír, 1, Battle / L. Linares Rivas, est, 4-XI-1929, Te. Fontalba; *Noche de verbena*, Sai, 2 act, l, L. de Vargas, est, 21-XI-1929, Te. Eslava; *Talismán*, Com lír, 3 act, l, F. Romero / G. Fernández Shaw, est, 6-XII-1932, Te. Calderón.

FONOGRAFÍA: *Bohemios*, Gramófono 64304 y 2-62094 (et. morada), 156, 370y • Alhambra ALG 23002, CCB 5049 CCB 5051 • Blue Moon BMCD 7507 y 7551 • Columbia SA, MCE 850 74 • Columbia SA, OZ 11 (Alhambra) 83 • Columbia SA, OZS 1001 (Alhambra) 88 • Columbia SA, ZCL 1017 (Zacosa) 67 • Columbia-Alhambra-BMG MCC 30019 • Columbia-BMG España WD 71434 (9D) • Columbia-BMG-Ariola-Salvat 1041-2 • Discophon (S) 1032 (S) 4031 (S) 4100 (S) 7278 (S) 7279 (S) 7281 (S) 1005 • EMI 7243 5 74209 2 1 (637.02680) • Hispavox 7 67322 2 (673.33800) • La Voz de su Amo 2XKA-U 258-259 73 • La Voz de su Amo AC 39, AE 1841 • La Voz de su Amo AF 172 AF 194, AF 274 a AF 278, CJ 1213 CJ 1244 • Odeón 121097 a 121102, XXS 5603 XXS 5604, XXS 5612 a XXS 5615, XXS 5617 a XXS 5619, XXS 5622 XX 5637 • Regal C 10198, CK 3728 CK 3729 • Regal LCX 7002 70 • Victoria 1207, 1265, 1582, 1583, 4823 y 5649; *Don Lucas del Cigarral*, Odeón 121097 a 121102, XXS 5603 XXS 5604, XXS 5612 a XXS 5615, XXS 5617 a XXS 5619, XXS 5622 XX 5637 • Victoria 1194; *Doña Francisquita*, Aria • Audivis Valois V 4710 • Blue Moon BMCD 7501 • Carillón • Columbia SA, C 7508 69 • Columbia SA, OZ 12 y 13 (Alhambra) 84 y 85 • Columbia SA, OZS 1002 y 1003 (Alhambra) 89 y 90 • Columbia-Alhambra MCC 30014-15 • Columbia-BMG España WD 71440 (9H) • Discophon (S) 4101 (S) 4113 (S) 8046 (S) 8050 • EMI 7243 5 74209 2 1 (637.02680) • Hipavox 7 67322 2 (673.33800) • La Voz de su Amo AE 1007 AE 1008 AE 1010 AE 2343 (et. verde), 2-264008, 2-264009, 2-264011, 262340 • La Voz de su Amo AF 288 AF 497 (et. verde), 2J 1043 2J 1044 • La Voz de su Amo DB 4293 DB 901, 2KA 1607 2KA 1608 • La Voz de su Amo DB 878 DB 850, CS 2023 CS 2024 • Montilla FM-85 • Odeón 121021, XXS 4768 XXS 4769 • Odeón

184861, SO 10760 SO 10761 • Odeón A 77094 (et. azul), XXS 2114 XXS 2115 • Parlophon P 55505, 2-71032, 2-71033 • Regal LCX 7014 77 • Regal LKX 5007 a LKX 5014 (et. azul), KX 236 a KX 251 • Regal M 15027 a M 15213, CKX 3746 a CKX 3755, CKX 3760 • Regal SEBL 7052 SEBL 7057 SEBL 7058 • RG 16016 (et. rosa), WKX 242 WKX 246 • Sony Classical S 2K 66563 • Zafiro SA, LM-3040 C (Serdisco) 76 y 78 • Zafiro SA, ZOR-163 82 • Zafiro-BMG EPFM-133 y 258 • Zafiro-Salvat 1022-1; *El amigo del alma*, Victoria 1202; *El escalo*, Victoria 1160; *El húsar de la guardia*, Columbia-BMG C 32024, CS 42024 • Columbia SA, ZCL 1044 (Zacosa) 81 • Columbia SA, OZS 1005 (Alhambra) 92; *El señor Pandolfo*, Gramófono w 264359, w 263508 (et. verde), s19592u, s19593u, s19654u, s19594u • Victoria 5493; *El tesoro*, Victoria 5298, 5353 y 5405; *Juegos malabares*, La Voz de su Amo 0264002 (et. verde), 67 y 68 • Victoria 1739 y 1740; *L'emigrant*, Regal C 10271, CK 3867 CK 3868 • La Voz de su Amo AA 132; *La balenguera*, Regal C 10271, CK 3867 CK 3868; *La gatita blanca*, Victoria 1220 • Zafiro-Salvat 1050-2; *La generala*, Blue Moon BMCD 7523 • Columbia SA, C 32032 65 • Columbia SA, OZS 1004 (Alhambra) 91 • Discophon (S) 4100 (S) 4113 (S) 7281 (S) 8050 (S) 1032 • EMI 7 67473 2 (637.65513) • EMI 7243 5 74340 2 7 (637.05329 • Odeón 101076 (et. negra y naranja), SO 3069 • Odeón 184492 a 184495, SO 7100 a SO 7107 • Regal LCX 7010 66 • Regal SEBL 7002 SEBL 7017 • Victoria 5140 • Zafiro SA, LM-3037-C 75 • Zafiro SA, ZOR-110 68 • Zafiro-BMG EPFM-137 • Zafiro-Salvat 1052-2; *La rabalera*, 63022 (et. negra); *La villana*, Columbia-BMG SCE 960-1 • Columbia SA, ZCL 1061 y 1062 (Zacosa) • La Voz de su Amo AD 5 (et. burdeos), CJ 1013-II CJ 1036-II • Odeón 182133 y 182141 (et. celeste), SO 4432 SO 4433

SO 4424 SO 4424; *Los flamencos*, Blue Moon BMCD 7551 • La Voz de su Amo AE 2402 a 2404 (et.verde), BJ 1589 BJ 1590 BJ 1603 BJ 1604 BJ 1625 BJ 1628 • Odeón 184116 (et. marrón), SO 4991 SO 4992; *Maruxa*, A 138242 A 138243 (et. policolor con figura), SO 1253 SO 1256 • Blue Moon BMCD 7530 • Columbia SA, C 7568 79 • Columbia SA, CCL 32076 80 • Columbia SA, OZ 14 y 15 (Alhambra) 86 y 87 • Columbia SA, ZCL 1052 y 1053 (Zacosa) 63 y 64 • Columbia-Alhambra-BMG MCC 30003-4, CCL 32076 • Columbia-BMG España WD 71584 (9H) • Columbia-BMG-Ariola-Salvat 1038-2 y 1039-2 • EMI 7 67452 2 (637.64946) • EMI 7243 5 74212 2 5 (637.02664) • Gramófono W 260316 (et. verde), S 19608 S 19609 • La Voz de su Amo 2XKA-U 264-265, 2XKA-U 266-267 • La Voz de su Amo AA 57, AB 109, AC 144, AD 32 AD 34 AD 35, AF 271 • Odeón 121070 (et. marrón), XXS 5135 XXS 5136 • Odeón 121187, XXS 4656 XXS 4658 • Odeón 129018, XXS 5839 XXS 5901 • Odeón 21-22, XXS 6157 XXS 5860 • Regal C 10197, CK 3730 CK 3731 • Victoria 3010, 3011, 3012, 3013, 3015 y 3018; *Noche de verbena*, La Voz de su Amo AE 2981 AE 2983, AF 301; *Trianerías*, Gramófono W 264409 W 262225 (et. verde), s20306u, s20305u.

BIBLIOGRAFÍA: *OGCH*; J. Montero: "Relatos y recuerdos. Amadeo Vives", *El Día Gráfico*, Barcelona, 26-VII-1931; S. Burguete: *Vives*, Madrid, Espasa Calpe, 1978; F. Hernández Girbal: *Amadeo Vives*, Madrid, Lira, 1971; A. Sagardía: *Amadeo Vives*, Madrid, 1971; J. M. Lladó i Figueres: *Amadeu Vives (1871-1932)*, Barcelona, Biblioteca Serrador, 1988; VVAA: *Amadeo Vives*, Madrid, SGAE, 1972.

LUIS G. IBERNI

Voluntarios, Los. Zarzuela cómica en un acto. Música de Gerónimo Giménez. Libreto de Fiacro Yrayzoz. Estrenada el 28 de julio de 1893 en el teatro del Príncipe Alfonso de Madrid.

Personajes y reparto. Rosa (Dolores Comas, tiple). La señora Valeriana (Carmen Mejía, tiple). Melitón (José Riquelme). Farrés (Ramón Hidalgo). Don Agapito (José Morón). El tío Pedro (Juan Delgado). El señor Basilio (José Caballero). Cosme (José Ontiveros actor). Rufino (Rafael López). Voluntarios catalanes, mozos y mozas, coro general.

Orquestación. Flautín, flauta, 2 oboes, 2 clarinetes, fagot, 2 trompas, 2 cornetines en La, 3 trombones, timbales, percusión y cuerda.

Argumento. La acción tiene lugar en un pueblo de Aragón a principios de 1860. Cuando se levanta el telón aparecen los dueños de la posada del pueblo, el señor Basilio y la señora Valeriana que sale con los periódicos en la mano, comentando las victorias de la caballería española sobre los marroquíes. De repente entra Agapito, el secretario del ayuntamiento que reclama en nombre del alcalde, que se hagan cargo de la manutención de los voluntarios catalanes que van a la guerra y se detienen allí a descansar. Aparece Melitón, el sacristán que, en un soliloquio, sólo se plantea hablar con Rosa, con indignación del tío Pedro que, desde lejos, le amenaza. Melitón se pone nervioso y, de repente, llegan unos mozos del pueblo dispuestos a castigarle y divertir-

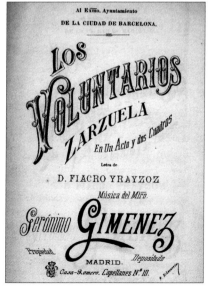

Cortesía de Unión Musical Ediciones, SL

se con él por las jugarretas que, a su vez, el sacristán les ha hecho. Le mantean y cuando barajan otras bromas, se escapa. Se oyen las cornetas y los tambores y llegan los voluntarios desfilando. Agapito organiza su hospedaje. Se quedan Agapito, el tío Pedro y Basilio hablando, lo que sirve de excusa para exaltar las virtudes de los voluntarios. Entre ellos está Farrés que reconoce en Basilio a su amigo de Zaragoza, donde vivieron juntos. Valeriana sale y comenta que ha preparado un guiso de bacalao con menta y yerbabuena, que ha sacado de un periódico. Aprovechando que todos andan confundidos, Melitón se encuentra con Rosa. Cuando el sacristán le declara su amor, ella se muestra arisca y le señala que quiere a alguien con coraje. Ante esta actitud,

Melitón le dice que quiere dejar de ser sacristán y asumir otro trabajo. Envalentonado, se plantea enfrentarse a otros derroteros, cuando llegan Rufino y Cosme. Éstos le dicen que si les invita a beber, le protegerán de los otros mozos. Les pide que les ayude a raptar a Rosa, para vengarse del tío Pedro. Aceptan, engañándole, porque en realidad pretenden tomarle el pelo. El voluntario Farrés descubre en Valeriana, hermana del alcalde, a una mujer con la que tuvo una estrecha relación en el pasado tanto personal como profesional. Cuando ella se va, Melitón le pide a Farrés consejo y éste le cuenta que la única manera de conquistar a una mujer es por el valor. Melitón afirma que esta noche va a dar muestra de él. Al irse, llegan todos y Rosa canta una jota que levanta el ánimo general. Cuando Farrés le cuenta a Basilio que ha encontrado a su antigua novia, le descubre que es su mujer, con el bochorno de ambos. Llega Agapito que anuncia que Melitón se ha caído a un pozo. Cuando lo sacan, aparece avergonzado y señala que se va a alistar entre los voluntarios con la alegría general. Como epílogo musical, se describe la entrada de Prim, junto a los voluntarios catalanes en el campamento marroquí y la conquista de dicho campamento.

Números musicales. Nº 1. Preludio. Nº 2. Escena y coro, "Ya que te hemos encontrado no te escaparás". Nº 3. Pasodoble, "¡Vecinos! ¡Vecinos! ¡Venid! ¡Llegad!". Nº 4. Dúo de Melitón y Rosa, "Aquí estoy Rosita dispuesto a probarte". Nº 5. Jota, "Nunca teme una derrota un español de los buenos". Nº 6. Batalla.

Comentario. En el verano de 1893 proseguía el teatro del Príncipe Alfonso su campaña de éxitos de género chico. La compañía que dirigía el empresario y compositor Guillermo Cereceda, responsable artístico de los veranos en el teatro, había fomentado un tipo de repertorio bélico –que resultaba muy espectacular por sus montajes escénicos–, con *La espada de honor*. Según Deleito este tipo de montajes se destacaba "por la cantidad de trompas, tambores, cornetas y demás instrumentos altisonantes movilizados por su batuta en la orquesta o el escenario, en charangas, pasodobles y marciales desfiles". Mucho antes del estreno de *Los voluntarios*, la prensa se hizo eco del proyecto afirmando que "cifraba la empresa grandes esperanzas, por ser pieza de gran espectáculo, con decoraciones y vestuario nuevos, maniobras militares, cuadros plásticos y todos los recursos del moderno repertorio, ya aplaudidos en *La espada de honor*" (*El Liberal*, Madrid, 29-VII-1893). No se puede olvidar que este título al que se refiere el periódico madrileño, que en 1892 ofrecieron Guillermo Cereceda y José Jackson Veyán, se halla entre las grandes referencias del teatro Príncipe Alfonso y fue una de las contadas obras de Cereceda que ganó una cierta inmortalidad. Es una época muy interesante que coincide temporalmente con la prime-

ra guerra de Melilla, la batalla del fuerte de Sidi-Aguariach y la muerte del célebre general Margallo. Estos incidentes levantaron los ánimos contra los rifeños y de ahí que Fiacro Yrayzoz acudiera a la guerra de África, todavía muy presente en el ánimo del público y con la que O'Donnell retrasó durante ocho años la caída del trono de Isabel II. Como anécdota hay que señalar que el personal corista del Príncipe Alfonso era básicamente femenino y procedente de diferentes estratos sociales, lo que generaba muchas situaciones equívocas fuera del escenario. Según Deleito, precisamente la gracia y el interés de estos montajes venía de que los cadetes "fueran femeninos y, con su uniforme de campaña y su armamento, realizasen las evoluciones que el caso exigía, al son de músicas militares". Un capitán instructor auténtico se encargó de enseñar y dirigir las maniobras de aquellos singulares militares y consiguió que las hiciesen como profesionales. Aunque Giménez escribió para coro general, sin embargo, era corriente adaptarse a las circunstancias.

Los voluntarios fue dedicada por su autores al Ayuntamiento de Barcelona. Contó entre sus principales intérpretes a Carmen Mejía, Dolores Comas, José Riquelme y José Ontiveros. La acción tiene lugar en un pueblo aragonés por donde pasaban los famosos "voluntarios catalanes", con rumbo a África, que serían inmortalizados, a las órdenes del general Prim, en la batalla de Castillejos. Hay que decir que el protagonista es, en realidad, un sacristán, papel que asumía José Riquelme. Según Deleito, éste tenía "los sacristanes entre sus especialidades escénicas". El personaje está dispuesto a enamorar a una muchacha, a la que quiere raptar, cosa que frustran algunos lugareños, que le darán el consiguiente castigo, que incitará al sacristán a abandonar la sotana y empuñar el fusil, con su inmediato y consiguiente alistamiento. Deleito, testigo del estreno, recuerda que "uno de los papeles más inofensivos, un mozo del pueblo que apenas decía dos palabras, estaba a cargo de un actor, entonces incipiente, pero que pocos años después descolló en Apolo, a la cabeza de los actores festivos: Pepe Ontiveros".

La obra se inicia con un preludio que parte de una pequeña célula de dos compases que se va proyectando en diferentes alturas fundiéndose con un aire marcial, brillante, favorecido por la habilidad, un tanto aparatosa, de la ruidosa orquesta de Giménez. Sobre esa célula que se transforma colorísticamente en función del momento se construye todo el preludio que alcanza momentos de gran tensión dramática para culminar en un espectacular fortísimo. El Nº 2 es una escena cómica al uso, donde el músico andaluz juega con sus habituales recursos. Ni la exigencia canora es excesiva, ni tampoco el tratamiento vocal es determinante, aunque sí la eficacia de la orquesta de Giménez, capaz de obtener, con sutiles pinceladas, un gran efecto. El Nº 3 es, precisamente, el que ha quedado en el repertorio, sobre todo en su reducción para banda militar. Se trata del célebre pasodoble. Anunciado por las cornetas y seguidos por la intervención de todo el coro tras una especie de preámbulo, está escrito para orquesta y banda de cornetas y tiene varias secciones. Tras la entrada, a cargo de éstas, apoyadas por la formación, interviene un segundo tema, donde la orquesta alcanza un mayor protagonismo. Posteriormente se le añade el coro, en el que la melodía asume giros de corte andaluz. Repite el material y culmina con la intervención del coro, la banda y la orquesta, de un modo brillante y que la tradición bandística ha hurtado en su versión completa al oyente moderno. El Nº 4 es un dúo cómico entre Rosa y Melitón bastante tópico, teniendo en cuenta las limitaciones del intérprete masculino. Más impactante es la inevitable jota, Nº 5, teniendo en cuenta el ambiente aragonés. Tras la introducción orquestal, Rosa entona en la habitual estructura de estribillo y copla, con un acompañamiento onomatopéyico del coro. Es bastante tradicional, brillante para el intérprete, aunque no de grandes exigencias, a la que se suma el coro en los momentos culminantes, subrayados por la orquesta. El último número es la batalla, un fragmento orquestal donde Giménez consigue un magnífico efecto con su descripción de la batalla de Castillejos, apareciendo Prim y los voluntarios catalanes, con música acompañando el simulacro, en la que de nuevo Giménez era requerido para dar forma sonora, tras su éxito en *Trafalgar*, ante las difíciles escenas de batalla. Deleito, testigo del estreno, recuerda que "el cuadro último a todo foro representaba el campamento del ejército marroquí en el instante de penetrar en él el general Prim a caballo, tremolando la bandera española, y seguido por los voluntarios catalanes, que daban una briosa carga a la bayoneta. La música acompaña el simulacro. La decoración, la colocación y las evoluciones de las figuras nada dejaban que desear, y el público rompía en ovaciones ruidosas. Como en *La espada de honor*, era el efecto final el que justificaba toda la obrilla".

Pese a las espectacularidad del montaje y a la popularidad que alcanzaron algunos momentos, la crítica no se mostró del todo entusiasta. Así señala que el libreto "está escrito para que la banda de cornetas y el ejército femenino del Sr. Cereceda luzcan sus trajes y habilidades, así como para presentar un cuadro patriótico de la guerra de África (*La Época*, Madrid, 29-VII-1893). En la misma línea, *El Liberal* afirma que "el libro está hecho con el exclusivo objeto de lucir todo el aparato". Destaca las tres decoraciones de Bussato, así como "las maniobras militares que ejecuta el cuerpo de coristas (los voluntarios en cuestión) y el cuadro final, representando la entrada del ejército vencedor en Tetuán". Sobre la

música señala que "intercalados con el texto figuran algunos números de música bonitos, que acreditan nuevamente la ya muy acreditada firma de D. Gerónimo Giménez". Sorprende la queja del comentarista que afirma que "sin embargo, no se advierte en la partitura la inspiración y el donaire a que nos tiene acostumbrados el celebrado maestro". A pesar de todo comenta que "se repitió una jota de mucho sabor local, pero poco nueva, y el pasodoble de los voluntarios catalanes, que está muy apremiado a la acción y es de excelente efecto".

Fuentes manuscritas. La partitura se conserva en el Museo del Teatro de Almagro. Los materiales de orquesta (180) se conservan en el archivo de la SGAE en Madrid.

Ediciones de música. Canto y piano, Madrid, Casa Romero. Piano, pasodoble, Madrid, UME. Rondalla, Pasodoble, Madrid, UME. Acordeón y piano, Pasodoble, Madrid, UME. Quinteto, Pasodoble, Madrid, UME. Banda, Pasodoble, Madrid, UME.

Ediciones del libreto. Madrid, Administración Lírico-Dramática, 1893.

FONOGRAFÍA: D78rpm: Banda del Regimiento de Badajoz Nº 73, La Voz de su Amo AE 2739 • Dir. Pascual Marquina, Banda de Ingenieros de Madrid, Odeón 182160 (et. azul), SO 4498 SO 4501 • Dir. Ricardo Villa, Banda Municipal de Madrid, Odeón 184111 (et. marrón), SO 4800 SO 4813.

BIBLIOGRAFÍA: *TA*; J. Parejo Delgado: *Gerónimo Giménez. Un precursor de Manuel de Falla*, Sevilla, 1997.

LUIS G. IBERNI

Voz. La zarzuela, nacida a mediados del siglo XVII, utiliza los mismos recursos canoros que la ópera, con similares tipologías de voces femeninas y masculinas. Esta similitud es especialmente aplicable a la zarzuela barroca y a la posterior zarzuela grande, dado que a medida que la zarzuela evoluciona y se impone el género chico, estos tipos se fueron reduciendo y surgieron voces intermedias que son definitivamente las más específicas de la zarzuela.

I. Introducción. II. Voces femeninas. III. Voces masculinas. IV. Voces intermedias.

I. INTRODUCCIÓN. Antonio Cordero, afirmaba en 1858, que "el arte del canto es, hasta cierto punto, más exigente con el artista lírico-dramático español que para el que fuera de Italia canta óperas". El primer acercamiento a las peculiaridades canoras del teatro lírico ha de partir de la comprensión de la polimorfia del fenómeno. La zarzuela es un género polivalente, puesto que en él entran subgéneros tan diversos como la zarzuela grande y chica, el género chico, la opereta, las variedades o los géneros ínfimos, todos definibles por combinar partes habladas y cantadas. Toda la crítica especializada exige del cantante español tres capacidades: en primer lugar la del canto, la de expresarse con perfección en lo que son las dos conductas fonatorias diferenciadas del canto y el habla, y finalmente las dotes teatrales y escénicas. Antonio Cordero las pone todas en igualdad. El cantante de zarzuela, –y ello resulta todavía bastante difícil de escuchar–, necesita dominar las dificultades canoras y pasar de inmediato al habla, es decir, cambiar con rapidez el registro de voz impostada por la voz natural.

El siglo XIX valoró extremadamente esta cualidad de los cantantes de zarzuela. En primer lugar porque la enseñanza incluía el estudio de la declamación, y de hecho existían desde el comienzo cátedras diferenciadas de declamación ocupadas por profesores tan prestigiosos como Matilde Díez, Teodora Lamadrid, Julián Romea, Carlos Latorre o Mariano Fernández. El alumno de canto estudiaba "canto y declamación", y lo hacía con especialistas. Los duros críticos teatrales de los siglos XIX y XX vigilaban de manera especial la declamación que consideraban fundamental para la zarzuela. Es imprescindible conocer que el peso del hablado es distinto en cada género. En la zarzuela grande el hecho canoro es el determinante y el hablado secundario. En el resto de los géneros: zarzuela chica, género chico, opereta o variedades, el peso del hablado se impone en muchos casos al canoro; en la mayoría de las obras del género chico existe un predominio del texto sobre el cantado. Una segunda característica, unida a la anterior, define al cantante de zarzuela; ha de ser un magnífico actor. La zarzuela es vista como un fenómeno lírico y teatral desde la época de Calderón de la Barca. Esto explica que grandes protagonistas de esta historia se significaron por sus condiciones de actores y no de cantantes y para ellos y sus condiciones compusieron Barbieri, Chueca, Chapí o Fernández Caballero.

El estudio de la voz en la zarzuela ha de partir del hecho de que los diversos géneros citados, demandan tipologías vocales diferentes: desde la zarzuela grande con similares exigencias a la ópera, hasta las varietés, donde el canto es un hecho circunstancial y es vital la presencia corporal. Es un error pensar que la zarzuela es un género de pocas exigencias vocales. Saldoni, maestro de canto y observador privilegiado de lo que sucedía, escribía sobre su alumno José Orejuela: "Inútil nos parece decir que él fue el primer tenor de zarzuela que reunía las condiciones de tal que se requieren para dicho espectáculo, así en voz como en estudios, y por eso se escribieron *ad hoc* para él todas las zarzuelas que más boga y crédito alcanzaron en su época de tenor primero". Barbieri, Gaztambide o Arrieta, formados en la tradición de la escuela belcantística italiana, o posteriormente Chapí y Bretón, concibieron sus obras para cantantes de primera fila, con unas exigencias comparables a las que planteaba el mundo operístico de entonces. Las grandes romanzas y arias de estas obras ponen a prueba la voz humana y son concebidas con pasajes de lucimiento, saltos amplios y bruscos, pasajes de bravura, zonas de tesitura incómoda y en lucha con una orquesta plena; en suma, para voces de gran potencia y resistencia.

II. VOCES FEMENINAS. En España la denominación común de la voz femenina es la de tiple. Es poco usual el empleo de las terminologías tradicionales de soprano, mezzosoprano o contralto. Esa falta de definición a la hora de denominar a las cantantes se debe a que los compositores españoles componían para compañías fijas y para voces concretas perfectamente conocidas por el autor, que tiene en cuenta sus cualidades fonatorias, los lugares fuertes y las debilidades de su voz, y sobre todo para un tipo de cantante definible tanto por sus cualidades teatrales como vocales No obstante las grandes voces de la zarzuela se convirtieron en verdaderos ídolos de la sociedad, como lo eran los tenores y sopranos del teatro Real; algunas hasta merecieron incluso que se escribieran zarzuelas con su nombre, *Miss Luisa Campos* o *Lucía Pastor*.

Se ha señalado que la zarzuela usa el término tiple para englobar a todas las voces femeninas, independientemente de su tesitura. No obstante sí son significativas las diferencias entre tiple lírica, dramática o cómica, según el carácter de su canto y el personaje que representan. La tiple lírica mantiene la tesitura hasta el Si_4 como en Elena de *La calesera*, Maribel de *La picarona*, Lucrecia de *San Franco de Sena*, María de *Gloria y Peluca*, Blanca de *La bruja*, María de *Mujer y reina*, María de *La alegría de la huerta*, Luisa de *La viejecita*, Baronesa de *El juramento*, Luisa Fernanda de la obra homónima, y Rosario de *La chulapona*; e incluso el Do_5, tal como se puede observar en personajes como Pepita de *Pan y toros*, Manuelita de *Manuelita Rosas* o Ángela de *La tempestad*. Las tiples dramáticas tienen igual tesitura, como por ejemplo Soledad de *Curro Vargas*, Margarita de *El salto del Pasiego*, Adriana de *Los gavilanes*, Regina de *La fiesta de San Antón*, Matilde de *El reloj de Lucerna*, Aurora de *La del Soto del Parral*, Amapola de *La leyenda del beso*. Las tiples cómicas no sólo se diferencian por la tesitura, dado que no supera al La_4, sino por su carácter. Suelen ser parte de la pareja "cómica" que contrasta con la principal, así Rosa de *¡Si yo fuera rey!*, Pepa de *La pícara molinera*, Inesilla de *La bejarana*, Nicasia de *La Dolorosa*, Catalina de *Black el payaso*. Existen campos intermedios entre las voces de tiple citadas y así se usa lírico-dramática para definir a Maravillas de *La calesera*, o Sagrario de *La rosa del azafrán* y el término de lírico-ligera para la Duquesa de *Jugar con fuego*, Luisa de *El grumete* o La marquesita de *El barberillo de Lavapiés*.

También existen las voces de mezzosoprano y contralto. La primera con una extensión que no supera el La_4. Así son Paloma de *El barberillo de Lavapiés*, Carmeleta de *La parranda*, la Princesa de *Pan y toros*, Mari Pepa de *La revoltosa*, Visita de *El bateo*, Menegilda de *La Gran Vía*, María de *El juramento*. Las voces de contralto no suelen exceder del Sol_4; por ejemplo Soledad de *La revoltosa*, Juana de *El baile de Luis*

Alonso, Sul de *La corte de faraón*, Gloria de *Los de Aragón*, Catalina de *La del Soto del Parral*.

Dentro de las voces femeninas existen otros términos importantes sobre todo en el género chico como el de *segunda tiple* o *vicetiple* y el de *característica*. El concepto de segunda tiple, no tiene una significación canora, sino que está ligado más bien a la función del personaje en la obra, frecuentemente relacionado con diversos oficios y con una función visual. Excepcionalmente podían sustituir a una primera tiple pero en realidad su misión era la de coristas importantes con alguna misión solística y dramática concreta, por ejemplo los "barquilleros" en *Agua, azucarillos y aguardiente* o los muy frecuentes coros de soldaditos cantados por mujeres en las operetas. Lógicamente sus exigencias vocales no eran muchas. De muy distinto carácter son los personajes femeninos conocidos como "características" o "damas de carácter", protagonizados por actrices que representan papeles cómicos de personas de edad. *Véase* CARACTERÍSTICA.

II. VOCES MASCULINAS. También el uso de la voz masculina tiene en la zarzuela algunas peculiaridades, a pesar de que utiliza los mismos tres tipos de voz conocidos: tenor, barítono y bajo.

1. Tenor. Dentro del tenor se usa la distinción tradicional entre ligero, lírico y dramático cuya tesitura llega en los tres casos hasta el Si_3. En la zarzuela grande predomina el tenor lírico o lírico-dramático y de hecho las voces de tenor han sido muy abundantes en España. Deben recordarse José Font, Rosendo Dalmau, Eduardo Bergés, José González, Manuel Sanz de Terroba, Antonio Oliveres, y más recientemente, Emilio Vendrell o Juan Casenave. Dentro de la voz de tenor tiene especial fuerza el tenor cómico. La temática de un género que huye de lo dramático y de los asuntos duros de la vida, otorga una especial presencia a los papeles cómicos. Ahí está el Abate Ciruela o Romero de *Pan y toros*, Lamparilla de *El barberillo de Lavapiés*, Julián de *La verbena de la Paloma*, y tantos otros. Tenores cómicos fueron Federico Blasco, Vicente Caltañazor, Emilio Carratalá, Eugenio Fernández, Miguel Tormo, Emilio Carreras, Antonio González, Luis Manzano, Enrique Povedano, etc.

2. Barítono. La voz de barítono tiene una relevancia especial. Heredaba el peso de esta voz en la ópera cómica italiana y concretamente en la obra de Rossini, tan inspirador de lo español. Para barítono se compusieron personajes como el Marqués de Caravaca de *Jugar con fuego*, Pepe-Hillo de *Pan y toros*, Simón de *La tempestad*, Mariano de *La patria chica*, Tarugo de *El puñao de rosas*, Caballero de Gracia de *La Gran Vía*, Marqués de *El juramento*, Don Luis de *La tempranica*, Juan de *Los gavilanes*, Leonello de *La canción del olvido*, Chinchorro de *La del Soto del Parral*,

Juan de Eguía de *La tabernera del puerto*. La historia de la zarzuela española cuenta con numerosos barítonos famosos como José Carbonell, Tirso Obregón, Ramón Cubero, Enrique Ferrer, Francisco Fuentes, José Iruela, Antonio Carceller, Federico Caballé, Emilio Sagi-Barba, Severo Uliverri, Matías Ferret.

3. Bajo. Menos importancia tiene la voz de bajo, a pesar de que uno de los fundadores del género, Francisco Salas, fue un gran bajo al que siguieron Francisco Calvet, Miguel Soler, Francisco Meana, Marcos Redondo, José Mardones, Manuel Gas, Pablo Gorgé, y otros. Esta voz tuvo presencia al comienzo del género y en el período final con autores como Vives o Guridi. Papeles de bajos son Pascual de *El grumete*, el Rey de *El dominó azul*, Rebolledo de *Los diamantes de la corona*, Marcelo de *Gloria y peluca*, Don Hilarión de *La verbena de la Paloma*, Cabo Stock de *Molinos de viento* y Prior de *La Dolorosa*.

IV. VOCES INTERMEDIAS. La llegada del género chico tuvo como consecuencias para la voz; la imposición de las denominadas voces intermedias. Se entiende por tales aquellas que se encuentran entre dos tipos diferentes. Son voces que carecen de las notas agudas de una y de las profundas de otra. Es una voz híbrida, con un cuerpo central rico y potente y cuyo uso ha sido muy frecuente especialmente en la tesitura de barítono. En el último período de la zarzuela compositores como Alonso, Guerrero, Moreno Torroba y Sorozábal escribieron numerosos papeles para este tipo de registro, lo que atrajo a tenores con dificultades en los registros altos y a barítonos con capacidades especiales en esta tesitura. Se la conoce a veces como voz de *"barítono tenoril"* representados por cantantes como Emilio Sagi Barba.

La llegada del género chico implicó cambios importantes en el mundo vocal. En primer lugar se produjo un claro incremento de los tipos cómicos y en consecuencia un descenso de las exigencias de las voces y un incremento de las teatrales y del hablado que provocó la valoración del actor-cantante y la creciente importancia de lo que se ha denominado voces intermedias. La teatralización del mundo lírico, y sobre todo, el enorme crecimiento del consumo lleva a cierta ligereza en la concepción de la lírica. Es preciso no olvidar que durante una buena parte del siglo XIX un cantante de zarzuela dedicado al género chico realizaba en torno a 250 representaciones por año, respondiendo a un público que asistía a ver una misma obra dos o tres veces en el caso de los grandes éxitos.

El género chico busca un entretenimiento más inmediato, la presencia de tipos cómicos, la carcajada, y acude a una música que reduce las exigencias vocales, inspirada en ritmos populares, en la música de los salones de baile y en los cancioneros. Esta realidad empobrece lo canoro y virtuosístico, y exige un tipo de cantante lleno de gracia y salero y conocedor del estilo de canto hispano que nace con la tonadilla y está relacionada con la música popular. Es el reino de la tiple cómica, que canta en las tesituras centrales de la mezzosoprano, en las que el compositor evita las notas extremas. Ciertamente existen personajes cómicos con exigencias vocales —así los de las grandes obras del género chico—, pero en otros son mínimas, creados para esos "actores-cantantes". No se pueden infravalorar estos personajes y sus músicas que cuando son cantados por auténticas voces, —existen grabaciones de Teresa Berganza, Monserrat Caballé o Pilar Lorengar—, dejan patente su genialidad.

En el citado tratado de Antonio Cordero se señalaban las cualidades del cantante al que apela el género chico, que no son pocas, ni fáciles: "Las cualidades más necesarias a un buen cantante jocoso son voz (de mediana calidad por lo menos) fuerte, afinada, extensa, flexible; sensibilidad, tener estro, inteligencia, rapidez y suma claridad y corrección en la pronunciación; emitir la voz ancha y vigorosa en medio de dicha rapidez en la palabra; gran aliento y no menor presteza en tomarlo en abundancia y sin fatiga aparente cuando menos; ...hacer desaparecer la aridez de las melodías que para dicho género se escriben por lo común, ora hablando, ora cantando o haciendo una mixtura agradable de ambas cosas". La dificultad del hablado se incrementó aún en el género chico. No se trata sólo de la dificultad de pasar del cantado al hablado, sino que el cantante del género chico ha de tener la capacidad de encarnar las variadas tipologías del habla de los ricos personajes que aparecen en el escenario desde los lenguajes en slang, veristas, y desgarrados a los más plácidos; es decir, ha de dominar aquellas variantes que en los tratados de declamación se llamaban naturalismo, efectismo, realismo, eclecticismo, etc. El final del proceso de evolución vocal del género zarzuelístico, caminó hacia una decadencia que tuvo lugar a comienzos de siglo con la llegada de los llamados géneros frívolos. El canto descendió aquí a su cota más baja y se impusieron otras realidades conocidas como de "visualidad" o en términos más realistas como "géneros piernográficos".

BIBLIOGRAFÍA: *DBE, HGZ*; A. Cordero: *Escuela de canto en todos su géneros y principalmente en el dramático español e italiano*, Madrid, Beltrán y Viñas, 1858; E. Funes: *La declamación española. Bosquejo histórico-crítico*, Sevilla, Tip. de Díaz y Carballo, 1894; R. Regidor Arribas: *La voz en la zarzuela*, Madrid, Real Musical, 1991.

EMILIO CASARES RODICIO

Vuelta al mundo, La. Viaje inverosímil de grande espectáculo cómico-lírico en tres actos y un prólogo. Música de Francisco Asenjo Barbieri y José Rogel. Libreto de Luis Mariano de Larra. Estrenado el 18 de agosto de 1875 en el teatro Circo del Príncipe Alfonso de Madrid.

Personajes y reparto. Melchora (Dolores Fernández, tiple). Orí (Julita Cifuentes). Utma (Valentina Sampela). Nohemi (Sra. González). Juan García (Juan Orejón, tenor cómico). Sir Morton (Francisco Arderius, bajo cómico). Curro Eguía (José Suárez). Garduña (Ramón Rosell, actor y cantante). Un limpiabotas (Sr. Guzmán). El tío Conejo (José Rochel). Artajerjes (José Rubio). Sabio 1º (Rodríguez). Sabio 2º (López). Alazur (Enrique Prieto). Gran Fakir (Fernando Jiménez). Un negro catedrático, un chino, un turco, un polaco, un griego, un indio, un árabe, un mozo de café, Capitán del buque, un capataz, un negro congo, un maquinista y un fogonero (Ruiz).

Orquestación. Flautín, flauta, 2 oboes, 2 clarinetes, 2 fagotes, 2 trompas, 2 cornetines, 3 trombones, timbales, bombo, platillos, triángulo, pandereta, tambor, lira y cuerda.

Argumento. *Prólogo.* El Club de los Inútiles, que tiene su sede en Madrid, ofrece un premio de dos millones de reales a aquel que presente el invento más inútil para la Humanidad. Cuando los miembros del Club están a punto de declarar el premio desierto, pues todos los inventos presentados pueden ser útiles en alguna medida, se presenta Juan García, un vividor que se ha inspirado en *La vuelta al mundo en 80 días* de Julio Verne para proponer que él puede recorrer el mundo en 70 días de modo que su viaje no sirva para nada, ni a la botánica, ni a la geografía ni a cualquier otra rama de la ciencia, debido a la premura. Curro Eguía, criado gaditano del Club, se ofrece a acompañarle para librarse de su novia Melchora, una madrileña que se ha empeñado en casarse, y Curro no quiere. Melchora sale en persecución de Curro y Garduña, un agente de la policía secreta, persigue a Juan García por estafador.

Acto I. En Sevilla Melchora alcanza a los viajeros y se une a la expedición, que, siempre perseguida por Garduña, pasa por el desierto del Sahara, por la India, cerca de Bundelkund, donde rescatan a Orí, viuda del rajah que iba a ser quemada, y que se une a la expedición, ya que García se ha enamorado de ella.

Acto II. En un bosque cerrado de la América septentrional rescatan al inglés Sir Morton de los cazadores de cabelleras y llegan en el tren a San Francisco (California) junto a Garduña, que se les une sin explicar ni quién es ni sus intenciones. En esa ciudad a Curro le roban el maletín con el dinero pero logra recuperarlo y todos embarcan rumbo a Panamá. Tratando de cambiar el rumbo y llegar a China, el vapor explota y los protagonistas naufragan.

Acto III. Tras el naufragio consiguen llegar a tierra, en América del Sur, cerca de Chile. Llegan a una plantación de azúcar, en la que Garduña recibe un telegrama desde Madrid destituyéndole porque el verdadero ladrón ha sido detenido y ahorcado en Madrid. El grupo consigue llegar al Club de los Inútiles el día de San Isidro, como habían anunciado, Orí, se promete con Juan García, Melchora con Curro y el inglés Sir Morton les convida a todos en la calle de Segovia.

Números musicales. Acto I: Nº 1. Coro y orquesta, "De la ciencia los largos caminos". Nº 2. García y coro, "Caballeros aquí está el asombro de Madrid". Nº 3. Melchora, Garduña y coro, "Magnífico viaje". Acto II: Nº 4. Coro, "Al pescar camarones". Nº 5. García, y coro, "Al llegar a Manzanares". Nº 6. Garduña y coro, "Por correr tras la galera" Nº 7. Orquesta. Nº 8. Orquesta. Nº 9. Orí y García, "Yo soy la melancólica". Nº 10. Marcha final, Orí, Melchora, García y Curro. Acto III: Nº 11. Coro, "Bien dicen nuestras armas". Nº 12. Orquesta. Nº 13. Limpiabotas y coro de hombres, "Yo he nacido en Cartagena". Nᵒˢ 14 y 15. Orquesta. Acto IV: Nº 16. Orquesta. Nº 17. Orí, "A la cara bi... a la cara bi...". Nº 18. Guajira, coro, "Una guajirita antigua". Nº 19. Sir Morton, Orí, Melchor, Garduña, García, Curro y bajos, "En Nueva York hay un tranvía". Nº 20. Orquesta. Nº 21. Orquesta, y coro de tiples, "Cuando bajan al santo las madrileñas".

Comentario. *La vuelta al mundo* es otra de las obras que Barbieri concibió para el teatro bufo de Arderius. Tuvo enorme éxito y de alguna manera inesperado para los autores, tal como se manifestaba en la cariñosa dedicatoria que en la tercera edición del libreto hacían de la obra a Mariano Soriano Fuertes, "Municipius Globulus": "Te dedicamos casi en broma la primera edición de esta obra, no creyendo nunca que pudiera llegar el caso de dedicarte la segunda, pues su escaso mérito literario y musical, lo ponía en nuestra opinión a cubierto de tal publicidad y de tan extraordinario éxito. El público, galante en demasía, ha opinado lo contrario, puesto que continúa asistiendo a la 70ª representación con el mismo empeño que a la 1ª, y puesto que ha agotado en los pasillos del teatro la primera edición de *La vuelta al mundo*. Agradécele a él que te dediquemos también la tercera como débil prueba del verdadero afecto que te profesan tus amigos. Larra y Barbieri".

Ciertamente el espíritu de la dedicatoria deja claro que lo que Barbieri y Larra pretendían era divertir y entretrener y, desde luego, lo consiguen. El nacimiento de esta obra, un nuevo compromiso con el mundo de los bufos de Arderius, se puede seguir a través de la correspondencia entre Barbieri y Larra en la que se señala cómo trabajaban de mutuo acuerdo y sobre todo, como Barbieri definía minuciosamente el texto. En una carta de Lara en mayo: "Verás tus seguidillas / y hasta la vuelta / ¡Memorias a Cordero / y a doña Petra! / Alza salero! / que siga haciendo piezas / el oro negro". Por fin en otra del mes de mayo: "Los acentos van colocados como Dios manda".

Barbieri la concibe con todos los modismos propios del género bufo. La obra tenía las típicas músicas del género basadas en la presencia de ritmos de danza populares como son las seguidillas sevillanas del Nº 4, el canto popular indio del Nº 8 o la guajira del Nº 18, presencia continua del coro y con ello de escenas de multitudes, abundantes números instrumentales adecuados para la danza y que permitiesen los cambios de escenografía tan típicos en las creaciones bufas.

La obra sufrió cambios y muchas dudas por parte de ambos, sobre todo en relación a cómo dividirla, si en tres o cuatro actos. De hecho la partitura de la SGAE tiene cuatro mientras el libreto señala tres. Sin duda, los modelos eran *El potosí submarino* y *Robinson*. Ninguno de los dos estaba convencido de que aquello fuese lo que tenían que hacer, pero Larra tenía que aceptar: "Ya no se contenta el público con reír en las escenas cómicas, sino que pide su repetición; ya no les basta reír dos veces el preludio del maestro Bandurria, sino que le oye tres veces todas las noches; cosa nunca vista en los fastos de la zarzuela".

Fuentes manuscritas. La partitura (TL-136) y los materiales de orquesta (2204) se conservan en el archivo de la SGAE en Madrid.

Ediciones de música. Canto y piano, Calcografía de Vidal e hijo y Bernaregui y SM.

Ediciones del libreto. 1ª y 2ª ed., Madrid, Alonso Gullón, 1875; 3ª ed., Madrid, Imp. José Rodríguez, 1879.

BIBLIOGRAFÍA: E. Casares Rodicio: *Francisco Asenjo Barbieri. 1. El hombre y el creador. 2. Escritos*, Madrid, ICCMU, 1994.

EMILIO CASARES RODICIO

W

Wolf, Luciana [Rosa Bagüés Tomás, Rosita Tomás]. Zaragoza, 26-V-1941. Tiple cómica. Hasta los catorce años residió en su ciudad natal en la que llevó a cabo sus primeros estudios musicales. Al trasladarse a Madrid amplió los de canto con Lola Rodríguez de Aragón terminándolos en Zaragoza con la soprano Amparo Azcón. Con el nombre de Rosita Tomás debutó interpretando diversos papeles de tiple cómica en formaciones zarzuelísticas y decantándose por el género revisteril para el que su belleza la hacía idónea. En 1967 dio un giro a su carrera y con el seudónimo de Luciana Wolf se presentó como cantante melódica con éxito, por lo que trabajó asiduamente en la televisión, en su doble faceta de cantante y presentadora. Al mismo tiempo grabó numerosos discos. En 1977 fue requerida por la Compañía Lírica Nacional para el espectáculo *Los vagabundos* llevada a cabo por Joaquín Deus y Manuel Moreno Buendía. A mediados de los años ochenta regresó a la revista protagonizando en el teatro del Progreso (hoy Nuevo Apolo) *La blanca doble*, que fue posiblemente su última actuación ante el público.

Luciana Wolf
(Foto: Ar. Emilio G. Carretero)

EMILIO GARCÍA CARRETERO

Cortesía de Unión Musical Ediciones SL

Worsley, Clifton [Pedro Astort Badía]. Barcelona, 24-IX-1872; Barcelona, 13-III-1925. Compositor. En 1916 estrenó en el teatro de la Zarzuela la opereta *Enma*, escrita en colaboración con Fernando Obradors que fue un fracaso. Al año siguiente presentó en el Tívoli de Barcelona otras dos operetas, *El vals de los pájaros* con libreto de Firpo y Parera y *Palabra de rey* con libro de Mariano Golobardas. Si en la lírica no le fue favorable el éxito, triunfó en la ligera, ya que fue el inventor del vals-boston, y se convirtió en la figura de moda en los salones de la aristocracia del momento, tanto por sus bailes como por sus canciones.

BIBLIOGRAFÍA: *DMEH*.

Mª LUZ GONZÁLEZ PEÑA

X

Xatart, Matilde. España, siglo XX. Tiple. Probablemente era de origen catalán, pues allí se desarrolló gran parte de su carrera, sobre todo en el Paralelo barcelonés. Casada con el actor, empresario y dramaturgo Joaquín Montero, estuvo de gira con él por América en la primera década del siglo XX. En 1913 se hallaban de regreso en Barcelona y ambos fueron contratados por el teatro Nou de la ciudad condal, en el que presentaron las operetas más de moda en el momento como *Eva* de Lehár. Fue contratada por el teatro Apolo la temporada 1919-20. Estrenó *Katiuska* de Sorozábal en el teatro Rialto de Madrid, en 1932, interpretando a Tatiana. Puesto que Joaquín Montero emigró a Chile en 1939 y allí murió, es de suponer que Matilde Xatart le acompañaría. *Véase* MONTERO, JOAQUÍN.

BIBLIOGRAFÍA: *TA.*

Mª LUZ GONZÁLEZ PEÑA

Xuanón. Comedia lírica en dos actos. Música de Federico Moreno Torroba. Libreto de José Ramos Martín. Estrenada el 2 de marzo de 1933 en el teatro Calderón de Madrid.

Personajes y reparto. Berlama (Mª Teresa Planas, mezzosoprano). Oliva (Flora Pereira, soprano). Sabina la de los "güeyos" (Ramona Galindo, tiple). Rosina (Carmen Pérez Carpio). Gudelia (Soledad Escrich). Edelmira (Juana Greco). Armida (Matilde Gómez). Efigenia (Mercedes Salgado). Portala (María Samperio). Xuanón (José Luis Lloret, barítono). Pin (Faustino Arregui, tenor). Manín los Santos (Eduardo Marán, tenor cómico). Pachín (Manuel Hernández, tenor cómico). Crispo "el vieyo" (Alejandro Bravo). Rufo (Miguel Pros). Manolín (José Palomo). Servando (Juan Rueda). Un aldeano (Eloy Parra, tenor). Coro mixto.

Orquestación. Flautín, flauta, 2 oboes, 2 clarinetes, fagot, 4 trompas, 2 trompetas, 3 trombones, tuba, timbales, caja, triángulo, bombo, celesta, arpa y cuerda.

Argumento. La acción se desarrolla en un pueblo imaginario de la cuenca minera asturiana, llamado Sama de Laviana, hacia 1880. *Acto I.* Se celebra la romería en honor de la Virgen de los Paxarinos, con una gran animación: Crispo "el vieyo" ofrece su sidra desde un tenderete, Sabina sus frutas, mientras el viejo Manín los Santos intenta pregonar sin éxito sus romances, ante las burlas de Rufo y Xuanón. Cuando se inicia el baile Xuanón discute violentamente con Manolín para emparejarse con Rosina. Cuando la hermosa aldeana accede a bailar con los dos para calmar la situación, Xuanón la rechaza riéndose con orgullo. La vieja Sabina le aconseja que no enrabie más a la viuda Belarma, que escucha todas las noches desde su casa coplas ofensivas cantadas desde el chigre. Xuanón contesta que no teme a nadie y menos a una mujer. Se retiran todos y llega un grupo de mozas con un gran ramo en ofrenda a la Virgen. Entre ellas está Oliva, que lamenta que su novio Pachín la haya olvidado tras regresar de Cuba con fortuna. Cuando aparece Pachín, muy bien vestido y derrochando dinero, Oliva intenta sin éxito recordarle su amor. La muchacha se queda llorando y el joven Pin la consuela contando que él también sufre por el amor no correspondido de Belarma, por lo que está dispuesto a marcharse a Cuba para olvidar sus penas. Los aldeanos irrumpen mofándose

Cortesía de Unión Musical Ediciones SL

de los dos viejos Sabina y Manín, que han sido sorprendidos besándose. Belarma sale indignada y les defiende, amenazando a todos y consolando a Sabina; Xuanón hace lo mismo protegiendo a Manín. Cuando Belarma se aleja hacia la ermita, Xuanón la ofende recibiendo de ella una brusca bofetada. El orgulloso mozo jura ante todos que buscará el momento oportuno para vengarse. La fiesta continúa con la llegada de un nuevo grupo de una aldea vecina con otro gran ramo. Oliva sale de la ermita con un niño recién nacido, que ha sido abandonado ante el altar de la Virgen; Belarma decide hacerse cargo del rapacín, mientras se reanuda el baile.

Acto II. En una plazuela de la aldea se escuchan las coplas que se cantan en el chigre, frente a la casa de Belarma; las mozas del pueblo, encabezadas por Oliva, también se paran para contestar los piropos de los mozos. Cuando todos se retiran, Sabina y Manín comentan que no se sabe quién pudo abandonar al niño recogido en la ermita. Oliva es engañada por Sabina, que le promete un falso bebedizo para recuperar a Pachín. En el chigre varios mozos celebran la despedida de Pin, a quien todos compadecen por haberse enamorado de una mujer como Belarma. Servando comenta a su amigo Xuanón que corren rumores de que él es el padre de la criatura abandonada, comentario que niega tajantemente. Sale Belarma de su casa y se le cruza Xuanón, reprochándose ambos su airada actitud. Llega Pachín al chigre con su porte estirado y adinerado, momento que aprovecha Oliva para enseñarle una supuesta carta de una amiga en la que comenta su sufrimiento por los desdenes de Pachín. Cuando éste se queda solo comenta que no hizo fortuna en Cuba, manteniendo esta falsedad como un cebo para casarse con una moza rica. Sale Xuanón que se está enamorando de Belarma, aunque cuando le descubren sus amigos decide disimular sus sentimientos cantando una copla ofensiva ante la casa de ésta. Belarma les contesta y todos se marchan arrepentidos. Días después, Manín y Sabina comentan que Pachín y Oliva por fin se han reconciliado, mostrándose el joven muy interesado por la dote de ella. Aparece Xuanón que viene dispuesto a hacerse cargo del niño, diciendo que él es el padre. Belarma accede y ambos se reconcilian, aunque finalmente Manín les interrumpe informando que ha aparecido la verdadera madre. Xuanón reconoce que todo era falso y que sólo pretendía tener una excusa para estar cerca de Belarma, por lo que todos comentan cómo Xuanón ha caído en las redes de Belarma.

Números musicales. Acto I: N° 1. Crispo, Sabina, aldeano y coro, "Si vas a Covadonga pasa por Llanes". N° 2. Xuanón, "Ante un vaso de sidra". N° 3. Oliva y Pin, "Me fui al Carmín de la Pola". N° 4. Belarma, Oliva, Sabina, Xuanón, Manín y Pin, "Dejainos, dejainos creminales canijos". N° 5. Final 1°. Aldeano, mozos y mozas, "Una noche me veréis... Si vas a Covadonga". Acto II: N° 6. Aldeano, Oliva, mineros y mozas,

"Una palomita blanca... La nieve de la cima". N° 7. Pin y mineros, "En el camino de Mieres". N° 8. Belarma, Sabina, Manín y Xuanón, "Agua clara de la fuente ye un bebedizo". N° 9. Belarma y Xuanón, "El que está en la puerta que vuelva mañana". N° 10. Belarma, Xuanón y mineros, "Has de saber que non temo". N° 10bis. Intermedio. N° 11. Oliva, Pachín y mozas, "Aquí está mi Pachín". N° 12. Xuanón, "En los cuentos de aldea no hay que fiar". Final. Coro de hombres y Xuanón, "Ya por fin a la Belarma dominar logró".

Comentario. Como muy bien titulaba su crónica del estreno Antonio Fernández Lepina en el diario *El Imparcial*, *Xuanón* constituía un "nuevo éxito del maestro Moreno Torroba", que confirmaba sus anteriores, en especial el de *Luisa Fernanda* estrenada con un enorme éxito el año anterior. El crítico argumentaba que el compositor se había acercado al género con "un exceso de preparación", aunque había sabido "ponerse a tono con la zarzuela al uso, elevando los procedimientos sin pedantería". En realidad, el maestro se había convertido en una referencia de la nueva generación de zarzuelistas, sobre todo tras hacerse cargo en 1929 de la empresa del teatro Calderón, que se había convertido durante la República en el Teatro Lírico Nacional, proyecto modesto en sus planteamientos que pretendía mantener la tradición más castiza y nacional de la zarzuela.

Xuanón recogía además la moda del regionalismo, esta vez con una historia desarrollada en un idealizado mundo rural asturiano. El diario *Heraldo de Madrid* iniciaba su crítica comentando la gran aceptación de esta tendencia, ya que "el folklorismo atrae a libretistas y compositores; aquellos encuentran ambiente colorista en el cual lo pintoresco de los tipos locales presta novedad aparente a los obligados personajes de la vieja zarzuela. Los compositores hallan ritmos y temas que encierran en su depuración a través del pueblo tamizada belleza y fácil captación dentro de su intenso atractivo". El libreto había sido escrito por José Ramos Martín, hijo del famoso Miguel Ramos Carrión, que había alcanzado fama con los libretos correctos y aseados que ofreció a Jacinto Guerrero como *La alsaciana* o *Los gavilanes*. No en vano, en la crónica del diario *ABC* se señalaba que estaba escrito "al modo limpio y discreto a que nos tiene acostumbrados". Detrás de este interés de Ramos Martín por lo asturiano estaban una serie de figuras –políticas y culturales– que por entonces desarrollaban su actividad en Madrid, como Manuel Llaneza, Eladio Verde, Florencio G. Sotura, Alfonso González del Valle y Germán Morán, a quienes el libretista dedica el libreto definiéndolos como "asturianos de cepa, buenos camaradas y excelentes amigos".

La trama, apenas desarrollada con la historia entre el airado Xuanón y la orgullosa Belarma, no era más que una excusa para ofrecer una serie de cuadros pintorescos con lo asturiano de fondo. Como muy bien puntualiza Luis Araujo-Costa en *La Época*, lo que más llama la atención es "el paisaje de Asturias, reproducido en el escenario, paisaje verde, fresco, grato, saludable, con sus pomaradas y sus ermitas... donde bailan mozos y mozas los aires de la región y beben sidra los hombres", de tal manera que el desarrollo dramático "no importa, ya que los episodios rellenan los huecos y el desfile de tipos asturianos y las canciones y bailes del folklore entretienen al público hasta hacerle olvidar la marcha de los acontecimientos principales". Un buen ejemplo del tratamiento superficial de lo asturiano –reducido a mero colorido escénico– es el desinterés de Ramos Martín por el habla asturiana, que se limita algunas expresiones aisladas. No debe olvidarse, que era una zarzuela pensada para el público madrileño, por lo que el libretista "atento al público que ha de escuchar los versos, les da tan sólo un ligero tinte asturiano, con el fin de que todos los entiendan", como puntualiza Luis Araujo-Costa.

Con similar intención, Moreno Torroba acude a las melodías y bailes del folclore asturiano que recorren toda la partitura. Un buen ejemplo es la melodía "Si vas a Covadonga pasa por Llanes", que se escucha desde la lejanía en varias ocasiones, o "Si vas al Carmín de la Pola", que sirve de base para el dúo entre Oliva y Pin, Nº 3. Uno de los números de mayor éxito –que fue repetido hasta tres veces el día del estreno– fue la tonada de Pin "En el camino de Mieres", acompañada a cappella por el coro a boca cerrada, a la manera de los arreglos de melodías populares que se realizaban para los orfeones. Tampoco faltan las danzas, como la giraldilla del final del primer acto, Nº 5, o el intermedio del segundo acto, Nº 10bis. Sin embargo, en los dos protagonistas apenas existe esa caracterización asturiana, como se puede observar en el barítono, tanto en su brillante canto de alabanza a la sidra, Nº 2, como en su hermosa romanza, Nº 12, ambas con un tratamiento vocal lírico de influencia verista muy en boga en la zarzuela de los años treinta. Como señalaba el crítico del *ABC*, "todo fueron aires de bonanza, y, preferentemente aires asturianos, tiempos de tonadas giraldillas y vaqueiras, temas sugeridores y fragantes, que el arte, la elegancia y la maestría de Moreno Torroba realzan con unidad de forma en bellas y graciosas melodías, delicadamente orquestadas". En definitiva, es un buen ejemplo de la visión un tanto tópica y superficial de una zarzuela que vivía sus últimos años de esplendor, con obras vistosas y amables que ofrecían escasos momentos de verdadera emoción.

Xuanón fue bien recibida desde su primer día, cosechando numerosos aplausos a pesar de los intentos iniciales de boicotear el estreno por parte de una *claque* contraria a los éxitos de Torroba en el Calderón. El maestro, que estaba en el foso aquel día, recogió los aplausos junto a los principales intérpretes entre los que destacó la tiple María Teresa Planas, que también había triunfado en el papel protagonista de *Luisa Fernanda*, de la que la crónica del *Heraldo de Madrid* decía que era "cantante de categoría, con voz extensa de cálidos agudos y buena escuela de canto, cualidades musicales a las que hay que sumar belleza, arrogancia y juventud, que siempre triunfan en escena". Aunque *Xuanón* nunca cuajó plenamente en el repertorio, la zarzuela tuvo una amplia difusión, estrenándose con éxito en Asturias –donde se ha repuesto en varias ocasiones–, existiendo también constancia de su representación en el teatro Arbeu de México en 1947. Como señalaba Luis Araujo-Costa, era un "buen cuadro de las Asturias de Oviedo, un poco convencional, un tanto siglo XIX en el estilo de Martín, pero grato a la vista. No sería difícil que en una exposición de pinturas se colocaran a su lado varias tarjetas de compradores". Difusión que se vio favorecida por la emigración asturiana en toda América.

Fuentes manuscritas. Los materiales de orquesta se conservan en el archivo de la SGAE en Madrid (5866).

Ediciones de música. Canto y piano, Nº 2 y Nº 10, Madrid, UME, 1933. Banda, Selección, UME. Sexteto. Selección, UME.

Ediciones del libreto. Madrid, SAE, 1933.

FONOGRAFÍA: CD: Sols. Faustino Arregui, Angelita Durán, Marcos Redondo, Flora Pereira, Delfín Pulido, Selica Pérez Carpio, Blue Moon BMCD 7544.

VÍCTOR SÁNCHEZ SÁNCHEZ

Yankee, La. *Véase* CASTIZO, REYES.

Yerves [Señorita Yerves]. España, siglos XIX-XX. Tiple. Estrenó diversas obras en la segunda década del siglo XX, como *El burlador de Plutón* de Teodoro Valdovinos, teatro Gran Vía, 1911, tuvo un éxito extraordinario e interpretó dos papeles; *Lirio entre espinas* de Giménez, *Las hijas de Lemnos* de Luna y *La Romerito* de Calleja y Luna, Apolo, 1911; *El fresco de Goya* y *El príncipe casto* de Quinito Valverde, *Las mujeres de Don Juan* y *La cocina* de Calleja y *El cuento del dragón* de Giménez, Apolo, 1912.

BIBLIOGRAFÍA: *TA.*

Mª LUZ GONZÁLEZ PEÑA

Yola. Zarzuela cómica moderna en un prólogo y dos actos. Música de Joaquín Quintero Muñoz y José María Irueste Germán. Libreto de José Luis Sáenz de Heredia y Federico Vázquez Ochando. Estrenada el 14 de marzo de 1941 en el teatro Eslava de Madrid.

Personajes y reparto. Yolanda de Melburgo (Celia Gámez). Rufa de Jaujaria (Julia Lajos). Carlotita (Micaela de Francisco). Condesa Mariana (Pepita Arroyo). Dama de Yolanda (Eulalia Zazo). Dama 1ª (Remedios Logan). Dama 2ª (Asunción Benlloch). Príncipe Julio (J. Alfonso Goda). Duque Calixto (Pedro Barreto). Pelonchi (Miguel Arteaga). Secretario Mayor (Amadeo Llauradó). Guerrero (Sr. Casas). Maestro de ceremonias (Salas Caro). Un montero (Sr. Palomera). Coro mixto.

Orquestación. Flauta, oboe, 2 clarinetes, fagot, 2 trompas, 3 trompetas, 3 trombones, 3 saxofones (alto, tenor, alto), timbales, batería, piano y cuerda.

Argumento. *Prólogo.* Desde el escudo de armas del ducado imaginario de Claritonia, la cabeza de un guerrero informa que el Duque Calixto se ha casado cuatro veces sin tener descendencia, por lo que según la constitución debe casarse una vez más a sus setenta años. Para ello se celebra en el palacio ducal una gran recepción en la que deberá elegir entre las dos únicas pretendientes que restan. *Acto I. Cuadro primero.* A la celebración acude la condesa Mariana con su hija Carlotita, a quien el Secretario Mayor propone casar con su primo el Príncipe Julio, para que éste pierda su calidad de heredero. Pelonchi, otro secretario sin cartera, apoya el plan que les permitirá a ambos seguir en su puesto. El Duque con su corte recibe a la Gran Duquesa Rufa de Jaujaria, "una jamona emperifollada y ridícula, de edad más que madura", que le entrega como presente una cabra, símbolo heráldico de su noble casa. Cuando se van a retirar hacia la cena, se anuncia la llegada de la otra pretendiente: Yolanda, duquesa de Melburgo, joven de deslumbrante belleza que ha llegado inesperadamente en avión vistiendo traje de viaje. En realidad llega engañada por su abuela, que le había dicho que le esperaba un joven pretendiente. *Cuadro segundo.* Al subirse el telón, el público sorprende al Príncipe Julio con una camarera entre sus brazos, justificando éste su debilidad por sus devaneos con las mujeres. *Cuadro tercero.* En el jardín de Palacio, los dos secretarios buscan a la Duquesa de Jaujaria, que ha salido de la cena rebufando. Yolanda sale también huyendo del viejo verde del Duque, que no ha parado de insinuársele durante toda la noche. Cuando Yolanda se encuentra con Pelonchi le convence que la pretendiente ideal es la de Jaujaria, ya que su ducado es mucho más rico. Entra el Duque Calixto en busca de Yolanda, declarándole ridículamente su amor. Para quitárselo de en medio Yolanda le pide que la traiga un refresco. Al quedarse sola aparece el Príncipe Julio, que queda absorto por la belleza de Yolanda, y le declara su amor, señalando que ha tenido un flechazo nada más verla. Ambos huyen, a la vista del Secretario Mayor que le informa al Duque de la nueva circunstancia, saliendo los dos en busca de la pareja huida. Pelonchi finalmente encuentra a Rufa de Jaujaria y le declara su amor, interesado por su fortuna. Regresan Julio y Yolanda, y ella le convence para que no cometa ninguna locura y regresen juntos a la fiesta. A lo lejos se escucha la melancólica canción de Carlota.

Acto II. Cuadro primero. En un monte de caza, llega el Duque Calixto muy fatigado, lamentando no despertar ningún interés en Yolanda. El Mayor le informa que ha dejado correr el rumor de que Carlota y Julio han huido juntos, cuando en realidad él se ha encargado de que permanezcan encerrados para evitar que continuase la relación del Príncipe con Yolanda. Los monteros traen a la de Jaujaria que ha tenido un accidente con su caballo, que se ha desbocado al perseguir a la yegua de Pelonchi. Poco después llega Yolanda, luciendo un elegante traje de amazona y rodeada de admiradores. El Duque intenta demostrarle que aún se siente como un joven. Al oír los nuevos toques todos salen para continuar la cacería, quedándose solas la de Jaujaria y Yolanda, que le informa de que el Príncipe Julio no ha huido, lo que hace renacer las esperanzas de Yolanda planeando vengarse del viejo Duque. Así, cuando ve a Calixto finge que le ama ante la sorpresa de todos. *Cuadro segundo.* En la biblioteca del castillo de noche, Julio lamenta su encierro del que no entiende los motivos. Llega Carlota a escondidas y le confirma el plan de su tío para apartarle de Yolanda. Le propone que ambos se fuguen de verdad, aunque Julio la rechaza saliendo en busca de Yolanda. Detrás del plan está su madre la Condesa Mariana, que insiste en el enlace de Carlota con Julio. Entra Pelonchi con la intención de llevarse al Príncipe a la boda de su tío para que provoque un escándalo que impida el enlace, aunque se encuentra sólo con Mariana, quien le engaña diciéndole que el Príncipe ha huido con su hija, lo que desbarata su planes. *Cuadro tercero.* En el *budoir* de Yolanda y Rufa de Jaujaria comentan que se aproxima la hora de la boda sin saber nada del Príncipe, noticia que es confirmada por Pelonchi, que consigue entrar disfrazado de criada. Cuando ella lamenta esta ausencia, entra por la ventana el Príncipe Julio, que ha conseguido escaparse arrojándose al foso del castillo, donde todos creen que se ha suicidado. Llama a la puerta el Duque, y Julio se esconde detrás de un biombo. Entra muy nervioso porque ha recibido la noticia del suicidio de su sobrino. Cuando escucha a lo lejos la voz de Julio, piensa que es su fantasma que viene a vengarse y cae desmayado. *Cuadro cuarto.* Antes de la boda, todo es confusión por la desaparición de Julio y el Duque. Mariana y el Mayor discuten por no haber sabido llevar bien sus planes, mientras Pelonchi aprovecha

para declarar su amor a Rufa de Jaujaria, sin quitar la vista de sus joyas. Todo finaliza así amablemente.

Números musicales. Preludio. Prólogo: Nº 1. Marcha solemne. Acto I: Nº 2. Instrumental. Nº 3. Himno de Jaujaria. Nº 3bis. Marcha-Polka. Nº 4. Yolanda, "¡Alas! Para poder volar". Nº 4bis. Marcha. Nº 5. Julio y coro, "No sé si las damas... Lo mismo me da". Nº 6. Yolanda, "¡No! ¡No puedo más!... Quiero casarme con quien quiero". Nº 7. Julio y Yolanda, "Porque al reflejo de tus ojos pudiera disfrutar...". Nº 8. Carlota y Julio, "Qué bella noche... Lo mismo me da". Acto II: Nº 9. Yolanda y coro, "Me lanzo al galope... De amor no hablar". Nº 10. Yolanda y coro, "Siento renacer en mí tu amor...". Nº 11. Introducción y Blues: Julio, "Dolor y amor es mi suspiro". Nº 12. Yolanda y Julio, "En mi boca ya no hay risas...". Nº 13. Dama de honor y coro de damas, "Es difícil suponer...". Nº 14. Final.

Comentario. *Yola* es una de las operetas de mayor éxito de la España de posguerra, alcanzando una enorme difusión con compañías que recorrieron todo el territorio nacional. En los materiales de orquesta, muy deteriorados por su excesivo uso, hay anotaciones de representaciones en Laredo, Santander, Oviedo, San Sebastián, Barcelona, Valencia, Elche, Cartagena, Cáceres, Cádiz, Valladolid o Albacete, algunas de 1954, más de diez años después del estreno. Gran parte de su éxito se debió a la presencia en el papel protagonista de Celia Gámez, para cuya compañía se creó la obra, destinada al teatro Eslava, local del que era propietaria y donde triunfó la cantante argentina en los años cuarenta, con otros títulos como *Si Fausto fuera Faustina* o *La estrella de Egipto*. En estas obras buscaba una revista no chabacana, apta para todos los públicos, con vistosos decorados, números musicales pegadizos y vestuario lujoso. En este sentido, en el diario *Arriba* se comentaba que en *Yola* se había logrado "uno de los éxitos más brillantes, a lo que contribuye mucho el gran vestuario y la escenografía, así como los cuadros de baile y el arte y la gracia incomparables de nuestra *vedette*".

A pesar de la denominación de zarzuela cómica se trata de una opereta, dentro de la mejor tradición centroeuropea, tanto por su ambientación fantástica –de un mundo cortesano idealizado– como por el tono sentimental de la historia de amor. Jorge de la Cueva en su crítica del diario *Ya* señalaba que "sus autores vuelven al punto inicial de la opereta cuando sólo pintaba ambientes reales y su trama eran intrigas palaciegas en las que se enhebraban travesuras amorosas", añadiendo que "esta excesiva ligereza sirve para desembocar con más frecuencia en números vistosos, en decorados magníficos y en números sentimentales". Al frente de la obra estaba José Luis Sáenz de Heredia, una figura muy bien colocada en los espectáculos del nuevo régimen franquista como autor teatral y sobre todo como director de cine de películas de renombre.

La música contribuía a enriquecer el espectáculo con vistosos números instrumentales y pegadizas canciones, dentro de un estilo popular moderno. Así, en la orquestación se incluyen tres saxofones, además de un nutrido grupo de metales, piano y batería. No faltan tampoco ritmos de moda de procedencia americana como el fox-trot, Nº 4, o el one-step, Nº 13, junto a otros más tradicionales como el vals, Nº 5, o la marcha-polka, Nº 3. Incluso para un momento de gran lirismo, como aquel en el que el Príncipe Julio lamenta su encierro, se recurre al blues –indicado en la partitura como "blue"– con sus ritmos sincopados y sus oscilaciones melódicas. Sin embargo, el mayor éxito se debió a las canciones cuyos estribillos adquirieron una gran popularidad más allá de la zarzuela, como "Lo mismo me da", Nº 5, "Sueños de amor", Nº 7, o "Mírame", Nº 10, las dos últimas destinadas a la sensual voz de Celia Gámez. Según el diario *Ya*, "la música es el resultado de una colaboración felicísima, en la que el maestro Quintero representa la melodía sentimental y el maestro Irueste la vibración intensa y moderna, con lo que se consigue un concepto armónico muy equilibrado y muy simpático, que se condensa en números deliciosos". En realidad ambos músicos nunca se interesaron mucho por el teatro musical. Juan Quintero compuso la partitura para algunas revistas fundamentalmente por amistad con músicos y libretistas, aprovechando su facilidad musical que le sirvió para sus numerosas partituras de cine. Se puede decir por tanto que *Yola* es una obra ligera, surgida y creada de manera coyuntural, que alcanzó un gran éxito más allá del teatro musical.

Fuentes manuscritas. La partitura (TL-1194) y los materiales de orquesta (6545) se conservan en el archivo de la SGAE en Madrid.

Ediciones del libreto. Madrid, Talía, III, XXXIX, 1942.

FONOGRAFÍA: CD: Blue Moon BMCD 7548.

VÍCTOR SÁNCHEZ SÁNCHEZ

Yrayzoz [Iraizoz], Fiacro. Espinal (Navarra), 20-III-1860; Madrid, 30-I-1929. Dramaturgo. Se trasladó a Madrid para estudiar, según la definición que hacía de sí mismo en *El Liberal*. Fue bibliotecario del Círculo de Bellas Artes y colaboró en la prensa del momento: *Madrid Cómico*, *La Lidia* y sobre todo en los periódicos literarios, destacando como poeta. Colaborador habitual del semanario *Madrid Cómico*, este le dedicaba su portada del nº 252 (17-XII-1887) y a la caricatura de Cilla se unían estos versos: "Goza popularidad / en toda España, y se explica / porque el chico versifica / con mucha facilidad / Además, sabe escribir / cada *pieza* como un templo; / *Las propinas*, por ejemplo, / no me dejarán mentir".

En 1866 escribió con Ricardo Monasterio *Máquinas Singer* con música de Manuel Nieto y al año siguiente de nuevo con Monasterio y Nieto *La tertulia de Mateo*; en 1888 *Los callejeros*, sainete lírico con música de Manuel Nieto estrenado en Eslava y con Gabriel Meri-

no escribió *Patria nueva* con música de Vives. Pero, en contra de lo que era habitual en el género chico, Fiacro Yraizoz escribió generalmente en solitario, casi siempre estuvo acompañado por la buena acogida del público en sus estrenos la mayoría en el teatro Apolo pero también en otros escenarios dedicados al género como el Eslava, Cómico, Moderno, Novedades, Noviciado o Príncipe Alfonso. Proporcionó libretos a los compositores más importantes del momento como Nieto en *Los callejeros*, 1888 y *Madrid-Club*, 1889; Apolinar Brull en *La beneficiada*, 1888 o *La boda del cojo*, 1891;

Friacro Yraizoz
(Caricatura de Cilla en
Madrid Cómico, 1887;
Ar. SGAE)

Chapí en *El señor Corregidor*, 1895; Joaquín Larregla en *La roncalesa*, 1897; Chueca en *El mantón de Manila*, 1898; Torregrosa en *La perla negra*, 1904; Lleó en *La guedeja rubia*, 1906; Quislant en *Machaquito o El gato negro*, 1911. Pero sus colaboradores más asiduos y con los que mayores triunfos consiguió fueron Gerónimo Giménez y Amadeo Vives.

Con Giménez estrenó *Los molineros*, 1887, *Los langostinos*, 1889; *La madre del cordero*, 1892; *Los voluntarios*, 1893, cuya marcha se hizo muy popular; *La mujer del molinero*, 1893, que obtuvo un gran éxito en Apolo debido a la comicidad de las situaciones que el autor había creado; *Viento en popa*, 1894, que triunfó en Apolo en ese año y en su reestreno al año siguiente; *De vuelta del vivero*, 1895, que fue famosísima y *José Martín el tamborilero* estrenada en Apolo en 1900, si bien en esta ocasión el éxito se debió a la música de Giménez que se recibió con entusiasmo. Con Vives estrenó *La luz verde*, 1899, que se reponía en Apolo regularmente; *Lola Montes*, 1902; *¡Ábreme la puerta...!*, 1909; *El cantar de la jota*, 1912; en 1909 estrenó *¡Viva la libertad!*, en la que Vives utilizó el seudónimo de Álvarez del Castillo.

En su época se le consideraba un escritor de buen gusto, poeta cómico, sencillo y tierno, y buen versificador y de los autores más discretos del género chico, es decir, que no abusaba del chiste o retruécano fácil o de la sicalipsis, tan en boga en el género, salvo en *¡Ábreme la puerta!*, a la que la crítica acusó de haber caído precisamente en esos excesos tan poco habituales en él. *Véase* LOS VOLUNTARIOS.

BIBLIOGRAFÍA: *CDE*; *DAT*; *TA*; *Madrid Cómico*, VII, 252, Madrid, 17-XII-1887; Maese Pedro: "Información teatral: *La luz verde*", *La vida literaria*, 24, Madrid, 22-VI-1899; J. Rubio: *Mis memo-*

rias, Madrid, 1926; D. de las Heras (Plácido): *Madrid en la escena*, Crítica teatral con una Sinfonía de Jacinto Benavente y un final en verso de Salvador María Granés, Madrid, sf.

Mª LUZ GONZÁLEZ PEÑA

Yust García, Ricardo. †Madrid, 21-X-1968. Compositor y director. Especializado en teatro musical y en música de varietés, había realizado estudios de piano y violín. Su carrera comenzó como director de la orquesta del Trianon Palace de Madrid, especializado en varietés. Pronto se hizo famoso como compositor de varietés de forma que en torno a 1915, época dorada del género, era ya un compositor muy valorado e interpretado por las grandes cupletistas, como La Goya, Amalia Molina, Raquel Meller o La Chelito. Desde entonces comenzó a componer música teatral dentro del denominado género frívolo y la opereta. Destacó como autor de recreaciones de las viejas tonadillas españolas del siglo XVIII y de las llamadas "canciones goyescas" –entre ellas *La maja goyesca* y *La duquesa torera*–. Según A. Retana "reúne la gracia chispeante españolísi-

Ricardo Yust
(Foto: Ar. E. Casares)

ma de Federico Chueca, el fuego intenso y pasional del maestro Serrano, la elegancia suprema y purísima de Vicente Lleó y resuelve los temas musicales con la misma clarividencia y precisión de Ruperto Chapí". Dominador de los procedimientos orquestales, tuvo una presencia destacada en el momento en la línea de Quinito Valverde, aunque no con tanta importancia.

OBRAS (Todas en E:Msa): *Bella Judith*, 1 act, l, G. Filloi / R. Lahoz Ortiz; *Día de fémina*, 1 act; *El querer de las mujeres*, Sai, 1 act, col. J. Lucio Mediavilla, l, J. Mariño / F. Lozano Bolea, est, 26-III-1915, Te. Chueca; *El verdadero conde o El timo del casamiento*, l, Yagüe / Lahoz; *En la corte del amor*, 2 act, col. J. López; *La princesa do-re-mi*, Opt, col. J. López, l, A. Juvenal; *Las tres gracias modernas*, Rv, 1 act, l, C. de Larra / F. Lozano Bolea, est, 8-V-1918, Te. Barbieri; *Los anteojos de Mahoma*, col. J. Lucio Mediavilla, l, A. Retana / M. Berenguer; *Sabrira pa reye*, l, V. Tamayo / V. de la Pascua.

BIBLIOGRAFÍA: "Música popular", *El cine*, suplemento, Madrid, 1915.

EMILIO CASARES RODICIO

Yuste, María. España, siglo XX. Tiple. En 1922 fue contratada por el teatro Apolo y participó en el estreno de *¡Ave César!* de Lleó junto a Eugenia Zúffoli y Enriqueta Serrano. En 1931 estrenó en el Maravillas de Madrid *Marcha de honor* de Soutullo y Vert y *Paloma de Embajadores o Cada cual con su igual* de Díaz Giles, y en el teatro Chueca de Madrid *La loca juventud* de Guerrero. En 1932 fue uno de los vareadores de *Luisa Fernanda* de Moreno-Torroba en el Calderón.

BIBLIOGRAFÍA: *TA*.

Mª LUZ GONZÁLEZ PEÑA

Zaldívar, José. España, siglos XIX-XX. Actor. En 1884 actuaba en el teatro Recoletos de Madrid en el que estrenó diversas obras, como *Perico el aragonés* de Justo Blasco, *La tertulia de Mateo* de Nieto, *El bazar H* de Caballero, *Perico el de los palotes* de Rafael Taboada, *La risa del conejo* de Tomás Gómez, *El gorro frigio* y *El gran pensamiento* de Nieto. En 1888 estrenó *La cruz blanca* y *¡Las virtuosas!* de Brull en el Eslava y *Escuela modelo* de Joaquín Jiménez en el teatro del Príncipe Alfonso. De nuevo en Eslava estrenó *Un pagaré a la orden* de Tomás Reig, *¡Ni en broma!* de Francisco Sedó, *La invencible* de Tomás Gómez y *Madrid-Club* de Nieto, en 1889, y el mismo año en el teatro Alhambra *El primer premio* de Moreu. En 1891 estrenó en el Tívoli de Barcelona *La gran feria* de Coll y Britapaja. En 1893 estrenó en el teatro de la Zarzuela *Llanto y risa* de Ricardo Jiménez y en Eslava *Las vampiras* de Ángel Rubio; en el mismo teatro estrenó en 1894 *Los puritanos* de Valverde y Torregrosa, *El sábado* de Nieto, *Viento en popa* de Giménez, *El tambor de granaderos* de Chapí, *El abate San Martín* y *Boda, tragedia y guateque o El difunto de Chuchita* de Marqués y en 1895 *El cura del regimiento* de Chapí; en 1897 estrenó *Nuestra Señora de París* de Manuel Giró en el teatro Novedades de Barcelona. Seguía actuando en los primeros años del siglo XX, cuando estrenó *Las parrandas* de Brull en el teatro Circo de Parish, 1901, y *Los gatos de Utrera* de Francisco Salvat en el teatro Principal de Tarragona, 1909.

Mª LUZ GONZÁLEZ PEÑA

Zaldívar, María. España, siglo XX. Tiple. Estrenó en 1924 en el teatro El Cisne de Madrid *En la Cruz de mayo* de Bautista Monterde y en el teatro Reina Victoria de Barcelona *La niña de las perlas* del mismo autor; en 1928 *La Manola del portillo* de Luna en el teatro Pavón; en 1930 *La Dolorosa* de Serra-no en el teatro Victoria Eugenia de Madrid y en 1936 *La tabernera del puerto* de Sorozábal en el Tívoli de Barcelona.

FONOGRAFÍA: *La verbena de la Paloma*, Columbia R 14030 a R 14032, WK 2671 a WK 2674, WK 2689 WK 2693.

EMILIO GARCÍA CARRETERO

Zaldívar, Regina. España, siglo XX. Tiple. Estrenó en 1931 en el teatro Maravillas de Madrid *Paloma de embajadores o Cada cual con su igual* de Díaz Giles y *Marcha de honor* de Soutullo y Vert.

Mª LUZ GONZÁLEZ PEÑA

Zamacois, Eduardo. Pinar del Río (Cuba), 17-II-1876; Buenos Aires, 1971. Novelista, dramaturgo y crítico teatral. Se trasladó a Madrid en 1888 y fue muy conocido por su ajetreada vida amorosa. Inició estudios universitarios y se dedicó a la literatura y al periodismo. Fundó las revistas *La Vida Galante* y *El Cuento Semanal*. Hasta 1910 fue el principal impulsor de la literatura galante en España, de hecho se le considera como el iniciador de la novela erótica. Posteriormente su novela se vio más influida por el realismo español. En 1939 abandonó España y vivió en México, Nueva York y Buenos Aires. Además de sus artículos y novelas, escribió

Eduardo Zamacois (Foto: Comedias y Comediantes, 1910; Ar. ICCMU)

algunos libros autobiográficos y otros de crítica teatral como *Desde mi butaca*, 1907, *El teatro por dentro*, 1911 y *La carreta de Tespis*, 1918. Su última obra publicada, de carácter autobiográfico, fue *Un hombre se va* de 1969.

BIBLIOGRAFÍA: CDE; DAT; R. Gullón (dir.): *Diccionario de literatura española e hispanoamericana*, Madrid, Alianza, 1993.

Mª LUZ GONZÁLEZ PEÑA

Zamacois Soler, Joaquín. Santiago de Chile, 15-XII-1894; Barcelona, 16-IX-1976. Compositor, pedagogo y pianista. Inició sus estudios musicales en el Liceo de Barcelona, después de que sus padres se establecieran en España. Estudió piano con Costa y Nogueras, y composición con Sánchez Gavagnach y Antoni Nicolau. En 1911 consiguió el premio fin de carrera de piano. En 1914 fue contratado como profesor de grado elemental en el Conservatorio del Liceo. En 1918 los Amics de la Música estrenaron su *Sonata para violín y piano*. Su pieza coral *Himne Ibéric*, con texto de J. Maragall, obtuvo uno de los premios en la Festa de la Música Catalana en 1922. En la década de los años veinte aparece el nombre de Zamacois como compositor sinfónico. La Orquesta Pau Casals le interpretó en 1925 *Els ulls verds,* obra que también había programado Lamote de Grignon y con la que había ganado un premio en el Gran Casino de San Sebastián; en 1928 le estrenaron

Joaquín Zamacois
(Foto: Ar. ICCMU)

su obra orquestal más difundida, *La sega,* inspirada en un poema de Ramón Masifern. Con ella ganó el premio Patxot en 1928. Fue también en la década de los años veinte cuando compuso diversos couplets, alguno de los cuales alcanzó gran popularidad, caso de *Nena*, del que se realizaron rollos para pianola y que divulgó Sara Montiel, o el muy popular en Cataluña *Els tres tombs*, popularizada por Pilar Alonso, *La balladora*, o *L'escolanet*, con texto de V. Andrés. El compositor consideraba estas obras como "pecados de juventud". Dirigió la revista *Arte frívolo*. En 1938 la Orquesta Nacional de Conciertos interpretó obras sinfónicas, *La sega* y *La sardana*, en el teatro del Liceo, entonces denominado teatro Nacional de Cataluña. Son interesantes sus composiciones para voz y piano, recopiladas en la colección *Lieder*, con textos de Guasch, Sagarra, Maragall, Casas Vila, C. Arderiu y Carner. Entre 1945 y 1965 fue director de la Escuela Municipal de Música de Barcelona, cambiándose en esos momentos el nombre por el de Conservatorio. Sucedió en el cargo a J. B. Lambert, previa oposición. En 1948 introdu-

jo la cátedra de tible y tenora, instrumentos autóctonos de la cobla de sardanas, con la intención de mantener el interés por esos instrumentos. Compuso también sardanas, entre ellas *Cap d'any*, *Margaridó*, *Figaronenca*, 1929, *El conte de l'avi*, 1946, y *Ricard*, 1970, entre otras. Algunas de ellas fueron grabadas en disco. Es destacable su dedicación pedagógica, editando un *Tratado de armonía*, una *Teoría de la música*, y un tratado de *Formas musicales*. Estas obras han servido para la formación de generaciones de músicos, poseyendo unos criterios eclécticos sin la pretensión de crear un método propio, sino reuniendo los criterios de otros autores.

En su producción zarzuelística destacan *El aguilón* y *Margaritiña*. La acción dramática de la primera de ellas transcurre en Polonia en 1774. De la obra sobresalen la romanza "Le beso la mano señora". *Margaritiña* es una de las zarzuelas de ambiente regionalista propias de su momento. Está situada en Galicia; musicalmente combina momentos de raigambre popular con procedimientos propios del estilo arrevistado. Del primer registro destacan el "Coro popular" del segundo acto, con intervención de gaita, o la romanza de Antoñino, otro momento basado en la exaltación de Galicia a través de citas de música popular, o el "Coro de herreros"; del segundo sobresale el Nº 5, en el que intervienen a tempo de fox un coro de *cocottes* y de caballeros, con instrumentación heredera de la estética jazzística. De *Margaritiña* destaca la "Canción de Nina", fragmento que fue grabado por E. Vendrell y el dúo de Margaritiña y Antoñito, el Nº 12 del segundo acto. Su lenguaje no se apartó jamás de la tonalidad; a veces utiliza materiales de tipo popular con una fuerte relación con el nacionalismo, y muestra un sólido conocimiento armónico.

OBRAS (Todas en E:Bsa): *El aguilón*, Zarz, 1 act, l, L. Capdevila / P. Puche, est, 1925; *Margaritiña*, Zarz, 2 act, l, M. Golobardas, est, 1928; *El caballero del mar*, l, S. Adame, est, 1931, E:Msa.

BIBLIOGRAFÍA: DMEH; C. Riera, J. Serracant, J. Ventura: *De la A a la Z. Diccionari d'autors de sardanes*, SOM, 1990; O. Martorell: *Quasi un segle de simfonisme a Barcelona*, Barcelona, Beta, 1995.

FRANCESC CORTÈS i MIR

Zamacois y Zabala. Familia de cantantes españoles formada por los hermanos Elisa y Ricardo.

1. Elisa. Bilbao, *ca.* 1840; Buenos Aires, XI-1915. Tiple. Pertenecía a una célebre familia de artistas. Su padre fue músico aficionado y director de un colegio de humanidades en Bilbao. Sus hermanos también siguieron el mundo artístico: Eduardo fue un afamado pintor de tendencia historicista, y Ricardo un actor de talento. No sólo fue una gran cantante, sino una joven hermosa y de buena presencia. Estudió con Barbieri, a quien dirigió numerosas cartas, que revelan detalles de la relación profesional que se desarrolló entre la cantante y el maestro. Terminó su carrera en el Conservatorio en 1855 con distinción junto con Manuela Checa, Matilde Ortoneda, Luisa Lesén y Rosario Hueto, todas famosas cantantes de zarzuela. Debutó en el teatro de la Zarzuela durante la temporada 1857-58; Cotarelo comenta que se le hizo una prueba de ingreso con números de *El marqués de Caravaca* y *El lancero*, y que "de la prueba salió tan airosa, que a pesar de su juventud e inexperiencia, quedó contratada en el acto y le confiaron papeles de la importancia de Catalina en la zarzuela así titulada y el de Marta, la pastora, de *Los magiares*". A partir de entonces tuvo siempre reservados los primeros papeles de todas las obras que cantaba. Su primer estreno en el teatro de la Zarzuela fue *Por conquista* de Barbieri, 1858, siguieron durante ese mismo año *El planeta Venus* de Arrieta, *Armas de buena ley* de Mariano Vázquez, en el personaje central de Julia, *Un caballero particular* de Barbieri, *Beltrán el aventurero* de Oudrid, *La dama blanca* de Sánchez Allú, *El joven Virginio* de Oudrid, *Céfiro y Flora* de Arche. En 1859 *Juan sin Pena* de Luis Arche, *El último mono* de Oudrid, *El niño* de Barbieri, *Zampa o La esposa de mármol* de Herold, *Enlace y desenlace* de Oudrid. En 1860 *Los dos primos* de Fernández Caballero y *¡Un disparate!*; en 1861 *Una hija de Despeñaperros* de Taboada; en 1867 *Luz y sombra* de Fernández Caballero y *Un estudiante de Salamanca* de Oudrid y en 1868 *La varita de las virtudes* de Gaztambide.

En 1869 llegó a La Habana como cantante destacada de la compañía de Gaztambide y debutó en el teatro Tacón con *Catalina*. Desde Cuba y ante la mala situación política embarcó para México donde llegó en 1869 y aparece como primera tiple en el teatro Albisu que dirige Gaztambide. Su presentación en México causó auténtico furor y llegó a producir delirio entre los aficionados en *El estreno de una artista*. En junio recibió un homenaje con un beneficio en el que le regalaron dos coronas y un ramillete cargado de onzas de oro; interpretó la ópera *Marta*. No se sabe cuándo regresó a España –quizás en 1870–, dado que en 1871 estrenó *Los holgazanes* de Barbieri. A partir de entonces se dedicó a colaborar con diversas compañías en varias provincias españolas (Murcia y Valencia, entre otras) difundiendo el repertorio lírico y siguió estrenando obras como *Guzmán el Bueno* de Bretón en 1876 en el Apolo; en 1876 estaba de nuevo en el teatro de la

Zarzuela donde estrenó *La Marsellesa* de Fernández Caballero y en 1884 estrenó en Apolo *El reloj de Lucerna* de Marqués. Poco después debió partir para Argentina donde falleció en el más absoluto olvido. *Véase* FERRER, ENRIQUE.

2. Ricardo. Bilbao, 1850; Barcelona, 18-II-1888. Actor y cantante. Su vocación teatral se manifestó desde la niñez y comenzó a actuar en sociedades de aficionados. Sus primeras actuaciones en teatros profesionales fueron en 1867, cuando interpretó *La virgen de la Paloma* de Arche, hasta que en 1869 se presentó en el teatro de la Zarzuela, que dirigía el actor y empresario Francisco Salas, donde obtuvo grandes éxitos con obras como *De Madrid a Biarritz* de Arrieta, 1869, *La gata de Mari Ramos* de Oudrid, 1870, *Adiós mi dinero* de Miró, 1870, *El hábito no hace al monje* de Rogel, 1870. Posteriormente alternó sus

Elisa y Ricardo Zamacois (Foto: Colección Castellano; E:Mn)

estrenos entre el teatro del Circo y el de la Zarzuela: *Un loco más o Los bufos franceses en Madrid* de García, Circo, 1870, *Los holgazanes* de Barbieri, Zarzuela, 1871, *Candidez y travesura* de Javier Gaztambide, Circo, 1872, *Por una sátira* de Monfort, Circo, 1872, *La confitera* de Barbieri, Zarzuela, 1876. A partir de este año aparece en otros teatros, así estrenó *Los carboneros* de Barbieri, Comedia, 1877, *La función de mi pueblo* de Chueca, Comedia, 1878, *¡A sangre y fuego!* de Rubio, Eslava, 1880, *¡Ya somos tres!* de Rubio, Eslava, 1880, *La filoxera* de Barbieri, Lara, 1882, *Don Pompeyo en carnaval* de Arche, Jardín del Buen Retiro, 1887, *El canario* de Romea, Lara, 1886, *Playeras* de Chapí, Lara, 1887, actuando en algunas ocasiones con su hermana Elisa. Abandonó el género lírico para convertirse en actor de verso, en el que triunfó igualmente, con brillantes temporadas en los teatros de Variedades y Eslava, así como en sus giras a provincias y a América.

BIBLIOGRAFÍA: CDE; DAT; R. Gullón (dir.): *Diccionario de literatura española e hispanoamericana*, Madrid, Alianza, 1993.

EMILIO CASARES RODICIO

Zamora, Antonio de. Madrid, ?; ?, 1728. Dramaturgo. Desarrolló su carrera en Madrid, donde llegó a ser poeta oficial de la corte, y por ello puso la letra de numerosos espectáculos musico-teatrales a los que eran tan aficionados los monarcas. Era seguidor de la escuela de Calderón, y pertenece a la misma generación de Bances Candamo, a quien sustituyó en su puesto en la corte. Partidario de los Borbones, vivió con dificultad las disputas por el trono español de principios del siglo XVIII. Ya instaurado Felipe V reanudó su trabajo. Fue un fecundo autor y cultivó diversos géneros, como dramas, comedias, y fiestas con música. Imitó a los clásicos anteriores y así su versión de *El burlador de Sevilla* de Tirso, que él arregló de nuevo como *El convidado de piedra,* tuvo mucho éxito. Pusieron música a sus textos algunos de los mejores músicos, como Marcolini, Durón, José de Nebra, Literes y Diego de Lana. Entre sus zarzuelas destacan *Viento es la dicha de amor* de José de Nebra, *Celos no guardan respeto* con música de Antonio Literes, *Las nuevas armas de amor* y *Veneno es de amor la envidia,* ambas de Sebastián Durón. *Véase* VIENTO ES LA DICHA DE AMOR.

BIBLIOGRAFÍA: *DMEH.*

JUDITH ORTEGA

Zapata y Mañes, Marcos. Ainzón (Zaragoza), 25-IV-1842; Madrid, 1914. Periodista y dramaturgo. A pesar de las dudas en torno a las fechas de su nacimiento y muerte, se ha optado por la que aparece en la Lista de Socios de la SGAE, publicada en 1969. Fue periodista primero en Zaragoza y más tarde en Madrid —a donde se trasladó en 1869— trabajando como redactor en *La Discusión, El Orden* y *Gente Vieja.* En Madrid vivió siempre sumido en la pobreza como reconocía en estos versos: "Un perro me da calor / Y un banco del "Prado" cama; / Y así, sienta usted la llama / De inspiración y de amor".

Debido a los avatares de la política española en esos años ocupó diversos cargos públicos, llegó a ser administrador de la isla de Cuba, entre 1890 y 1898 residió en Argentina, donde abandonó su actividad literaria, que quedó reducida a su colaboración esporádica en algunas revistas literarias, y a su regreso a Madrid fue interventor de la Casa de la Moneda, cargo que ostentaba en el momento de su muerte. Su teatro dramático, claramente post-román-

Marcos Zapata (Foto: Mundo Gráfico, *1912; Ar. ICCMU)*

tico, tenía en los temas históricos su principal fuente de inspiración, como ocurre con una de sus mejores obras, *La capilla de Lanuza,* estrenada por Antonio Vico en 1871 en el teatro Alhambra de Madrid. Debido a sus dificultades económicas malvendió esta obra a uno de aquellos editores usureros que abundaban en el siglo XIX y al recriminárselo su amigo Manuel del Palacio en un epigrama le respondió Zapata con estos versos: "Oye, pedazo de tal; / Cuando no se tiene un real, / Desde Homero hasta Zorrilla, / No digo yo una capilla, / Se vende una catedral".

A esta obra siguieron *El castillo de Simancas,* estrenada en el teatro Español en 1873 y *El solitario de Yuste,* en el mismo teatro, 1877. *La piedad de una reina,* inspirada en la sublevación del general Villacampa durante la Regencia fue prohibida por el Gobierno aunque la obra se difundió y se leyó en el Ateneo de Madrid, alcanzando Zapata gran nombre en toda España. Fue fácil y hábil versificador y buen poeta lírico, demostrándolo no sólo en sus poesías sino en muchos fragmentos de sus dramas y zarzuelas. Para el teatro lírico colaboró asiduamente con el compositor mallorquín Miguel Marqués siendo *El reloj de Lucerna* y sobre todo *El anillo de hierro* los títulos más imperecederos de ambos, aunque colaboraron también en *Camoëns,* 1879, *Un regalo de boda,* 1885 y *La campana milagrosa,* 1888. También hay que mencionar *Covadonga* con Tomás Bretón, estrenada en 1901, una de las escasas obras que escribió desde su vuelta a España. *Véase* EL ANILLO DE HIERRO; COVADONGA; EL RELOJ DE LUCERNA.

BIBLIOGRAFÍA: *CDE; DAT; DUE; DL; Mundo Gráfico,* II, 35, 26-VI-1912.

Mª LUZ GONZÁLEZ PEÑA

Zapateado. Danza y baile andaluz de moda en el siglo XIX, escrito generalmente en 6/8, ejecutado "ordinariamente sólo por una mujer con movimientos apresurados de los pies taconeando, como en el llamado baile *inglés,* al compás de la música y manejando con gracia, al mismo tiempo, las puntas de la mantilla; el aire de esta danza acompañada de canto y guitarras es en compás de 6/8 *presto,* marcado a dos tiempos, el segundo muy acentuado", en descripción de Pedrell. Para Pena y Anglés, consiste en llevar el compás con los pies en el suelo, golpeándolo fuertemente, y en dar con las palmas de las manos en las suelas de los zapatos sin perder el compás; es ejecutado generalmente por una mujer en compás de 6/8 en movimiento muy vivo, siendo acompañado por el canto y la guitarra. El zapateado toma su nombre del juego sonoro producido al percutir el suelo con los pies, a partir de unas posiciones básicas, jugando con el taconeo. En el siglo XIX, es un baile vivo y ágil para mujeres, con alternancia del taconeo característico con pasos de escuela. Más tarde, evoluciona hacia un baile de hombres sobrio,

los pies. Desde el nacimiento del flamenco, el zapateado aparece ligado a este estilo. La relación del zapateado con el antiguo baile de panaderos y con formas de ultramar –algunas obras llevan la denominación de zapateado o guaracha–, hace que este baile integre sobre el compás principal de 6 / 8 algunas estructuras métricas en 3 / 4, aproximándose así a danzas como la petenera o la guajira. El zapateado aparece con frecuencia entre los bailes escritos para las compañías de los teatros madrileños –*Zapateado para la Nochebuena* de Joaquín Gaztambide–. Más adelante se incorpora a la música sinfónica de concierto, destacando los de Sarasate, 1879, y Bretón, 1888.

El zapateado se incorpora a la zarzuela restaurada como ritmo introducido en números musicales en los que no aparece la denominación de este baile; una de las primeras obras en que aparece un ritmo de zapateado es *Por conquista* de Barbieri, 1858, donde las seguidillas interpretadas por Elisa Zamacois están construidas en aire de zapateado; *¡Si yo fuera rey!* de Inzenga, 1862, sitúa en el final del segundo acto un ritmo de zapateado. En el repertorio bufo también es utilizado este ritmo; así, *Café-teatro y restaurant cantante* de Oudrid, 1868, recurre en su Nº 4, final, a un número flamenco en el que se escucha un zapateado; *Robinson* de Barbieri, 1870, incluye el zapateado "Ay, blanquito" además de una polka, un vito y una polka salvaje. Una de las obras más emblemáticas de la producción de Barbieri, *El barberillo de Lavapiés*, 1874, escoge un "Aire de Zapateado" –según indica la partitura autógrafa– para presentar una de las páginas más célebres de la obra, el Nº 2, solo de Paloma, con estructura de seguidilla; en la misma obra el terceto, Nº 4, concluye tras una sección en ritmo de seguidilla con un ritmo de zapateado; igualmente el Nº 6, inicio del segundo acto, recurre al ritmo de zapateado para caracterizar no sólo a Lamparilla sino también a los "aprendices" de barbero, vinculando este ritmo al gremio de los barberos. En su zarzuela de costumbres teatrales *Chorizos y polacos*, 1876, donde son claras las referencias al mundo del siglo XVIII, Barbieri recurre a este ritmo en el Nº 9, aire de zapateado de la Figueras y la Caramba, empleando también dos tiranas y un fandango. *La guerra santa* de Arrieta, 1879, presenta en su Nº 9 un solo de claro sabor hispánico, cantado por Carranza, –"Lo que vale España / y su hermoso sol, / sólo en tierra extraña / sabe un español"–, que incluye una hermosa introducción que utiliza el tema de zapateado que Sarasate haría célebre meses más tarde, cuando compartiendo horas de ocio en San Sebastián con Arrieta escribió su famosa *Danza española* Nº 6, op. 23, 1879, esto es, cuatro meses y medio después del estreno de la zarzuela de Arrieta.

La revista, el sainete y sus formas relacionadas sí presentan habitualmente el título de la danza en la que se basan en el título del número musical, siendo en ocasiones bailado en escena. Entre las obras de Chueca y Valverde, la revista taurómaca *¡A los toros!*, 1877, es una de las primeras obras de los autores que emplea el zapateado, en concreto en el Nº 13, Zapateado de Margarita y Borrego, "Óiganme ustedes, señores", calificado por *El Contra-Bombos* como "de un gusto exquisito"; también en *Las ferias*, 1878, y *Vivitos y coleando*, 1884, se incluye el zapateado; el juguete cómico-lírico *Caramelo*, 1884, emplea en el pasaje final del Nº 2 un ritmo de zapateado, cantado por Antonio el matador, pero la página de mayor interés en que aparece este baile es el Nº 8, zapateado, cantado por Antonio el matador, con el coro, uno de los números que mayor aceptación obtuvo y que más contribuyó al éxito de la obra y a la diversión del público; el texto, debido a Chueca, se inicia con la frase: "El día que yo nací / le oí decir a mi *mare*: / *Jesú*, qué cosa tan mona / ha *sabío* hacer tu *pare*", en la obra, el zapateado se integra con otras danzas de sabor andaluz como fandango Nos 1, 10), pasodoble torero (Nos 1, 2, 3, 5), sevillanas (Nº 1), soleá (Nos 1, 3), seguidillas –Nos 2, 3–, panaderos –Nº 10–, además de habanera –Nº 5–, pasa-calle –Nos 7, 9–y vals –Nº 5–; igualmente se emplea el zapateado en *Cádiz*, 1886. *El plato del día*, 1889, de Marqués, muestra en su Nº 4, terceto de los rábanos, un trío chulesco, formado por un hombre y dos mujeres que le mantienen: El Nene, la Juana y la Librada, número que concluye con un *Allegro vivo* en 6 / 8 en el que baila el Nene, una especie de zapateado con abundantes hemiolas. La última obra de Barbieri, *El señor Luis el Tumbón o Despacho de huevos frescos*, 1891, presenta en su Nº 2 la canción del zapatero y zapateado, por Candelas y Crispín. Otras tres obras de Chueca en las que aparece el zapateado son *Agua, azucarillos y aguardiente*, 1897, en su Nº 5B, panaderos, que se inicia con un *Allegro vivo* en ritmo de zapateado; *El bateo*, 1901, en cuyo Nº 1B, coplas de Wamba, alternan el zapateado "Tum purumpum" con el ritmo de tango; y *La corría de toros*, 1902, que en su Nº 5, presenta un número poliseccional compuesto por un coro, la canción de Carmela con Rafael y coro, y un zapateado, relacionado melódicamente con el de Sarasate, en el que primero canta Rafael y después Carmela, para a continuación bailar Rafael y cantar el coro general; el tema del zapateado ya había sido anticipado en el preludio, y es empleado por Chueca para cerrar la obra. Otra de las canciones de mayor difusión procedentes del teatro lírico vinculadas al ritmo de zapateado es la "Canción de la tarántula", de la zarzuela *La tempranica* de Gerónimo Giménez, 1900, cuya acción discurre en Granada y sus alrededores; el mismo Giménez, en *Cinematógrafo nacional*, 1907, presenta en el cuadro quinto el Madrid sicalíptico, siendo su Nº 7A, tango de la sicalipsis, *Allegro* en 6 / 8, "De una pulga que pica y salta", un híbrido entre zapateado –recuerda el de *La tempranica*, "La tarántula *e* un bicho

–recuerda el de *La tempranica*, "La tarántula *e* un bicho *mu* malo"– y tanguillo gaditano; también Giménez emplea el zapateado en *La boda de Luis Alonso o La noche del encierro* y en *La torre del Oro*. En el cuento militar *La alegría del batallón* de José Serrano, 1909, el número final incluye la copla de Dolores, que canta la canción gitana "A una gitana preciosa", un zapateado enriquecido con hemiolas de guajira, de gran efecto. Otros autores que recurren al zapateado en su producción lírica son Brull en *La celosa*; Calleja en *El chico del cafetín* y *La tierra del sol*; Cereceda en *La coleta del maestro* y *La espada de honor*; Chapí en *El domingo gordo o Las tres damas curiosas* y *Música clásica*; Córdoba en *El 40 H P*; Fernández Caballero en *Aires nacionales, El padrino de El Nene, El señor Joaquín, La chiclanera* y *La magia negra*; Isidoro Hernández en *Los dominós verdes*; López Torregrosa en *Poca pena*; Nieto en *Comediantes y toreros o La vicaría*; Taboada en *Trabajar con fruto*; Quinito Valverde en *El Señor Pérez*, y Viniegra en *Los sobrinitos*.

BIBLIOGRAFÍA: *DBB; DMEH; PA;* R. Sobrino: "Introducción"; *Tomás Bretón: Zapateado, Escenas andaluzas, Polo gitano,* Madrid, ICCMU, 1998.

RAMÓN SOBRINO

Zapater, León. España, siglos XIX-XX. Cantante y actor. Aunque en 1890 estrenó *Tres tristes trogloditas* de Rodríguez y Mateos en la Zarzuela, el resto de sus estrenos se produjeron en el teatro Apolo: *La República de Chamba* de Giménez, 1890; *La tragedia en el mesón o Los dos contrabandistas* de Manuel Nieto, 1891; *La revista* de Fernández Caballero, *El centinela* de Marqués, 1892; *El robo de la calle del gato* de Estellés, *El dúo de la Africana* de Fernández Caballero, *La procesión cívica* de Marqués, *El titirimundi* de Quinito Valverde y *La mujer del molinero* de Giménez, 1893. Hay un Zapater que estrenó en 1927 en el teatro Fuencarral de Madrid *El carro de la alegría* de Corral y Campiña, pero no se puede asegurar que se tratara de la misma persona.

BIBLIOGRAFÍA: *TA.*

Mª LUZ GONZÁLEZ PEÑA

Zapater, Matilde. España, siglos XIX-XX. Cantante y actriz. En 1897 estrenó en el Romea *Lion D'or* de Calleja y en Apolo el gran éxito del año, *La revoltosa* de Chapí; en Apolo seguía en 1898 estrenando *El santo de la Isidra* y *Las castañeras picadas* de Torregrosa. En 1908 estrenó en el teatro La Latina *¡Jesús… qué malas lenguas!* de Quislant y en 1919 en el teatro Español *La princesa zíngara* de Moisés Baylós Albéniz.

BIBLIOGRAFÍA: *TA.*

Mª LUZ GONZÁLEZ PEÑA

Zapatero, Adelaida [Adelaida Fernández de Zapatero]. †Madrid, 1889. Contralto. Fue también actriz cómica y característica. Aparece indistintamente como Adela o Adelaida Zapatero y figura contratada como segunda tiple en el teatro del Circo en 1855, temporada en la que estrenó *Estebanillo* de Oudrid y Gaztambide y *La dama del rey* de Emilio Arrieta. En 1858 formaba parte de la compañía que Oudrid presentó en el teatro Circo haciendo la competencia al de la Zarzuela y estrenó *El vizconde de Letorieres* de Manuel Fernández Caballero y *El zuavo* de Oudrid, 1859. Ese mismo año fue contratada como actriz en el teatro del Príncipe donde estrenó *El cura de aldea*; al año siguiente en el mismo teatro estrenó *La hipocresía del vicio* de Manuel Bretón de los Herreros y en 1860 *Los celos de Mateo* de Antonio Alba. En 1864 formaba parte de la compañía del teatro Príncipe de Madrid de nuevo como actriz, junto a Manuel Catalina, Salvadora Cayron o Balbina Valverde. En 1873 actuaba en el teatro Variedades donde estrenó *La novia del general* de Mariano Pina; en 1881 estrenó en el teatro Alhambra de Madrid *¡A perro chico!* de Tomás Luceño; en 1886 seguía en activo, de nuevo como actriz, y así aparece en el teatro de la Princesa estrenando *Los dos bebés* de Eduardo Acosta; en 1888 en el teatro Martín actuó en *Oro, plata, cobre y nada* de Ángel Rubio y el sainete lírico de Rafael Taboada *El tío vivo* y en enero de 1889 en el mismo teatro *Al pan, pan y al vino, vino* de Ángel Rubio.

BIBLIOGRAFÍA: *DAT; HZ.*

Mª LUZ GONZÁLEZ PEÑA

Zapatero, Concha. España, siglo XX. Tiple. Esta cantante estrenó varias obras líricas en la primera y segunda décadas del siglo XX, como *Elemental y superior* de Ribas y Arderius en el teatro Romea; *El murguista* de García Arderius, Molino Rojo de Madrid, 1903; *Aires nacionales* de Caballero y Calleja, Price, 1906; *La real hembra* de Barrera y San Felipe, Novedades, 1911; *Amor y flores* de Manuel Quislant, *El banderín de la cuarta* de Foglietti y Marquina, *El hambre nacional* de Quislant y Cayo Vela, y *Poca pena* de Torregrosa y Alonso, todas en el teatro Novedades en 1912; *La suerte de la fea…* de Barrera, Novedades, 1913; *Los traperos de Madrid* de Marquina y Foglietti y *El quinqué de Petronilo* de Quislant y Romero, Martín, 1914, y *Nochecita de San Juan* de José Luis Lloret, Zarzuela, 1919.

Mª LUZ GONZÁLEZ PEÑA

Zapico Molina, Ofelia. Madrid, 18-XII-1905. Característica. Con catorce años inició su carrera artística como meritoria en el teatro del Centro –hoy Calderón–. Dos años más tarde debutó ya como profesional en la compañía Rafael Rivelles-María Fernanda Ladrón de Guevara y poco después pasó al teatro de la Comedia en el que actuó durante siete temporadas seguidas. Con la compañía Antonio Vico-Carmen Carbonell inauguró el teatro Benavente y así mismo

Eugenia Zúffoli, Rafael López Somoza, Társila Criado o Francisco Fuentes. También tuvo su propia compañía de comedias junto al empresario Borrás –hermano del famoso actor Enrique Borrás– con la que actuó por Cataluña durante 1944. Trabajó en géneros tan distintos como la revista, la comedia o la zarzuela, a la que se dedicó como excelente característica los últimos años de su carrera en las formaciones de Consuelo Suárez, Emilio Cid, Eladio Cuevas, Mendoza Lassalle o José de Luna, actuando en las campañas de género chico en los veranos de la década de los sesenta en el teatro de la Zarzuela. Estaba casada con el representante artístico Alfredo de la Vega, último regidor del extinto teatro Apolo.

BIBLIOGRAFÍA: E. García Carretero: *Historia de la teatro de la Zarzuela de Madrid*, Fundación de la Zarzuela Española, Madrid, 2003.

EMILIO GARCÍA CARRETERO

Zarzuela. Género lírico de origen español, que nació en el siglo XVII como espectáculo cortesano y que tras una variada evolución se convirtió en espectáculo de masas urbanas a mediados del siglo XIX.

I. Los orígenes. II. La restauración de la zarzuela. III. El género chico. El sainete y la revista. IV. La crisis del género chico. Los géneros frívolos. V. El último canto. La restauración de la zarzuela grande y la revista.

I. LOS ORÍGENES. El término zarzuela proviene del Palacio de la Zarzuela, así denominado porque en él abundaban las "zarzas", –del "zerzel" árabe–, donde se representaron las primeras obras con este título. El género comenzó con las obras escritas por Calderón alrededor de 1657 y 1658, *El golfo de las sirenas* y *El laurel de Apolo*, esta última concebida para festejar el nacimiento del príncipe Felipe Próspero y para ser representada en el pequeño teatro del Palacio Real de la Zarzuela, situado en El Pardo. En este palacio descansaba Fernando de Austria, hermano del rey Felipe IV durante sus cacerías y allí se comenzaron a representar estas obras por primera vez.

La zarzuela del siglo XVII fue un género híbrido, es decir, cantado, –la música entraba sobre todo en la parte "dulce" de la representación–, hablado y representado, de ambiente rústico, temática clásica pastoril y tono mitológico-burlesco. En España se impusieron desde el comienzo las formas líricas cantadas y habladas como las de la ópera cómica, la ópera bufa, el vaudeville y el singspiel, sobre las sólo cantadas como la ópera. Calderón de la Barca atribuía esta preferencia en la loa de *La púrpura de la rosa* a que el carácter español no resistía el drama todo cantado.

La zarzuela tenía una significativa presencia en las fiestas reales, sobre todo a finales del siglo XVII y conservó su carácter de fiesta real hasta avanzado el siglo XVIII. En ello participaron jóvenes dramaturgos como Francisco Bances Candamo, José de Cañizares y Antonio Zamora y músicos como los asentados en la corte:

Juan Hidalgo, Cristóbal Galán, Juan de Navas, Sebastián Durón, Antonio Literes y Juan de Serqueira.

A lo largo del siglo XVIII se introdujeron algunos cambios; sobre todo se transformó el perfil social del género, desde el momento en que se extiende al público que asistía a los corrales y teatros municipales de Madrid. Los grandes dramaturgos cortesanos de comienzos del siglo XVIII, Antonio Zamora y José de Cañizares contribuyeron a su popularización. Ello se percibe en el aumento de la aparición de elementos cotidianos que siguen mezclados con los de carácter italiano. Este cambio se puede observar en *Acis y Galatea* de Antonio Literes y José de Cañizares. Sin embargo, la auténtica transformación del género sucedió a mediados del siglo XVIII cuando el dramaturgo Ramón de la Cruz introdujo cuadros de costumbres y un claro realismo. En *La Briseida* del compositor Antonio Rodríguez de Hita y Ramón de la Cruz que tuvo magníficos resultados económicos, inauguró la colaboración entre ambos artistas que se tradujo en varios éxitos como *Las segadoras de Vallecas* y sobre todo, *Las labradoras de Murcia* en las que aparece ya el sabor popular y colorido local. Cotarelo y Mori, señala que con estos estrenos "puede considerarse consolidada ya la revolución musical, en cuanto al drama, emprendida por el maestro Ramón de la Cruz", introduciendo en el género sabor popular y colorido local.

Pero la zarzuela dieciochesca tuvo como fuertes competidores en el teatro musical a la ópera italiana y la tonadilla escénica, géneros de gran éxito. De los dos siglos transcurridos había quedado un género concebido para "la evasión" del rey de sus preocupaciones políticas y posteriormente para "evadir" al pueblo de otras preocupaciones más perentorias, y este carácter de evasión y entretenimiento será ya la característica del género a lo largo de toda su historia.

II. LA RESTAURACIÓN DE LA ZARZUELA. Fue a partir de 1830, cuando, con el restablecimiento de la monarquía y la apertura del nuevo Conservatorio de María Cristina, se generaron una serie de factores que permitieron la restauración de la nueva zarzuela decimonónica; una zarzuela que aunque desarrollaba ideas musicales de clara influencia italiana y utilizaba

Antiguo palacio de la Zarzuela (Grabado; Ar. ICCMU)

tipologías formales de opereta francesa, junto al mantenimiento del sabor popular e hispano de la tonadilla y en general las formas del denominado "teatro pobre", ese teatro mesocrático y popular del siglo XVIII, en el que seguían viviendo los polos, tiranas, seguidillas, canciones andaluzas, cachuchas, fandangos y boleros, que continuaban amenizando la vida española y no cesaron de publicarse a modo de antologías para ser interpretadas en los salones burgueses. También pervivían elementos humorísticos, los tipos de la vida diaria, introducidos ahora dentro de un sistema formal, que confieren a la obra una unidad de estilo y una mayor coherencia dramática. Desde 1830 se dio un lento pero continuo trabajo de búsqueda de un estilo y formas propias que se incrementaron a partir de 1840, en que la zarzuela encontró una forma dramática que transformó su esencia a través de una serie de obras que pretendían reinstaurar el género lírico, y adaptar el nuevo lenguaje a las exigencias del público. Los protagonistas de este cambio fueron Manuel García, Ramón Carnicer, Pedro Pérez Albéniz, Baltasar Saldoni, Basilio Basili, Mariano Soriano Fuertes y Cristóbal Oudrid. Se estrenaron obras como *Los enredos de un curioso* de Carnicer, Albéniz, Saldoni y Piermarini, *El novio y el concierto*, 1839, y *El ventorrillo de Crespo* ambas de Basilio Basili, 1841; *La zarzuela interrumpida o Lo que fuere sonará* de Saldoni y Carnicer, 1841; *La pastora del Manzanares* de Sobejano, La Hoz y Soriano Fuertes, 1842, *Jeroma, la castañera* de Soriano Fuertes, 1843, *La venta del Puerto o Juanillo el Contrabandista* de Oudrid, 1846; *¡Es la Chachi!* y *La sal de Jesús* de Soriano Fuertes, 1847. Todas fueron el embrión de lo que a partir de 1849 fue la zarzuela restaurada que se inició con el estreno de dos obras, *Colegialas y soldados* y *El duende*, ambas de Rafael Hernando, con libretos de Mariano Pina y Luis de Olona, respectivamente.

Estas dos obras eran el resultado de todos los intentos anteriores, y dieron forma a una zarzuela nueva en lengua castellana, en dos actos, que contaba con unos cinco números musicales en cada uno, alternados con diálogos hablados. Los elementos formales que definen a estas obras y por ello al modelo en general, los describe M. E. Cortizo: uso de personajes que pertenecen a la más clásica tradición de obras del teatro español; abandono de las formas españolas, entrando en una fase de clara dependencia del teatro europeo; cada uno de los dos actos comienza con una introducción instrumental y termina con un número concertante; los números musicales contienen partes en un nuevo estilo de recitado, donde la acción dramática continúa, y aparecen así dos tipos de números musicales: los que detienen la acción, y los que la continúan; comienza a aparecer cierto virtuosismo vocal, limitado por las condiciones técnicas y vocales de los intérpretes; la tesitura de las voces es grave, introduciendo como voces masculinas barítonos y bajos; el uso de virtuosismo belcantista está reducido a los pasajes de la tiple; las arias siguen manifestando una clara influencia italiana de Rossini, Bellini y Donizetti; la elección del estrato social que aparece en las zarzuelas suele recaer en la clase media; el compositor cuida más la orquestación con el incremento de la presencia del viento metal, utilizándose de forma sistemática al menos dos trompas, dos cornetines, un trombón y una tuba.

A partir de entonces la historia y evolución de la zarzuela se puede explicar así: primer período, desde 1849 a 1880: establecimiento de los modelos de zarzuela grande y chica y nacimiento del género bufo a partir de 1863. Segundo periodo, desde 1880 a 1905: periodo del género chico y pervivencia de la zarzuela grande. Tercer periodo, de 1905 a 1936: llegada de los géneros frívolos, la nueva revista, el género ínfimo, las varietés, opereta y restauración de la zarzuela grande. Periodo final, desde 1939 hasta 1960: pervivencia de la zarzuela grande y la revista.

1. Primeros sistemas formales. Estructuras dramáticas y morfológicas: zarzuela grande y zarzuela chica. El 6 de octubre de 1851 tuvo lugar en el teatro del Circo el estreno de la zarzuela *Jugar con fuego* de Barbieri, piedra angular del nuevo género zarzuelístico, probablemente la obra más oída en el siglo XIX, tanto en España como en Hispanoamérica. La obra iniciaba lo que a la postre fue conocido como zarzuela grande y suponía la definitiva evolución del sistema iniciado por Hernando.

1.1. Zarzuela grande. Es una zarzuela en tres actos, con la misma extensión de una ópera italiana, pero definible por otros elementos estructurales: presencia de preludio en vez de obertura; importancia de los coros; uso de unos quince números poliseccionales de música, cada uno de ellos con varias partes en las que cambian el tempo, ritmo y a veces la tonalidad; uso de frecuentes concertantes que tienen presencia casi obligada en los comienzos y finales de los actos; empleo del virtuosismo vocal en los números más importantes; la utilización de números de conjunto, sobre todo tercetos y dúos, siempre entre voces de distinto registro; abundante número de personajes; claro predominio del texto cantado sobre el hablado; temas de carácter histórico español, pero también europeo influido por los dramaturgos franceses y en general con historias complicadas.

Este nuevo modelo de zarzuela suele basarse, como señala Barbieri, en "la historia patria, su idioma, su teatro antiguo, sus tradiciones y costumbres, los cantos y bailes populares, los himnos y marchas nacionales y otros muchos variados elementos que constituyen nuestra manera de ser y nuestra propia nacionalidad". Es decir, una música que pretendía competir con Italia y Francia fundamentada en cuatro grandes estratos musicales hispanos: nuestra música histórica, la tonadilla, la danza popular y el folclore popular y urbano.

La crónica de la zarzuela grande desde 1851 hasta 1880 en que comenzó el género chico, está llena de obras excepcionales, la mayoría injustamente olvidadas. Desde 1851 y hasta la inauguración del teatro de la Zarzuela algunas de las más destacas fueron: en 1851 *Jugar con fuego* de Barbieri y *Tribulaciones* de Gaztambide; en 1852 *El valle de Andorra* de Gaztambide y *La espada de Bernardo* de Barbieri; en 1853 *El dominó azul* de Arrieta y *Galanteos en Venecia* de Barbieri; en 1854 *Moreto* de Oudrid, *Los diamantes de la corona* de Barbieri y *Catalina* de Gaztambide; en 1855 *Mis dos mujeres* de Barbieri, *La cola del diablo* de Oudrid, *Marina* de Arrieta y *El sargento Federico* de Barbieri y Gaztambide; en 1856 *El postillón de la Rioja* de Oudrid.

El 11 de octubre de 1856 se inauguró el teatro de la Zarzuela, y comenzó entonces un nuevo camino el género, emprendido por los mismos protagonistas, así se estrenaron muchas obras destacadas: en 1856 *El diablo en el poder* de Barbieri; en 1857 *Los madgyares* de Gaztambide, *El hijo del regimiento* de Oudrid y *El relámpago* de Barbieri; en 1858 *Azón Visconti* de Arrieta; en 1859 *El juramento* de Gaztambide, *El robo de las sabinas* de Barbieri y *Entre mi mujer y el negro* de Barbieri; en 1860 *Los circasianos* de Arrieta; en 1861 *Un tesoro escondido* de Barbieri; en 1862 *La isla de san Balandrán* de Oudrid; en 1864 *Pan y toros* de Barbieri; en 1867 *Un estudiante de Salamanca* de Oudrid; en 1874 *El barberillo de Lavapiés* de Barbieri.

1.2. Zarzuela chica. Además de la zarzuela grande, existió otra forma alternativa, la denominada zarzuela chica, que participaba del mismo espíritu, pero más unida a la tonadilla del siglo XVIII y de forma especial al sainete, género literario que se había convertido en popular en el Madrid de finales del siglo XVIII con las obras de Ramón de la Cruz y Juan Ignacio González del Castillo. El término zarzuela chica se aplica a las zarzuelas en un sólo acto, realizadas con unos medios y una estructura musical más simple, y que posteriormente siguió el género chico. Sus elementos característicos son: un sólo acto compuesto por cuatro, cinco o seis números de música; los números son más breves que los de la zarzuela grande con poco uso de la poliseccionalidad; menor presencia de números corales y estos frecuentemente al unísono; el número de personajes es reducido, de tres a cinco; carácter popular y claro predominio de elementos popularizantes en la música; uso restringido del virtuosismo vocal y menor exigencia de la voz, como fruto del paso del cantante al actor cómico; predominio del texto hablado sobre el cantado; y temática popular y asuntos cotidianos en los libretos.

La producción de zarzuela chica en aquellos años fue de unas cuatrocientas obras dentro del total de mil, estrenadas entre 1851 y 1880. Dentro de ellas también hubo creaciones magníficas como *El estreno de una artista*, 1852, *Un pleito*, 1858, *Una vieja*, 1860, o *¡En las astas del toro!*, todas de Gaztambide, o varias

de Barbieri, como *Gloria y peluca, Aventura de un cantante*, 1854, *Los dos ciegos*, 1855, *El Vizconde*, 1855, *De tejas arriba, El pavo de Navidad*, 1866, *Don Pacífico* y *El hombre es débil*, ambas de 1871.

Todos los compositores que protagonizaron este primer período de la historia de la zarzuela romántica, compusieron en ambas estructuras, zarzuela grande y chica, según las necesidades del mercado.

2. Peculiaridades morfológicas. Es difícil sistematizar las peculiaridades morfológicas de estos dos sistemas. En primer lugar ambos usan la orquesta del último clasicismo o primer romanticismo con una plantilla del tipo siguiente: flauta y flautín, 2 oboes, 2 clarinetes, 2 fagotes, 2 cornetines a pistón, 2 trompas, 3 trombones, (o 2 trombones y figle), timbales, triángulo y cuerda. Es decir, una orquesta de 40-45 músicos. Este núcleo orquestal es enriquecido a veces con el añadido de numerosos y variados instrumentos populares, sobre todo de percusión. Un lugar especial, sobre todo en la zarzuela grande lo pueden asumir la banda y la rondalla, siempre demandadas por circunstancias dramáticas. La orquesta tiene como función además de acompañar, preludiar o interludiar y en ambos casos prepara el ambiente y permite la apertura del telón. *Véase* BANDA; ORQUESTA.

Los elementos formales vocales son de la misma índole que los del teatro decimonónico europeo, a excepción del drama wagneriano; es decir, los de la ópera cómica francesa y el teatro lírico del primer romanticismo italiano con un empleo de la voz muy similar, aunque con algunas interesantes peculiaridades. *Véase* VOZ.

La zarzuela pivota sobre el aria, romanza, cabaleta, canción, dúos, tercetos, concertantes, coros y los citados momentos instrumentales como preludios e interludios. El empleo del aria en los primeros años, los más influidos por Italia, es el mismo y desde luego con las mismas premisas y forma que tiene el aria en todo el teatro del XIX, incluido el uso de la cabaleta como añadido final, tanto de arias como en dúos con la característica de intensificación motórica, reservada a momentos de especial interés dramático y sicológico, es siempre poliseccional y sólo se emplea en la zarzuela grande. La romanza tiene el mismo sentido del *romance* francés, es decir, carácter lírico y unida a textos amorosos o históricos. En general, es más sencilla pero también poliseccional y se emplea tanto en las obras de grande como pequeño formato; sin embargo frecuentemente tiene carácter estrófico. La diferencia entre aria y romanza es patente. En esta se rebaja el nivel de virtuosismo y se incrementa el de popularización. El uso del aria se produce sobre todo en la primera época de la zarzuela, fruto del peso de la ópera italiana; el de la romanza, que va a ser de mucha más importancia, debido a la influencia francesa y también a la hispanización del género. La canción –copla / cuplé– es la tercera forma a través de la que se estructura el discurso melódico de la zarzuela y es definible por una mayor reducción en el uso de los elementos virtuosísticos. Es decir, tiene una forma normalmente estrófica en la que la presencia de elementos populares es más determinante. Su empleo se intensifica en la zarzuela chica. *Véase* ARIA; CANCIÓN ESTRÓFICA; CUPLÉ; ROMANZA.

A medida que la zarzuela evolucionaba hacia una clara hispanización se redujo el campo del aria y se incrementó el de la romanza y la canción, y, en general, esta excesiva simplificación disminuyó también el interés de su creación. En uno y otro caso, salvo el aria, todas estas formas fueron sometidas a los ritmos de moda y tuvieron otros condicionamientos relacionados con la especulación semántica del texto y con ciertos elementos de tipo social. Por ejemplo, los personajes aristocráticos usan un melos más italianizado y por ello están dotados de una melodía de perfil más internacional o de los ritmos más de moda, y los de origen popular de una música de clara definición idiomática y con perfiles formales dentro de la canción estrófica o el cuplé, así como por una inspiración en ritmos o géneros populares, como seguidillas.

Los conjuntos constituyen el segundo elemento de la zarzuela decimonónica y se usan al menos en dos o tres números de cada acto. En estos conjuntos se multiplica la poliseccionalidad, conteniendo siempre una sección cantabile muy lírica. Si se exceptúan los números de inicio y final de acto, los conjuntos, desde dúos a los que emplean todo el elenco, tienen carácter de confrontación. Finalmente el coro tiene una presencia muy destacada. Constituye una de las sustancias de la zarzuela y su empleo uno de los motivos del éxito popular de las obras. Su uso es más rico y complejo en la zarzuela grande y más pobre en la zarzuela chica; y no sólo en cantidad, sino en cuanto al peso en la estructura de la obra.

3. Parámetros del lenguaje de la zarzuela. La melodía es el elemento primigenio, el punto de partida y desde luego el más efectivo en la zarzuela. La creación melódica de la zarzuela del XIX se fundamenta en cinco estratos diferentes y específicos: la música histórica, la tonadilla, el baile y la danza, el folclore popular y urbano y la música internacional. Cada autor hace hincapié en uno u otro, o los combina, aunque en general son la música popular y la danza las que asumen especial interés. Las melodías de tipo internacional tuvieron especial presencia al inicio debido a la fuerte influencia de Rossini, Donizetti y Bellini. Las melodías son siempre cuadradas y con capacidad de fijarse con facilidad en la memoria del público. Frecuentemente son silábicas salvo en aquellas obras en las hay un lugar para el virtuosismo. Otros elementos del perfil melódico son los sistemas decorativos o de embellecimiento, en general de claro carácter hispano, a través de diversos floreos superiores a distancia de semitono que producen efectos andalucistas: La-

Sib-La; Do#-Re-Do#; Mi-Fa-Mi, o a través de la ambigüedad modal (3ª mayor/menor), tan frecuente en la música popular; uso de segundas aumentadas que hacen pensar en la gama sonora andaluza, sobre todo en sentido descendente; utilización de los intervalos eufónicos de música tonal popular: terceras y sextas. Estos embellecimientos tienen un interés crucial porque a través de ellos se introduce y se tipifica lo hispano, incluso se puede conseguir la unidad motívica; son especialmente importantes en las zonas cadenciales, como es típico en la música española.

El recurso a la danza y baile popular, histórica o de salón, es uno de los más empleados y modela no sólo, y como es lógico, la estructura rítmica de los números de la obra, sino también conforma muchas melodías, desde el momento en que casi siempre se une la base danzaria a una melodía preexistente o inventada. La lista de las danzas que usa por ejemplo Barbieri en sus melodías es enorme; desde las típicamente hispanas, como jota, jaleo, habanera, tango, tanguillo, bolera, calesera, contradanza, fagina, farruca, fandango, gallegada, habas verdes, jácara, muñeira, pasodoble, chotis, sevillana, tirana, vito, zapateado, zorzico, a las de carácter europeo o internacional: vals, mazurca, cancán, galop, gavota, jiga, marcha, barcarola, pavana, polaca. Obras como *Robinson* o *El proceso del Cancán* están totalmente dominadas por la danza. En otros casos debajo de la melodía están presentes claros elementos del teatro del XVIII o de música histórica del XV y XVI, por ejemplo *Chorizos y polacos* de Barbieri. *Véase* CANCÁN; HABANERA; JOTA; MARCHA; MAZURKA; PASODOBLE; SCHOTIS; SEGUIDILLA; TANGO; VALS; VITO; ZAPATEADO.

Armonía. La armonía no manifiesta ningún cambio respecto a las estructuras armónicas que ya aparecían en la zarzuela restaurada de los años 1849 y 1850. La influencia internacional del lenguaje romántico teatral es clara. Se parte de la armonía clásica con la utilización de elementos hispanos, por ejemplo en las progresiones, en los cambios frecuentes de modo, la mezcla de terceras mayores y menores y, sobre todo, en el uso continuo de la fluctuación o ambigüedad modal mayor/menor al combinar en una misma frase tercer grado natural y alterado que contribuye a conseguir la filiación hispana. No se puede señalar en el lenguaje armónico –si se excluyen las obras de Chapí o Bretón de finales de siglo–, los usos de lenguajes wagnerianos y menos de tipo impresionista.

Rítmica. Desde el punto de vista rítmico la presencia y la riqueza de los ritmos de definición hispana e incluso centroeuropea relacionados con la opereta son un continuo que se incrementará con la llegada del género chico. Como ya se ha dicho, la danza constituye el tercer núcleo estructural de las melodías, y afecta directamente también a la estructura rítmica de la obra. A primera vista la definición fenomenológica de algunas obras, lleva a pensar que es el elemento rítmico el que vertebra la obra, y es así, sobre todo en el género chico.

4. El libreto. Barbieri cifraba la esencia de la zarzuela en una buena relación entre músico y poeta: "Lo que sí comprendo únicamente es que la zarzuela es un espectáculo de muy difícil composición, no sólo por el género mixto a que pertenece, sino también porque es necesario que el músico y el poeta identifiquen sus ideas para producir una obra de este género que tenga la posible perfectibilidad". Dice además: "Pues bien; el compositor que haya de poner en música un asunto cómico, o no cumplirá con sus deberes o tendrá que hacer suyas las ideas del poeta, dándolas musicalmente todo el relieve susceptible, para lo cual tiene que empezar por ser filósofo y gran observador de la humanidad, y sólo así sabrá hacer cantar a cada personaje con la verdad y el sentimiento que le sean propios, para todo lo cual se necesitan en el compositor las dos condiciones indispensables a toda obra buena del ingenio humano, que son *inspiración y talento*".

El dogma central de la zarzuela española es que lo vocal interprete perfectamente la letra. El texto más claro sobre este tema lo escribirá Barbieri en una carta a Chapí aparecida en *El Imparcial*: "En mi opinión, lo primero y principal en una ópera es la poesía, y a ésta debe subordinarse todo. El mérito del compositor consiste en traducir y colocar en música, no sólo el pensamiento del poeta sino también en hallar el mejor ritmo musical que corresponda al ritmo poético de cada estrofa, de cada verso y hasta de cada palabra, según la expresión o el acento que reclame la obra, en fin que la poesía brille y campee con melodía propia y agradable, sin alterar un átomo de su ritmo prosódico ni de su acento expresivo, porque de no hacer esto desaparece la cadencia poética y la composición musical parece como si estuviera escrita sobre mala prosa".

Otra realidad diferente es el contenido del libreto de zarzuela, su contexto ideológico. Como rasgo general, debe pertenecer a un ámbito sentimental, y reproducir los esquemas dramático-ideológicos de las comedias de enredo del teatro nacional del Siglo de Oro, con la consiguiente "traducción" del código de valores morales que se trata de defender. La trama dramática debe emocionar e involucrar al público pequeño burgués, a diferencia de la opereta parisina que no debe emocionar nunca, ni tampoco criticar las pasiones humanas, ya que esto supondría "incomodidad" para el público burgués al que se destina la obra, lo que marca la diferencia ideológica entre la burguesía francesa y la española del siglo XIX.

Desde un punto de vista más estructural, la zarzuela grande abandona los tópicos andalucistas de la década de los cuarenta, característicos en obras como *Jeroma, la castañera* o *La venta del Puerto*, para integrarse en el contexto europeo. Autores como Ventura de la Vega, Mariano Pina o Luis Olona integran en los libretos de zarzuela grande, tres tendencias principales. Por un lado, la farsa *vaudevillesca* de origen francés, que otorga a los nuevos libretos el enredo cómico característico y las referencias a lo contemporáneo; por otro, el mundo literario de Scribe, que llega a España gracias a las traducciones, arreglos y refundiciones de obras galas, del que se encuentran ejemplos desde *Jugar con fuego* hasta *El valle de Andorra*; y por último, la comedia de capa y espada del Siglo de Oro, con sus dos niveles dramáticos, el mundo serio y el mundo cómico, contemplado desde la alta comedia de Ventura de la Vega.

5. Los protagonistas del cambio: músicos, libretistas y cantantes. Desde 1850 a 1880 se estrenaron en España cerca de mil zarzuelas, y para ello fue necesaria la concurrencia de al menos dos generaciones de músicos, libretistas y cantantes, hoy olvidados, pero que en su momento tuvieron una gran presencia social; pero también fue preciso el cambio de las infraestructuras musicales con un enriquecimiento enorme y con la presencia de una fuerte organización empresarial. Tres teatros fueron los testigos de este primer período de la zarzuela: el Novedades, el teatro Circo a partir de 1851, y el teatro de la Zarzuela, desde 1856; tanto en Madrid como en toda España surgió un complejo mundo de infraestructura musical que posibilitó el cambio. *Véase* COMPAÑÍAS DE ZARZUELA; TEATROS.

La restauración de la zarzuela se produjo en un momento en el que estaba totalmente agotado el proceso de creación dramática autóctona de origen dieciochesco y en el que la presencia italiana era especialmente fuerte viviéndose aún los últimos coletazos de la fiebre rossiniano-belliniana contra la que se pretendía reaccionar. Pero sobre todo, esta restauración fue posible por la existencia de una generación de músicos y libretistas capacitada para llevar a cabo el empeño y capitaneada intelectualmente por Barbieri, al que acompañaban Hernando, Gaztambide, Inzenga, Oudrid, Salas y el libretista Olona. Todos ellos estuvieron atentos a lo que sucedía en Europa, viajaron especialmente a París, y uno de ellos, Barbieri, se convirtió en el personaje central del mundo de la zarzuela, no sólo por sus creaciones, sino por la gran preparación intelectual reflejada en sus escritos; que le hacía poseedor de las condiciones para conducir la reforma. Hombre de profunda formación literaria y teatral, dominaba los lenguajes del clasicismo y del primer y segundo romanticismo, desde Beethoven y Rossini, amigo suyo, hasta Wagner, pero también los de Juan del Encina, Morales, Misón, Laserna, el padre Soler, Manuel García, etc. Conocedor profundo de la historia musical española, desde las *Cantigas* hasta las obras de su maestro Ramón Carnicer, y especialmente de la historia lírica, la tonadilla, el folclore español, el mundo de la canción y del salón.

Los músicos protagonistas de aquella aventura fueron en primer lugar los citados Barbieri, Gaztambide, Oudrid, Inzenga, Hernando, a los que posteriormente se sumaron Emilio Arrieta, Manuel Fernández Caballero y Miguel Marqués. Pero no fueron los únicos. Más de cuarenta compositores, se dedicaron con más o menos exclusividad al género zarzuelístico en esta época. Se trata en algunos casos (como los citados), de los más grandes compositores de zarzuela de todos los tiempos, y a ellos habría que añadir: Tomás Genovés, Antonio Reparaz, Antonio Rovira, Juan Molberg, Mariano Vázquez, Miguel Galiana, C. Llorens, Salvador Ruiz, Manuel Cresj, Luis Velasco, Carlos Lartigue, Isidoro García Rosetti, Ignacio Agustín Campos, Pablo Hernández, Miguel Carreras, Cleto Moderati, Juan Sariols, Antonio Gordón, Manuel Rodríguez, Máximo Díaz de Quijano, Leandro Ruiz, Teodoro Vilar, Guillermo Cereceda, Rafael Aceves, Ángel Rubio, Benito Monfort, José Casares y Leandro Ruiz.

Esta generación de compositores fue acompañada por otra más abundante aún de libretistas. La zarzuela es un género músico-teatral, e incluso a lo largo del siglo XIX el libretista tuvo en muchas ocasiones mayor importancia que el propio músico. Algunos de los más destacados fueron: José y Luis Olona, Ventura y Ricardo de la Vega, Mariano Pina (padre e hijo), Antonio García Gutiérrez, Francisco Camprodón, Luis Mariano de Larra, Narciso Serra, Luis Eguilaz, Adelardo López de Ayala, Marcos Zapata, Eusebio Blasco, Manuel Bretón de los Herreros, Antonio García, Cayetano Rosell, Juan Belza, José María Gutiérrez, Víctor Balaguer, José Picón, Rafael García Santisteban, Ángel Lasso de la Vega, José María Pereda, Eduardo Escalante, Ricardo Puente y Brañas, Federico Soler y Miguel Pastorfido.

El nacimiento de la zarzuela estuvo unido también a otro colectivo de importancia suma, los cantantes. La zarzuela necesita de un cantante peculiar y casi todas se concibieron para cantantes concretos que por ello tuvieron un protagonismo sustancial en esta historia. Miles de intérpretes hicieron posible tanto en España como en América la vida de la zarzuela, que fue uno de los más importantes activos para la subsistencia económica del músico hispano. La escuela de canto de la zarzuela la iniciaron una serie de maestros como Basilio Basili, Baltasar Saldoni, Francisco Frontera de Valldemosa, Ángel Inzenga, Mariano Martín, Lázaro M. Puig, José Inzenga, y Jorge Ronconi, de la que surgieron intérpretes tan geniales como, Francisco Salas, Francisco Calvet, Vicente Caltañazor, María Bardán, Teresa Istúriz, Luisa Santamaría, Francisco Arderius, Ramón Cubero, Amalia Ramírez, Manuel Sanz de Terroba, Elisa Zamacois, Rosendo Dalmau, Rosario Hueto, Consuelo Montañés, Eduardo Bergés, Almerinda Soler di Franco, Miguel Soler, Dolores Franco, y muchos otros más.

6. El género bufo. La zarzuela, sobre todo en su formato de zarzuela grande, tuvo una historia continuada hasta la desaparición del género en la década de 1960. A lo largo de este tiempo sufrió una continua evolución, con la llegada de fenómenos a veces marginales y otras sustanciales, como es el género chico. Los autores siguieron componiendo siempre en los dos sistemas de zarzuela grande o chica, pero a veces se acogían a formas alternativas, y la primera fue el denominado género bufo, que supone la primera crisis de la zarzuela, y que se extiende entre 1866 y 1880. Con el término género bufo se define una variante de carácter cómico del teatro lírico español creada por Francisco Arderius y que tuvo gran importancia en España hasta la década de 1880, cuando su creador abandonó la aventura. Conforma, por ello, un capítulo importante del desarrollo de la zarzuela. Su historia está unida a la célebre compañía que llevaba el nombre de Bufos Madrileños o Bufos Arderius, que él mismo regentaba y que tuvo su sede, en sus comienzos, en el teatro Variedades, donde el 22 de septiembre de 1866 se estrenó la primera obra, *El joven Telémaco. Véase* GÉNERO BUFO.

III. EL GÉNERO CHICO. EL SAINETE Y LA REVISTA. A partir de 1880 se establece tradicionalmente una división en la historia de la zarzuela: se comienza a hablar del género chico. Los compositores siguieron componiendo zarzuela grande en tres actos, pero la sustancia de la creación durante las dos décadas finales de siglo fue el denominado género chico. Género chico es una expresión ambigua con la que se designa a todas las obras teatrales breves, en un solo acto, de cualquier especie que sean, definibles generalmente por su carácter cómico y por ser representadas en las sesiones por horas de algunos teatros madrileños. La brevedad es el rasgo común, pero abarca géneros claramente diferenciados como zarzuelas chicas en un acto –que siguen el viejo sistema– así, *La viejecita* de Fernández Caballero, sainetes líricos como *La verbena de la Paloma* de Tomás Bretón, o revistas como *La Gran Vía* de Federico Chueca y Joaquín Valverde.

En 1868, año de la Gloriosa, en que cayó la monarquía y se instauró la Primera República Española, el actor Antonio Riquelme, con la colaboración de Juan José Luján y de José Vallés "El joven Romea", idearon unas breves obras de teatro hablado, de una hora de duración, estrenadas en el teatrillo El Recreo, situado en la calle de la Flor Baja. Normalmente se representaban cuatro piezas por día, de ahí que se les denominase "teatro por horas". El horario de representación solía ser: 8.30, 9.30, 10.30 y 11.30, aunque se podían dar a otras horas. Este género logró hacerse un hueco entre la zarzuela grande y el drama romántico o comedia de verso y lo hizo con éxito por apelar a una demanda de la nueva sociedad de la Restauración alfonsina, la de divertirse y olvidar.

La Restauración hizo surgir una pujante clase media que se sentía a gusto con esta programación, pero además a un variado público que R. Gil Osorio y Sánchez define así: "Ese público consta de empleados, que perciben seis u ocho mil reales; patronas de huéspedes, oficiales retirados, funcionarios cesantes de la administración pública, estudiantes de todas las facultades, modistas... viudas que viajan de incógnito, solteras talludas. Además de estos elementos... familias honradas... viejos verdes ávidos de escuchar los chistes que le sugiere al autor su desembarazada inspiración y de contemplar las piernas artificiales de las bailarinas...".

Sólo en el año 1880, con el estreno de la obra de Ricardo de la Vega *La canción de la Lola* con música de Chueca y Valverde, el género chico, hasta entonces exclusivamente teatro hablado, incorporó la música con el fin de venderse mejor y dar nuevo interés a un producto que aburría a los espectadores por repetitivo y manido. Por ello la separación entre el género chico y la zarzuela anterior es profunda, desde el momento en que el origen inspirador de aquel no es tanto la ya vieja zarzuela, cuanto el propio teatro hablado. Por otra parte no nace con la misión de crear un nuevo drama lírico español que compita con el europeo como la zarzuela grande, sino más bien con la de convertirse en un producto de espectáculo y entretenimiento y en este sentido se relaciona más con el espíritu del género bufo. La relación entre ambos aparece clara. En el citado artículo Gil Osorio añade: "Hay no escaso número de personas que por razón de sus nervios, muy irritables, o por su sensible condición o por adolecer de incurable sentimentalismo, no visitan los teatros de verso y prefieren pasar la noche en un teatro donde, al menos, no hayan de llorar sino de risa", y continúa: "Son incalculables los beneficios que reportan a la sociedad determinadas instituciones. Por lo pronto, mediante esta institución de los teatros de hora se consigue tener contentas a todas las clases del estado y que lleven con calma y hasta con resignación y apacible sosiego, todos los infortunios. Y hay que notar que estos teatros cobran ascendiente por caminos legítimos, es decir, sin grande menoscabo de los fueros del arte. Cierto que allí no se presentan obras notables, ni tales coliseos se abastecen de las más delicadas producciones del ingenio... Despúes de todo ésta es la única poesía que no decae, pues mientras el drama y la comedia, si hemos de dar crédito a las sentidas declaraciones de renombrados críticos, atraviesan un período lamentable de desconsoladora postración y abatimiento, la literatura homeopática, la dramática genuinamente popular, que un público inmenso constantemente renovado saborea en los teatros más modestos de Madrid, ensancha de día en día sus dominios, sin perder nunca el vigor, ni gracia, ni color subido, ni disparatada inventiva y alcanza las mayores glorias de su siglo de oro". Este nuevo teatro,

junto con otras corrientes o modas corrosivas como los bufos, así como el café teatro, definen un arte más inmediato y fácil, en el que es prioritario el éxito económico, y por supuesto, crear espectáculo.

El género chico se fundamenta en los cambios de la revolución de 1868 y tuvo en cuenta no sólo a la burguesía, sino también a un público más popular que buscaba en el teatro lírico menos romances cursis y más problemática diaria y que exigía una estética más popular cercana a lo que fue la tonadilla en España, o la ópera bufa en Europa. Las estadísticas indican que su crecimiento fue intenso y rápido, mientras los estrenos de la zarzuela grande decaían, así los grandes compositores de zarzuela se pasaron prontamente al nuevo género. La restauración política hizo surgir una pujante clase media que se sentía a gusto con estos espectáculos, y fue además un público que vivía aquellas melodías directas, elementales y no por ello menos geniales. Es difícil encontrar una institución que caracterice mejor a la España finisecular que este género, y quizá por ello los noventayochistas abominaron de él, considerándolo uno de los causantes de los males que afligieron a aquella sociedad; era un espejo demasiado claro en el que no se querían mirar.

1. Géneros y subgéneros. A medida que avanzaba la década de los ochenta, estos pequeños géneros lírico-teatrales, integrantes del género chico, comenzaron a tener diversas calificaciones por los autores: juguete, apropósito, disparate, humorada, fantasía, gacetilla, etc. De acuerdo con el catálogo provisional de que se dispone, existen más de trescientas setenta y nueve "calificaciones" que, desde luego, no conllevan diferencias musicales. De entre todas ellas dos se constituyen como específicas y conforman los dos grandes sistemas con que opera el nuevo género: el sainete y la revista; diferentes en cuanto a la dramaturgia pero con materiales musicales similares. *Véase* GÉNERO ZARZUELÍSTICO.

Sainete. El sainete lírico es una obra musical en un acto, de acción contemporánea, localizada en una ciudad, generalmente Madrid, con personajes y ambiente populares, de carácter cómico, enredo mínimo, lenguaje coloquial y final feliz. El ejemplo más claro es *La verbena de la Paloma* de Tomás Bretón.

Revista. Una obra musical en un acto que consiste en una sucesión de escenas yuxtapuestas sin apenas enlace argumental, salvo la alusión a la actualidad pasada o presente. Un ejemplo igualmente perfecto puede ser *La Gran Vía* de Federico Chueca y Joaquín Valverde.

El origen del género chico lírico, se fija en *La canción de la Lola* estrenada en 1880. Desde entonces, se puede establecer la siguiente periodización: período de formación desde 1880 hasta 1890, un segundo de plenitud desde 1890 hasta 1905, y la época de decadencia, desde ese año hasta la Guerra Civil española. *Véase* APROPÓSITO; COMEDIA MUSICAL; CAPRI-CHO; GATADA; JUGUETE; OPERETA; PARODIA; SAINETE.

2. Dramaturgia. Como ya se ha señalado, el géne-ro chico recoge una vieja tradición de teatro musi-cal que tiene como precedentes a la tonadilla y a la canción popular y, sobre todo, la zarzuela chica. El género chico comenzó cambiando la estructura comercial del teatro; crea una oferta y consiguien-temente una demanda y un hábito de consumo. Una nueva infraestructura de teatros sirvió para su éxito. Al ya viejo teatro de la Zarzuela acompañaron en Madrid el Martín, Eslava, Alhambra, Recoletos, Eldo-rado, Infanta Isabel, Felipe, Comedia, Maravillas, Gran Teatro, Price, Novedades, Lara y sobre todo el tea-tro Apolo, conocido como la "catedral del género chico", y otros tantos. *Véase* TEATROS.

El público frecuentaba estos teatros para oír temas que conocía: crónicas de sucesos, críticas a persona-jes públicos, pero como señala R. Barce "con un len-guaje que es en gran manera una fiesta para los oídos y que es engrandecido en sus puntos culminantes con una música muy cercana al oyente, próxima al mundo de la canción y del cuplé". Se trataba de algo hecho a la medida del hombre de la calle, con una estética de cuño popular, que definía un tipo de vida nacio-nal que acontecía al mismo tiempo que la ruina de la propia nación. El género chico trata, ante todo, temas actuales y famosos y de los temas que preocupan a aquella sociedad finisecular fuesen políticos, patrióti-cos, sociales o religiosos. Por el escenario desfilaban políticos o munícipes, cupletistas, productos de moda, problemas municipales, los precios, el calor de Madrid, las óperas de moda, los bailes que hacían furor, las fiestas populares, los tipos y situaciones castizas. Todo era un guiño de comunicación con el público y por ello las coplas, cuplés y cantables, tenían un significa-do que iba pues más allá de su valor puramente musi-cal. En *Las zapatillas* de Chueca y por medio de los cuplés de "Chavito" se criticaba a Cánovas y Sagasta que gobernaban la nación; en *Los veteranos* de Chapí se criticaba la orden de Maura y La Cierva de no pro-longar las representaciones teatrales más allá de las 24.30;. en *Los descamisados* se realiza una dura crítica social; en *El ángel caído* se presenta el mundo de la mendicidad en Madrid, contrastándolo con la vida de la aristocracia; en *Las bribonas* la gazmoñería religio-sa. Pero esta crítica nunca entorpece la ideología esen-cial que respira el género y es cierta satisfacción por la historia pasada, por las regiones, tipos populares y productos de la tierra, pero, sobre todo, se muestra una visión sainetesca del pueblo madrileño.

En el género chico la gran protagonista es Madrid y el resto de las regiones desde el punto de vista de la capital. Los personajes periféricos favoritos eran el pale-to llegado a la corte, vivero de gracias, el aragonés, el andaluz, el gallego y el murciano; otras veces el pin-toresco gitano. Pero el protagonista principal es sin

duda Madrid; un Madrid conformado por una serie de barrios que se pueden fijar topográficamente: Glo-rieta de Atocha, calle de Santa Isabel, plaza de Antón Martín, plaza del Progreso, calle de la Colegiata, puen-te de Segovia, zona de Embajadores, plaza de la Paja y las riberas del Manzanares. Valencia lo define como, "una de las fuerzas inconscientes de la centralización y de los resquemores que suscitaba". Pero estos espa-cios están completados por una rica iconografía madri-leña en la que entran las cosas, los objetos, unas veces presentes en el escenario con protagonismo visual, otras simplemente citados en el libreto para unificar y dar realismo a la acción. Los personajes que pueblan los sainetes se repiten: serenos, cigarreras, aguadoras, carteros, el señorito y la señorita, lavanderas, churre-ras, amas de cría, chulos y chulas, huéspedes, políti-cos, notarios, murguistas, barquilleros, la patrona de la casa de huéspedes, toreros, serenos y guardias, el ine-vitable cesante, el trapero, el vendedor de aleluyas, los vendedores ambulantes, las verduleras, la mujer de carácter, la abuela, el hijo de la casa rica, la dama orgu-llosa; no aparecen hombres cultos, todos hablan inco-rrectamente y si acaso tienen una sabiduría popular. Hay un tipo, el "fresco", cuyo mejor ejemplo lo ofre-cieron Carlos Arniches y Enrique García Álvarez con las músicas de Quinito Valverde en una serie de obras como *El terrible Pérez* o *El pobre Valbuena*. También hay una serie de lugares comunes: verbenas y romerías, paseos, iglesias, corralas, la cárcel, el río, la ermita, la casa de empeños, y finalmente objetos: los abanicos y las sombrillas, el botijo, el aguardiente, el organillo, la mantilla y el mantón de Manila, los coches de punto. En estos barrios aparece la pobreza pero no la mise-ria, la marginación o la violencia, tampoco la delin-cuencia o la prostitución, es decir, lo que pronto se denominaría lumpen. La visión ácida y mordaz de Valle Inclán es extraña al género chico. Pero incluso cuando estos aspectos más negros de la realidad hacen su presencia en el escenario, están rodeados de cier-ta alegría en la que no se percibe la desesperación. En uno y otro caso todo se presenta dulcificado y es visto con simpatía, desde el humor y el chiste, porque ser gracioso era lo principal.

En el género chico, como sucedía en la zarzuela chica, el texto literario se imponía a la música, aunque a la postre de estas obras sólo haya quedado esta últi-ma. El texto hablado de los primeros años se escribía en verso: *La canción de la Lola, La abuela, El baile de Luis Alonso, Las mujeres, Los arrastraos,* y a veces en verso y prosa, *De Getafe al paraíso, La Gran Vía, Agua, azucari-llos y aguardiente, La revoltosa, El bateo,* o en prosa, *La verbena de la Paloma, El santo de la Isidra* o *La boda.* A partir de comienzos de siglo se impuso la prosa, reser-vándose el verso para los cantables que además han de estar sujetos a los esquemas rítmicos necesarios. Por ello muchos textos son el resultado de una estre-cha colaboración entre músico y libretista en la que normalmente se ajustaban los versos a los contornos rítmicos de la música y no viceversa. Justamente lo contrario de lo que ha sido la relación entre música y verso en grandes épocas del pasado. Por ello muchos de los cantables sorprenden con textos literarios muy discutibles e incluso expresiones incomprensibles. Pero además estos textos tienen una serie de elementos determinantes: en el lenguaje entran expresiones de moda, alusiones a la actualidad, anglicismos y galicismos mal pronunciados o inoportunos, con el fin de marcar la afectación de algunos personajes, y sobre todo se emplea el lenguaje castizo madrileño o andaluz, intencionadamente incorrecto y vulgar que incide sobre la prosodia musical de los cantantes; otras veces usa ciertas características morfosintácticas como el laísmo. Es decir, un lenguaje determinado en muchos momentos por palabras jergales, alusiones chulescas, salpicado de expresiones *slang* y muchas veces de difícil entendimiento.

R. Barce define la temática de las dos grandes formas del género: sainete y la revista, y señala que el sainete tiene que ver con dos mundos intencionales: es un mundo para reír y llorar en el que el amor juega un papel fundamental. La pareja protagonista se quiere; su amor topa con un obstáculo: celos, oposición de los padres, desigualdad de fortuna, malentendidos, un tercer personaje de mala catadura que se interpone; la situación se soluciona con un acto público, espectacular y con moraleja: el amor triunfa y los protagonistas alcanzan su meta. El objetivo del sainete no es hacer reír, ni tampoco satirizar nada, sino presentar, rodeado de comicidad y de pintoresquismo popular, un argumento sentimental. Y existe una ideología explícita, la conformidad con el estrato social en que ha tocado vivir a cada personaje. Pedro de Répide señala: "El sainete es la representación escénica más exacta de la vida. Allí están las pequeñeces, las ridiculeces, las cómicas miserias del vivir puestas de relieve con todo su aspecto de donosura y gracejo. Pero allí también, como en el mundo, como hasta en lo que parezca más ridículo de la existencia, va por debajo una suave corriente de amargura, esa ráfaga de dolor que pasa por la risa como por el llanto; ese eterno sedimento de tristeza que, a poco que se ahonde, se halla en todas las almas como en todas las cosas". Por ello los protagonistas están encasillados en ciertos tipos fijos: el muchachito tímido que ama a la protagonista, pero que no se atreve a decírselo, o queda marginado por otro pretendiente mejor situado económicamente, como Julián en *La verbena de la Paloma*. Pero estos tipos son muy variados y dan esa hermosa iconografía de personajes del género chico madrileño, ya citados. El sainete presenta una temática realista y neutra de la vida que Zozaya ve como un fermento revolucionario. Pero nada más; el público de los sainetes no fue nunca el proletariado sino la burguesía; toda, desde la más modesta a la más acomodada, y ese público se consideraba superior a los protagonistas y reía sus gracias. La ideología de los textos, es conformista. Las amenazas anarquizantes del sereno de *La verbena* y del Wamba de *El bateo* se agotan en su propia comicidad.

La revista es un género muy diverso estructuralmente pero no ideológicamente. No existe una historia propiamente dicha; más bien se trata de presentar alegorías de personajes, situaciones, acciones, etc. En general muchas de ellas, desde *La Gran Vía*, son obras liberales y muy críticas. El propio subtítulo que suelen llevar indica sus intenciones: revista bufo-política, de actualidades, cómico-lírica, revista crítica, fantástica, infantil, satírica, taurómaca, revista general, cómico-lírica-volátil, político religiosa, político-social, revista de un muerto, madrileña, etc. En la revista los tipos no encarnan personajes argumentales, no llevan su *dramatis personae*. Por ello tampoco suelen ser portadores de rasgos morales como los personajes de los sainetes. Más bien son portadores de mensajes, símbolos, arquetipos o alegorías. Esto es lo que conlleva una estructura musical específica, la sucesión de números separados, algo así como una suite, donde los números musicales se suceden por yuxtaposición. De ellos tiene especial relieve el último, que suele ser una especie de apoteosis con el que se pretende simplemente un final brillante. Por ejemplo, en *La Gran Vía* el titulado "Gran Vía"; en *Certamen nacional* su "Gloria al trabajo"; en *Cinematógrafo nacional* el "Canto a la electricidad".

3. Estructura musical. No se puede hablar de una estructura musical tipo del género chico, tal es su variedad. Pero ya se ha indicado que su punto de partida son las estructuras de la zarzuela chica y por ello, son globalmente válidas todas las cualidades allí definidas. El género chico está constituido por una serie de números musicales, coplas, cuplés, cantables, romanzas, dúos, coros y concertantes, junto con algunas páginas instrumentales, que varían en número y proporción musical, desde obras que sólo tienen un número: *La abuela* de Chueca y Valverde, 1884, o dos, *El chico del cafetín* o *Los pendientes de la Trini*, hasta diez o más como *La verbena de la Paloma* o *La revoltosa*, es decir, las obras de más interés musical. Igualmente varía la extensión de dichos números y la trabazón e incardinación de la música en el argumento. Algunos no representan sino meras interrupciones musicales traídas sin motivo; en este caso se insertan sin más en la acción con la mera función de rellenar y entretener. En realidad son números ajenos al argumento y esto se suele dar más en la revista y en los subgéneros que se impusieron a partir de 1910, opereta, variedades, género ínfimo. Sin embargo, en las mejores obras del género chico la música actúa en plenitud de posibilidades, incluso siguiendo el viejo dicho "primo la música, poi la parola". La música asume una parte esencial en el contenido dramático y la función de principal transmisora del ambiente como en *La verbena de la*

Paloma, La revoltosa o *El bateo*. Todos los elementos ambientales y psicológicos están a cargo de la música por encima del texto, de tal manera que en este caso el relato musical resulta autosuficiente. Ello lleva a que de hecho las mejores obras del género sean piezas geniales. En uno y otro caso, el género chico tiene un fuerte poderío por medio de un lenguaje lleno de agudeza y enjundia y sobre todo de una música hecha a la medida del público. De aquí sus sustanciales diferencias con la ópera tradicional.

La mayor parte de la música pertenece al acervo popular reconocible por el oyente con melodías directas que respondían a su sensibilidad. Estas melodías pertenecían a lo que se han denominado los cinco estratos musicales de la zarzuela, que se usan aquí en dos direcciones: 1. Músicas ambientales que demanda la acción dramática con la aparición de verbenas, fiestas, kermeses, meriendas y bailes populares; en general constituyen escenas multitudinarias con presencia de coro y funcionalmente son músicas marginales a la estructura musical y dramática de la obra, pero centrales para crear uno de los elementos que mima el género chico; el color y el pintoresquismo. Se colocan bien al comienzo de la acción, con el fin de situarla, o bien al final, para crear un gran espectáculo de cierre. 2. Músicas propiamente líricas con las que se expresan los personajes, que serán sacadas de los cancioneros populares o simplemente de las canciones que el pueblo cantaba a diario, lejos de cualquier exigencia del bel canto, pero con una efectiva fuerza de comunicación. Es como si el autor contase con la participación del público que ha de escuchar esa música.

En estas dos direcciones apuntadas, en el sainete lírico aparecen de manera masiva músicas preexistentes de carácter tradicional o folclórico. Su función es variada: unas veces como transmisoras de la fuerza lírica o dramática propiamente dicha, otras como mero apoyo colorístico y para fijar las situaciones de carácter regional, o simplemente como mera diversión. Por lo tanto en el género chico hace presencia el enorme legado folclórico español: andaluz —el más abundante—, aragonés, gallego, asturiano, castellano, montañés y en general, americano. También hay otro uso del folclore, indirecto o interno, que consiste en la apropiación de ritmos característicos (no de cita), de manera que lo que se canta o baila no es un núcleo melódico conocido, sino que se escribe un número nuevo sobre un módulo preestablecido, variándolo en mayor o menor medida. Las seguidillas son el ejemplo más extendido (*El bateo, El pobre Valbuena, Las bravías*). También la jota es utilizada frecuentemente, pero con una diferencia de matiz: mientras las seguidillas conservan (e insisten en ello) su carácter de identificación andaluza, la jota tiene necesariamente que perder su carácter aragonés (o navarro, o castellano) para no incidir en un popularismo regional divergente.

El tercer estrato musical, igualmente importante es el que proviene de la danza, lo que puede denominarse música urbana, y es la que procede de los salones de baile que están viviendo su edad de oro; un ejemplo sería *Certamen nacional* de Manuel Nieto. Hay que señalar que el baile y la danza se habían convertido en una auténtica moda a partir de 1880, a pesar de que el padre Claret —posteriormente elevado a los altares— había dicho desde la iglesia de Montserrat: "Jóvenes que vais bailando / al infierno vais saltando". Las noticias que da la prensa del momento se refieren al entusiasmo por el baile en España. Se crearon sociedades de diversos niveles económicos y sociales, cuyo único objetivo era organizar veladas de baile. En el teatro Real de Madrid, el Liceo de Barcelona o el Palacio de Oriente se organizaban bailes lujosos para la aristocracia. En todas las ciudades españolas se abrieron salones de baile provisionales, que funcionaban durante las fiestas, en locales o en solares, y también en las calles mismas. Un famoso empresario teatral, Felipe Ducazcal, organizó las verbenas de los barrios madrileños, ocupándose de la decoración, las murgas, además de los inevitables organillos o "pianos de manubrio", que se popularizaron vertiginosamente. Así, en *La verbena de la Paloma* dice don Sebastián: "tendré abierta la tienda toda la noche, porque mi familia tomará el fresco sentada a la puerta y verá el baile, que es el mejor de los setenta y dos que hay en el distrito". El género chico —tanto el sainete como la revista— va a ser auténticamente invadido por estas músicas. Una obra de tanto éxito como *La Gran Vía* usa sistemáticamente los bailes: po!ka, vals, tango, mazurka, schottisch; lo mismo sucede en *Agua, azucarillos y aguardiente*. Se había encontrado una fórmula ideal, que por un lado facilitaba la familiaridad con músicas nuevas y por otro permitía una rapidísima y rentable difusión. Los compositores se vuelcan en crear piezas de baile y las insertan en la acción teatral, ya comentada al hablar de la zarzuela anterior y que ahora simplemente son enriquecidos; desde los más antiguos e internacionales como la pavana y el minué, hasta los nuevos provenientes de América como la guaracha, guajira, danzón, zamacueca, americana o merengue. Los salones suministran los modelos para la música de los bailables en los sainetes y éstos los renuevan. *Véase* CUADRILLA; POLKA; RIGODÓN; PASACALLE; GUARACHA; HABANERA; SEVILLANA; VALS; ZAPATEADO.

La suma de folclore tradicional y urbano, y de música de baile produjo ya un tipo musical forzosamente familiar al oído de los españoles. Las formas vocales de la zarzuela grande no desaparecieron en el sainete, que conservó de alguna manera romanzas y dúos, concertantes y coros, pero se subsumieron en esquemas folclóricos o en ritmos de baile, es decir, con un contenido musical muy alejado ya del pretérito modelo operístico.

4. Los protagonistas del género chico: músicos, libretistas y cantantes. Como protagonistas de este cambio sustancial producido en el teatro lírico se encuentra una nueva generación de compositores que llegaron a la música con otra mentalidad. En los años previos a 1880 comenzó a desaparecer gradualmente la generación que había llevado a cabo la revolución de la zarzuela grande, es decir, los compañeros de Barbieri, de los que sólo quedaban en activo él mismo y Arrieta. Entre 1840 y 1860 surgió una nueva generación de compositores que, citados por orden de nacimiento, son: Rafael Taboada, Antonio Llanos, Cosme Ribera, Enrique Camó, Pedro Miguel Marqués, Manuel Nieto, Federico Chueca, Joaquín Valverde Durán, Apolinar Brull, Julián Romea, Tomás Bretón, Alberto Cotó, Ramón Estellés, Ruperto Chapí, Gerónimo Giménez, Felipe Espino, Vicente Peydró, Tomás López Torregrosa y Guillermo Cereceda.

Con ellos aparece también una generación nueva de libretistas, compuesta por Miguel Ramos Carrión, Vital Aza, Emilio Sánchez Pastor, Sinesio Delgado, Ricardo de la Vega, Javier de Burgos, Tomás Luceño, Carlos Arniches, José Jackson Veyán, José López Silva, José Estremera, los actores y empresarios Salvador Lastra, Andrés Ruesga y Enrique Prieto, muy unidos al nacimiento del género chico, el también actor, Julián Romea, Felipe Pérez y González, Celso Lucio, Enrique García Álvarez, Antonio y Manuel Paso, Joaquín Dicenta, Guillermo Perrín y Miguel Palacios, y los recién llegados de Sevilla, Joaquín y Serafín Álvarez Quintero; todos ellos dotaron de un nuevo lenguaje literario a la zarzuela del momento. Hay que mencionar un hecho básico en el género chico, y es el de la colaboración. En el 90% de los casos, el libreto —y también con frecuencia la música— están escritos por dos o más autores, siendo las parejas más importantes las formadas por Miguel Ramos Carrión y Vital Aza, cuya colaboración era garantía de éxito para cualquier teatro, Carlos Arniches y José López Silva, que retoman el lenguaje sainetero de Ramón de la Cruz, Guillermo Perrín y Miguel Palacios, y, por supuesto, los hermanos Álvarez Quintero, más conocidos en el ambiente teatral como "los niños". *Véase* COLABORACIÓN.

La producción masiva y la diversificación del teatro lírico generada durante los años del género chico, necesitó una presencia también masiva y diversa de cantantes. En consecuencia se asiste a una serie de variables vocales: desde las que mantienen la vieja tradición del canto de la zarzuela grande, próxima a la ópera, a los que apenas merecerían tal nombre, al menos desde los exigentes criterios del siglo XIX. Nuevos maestros de canto como Lorenzo Simonetti, José Vivó, Carmen Muñoz, José Suárez, Bernardino Ochoa, Luis Iribarne, Conchita Callao, Carolina Cepeda, Plácido García Sola, José María Alvira, Justo Blasco, Ramón Gorgé y Nieves Suárez se encargaron de formarlos. Seguían en activo cantantes como

Dolores Cortés, Rosendo Dalmau, Matilde Franco Aparicio, Dolores Franco de Salas, Tirso de Obregón, Manuel Sanz, Eduardo Bergés y Almerinda Soler, y se incorporaron centenares nuevos como Carlos Allen-Perkins, Caridad Álvarez, Antonia Arrieta, Lucrecia Arana, Teresa Bordás, Federico Caballé, Concepción Cubas, Carmen Domingo, Matías Ferret y Parera, Elena Fons, Ángeles García Blanco, Rafaela García de Haro, Fidela Gardeta, María Giudice, Josefa Gómez, Valentín González, Ramona y Pablo Gorgé, Marina Gurina, Ángela Homs, Rafael López, José Mardones, Francisco Meana, Ángeles Morais, Rafael Pastor Soler, Ricardo Pastor, Matilde Revenga, María Ros, Emilio Sagi Barba, José Sigler, Lorenzo Simonetti, Luisa Vela, Rosita Vila y Amparo Villar.

6. Las obras. En los veinticinco años desde 1880 a 1905, que comprende la historia del género chico, se estrenaron más de 2100 obras: unas 600 en la década de los ochenta, casi 900 en la de los noventa y más de 600 en los cinco primeros años del siglo XX, por tanto hay que hablar de una producción auténticamente industrial. Las mejores páginas fueron escritas por una generación de autores que han legado obras geniales, oídas millares de veces en España y América y cuyas músicas han pasado a ser parte del legado cultural hispano. El lenguaje actual está lleno de expresiones y dichos que saltaron a la conversación desde los escenarios del género chico.

La década de 1880 contempló la llegada a la escena de unas 625 obras y tuvo sus mejores momentos en los éxitos de *Fiesta nacional*, 1882, *La Gran Vía*, 1886, *Cádiz*, 1886 *El año pasado por agua*, 1889, de Federico Chueca, *La serenata*, 1881 y *Ortografía*, 1889, de Ruperto Chapí, *Certamen nacional*, y *El gorro frigio*, 1888, de Manuel Nieto. Pero incluso la inspiración de los supervivientes de la anterior generación seguía activa. Barbieri fue dejando a lo largo de la década varias obras excepcionales, como *De Getafe al paraíso*, 1883, *Los fusileros*, 1884, *Novillos en Polvoranca*, 1885 y *Los carboneros*, 1887; y Manuel Fernández Caballero, *Cuba libre*, 1887.

La década de 1890 incrementó el número de obras, que llegaron a 739, que incluyen las mejores, por lo que puede considerarse la auténtica década prodigiosa, una época de plenitud. Deben recordarse de Federico Chueca *El chaleco blanco*, 1890, *Los descamisados*, 1893, *Agua, azucarillos y aguardiente*, 1897; de Tomás Bretón *La verbena de la Paloma*, 1894, *Al fin se casa la Nieves* o *Vámonos a la venta del Grajo*, 1895; de Ruperto Chapí *Los veteranos*, 1890, *La leyenda del monje*, 1890, *El rey que rabió*, 1891, *El tambor de granaderos*, 1894, *Las bravías*, 1896, y *La revoltosa*, 1897; de Manuel Fernández Caballero *Los aparecidos*, 1892, *Gigantes y cabezudos*, 1892, *El dúo de la Africana*, 1893, *La viejecita*, 1897; de Gerónimo Giménez *El baile de Luis Alonso*, 1896, *La boda de Luis Alonso*, 1897 y *La tempranica*, 1900; de Manuel Nieto *Cua-*

dros disolventes, 1896; de Joaquín Valverde *La marcha de Cádiz*, 1896; de Tomás López Torregrosa *El santo de la Isidra*, 1898.

III. LA CRISIS DEL GÉNERO CHICO. LOS GÉNEROS FRÍVOLOS. El año 1900 el género chico entró en un lento declive, imperceptible en los primeros años de la década, pero patente a finales de ella. No es aventurado señalar que el género chico fue a la deriva cuando lo fue la sociedad que le había dado sentido. Antonio Valencia es claro cuando señala: "Por eso no hay que extrañar que, arruinada una época, se arruinasen también sus estilos de vida y que el género chico fuese a la deriva desde entonces por la rampa de la decadencia. No es sólo que hubiesen muerto o entrasen en declinación sus autores más famosos, sino que los recientes derivaron por otros derroteros teatrales, abandonando poco a poco aquellos rumbos por otros más a tono con el momento".

La sociedad española de comienzos del siglo XX necesitaba encontrar nueva savia intelectual tras el desastre de 1898. El inicio del nuevo siglo no es sólo un corte cronológico sino, ante todo, un cambio de mentalidad. El modernismo que puso en circulación nociones como la de "regeneración", hizo volver la mirada hacia el norte de Europa y rechazar cualquier aspecto cultural nacido en el mundo meridional. La zarzuela y en consecuencia el género chico eran, sin duda, uno de los símbolos de la meridionalidad y quedaron relegados a un segundo plano en el ideario modernista.

Pero existen otras razones que impusieron el cambio. Se asiste a la gradual desaparición de la generación que se expresó en el modelo del género chico. En 1901 murió José Rogel, el iniciador de los bufos madrileños, en 1905 Apolinar Brull, en 1906 Ángel Rubio, en 1907 Manuel Fernández Caballero, en 1909, y con sólo tres meses de diferencia fallecieron Federico Chueca y Ruperto Chapí; en 1910 Joaquín Valverde Durán. En la segunda década se produjeron también pérdidas importantes: Luis Arnedo en 1911, Tomás López Torregrosa en 1913, Manuel Nieto en 1915, Joaquín Valverde Sanjuán en 1918 y Guillermo Cereceda en 1920. En resumen, con el siglo XX desaparecieron los grandes protagonistas del género chico y los autores de las mejores páginas de finales del ochocientos. Pero existen otras razones de tipo estructural. A comienzos de siglo apareció uno de los mayores enemigos del género: el cinematógrafo, que ofrecía al espectador un entretenimiento mucho más barato y novedoso. Finalmente hay que hablar de confluencia de otros factores; y entre ellos, el auge desmesurado de las variedades y el desgaste del propio género.

No obstante la lectura en términos de crisis no debe llevar a confusión. La crisis es de valores artísticos, de invención, de formulación de nuevas vías musicales, pero no de presencia social del género. El viejo mundo de la zarzuela había ejercido un auténtico monopolio a finales del siglo XIX y no lo perdió fácilmente. El número de teatros que en el Madrid del nuevo siglo se dedicaban al género chico es impresionante: 9 en 1904, 8 en 1905 y 12 en 1909; sin embargo, en 1907 ya existen 11 locales de cine. En términos de creación las cotas son parecidas. En 1890 se estrenaron 78 obras, en 1900, 83, en 1905, 108; en 1908, 180. Esta cantidad impresionante de lugares y obras explica la dificultad de encontrar calidad en un sistema de producción que en buena medida está basado en la reiteración de fórmulas que ayuden a responder a un mercado que recibe el producto y lo quema casi de inmediato. El teatro lírico se vio obligado a una producción que se aproximaba a lo que en breve serían las técnicas del cine y, desde luego, a dar una respuesta a una nueva cultura de masas que se interesaba por el género.

1. Nuevas realidades teatrales. En 1901 se produjo un hecho simbólico: el estreno en Apolo, el 17 de julio de una obra de Joaquín Valverde Sanjuán y Tomás Barrera titulada *El género ínfimo*. Fue todo un símbolo porque el título de la obra ha sido usado muy frecuentemente para designar una especie de subgénero que, desde luego, no existe, pero con el que se pretende definir una serie de subproductos teatrales que se consideran de escaso valor y que son epigonales del género chico. *Véase* GÉNERO ÍNFIMO.

Una serie de fórmulas de teatro lírico, definibles por nuevos ingredientes como lo visual y la exhibición del cuerpo femenino, —el "género piernográfico"—, hicieron su aparición. El género chico fue erosionado por diversas variantes líricas que siguieron o acompañaron al género ínfimo: varietés, la revista de espectáculo y la opereta, que no eran sino una contaminación del género chico "degenerado" por una serie de estratos musicales extraños a la cultura española y que eventualmente aparecen en las obras: el cakewalk, la machicha brasileña, el fox trot, one-step, two-step, shimmy, rumbas, charlestón, marchiña, samba, el nuevo tango, la milonga, etc. El teatro lírico del momento, además, no se pudo sustraer a un nuevo panorama dominado por el cuplé moderno, el primer music-hall que apareció en 1894 en el teatro Alhambra, e inmediatamente en multitud de salones de Madrid y Barcelona, en los que se oían piezas picantes e incluso verdes, y en las que lo fundamental no era la voz, ni la música, y menos la dramaturgia, sino los encantos físicos de las intérpretes.

El panorama que surge es complejo. Una imbricación entre realidades viejas y nuevas, musicales y no musicales, que en último término otorgan esa complejidad. El género chico, la revista moderna de visualidad, o de espectáculo, el género ínfimo, las variedades, la opereta, las parodias, —que habían nacido anteriormente—, se impusieron en un mercado donde lo peor es el libreto dado que se va perdiendo la tradición sainetera. Esto lleva a la dificultad incluso de definir las obras. Así por ejemplo en *La corte de faraón* de Vicente Lleó, coexisten elementos de la zarzuela, opereta y variedades. Es decir, modelos en los que a toda la rica tradición española se añaden nuevos elementos acarreados por las modas europeas de entonces. Con el inicio del siglo se produjo una gran aceleración, variabilidad e imbricación entre todos los fenómenos citados, y sobre todo, que esta realidad está fomentada por una sociedad que busca ante todo fórmulas llamativas, modas nuevas, que aparecen y desaparecen por una demanda que las quema, las hace evolucionar o mezclarse. Es evidente que esa aceleración responde a lo que sucede en la Europa de las tres primeras décadas del siglo, inestable y compleja artísticamente, pero también a esa cultura de masas que demanda de manera natural el uso de viejos moldes, que conoce por tradición, así como nuevas fórmulas y, sobre todo, exige variedad y espectáculo, pero en último término responde también a una de las esencias de la zarzuela en toda su historia y es su prodigiosa capacidad para absorber, digerir y asimilar los materiales musicales más variados, fuesen españoles o europeos. Serge Salaün define con mucha precisión lo que sucede: "Bien mirado, entre 1900 y 1936, la variedad de fórmulas teatrales y líricas estriba en unos cuantos ingredientes de base que definen todo espectáculo visual y auditivo: alternancia de partes cantadas y habladas, sucesión de unidades cortas, algo de dramaturgia (tiene que haber una historia), participación de voces y cuerpos (esencialmente femeninos), elementos decorativos. Esta, en efecto, es la fórmula y en cada una de las variables se aplica en distintas dosis".

España vive tres décadas de enorme complejidad lírica en las que es muy difícil diseccionar los fenómenos. Por si la situación era poco confusa se asiste, durante los primeros veinte años del siglo, al mejor momento creativo de la ópera y por supuesto a la pervivencia e incluso incremento de la zarzuela rural y regional, —destacan sobre todo las obras de José Serrano—, y a partir de los años veinte, la zarzuela, quizá cansada de tanto experimento poco convincente, asiste a la recuperación del género, a su último gran canto, una edad argéntea, que corresponde justamente a lo que en la cultura general del momento se denomina Edad de Plata, que en el género lírico se traduciría en la restauración de la zarzuela grande. Concretar el instante en el que se produce cada uno de estos fenómenos es un propósito poco menos que imposible. En la España del momento conviven las formas que agonizan, las novedades que triunfan efímeramente, las epigonales que surgen como subproducto de las que decaen y renacen con vigor para marcar una época. Pero en un intento de ordenar cronológicamente el periodo estas serían: un género chico en declive, pero activo plenamente al menos hasta 1910 y con una vida terminal desde esta fecha hasta 1930; la revista, muy

distinta a la decimonónica, que actúa con más retraso, a partir de 1915 pero llega prácticamente hasta 1960 y tiene su mayor vigencia en el último capítulo de la zarzuela; el género ínfimo y las varietés, activos desde 1900 hasta 1935; la opereta entre 1905 y 1920.

2. Los viejos y nuevos géneros teatrales. Estos fenómenos podrían formularse así: el género chico sigue con la estructura del pasado y es representado en cinco teatros: Eslava, Moderno, Martín, Apolo y Zarzuela. Es el género que une ambos siglos, pero está viviendo un declive real, repitiendo fórmulas. En 1905 Ángel Guerra señalaba: "El género chico es refugio de artistas inválidos. Agárranse a él como refugio supremo, las cantantes que por falta de voz, han fracasado en la ópera. En busca de mejor fortuna, también en él se asilan las bailadoras de café cantante que sólo con un paso y no muy largo salvan el trecho que hay desde el tablao con guitarristas a una escena que tiene delante una orquesta no muy notable. Más lucro da sin duda el género chico". Durante esta década se perdió la gran tradición sainetera, limitándose a reproducir viejos modelos, con los mismos esquemas, incluso en autores de tanto relieve como los Álvarez Quintero. Lo cierto es que se siguieron estrenando obras de valor e incluso algunas geniales como *El bateo* de Federico Chueca.

El segundo género que el siglo XX heredaba del XIX era la revista. Siguen en plena vigencia las tipologías antes definidas, pero a partir de 1915 se asoma ya el nuevo concepto de revista que tuvo dos grandes especialistas Francisco Alonso y Jacinto Guerrero. Revistas de gran éxito fueron: *Enseñanza libre*, 1901, *La torre del Oro*, 1902, y *Cinematógrafo nacional*, 1907, las tres de Gerónimo Giménez; *Patria nueva* de Amadeo Vives, 1903; *Congreso feminista* de Quinito Valverde, 1904; *La Puerta del Sol* de Ruperto Chapí, 1907; *El país de las hadas* de Rafael Calleja, 1910; *Plastic-Films* de Amadeo Vives, 1915 y *Las corsarias* de Francisco Alonso, 1919, que marcaron el camino que siguió la revista, más preocupada por el lucimiento de la figura femenina, que por los sucesos políticos o de actualidad.

El otro gran término que se puso de moda desde el inicio del siglo es el de género ínfimo, que dejó obras como *La gatita blanca* de Vives y Jackson Veyán, *La moral en peligro* de Lleó, *El arte de ser bonita* de Giménez, *Las grandes cortesanas* de Quinito Valverde o *La alegre trompetería* de Lleó. *Véase* GÉNERO ÍNFIMO.

Pocos años antes hacía su aparición el género de variedades o *varietés*, un fenómeno en la misma línea de corrupción de los géneros dramáticos que provenía de Francia, como había venido lo bufo. Las variedades son un fenómeno teatral en el que se dan la alternancia de números visuales y cantados, junto con circo, malabarismo, mimo, hipnotismo, baile y canción, y concebido esencialmente para un público masculino. En realidad se trata de la sucesión de números de diversos géneros y sin relación entre ellos. Sus inicios se remontan al teatro Barbieri de la calle de la Primavera en 1893. Allí actuó la cantante alemana Augusta Bergés que cantaba el famoso cuplé de "la pulga". Con el empresario francés M. Banquerel, que alquiló el teatro Alhambra, comenzó en 1894 la eclosión del fenómeno. A este teatro acompañaron pronto el Salón Actualidades de Eduardo Montesinos y los Salones Bleu, Rouge y Japonés, donde se dio el primer desnudo integral femenino, —a cargo de "La Fornarina"—, que tuvo como consecuencia el cierre del local decretado por el gobernador de Madrid Santiago Liniers. La parte fundamental de las variedades es la canción, tal como ha demostrado Álvaro Retana en su obra *Historia de la canción española*, 1967, canción que pasa a las cupletistas más famosas del momento y que se toma frecuentemente de las obras más famosas del género ínfimo como el "Tango de los lunares" de *El género ínfimo* que interpretaba Isabel Brú, el "Tango del morrongo" de *Enseñanza libre* de Gerónimo Giménez, el "Vals de la regadera" de *La alegre trompetería* de Vicente Lleó y "El pai-pai" de *El perro chico* de José Serrano y Quinito Valverde.

Un fenómeno de más interés y que produjo un repertorio abundante fue la opereta. Es un modelo importado de Europa y símbolo del cosmopolitismo de la época. La opereta de Offenbach ya había sido la inspiradora de Arderius, pero ahora se convierte en una de las vías de recuperación económica de los empresarios y un auténtico revulsivo, dado que presentaba la novedad de no partir de temas hispanos cuando el resto del teatro incidía en ellos, sino internacionales, exóticos, con una gran riqueza de escenografía, vestuario, bailarinas.

Un concepto que, evidentemente, no constituye un género lírico propio, pero que es necesario contemplar, es el de sicalipsis o lo sicalíptico, puesto que es un condimento imprescindible de todos los fenómenos analizados. *Véase* SICALIPSIS.

3. Los protagonistas de la creación. Se ha hablado del cambio generacional a la hora de establecer los motivos del nuevo rumbo que tomó en España el teatro lírico. El primer grupo que protagoniza la última aventura de la zarzuela nació en las postrimerías del siglo XIX. Han realizado estrenos en los últimos días del siglo, y han vivido el desarrollo pleno del género chico. Son compositores con un pie en cada siglo; pertenecen a la denominada Generación del 98, y tienen otros representantes tan insignes como Falla, Granados y Bartolomé Pérez Casas. Destacan entre ellos Teodoro San José, Vicente Peydró, Arturo Saco del Valle, Vicente Lleó, Tomás Barrera, Amadeo Vives, Manuel Quislant, José Serrano, Rafael Gómez Calleja, Quinito Valverde, Luis Foglietti, Pablo Luna, Manuel Penella, Reveriano Soutullo. Con ellos conviven los protagonistas plenos del género chico, que fueron desapareciendo en los primeros años del siglo. La

siguiente saga de creadores líricos pertenece a la denominada Generación de los Maestros representada en el mundo sinfónico por Conrado del Campo, Joaquín Turina o Julio Gómez, entre otros. A ella pertenecen un buen número de creadores del género lírico: Jesús Guridi, Fernando Díaz Giles, Rafael Martínez Valls, José María Usandizaga, Francisco Alonso, José Padilla, Juan Vert, Federico Moreno Torroba, Rafael Millán, Ernesto Rosillo, Jacinto Guerrero, Jesús Romo, Pablo Sorozábal y José Forns.

Para estos compositores escribieron libretos autores que ya habían iniciado su andadura en los años anteriores, pero que se consolidan, como Guillermo Perrín y Miguel Palacios, los hermanos Álvarez Quintero, Joaquín Abati, Antonio Paso, Enrique García Álvarez, Carlos Arniches, Carlos Fernández Shaw, Fiacro Yraizoz, Sinesio Delgado, José López Silva, José Jackson Veyán, los hijos de Ramos Carrión: Antonio y José Ramos Martín, el hijo de Fernández Caballero, Manuel Fernández de la Puente, y surgió una nueva generación de libretistas como Maximiliano Thous y Elías Cerdá, que trabajaron preferentemente con José Serrano, Luis Pascual Frutos, que consiguió sus mayores éxitos con Pablo Luna, Ángel Torres del Álamo y Antonio Asenjo, Pedro Muñoz Seca y Pedro Pérez y Fernández y Enrique Paradas y Joaquín Jiménez, que tendrían gran importancia en la etapa siguiente, proporcionando los libretos de las revistas más importantes de Guerrero. Ellos fueron los encargados de presentar al público una abundante propuesta literaria. También fueron importantes algunos empresarios; el primero ya citado, fue el propio Lleó desde el teatro Eslava; pero merece un lugar especial el cronista del *ABC* José Juan Cadenas que construyó su propio teatro, el Reina Victoria, que se erigió como el gran centro de la opereta y la revista desde su inauguración el 10 de junio de 1918.

4. Las obras. Los años incluidos en este capítulo fueron los más productivos de la historia de la zarzuela. Sólo en ese, relativamente, corto espacio de tiempo que es la primera década del nuevo siglo, se estrenaron unas 1200 obras y durante los cincuenta primeros años del siglo XX varios miles, entre ellas, las que más se interpretan hoy, por ello es difícil resumir estos años de creación. Federico Chueca aún siguió activo con *La alegría de la huerta*, 1900 o *El bateo*, 1901. Lo mismo sucede con Ruperto Chapí que escribió *La chica del maestro*, 1903, *El maldito dinero*, 1906 y *Los veteranos*, 1907. López Torregrosa escribió obras de éxito como *El pobre Valbuena*, 1904 o *La pena negra*, 1906. Quinito Valverde, casi siempre en colaboración, *Gente menuda*, 1911, *El amigo Melquíades o Por la boca muere el pez*, 1914. Lógicamente el protagonismo mayor lo tuvieron las dos nuevas generaciones ya citadas. Es prácticamente imposible hacer una cita de las obras que tuvieron éxito, porque fueron muchas. Respetando la fecha de nacimiento de sus componentes , destacan de Vicente Lleó *La alegre trompetería*, 1907, *La república del amor*, 1908, *La corte de Faraón*, 1910; de Tomás Barrera *El género ínfimo*, 1901; de Amadeo Vives *El arte de ser bonita* y *La gatita blanca*, 1905, *Juegos malabares*, 1910, *La generala*, 1912, *Los pendientes de la Trini*, 1916, y *Balada de Carnaval*, 1919; de Manuel Quislant *Dolo-retes*, 1901; de José Serrano *La reina Mora*, 1903, *Moros y cristianos*, 1905, *El trust de los tenorios*, 1910 y *La canción del olvido*, 1916; de Rafael Calleja *El mozo crúo*, 1903, *El iluso Cañizares*, 1905, *Las bribonas*, 1908; de Pablo Luna sus mayores éxitos fueron las operetas *Musetta*, 1908, *Molinos de viento*, 1910, *El asombro de Damasco*, 1916 y *El niño judío*, 1918; de Manuel Penella, *Las musas latinas*, 1913 y *El gato montés*, 1916; de Reveriano Soutullo *La Giraldina*, 1916.

IV. EL ÚLTIMO CANTO. LA RESTAURACIÓN DE LA ZARZUELA GRANDE Y LA REVISTA. La zarzuela experimentó en las postrimerías de su historia una fuerte transformación. En 1929 desaparecía el teatro Apolo, símbolo del género chico. A partir de entonces sólo quedaba sitio para la zarzuela grande y para la revista. Todo lo que se estrenaba se podría encuadrar en una de esas dos variantes. Sin embargo el retorno se produjo de manera muy lenta y en plena convivencia con todos los géneros frívolos del apartado anterior. Los autores tenían que seguir produciendo un tipo de obra de gran demanda social que aseguraba el éxito económico. Por otra parte el ambiente que rodeaba a la zarzuela a partir de 1920 fue muy distinto del anterior; el viejo género comenzó a tener una fuerte oposición. En torno a 1920 nació en España un período denominado, por los historiadores Edad de Plata de la cultura española. Un período en el que se intentó la restauración de la vida cultural y en el que la música puso también en tensión sus valores, buscando salir del estado de postración histórica en que vivía. Habría que añadir además, que la España de 1920 y 1930 vivió una especie de eclosión musical, provocada por grandes intérpretes y compositores como son los más destacados miembros de la Generación del 27: Rodolfo y Ernesto Halffter, Salvador Bacarisse, Julián Bautista, Roberto Gerhard y Manuel Blancafort, y por la figura de Falla que los iluminaba a todos. Estos compositores vivieron de espaldas a la zarzuela. La mayor parte de sus representantes participaban del pensamiento de los miembros de la Generación del 98, que consideraban la zarzuela y a sus creadores como una rémora cultural y, por supuesto, sus ojos se dirigían a otros lugares de la Europa moderna, a las vanguardias en las que no tenía sitio la zarzuela. Es más, se puede afirmar que la España musical quedó claramente dividida en dos mundos irreconciliables, los que seguían la vanguardia europea y pretendían unir definitivamente a España con Europa y los que, anclados en el pasado, parecían de espaldas a este movimiento. La zarzuela parecía a los primeros una fuerza reaccionaria porque se movía al margen de lo que era la música dramática que se desarrollaba en la Europa contemporánea conducida por Debussy, Schoenberg, Stravinski, Berg y otros.

1. La vuelta a la zarzuela grande. La propuesta teatral más importante de aquel nuevo periodo fue sin duda la restauración de la zarzuela grande a la que contribuyeron una buena parte de los músicos ya citados en el capítulo anterior. Fue un retorno a los modelos más primigenios de la zarzuela romántica. Es decir, a las mejores páginas de los Barbieri, Gaztambide, Arrieta y a los temas históricos que trataban, e incluso se hizo, como en los mejores tiempos, con una fuerte exportación del género a América, a través de las compañías de Sagi-Barba, Moreno Torroba, Sorozábal. La vieja zarzuela "volvió vencedora", cansada de tanto experimento y devaluación.

El grupo de compositores que se empeñó en volver sobre un camino que parecía agotado, sin duda participaba en la primera parte de aquellas palabras de Clarín dedicadas a la producción literaria en las que señalaba: "Pensar que toda obra literaria que no refleja la última tendencia, la actualidad palpitante, como se dice, es sólo por esto secundaria, aunque revele gran ingenio, aunque atesore tendencias de gran valor, es manifestar un exclusivismo de secta que nada bueno puede producir en literatura; pero es otro exclusivismo aún más pernicioso el de aquellos que repugnan la novedad y el atrevimiento...". La restauración de los viejos modelos de la zarzuela se basó fundamentalmente en volver sobre los mismos personajes, las mismas técnicas y formas ya estudiadas, aunque con otros aires y en otros contextos. Los cuadros que configuraban la estructura del género chico se fueron ampliando con una gran expansión de las obras que firmaban los Vives, Luna, Penella, Soutullo, Vert, Moreno Torroba y Sorozábal, que volvieron a recuperar las formas y estructuras de la vieja zarzuela grande. En el escenario estaban las costumbres, las modas y los personajes que circulaban por Madrid y por la España del nuevo siglo. A la manera de un nuevo brote de romanticismo sentimentalista, se entroniza un género lírico que recoge las notas "chulapas" de la zarzuela anterior, con sus perfiles de verismo y garbo. La fórmula es vieja. De nuevo se recuperan las estructuras de la zarzuela grande en dos o tres actos; el espíritu del primigenio bel canto hispano, no en vano todos saben lo que es el verismo; incluso en muchos casos hay un claro avance en el lenguaje musical, en el color orquestal. Es una restauración, pero con novedades. También es cierto que este movimiento a contracorriente de los grandes movimientos musicales españoles y europeos, estuvo condicionado por las modas teatrales del momento, la opereta en auge y la nueva revista.

Cuatro compositores, Amadeo Vives, Pablo Luna, José Serrano y Francisco Alonso, dieron los primeros pasos, e inmediatamente se incorporaron Guridi, Padilla, Soutullo, Vert, Moreno Torroba, Guerrero y Sorozábal. Los cuatro primeros iniciaron la revitalización de la zarzuela grande con obras de gran envergadura, que se han constituido en símbolos del género dentro de la producción del siglo XX y en las obras más interpretadas. Vives consiguió con *Maruxa*, 1914, de ambiente gallego y *Bohemios*, 1920, éxitos clamorosos y, sobre todo, con *Doña Francisquita*, 1923, la restauración del género. Por ello no se puede olvidar cuánto de símbolo tiene esta última obra. José Serrano destaca por representar mejor que ningún otro dos realidades en declive, ya que cultivaba con ansias nuevas el sainete lírico y el regionalismo, muy presente en el momento político de entonces, sin abandonar el mundo de la opereta o la revista. De su medio centenar de zarzuelas, más de treinta son de carácter regional con temas entroncados en el pueblo, como *Los de Aragón*, 1927, *Los claveles*, sainete madrileño, 1929, *Las hilanderas*, 1929, *La Dolorosa*, 1930. Tanto en su faceta de compositor, como en la de director de orquesta, Pablo Luna llena los últimos cuarenta años de la historia de la zarzuela moderna volviendo al mundo del género grande con obras como *Sangre de reyes o Rocío la canastera*, 1925; *La pastorela*, 1926, en colaboración con Moreno Torroba; *La chula de Pontevedra*, 1928, en colaboración con Enrique Bru; *La pícara molinera*, 1928; *La Colasa del Pavón*, 1935; *Currito de la Cruz*, 1939; *La gata encantada o Flor de cerezo*, 1939; *Las calatravas*, 1941. Francisco Alonso completa este panorama con *La linda tapada*, 1924, *La Bejarana*, 1924, *Curro el de Lora*, 1925, *La calesera*, 1925, *La parranda*, 1928, *Coplas de Ronda*, 1929, *La picarona*, 1930, *Me llaman la presumida*, 1935, *Manuelita Rosas*, 1941. El movimiento fue firme y justamente por ello a él se incorporaron los últimos grandes representantes de la zarzuela grande. Por esta época iniciaron su contribución al género Pablo Sorozábal –cuya etapa más prolífica es precisamente la década de 1930– con *Katiuska*, 1931, *La del manojo de rosas*, 1934, y *La tabernera del puerto*, 1936; Jacinto Guerrero con *El huésped del Sevillano*, 1926, *La rosa del azafrán*, 1930 y *La fama del tartanero*, 1931; y Federico Moreno Torroba con *La mesonera de Tordesillas*, 1925, *Luisa Fernanda*, 1932, *Xuanón*, 1933, *La chulapona*, 1934, y *Monte Carmelo*, 1939. Ni siquiera la guerra terminó con esta línea de creación aunque ciertamente la dejó maltrecha. Algunos autores como José Padilla obtuvieron éxitos con obras como *La Giralda*, 1939; Ernesto Rosillo siguió estrenando obras como antes de la guerra, e incluso el rey de la copla, Manuel Quiroga, con sus inseparables Quintero y León, realizó algún espectáculo teatral completo como *Gloria la petenera*; Juan Tellería, el controvertido autor del *Cara al sol*, hizo alguna incursión en la zarzuela con *El joven piloto*, 1934 y siguió trabajando en esta línea finalizada la contienda con *Las viejas ricas*, 1947. Jesús Romo estrenó *Los cachorros*, 1945, convertida en éxito por Marcos Redondo y sobre todo *El gaitero de Gijón*, 1953, y Jesús García Leoz compuso *La duquesa del candil*, 1949.

Esta restauración se debió también a la labor de los libretistas, sobre todo de dos nombres fundamentales del momento: Federico Romero y Guillermo Fernández Shaw, cuya colaboración fue tan fundamental para el siglo XX como la de Carlos Fernández-Shaw y José López Silva o la de Ramos Carrión y Vital Aza para la zarzuela del XIX. Ambos fueron los padres de los mayores éxitos zarzuelísticos del siglo XX: *Doña Francisquita*, *Luisa Fernanda*, *El caserío* o *La tabernera del puerto*. Romero y Fernández Shaw podían hacer sainetes tan castizos como *La chulapona*, zarzuelas históricas con diversos ambientes y épocas, como *La canción del olvido*, –Nápoles, siglo XIX–, *Luisa Fernanda*, –Madrid, siglo XIX–, *La villana* –Castilla rural–, *Doña Francisquita*, Madrid, comienzos del XIX, romances marineros como *La tabernera del puerto*, obras de ambiente vasco como *El caserío*. Todo lo que tocaban se convertía en éxito y colaboraron con los principales compositores del momento: Serrano, Guridi, Vives, Sorozábal y Moreno Torroba. Junto a estos dos nombres, seguían trabajando Carlos Arniches, Antonio Paso, Enrique García Álvarez, Emilio González del Castillo, Luis Pascual Frutos, y aparecieron autores nuevos como Luis Fernández Ardavín, Luis Fernández de Sevilla, José Tellaeche, José Muñoz Román, José Ramos Martín, –hijo de Miguel Ramos Carrión–, y parejas como Fernando Luque y Enrique Calonge, Antonio López Monís y Ramón Peña, Pedro Muñoz Seca y Pedro Pérez Fernández, Enrique Paradas y Joaquín Jiménez, e incluso grandes nombres de la literatura española como Eduardo Marquina, si bien este autor se dedicó sólo esporádicamente al género lírico.

Ni siquiera la guerra pudo terminar con este resurgir de la zarzuela. La contienda afectó profundamente a la programación teatral, si bien tras los primeros meses, se sucedieron los espectáculos e incluso los estrenos en ambas zonas. En Barcelona se estableció una compañía de zarzuela en el teatro Novedades donde se estrenó en 1936 la *Katiuska* de Pablo Sorozábal interpretada por Marcos Redondo. El gran esfuerzo que la compañía realizaba para mantener el interés del público queda patente si se considera que en una semana representaron diez títulos distintos. En febrero de 1937 se estrenó la *Romanza húngara* de Juan Dotras Vila y en 1938, el mismo autor estrenó *El ramo de la Fuensanta*. El año en que finalizó el conflicto estrenaron Luna *Currito de la Cruz* y *Una copla hecha mujer* y Moreno Torroba *Monte Carmelo*. La victoria nacionalista dejó también su impronta en la zarzuela, acentuando los temas relativos a la grandeza de España, reforzando la vena patriótica y cargando al género con el "sanbenito" de reaccionario que ha sufrido durante los primeros años de la democracia.

Esta historia llega a su fin a finales de los años cincuenta. Tanto los libretistas como los compositores se fueron alejando progresivamente del género. Tan sólo Pablo Sorozábal y Federico Moreno Torroba se mantuvieron estrenando, el primero *Entre Sevilla y Triana* en 1950 y *Las de Caín* en 1953 y el segundo *María Manuela* en 1957. En los años sesenta el género lírico llegó a una casi total decadencia. Las numerosas compañías mediocres que actuaban por provincias, el alejamiento de las nuevas generaciones de compositores de la zarzuela y la fuerza cada vez mayor del cine, fueron arrinconando el género, dejándolo con un repertorio "inamovible", sin nuevos estrenos y sin montajes dignos. El teatro de la Zarzuela se convirtió en el único reducto del género, con una temporada oficial subvencionada. *Véase* COMPAÑÍAS DE ZARZUELA.

No puede olvidarse la labor de los cantantes y las compañías de zarzuela, ya citadas, en estos años en España e Hispanoamérica. También este cuarto período tiene sus grandes intérpretes: Emilio Sagi-Barba, su esposa Luisa Vela, el hijo de ambos Luis Sagi-Vela, Selica Pérez Carpio, Miguel Ligero, Marcos Redondo. Del mismo modo hay que mencionar el impulso que la zarzuela recibió con las diversas grabaciones discográficas emprendidas en esta época, entre las que siguen siendo las más destacadas las realizadas por Ataúlfo Argenta al frente de la Orquesta Sinfónica de Madrid con voces tan importantes como las ya citadas a las que se unieron posteriormente las de Teresa Berganza, Ana María Olaria, Pilar Lorengar, Manuel Ausensi, Carlos Munguía. La desaparición de Argenta no interrumpió las grabaciones siendo sucedido por diversos directores, fundamentalmente Rafael Frübeck de Burgos y Benito Lauret. Hay que destacar también las grabaciones de algunos títulos dirigidos por sus propios autores, como en el caso de Sorozábal o Moreno Torroba. A la interpretación de la zarzuela se fueron incorporando las voces españolas más internacionales como Montserrat Caballé, Alfredo Kraus, Plácido Domingo, Vicente Sardinero, José Carreras, Ángeles Gulín o Isabel Penagos. *Véase* FONOGRAFÍA; VOZ.

2. La pervivencia del teatro frívolo. La revista. Los géneros frívolos de los que se ha hablado, no desaparecieron con la restauración de la zarzuela grande, incluso alguno de ellos, como la revista, llegaron a su mejor momento. Las tipologías de revista que se han definido anteriormente, revista política y de actualidad, entraron en declive y a partir de 1915 asoma ya el nuevo concepto del género. Hereda su forma del siglo XIX pero los autores se apresuraron a ponerle subtítulos, como marcando las diferencias con lo anterior: "revista moderna", "de visualidad", o "de espectáculo". Esta revista redujo la importancia del texto e incrementó la de la visualidad. En la revista, como en las variedades, se busca una comunicación sensible y nunca intelectual y por ello el baile asume una importancia suma; el baile y la exhibición del cuerpo femenino. Miguel Bádenas define muy bien la receta: "50% de fastuosidad, un 20% de ligereza musical, otro 20% de mujeres bonitas y un 10% de ingenio". De esta forma el

viejo género de la revista que se fija en la obra de Gutiérrez de Alba, *1864 y 1865*, tuvo una larga vida que se extiende hasta las últimas obras de la postguerra con Guerrero y Alonso. Desde aquella revista en la que se criticaba a Cánovas, Sagasta, Posada Herrera, Aguilera, Nocedal, Castelar y Silvela, o se "pasaba revista" a la actualidad política, municipal, social o simplemente climatológica, se llegó a un género con una mayor dosis de temática frívola y de música ligera que pretendía una seducción inmediata. Una nueva vía de influencia poco presente en España hasta entonces es la de Broadway. Desde Broadway y pasando por París desemboca en el teatro Principal Palace de Barcelona y los teatros Pavón, y Martín de Madrid. Los empresarios Bayés y Sugrañés en Barcelona y Jacinto Guerrero en Madrid fueron los grandes impulsores de este nuevo género.

Históricamente este capítulo final de la revista tiene dos grandes momentos, los años que van de 1920 a 1930, años de prosperidad de la Dictadura de Primo de Rivera, gran aficionado al género, y, tras el paréntesis de la Guerra Civil, los años 1940-50, la década de oro de la revista, que también contó con el aprecio del general Franco.

En los "felices veinte" la fastuosidad es la seña de identidad de la revista. Tres empresarios se encargaron de ello: José Juan Cadenas, Eulogio Velasco y Jacinto Guerrero, que, desde París, trajeron ideas para los montajes, inspirados directamente en los grandes espectáculos de la Place Pigalle. La revista del primer período no se entendería sin una figura fundamental como es la "vedette". Todo el espectáculo se piensa en torno a ella y está encaminado hacia esa apoteosis final en que la estrella desciende, llena de plumas por una escalera, escoltada por las chicas y los *boys* de conjunto. Señala Serge Salaün: "La revista va a acentuar la explotación de la imagen de la *star* como medio de fomentar un producto comercial. El proceso de vedetización creciente, que afecta al mundo occidental, cobra en España aspectos tópicos, teniendo en cuenta el papel cultural reservado para la mujer". Fernando Vizcaíno Casas completa esta visión cuando señala: "Las *vedettes* son unas mujeres espléndidas, 'esculturales', se las llama en la publicidad, que incluso –algunas– tienen buena voz. Las *vedettes* hacen circular rumores sobre idilios con personajes de alto fuste, aristócratas, políticos, banqueros y encandilan al personal, que no se cansa de admirarlas como imposible objeto de deseo" (F. Vizcaíno Casas: "Guerrero y la revista". Reyes Castizo "La Yankee", Eugenia Zúffoli, Conchita Leonardo, inseparablemente unida a las revistas de Guerrero y Celia Gámez, siempre con Alonso, llenaron los escenarios españoles y las revistas teatrales, tanto por sus éxitos artísticos como por sus devaneos amorosos.

Pero existen otros elementos determinantes, y el más importante es justamente lo frívolo. Unos textos que van desde la frivolidad a la zafiedad y lo soez;

con un punto culminante que fueron los años que van desde 1931 hasta 1939. Varios autores tienen un especial relieve en este primer momento. En primer lugar Cayo Vela y Enrique Brú, titulares de la orquesta del teatro Novedades, lugar central de la revista hasta el incendio que en 1928 destruyó el edificio con numerosas víctimas. Fueron acompañados por otros muchos como Eduardo Fuentes, autor de *La hoja de parra*, que levantó las iras de los puritanos del momento y *El cuerpo de las mujeres*, Francisco Alonso con *Las cariñosas*, 1928, Pablo Luna con *¡Cómo están las mujeres!*, 1932. El teatro Martín fue el segundo "templo de la revista", y así era conocido. Allí se estrenaron el *Sanatorio del amor*, 1921, de Enrique Estela, *Levántate y anda*, 1924 de Ernesto Lecuona, *Las mujeres de Lacuesta*, 1926 de Jacinto Guerrero, *Las castigadoras*, 1927 y *Mujeres de fuego*, 1935 de Francisco Alonso con números tan famosos como "Búscame el botón".

La revista inició su segundo período una vez terminada la guerra. La sociedad necesitaba olvidar, y desde luego éste era un género propicio para ello. Una nueva ola de frivolidad se extendía por un país recién salido de una de sus etapas más dolorosas y que sólo aspiraba a olvidar y divertirse. Este género más ligero y frívolo, arrastraba al espectador en mucho mayor número que la zarzuela, tal vez porque la censura, que en otros aspectos del mundo "sicalíptico" se mostraba inflexible, fue más permisiva con él. De nuevo Vizcaíno Casas señala: "En estos tiempos sí que puede hablarse de la revista como fenómeno sociológico. En una apreciación ligera, superficial, como la mayoría de las que ahora se hacen sobre la época, suele decirse que el público buscaba en los teatros de revista, liberarse de la 'represión sexual'... más justo sería entender que el género transmitía regocijo, optimismo, ganas de vivir y de soñar. El slogan 'música, mujeres, luz y alegría', que entonces se difundió, ofrecía los alicientes que la sociedad anhelaba; así la juventud como las gentes maduras, como las mas empingorotadas clases". Pero el auge tropezó con circunstancias políticas nuevas que impusieron control y censura sobre un género que los nuevos poderes políticos y religiosos consideraban peligroso. No en vano España debía de ser la reserva espiritual de occidente. La censura se dirigió a uno de los puntos vitales, justamente el cuerpo femenino, imponiendo una subida general de escotes y bajada de faldas así como el uso de las conocidas mallas. Por cierto que aquellas "fundas" del cuerpo no sólo no apagaban sino que encendían aún más la fantasía masculina. Los libretistas, para escamotear al censor, definían las obras como comedias musicales y no como revistas. Con una u otra denominación fue el género que ocupó prácticamente todos los teatros españoles a mediados de los años cuarenta. Sólo en Madrid había cinco teatros dedicados al género: La Latina, Alcázar, Albéniz, Martín y Fontalba, en Barcelona el Victoria y el Calderón y en Valencia el Apolo y el Ruzafa. Al mismo tiempo hubo otras realidades estructurales. La España de 1940 creó la "gran revista", que era un alarde de lujo y de espectacularidad, representado por la nueva supervedette Celia Gámez. Se volvió a los grandes decorados y vestuarios, a grandes conjuntos de chicas perfectamente disciplinadas. La sensualidad de la nueva revista estaba en el propio lujo que ofrecía dentro de la España del hambre y la cartilla de racionamiento.

La revista también sufrió cambios puramente teatrales. La censura fue muy dura con los nuevos libretos que debieron de morigerarse y suprimir las groserías del período anterior. Los argumentos tenían que resultar entretenidos pero evitando la procacidad aunque sin prescindir de lo "picante" que era la sustancia del género. Este milagro lo intentaron los libretistas más destacados del momento: Enrique Paradas y Joaquín Jiménez, José Luis Sáenz de Heredia, Antonio Quintero, Jesús María Arozamena, José Ramos Martín, José Tellaeche y José Muñoz Román.

Musicalmente tal como señala Ramón Femenía Sánchez "La gran revista de Celia Gámez era una especie de opereta, con argumento, alejándose definitivamente del tipo de revista a base de sketches ligados por unos números musicales aislados; aunque la revista con argumento central ya hacía años que era un hecho normal dentro del género". Desde el punto de vista musical la revista se fundamentaba en los números musicales y surgieron una serie de compositores con gran capacidad melódica, pero que realizaron unos números que ya no se basaban tanto en aquellos estratos hispanos de los que se hablaba en el género chico, cuanto en los nuevos ritmos anglosajones y caribeños que entraron en España a partir de 1900: el one-step, two-steps, fox-trot, shimmy, charleston, java, chacarera, samba, machicha. No es que los viejos ritmos desaparecieran: el pasodoble, el chotis, la habanera, siguieron presentes y coreados por el pueblo, pero a ellos se unieron esos nuevos ritmos, que son más significantes. *Véase* FOX; MACHICHA; SHIMMY.

Las obras de Pablo Sorozábal, Jacinto Guerrero, Federico Moreno Torroba, Francisco Alonso y otros músicos de no tanto peso, como Augusto Algueró, Fernando García Morcillo y Fernando Moraleda, consiguieron adaptarse a las nuevas necesidades, siendo estos tres últimos autores, el ejemplo más claro de adaptación al nuevo gusto del público. Guerrero y Alonso estrenaron páginas de zarzuela sumamente populares en la década de los veinte pero aún les fue más sencillo conseguir popularidad a través de la revista musical después de la guerra. Aprovechando el éxito que la revista tenía en España, Guerrero se atrevió a llegar a París donde estrenó con gran éxito en el Palace *París-Madrid* con Raquel Méller, una obra que se mantuvo en cartel toda la temporada. En 1930 emprendió un viaje a Buenos Aires con dos compañías, una de zarzuela y otra de revista, la primera actuó en el teatro Honrubia y la segunda en el teatro Mayo. Si la temporada de zarzuela fue un éxito, la de revista lo superó con creces y *El sobre verde*, que ya había triunfado en España, sólo vio interrumpido su clamoroso triunfo por la revolución de Irigoyen que hizo que Guerrero y sus compañías abandonasen Buenos Aires para trasladarse a Rosario de Santa Fe. El último gran éxito de Guerrero en la revista fue *La blanca doble*, estrenada en 1947, pero sin abandonar la zarzuela grande, cuya última obra, *El canastillo de fresas*, 1951, tuvo un carácter póstumo, pues se estrenó cuando el compositor ya había fallecido.

La Segunda Guerra Mundial trajo a España un aluvión de músicos refugiados que reintrodujeron el gusto por los bailables, el jazz y la opereta vienesa. Los espectáculos vieneses de Franz Johan y Arthur Kaps, que contaban con el compositor Joaquín Gasca, llenaron durante años los teatros del Paralelo barcelonés en los años cuarenta. A Madrid llegaron también músicos alemanes personificados en la compañía del Scala de Berlín. Los compositores españoles responden al reto de los alemanes y Alonso y Guerrero y se convirtieron en los reyes del género. Francisco Alonso obtuvo un gran triunfo con *Doña Mariquita de mi corazón*, 1942, en el mismo teatro Martín, seguido de *Tres días para quererte, Luna de miel en El Cairo, Róbame esta noche, Luces de Madrid, Un pitillo y mi mujer*. Jacinto Guerrero estrenó con Muñoz Román, –autor del gran éxito de Alonso, *Las leandras*–, *Cinco minutos nada menos* en el teatro Martín, donde alcanzó 1890 representaciones, seguida de *La blanca doble*. Durante al menos una década, se estableció entre ambos compositores una amistosa pugna y el éxito de uno era contestado, de inmediato, por el triunfo del otro. Ambos tuvieron compañía propia y dos a falta de una, que recorrieron todos los rincones de España con sus obras, y llevaron a las vedettes, los cómicos y las chicas de conjunto por toda la geografía española. Aparte de ellos, hay que mencionar a otro gran empresario en este momento, Matías Colsada, que llegó a tener seis compañías en gira por España. Otros compositores de éxito en la revista fueron Fernando Moraleda con *Cantando en primavera, Si Fausto fuera Faustina, Gran revista, La estrella de Egipto, Dólares, Hoy como ayer*, Daniel Montorio autor de *Luces de Madrid*, Manuel Parada con *A todo color*, alternando esta dedicación a la revista con su labor como músicos cinematográficos, ya que el fenómeno del cine se había asentado definitivamente en España.

Si la aparición del cine marcó el inicio del declive del género chico, la llegada de la televisión dio la puntilla a la revista. Los teatros fueron cerrando y, como le ocurrió al Apolo en el siglo XIX, se transformaron en bancos, en su mayor parte, lo que no deja de constituir un curioso fenómeno sociológico.

BIBLIOGRAFÍA (Se ha seguido parcialmente la publicada por E. Casares Rodicio y B. Pérez con el título de "Bibliografía sistemática de zarzuela en los siglos XIX y XX", *Cuadernos de Música Iberoamericana*, 2-3, Madrid, 1996-97. A ella se añaden las publicaciones sobre zarzuela barroca).

I. 1. Siglos XVII-XVIII: *HZ; OOE*; F. Pedrell: *Teatro lírico español anterior al siglo XIX*. 5 vols., La Coruña, 1897-98; —: "La Musique indigène dans le théâtre espagnol du XVIIe siècle", *Sammelbände del Internationalen Musik-Gesellschaft* 5, 1903; —: "La canción y la danza populares en el teatro del siglo XVIII, *Revista de la Biblioteca, Archivo y Museo del Ayuntamiento de Madrid*, VI, Madrid, 1919; E. Cotarelo y Mori: *Ensayo sobre la vida y obras de D. Pedro Calderón de la Barca*, Madrid, 1924; J. Subirá: *La música en la casa de Alba*, Madrid, Sucesores de Rivadeneira, 1927; —: *La participación musical en el antiguo teatro español*, Barcelona, Publicaciones del Instituto de Teatro, 1930; —: "Le style dans la musique théâtrale espagnole", *Acta Musicologica*, 4, 1932; —: *Historia de la música teatral en España*, Barcelona, 1945; —: "Un manuscrito musical de principios del siglo XVIII, contribución a la música teatral española", *AnM*, 4, 1949; J. Sage: "Calderón y la música teatral", *Bulletin Hispanique*, 58, 1956; J. Subirá: "El "cuatro" escénico español. Sus antecedentes, evoluciones y desintegración", *Miscelánea en homenaje a monseñor Higinio Anglés*, 2 vols., Barcelona, 1958-61; —: "Repertorio teatral madrileño y resplandor transitorio de la zarzuela (años 1763-1771)", *Boletín de la Real Academia Española*, CLVIII, Madrid, IX/XII-1959; Ch. V. Aubrun: "Les débuts du drame lyrique en Espagne", *Le Lieu téâtral à la Renaissance*, ed., Jean Jacquot, París, 1964; J. Subirá: "Calderón de la Barca, libretista de ópera, Consideraciones literario-musicales", *AnM*, 1965; —: "La ópera "castellana" en los siglos XVII y XVIII", *Segismundo* 1, 1965; J. Sage: "La música de Juan Hidalgo", *Juan Vélez de Guevara, Los celos hacen estrellas*, ed. J. E. Varey, N. D. Shergold, Lonres, 1970; J. Sage: "Texto y realización de *La estatua de Prometeo* y otros dramas musicales de Calderón", *Hacia Calderón, coloquio anglogermano*, Exeter, 1969, Berlín, 1970; J. E. Varey, N. D. Shergold (eds.): *Juan Vélez de Guevara: Los celos hacen estrellas*, Londres, 1970; J. Sage: "Nouvelles lumières sur la genèse de l'opéra et la zarzuela en Espagne", *Baroque*, 5, 1972; —: "The Function of Music in the Theater of Calderón", *Critical Studies of Calderón's Comedias*, ed. J. E. Varey, Londres, 1973; M. Querol: "La producción musical de los hermanos Sebastián y Diego Durón. Catálogo de sus obras", *AnM*, 28-9, 1976; A. Martín Moreno: "La música teatral del siglo XVII español", *La música en el Barroco*, ed. E. Casares, Oviedo, 1977; — (ed.): *Sebastián Durón y José de Cañizares: Salir el amor del mundo*, Madrid, SEdM, 1979; L. K. Stein: "El 'Manuscrito Novena', sus textos, su contexto histórico-musical y el músico Joseph Peyró", *RMS*, 3, 1980; W. M. Bussey: *French and Italian Influence on the Zarzuela 1700-1770*, Ann Arbor, 1982; L. K. Stein: "Un manuscrito de música teatral reaparecido, *Veneno es de amor la envidia*", *RMS*, 5, 1982; —: "Música existente para comedias de Calderón de la Barca", *Actas del Congreso Internacional sobre Calderón y el teatro español del Siglo de Oro*, 3 vols., Madrid, 1983; Sh. B. Whitaker: "Florentine Opera Comes to Spain, Lope de Vega´s *La selva sin amor*", *Journal of Hispanic Philology*, 9, 1984; A. Martín Moreno: *Historia de la música española. 4. Siglo XVIII*, Madrid, Alianza, 1985; *Calderón de la Barca, Pedro. La estatua de Prometeo*, ed. Crítica, M. Rich Greer, estudio de la música de L. K. Stein, Kassel, 1986; C. Caballero: "Nuevas fuentes musicales de Los celos hacen estrellas de Juan Vélez de Guevara", *Música y teatro*, ed. L. García Lorenzo, Madrid, 1988, 119-55; L. K. Stein: "Opera and the Spanish Political Agenda", *Acta Musicologica*, 63, 1991; M. S. Álvarez: *José de Nebra Blasco. Vida y obra*, Zaragoza, IFC, 1993; L. K. Stein: *Songs of Mortals, Dialogues of the Gods: Music and Theatre in Seventeenth- Francisco de Bances Candamo y el teatro musical de su tiempo*, U. Oviedo, 1993; *Century Spain*, Oxford, The Clarendon Press, 1993; J. J. Carreras: "Entre zarzuela y ópera de corte: representaciones cortesanas en el Buen Retiro entre 1720 y 1724", *Teatro y música en España (siglo XVIII)*, ed. R. Kleinertz, Kassel, Reichenberger, 1996; *Música y literatura en la Península Ibérica: 1600-1750*, Valladolid, V Centenario del Tratado de Tordesillas, 1997; J. J. Carreras: "From Literes to Nebra: Spanish Dramtic Music between Tradition and Modernity", *Music in Spain during the Eighteenth Century*, eds. M. Boyd, J. J. Carreras, Cambridge University Press, 1998.

I. 2. Zarzuela siglos XIX y XX. 1. Catálogos, bibliografía, discursos y escritos doctrinarios: A. Cordero: *Escuela completa de canto en todos sus géneros, principalmente en el dramático español e italiano*, Madrid, Imp. de Beltrán y Viñas, 1858; B. Saldoni: *Cuatro palabras sobre un folleto escrito por el maestro compositor Sr. D. Francisco Asenjo Barbieri*, Madrid, A. Pèrez Dubrull, 1864; A. San Martín: *Confidencias de Arderius: Historia de un bufo*, Madrid, Imp. Española, 1870; R. Hernando: "Dedicatoria", *Colegiales y soldados*, AR, 1872; E. Arrieta: "Discurso leído en la inauguración del curso escolar de 1874 a 1875 en la Escuela Nacional de Música, el día dos de octubre", *El Arte*, 54, 11-XI-1874; F. Arderius: *Hasta los gatos quieren zapatos, apuntes sobre el teatro español*, Madrid, Imp. Velasco y Romero, 1877; R. Chapí; "Contestación del joven compositor", *El Imparcial*, 22-II-1878; A. Peña y Goñi: *Impresiones musicales: Colección de artículos de crítica y literatura música*, Madrid, Imp. de Manuel Minuesa de los Ríos, 1878; F. Arderius: *La ópera española y la zarzuela, breves consideraciones sobre el arte lírico dramático hechas por un antiguo bufo hoy empresario de zarzuela seria*, Madrid, M. P. Montoya y Compañía, 1882; T. Bretón: *Más en favor de la ópera nacional*, Madrid, Tip. de Gregorio Juste, 1885; —: *Discursos leídos ante la Real Academia de Bellas Artes de San Fernando en la recepción pública del Ilmo. Sr. D. Tomás Bretón el día 14 de mayo de 1896*, DU, 1896; E. Cotarelo y Mori: *Bibliografía de las controversias sobre la licitud del teatro en España*, Madrid, 1904; F. Pérez y González: *Teatralerías. Casos y cosas teatrales de antaño y hogaño*, Madrid, Velasco Imp., 1904; Córcholis: "Memorias íntimas del teatro", *Nuevo Mundo*, 22-II-1906; J. Jurado de la Parra: *Los del teatro. Semisemblanzas de actrices, autores, críticos, actores, músicos y empresas*, Madrid, Ruiz Velasco Imp., 1908; A. Larrubiera: "Teatro de la Zarzuela", *La Ilustración Española y Americana*, 42, XI-1909, 287-97; P. Rubio: *Mis memorias*, Madrid, Francisco Beltrán, 1927; E. Cotarelo y Mori: "Editores y galerías de obras dramáticas en Madrid en el siglo XIX", *Revista de la Biblioteca, Archivo y Museo del Ayuntamiento de Madrid*, V, 18, IV-1928; J. Francos Rodríguez: *Contar vejeces, de las memorias de un gacetillero (1895-1897)*, Madrid, 1928; F. Moreno Torroba: *Del casticismo en música. Discurso leído en el acto de su recepción pública*, Madrid, Academia de Bellas Artes de San Fernando, 1935; E. Chicote: *Cuando Fernando VII gastaba paletó…*, Madrid, Instituto Ed. Reus, 1952; S. Pro y Ruiz: *Teatralerías (Anécdotas del teatro y de la música)*, Cádiz, Imp. La Gaditana, 1953; S. Delgado: *Mi teatro*, Madrid, SGAE, 1960; F. Bravo Morata: *El sainete madrileño y la España de sainete*, Madrid, Fenicia, 1973; M. Montano: "The Manuel Areu Collection of 19th-Century Zarzuelas", tesis, U. Nuevo México, 1976; VVAA: *Catálogo del teatro lírico español en la Biblioteca Nacional*, Madrid, Ministerio de Cultura, 1986-91; J. M. López Ruiz: *Aquel Madrid del cuplé*, Madrid, El Avapiés, 1988; A. Romero Ferrer: "La literatura del género chico: hacia una bibliografía crítica", *Draco. Revista de Literatura Española*, 2, U. Cádiz, 1990, 231-62; S. Salaün: *El cuplé (1900-1936)*, Madrid, Espasa-Calpe, 1990; L. Iglesias de Souza: *Teatro lírico español*, A Coruña, Diputación, 1991-96; R. Regidor Arribas: *La voz en la zarzuela*, RM, 1991; E. Huertas Vázquez: "Las suripantas", *El Bosque*, 5, Diputaciones de Zaragoza y Huesca, V-VIII-1993; VVAA: *Catálogo de libretos españoles del siglo XIX y XX*, FM, 1993; E. Casares Rodicio (ed.): *Francisco Asenjo Barbieri. 2. Escritos*, Madrid, ICCMU, 1994; M. E. Cortizo: *Teatro lírico, 1. Partituras. Archivo de Madrid*, Madrid, SGAE, 1994;

I. 3. Estudios literarios: J. Yxart: *El año pasado. Letras y artes en Barcelona*, Barcelona, Daniel Corteza y Cía, 1885; —: *El año pasado. Letras y artes en Barcelona*, Barcelona, Daniel Corteza y Cía, 1886; —: *El año pasado. Letras y artes en Barcelona*, Barcelona, Daniel Corteza y Cía, 1887; —: *El arte escénico en España*, Barcelona, Imp. La Vanguardia, 1894-96 (facs., Barcelona, Alta Fulla, 1987); E. Cotarelo y Mori: *Estudios sobre la historia del arte escénico en España*, Madrid, Tip. Sucesores de Rivadeneyra, 1896; L. Carmena y Millán: *Cosas del pasado, música, literatura y tauromaquia*, Madrid, Librería F. Fe, 1904; B. Pérez Galdós: "Arte por horas", *Nuestro teatro*, Madrid, 1923, 105; E. García Luengo: "Madrileñismo y andalucismo teatrales", *Cuadernos de Literatura Contemporánea*, 1943, 273-7; F. Vian: *Il Teatro "chico" espagnolo*, Milán-Varese, Cisalpino, 1951; P. A. Bentivegna: "A Study of Three Zarzuelas Madrileñas Together. Whit a Historical Outline of the Zarzuela", tesis, U. Columbia, 1955; J. Bergamín: "Vida y milagros del 'género chico'", *De una España peregrina*, Madrid, 1960; A. Valencia (ed.): *El género chico (antología de textos completos)*, Madrid, Taurus, 1962; G. Torrente Ballester: "El género chico", *Primer Acto*, 40, II-1963, 2-4; P. Laín Entralgo: "Sociología del género chico", *Gaceta Ilustrada*, 511, Madrid, 23-VII-1966; A. Zamora Vicente: "El género chico levanta la cabeza", *Lengua, literatura e intimidad. Entre Lope de Vega y Azorín*, Madrid, Taurus, 1966, 91-7; F. Curet: *Història del teatre Català*, Barcelona, Ed. Aedos, 1967; R. Pourvoyeur: "L'influence de Jules Verne sur la zarzuela", *Bulletin de le Société Jules Verne*, Nouvelle série, 24, X-XII-1972; Á. Prado: *La literatura del casticismo*, Madrid, Moneda y Crédito, 1973; A. Hacthoun: "Estado de los estudios sobre el género chico", *Revista de Estudios Hispánicos*, IX, 3, X-1975, 359-69; E. Cobos Castro: *Medio siglo de teatro francés en Madrid (1870-1920)*, Córdoba, Librería Andaluza, 1981; A. Bensoussan: *José Yxart (1852-1895), Théâtre et critique à Barcelone*, U. Lille III, Atelier de reproduction des thèses, 1982; Á. Valbuena Prat: *Historia de la Literatura Española. Siglo XVIII y Romanticismo*, vol. IV, Barcelona, Gustavo Gili, 1982; L. García Lorenzo: "La denominación de los géneros teatrales en España durante el siglo XIX y el primer tercio del XX", *Segismundo. Revista Hispánica de Teatro*, 5-6, 1983, 13-22; F. Ruiz Ramón: "El sainete del último cuarto de siglo", *Historia del teatro español (Desde sus orígenes hasta 1900)*, Madrid, Cátedra, 1983; S. Salaün: "El 'Género Chico' o los mecanismos de un pacto cultural", *El teatro menor en España a partir del siglo XVI*, Anexos de la revista *Segismundo. Revista Hispánica de Teatro*, Madrid, CSIC, 1983; P. Salinas: "Del género chico a la tragedia grotesca, Carlos Arniches", *Literatura española, siglo XX*, Madrid, Alianza, 1985, 126-261; A. Amorós (ed.): *La zarzuela de cerca*, Madrid, Espasa Calpe, 1987; M. P. Espín Templado: "El sainete del último tercio del siglo XIX, culminación de un género dramático en el teatro español", *EPOS. Revista de Filología*, III, Madrid, Facultad de Filología de la U. Nacional de Educación a Distancia, 1987, 97-122; A. Romero Ferrer: *El género chico. Introducción al estudio del teatro corto fin de siglo (de su incidencia gaditana)*, Cádiz, U. de Cádiz, 1993; L. García Lorenzo (ed.): *Ramos Carrión y la zarzuela*, Zamora, Instituto de Estudios Zamoranos Florián de Ocampo, Diputación de Zamora, 1993; F. B. Pedraza, M. Rodríguez: "El género chico y la zarzuela", *Manual de la literatura española. VII. Época del realismo*, Navarra, Cénlit, sf, 273-14; F. Pérez Capo: *Treinta y tres años de teatro (1886-1918)*, Barcelona, Imp. Borrás, sf.

4. Estudios musicales: E. Velaz de Medrano (dir): *Álbum de la Zarzuela*, Madrid, Imp. Antonio Aoiz, 1857; M. Cascarosa Ribelles: "La zarzuela", *El Mundo Pintoresco*, II, 1, 2-I 1859; J. V. Pérez Martínez: *Anales del teatro y de la música*, Madrid, Librería Gutemberg, 1884; M. Zurita: *Historia del género chico*, Madrid, Prensa Popular, 1920; A. Taullard: *Historia de nuestros viejos teatros*, Buenos Aires, Imp. López, 1932; M. Muñoz: *Historia de la zarzuela y el género chico*, Madrid, Tesoro, 1946; J. Deleito y Piñuela: *Origen y apogeo del género chico*, Madrid, Revista de Occidente, 1949; J. Subirá: "Géneros

musicales de tradición popular y otros géneros novísimos", *Historia general de las literaturas hispánicas*, Barcelona, Ed. Barna, 1950; Chispero (V. Ruiz Albéniz): *Teatro Apolo. Historial, anecdotario y estampas madrileñas de su tiempo (1873-1929)*, Madrid, Prensa Castellana, 1953; C. Fernández-Luna: *La zarzuela*, Madrid, Publicaciones Españolas, 1954; J. García de la Vega: *El género lírico*, Madrid, Publicaciones Españolas, 1954; A. Sagardía: *La zarzuela y sus compositores, Conferencia pronunciada en Juventudes Musicales de Sevilla, Ateneo de Cádiz y Sociedad Filarmónica de Málaga*, Madrid, Ed. de Conferencias y Ensayos, 1958; C. Corbera Fradera: *Pulso universal. Ensayos en defensa de la zarzuela*, Madrid, Lincor, 1960; R. Minding: *Die Zarzuela. Das spanische Singspiel im 19. und 20. Jahrhundert*, Zürich, Atlantis Verlag, 1965; F. Vela: "El género chico", *Revista de Occidente*, IX-1965, 364-9; J. Subirá: "Lo histórico y lo estético en la zarzuela", *Revista de Ideas Estéticas*, XXVI, 102, 1968, 117-39; R. Cortina: "The Zarzuela, its Origin and Development until Modern Times", tesis, Florida State University, 1972; R. Pourvoyeur: "Un tour en zarzuela", *Bulletin de le Société Jules Verne*, Nouvelle série, 39-40, 1976; J. Gómez, C. M. Arnau: *Historia de la zarzuela*, Madrid, Zacosa, 1979; S. Valverde: *El mundo de la zarzuela*, Madrid, Palabras, 1979; R. Alier (Dir.): *El libro de la zarzuela*, México D. F., Daimon, 1982; J. M. Gómez Labad: *El Madrid de la zarzuela*, Madrid, Ed. Tres, 1983; R. Alier: *La zarzuela*, Barcelona-México D. F., Daimon, 1984; Á. Lera de Isla: "El sainete y la zarzuela en el folklore madrileño", *RFv*, 55, 1985, 21-5; VVAA: *Primer Seminario Internacional de Zarzuela. Junio 1984*, Madrid, Centro Español del Instituto Internacional del Teatro, 1985; R. Alier, X. Aviñoa, S. X. Mata: *Diccionario de la zarzuela*, México D. F., Daimon, 1986; R. Barce: "La ópera y la zarzuela en el siglo XIX", *ACS*, 1987, 145-53; A. Gallego: "El género chico artístico (primera aproximación)", *RMS*, X, 2, 1987, 661-5; M. A. Virgili Blanquet: "Música y teatro en Valladolid en el siglo XIX", *RMS*, X, 2, Madrid, 1987, 653-9; J. Rubio Jiménez: "El teatro musical, de la ópera al género ínfimo. El género chico", *El teatro en el siglo XIX, Historia del teatro en España, II, 1845-1900*, Madrid, Taurus, 1988, 625-762; E. Huertas Vázquez: *Teatro musical español en el Madrid ilustrado*, Madrid, El Avapiés, 1989; S. Salaün: "El género ínfimo, mini-culture et culture des masses", *Bulletin Hispanique*, 91, 1, U. Bourdeaux III, 1989, 147-67; M. Balboa: "El género chico y la música española", *El dúo de la Africana. La revoltosa*, Madrid, Teatro Lírico Nacional de La Zarzuela, 1991, 29-31; V. Galbis López: "La música instrumental y vocal de la primera mitad del siglo XIX", *Historia de la Música de la Comunidad Valenciana*, Valencia, Prensa Valenciana, 1992, 263-5; A. Barrera Maraver: *Crónicas del género chico y de un Madrid divertido*, Madrid, El Avapiés, 1992; M. E. Cortizo: "La pervivencia formal de la escuela bolera en el repertorio escénico posterior del siglo XIX", *Actas del I Congreso sobre la Escuela Bolera*, Madrid, Ministerio de Cultura, 1992; V. Klotz: "Los alegres plebeyos de Madrid", *Scherzo*, 69, XI-1992; R. Barce (coord.): *Actualidad y futuro de la zarzuela*, Madrid, AL/ Fundación Caja de Madrid, 1993; E. Casares Rodicio: "El teatro de los Bufos o una crisis en el teatro lírico del XIX español", *AnM*, 48, 1993; E. Huertas Vázquez: *El teatro de los bufos madrileños*, Madrid, Ayuntamiento/Instituto de Estudios Madrileños, 1993; F. Hernández Girbal: *Cien cantantes de ópera y zarzuela (siglos XIX y XX)*, Madrid, Lira, 1994; J. M. López Ruiz: *Historia del Teatro Apolo y de La verbena de la Paloma*, Madrid, El Avapiés, 1994; —: *La vida alegre. Historia de las revistas humorísticas, festivas y satíricas publicadas en la Villa y Corte de Madrid*, Madrid, Compañía Literaria, 1995; V. Klotz: *Zarzuelas y operetas*, Buenos Aires, Javier Vergara Ed., 1995; A. Amorós: *Luces de candilejas. Los espectáculos en España (1898-1939)*, Madrid, Espasa Calpe, 1996; "Actas del Congreso Internacional 'La zarzuela en España e Hispanoamérica. Centro y periferia, 1800-1950'", *Cuadernos de Música Iberoamericana*, 2-3, 1996-97; E. Casares Rodicio: —: "Teatro musical, zarzuela, tonadilla, ópera, revista", *Historia de los espectáculos en España*, Madrid, Castalia, 1999; —: *Historia gráfica de la zarzuela 1. Músicas para ver*, Madrid, ICCMU, 1999; —: *Historia gráfica de la zarzuela 2. Del canto y los cantantes*, Madrid, ICCMU, 2000; —: *Historia gráfica de la zarzuela 3. Los creadores*, Madrid, ICCMU, 2001; —: "Pervivencias finales de un teatro lírico propio. La zarzuela en el siglo XX", *Claves de la España del siglo XX. Estudios*, Madrid, Ministerio de Educación, Cultura y Deportes, 2001; J. L. Sturman: *Zarzuela. Spanish opereta, American Stage*, Chicago, U. Illinois, 2000; C. Weber: *The zarzuela companion*, Boston, Scarecrow Press, 2002; V. J. Cincotta: *Zarzuela. The Spanisch Lyric Theatre. A complete reference*, University Of Wollongong Press, 2002; A. Le Duc: *La zarzuela. Les origines du théatre Lyrique national en espagne (1832-1851)*, Hayen, Margada, 2003; E. Chicote: *La Loreto y este humilde servidor (Recuerdos de la vida de dos comediantes madrileños)*, Madrid, Aguilar, sf; Córcholis (F. Flores García): *Memorias íntimas del teatro*, Valencia, F. Sempere y Cía, sf; J. Inzenga: *Escuela de canto, contiene variaciones y fermatas de óperas y zarzuelas*, AR, sf.

EMILIO CASARES RODICIO

Zarzuela americana. Muchos de los países hispanoamericanos fueron receptores de la zarzuela, género que logró, al igual que sucedió en España, un enorme éxito. Esto dio lugar a una creación de zarzuela, con características propias en cada nación. *Véase* CHILE; COLOMBIA; CUBA; MÉXICO; PUERTO RICO; VENEZUELA.

Zarzuela catalana. Desde mediados del siglo XIX surgieron títulos de zarzuelas románticas en los teatros barceloneses, escritas tanto en castellano como en catalán. Hasta el primer tercio del siglo XX se consiguió un desarrollo notable, llegándose a originar un producto interesante y singular con el "teatre líric" catalán de principios del siglo XX. El proceso de consolidación transcurrió en paralelo a la estabilización del idioma catalán. Sus altibajos se deben conexionar con el azaroso devenir del teatro. La fecha de aparición de la zarzuela en Barcelona correspondería a la temporada de 1847, representándose los primeros títulos en el teatro Nuevo, regido entonces por la misma empresa que gestionaba el teatro de la Santa Creu. En 1850 el compositor Freixas estrenó *Todos locos y ninguno*, primera de las obras que puede atribuirse a compositores catalanes. Los primeros pasos de la zarzuela catalana deben entroncarse con la pervivencia documentada de interpretaciones de tonadillas y sainetes, en castellano pero también en catalán, durante los intermedios de las funciones dramáticas, como por ejemplo los compuestos por Altimira. Parte de este repertorio era también ejecutado en academias privadas, y en los denominados "teatros de sala y alcoba", asociaciones de aficionados que tenían en la Barcelona romántica una vitalidad encomiable. Allí F. Soler y C. Roure realizaron sus primeros escarceos como dramaturgos. Únicamente en esas sociedades privadas puede hablarse de representaciones dramáticas en catalán, idioma que antes de la restauración de los Juegos Florales de Barcelona, 1859, estaba sumido en un absoluto declive literario.

absoluto declive literario.

En 1853 N. Manent estrenó *La tapada del Retiro*, una ópera cómica española en tres actos, con libreto de V. Balaguer. Después del estreno en 1852 de *Jugar con fuego*, de *El tío Caniyitas* y de la peculiar zarzuela con ambientación catalana de *Buen viaje señor don Simón*, los autores del ámbito barcelonés se adentraron en el nuevo género de la zarzuela. Esta última obra fue compuesta por Soriano Fuertes, Manent, Bernat Calvó Puig, y Solera. Las temporadas líricas con una presencia preponderante de zarzuelas fueron propiciadas por una disposición gubernamental que pretendía favorecer la composición de obras líricas españolas. Durante la misma temporada teatral, Clavé estrenó *Paco Mandria y Sacabuches*, obra de ambiente andaluz, tipología muy apreciada entonces en Barcelona, puesta en auge por el actor Dardalla. La "zarzuela de género andaluz" fue repuesta en 1853 en el teatro Odeón, centro que desempeñaría un lugar relevante en la implantación de la zarzuela en Cataluña.

Cinco años más tarde se escenificó en el teatro del Liceu la primera pieza "bilingüe", *Setze jutges*, con música de Joan Sariols. Su programación en el Liceo es sintomática: subió a las tablas un año antes de la llegada de los nuevos Juegos Florales, y casi de repente comenzó la programación de zarzuelas catalanas, dotadas de una madurez insospechada en la redacción del libreto y, a la par, con una más que lisonjera acogida desde el punto de vista musical. En 1858 se estrenó otra zarzuela, *L'Aplec del Remei* de Clavé, una obra emblemática tanto desde el punto de vista literario como musical. Ambas consisten en piezas biblingües: en aquellos momentos estaba prohibido por orden gubernamental interpretar una obra dramática enteramente en catalán.

Paradójicamente, en los años inmediatos no se registraron nuevos estrenos de zarzuelas. En cambio se detecta una notable intensidad en las obras dramáticas que incorporaban música incidental muy desarrollada, desbordando el concepto de este subgénero tan desconocido. Este era el caso de *Los catalans en Àfrica*, pieza representada en el Liceu en 1860 con texto de J. A. Ferrer, y acompañado de "música bélica" compuesta por F. Porcell y bailables de F. Llampallas. Al año siguiente, en 1861, se registra una reunión de literatos y compositores en el teatro Odeón para "establecer los medios conducentes a la creación en esta Ciudad de la zarzuela, como camino breve y provechoso para llegar a la ópera nacional". La noticia, recogida en *La Gaceta Musical Barcelonesa* informaba de los nombres de los asistentes, entre los cuales se encuentran los escritores y compositores que se verían más involucrados en el proceso futuro: Mateu Ferrer, Gabriel Balart, Luís Olona, M. Soriano Fuertes, Antonio Altadill, Manuel Angelón, J. A. Clavé, Nicolau Manent, A. Rius, A.

Gordon, Joan Balaguer y Joan Sariols, entre otros. La confusión entre zarzuela y ópera, que no es exclusiva del entorno barcelonés, puede ser atribuida a la coincidencia en el mismo período cronológico de diversas composiciones operísticas catalanas, algunas de ellas representadas en el Liceu o en el Principal. Este fue el caso de Freixas, Manent o Guanyabens. Por tanto, cabría considerar la persistencia de la actividad lírica o dramática buscando caminos distintos a la zarzuela. Las propuestas iban en paralelo al tanteo que se producía en el terreno dramático, en el cual los escritores no habían hallado aún títulos y formas que impusieran con rotundidad el teatro catalán. En cualquier caso, allí donde la experimentación tenía lugar de forma pública era en el teatro Odeón, el mismo en el que se reestrenaron los títulos escenificados en el Liceo y allí donde se convocaba la reunión de 1861.

El paso definitivo lo dio Frederic Soler "Pitarra" con *L'esquella de la torratxa* en 1864, una parodia que procedía del entorno de los teatros y "talleres" de aficionados. La música de Joan Sariols había evolucionado desde unas ilustraciones musicales que, por iniciativa del actor Conrat Roure, aunó la primera zarzuela catalana de éxito con la primera obra teatral romántica que arrasó entre el público de Barcelona. Con ella daba sus primeros pasos el género cómico de la "gatada". Hasta este momento puede decirse que en Cataluña no se optó por el procedimiento de las traducciones de operetas francesas, habitual en los libretos castellanos. A *L'esquella* siguieron títulos como *El punt de les dones*, 1865, o *Si us plau, per força*. La estructura de las obras del período es, habitualmente, en dos actos, con argumento cómico y de ambientación costumbrista. El camino iniciado por las "gatadas" marcó de forma decisiva el desarrollo de los años siguientes, durante los cuales se repusieron las obras de Clavé.

Uno de los momentos más interesantes para la zarzuela catalana se inició a partir de la década de los setenta. Diferentes elementos propiciaron el florecimiento de un repertorio atractivo: en primer lugar la proliferación de teatros en Barcelona, principalmente de tipo veraniego en el paseo de Gracia, superándose con ellos el estadio aún larvado de los "talleres"; en segundo lugar la aparición del género bufo, el cual prendió con intensidad en Barcelona y, sobre todo, se dotó de una asombrosa magnificencia escenográfica; en tercer lugar el momento coincidió con la expansión del teatro catalán, y de la literatura catalana en general; finalmente la construcción de nuevos teatros en las comarcas facilitó la extensión del género zarzuelístico fuera del área barcelonesa. Es sintomático que en esa década volviera el teatro del Liceo a acoger representaciones zarzuelísticas: *El dominó azul*, 1872, *Los hijos de la costa*, 1872, *El juramento*, 1872, *El barberillo de Lavapiés*, 1876, dirigiendo la

Las nuevas creaciones con libreto de Frederic Soler dominaron el panorama zarzuelístico. Obras como *A posta de sol, Els estudiants de Cervera, Els pescadors de Sant Pol, La tuna, La festa del barri, La festa de Sant Genís* o la emblemática *El cant de la Marsellesa* han abandonado los patrones cómicos, a veces histriónicos, de la gatada para bascular hacia cuadros de costumbres donde se da mayor importancia a los conflictos emocionales, y bajo los cuales late siempre una oposición entre clases sociales, criticada con ironía. Concebidas la mayor parte de las composiciones en dos actos, pocas en tres, muestran una mayor consistencia y densidad musical: los coros cuentan con importantes intervenciones –en parte recuerdan el patrón de *La tapada del Retiro* de la década de los cincuenta–, y presentan un mayor desarrollo de las partes solísticas. El compositor que destacó en este período fue, sin duda, Nicolau Manent, a quien se deben las principales creaciones. Junto a él destacan Vilar, Ribera, Rius y Pérez-Cabrero. En el otro extremo estético se encuentran las producciones bufas impulsadas en Barcelona por el propio Arderius y por Coll i Britapaja. Un elemento importante de estas producciones era la musical, si bien en ocasiones constituyen auténticos pastiches, con adaptaciones al catalán de obras de Barbieri, por lo que musicalmente su valor es desigual. Ello no impidió que algunas de estas piezas, como *Robinson petit, El país de l'olla, El pou de la veritat* o *De la terra al sol* cosecharan una popularidad perdurable hasta entrado el siglo XX; más en el caso de *De la terra al sol*, que contaba con unas espectaculares decoraciones de F. Soler i Rovirosa. En este mismo período empezaron a aparecer las primeras adaptaciones de operetas francesas al catalán; en su aclimatación intervino de nuevo activamente Coll i Britapaja, ayudado por un joven Pedrell recién llegado a Barcelona. De esa época son *La fantasma groga, Ells i elles* y *La guardiola*. Pero los títulos más perdurables no llegarían hasta pasados los años ochenta, con la traducción de títulos de vodevil, como *Ki-ki-ri-ki*, abundando en las adaptaciones de obras del francés Lècoq.

Al mismo tiempo que el teatro catalán entraba en un lapso de confusión y crisis de originalidad, en palabras de Curet, el cultivo de la zarzuela catalana atravesó años de abatimiento. El aparente estancamiento, se puede matizar al producirse coetáneamente un cambio de dirección estética dentro del teatro catalán. Las obras de Frederic Soler discurrían en sus últimos años en el terreno del drama; Víctor Balaguer, un personaje significativo en los primeros momentos de la zarzuela, tendía también hacia un género épico con sus *Tragedias*; la potente irrupción de Guimerà se producía con el cultivo de dramas y tragedias poco apropiados para ser adaptados como zarzuelas. Por otra parte la Associació d'Autors Catalans, agrupación creada en esos años y que podría haber dado lugar a un renacimiento del género, tuvo una vida demasia-

do efímera. Cuando el empresario Salvador Mir impulsó en el teatro Novetats, en la década de los noventa, unos ciclos teatrales en los que no escatimó medios económicos, Morera convirtió *Les monges de Sant Aimant* en unas ilustraciones escénicas, desaprovechando una coyuntura favorable, y sólo se dio lugar a convertir en zarzuela a *La baldirona* de F. Soler. En cambio los tiempos parecían ser más propicios para la creación operística: de nuevo la escasez de zarzuelas se compensaba con un leve optimismo operístico.

La falta de textos de hondo calado dramático explican que la zarzuela catalana a partir de la última década de los noventa se refugiara en el sainete costumbrista, y en las parodias de zarzuelas castellanas de éxito. Los textos de Eduard Aulés y de Conrat Roure retoman un costumbrismo exento de crítica, donde tienen cabida situaciones chocantes e hilarantes. Se trata de obras generalmente en un acto, humoradas, con contados números musicales y con presencia significativa de bailables que otorga una peculiar personalidad a la música. Algunos de los títulos cosecharon un éxito perdurable, caso de *El somni de l'Innocència, Verdalet pare i fill* o *El comerç de Barcelona, Alí-oli, El senyor Palaudàries, El cèlebre Maneja, Cinc minuts fora del món* y *La criada*. Fue la época marcada por actores de fuerte personalidad como Pepeta Matheu, Conrat Roure, Lleó Fontova, Iscle Soler o Conrad Colomer. Junto a estas obras deben añadirse las parodias realizadas por Carlos Oró, la más significativa de ellas *Los gelos de la Coloma*, parodia de *La verbena de la Paloma* de Bretón.

Al llegar al final del siglo se asiste al cambio más profundo en la producción zarzuelística en Cataluña. La metamorfosis del género fue profunda, y ocupa un lugar singular en el resto de la Península. El momento estético se halla en consonancia con la aparición del modernismo en las artes plásticas y arquitectónicas y, sobre todo, del simbolismo literario. Los primeros pasos se dieron juntamente con la innovadora propuesta teatral impulsada por Adrià Gual. El grupo constitutivo del proyecto estaba formado por el pintor Josep Maria Sert, el escritor Oriol Martí, el musicógrafo Joaquim Pena, los comerciantes Claudi Sabadell, Francisco Soler, y el escritor Tomás Caballé i Clos. Ellos arriesgaron en conjunto un capital de 300 pesetas, con las cuales facilitaron el montaje del drama *Silenci* de Caballé, y las puestas en escena de *L'alegria que passa* y de *Blancaflor*. El proyecto tuvo lugar entre los años 1898 y 1899 en el teatro Lírico. *L'alegria que passa* de Morera cosechó un éxito sin precedentes en el terreno de lo que se podría denominar teatro lírico catalán, mientras que *Blancaflor* de Granados causó un escándalo; esta obra representaba un tipo de teatro popular escenificando canciones populares. La obra, incomprendida entonces, consiguió una acogida más favorable cuando fue reestrenada en los espectáculos de Graner. Sintomáticamente todas las obras del período, incluida la importante producción de Morera, evitaron la utilización del término zarzuela; uno de sus objetivos era la consecución de una forma expresiva distante del sainete costumbrista, tanto castellano como catalán.

A pesar de las opiniones de la prensa contemporánea sobre el estreno, *L'alegria que passa* no consiste en unas ilustraciones musicales. El cuidado que puso L'Avenç en la edición del libreto y la partitura, convirtiéndola en una verdadera obra de bibliófilo, es una muestra de la consciencia que tenían tanto Rusiñol, autor del texto, como Morera, de estar abriendo una nueva senda para la zarzuela catalana. Las repetidas reposiciones de la obra en años posteriores y su buena acogida corroboran esta opinión.

En 1901 Enric Morera impulsó un interesante proyecto en el teatro Tívoli, donde quiso establecer una compañía de Teatre Líric Català. Después de esta primera iniciativa, a lo largo del primer tercio del siglo XX se asiste a varias tentativas similares. En 1901 se representaron obras de Lapeyra, Bartolí, Gay, Morera y Granados: *Les caramelles, Colometa la gitana, Cors joves, La reina del cor, La Rosons* –obra que consiguió buena acogida–, *Trista aubada, El llop pastor, L'aligot, Cigales i formigues, La nit de Nadal* y *Picarol*. Además se estrenó *L'adoració dels pastors*, con texto de Verdaguer y música de Morera, en realidad unos pastorcillos con poca relevancia dramática y musical. La recepción en la prensa fue negativa, de forma bastante unánime salvo títulos puntuales. Ello hizo replantear a Morera la viabilidad del proyecto, que se truncó. La premura en la composición y en los ensayos dio al traste con un interesante proyecto, arruinando incluso obras que muestran aún su viabilidad. La vitalidad del clima cultural catalán propició la aparición de nuevas creaciones tendentes hacia la misma dirección: el establecimiento de un género zarzuelístico con unas señas de identidad propias.

Una de las iniciativas más interesantes la emprendió el pintor y escenógrafo Lluís Graner entre los años 1905 y 1908. La dirección artística fue encomendada a Adrià Gual, y la musical a Morera. Se pudieron oír obras de Morera, Pedrell, J. Lamote de Grignon, Pahissa, Granados, C. Karr, Esquerrà, N. Freixas, Alfonso, Ferrer, Pecanins, Marraco, Borràs de Palau, F. Piqué, Bartolí, y Sadurní: *El Comte Arnau* de Morera, *La presó de Lleida, Gaziel, La Santa Espina, La resurrecció de Llàtzer, El testament d'Amèlia, La dona d'aigua, La barca, Picarol, Fra Garí, Nit de reis, Joves i vells, Joan de l'Ós, A peu pla, Rodamón, La reina vella, La llar, Sant Ramón, La cireta* y *Pierrot lladre* entre otras. El repertorio es desigual: por una parte, algunas de las obras consistían sólo en mero pretexto para el lucimiento de brillantes decoraciones y efectos escénicos diseñados por Graner, denominándose las obras "visiones musicales"; otras se concibieron alrededor de canciones populares en un momento en que éstas eran revalorizadas a la luz

del movimiento nacionalista imperante; un tercer grupo lo forman obras que musicalmente eran viables. Piezas como *La Santa Espina, Picarol, Gaziel, La barca, Nit de reis* fueron ya en su tiempo de las mejores producciones programadas por Graner. En la vertiente musical desaparecieron los bailables, las casi obligadas "habaneras" o los couplets y los préstamos italianizantes. No existe una dirección estética común de las obras, pero se puede señalar un considerable número de ellas basadas en la utilización de las canciones populares, o bien en desarrollos de un lenguaje volitivamente alejado del mundo de la opereta, tendentes en cambio hacia una estética más próxima al repertorio sinfónico. En los libretos destilaba el perfume del simbolismo, que impregna los textos de Rusiñol y de Apel.les Mestres. No existía una voluntad clara de deslindar el repertorio del teatro lírico "zarzuelístico" catalán del repertorio operístico; resulta ejemplificador un concierto que ofreció Pahissa en el teatro Novetats en 1906, en el cual se entremezclaban fragmentos de *La presó de Lleida* con música sinfónica y escenas de su ópera *Gala Placídia*. La estética que se pretendía emular era la que imponía Adrià Gual y sus representaciones del Teatre Íntim, donde se programaba un repertorio innovador ante un público consciente, y con un gran rigor técnico y artístico. La empresa de Graner no tenía, sin embargo, la misma coherencia de las temporadas de Gual, ya que entre pequeñas obras sin ninguna pretensión –caso de *El senyor mestre està malalt* de Morera y Pompeu Creuhet– hay otras de mayores aspiraciones como *La Santa Espina*.

Al mismo tiempo que la propuesta del Teatre Líric, el género zarzuelístico que heredaba la estética y los haceres del siglo XIX continuaba su desarrollo, con una denodada intensidad en los diversos teatros del Paralelo, verdadero epicentro de la bohemia barcelonesa. Allí triunfaban las obras de Pérez-Cabrero, F. Montserrat Ayarbe, M. Pigem, U. Fando, del joven Martínez Valls, de F. Cotó, con repertorios manidos a partir de títulos como *La Pomera*, 1911, *Pastorella*, 1917, *Els plats trencats*, 1911, *La primera nit*, con vaudevilles adaptados del francés caso de *Les pastilles Hèrcules*, 1910, o con obras de menores pretensiones como *Les bodes d'en Cirilo* o *El casament d'en Tarregada*. Junto a estos estrenos empezaron a reponerse títulos ya históricos, pero que continuaban gustando al público. El repertorio de nueva creación volvía a bascular hacia el género de costumbres como fondo argumental, realzando el interés por lo cómico y a menudo por el disparate. Sin ningún tipo de dudas fue Joaquín Montero uno de los artífices del nuevo afianzamiento del sainete. Junto a él aparecería muy pronto el vodevil, que en el caso catalán tiene también su correspondencia con las obras escritas en castellano.

Las producciones zarzuelísticas de la década de los veinte retomaron de nuevo el formato de obras en dos o tres actos, tendentes a recuperar una solidez musical que las pequeñas producciones sainetescas habían dejado a un lado. Este fue, sin duda, uno de los períodos líricos más intensos en el panorama catalán, años en los que un buen número de zarzuelas eran estrenadas antes en Barcelona que en Madrid, caso de *Katiuska, Black el payaso, El pájaro azul, La alsaciana* o *La tabernera del puerto*. Morera, que en los años anteriores había escrito también sainetes y algún vodevil, regresó igualmente al género grande. Ante la falta de libretos catalanes en algunos casos se adaptaron obras románticas, como en *Don Joan de Serrallonga* de Víctor Balaguer o en *El castell dels tres dragons* de Pitarra. En otras ocasiones la temática histórica dominaba la acción, caso de *La Revolta* de F. Caparrós, 1930, con libreto de Víctor Mora, ambientada en 1842. En la mayor parte de estas obras está muy presente la caracterización nacionalista a través de la sardana, que en aquellos momentos se había convertido ya en danza y era aceptada popularmente como símbolo. Entre todas las obras estrenadas en este período descuellan un par de títulos que coparían una extraordinaria atención: *Cançó d'amor i de guerra*, 1926 y *La legió d'honor*, 1930, de Martínez Valls. Este repertorio muestra un interés por la expresividad melódica, siguiendo en buena medida la transformación estética operada en las obras de Usandizaga, Millán, Sorozábal o Guerrero. No cabe duda que voces como la de Emili Vendrell, Marcos Redondo, Sofía Vergé, y actores como Llimona, Fontdevila o Josep Carbonell contribuyeron a añadir un interés en sus interpretaciones, hasta convertir en emblemáticos pasajes de las zarzuelas que estrenaron. Quizás esta sería la reacción a la crisis momentánea que se cernió sobre la zarzuela en Barcelona a principios de siglo frente la competencia de las salas de cine, y a la vez mostraban su distanciamiento respecto al género arrevistado y la sicalipsis, en los cuales también existió un repertorio propio catalán. En este último, las empresas de J. Santpere y Montero propiciaron la composición de obras como *Barcelona en rodolins, El Bè negre, Miss Xiclets, El Rei del Xiclet, Romeo i Julieta* o *El castigador de Verona*. Dentro de la revista, se encuentran algunos títulos como *Roda el món... i torna al born* de Josep Maria Torrens, o su vodevil *La reina ha relliscat*, 1932, que aún mantienen su vigencia.

En el período de la República, e incluso durante el período bélico de 1936-39 la producción no decayó. En esos años se compusieron obras de argumento políticamente comprometido, con un trasfondo antimonárquico evidente, caso de *La falç al puny* de M. Blancafort, 1931, o de una flagrante finalidad propagandística en la obra lírica *Tots al front! o Almogàvers d'avui* de I. Roselló, 1936, con texto de J. Campeny y A. Suárez, escrita entre agosto y septiembre de 1936 y un fiel reflejo del azaroso y complejo momento histórico. Otras obras atenuaron de forma ostensible su partidismo, caso de *Boris d'Eukàlia* de Martínez Valls, 1936, que a lo sumo contiene un mensaje paterna-

lista y poco beligerante. Otros autores incluso llegaron a sostener una absoluta imparcialidad en sus obras, caso de los libretos usados por J. Dotras Vila. Después de 1939 la actividad en catalán fue absolutamente silenciada. No fue hasta la década de los cincuenta cuando tímidamente reaparecieron algunos títulos como *Deixa'm la dona un ratet* de J. Mestres, 1954, o la popular *El timbaler del Bruc* de Cohí Grau, u otras obras de Ventura Tort, posteriores. Aunque antes de los cincuenta pudo volverse a interpretar tímidamente alguna obra, caso de *Cançó d'amor i de guerra*, no se produjo en los años siguientes ningún intento de recuperación, y la práctica totalidad de títulos que habían podido formar parte del repertorio lírico catalán han desaparecido completamente, en un incomprensible e injusto olvido histórico.

Con ello se daba casi punto final a una intensa actividad que se mantuvo durante el primer tercio de siglo XX. A partir de 1911 diversos intentos de Morera, Llimona y Santpere promovieron temporadas de teatro lírico catalán que acababan sólo en "una" temporada. El proyecto ambicioso del Sindicat d'Autors Dramàtics Catalans que se estrenaba con la obra lírica *Flors de cingle* de Casademunt se frustró por recelos mutuos con los empresarios. Otro proyecto aún más visionario fue dilucidado por Vidal Nunell, quien pretendía construir un gran teatro-escuela de arte lírico; en 1916 fundó un Teatro Lírico Práctico, una academia que sería el paso previo para un gran edificio que albergaría un teatro nacional. Como la primitiva sociedad de 1861, Vidal jamás llegó a poder cristalizar su nuevo teatro. El devenir de la zarzuela catalana es un eco de esos avatares: existen propósitos, se crearon obras válidas, pero jamás gozó de estabilidad.

BIBLIOGRAFÍA: F. Curet: *Historia del teatre cátala*, Barcelona, Aedos, 1967; X. Aviñoa: *La música i el modernisme*. Barcelona, Ed. Curial, 1985; F. Cortès: "La zarzuela en Cataluña y la zarzuela en catalán", *Cuadernos de Música Iberoamericana*, 2-3, 1996-97, 289-317.

FRANCESC CORTÈS I MIR

Zavala [Zabala] Arambarri, Cleto. Bilbao, 26-IV-1847; Madrid, 15-I-1912. Compositor, director y pianista. Inició los estudios musicales con su padre, organista y profesor de piano, y con Nicolás Ledesma, maestro de la basílica de Santiago de Bilbao. Amplió los de piano, armonía y composición en el Conservatorio de Madrid con Mendizábal, Hernando y Eslava, consiguiendo los primeros premios. A su vuelta a Bilbao estrenó varias obras y obtuvo fama con la ópera *La hija del pescador*, estrenada en enero de 1881. En marzo de ese año la Diputación Provincial de Vizcaya le concedió una pensión para ampliar estudios en Italia, donde permaneció cinco años. Durante este tiempo estrenó varias obras, entre ellas una tarantela compuesta en Nápoles que fue muy popular, y la marcha *Gloria a Vizcaya*, con la que ganó el primer premio en el certamen musical

*Cleto Zavala
(Foto: IMHA, 1888;
Ar. ICCMU)*

convocado para la Exposición provincial de Vizcaya en 1882. A su regreso fue pianista de la sociedad bilbaína liberal El Sitio, en la que comenzó a organizar un orfeón. Después se puso al frente del incipiente Orfeón Bilbaíno, que se convirtió en Sociedad Coral de Bilbao tras el concurso celebrado en junio de 1886, componiendo con éxito obras corales, misas y otras obras religiosas. Dimitió como director de la Sociedad Coral en 1889, tras un viaje a París que resultó un desastre económico. Buscando un campo más amplio para su trabajo como compositor se trasladó a Madrid, estrenando sus primeras obras líricas en la temporada 1894-95 en el teatro Eslava; fue maestro concertador en los teatros Novedades y Apolo, orientando su trabajo hacia el teatro lírico. *El señor barón*, zarzuela cómica con libreto de Federico Jaques, fue estrenada en el teatro Eslava el 16 de mayo de 1895. Consta de ocho breves números musicales y obtuvo cierto éxito, siendo publicada su reducción. En el mismo teatro estrenó el 16 de diciembre de 1895, la zarzuela *El niño de Jerez*, con libro de Eduardo Montesinos y Antonio Paso, que obtuvo gran éxito, en especial el pasodoble, que pasó a formar parte del repertorio de las bandas. Destaca también el "despropósito" *Varietés*, estrenado el 22 de marzo de 1899 en el Nuevo Teatro de Madrid, en colaboración con Vicente Lleó y con libreto de Eduardo Montesinos y Pascual Frutos, con éxito, sobresaliendo los cuplés, que en la edición del libreto incluyen al final diversos textos para las repeticiones, así como la Guajira, publicada por UME. El 24 de agosto de 1901 estrenó en los Jardines del Buen Retiro la ópera *Marcia*, con libreto de G. Cantó, sobre el tema de la defensa de Numancia. Otras composiciones de Zavala son una *Marcha* para gran orquesta con motivo de la jura de Alfonso XIII en 1902, el *Himno a Cervantes*, para el tercer centenario del *Quijote* en 1905. En palabras de la *Revista Musical* de Bilbao (I-1912), "Zavala era un compositor que conocía muy bien el mecanismo de su arte y no carecía de invención, manifestando abierta tendencia hacia la pompa meyerbeeriana que estaba en boga en la época de su mayor actividad artística"; no obstante, en sus zarzuelas acude a formas de consumo habituales en el repertorio de los teatros de segundo orden, basadas en ritmos de danzas urbanas.

OBRAS (Todas en E:Msa): *Las flores de Mayo o Puede el baile continuar*, Sai lír, 1 act, l, B. Ferrer Bittini, est, 26-IX-1894, Te. Eslava; *El señor barón*, Zarz cóm, 1 act, l, F. Jaques, est, 16-V-1895, Te. Eslava (UME); *El niño de Jerez*, Zarz cóm, 1 act, l, E. Montesinos / A. Paso Cano, est, 16-XII-1895, Te. Eslava; *De pillo a pillo*, Jug cóm-lír, 1 act, l, G. Cantó, est, 12-XI-1896, Te. Martín; *El pavo de la boda*, l, R. Valle / Pedrosa, est, 24-XII-1896, Te. Apolo; *Varietés*, despropósito cóm-lír, 1 act, col. Lleó Balbastre, l, E. Montesinos / L. Pascual Frutos, est, 22-III-1899, Te. Nuevo Teatro; *La parranda o El chaval*, l, C. Fernández / J. López, est, 1903, Te. Ruzafa (Valencia); *El canto de la codorniz*, Zarz, 1 act, col. Fonrat Alcoriza, l, J. Morales / A. Sainz, est, 10-XII-1904, Te. Novedades; *Nido galante*, Jug cóm-lír, 1 act, l, Cocat / Criado, est, 3-VIII-1905, Te. Nuevo Teatro; *El pañuelo verde*, pasillo lír, 1 act, col. Rivas Durán, l, P. Roca, est, 5-II-1906, Te. Romea; *El dominguillo*, 1 act, col. López Torregrosa, l, E. Sierra; *El Gran Duque*, 3 act, col. A. Rubio Laínez; *El reino de Coralina*; *La hija del pescador*, Óp, V, Co, Orq; *La reliquia*, couplet, col. F. Chaves Mínguez; *Los veteranos*, l, G. Cantó / E. Montesinos; *Una chica para todo*, col. Iturregui; *Valiente general*, l, J. Pardo / A. González Rendón.

BIBLIOGRAFÍA: *DMEH*.

RAMÓN SOBRINO

Zazo, Eulalia. España, siglo XX. Vedette. En 1934 participó en el reestreno de *Las corsarias* de Alonso en el teatro Martín. Pasó después a la compañía de Celia Gámez con la que estrenó *Yola* de Quintero e Irueste en 1941 en el Eslava. Posteriormente fue "supervedette" de la compañía de revistas de Antonio Paso que actuó en la Zarzuela en 1946, con diversas revistas de Montorio, como *¡¡¡Tabú!!!*, *El hombre que las enloquece*, *Buscando un millonario*, *Los últimos días de Mendo*, y la de Rosillo, *Una mujer imposible*.

BIBLIOGRAFÍA: E. García Carretero: *Historia del teatro de la Zarzuela de Madrid*, Madrid, Fundación de la Zarzuela Española, 2003.

EMILIO GARCÍA CARRETERO

Zori, Tomás. Madrid, 1925; Madrid, 3-IX-2002. Actor y tenor cómico. Debutó en el teatro Romea de Murcia como tenor cómico en *La del manojo de rosas*. Aunque triunfó tanto en el teatro como en el cine y la televisión, fue en la revista musical donde su éxito fue mayor. Tuvo una importante carrera cinematográfica, que abandonó en 1995 siendo *Maestros* su última película, pero su actividad fundamental fue el teatro y más concretamente la revista en la que obtuvo un gran éxito en 1950 con *Pescando millones*. Formó, junto a Fernando Santos y Manolo Codeso, uno de los tríos cómicos más populares de España, llenando los teatros. Debutaron como trío en La Coruña en 1942 en *Don Quintín el amargao* de Guerrero, iniciando una colaboración que duró veinte años y de la que *La blanca doble* de Guerrero constituyó su mayor éxito. Con Fernando Santos formó Zori, una pareja que estuvo trabajando más de cuarenta años en revista con vedettes como Lina Morgan, Esperanza Roy o Queta Claver.

FONOGRAFÍA: *¡Abajo las coquetas!*, Sonifolk 20133; *El antojo*, Sonifolk 20140; *El gran Clíper*, Sonifolk 20140; *La blanca doble*, Sonifolk 20133 • R 14551 (et. roja), C 7679-2 C 7680-2; *La Gran Vía*, Alhambra-BMG España WD 71587 (9D); *La orgía dorada*, Sonifolk 20134; *Las bribonas*, Sonifolk 20140; *Los babilonios*, Sonifolk 20140

• Columbia R 14792 R 14793, C 8469 a C 8472; *Los bullangueros*, Sonifolk 20133; *Miss Guindalera*, Sonifolk 20134; *Tres gotas nada más*, Sonifolk 20134 • Columbia R 14897 a R 14900, C 8841 a C 8847.

Mª LUZ GONZÁLEZ PEÑA

Zortzico [zortzikol]. Aire característico popular vasco, especie de danza de vueltas en rueda que se acompaña con el txistu y el tamboril, y se suele escribir en 5/8, según Pedrell. Para Pena y Anglés, consta de seis partes: saludo, *atzesku*, pasamanos, *zortzico* propiamente dicho, *jota* y *galop* final. Según se indica en *DMEH*, pese a que el zortzico debió nacer como ritmo musical y literario, que constituían una unidad, ambos elementos se separaron, reforzando cada uno de ellos su propia identidad, con lo que la estrofa antigua ya no se ajusta al nuevo ritmo de la danza. La melodía comprende una unidad de 8 compases, que puede medirse en 2/4, 5/8 o 6/8; el 5/8 parece proceder de una evolución del 6/8 determinada por la coreografía.

En la zarzuela, el zortzico suele ser utilizado para contextualizar musicalmente obras cuya acción se sitúa en tierras vascas, apareciendo con frecuencia también el txistu y el tamboril, como instrumentos típicos. Curiosamente, el primer ejemplo que se ha encontrado de zortzico en una zarzuela se debe al compositor navarro Gaztambide, que en *El valle de Andorra*, 1852, cuya acción se sitúa en el pequeño Principado pirenaico, incluye un zortzico en el Nº 9, final del segundo acto, en la segunda parte de la canción de Luisa, *Allegretto*, que es escrito en 6/8, como era frecuente que se transcribiese a mediados del siglo XIX, sin recurrir todavía al 5/8, estando la unidad rítmica formada por dos compases: en la primera mitad del primero aparece la figuración corchea, corchea con puntillo y semicorchea, en la segunda mitad, corchea y negra, y en el segundo compás, corchea y negra ligada a una negra con puntillo; la misma obra presenta pasajes en los que Colás aparece en escena junto al flautín y el tamboril; todo ello dio lugar a que la empre-

sa del teatro del Circo decidiera cambiar el vestuario de la obra, caracterizando a los personajes como vascos, y gracias a la popularidad de la obra, sucedió que en reuniones de gentes en las que había vascos, se hizo popular la frase "Que hablen los del Valle de Andorra" para pedir opinión a los vascos. Otro caso de interés en el que aparece un ritmo relacionado con el zortzico es debido a otro compositor navarro, Emilio Arrieta, en la zarzuela *Marina*, 1855, que en la primera sección de las conocidas seguidillas de Roque, cuyo texto comienza "La luz abrasadora de tus pupilas", parece escribir un ritmo de zortzico en 6/8, si se atiende a la acentuación resultante al cantar el pasaje; la segunda sección es una seguidilla que carece de relación con el ritmo esbozado en la primera sección. Deben recordarse igualmente los dos zortzicos de *La bruja* de Chapí, 1887, cuya acción transcurre en el navarro valle del Roncal, especialmente el Nº 12 de la obra, escena y zortzico, "Al cabo los del pueblo", correspondiente al segundo acto, donde el coro de pelotaris, junto con el coro en tiempo de zortzico del Nº 12 –con dulzainero y tamborilero– contribuyen a contextualizar musicalmente la obra. Chapí recurre también al zortzico en *La serenata*. El zortzico de *La bruja* es citado por Chueca en *El año pasado por agua*, revista del año anterior, estrenada en 1889, cuyo Nº 6, de estructura poliseccional, se inicia con el zortzico, sobre el que cantan dos enamorados, el Emigrante y la República. Miguel Marqués, que ya en 1875 había incluido un zortzico en la introducción al segundo acto de su zarzuela histórica *La monja alférez*, estreno en el verano de 1891 la obra *El zortzico*, con libreto de Emilio Sánchez Pastor, cuya acción tiene lugar en Pasajes en 1874. Otros autores que también emplean el zortzico son Giménez en *La cencerrada*; Calleja en *Emigrantes* y *Los monigotes del chico*; Quinito Valverde en *La galerna*; Larregla en *Miguel Andrés*; Penella en *El padre cura*; Martínez Valls en *La ventera de Ansó*; Alonso en *Ideal Festín*; y Guridi en *El caserío*. Igualmente es utilizado en la ópera de temática vasca.

BIBLIOGRAFÍA: *DBB; DMEH.*

RAMÓN SOBRINO

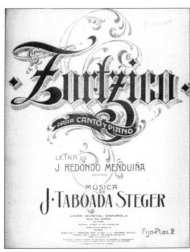

Cortesía de Unión Musical Ediciones SL

Zozaya, Juanita. La Habana, 1913; ? Tiple cómica. Hija de los artistas de la zarzuela española Ricardo y Joaquina Zozaya, y sobrina del escritor español Antonio Zozaya. Hizo su debut profesional como tiple cómica con la compañía Orozco en el teatro Actualidades de La Habana. Posteriormente pasó a formar parte de la compañía Suárez Rodríguez, en el teatro Martí, manteniéndose en dicho elenco durante dos años, en los que estrenó gran cantidad de obras del teatro lírico cubano, entre las que destacan *La perla del Caribe, La Habana que vuelve, Leonela, Tin tan te comiste un pan, El batey, Rosa la China, Mary tiene un hijo, Las sensaciones de Julia, La toma de Veracruz, La fiebre del loro* y *La señorita Rimel*. Su actuación más exitosa fue la realizada con el personaje de Isabel Ilincheta, en el estreno de la zarzuela lírica de Gonzalo Roig, *Cecilia Valdés.*

BIBLIOGRAFÍA: *LVB*; J. Bonich: "En la intimidad del camerino", *El Mundo*, La Habana, 30-VI-1932.

CLARA DÍAZ PÉREZ

Zubiaurre Urionabarrenechea, Valentín María.

Garay (Vizcaya), 13-II-1837; Madrid, 13-I-1914. Compositor. Uno de los grandes músicos del XIX español

*Valentín Mª Zubiaurre
(Xilgrafía de Pipas en* La Ilustración Americana, *1874; Ar. ICCMU)*

y figura básica para la historia de la ópera en España. Contemporáneo de Chapí, Bretón, Chueca y Monasterio, conforma la denominada segunda generación de compositores románticos españoles. Alumno de Hilarión Eslava, la ópera ocupó un lugar central en su producción como autor de *Luis Camoens, Don Fernando el Emplazado* y *Ledia,* así como de una extensa producción de música religiosa, de cámara y para piano. La zarzuela ocupó

un puesto marginal en su producción, no obstante fue autor de *El tigre del mar* con libreto de A. Arnao, *La perla del valle (Flor del valle),* libreto de García Santisteban, y *Los dos ciegos,* las dos últimas inconclusas.

BIBLIOGRAFÍA: *DMEH.*

EMILIO CASARES RODICIO

Zubizarreta, Jesús.

Cuba, siglo XX. Bajo. Ha realizado numerosas presentaciones en Cuba, Venezuela, México y Estados Unidos, habiendo formado parte de las compañías de Pepita Embil, Enrique Alonso, Luis Gimeno y Miguel de Grandy. Ha sido profesor de la Universidad de la Habana y del Hispanic American Institute of Arts de Nueva York.

BIBLIOGRAFÍA: A. J. Molina: *150 Años de zarzuela en Puerto Rico y Cuba,* San Juan, Ramallo Bros. Printing, 1998.

CLARA DÍAZ PÉREZ

Zubizarreta Arana, Víctor.

Bilbao, 8-XII-1899; Bilbao, 13-XI-1970. Organista y compositor. Inició sus estudios de solfeo, piano y órgano en la Academia Vizcaína de Música de Bilbao con Felipe Arando y Amadeo Baldor; más tarde Jesús Guridi y José Sainz Basabe le enseñaron órgano y armonía respectivamente. A los doce años sustituía ya en el órgano de la parroquia bilbaina de San Nicolás a Amadeo Baldor. Terminó sus estudios en el Conservatorio de Madrid, bajo la dirección de Bernardo Gabiola. En 1919 obtuvo el primer premio de armonía y en

1920 terminaba su carrera con unas oposiciones brillantísimas, en las que ganó el primer premio de órgano por unanimidad. Sus recitales por muchas ciudades españolas le dieron pronto a conocer como gran concertista. En 1922 se presentó a las oposiciones convocadas para cubrir la plaza de organista de San Francisco el Grande, de Madrid, sin conseguirla; en Bilbao el fallo fue considerado injusto, por lo que se le dedicó un homenaje.

En 1926 fundó en Bilbao la Schola Cantorum Santa Cecilia, coro compuesto de 150 voces de hombres y niños, dedicada al cultivo de la música religiosa según el espíritu de la reforma de la música litúrgica iniciada por Pío X. Entre sus objetivos se proponía también establecer una estrecha colaboración con otras entidades del mismo género, como la Capilla Isidoriana de Madrid o la Schola Cantorum de Comillas. Además de participar en las grandes solemnidades religiosas celebradas en la parroquia bilbaina de los Santos Juanes, la agrupación organizó numerosos conciertos públicos dedicados a la música religiosa y popular vasca, y viajó por muchas ciudades españolas dando a conocer diversas obras de estos géneros. Destacan dentro de su actividad los estrenos de numerosas obras de Vicente Goicoechea.

En 1936 Zubizarreta se hizo cargo de la organistía de la Basílica de Begoña, vacante por la emigración de Eduardo Gorosarri. Desempeñó este cargo hasta su fallecimiento. En 1949 pasó a dirigir el Conservatorio Vizcaíno de Música, centro en el que ocupaba la cátedra de órgano en la que había sustituido a Jesús Guridi. Dedicó gran atención a la música popular vasca; además de las obras que compuso con este carácter fue un decidido impulsor de los certámenes de ochotes y miembro activo de la Asociación de Txistularis en su primera época.

Es autor de obras para conjunto de cámara, piano, órgano, siendo su principal dedicación la música religiosa. Su producción coral de carácter vasco es importante, destacando las canciones populares armonizadas para coro o voces solistas.

En el campo de la música escénica abordó diversas modalidades. La obra *Acuarela bilbaina. Estampas líricas sobre motivos populares de principios de siglo,* con texto de Julián de Echevarría y José Luis Albéniz, alterna las partes habladas con la música. El ballet *Kardin o ¿cuál de los tres?,* cuento sin palabras de Manuel de la Sota y música de Zubizarreta, estrenado al completo en Bilbao en 1931 y dado a conocer en Madrid el mismo año, fue definido por Pablo Bilbao Arístegui como "obra robusta de técnica orquestal e ingrávida de gracia y ternura, feliz amalgama de humor y lirismo". Zubizarreta abordó además el teatro lírico con *Melania,* opereta bufa en tres actos con libreto del marqués de Bolarque y del conde de Superunda. Fue estrenada en mayo de 1933 en el Coliseum de Madrid, dirigida por el mismo Zubizarreta.

OBRAS (Todas en *E:Msa*): *Al son del tamboril*, col. Escudero, I, J. Echevarría / J. L. Albéniz; *Melania*, Opt, 3 act, I, marqués de Bolarque / conde de Superunda, est, V-1933, Te. Coliseum; *Blanca Nieves*, 2 act, I, J. L. de Sertucha, est, 13-XII-1933, Bilbao; *Érase un juglar*, Zarz, 3 act, *E:Msa*; *La señalada*, I, J. Urrutia Alcorta.

BIBLIOGRAFÍA: *DMEH*.

EMILIO CASARES RODICIO

Zúffoli Villademoros, Eugenia. Roma, 1903; Madrid, 1982.

Eugenia Zúffoli
(Foto: Ar. Museo
del teatro
de Almagro)

Actriz y cantante. Debutó a los ocho años con *Los chorros del oro* de los Quintero. Formaba parte de la compañía de Manuel Fernández de la Puente en el teatro de la Zarzuela la temporada 1913-14. Posteriormente actuó en el Gran Teatro de Madrid como vicetiple en la primera década del siglo y obtuvo grandes éxitos en zarzuela, opereta y revista, como en *Arco Iris* de Aulí y Benlloch, y en los siguientes estrenos de la compañía. En 1922 pasó a formar parte de la compañía del teatro Apolo, regentado por Eulogio Velasco, que dio un giro a la orientación de la catedral del género chico dedicándole a las revistas de visualidad al estilo parisino y sustentando su repertorio en Eugenia y María Caballé, hermosas tiples, entre las que el público estableció una gran competencia. Ambas triunfaron en *Arco Iris* y la repentina enfermedad de María Caballé logró que la Zúffoli triunfase en *¡Ave César!* de Vicente Lleó estrenada en 1922 en la que se hizo cargo de los dos papeles principales. En febrero de 1923 se estrenó *La tierra de Carmen* de Pablo Luna, que supuso otro gran éxito para la tiple. No fue tan afortunada su interpretación de *La revoltosa* en la Fiesta del Sainete de 1923. El éxito de *La reina patosa* de Forns, en 1923 en el teatro Cómico, lo revalidó Eugenia en el teatro Martí de La Habana, destacando la prensa cubana la ductilidad del talento de la Zúffoli que lo mismo se adaptaba a la opereta que a la revista. En noviembre de 1923 junto a Ramón Peña estrenó en el teatro de la Zarzuela la opereta *La noche azul*. En 1925 era primera figura de la compañía del teatro Maravillas, donde estrenó la comedia lírica *La veneciana* de José Forns, que obtuvo un gran éxito, junto a María Puchol y Salvador Videgain. En 1923 estrenó en el teatro de la Zarzuela *Los gavilanes* de Guerrero, junto a su esposo, José Bódalo, Ramón Peña, Emilio Vendrell y Emilia Iglesias. En 1925 estrenó en Maravillas la opereta *Ciboulette*, que había tenido en París más de quinientas representaciones.

Eugenia Zúffoli desapareció del plantel de Apolo abandonando el género de la revista en el que había dado sus primeros pasos para consagrarse como actriz. Casada desde los catorce años con el primer actor José Bódalo, llegó a primera actriz con compañía propia que dirigía su esposo y a finales de los años cincuenta protagonizó *Charí*, comedia de Colette, con Vicente Parra. Su hijo, José Bódalo, fue un actor muy destacado.

FONOGRAFÍA: *Los gavilanes*, Blue Moon BMCD 7538; *Arco Iris*, N 5570 (et. verde), 87127.

BIBLIOGRAFÍA: *DAT*; *HGZ*; *OCCE*; *TA*; Ribas Montenegro: "Eugenia Zúffoli. La tiple de los grandes, foscos, pero serenos ojos", *Nuevo Mundo*, 1658, 30-X-1925; G. Martínez Sierra: *Un teatro de arte en España, Madrid, 1917-1925*, París, 1925.

Mª LUZ GONZÁLEZ PEÑA

Zulema. Zarzuela oriental en un acto. Música de Ernesto Elorduy. Libreto de Rubén M. Campos. Orquestación de Ricardo Castro. Estrenada (*alla italiana*) el 22 de enero de 1902 en el teatro del Conservatorio de México. Estreno definitivo el 2 de mayo de 1903 en el teatro Principal, con nueva orquestación de Eduardo Vigil y Robles.

Personajes y reparto. Zulema, favorita del harem (Guadalupe Roig / Luisa Labal, soprano). Muley-Hasán, príncipe esclavo (Genaro Aristi / José del Campo, tenor). Selim Pachá (José Pastor, barítono). Zoraida, vieja nómada, contralto. Omar, viejo esclavo, bajo. Abdalá, trovero, barítono.

Orquestación (según versión definitiva de Eduardo Vigil y Robles). 2 Flautas, oboe, 2 clarinetes, fagot, 2 trompas, 2 cornetines, 2 trombones, figle, timbales, bombo, platos, arpa y cuerda.

Argumento. La acción se desarrolla en Estambul, en 1877. Zulema, llevada a la fuerza al harem, es la favorita de Selim Pachá y Muley-Hasán es un príncipe árabe convertido en esclavo a quien ama secretamente. Al alzarse el telón, Zulema ha arreglado que un batelero la lleve a un jardín al lado del Bósforo, donde encontrará a Muley. Amparados por la noche y tras soslayar el hecho de que Zulema sea parte del harén, se abandonan a una escena de pasión. Zulema informa a Muley acerca de la proclama que libera a todos los esclavos árabes que se alisten para pelear con el ejército otomano contra los rusos. A pesar de los temores de Zulema, Muley seguirá el camino de la guerra para, así, conseguir su libertad. En la escena segunda, el batelero que trasladó a Zulema la traiciona cuando se dirige al bazar en busca de Omar, oficial caído en desgracia ante Selim y a quien vende el secreto de la reunión de Zulema por veinte zequíes de oro. Al cambiar el decorado aparece Zoraida, vieja nómada que canta con voz profética a un grupo de árabes que Muley, hoy esclavo, es en realidad un príncipe y que será rey; pero ni los árabes ni nadie, parecen escucharla. En cambio, todos atienden la trágica historia de Yusuf, quien cuenta su propia desgracia: siendo señor de Salónica, una mujer le tiende una trampa y es ofuscado y trasladado a Estambul donde se le convierte en eunuco del harén. Por ello, Yusuf no irá a la guerra sino a buscar su propia venganza. Enseguida, Abdalá, otro árabe, canta unas coplas que evocan la antigua pérdida de Granada. Al finalizar la escena reaparecen Omar y el batelero, quien jura por el Corán que dice la verdad respecto al encuentro secreto de Zulema y Muley.

En la escena tercera la acción se traslada al harén. Ahí las bayaderas entonan un seductor coro para entretener a Selim. Enseguida entra Omar quien hace notar al Sultán la ausencia de Zulema y le revela el encuentro de ésta con Muley en los propios jardines del palacio. Enfurecido, el Sultán llama a sus hombres y sale intempestivo, no sin antes amenazar de muerte a Omar en caso de que éste mienta. En la escena cuarta, Muley y Zulema continúan gozando su encuentro y cuando ven aparecer tras los árboles la luz de las antorchas, es demasiado tarde. Selim, enfurecido, ordena que acudan a él las otras mujeres del harén. Entonces, prenda por prenda y joya por joya, desviste a Zulema y reparte la ropa y joyas entre las demás. "Desnuda te compré en Monastir y desnuda te arrojo de mi serrallo", advierte. Mientras tanto Muley, también enfurecido, ha intentado golpear al Sultán. Selim, niega a Muley la aplicación del salvoconducto que le permita ir a la guerra e indica a Omar que debe matar a Muley y enseñarle, al día siguiente, el lugar donde yace su osamenta. Pero Omar ha escuchado algo de la canción de la vieja Zoraida en el bazar. Así que tras quedarse solos, pregunta a Muley si es cierto que es un príncipe árabe, convertido en esclavo. En ese momento entra Zoraida y confirma la historia. Con quinientos zequíes de oro compra la libertad de Muley quien a su vez, promete a Omar abandonar Constantinopla inmediatamente. Al finalizar la escena, Omar cuenta el oro seguro de encontrar una osamenta en las calles de Estambul que le permita engañar al sultán y Muley piensa en huir y en Zulema, su amor.

En la última escena el escenario se traslada al mercado de esclavas. Zulema llora y se lamenta de su suerte y otras esclavas hacen eco de su lamento. Pero con el primer rayo de la mañana, Muley irrumpe en el mercado, vestido de jeque y con un séquito de árabes que le siguen. Impetuoso, arroja al judío dueño de Zulema una bolsa henchida de zequíes de oro y rescata a Zulema. Juntos huyen al desierto y se reiteran apasionadamente su amor.

Números musicales. Nº 1. Coro de Bateleros, "¡Alláh nos dé una buena noche!". Nº 2. Duetino de Zulema y Muley, "¡Muley, amor mío, ven!". Nº 3. Coro de Musulmanes, "¡Musulmanes! Rusia nos amenaza". Nº 4. Coro de Árabes, "¡Alhalí! ¡Alhalí!". Nº 5. Canción de Zoraida, "Digo la buena ventura". Nº 6. Coplas de Abdalá, "De España nuestros abuelos". Nº 7. Marcha y coro, "¡Gloria al Islam!". Nº 8. Bailables y coro de bayaderas, "Somos las diosas del placer". Nº 9. Dúo de Zulema y Muley, "¡Oh, amor! Amor divino". Nº 10. Preludio. Orquesta. Nº 11. Pequeño coro, "Nuestro amo y señor Selim". Nº 11. Romanza de Muley, "Azrael, divino ángel de la muerte". Nº 12. Romanza de Zulema, "La pobrecita esclava de Monastir". Nº 13. Coro de Esclavas, "Del vergel de la vida somos las pasionarias". Nº 14. Final. Zulema y Muley, "¡El desierto! ¡Oh mi príncipe!".

Comentario. *Zulema* fue, sin lugar a dudas, la más lograda y original de las zarzuelas mexicanas. Lejos de repetir los éxitos de quienes habían recurrido al retrato lírico-escénico de tipos locales o al humor del género chico, Campos y Elorduy decidieron incursionar con originalidad en el difícil terreno de la zarzuela de género grande y en esa empresa quisieron, además, dar rienda suelta a una de sus fascinaciones compartidas: el oriente, el embeleso por ese permisible paraíso imaginario donde tantas cosas se volvían plausibles. En efecto, y al igual que los pintores victorianos, que Ingres o Leighton, Rubén M. Campos imaginaba escenas inauditas para la moral y estética de aquel entonces, pero cuya evocación artística era un poderoso imán: mujeres desnudas, semiconscientes a fuerza de inhalar en el *narghile* alguna sustancia misteriosa, moviéndose al ritmo de músicas sensuales, provocativas; todo ello alrededor de un testigo privilegiado, un pachá de los sueños. Tales imágenes resultaban imposibles de llevar a una escena mexicana, so pena de convertir la zarzuela en una obra sicalíptica. En cambio, el mítico mundo del Islam era el escenario perfecto: ahí sí era posible llevar a escena cosas inenarrables como una Zulema que es desvestida por el malvado Selim enfrente de su harén y del público; unas bayaderas que envueltas en tules transparentes fuman opio y toman café e incluso una historia en la que nadie podía creer en 1899: la de unos esclavos que se sublevan y que al final de la obra se alzan sobre el soberano. De manera extraordinaria, *Zulema* y su argumento anticipan los acontecimientos que habrían de dar inicio a la Revolución Mexicana de 1910. De hecho, conforme transcurrían los años del porfiriato, las comparaciones entre Porfirio Díaz y Abdul Hamid, Sultán de Turquía, fueron creciendo pues tanto en México como en Estados Unidos se solía comparar a ambos personajes en virtud de su prolongada estancia en el poder y de la férrea mano con la que manejaron el destino de sus respectivos países. No se sabe si Campos o Elorduy eran conscientes de esta circunstancia, pero en todo caso, se trató de una lectura que la obra no podía dejar de generar, más allá de las intenciones de sus respectivos autores. Quizá por ello, salvo una esporádica reposición en 1907, nunca volvió a los escenarios tras su estreno en 1903.

Por otra parte es claro que esa invocación del oriente imaginario encuadraba perfectamente en el exotismo modernista, con el exotismo *azul* impulsado por Darío y que el propio Campos conocía. No es casual que el argumento de *Zulema* haya aparecido en el último número del año 1899 de la *Revista Moderna*, espacio donde los artistas y literatos de vanguardia encontraron un medio ideal para propugnar por su novedosa estética. Por su parte, la fascinación por Turquía de Elorduy nacía de circunstancias personales. Convertido a los doce años en uno de los más ricos herederos de México –pues sus padres, ricos hacendados zacatecanos, habían muerto prematuramente– Ernesto y su hermano emprendieron un viaje por Europa que se prolongó por dieciocho años. Residieron durante largas temporadas en Hamburgo y luego en París. Pero agotados los encantos de Europa occidental, viajaron por los Balcanes y Turquía. Para Ernesto el viaje fue definitivo pues a partir de entonces cultivó un acendrado gusto por lo exótico, por lo oriental, afición que habría de reflejarse en su música; no sólo en *Zulema*, sino en su *Serenata árabe, Airam, Aziyadé,* y en otras canciones y piezas *árabes* para piano. Quienes en su momento escucharon estas obras –Campos entre ellos– hablaron de una cierta recuperación de la herencia mozárabe, de una anticipación a la patria "castellana y morisca" de López Velarde. Para Elorduy, personaje ajeno a interpretaciones culturales y a cualquier tipo de lucubración intelectual, el uso de esos giros melódicos seudo-orientales era solamente una herramienta fantástica que distinguía su paleta sonora y que –al igual que Campos– le permitía imaginar cosas prohibidas para expresarlas en términos musicales. No es casualidad que *Airam*, una de sus obras "orientales" de mayor éxito, haya sido precisamente un palíndroma: *María*, María Mangino de Ydrac, misteriosa dedicataria de varias de sus obras, con toda probabilidad secreta y evasiva amante del maestro.

Tras un breve preludio orquestal cuyo tema volverá a escucharse cuando Zulema lamenta la supuesta muerte de Muley y su triste destino en el mercado de esclavas, la zarzuela oriental inicia con un característico coro de bateleros que rema sobre las aguas del Bósforo, invocando la protección nocturna de Alá. Ya en este coro, Elorduy deja escuchar esa paleta sonora de tintes orientales que era característica de su música y que reaparecerá en otros números de la obra. Sin embargo, la originalidad de la zarzuela surge de su mestizaje, del desenfadado eclecticismo de un autor que sin recato, toma de cada mundo sonoro a su alcance lo que le conviene: de la zarzuela española, la estructura y la facilidad melódica de los tradicionales coros; de la ópera, un dramatismo inspirado en Delibes o Massenet muy apto para ciertos momentos cruciales; y de su propia ins-

piración –del estilo que ya había forjado para entonces en un amplio repertorio para el piano– la sensualidad rítmica de sus danzas, el peculiar abanico oriental por él desarrollado, y una inagotable inspiración lírica que le es natural, espontánea y que Elorduy dejará fluir sin aparentes reservas o revisiones.

Zulema es pues, una curiosa mezcla de elementos que por separado pueden encontrarse en distintas fuentes, pero que obedecen a los propósitos de una singular receta de inconfundible sabor y aroma; incapaz de ser confundida con algunas mezclas similares. Y es que al igual que Elorduy otros artistas en distintas latitudes, también experimentaban con ingredientes parecidos o incluso, idénticos. La búsqueda de lo exótico constituye una vertiente muy socorrida en distintas óperas y zarzuelas de fin de siglo pues permitió experimentar con tintes particulares –en ocasiones de índole dramática y escénica, a veces también musical– tanto como con el desarrollo de tramas por demás inverosímiles. *Zulema*, en tanto zarzuela oriental, guarda cierta relación con todas ellas gracias a lo trágico de su historia –aunque con final feliz– y al empleo de un lenguaje musical que como en *Lakmé* o *Turandot* busca la representación sonora del ambiente exótico de la trama. Pero no sólo en el gran mundo de la ópera se encuentran referencias exóticas. Arthur Sullivan estrenó precisamente en 1899 su opereta *The rose of Persia*, un divertimento sobre el mismo trasfondo oriental en el que un sultán tiene problemas en su harén, repleto de provocativas bayaderas que también bailan y cuyos personajes secundarios –Yusuf, Abdalá– pasan del Estambul mexicano al medio oriente londinense– como si todo el mundo árabe fuera uno solo, como si todos los musulmanes se llamaran igual y cual si se tratase de viejos comediantes que lo mismo saben su parte en la versión seria que en la *buffa*. Claro está que en la opereta de Sullivan hay muchos ingredientes iguales, otros muy parecidos, pero el resultado es por demás diverso. *Zulema* tiene una prima hermana inglesa, nacida el mismo año, pero cuyos rasgos musicales jamás permitirían adivinar que pertenecen a una misma familia ya que Sullivan, más allá de las diferencias dramáticas y en contraste con Elorduy o Puccini, no intenta dar su discurso musical ningún giro *oriental* ni exótico.

Situados dentro de la partitura, bien pueden distinguirse algunos de sus elementos estilísticos más importantes de *Zulema*, así como señalarse uno o dos puntos que denotan la efectiva noción dramática que Elorduy, lamentablemente, no exploró en ninguna otra obra para la escena. Por ejemplo, tras el empleo de ciertos recursos nada extraordinarios –cantos al unísono para los coros masculinos que invocan a Alá y su profeta, o el empleo de la escala menor armónica en el coro de árabes (con sus curiosos saltos de séptima)– se adivina el sencillo secreto oriental de Elorduy, las simples herramientas que aportan la dosis requerida para dar a un discurso tonal eminentemente romántico, el toque de orientalismo que tanto gustaba al compositor. Sin embargo, no hay un abuso de tales recursos pues la obra recurre a estos toques de color exótico sólo en algunos coros y escenas típicas como son la canción de Zoraida o las coplas cantadas por Abdalá en medio del bazar. Por lo demás, el estilo de la escritura oscila efectivamente entre el discurso sencillo de las zarzuelas tradicionales y un coqueteo con cierto tipo de escritura operística que aflora en los duetos de los amantes. Como ejemplo de lo primero puede tomarse el referido coro de las bayaderas, cuya melodía podría situarse en cualquier escena de zarzuela y cuya sencillez está perfectamente calculada para ser aprehendida de inmediato: si al abandonar el teatro los asistentes recordaban algunas melodías de la zarzuela, ésta habrá sido una de ellas, pues además de su sencillez, estaba presentada con toda alevosía en el seductor entorno del harén. Pero a estos aspectos, hasta cierto punto predecibles, se contraponen momentos mucho más elaborados e interesantes. Por ejemplo, cuando Zulema explica a Muley que el Sultán compró su cuerpo, mas no su alma, la diferencia es acentuada por una escritura armónica que de manera muy efectiva cambia de modo en el momento preciso, recurriendo a la ecuación menor=cuerpo / mayor=alma que deviene en un efecto musical de impactante dramatismo. Por lo demás, el momento culminante de la obra, cuando la pareja canta su amor antes de ser sorprendida por el Sultán, muestra la efectividad de Elorduy para construir un clímax de clara raigambre operística: mientras los protagonistas temerosos de ser descubiertos comienzan su escena en Re menor, al momento definitivo anhelan morir uno en brazos del otro, se trasladan definitivamente a Mi bemol mayor y dejan, como en las mejores óperas, que la orquesta corrobore lo profundo e inquebrantable de su amor repitiendo con intensidad la melodía del dueto que acaban de entonar.

En cuanto a la influencia en *Zulema* de las danzas y piezas para piano que son sinónimo de su autor, los ejemplos se asoman por diversas partes. Los hay demasiado obvios como ocurre con la música destinada al baile de las bayaderas en el harén y que bajo cualquier título pudo haber vendido innumerables copias destinadas a los pianos de los salones mexicanos. Pero aún en las escenas cantadas, sorprender a Ernesto Elorduy transcribiendo al mundo del teatro lírico el encanto de alguna de sus danzas no cuesta mucho trabajo como lo demuestra el inicio de la canción de Zoraida, una gitana que se sitúa a medio camino entre la Azucena de *Il trovatore* y *Carmen* y su habanera, ya que Zoraida es una vieja gitana que lee el futuro, predice el curso de la trama y lo hace con un ritmo de cadencia y sensualidad que aunado a sus exóticos unísonos el autor bien pudo haber usado como introducción para cualquiera de sus socorridas y gustadas danzas orientales. Todos estos pasajes son ejemplos de los distintos recursos idiomáticos empleados por Elorduy en su singular empresa oriental.

Al reseñar el estreno de la zarzuela en 1902, el compositor Gustavo E. Campa hizo un atinado resumen de las virtudes y características de la obra, señalando con claridad que "en su género, es de lo mejor y más inspirado que se ha escrito en México". Por su parte, al reestrenarse la pieza en 1903, *El Imparcial* se refería así a este estreno: "Podemos resumir la impresión del público en dos palabras: asombro y admiración".

Toda una tradición de cultivar la zarzuela en México alcanzaba con *Zulema* uno de sus mejores momentos, no sólo por la originalidad de sus circunstancias sino por lo extraordinario de su factura. Era ésta una zarzuela que no debía nada a sus predecesoras, una obra sin antecedentes más allá de su forma exterior y sin embargo, resultó ser la creación más importante y original del repertorio mexicano. Pero más que comparar a *Zulema* con otras zarzuelas o con las óperas mexicanas de su tiempo, vale la pena insistir en lo peculiar de su factura, en esa producción de matices modernistas, de sutilezas, de desenfado, pero sobre todo, poseedora de una música evocativa y de enorme sentir lírico, fiel reflejo de las mejores virtudes de su autor.

Fuentes manuscritas. La partitura (sin partes vocales) se conserva en el Fondo Reservado de la Biblioteca del Centro Nacional de las Artes de México. La partitura de canto y piano autógrafa se conserva en el archivo particular de Ricardo Miranda, Xalapa, Veracruz (México).
Ediciones de música. Canto y piano, varios números, Otto y Arzóz, 1903.
Ediciones del libreto. *Revista moderna*, II, 12, México, XII-1899.
BIBLIOGRAFÍA: *RHTM*; R. Miranda: "La zarzuela en México, Jardín de senderos que se bifurcan", *Cuadernos de Música Iberoamericana*, 2-3, Madrid, 1996-97, 451-73; —: *Ecos, alientos y sonidos*, ensayos sobre música mexicana, México, Fondo de Cultura Económica, 2002.

RICARDO MIRANDA PÉREZ

Zumel Saltrú, Enrique. ?, 1822; Madrid, 18-X-1897. Dramaturgo, novelista y actor. Fue el intérprete de sus obras en muchas ocasiones. Fue director de *La España Artística*. Escribió novelas, dramas, comedias y obras de magia y de santos. Sus estrenos se produjeron casi siempre en teatros de importancia menor como El Recreo, La Infantil, Martín, Recoletos, Romea, aunque llegó a estrenar una obra en el teatro de la Zarzuela, *Dos damas para un galán* con música de Manuel Nieto y Antonio Llanos en 1876. Su aportación al género lírico la llevó a cabo con diversos compositores, siendo Manuel Sabater el más asiduo, ya que con él estrenó *El nacimiento del Mesías*, Martín, 1871, *La montaña de las brujas*, Martín, 1872, *La degollación de los inocentes* y *El torrente milagroso*, Martín,

1873, *La condesa Diana*, zarzuela fantástica de gran espectáculo, Romea, 1875 y *La diosa de la tempestad*, Martín, 1884. Con Rafael Taboada colaboró en tres ocasiones: *Teoría y práctica*, Recoletos, 1881, *Las dos llaves*, Recoletos, 1882 y *Los diablos del día*, Martín, 1885. Pero escribió también para otros como Francisco Vilamala: *Quimeras de un sueño*, teatro El Recreo, 1874, y *La ley del embudo* y *El carnaval de Madrid*; Tomás Reig: *¡Si era la otra!*, teatro La Infantil, 1889 y *Un lío en el ropero*; Tomás Calamita: *El aya*, teatro La Infantil, 1889; Mangiagalli: *¿Quién es el calvo?*, escrita en colaboración con Gabriel Merino, Martín, 1890, estrenada con gran éxito; Luis Conrotte: *El Sanson de Alfajarín*, Romea, 1891 y Ángel Ruiz: *El cintillo prodigioso*, Martín, 1893. Con Ruiz y Calamita escribió *La comedia de Ubrique*; con Hernández *Venir por lana*; con Rogel *La isla de los portentos* y con Arche *Por huir de una mujer*, *In fraganti* y *El cinturón de Hipólita*.

Aunque algunos de sus dramas y comedias tuvieron éxito en el momento, han desaparecido del repertorio.

BIBLIOGRAFÍA: *CDE*; *DAT*; R. Gullón (Dir.): *Diccionario de literatura española e hispanoamericana*, Madrid, Alianza, 1993.

Mª LUZ GONZÁLEZ PEÑA

Zurrón, Vicente. Zaragoza, 2-II-1871; Madrid, 10-VI-1915. Compositor y pianista. Destacó desde joven como pianista tras estudiar dicho instrumento en el Conservatorio de Madrid con Teobaldo Power y José Tragó. De hecho en 1904 su *Allegro de concierto* estuvo entre las obras finalistas del concurso promovido por Bretón en el Conservatorio de Madrid, que ganó Granados, aunque no faltó quien dijo que era mejor el de Zurrón; la obra se editó y se utilizó en algún concurso posterior. En 1902 su *Cuarteto con piano en Re mayor* había sido premiado por la Sociedad Filarmónica de Madrid, siendo estrenado por el Cuarteto Hierro al año siguiente; según Cecilio de Roda, el cuarteto revelaba "un compositor de talento, familiarizado con los procedimientos clásicos y un contrapuntista consumado". Su interés por la zarzuela era debido a su amistad con Ruperto Chapí, músico del que fue siempre un entusiasta seguidor, realizando la reducción para piano de su ópera *Margarita la Tornera* y una a cuatro manos del *Cuarteto en Sol mayor*. Así en 1895 estaba junto al maestro de Villena en el teatro Eslava, componiendo algunas zarzuelas en un acto, como *La rapaza*, cuya acción se sitúa en los Picos de Europa y en cuya partitura se incluían algunos números del folclore asturiano. La relación con Chapí también le llevó a figurar dentro del proyecto de revitalizar la zarzuela grande en el Circo de Parish, donde trabajó como repetidor y estrenó algunas obras como la opereta *La afrancesada*, ubicada en las vísperas de la famosa batalla de Bailén en 1808; en el libreto había colaborado Miguel Chapí Selva, hijo del famoso compositor, que también escribió el libreto de su última zarzuela *Los hombres de genio*, sainete madrileño estrenado en el Novedades en 1913. La producción lírica de Vicente Zurrón, además de ser fruto de su trabajo en los teatros de su época, sigue el interés de dignificar el género nacional de su maestro y amigo Chapí, a quien siempre tuvo como modelo.

OBRAS (Todas en *E:Msa*): *El lugar del suceso*, Jug, est, 15-III-1895, Te. Eslava; *La rapaza*, Zarz cóm, 1 act, l, F. Jaques, est, 19-XII-1896, Te. Eslava; *La afrancesada*, Opt, 1 act, l, M. Chapí / R. Asensio, est, 3-III-1899, Te. Circo de Parish; *La retreta*, Zarz, 1 act, l, J. Francos Rodríguez / J. González Llana, est, 1899?, Te. Circo de Parish?; *Tute de amor*, Zarz, 1 act, l, L. Aneiros / R. Godoy, est, 30-IV-1900; *Los hombres de genio*, Sai lír, 1 act, l, M. Chapí / R. Asensio, est, 12-V-1913, Te. Novedades; *El cazador de milanos*, Zarz, 1 act, l, L. Pascual Frutos / J. G. Ontiveros; *El tren 22*; *La bella-Ortiz*, 1 act; *Ser más listo que Cardona*.

VÍCTOR SÁNCHEZ SÁNCHEZ

APÉNDICES

FONOGRAFÍA

Zarzuelas grabadas en disco compacto (CD)*

A La Habana me voy. F. Alonso y D. Montorio / A. Paso y M. Paso, Gardenia Discos VE-0304-2(CD 1).

¡A todo color! M. Parada de la Puente / G. Fernández Shaw y R. Fernández Shaw, Sonifolk 20148.

¡A vivir del cuento! M. Faixá y F. Moraleda / J. Muñoz Román, Gardenia Discos VE-CX-0264-2 (CD 1).

¡Abajo las coquetas! J. Guerrero / A. Paso (hijo) y F. García Loygorri, Sonifolk 20133.

¡Abracadabra! F. García Morcillo / C. Llopis, Gardenia Discos VE-0305-2 (CD 1).

Acis y Galatea. A. Literes / J. de Cañizares, Harmonia Mundi, 05472 77522 2.

Adiós a la bohemia. P. Sorozábal / P. Baroja, Columbia-BMG España WD 74386 (9D) • EMI 7243 5 74345 2 2 (637.05345 • Erkarlean KD-491 / 2 • Hispavox 7 67434 2 (637.83508).

Agua, azucarillos y aguardiente. F. Chueca / M. Ramos Carrión, Blue Moon BMCD 7536 • EMI 7243 5 74152 2 4 (637.00320) • Hispavox 7 67331 2 (637.33859) • Montilla CDFM-3025 • Columbia-BMG España WD 71433 (9D).

Alhambra. F. Díaz Giles y E. Acevedo / L. Fernández de Sevilla y F. Prada, Blue Moon BMCD 7549.

Alma de Dios. J. Serrano / C. Arniches y E. García Álvarez, Alhambra-BMG España WD 71587 (9D).

Amor partido en dos. J. Quintero / L. Tejedor y F. Vázquez Ochando, Gardenia Discos VE-0304-2 (CD 1).

Aquella canción antigua. J. Dotras Vila / F. Romero, Blue Moon BMCD 7517.

¡Aquí Leganés! F. García Morcillo / J. M. Iglesias Ortega, Gardenia Discos VE-CX-0260-2 CD 1.

Arco Iris. J. Benlloch y J. Aulí / T. Borrás, Gardenia Discos VE-CX-0263-2 (CD 2).

Azabache. F. Moreno Torroba / A. Quintero y P. Guillén, Blue Moon BMCD 7544.

Black el payaso. P. Sorozábal / F. Serrano Anguita, EMI 7243 5 74227 2 7 (637.02706) • Hispavox 7 67431 2 (637.77070) • Blue Moon BMCD 7534.

Blanco y negro. F. Moraleda y E. Pérez Rosillo / F. Cano, Sonifolk 20141.

Bohemios. A. Vives / G. Perrín y M. Palacios, Blue Moon BMCD 7507 • Columbia-BMG España WD 71434 (9D) • Columbia-BMG-Ariola-Salvat 1041-2 • EMI 7243 5 74209 2 1 (637.02680) • Hispavox 7 67322 2 (673.33800) • Blue Moon BMCD 7551.

Cançó d'amor i de guerra. R. Martínez Valls / L. Capdevila, V. Mora, Columbia-BMG España WD 71466 (9D) • Columbia-BMG-Ariola-Salvat 1065-2 (Son los mismos intérpretes) • Blue Moon BMCD 7506.

Cándido Tenorio. J. Guerrero / J. Fernández del Villar, Sonifolk 20126.

---

* Se citan por orden alfabético. El autor de la música y del libreto se separan por el símbolo /. Las distintas grabaciones se separan con el símbolo•. Siguen las Antologías de zarzuela y los dedicados a preludios e intermedios. Enlas entradas correspondientes a las obras se podrán encontrar más datos: director, cantantes,orquesta y coro.

Cecilia Valdés. G. Roig / A. Rodríguez y J. Sánchez-Arcilla, Montilla CDFM 118.

Charivari. J. Padilla y R. Martínez Valls / J. M. Solana y J. Viñas, Blue Moon MCD 7552.

Cinco minutos nada menos. J. Guerrero / J. Muñoz Román, Sonifolk 20124.

Clementina. L. Boccherini / R. de la Cruz, Nuova Era-Rete 2-RSI 1181.

Colibrí. E. Rosillo / J. Vela y J. L. Campúa, Gardenia Discos VE-0305-2 (CD 2).

Colomba. F. Moreno Torroba y F. Moraleda / J. M. Arozamena y L. Tejedor, Gardenia Discos VE-0307-2 (CD 1).

Colorín Colorao. M. Parada / G. Fernández Shaw y R. Fernández Shaw, VE-CX-0261-2 (CD 2).

¡Conquístame! D. Montorio / A. Paso y M. Paso, Gardenia Discos VE-0308-2 (CD2).

Cuadros disolventes. M. Nieto / G. Perrín y M. Palacios, Sonifolk VE-CX-0264-2 (CD 2).

De Madrid al cielo. D. Montorio y G. García Segura / B. Flores y A. Castilla, Gardenia Discos VE-CX-0263-2 (CD 1).

¡Déjate querer! J. Guerrero / A. Paso y J. J. Cadena, Sonifolk 20135

¡Devuélveme mi señora! D. Montorio y A. Algueró Jr. / A. Paso y M. Paso, Sonifolk VE-CX-0264-2 (CD 2).

Don Gil de Alcalá. M. Penella / M. Penella, Alhambra-BMG España WD 74553 (9D) • Blue Moon BMCD 7513 • Columbia-BMG-Ariola-Salvat 1056-2.

Don Manolito. P. Sorozábal / L. Fernández de Sevilla, A. C. Carreño, Alhambra-BMG España WD 71581 (9D) • Blue Moon BMCD 7518 • Hispavox 7 67430 2 (637.77096) • Zafiro-Salvat 1055-2 • EMI 7243 5 74343 2 4 (637.05451).

Doña Francisquita. A. Vives / F. Romero y G. Fernández Shaw, Audivis Valois V 4710 • EMI 7243 5 74209 2 1 (637.02680) • Hipavox 7 67322 2 (673.33800) • Sony Classical S2K 66563 • Blue Moon BMCD 7501 • Columbia-BMG España WD 71440 (9H).

Doña Mariquita de mi corazón. F. Alonso / J. Muñoz Román, Blue Moon BMCD 7545 • Sonifolk 20119.

Dos millones para dos. J. M. Irueste y F. García Morcillo / C. Llopis, Gardenia Discos VE-0305-2 (CD 2).

Dos Virginias. F. Moraleda / L. Navarro Ungría, Gardenia Discos VE-0309-2 (CD 1).

Duros a cuatro pesetas. A. Algueró / O. Tagliabue Viegas y A. Turalles, Gardenia Discos, VE-0309-2 (CD 2).

El ama. F. Alonso / L. Fernández Ardavín, Blue Moon BMCD 7512 • Blue Moon BMCD 7540.

El amigo Melquíades. J. Serrano y J. Valverde / C. Arniches, Alhambra-BMG España WD 74393 (9D).

El anillo de hierro. M. Marqués / M. Zapata, Alhambra-BMG España WD 74555 (9D).

El antojo. E. Pérez Rosillo, Francisco Alonso, Rafael Calleja / M. Villacañas, Sonifolk 20140.

El año pasado por agua. F. Chueca y J. Valverde / R. de la Vega, Blue Moon BMCD 7536.

El asombro de Damasco. P. Luna / A. Paso y J. Abati, Zafiro-Salvat 1048-2.

El baile de Luis Alonso. G. Giménez / J. de Burgos, Alhambra-BMG España WD 71464 (9D).

El baile del Savoy. P. Abraham (adap P. Luna) / J. J. Cadenas y A. Paso Díaz, Sonifolk 20150

El barberillo de Lavapiés. F. A. Barbieri / L. M. de Larra, Alhambra-BMG España WD 71978 (9D) • EMI 7243 5 74163 2 0 (637.00346) • Audivis Valois V 4731.

El barbero de Sevilla. G. Giménez y M. Nieto / G. Perrín y M. Palacios, Alhambra-BMG España WD 74552 (9D).

El bateo. F. Chueca / A. Paso y A. Domínguez, Alhambra-BMG España WD 74393 (9D).

El caballero del amor. J. Dotras Vila, Blue Moon BMCD 7517.

El cabaret de la academia. C. del Campo, J. Tellería / D. Goitia y M. Monterde, Blue Moon BMCD-Regal RS 548 (K686) • Blue Moon BMCD 7542.

El cabo primero. M. Fernández Caballero / C. Arniches y C. Lucio, Alhambra-BMG España D 71589 (9D).

El cafetal. E. Lecuona / G. Sánchez Galarraga, Zafiro-Salvat 1061-2.

El canastillo de fresas. J. Guerrero / G. Fernández Shaw y R. Fernández Shaw, Columbia 74321 33841 2.

El cantante enmascarado. F. Díaz Giles / S. Adame Martínez, Blue Moon BMCD 7549.

El cantar del arriero. F. Díaz Giles / A. Torrado y S. Adame, Columbia-BMG-Ariola-Salvat 1028-2 • Blue Moon BMCD 7513.

El caserío. J. Guridi / F. Romero y G. Fernández Shaw, Alhambra-BMG España WD 71468 (9D) • EMI 7 67451 2 (637.64938) • EMI 7243 5 74156 2 0 (637.00411).

El ceñidor de Diana. F. Alonso / A. Paso y R. González del Toro, Gardenia Discos VE-CX-0264-2 (CD 1).

El collar de Afrodita. J. Guerrero / E. Marquina y J. J. Cadenas, Sonifolk 20126.

El conde de Luxemburgo. F. Lehár (adap V. LLeó) / J. J. Cadenas, Blue Moon BMCD 7531.

El chaleco blanco. F. Chueca / M. Ramos Carrión, Columbia-BMG España WD 74389 (9D).

El diablo verde. J. Padilla, V. Quirós / Rafael M. Valls, L. Torres, Blue Moon BMCD 7552.

El divino calvo. F. Balaguer / A. Lapena y N. de Salas, Gardenia Discos VE-0305-2 (CD 1).

El divo. F. Díaz Giles / P. Galán y L. Torres, Blue Moon BMCD 7549.

El dúo de la Africana. M. Fernández Caballero / M. Echegaray, Zafiro-Salvat 1034-2 • Blue Moon BMCD 7520 • Alhambra-BMG España WD 74387 (9D).

El Gallo. F. Alonso / E. Joyet, F. Lozano, E. Arroyo y F. Torres, Gardenia Discos VE-0308-2 (CD2).

El hijo fingido. J. Rodrigo / J. M. Arozamena y V. Kamhi, EMI

El hombre que las enloquece. D. Montorio / A. Paso Cano y M. Paso Andrés, Gardenia Discos VE-0307-2 (CD 1).

El huésped del Sevillano. J. Guerrero / J. I. Luca de Tena y E. Reoyo, Columbia 74321 33034 2 • Alhambra-BMG España WD 71809 (9D) • Blue Moon BMCD 7538 • EMI 7 67450 2 (637.64920) • EMI 7243 5 74214 2 3 (637.06277).

El mal de amores. J. Serrano / J. Álvarez Quintero y S. Álvarez Quintero, Alhambra-BMG España WD 74554 (9D) • Blue Moon BMCD 7543.

El milagro de la Virgen. R. Chapí / M. Pina Domínguez, Naxos Historical AAD 8.110726.

El niño judío. P. Luna / E. García Álvarez y A. Paso, Alhambra-Columbia-BMG España WD 71807 (9D) • Columbia-BMG-Ariola-Salvat 1027-2.

El oso y el madroño. J. Guerrero / J. López Lerena y P. Llabrés Rubio, Sonifolk 20135

El país de los tontos. J. Guerrero / E. Paradas y J. Jiménez, Blue Moon BMCD 7532 • Sonifolk 20136.

El príncipe Carnaval. J. Valverde y J. Serrano / R. Asensio Mas, Blue Moon BMCD 7508.

El puñao de rosas. R. Chapí / C. Arniches y R. Asensio Mas, Columbia-BMG España WD 74391 (9D) • Columbia-BMG-Ariola-Salvat 1044-2.

El renegado. F. Díaz Giles / S. Adame y A. Torrado Estrada, Blue Moon BMCD 7549.

El rey que rabió. R. Chapí / M. Ramos Carrión y V. Aza, Blue Moon BMCD 7520 • Blue Moon BMCD 7525 • BMG España WD 71806 (9D) • EMI 7 67455 2 (637.64979) • EMI 7243 5 74229 2 5 (637.02631).

El romeral. F. Díaz Giles y E. Acevedo / J. Muñoz Román y D. Serrano, Blue Moon BMCD 7549.

El santo de la Isidra. T. López Torregrosa / C. Arniches, Alhambra-BMG España WD 74392 (9D).

El sobre verde. J. Guerrero / E. Paradas y J. Jiménez, Blue Moon BMCD 7541 • Sonifolk 20125.

El soldado de chocolate. O. Strauss / J. Zaldívar, Blue Moon BMCD 7533.

El tambor de granaderos. R. Chapí / E. Sánchez Pastor, Columbia-BMG España WD 71591 (9D) • Columbia-BMG-Ariola-Salvat 1047-2.

El último güito. F. García Morcillo / J. M. Iglesias, Gardenia Discos VE-0305-2 (CD 2).

El último romántico. R. Soutullo y J. Vert / J. Tellaeche, Blue Moon BMCD 7547 • Columbia-BMG España WD 75124 (9D).

En plena locura. J. Benlloch, E. Granados (hijo) y B. Terés / T. Borrás y S. Franco Padilla, Gardenia Discos VE-CX-0263-2 (CD 1).

¡Eres un sol! D. Montorio / A. Paso, M. Paso, Sonifolk 20150.

Esta noche no me acuesto. A. Cabrera / J. Gasa y J. A. de Prada, Sonifolk 20148.

Eureka. E. Clará, Blue Moon BMCD 7537.

Flores de lujo. J. Forns / J. J. Cadenas, Gardenia Discos VE-CX-0260-2 CD1.

Gigantes y cabezudos. M. Fernández Caballero / M. Echegaray, Alhambra-BMG España WD 71465 (9D) • Blue Moon BMCD 7509 • EMI 7243 5 74155 2 1 (637.00338).

¡Gol! J. Guerrero / F. Ramos de Castro y G. Ribas, Sonifolk 20125.

Golondrina de Madrid. J. Serrano / L. Fernández de Sevilla, Blue Moon BMCD 7543.

Gran Cliper. E. Pérez Rosillo, F. Alonso y R. Calleja / M. Villacañas, Sonifolk 20140.

Gran Revista. F. Moraleda y E. Pérez Rosillo / F. Cano, Sonifolk 20141.

¡Hola, Cuqui! F. Moreno Torroba / L. Tejedor, Gardenia Discos VE-0304-2 (CD 2).

Hoy como ayer. M. Simons, J. Straus y F. Moraleda / A. Lara "Tono" y E. Llovet. Gardenia Discos VE-0308-2 (CD1).

Jazz Band. M. Penella, Blue Moon BMCD 7503.

Jugar con fuego. F. A. Barbieri / V. de la Vega, Columbia-BMG España WD 74556 (9D) • Columbia-BMG-Ariola-Salvat 1057-2.

Júpiter y Semele. A. Literes / J. Cañizares, Harmonia Mundi 987036/37.

Katiuska. P. Sorozábal / E. González del Castillo y M. Martí Alonso, Alhambra-BMG España WD 71585 (9H) • Zafiro-Salvat 1037-2 • EMI 7243 5 74161 2 2 (637.00353) • Blue Moon BMCD 7516 • Hispavox 7 67330 2 (637.33842).

Kosmopolis. J. Dotras Vila / J. Amiche Bert, Blue Moon BMCD 7537.

La alegre trompetería. V. Lleó / A. Paso, Sonifolk 20139.

La alegría de la huerta. F. Chueca / E. García Álvarez y A. Paso, Alhambra-BMG España WD 71589 (9D) • Blue Moon BMCD 7536.

La alsaciana. J. Guerrero / J. Ramos Martín, Blue Moon BMCD 7540 • Alhambra-BMG España WD 71591 (9D) • Columbia 74321 33034 2 • Columbia-BMG-Ariola-Salvat 1047-2.

La bien amada. J. Padilla / J. Andrés de la Prada, EGT 663.

La blanca doble. J. Guerrero / E. Paradas y J. Jiménez, Blue Moon BMCD 7541 • Sonifolk 20133.

La boda de Luis Alonso. G. Giménez / J. de Burgos, Alhambra-BMG España WD 71464 (9D).

La bruja. R. Chapí / M. Ramos Carrión, Columbia-BMG España WD 75125 2 (9H) • Columbia-BMG-Ariola-Salvat 1058-2 y 1059-2.

La calesera. F. Alonso / E. González del Castillo y L. Martínez Román, Alhambra-BMG España WD 71810 (9D) • Blue Moon BMCD 7539

La calle 43. J. Guerrero / J. Vela y E. Martínez, Sonifolk 20128.

La canción del olvido. J. Serrano / F. Romero y G. Fernández Shaw, Blue Moon BMCD 7514 • Alhambra-BMG España WD 71436 (9D) • Columbia-BMG-Ariola-Salvat 1035-2 • EMI 7243 5 74157 2 9 (637.00361) • Hispavox 7 67332 2 (637.33867) • Palau de la Música EGT 720.

La canción del Tirol. J. M. Torrens / G. A. Mantua y R. Ros, Sonifolk 20149.

La caramba. F. Moreno Torroba / L. Fernández Ardavín, Blue Moon BMCD 7526.

La castañuela. F. Alonso y E. Acevedo / E. González del Castillo y J. Muñoz Román, Blue Moon BMCD 7511.

La Cenicienta del Palace. F. Moraleda / C. Somonte, Gardenia Discos VE-CX-0262-2 (CD 1).

La corte de faraón. V. Lleó / G. Perrín y M. de Palacios, Blue Moon BMCD 7503 • Alhambra-BMG España WD 71441 (9D).

La chacha, Rodríguez y su padre. J. Padilla / J. Muñoz Román, Gardenia Discos VE-CX-0261-2 (CD 1).

La chula de Pontevedra. P. Luna y E. Bru / E. Paradas y J. Jiménez, Columbia-BMG España WD 71590 (9D).

La chulapona. F. Moreno Torroba / F. Romero y G. Fernández Shaw, Columbia-BMG España WD 71977 (9D).

La del manojo de rosas. P. Sorozábal / F. Ramos de Castro, A. C. Carreño, Columbia-BMG España WD 71583 (9H) • Hispavox 7 67325 2 (637.33818) • EMI 7243 5 74158 2 8 (637.00395) • Blue Moon BMCD 7514.

La del Soto del Parral. R. Soutullo y J. Vert / A. C. Carreño y L. Fernández de Sevilla, Columbia-BMG-Ariola-Salvat 1032-2 • EMI 7243 5 74228 2 6 (637.02623) • Alhambra-Columbia-BMG España WD 71582 (9D).

La dogaresa. R. Millán / A. López Monís, Columbia-BMG España WD 71808 (9D) • Columbia-BMG-Ariola-Salvat 1049-2.

La Dolores. T. Bretón / J. Feliú y Codina, Blue Moon BMCD 7550.

La Dolorosa. J. Serrano / J. J. Lorente, Columbia-BMG España WD 71588 (9D) • EMI 7243 5 74216 2 1 (637.02698) • Hispavox 7 67334 2 (637.33883) • Blue Moon BMCD 7524.

La duquesa del candil. J. García Leoz / G. Fernández Shaw y R. Fernández Shaw, Blue Moon BMCD 7510.

La estrella de Egipto. F. Moraleda / A. Ortega, Gardenia Discos VE-CX-0264-2 (CD 2).

La eterna canción. P. Sorozábal / L. Fernández de Sevilla, Blue Moon BMCD 7521 • EMI 7243 5 74344 2 3 (637.05337) • Hispavox 7 67433 2 (637.77054).

La fama del tartanero. J. Guerrero / L. Manzano y M. de Góngora, Columbia 74321 33033 2 • Blue Moon BMCD 7514.

La fiesta de San Antón. T. López Torregrosa / C. Arniches, Alhambra-BMG España WD 74392 (9D).

La gatita blanca. G. Giménez y A. Vives / J. Jackson Veyán y J. Capella, Zafiro-Salvat 1050-2.

La generala. A. Vives / G. Perrín y M. de Palacios, EMI 7 67473 2 (637.65513) • EMI 7243 5 74340 2 7 (637.05329) • Blue Moon BMCD 7523 • Zafiro-Salvat 1052-2.

La Gran Vía. F. Chueca y J. Valverde / F. Pérez y González, Alhambra-BMG España WD 71587 (9D) • Blue Moon BMCD 7536 • EMI 7243 5 74152 2 4 (637.00320) • Hispavox 7 67331 2 (637.33859) • Rtve-Música 65150.

La ilustre moza. F. Moreno Torroba / L. Tejedor y L. Muñoz Lorente, Blue Moon BMCD 7526.

La legio d'honor. R. Martínez Valls / V. Mora, Blue Moon BMCD 7506.

La leyenda del beso. R. Soutullo y J. Vert / E. Reoyo, A. Paso, y J. Silva Aramburu, Blue Moon BMCD 7547 • BMG España WD 71463 (9D)

La loca juventud. J. Guerrero / J. Ramos Martín, Sonifolk 20128.

La locura de Alicia. M. Palos / C. Cervera Benlloch y V. Forcada, Gardenia Discos VE-0308-2 (CD2).

La mala sombra. J. Serrano / J. Álvarez Quintero y S. Álvarez Quintero, Blue Moon BMCD 7543.

La marcha de honor. R. Soutullo y J. Vert / L. Blanco y A. Lapena, Blue Moon BMCD 7547.

La marchenera. F. Moreno Torroba / R. González del Toro y F. Luque, Alhambra-BMG España WD 75127 (9D).

La media de cristal. J. Guerrero / J. Vela y E. Martínez Sierra Sonifolk 20125.

La mejor del puerto. F. Alonso / L. Fernández de Sevilla y A. C. Carreño, Gardenia Discos VE-0309-2 (CD 1).

La melitona. J. Guerrero / F. de Torres y E. Paso, Sonifolk 20127.

La montería. J. Guerrero / J. Ramos Martín, Columbia 74321 330302 • Zafiro-Salvat 1050-2.

La moza que yo quería. F. Díaz Giles / J. de Lucio, Blue Moon BMCD 7549.

La niña de la Mancha. E. Rosillo / J. L. Campúa y J. Vela, Gardenia Discos VE-CX-0262-2 (CD 1).

La orgía dorada. J. Guerrero y J. Benlloch / P. Muñoz Seca, P. Pérez Fernández y T. Borrás, Sonifolk 20134.

La parranda. F. Alonso / L. Fernández Ardavín, Columbia-BMG España WD 71467 (9D) • EMI 7243 5 74213 2 4 (637.02649).

La pícara molinera. P. Luna / A. Torres del Álamo y A. Asenjo, Blue Moon BMCD 7535.

La picarona. F. Alonso / E. González del Castillo y L. Martínez Román, RCA BMG, 82876 501162 • Blue Moon BMCD 7539.

La pipa de oro. E. Rosillo y J. M. Mollá / E. Paradas y J. Jiménez, Gardenia Discos VE-0304-2 (CD 2).

La princesa de Czarda. E. Kalmann / C. Giralt, Blue Moon BMCD 7533.

La princesa del dóllar. L. Fall / B. Güell, Blue Moon BMCD 7508 • Blue Moon BMCD 7508.

La princesa Tarambana. F. Alonso / C. Arniches y J. Abati, Gardenia Discos VE-CX-0263-2 (CD 1).

La reina Mora. J. Serrano / S. Álvarez Quintero y J. Álvarez Quintero, Blue Moon BMCD 7546 • Columbia-BMG-Ariola-Salvat 1042-2 • EMI 5 72908 2 (637.36324) • EMI (941) 7243 5743412 6 • Columbia-BMG España WD 74391 (9D).

La revoltosa. R. Chapí / C. Fernández Shaw y J. López Silva, Alhambra-BMG España WD 71438 (9D) • Hispavox 7 67328 2 (637.33826) • EMI 7243 5 74162 2 1 (637.00312) • Rtve-Música 65150.

La rosa del azafrán. J. Guerrero / F. Moreno y G. Fernández Shaw, Columbia-BMG España WD 71442 (9D)

• EMI 7243 5 74155 2 1 (637.00338) • Columbia 74321 330312 • Blue Moon BMCD 7527 • Blue Moon BMCD 7540.

La Rosario. P. Sorozábal / F. Romero y G. Fernández Shaw, Blue Moon BMCD 7534.

La rubia del Far-West. E. Rosillo / F. Romero y L. Germán, Gardenia Discos VE-0307-2 (CD 1).

La rumbosa. F. Alonso / P. Millán Astray, L. Fernández de Sevilla, Blue Moon BMCD 7528.

La sal por arrobas. J. Guerrero y P. Luna / A. Paso, Sonifolk 20129.

La suerte negra. F. Alonso y E. Acevedo / J. Muñoz Román y D. Serrano, Gardenia Discos VE-CX-0262-2 (CD 1).

La tabernera del puerto. P. Sorozábal / F. Moreno y G. Fernández Shaw, Columbia-BMG España WD 71469 (9H) • Hispavox 7 67325 2 (637.33818) • Zafiro-Salvat 1030-2 y 1031-2 • EMI 7243 5 74158 2 8 (637.00395) • Blue Moon BMCD 7518.

La taquillera del cinema. P. Godes y L. Torres Nin / A. G. Mantua, Demon, Blue Moon BMCD 7507.

La tempestad. R. Chapí / M. Ramos Carrión, Alfa Delta AD-ZK-009/94 • Columbia-BMG-Ariola-Salvat 1062-2 y 1063-2.

La tempranica. G Giménez / J. Romea, Zafiro-Salvat 1051-2.

La verbena de la Paloma. T. Bretón / R. de la Vega, Audivis Valois V 4725 • Blue Moon BMCD 7550 • Blue Moon BMCD 7505 • Carillón • Columbia-BMG España WD 71435 (9D) • EMI 7243 5 74162 2 1 (637.00312) • Hispavox 7 67328 2 (637.33826) • Philips.

La viejecita. M. Fernández Caballero / M. Echegaray, Blue Moon BMCD 7509 • Zafiro-Salvat 1043-2.

La zapaterita. F. Alonso / J. L. Mañes, BMG España-RCA ND 74203 (9D).

Ladronas de amor. F. Alonso / J. Muñoz Román y F. Lozano, Blue Moon BMCD 7515 • Sonifolk 20120.

Las alegres cazadoras. F. García Morcillo / L. Fernández de Sevilla y L. Tejedor Pérez, Sonifolk 20148.

Las alondras. J. Guerrero / F. Romero y G. Fernández Shaw, Sonifolk 20136.

Las bribonas. R. Calleja / A. Martínez Viérgol, Sonifolk 20140.

Las campanas de la Gloria. E. Rosillo / A. Paso (padre). y A. Estremera. Sonifolk 20150.

Las cariñosas. F. Alonso / E. Arroyo Lamarca y E. Arroyo Sánchez, Gardenia Discos VE-0308-2 (CD1).

Las castigadoras. F. Alonso / F. Lozano, J. Mariño y E. Mariño, Blue Moon BMCD • Parlophon B 25756-

II, Gramófono AE 1955 AE 1872, Odeón 182043b • Blue Moon BMCD 7542 • Gardenia Discos VE-CX-0261-2 (CD 2).

Las cuatro copas. L. Navarro y A. Algueró / I. F. Iquino, Gardenia Discos VE-CX-0260-2 (CD 2).

Las de armas tomar. F. Alonso / A. Paso Díaz, F. G. Loygorri, VE-CX-0261-2 (CD 1).

Las de Caín. P. Sorozábal (padre) y P. Sorozábal (hijo) / J. Álvarez Quintero y S. Álvarez Quintero, EMI 7243 5 74342 2 5 (637.05311) • Hispavox 7 67432 2 (637.77062).

Las de Villadiego. F. Alonso / E. González del Castillo y J. Muñoz Román, Sonifolk 20147.

Las dictadoras. M. Faixá y J. Mollá / R. M. Moreno, Gardenia Discos VE-0308-2 (CD2).

Las faldas. E. Rosillo / E. González del Castillo y J. Muñoz Román, Gardenia Discos VE-0309-2 (CD 2).

Las golondrinas. J. M. Usandizaga / G. Martínez Sierra, Blue Moon BMCD 7529 • Columbia-BMG España WD 75126 2 (9H) • Columbia-BMG-Ariola-Salvat 1053-2 y 1054-2 • EMI 7 67453 2 (637.64953) • EMI 7243 5 74215 2 2 (637.02672) • Homokord HC 004.

Las hilanderas. J. Serrano / F. Olivier Blue Moon BMCD 7546 • Alhambra-BMG España WD 74554 (9D).

Las inyecciones. J. Guerrero / P. Muñoz Seca, Sonifolk 20136.

Las leandras. F. Alonso / E. González del Castillo y J. Muñoz Román, Blue Moon BMCD 7542 • Blue Moon BMCD-Odeón 183302-304, SO 7392-96 SO 7409 • Gardenia Discos VE-CX-0260-2 CD 1.

Las mimosas. E. Rosillo / E. González del Castillo y J. Muñoz Román, Gardenia Discos VE-CX-0261-2 (CD 1).

Las mujeres de Lacuesta. J. Guerrero / A. Paso (hijo). y F. G. Loygorri, Sonifolk 20135.

Las niñas de peligros. J. Guerrero / E. Paso y J. Silva Aramburu, Sonifolk 20126.

Las pavas. E. Rosillo / J. Vela y E. Sierra, Gardenia Discos VE-0304-2 (CD 1).

Las tentaciones. J. Guerrero / A. Paso, A. Torres del Álamo y A. Asenjo, Sonifolk 20127.

Las tocas. F. Moraleda, E. Pérez Rosillo / F. Cano, Sonifolk 20141.

Las viudas de alivio. F. Alonso / E. González del Castillo y J. Muñoz Román, Gardenia Discos VE-0309-2 (CD 1).

¡Llegó el ciclón! A. Algueró / J. Silva Aramburu y J. Gasa, Gardenia Discos VE-0307-2 (CD 1).

Llévame donde tú quieras. F. Alonso / M. Paso Andrés, A. Paso Díaz,Gardenia Discos VE-CX-0261-2 (CD 2).

Lo verás y lo cantarás. E. Lehmberg y T. Leblanc / A. Paso (hijo), M. Paso y E. Paso, Gardenia Discos VE-CX-0262-2 (CD 2).

Los babilonios. E. Rosillo / J. Fernández Díez, Sonifolk 20140.

Los brillantes. J. Guerrero / A. Quintero y A. Torrado, Sonifolk 20127.

Los bullangueros. J. Guerrero / J. J.Cadenas y E. González del Castillo, Sonifolk 20133.

Los cadetes de la reina. P. Luna / J. Moyrón, EMI 5 72908 2 (637.36324) • EMI 7243 5 74341 2 6 (637.05303). • Regal 33 LCX 126.

Los caracoles. J. Guerrero / E. Paso y J. Silva Aramburu, Sonifolk 20127.

Los claveles. J. Serrano / Luis F. de Sevilla y A. C. Carreño, Columbia-BMG España-Alhambra WD 71588 (9D) • EMI 7243 5 74213 2 4 (637.02649) • Blue Moon BMCD 7510.

Los cuatro besos. A. Algueró / I. F. Iquino, Prada y Navarro, Gardenia Discos VE-CX-0263-2 (CD 2).

Los de Aragón. J. Serrano / J. J. Lorente, Blue Moon BMCD 7546 • Columbia-BMG España WD 71590 (9D) • Carrillon-Diapason CAL 31.

Los diamantes de la corona. F. A. Barbieri / F. Camprodón, RCA-BMG España 74321 35973 2.

Los dos iguales. F. Moraleda / L. Tejedor y M. Taramona, Gardenia Discos VE-0307-2 (CD 2).

Los faroles. J. Guerrero / E. Paradas, Sonifolk 20128.

Los flamencos. A. Vives / F. Romero y G. Fernández Shaw, Blue Moon BMCD 7551.

Los gavilanes. J. Guerrero / J. Ramos Martín, Alhambra-BMG España WD 71432 (9D) • Blue Moon BMCD 7504 • Blue Moon BMCD 7538 • Columbia 74321 33032 2 • EMI 7243 5 74154 2 2 (637.00379) • Hispavox 7 67429 2 (637.77088) • Rtve-Música 65085.

Los guayabitos. F. Moreno Torroba / R. González del Toro, F. de Torres y R. Peña, Gardenia Discos VE-CX-0262-2 (CD 2).

Los líos de Elías. Quiroga y Segovia / A. Torrado y F. Márquez, Gardenia Discos VE-0309-2 (CD 2).

Los Países Bajos. J. Guerrero / C. Paradas y M. Jiménez, Sonifolk 20124.

Los sobrinos del capitán Grant. M. Fernández Caballero / M. Ramos Carrión, Alhambra-BMG España WD 75123 (9D).

Los verderones. J. Guerrero / F. de Torres y A. Paso (hijo), Sonifolk 20126.

Luisa Fernanda. F. Moreno Torroba / F. Romero y G. Fernández Shaw, EMI 7243 5 74153 2 3 (637.00387) • Columbia-BMG España WD 71437 (9D) • Hispavox-Montilla 7 67329 2 (637.33834) • Auvidis Valois V 4759 • Blue Moon BMCD 7504 • Blue Moon BMCD 7522.

Luna de miel en El Cairo. F. Alonso / J. Muñoz Román, Sonifolk 20120.

Manuelita Rosas. F. Alonso / L. Fernández Ardavín, Blue Moon BMCD 7512.

Maravilla. F. Moreno Torroba / A. Quintero y J. M. Arozamena, Blue Moon BMCD 7526.

María de la O. E. Lecuona / G. Sánchez Galarraga, Zafiro-Salvat 1033-2.

María la tempranica. F. Moreno Torroba y G. Giménez / J. Romea y R. González del Toro, Blue Moon BMCD 7544.

María Sol. J. Guerrero / J. Ramos Martín, Blue Moon BMCD 7538.

Marina. E. Arrieta / F. Camprodón y M. Ramos Carrión, Columbia-BMG España WD 71586 (9H) • Aria Recording, 1007 • Blue Moon BMCD 7502 • Valois / Audivis V 4845.

Martierra. J. Guerrero / A. Hernández Catá, Blue Moon BMCD 7527.

Maruxa. A. Vives / L. Pascual Frutos, Columbia-BMG España WD 71584 (9H) • EMI 7 67452 2 (637.64946) • EMI 7243 5 74212 2 5 (637.02664) • Aria Recording, 1031 • Blue Moon BMCD 7530 • Columbia-BMG-Ariola-Salvat 1038-2 y 1039-2.

Me acuesto a las ocho. F. Alonso / J. Vela y J. L. Campúa, Gardenia Discos VE-CX-0260-2 (CD 2).

Me llaman la presumida. F. Alonso / F. Ramos de Castro y A. C. Carreño, Blue Moon BMCD 7528.

Metidos en harina. F. García Morcillo / M. Baz, Gardenia Discos VE-0307-2 (CD 2).

Mi costilla es un hueso. F. Alonso / J. Vela y E. Sierra, Blue Moon BMCD 7545 • Sonifolk 20122.

Miss Guindalera. J. Guerrero / A. Torres del Álamo y A. Asenjo, Sonifolk 20134.

Molinos de viento. P. Luna / L. Pascual Frutos, Alhambra-BMG España WD 74388 (9D) • Blue Moon BMCD 7523 • Columbia-BMG-Ariola-Salvat 1045-2 • EMI 7243 5 74226 2 8 (637.02656) • Hispavox 7 67333 2 (637.33875) • Blue Moon BMCD 7535.

Moros y cristianos. J. Serrano / E. Cerdá y M. Thous, Columbia-BMG España WD 74389 (9D) • Columbia-BMG-Ariola-Salvat 1042-2 • Blue Moon BMCD 7524.

Mujeres de fuego. F. Alonso / E. González del Castillo y J. Muñoz Román, Gardenia Discos VE-0305-2 (CD 1).

Mujeres de papel. D. Montorio / A. Paso y M. Paso, Gardenia Discos VE-0308-2 (CD1).

¡Oh!..¡Tiro-liro! J. Padilla y L. Ferreira "Ferri" / J. Silva Aramburu, Sonifolk 20148.

¡Oiga… oiga! G. Cases y A. Musso / A. Paso y E. Paso, Sonifolk VE-CX-0264-2 (CD 2).

Paca la telefonista. E. Daniel / A. C. Carreño y L. Fernández de Sevilla, Blue Moon BMCD 7507.

Pan y toros. F. A. Barbieri / J. Picón, Alhambra-BMG España WD 74390 (9D) • Columbia-BMG-Ariola-Salvat 1029-2.

París-Madrid. J. Guerrero, Sonifolk 20129.

Pelé y Melé. J. Guerrero / F. de Torres, E. Paradas y J. Jiménez, Blue Moon BMCD 7532 • Sonifolk 20128.

Peppina. R. Stoltz y G. Cases / F. Lozano y E. Arroyo, Gardenia Discos VE-CX-0264-2 (CD 1).

Pitos y palmas. F. Alonso / S. Álvarez Quintero y J. Álvarez Quintero, Sonifolk 20149

¡Por si las moscas! F. Alonso / J. Vela y J. L. Campúa, Gardenia Discos VE-0307-2 (CD 2).

¡Qué cuadro el de Velázquez esquina a Goya! F. Moraleda / J. Muñoz Román, Gardenia Discos VE-0305-2 (CD 2).

¡Que me la traigan! F. Alonso, Sonifolk 20147.

¿Qué pasa en Cádiz? F. Alonso / J. Vela y J. L. Campúa, Gardenia Discos VE-0309-2 (CD 1).

¡Qué sabes tú! E. Rosillo / J. Ramos Martín, Sonifolk 20141.

¡Que se mueran las feas! M. Martínez Faixá y J. Martínez Mollá / A. Paso, A. Paso (hijo) y S. Aramburu, Sonifolk 20149 • Blue Moon BMCD 7537.

¡Róbame esta noche! F. Alonso y D. Montorio / A. Paso y M. Paso, Blue Moon BMCD 7519 • Sonifolk 20119.

Romanza húngara. J. Dotras Vila / V. Mora, Blue Moon BMCD 7517.

Rosa la china. E. Lecuona / G. Sánchez Galarraga, Montilla Musical Industries CDMF-75 • Zafiro-Salvat 1064-2.

Rosa la pantalonera. F. Alonso / J. Lerena y P. Llabrés, Blue Moon BMCD 7511.

Roxana la cortesana. P. Luna / A. Torres del Álamo y A. Asenjo, Blue Moon BMCD 7537.

Rumbo a pique. S. Ruiz de Luna / R. Duyos y V. Vila-Belda, Gardenia Discos VE-CX-0262-2 (CD 2).

S. E. la embajadora. F. López / A. Rigel y J. M. Arozamena, Gardenia Discos VE-0304-2 (CD 2).

Secreto de estadio. E. Cofiner / I. Ballestero, Gardenia Discos VE-CX-0261-2 (CD 1).

Si Fausto fuera Faustina. J. Quintero y F. Moraleda / J. L. Sáenz de Heredia y F. Vázquez Ochando, Gardenia Discos VE-0305-2 (CD 1).

Sole la peletera. J. Guerrero / A. Torres del Álamo y A. Asenjo, Sonifolk 20124.

Su majestad la mujer. J. Guerrero / J. López Lerena y P. Llabrés, Sonifolk 20136.

¡Taxi... al cómico! F. Alonso y A. García Cabrera / J. A. Prado Delgado, Sonifolk 20122.

Tentación. D. Montorio / A. Paso y M. Paso, Gardenia Discos VE-CX-0262-2 (CD 1).

Todo el año es carnaval. J. Guerrero y V. Lleó, Sonifolk 20139.

Tres días para quererte. F. Alonso / F. Lozano, Blue Moon BMCD 7519 • Sonifolk 20139.

Tres gotas nada más. J. Guerrero / E. Paradas y J. Jiménez, Sonifolk 20134.

Tú eres la otra. D. Montorio / M. Paso, Gardenia Discos VE-CX-0262-2 (CD 2).

Una cana al aire. F. García Morcillo / M. Baz, Gardenia Discos VE-0304-2 (CD 1).

Una mujer imposible. E. Rosillo y D. Montorio / A. Paso y M. Paso, Gardenia Discos VE-CX-0264-2 (CD 1).

Una rubia peligrosa. F. Alonso, Sonifolk 20147.

Una jovencita de 800 años. F. Moraleda y E. Cofiner / J. Muñoz Román, Gardenia Discos VE-CX-0260-2 CD2.

Vacaciones forzosas. G. Irueste y F. García Morcillo / C. Llopis y C. Fernández Montero, Blue Moon BMCD 7548 • Gardenia Discos VE-0309-2 (CD 2).

¡Vales un Perú! F. Alonso, Sonifolk 20147.

¡24 Horas mintiendo! F. Alonso / F. Ramos de Castro y J. Gasa, Blue Moon BMCD 7515.

Xuanón. F. Moreno Torroba / J. Ramos Martín, Blue Moon BMCD 7544.

¡Yo soy casado, señorita! J. Guerrero / J. Muñoz Román Sonifolk 20129.

Yola. J. Quintero y J. M. Irueste / J. L. Sáenz de Heredia y F. Vázquez Ochando, Sonifolk 20149 • Blue Moon BMCD 7548

--- **Antologías** ---

100 Años de zarzuela. EMI 100 5 66589 2.

24 Grandes éxitos de la zarzuela. Alhambra, 74321 21572 2.

24 Grandes éxitos de la zarzuela. BMG España ZD 75026 (2). (9Z).

50 Años de zarzuela. Alhambra-BMG España WD 71980 (9D).

Ainhoa Arteta. Zarzuela. Rtve-Música 65095

Alfredo Kraus. Romanzas de zarzuela. Diapasón, 93009.

Alfredo Kraus. Romanzas de zarzuela. Diapasón, 93021.

Alfredo Kraus. Romanzas y dúos de zarzuela. Hispavox-Escala Z 7 62756 2.

Antología de la zarzuela. Columbia-BMG-Ariola-Salvat 1040-2.

Antología de la zarzuela. EMI 7 67580 2 (643.96128).

Antología de la zarzuela. Helix NS641-642. 1040-2.

Antología de la zarzuela. Hispavox 2 Vol, 7 67428 2.

Antología de la zarzuela. Vol. 1, EMI 7 67335 2 (637.33891). Vol. 2, EMI 7 67428 2 (637.83342).

Carlos Álvarez. Zarzuela Gala. OSG ENY 9811.

Catalán Zarzuelas. Aria Recording. A&B Master Record natural CD-99-IV.

Concierto de zarzuela y canción lírica coreana. Master Record, CD-99-IV.

Coros famosos de zarzuela. Alhambra, WD 71979. Columbia-BMG España WD 71979 (9D).

El Madrid de Chueca. Ensayo 9715.

El mejor álbum de zarzuela del mundo. EMI, 7243 5 62692 2 4.

Emili Vendrell. Escenas de zarzuela. 2 Vol, Aria Recording 1035.

Escenas de zarzuela. RCA 74321250752.

Festival de zarzuela. Rtve-Música 65101.

Grandes intérpretes. Divucsa 35-604.

Grandes momentos de zarzuela. FMI (962). 7243 5 57053 2 7.

Grandes romanzas de zarzuela. In. Ricardo Jiménez, CDC 7074 (SP).

Hipólito Lázaro. Columbia-BMG España WD 74557 (9D).

Homenaje a Francisco Asenjo Barbieri. Rtve. 6.

Homenaje a Jacinto Guerrero. Rtve.

Homenaje a Pablo Sorozábal. Elkarlanean KD-491.

Jaime Aragall. Romanzas de zarzuela. Columbia-BMG España WD 74558 (9D).

José Carreras canta zarzuela. Divucsa, 81188.

José Carreras. Zarzuela. Kubaney, 151.

La gran zarzuela. José Sempere. Alameda, C8629D.

La voz prodigiosa de Marcos Redondo. Blue Moon BMCD 7400.

Las canciones más picantes en la revista musical española. Sonifolk 20173

Las divas. Romanzas de zarzuela. BMG España WD 71983 (9D).

Lo mejor de la zarzuela. Divucsa, 31-470.

Lo mejor de la zarzuela. EMI 5 65432 2 (643.57518).

Los divos. Romanzas de zarzuela. BMG España WD 71982 (9D).

Los mejores coros de la zarzuela. EMI 5 69415 2 (637.10642).

Más zarzuela. Luis Cobos. CBS 462574 2

Miguel Fleta. Grabaciones completas. 1922-1955, Blue Moon, BBCD 75201.

Miguel Fleta. Romanzas de zarzuela y canciones. EMI 7632702.

Montserrat Caballé y Bernabé Martí. Dúos de zarzuela. BMG España 260124 (9D).

Montserrat Caballé. Romanzas de zarzuela. BMG España 260123 (9D).

Nueva antología de la zarzuela. José Tamayo (I) y (II). Victoria S. A.

Plácido Domingo, María Bayo. Zarzuela. Auvidis V 4818.

Plácido Domingo. Noche de zarzuela. Rtve, 650005.

Romanzas de zarzuela. Alhambra WO 74558.

Teresa Berganza. Romanzas de zarzuela. BMG España WD 71391 (9D).

Zarzuela en concierto. Trío Mompou. Rtve Música 65162.

Zarzuela XXI. Matine. Sun Records 7205-2.

Zarzuela. Arias & duets. CBS Records Masterworks, SMK 39210.

Zarzuela. Fragmentos populares. Dúos, pasacalles, valses. 2 Vol. Pacific Music CDP-0146.

Zarzuela. Grabaciones históricas. 3 vols. Homokord.

Zarzuela. Los 20 del siglo XX. EMI, 7243 5. 67230 2 3.

Zarzuela. Luis Cobos. CBS 85883

Zarzuela. Romanzas, dúos y canciones de Miguel Fleta. Blue Moon ATR 002.

Preludios e intermedios

Festival de zarzuela. Ayuntamiento de Madrid, 65101.

Intermedios, mazurcas, valses y chotis de zarzuela. Helix CDNS 737.

Música para banda. Francisco Alonso. Cibeles AD-05733

Preludes and Choruses from Zarzuela. Naxos.

Preludios e intermedios de zarzuela. EMI 7 67443 2 (637.98506).

Preludios e intermedios de zarzuela. Helix, CDNS 736.

Preludios e intermedios. Columbia-BMG-Ariola-Salvat 1060-2.

Preludios e intermedios. Vol. 4. Alhambra-BMG España WD 71439 (9D).

Preludios e intermedios. Vol. 5. Alhambra-BMG España WD 71911 (9D)., CS 8579.

Preludios e intermedios. Vol. 6. Alhambra-BMG España WD 71981 (9D).

Preludios e intermedios. Vol. 7. Alhambra-BMG España-Columbia WD 71812 (9D).

Preludios, danzas, intermedios. Ensayo 9704.

ROMANZAS *

Romanzas de tiple

A la vera del Tajo. Romanza de María Cruz en *El canastillo de fresas* de J. Guerrero. Extensión: Do_3–La_4.

A Medina huye Mahoma. Romance morisco de Zara en *Covadonga* de T. Bretón. Extensión: Mi_3–Mi_4.

A pesar del gran invento. Romanza de Leocadia en *La condesa de la aguja y el dedal* de J. Guridi. Extensión: Do_3–Mib_4.

¿A qué discurrir? Romanza de Fernando en *El reloj de Lucerna* de P. M. Marqués. Extensión: Re_3–Si_4.

A través de mis cristales. Romanza de Pilar en *Sueños de oro* de F. A. Barbieri. Extensión: Sol_3–Lab_4.

A un bravo y marcial teniente. Romanza de Dolores en *En el balcón de palacio* de J. Romo. Extensión: Fa_3–Mib_5.

A una jitana presiosa. Romanza de Dolores en *La alegría del batallón* de J. Serrano. Extensión: Si_2–Sol_4.

A una niña bonita y hermosa. Canción de Angeleta en *L'Angelet i l'Angeleta* de J. Coll i Britapaja. Extensión: Do_3–Mi_4.

A una pescadora que como dos no había. Romanza de Martina en *La leyenda del monje* de R. Chapí. Extensión: Si_2–Fa_4.

Adiós, Sebastián. Romanza de Asunción en *Tiene razón Don Sebastián* de J. Guerrero. Extensión: Do_3–Lab_4.

Al coronel de un regimiento. Romanza de Matilde en *El húsar de la guardia* de G. Giménez. Extensión: Reb_3–Lab_4.

Al espejo al salir me miré. Romanza de Carlos en *La viejecita* de M. Fernández Caballero. Extensión: Re_3–Sol_4.

Al lucir la blanca luna. Romanza de Rosina en *Los calabreses* de P. Luna. Extensión: Si_2–Mi_4.

Al pasar por la calle. Romanza de Manuela en *La chulapona* de F. Moreno Torroba. Extensión Do_3–Mib_4.

Al pensar en el dueño de mis amores. Romanza de Carceleras en *Las hijas del Zebedeo* de R. Chapí. Extensión: Mi_3–La_4.

Al ver que uno me camela. Canción de Baltasara en *Casado y soltero* de J. Gaztambide. Extensión: Re_3–La_4.

Alegres amigos. Romanza de Berta en *Catalina* de J. Gaztambide. Extensión: $Do\#_3$–Do_5.

Almas angélicas. Romanza de la Viuda en *El iluso Cañizares* de Q. Valverde y R. Calleja. Extensión: Si_2–Mi_4.

Alto aquí los caballeros. Cavatina coreada de Sofía en *El estreno de una artista* de J. Gaztambide. Extensión: Si_2–Si_4.

Amb ell soc rica, soc senyoreta. Romanza-bolero de Agneta en *Els estudiants de Cervera* de N. Manent. Extensión: $Do\#_3$–Sol_4 .

Amor mío vienes tarde. Romanza de Pepa en *La pícara molinera* de P. Luna. Extensión: $Do\#_3$–Mi_4.

Aquí está la española. Romanza de La Española en *Las musas latinas* de M. Penella. Extensión: Do_3–Fa_4.

Aquí me he criado. Romanza de La Aragonesa en *El guitarrico* de A. Pérez Soriano. Extensión: Re_3–Si_4.

---

* Las romanzas se citan por incipit literario. Se añade el personaje que la canta, título de la obra, compositor y extensión de la romanza. Se ha considerado el Do central del piano como Do_3 para la voz femenina y Do_2 para la masculina. Se agrupan por voces: tiple, tenor, barítono y bajo. Esta selección de romanzas se completa con una lista de las mismas por compositores.

Ascuche usté Juanita. Canción de la Gitana en *El baile de Luis Alonso* de G. Giménez. Extensión: Re$_3$–Sol$_4$.

Así como es ella. Romanza de María Manuela en *María Manuela* de F. Moreno Torroba. Extensión: Re$_3$–Sol$_4$.

Aunque me dice mi padre. Romanza de Mercedes en *La rapaza* de V. Zurrón. Extensión: Mi$_3$–La$_4$.

Aurora Dudevunt me llaman. Romanza de Aurora en *Polonesa* de F. Moreno Torroba. Extensión: Do$_3$–La$_4$.

¡Ay!, ¡Ay! Mira tú si yo a ti te querré. Romanza en tiempo de tango de Trini en *Las bribonas* de R. Calleja. Extensión: Do$_3$–Re$_4$.

¡Ay, farruca no me llores!. Farruca de María Carmen en *Alma de Dios* de J. Serrano. Extensión: Si$_2$–Mi$_4$.

Ay, malhaya la persona. Romanza de Juana en *El baile de Luis Alonso* de G. Giménez. Extensión: Re$_3$–Sol$_4$.

Ay, que en vano es el venir. Romanza de Margarita en *El salto del pasiego* de M. Fernández Caballero. Extensión: Do#$_3$–La#$_4$.

¡Ay! Triste de mí. Romanza de María en *Una historia en un mesón* de J. Gaztambide. Extensión: Re$_3$-La$_4$.

Ay, yo me vi en el mundo. Romanza de María en *El juramento* de J. Gaztambide. Extensión: Mi$_3$–Lab$_4$.

Allá por la tierra mora. Pasodoble de la Banderita de Abanderada y coro en *Las corsarias* de F. Alonso. Extensión: Sol$_4$–Do$_3$.

Blanca rosa, flor galana. Romanza de María en *El valle de Andorra* de J. Gaztambide. Extensión: Fa#$_3$-Sol$_4$.

Blanca tórtola inocente. Romanza de Inés en *La mensajera* de J. Gaztambide. Extensión: Fa$_3$-Fa$_4$.

Blandamente murmurando. Romanza de la Baronesa en *El juramento* de J. Gaztambide. Extensión: La$_2$–Do$_5$.

Bohemia soy. Romanza de La Bohemia en *Las musas latinas* de M. Penella. Extensión: Re#$_3$–Si$_4$.

Caballeros en plaza. Romanza de Taravilla en *La zapaterita* de F. Alonso. Extensión: Sib$_2$–La$_4$.

Calesera. Romanza de Maravillas en *La Calesera* de F. Alonso. Extensión: Si$_2$–La$_4$.

Canta el trovador. Romanza de Rosina en *La canción del olvido* de J. Serrano. Extensión: Si$_2$–Sol#$_4$.

Canta tú, ruiseñor. Romanza de La Bohemia en *Las musas latinas* de M. Penella. Extensión: Re#$_3$–Si$_4$.

Capullito de mi rama. Romanza de Lola en *En el balcón de Palacio* de J. Romo. Extensión: Do$_3$–La$_4$.

Carceleras. Romanza de Luisa en *Las hijas del Zebedeo* de R. Chapí. Extensión: Mi$_3$–La$_4$.

Chaume descubrió mis penas. Romanza de Carmeleta en *Doloretes* de A. Vives y M. Quislant. Extensión: Re$_3$–La$_4$.

Com lo marino que tras llarg viatge. Romanza de Elena en *El cant de la Marsellesa* de N. Manent. Extensión: Mib$_3$–Lab$_4$.

Como es la vez primera. Cavatina de Conchita en *En las astas del toro* de J. Gaztambide. Extensión: Re$_3$–La$_4$.

Como esas nubes negras. Romanza de la Gaviota en *Trafalgar* de G. Giménez. Extensión: Re$_3$–Sol$_4$.

Como espanta. Romanza de Mari-Juana en *Alma negra* de F. Chaves. Extensión: Do$_3$–Do$_5$.

Como ligera mariposa. Romanza de Darnley en *Mujer y reina* de R. Chapí. Extensión: Do#$_3$–Lab$_4$.

Como nací en la calle de la Paloma. Romanza de Paloma en *El barberillo de Lavapiés* de F. A. Barbieri. Extensión: Mi$_3$–La$_4$.

Como soy chulapona. Romanza de Manuela en *La chulapona* de F. Moreno Torroba. Extensión: Do$_3$–Fa$_4$.

Compañero del arma. Romanza de Coral en *La reina Mora* de J. Serrano. Extensión: Re$_3$–Sol$_4$.

Con él mi esperanza va. Romanza de Ángela en *La tempestad* de R. Chapí. Extensión Mi$_3$–Si$_4$.

Cruzar el mar. Romanza de Cova en *El gaitero de Gijón* de J. Romo. Extensión: Mi$_3$–Do$_5$.

Cuando bajo el cielo. Romanza de Amapola en *La leyenda del beso* de R. Soutullo y J. Vert. Extensión: Re#$_3$–La$_4$.

Cuando clava mi moreno. Romanza de Soledad en *La revoltosa* de R. Chapí. Extensión: Do$_3$–Fa$_4$.

Cuando el grave sonar de la campana. Romanza de Raquel en *El huésped del Sevillano* de J. Guerrero. Extensión: Re$_3$–Sib$_4$.

Cuando en la romería. Romanza de Mari-Eli en *Mari-Eli* de J. Guridi. Extensión: Mib$_3$–Sib$_4$.

Cuando está tan hondo. Romanza de Socorro en *El barquillero* de R. Chapí. Extensión: Re#$_3$–Lab$_4$.

Cuando los granaderos de paso. Canción de Federico con coro en *El sargento Federico* de F. A. Barbieri y J. Gaztambide. Extensión: Mi$_3$–La$_4$.

Cuando pongo en la mesa los tenedores. Seguidillas de Rosa en *El amor y el almuerzo* de J. Gaztambide. Extensión: La$_3$–La$_4$.

Cuando salta el champán. Canción de Regina en *El ángel caído* de A. Brull. Extensión: Do#$_3$–Sol$_4$.

Cuanto el alma se recrea. Romanza del Rey en *El rey que rabió* de R. Chapí. Extensión: de Do#$_3$–Sol$_4$.

De Alah poderoso. Romanza de Sephora en *La cautiva* de J. Guridi. Extensión: Mi$_3$–Fa$_4$.

De amores durmiendo. Romanza de Elvira en *La banda nueva* de J. Serrano y E. Bru. Extensión: Do$_3$–Sol$_4$.

De España vengo. Romanza de Concha en *El niño judío* de P. Luna. Extensión: Mi$_3$–Sol#$_4$.

De mi amor la luz sagrada ve morir. Romanza de Sandra en *Romanza húngara* de J. Dotras Vila. Extensión: Mi_3–La_4.

De pronto el cielo se oscureció. Raconto de Leonor en *¡Si yo fuera rey!* de J. Inzenga. Extensión: Reb_3–Sib_4.

De terres enllà portem la tristesa. Canción de Zaira en *L'alegria que passa* de E. Morera. Extensión: Mi_3–La_4.

De un nuevo sol. Rondó de Adela de *Una vieja* de J. Gaztambide. Extensión: Fa_3–Sib_4.

Desde que apunta el alba. Romanza de Marta en *Los magyares* de J. Gaztambide. Extensión: $Fa\#_3$–La_4.

Déu meu, Senyor, mireu-me dissortada. Romanza de Carlota en *La legió d'honor* de R. Martínez Valls. Extensión: Fa_3–La_4.

Dice el mundo que estoy loca. Romanza de Margarita en *El salto del pasiego* de M. Fernández Caballero. Extensión: $Si\#_2$–$Si\#_4$.

Dime, espejo tú, dime la verdad. Aria de Laura en *Amar sin conocer* de F. A. Barbieri. Extensión: Mi_3-La_4.

Domar mi orgullo. Romanza de la Princesa en *El diablo en el poder* de F. A. Barbieri. Extensión: Re_3–Si_4.

Dónde vas, marquesita. Romanza de Mercedes en *María Manuela* de F. Moreno Torroba. Extensión: Mi_3–Sib_4.

El arroyo, la enramada y la fuente nacarada. Cavatina coreada de la Baronesa en *El juramento* de J. Gaztambide. Extensión: Do_2-La_4.

El gobierno que nos manda. Romanza de la Marquesa en *La Marsellesa* de M. Fernández Caballero. Extensión: Mi_3–Do_5.

El mozo mejor de todo el lugar. Raconto de Mari Blanca en *El cantar del arriero* de F. Díaz Giles. Extensión: Re_3–La_4.

El niño del Plata. Rosarillo en *Don Quintín, el amargao* de J. Guerrero. Extensión: Sib_2–$Solb_4$.

El oír a un guapo mozo. Romanza de O en *La gallina ciega* de M. Fernández Caballero. Extensión: $Fa\#_3$–La_4.

En el Vallespir la vida del meu cor. Sardana de Francina en *Cançó d'amor i de guerra* de R. Martínez Valls. Extensión: Do_3–La_4.

En haciendo rataplán. Romanza de Gaspar en *El tambor de granaderos* de R. Chapí. Extensión: Re_3–La_4.

En la bahía de Veracruz. Danzón de Rosalía en *Aquella canción antigua* de J. Dotras Vila. Extensión: Mib_3–Lab_4.

En la cumbre del monte. Romanza de Ana Mari en *El caserío* de J. Guridi. Extensión: Mi_3–Re_5.

En la plácida alegría. Romanza de María en *Mujer y reina* de R. Chapí. Extensión: $Do\#_3$–$Fa\#_4$.

En mi Cerdeña. Romanza de Coralina en *Mandolinata* de J. Guridi. Extensión: Mi_3–Do_5.

En mis ojos la pena. Romanza de Luisa en *La pastorela* de P. Luna y F. Moreno Torroba. Extensión: Mi_3–Sol_4.

En noche callada. Balada de Catalina en *Los diamantes de la corona* de F. A. Barbieri. Extensión: Si_2–Si_4.

En un país de fábula. Romanza de Marola en *La tabernera del puerto* de P. Sorozábal. Extensión: Reb_3–Do_5.

En vano la fortuna. Romanza de Magdalena en *Un tesoro escondido* de F. A. Barbieri. Extensión: Si_2-Do_5.

Era una rosa que en un jardín. Romanza de Francisquita en *Doña Francisquita* de A. Vives. Extensión: Re_3–Re_5.

Es la cara de mi Curro. Jácara de Inés de *Casado y soltero* en J. Gaztambide. Extensión: Re_3-Sol_4.

Es sombra de mi sueño. Romanza de Leonor en *El dominó azul* de E. Arrieta. Extensión: $Re\#_3$–$Sol\#_4$.

Escucha este cantar de amores. Canción portuguesa. Romanza de Laura en *La linda tapada* de F. Alonso. Extensión: $Re\#_3$–Sol_4.

Esperanza que finges traidora. Lamento de Soledad en *Curro Vargas* de R. Chapí. Extensión: Do_3–La_4.

Esta es la calle. Romanza de Flora en *La Marsellesa* de M. Fernández Caballero. Extensión: $Do\#_3$–Sib_4.

Esta es su carta. Romanza de Pilar en *Gigantes y cabezudos* de M. Fernández Caballero. Extensión: Si_2-La_4.

Este es Burdeos, un vino hasta allí. Vals de Angelita en *Chateau-Margaux* de M. Fernández Caballero. Extensión: Do_3–La_4 (Do_5).

Este santo escapulario. Romanza de Flora en *Pan y toros* de F. A. Barbieri. Extensión: Do_3–Sol_4.

Fue mi mare la gitana. Romanza de Concha en *La chavala* de R. Chapí. Extensión: Do_3–Sol_4.

Fue una rapaciña a Llanes. Romanza de Mercedes en *La rapaza* de V. Zurrón. Extensión: Fa_3–Sol_4.

Fugaz ventura de un bien querido. Romanza de Luz de *Un estudiante de Salamanca* de C. Oudrid. Extensión: Mib_3-Sib_4.

Gracias al cielo. Romanza de María en *El milagro de la Virgen* de R. Chapí. Extensión: $Fa\#_3$–Sib_4.

Hay bendita sea la hora. Aria de Aurora en *Aventuras de un cantante* de F. A. Barbieri. Extensión: Mi_3–La_4.

Hay una cosa en el mundo que cuesta poco dinero. Tango del lapicero de Angustias en *La torre del Oro* de G. Giménez. Extensión: Do$_3$–Re$_4$.

Hijo soy del mar salobre. Romanza de Roberto en *La tempestad* de R. Chapí. Extensión: Fa$_3$–Sib$_4$.

Horas de angustia. Romanza de Matilde en *El reloj de Lucerna* de P. M. Marqués. Extensión: Re#$_3$–Sib$_4$.

Hoy asisten al logro de mis ensueños. Bolero de Aurora en *La parranda* de F. Alonso. Extensión: Re#$_3$–La$_4$.

Hoy te pido por favor, claridad. Canción del espejo de Manola en *La zapaterita* de F. Alonso. Extensión: Re$_3$–Si$_4$.

Impulsos siempre ahogados de la pasión. Romanza de Trinidad en *Boda, tragedia y guateque o El difunto de Chuchita* de P. M. Marqués. Extensión: Re$_3$-La$_4$.

Intranquilo estoy. Romanza del Rey en *El rey que rabió* de R. Chapí. Extensión: Mib$_3$–La$_4$.

Jesús, mamita lo que me da. Habanera de Pepa en *Torear por lo fino* de I. Hernández. Extensión: Mi$_3$–Fa#$_4$.

Junto al mirador. Romanza de Benamor en *Benamor* de P. Luna. Extensión: Mi$_3$–Sol$_4$.

La alegre canción. Romanza de la Generala en *La Generala* de A. Vives. Extensión: Sib$_2$–Sib$_4$.

La capa de paño pardo. Romanza de Casilda en *La villana* de A. Vives. Extensión: Sib$_2$–Si$_4$.

La copla que de mi pecho. Romanza de Blanca en *La fama del tartanero* de J. Guerrero. Extensión: Re#$_3$–Si$_4$.

La Encarna soy yo. Romanza de Encarnación en *El último romántico* de R. Soutullo y J. Vert. Extensión: Do$_3$–Fa$_4$.

La gitanilla que viene hacia aquí. Canción de la gitanilla de María en *La alegría de la huerta* de F. Chueca. Extensión: Do$_3$–Lab$_4$.

La moza en la fuente miraba. Romanza de Paca en *La duquesa del Candil* de J. García Leoz. Extensión: Do#$_3$–Sol$_4$.

La niña de ojos azules. Romanza de Cosette en *Bohemios* de A. Vives. Extensión: Re$_3$–Sib$_4$.

La pena me hace llorar. Romanza de Raquel en *El huésped del Sevillano* de J. Guerrero. Extensión: Do#$_3$–La$_4$.

La pobrecita millonaria. Romanza de Maribel en *¡Qué sabes tú!* de E. Rosillo. Extensión: Re#$_3$–Sol#$_4$.

La primavera riu amb flors. Romanza de Aleschkia en *L'Àliga roja* de R. Martínez Valls. Extensión: Mib$_3$–Lab$_4$.

La tarántula é un bicho mu malo. Zapateado de Gabrié en *La Tempranica* de G. Giménez. Extensión: Do$_3$–Fa$_4$.

Lágrimas mías, en dónde estáis. Romanza de Margarita de *El anillo de hierro* de P. M. Marqués. Extensión: Fa$_3$-La$_4$.

Las damas de la corte. Romanza de Mariflores en *La mesonera de Tordesillas* de F. Moreno Torroba. Extensión: Mib$_3$–Fa$_4$.

Las flores de mil colores. Romanza de Marieta en *La dogaresa* de R. Millán. Extensión: Re$_3$–Si$_4$.

Las roscas de mi cestillo. Vals de los pastelillos de Constanza en *Polonesa* de F. Moreno Torroba. Extensión: Re$_3$–Si$_4$.

Le recibimos sin etiqueta. Canción del Arlequín de la Generala en *La Generala* de A. Vives. Extensión: Re$_3$–Do$_5$.

Le vi pasar. Romanza de Taipó en *La isla de las perlas* de P. Sorozábal. Extensión: Re$_3$–Sol$_4$.

Leyenda de la gondolera. Romanza de Angélica en *Las hilanderas* de J. Serrano. Extensión: Do$_3$–Lab$_4$.

Ligera como el viento. Barcarola del Marinero en *La flor de la serranía* de C. Oudrid. Extensión: Sol$_3$-Re$_5$.

Los aires de mi tierra son muy sentidos. Jota de Nieves en *Al fin se casa la Nieves* de T. Bretón. Extensión: Fa#$_3$–Si$_4$.

Los durces que yo te traigo. Romanza de la Confitera en *Pepe Conde* de A. Vives. Extensión: Do#$_3$–La$_4$.

Madame Balancé. Romanza de Isabel en *Las Calatravas* de P. Luna. Extensión: Re$_3$–La$_4$.

Madre de mis amores. Habanera de Esperanza en *Monte Carmelo* de F. Moreno Torroba. Extensión: Mi$_3$–Do$_5$.

Madre mía, perdón te suplico. Romanza de Elvira en *Maravilla* de F. Moreno Torroba. Extensión: Mi$_3$–Si$_4$.

Madre, un caballero. Romanza de Ángela en *El hijo fingido* de J. Rodrigo. Extensión: Re$_3$–Sib$_4$.

Mal empleados sentimientos míos. Romanza de Ángela en *El hijo fingido* de J. Rodrigo. Extensión: Re$_3$–Sol$_4$.

Malhaya el hombre. Romanza de Asunción en *Tiene razón Don Sebastián* de J. Guerrero. Extensión: Do$_3$–Sib$_4$.

Marinela. Romanza de Rosina en *La canción del olvido* de J. Serrano. Extensión: Re$_3$–Sol$_4$.

Me llaman la Duquesa Cayetana. Romanza de la Duquesa Cayetana en *La caramba* de F. Moreno Torroba. Extensión: Re$_3$–Si$_4$.

Me llaman la primorosa. Romanza de Casimira en *El barbero de Sevilla* de M. Nieto y G. Giménez. Extensión: Mi$_3$–Si$_5$.

Me llaman la Rabalera. Jota de Antonia en *La Rabalera* de A. Vives. Extensión: La$_3$–Si$_3$.

Mira que vivo loca desesperá. Pregón de María Paz en *Azabache* de F. Moreno Torroba. Extensión: Re_3–La_4.

Mi tío se figura. Romanza de Rosa en *El rey que rabió* de R. Chapí. Extensión: Mi_3–La_4.

Migueliyo er de la Jara. Romanza de Amapola en *El mal de amores* de J. Serrano. Extensión: Do_3–$Mi\#_4$.

Nana. Romanza de Magdalena en *Nanita, nana* de J. Serrano. Extensión: Si_2–Mi_4.

Ni tierra como Aragón. Jota de la Aragonesa en *Certamen nacional* de M. Nieto. Extensión: Re_3–Si_4.

Niña inocente. Romanza de Margarita en *El salto del pasiego* de M. Fernández Caballero. Extensión: Reb_3–Sib_4.

Niñas que a vender flores. Bolero de Catalina en *Los diamantes de la corona* de F. A. Barbieri. Extensión: $Do\#_3$–La_4

No bien asoma. Romanza de la Baronesa en *El postillón de la Rioja* de C. Oudrid. Extensión: Sol_3–Lab_4.

No cabe en mí el odio que engendré. Romanza de la Princesa de Éboli en *Los amores de un príncipe* de T. Bretón. Extensión: Re_3–La_4.

No corté más que una rosa. Romanza de Ascensión en *La del manojo de rosas* de P. Sorozábal. Extensión: $Do\#_3$–$Sol\#_4$.

No extrañes, padre, si trajes pido. Brindis y malagueña de la Señorita en *La edad en la boca* de J. Gaztambide. Extensión: Si_2-$Sol\#_4$.

No hay tesoro ni poder. Romanza de Mimí en *Las alondras* de J. Guerrero. Extensión: $Do\#_3$–Si_4.

No iré yo al río. Romanza de Serafín en *El grumete* de E. Arrieta. Extensión: Re_3–Fa_4.

No me duele que se vaya. Romanza de Sagrario en *La rosa del azafrán* de J. Guerrero. Extensión: Do_3–Sib_4.

No puedo más. Romanza de Manuela en *Maravilla* de F. Moreno Torroba. Extensión: Reb_3–Sib_4.

No quiero verte. Romanza de Laura en *La eterna canción* de P. Sorozábal. Extensión: Reb_3–Lab_4.

No tengo en el mundo. Romanza de Caracol en *Martierra* de J. Guerrero. Extensión: Re_3–Sol_4.

Noble tierra de Cantabria. Romanza de Berta en *La canción del Ebro* de J. Guerrero. Extensión: Fa_3–Do_5.

Noche hermosa. Romanza de Katiuska en *Katiuska* de P. Sorozábal. Extensión: Sol_3–Sol_4.

Noche pura y serena. Romanza de Trini en *El señor Joaquín* de M. Fernández Caballero. Extensión: Do_3–La_4.

Nunca pensé que mi amor. Romanza de Manuelita en *Manuelita Rosas* de F. Alonso. Extensión: Mi_3–Do_5.

Nunca teme una derrota. Jota de Rosa en *Los voluntarios* de G. Giménez. Extensión: $Do\#_3$–La_4.

Oh, gentil desconocida. Romanza de Don César en *El guardia de Corps* de T. Bretón. Extensión: $Do\#_3$–La_4.

Oh, mil veces venturosa. Romanza de la Reina en *Estebanillo* de J. Gaztambide y C. Oudrid. Extensión: Re_3-Sol_4.

Oh, qué Marqués tan singular. Escena y cavatina de la Baronesa en *El juramento* de J. Gaztambide. Extensión: La_2–Do_5.

Oh, trista presó. Romanza de Joana en *Don Joan de Serrallonga* de E. Morera. Extensión: $Fa\#_3$–La_4.

Oiga usté, caballero. Tango de la Chula en *El año pasado por agua* de F. Chueca y J. Valverde. Extensión: Sib_2–Mi_4.

Oye mi dueño y señor. Romanza de Rebeca en *El niño judío* de P. Luna. Extensión: Re_3–$La\#_4$.

Pajarito que vas por el aire. Canción de la Baronesa de *El postillón de la Rioja* de C. Oudrid. Extensión: Lab_3–Lab_4

Pajaritos vendo yo. Romanza del Pajarero en *La reina Mora* de J. Serrano. Extensión: $Re\#_3$–$Sol\#_4$.

Palomica aragonesa. Romanza de Gloria en *Los de Aragón* de J. Serrano. Extensión: Si_2–Fa_4.

Para morir de amor ciego. Romanza de Carlos en *La viejecita* de M. Fernández Caballero. Extensión: Re_3–Sol_4.

Paseando una mañana. Tango de la Bailarina en *El gorro frigio* de M. Nieto. Extensión: Si_2–$Sol\#_4$.

Pasión del alma mía. Romanza de Margarita de *El anillo de hierro* de P. M. Marqués. Extensión: Re_3–Sib_4.

Pasó la noche. Romanza de Berta en *Catalina* de J. Gaztambide. Extensión: $Do\#_3$–Do_5.

Pensamiento mío, vuela sin tardar. Romanza de Salud en *La cariñosa* de T. Bretón. Extensión: Do_3–Sol_4.

Pensando en el que la quiere. Canción veneciana de Angelita en *El carro del sol* de J. Serrano. Extensión: Mi_3–$Sol\#_4$.

Perdida la esperanza. Romanza de Teresa en *Las nueve de la noche* de M. Fernández Caballero. Extensión: Do_3–La_4.

¡Pichi! es el chulo que castiga. Chotis de Pichi en *Las leandras* de F. Alonso. Extensión: Fa_4-Si_2.

Pobre chica la que tiene de servir. Tango de Menegilda en *La Gran Vía* de F. Chueca y J. Valverde. Extensión: Mi_3–$Fa\#_4$.

Pobre filló, fes la non-non. Canción de cuna de Marieta en *Baixant de la font del Gat* de E. Morera. Extensión: $Fa\#_3$–Sol_4.

Por la calle de Alcalá. Pasacalle de la Aurelia y coro en *Las leandras* de F. Alonso. Extensión: Fa_4-Si_2.

Por qué cuando aquel día. Romanza de Estrella de *Las hijas de Eva* de J. Gaztambide. Extensión: La_2-Sol_4.

Por qué nacisteis. Romanza de Ángela en *El hijo fingido* de J. Rodrigo. Extensión: Re$_3$–Mi$_4$.

¿Por qué se oprime el alma? Romanza de Inés en *Mis dos mujeres* de F. A. Barbieri. Extensión: Sol#$_3$-La$_4$.

Pregonando mis rosas. Pregón de las rosas de Mercedes en *María Manuela* de F. Moreno Torroba. Extensión: Mi$_3$–Do$_5$.

Pues señor, esto era un rey. Romance morisco de Rosalía en *La bruja* de R. Chapí. Extensión: Re$_3$–La$_4$.

Qué es el amor. Romanza de Rosalía en *¡Las de Caín!* de P. Sorozábal. Extensión: Do$_3$–Lab$_4$.

Qué escándalo, qué estrépito. Aria con coro de la Baronesa de *El postillón de la Rioja* de C. Oudrid. Extensión: Sol$_3$-Lab$_4$.

Qué me importa que no venga. Romanza de Rosa en *Los claveles* de J. Serrano. Extensión: Si$_2$–La$_4$.

Que sepa to er mundo. Romanza de Reyes en *Entre Sevilla y Triana* de P. Sorozábal. Extensión: Do$_3$–Lab$_4$.

Quién me verá a mí. Canción de Rita en *El marqués de Caravaca* de F. A. Barbieri. Extensión: Mib$_3$-La$_4$.

Roques negres, grans d'arena. Aria de Maria en *A posta de sol* de N. Manent. Extensión: Do$_3$–La$_4$.

Ruiseñor que huyes lejos de tu nido. Balada de Juanita en *Las bodas de Juanita* de M. Sánchez Allú. Extensión: Si$_2$–Do$_5$.

Sal para siempre. Romanza de Teresa en *Las nueve de la noche* de M. Fernández Caballero y J. Casares. Extensión: Re$_3$–La$_4$.

Sal ya del alma mía. Romanza de Magdalena en *La Marsellesa* de M. Fernández Caballero. Extensión: Do$_3$–Sib$_4$.

Se fue... Virgen Santa. Romanza de Casilda en *La villana* de A. Vives. Extensión: Do#$_3$–La$_4$.

Señores, aunque el lazo. Romanza de María Antonia en *La caramba* de F. Moreno Torroba. Extensión: Mi$_3$–Fa#$_4$.

Si a mi adorada tierra. Romanza de Carmen en *La cautiva* de J. Guridi. Extensión: Fa$_3$–Solb$_4$.

Si el mundo entero. Romanza de Clara en *El canastillo de fresas* de J. Guerrero. Extensión: Do$_3$–Si$_4$.

Si ets tu ma llum i guia. Romanza de Roser en *El timbaler del Bruc* de A. Cohí Grau. Extensión: Mi$_3$–La$_4$.

Si loco de pasión. Romanza de Marta en *La montería* de J. Guerrero. Extensión: Sib$_2$–Sib$_4$.

Si no vendrá. Romanza de Manola en *La zapaterita* de F. Alonso. Extensión: Re$_3$–Si$_4$.

Sierras de Granada. Romanza de la Tempranica en *La Tempranica* de G. Giménez. Extensión: Do$_3$–La$_4$.

Sin una mano amiga. Romanza de Lucrecia en *San Franco de Sena* de E. Arrieta. Extensión: de Re$_3$–Sib$_4$.

¡Socorro! ¡Salvadle! ¡Auxilio! ¡Por favor! Canción bohemia de Isabel en *La czarina* de R. Chapí. Extensión: Do$_3$–Si$_4$.

Sofía tenía la manía. Romanza de Dorotea en *Serafín el pinturero o Contra el querer no hay razones* de L. Foglietti y C. Roig. Extensión: Re$_3$–Re$_4$.

Sola con mis pesares anhelo estar. Romanza de Lucía en *El campanero de Begoña* de T. Bretón. Extensión: Do#$_3$–Si$_4$.

Sólo una madre. Romanza de Berta en *La canción del Ebro* de J. Guerrero. Extensión: Sib$_2$–Do$_5$.

Son las mujeres de Babilonia. Romanza de Sul en *La corte de faraón* de V. Lleó. Extensión: Si$_2$–Do$_4$.

Soy cubanita, soy de la playa hermosa. Americana de Pancha en *Niña Pancha* de J. Romea y J. Valverde. Extensión: Do#$_3$–Fa#$_4$.

Soy de esta tierra. Canción madrileña de María Luisa en *Pepe Conde o El mentir de las estrellas* de A. Vives. Extensión: Si$_2$–Si$_4$.

Soy la chula madrileña. Romanza de Rosiña en *La chula de Pontevedra* de P. Luna y E. Bru. Extensión: Si$_2$–Mi$_4$.

Soy un pastor sencillo. Idilio pastoril del Rey en *El rey que rabió* de R. Chapí. Extensión: Mi$_3$–La$_4$.

Soy una gatita blanca. Romanza de Luisa en *La gatita blanca* de G. Giménez y A. Vives. Extensión: Mib$_3$–Mib$_4$.

Sueño de amor y gloria. Romanza de la Reina Isabel de Valois en *Los amores de un príncipe* de Tomás Bretón. Extensión: Re$_3$–Sib$_4$.

Tan bello es el collar. Romanza de Darío en *Benamor* de P. Luna. Extensión: Re$_3$–Lab$_4$.

Te di todo mi amor. Romanza de Soleá en *Carceleras* de V. Díez Peydró. Extensión: Do$_2$–Sol$_4$.

Te quiero y me quieres. Romanza de Pastora en *La patria chica* de R. Chapí. Extensión: Mib$_3$–Lab$_4$.

Todos dicen que te quiero. Romanza de Maravillas en *La calesera* de F. Alonso. Extensión: Sol#$_4$–Si$_2$.

Toitico mi corazón. Romanza de Soleá en *Carceleras* de V. Díez Peydró. Extensión: Si$_2$–Sol$_4$.

Trabaja una mulatita. Tango de El Café en *Certamen nacional* de M. Nieto. Extensión: Sib$_2$–Fa$_4$.

Tras la reja del convento. Canción del pajarito de Julia en *Juegos malabares* de A. Vives. Extensión: Re$_3$–Do$_5$.

Tres horas antes del día. Romanza de Valentina en *La Marchenera* de F. Moreno Torroba. Extensión: Mi$_3$–Si$_4$.

¿Tú no lo viste? ¿No visteis caer a Hugo? Escena de Piel de oso en *Piel de oso* de T. Bretón. Extensión: Do_3–$Fa\#_4$.

Triste destino. Romanza de María Cruz en *Al dorarse las espigas* de F. Balaguer. Extensión: Fa_3–Sib_4.

Un ingenio es mi tirano. Romanza de Mariflores en *La mesonera de Tordesillas* de F. Moreno Torroba. Extensión: Mib_3–Fa_4.

Un majo se llevó. Romanza de Taravilla en *La zapaterita* de F. Alonso. Extensión: Si_2–Mi_4.

Un pobre nido. Romanza de Lisette en *El húsar de la guardia* de G. Giménez y A. Vives. Extensión: Re_3–Do_4.

Un tiempo fue. Romanza de la Duquesa de Medina en *Jugar con fuego* de F. A. Barbieri. Extensión: Mib_3–Sib_4.

Una rosa en su tallo. Romanza de Margot en *Don Manolito* de P. Sorozábal. Extensión: Re_3–La_4.

Una tarde en mi ventana. Canción de Carlota de *La flor de la serranía* de C. Oudrid. Extensión: Re_3–Sol_4.

Una y otra primavera. Romanza de Clara en *La hora del reparto* de J. Guerrero. Extensión: Re_3–Sib_4.

Ve piadosa desde el cielo. Plegaria y cavatina de Inés de *La mensajera* de J. Gaztambide. Extensión: Mi_3–Sib_4.

Viva mi Alsacia. Romanza de Margot en *La alsaciana* de J. Guerrero. Extensión: Mib_3–Sib_4.

Vivía sola con mi abuelita. Romanza de Katiuska en *Katiuska* de P. Sorozábal. Extensión: Re_3–Sol_4.

Vivo, y es mucho deciros. Romanza de Bárbara en *El hijo fingido* de J. Rodrigo. Extensión: Si_2–Mi_4.

Ya el capullo es flor. Romanza de Maribel en *¡Qué sabes tú!* de E. Pérez Rosillo. Extensión: Re_3–La_4.

Ya de la cita la hora sonó. Plegaria de María en *Las nueve de la noche* de M. Fernández Caballero. Extensión: Do_3–Sib_4.

Ya los ecos de la ronda, perdiéndose van. Plegaria de María en *Mujer y reina* de R. Chapí. Extensión: $Do\#_3$–$Fa\#_4$.

Ya me inquieta su tardanza. Romanza de Corila en *El maestro Campanone* de G. Mazza, adap. V. Lleó. Extensión: Re_3–Si_4.

Ya muerto está mi amor. Romanza de Marieta en *La dogaresa* de R. Millán. Extensión: $Do\#_3$–La_4.

Ya nace el día. Canción de Alborada de Marielsa en *Romanza húngara* de J. Dotras Vila. Extensión: Mib_3–Sib_4 .

Yo adoro a un teniente. Romanza de Pilar en *Campanero y sacristán* de M. Fernández Caballero y M. Hermoso. Extensión: Do_3–Si_4.

Yo con vosotros la frontera. Romanza de Flora en *La Marsellesa* de M. Fernández Caballero. Extensión: $Re\#_3$–La_4.

Yo dormiba e riposaba. Romanza de Ragatza en *Las musas latinas* de M. Penella. Extensión: Do_3–Mi_4.

Yo he descubierto un perfume. Romanza de Fahima en *El asombro de Damasco* de P. Luna. Extensión: Re_3–Si_4.

Yo he nacido muy chiquita. Canción andaluza de Antonelli en *El dúo de la Africana* de M. Fernández Caballero. Extensión: Si_2–Si_4.

Yo he pasado la vida en un sueño. Vals de Margot en *Molinos de viento* de Pablo Luna. Extensión: La_2–La_4.

Yo he sido cigarrera. Pasacalle de Pancha en *Niña Pancha* de J. Romea y J. Valverde. Extensión: Do_3–Sol_4.

Yo llevo la navaja para los hombres. Tango de La Perchelera en *Las musas latinas* de M. Penella. Extensión: Si_2–Mi_4.

Yo no sé perdonar. Romanza de Cristina en *Las Calatravas* de P. Luna. Extensión: Mi_3–Sib_4.

Yo no sé qué será. Romanza de Rosina en *Los calabreses* de P. Luna. Extensión: Si_2–Sol_4.

Yo pagaré la posada. Romanza de Ángela en *El hijo fingido* de J. Rodrigo. Extensión: Re_3–Sol_4.

Yo por ti desprecio riesgos. Rondó de Corila en *El maestro Campanone* de G. Mazza adap V. Lleó. Extensión: Do_3–Do_4.

Yo, que jamás había sentido. Romanza de Sofía en *Black el payaso* de P. Sorozábal. Extensión: Re_3–Sol_4.

Yo quiero a un hombre. Romanza de Rosario en *El cabo primero* de M. Fernández Caballero. Extensión: $Do\#_3$–Si_4.

Yo soy el Elisedo. Chotis del Elíseo en *La Gran Vía* de F. Chueca y J. Valverde. Extensión: $Do\#_3$–Sol_4.

Yo soy en la corte de España. Arieta de Esperanza en *Las hijas de Eva* de J. Gaztambide. Extensión: Re_3–La_4.

Yo soy la tiple. Romanza de La Roldán en *El barbero de Sevilla* de M. Nieto y G. Giménez. Extensión: $Sol\#_2$–Sol_4.

Yo soy modista en París. Cuplé de Marguerithe en *Las bribonas* de R. Calleja. Extensión: La_2–Re_4

Romanzas de tenor

Adiós dulces memorias. Romanza de Don Félix en *Mis dos mujeres* de F. A. Barbieri. Extensión: Sol$_2$–La$_3$.

Adiós para siempre. Romanza de Antonio en *Sangre de reyes* de P. Luna y F. Balaguer. Extensión: Mi$_2$–La$_3$.

Agüita que corre al mar. Romanza de Agustín en *Los de Aragón* de J. Serrano. Extensión: Re$_2$–Sol$_3$.

¡Ah, es la vida!. Romanza de Manolo en *Los flamencos* de A. Vives. Extensión: Reb$_2$–Lab$_3$.

¡Ah! Que estalle el rayo. Romanza del Marqués de Sandoval en *Los diamantes de la corona* de F. A. Barbieri. Extensión: Fa#$_2$–La$_3$.

Ah, ya duerme Venecia tranquila. Serenata de Paolo y coro en *La dogaresa* de R. Millán. Extensión: Re$_2$–Sol$_3$.

Ahora que mi ventura. Romanza de Timoteo en *Curro Vargas* de R. Chapí. Extensión: Re#$_2$–Sol#$_3$.

Alegría. Romanza de Arlequín en *La mesonera de Tordesillas* de F. Moreno Torroba. Extensión: Mi$_2$–La$_3$.

Amando agotemos la vida. Romanza de Franco en *San Franco de Sena* de E. Arrieta. Extensión: Re$_2$–La$_3$.

Amb la llum del teu mirar. Romanza de Biel en *Pel teu amor* de J. Ribas Gabriel. Extensión: Re$_2$–La$_3$.

Amores. Romanza de Leandro en *Las hilanderas* de J. Serrano. Extensión: Mi$_2$–La$_3$.

Ancha vela marina. Romanza de Américo en *Martierra* de J. Guerrero. Extensión: Re#$_2$–La$_3$.

Aquel semblante. Romanza de Pedro en *Catalina* de J. Gaztambide. Extensión: Mi$_2$–Sol$_3$.

Aquí está quien lo tiene to. Canción de Tajuña en *La alegría del batallón* de J. Serrano. Extensión: Re$_2$–Sol$_3$.

Aquí vengo convertido. Canción de Don Sisenando en *Don Sisenando* de C. Oudrid. Extensión. Mib$_2$–Lab$_3$.

Aquí vengo jadeante. Raconto de Dato en *San Franco de Sena* de E. Arrieta. Extensión: Fa#$_2$–Sol#$_3$.

Ay, de mí. Romanza de Antonio en *El carro del sol* de J. Serrano. Extensión: Do$_2$–Do$_4$.

Bajo un sol que los tortura. Romanza de Ginés en *La picarona* de F. Alonso. Extensión: Fa#$_2$–La$_3$

Basta, las pruebas. Romanza de Alberto en *El maestro Campanone* de G. Mazza, adap. V. Lleó. Extensión: Re$_2$–Sol$_3$.

Bella contrada de Normandia. Romanza de Marcel en *La legió d'honor* de R. Martínez Valls. Extensión: Re$_2$–La$_3$.

Bella enamorada. Romanza de Enrique en *El último romántico* de R. Soutullo y J. Vert. Extensión: Mi$_2$–Sol#$_3$.

Calabrés, no te creas que la engañas. Serenata-tarantela de Bertuccio en *Los calabreses* de P. Luna. Extensión: Re$_2$–Fa#$_3$.

Callada noche andaluza. Romanza de Félix en *La Marchenera* de F. Moreno Torroba. Extensión: Mi$_2$–La$_3$.

Canción de la rosa. Romanza de Leandro en *Las hilanderas* de J. Serrano. Extensión: Mi$_2$–Sol$_3$.

Canta mendigo errante. Canción húngara del Gitano en *Alma de Dios* de J. Serrano. Extensión: Fa$_2$–La$_3$.

Cantando amarguras. Romanza de Iván en *La leyenda del beso* de R. Soutullo y J. Vert. Extensión: Mi$_2$–La$_3$.

Cantem company. Canción de Saviel en *L'Àliga Roja* de R. Martínez Valls. Extensión: Sol$_2$–Si$_3$.

Chinito soy de la farra. Tango de Angelito en *Don Quintín, el amargao* de J. Guerrero. Extensión: Mi$_2$–Sol$_3$.

Como al chocar en la roca. Romanza de José María en *Mari-Eli* de J. Guridi. Extensión: Re$_2$–La$_3$.

Como chacales los celos. Romanza de Kadur en *La cautiva* de J. Guridi. Extensión: Fa#$_2$–La$_3$.

Con ella siempre soñaba. Romanza de José Luis en *La Bejarana* de F. Alonso y E. Serrano. Extensión: Do$_2$–Sol$_3$.

Cuando sus ojos lánguidos. Romanza de Hermán en *El dominó azul* de E. Arrieta. Extensión: Fa$_2$–Lab$_3$.

Da en el alcor. Romanza de Corrado en *Mandolinata* de J. Guridi. Extensión: Fa#$_2$–Sib$_3$.

Dame vino, tabernero. Romanza de Gabriel en *Loza lozana* de J. Guerrero. Extensión: Re$_2$–La$_3$.

De este apacible rincón de Madrid. Romanza de Javier en *Luisa Fernanda* de F. Moreno Torroba. Extensión: Mib$_2$–Sib$_3$.

Deja la guadaña, segador. Romanza de Dupont en *Black el payaso* de P. Sorozábal. Extensión Do$_2$–Lab$_3$.

Dejo tu sombra. Romanza de Rafael en *La Dolorosa* de J. Serrano. Extensión: Re$_2$–Sol$_3$.

Diré a usted… que me llamo Calixto. Coplas de Calixto en *El amor y el almuerzo* de J. Gaztambide. Extensión: Mi$_2$–La$_3$.

Duerme niño chiquito. Nana de Pablo en *El salto del pasiego* de M. Fernández Caballero. Extensión: Re$_2$–Sol$_3$.

Ego sum, ego sum, el leguito del convento. Canción de Fray José en *Los magyares* de J. Gaztambide. Extensión: Mib$_2$–Sol$_3$.

El hombre que valiente. Romanza de Juan en *Las nueve de la noche* de M. Fernández Caballero y J. Casares. Extensión: Mi$_2$–La$_3$.

En el amor siempre triunfó. Vals de Yorick en *Romanza húngara* de J. Dotras Vila. Extensión: Re#$_2$–La$_3$.

En el camino de Mieres. Romanza de Pin en *Xuanón* de F. Moreno Torroba. Extensión: Fa$_2$–Sol$_3$.

En el Carmín de la Pola. Romanza de Pin en *Xuanón* de F. Moreno Torroba. Extensión: Mi$_2$–La$_3$.

En el templo de Marte. Seguidillas de Lamparilla en *El barberillo de Lavapiés* de F. A. Barbieri. Extensión: La$_2$–La$_3$.

En la madrugá o al desayuno. Romanza de Lorenzo en *María Manuela* de F. Moreno Torroba. Extensión: Re$_2$–Mi$_3$.

En la noche azul primaveral. Romanza de Octavio en *Las alondras* de J. Guerrero. Extensión: Mi$_2$–La$_3$.

En la noche clara. Romanza de tenor en *El divo* de F. Díaz Giles. Extensión: Do$_2$–Sol$_3$.

En los campos de grata verdura. Romanza de Gonzalo en *El molinero de Subiza* de C. Oudrid. Extensión: Fa$_2$–Sib$_3$.

En una noche plácida. Racconto de Leonardo en *La bruja* de R. Chapí. Extensión: Mi$_2$–La$_3$.

Endecha. Romanza de Don Fadrique en *La villana* de A. Vives. Extensión: Sol$_2$–Sib$_3$.

Er bien de manita agena. Romanza de José Moreno en *Azabache* de F. Moreno Torroba. Extensión: Fa$_2$–La$_3$.

Era en julio caluroso claro día. Raconto de Don Pedro en *Don Lucas del Cigarral* de A. Vives. Extensión: Re$_2$–La$_3$.

Era en lo más hondo. Romanza de Tehaé en *La isla de las perlas* de P. Sorozábal. Extensión: Re$_2$–La$_3$.

Era yo en la corte. Romanza del Príncipe en *La Generala* de A. Vives. Extensión: Re$_2$–Sib$_3$.

Es el canto de mi patria. Canción húngara de Alberto en *Los magyares* de J. Gaztambide. Extensión: Do$_2$–Lab$_3$.

Es para mí la vida. Romanza de Félix en *La Marchenera* de F. Moreno Torroba. Extensión: Fa#$_2$–La$_3$.

Es una dama de alta estirpe. Romanza de Don César en *Moreto* de C. Oudrid. Extensión: Sol$_2$–La$_3$.

Ese pañuelito blanco. Romanza de José María en *La chulapona* de F. Moreno Torroba. Extensión: Sol$_3$–Fa#$_2$.

Espada mi gloria y mi ley. Romanza del Oficial en *La zapaterita* de F. Alonso. Extensión: Mib$_2$–Sib$_3$.

Fiel espada triunfadora. Romanza de Juan Luis en *El huésped del Sevillano* de J. Guerrero. Extensión: Re$_2$–La$_4$.

Flor roja. Romanza de Gustavo en *El huésped del Sevillano* de J. Guerrero. Extensión: Re$_2$–La$_4$.

Florecilla de nieve y de esencia. Romanza de Eduardo en *Aquella canción antigua* de J. Dotras Vila. Extensión: Re$_2$–Sib$_3$.

Flores purísimas. Romanza de Mateo en *El milagro de la Virgen* de R. Chapí. Extensión: Mib$_2$– Sib$_3$.

Forjador, bon forjador. Canción del forjador Eloi en *Cançó d'amor i de guerra* de R. Martínez Valls. Extensión: Mi$_2$–Sol#$_3$.

Hecho de un rayo de luna. Romanza de Iván en *La leyenda del beso* de R. Soutullo y J. Vert. Extensión: Fa$_2$–La$_3$.

Hermosa y fértil vega. Romanza de Diego en *El Cristo de la Vega* de R. Villa. Extensión: Re$_2$–Sib$_3$.

Huérfano y pobre de cuna. Romanza de Don Álvaro en *Amar sin conocer* de F. A. Barbieri. Extensión: Si$_1$-Sol$_3$.

In udir que i cari accenti. Aria de Colomini en *Aventuras de un cantante* de F. A. Barbieri. Extensión: Sol$_1$-Si$_3$.

Ja la cobla toca al lluny. Sardana de Marcel en *La legió d'honor* de R. Martínez Valls. Extensión: Mib$_2$–La$_3$.

Jo vull morir. Canción del Fadrí de Sau en *Don Joan de Serrallonga* de E. Morera. Extensión: La$_2$–La$_3$.

Jota. Romanza de Alegrías en *La alegría de la huerta* de F. Chueca. Extensión: Mi$_2$–La$_3$.

La roca fría del Calvario. Romanza de Rafael en *La Dolorosa* de J. Serrano. Extensión: Mi$_2$–La$_3$.

La vi por vez primera. Romanza de Félix en *Jugar con fuego* de F. A. Barbieri. Extensión: Mib$_2$–La$_3$.

La, la, la. Canción de Saviel en *L'Àliga Roja* de R. Martínez Valls. Extensión: Mib$_2$–Sib$_3$.

Las estrellitas que hay en el cielo. Tango del besibitibito de Ansúrez en *La patria chica* de R. Chapí. Extensión: Sol$_2$–Solb$_3$.

Los de Aragón. Romanza de Agustín en *Los de Aragón* de J. Serrano. Extensión: Fa$_2$–La$_3$.

Mala estrella la mía. Romanza de Clemente en *El ama* de J. Guerrero. Extensión: Fa$_2$–Sib$_3$.

Manrique, sin duda. Romanza de Juan María en *Monte Carmelo* de F. Moreno Torroba. Extensión: Mi$_2$–La$_3$.

Marchaba a ser el soldado. Habanera del Saboyano en *Luisa Fernanda* de F. Moreno Torroba. Extensión: Re$_2$–Fa#$_3$.

Me vense un ahoguío. Romanza de Peniya en *Al dorarse las espigas* de F. Balaguer. Extensión: Mi$_2$–La$_3$.

Mi locura non tié cura... Paxarín tú que vuelas. Romanza de Juan en *La pícara molinera* de P. Luna. Extensión: Mib$_2$–Lab$_3$.

Mirad cómo chispea la espuma del amor. Brindis de Pedro en *Catalina* de J. Gaztambide. Extensión: Fa#$_2$–La$_3$.

Mujer de los negros ojos. Romanza de Juan Luis en *El huésped del Sevillano* de J. Guerrero. Extensión: Mi$_2$–Si$_3$.

Mujeres, mariposillas locas. Romanza de Fernando en *Los claveles* de J. Serrano. Extensión: Mi$_2$–La$_3$.

Nadie, nadie. Romanza de Don Luis en *El salto del pasiego* de M. Fernández Caballero. Extensión: Mi$_2$–La$_3$.

¡Nadie, nadie! De la cita la perjura se olvidó. Recitativo de Gonzalo en *El molinero de Subiza* de C. Oudrid. Extensión: Fa$_2$-Sib$_3$.

No extrañéis no que se extrañe. Jota de Leonardo en *La bruja* de R. Chapí. Extensión: La$_2$–Sol$_3$.

No me quiere. Romanza de Tehaé en *La isla de las perlas* de P. Sorozábal. Extensión: Fa#$_2$–La$_3$.

No puc ser feliç. Romanza de Pauet en *Baixant de la font del Gat* de E. Morera. Extensión: Mi$_2$–Sol#$_3$.

No puede ser. Romanza de Leandro en *La tabernera del puerto* de P. Sorozábal. Extensión: Do#$_2$–La$_3$.

No quiero verla. Romanza de Curriyo en *La fama del tartanero* de J. Guerrero. Extensión: Mib$_2$–Lab$_3$.

No te tapes la cara. Seguidillas de Curro en *Tramoya* de F. A. Barbieri. Extensión: Mi$_2$–Fa#$_3$.

Nunca tuve el afán de gobierno. Romanza de Dupont en *Black el payasc* de P. Sorozábal. Extensión: Re$_2$–Sol$_3$.

¡Oh, mágica armonía! Romanza de Lucas en *Un tesoro escondido* de F. A. Barbieri. Extensión: Lab$_1$-Sib$_3$.

¡Oh Virgen que fuiste amparo! Plegaria de Curro en *Curro Vargas* de R. Chapí. Extensión: Sol$_2$–Fa$_3$.

Os invito amigos. Canción del Príncipe Pío de *La Generala* de A. Vives. Extensión: Fa$_3$–Sib$_4$.

Otra vez en el convento. Romanza de San Martín en *La Marsellesa* de M. Fernández Caballero. Extensión: Do$_2$–Sol$_3$.

Padre Tajo. Romanza de Bautista en *El canastillo de fresas* de J. Guerrero. Extensión: Fa$_2$–La$_3$.

Pasad aviso, no hay nadie aquí. Escena de San Martín en *La Marsellesa* de M. Fernández Caballero. Extensión: Do$_2$–Sol$_3$.

Paxarín, tú que vuelas. Romanza de Juan de Colás en *La pícara molinera* de P. Luna. Extensión: Fa$_2$–Lab$_3$.

Pirineu. Romanza de Eloi en *Cançó d'amor i de guerra* de R. Martínez Valls. Extensión: Sol$_2$–La$_3$.

Pobre de mí, quina tristor. Romanza de Saviel en *L'Àliga Roja* de R. Martínez Valls. Extensión: Mib$_2$–La$_3$.

Poi que me ven morenito. Tango del Negro en *El último mono* de C. Oudrid. Extensión: Fa$_2$–La$_3$.

Pondré en la empresa mi fe y mi honor. Romanza de Paolo en *La dogaresa* de Rafael Millán. Extensión: Fa$_2$–Sib$_3$.

¡Por Dios! ¡Por la Virgen! Raconto de Jeremías en *El rey que rabió* de R. Chapí. Extensión: Sol#$_2$–La$_3$.

Por el humo se sabe dónde está el fuego. Romanza de Fernando en *Doña Francisquita* de A. Vives. Extensión: Mib$_2$–Sib$_3$.

Por el mar de la esperanza. Romanza de Genaro en *¡Si yo fuera rey!* de J. Inzenga. Extensión: Solb$_2$–Sib$_3$.

Por lo dulce de las damas. Romanza de Romero en *Pan y toros* de F. A. Barbieri. Extensión: Fa$_2$–Fa$_3$.

Por qué mis iras calma. Romanza de Franco en *San Franco de Sena* de E. Arrieta. Extensión: Mi#$_2$–La$_3$.

Por salvar yo no sé cómo. Canción de Lamparilla en *El barberillo de Lavapiés* de F. A. Barbieri. Extensión: Fa$_2$–Sol$_3$.

Prenda querida. Romanza de Don Luis en *El salto del pasiego* de M. Fernández Caballero. Extensión: Mi$_2$–La$_3$.

Pues mejor que todo eso. Tango del cangrejo de Baldomero, Curro, Celi, Quisquillas en *El mozo crúo* de R. Calleja. Extensión: Do#$_2$–Mi$_3$.

Que siempre me ha querido. Romanza de Curro en *Curro Vargas* de R. Chapí. Extensión: Mi$_2$–La$_3$.

Quién la pescara, quién la cogiera. Canción del Trompeta en *El lancero* de J. Gaztambide. Extensión. Fa#$_2$-La$_3$.

Respira, pecho mío. Romanza de Enrique en *La mensajera* de J. Gaztambide. Extensión: Sol$_2$-Lab$_3$.

Salve, costa de Bretaña. Romanza de Beltrán en *La tempestad* de R. Chapí. Extensión: Re$_2$–La#$_3$.

Salve, nido de amores. Romanza de Juan en *Las nueve de la noche* de M. Fernández Caballero y J. Casares. Extensión: Mi$_2$–Sib$_3$.

Se acerca ya el momento... Casta Ermerinda. Romanza de Ulrico en *Covadonga* de T. Bretón. Extensión: Fa$_2$–Sib$_3$.

Si el rey me llama. Romanza del Conde en *El diablo en el poder* de F. A. Barbieri. Extensión: Mi$_2$–Mi$_3$.

Soy gondolero. Romanza del Gondolero en *Las musas latinas* de M. Penella. Extensión: Do$_2$–Fa$_3$.

Su querer fue mi esperanza. Tango de Martín en *La mejor del puerto* de F. Alonso. Extensión: Re$_2$–Sol$_3$.

Suena guitarrico mío. Jota de Perico en *El guitarrico* de A. Pérez Soriano. Extensión Mi$_2$–Si$_3$.

Sueño de amor. Romanza de Enrique en *El último romántico* de R. Soutullo y J. Vert. Extensión: Mib$_2$–Lab$_3$.

También la gente del pueblo tiene su corazoncito. Canción de Julián en *La verbena de la Paloma* de T. Bretón. Extensión: Fa$_2$–Fa$_3$.

Te llevaré a Puerto Rico. Habanera de Luciano en *El hombre es débil* de F. A. Barbieri. Extensión: Sol$_2$–Sol$_3$.

Te quiero, morena. Jota de tenor en *El trust de los Tenorios* de J. Serrano. Extensión: La_2–La_3.

Tienes razón, amigo. Romanza de José María en *La chulapona* de F. Moreno Torroba. Extensión: $Fa\#_2$–La_3.

Todo está igual. Romanza de Leonardo en *La bruja* de R. Chapí. Extensión: Sol_2–Sib_3.

Tot s'ha acabat per mi. Romanza de Marcel en *La Legió d'honor* de R. Martínez Valls. Extensión: Fa_2–La_3.

Triste el alma y sin ventura. Romanza de Don Fernando en *Tramoya* de F. A. Barbieri. Extensión: Fa_2–Sib_2.

Tú me has vuelto la espalda. Romanza de Chucho en *Manuelita Rosas* de F. Alonso. Extensión: Mi_2–La_3.

Tú que sabes dar cariño. Romanza de José María en *Entre Sevilla y Triana* de P. Sorozábal. Extensión: $Re\#_2$–Sib_3.

Tus ojos me miraron. Endecha de Don Fadrique en *La villana* de A. Vives. Extensión: Sol_2–Sib_3.

Un español que viene. Romanza de Conrado en *Una vieja* de J. Gaztambide. Extensión: Mi_2–La_3.

Un tiempo yo que era dueño soñé. Brindis de Leonardo en *La bruja* de R. Chapí. Extensión: Lab_2–Sib_3.

Una cofia en aljófares. Romanza de Conrado en *Mandolinata* de J. Guridi. Extensión: Mib_2–Sib_3.

Ven a mí, muerte querida. Romanza de Paolo en *La dogaresa* de R. Millán. Extensión: Mi_2–Sol_3.

Vino serás generoso. Romanza de Américo en *Martierra* de J. Guerrero. Extensión: Re_2–La_3.

Volverla a ver un día. Romaza de León en *El relámpago* de F. A. Barbieri. Extensión: Fa_2–Lab_3.

Voy vendiendo la alegría. Romanza de Ginés en *La Picarona* de F. Alonso. Extensión: Mib_2–Lab_3.

Ya estoy en mi casa. Romanza de Juan en *Las bodas de Juanita* de M. Sánchez Allú. Extensión: Mi_2–Sol_3.

Ya habrán visto los franceses. Jota de Rubio en *Cádiz* de F. Chueca y J. Valverde. Extensión: $Fa\#_2$–La_3.

Ya sabéis que al dar la hora. Racconto de Gastón en *El reloj de Lucerna* de P. M. Marqués. Extensión: Mi_2–La_3.

Yo conozco una bolera que baila como un peón. Aria de El Señor en *La edad en la boca* de J. Gaztambide. Extensión: Sol_2–La_3.

Yo fui paje de un obispo. Canción de Lamparilla en *El barberillo de Lavapiés* de F. A. Barbieri. Extensión: Re_2–$Fa\#_3$.

Yo me llamo Virginio Lechuga García y Quirós. Couplets de Virginio en *El bateo* de F. Chueca. Extensión: $Do\#_2$–Mi_3.

Yo no sé qué sufro. Romanza de Juan Diego en *La canción del Ebro* de J. Guerrero. Extensión: Mi_2–La_3.

Yo no sé, qué veo en Ana Mari. Canción de José Miguel en *El caserío* de J. Guridi. Extensión: Mib_2–Lab_3.

Yo quiero ver cien nobles. Romanza de San Martín en *La Marsellesa* de M. Fernández Caballero. Extensión: Fa_2–Sol_3.

Yo soy español. Romanza de Españita en *La patria chica* de R. Chapí. Extensión: Mib_2–Sol_3.

Yo soy postillón riojano. Romanza de Don Félix en *El postillón de la Rioja* de C. Oudrid. Extensión: $Sol\#_2$–La_3.

Yo te vi pasar. Romanza de Ramón en *La meiga* de J. Guridi. Extensión: Re_2–Lab_3.

Yo tengo noche y día. Canción de Carlos en *Un pleito* de J. Gaztambide. Extensión: Mi_2–Sol_3.

Romanzas de barítono

Adiós, dijiste. Romanza de Rafael en *Maravilla* de F. Moreno Torroba. Extensión: Do_2–Sol_3.

Agua que río abajo marchó. ¿Dónde va? Racconto de Rafael en *La calesera* de F. Alonso. Extensión: Do_2–Lab_3.

Al reír de la mañana. Romanza de Juan León en *La fama del tartanero* de J. Guerrero. Extensión: Mi_2–Sol_3

Alegres campanas repica el sacristán. Balada fantástica de Simón en *La tempestad* de R. Chapí. Extensión: Do_2–Fa_3.

Alegría de mi canto. Romanza de Miguel en *El divo* de F. Díaz Giles. Extensión: Sib_1–Sol_3.

Alma que nos lleva a luchar. Romanza de Esteban en *El pájaro azul* de R. Millán. Extensión: Re_2–Mi_3.

Amigas mías y caballeros. Romanza de Carlos en *La viejecita* de M. Fernández Caballero. Extensión: Si_2–Mi_3.

Amigos leales. Romanza de Don García en *La meiga* de J. Guridi. Extensión: $Do\#_2$–Mi_3.

Ante un vaso de sidra. Romanza de Xuanón en *Xuanón* de F. Moreno Torroba. Extensión: Do_2–Sol_3.

Aquella canción antigua. Romanza de Andrés en *Aquella canción antigua* de J. Dotras Vila. Extensión: Sib_1–Lab_3.

Aquí tenéis a vuestro señor. Romanza del Comendador en *Fuenteovejuna* de F. Moreno-Torroba. Extensión: Re_2–Fa_3.

Aún veo desde aquí. Romanza del Duque de Tordesillas en *La mesonera de Tordesillas* de F. Moreno Torroba. Extensión: Re_2–$Fa\#_3$.

Ay de mi amor. Romanza de Amador en *La pastorela* de P. Luna y F. Moreno Torroba. Extensión: $Do\#_2$–$Fa\#_3$.

Aym, aym, aym, ay, ay, ay. Capricho de José en *Chateau-Margaux* de M. Fernández Caballero. Extensión: Do_2–Re_3.

Bejarana, no me llores. Romanza del Sargento en *La bejarana* de E. Serrano y F. Alonso. Extensión: Do_2–Mi_3.

Bellísimo paisaje. Aria con coro del Capitán Alegría en *El valle de Andorra* de J. Gaztambide. Extensión: Fa_2–Fa_3.

Bellos prados que dejé al pasar. Canción de Itsvan en *Romanza húngara* de J. Dotras Vila. Extensión: Do_2–$Fa\#_3$.

Benéfica y magnánima. Romanza de Teodoro en *Buenas noches, señor Don Simón* de C. Oudrid. Extensión: Re_2–Mi_3.

Brillan sus ojos. Romanza de Manolo en *La eterna canción* de P. Sorozábal. Extensión: $Re\#_2$–$Fa\#_3$.

Buscando la fortuna. Romanza de Vascongado en *Emigrantes* de T. Barrera y R. Calleja. Extensión: Do_2–Fa_3.

Caballero de Gracia me llaman. Vals del Caballero de Gracia en *La Gran Vía* de F. Chueca y J. Valverde. Extensión: Do_2–Mi_3.

Caballero de inmensa fortuna. Romanza de Rafael en *Maravilla* de F. Moreno Torroba. Extensión: Do_2–Fa_3.

Caballero veinticuatro. Romanza del Conde de Hinojares de F. Moreno Torroba. Extensión: $Do\#_2$–$Fa\#_3$.

Calor de nido, paz del hogar. Romanza de Pedro en *Katiuska* de P. Sorozábal. Extensión: Re_2–Fa_3.

Caminant pel món va el vell pastor. Romanza del Avi Castellet en *Cançó d'amor i de guerra* de R. Martínez Valls. Extensión: Re_2–Mi_3.

Cant que del cor als llavis puja. Romanza de Sebastià en *Baixant de la font del Gat* de E. Morera. Extensión: Re_2–Fa_3.

Canta el Ebro. Romanza de Marcelo en *La canción del Ebro* de J. Guerrero. Extensión: Sib_1–La_3.

Canto a Castilla. Romanza de Amador en *La pastorela* de P. Luna y F. Moreno Torroba. Extensión: Dob_2–Lab_3.

Capitán, capitán. Romanza del Capitán en *La alsaciana* de J. Guerrero. Extensión: Sib_1–Sol_3.

Cefirillo de la tarde. Romanza de Don Carlos en *Los amores de un príncipe* de T. Bretón. Extensión: Reb_2–Fa_3.

Como chico de la prensa. Romanza de Gedeón en *Cuadros disolventes* de M. Nieto. Extensión: $Do\#_2$–Mi_3.

Como tengo la cara nega. Tango de Benjamín en *Entre mi mujer y el negro* de F. A. Barbieri. Extensión: Mi_2–Mi_3.

Con este vestido. Romanza de Andrés en *El canastillo de fresas* de J. Guerrero. Extensión: Re_2–Sol_3.

Conseja del Silbo. Romanza del Tío Silbo en *La noche de reyes* de J. Serrano. Extensión: $Do\#_2$–Mi_3.

Corazón que vives sin amor. Romanza de Itsvan en *Romanza húngara* de J. Dotras Vila. Extensión: Re_2–Sol_3.

Corriendo mucho se aprende. Romanza de Roberto en *Canto de primavera* de P. Luna. Extensión: Mib_2–$Fa\#_3$.

Cosas del cariño son. Romanza de Manolo en *La eterna canción* de P. Sorozábal. Extensión: Do_2–Sol_3.

Couplet del Enano Japonés. Romanza de Mesié Pignon en *El iluso Cañizares* de Q. Valverde y R. G. Calleja. Extensión: Si_1–Mi_3.

Cual brilla el sol en la verde pradera. Romanza del Marqués con Peralta en *El juramento* de J. Gaztambide. Extensión: Fa_2–Fa_3.

Cuando da todo del mundo diente con diente. Seguidillas del Tío Simón en *Al amanecer* de J. Gaztambide. Extensión. Re_2–Re_3.

Cuando era joven. Romanza de Don Sebastián en *Tiene razón Don Sebastián* de J. Guerrero. Extensión: Do_2–Lab_3.

Cuando siembro voy cantando. Canción del sembrador de Juan Pedro en *La rosa del azafrán* de J. Guerrero. Extensión: Do_2–Sol_3.

Cuando soñé con la ilusión. Romanza de Telesforo en *Mari-Eli* de J. Guridi. Extensión: Re_2–Fa_3.

Cuando yo estaba en la cárcel. Carcelera de Juan en *Los amores de la Inés* de M. de Falla. Extensión: Re_2–Fa_3.

De amor habla la brisa. Romanza de Don Juan en *Los amores de un príncipe* de T. Bretón. Extensión: Sib_1–$Solb_3$.

De los toros que he corrío. Vito de El Maestro en *En las astas del toro* de J. Gaztambide. Extensión: Mi_2–Fa_3.

De Peña Negra vengo. Romanza de Lorenzo en *El cantar del arriero* de F. Díaz Giles. Extensión: Do_2–Sol_3.

Dile. Romanza de Don Manolito en *Don Manolito* de P. Sorozábal. Extensión: Re_2–Mib_3.

Dile que puesto a querer. Romanza de Esteban en *El ama* de J. Guerrero. Extensión: Do_2–$Solb_3$.

Dios mío, dame valor. Romanza de Don Sebastián en *Tiene razón Don Sebastián* de J. Guerrero. Extensión: Do_2–Lab_3.

Dios te salve, Sevilla. Romanza de Fernando en *Entre Sevilla y Triana* de P. Sorozábal. Extensión: Re_2–Mi_3.

¿Dónde me encontrarás, alba? Romanza de Leonardo en *El hijo fingido* de J. Rodrigo. Extensión: $Re\#_2$–Fa_3.

El gaitero de Gijón. Romanza de Nolón en *El gaitero de Gijón* de J. Romo. Extensión: Do_2–Sol_3.

En la cárcel de Villa. Romanza del Gitano en *La linda tapada* de F. Alonso. Extensión: Do_2–Mib_3.

En la dulce calma. Romanza de Daniel en *¡Qué sabes tú!* de E. Rosillo. Extensión: $Do\#_2$–$Fa\#_3$.

En la huerta del Segura. Romanza de Miguel en *La parranda* de F. Alonso. Extensión: $Do\#_2$–Fa_3.

En la noche dormida. Romanza de Manuelita en *Manuelita Rosas* de F. Alonso. Extensión: Mi_3–Do_5.

En la vida de casado. Romanza de Don Manolito en *Don Manolito* de P. Sorozábal. Extensión: Do_2–$Solb_3$.

En los cuentos de aldea. Romanza de Xuanón en *Xuanón* de F. Moreno Torroba. Extensión: Re_2–Sol_3.

En tus ojos rasgados. Romanza de Don Juan en *El Cristo de la Vega* de R. Villa. Extensión: $Do\#_2$–Sol_3.

En tus valles, oh Asturias, tierra amiga. Romanza de Pelayo en *Covadonga* de T. Bretón. Extensión: Sib_1–Fa_3.

En una dehesa de la Extremadura. Romanza de Vidal en *Luisa Fernanda* de F. Moreno Torroba. Extensión: Mib_2–Mib_3.

En una noche de luna. Serenata de Andrés en *El canastillo de fresas* de J. Guerrero. Extensión: Do_2–Fa_3.

En Zeviya Costiyares. Romanza de Pepe-Hillo en *Pan y toros* de F. A. Barbieri. Extensión: $Fa\#_2$–$Fa\#_3$.

Encrucijada de pensamientos. Romanza de Nolón en *El gaitero de Gijón* de J. Romo. Extensión: Do_2–Fa_3.

Era Don Severo. Romanza de Cleto en *La gallina ciega* de M. Fernández Caballero. Extensión: Do_2–Mi_3.

Era una cantinera. Romanza del Sargento en *El cabo primero* de M. Fernández Caballero. Extensión: $Do\#_2$–Mi_3.

Era una niña dulce y hermosa. Romanza de Mariani en *Las Calatravas* de Pablo Luna. Extensión: $Fa\#_2$–Sol_3.

Érase un labrador muy devoto. Cuplés de Lego en *El tambor de granaderos* de R. Chapí. Extensión: Do_2–Fa_3.

Es el piropo. Romanza de Gonzalo en *María Manuela* de F. Moreno Torroba. Extensión: Re_2–Fa_3.

Es la Virgen de la ermita. Canción de Manuel en *Al dorarse las espigas* de F. Balaguer. Extensión: Re_2–Fa_3.

Fue mi primer amor. Romanza de Federico en *Polonesa* de F. Moreno Torroba. Extensión: Reb_2–Fa_3.

Gracias, fortuna mía. Romanza de Don Carlos en *El juramento* de J. Gaztambide. Extensión: Do_2–Fab_3.

Granada mía. Romanza de Marique en *Monte Carmelo* de F. Moreno Torroba. Extensión: Re_2–$Fa\#_3$.

Hacer un mísero payaso. Romanza de Black en *Black el payaso* de P. Sorozábal. Extensión: Do_2–Sol_3.

Haré por ponerme triste. Romanza de León en *Una vieja* de J. Gaztambide. Extensión: La_1–Fa_3.

Hija de un pecado. Romanza de Paco *En el balcón de palacio* de J. Romo. Extensión: Re_2–Fa_3.

Hoy está en Francia. Romanza del vendedor de periódicos en *Las musas latinas* de M. Penella. Extensión: Si_1–$Fa\#_3$.

Hoy me han dicho dos niñas. Seguidillas del Fuelle de Matías en *Alma de Dios* de J. Serrano. Extensión: Re_2–Re_3.

Huyó la luz del día. Romanza de Teodoro en *Buenas noches señor Don Simón* de C. Oudrid. Extensión: Do_2–Mi_3.

Junto al puente de la peña. Romanza de Leonello en *La canción del olvido* de J. Serrano. Extensión: $Do\#_2$–$Fa\#_3$.

La española infantería. Canción militar con coro del Capitán Alegría en *El valle de Andorra* de J. Gaztambide. Extensión: Mi_2–Mi_3.

La historia es increíble. Balada de Artaban en *Mujer y reina* de R. Chapí. Extensión: Si_1–Fa_3.

La, la, la, tra la la... Cual ruiseñor canta en libertad. Canción y fado de Esteban en *El Pájaro Azul* de Rafael Millán. Extensión: Do_2–Fa_3.

La ra lá, la ra lá. Cavatina de Campanone en *El Maestro Campanone* de G. Mazza, adap. V. Lleó. Extensión: Do_2–Fa_3.

La lluvia ha cesado. Romanza de Simón en *La tempestad* de R. Chapí. Extensión: Sib_1–Fa_3.

La mujer de los quince a los veinte. Romanza de Juan de Eguía en *La tabernera del puerto* de P. Sorozábal. Extensión: La_1–Sol_3.

La mujer rusa. Romanza de Pedro en *Katiuska* de P. Sorozábal. Extensión: Do_2–Sol_3.

La mujer y el amor. Romanza de Casanova en *La zapaterita* de F. Alonso. Extensión: Mib_2–$Solb_3$.

La murmuración es el pecado. Fox-trot de Edmundo en *La montería* de J. Guerrero. Extensión: Si_1–Fa_3.

Las campanas de Madrid. Romanza de Inocencio en *Un día de primavera* de J. Romo. Extensión: Re_2–Mib_3.

Les neus de les muntanyes. Canción del Avi Castellet en *Cançó d'amor i de guerra* de R. Martínez Valls. Extensión: Do_2–Mi_3.

Lo mismo que esa guitarra. Romanza de Manuel en *Al dorarse las espigas* de F. Balaguer. Extensión: Do_2–Sol_3.

Los cantos alegres. Romanza de Germán en *La del Soto del Parral* de R. Soutullo y J. Vert. Extensión: Re$_2$–Fa#$_3$.

Los fastos de tu gloria. Romanza del Prior en *Camöens* de P. M. Marqués. Extensión: Do$_2$–Fa$_3$.

Luche la fe por el triunfo. Romanza de Vidal en *Luisa Fernanda* de F. Moreno Torroba. Extensión: Do$_2$–Fa$_3$.

María Antonia de mi vida. Romanza de Fabián en *La caramba* de F. Moreno Torroba. Extensión: Re$_2$–Sol$_3$.

María Manuela, madrileña menestrala. Romanza de Gonzalo en *María Manuela* de F. Moreno Torroba. Extensión: Re$_2$–Mi$_3$.

Matar. Romanza de Don Manolito en *Don Manolito* de P. Sorozábal. Extensión: Do$_2$–Sol$_3$.

Me condena otra vez mi suerte negra. Aria bufa de Cleto en *La gallina ciega* de M. Fernández Caballero. Extensión: Do$_2$–Mi$_3$.

Mentira piadosa. Romanza de Juan León en *La fama del tartanero* de J. Guerrero. Extensión: Do$_2$–Solb$_3$.

Mi aldea. Romanza de Juan en *Los gavilanes* de J. Guerrero. Extensión: Reb$_2$–Fa$_3$.

Mi ventura fue nacer. Romanza de Eladio en *Peñamariana* de J. Guridi. Extensión: Re#$_2$–Fa#$_3$.

Mis arreos son las armas. Romanza del Alférez Leonardo en *El hijo fingido* de J. Rodrigo. Extensión: Mi$_2$–Fa$_3$.

Mis ojos de ver los tuyos. Romanza de Alberto en *Molinos de viento* de P. Luna. Extensión: Mi$_2$–Mi$_3$.

Nada esperar confío. Romanza de Don Juan en *El Cristo de la Vega* de R. Villa. Extensión: Do#$_2$–Fa#$_3$.

Nada me asusta ni espanta. Romanza de Pintu en *La pícara molinera* de P. Luna. Extensión: Do$_2$–Lab$_3$.

Nadie sabe cómo empiezan. Romanza de Fernando en *Entre Sevilla y Triana* de P. Sorozábal. Extensión: Si#$_1$–Mi$_3$.

Nao se vencer. Fado de Esteban en *El Pájaro Azul* de R. Millán. Extensión: Do$_2$–Fa$_3$.

No hay bien más hermoso que la libertad. Romanza de Rafael en *La Calesera* de F. Alonso. Extensión: Sib$_1$–Sol$_3$.

No hay como ser el sirviente. Romanza de Baratillo en *Los burladores* de P. Sorozábal. Extensión: Do#$_2$–Mi$_3$.

No importa si quien te guía. Romanza de Marcelo en *La canción del Ebro* de J. Guerrero. Extensión: Sol$_2$–Sol$_3$.

No me importa que al amor mío. Romanza de Juan en *Los gavilanes* de J. Guerrero. Extensión: Sib$_1$–Sol$_3$.

No me importa que con otro (Madrileña bonita). Romanza de Joaquín en *La del manojo de rosas* de P. Sorozábal. Extensión: Re#$_2$–Sol$_3$.

No se arreglaron, no se entendieron. Romanza de Mariani en *Las Calatravas* de P. Luna. Extensión: Sib$_1$–Fa$_3$.

No sé lo que me sujeta. Romanza de Paco en *Me llaman la presumida* de F. Alonso. Extensión: Si$_2$–Sol$_3$.

No te acerques. Romanza de Juan de Eguía en *La tabernera del puerto* de P. Sorozábal. Extensión: Dob$_2$–Fa$_3$.

Noche madrileña. Romanza de Casanova en *La zapaterita* de F. Alonso. Extensión: Si$_1$–Sol$_3$.

Noia que vas a muntanya. Canción de Brisac en *La legió d'honor* de R. Martínez Valls. Extensión: Re$_2$–Sol$_3$.

Oh, licor, que das la vida. Romanza de Mario en *La leyenda del beso* de R. Soutullo y J. Vert. Extensión: Re$_2$–Sol$_3$.

Oye con el alma mi voz. Romanza de Don Luis en *Don Lucas del cigarral* de A. Vives. Extensión: Mi$_2$–Mi$_3$.

Oye este canto bravío. Romanza de Juan de León en *Benamor* de P. Luna. Extensión: Si$_1$–Fa#$_3$.

Óyeme mujer. Canción de Miguel en *La parranda* de F. Alonso. Extensión: Reb$_2$–Solb$_3$.

País del Sol. Romanza de Juan de León en *Benamor* de P. Luna. Extensión de Fa#$_3$–Si$_2$.

Por decreto de la suerte. Romanza de Federico en *San Franco de Sena* de E. Arrieta. Extensión: Do$_2$–Fa$_3$.

Por el Rey. Romanza de Don Íñigo en *La linda tapada* de F. Alonso. Extensión: Reb$_2$–Solb$_3$.

Por qué no puedo amarte. Romanza de Federico en *Polonesa* de F. Moreno Torroba. Extensión: Si$_1$–Fa#$_3$.

Por una mujer el hombre desprecia. Romanza de Juan de León en *Benamor* de P. Luna. Extensión Fa$_3$–Mib$_2$.

Porque ves que me río. Romanza de Daniel en *¡Qué sabes tú!* de E. Rosillo. Extensión: Re$_2$–Fa#$_3$.

Pulserita de pedida. Romanza de Don Manolito en *Don Manolito* de P. Sorozábal. Extensión: Re$_2$–Fa#$_3$.

Qué ha querido decirme. Romanza de Andrés en *El canastillo de fresas* de J. Guerrero. Extensión: Do$_2$–Sol$_3$.

Qué importa ya mi vida. Romanza de Itsvan en *Romanza húngara* de J. Dotras Vila. Extensión: Re$_2$–Sol$_3$.

¡Que salga pronto, que le esperamos! Tango milonga de Juan en *Los gavilanes* de J. Guerrero. Extensión: Do$_2$–Fa#$_3$.

¿Qué tendrá la mar? Romanza de Shimela en *El joven piloto* de J. Tellería. Extensión: Sib$_2$–Fa$_3$.

Queda flotante en esta instancia. Romanza del Marqués en *Los burladores* de P. Sorozábal. Extensión: Do$_2$–Fa$_3$.

Quiso el destino. Romanza de Daniel en *¡Qué sabes tú!* de E. Rosillo. Extensión: Do$_2$–Fa$_3$.

Raconto de Hernán Cortés. Romanza de Miguel en *El divo* de F. Díaz Giles. Extensión Do$_2$–Fa$_3$.

Riojanico. Romanza de Marcelo en *La canción del Ebro* de J. Guerrero. Extensión: Si$_1$–Sol$_3$.

Rosa, mi Rosalía. Romanza de Alfredo en *Las de Caín* de P. Sorozábal. Extensión: Re_2–Fa_3.

Salen de Sanlúcar. Romanza del Alférez Leonardo en *El hijo fingido* de J. Rodrigo. Extensión: Re_2–Mi_3.

Sasibil mi caserío. Zortziko de Santi en *El caserío* de Jesús Guridi. Extensión: Re_2–Fa_3.

Se me conoce en la cara. Romanza de Lozano en *Loza lozana* de J. Guerrero. Extensión: Do_2–Fa_3.

Señor, aunque villano. Romanza de Peribáñez en *La villana* de A. Vives. Extensión: Do_2–Sol_3.

Señora Ama. Romanza de Esteban en *El ama* de J. Guerrero. Extensión: Re_2–Sol_3.

Si con damas venturoso. Aria de Moreto en *Moreto* de C. Oudrid. Extensión: Do_2–Fa_3.

Si en el pecho sentí un dulce fuego encantador. Serenata de Edmundo en *La montería* de J. Guerrero. Extensión: La_1–$Fa\#_3$.

Si es burlarse a costa mía. Romanza de Artaban en *Mujer y reina* de R. Chapí. Extensión: $Fa\#_2$–$Fa\#_3$.

Si te encuentras a la que quiero. Romanza de Rafael en *Sangre de Reyes* de P. Luna y F. Balaguer. Extensión: Do_2–Sol_3.

Signorina, signorina. Romanza de Beppo en *Las Calatravas* de P. Luna. Extensión: Do_2–Fa_3.

Sin ella no quiero la vida. Romanza de Federico en *Polonesa* de F. Moreno Torroba. Extensión: Do_2–Fa_3.

Sólo una boca que se pueda besar. Romanza de Lorenzo en *El cantar del arriero* de Fernando Díaz Giles. Extensión: Do_2–Sol_3.

Sonaba la media noche. Raconto de Natillas en *El salto del pasiego* de M. Fernández Caballero. Extensión: Si_1–Re_3.

Sota terra, a mes mans tots caureu. Raconto de Brisac en *La legió d'honor* de R. Martínez Valls. Extensión: Do_2–Fa_3.

Soy Ali-Mon. Romanza de Ali-Mon en *El asombro de Damasco* de P. Luna. Extensión: Do_2–Fa_3.

Soy de Aragón. Romanza de Miguel en *El divo* de F. Díaz Giles. Extensión Do_2–Fa_3.

Soy un mozo como se estilan por allí. Raconto de Natillas en *El cortejo de la Irene* de R. Chapí. Extensión: Do_2–Mi_3.

Suena guitarrico mío. Serenata de Perico en *El guitarrico* de A. Pérez Soriano. Extensión: Mi_2–Re_3.

Tengo un majuelo. Romanza de Peribáñez en *La villana* de A. Vives. Extensión: $Do\#_2$–Mi_3.

Tin, tan, tin, tan... Volad mis campanas. Romanza de Damián en *El campanero de Begoña* de T. Bretón. Extensión: Sib_1–Mib_3.

Tus besos no me tientan. Romanza de Fabián en *La caramba* de F. Moreno Torroba. Extensión: Mi_2–Fa_3.

Un conde fue. Romanza-tarantella de Miccone en *La dogaresa* de Rafael Millán. Extensión: Si_1–$Fa\#_3$.

Una liga de mujer. Romanza de Marique en *Monte Carmelo* de F. Moreno Torroba. Extensión: Re_2–Sol_3.

Una y otra vez mis sueños. Romanza de Gonzalo en *La condesa de la aguja y el dedal* de J. Guridi. Extensión: Re_2–Sol_3.

¿Vendrás mujer? Romanza de Mario en *La leyenda del beso* de R. Soutullo y J. Vert. Extensión: $Do\#_2$–$Solb_3$.

Venga sin cuidado la comiquería. Romanza de Artaban en *Mujer y reina* de R. Chapí. Extensión: $Fa\#_2$–$Fa\#_3$.

Vivo de la esperanza. Romanza de Gonzalo en *La condesa de la aguja y el dedal* de J. Guridi. Extensión: Mi_2–$Fa\#_3$.

Volvió el amor. Romanza de Keplan en *La isla de las perlas* de P. Sorozábal. Extensión: Do_2–Fa_3.

Voy pidiendo a la fortuna. Romanza de Felipe en *La bengala* de J. Guridi. Extensión: $Do\#_2$–$Sol\#_3$.

Ya que la ingrata fortuna su favor nos ha negado. Romanza de Jaime en *Los sobrinos del capitán Grant* de M. Fernández Caballero. Extensión: Mib_2–Lab_3.

Yo he visto. Romanza de Tomás en *El grumete* de E. Arrieta. Extensión: Do_2–Fa_3.

Yo llevo flores. Romanza de Juanillo en *Los borrachos* de G. Giménez. Extensión: Mi_2–Mib_3.

Yo, paisanos, soy de Mieres. Romanza de Nolón en *El gaitero de Gijón* de J. Romo. Extensión: La_1–Sol_3.

Yo soy del valle de Andorra el viejo pastor. Romanza de Marcelo en *El valle de Andorra* de J. Gaztambide. Extensión: La_1–Re_3.

Romanzas de bajo

Allá en la judería toledana. Canción de las joyas de David en *La villana* de A. Vives. Extensión: Sol_1–Mi_3.

Aunque todos nos daban por muertos. Romanza de White en *Black el payaso* de P. Sorozábal. Extensión: Si_1–Mi_3.

Castellana, tan gentil y bondadosa. Romanza de Don Alonso en *La venta de Don Quijote* de R. Chapí. Extensión: Do_2–$Fa\#_3$.

Cuando tengo en la aldea muchos pesares. Couplets de Don Judas en *La rapaza* de V. Zurrón. Extensión: Re_2–Mi_3.

De la patria del cacao. Romanza de Venancio en *La gallina ciega* de M. Fernández Caballero. Extensión: $Si\#_1$–Mi_3.

Despierta, negro. Romanza de White en *La tabernera del Puerto* de P. Sorozábal. Extensión: Sib_1–Mib_3.

El rey Don Carlos Cuarto. Romance de Doctor Chinchilla en *El salto del pasiego* de M. Fernández Caballero. Extensión: Re_2–Mi_3.

El tipo más flamenco que hay en España. Sevillanas de Don Felipe en *Torear por lo fino* de I. Hernández. Extensión: Do_2–Re_3.

Empieza el rey de Marruecos. Romanza de Marcelo en *Gloria y peluca* de F. A. Barbieri. Extensión: Sib_1–Fa_3.

En el cielo de Oriente. Romanza del Pastor en *La venta de Don Quijote* de R. Chapí. Extensión: Do_2–$Fa \#_3$.

En mi ausencia. Romanza de Ubilla en *El diablo en el poder* de F. A. Barbieri. Extensión: Reb_2–Mib_3.

En un cercano pueblo. Romanza del Alcalde en *Las nueve de la noche* de M. Fernández Caballero. Extensión: Si_1–Re_3.

Ésa es la que va a situarme. Romanza de Don Aníbal en *La eterna canción* de P. Sorozábal. Extensión: La_1–Mi_3.

Ese bando, pardiez. Romanza del Alcalde en *Las nueve de la noche* de M. Fernández Caballero. Extensión: $Do\#_2$–Re_3.

La chiquilla está celosa. Romanza de Don Tomás en *La eterna canción* de P. Sorozábal. Extensión: Si_1–Mi_3.

La ronda hagamos con cierta fe. Ronda de Chatelard en *Mujer y reina* de R. Chapí. Extensión: La_1–Re_3.

Me da mucho qué pensar. Romanza del Prior en *La Dolorosa* de J. Serrano. Extensión: Re_2–$Fa\#_3$.

Oye mujer mi amante voz. Romanza de Don Lucas en *Don Lucas del cigarral* de A. Vives. Extensión: $Do\#_3$–Mi_3.

Qué me importa ser judío. Romanza de Manacor en *El niño judío* de P. Luna. Extensión: $Do\#_2$–Mi_3.

Qué partido has perdido, chiquilla. Romanza de Guillermo en *Don Manolito* de P. Sorozábal. Extensión: Sol_1–Re_3.

Rosalía la más bella. Balada del Padre Vicente en *El salto del pasiego* de M. Fernández Caballero. Extensión: Fa_1–Re_3.

Si es menester. Romanza de Mansto en *San Franco de Sena* de E. Arrieta. Extensión Do_2–Re_3

Sonaba la media noche. Romanza del Doctor Chinchilla en *El salto del pasiego* de M. Fernández Caballero. Extensión: Si_1–Re_3

Soy un hombre que está desesperado. Romanza de Mochila en *Los sobrinos del Capitán Grant* de M. Fernández Caballero. Extensión: La_1–Re_3.

Terror del enemigo. Romanza de Rajah-Tabla en *Benamor* de P. Luna. Extensión: Re_2–Mib_3.

Tiene razón Don Sebastián... Coplas de Don Hilarión en *La verbena de la Paloma* de T. Bretón. Extensión: Sib_1–Re_3.

Una negra y una mulata. Americana de Jaumet en *L'esquella de la Torratxa* de J. Sariols. Extensión: $Re\#_2$–$Fa\#_3$.

Una rata mu despierta. Romanza de Curro en *Alma negra* de F. Chaves. Extensión: La_1–Re_3.

Yo estuve en alcoba. Romanza de Saturio en *Peñamariana* de J. Guridi. Extensión: Mi_1–Re_3

Alonso, Francisco

Agua que río abajo marchó. ¿Dónde va? (barítono)
Allá por la tierra mora (tiple)
Bajo un sol que los tortura (tenor)
Bejarana, no me llores (barítono)
Caballeros en plaza (tiple)
Calesera (tiple)
Canción del gitano (barítono)
Con ella siempre soñaba (tenor)
En la cárcel de Villa (barítono)
En la huerta del Segura (barítono)
En la noche dormida (barítono)
Escucha este cantar de amores (tiple)
Espada mi gloria y mi ley (tenor)
Hoy asisten al logro de mis sueños (tiple)
Hoy te pido por favor, claridad (tiple)
La mujer y el amor (barítono)
No hay bien más hermoso que la libertad (barítono)
No sé lo que me sujeta (barítono)
Noche madrileña (barítono)
Nunca pensé que mi amor (tiple)
Óyeme mujer (barítono)
¡Pichi! Es el chulo que castiga (tiple)
Por el rey (barítono)
Por la calle de Alcalá (tiple)
Si no vendrá (tiple)
Su querer fue mi esperanza (tenor)
Todos dicen que te quiero (tiple)
Tú me has vuelto la espalda (tenor)
Un majo se llevó (tiple)
Voy vendiendo la alegría (tenor)

Arrieta, Emilio

Amando agotemos la vida (tenor)
Aquí vengo jadeante (tenor)
Cuando sus ojos lánguidos (tenor)
Es sombra de mi sueño (tiple)
No iré yo al río (tiple)
Por decreto de la suerte (barítono)
Por qué mis iras calma (tenor)
Si es menester (bajo)
Sin una mano amiga (tiple)
Yo he visto (barítono)

Asenjo Barbieri, Francisco

A través de mis cristales (tiple)
Adiós dulces memorias (tenor)
¡Ah! Que estalle el rayo (tenor)
¿Por qué se oprime el alma? (tiple)
Como nací en la calle de la Paloma (tiple)

Como tengo la cara nega (barítono)
Cuando los granaderos de paso (tiple)
Dime, espejo, tú dime la verdad (tiple)
Domar mi orgullo (tiple)
Empieza el rey de Marruecos (bajo)
En el templo de Marte (tenor)
En mi ausencia (bajo)
En noche callada (tiple)
En vano la fortuna (tiple)
En Zeviya Costiyares (barítono)
Este santo escapulario (tiple)
Hay bendita sea la hora (tiple)
Huérfano y pobre de cuna (tenor)
In udir que i cari accenti (tenor)
La moza en la fuente miraba (tiple)
La vi por vez primera (tenor)
Niñas que a vender flores (tiple)
No te tapes la cara (tenor)
Oh, mágica armonía (tenor)
Por lo dulce de las damas (tenor)
Por salvar yo no sé cómo (tenor)
Quién me verá a mí (tiple)
Si el rey me llama (tenor)
Te llevaré a Puerto Rico (tenor)
Triste el alma y sin ventura (tenor)
Un tiempo fue (tiple)
Volverla a ver un día (tenor)
Yo fui paje de un obispo (tenor)

Balaguer, Francisco

Adiós para siempre (tenor)
Es la Virgen de la ermita (barítono)
Lo mismo que esa guitarra (barítono)
Me vense un ahoguío (tenor)
Si te encuentras a la que quiero (barítono)
Triste destino (tiple)

Barrera, Tomás

Buscando la fortuna (barítono)

Bretón, Tomás

A Medina huye Mahoma (tiple)
Cefirillo de la tarde (barítono)
De amor habla la brisa (barítono)
En tus valles, oh Asturias, tierra amiga (barítono)
Los aires de mi tierra son muy sentidos (tiple)
No cabe en mí el odio que engendré (tiple)
Oh, gentil desconocida (tiple)
Pensamiento mío, vuela sin tardar (tiple)
Sola con mis pesares anhelo estar (tiple)

Se acerca ya el momento (tenor)
Sueño de amor y gloria (tiple)
También la gente del pueblo tiene su corazoncito (tenor)
Tiene razón Don Sebastián (bajo)
Tin, tan, tin, tan (barítono)
¿Tú no lo viste? ¿No vísteis caer a Hugo? (tiple)

Bru, Enrique
De amores durmiendo (tiple)
Soy la chula madrileña (tiple)

Brull, Apolinar
Cuando salta el champán (tiple)

Calleja, Rafael
Almas angélicas (tiple)
¡Ay! ¡Ay! Mira tú si yo a ti te querré (tiple)
Buscando la fortuna (barítono)
Couplet del Enano Japonés (barítono)
Pues mejor que todo eso (tenor)
Yo soy modista en París (tiple)

Casares, José
Salve, nido de amores (tenor)

Chapí, Ruperto
A una pescadora como dos no había (tiple)
Ahora que mi ventura (tenor)
Al pensar en el dueño de mis amores (tiple)
Alegres campanas repica el sacristán (barítono)
Carceleras (tiple)
Castellana, tan gentil y bondadosa (bajo)
Como ligera mariposa (tiple)
Con él mi esperanza va (tiple)
Cuando clava mi moreno (tiple)
Cuando el alma se recrea (tiple)
Cuando está tan hondo (tiple)
En el cielo de Oriente (bajo)
En haciendo rataplán (tiple)
En la plácida alegría (tiple)
En una noche plácida (tenor)
Érase un labrador muy devoto (barítono)
Esperanza que finges traidora (tiple)
Flores purísimas (tenor)
Fue mi mare la gitana (tiple)
Gracias al cielo (tiple)
Hijo soy del mar salobre (tiple)
Intranquilo estoy (tiple)
La historia es increíble (barítono)
La lluvia ha cesado (barítono)
La ronda hagamos con cierta fe (bajo)
Las estrellitas que hay en el cielo (tenor)
Mi tío se figura (tiple)
No extrañéis no que se extrañe (tenor)
¡Oh Virgen que fuiste amparo! (tenor)
¡Por Dios! ¡Por la Virgen! (tenor)
Pues señor, esto era un rey (tiple)
Que siempre me ha querido (tenor)

Salve, costa de Bretaña (tenor)
Si es burlarse a costa mía (barítono)
¡Socorro! ¡Salvadle! ¡Auxilio! ¡Por favor! (tiple)
Soy un mozo como se estilan por allí (barítono)
Soy un pastor sencillo (tiple)
Te quiero y me quieres (tiple)
Todo está igual (tenor)
Un tiempo yo que era dueño soñé (tenor)
Venga sin cuidado la comiquería (barítono)
Ya los ecos de la ronda, perdiéndose van (tiple)
Yo soy español (tenor)

Chaves, Federico
Como espanta (tiple)
Una rata mu despierta (bajo)

Chueca, Federico
Caballero de Gracia me llaman (barítono)
La gitanilla que viene hacia aquí (tiple)
Oiga usté, caballero (tiple)
Pobre, chica, la que tiene que servir (tiple)
Ya habrán visto los franceses (tenor)
Yo me llamo Virginio Lechuga García y Quirós (tenor)
Yo soy el Elisedo (tiple)

Cohí Grau, Agustí
Si ets tu ma llum i guia (tiple)

Coll, Josep
A una niña bonita y hermosa (tiple)

Díaz Giles, Fernando
Alegría de mi canto (barítono)
Aquella canción antigua (barítono)
Bellos prados que dejé al pasar (barítono)
Corazón que vives sin amor (barítono)
De Peña Negra vengo (barítono)
El mozo mejor de todo el lugar (tiple)
Qué importa ya mi vida (barítono)
Raconto de Hernán Cortés (barítono)
Sólo una boca (barítono)
Soy de Aragón (barítono)

Díez Peydró, Vicente
Te di todo mi amor (tiple)
Toitico mi corazón (tiple)

Dotras Vila, Joan
De mi amor la luz sagrada ve morir (tiple)
En la bahía de Veracruz (tiple)
Florecilla de nieve y de esencia (tenor)
Ya nace el día (tiple)

Falla, Manuel
Cuando yo estaba en la cárcel (barítono)

Fernández Caballero, Manuel
Al espejo al salir me miré (tiple)
Amigas mías y caballeros (barítono)

Ay, que en vano es el venir (tiple)
Aym, aym, aym, ay, ay, ay (barítono)
De la patria del caco (bajo)
Dice el mundo que estoy loca (tiple)
Duerme niño chiquito (tenor)
El gobierno que nos manda (tiple)
El hombre que valiente (tenor)
El mozo mejor de todo el lugar (tiple)
El oír un guapo mozo (tiple)
El Rey Don Carlos Cuarto (bajo)
En un cercano pueblo (bajo)
Era Don Severo (barítono)
Era una cantinera (barítono)
Ese bando, pardiez (bajo)
Esta es la calle (tiple)
Esta es su carta (tiple)
Este es Burdeos, un vino hasta allí (tiple)
Me condena otra vez mi suerte negra (barítono)
Nadie, nadie (tenor)
Niña inocente (tiple)
Noche pura y serena (tiple)
Otra vez en el convento (tenor)
Para morir de amor ciego (tiple)
Pasad aviso, no hay nadie aquí (tenor)
Perdida la esperanza (tiple)
Prenda querida (tenor)
Rosalía la más bella (bajo)
Sal para siempre (tiple)
Sal ya del alma mía (tiple)
Salve, nido de amores (tenor)
Sonaba la media noche (bajo)
Sonaba la media noche (barítono)
Soy un hombre que está desesperado (bajo)
Ya de la cita la hora sonó (tiple)
Ya que ingrata la fortuna (barítono)
Yo adoro a un teniente (tiple)
Yo con vosotros la frontera (tiple)
Yo he nacido muy chiquita (tiple)
Yo quiero a un hombre (tiple)
Yo quiero ver cien nobles (tenor)

Foglietti, Luis
Sofía tenía la manía (tiple)

Gaztambide, Javier
¡Ay! Triste de mí (tiple)
Al ver que uno me camela (tiple)
Alto aquí los caballeros (tiple)
Aquel semblante (tenor)
Ay, yo me vi en el mundo (tiple)
Bellísimo paisaje (barítono)
Blanca rosa, flor galana (tiple)
Blanca tórtola inocente (tiple)
Blandamente murmurando (tiple)
Como es la vez primera (tiple)
Cual brilla el sol en la verde pradera (barítono)

Cuando da todo del mundo diente con diente (barítono)
Cuando los granaderos de paso (tiple)
Cuando pongo en la mesa los tenedores (tiple)
De los toros que he corrío (barítono)
De un nuevo sol (tiple)
Desde que apunta el alba (tiple)
Diré a usted… que me llamo Calixto (tenor)
Ego sum, ego sum, el leguito del convento (tenor)
El arroyo, a enramada y la fuente nacarada (tiple)
Es el canto de mi patria (tenor)
Es la cara de mi Curro (tiple)
Gracias, fortuna mía (barítono)
Haré por ponerme triste (barítono)
La española infantería (barítono)
Mirad cómo chispea la espuma del amor (tenor)
No extrañes padre, si trajes pido (tiple)
Oh, mil veces venturosa (tiple)
Oh, qué Marqués tan singular (tiple)
Padre Tajo (tenor)
Pasó la noche (tiple)
Por qué cuando aquel día (tiple)
Quién la pescara, quién la cogiera (tenor)
Respira, pecho mío (tenor)
Un español que viene (tenor)
Ve piadosa desde el cielo (tiple)
Yo conozco una bolera que baila como un peón (tenor)
Yo soy del valle de Andorra el viejo pastor (barítono)
Yo soy en la corte de España (tiple)
Yo tengo noche y día (tenor)

Giménez, Gerónimo
Al coronel de un regimiento (tiple)
Alegres amigos (tiple)
Ascuche usté Juanita (tiple)
Ay, malhaya la persona (tiple)
Como esas nubes negras (tiple)
Hay una cosa en el mundo que cuesta poco dinero (tiple)
La tarántula é un bicho mu malo (tiple)
Me llaman la primorosa (tiple)
Nunca teme una derrota (tiple)
Sierras de Granada (tiple)
Soy una gatita blanca (tiple)
Un pobre nido (tiple)
Yo llevo flores (barítono)
Yo soy la tiple (tiple)

Guerrero, Jacinto
A la vera del Tajo (tiple)
Adiós, Sebastián (tiple)
Al reír de la mañana (barítono)
Ancha vela marina (tenor)
Canta el Ebro (barítono)
Capitán, capitán (barítono)
Con este vestido (barítono)
Cuando el grave sonar de la campana (tiple)
Cuando era joven (barítono)

Cuando siembro voy cantando (barítono)
Chinito soy de la farra (tenor)
Dame vino, tabernero (tenor)
Dile que puesto a querer (barítono)
Dios mío, dame valor (barítono)
El niño del Plata (tiple)
En la noche azul primaveral (tenor)
En una noche de luna (barítono)
Fiel espada triunfadora (tenor)
Flor roja (tenor)
La copla que de mi pecho (tiple)
La murmuración es el pecado (barítono)
La pena me hace llorar (tiple)
Mala estrella la mía (tenor)
Malhaya el hombre (tiple)
Mentira piadosa (barítono)
Mi aldea (barítono)
Mujer de los negros ojos (tenor)
No hay tesoro ni poder (tiple)
No importa si quien te guía (barítono)
No me duele que se vaya (tiple)
No me importa que al amor mío (barítono)
No quiero verla (tenor)
No tengo en el mundo (tiple)
Noble tierra de Cantabria (tiple)
Qué ha querido decirme (barítono)
¡Que salga pronto, que le esperamos! (barítono)
Riojanico (barítono)
Se me conoce en la cara (barítono)
Señora Ama (barítono)
Si el mundo entero (tiple)
Si en el pecho sentí un dulce fuego encantador (barítono)
Si loco de pasión (tiple)
Sólo una madre (tiple)
Una y otra primavera (tiple)
Vino serás generoso (tenor)
Viva mi Alsacia (tiple)
Yo no sé qué sufro (tenor)

Guridi, Jesús

A pesar del gran invento (tiple)
Amigos leales (barítono)
Como al chocar en la roca (tenor)
Como chacales los celos (tenor)
Cuando en la romería (tiple)
Cuando soñé con la ilusión (barítono)
Da en el alcor (tenor)
De Alah poderoso (tiple)
En la cumbre del monte (tiple)
En mi Cerdeña (tiple)
Mi ventura fue nacer (barítono)
Sasibil, mi caserío (barítono)
Si mi adorada tierra (tiple)
Una cofia en aljófares (tenor)
Una y otra vez mis sueños (barítono)
Vivo de la esperanza (barítono)

Voy pidiendo a la fortuna (barítono)
Yo estuve en alcoba (bajo)
Yo no sé qué veo en Ana Mari (tenor)
Yo te vi pasar (tenor)

Hermoso, Mariano

Yo adoro a un teniente (tiple)

Hernández, Isidoro

El tipo más flamenco que hay en España (bajo)
Jesús, mamita lo que me da (tiple)

Inzenga, José

De pronto el cielo se oscureció (tiple)
Por el mar de la esperanza (tenor)

Lleó, Vicente

Basta, las pruebas (tenor)
Laralá, laralá (barítono)
Son las mujeres de Babilonia (tiple)
Ya me inquieta su tardanza (tiple)
Yo por ti desprecio riesgos (tiple)

Luna, Pablo

Adiós para siempre (tenor)
Al lucir la blanca luna (tiple)
Al pasar por la calle (tiple)
Amor mío vienes tarde (tiple)
Calabrés, no te creas que la engañas (tenor)
Canto a Castilla (barítono)
Corriendo mucho se aprende (barítono)
De España vengo (tiple)
En mis ojos la pena (tiple)
Era una niña (barítono)
Junto al mirador (tiple)
Madame Balancé (tiple)
Mi locura non ti cura (tenor)
Mis ojos de ver los tuyos (barítono)
Nada me asusta ni espanta (barítono)
No se arreglaron (barítono)
Oye este canto bravío (barítono)
Oye mi dueño y señor (tiple)
País del Sol (barítono)
Paxarín, tú que vuelas (tenor)
Por una mujer, el hombre desprecia (barítono)
Qué me importa ser judío (bajo)
Si te encuentras a la que quiero (barítono)
Signorina, signorina (barítono)
Soy Ali-Mon (barítono)
Soy la chula madrileña (tiple)
Tan bello es el collar (tiple)
Terror del enemigo (bajo)
Yo he descubierto un perfume (tiple)
Yo he pasado la vida en un sueño (tiple)
Yo llevo la navaja para los hombres (tiple)
Yo no sé perdonar (tiple)
Yo no sé qué será (tiple)

Manent, Nicolau

Amb ell soc rica, soc senyoreta (tiple)
Com lo marino que tras llarg viatge (tiple)
Roques negres, grans d'arena (tiple)

Marqués, Pedro Miguel

¿A qué discurrir? (tiple)
Horas de angustia (tiple)
Impulsos siempre ahogados de la pasión (tiple)
Lágrimas mías, en dónde estáis (tiple)
Los fastos de tu gloria (barítono)
Pasión del alma mía (tiple)
Ya sabéis que al dar la hora (tenor)

Martínez Valls, Rafael

Bella contrada de Normandía (tenor)
Caminant pel món va el vell pastor (barítono)
Cantem company (tenor)
Déu meu, Senyor, mire-me dissortada (tiple)
En el Vallespir la vida meu cor (tiple)
Forjador, bon forjador (tenor)
Ja la cobla toca al lluny (tenor)
La primavera riu amb flors (tiple)
La, la, la (tenor)
Les neus de les muntanyes (barítono)
Noia que vas a muntanya (barítono)
Pirineu (tenor)
Pobre de mi, quina tristor (tenor)
Sota terra, a mes mans tots caureu (barítono)
Tot s'ha acabat per mi (tenor)

Mazza, Giuseppe

Basta, las pruebas (tenor)
Lavatina (barítono)
Ya me inquieta su tardanza (tiple)
Yo por ti desprecio riesgos (tiple)

Millán, Rafael

¡Ah! Ya duerme Venecia tranquila (tenor)
Alma que nos lleva a luchar (barítono)
La, la, la, tralalá (barítono)
Las flores de mil colores (tiple)
Nao se vencer (barítono)
Pondré en la empresa (tenor)
Un conde fue (barítono)
Ven a mí, muerte querida (tenor)
Ya muerto está mi amor (tiple)

Moreno Torroba, Federico

Al pasar por la calle (tiple)
Alegría (tenor)
Ante un vaso de sidra (barítono)
Aquí tenéis a vuestro señor (barítono)
Así como es ella (tiple)
Aún veo desde aquí (barítono)
Aurora Dudevunt me llaman (tiple)
Ay de mi amor (barítono)

Caballero de inmensa fortuna (barítono)
Caballero veinticuatro (barítono)
Callada noche andaluza (tenor)
Canción de la pastora (tiple)
Canto a Castilla (barítono)
Como soy chulapona (tiple)
De este apacible rincón de Madrid (tenor)
Dónde vas, marquesita (tiple)
En el camino de Mieres (tenor)
En el Carmín de la Pola (tenor)
En la madrugá o al desayuno (tenor)
En los cuentos de aldea (barítono)
En mis ojos la pena (tiple)
En una dehesa de la Extremadura (barítono)
Er bien de manita agena (tenor)
Es el piropo (barítono)
Es para mí la vida (tenor)
Ese pañuelito blanco (tenor)
Fue mi primer amor (barítono)
Granada mía (barítono)
Las damas de la corte (tiple)
Las roscas de mi cestillo (tiple)
Luche la fe por el triunfo (barítono)
Madre de mis amores (tiple)
Madre mía, perdón te suplico (tiple)
Manrique, sin duda (tenor)
Marchaba a ser el soldado (tenor)
María Antonia de mi vida (barítono)
María Manuela, madrileña menestrala (barítono)
Me llaman la Duquesa Cayetana (tiple)
Mira que vivo loca desesperá (tiple)
No puedo más (tiple)
Por qué no puedo amarte (barítono)
Pregonando mis rosas (tiple)
Señores, aunque el lazo (tiple)
Sin ella no quiero la vida (barítono)
Tienes razón, amigo (tenor)
Tres horas antes del día (tiple)
Tus besos no me tientan (barítono)
Un ingenio es mi tirano (tiple)
Una liga de mujer (barítono)

Morera, Enric

Cant que del cor als llavis puja (barítono)
De terres enllá portem la tristesa (tiple)
Jo vull morir (tenor)
No puc ser feliç (tenor)
Oh, trista presó (tiple)
Pobre filló, fes la non non (tiple)

Nieto, Manuel

Como chico de la prensa (barítono)
Me llaman la primorosa (tiple)
Ni tierra como Aragón (tiple)
Paseando una mañana (tiple)
Trabaja una mulatita (tiple)
Yo soy la tiple (tiple)

Oudrid, Cristóbal

Aquí vengo convertido (tenor)
Benéfica y magnánima (barítono)
En los campos de grata verdura (tenor)
Es una dama de alta estirpe (tenor)
Fugaz ventura de un bien querido (tiple)
Huyó la luz del día (barítono)
Ligera como el viento (tiple)
¡Nadie, nadie! De la cita la perjura se olvidó (tenor)
No bien asoma (tiple)
Oh, mil veces venturosa (tiple)
Pajarito que vas por el aire (tiple)
Poi que me ven morenito (tenor)
Qué escándalo, qué estrépito (tiple)
Si con damas venturoso (barítono)
Una tarde en mi ventana (tiple)
Yo soy postillón riojano (tenor)

Penella, Manuel

Aquí está la española (tiple)
Bohemia soy (tiple)
Canta tú, ruiseñor (tiple)
Hoy está en Francia (barítono)
Soy gondolero (tenor)
Yo dormiba e riposaba (tiple)

Pérez Rosillo, Ernesto

En la dulce calma (barítono)
La pobrecita millonaria (tiple)
Porque ves que me río (barítono)
Quiso el destino (barítono)
Serenata (barítono)
Ya el capullo es flor (tiple)

Pérez Soriano, Agustín

Aquí me he criado (tiple)
Suena guitarrico mío (tenor)

Quislant, Manuel

Chaume descubrió mis penas (tiple)

Ribas, Gabriel

Amb la llum del teu mirar (tenor)

Rodrigo, Joaquín

¿Dónde me encontrarás, alba? (barítono)
Madre, un caballero (tiple)
Mal empleados sentimientos míos (tiple)
Mis arreos son las armas (barítono)
Por qué nacísteis (tiple)
Salen de Sanlúcar (barítono)
Vivo, y es mucho deciros (tiple)
Yo pagaré la posada (tiple)

Roig, Celestino

Sofía tenía la manía (tiple)

Romea, Julián

Soy cubanita, soy de la playa hermosa (tiple)
Yo he sido cigarrera (tiple)

Romo, Jesús

A un bravo y marcial teniente (tiple)
Capullito de mi rama (tiple)
Cruzar el mar (tiple)
El gaitero de Gijón (barítono)
Encrucijada de pensamientos (barítono)
Hija de un pecado (barítono)
Las campanas de Madrid (barítono)
Yo, paisanos, soy de Mieres (barítono)

Sánchez Allú, Martín

Ruiseñor que huyes lejos de tu nido (tiple)
Ya estoy en mi casa (tenor)

Sariols, Joan

Una negra y una mulata (bajo)

Serrano, José

A una jitana presiosa (tiple)
Agüita que corre al mar (tenor)
Amores (tenor)
Aquí está quien lo tiene to (tenor)
Ay de mí (tenor)
¡Ay, farruca no me llores! (tiple)
Canción de la rosa (tenor)
Canta el trovador (tiple)
Canta mendigo errante (tenor)
Compañero del arma (tiple)
Conseja del Silbo (barítono)
Cuántas veces solo entre las chumberas (tenor)
De amores durmiendo (tiple)
Dejo tu sombra (tenor)
Hoy me han dicho dos niñas (barítono)
Junto al puente de la peña (barítono)
La noche que yo vea la luna clara (tenor).
La roca fría del Calvario (tenor)
Leyenda de la gondolera (tiple)
Los de Aragón (tenor)
Marinela (tiple)
Me da mucho que pensar (bajo)
Migueliyo er de la jara (tiple)
Mujeres, mariposillas locas (tenor)
Nana (tiple)
Pajaritos vendo yo (tiple)
Palomica aragonesa (tiple)
Pensando en que la quiere (tiple)
Qué me importa que no venga (tiple)
Te quiero, morena (tenor)

Sorozábal, Pablo

Aunque todos nos daban por muertos (bajo)

Brillan sus ojos (barítono)
Calor de nido, paz del hogar (barítono)
Cosas del cariño son (barítono)
Deja la guadaña, segador (tenor)
Despierta, negro (bajo)
Dile (barítono)
Dios te salve, Sevilla (barítono)
En la vida de casado (barítono)
En un país de fábula (tiple)
Era en lo más hondo (tenor)
Esa es la que va a situarme (bajo)
Hacer un mísero payaso (barítono)
La chiquilla está celosa (bajo)
La mujer de los quince a los veinte (barítono)
La mujer rusa (barítono)
Le vi pasar (tiple)
Matar (barítono)
Nadie saben cómo empiezan (barítono)
No corté más que una rosa (tiple)
No hay como ser el sirviente (barítono)
No me importa que con otro (Madrileña bonita) (barítono)
No me quiere (tenor)
No puede ser (tenor)
No quiero verte (tiple)
No te acerques (barítono)
Noche hermosa (tiple)
Nunca tuve el afán de gobierno (tenor)
Pulserita de pedida (barítono)
Qué es el amor (tiple)
Qué partido has perdido, chiquilla (bajo)
Que sepa to er mundo (tiple)
Queda flotando en esta instancia (barítono)
Rosa, mi Rosalía (barítono)
Tú que sabes dar cariño (tenor)
Una rosa en su tallo (tiple)
Vivía sola con mi abuelita (tiple)
Volvió el amor (barítono)
Yo, que jamás había sentido (tiple)

Soutullo, Reveriano

Bella enamorada (tenor)
Cantando amarguras (tenor)
Cuando bajo el cielo (tiple)
Hecho de un rayo de luna (tenor)
La Encarna soy yo (tiple)
Los cantos alegres (barítono)
Oh, licor, que das la vida (barítono)
Sueño de amor (tenor)
¿Vendrás mujer? (barítono)

Tellería, Juan

¿Qué tendrá la mar? (barítono)

Valverde Durán, Joaquín

Americana (tiple)
Caballero de Gracia me llaman (barítono)
Couplet del Enano Japonés (barítono)

Oiga usté, caballero (tiple)
Pobre, chica, la que tiene que servir (tiple)
Yo he sido cigarrera (tiple)
Yo soy el Elisedo (tiple)

Valverde Sanjuán, Joaquín

Almas angélicas (tiple)
Ya habrán visto los franceses (tenor)

Vert, Juan

Bella enamorada (tenor)
Cantando amarguras (tenor)
Cuando bajo el cielo (tiple)
Hecho de un rayo de luna (tenor)
La Encarna soy yo (tiple)
Los cantos alegres (barítono)
Oh, licor, que das la vida (barítono)
Sueño de amor (tenor)
¿Vendrás mujer? (barítono)

Villa, Ricardo

En tus ojos rasgados (barítono)
Hermosa y fértil vega (tenor)
Nada esperar confío (barítono)

Vives, Amadeo

¡Ah, es la vida! (tenor)
Allá en la judería toledana (bajo)
Chaume descubrió mis penas (tiple)
En el amor siempre triunfó (tenor)
En la noche clara (tenor)
Endecha (tenor)
Era en julio caluroso claro día (tenor)
Era una rosa que en un jardín (tiple)
Era yo en la corte (tenor)
La niña de ojos azules (tiple)
Le recibimos sin etiqueta (tiple)
Me llaman la Rabalera (tiple)
Os invito amigos (tenor)
Oye con el alma mi voz (barítono)
Oye mujer mi amante voz (bajo)
Por el humo se sabe dónde está el fuego (tenor)
Se fue…Virgen Santa (tiple)
Señor, aunque villano (barítono)
Soy de esta tierra (tiple)
Soy una gatita blanca (tiple)
Tengo un majuelo (barítono)
Tras la reja del convento (tiple)
Tus ojos me miraron (tenor)
Un pobre nido (tiple)

Zurrón Vicente

Aunque me dice mi padre (tiple)
Cuando tengo en la aldea muchos pesares (bajo)
Fue una rapaciña a Llanes (tiple)
La alegre canción (tiple)
La capa de paño pardo (tiple)

Índice general

Este libro se terminó de imprimir
el 22 de noviembre de 2003,
festividad de Santa Cecilia,
patrona de la Música